DER NEUE PAULY

Altertum   Band 2   Ark–Ci

DER NEUE PAULY

(DNP)

Fachgebietsherausgeber

Prof. Dr. Gerhard Binder, Bochum
Kulturgeschichte

Prof. Dr. Hubert Cancik, Tübingen
Geschäftsführender Herausgeber

Prof. Dr. Walter Eder, Bochum
Alte Geschichte, Rezeption: Staatstheorie, Politik

Prof. Dr. Burkhard Fehr, Hamburg
Archäologie, Rezeption: Kunst, Architektur,
Alltagsleben, Medien

Prof. Dr. Bernhard Forssman, Erlangen
Sprachwissenschaft

Prof. Dr. Fritz Graf, Basel
Religion und Mythologie, Rezeption: Religion

PD Dr. Hans Christian Günther, Freiburg
Textwissenschaft

Prof. Dr. Berthold Hinz, Kassel
Rezeption: Kunst und Architektur

Dr. Christoph Höcker, Hamburg
Archäologie, Rezeption: Kunst, Architektur,
Alltagsleben, Medien

Prof. Dr. Christian Hünemörder, Hamburg
Naturwissenschaften und Technik

Dr. Margarita Kranz, Berlin
Rezeption: Philosophie

Prof. Dr. André Laks, Lille
Philosophie

Prof. Dr. Manfred Landfester, Gießen
Geschäftsführender Herausgeber: Rezeptions- und
Wissenschaftsgeschichte

Prof. Dr. Maria Moog-Grünewald, Tübingen
Rezeption: Komparatistik und Literatur

Prof. Dr. Dr. Glenn W. Most, Heidelberg
Griechische Philologie

Prof. Dr. Beat Näf, Zürich
Rezeption: Staatstheorie und Politik

Dr. Johannes Niehoff, Freiburg
Judentum, östliches Christentum

Prof. Dr. Hans Jörg Nissen, Berlin
Orientalistik

Prof. Dr. Vivian Nutton, London
Medizin, Rezeption: Medizin

Prof. Dr. Eckart Olshausen, Stuttgart
Historische Geographie

Prof. Dr. Filippo Ranieri, Saarbrücken
Rezeption: Rechtsgeschichte

Prof. Dr. Johannes Renger, Berlin
Orientalistik

Prof. Dr. Volker Riedel, Jena
Rezeption: Erziehungswesen, Länder (II)

Prof. Dr. Jörg Rüpke, Potsdam
Lateinische Philologie, Rhetorik

Prof. Dr. Gottfried Schiemann, Tübingen
Recht

Prof. Dr. Helmuth Schneider, Kassel
Geschäftsführender Herausgeber; Wirtschafts-
und Sozialgeschichte

Dr. Frieder Zaminer, Berlin
Musik, Rezeption: Musik

Prof. Dr. Bernhard Zimmermann, Freiburg
Rezeption: Länder (I)

Redaktion

Beate Baumann
Jochen Derlien
Dr. Brigitte Egger
Christa Frateantonio
Dr. Matthias Kopp
Dorothea Sigel
Anne-Maria Wittke

DER NEUE PAULY

Enzyklopädie der Antike

Herausgegeben
von Hubert Cancik und
Helmuth Schneider

Altertum

Band 2   Ark –Ci

Verlag J. B. Metzler
Stuttgart · Weimar

Inhaltsverzeichnis

Die Deutsche Bibliothek – CIP-Einheitsaufnahme

Der neue Pauly : Enzyklopädie der Antike / hrsg.
von Hubert Cancik und Helmuth Schneider. –
Stuttgart ; Weimar : Metzler
  ISBN 3-476-01470-3
NE: Cancik, Hubert [Hrsg.]

Bd. 2. Ark-Ci. – 1997
  ISBN 3-476-01472-X

Gedruckt auf chlorfrei gebleichtem,
säurefreiem und alterungsbeständigem
Papier

ISBN 3-476-01470-3 (Gesamtwerk)
ISBN 3-476-01472-X (Band 2   Ark-Ci)

© 1997 J. B. Metzlersche Verlags-
buchhandlung und Carl Ernst Poeschel
Verlag GmbH in Stuttgart

Typographie und Ausstattung:
Brigitte und Hans Peter Willberg
Grafik und Typographie der Karten:
Richard Szydlak
Abbildungen: Günter Müller
Satz: pagina GmbH, Tübingen
Gesamtfertigung: Franz Spiegel Buch
GmbH, Ulm
Printed in Germany

Verlag J. B. Metzler Stuttgart · Weimar

Hinweise für die Benutzung

Anordnung der Stichwörter

Die Stichwörter sind in der Reihenfolge des deutschen Alphabetes angeordnet; I und J werden gleich behandelt. Wenn es zu einem Stichwort (Lemma) Varianten gibt, wird von der alternativen Schreibweise auf den gewählten Eintrag verwiesen. Bei zweigliedrigen Stichwörtern muß daher unter beiden Bestandteilen gesucht werden (z. B. *a commentariis* oder *commentariis, a*).

Informationen, die nicht als Lemma gefaßt worden sind, können mit Hilfe des Registerbandes aufgefunden werden.

Gleichlautende Stichworte sind durch Numerierung unterschieden. Gleichlautende griechische und orientalische Personennamen werden nach ihrer Chronologie angeordnet. Beinamen sind hier nicht berücksichtigt.

Römische Namen werden alphabetisch, zunächst nach dem Gentilnomen, dann nach Cognomen und Praenomen angeordnet (*M. Aemilius Scaurus* ist unter Aemilius, nicht unter *Scaurus* eingeordnet). Bei umfangreicheren Einträgen werden *Republik* und *Kaiserzeit* gesondert angeordnet. Frauennamen sind dem Alphabet entsprechend eingestellt.

Schreibweise von Stichwörtern

Die Schreibweise antiker Wörter und Namen richtet sich im allgemeinen nach der vollständigen antiken Schreibweise. Nur antike Autoren und römische Kaiser sind ausnahmsweise nicht unter dem Gentilnomen zu finden: *Cicero*, nicht *Tullius*; *Catullus*, nicht *Valerius*.

Toponyme (Städte, Flüsse, Berge etc.), auch Länder- und Provinzbezeichnungen erscheinen in ihrer antiken Schreibung (*Asia, Bithynia*). Die entsprechenden modernen Namen sind im Registerband aufzufinden.

Orientalische Eigennamen werden in der Regel nach den Vorgaben des »Tübinger Atlas des Vorderen Orients« (TAVO) geschrieben. Daneben werden auch abweichende, aber im deutschen Sprachgebrauch übliche und bekannte Schreibweisen beibehalten, um das Auffinden zu erleichtern.

In den Karten sind topographische Bezeichnungen – abweichend von der Konvention für die Stichwörter und die Artikeltexte – überwiegend in der vollständigen antiken Schreibung wiedergegeben.

Die Verschiedenheit der im Deutschen üblichen Schreibweisen für antike Worte und Namen (*Äschylus, Aeschylus, Aischylos*) kann gelegentlich zu erhöhtem Aufwand bei der Suche führen; dies gilt auch für *Ö / Oe / Oi* und *C / Z / K*.

Abkürzungen

Abkürzungen sind im Abkürzungsverzeichnis am Anfang des ersten Bandes aufgelöst.

Sammlungen von Inschriften, Münzen, Papyri sind unter ihrer Sigle im zweiten Teil (Bibliographische Abkürzungen) des Abkürzungsverzeichnisses aufgeführt.

Anmerkungen

Die Anmerkungen enthalten lediglich bibliographische Angaben. Aus dem Text der Artikel wird auf sie unter Verwendung eckiger Klammern verwiesen (Beispiel: die Angabe [1. 5²³] bezieht sich auf den ersten numerierten Titel der Bibliographie, Seite 5, Anmerkung 23).

Karten

Texte und Karten stehen in der Regel in engem Konnex, erläutern sich gegenseitig. In einigen Fällen ergänzen Karten die Texte durch die Behandlung von Fragestellungen, die im Text nicht angesprochen werden können. Die Autoren der Karten werden im Kartenverzeichnis genannt.

Zu den Transkriptionen

Akkadisch (Assyrisch-Babylonisch), Hethitisch und Sumerisch werden nach den Regeln des RLA bzw. des TAVO transkribiert. Für Ägyptisch werden die Regeln des Lexikons der Ägyptologie angewandt.

Verweise

Die Verbindung der Artikel untereinander wird durch Querverweise hergestellt. Dies geschieht im Text eines Artikels durch einen Pfeil → vor dem Wort / Lemma, auf das verwiesen wird.

Querverweise auf verwandte Lemmata sind am Schluß eines Artikels, ggf. vor den bibliographischen Anmerkungen, angegeben; wird auf homonyme Lemmata verwiesen, ist an dieser Stelle auch die laufende Nummer beigefügt.

Verweise auf Lemmata des zweiten, rezeptions- und wissenschaftsgeschichtlichen Teiles des NEUEN PAULY werden in Kapitälchen gegeben.

Kartenverzeichnis mit Kartenliteratur

Ein Teil der Karten dient der thematischen Visualisierung und Ergänzung der Artikel. In solchen Fällen wird auf das entsprechende Stichwort verwiesen. In der folgenden Auflistung wird nur Literatur, die ausschließlich für die Kartierung verwandt wurde, genannt.

Lemma Kartentitel KARTENAUTOREN Kartenliteratur

Arkades, Arkadia
Mitglieder des sog. 2. Arkadischen Bundes (371–338/337 v. Chr.)
E. OLSHAUSEN / REDAKTION
Lit.: A. Philippson, Der Peloponnes, 1892, 66ff. · C. Callmer, Studien zur Gesch. Arkadiens,1943 · A. Philippson, E. Kirsten, Die giech. Landschaften, in: E. Kirsten (Hrsg), Eine Landeskunde, 3/1, 1959, 200–300 · IG V 2 VIIff.

Athenai
Athenai, Agora, Akropolis
H. R. GOETTE
Lit.: J. Travlos, Bildlexikon zur Topographie des ant. Athen, 1971 · J. M. Camp, The Athenian Agora, 1986 · M. Korres, The History of the Acropolis Monuments, in: R. Economakis (Hrsg.), Acropolis Restoration. The CCAM Interventions, 1994, 35–51.

Athleten
Orte der Wettkampfsiege des Pankratiasten M. Aurelios Asklepiades
W. DECKER / REDAKTION
Lit.: L. Moretti, Iscrizioni agnostiche greche, 1953 (= IAG 79).

Attika
Attische Phylen (nach 508/7 v. Chr.)
REDAKTION / H. LOHMANN (NZ nach: J.S. TRAILL)
Lit.: J.S. Traill, Demos und Trittys, 1986 · A. Demandt, Ant. Staatsformen, 1995, 193ff.

Festungswesen in Attika (5.–3. Jh. v. Chr.)
H. LOHMANN / REDAKTION
Lit.: H. Lohmann, Atene, 1993 · M.H. Munn, The Defense of Attica. The Dema Wall and the Boiotian War of 378–375 B.C., 1993 · J. Ober, Fortress Attica. Defense of the Athenian Land Frontier 404–322 B.C., 1985 · R.J.A. Talbert (Hrsg.), Atlas of the Greek and Roman World, erscheint 1999 (freundl. Vorabinformation; J.S. Traill, Attica. Karte Nr. 59).

Attisch-Delischer Seebund
Attisch-Delischer Seebund (478–404 v. Chr.)
W. EDER / REDAKTION
Lit.: B.D. Meritt, H.T. Wade-Gery, M.F. McGregor, The Athenian Tribute Lists I–IV, 1939–1953 · W. Schuller, Die Herrschaft der Athener im Ersten Attischen Seebund, 1974 · R. Meiggs, The Athenian Empire, 1975 (korr. Ndr.) · C.J. Tuplin, The Athenian Empire, in: R.J.A. Talbert (Hrsg.), Atlas of Classical History, 1985 (Ndr. 1994) 44 · K.-E. Petzold, Die Gründung des Delisch-Attischen Seebundes, in: Historia 42, 1993, 418–443; 43, 1994, 1–31.

Attischer Seebund
Attischer Seebund (378/377–338/337 v. Chr.)
W. EDER / REDAKTION
Lit.: J. L. Cargill, The Second Athenian League, 1981 · P.J. Rhodes, The Second Athenian League, in: R.J.A. Talbert (Hrsg.), Atlas of Classical History, 1985 (Ndr. 1994) 60 · M. Dreher, Hegemon und Symmachoi, 1995.

Augusta Raurica
Augusta Raurica
E. OLSHAUSEN / REDAKTION / NZ nach: A.R. FURGER
Lit.: M. Schaub, Die Brücke über den Violenbach beim Osttor von A. Rauricorum, in: Jahresberichte aus Augst und Kaiseraugst 14, 1993, 135–158, bes. 154, Abb. 26 · A.R. Furger, Die urbanistische Entwicklung von A. R. vom 1. bis zum 3. Jahrhundert, in: Jahresberichte aus Augst und Kaiseraugst 15, 1994, 29–38, bes. 31, Abb. 4.

Augusta Treverorum
Augusta Treverorum: arch. Lageplan (1.–4. Jh. n. Chr.)
F. SCHÖN / REDAKTION / NZ nach: H. HEINEN
Lit.: C. M. Ternes, Die römerzeitliche Civitas Treverorum im Bilde der Nachkriegsforschung, in: ANRW II 4, 1975, 320–424, 182 · H. Wolff, »Civitas« und »Colonia Treverorum«, in: Historia 26, 1977, 204–242 · H. Heinen, Trier und das Trevererland in röm. Zeit, 1985 · H. Cüppers (Hrsg.), Die Römer in Rheinland-Pfalz, 1990, 577–647, bes. 581.

Babylon
Babylon zur Zeit des neubabylonischen Reiches
S. MAUL / REDAKTION / NZ nach TAVO B IV 19 (Autoren: U. Finkbeiner, B. Pongratz-Leisten, © Dr. Ludwig Reichert Verlag, Wiesbaden)
Lit.: U. Finkbeiner, B. Pongratz-Leisten, Beispiele altoriental. Städte. Babylon zur Zeit des neubabylon. Reiches, TAVO B IV 19, 1993 · A. R. George, Babylonian Topographical Texts, 1992, 24.

Balkanhalbinsel, Sprachen
Sprachen in römischer Zeit
C. HAEBLER
Lit.: W. v. Wartburg, Die Entstehung der romanischen Völker, ²1951, Karte 2 · G. Neumann, J. Untermann (Hrsg.), Die Sprachen im Röm. Reich der Kaiserzeit, 1980, 103–120; 147–165.

Sprachgruppen und staatliche Strukturen um 800 n. Chr.
J. KRAMER
Lit.: K. Sandfeld, Linguistique balkanique, 1930 · I. Popovic, Geschichte der serbokroatischen Sprache, 1960, 1–337 · G. R. Solta, Einführung in die Balkanlinguistik, 1980 · E. Banfi, Linguistica balcanica, 1985.

Bataveraufstand
Der Bataveraufstand
E. OLSHAUSEN
Lit.: P. A. Brunt, Tacitus on the Batavian Revolt, in: Latomus 19, 1960, 494–517, bes. 511–516 · W.J.H. Willens, Romans and Batavians, in: R. Brandt (Hrsg.), Roman and Native in the Low Countries, 1983, 105–128 · Ders., Romans and Batavians, in: Berichten van de Rijksdienst voor het Oudheidkundig Bodemonderzoek 34, 1984, 39–331 · W. Will, Röm. «Klientel-Randstaaten« am Rhein? Eine Bestandsaufnahme, in: BJ 187, 1987, 1–61.

Berytos
Beruta / Berytos: die prähistorischen Baureste
U. FINKBEINER
Bisher unpubl.; mit freundlicher Genehmigung der Direction Générale des Antiquités Beyrouth.

Bildung
Bildungsstätten im Hellenismus (330–133 v. Chr.)
REDAKTION / NZ nach TAVO (Autor: H. Waldmann, © Dr. Ludwig Reichert Verlag, Wiesbaden)

Lit.: H. Waldmann, Die hell. Staatenwelt im 2. Jh. v. Chr., TAVO B V 4, 1985 · Ders., Östlicher Mittelmeerraum und Mesopotamien. Wirtschaft, Kulte, Bildung im Hellenismus (330–133 v. Chr.), TAVO B V 5, 1987 · H. Blanck, Das Buch in der Antike, 1992.

Bodenschätze
Mineralische Rohstoffe in der Ägäisregion (ca. 4000 – nach 1100 v. Chr.)
REDAKTION / NZ nach TAVO (Autor: S. Schöler, © Dr. Ludwig Reichert Verlag, Wiesbaden)
Lit.: S. Schöler, Mineralische Rohstoffe in vorgesch. und gesch. Zeit, TAVO A II 2, 1990. · F. Tichy, DNP 2, 1997, s. v. Bodenschätze.

Boiotia, Boiotoi
Der Boiotische Bund vom 6. Jh. v. Chr. bis 146 v. Chr.
REDAKTION/ E.OLSHAUSEN
Lit.: J. Ducat, La confédération béotienne et l'expansion thébaine à l'époque archaique, in: BCH 97, 1973, 59–73. · J.M. Fossey, The Cities of the Kopais in the Roman Period, in: ANRW II 7,1, 1979, 549–591. · B. Gullath, Untersuchungen zur Gesch. Boiotiens in der Zeit Alexanders und der Diadochen, 1982 · J.M. Fossey, Topography and Population of Ancient Boiotia, 2 Bde., 1988 · Ders., Papers in Boiotian Topography and History, 1990 · H. van Effenterre, Les Béotiens aux frontières de l'Athènes antique, 1989 · R.J. Buck, Boiotia and the Boiotian League 432–371, 1994.

Bosporos
Antike Heiligtümer an den Ufern des Bosporos
E. OLSHAUSEN
Lit.: R. Güngerich (Hrsg.), Dionysios von Byzantion nach P. Gilles, Anaplus Bosporu, ²1958 · R.J.A. Talbert (Hrsg.), Atlas of the Greek and Roman World, erscheint 1999 (freundl. Vorabinformation; C. Foss, Bosporus, Karte Nr. 53).

Britannia
Albion, Britannia: die indigenen Stämme (ca. 1. Jh. v. Chr. – 3. Jh. n. Chr.)
REDAKTION / E. OLSHAUSEN
Lit.: S. S. Frere, Verulamium and the Towns of Britannia, in: ANRW II 3, 1975, 290–327 · A.L. F. Rivet, The Rural Economy of Roman Britain, in: ANRW II 3, 1975, 358–363 · I. Hodder, Pre-Roman and Romano-British Tribal Economies, in: Invasion and Response. The case of Roman Britain. Conference 1979, 1979, 189–196 · S.S. Frere, Britannia, ³1987 · Roman Britain. Ordonance Survey. Historical Map and Guide, 1991.

Provinziale Entwicklung Britanniens
REDAKTION / E.OLSHAUSEN
Lit.: S. S. Frere, Verulamium and the Towns of Britannia, in: ANRW II 3, 1975, 290–327 · A.L. F. Rivet, The Rural Economy of Roman Britain, in: ANRW II 3, 1975, 358–363 · A.S. Robertson, The Romans in North Britain: The Coin Evidence, in: ANRW II 3, 1975, 364–426 · A.L.F. Rivet, C. Smith, The Place-names of Roman Britain, 1979 · S.S. Frere, Britannia, ³1987 · Roman Britain. Ordonance Survey. Historical Map and Guide, ⁵1991.

Die Britischen Inseln um 650 n. Chr. / Das Christentum (6. – E. 8. Jh. n. Chr.)
REDAKTION / E.OLSHAUSEN
Lit.: H. Jedin, K.S. Latourette (Hrsg.), Atlas zur Kirchengeschichte, 1970, Neuausgabe 1987 · C. Thomas, The Early Christian Archaeology of North Britain. FS M. Wheeler, 1971 · Ders., Christianity in Roman Britain to A.D. 500, 1981 ·

M. Henig, Religion in Roman Britain, 1984 · Roman Britain. Ordonance Survey. Historical Map and Guide, ⁵1991.

Bundesgenossenkriege
Bundesgenossenkrieg (91–89/82 v. Chr.)
W. EDER / REDAKTION
Lit.: H. Galsterer, Herrschaft und Verwaltung im republikanischen Italien, 1976 · E. Gabba, Rome and Italy: The Social War, in: CAH 9, ²1994, 104–128.

Bundesgenossensystem
Italien unter römischer Herrschaft: das Bundesgenossensystem (338–89/82 v. Chr.)
H. GALSTERER / W. EDER / REDAKTION
Lit.: A. J. Toynbee, Hannibal's Legacy, 1965 · H. Galsterer, Herrschaft und Verwaltung im republikanischen Italien, 1976 · Th. Hantos, Das röm. Bundesgenossensystem in Italien, 1983.

Byblos
Byblos
U. FINKBEINER unter Mitarbeit von Y. MAKAROUN
Lit.: M. Dunand, Fouilles de Byblos II, 1958 · N. Jidéjian, Byblos à travers les âges, 1977.

Byzantion, Byzanz
Das Byzantinische Reich (7.–9. Jh. v. Chr.)
REDAKTION / NZ nach TAVO B VI 8 (Autor: Th. Riplinger, © Dr. Ludwig Reichert Verlag, Wiesbaden)
Lit.: Th. Riplinger, Kleinasien. Das Byz. Reich (7.–9. Jh. n. Chr.), TAVO B VI 8, 1988 · I. Rochow, Byzanz im 8. Jh. in der Sicht des Theophanes. Quellenkrit.-hist. Komm. zu den Jahren 715–813, 1991 · F. Winkelmann (Hrsg.), Volk u. Herrschaft im frühen Byzanz, 1991 · H. Ditten, Ethnische Verschiebungen zw. der Balkanhalbinsel und Kleinasien vom E. des 6. bis zur zweiten H. des 9. Jh., 1993.

Caesar
Caesar in Gallien (58–51/50 v. Chr.)
W. WILL / W. EDER / REDAKTION
Lit.: M. Gelzer, Caesar. Der Politiker und Staatsmann, ⁶1960, Ndr. 1983 · W. Will, Julius Caesar, 1992.

Das römische Reich zur Zeit Caesars (bis 44 v. Chr.)
W. WILL / W. EDER / REDAKTION
Lit.: W. Will, Julius Caesar, 1992 · K. Christ, Caesar, 1994.

Christentum / Christenverfolgung
Die Ausbreitung des Christentums (1.–4. Jh. n.Chr.)
REDAKTION
Lit.: A.v. Harnack, Die Mission und Ausbreitung des Christentums in den ersten 3 Jh., ⁴1924 (Ndr. 1966) · F. van der Meer, C. Mohrmann, Bildatlas der frühchristl. Welt, 1959, 16f. · W. Frend, Martyrdom and Persecution in the Early Church, 1965 · H. Jedin, K.S. Latourette (Hrsg.), Atlas zur Kirchengesch., 1970, Neuausgabe 1987.

Abbildungen, Stemmata, Tabellen

Sie finden sich bei den entsprechenden Lemmata.
Abbildungsnachweise:
NZ bedeutet Neuzeichnung unter Angabe des Autors oder der
verwendeten Vorlagen.
RP bedeutet Reproduktion (mit kleinen Veränderungen) nach
der angegebenen Vorlage.

Lemma Abbildungstitel AUTOR Literatur

As
NZ: A. MLASOWSKY
Asklepieion
NZ nach: J. TRAVLOS, Bildlexikon zur Topographie des ant.
Athen, 1971, 129 Abb. 171.
Attalos
Die Dynastie der Attaliden:
NZ: A. MEHL
Augustus
Das iulisch-claudische Haus:
NZ nach: D. KIENAST, Röm. Kaisertabelle. Grundzüge ei-
ner röm. Kaiserchronologie, 1990, ²1996.
Aureus
NZ: A. MLASOWSKY
Automaten
Druckkraft:
NZ nach: W. SCHMIDT (Hrsg.), Heron Alexandrinus, Opera
I, Ndr. 1976, 357 Abb. 83b, 361 Abb. 86.
Rotation:
RP nach: W. SCHMIDT (Hrsg.), Heron Alexandrinus, Opera
I, Ndr. 1976, 425 Abb. 103b.
Dampfkraft:
NZ nach: W. SCHMIDT (Hrsg.), Heron Alexandrinus, Opera
I, Ndr 1976, 230 Abb. 55, 55a.
Bäder
Olympia:
RP nach: A. MALLWITZ, Olympia, ²1981, 272 Abb. 225.
Gortys:
NZ nach: R. GINOUVÈS, Balaneutiké, 1962, Taf. 53.
Timgad:
RP nach: I. NIELSEN, Thermae et Balnea, 1990, Abb. 201.
Bakchos
RP nach: G.E. MYLONAS, Eleusis and the Eleusinian My-
steries, 1961, Abb. 81.
Baptisterium
RP nach: C.H. KRAELING, The Excavations at Dura-Eu-
ropos II. The Christian Building, 1967, 4 Abb. 1.
Bart
NZ: A. NEU
Basilika
Leptis Magna (Grundriß):
RP nach: M.F. SQUARCIAPINO, Leptis Magna, 1966, 97 Abb.
13.
Leptis Magna (Aufriß):
RP nach: E. LANGLOTZ, s.v. Basilika, RAC 1, 1237–1238,
Abb. 1.
Pompeji (Grundriß):
RP nach: K. OHR, Die Basilika in Pompeji. Denkmäler ant.
Architektur, 1991, Taf. 56.
Pompeji (Aufriß):
RP nach: K. OHR, Die Basilika in Pompeji. Denkmäler ant.
Architektur, 1991, Taf. 61.
Ravenna (Grundriß):

RP nach: A. EFFENBERGER, Frühchristliche Kunst und Kul-
tur, 1986, 250.
Ravenna (Aufriß):
NZ nach: F.W. DEICHMANN, s.v. Basilika, RAC 1, 1253–
1254, Abb. 1.
Barkiden
Die Dynasie der Barkiden:
NZ: L. GÜNTHER
Battos
Die Dynastie der Battiaden von Kyrene:
NZ: B. PATZEK
Bautechnik
Bautechnik I–III:
RP nach: L. SCHNEIDER, CH. HÖCKER, Griech. Festland,
1996, 92 Abb. 1. 2; 93 Abb. 3, 4, 6.
Bautechnik IV:
RP nach: F. RAKOB, Bautypen und Bautechnik in: Hell. in
Mittelitalien II. Abh. der Akademie der Wiss. in Göttingen,
1976, 371 Abb. II a-c, 381 Abb. 5.
Bibliothek
Pergamon (Grundriß):
RP nach: W. HOEPFNER, Zu griech. Bibliotheken und Bü-
cherschränken, AA 1996, 29 Abb. 3.
Ephesus (Aufriß):
RP nach: V.M. STROCKA, Röm. Bibliotheken, Gymnasium
88, 1981, 324 Abb. 14.
Bildhauertechnik
RP nach: W. FUCHS, J. FLOREN, Die griech. Plastik I,
HdArch, 1987, 18 Abb. 2.
Bisutun
RP nach: J. WIESEHÖFER, Das ant. Persien, 1994, 37 Abb. 2, 3.
Brettspiele
RP nach: CH. BLINKENBERG, Epidaurische Weihgeschenke,
AM 23, 1998, 2 Abb. 1, 2.
Brunnen
NZ nach Vorlagen von F. GLASER
Buch
RP nach: W. SCHUBART, Das Buch bei den Griechen und
Römern, 1907, 42 Abb. 4.
Caecilii Metelli
NZ nach: R. SYME, Roman Revolution, 1939, Anhang.
Mit Ergänzungen von: K.L. ELVERS
Chronograph
RP nach: M.R. SALZMAN, The Codex-Calendar of 354,
1990, Abb. 22.

Autoren

J. M. **Alonso-Núñez** Madrid	J. M. A.-N.
Walter **Ameling** Würzburg	W. A.
Jean **Andreau** Paris	J. A.
Maria Gabriella **Angeli Bertinelli**	M. G. A. B.
Christoph **Auffarth** Stuttgart	C. A.
Oliver **Auge** Tübingen	O. A.
Dietwulf **Baatz** Bad Homburg	D. BA.
Ernst **Badian** Cambridge, Mass.	E. B.
Balbina **Bäbler** Bern	B. BÄ.
David L. **Balch** Fort Worth	DA. BA.
Matthias **Baltes** Münster	M. BA.
Pedro **Barceló** Potsdam	P. B.
Dorothea **Baudy** Konstanz	D. B.
Gerhard **Baudy** Konstanz	G. B.
Jan-Wilhelm **Beck** Bochum	J.-W. B.
Andreas **Bendlin** Oxford	AN. BE.
Lore **Benz** Freiburg	L. BE.
L. **Bernabò Brea**	L. B. B.
Walter **Berschin** Heidelberg	W. B.
Serena **Bianchetti** Firenze	S. B.
Klaus **Bieberstein** Fribourg	K. B.
Vera **Binder** Tübingen	V. B.
A. R. **Birley** Düsseldorf	A. B.
Jürgen **Blänsdorf** Mainz	JÜ. BL.
Michael **Blech** Madrid	M. BL.
Bruno **Bleckmann** Göttingen	B. BL.
Rene **Bloch** Basel	R. B.
Horst Dieter **Blume** Münster	H. BL.
Istvan **Bodnar** Budapest	I. B.
Aquinata **Böckmann OSB** Roma	A. BÖ.
Ewen **Bowie** Oxford	E. BO.
Burchard **Brentjes** Berlin	B. B.
Dominique **Briquel** Paris	D. BR.
Giovanni **Brizzi**	G. BR.
Sebastian **Brock** Oxford	S. BR.
Kai **Brodersen** Oberschleißheim	K. BRO.
Virginia **Brown** Toronto	V. BR.
Ezio **Buchi**	E. BU.
Marco **Buonocore** Roma	M. BU.
Leonhard **Burckhardt** Basel	L. B.
Alison **Burford-Cooper** Ashville	A. B.-C.
Jan **Burian** Praha	J. BU.
Günther **Burkard** München	G. BU.
Gian Andrea **Caduff** Zizers	G. A. C.
Gualtiero **Calboli** Bologna	G. C.
Lucia **Calboli Montefusco** Bologna	L. C. M.
Peter **Calmeyer** †	PE. CA.
Giorgio **Camassa** Pisa	G. CA.
J. B. **Campbell** Belfast	J. CA.
Hildegard **Cancik-Lindemaier** Tübingen	H. C.-L.
Pierre **Carlier** Nancy	P. CA.
Michele **Cataudella** Firenze	M. CA.
Guglielmo **Cavallo** Roma	G. CA.
Angelos **Chaniotis** Heidelberg	A. C.
Amando **Cherici**	A. CH.
Johannes **Christes** Berlin	J. C.
M. **Christol** Lyon	M. CHR.
Kevin **Clinton** Ithaca N. Y.	K. C.
Gudrun **Colbow** Liege N. G.	CO.
Carsten **Colpe** Berlin	C. C.
Edward **Courtney** Charlottesville/USA	ED. C.

Giovanella **Cresci Marrone** Torino	G. C. M.
Christo **Danoff**	CHR. D.
Giovanna **Daverio Rocchi** Milano	G. D. R.
Guiseppe **De Gregorio** Roma	G. D. G.
Wolfgang **Decker** Köln	W. D.
Enzo **Degani** Bologna	E. D.
Jan **den Boeft** Leiderdorp	J. D. B.
Massimo **Di Marco** Fondi (Latina)	M. D. MA.
Karlheinz **Dietz** Würzburg	K. DI.
Joachim **Dingel** Reutlingen	J. D.
Roald F. **Docter** Amsterdam	R. D.
Klaus **Döring** Bamberg	K. D.
Alice A. **Donohue** Bryn Mawr/USA	A. A. D.
Tiziano **Dorandi** S. Baronto (Pistoia)	T. D.
Paul **Dräger** Oberbillig/Trier	P. D.
Thomas **Drew-Bear** Lyon	T. D.-B.
Werner **Eck** Köln	W. E.
Walter **Eder** Bochum	W. ED.
Arne **Effenberger** Berlin	A. E.
Beate **Ego** Tübingen	B. E.
Paolo **Eleuteri** Venezia	P. E.
Karl-Ludwig **Elvers** Bochum	K.-L. E.
Johannes **Engels** Köln	J. E.
Malcolm **Errington** Marburg	MA. ER.
Marion **Euskirchen** Bonn	M. E.
Marco **Fantuzzi** Pisa	M. FA.
Martin **Fell** Münster	M. FE.
Beate **Fey-Wickert** Hagen	B. F.-W.
Uwe **Finkbeiner** Tübingen	U. F.
Reinhard **Förtsch** Köln	R. F.
Menso **Folkerts** München	M. F.
Bernhard **Forssman** Erlangen	B. F.
Karl Suso **Frank** Freiburg	K.-S. F.
Christa **Frateantonio** Tübingen	C. F.
Klaus **Freitag** Münster	K. F.
Gérard **Freyburger** Mulhouse	G. F.
Edmond **Frezouls** †	E. FR.
Donatella **Frioli** Rimini	D. F.
Therese **Fuhrer** Bern	T. F.
Peter **Funke** Münster	P. F.
William D. **Furley** Heidelberg	W. D. F.
Massimo **Fusillo** Roma	M. FU.
Hans Arnim **Gärtner** Heidelberg	H. A. G.
Gianfranco **Gaggero** Genova	G. GA.
Lucia **Galli** Roma	L. G.
Hartmut **Galsterer** Bonn	H. GA.
Richard **Gamauf** Wien	R. GA.
José Luis **García-Ramón** Köln	J. G.-R.
Michaela **Gargini** Milano	M. G.
Bruno **Garozzo** Pisa	B. G.
Paolo **Gatti** Trento	P. G.
Tomasz **Giaro** Frankfurt/Oder	T. G.
Christian **Gizewski** Berlin	C. G.
Franz **Glaser** Klagenfurt	F. GL.
Jean Jacques **Glassner** Paris	J.-J. G.
Reinhold F. **Glei** Bielefeld	R. GL.
Herwig **Görgemanns** Heidelberg	H. GÖ.
Hans Rupprecht **Goette** Athen	H. R. G.
Bettina **Goffin** Bonn	B. GO.
Richard **Gordon** Ilmmünster	R. G.
Hans **Gottschalk** Leeds	H. G.
Marie-Odile **Goulet-Cazé** Antony	M. G.-C.
Fritz **Graf** Basel	F. G.

Herbert **Graßl** Salzburg	H. GR.
Reinhard **Grieshammer** Heidelberg	R. GR.
Joachim **Gruber** Erlangen	J. GR.
Linda-Marie **Günther** München	L.–M. G.
Andreas **Gutsfeld** Berlin	A. G.
Pierre **Hadot** Limours	P. HA.
Claus **Haebler** Münster	C. H.
Johannes **Hahn** Heidelberg	J. H.
Ruth **Harder** Zürich	R. HA.
Christine **Harrauer** Wien	C. HA.
Stefan **Hauser** Berlin	S. HA.
Susanne **Heinhold-Krahmer** Feldkirchen/Westerham	S. H.–K.
Marlies **Heinz** Berlin	M. H.
Peter **Herz** Regensburg	P. H.
Clemens **Heucke** Stuttgart	C. HEU.
Stephen **Heyworth** Oxford	S. H.
Thomas **Hidber** Bern	T. HI.
Friedrich **Hild** Wien	F. H.
Christoph **Höcker** Hamburg	C. HÖ.
Olaf **Höckmann** Mainz	O. H.
Peter **Högemann**	P. HÖ.
Karl-Joachim **Hölkeskamp** Köln	K.-J. H.
Augusta **Hönle** Tübingen	A. HÖ.
Nicola **Hoesch** München	N. H.
Heinz **Hofmann** Tübingen	H. HO.
Christoph **Horn** Tübingen	C. HO.
Malte **Hossenfelder** Graz	M. HO.
Wolfgang **Hübner** Münster	W. H.
Karl-Heinz **Hülser** Konstanz	K.–H. H.
Christian **Hünemörder** Hamburg	C. HÜ.
Hermann **Hunger** Wien	H. HU.
Rolf **Hurschmann** Hamburg	R. H.
Werner **Huß** Bamberg	W. HU.
Brad **Inwood** Toronto	B. I.
Karl **Jansen-Winkeln** Berlin	K. J.–W.
Michael **Job** Marburg	M. J.
Klaus Peter **Johne** Berlin	K. P. J.
Lutz **Käppel** Tübingen	L. K.
Hansjörg **Kalcyk** Petershausen	H. KAL.
Hans **Kaletsch** Regensburg	H. KA.
Klaus **Karttunen** Espoo	K. K.
Robert A. **Kaster** Chicago	R. A. K.
Emily **Kearns** Oxford	E. K.
Heinz **Kessler** Emskirchen	H. KE.
Karlheinz **Kessler** Emskirchen	K. KE.
Dietmar **Kienast** Neu-Esting	D. K.
Wilhelm **Kierdorf** Köln	W. K.
Konrad **Kinzl** Peterborough	K. KI.
Horst **Klengel** Berlin	H. KL.
Matthias **Köckert** Berlin	M. K.
Christoph **Kohler** Tübingen	C. KO.
Anne **Kolb** Lörrach	A. K.
Arno **Kose** Berlin	A. KO.
Fritz **Krafft** Marburg	F. KR.
J. **Kramer** Siegen	J. KR.
Herwig **Kramolisch** Eppenheim	HE. KR.
Helmut **Krasser** Tübingen	H. KR.
Jens-Uwe **Krause** Heidelberg	J. K.
Rolf **Krauss** Berlin	R. K.
Jochen **Küppers** Jüchen	J. KÜ.
Christoph **Kugelmeier** Dresden	CHR. KU.
Amélie **Kuhrt** London	A. KU.
P. **Kunitzsch** München	P. K.
Christiane **Kunst** Berlin	C. KU.
Heike **Kunz** Tübingen	HE. K.
Yves **Lafond** Bochum	Y. L.
Yann **Le Bohec** Lyon	Y. L. B.
Gustav Adolf **Lehmann** Göttingen	G. A. L.
Thomas **Leisten** Tübingen	T. L.
Jürgen **Leonhardt** Bad Doberan	J. LE.
Hartmut **Leppin** Hannover	H. L.
Anne **Ley** Xanten	A. L.
Adrienne **Lezzi-Hafter** Kilchberg	A. L.–H.
Wolf-Lüder **Liebermann** Bielefeld	W.–L. L.
Cay **Lienau** Münster	C. L.
Rüdiger **Liwak** Berlin	R. L.
Hans **Lohmann** Bochum	H. LO.
Mario **Lombardo** Lecce	M. L.
Volker **Losemann** Marburg	V. L.
Maria Jagoda **Luzzatto** Firenze	M. J. L.
G. **Makris** Köln	G. MA.
Giacomo **Manganaro** Sant' Agata li Battiati	GI. MA.
Ulrich **Manthe** Passau	U. M.
Gabriele **Marasco**	GA. MA.
Christian **Marek** Marburg	C. MA.
Silvia Maria **Marengo** Macerata	S. M. M.
Christoph **Markschies** Jena	C. M.
Heinrich **Marti** Küsnacht	H. MA.
Wolfgang **Martini** Treis	W. MA.
Attilio **Mastino** Sassari	A. MA.
Stefan **Maul** Heidelberg	S. M.
Andreas **Mehl** Halle/Saale	A. ME.
Mischa **Meier** Bochum	M. MEI.
Franz-Stefan **Meissel** Wien	F. ME.
Burckhardt **Meissner** Halle/Saale	B. M.
Klaus **Meister** Berlin	K. MEI.
Giovanni **Mennella** Genova	G. ME.
Karin **Metzler** Berlin	K. M.
Jan-Waalke **Meyer** Berlin	J. M.
Doris **Meyer** Freiburg	D. ME.
Stefan **Meyer-Schwelling** Tübingen	S. M.–S.
Simone **Michel** Hamburg	S. MI.
Martin **Miller** Ammerbuch-Pfäffingen	M. M.
Alexander **Mlasowsky** Hannover	A. M.
Franco **Montanari** Pisa	F. M.
Fabio **Mora** Rapallo	F. MO.
Walter W. **Müller** Marburg/Lahn	W. W. M.
Dietmar **Najock** Berlin	D. N.
Heinz-Günther **Nesselrath** Bern	H.–G. NE.
Richard **Neudecker** Roma	R. N.
Günter **Neumann** Würzburg	G. N.
Hans **Neumann** Berlin	H. N.
Johannes **Niehoff** Freiburg	J. N.
Herbert **Niehr** Rottenburg	H. NI.
Inge **Nielsen** København	I. N.
Wolf-Dietrich **Niemeier** Heidelberg	W.–D. N.
Hans-Georg **Niemeyer** Hamburg	H. G. N.
Hans Jörg **Nissen** Berlin	H. J. N.
Vivian **Nutton** London	V. N.
John H. **Oakley** Williamsburg	J. O.
Joachim **Oelsner** Leipzig	J. OE.
Norbert **Oettinger** Augsburg	N. O.
Eckart **Olshausen** Stuttgart	E. O.
Robin **Osborne** Oxford	R. O.
Renate **Oswald** Graz	R. OS.

Claudia **Ott** Berlin	C.O.
Gianfranco **Paci** Macerata	G.PA.
Edgar **Pack** Köln	E.P.
Michael **Padgett** Princeton N.J.	M.P.
Johannes **Pahlitzsch** Berlin	J.P.
Umberto **Pappalardo** Napoli	U.PA.
Barbara **Patzek** Wiesbaden	B.P.
Christoph **Paulus** Berlin	C.PA.
Anastasia **Pekridou-Gorecki** Frankfurt	A.P.-G.
Leo **Perdue** Fort Worth	L.P.
Ulrike **Peter** Berlin	U.P.
Volker **Pingel** Bochum	V.P.
Vinciane **Pirenne-Delforge** Romsée	V.P.-D.
Robert **Plath** Erlangen	R.P.
Annegret **Plontke-Lüning** Jena	A.P.-L.
Karla **Pollmann** London	K.P.
Beate **Pongratz-Leisten** Tübingen	B.P.-L.
Werner **Portmann** Berlin	W.P.
Friedhelm **Prayon** Tübingen	F.PR.
Frank **Pressler** Viersen	F.P.
Dominic **Rathbone** London	D.R.
Johannes **Renger** Berlin	J.RE.
Peter **Rhodes** Durham	P.J.R.
John A. **Richmond** Blackrock, Co. Dublin	J.A.R.
Josef **Riederer** Berlin	JO.R.
Josef **Rist** Unterammergau	J.RI.
Emmet **Robbins** Toronto, Ontario	E.R.
Michael **Roberts** Middletown	M.RO.
Christoph **Rottler** Tübingen	C.R.
Jörg **Rüpke** Potsdam	J.R.
Klaus **Sallmann** Mainz	KL.SA.
Michele Renee **Salzman** Boston	M.SA.
Heleen **Sancisi-Weerdenburg** Utrecht	H.S.-W.
Antonio **Sartori** Milano	A.SA.
Marjeta **Šašel Kos** Ljubljana	M.Š.K.
Werner **Sauer** Graz	W.SA.
Kyriakos **Savvidis** Soest	K.SA.
Mustafa H. **Sayar** Wien	M.H.S.
Albert **Schachter** Montreal	A.S.
Dietmar **Schanbacher** Dresden	D.SCH.
Tanja **Scheer** Rom	T.S.
Ingeborg **Scheibler** Stockdorf	I.S.
John **Scheid** Paris	J.S.
Gottfried **Schiemann** Tübingen	G.S.
Renate **Schlesier** Berlin	RE.S.
Meret **Schmidt** Bochum	ME.SCH.
Peter L. **Schmidt** Konstanz	P.L.S.
Pauline **Schmitt-Pantel** Paris	P.S.-P.
Winfried **Schmitz** Overath	W.S.
Ulrich **Schmitzer** Erlangen	U.SCH.
Franz **Schön** Regensburg	F.SCH.
Martin **Schottky** Pretzfeld	M.SCH.
Astrid **Schürmann** Mannheim	AS.S.
Christoph **Schuler** Tübingen	C.SCH.
Heinz-Joachim **Schulzki** Mannheim	H.-J.S.
Andreas **Schwarcz** Wien	A.SCH.
Anna Maria **Schwemer** Tübingen	A.M.S.
Hans **Schwerteck** Tübingen	H.SCH.
Elmar **Schwertheim** Münster	E.SCH.
Johannes **Schwind** Trier	J.SCH.
Jürgen Paul **Schwindt** Bielefeld	J.P.S.
Klaus **Seibt** Leonberg	K.SE.
Ursula **Seidl** München	U.SE.
Stephan **Seidlmayer** Berlin	S.S.

Christoph **Selzer** Heidelberg	C.S.
Robert **Sharples** London	R.S.
Uwe **Sievertsen** Berlin	U.S.
Walter **Simon** Tübingen	W.SI.
Kurt **Smolak** Wien	K.SM.
Holger **Sonnabend** Filderstadt	H.SO.
Wolfgang **Spickermann** Bochum	W.SP.
Günter **Spitzbart** Herscheid	G.SP.
Ines **Stahlmann** Berlin	I.ST.
Karl-Heinz **Stanzel** Tübingen	K.-H.S.
Helena **Stegmann** Bonn	H.S.
Elke **Stein-Hölkeskamp** Köln	E.S.-H.
Matthias **Steinhart** Lahr/Baden	M.ST.
Wesley M. **Stevens** Winnipeg/Kanada	W.M.S.
Marten **Stol** Leiden	MA.S.
Daniel **Strauch** Berlin	D.S.
Karl **Strobel** Augsburg	K.ST.
Meret **Strothmann** Bochum	M.STR.
Klaus **Strunk** München	K.S.
Giancarlo **Susini** Bologna	G.SU.
Thomas A. **Szlezák** Tübingen	T.A.S.
Hans **Täuber** Wien	H.TÄ.
J. **Sünskes Thompson** Münster	J.S.T.
Andreas **Thomsen** Tübingen	A.T.
Gerhard **Thür** Graz	G.T.
Günther E. **Thüry** Unterjettingen	G.TH.
Franz **Tichy** Erlangen	F.TI.
Franz **Tinnefeld** München	F.T.
Malcolm **Todd** Exeter	M.TO.
Sergej R. **Tokhtas'ev**	S.R.T.
Kurt **Tomaschitz** Wien	K.T.
Michael **Trapp** London	M.T.
Hans **Treidler**	H.T.
Frank R. **Trombley** Kent	F.R.T.
Giovanni **Uggeri** Firenze	G.U.
Karlheinz **Uthemann** Amsterdam	K.U.
Hendrik S. **Versnel** Warmond	H.V.
Konrad **Vössing** Aachen	K.V.
Rainer **Voigt** Berlin	R.V.
Iris **von Bredow** Bietigheim-Bissingen	I.v.B.
Sitta **von Reden** Köln	S.v.R.
Jürgen **von Ungern-Sternberg** Basel	J.v.U.-S.
Wulf Eckart **Voß** Osnabrück	W.E.V.
Rudolf **Wachter** Basel	R.WA.
Jörg **Wagner** Tübingen	J.WA.
Christine **Walde** Basel	C.W.
Gerold **Walser** Basel	G.W.
Ralf B. **Wartke** Berlin	R.W.
Irma **Wehgartner** Würzburg	I.W.
G. **Weisgerber** Bochum	G.WE.
Michael **Weißenberger** Düsseldorf	M.W.
Karl-Wilhelm **Welwei** Bochum	K.-W.W.
Josef **Wiesehöfer** Kiel	J.W.
Wolfgang **Will** Bonn	W.W.
Reinhard **Willvonseder** Wien	R.WI.
Nigel **Wilson** Oxford	N.W.
Eckhard **Wirbelauer** Freiburg	E.W.
T. P. **Wiseman** Exeter	T.W.
Anne-Maria **Wittke** Tübingen	A.W.
Michael **Zahrnt** Heikendorf/Kiel	M.Z.
Frieder **Zaminer** Berlin	F.Z.
Stefano **Zamponi** Padova	S.Z.
Luisa **Zanoncelli** Milano	L.Z.
Bernhard **Zimmermann** Allensbach	B.Z.

Übersetzer

A. Beuchel	A. BE.	C. Pöthig	C. P.
M. Bulling	M. B.	L. v. Reppert-Bismarck	L. v. R.−B.
H. Cancik-Lindemeier	H. C.−L.	U. Rüpke	U. R.
S. Felkl	S. F.	M. A. Söllner	M.−A. S.
G. Fischer-Saglia	G. F.−S.	S. Sohn	S. SO.
S. Görsch	S. G.	L. Strehl	L. S.
T. Heinze	T. H.	V. Stohwasser	V. S.
F. Hofelich	F. H.	R. Struß-Höcker	R. S.−H.
E. Kraus	E. KR.	A. Thorspecken	A. T.
R. P. Lalli	R. P. L.	A. Wittenburg	A. WI.
M. Mohr	M. MO.	S. Wolfinger	S. W.
S. Paulus	S. P.	S. Zimmermann	S. Z.

A

Arka (Ἄρκα). Stadt in → Armenia Minor, h. Akçadağ. Station der Straße Kaisareia-Melitene (Arcas: Itin. Anton. 211,3), *colonia Arca.* Als Bischofssitz seit 431 n. Chr. belegt.

F. HILD, M. RESTLE, Kappadokien (TIB 2), 1981, 152 f. · G. HIRSCHFELD, s. v. A. 4, RE 2, 1118.   K. ST.

Arkades, Arkadia (Ἀρκάδες, Ἀρκαδία).
A. GEOGRAPHIE   B. GESCHICHTE
C. BYZANTINISCHE ZEIT

A. GEOGRAPHIE

Zentrale, küstenferne, gebirgige Landschaft auf der → Peloponnesos mit durchschnittlicher Höhe über 500 m. Die Grenzen der ant. A. decken sich nicht mit denen des h. Nomos A. mit dem Hauptort Tripolis (gegr. im 14. Jh., türk. Tripolitsa). Im Norden reichte A. bis an die Gebirgsstöcke von → Kyllene (Ziria, 2376 m), Oroania (Chelmos, 2355 m) und → Erymanthos (Olonos, 2224 m), im Südwesten gehörte das h. im Nomos Messenien liegende Heiligtum von → Bassai zu A. In die nadelwaldreichen Kalkgebirge sind oberirdisch z. T. abflußlose Karstbecken eingelagert, die teilweise von Seen und Sümpfen stark wechselnden Umfangs eingenommen werden und durch Katavothren entwässern (Takasee, Stymphalischer See). Das Mainalongebirge (1980 m) und ein sich südwestl. anschließendes, dünn besiedeltes, verkarstetes Bergland trennen die über 600 m hohen ostarkadischen Becken (Beckenreihe der Poleis → Tegea, → Mantineia, → Orchomenos, → Pheneos und → Stymphalos) von den westarkadischen (bes. Becken von Megalopolis, ca. 430 m über NN). Die Bek-

ken bilden die Kernräume von Siedlung und Landwirtschaft in A.; Zentrum ist das Becken von Tripolis, 8 km nordwestl. von Tegea. Fast die gesamte A. wird über den → Alpheios [1] und seinen größten Nebenfluß, den → Ladon (ehemals Rufias) entwässert. Das mediterrane Klima ist aufgrund der Höhenlage rauher als in den umgebenden Küstenlandschaften, die Niederschläge sind relativ hoch und fallen im Winter als Schnee. Große Unterschiede in der Niederschlagshöhe zw. Luv- und Leelage (Tripolis 661 m über NN, mittlerer Niederschlag 932 mm, Jahresmitteltemperatur 13,7° C; vgl. Athen 107 m über NN, 402 mm, 17,8° C). In den abflußlosen Becken sich bildende Kaltluftseen verhindern den Anbau mediterraner Kulturpflanzen (Oliven, Agrumen). Nur von Süden (Lakonien) leichter zugänglich, führte die große Landverkehrsroute in der Ant. von Mittelgriechenland und → Korinthos nach → Sparta durch A. Heute Autobahnverbindung mit Athen.

B. GESCHICHTE

Die Vorgesch. von A. ist durch Funde kaum bezeugt. Die A., der südachäischen Dialektgruppe zugerechnet, blieben von der → Dorischen Wanderung im wesentlichen verschont. Während sich nur in der nördl. (Alea, Stymphalos, Pheneos, → Kynaitha, → Kleitor, → Psophis, Telphusa) und östl. (Tegea, Mantineia, Orchomenos, → Pallantion, → Kaphyai) Randregionen Poleis – anfangs unter Königen (vgl. → Aristokrates [1] – entwickelten, lebten die A. in Zentral- (Eutresioi; Mainalioi um → Mainalon) und West-A. (Aigytis im Quellbereich, → Kynuria am Mittellauf, → Parrhasia am Oberlauf des Alpheios) noch lange überwiegend in dörflich siedelnden Stammesgemeinschaften. ΑΡΚΑΔΙ-ΚΟΝ auf Mz. des 5. Jh. v. Chr. mag eine kult., nicht

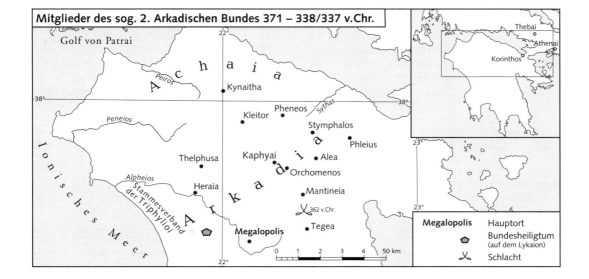

Mitglieder des sog. 2. Arkadischen Bundes 371 – 338/337 v. Chr.

staatliche Vereinigung der A. bezeugen [3. 444]. Zur Bildung eines → Koinon der A. (unter Einschluß der Triphylioi, Xen. hell. 7,1,26; Stammesheiligtum des Zeus Lykaios, Paus. 8,38,2–7) um die durch → Synoikismos geschaffene Hauptstadt → Megalopolis 368/67 v. Chr. kam es erst unter der thebanischen Hegemonie (371–362 v. Chr.), mit deren Schwinden es in der Auseinandersetzung zw. Mantineia und Tegea zerfiel. 338/37 v. Chr. traten die A. dem → Korinthischen Bund bei; das von → Alexandros [4] ausdrücklich auf die A. bezogene Verbot aller κοινοὶ σύλλογοι (koinoí sýllogoi, Hyp. in Demosth. col. 18) hat 324 v. Chr. allen Einigungsversuchen der A. ein Ende gesetzt; denn ein vielfach für 255 v. Chr. vermutetes 3. Koinon der A. ist kaum historisch [7. 97–116]. In der 2. H. des 3. Jh. v. Chr. schlossen sich nach und nach die meisten Städte von A. teils dem Aitolischen Bund (→ Aitoloi) (Mantineia, Orchomenos, → Phigaleia, Tegea), teils (nach 196 v. Chr. insgesamt) dem Achaiischen Bund (→ Achaioi) an, in dem A. (vgl. → Philopoimen, → Lykortas, → Polybios) bald den Ton angaben. Die Schilderung von A. in der Kaiserzeit durch → Strabon als einer histor. Einöde wird allg. bezweifelt (8,8,1–4; vgl. Paus. 8).

1 CHR. CALLMER, Studien zur Gesch. Arkadiens, 1943 2 J.-D. GAUGER, Arkadien, in H. H. SCHMITT, E. VOGT (Hrsg.), Kleines Wörterbuch des Hellenismus, 1988, 81–83 3 HEAD 444 ff. 4 E. MEYER, Peloponnesische Wanderungen, 1939 5 A. PHILIPPSON, Der Peloponnes, 1892 6 PHILIPPSON/KIRSTEN 3, 1, 1959, 200–300 7 R. URBAN, Wachstum und Krise des achaiischen Bundes, 1979.

C. L. / E. O.

C. BYZANTINISCHE ZEIT

Goten- und Awaro-Slawen-Einfälle im Jahr 395 bzw. Ende 6./7. Jh.; letztere führen zur grundlegenden Umstrukturierung des Gebiets, wie das Verschwinden ant. Siedlungen und das Aufkommen slawischer Toponyme zeigt [1. 150–159; 2. 57, 60, 63]. Die byz. Herrschaft zerfällt im 7./8. Jh. weitgehend [2. 54 f.]. Kirchliche und staatliche Reorganisation seit dem 9. Jh. Der Name A. überlebt außerhalb der ant. Grenzen als Name für die byz. Nachfolgesiedlung von → Kyparissia (Hinweis auf eine Flüchtlingssiedlung?) [3. 134].

→ Heraia; Kleitos; Lykaion; Lykosura; Phigaleia

1 M. VASMER, Die Slaven in Griechenland, in: APrAW 1941, 12, 150–159 2 A. BON, Le Péloponnèse byzantin jusqu'en 1204, 1951 (Bibliothèque byzantine, Études 1) 3 LAUFFER, Griechenland.

ODB I, 1991, 172 f.

E. W.

Arkadios (Ἀρκάδιος) aus Antiocheia. Griech. Grammatiker spätant. Zeit, sicher nach → Herodianos und vor → Stephanos von Byzantion. Er schrieb verschiedene Werke zu grammatikalischen Themen (zit. von Stephanos Byzantios und Choiroboskos). In einigen Hss. wird ihm zu Unrecht eine Epitome der Καθολικὴ Προσῳδία des Herodianos zugewiesen.

L. COHN, in: RE 2. 1, 1153–1156 · HUNGER, Literatur II,1, 13, 15, 19 · SCHMID / STÄHLIN II, 2,2, 1077–1078.

F. M. / M.-A. S.

Arkadisch. Das A. ist durch Inschr. bezeugt (wichtigste FO: Mantinea, Orchomenos, Tegea), die seit der Mitte des 4. Jh. v. Chr. den Einfluß supradialektaler Kanzleisprachen verspüren lassen; in Urkunden in achäisch-dor. koinā́ (seit der 2. H. des 3. Jh. v. Chr.) klingt A. nur selten an; die hell. koinḗ hat sich gegen E. des 1. Jh. v. Chr. durchgesetzt. Auch Glossen überliefern zuverlässiges Material (s. u.).

Das A. ist relativ einheitlich, aber nicht ohne lokale Verschiedenheiten, und zeigt neben Übereinstimmungen (a) mit den ostgriech. Dial. und bes. (b) mit dem → Kypr. und z. T. mit dem → Myk., (c) Isoglossen mit den dor. Nachbardial. und (d) spezifische Merkmale. Zu (a): *-ti(-) > -si(-), *-t(h)i- > -s- (Typ τόσος); Nom. Pl. οἱ, αἱ, athemat. Inf. auf -(ε)ναι; Adv. auf -τε (ὅτε), ἄν, βώλομαι (bzw. βόλομαι), ἱερός. Zu (b): Hebung von e, o vor Nasal (ἰν, -μινος, ὀν-/ὑν- = ἐν, -μενος, ἀν-) und von -o (Gen. Sg. der mask. -a- Stämme auf -αυ, 3. Sg. Pl. -τυ, -ντυ), Νις [tˢis] aus *kᵘis; Nom. Sg. auf -ής statt -εύς (ἱερής), ὄνυ »οὗτος«, 3. Sg. Pl. -τοι, -ντοι, athemat. Flexion der Verba vocalia (ποιενσι = ποιοῦσι), 3. Pl. auf -αν (Typ ἔθεαν); ἀπύ, ἐς vor Kons., ἰν, ὀν-/ὑν-, πός (= ἀπό, ἐξ, ἐν, ἀν-, πρός), κάς (Mantinea, sonst καί); ἀπύ, ἐξ mit Dat. statt mit Gen. Zu (c): nicht geschlossene ē̄, ō̄ aus der ersten Ersatzdehnung (Typ βωλά) und aus e + e, o + o (themat. Inf. auf -ην, Gen. Sg. auf -ω). Zu (d): *kᵘe > tˢe (⟨οΝεοι⟩ = ὀτέῳ), te und *gᵘ > dᶻe, de (Glosse ζέλλειν· βάλλειν neben inschr. εσδελλοντες), -Vns > -Vs (Akk. Pl. -ος), Erhaltung von sekundärem -ns- (πάνσα, 3. Pl. -νσι, Ptz. fem. -νσα), schwankende Vertretung von *ṛ, *ḷ, *ṃ, *ṇ; Dat. Sg. themat. auf -οι (relikthaft auch -ωι), Dat. Sg. auf -ι der *-es- und *-ēu-Stämme (πληθι, ιερι), Ausbreitung von -a- bei den athemat. Verben (απυδοας, παρεκαλεαν = ἀποδούς, παρεκάλουν). Spezifisch für Tegea: Gen. Sg. auf -αυ beim Fem. (ζαμιαυ) und themat. Inf. auf -εν neben anderen Merkmalen, die auf dor. Einfluß hinweisen. Wegen (a) und (b) läßt sich das A. als Fortsetzer der »achäischen« Gruppe erkennen. Bemerkenswerte Archaismen findet man in der Morphologie (1. Sg. εξελαυνοια, αψευδηων = ἐξελαύνοιμι, ἀψευδῶ) und im Wortschatz, der oft mit dem homer. übereinstimmt (z. B. παρος, δεατοι = att. πρίν, δοκεῖ).

Probe (Tegea, 4. Jh.): ζαμιοντω οι εσδοτηρες οσαι αν δεατοι σφεις ζαμιαι ... και ιναγοντω ... το γινομενον τοι πληθι τας ζαμιαυ; entsprechend: ζημιούντων οἱ ἐκδοτῆρες ὅσῃ ἂν δοκῇ σφισιν ζημία ... καὶ ἐναγόντων ... τὸ γιγνόμενον τῷ πλήθει τῆς ζημίας.

→ Griechische Dialekte

QUELLEN: IG V 2, 1913 · L. DUBOIS, Recherches sur le dialecte arcadien 2, 1986 · G.-J. und M. J. TE RIELE, Hélisson entre en sympolitie avec Mantinée: une nouvelle inscription d'Arcadie, in: BCH 111, 1987, 167–188 · Ders., À propos d'une nouvelle inscription arcadienne, in: BCH 112, 1988, 279–290 (zu vorigem Titel).

LIT.: BECHTEL, Dial.² 1, 313–396 · C.BRIXHE u.a.,
L'arcado-chypriote, in: REG 98, 1985, 304–307
(Forsch.-Ber.) · L.DUBOIS, Recherches sur le dialecte
arcadien, 3 Bde. (dazu: A.LILLO, in: Minos, 23, 1988,
195–206; J.L.GARCÍA-RAMÓN, in: HS 102, 1989,
311–316) · THUMB/SCHERER, 110–141.   J.G.–R.

Arkas (Ἀρκάς).

Eponym der Arkader. Sohn des Zeus
und der → Kallisto, nach deren Verwandlung in eine
Bärin von Hermes' Mutter Maia am Kyllene aufgezogen (Hes. fr. 163 MW; Apollod. 3,101; Hyg. fab. 224).
Von seinem Großvater Lykaon dem Zeus zur Speise
vorgesetzt, um dessen Allwissenheit zu prüfen. Wo Zeus
erzürnt den Tisch umstößt, gründet der wiedererweck-
te A. später Trapezus (Hyg. fab. 176). Er ist arkad. König
und Kulturbringer (Paus. 8,4,1). Unter seinen Söhnen
Elatos, Aphidas und Azas teilt A. Arkadien auf. Seine
Gebeine wollte man vom Mainalos nach Mantineia
überführt haben (Paus. 8,9,3 f.). Als A. auf der Jagd seine
Bärenmutter verfolgte, verwandelte Zeus beide in die
Sternbilder des Arktophylax und der Bärin (Ov. met.
2,496 ff.; fast. 2,183 f.).
→ Lykaion; Lykaon

JOST, 127 f.; 448 f. · W.SALE, Callisto and the Virginity of
Artemis, in: RhM 108, 1965, 11 ff. · A.DALE TRENDALL,
s.v.A., LIMC 2.1, 609 f.   T.S.

Arkathias (Ἀρκαθίας).

Sohn → Mithradates' VI. (ver-
schieden von Ariarathes IX. [1; 2; 3]), führte in die Er-
öffnungsschlacht der Mithradatischen Kriege (Herbst 89
v.Chr.) am Amnias 10000 kleinarmen. Reiter gegen
→ Nikomedes IV.; er zog mit einem pontischen Heer
88/87 v.Chr. durch Makedonia und organisierte die
gewonnenen Gebiete als → Satrapien. Beim Tisaion auf
Magnesia erkrankte er und starb (App. Mithr. 63–65;
137; 156).

1 MAGIE, 1105 Anm. 41 2 B.C.MCGING, The Foreign
Policy of Mithridates VI Eupator King of Pontus, 1986, 124,
173 2 A.N.SHERWIN-WHITE, Ariobarzanes, Mithridates
and Sulla, in: CQ 27, 1977, 173–183, hier 181 mit
Anm. 43.   E.O.

Arkeisios (Ἀρκείσιος).

Vater des Laertes (Hom. Od.
4,755), Großvater des Odysseus (Od. 14,182). Sohn des
Zeus (Ov. met. 13,144; Schol. Od. 16,118) oder des
Kephalos (als Eponym der Kephallenen) und einer Bärin
(árktos), die sich in eine Frau verwandelte (Aristot. fr.
504 ROSE).

L.RADERMACHER, Mythos und Sage bei den Griechen,
²1938, 264.   F.G.

Arkesilaos (Ἀρκεσίλαος).

[1] A.I., Sohn und Nachfolger des → Battos I. im Kö-
nigsamt von → Kyrene. Regierte Anf. des 6. Jh. v.Chr.
für 16 Jahre (Hdt. 4,159).
[2] A.II., der »Grausame«, Sohn und Nachfolger des
Battos II., Enkel von A.I., kämpfte bei Regierungsantritt um 565/60 v.Chr. erfolgreich gegen eine von
seinen Brüdern angeführte Opposition. Diese verließen

die Stadt, gründeten Barke in der westl. Kyrenaika und
verbündeten sich mit den dortigen einheimischen
Stämmen. Als sich auch die von Kyrene abhängigen
Stämme mit diesen verbanden, zog A. gegen sie zu Fel-
de, geriet im Osten Libyens in einen Hinterhalt und
verlor 7000 Hopliten. Bald nach der Niederlage wurde
A. von seinem Bruder Learchos ermordet (555/50). Die
Frau des A., Eryxo, rächte ihn und ermordete Learchos
(Hdt. 4,160). Eine lakonische Schale (Arkesilaos-Schale,
Paris, BN 189 aus Vulci) zeigt auf ihrem Innenbild den
König, der das Monopol über den Handel mit → Sil-
phion hatte (Aristoph. Plut. 925 und schol. = Aristot. fr.
528), beim Überwachen des Abwiegens, Verladens und
Stapelns des für Kyrene typischen Handelsgutes.
[3] Sohn des Battos III. und der → Pheretima, Enkel des
A. II. Folgte um 530 v.Chr. dem Battos auf dem Thron
und forderte die von der Gemeindeordnung des → Demonax beschnittenen Rechte des Königs zurück (Hdt.
4,162). 525 unterstellte er Kyrene dem Perserkönig
→ Kambyses, der Ägypten erobert hatte, und machte es
tributpflichtig, um Unterstützung für seine Forderungen zu gewinnen (Hdt. 4,165). Die kyrenische Opposition vertrieb den A. um 518 nach Samos, wo er unter
Landversprechungen ein Heer anwarb, mit dem er Kyrene zurückgewann. Seine Gegner ließ er verbannen
oder hinrichten (Hdt. 4,163–164). Als der Aufenthalt in
Kyrene für ihn bedrohlich wurde, floh er nach Barke zu
seinem Schwiegervater, dem König Alazeir. Beide wurden von kyrenischen Oppositionellen ermordet (Hdt.
4,164). Pheretima rächte ihren Sohn, indem sie den persischen Satrapen in Ägypten, Aryandes, zu einem Feldzug gegen Libyen und Barke überredete (Hdt. 4,165–
167).
[4] Sohn und Nachfolger des Battos IV., der letzte König von Kyrene (Hdt. 4,163). Er siegte 462 v.Chr. im
Wagenrennen in Delphi und wurde dafür von Pindar in
der 4. und 5. Pythischen Ode geehrt. Darin wird die
bedrohliche innenpolit. Lage in Kyrene bei Regierungsantritt des A. deutlich (bes. 5,117 ff.). Pindar be-
schwört die mythische Rechtmäßigkeit des Königtums
der Battiaden (bes. 4,4–8, 59–63; 5,85–95), ermahnt den
jungen König aber, im Bürgerzwist im Interesse der
Stadt zu vermitteln (4,270 ff.) und den nach Theben ge-
flohenen Damophilos wieder aufzunehmen (4,279 ff.).
Später (ca. 440) wurde A. aus Kyrene vertrieben und
floh in die Kolonie Euhesperides, die er zuvor durch
Anwerben neuer griech. Siedler vergrößert hatte. Er
plante, Kyrene gewaltsam einzunehmen, wurde aber
zuvor ermordet. In Kyrene wurde daraufhin eine ge-
mäßigte demokratische Verfassung (ἰσονομία) eingerichtet (schol. Pind. P.4 inscr. b; Aristot. fr. 611,7 =
Herakl. Pont. 4,4). Zum Verhältnis von Königtum und
Tyrannis in Kyrene vgl. → Battiaden.

H.BERVE, Die Tyrannis, 1967, 124 ff., 591 f. ·
F.CHAMOUX, Cyrène sous la monarchie des Battiades,
1953 · B.M.MITCHELL, Cyrene and Persia, in: JHS 86,
1966, 99–113 · S.HORNBLOWER, The Greek World
479–323 B.C., 1985, 58–62.   B.P.

[5] (Ἀρκεσίλαος oder Ἀρκεσίλας), 316/5 (Pitane) – 241/0 v. Chr. (das Geburtsjahr erschlossen aus der Altersangabe bei Diog. Laert. 4,44). Nach mathematischen Studien Schüler → Theophrasts. Durch Freundschaft mit Krantor Berührung mit der Akademie, die Polemon leitete. Nach dem Tod des Krates selbst Scholarch (268/4–241/0) und Begründer der Mittleren Akademie (→ Akademeia). Zahlreiche Schüler sind namentlich bekannt; Liste bei [1. 82]. Auch → Eratosthenes zählte zu seinen Hörern (T 8 METTE). Ob A. seine Lehren schriftlich fixiert hat, scheint fraglich. Es bildete sich offensichtlich schon bald die Ansicht heraus, daß er wie Sokrates nichts Schriftliches hinterlassen habe (vgl. Diog. Laert. 4,32), wenn andererseits auch zwei Epigramme überliefert sind (Diog. Laert. 4,30) und sich zudem Hinweise auf Schriften vereinzelt finden; vgl. [2. 786f.]. Eine Sammlung und Kommentierung der Testimonien und Fragmente liegt vor [1].

In bewußter Anknüpfung an aporetische Positionen Platons und in Auseinandersetzung mit stoischen Lehren vollzieht A. eine Wende zu einer strikt skeptischen Grundhaltung (zur Frage des Zeitpunktes [2. 792]) und leitet damit die skeptische Phase der Akademie ein (ob die Übernahme des Scholarchats anstelle des Sokratides bereits damit zusammenhängt, muß offen bleiben [2. 792]): Oberstes Gebot ist für A. die Vermeidung des Irrtums: Da jede Zustimmung zu einer erkenntnisvermittelnden Vorstellung (καταληπτικὴ φαντασία – ein Zentralbegriff der stoischen Erkenntnistheorie) die Möglichkeit des Irrtums berge, fordert A. vom Weisen die Enthaltung (ἐποχή) vom Urteil – der Terminus ist wohl von Pyrrhon übernommen. Die Aufgabe des Weisen sieht er in der dialektischen Prüfung (εἰς ἐναντίαν ἐπιχειρεῖν) einander entgegengesetzter Thesen, die sich, wenn sie sich als gleich gut begründet erweisen, gegenseitig aufheben (ἰσοσθένεια τῶν λόγων). Mit dem »Selbsteinschluß« geht A. auch über die sokratische Position in der Frage des Erlangens sicheren Wissens hinaus (Cic. ac. 1,45 = F 9 METTE: *ne illud quidem ipsum quod Socrates sibi reliquisset, ut nihil scire se sciret*). Daß A. auch dogmatische Positionen vertrat, diese aber einem ausgesuchten Kreis von Schülern vorbehielt, wie S. Emp. Pyrrhonei hypotyposeis 1,234 (= F 1 METTE) berichtet, scheint angesichts der Singularität dieser Überlieferung eher zweifelhaft [3. 54f. mit Anm. 12]. Im Bereich des Handelns versucht A., der in der Konsequenz dieser Haltung liegenden ἀπραξία – hier offenbar auf stoische Lehre zurückgreifend – durch Einführung des εὔλογον als eines Kriteriums für die φρόνησις zu entgehen. Gegen A. wurde der Vorwurf laut, nur äußerlich platonische Positionen zu vertreten; dieser kulminiert in der Abwandlung eines Iliasverses (6,181) durch Ariston [7] von Chios: πρόσθε Πλάτων, ὄπιθεν Πύρρων, μέσσος Διόδωρος (›Vorne Platon, hinten Pyrrhon und in der Mitte Diodoros‹), nach dem er im Grunde vor allem der Skepsis Pyrrhons und der raffinierten megarischen Dialektik des Diodoros Kronos verpflichtet sei.

→ Akademeia

1 H.-J. METTE, Zwei Akademiker heute: Krantor von Soloi und A. von Pitane, in: Lustrum 26, 1984, 41–77 2 W. GÖRLER, A., in: GGPh² 4. 2, 1995, 786–828 3 H. KRÄMER, Platonismus und hell. Philos., 1971.   K.-H.S.

[6] Dichter der Alten Komödie, nur bei Diog. Laert. 4,45 bezeugt.

    PCG II, 532.   B.BÄ.

[7] Bildhauer, vielleicht aus der Magna Graecia, mit großem Erfolg im Rom der späten Republik tätig. Für Caesar schuf er das Kultbild der Venus Genetrix, für L. Lucullus eine Felicitas, für Varro die Gruppe einer Löwin mit Eroten und für Asinius Pollio eine Gruppe Centauri nymphas gerentes. Höchstpreise wurden selbst für seine unfertigen Werke, für Skizzen und für *proplásmata* (Modelle für reliefierte Marmorgefäße) bezahlt.

M. BIEBER, The Sculpture of the Hellenistic Age, ²1961, 184f. · P. MORENO, Scultura ellenistica, 1994, 734f.; 740–744 · OVERBECK, Nr. 2268–2270 (Quellen) · STEWART, 307f.   R.N.

Arkesilas-Maler. Lakonischer Vasenmaler um 560 v. Chr., benannt nach der Schale mit König Arkesilas I. oder II. von Kyrene (→ lakonische Vasenmalerei; Paris, CM): der unter einer Zeltplane sitzende König beaufsichtigt das Wiegen und Lagern von Silphion; die damit Beschäftigten tragen funktionsandeutende Namen. Das außergewöhnliche Bild wird von zahlreichen afrikanischen Tieren belebt. Der A., der vor allem Schalen bemalt hat, bevorzugt Symposionsbilder und Mythen (Herakles/Amazonen, Atlas und Prometheus). Er besticht durch seine präzise und lebendige Zeichenkunst.

S. DE FABRIZIO, in: Studi sulla ceramica laconica, 1986, 27–31 · E. SIMON, Die griech. Vasen, ²1981, Taf. 38. XV · C. M. STIBBE, Lakon. Vasenmaler des 6. Jh. v. Chr., 1972, 107–112, 279–280.   M.ST.

Arkonnesos (Ἀρκόννησος). »Schutzinsel« (so Strab. 14,12,16; Steph. Byz. s. v. A.). Langgestrecktes Eiland an der Küste von → Karia, das die Hafenbucht von → Halikarnassos abschirmt und im Alt. befestigt war; h. Kara Ada. Während der Belagerung durch Alexander d. Gr. 334 v. Chr. Rückzugsgebiet der Perser (Arr. an. 1,23,3 Ἀκρόνησος). Irrtümlich verlegt Plin. nat. 5,133 [1. 257] → Keramos nach A.

1 G. WINKLER, R. KÖNIG, C. Plinius Secundus d. Ä., Naturkunde (lat.-dt.), Buch 5, 1993.

Reisekarte Türkiye-Türkei, Türk. Verteidigungsministerium, 1994, Bl. 2.   H.KA.

Arktinos. Von Milet, Dichter des ep. Kyklos. Eine *Aithiopis* in 5 Büchern, die sich an die Ilias anschloß, wird ihm zugeschrieben. Dieses Epos behandelte die letzten

Taten des Achilleus, seine Siege über die Amazone Penthesileia und den Führer der Aithiopen, Memnon, seinen Tod durch Paris und Apollo und seine Bestattung. In den zwei Büchern des Epos Ἰλίου πέρσις (Ilíu pérsis) schilderte A. episodenhaft die Ereignisse, die zur Zerstörung Troias führten. Er gilt auch als Verf. einer → Titanomachie.

EpGF 61–66, 80, 165 · M. DAVIES, The Epic Cycle, 1989, 53–73.   C. S.

Arktos s. Bär, s. Sternbilder

Arkturos s. Sternbilder

Armamentaria. Die *a.*, Arsenale, die sich in der Frühzeit in Rom selbst befanden, wurden mit der Expansion des Imperium Romanum auch in die Städte nahe der Kriegsschauplätze verlagert. In den Legionslagern der Principatszeit befanden sich die *a.* in den *principia*, für die Marine in den Häfen (CIL VI 999, 2725; VIII 2563); in Rom existierte ein *a.* in den *castra praetoria*. Die Waffen wurden nach Typ, nicht nach Einheiten gelagert und von den *armorum custodes* bewacht; das *a.* unterstand einem *curator operis armamentarii* und einem *magister*, der von einem *scriba armamentarii* und einem *architectus armamentarii* unterstützt wurde.
→ castra; principia

1 A. VON DOMASZEWSKI, s. v. A., RE 2, 1176 **2** W. ECK, Ein A. für die *equites et pedites singulares* in Köln, in: KJ 23, 1990, 127–130 **3** R. FELLMANN, Die Principia des Legionslagers Vindonissa, 1958, 48 **4** M. P. SPEIDEL, The weapons keeper, the fisci curator and the ownership of the weapons in the Roman army, in: Roman Army Studies 2, Mavors 8, 1992, 131–136.   Y. L. B. / C. P.

Armarium (Schrank). Neben der *arca* das zweite wichtige Möbel zum Aufbewahren von Sachgütern. *A.* scheint ein typisch röm. Einrichtungsgegenstand gewesen zu sein, der den Griechen erst spät zur Kenntnis gelangte (*purgiskos*). In seiner Grundfunktion bezeichnet *A.* den Geräteschrank, dann auch den Schrank für Speisen, Geld und Schmuck; auch die Bücherschränke bzw. -regale der → Bibliotheken hießen *A.* Ein Grabrelief in Rom (TM 184) zeigt das *A.* in einer Schusterwerkstatt [3. 114–115 Taf. 117,1–2] bzw. als Einrichtungsgegenstand im Haushalt zusammen u. a. mit der *arca* (Leiden, Mus. [2. 69, 301]), vgl. den Schrank aus Herculaneum mit Gefäßen und Statuetten ([1. Abb. 3], vgl. Petron. 29). Sowohl auf den Darstellungen wie auch bei den erhaltenen Exemplaren aus Pompeji, Herculaneum und Boscoreale [1. Abb. 3–6] sind die *A.* aus einem Untersatz, dem Schrankkasten mit Fächern und einem gelegentlich angebrachten Aufsatz zusammengesetzt. Die Türen sind einfach oder doppelt und verschließbar, daneben gab es auch in der Mitte durch Scharniere zusammenklappbare Türflügel (Isid. orig. 15,7,4). In einer Sonderfunktion konnten die *A.* auch Ahnenbilder und Theatermasken aufnehmen. Die

Höhe der überlieferten Holzschränke schwankt zwischen 90 und 220 cm.
→ arca; Möbel

1 E. G. BUDDE, A. und kibotos, 1940 **2** KOCH / SICHTERMANN **3** R. AMEDICK, Vita privata auf Sarkophagen, 1991, Index s. v. a.   R. H.

Armatura s. Truppenübungen

Armavir (Ἀρμαουίρα). Bei Ptol. 5,12,5 M. und 8,19,11 N. erwähnte Stadt am linken Ufer des Aras, das urartische Argistichinili. Burg und Residenz auf einem Bergkamm, die Stadt davor am Hang bis zum Fluß A., erste Hauptstadt des armen. Königreiches. Grabungen brachten urartisches Material, auch altarmen. Schichten, u. a. ein goldenes Medaillon mit der Göttin → Anahita (?).

A. A. MARTIROSJAN, Argistichinili I, Archeologiceskie Pamjatniki Armenii 8, 1974.   B. B.

Armenia A. HELLENISMUS UND RÖMISCHE ZEIT
B. SPÄTANTIKE UND BYZANTINISCHE ZEIT

A. HELLENISMUS UND RÖMISCHE ZEIT
Das Hochland südl. und südwestl. des Kaukasus. Hauptfluß ist der → Araxes (h. Aras). Nördl. Grenzfluß Kyros (h. Kura), desgleichen Oberläufe und Nebenflüsse von Tigris und Euphrat. Seen: Lichnitis (h. Sevan), Thospitis (h. Van) und Matianus (Urmia).

Hl. Berg → Baris (5165 m, h. Ararat), bewahrt vorant. Namen Urartu eines Staates mit hurrit. Bevölkerung, die unter pers. Herrschaft in die Haikh (= Armeniern) aufging. Die indeurop. Sprache stand dem Phrygischen nahe (Hdt. 7,73; Steph. Byz. p. 123). Ἀρμενία ist im griech. Schrifttum wahrscheinlich nach dem achäm. Namen »Armina« bei Xen. an. 3,5,17 genannt, die Ἀρμένιοι erscheinen, neben den Ἀλαρόδιοι (= Urartäern) bei Hdt. 3,93 f.; Strab. 11,14 und Prol. 5,12 beschrieben Armenien.

A. ist seit über 7000 J. landwirtschaftlich erschlossen und weist Kupfer- und Goldvorkommen auf. Es gehörte nach dem Untergang Urartus zu Medien und dann zum Achämenidenreich. Auf der Burg Erebuni nördl. von Jerevan, urspr. eine urartische Festung, fand sich ein achäm. Säulensaal.

Beim Alexanderzug wird A. von Arr. an. 3,8,5 und 3,16,5 erwähnt, fiel dann an die Seleukiden und wurde 188 v. Chr. in zwei Königreiche aufgegliedert, Groß- (Osten) und Kleinarmenien (Westen). Der Dynastiegründer Artaxias begann mit der Hellenisierung des Landes, regierte zunächst in Ἀρμαουίρα (h. → Armavir), der früheren urartischen Regionalhauptstadt Argistichinili, und gründete dann Artaxata (h. Artashat). Ein Hortfund in 3 Silberrhyta in Erebuni dürfte in seine Zeit zurückgehen. Der bedeutendste Artaxiade Tigranes II. (95–55 v. Chr.) beherrschte vorübergehend große Teile Vorderasiens, war mit der Tochter Mithridates' VI. von Pontos verheiratet und Philhellene. Er gründete

Tigranokerta als neue Hauptstadt; er wurde von den Römern (66 v. Chr.) geschlagen und auf A. maior beschränkt.

A. minor (westl. vom Euphrat) mußte an Rom abgetreten werden und bildete seit Diokletian und Konstantin die Prov. Armenia I und II. Es blieb byz. bis zum Eindringen der Türken im 11. Jh.

A. maior, Ostarmenien, litt unter den Kämpfen zw. Rom und den Parthern, später den Sasaniden. Unter Traianus (seit 114 n. Chr.) war es kurzzeitig röm. Provinz; Bau des ant. Tempels von Garni (»röm.« Mosaike). Es wurde um Vagharschapat (= Etschmiadzin) 302/3 oder 314 christl. mit einer autokephalen Kirche. Es blieb bis 428 unter der parthischen Dynastie abhängiges Königreich, wurde dann pers. Prov. und fiel im 7. Jh. an die Araber.

Das christl. A. mit der neuen Hauptstadt Dvin wurde von Kirchen, Klöstern und Residenzen überzogen. Ein- und mehrschiffige Kathedralen (Odsun, 550), Rundkirchen (Svartnots, um 650) und Kreuzkuppelkirchen (Etschmiadzin 4. und 6. Jh.) wie die Hl. Kreuz-Kirche von Achtamar (915–925) gehören zur Weltkultur, desgleichen mit Miniaturen geschmückte Manuskripte (erh. im Etschmiadzin-Evangeliar, 7. Jh.).

Nach dem Seldschukeneinfall verlagerte sich die armen. Kultur teils in die Klöster des Nordens, teils in das Königreich Kilikien.

→ Urartu; ARMENIEN

B. BRENTJES, S. MNAZAKANJAN, N. STEPANJAN, Kunst des Mittelalters in Armenien, 1981 • B. BRENTJES, Die Jahrtausende Armeniens ³1984 • B. M. LANG, Armenia, Cradle of Civilization, ³1978 • K. F. LEHMANN-HAUPT, Armenien einst und jetzt, 1910–1931 • J. MARQUARDT, Röm. Staatsverwaltung I, ²1881.   B. B.

B. SPÄTANTIKE UND BYZANTINISCHE ZEIT

Gregor der Erleuchter (LUSAWORIČ') brachte die früh einsetzende christl. Missionierung im 4. Jh. unter → Tiridates III. (Τιριδάτης) zum Abschluß und öffnete A. westl. Einflüssen gegen den Widerstand des Adels. Die Rivalität zwischen syr. und griech. Sprache in Liturgie und Lit. wurde zugunsten des Griech. entschieden.

428 endete die Herrschaft der Arsakiden nach Eroberung des Landes durch die Sasaniden. Die 2. Synode von Dvin (552 oder 554/5) sowie die von Manaskert (726) wandten sich von der byz. Reichskirche ab, indem sie an ihrer sog. »monophysitischen« Position festhielten. 639/40 eroberten die Araber A. und nahmen die Festung Dvin ein (640).

→ Agathangelos; Araber; Armenier; Athinganoi; Buch der Briefe; Paulikianer.

N. ADONTZ, A. in the Period of Justinian, übers. von N. GARSOIAN, 1960 • J. P. ALEM, L'Arménie, 1972 • C. BURNEY, D. M. LANG, Die Bergvölker Vorderasiens. Armenien und der Kaukasus von der Vorzeit bis zum Mongolensturm, 1972.   K. SA.

Armenier, Armenische Literatur. Die A. bezeichnen sich selbst als *hayk'*, A. wird von Persern (Behistun-Inschr.) und Griechen (Herodot und Xenophon) gebraucht. Im 6. Jh. v. Chr. sind die A. eingewandert und haben sich mit den autochthonen Urartäern vermischt. Nach medischer, persischer, maked. und seleukidischer Herrschaft erkämpfte der armen. König Artasches 189 n. Chr. die Unabhängigkeit. Die A. L. setzt mit der Erfindung der armen. Schrift durch Maštoc' (ab dem 8. Jh. → Mesrop in den Hss.), dem Schüler des Katholikos → Sahak des Großen, Anfang des 5. Jh., nach der Christianisierung des Landes, ein und löst das Griech. und Syr. als Liturgie und Lit.sprache ab. Sahak und König → Tiridates III. förderten eine umfassende Übersetzungstätigkeit, die das neue Selbstbewußtsein des Volkes widerspiegelte.

Phasen der A.L: Goldenes Zeitalter (407–450), Silbernes Zeitalter (450–570), hellenophile Epoche – Gräzisierung des Armen. (570–610). Die → Bibelübersetzung, die Übertragung liturgischer Texte und Werke christl. (→ Eusebios, → Athanasios von Alexandreia, → Johannes Chrysostomos, → Basileios von Kaisareia, → Gregorios von Nyssa, → Gregorios von Nazianz, → Aphrahat und Aphräm) und philos. Autoren (→ Aristoteles, → Philon, → Porphyrios), sowie die Originalschöpfungen von → Eznik von Kolb (1. Hälfte des 5 Jh., ›Wider die Sekten‹ und Koriwn, Schüler des Mesrop, der das Leben Mesrops beschreibt, bilden den Höhepunkt der A. L. Nach der arab. Eroberung (Mitte des 7. Jh.) ragen bes. Johannes Mandakuni, Mambre Vercanoġ, Katholikos Johannes von Odzun († 729) und Gregor Tatèw mit theologischer Originallit. hervor. Bedeutende Werke der armen. Gesch.sschreibung neben den frühen Historikern Faustos von Byzanz, Lazar von Pharpi, Elische und → Moses von Chorenaci haben Sebeos (7. Jh.) und → Leontios (8. Jh.) verfaßt, die von der arab. Eroberung berichten.

→ Agathangelos; Buch der Briefe

A. BAUMSTARK, Die christl. Literaturen des Orients II, 1911, 62–99 • H. THOROSIAN, Histoire de la Littérature Arménienne, 1951 • V. INGLISIAN, Die armen. Lit., Handbuch der Orientalistik, Bd. 7: Armen. und kaukasische Sprachen, 1963 • M. E. STONE, The Apocryphal Literature in the Armenian Tradition. The Israel Academy of Sciences and Humanities. Proceedings IV 4, 1969 • N. BOGHARIAN, Hay Groghner, 1971.   K. SA.

Armenion (Ἀρμένιον). Stadt in → Thessalia, die nach dem Schiffskatalog bei → Pherai am → Boibe-See lag (Hom. Il. 2,734: Ὀρμένιον) und in hell. Zeit als Kome zu → Demetrias gehörte (Strab. 9,5,15; 18). Ihr eponymer Heros war Armenos, der mit → Iason nach Kolchis zog (Strab. 11,4,8; 14,12). Der Ort wird nördl. von Pherai (h. Velestino) bei den h. Dörfern Neon Perivalion und A. lokalisiert, wo ein Hügel (Petra) mit kyklopischen Mauerresten als Halbinsel in das Becken des ehemaligen Boibe-Sees vorspringt, eine der größten bisher in Griechenland bekannten myk. Anlagen (Umfang 4 km – vgl.

dazu → Tiryns mit 700 m) – dazu ein Hafen mit drei Molen.

V. MILOJČIĆ, Die Versuchsgrabungen im Gebiet von Petra am Boibesee, in: AA 1959, 150f. · PHILIPPSON / KIRSTEN 1, 274 · M. DI SALVATORE, Ricerche sul territorio di Pherai, in: La Thessalie, quinze années de recherches archéologiques, 1975–1990, Actes du colloque international, Lyon 1990, 1994, 115 · F. STÄHLIN, Das hellenische Thessalien, 1924, 103.   HE. KR.

Armenisch A. SPRACHE B. SCHRIFT

A. SPRACHE

Das A. ist der einzige Vertreter eines eigenständigen Zweiges der idg. Sprachfamilie, der mit dem Indischen, Iran., Baltischen, Slawischen und Albanischen zur Gruppe der → Satemsprachen gehört, aber auch Gemeinsamkeiten mit dem Griech. (*ayc* »Ziege«: αἴξ) und Phryg. zeigt [1. 17, 22f.; 2. 462–466]. Das A. ist seit dem 5. Jh. n. Chr. in der Sprachstufe des Altarmen. inschr. (s. u.) und durch die nur in jüngeren Mss. erhaltene Bibelübersetzung sowie durch historiographische Texte umfassend bezeugt. Das als Lit.-Sprache normierte Altarmen. wird im 18./19. Jh. durch die neuarmen. Schriftsprachen ersetzt.

Dem Griech. ähnelt die Dreiteilung des Verschlußlautsystems (β, π, φ: armen. b, p, pᶜ), doch sind die phonetischen Eigenschaften der altarmen. Verschlußlaute umstritten. Anders als im Griech. sind durch mehrere Palatalisierungen in größerem Umfang »Zischlaute« entstanden.

Morphologisch ist das A. durch Umbau der Nominalflexion mit Neubildung der meisten Kasus und unterschiedlichen Ausprägungen von Kasussynkretismus gekennzeichnet. Das Verbum zeigt kategorielle Übereinstimmungen u. a. mit dem Griech., vgl. etwa die Opposition von neugebildetem Impft. und Aor., Reste des Augments im Aor. (3. Sg. *e-ber* »trug«), aber auch deutliche Unterschiede zum griech. System (z. B. Fehlen eines synthetischen Perf., eines eigenständigen Fut., eines Opt.).

Charakteristisch für den Wortschatz des A. ist der vergleichsweise geringe Anteil an Erbwörtern (z. B. *mayr* »Mutter«: μάτηρ; *ber-ê* »trägt«: φέρ-ει), gegen ein hoher Anteil von Lw. steht. Der größte Einfluß ging vom Iran. der Partherzeit aus, doch gibt es im Altarmen. auch ca. 100 griech. Lw. (vgl. Mt 5,22: *moros* »dumm, Tor« < μωρός) und nicht mehr als 10, z. T. durch griech. Vermittlung entlehnte lat. Wörter) [3. 322ff.].
→ Indogermanische Sprachen

1 R. SCHMITT, Gramm. des Klass.-A. mit sprachvergleichenden Erläuterungen, 1981 2 G. R. SOLTA, Die Stellung des A. im Kreise der idg. Sprachen, 1960 3 H. HÜBSCHMANN, A. Gramm., I. Teil: Armen. Etym., 1897.   M. J.

B. SCHRIFT

Seit der 1. H. des 5. Jh. n. Chr. zunächst inschr. bezeugte, urspr. aus 36 Buchstaben bestehende, später durch zwei weitere Zeichen ergänzte rechtsläufige Lautschrift [1]; nach dem Zeugnis des Koriwn durch den Geistlichen Mesrop Maštᶜocᶜ Anfang des 5. Jh. für die Verschriftung des Armen. entwickelt [2]. Griech. Einfluß zeigt sich in der Anordnung der Buchstaben (*a, b, g, d, e, z, ē* ...), in einigen Fällen auch in der Buchstabengestalt sowie in der Wiedergabe des Lautes *u* durch den Digraphen *ow* [3].

1 H. JENSEN, Die Schrift in Vergangenheit und Gegenwart, ³1969, 427–434 2 H. J. NERSOYAN, The why and when of the Armenian alphabet, in: Journ. of the Society for Armenian Studies 2, 1985–1986, 51–71 3 J. MARQUART, Ueber den Ursprung des a. Alphabets in Verbindung mit der Biographie des hl. Maštᶜocᶜ, 1917.   M. J.

Armillae s. Dona militaria

Armilus. Legendärer Name eines Gegen-Messias, der in den späten apokalyptischen Midraschim aus dem ausgehenden 7. Jh. (z. B. Midrash Wa-yosha, Sefer Serubbabel, Nistarot shel R. Shimon ben Joháai) erscheint. Als Etym. wird »Remulus« – Sinnbild für die röm. Herrschaft schlechthin – angenommen. A., Sohn einer Marmorstatue, wird zusammen mit zehn Königen nach Jerusalem ziehen, den wahren Messias besiegen und Israel in die Wüste verbannen, worauf die Heiden jenen Stein, der A. gebar, als Göttin verehren werden. Schließlich aber wird der Gott Israels allem Götzendienst ein Ende bereiten, die Feinde besiegen und seine Königsherrschaft aufrichten. Vermutlich reflektiert diese Legende Ereignisse der byz. Herrschaft, als → Herakleios schärfere religionspolit. Maßnahmen ergriff, so daß deren Untergang herbeigewünscht und die islamische Eroberung eschatologisch gedeutet wurde.
→ Apokalypsen

J. DAN, The Hebrew Story in the Middle Ages (hebr.) 1974, 40–43 · J. MAIER, Die messianischen Erwartungen im Judentum seit der talmudischen Zeit I, in: Judaica 20, 1964, 23–58.   B. E.

Arminius. Das Bild des A. ist stark durch die von Tacitus geprägte Formel ›Befreier Germaniens‹ (*liberator haud dubie Germaniae*, Tac. ann. 2,88) bestimmt. Der aus vornehmem Geschlecht (*stirps regia*, Tac. ann. 11, 16) stammende Cherusker (→ Cherusci) A., Sohn des → Segimerus, lebte 37 Jahre und besaß 12 Jahre eine Machtstellung (*potentia*, Tac. ann. 2,88). Als wahrscheinlichstes Geburts- bzw. Todesjahr ergeben sich daraus 16 v. und 21 n. Chr.

Die biographischen Angaben bis zur Varusschlacht (9 n. Chr.) sind spärlich: Als Führer german. Verbände (*ductor popularium*) erlernte A. im röm. Heer die lat. Sprache (Tac. ann. 2,10). Der ›ständige Begleiter unseres früheren Feldzuges‹ (*adsiduus militiae nostrae prioris comes*) erwarb röm. Bürgerrecht und den Ritterrang (Vell.

2,118) ehrenhalber oder schon am Beginn einer frühen regulären Laufbahn (z. T. parallel zu der des → Velleius Paterculus), die ihn auch in den Osten geführt haben soll [1. 469] – daher die Variante »Armenius« in einigen Hss. »Felddienst« leistete A. in Germanien, vielleicht auch (7–8 n. Chr.) im pannonisch-illyr. Raum. Nach der Hypothese TIMPES kommandierte A. dabei als ritterlicher *praefectus* einen regulären cheruskischen Auxiliarverband und führte diese röm. geschulte Kerntruppe 9 n. Chr. gegen P. Quinctilius → Varus. Somit hätte der german. »Freiheitskampf« als »Meuterei« begonnen [3. 38, 49], der sich dann weitere german. Stammesverbände anschlossen. Vor und nach der Erhebung sind auf german. Seite wechselnde pro- und antiröm. Positionen (→ Inguiomerus) und bei den Cherusci interne Auseinandersetzungen, jedoch keine geschlossene »nationale Freiheitspartei« erkennbar. Dazu paßt, daß → Segestes den im Vertrauen auf A. ›sorglosen‹ Statthalter Varus vor den Verschwörern gewarnt haben soll (Tac. ann. 1,55,2). Gründe für die Empörung liegen, wie Klagen über die Einführung des röm. Rechtswesens und Tribute zeigen, in dem von Varus offensichtlich forcierten Übergang von mil. zu ziviler Verwaltung (Vell. 2,117,4; Flor. epit. 2,30,34–35; Cass. Dio 56,18,2–3) [2. 148], aber auch in persönlichem Machtstreben. Die Katastrophe im Teutoburger Wald (→ Saltus Teutoburgiensis), deren genauer Verlauf unklar ist, führte zum Verlust von drei Legionen mit Hilfstruppen. Als wahrscheinlicher Schlachtort bot der »Kalkrieser Berg« die top. Bedingungen für den Hinterhalt, in den A. die Römer lockte (Cass. Dio 56, 18,5–19,5) [4. 78]. Furcht vor einem umfassenden Angriff der Germanen steht hinter den dramatischen Reaktionen in Rom (Suet. Aug. 23; 25,2; Cass. Dio 56,23), doch gelang es A. nicht, den Markomannenkönig → Maroboduus (Marbod), dem er das Haupt des Varus übersandte (Vell. 2,119,5), zu einem Bündnis zu bewegen.

Die röm. Niederlage 9 n. Chr. bedeutete sicher einen empfindlichen Rückschlag, nicht aber das völlige Scheitern röm. Germanienpolitik. Entschlossen und umsichtig bereinigte Tiberius (10–12 n. Chr.) die Situation (Vell. 2, 120,1–2). 14–16 n. Chr. führte jedoch A. in gestärkter Position eine erheblich erweiterte Koalition gegen → Germanicus. An der Spitze einer romfreundlichen Adelspartei der Cherusci stand Segestes, der seine von A. entführte und schwangere Tochter → Thusnelda mit Hilfe des Germanicus wieder in seine Gewalt brachte, was A. zusätzlich in den Kampf trieb (Tac. ann. 1,57–59). Die Offensiven des ambitionierten Germanicus, die Tacitus zum Kampf um die Rückeroberung Germaniens stilisierte, führten tief in das freie Germanien und in gefährliche Situationen, blieben aber letztlich erfolglos. Auch der hartnäckige german. Widerstand erklärt die Abberufung des Germanicus durch Tiberius (16 n. Chr.) und den Verzicht auf offensive röm. Germanienpolitik an der Rheinfront. Jetzt wandte sich A. gegen Marbod, aus dessen Machtbereich die Langobarden und Semnonen zu A. übergegangen waren. Diese Koalition zwang den Markomannen zum Rückzug (Tac. ann. 2,46), doch scheiterte A. mit dem Versuch, seine Machtstellung bei den Cherusci gewaltsam auszubauen; man warf ihm vor, die Königsherrschaft anzustreben (Tac. ann. 2,45). Ein von Rom abgelehntes Angebot des Chattenfürsten Adgandestrius, A. mit Gift umzubringen, beleuchtet seine prekäre Lage und die Fortdauer innergerman. Rivalitäten: 21 n. Chr. fiel er dem Anschlag von Verwandten zum Opfer (Tac. ann. 2,88).

Die Wirkungsgesch. steht stark unter dem Eindruck der Stilisierung des A. zum Freiheitshelden durch Tacitus (ann. 2,88); nach dessen Wiederentdeckung im 15. Jh. wird aus A. – so bei M. LUTHER (1530) – »Hermann«, aus den Germanen werden »Deutsche«. Von den zahlreichen lit. Produktionen ist nach LOHENSTEINS Barockroman ›Großmütiger Feldherr Arminius . . .‹ (1689/90) und KLOPSTOCKS ›Hermann-Bardieten‹ (1769–1787) vor allem H. v. KLEISTS 1808/09 entstandenes Drama ›Hermannsschlacht‹ zu nennen, das als Kampfaufruf gegen die napoleonische Fremdherrschaft diente. Die seit A. GIESEBRECHT (1837) viel diskutierte Gleichsetzung des A. mit dem Siegfried des german. Mythos [3. 12] ist kaum nachzuweisen. Das 1875 eingeweihte Hermannsdenkmal bei Detmold, das A. im wilhelminischen Stil monumentalisierte, ist im Spannungsfeld des »politischen Germanismus« Bezugspunkt einer politisierenden A.-Rezeption.

1 E. HOHL, Zur Lebensgesch. des Siegers im Teutoburger Wald, in: HZ 167, 1943, 457–475 2 G. A. LEHMANN, Zur histor.-lit. Überlieferung der Varus-Katastrophe 9 n. Chr., in: Boreas 13, 1990, 143–164 3 D. TIMPE, A.-Studien, 1970 4 R. WIEGELS, W. WOESLER (Hrsg.), A. und die Varusschlacht, 1995.

H.-W. GOETZ, K.-W. WELWEI (Hrsg.), Altes Germanien (Quellensammlung), 1995 · H. CALLIES, s. v. A., RGA 1, 417–420.   V. L.

Armschmuck. Bereits in den alten Kulturen des Vorderen Orients und Ägyptens war das Tragen von A. üblich (→ Schmuck). Im ägäischen Bereich sind Beispiele aus frühkykladischer Zeit, der min. und myk. Epoche bekannt. Man trug A. am Unterarm, oberhalb des Handgelenks oder am Oberarm, wobei A. des öfteren an beiden Armen, bzw. Unter- und Oberarmen gleichzeitig getragen wurde. Als Grundform diente ein Reif, der für Verzierungen und Inschr. ausreichend Platz bot und entweder völlig geschlossen oder an seinen Enden ausskulptiert sein konnte. Beliebt war auch spiralförmig gewundener A., der in Schlangenprotomen endete (δράκων, Ps.-Lukian. am. 41). Sowohl diesen als auch den Reifen mit Schlangenköpfen ist apotropäischer Charakter beizumessen. Als Materialien dienten überwiegend Edelmetalle, aber auch Glas, Bronze, u. a. Vielfach wurden zudem als weitere Verzierungen Münzen, Medaillons oder Gemmen angebracht. Bei Persern und Medern trugen auch die Männer A. (Hdt. 3,20 und 22; 8,113 u. ö.), ebenso die Etrusker [1. 409 Nr. 533]. Bekannt waren die Samier für ihren Luxus, zu dem auch

das Tragen von A. zählte (Asios bei Athen. 12,525 e-f;
→ Ohrschmuck); spätestens mit Beginn der Perserkrie-
ge galt das Tragen von A. bei Männern als Symbol der
Verweichlichung, und A. blieb nur noch den Frauen
vorbehalten; entsprechendes galt auch in Rom (z.B.
Mart. 11,21,7; Suet. Cal. 52; Petron. 32,4). In der röm.
Kaiserzeit dienten silberne und goldene Armreifen, *ar-
millae* (→ dona militaria) als mil. Auszeichnung
(→ Schmuck).

1 M. PALLOTINO (Hrsg.), Die Etrusker und Europa,
Ausstellungskat. 1992/93, 1992.

E. DE JULIIS (Hrsg.), Gli ori di Taranto in età ellenistica,
Kongr. 1985, 1989 · M. CRISTOFANI, Civiltà degli Etruschi,
Ausstellungskat., 1985 · A. DESPOINI (Hrsg.), ΣΙΝΔΟΣ,
ΚΑΤΑΛΟΓΟΣ ΤΗΣ ΕΚΘΕΣΗΣ, Kat., 1985 · M. PFROMMER,
Unt. zur Chronologie früh- und hochhell. Goldschmucks,
1990 · B. DEPPERT-LIPPITZ, Goldschmuck der Römerzeit
im Röm.-German. Zentralmus. Bonn, Ausstellungskat.,
1985 · B. SCHNEIDER, H. ROSE, U. SCHIERWATER,
Goldschmuck der röm. Frau, Ausstellungskat., 1993. R.H.

Armut. Der Begriff A. bezeichnet eine oft nicht durch
eigene Kräfte zu bessernde, von Mangel geprägte Le-
benslage und umfaßt sowohl deskriptiv analytische als
auch wertende sowie normative Aspekte. Trotz der in
verschiedenen Epochen feststellbaren, kulturell und histor. bedingten Unterschiede in der Wahrnehmung und
Wertung der A. haben einige grundsätzliche Feststellun-
gen zur A.-Problematik auch für vorindustrielle Gesellschaften und insbes. für die Ant. Gültigkeit: Unter absoluter A. versteht man eine soziale Situation, in der es
nicht möglich ist, die menschlichen Grundbedürfnisse,
– zu denen Ernährung, Kleidung, Wohnung und Gesundheit gehören (vgl. schon Plat. rep. 2,372a-d; Plut.
mor. 523e), – angemessen zu befriedigen. Neben diesen
materiellen Grundbedürfnissen werden auch imma-
terielle Aspekte der A.-Problematik wie ein mangelnder
Anteil an Kultur und Bildung oder eine unzureichende
Partizipation am polit. Leben genannt. Problematisch ist
hingegen der Versuch, A. durch Vergleich der Lebens-
lagen verschiedener sozialer Schichten zu bemessen
oder aufgrund der subjektiven Überzeugung betroffe-
ner Individuen zu definieren. Soziale und rechtliche
Definitionen der A. hängen auch in der Ant. von sozialen und kulturell bedingten Normen ab und verweisen
auf die komplexen gesellschaftlichen, polit. und ökonomischen Zusammenhänge, in die das A.-Phänomen
eingebettet war.

In vorindustriellen, agrarisch bestimmten Gesellschaften war absolute A. allg. ein verbreitetes Phänomen: Bereits wenige Mißernten, erst recht aber Natur-
katastrophen, Seuchen oder Kriege vermochten aktuelle Existenzgefährdungen und Hungerkrisen auszulösen.
Für die Ant. sind solche häufig auftretenden Notsitua-
tionen allerdings nur in wenigen Fällen hinreichend gut
dokumentiert; die lückenhaft überlieferte historiographische Lit., die selten soziale Probleme thematisiert,
läßt kaum jemals das A.-Problem, seine Varianten und

Facetten – und erst recht nicht seine Ursachen – hervortreten. Die tatsächliche Omnipräsenz von A. in ant.
Gesellschaften spiegelt sich so in wenigen Quellengattungen, etwa in den Schriften zur Traumdeutung
(→ Artemidoros) oder → Astrologie (Ptolemaios), sowie in den Papyri. Man wird mit der Annahme nicht
fehlgehen, daß ein erheblicher, wenn nicht der überwiegende Teil der Bevölkerung ständig am Rand oder
unterhalb des Existenzminimums lebte.

A. ist in der Ant. wie in allen vorindustriellen Gesellschaften als das grundlegende soziale Problem anzu-
sprechen. Es ist nur vordergründig mit der Frage der
Arbeit verbunden, tatsächlich aber entscheidend von
der Eigentumsproblematik abhängig, da für die Masse
der Bevölkerung nur der Besitz und die Nutzung von
Land oder einer Werkstatt und von Werkzeugen ein
meist knappes Auskommen gestattete. Während Reichtum – vornehmlich in Form von Landbesitz – nach ant.
Vorstellung einen Menschen vom Zwang zur Arbeit
befreite, war A. dadurch definiert, daß ein Mensch
selbst körperlich arbeiten mußte, um seine Existenz zu
sichern. Dieser A.-Begriff, der eben keine gänzliche
Besitzlosigkeit implizierte, bedeutete, daß alle selbst arbeitenden Kleinproduzenten – Bauern wie Handwerker –, auch bei ökonomischer Unabhängigkeit und re-
lativem Wohlstand, als arm zu gelten hatten: mithin die
Masse der Bevölkerung. Unter diesen Voraussetzungen
war es für diese Armen vor allem notwendig, sich sozial
von den wirklich Besitzlosen abzugrenzen, die nicht
über Produktionsmittel (Land, Werkstatt und Werkzeuge) verfügten und gradueller sozialer Stigmatisie-
rung unterlagen. Obwohl die griech. Sprache A.-Phä-
nomene in einer hoch differenzierten Terminologie erfaßte, die vor allem den Bedarf an moralischer Bewertung und sozialer Differenzierung befriedigte, war der
grundsätzliche Unterschied zur Bettelei, wie etwa Aristoph. Plut. 500 ff. zeigt, wohl immer bewußt. Eine
Wertschätzung oder gar Idealisierung der bestenfalls als
böses Schicksal, ja als Krankheit empfundenen, aber als
soziales und ökonomisches Problem kaum wahrgenom-
menen A. war Griechen wie Römern jenseits verein-
zelter philos. und dann christl. Äußerungen vor der
Spätant. unbekannt. Vielmehr waren Ablehnung, ja
Verachtung der A. die Regel; zudem galten moralische
Verdorbenheit und verbrecherische Neigung als ihre
natürlichen Folgeerscheinungen [1]. Die in A. offen-
bare ökonomische Abhängigkeit und Beeinträchtigung
der persönlichen Würde bestimmten zugleich die gesellschaftliche Einschätzung: Eine Nähe der A. zur Sklaverei wurde diagnostiziert (Aristot. pol. 1,13,1260), und
A., wie die idealisierende gegenteilige Feststellung des
Perikles für Athen in der thukydideischen Gefalle-
nenrede (2,37,1) illustriert, gemeinhin ebenso als Hin-
derungsgrund für polit. Betätigung betrachtet.

Die in der Tat bedrohliche Nähe zur Sklaverei, von
der sich A. nach den faktischen Lebensbedingungen ohnehin oft kaum unterschied, sowie die mitleidlose Härte
im Umgang mit Armen zeigt im frühen Griechenland

wie in Rom das Schuldrecht. So galten auch die nach agrarischen und ökonomischen Krisenentwicklungen in Griechenland wie in Rom erhobenen Forderungen der Armen nicht zufällig Erleichterungen im Schuldrecht (Schuldentilgung) und Landverteilungen. Ökonomische Unabhängigkeit und polit. Rechte als Voraussetzung für Landbesitz waren ebenso untrennbar miteinander verbunden wie die entsprechenden polit. Forderungen. Gegenüber der wenig komplexen archa. Gesellschaft führten die soziale und wirtschaftliche Entwicklung, in einzelnen Gebieten auch die Überbevölkerung, ebenso wie die äußere Expansion dieser Gesellschaften zu einer zunehmenden sozialen Differenzierung. Häufige Kriegführung mit all ihren Folgen, Verschuldung, die zunehmende Geldwirtschaft und die Expansion des Großgrundbesitzes, ließen in Griechenland und Rom Teile des Bauernstandes verarmen und die Zahl der Armen und Landlosen stark anwachsen. Die Verschärfung der A. ist für Athen seit Ende des 5.Jh. v. Chr. gut bezeugt. In Griechenland hatten die Schärfe und eine wachsende Zahl innerer Konflikte (στάσεις) nicht nur die periodische Vertreibung, sondern auch die Verarmung weiter Bevölkerungsgruppen zur Folge.

Das in dieser Zeit ebenfalls expandierende Söldnerwesen bot oft letzten Halt vor endgültigem Absinken in A. Die durch ständige Kriegführung und den gleichzeitigen Aufstieg der auf Sklavenarbeit beruhenden großen Güter bedingte Verarmung von Kleinbauern in einigen Landschaften It. sowie die Abwanderung dieser Bauern nach Rom ließen das A.-Problem hier virulent und indirekt für die späte Republik polit. bestimmend werden, allerdings nur als Versorgungs-, Landverteilungs- und Ansiedlungsproblem zur Stärkung des bedrohten Bauern- und Soldatenstandes (Ti. Gracchus). A. wurde in der Republik ebenso wie in der Principatszeit nicht als solche wahrgenommen oder bekämpft. Auch jede öffentliche Armenfürsorge fehlte. Dies zeigen die Modalitäten der zuweilen als »A.-Politik« mißverstandenen großstädtischen *frumentationes* ebenso wie die Alimentarstiftungen (→ Alimenta) des 2.Jh., deren Bezug das röm. Bürgerrecht voraussetzte, nicht aber notwendigerweise Bedürftigkeit. Die erbärmlichen äußeren Bedingungen [6] der großstädtischen A., die – anders als ländliche A. – in der Principatszeit relativ gut dokumentiert ist, bewirkten keine polit. Maßnahmen, die eine grundlegende Verbesserung der sozialen Situation intendiert hätten.

Insofern bedeutete das *caritas*-Konzept des aufkommenden Christentums und die in den Gemeinden und von der Kirchenhierarchie gepflegte systematische Armenfürsorge einen tiefgreifenden Wandel ebenso in der Wahrnehmung wie auch in der Behandlung der A., ja regelrecht eine Entdeckung der A. als soziales Phänomen und ethisches Problem. Das Christentum griff hierbei allerdings auf eine hoch entwickelte at.-jüd. A.-Wahrnehmung, -Theologie und -Praxis zurück. Diese maß der Armenfürsorge einen außerordentlichen Stellenwert bei, bewertete → Almosen speziell gegenüber Armen als rel. Tat und bewirkte eine ebenso hoch organisierte wie materiell aufwendige Armenhilfe (Armenzehnte, Deut 14,28 f. u. a.) [2].

Im NT erhält A. wesenhaft eine Funktion im Heilsgeschehen und sogleich eine fundamentale Neubewertung, die den Boden für ein A.-Ideal und damit für eine Wurzel des späteren Mönchtums legt. Die christl. Armenfürsorge gilt grundsätzlich allen Hilfsbedürftigen; die Unterscheidung in Witwen, Waisen, Kranke, Gefangene, Bettler, Fremde und Notleidende spiegelt die auch in den Quellen faßbare gewachsene Sensibilisierung für alle sozial und materiell Benachteiligten (beispielhaft Joh. Chrys.) und läßt so erstmals auch strukturell von A. betroffene, zahlenmäßig beachtliche Gruppen wie die Witwen und Waisen hervortreten [4]. Seit dem 3./4.Jh. kommt es – auch über die Almosenpraxis und die Einschreibung von ständig unterstützten Witwen und Armen in Listen hinaus – zu einer zunehmenden Institutionalisierung der Armenfürsorge, die in den Armenhäusern, Hospitälern u.a. des MA. und in Byzanz ihren vorläufigen Abschluß findet. Die Kirche beherrscht damit vollständig das Feld sozialer Hilfeleistung; seit Konstantin wird sie zur Wahrnehmung dieser Aufgabe auch staatlich alimentiert.

→ Alimenta; Almosen; Arbeit; Bettelei; Bürgerrecht; Krieg; Reichtum; Schulden; Sklaverei; Stadt; Stasis; Wirtschaft

1 H. BOLKESTEIN, Wohltätigkeit und Armenpflege im vorchristl. Alt., 1939, 185–191 2 G. HAMEL, Poverty and Charity in Roman Palestine, 1990, 105 ff., 201 ff., 217 ff. 3 A. R. HANDS, Charities and Social Aid in Greece and Rome, 1968 4 J.-U. KRAUSE, Witwen und Waisen im röm. Reich II: Wirtschaftliche und ges. Stellung von Witwen, 1994, 161–173, 193–197 5 E. PATLAGEAN, Pauvreté économique et pauvreté sociale à Byzance. 4ième – 7ième siècles, 1977 6 A. SCOBIE, Slums, Sanitation, and Mortality in the Roman World, in: Klio 68, 1986, 399–433 7 G. E. M. DE STE. CROIX, The Class Struggle in the Ancient World, 1981.   J.H.

Arne (Ἄρνη).

[1] Boiotischer Ort (Hom. Il. 2,507). Nach Strab. 1,3,18; 9,2,34–35 setzte man A. entweder mit → Akraiphia gleich oder glaubte, A. sei im → Kopaissee versunken. Nach anderen ist A. der alte Name für → Chaironeia (Paus. 9,40,5; Steph. Byz. s.v. Χαιρώνεια). Wohl nicht identisch mit der in spätmyk. Zeit aufgegebenen Festung Gla [1].
→ Boiotia

1 F. NOACK, A., in: MDAI (A) 19, 1894, 405–485.

J. M. FOSSEY, Papers in Boiotian Topography and History, 1990, 64–65 · A. W. GOMME, The Ancient Name of Gla, in: E. C. QUIGGIN (Hrsg.), Essays presented to W. Ridgeway, 1913, 116–123 · J. KNAUSS, Kopais 3. Wasserbau und Gesch., 1990, 60–71 · LAUFFER, Griechenland, 233.   K.F.

[2] Stadt der aiol. → Boiotes, aus der diese im 8.Jh.
v.Chr. von den → Thessaloi nach Süden in ihre histor.
Wohngebiete verdrängt wurden (Thuk. 1,12), lokalisiert in der Makria-Magula beim h. Sophades im westl.
Thessalien. Die Thessaloi verlegten den Ort als → Kie-
rion auf einen Hügel in der Nähe.

R.HOPE SIMPSON, A Gazetteer and Atlas of Mycenaean
Sites, 1965, 541f. · V.MILOJČIĆ, in: AA 1955, 229f. ·
Ders., in: AA 1960, 168 · F.STÄHLIN, Das hellenische
Thessalien, 1924, 130–132.   HE.KR.

Arnobius

[1] von Sicca. Christl. Rhetor in Sicca Veneria (Hier.
vir. ill. 79), Verf. von sieben B. *Adversus Nationes* (nur
Cod. Paris. 1661, 9.Jh., und dessen Kopie Bruxell.
10847, 11.Jh.) um 297–303 n. Chr., sicher vor 311
[3. 30–34]. Die Meinung, das Werk sei unfertig und A.
deshalb vor 311 gestorben, ist unbegründet [4. 24]. Lehrer von → Lactantius, doch ist die genaue Beziehung
umstritten, da Lactantius A. nicht zitiert [5. 367]. Der
Stil ist sehr emphatisch, mit einer Neigung zu realistischer Darstellung und reichem, buntem Wortschatz;
Akzentklauseln stehen neben klass.-quantitierenden [6].
Stilistisch gehört A. eher zur Spätant. als zur sog. *africitas*;
sein Realismus beruht auch auf seiner strengen antial-
legorischen, wohl gegen Porphyrios gerichteten Polemik.

B. 1 enthält die Zurückweisung der gegen die Christen vorgebrachten Anschuldigungen, B. 2 eine anti-
gnostische Diskussion über den Ursprung der Seelen,
die übrigen B. eine Polemik gegen den griech.-röm.
Polytheismus, dessen Kulthandlungen mit der christl.
Religion unvereinbar sind (3–4: Mythologie; 6: Tempel
und Statuen; 7: Opfer). Zentrum ist die drastische Polemik gegen die sexuellen Aspekte der Mysterien, die als
alte, unveränderte Kulte das Wesen des Polytheismus
zeigen. Sie überträgt das alte Thema der Unvereinbar-
keit Gottes mit menschlichen Schwächen auf die kult.
Ebene: Keine allegorische Deutung kann einen obszönen Kult rechtfertigen. Grundsätzlich gedenken Kulthandlungen histor. Tatsachen; die Grundfrage A.' ist somit die nach der Authentizität der allegorischen Deutung: Nicht ob diese haltbar, sondern ob sie urspr. oder
nur spätere Rationalisierung ist. A. kennt seine Quellen
direkt und benutzt bes. Cicero und Varro. A.' Kritik an
den Mysterien beruht auf deren Interpretation durch
Alexander Polyhistor und → Porphyrios; die Kritik ist
deshalb lehrreich für die spätant. Vorstellung der Mysterien [4. 104–108]. Die Polemik gegen die griech.
Religion ist nicht von → Clemens von Alexandreia abhängig.

Zweifel an Orthodoxie und Bibelkenntnis A.' werden wiederholt erhoben, z.T. wegen einer falschen
Einstufung seines Werkes als Darstellung der christl.
Lehre statt als philos. Polemik gegen paganen Synkretismus [4. 8 f.; 7] sowie wegen einer unzutreffenden
Charakterisierung A.' als christl. Skeptiker: Die skeptischen Elemente sind aber Teil der klass. Widerlegungs-

technik und dienen der Fundierung des Postulats, die
Offenbarung erlöse von menschlicher Philosophie
[5. 374 f.].

A.' Rezeption hängt stark von den Eigenheiten seiner Argumentation ab: Wegen seiner Heterodoxie wird
er vom *Decretum Gelasianum* verworfen und nur wenig
im MA gelesen; die Humanisten interessiert er als Vermittler heidnischer Theologie. Eine produktive Rezeption findet ab dem 17.Jh. (HUET, BAYLE, LA METTRIE)
gerade wegen seiner Eigenheiten, bes. seines Skeptizismus (2,4 wird als Quelle für PASCALS Wette vermutet)
statt und führt wiederum zum Versuch, seine Orthodoxie zu beweisen [8].

1 C.MARCHESI, ²1953 2 L.B.BERKOWITZ, Index A, 1967
3 H.LE BONNIEC, A. Livre I, 1982 4 F.MORA, A. e i culti di
mistero, 1994 5 A.WLOSOK, HLL § 569 6 H.HAGENDAHL,
La prose métrique d'A., 1937 7 CHR.BURGER, Die theologische Position des älteren A., Diss. 1970 8 P.KRAFFT,
Beiträge zur Wirkungsgesch. des älteren A., 1966.   F.MO.

[2] aus Afrika. Evtl. afrikanischer Mönch, lebte vermutlich zw. 423 und 455 in Rom (keine ant. Nachrichten) und bekämpfte die Gnadenlehre des → Augustinus.
Hsl. werden ihm zugewiesen *Commentarii in Psalmos*
(CPL 242) und das christologische Streitgespräch *Con-
flictus Arnobii cum Serapione* (CPL 239). Weitere Zuschreibungen sind umstritten (CPL 240: *Expositiunculae
in Evangelium*, 241: *Liber ad Gregoriam*).

ED.: K.D.DAUR, CCL 25–25A, 1990–1992.
LIT.: HLL § 744.   C.M.

Arnus. Heute Arno, Hauptfluß von Etruria, entspringt
am Monte Falterona, fließt durch den Casentino. In der
Ebene von Arezzo nimmt er die Chiana auf, durchfließt
die obere Valdarno und vereinigt sich mit der Sieve,
wobei er links die Greve, Pesa, Elsa und Era, rechts den
Bisanzio aufnimmt. Der A. mündet bei Pisa ins *mare
Tyrrhenum* (Liv. 22,2,2; Plin. nat. 3,50,52; Strab. 5,2,5;
Tac. ann. 1,79; Aristot. mir. 92; Rut. Nam. 1,566;
Geogr. Rav. 4,36; Cassiod. 5,17,20). Von Bed. in der
Zeit der etr. Expansion, wie die ältesten Nekropolen
von Volterrae bei den Quellen der Era zeigen.

M.CRISTOFANI, A proposito della via dell'Arno, in: Atti dell'
VIII Convegno Nazionale di Studi Etrusci, Orvieto 1972,
1974.   S.B. / S.W.

Aroania ore (Ἀροάνια ὄρη). Gebirgsstock (höchster
Gipfel Helmos, 2341 m) in Nord- → Arkadia zw. Ery-
mathos und Kyllene; zu A. im Proitidenmythos → Proitos (Paus. 8,18,7).   C.L. / E.O.

Aron (ἄρον), bei Hippokrates, Aristoteles, Theophr. h.
plant. 7,12,2 und Dioskurides 2,167 [1. 1. 233 f.] = 2,197
[2. 245], auch ὄρον, ὁρόντιον, *aron* bei Plin. nat. 19,96;
24,142 u.ö., vertritt mehrere Arten der Araceengat-
tungen *Arum* (bes. *A. italicum*), *Arisarum* (ἀρισάρον,
Dioskurides 2,168 [1. 1. 234] = 2,198 [2. 245]), *Dracunculus* (δρακόντιον, Dioskurides 2,166 [1. 1. 231 ff.] =

2,195–196 [2. 243ff.]: Aasgeruch des Blütenstandes tötet Embryo [3. Abb. 365 f., 371]) u. a. Nach Theophrast wurden Knollen und Blätter, mit Essig gekocht, gegessen. Nach Plin. nat. 19,96 und 24,143 ist damit wohl das in der röm. Kaiserzeit über Syrien und Ägypt. eingeführte *Arum Colocasia L.* gemeint, ein noch heute in Südeuropa kultiviertes Knollengemüse (arab. *qolqas*, indisch *katchu, taro*). Plin. nat. 24,144–151 empfiehlt verschiedene Araceen nach den Ärzten Dieuches, Diodotos, Glaukias und Hippokrates innerlich und äußerlich gegen Entzündungen, Frauenleiden, Schlangengifte u. a. mehr, Dioskurides gegen Krebs. Bären sollen nach Aristot. hist. an. 7(8),17,600b 11 f. (= Plin. nat. 8,129) und 8(9),6,611b 34 f. nach dem Winterschlaf zuerst A. zur Eröffnung des Darmes fressen.

1 M. WELLMANN (Hrsg.), Pedanii Dioscuridis de materia medica, Bd. 1, 1907, Ndr. 1958 2 J. BERENDES (Hrsg.), Des Pedanios Dioskurides Arzneimittellehre, übers. und mit Erl. versehen, 1902, Ndr. 1970 3 H. BAUMANN, Die griech. Pflanzenwelt in Mythos, Kunst und Lit., 1982.

C. HÜ.

Aropos. Nur inschr. bezeugter Dichter der Neuen Komödie; Lenäensieger im 3. Jh.

1 PCG IV, 12. B. BÄ.

Arpi (auch Ἄρποι, Ἀργυρίππα, Ἄργος Ἵππιον: Dion. Hal. 20,3,2, *Argyripa, Argos Hippium*: Cic. Att. 9,3,2; Verg. Aen. 10,30; App. Hann. 31; Iust. 20,1). Bezieht sich auf eine Stadt in → Apulia, die unter den Binnenorten von → Daunia aufgelistet ist (Ptol. 3,1,72), h. Arpi. Gegr. von → Diomedes (Lykophr. 594 f.; Strab. 6,3,9; Ov. met. 14,9; Plin. nat. 3,104), der laut Steph. Byz. s. v. Ἀργυρίππα einer schon vorhandenen Stadt Λάμπη den neuen Namen gegeben haben soll. Während des Krieges gegen Hannibal nach der Schlacht von Cannae (216 v. Chr.) von den Karthagern eingenommen und von Fabius Maximus 213 v. Chr. zurückerobert (Pol. 3,88; 118; Liv. 24,45–57). Wegen der Gründung der röm. → *colonia* → Sipontum erfolgte eine Gebietsverringerung. Strab. (ebd.) erwähnt A. als sehr große Stadt, die verfallen sei. Prägte im 3. Jh. v. Chr. Br.- und Silbermünzen. Die Stadt, deren Anf. in das 6. Jh. v. Chr. zurückgehen, hat eine halbmondförmige Anlage; drei Nekropolen (7.–3. Jh. v. Chr.). Hell. → *domus* in Montarozzi und kaiserzeitliche *domus* bei »Masseria Menga«.

BTCGI 3, 314–320 · M. MAZZEI, A. preromana e romana, in: Taras 1/2, 1984, 7–46 · Ders., s. v. A., in: EAA Suppl. 2,2, 451–453 · Ders., Nuovi elementi sulle forme abitative della Daunia antica. Ordona, A., Ascoli, in: Profili della Daunia antica, 1994, 73–92, 81–88. B. G. / S. W.

Arpinum. Stadt der → Volsci auf Anhöhe im mittleren Liris-Tal, h. Arpino (Frosinone); seit 305 v. Chr. röm. → *praefectura* (Liv. 9,44,16), seit 90 v. Chr. → *municipium* der *tribus Cornelia, regio I*, Geburtsort von Marius und Cicero. Einfache volskische Befestigungsanlage bei Civita Falconiera erh., starker röm. Mauerring (3 km; Polygonalmauerwerk) mit monumentalem Spitzbogentor. Überreste eines Tempels (evtl. des Mercurius Lanarius) unter der Kirche S. Maria; ein anderes Gebäude unter dem Kirchturm von S. Maria di Civita. Inschr. erwähnen das Abwassersystem und eine Walkerei. CIL X 5679–81.

O. E. SCHMIDT, A., 1900 · G. PIERLEONI, Il patrimonio archeologico di A., 1907 · Ders., Scoperte di antichità, 1911 · P. SOMMELLA, Arpino, in: Quaderni dell'Istituto di Topografia Antica della Università di Roma 2, 1966, 21–34 · E. BERANGER, Contributo per la realizzazione della carta archeologica della media valle del fiume Liri, in: RAL 32, 1977, 585–97. G. U. / S. W.

Arra, Arrabon. Angeld, insbes. beim Kauf. Nach dem Vorbild altoriental. Rechte (vgl. Gn 38,17) bildet bei den Griechen der ἀρραβών (*arrabṓn*) ein Erfordernis der Haftungsbegründung. Zeichen der persönlichen Haftung war vornehmlich ein Ring. Seinem Symbolwert trat bald eine wirtschaftliche Funktion zur Seite: Vertragsbruch des Gebers der *a.* ließ diese dem Empfänger verfallen (das Angeld wirkt als Reugeld), Vertragsbruch des Empfängers löste eine Pflicht zur Rückgabe, meist sogar eines Mehrfachen der *a.* aus.

Den Römern wurde die *a.* schon früh bekannt (Varro ling. 5,175), doch unterblieb eine Eingliederung des Instituts in die Rechtsordnung. Die klass. Juristen sehen in der *a.* nur die Bestätigung eines schon anders, beim Kauf durch Konsens zustande gekommenen Vertragsabschlusses (Dig. 18,1,35 pr.). War die *a.* Geld, wurde sie nach Übergabe der Ware auf den Kaufpreis angerechnet, war sie ein Ring, konnte man ihn mit der *actio empti* zurückfordern. Dies setzte sich jedoch im Bereich der hell. Volksrechte nicht durch. So gewinnt die im Vulgarrecht fortdauernde *a.* die Funktion, den Verkäufer an anderweitiger Veräußerung der Ware zu hindern. Beim schriftlichen Kauf des justinianischen Rechts soll dann die *a.* nach griech. Vorbild die Haftung begründen, doch auch beim formlosen Konsensualkauf dürfte eine Rückgabe der *a.* den Rücktritt vom Vertrag ermöglicht haben. Allerdings bleibt hier wegen der Widersprüche zwischen Inst. Iust. 3,23 pr. und Cod. Iust. 4,21,17,2 vieles dunkel. Daß aber diese Neuregelung Justinians unter starkem griech.-hell. Einfluß steht und von der klass.-röm. Ordnung erheblich weiter als gewöhnlich abweicht, ist sicher.

Auch die *a. sponsalicia* entstammt dem oriental. Recht. Nach dem Zusammenbruch der klass. Ordnung findet sie, im Osten dokumentiert durch das Syr.-Röm. Rechtsbuch, auch im Westen Eingang in die röm. Praxis. Seit dem 4. Jh. n. Chr. erfährt sie kaisergesetzliche Regelung, erstmals in Cod. Theod. 3,5,11 (von 380). Die Anerkennung der *a. sponsalicia* nimmt dem Verlöbnis die freie Lösbarkeit, im Einklang mit patristischen Postulaten drohen beim Rücktritt vom Verlöbnis Vermögensnachteile. Ein weiterreichender Zwang zur Eheschließung war aber ausgeschlossen. Die Bindung an das Verlöbnis erlosch nach zwei Jahren.

F. Pringsheim, The Greek Law of Sale, 1950, 333 ff. ·
Kaser, RPR II, ²1975, 387 · M. Talamanca, L'arra della
compravendita in diritto greco e in diritto romano, 1953 ·
G. Chalon Secrétan, Les arrhes de la vente sous Justinien,
1954 · L. Anné, Les rites de fiançailles, 1941 · W. Selb, Zur
Bed. des Syr.-Röm. Rechtsbuchs, 1964, 98 ff.   G. T.

Arrabaios (Ἀρραβαῖος).

[1] Sohn des Bromeros und König der Lynkestis, der
424/3 v. Chr. mit → Brasidas und dem Makedonenkönig Perdikkas II. zusammenstieß (Thuk. 4,79,2; 83;
124 ff.). Seine Unabhängigkeit wurde in einem zw.
Athen und Perdikkas geschlossenen Vertrag festgelegt
(IG I³ 1,89; Datierung umstritten).

HM Bd. 2, 14–19, 129–136 · Borza, 150–154.   M. Z.

[2] Aus dem Königshaus von → Lynkestis. Er und ein
Bruder (aber nicht der dritte Bruder, → Alexandros [8])
wurden nach der Thronbesteigung → Alexandros' [4]
als angeblich an der Ermordung → Philippos' beteiligt
getötet (Arr. an. 1,25,1). Daß sie den Thron anstrebten,
berichtet kein Autor; auch waren sie, soweit bekannt,
nicht → Argeadai.

Berve 2, Nr. 144.   E. B.

Arrabona. Militärstützpunkt und Straßenknoten am
oberpannonischen → limes an der Mündung des
Ar(r)abo (Ptol. 2,11,5; 14,1; 15,1; Tab. Peut. 5,3; Mar-
cianos 2,36) in die Donau (Itin. Anton. 267,10; Not.
dign. occ. 34,27; Geogr. Rav. 4,19), h. Györ, dt. Raab.
Seit Mitte des 1. Jh. n. Chr. Alenkastell (auf dem Káp-
talanhügel), ab dem 2. Jh. für die → ala I Ulpia Contario-
rum Milliaria. Im Süden und Osten → vicus, Brand- und
Körpergräberfeld.   H. GR.

Arras-Kultur. Nach dem Fundort A. benannte Kultur
der jüngeren Eisenzeit (4.–1. Jh. v. Chr.) in der östl.
Grafschaft Yorkshire (England), die hauptsächlich aus
Grabhügeln mit quadratischen Einfassungen (→ Grab-
bauten; → Bestattung) bekannt ist. In reichen (Krieger-)
Gräbern ist die Beigabe von → Streitwagen typisch.
Neben Kontakten zur kelt. Kultur des Kontinents
(→ kelt. Archäologie) werden heute starke indigene
Traditionen betont.

B. Cunliffe, Iron Age Communities in Britain, 1974 ·
I. M. Stead, Iron Age Cemiteries in East Yorkshire, 1991.
                                        V. P.

Arrechoi (Ἀρρηχοί). Nach Strab. 11,2,11 Stamm der
→ Maiotai. Die Hss. bei Strabon haben Ἀρριχοί (vgl.
Ptol. 5,8,17 Ἄριχοι), die Emendation beruht auf Steph.
Byz. s. v. A., der sich auf Strabon beruft. Amm. 22,8,33
(Arinchi) versetzt die A. irrtümlich auf die Krim als
Stamm der Tauroi.

S. Tokhtas'ev, Scythica v trudakh II Vsesojuznogo
simpoziuma po drevnej istorii Pričernomorja, in: VDI 1984,
3, 136 f.   S. R. T.

Arrecina. A. Tertulla, Tochter von Arrecinus [1] Clemens, erste Ehefrau des Titus, die aber früh starb (Suet.
Tit. 4,2; PIR² A 1074).   W. E.

Arrecinus

[1] Clemens, M., Ritter aus Pisaurum, praef. praetorio
unter Caligula (Tac. hist. 4,68,2; Suet. Tit. 4,2); Mit-
verschworener bei der Ermordung Caligulas im J. 41
n. Chr. (Ios. ant. Iud. 19,37 ff.; Suet. Cal. 56,1). Schwiegervater des Titus [1].

[2] Clemens, M., Sohn von [1], mit den Flaviern verwandt (Suet. Tit. 4,2; Tac. hist. 4,68,2). Obwohl er Senator war, machte Mucianus ihn 70 n. Chr. zum praef.
praetorio; cos. suff. 73, konsularer Statthalter der Tarraconensis (AE 1947,40 = Suppl.It. N. S. 1, 87 Nr. 4); cos.
suff. II 85 (CIL XII 3637; FOst, 44; 79). Möglicherweise
praef. urbi [2]; die fistula aquarum (CIL XV 7278) weist
nicht auf die cura aquarum, sondern auf eine andere,
nicht bestimmbare Tätigkeit in Rom hin [3]. Mit Domitian eng vertraut, dennoch von ihm hingerichtet
(Tac. hist. 4,68,2; Suet. Dom. 11).

1 Demougin, 345 f. 2 Syme, RP 5, 613 ff. 3 Bruun, 238 f.
                                        W. E.

Arretium. Stadt in → Etruria im oberen Arno-Tal
(Strab. 5,2,5) auf einem Berg an der Kreuzung fruchtbarer Täler (Plin. nat. 14,36; 18,87: Val di Chiana, Tal
des Arno, Casentino und Val Tiberina), bedeutender
Straßenknotenpunkt, h. Arezzo. Erstmals erwähnt, als
A. den Latini gegen Tarquinius Priscus beistand (Dion.
Hal. 3,51,4). Im 3. Jh. v . Chr. Gegner Roms (Liv. 9,32;
37; 10,3; 37), beteiligte sich A. am Krieg gegen → Hannibal auf Seiten Roms (Pol. 3,77; Liv. 28,45,16–18). Die
romfreundliche Politik der Stadt wurde geführt von den
Cilnii (→ Cilnius), Vorfahren des Maecenas [1]. Die lokale Metallverarbeitungs- und Keramikindustrie ist bemerkenswert. 88 v. Chr. in die tribus Pomptina eingeschrieben, gehörte zur augusteischen regio VII. Spärliche
arch. Reste: Rekonstruierbar ist ein Gürtel von Heiligtümern, aus denen bedeutende etr. Monumente stammen [2]; Reste des Amphitheaters (1.–2. Jh. n. Chr.).
Auf einem abgelegenen Berg bei San Cornelio Reste
eines Heiligtums mit kleinem Theater (1. Jh. v. Chr.).

1 A. Maggiani, Cilnium Genus. La documentazione
epigrafica etrusca, in: SE 54, 1986, 171–196 2 G. Colonna
et al., Santuari in Etruria, 172–185 3 G. Maetzke, Il
santuario etrusco-italico di Castelsecco, RPAA 55/56,
1982–84, 35–53.

BTCGI 3, 296–304 s. v. Arezzo · A. Cherici,
L'insediamento antico nel Territorio Aretino, in: Journal of
Ancient Topography 2, 1992, 23–90.   A. CH. / S. W.

Arrhephoroi (Ἀρρηφόροι). Titel mit ungewisser
Etym., der zwei oder vier athenischen Mädchen aus guter Familie zw. sieben und elf Jahren gegeben wurde,
die ein Jahr lang auf der Akropolis lebten und an verschiedenen Aktivitäten teilnahmen, die mit dem Kult
der Athena Polias verbunden waren.

Mit der Athenapriesterin stellten sie an den Chalkeia den Webstuhl auf, auf welchem der neue Peplos der Göttin gewoben wurde, und halfen selbst beim Weben mit. Mit dieser Rolle wurde oft die zentrale Szene des Parthenonfrieses zusammengestellt und als Peplosübergabe gedeutet. Der Ritus der Arrhephoria, von dem sie ihren Namen erhielten, wurde am Ende ihres Dienstjahres durchgeführt und ist bei Pausanias (1,27,3) beschrieben: Nachts gab die Priesterin den Mädchen etwas, was sie (in Kisten oder Körben) auf ihren Köpfen durch einen unterirdischen Gang zum Aphroditeheiligtum »in den Garten« oder vielleicht zu einem anderen Heiligtum in der Nähe (die griech. Formulierung ist zweideutig) trugen [1]. Keine Teilnehmerin wußte, was die Körbe enthielten. Die A. ließen ihre Lasten dort und brachten etwas anderes, ebenfalls zugedeckt, zur Akropolis zurück. Über die Bed. des Ritus wurde viel diskutiert; er hat jedenfalls mit dem Mythos zu tun, wie Athena den Töchtern des Kekrops in einem Korb den kleinen Erichthonios mit der Anweisung, nicht hineinzuschauen, übergab. Die A. führten so ihre Pflichten »für« Athena Polias und Pandrosos, eine Kekropide (IG II² 3472, 3515, 2.Jh. v.Chr.), aus; daß Pandrosos und ihre Schwestern die Ehre hatten, als erste weben zu dürfen (Suda, Phot. s.v. προτόνιον), ist ebenfalls bedeutsam. Aristophanes (Lys. 641) erwähnt die Arrhephoria in einer Liste rel. Ämter, die jungen Mädchen offen standen. Die Forsch. sah das Ritual oft als urspr. Initiationsritus an, der die jungen Mädchen auf die Heirat vorbereitete, während andere Gelehrte es als fruchtbarkeitsfördernden Ritus betrachten. In jedem Fall war seine Bed. auf eine kleine Anzahl Teilnehmerinnen beschränkt.

1 O. BRONEER, Eros and Aphrodite on the north slope of the Acropolis, in: Hesperia 1, 1932, 31–55; (vgl. Hesperia 2, 1933, 329–417).

A. BRELICH, Paides e Parthenoi, 1969, 231–8, 268–70 · P. BRULÉ, Les filles d'Athéna, 1987, 83–100 · W. BURKERT, Kekropidensage and Arrhephoria, in: Hermes 94, 1966, 1–25 (Ndr. in: Wilder Ursprung, 1990, 40–59) · V. PIRENNE-DELFORGE, L'Aphrodite grecque, 1994, 49–59 · N. ROBERTSON, The riddle of the Arrhephoria, in: HSPh 87, 1983, 341–88 · E. SIMON, Festivals of Attica, 1983, 39–46 · B. WESENBERG, Panathenäische Peplosdedikation und Arrhephorie. Zur Thematik des Parthenonfrieses, in: JDAI 110, 1995, 148–178.   E.K.

Arria
[1] die Ä., Frau des Senators Caecina Paetus; als dieser 42 von Kaiser Claudius zum Tod verurteilt wurde, tötete sie sich selbst (Plin. epist. 3,16; Tac. ann. 16,34,2; RAEPSAET-CHARLIER, Nr. 96).
[2] die J., Tochter von [1], Frau des P. Clodius Thrasea Paetus, cos. suff. 56; als sie nach dem Vorbild der Mutter im J. 66 ihrem Mann in den Tod folgen wollte, hinderte er sie daran (Tac. ann. 16,34,2). Mutter von Fannia, die Helvidius d. J. heiratete; unter Domitianus verbannt,

Rückkehr unter Nerva (Plin. epist. 7,19,10; RAEPSAET-CHARLIER, Nr. 159).
[3] A. Fadilla, Tochter von Arrius [II 1]; Frau des T. Aurelius Fulvus, cos. ord. 89, später mit dem Senator P. Iulius Lupus verheiratet. Ihr Sohn war der spätere Antoninus Pius (PIR² A 1119; RAEPSAET-CHARLIER, Nr. 99).
                                                    W.E.

Arrianos
[1] Verf. (wohl 2.Jh. v.Chr.) einer griech. Übers. von → Vergilius' Georgica, eines Epos über → Alexandros [4] und mehrerer Lobgedichte auf → Attalos. Die Werke sind verloren (Suda α 3867).   E.B.

[2] A. von Nikomedeia
A. NAME.   B. LEBEN.   C. WERKE.

A. NAME
L. Flavius Arrianus ist durch Inschr. bezeugt. »Flavius« geht auf den Patron zurück, dem die Familie das röm. Bürgerrecht verdankte: vielleicht L. Flavius, cos. suff. 33 v.Chr., oder erst Vespasian (wenn A. ein jüngerer Sohn war). A. bewunderte Xenophon; als Philosoph berühmt, erhielt er den Ehrennamen »der neue Xenophon« und nennt sich selbst Xenophon.
B. LEBEN
Geb. zw. 85–90 n.Chr., aus vornehmer, in den röm. Ritterstand aufgenommener Familie. In Nikomedeia war er später Priester der Stadtgöttinnen Persephone und Kore. Er studierte unter → Epiktetos, der ihn sehr beeindruckte. Bei ihm lernte er prominente Römer kennen, so vielleicht → Avidius Nigrinus (s. SIG³ 827) und sogar Hadrian. Er diente als Ritteroffizier in Noricum, wohl auch in anderen der Prov., die er zu kennen scheint, dann unter Traian im Partherkrieg. Von Traian oder Hadrian, wohl mit Prätorierrang, in den Senat erhoben, wurde er Prokonsul von Baetica [1] und, da ihn mit Hadrian lit. Interessen verbanden, cos. suff. 129 oder 130. 131–137 war er legatus pro praetore der Grenzprov. Kappadokia, mit zwei Legionen und Auxilia führte er Aufsicht über benachbarte Klientelfürsten. Andere Posten sind nicht nachzuweisen. Später wohnte er in Athen, wo er Bürger und 145/6 árchōn epónymos wurde und sich Nachkommen von ihm finden.
C. WERKE
a) Philos., wohl aus der Jugendzeit. 1. Diatribai (›Vorträge‹) von Epiktetos, vier Bücher (von acht) erh.: ein sehr einflußreiches Werk, in Form einer Nachschrift, doch nach dem Muster von Xenophons Memorabilia ausgearbeitet; 2. Encheiridion (›Handbuch‹) zu Epiktetos; 3. ein meteorologisches Werk (nur Fragmente erh.).
b) Historisch-biographische (nicht datierbar). Erh.: 1. Anábasis (›Feldzug nach Asien‹) von → Alexandros [4]: s.u.; 2. Indikḗ: nach → Nearchos' Beschreibung, die Fahrt seiner Flotte vom Indus bis Susa, mit geogr.-ethnographischer Einleitung nach → Megasthenes; im ion. Dialekt. Nur in Fragmenten erh.: 3. Diadochengeschichte (bis Triparadeisos), zehn Bücher, Quellen un-

bekannt; 4. Gesch. von Bithynien bis zur röm. Annexion, acht Bücher; 5. *Parthiká* (die röm.-parthischen Kriege), siebzehn Bücher, davon zehn über Traians Krieg. Verloren: 6. *Alaniké*; 7. *Díon*; 8. *Timoléōn*; 9.? *Tillórobos* (ein Bandit: vielleicht nur ein Witz von Lukian).

c) Verschiedene. Erhalten: 1. *Kynegetikós*: bringt Xenophons gleichnamiges Werk über die Jagd auf aktuellen Stand; 2. → *Períplus* des Schwarzen Meeres (131–32): erweiterter und lit. überarbeiteter Bericht, den er als *legatus Augusti pro praetore* für Hadrian über eine Inspektionsreise entlang der kappadokischen Küste geschrieben hatte: B. 1–11 Trapezus-Sebastopolis, B. 12–16 thrak. Bosporus, B. 18–25 Sebastopolis-Byzantion. 3. *Ektaxis* gegen die → Alani (135–37): Aufmarsch von A.' Armee angesichts eines drohenden Einfalls der Alani (die sich aber zurückzogen); 4. *Taktik* (nur der Teil über Kavallerie erh.): wahrscheinlich 137 zur 20–Jahrfeier von Hadrian [2].

A. war als Philosoph und Historiker berühmt, fühlte sich polit. als Römer, sentimental als Bithynier aus Nikomedeia, lit. als Erbe von Xenophon und der athenischen Klassik. Wir kennen ihn hauptsächlich als Autor der Alexandergesch. (C,b,1–2), in sieben Büchern (1) und in einem Buch (2), vielleicht sein erstes großes histor. Werk [s. aber 3], das ihm später kaum überragend wichtig erscheinen konnte. Als Ziele stellt er (Arr. an. prooem. und 1,12,2–5) Wahrheitstreue und Preis seines Helden in würdigem Stil heraus; er will die besten Quellen heranziehen, → Ptolemaios und → Aristobulos [7], die Alexandros begleiteten und nach seinem Tod unbefangen schreiben konnten; andere Quellen will er als »Erzählungen« markieren. Er ist aber darin nachweisbar nicht immer konsequent, mißversteht nicht selten die Hauptquellen und erschwert durch den klassizistischen Stil (u. a. Vermeidung von Fachausdrücken) das Verständnis, bes. der Kriegs- und Verwaltungsgeschichte. Sein Held ist natürlich manchmal (bei A.' Auswahl der Fakten selten) zu tadeln; man kann als Philosoph auch den Wert des Unternehmens bezweifeln. Doch am Ende erscheinen normale Maßstäbe der Größe des Helden nicht angemessen. Den Rahmen der Feldzüge müssen wir von A. übernehmen, er liefert aber kein histor. annehmbares Alexanderbild.

→ Alexanderhistoriker; Alexandros [4] d. Gr.; Sophistik

1 W. ECK, s. v. L. Flavius Arrianus, RE Suppl. 14,120
2 F. WHEELER, The occasion of Arrian's Tactica, in: GRBS 19, 1978, 351–365 3 G. WIRTH, Anmerkungen zur Arrianbiographie, in: Historia 13, 1964, 209–45.

P. A. STADTER, Arrian of Nicomedia, 1980.
ED.: C,a,1: W. A. OLDFATHER, 1923 (mit engl. Übers.) ·
J. SOUILLÉ, 1962–65 (mit frz. Übers.) · C,a,1–2:
H. SCHENKL, ²1916 · C,a,3–c: A. G. ROOS, rev. G. WIRTH, 1967–68 · C,b,1–2: P. A. BRUNT, 1976–83 (mit engl. Übers. / Komm.) · G. WIRTH, O. VON HINÜBER, 1985 (mit dt. Übers. / Komm.).
KOMM.: A. B. BOSWORTH, Historical Commentary on Arrian's History of Alexander, I. 1980, II. 1995 · Ders., From Arrian to Alexander, 1988.   E. B.

[3] Bezeichnung für den Anonymus eines *Periplus Ponti Euxini*, der vor allem auf dem → Periplus des → Menippos in der Epitome des Markianos, dem Periplus des → Arrianos [2], Ps. → Skymnos und → Ps.→ Skylax basiert; entstanden wohl nach 576. n. Chr.

A. DILLER, The Tradition of the Minor Greek Geographers, 1952, 102–146.   C. HEU.

Arridaios (Ἀρριδαῖος).

[1] Sohn oder Schwiegersohn des Makedonenkönigs → Amyntas [1] I. und Fürst der obermaked. Elimeia (Schol. Thuk. 1,57,3).

F. GEYER, Makedonien bis zur Thronbesteigung Philipps II., 1930, 78 f. · HM, Bd. 2, 18 f.   M. Z.

[2] Sohn eines Amyntas, Enkel des Makedonenkönigs Alexandros [2] I. und Vater des Königs Amyntas [3] III. (SIG³ 135, 157; Diod. 15,60,3).

ERRINGTON, 28 f.   M. Z.

[3] Halbbruder → Philippos' II., fand mit einem zweiten Halbbruder in → Olynthos Zuflucht, wohl nach Ende des Bündnisses zw. Philippos und der Stadt. Nach deren Eroberung (348 v. Chr.) ließ Philippos beide töten (Iust. 7,4,5; 8,3,10 f.).

[4] Schwachsinniger Sohn von → Philippos II. und einer Thessalerin, ungefähr gleichaltrig mit → Alexandros [4]. Der Versuch des → Pixodaros, seine Tochter mit ihm zu vermählen, wurde durch Alexandros' argwöhnische Einmischung vereitelt. Als König ließ Alexandros ihn am Leben, doch wurde er nie beschäftigt. Nach Alexandros' Tod wurde er durch eine Meuterei der Infanterie 323 v. Chr. unter dem Namen Philippos (III.) zum König ausgerufen, doch mußte er den Thron mit dem nachgeborenen Sohn von Alexandros (→ Alexandros [7]) teilen.

In Babylon wurde nur er als König geführt, Alexandros war sein Nachfolger. Da er nicht regieren konnte, war er immer unter der Kuratel eines Vormundes, dessen Politik von A. unterzeichnet wurde (→ Perdikkas, → Antipatros [1], → Polyperchon). Perdikkas wurde vom Heer gezwungen, ihn mit → Eurydike zu vermählen, die ihrerseits durch A. ihre eigene Macht zu begründen suchte. Bei Triparadeisos wurde dies von Antipatros vereitelt. Erst unter Polyperchon fand sie Gelegenheit, für → Kassandros als Gegenregenten zu werben, doch wurden sie und A. von → Olympias in Kassandros' Abwesenheit überrascht und getötet. Kassandros, der beide wohl gerne los war, bestattete sie mit königlichem Prunk (Arr. succ., Diod. 17–19).

BERVE 2, Nr. 781 · WILL, Bd. 1, 20–52 · Ders., in: CAH 7², 1, 23–61.
MZ.: M. J. PRICE, The coinage in the name of Alexander the Great and Philip Arrhidaeus, 1991.   E. B.

[5] Offizier → Alexandros' [4], erhielt von → Perdikkas den Auftrag, den Leichenwagen des Königs nach Syrien (wohl zur Weiterfahrt nach Aigai) zu eskortieren, lieferte ihn aber an → Ptolemaios zur Entführung nach → Memphis aus. Nach Perdikkas' Tod führte er dessen Armee mit → Peithon nach Triparadeisos, wo → Antipatros [1] sie übernahm und ihm das Hellespontische Phrygien als Satrapie anwies. Nach Antipatros' Tod griff er Kyzikos an, doch vertrieb ihn → Antigonos [1] aus seiner Satrapie. Er setzte sich in → Kios fest und unterstützte → Kleitos. Nach dessen Tod wird er nicht mehr erwähnt (Diod. 18, 3. 5,26 ff.).

> KAERST, s. v. A. (5), RE 2 1249–50 · BERVE 2, Nr. 145.
> E. B.

Arrius. Lat. Gentilname ital. Herkunft [1].

I. REPUBLIK
[I 1] A., von Catull (carm. 84) wegen affektierter Aussprache verspottet.
[I 2] A., C., Nachbar Ciceros auf dessen Formianum (Cic. Att. 2,14,2; 15,3).
[I 3] A., L., Stadtpraetor von Cales (ILLRP 560).
[I 4] A., Q., Praetor 73 v. Chr. [1].

> 1 SCHULZE, 422–423.   K. L. E.

[I 5] Q., Praetor vor 63 v. Chr., als er den Senat über Truppenansammlungen der Catilinarier unterrichtete (Plut. Cic. 15). 59 bewarb er sich vergebens um das Konsulat von 58, da die von Caesar erhoffte Unterstützung ausblieb. Als P. Clodius 58 die Verbannung Ciceros betrieb, distanzierte sich A. von Cicero (ad Q. fr. 1,3,8), näherte sich ihm nach dessen Rückkehr aus dem Exil aber wieder an (Cic. Vat. 30) und trat 52 im Prozeß um die Ermordung des Clodius für den von Cicero verteidigten Annius Milo auf (Cic. Mil. 46).
→ Annius Milo; Caesar; Catilina; Cicero   W. W.
[I 6] A. Secundus, M., Münzmeister 41 v. Chr. (RRC 513).   K. L. E.

II. KAISERZEIT
[II 1] A. Antoninus, P. (P. in einer *tab. Hercul.* überliefert [1]), Senator, vielleicht aus der Narbonensis stammend [2], *cos. suff.* 69 n. Chr., Prokonsul von Asia ca. 78/79 [3], *cos. II* 97 (FOst 45). Verheiratet mit Boionia Procilla, Vater von Arria [3], Großvater des Antoninus Pius (PIR² A 1086).
[II 2] A. Antoninus, C., Senator aus Cirta in Afrika; nach längerer praetorischer Laufbahn *cos. suff.* um 170, Statthalter von Dalmatia, Dacia und Cappadocia (Reihenfolge nicht geklärt, PISO, 112 ff.), Prokonsul von Asia unter Commodus, wo er mit dem Christenproblem konfrontiert wurde. Cleanders wegen von Commodus hingerichtet (SHA Comm. 7,1); PISO, 106–117. Mit Cornelius Fronto verbunden; PIR² A 1088.
[II 3] A. Antoninus, C., Sohn von A. [II 2], der wohl bis in die Zeit des Septimius Severus lebte; PIR² A 1089; EOS 2, 763.

[II 4] A. Flaccus, M., Suffektkonsul 79 n. Chr.; CIL XVI 24.
[II 5] A. Menander, kaiserlicher *consiliarius*, der ein Werk *de re militari* schrieb; vielleicht *a libellis* unter Caracalla ([4]; PIR² A 1100).
[II 6] A. Pudens, L., *cos. ord.* 165, PIR² A 1105; [5].
[II 7] A. Varus. Kommandant einer Kohorte unter Corbulo im J. 55; wegen geheimer Berichte über Corbulo von Nero zum *primuspilus* befördert. 69 n. Chr. am Einfall der Flavier in It. beteiligt, zum *praef. praetorio* ernannt, mit Domitianus eng verbunden; von Mucianus kurz darauf durch Ernennung zum *praef. annonae* kaltgestellt [6; 7].

> 1 Mitteilung G. CAMODECA 2 SYME, Tacitus, Bd. 2, 604 f.
> 3 W. ECK, Jahres- und Provinzialfasten, in: Chiron 12, 1982, 300 4 T. HONORÉ, Emperors and Lawyers, ²1994, 69 f.
> 5 ALFÖLDY, Konsulat, 178 6 B. DOBSON, Die Primipilares, 1978, 202 f. 7 DEMOUGIN, 575 f.   W. E.

Arruns. Etr. Vorname (inschr. *arnth, arunth, arenth*), lat. Ar(r)uns und nur von Römern etr. Herkunft getragen (Abkürzung Ar.). Praenomen in der Gens Tarquinia [1; 2].
[1] legendärer Etrusker im Heer des mit Aineias verbündeten Tarchon (Verg. Aen. 11,759–867).
[2] Sohn des Porsenna, Rom gegenüber freundlich gesinnt, fiel bei Aricia (Plut. Poplicola 18–19; Liv. 2,14,5 u. a.).
[3] Vornehmer Etrusker, der die Gallier zum Einfall nach It. veranlaßt haben soll (Dion. Hal. ant. 13,10; Plut. Camillus 15).
[4] Etr. Seher aus Luca (Lucan. 1,585–638).

> 1 SCHULZE, 263 2 SALOMIES, 67.   K. L. E.

Arruntia
[1] Vestalin spätestens 69 v. Chr. (Macr. Sat. 3,13,11).
>   K. L. E.
[2] A. Arria Camilla, wohl Tochter des L. Arruntius [II 8] Camillus Scribonianus; müßte bis in traianische Zeit gelebt haben (RAEPSAET-CHARLIER, Nr. 103; PIR² A 1152).   W. E.

Arruntius. Lat. Gentilname (etr. *arntni* ?) inschr. auch Arentius, abgeleitet von etr. Arruns ([1]; ThLL 2,647). Die Gens trat in Rom im 1. Jh. v. Chr. in Erscheinung, erlangte unter Augustus das Konsulat und wurde möglicherweise damals in das Patriziat aufgenommen (s. Stat. silv. 1,2,71 über den Dichter Arruntius [II 12] Stella).

I. REPUBLIK
[I 1] A., Vater und Sohn, wurden 43 v. Chr. von den Triumvirn proskribiert und getötet (App. civ. 4,86).
[I 2] A., L., überbrachte 53 v. Chr. einen Brief des L. Trebatius an Cicero (fam. 7, 18,4).

> 1 SCHULZE, 175, 263.   K. L. E.

II. Kaiserzeit

[II 1] A. Persönlicher Arzt von Claudius; hinterließ ein großes Vermögen (Plin. nat. 29,7f.); PIR² A 1123.

[II 2] L., *homo novus* im Senat, 43 v. Chr. von den Triumvirn proskribiert, Flucht zu Sex. Pompeius, 39 Rückkehr nach Rom (App. civ. 4,46; Vell. 2,77,2f.). In der Schlacht von Actium Kommandeur des linken Flügels der Flotte Octavians (Vell. 2,85,2). Im J. 22 *cos. ord.*, als *XVvir sacris faciundis* an den Saecularspielen beteiligt (CIL VI 32323). Wohl identisch mit dem Historiker, der im sallustianischen Stil über den pun. Krieg schrieb (Sen. epist. 114,17ff.; Plin. nat., Index zu B. 3; 5; 6; PIR² A 1129).

[II 3] L., Sohn von [II 2]; *cos. ord.* 6 n. Chr., von Augustus angeblich im J. 14 unter die *capaces imperii* gerechnet (Tac. ann. 1,13; [1]); sprach im September 14 im Senat über den Prinzipat des Tiberius (Tac. ann. 1,13); 15 *curator aquarum*, seit 25 konsularer Legat von Hispania citerior, wurde aber in Rom zurückgehalten (Tac. hist. 2,65,2; 6,27,3). Kurz vor dem Tod des Tiberius tötete er sich selbst (Tac. ann. 6,47f.). Sein Adoptivsohn ist A. [II 8]; PIR² A 1130.

[II 4] M., *cos. suff.* 66 (DEGRASSI FC, 18; PIR² A 1134).

[II 5] A. Aquila, M., Finanzprocurator in Pamphylia im J. 50 (CIL III 6737 = ILS 215); seine *origo* dürfte Xanthos sein [2; 3]; ob verwandtschaftliche Verbindung zu A. [II 4] und [II 6], ist unsicher.

[II 6] A. Aquila, M., *cos. suff.* im J. 77 (DEGRASSI FC, 22; wohl identisch mit dem Senator von CIL V 2819 = ILS 980, der in Patavium begraben wurde. Sohn von A. [II 4]; [4].

[II 7] (A.) Aquila Iulianus, M., cos. ord 38, PIR² A 982; sein *nomen gentile* müßte A. gewesen sein [4. Bd. 2. 685f.; 4. 386].

[II 8] A. Camillus Scribonianus, L., Sohn von Furius Camillus, des *cos. ord.* 8, wohl adoptiert von A. [II 3]; *cos. ord.* 32, Statthalter von Dalmatia unter Caligula und Claudius; sein Aufstandsversuch 42 scheiterte nach wenigen Tagen (PIR² A 1140; SEG 36, 1200).

1 SYME, AA, 137ff. 2 DEMOUGIN, 383f. 3 DEVIJVER Bd. 4, 1, 1444f. 4 SYME, RP 4, 372, 377.   W. E.

[II 9] A. Celsus. Lat. Grammatiker der Kaiserzeit, lebte vor Konstantin. Über → Iulius Romanus greift → Charisius auf ihn zurück. Letzterer überliefert uns A.' Erläuterungen zu Passagen aus Vergil und Terenz, die offensichtlich aus zwei verlorenen Komm. zu beiden stammen. A. wird des öfteren auch von → Consentius und → Priscianus erwähnt, die wohl eine (ebenfalls verlorene) Grammatik von ihm benutzten.

G. GOETZ, A. 16, RE 2, 1265 · HLL § 392. 4.   P. G. / G. F.-S.

[II 10] A. Claudianus, M., Ritter aus Xanthos, von Domitian in den Senat aufgenommen; seine Laufbahn endete mit dem Prokonsulat von Macedonia [1; 2].

[II 11] A. Stella, L., Ritter, dem 55 die Ausrichtung der kaiserlichen Gladiatorenspiele anvertraut wurde (Tac. ann. 13,229); wohl *procur. ludi magni.*

1 A. BALLAND, in: Xanthos 7, 1981, Nr. 5; 13; 14; 55–63 = AE 1981, 799–810 2 DEVIJVER Bd. 4, 1, 1445ff. 3 DEMOUGIN, 433.   W. E.

[II 12] A. Stella, L. Wurde als Sohn einer patavischen Patrizierfamilie zum → *quindecimvir sacris faciundis* ernannt und richtete 89 und 93 n. Chr. die Spiele zur Feier von Domitians Siegen aus. Er heiratete eine reiche neapolitanische Witwe, Violentilla (Stat. silv. 1,2), und war 101/2 n. Chr. Suffektkonsul (Mart. 12,3,10; CIL VI 1492). Er war Patron von Statius und Martial und schrieb selbst unter dem Einfluß von Catull, Tibull u. a. freizügige Liebesdichtung. Keine Fragmente.

L. DURET, Dans l'ombre des plus grands, in: ANRW II.32,5, 1986, 3237–3240.   J. A. R.

Ars memorativa s. memoria

Arsakes

[1] A. I., ungewisser Herkunft; unter seiner Führung brachen die Parner um 250 v. Chr. in die Astauene ein. Die Wirren im Osten des Seleukidenreiches ermöglichten es A., der sich 247 in Asaak krönen ließ, um 238 Parthien und bald danach Hyrkanien zu erobern. Trotz eines Gegenangriffs Seleukos' II. konnte A. Parthien und Hyrkanien behaupten und bei seinem Tod (217) ein gefestigtes Staatswesen hinterlassen. Er war der Gründer des Partherreiches und der Stammvater der Arsakiden.

[2] A. II., Sohn (nicht Bruder) und Nachfolger des Vorigen. Er sah sich ca. 209 einem Angriff → Antiochos' [5] des Gr. ausgesetzt, der zu seiner vorübergehenden Unterwerfung führte. Nach seinem Tod (ca. 191) wurde die Benennung »Arsakes« von allen seinen Nachfolgern bis zum Ende des Partherreiches als Thronname geführt.

[3] Sohn des Partherkönigs Artabanes II., von diesem 35 n. Chr. als König von Armenien eingesetzt, aber bald auf Veranlassung des Iberers → Mithradates ermordet.

[4] A. II., König von Armenien seit ca. 338. Er erhielt nach dem Ende von Kaiser → Iulianus' Perserkrieg keine röm. Unterstützung mehr und fiel in die Hände des Schapur II., der ihn in das »Schloß der Vergessenheit« bringen ließ, wo er umkam.

[5] A. III., Enkel des Vorigen, Sohn des Pap, armen. König seit ca. 379. Nach der Teilung Armeniens zw. Rom und Persien (384/89) blieb er im röm. Gebiet, wo er bald starb.

[6] Gesandter Schapurs II. an → Valens (Amm. 30,2,1).

A. BAUMGARTNER, s. v. Arsakes 1–3, RE 2, 1268–69 · R. H. HEWSEN, The successors of Tiridates the Great, REArm 13, 1978/79, 99–126 · M. KARRAS-KLAPPROTH, Prosopographische Stud. zur Gesch. des Partherreiches, 1988 · K. SCHIPPMANN, s. v. Arsacids II, EncIr 2, 525ff.   M. SCH.

Arsakiden s. Arsakes

Arsameia. Name von zwei Städten in Kommagene.
[1] am Euphrates, h. Gerger, zu Anf. des 2. Jh. v. Chr.
von → Arsames gegr. Stadtfestung, die → Antiochos I.
(ca. 69–34 v. Chr.) als Hierothesion (Grabheiligtum) für
seinen Großvater Samos II. und seine früheren Vorfahren ausbaute. Erh. sind ein monumentales Felsrelief von
Samos II. und wichtige Teile der Kultinschr. am Burgaufgang, die den Stadtnamen überliefert.
[2] am Nymphaios, h. Eski Kâhta, wurde 1951 von
F. K. DÖRNER entdeckt und von 1953–1970 ausgegraben. Die von König Arsames zu Anf. des 2. Jh. v. Chr.
gegr. Residenzstadt geht nach Streufunden bis in das
Endpaläolithikum zurück. König Antiochos I. legte hier
das Hierothesion seines Vaters → Mithradates I. Kallinikos an. Der mit fünf Kolumnen in den Fels eingeschlagenen Kultinschrift verdanken wir nicht nur die
Kultgesetze dieses Heiligtums, sondern auch den
Ortsnamen. Mit der röm. Annexion des Königreichs
Kommagene im J. 72 n. Chr. wird auch dieses dynastische Heiligtum aufgelöst. Für die Kaiserzeit ergaben
Grabungen nur eine unbedeutende Akropolis-Siedlung.
→ Herrscherkult

K. HUMANN, O. PUCHSTEIN, Reisen in Nordsyrien und
Kleinasien, 1890, 353 ff. · F. K. DÖRNER, TH. GOELL, A. am
Nymphaios, 1963 · H. WALDMANN, Die kommagenischen
Kultreformen unter König Mithradates I. Kallinikos
und seinem Sohne Antiochos I., 1973 · W. HOEPFNER,
A. am Nymphaios 2, 1983 · J. WAGNER, Dynastie und
Herrscherkult in Kommagene, in: IstMitt 33, 1983,
177–224.   J. WA.

Arsames (Ἀρσάμης).
[1] Altpers. Aršāma, Sohn des Ariaramnes, Vater des
Hystaspes, Großvater des Dareios I. [1. DB 2]. Xerxes
[1. XPf 3] sagt, daß A. noch lebte, als Dareios den Thron
bestieg (522/1 v. Chr.). Die ihm und seinem Vater zugeschriebenen Inschr. sind wahrscheinlich unecht
[1. 12; 2. 65–67].
[2] Sohn Dareios' I. und der Artystone. Kommandierte
die Aethioper und Araber für seinen Halbbruder Xerxes
beim Feldzug gegen Griechenland (Hdt. 7,69) [2. 107].
[3] Persischer Adliger und Satrap von Ägypten in der 2.
Hälfte des 5. Jh. v. Chr.; bis Ägypten den Persern verloren ging. Er ist bekannt durch eine Sammlung aram.
Briefe (auf Leder, FO unbekannt), die die Verwaltung
seiner ägypt. Besitzungen zum Inhalt haben. Er wird
außerdem in den Papyri der jüd. Garnison auf → Elephantine genannt. Keilschrifttexte aus Babylonien zeigen, daß er auch dort Ländereien besaß. Er unterstützte
Dareios II. bei dessen Kampf um die Thronfolge [3; 4].

1 R. G. KENT, Old Persian, 1953 2 J. M. BALCER,
Prosopographical Study of the Ancient Persians, 1993
3 G. R. DRIVER, Aramaic Documents of the Fifth Century
BC, 1957 4 M. W. STOLPER, Entrepreneurs and Empire,
1985, 64–6, 115.   A. KU. u. H. S.-W.

[4] König von Armenien im 3. Jh. v. Chr., der in der
väterlichen Ahnenreihe → Antiochos' I. von Kommagene als Sohn des Königs Samos erscheint. Er gründete
die sophenische Hauptstadt Arsamosata sowie die kommagenischen Orte Arsameia am Euphrat (Gerger) und
Arsameia am Nymphaios (Eski Kâhta) und ließ als erster
armen. König Münzen prägen. Um 227 nahm er den
aufständischen Seleukiden Antiochos Hierax bei sich
auf (Polyain. 4,17).

K. F. DÖRNER, Der Thron der Götter auf dem Nemrud Dag,
³1987 · E. MEYER, s. v. A. 3, RE Suppl. 1, 141 ·
M. SCHOTTKY, Media Atropatene und Groß-Armenien,
1989.   M. SCH.

Arsamosata. Öfter genannter fester Platz Armeniens,
von Pol. 8,23 für das J. 189 v. Chr. genannt, von Plin.
nat. 6,26 lokalisiert (*Arsamosata Euphrati proximum*) und
von Tac. ann. 15,10 für das J. 62 n. Chr. erwähnt. Bei
Ptol. 5,12,8: Ἀρσαμόσατα. Entweder mit Erzurum
(oberer westl. Euphrat) identisch oder südl. des östl.
Euphr. zw. diesem und dem Tigris gelegen. B. B. u. H. T.

Arsenicum (ἀρρενικόν bzw. ἄρσεν-). In der Ant. die
gelbe Arsenblende, identisch mit dem *auripigmentum*,
unterschieden vom gleichfalls in den Bergwerken gefundenen roten Schwefelarsen σανδαράκη [1. 158–
160], im MA Realgar genannt. Neben der Verwendung
beider als Farben dienten sie nach Dioskurides 5,104
und 105 [2. 74 f.] = 5,120 und 121 [3. 531 f.], gebrannt
und zerrieben, als ätzende und adstringierende Mittel,
bes. zur Haarentfernung, sowie u. a. gegen Geschwüre
(vgl. Plin. nat. 34,177 f.).

1 D. GOLTZ, Studien zur Gesch. der Mineralnamen in
Pharmazie, Chemie und Medizin von den Anfängen bis
Paracelsus, 1972 2 M. WELLMANN (Hrsg.), Pedanii Dioscuridis de materia medica, Bd. 3, 1914, Ndr. 1958 3 J. BERENDES (Hrsg.), Des Pedanios Dioskurides Arzneimittellehre,
übers. und mit Erl. versehen, 1902, Ndr. 1970. C. HÜ.

Arsenios (Ἀρσένιος).
[1] Heiliger, aus Adelsfamilie, geb. 354 n. Chr. in Rom,
445 gest. in Troia bei Memphis in Ägypten. Kaiser
→ Theodosius I. lud ihn nach Konstantinopel ein, um
seine Kinder → Arcadius und → Honorius zu erziehen.
Nach vielen Jahren im Kaiserpalast zog sich A. nach
Ägypten zurück und lebte als Eremit. Eine biographische Legende findet sich bei Simeon Metaphrastes. Die
Authentizität der Belehrungen für Mönche und der
Apophthegmata, die ihm zugeschrieben wurden, ist
recht zweifelhaft.

A. JÜLICHER, RE 2, 1273 · ODB I 187–188. F. M./ M.-A. S.

[2] Als möglicherweise fiktiver Autor einer kleinen *Epistula ad Nepotianum* (5./6. Jh. n. Chr.?) stellt A. die Qualitäten und Pflichten des idealen Arztes dar. Die Ratschläge sind praktischer Natur und stimmen mit dem
hippokratischen *decorum*, den hippokratischen *Prinzipien*
und jener Tradition überein, derzufolge nur ein effi-

zienter Arzt ein guter Arzt ist. Bezüge bzw. Anspielungen auf den hippokratischen Eid lassen sich nicht erkennen (z.B. das Abtreibungsverbot).

E. HIRSCHFELD, Deontologische Texte des frühen MA, in: AGM 1928, 358–359 · E. FIRPO, La medicina medievale, 1972, 32–35 (ital. Übers.) · L.C. MACKINNEY, Medical ethics and etiquette in the early Middle Ages, in: BHM 1952, 11f. (engl. Übers.). V.N./L.v.R.-B.

Arsinoë (Ἀρσινόη). I. MYTHOS II. HISTORISCHE PERSONEN III. ORTE

I. MYTHOS

[I 1] Tochter des Leukippos, Schwester der von den Dioskuren geraubten Leukippiden, von Apollon Mutter des messenischen Asklepios (Hes. fr. 50; Apollod. 3,117f.; Paus. 2,26,7; 4,3,2). In Sparta hatte A. ein Heiligtum (Paus. 3,12,8), auf der Agora von Messene war eine Quelle A. (Paus. 4,31,6), im messenischen Asklepieion u. a. ein Gemälde der A. (Paus. 4,31,11 f.). Das Verhältnis der messenischen zur thessal.-epidaurischen Asklepios-Tradition ist unklar; es müssen in der Peloponnes lokale Ansätze existieren. Cic. nat. deor. 3,57 nennt den »dritten« Asklepios einen Sohn des Arsippos und der A., mit dem Hinweis auf ein Grab des Gottes in Arkadien. F.G.

[I 2] Eine der drei Minyaden in Orchomenos, die sich dem Dionysoskult widersetzen und in Nachtigallen oder Fledermäuse verwandelt wurden (Ov. met. 4,1ff.; 390ff.; Plut. qu.Gr. 299ef; Antoninus Liberalis 10).

[I 3] Tochter des Phegeus von Psophis, Gattin des → Alkmaion, der sie verläßt und von ihren Brüdern Pronoos und → Agenor ermordet wird. Da sie die Tat nicht billigt, wird sie von ihnen als angebliche Mörderin nach Tegea geschafft (Apollod. 3,87ff.).

[I 4] Amme des → Orestes, den sie zu Strophios in Sicherheit bringt (Pind. P. 11,17; 35; Aischyl. Choeph. 733, bei Stesich. fr. 218 PMGF und Pherek. FGrH 3 F 134 Laodameia gen.).

[I 5] Tochter des Königs Nikokreon von Salamis (Kypros), zur Strafe für eine verschmähte Liebe von Aphrodite in einen Stein verwandelt (Antoninus Liberalis 39, anders gen. bei Ov. met. 14,698ff.; Plut. am. 766cd).

[I 6] Epiklese der Aphrodite. Auf dem Vorgebirge Zephyrion bei Alexandreia errichtete Kallikratos zu Ehren der → A. [2] einen Tempel der A. Kypris, in dem später die Locke der Berenike aufbewahrt wurde (Catull. 66,54ff.; Strab. 17,1,16; Epigramm bei Athen. 7,318d; 11,497d).

O.JESSEN, s.v. A. [23], RE 2, 1281 · E. THRÄMER, s.v. A. [19]–[22], RE 2, 1280. R.HA.

II. HISTORISCHE PERSONEN

[II 1] Frau des → Lagos, Mutter Ptolemaios' I.; nach FGrH 631,11 eine Urenkelin → Amyntas' [1] I. (vgl. Theokr. 17,26): histor. oder Fiktion ihres Sohnes?

[II 2] A.I., Tochter des → Lysimachos und der → Nikaia; heiratet zw. 285 und 281 v.Chr. → Ptolemaios II., wird nach 279 wegen angeblicher Verschwörung in das thebaische Koptos verbannt. Mutter Ptolemaios' III. (der aber offiziell als Sohn A.' II. gilt), des Lysimachos und der → Berenike. Schol. Theokr. 17,128; PP 6, 14490.

K. SETHE, Hieroglyphische Urkunden der griech.- röm. Zeit, 1904, I, 14.

[II 3] A. II, Tochter Ptolemaios' I. und Berenikes I., geb. ca. 316 v.Chr., 300/299 mit → Lysimachos verheiratet; vor 297 Geburt des → Ptolemaios, ca. 297 Geburt des → Philippos, ca. 294 des Lysimachos, kurz danach Umbenennung von Ephesos in Arsinoeia. 284/3 erhielt A. Herakleia Pontike mit umliegenden Städten zu eigen (281). A. gelang es 283/2, → Agathokles [5] als Thronprinzen zu stürzen und Ptolemaios an seine Stelle zu setzen (vgl. ISE 1, 67). Nach dem Tod des Lysimachos 281 flüchtete A. aus Ephesos in ihre Festung Kassandreia; heiratete dann, um Sicherheit (Thronfolge?) für ihre Kinder zu erlangen, → Ptolemaios Keraunos, dem es um den Besitz Kassandreias ging; nach seinem Einzug in die Stadt ließ er die beiden jüngeren Söhne umbringen (Ptolemaios war wohl nicht dort). A. durfte ins Exil nach Samothrake, wo sie früher bereits eine große Tholos gestiftet hatte. Wohl nach dem Tod des Keraunos (Frühjahr 279) ging sie von dort nach Ägypten.

Ptolemaios II. heiratete A. aus unbekannten Gründen (dynastischer Zusammenhalt? 1. Syr. Krieg?), unter unbekannten Umständen (s. A. [II 2] I. !), zu einem unbekannten Datum zw. ihrer Ankunft und dem 2. 11. 274 (bei der Kallixeinos-Pompé, Winter 275/4, steht sie noch nicht neben Ptolemaios II. und den θεοὶ σωτῆρες!). Die Ehe blieb wohl kinderlos. A. adoptierte die Kinder der A. [II 2] I. Der Skandal der Ehe zwischen Vollgeschwistern (Sotades F 1 POWELL) sollte durch ihren griech. Beinamen Φιλάδελφος, Philadelphos, der das neutrale Konzept der Geschwisterliebe wiedergibt, gemildert werden; gleichzeitig evozierte die Hochzeit aber die ägypt. Vorbilder Isis-Osiris und Tephnut-Schu (sekundär: Zeus-Hera). A. starb 268 (zw. 1. und 3. 7.).

A. wurde noch zu Lebzeiten mit Isis gleichgesetzt und erhielt den ägypt. Titel einer »Fürstin beider Länder«, stand also aus eigenem Recht neben dem König. 272/1 wurde der eponyme Alexanderkult um den Kult der Θεοὶ ἀδελφοί (Theoí adelphoí) erweitert; wohl ebenfalls zu Lebzeiten wurde A. als Aphrodite Euploia und Zephyritis verehrt: insgesamt ein wichtiger Schritt zur Divinisierung der Dynastie.

Sofort nach ihrem Tod setzte der Kult ein; das Kanephorat der A. Philádelphos (Ἀρσινόη Φιλάδελφος) ist 267/6 erstmals belegt (vgl. auch Kall. fr. 228), und ihr Kult war im 3./2.Jh. in der ganzen Ägäis verbreitet, wo zahlreiche Hafenstädte nach ihr benannt waren. Postume Münzen zeigen sie mit Ammonshorn. Spiele (Arsinoeia, Philadelpheia) wurden zu A.s Gedächtnis eingerichtet und der Fayum wurde als Gau »Arsinoites«

genannt. Durch königliches Dekret wurde A. zur *sýnnaos theá* (σύνναος θεά) aller ägypt. Götter (Mendes-Stele), später wird sie mit Ptolemaios II. zusammen als eine Gottheit der Θεοὶ σύνναοι verehrt; zudem wurden auch ägypt. Arsinoeia eingerichtet.

A. wird häufig eine bes. polit. Bedeutung zugeschrieben; außer einer Bemerkung (IG II² 687, 16ff.) gibt es hierfür keinen Hinweis. Ihre hohen kult. Ehren und postume Popularität sind nur ein Beleg für die Bedeutung, die dem dynastischen Element in der Politik Ptolemaios' II. und seiner Nachfolger zukam, während die Farbigkeit ihres Lebens typisch für das Ende der Diadochenzeit ist.

S. M. BURSTEIN, A. II. Philadelphos: A revisionist view, in: W. ADAMS, E. BORZA (Hrsg.), Philipp II, Alexander the Great and the Macedonian Heritage, 1982, 197–212 · H. HAUBEN, A. II. et la politique extérieur de l'Égypte in: E. VAN'T DACK et al. (Hrsg.), Egypt and the Hellenistic World, 1983, 99–127 · H. HEINEN, Unt. zur hell. Gesch., 1972 · G. HÖLBL, Gesch. des Ptolemäerreiches, 1994, 94 ff. · G. LONGEGA, A. II, 1968 · M. PRANGE, Das Bildnis A. II. Philadelphos (278–270 v. Chr.), in: MDAI(A) 105, 1990, 197–211 · G. WEBER, Dichtung und höfische Ges., 1993, 254 ff.

[II 4] A. III., Tochter Ptolemaios' III. und Berenike II., heiratet vor Okt./Nov. 220 v. Chr. ihren Bruder, Ptolemaios IV.; von diesem Datum an wird sie im ägypt. Milieu in den Kult der θεοὶ φιλοπάτορες eingeschlossen, ab 216 im griech.; Angleichung an Isis und Aphrodite ist ebenfalls zu beobachten. A. nahm 217 an der Schlacht von Raphia teil; 9. 10. 210 Geburt Ptolemaios' V. Es gibt Spuren der Entfremdung zw. ihr und dem König (Verbannung?), nach dem Tod Ptolemaios' IV. wird sie 204 von der Gruppe um → Agathokles [6] ermordet. Ab 199/8 ist eine eponyme Priesterin der A. Philopator bezeugt. PP 6, 14492.

H. JUCKER, Drei etr. Inschr. in Berner Privatbesitz, in: Hefte des arch. Seminars der Univ. Bern 5, 1979, 28–31 · E. LANCIERS, Die Vergöttlichung und die Ehe des Ptolemaios IV. und der A. III., in: APF 34, 1988, 27–32.

[II 5] Tochter des → Sosibios, Kanephore 215/4 v. Chr. PP 2/9, 5027.

[II 6] A. IV., Tochter Ptolemaios' XII., geb. nach 69 v. Chr.; wird spätestens ab dem 31. 5. 52 mit ihren Geschwistern zusammen als die θεοὶ νέοι φιλάδελφοι verehrt. Okt. 48 macht Caesar sie zusammen mit ihrem Bruder, Ptolemaios (XIV.), zur Königin Zyperns. Aus dem belagerten Alexandreia flieht sie mit ihrem *nutricius* → Ganymedes zum Heer des → Achillas, wo sie als Gegenkönigin fungiert. Über ihre Stellung nach der Übernahme des Befehls durch Ptolemaios XIII. ist nichts bekannt. 46 wird sie in Caesars Triumphzug vorgeführt, darf dann in Ephesos im Exil weiterleben, wo sie 41 auf Wunsch Kleopatras VII. und Befehl des Marcus → Antonius [I 9] im Artemision getötet wurde (Grabbau erh.?). PP 6, 14493.

G. THÜR, A. IV., eine Schwester Kleopatras VII., Grabinhaberin des Oktogons von Ephesos, in: ÖJh 60, 1990, 43–56. W. A.

III. ORTE

[III 1] Nach Steph. Byz. (125,23–24) πόλις Συρίας ἐν Αὐλῶνι, auch in der Beqā (Strab. 16,756), im Jordantal oder Wādī l-ʿAraba (Eus. On. 14,22–24; 16,1–4) lokalisiert. K. B.

[III 2] Stadt in Mittelägypten, Hauptort des Fajjum, h. Kom Fāris bei Medinet el-Fajjum (Diod. 1,33); ägypt. Name Šdyt, griech. (seit Herodot) Krokodeilonopolis, später auch A. genannt. Laut Legende (Diod. 1,89) gegr. von → Menes, in ägypt. Texten seit dem AR erwähnt. Wichtig wird A. erst in der 12. Dynastie, deren Könige das Fajjum landwirtschaftlich erschließen. Der Hauptförderer, Amenemhet III., wird noch in röm. Zeit als Lokalgott verehrt. Über die Gesch. der Stadt in pharaonischer Zeit ist wenig bekannt. Die Relikte (u. a. zahlreiche Papyri) des urspr. sehr ausgedehnten Tell stammen vorwiegend aus griech.-röm. Zeit, als das Fajjum intensiver genutzt und dichter besiedelt wurde. Die Hauptgottheit von A. ist der Krokodilgott Sobek (griech. Suchos). Die Haltung hl. Krokodile in A. beschreibt Strab. 17,811–812.

F. GOMAÀ, LÄ 3, 1254f. · L. CASARICO, in: Aegyptus 67, 1987, 127–70 · E. BERNAND, Recueil des inscriptions grecques du Fayoum, Bd. 1, 1975, 11–6. K. J.-W.

[III 3] Heute Maraş Harabeleri, 15 km nordöstl. von → Anemurion an der Küste der → Kilikia Tracheia (Strab. 14,5,3; Plin. nat. 5,92). Nach inschr. Zeugnis (230 v. Chr.) wurde A. unter Ptolemaios II. im Territorium von → Nagidos nach der Vertreibung der Einheimischen von Aetos, dem ptolemäischen → Strategos in Kilikia, gegr., nach → A. [II 3] benannt. A. scheint dann Nagidos überflügelt zu haben, ist noch 519 n. Chr. Bistum, wird dann aber von Syke im Norden als Bistum abgelöst. Im MA Rückzug auf das Kastron Syke, h. Sik (Softa Kalesi).

G. HIRSCHFELD, s. v. A. Nr.8, RE 2, 1278 · I. OPELT, E. KIRSTEN, Eine Urkunde der Gründung von A. in Kilikien, in: ZPE 77, 1989, 55–66 · C. P. JONES, CHR. HABICHT, A Hellenistic Inscription from A. in Cilicia, in: Phoenix 43, 1989, 317–346 · A. CHANIOTIS, Nagidos und A., in: EA 21, 1993, 33–42 · H. HELLENKEMPER, F. HILD, s. v. A., in: Isaurien und Kilikien (TIB 5), 1990. F. H.

Arslantaş. Ca. 20 km südöstl. von Karkamis in Nord-Syrien gelegene Siedlung mit Zitadelle. Möglicherweise befand sich hier eine späthethit. (luwisch-aram.) Ansiedlung, der keine Bauten, wohl aber Bildwerke im späthethit. Stil aus der Zeit vor und während der assyr. Eroberung unter Salmanssar III. (?) zugewiesen werden konnten. Durch assyr. Inschr. Tiglatpilesars III. bekannt als Prov.-Hauptstadt Ḫadatu. Reste der assyr., fast kreisrunden Stadtmauer wurde ab 1928 (franz. Grabungen) freigelegt. Bedeutend der Palast aus der Zeit Tiglat-pilesars III. mit Orthostatenreliefs, Torlöwen und Wandmalereien sowie das *bâtiment aux ivoires* (Bit Hilani-Typ; phönizische/ägyptisierende Elfenbeine u.a. mit aram. Inschr., 2. H. 9.Jh. v.Chr.). FO von → Bilinguen und Trilinguen (noch unpubliziert). Assyr. und hell. Tempel; Aufbewahrungsort: Istanbul, Aleppo, Paris.

H.DONNER, W.RÖLLIG, Kanaanäische u. aram. Inschr., ²1968 · H.F.RUSSELL, in: Anadolu Demir Çağları 1987, 56–69.   A.W.

Artabannes

[1] Feldherr des armen. Königs Arsakes II., der zu Schapur II. geflohen war und von diesem später zusammen mit → Kylakes zum armen. Statthalter bestellt wurde. Beide traten bald auf die Seite von Arsakes' Sohn → Pap über, der zunächst bei den Römern Zuflucht fand, aber auf Bitten des A. und Kylakes von → Valens in Armenien eingesetzt wurde. Bei einem erneuten persischen Einfall flohen A. und Kylakes mit Pap in die Berge, der daraufhin röm. Hilfe erhielt. Durch heimliche Botschaften gelang es Schapur II., Pap gegen seine Minister aufzuhetzen, der sie ermorden ließ und ihre Häupter dem Perserkönig zusandte (Amm. 27,12).

[2] Armenier arsakidischer Herkunft, der unter Areobindas als Anführer einer armen. Schar nach Afrika ging, den Usurpator Gontharis beseitigte und den Römern dadurch die Prov. zurückgewann (546). Nach einer selbst verschuldeten Zeit kaiserlicher Ungnade wurde er anstelle des Liberius nach Sizilien geschickt, wo er die got. Besatzungen zur Übergabe zwang. Später kämpfte er unter → Narses in Italien.

A.DEMANDT, Die Spätant., 1989 · O.SEECK, L.M.HARTMANN, s.v.A. 1–2, RE 2, 1290–1.   M.S.

Artabanos (Ἀρτάβ/πανος, Ἀρταπάνης, altpers. *Rtabā-nuš, elam. Irdabanuš).

[1] Bruder Dareios' I. und Onkel des Xerxes, der Dareios bzw. Xerxes vor den Feldzügen gegen die Skythen (Hdt. 4,83) bzw. gegen Griechenland warnte (7,10–18) [1]. Xerxes schickte ihn von Abydos an den Dardanellen zurück und beauftragte ihn für die Dauer des Krieges mit der Regentschaft (Hdt. 7,46–53). A. um 500 v.Chr. Satrap von Baktrien und so mit Irdabanuš von PF 1287, 1555 identisch [2].

[2] Günstling des Xerxes, der Xerxes und seinen Sohn mit Hilfe des Eunuchen Aspamitres ermordete (Ktesias 24. 33; Diod. 11,69; Iust. 3,1).

[3] Satrap von Baktrien, der sich gegen Artaxerxes I. empörte und besiegt wurde (Ktesias 34).

1 J.BALCER, Prosopographical Study of the Ancient Persians, 1993, 69–70 2 R.HALLOCK, Persepolis Fortification Tablets, 1969, 703a.

M.A.DANDAMAYEV, s.v. Artabanus, in: EncIr 2, 646f. · K.REINHARDT, Herodots Persergeschichten, in: Herodot, 1982, 363–365.   A.KU.u.H.S.-W.

[4] A.I., Partherkönig, Sohn des Phriapatios. Er folgte um 127 v.Chr. seinem Neffen Phraates II., fiel aber schon um 123 gegen die Yüe-Chi (Tocharer, Iust. 42,2).

[5] A.II., der erste Partherkönig, der nur mütterlicherseits Arsakide war (Tac. ann. 6,42,3). Er wuchs bei den Dahern auf, war mit Hyrkaniern und Karmaniern verschwägert (Tac. ann. 2,3,1; 6,36,4), dürfte aber doch eher nordwest- als ostiran. Herkunft gewesen sein, da er vor seiner Thronbesteigung Unterkönig von Medien (Atropatene) war (Ios. ant. Iud. 18,2,4). Nationaliran. Kreise erhoben ihn 10/11 n.Chr. gegen den von den Römern unterstützten → Vonones I., gegen den er sich bald durchsetzte. Der Konflikt mit Rom konnte 19 n.Chr. in Verhandlungen mit dem im Auftrag des Tiberius' agierenden Germanicus beigelegt werden. Der König erreichte sogar, daß Vonones, der den vakanten Thron des röm. Klientelstaates Armenien eingenommen hatte, auch aus dieser Position entfernt wurde. In den folgenden eineinhalb Jahrzehnten herrschte A. unangefochten und verstand es vielleicht, in einigen parthischen Unterkönigreichen seinen direkten Einfluß geltend zu machen. Sein Versuch, Armenien nach dem Tode des dortigen Königs 35 in eine Sekundogenitur seines Hauses umzuwandeln, führte jedoch sofort zu röm. Gegenaktionen. Tiberius ließ das Gebirgsland durch den kaukasisch-iberischen Prinzen Mithradates erobern und schickte auf Verlangen parthischer Adelskreise mit → Tiridates erneut einen in Rom befindlichen Arsakiden, der als Gegenkönig gegen Artabanos aufgestellt wurde. Dieser zog sich nach Hyrkanien zurück, sammelte aber bald wieder Anhänger um sich, zumal sein Nebenbuhler immer mehr unter den Einfluß des Suren → Abdagaeses geriet. A. vermochte Tiridates aus dem Feld zu schlagen, nicht jedoch seine Herrschaft über die Stadt Seleukeia zu erneuern, in deren Verfassung sein Gegner eingegriffen hatte. Die guten Beziehungen zu Rom wurden dagegen Anfang 37, wohl noch zu Lebzeiten des Tiberius, in einem Treffen mit dem syr. Statthalter L. Vitellius wiederhergestellt (Ios. ant. Iud. 18,4,4f.). Sein Sohn Dareios kam damals als Geisel nach Rom (Suet. Cal. 19; Cass. Dio 59,17,5). Innenpolit. blieb die Lage prekär: Aus Furcht vor einer Verschwörung floh er an den Hof des Unterkönigs Izates von Adiabene, dem es gelang, die parthischen Großen, die bereits einen gewissen Kinnamos auf den Thron gehoben hatten, zur Wiedereinsetzung A.' zu bewegen. Die vielfältige Unterstützung, die A. während seiner Regierung von seinen hyrkanischen Verwandten erhalten hatte, bewog ihn anscheinend, den hyrkanischen Machthaber Gotarzes zu adoptieren und als Nachfolger vorzusehen. Dieser könnte nach KAHRSTEDT mit Kinnamos identisch sein, der ebenfalls als »Pflegesohn« des A. bezeichnet wird (Ios. ant. Iud. 20,3,2). Die Zurücksetzung seiner leiblichen Kinder führte nach seinem Tod (frühestens 39) zu langjährigen Thronkämpfen, doch herrschte die mit ihm auf den Thron gelangte Dynastie, die als »weibliche Arsakidenlinie« oder als »Haus des Artabanos« bezeichnet wird, bis zum Ende des Partherreichs. In der armen. Überlieferung (z. B. Moses Chor. 2,37 u. ö.) erscheint A. als »Dareh« (Dareios) und trägt damit einen Namen, der unter den »echten« Arsakiden niemals erscheint, wohl aber in der Familie des A. und unter seinen Vorgängern auf dem atropatenischen Thron.

[6] Sohn des Vorigen, wurde von Artabanos' II. Nachfolger Gotarzes II. mit seiner Familie ermordet, um eventuelle Thronansprüche auszuschalten.

[7] A. III., ein Sohn Vologaises' I., der sich um 80 n. Chr. gegen seinen Bruder Pakoros erhob und seinen Herrschaftsanspruch durch Münzprägungen manifestierte. Wie lange er regierte, ist nicht bekannt. In den westl. Quellen wird er nur im Zusammenhang mit seiner Unterstützung für den »falschen Nero« Terentius Maximus erwähnt (z. B. Cass. Dio 76,19,3[b]).

[8] A. IV., Partherkönig, der sich um 213 n. Chr. gegen seinen Bruder, den legitimen König → Vologaeses, erhob und diesen auf Babylonien beschränkte. Als er die Bitte des → Caracalla um die Hand seiner Tochter ablehnte, brach der Kaiser verwüstend in Adiabene und Medien ein, wurde jedoch im April 217 bei Karrhai ermordet. Die Gegenoffensive des A. mit einem reorganisierten Heer traf den neuen Kaiser Macrinus, der nach ergebnislosen Friedensverhandlungen im Frühjahr 217 bei Nisibis geschlagen wurde. Erneute Verhandlungen führten Ende des Jahres zu einem Frieden, der A. eine hohe Kriegsentschädigung, jedoch keine Territorialgewinne einbrachte. Die inneren Wirren im Partherreich und der Konflikt mit den Römern mögen A. daran gehindert haben, die von der Persis ausgehende sasanidische Erhebung richtig einzuschätzen. Am 28. 4. 224 verlor er bei Hormizdâgan in Medien Schlacht, Reich und Leben gegen → Ardaschir I. Obwohl sein Bruder Vologaeses den Kampf noch einige Zeit fortgesetzt zu haben scheint, gilt A. mit einem gewissen Recht als der »letzte Parther«. Eine Überlieferung bei Tabari 1,823 ff., die von einer Verbindung Ardaschirs mit einer Tochter des A. berichtet und diesen somit zum Stammvater mütterlicherseits der Sasaniden macht, ist unhistorisch.

F. CAUER, s. v. A. (4)–(10), RE 2, 1292–1298 · E. DABROWA, La Politique de l'état Parthe à l'egard de Rome, 1983 · E. HERZFELD, Sakastân, in: AMI 4, 1932, 1–116 · U. KAHRSTEDT, A. III. und seine Erben, 1950 · M. KARRAS-KLAPPROTH, Prosopographische Studien zur Gesch. des Partherreiches, 1988 · E. KETTENHOFEN, s. v. Caracalla, EncIr 4, 790–792 · J. MARKWART, in: ZDMG 49, 1895, 635–648 · K. SCHIPPMANN, s. v. Arsacids II, EncIr 2, 525–536 · M. SCHOTTKY, Media Atropatene und Groß-Armenien, 1989, Register s. v. A.; Dareh · Ders., Parther, Meder und Hyrkanier, in: AMI 24, 1991, 61–134 · D. G. SELLWOOD, The Coinage of Parthia, ²1980. M. S.

Artabasdos (Artavasdês, 742–743 n. Chr.). Armenier, Schwager des seit 19. 6. 741 regierenden Kaisers von Byzanz Konstantin V., revoltierte einige Zeit später gegen diesen, angeblich als Verteidiger des Bilderkultes; wurde im Nov. 743 von ihm besiegt und gestürzt.

ODB 1, 192 · I. ROCHOW, Kaiser Konstantin V., 1994.
F. T.

Artabazanes (Ἀρταβαζάνης). Sohn Dareios' I. und einer Tochter des Gobryas, Halbbruder des Xerxes, der ihm die Thronfolge streitig machte (Hdt. 7,2–3); darauf nimmt vielleicht eine Xerxes-Inschr. Bezug [1. 150].

1 R. G. KENT, Old Persian, 1953.

J. BALCER, Prosopographical Study of the Ancient Persians, 1993, 109–110 · H. SANCISI-WEERDENBURG, Yaunā en Persai, 1980, 69–75. A. KU. u. H. S.-W.

Artabazes s. Artavasdes [2]

Artabazos (Ἀρτάβαζος). Altpers. *Rtavazdah, elam. Irdumasda.

[1] Satrap von Maka zur Zeit Dareios' I. [1; 2].

[2] Vater des Tritantaichmes, Satrap von Babylonien (Hdt. 1,192).

[3] Sohn des Pharnakes, Befehlshaber der Chorasmier und Parther im Heer des Xerxes (Hdt. 7,66); seit 477 v. Chr. Satrap des hellespontischen Phrygien (Thuk. 1,129–132). Die Pharnakiden verwalteten über ein Jh. die Satrapie → Daskyleion. Wohl identisch mit A., der 450 v. Chr. mit Megabyzos Zypern gegen die Athener unter Kimon verteidigte und den Athenern meldete, daß der König bereit sei, Frieden zu schließen (Diod. 12,4,5–6) [3; 4; 5].

[4] Sohn des Pharnabazos und der Apame, seit 362 v. Chr. Satrap zu Daskyleion, fiel um 352 v. Chr. von Artaxerxes III. ab, 345 v. Chr. begnadigt (Diod. 16,34. 52); begleitete Dareios III. auf der Flucht nach Gaugamela, ging nach dessen Ermordung zu Alexander über und erhielt die Satrapie Baktrien [6; 7; 8].

→ Ariobarzanes

1 M. MAYRHOFER, Onomastica Persepolitana, 1973, 8. 617 2 R. HALLOCK, Persepolis Fortification Tablets, 1969, 703b. (PF 679) 3 J. BALCER, Prosopographical Study of the Ancient Persians, 1993, 84–85 4 A. R. BURN, Persia and the Greeks, ²1984, 497–499, 536–540 5 T. PETIT, Satrapes et satrapies dans l'empire achéménide, 1990, 183–185, 195f., 220–221 6 P. BRIANT (Hrsg.), Dans les pas des dix-milles, 1995 7 R. MOYSEY, Greek Relations with the Persian Satraps, 1975 8 M. WEISKOPF, The So-called »Great Satraps' Revolt«, 1989.

M. DANDAMAYEV, s. v. Artabazus, EncIr 2, 650–651.
A. KU. u. H. S.-W.

Artabe (Ἀρτάβη). Bezeichnet ein urspr. persisches → Hohlmaß für Trockenes, nach Hdt. 1,192 von 51 choínikes (= ca. 55 l). Seit den Ptolemäern wird in Ägypt. die A. als die größte Trockenmaßeinheit verwendet und beträgt je nach Region 28, 29, 30 und 40 choínikes (1 choínix schwankt zwischen ca. 0,9–1,5 l).

→ Choinix; Hohlmaße

F. HULTSCH, Griech. und röm. Metrologie, ²1882 •
O. VIEDEBANTT, Forsch. zur Metrologie des Alt., 1917 •
J. SHELTON, Artabs and Choenices, in: ZPE 24, 1977, 55–67 •
W. HELCK, s. v. Maße und Gewichte, LÄ 3, 1199–1214.

A. M.

Artaioi (Ἀρταῖοι). A. wurden laut Hdt. 7,61 vormals die
Perser von sich selbst und ihren Nachbarn genannt;
Artaios war bei den Persern auch als Personenname gebräuchlich (Hdt. 7,22; 66; Diod. 2,32,6). A. leitet sich
vom indoiranischen Subst. *árta-/r̥tá- = Wahrheit, Stim-
migkeit, Ordnung ab; vgl. die vielen mit diesem Vor-
derglied gebildeten pers. Personennamen (z. B. Artabanos, Artaphrenes). Wie der Völkername und der Personenname A. zueinander stehen, ist unklar (vgl. FGrH 4
Hellanikos fr. 60; Hesych. s. v. Ἀ.).

R. SCHMITT, Neues Material zur altiran. Namenskunde, in:
BN 3, 1968, 63–68, hier 66 • Ders., Altpers. R̥TAXAYA und
die sog. zweistämmigen Koseformen, in: BN 7, 1972, 73–76,
hier 74.

B. F. / E. O.

Artapanos. Schrieb (3.–2. Jh. v. Chr.) in Ägypten einen
»Moseroman« (Eus. Pr. Ev. 9,18. 23. 27). → Abraham
(Astrologie), Joseph (Landbau, Maße) und → Moses
sind erste Erfinder. Ägypten verdankt Moses, mit Her-
mes-Thot und Musaios identifiziert, alle kulturellen Errungenschaften und den Tierkult. Trotz »synkretistischer« Züge ist A. jüd. Apologet. In der Nacherzählung
von Ex 1–17 unterstreicht A. die Überlegenheit Moses'
gegenüber Pharao und ägypt. Zauberern mit Wundererzählungen; er übernimmt Züge hell. Aufklärung
(Euhemerismus).
→ Alexandros [19]; Astrologie; Musaios; Synkretismus;
Wunder

ED.: FGrH 3 C Nr. 726 • N. WALTER, Fragmente jüd.-hell.
Historiker, in: JSHRZ I 2, ²1980, 121–136 • J. J. COLLINS,
Artapanus, in: J. H. CHARLESWORTH (Hrsg.), The Old
Testament Pseudepigrapha 2, 1985, 889–896 • SCHÜRER
3. 1, 1986, 521–525.

A. M. S.

Artaphernes (Ἀρταφέρνης, Ἀρταφρένης, altpers. *R̥ta-
farnah, elam. Irdaparna).
[1] In Aischyl. Pers. 776 f. einer der Verschwörer, die
→ Bardiya töteten. Wohl identisch mit Intaphernes
(Vindafarnah) in Hdt. 3,70.
[2] Bruder Dareios I. und Statthalter in Sardes (Hdt.
5,25).
[3] Sohn von A. [2], mit Datis Befehlshaber bei Marathon (Hdt. 6,94); in Xerxes' Heer Anführer der Lydier
und Mysier.
[4] Von Artaxerxes I. 425 v. Chr. als Gesandter nach
Sparta geschickt (Thuk. 4,50).
[5] Satrap in Asien (Diog. Laert. 2,79).
[6] Sohn des Mithradates, von Pompeius 61 v. Chr. im
Triumph vorgeführt.

J. BALCER, Prosopographical Study of the Ancient Persians,
1993 • P. LECOQ, s. v. Artaphrenēs, EncIr 2.

A. KU. u. H. S.-W.

Artarios. Altpersisch *R̥tāraiva-, nach Ktesias (FGrH
688 F 14, 41–2) Sohn des Xerxes, Halbbruder Artaxerxes I. und Satrap von Babylonien. Er erscheint (als Arta-
reme), zusammen mit seinem Sohn Menostanes, in babylon. Keilschrifttexten der Zeit Artaxerxes I.

J. M. BALCER, Prosopographical Study of the Ancient
Persians, 1993, Nr. 152 • M. W. STOLPER, Entrepreneurs
and Empire, 1985, 90–92.

A. KU. u. H. S.-W.

Artavasdes (Ἀρταουάσδης).
[1] **I.**, König von Armenien zw. 160 und 120 v. Chr. Er
war Sohn Artaxias' I. und Vater (nicht Bruder) Tigranes'
I. Gegen Ende seiner Regierung wurde er von dem
Arsakiden → Mithradates II. angegriffen (Iust. 42,2,6),
was zur Übergabe seines Enkels Tigranes II. als Geisel an
die Parther führte.

M. SCH.

[2] **II.** (auch Artabazes, Ἀρταβάζης), als Sohn und
Nachfolger Tigranes' II. seit 55 v. Chr. König von Armenien. Zunächst auf röm. Seite, versprach er Crassus
zu Beginn von dessen Partherkrieg (54) die Stellung eines Hilfsheeres von 46000 Mann. Als dieser gegen den
Rat des Armeniers über Mesopotamien ins Partherreich
einfiel, während A. im eigenen Land angegriffen wurde, vollzog er einen völligen Seitenwechsel, der u. a. zu
einer polit. Heirat zw. dem parth. Kronprinzen Pakoros
und einer Schwester des A. führte. Im J. 51 befürchtete
Cicero einen mil. Einfall des A. in röm. Gebiet. Zur
Zeit des 2. Triumvirats erscheint der König wieder auf
röm. Seite: Verfeindet mit seinem medischen Namens-
vetter stellte er sich M. → Antonius [I 9] für dessen Partherkrieg zur Verfügung. Auch diesmal zog sich A. bald
zurück und bewahrte Neutralität, nahm jedoch das ge-
schwächte röm. Heer freundlich in Armenien auf. Antonius machte A. zum Sündenbock seines mißlungenen
Feldzugs, rückte 34 in Armenien ein und nahm A. gefangen, der nach Alexandreia verbracht und nach der
Schlacht bei Actium auf Betreiben der → Kleopatra hingerichtet wurde. Er soll u. a auch Tragödien in griech.
Sprache geschrieben haben (Plut. Crassus 33, 564 e;
TrGF 165).

M. SCH. u. F. P.

[3] **III.**, jüngster Sohn des Vorigen. Er wurde kurz vor
der Zeitwende von Augustus mit wenig Erfolg als röm.
Kandidat für den armen. Thron gegen seinen Neffen
→ Tigranes IV. nominiert (Tac. ann. 2,4).
[4] **IV.**, folgte seinem Vater Ariobarzanes [8] 2 n. Chr.
als König von Armenien, wurde jedoch bald ermordet
(R. Gest. div. Aug. 27; Tac. ann. 2,4).
[5] **I.** (Artabazanes: Pol. 5,55) von Atropatene, erkannte
220 v. Chr. die Oberhoheit → Antiochos' [5] des Gr. an.
[6] **II.**, Sohn Ariobarzanes' [7] I. von Atropatene, dem
er zu einem unbekannten Zeitpunkt zw. 65 und 36
v. Chr. folgte. Er mag einige Jahre völlig souverän gewesen sein, da er als Verbündeter (und nicht als Vasall)
des Parthers → Phraates' IV. erscheint. Das betreffende
Bündnis richtete sich gegen M. Antonius und dessen
Partner, A. II. von Armenien. Der medische A. hatte die
Hauptlast des Krieges zu tragen, da sich der Triumvir vor
der atropatenischen Hauptstadt Phraaspa festrannte und

gar nicht ins eigentliche Partherreich gelangte. Als A. später hochfahrend vom Großkönig behandelt wurde, suchte er einen Ausgleich mit Antonius, worauf dieser gern einging. Es kam zum Austausch von Hilfstruppen. A. erlag jedoch der parth. Übermacht und geriet in Gefangenschaft, aus der er später zu Augustus entfloh. Dieser brachte ihn als Klientelkönig von Klein-Armenien unter, wo er vor 20 v.Chr. starb. Die Münzen eines »Königs der Könige Artavasdes« sind sicher nicht ihm, sondern A. II. von Armenien zuzuweisen.

A. BAUMGARTNER, U. WILCKEN, s. v. A. (1)–(2), RE 2, 1308–1311 · H. BENGTSON, Zum Partherfeldzug des Antonius, 1974 · M.-L. CHAUMONT, L'Arménie entre Rome et l'Iran 1, in: ANRW II 9. 1, 1976, 71–194 · M.-L. CHAUMONT, s. v. Armenia and Iran 2, EncIr 2, 420 ff. · F. GROSSO, La Media Atropatene e la politica di Augusto, in: Athenaeum 35, 1957, 240–256 · M. PANI, Roma e i Re d'Oriente da Augusto a Tiberio, 1972 · R. SCHMITT, s. v. A., EncIr 2, 653 · M. SCHOTTKY, Media Atropatene und Groß-Armenien, 1989 · Ders., Gibt es Mz. atropatenischer Könige?, in: AMI 23, 1990, 211–227 · Ders., Parther, Meder und Hyrkanier, in: AMI 24, 1991, 61–134, 67–73 · R. D. SULLIVAN, Papyri Reflecting the Eastern Dynastic Network, in: ANRW II 8. 1, 908–939 · U. WILCKEN, s. v. Artabazanes (2), RE 2, 1298. M.S.

Artaxata. Gründung der Artaxias auf Veranlassung Hannibals (188 v.Chr.), Hauptstadt → Armeniens (h. Artashat, südöstl. von Jerewan), am linken Ufer des Araxes (h. Aras), von Strab. 11,14,5–6 auch Ἀρταξιάσατα genannt, sonst bezeugt von App. Mithr. 104 (Ἀρτάξατα ἡ βασίλειος), Plut. Luc. 31,3 (τὸ Τιγράνου βασίλειον), Cass. Dio 36,51; 1,49,39,3 und Ptol. 5,12,5; 8,19,10; Tac. ann. 2,56 u.ö. B.B. u. H.T.

Artaxerxes (Ἀρταξέσσης, Ἀρταξέρξης). Name mehrerer achäm. Herrscher.
[1] A. I. Μακρόχειρ/Longimanus (465–424/3 v.Chr.), Sohn des Xerxes und der Amastris; bestieg im August 465 v.Chr. nach dem Mord an seinem Vater den Thron (Diod. 11,69,2–6) [1. Kap. 14]. Es gelang A., die von Athen unterstützte ägypt. Revolte (460–454 v.Chr.) niederzuschlagen. Er nahm den flüchtigen Themistokles auf. In Kleinasien erlitten die Perser Verluste, die vielleicht zu dem, von Historikern noch immer umstrittenen, Kallias-Frieden führten (449/8 v.Chr.), in dem Persien und Athen ihre Herrschaftssphären für einige Zeit abgrenzten. Nach Ausbruch des Peloponnesischen Krieges versuchte zunächst Sparta, mit A. zu verhandeln, später auch Athen. Möglicherweise amtierten Ezra und Nehemiah während seiner Regierung in Jerusalem. Elam. Tontafeln und apers. Inschr. zeigen, daß A. in Persepolis und Susa gebaut hat.
[2] A. II. Μνήμων (405/4–359 v.Chr.), auch Arses. Ältester Sohn Dareios II. und der Parysatis; kam 405/4 v.Chr., mit dem Thronnamen A., an die Macht. 401 v.Chr. mußte er den Thron gegen Kyros den Jüngeren, seinen Bruder, verteidigen; Kyros verlor sein Leben in der Schlacht von Kunaxa (Xen. an. 1) [1. Kap. 15,1–8].

Zur gleichen Zeit (401–399 v.Chr.) ging Ägypten den Persern verloren. Der Thronstreit zw. A. und Kyros wurde mittelbar auch Anlaß zu einem Krieg zwischen Persien und Sparta, dessen Ergebnis der Friede von → Antalkidas (388 v.Chr.) war. A. mußte wie auch sein Vater gegen die Kadusier am Kaspischen Meer kämpfen (Plut. Artoxerxes 24–25), konnte aber 387/6 v.Chr. die griech. Städte zwingen, einen Friedensvertrag zu Gunsten der Perser anzunehmen. Der sog. »Satrapenaufstand« in Kleinasien (366–360) erschütterte die persische Macht nicht merklich [5]. Inschr. des A. (auch Berossos FGrH 680 F11) zeigen, daß seit seiner Regierung die persischen Götter Anahita und Mithra eine wichtige Rolle in königlichen Proklamationen spielen. A. hat in Ekbatana [6. A(2)Hac] und Babylon gebaut; in Susa wurde ein großer Palast am Chaour errichtet [7; 8]. Plutarch preist ihn als einen gerechten, milden und tapferen König.
[3] A. III. Ὦχος (Ochus; 359–338 v.Chr.) gelangt als Folge mehrerer Morde am Königshof zur Herrschaft (Plut. Artoxerxes 30) [1. Kap. 15. 9]. Sein Haupterfolg war die Wiedereroberung Ägyptens (343 v.Chr.), nachdem er einen phöniz. Aufstand unter Tennes von Sidon niedergeschlagen hatte (Diod. 16,41–5). Eine babylon. Chronik [9] berichtet vom Geschick der Gefangenen. Die autobiographische Inschr. des ägypt. Somtutefnacht wirft Licht auf die Vorgänge in Ägypten nach dem persischen Sieg [10]. Athen fügte sich 355 v.Chr. den Forderungen des A.; später versicherten Athen und Sparta A. ihrer Freundschaft. Angeblich wurde A., zusammen mit fast allen Familienmitgliedern, von dem Eunuchen Bagoas vergiftet (Diod. 17,5,3).
[4] A. IV. Arses (338–336 v.Chr.), einziger Sohn des A. III., der Bagoas Mordanschlag überlebte. Nach Ausweis eines babylon. Textes trug er den Thronnamen A. [12]. Wenn es zutrifft, daß die Xanthos-Trilingue [13] in seine Regierungszeit zu datieren ist, hätte Lykien damals unter persischer Verwaltung gestanden. Bagoas soll später A. IV. ebenfalls getötet haben (Diod. 17,5,4).

→ Achaimenidai; Ägypten; Antalkidas; Athen; Bagoas; Kyros; Nehemia; Sparta; Trilingue

1 P. BRIANT, De Cyrus à Alexandre, 1996 2 E. BADIAN, The Peace of Callias, in: JHS 107, 1987, 1–39 3 K. G. HOGLUND, Achaemenid Imperial Administration in Syria-Palestine, 1992 4 M. W. STOLPER, Some Ghost Facts from Achaemenid Babylonian Texts, in: JHS 108 1988, 196–198 5 M. WEISKOPF, The So-called »Great Satraps' Revolt«, 366–360 B. C., 1989 6 R. G. KENT, Old Persian, 1950/53 7 A. LABROUSSE, R. BOUCHARLAT, La fouille du palais du Chaour à Suse, in: Cahiers de la Délégation Archéologique Française en Iran 2, 1972, 61–167 8 F. VALLAT, Les inscriptions du palais d'A. II sur la rive droite du Chaour, ebd. 10, 1979, 145–154 9 A. K. GRAYSON, Assyrian and Babylonian Chronicles, 1975, Nr.9 10 M. LICHTHEIM, Ancient Egyptian Lit. III, 1980, 41–44 11 E. BADIAN, A Document of A. IV?, in: Greece and the Eastern Mediterranean, 1977, 40–50 12 A. J. SACHS, Achaemenid Royal Names in Babylonian Astronomical Texts, in: AJAH 2, 1977, 129–147 13 H. METZGER (et al.), Fouilles de Xanthos VI, 1979. A. KU. u. H. S.-W.

Artaxias

[1] I., Sohn eines Zariadris und orontidischer Abkunft, beherrschte zu Anfang des 2. Jh. v. Chr. das Araxestal um Armavir unter seleukidischer Oberhoheit. Nach der Schlacht bei Magnesia (190 v. Chr.) machte er sich selbständig, nahm mit röm. Billigung den Königstitel an und gründete als neue Hauptstadt Artaxata, wobei ihn Hannibal beraten haben soll. Eroberungszüge gegen benachbarte Staaten und Völker vergrößerten die Macht des Königs so beträchtlich, daß er um 179 als Vermittler in die Streitigkeiten kleinasiatischer Fürsten eingreifen konnte. Innenpolit. trat A. mit einer durch aram. Inschr. belegten Bodenreform sowie durch das Bestreben hervor, dem Armen. als einigender Sprache allg. Geltung zu verschaffen. Sein Plan, auch noch die Sophene einzugliedern, konnte jedoch erst von seinem Urenkel Tigranes II. verwirklicht werden. 164 wurde er von → Antiochos IV. unterworfen, erhielt aber durch dessen baldigen Tod seine Bewegungsfreiheit zurück und unterstützte 162 den Usurpator Timarchos. A., der bald darauf gestorben sein dürfte, ist der Begründer der großarmen. Machtstellung im Alt. und der Stammvater der »Artaxiaden«. Die armen. Überlieferung hat jedoch kaum Erinnerungen an ihn bewahrt: Der bei Movsês Xorenacʾi erscheinende erste armen. Artashês ist hauptsächlich nach dem Bild → Tiridates' I. gezeichnet.

[2] II., ergriff 34 v. Chr. nach der Gefangennahme seines Vaters Artavasdes II. die Macht in Armenien und hielt sich mit parth. Hilfe, bis er 20 v. Chr. von Verwandten ermordet wurde, womit der Thron für seinen röm. orientierten Bruder Tigranes III. frei wurde.

[3] III. (Zenon), Sohn Polemons I. von Pontos, wurde 18 n. Chr. von → Germanicus eingesetzt und herrschte bis 34 als röm. Klientelkönig über Armenien.

[4] IV. (genannt Ardaschir: Moses Choren. 3,58), Sohn des Königs Vramschapuh, regierte 422–428 als persischer Vasall. Mit seiner vom armen. Adel geforderten Absetzung endete das arsakidische Königtum in Armenien.

A. BAUMGARTNER, U. WILCKEN, s. v. A. 1–3, RE 2, 1326–7 · M.-L. CHAUMONT, s. v. Armenia and Iran 2, EncIr 2, 419–429 · R. H. HEWSEN, The successors of Tiridates the Great, in: REArm. 13, 1978/79, 99–126 · J. RUSSELL, s. v. A. I, EncIr 2, 659/60 · M. SCHOTTKY, Media Atropatene und Groß-Armenien, 1989 · M.-L. CHAUMONT, in: Gnomon 67, 1995, 330–336.   M. S.

Artaynte

(Ἀρταΰντη). Tochter des → Masistes, Bruder Xerxes I., mit dessen Sohn Dareios verheiratet. Eine novellistische Erzählung (Hdt. 9,108–113) berichtet, wie Xerxes sich in seine Schwiegertochter verliebte und seine Gattin Amestris sich dafür an der Mutter des Mädchens rächte, was zum Aufstand des Masistes führte. Die Erzählung hat lit. Parallelen in Est und Mt 14,1–12.

J. BALCER, Prosopographical Study of the Ancient Persians, 1993, 106 · H. SANCISI-WEERDENBURG, Exit Atossa, in: A. CAMERON, A. KUHRT (Hrsg.), Images of Women in Antiquity, 1983, 20–33.   A. KU. u. H. S.-W.

Artembares

(Ἀρτεμβάρης).

[1] Vornehmer Meder, dessen Sohn vom jungen Kyros im Spiel geschlagen wurde und der sich darüber bei Astyages beschwerte (Hdt. 1,114–116).

[2] Großvater des Artayktes (Hdt. 9,122).

[3] Name eines Reiterführers in Aischyl. Pers. 29 und 302.

R. SCHMITT, Iranier-Namen bei Aischylos, 1978.
     A. KU. u. H. S.-W.

Artemidoros

(Ἀρτεμίδωρος).

[1] Indogriech. König im 1. Jh. v. Chr., nur durch seine Münzen belegt, mittelindisch Artemitora.

BOPEARACHCHI, 110, 316–318.   K. K.

[2] Verfasser von Elegien Περὶ Ἔρωτος, in denen unter anderem von dem *katasterismós* des Delphins erzählt wurde, der Poseidon geholfen hatte, Amphitrite zu seiner Frau zu machen (Ps.-Eratosth. catasterismus 31 S. 158 ROBERT, vgl. schol. ad Germanicus, Aratea, S. 92,2 ff. BREYSIG = SH 214). Auch wenn es sich nur um eine Hypothese handelt, so ist die Gleichsetzung mit dem in der Vita Aratea II, p. 13, 2–3 MARTIN (= SH 213) zitierten gleichnamigen Astronomen und Verf. von Φαινόμενα doch wahrscheinlich.   M. D. MA. / T. H.

[3] Griech. Geograph des 1. Jh. v. Chr. aus Ephesos, schrieb neben *Ioniká hypomnḗmata* (Ἰωνικὰ Ὑπομνήματα) (FGrH 438) 11 Bücher *Geographúmena* (Γεωγραφούμενα) in der Art eines → Periplus, von denen Fragmente im Auszug des → Marcianus bewahrt sind (GGM 1, 574–576); viel benutzt von → Strabon.

H. BERGER, s. v. A. 27, RE 2, 1329–1330 · G. HAGENOW, Unt. zu A. Geogr. des Westens, 1932 · J. O. THOMSON, History of Ancient Geography, 1948, 210.   K. BRO.

[4] Aus Tarsos. Griech. → Grammatiker des 1. Jh. v. Chr., Vater des Grammatikers Theon. Weshalb ihn Athenaios Ἀριστοφάνειος oder Ψευδαριστοφάνειος nennt, ist nicht bekannt. Er erstellte die erste Sammlung von bukolischen Gedichten auf der Grundlage der Theokritos-Überlieferung u. a. Man kennt Fragmente glossographischer und lexikographischer Werke – bes. über die Komödie; er schrieb einen Traktat über den dor. Dialekt. Vgl. auch Kall. fr. 55 (PFEIFFER).

→ Kallimachos; Theokritos; Theon

A. v. BLUMENTHAL, RE 5 A, 2022 · H. MAEHLER, in: Entretiens XL, 98 · PFEIFFER, KPI, 258 · F. SUSEMIHL, Gesch. der griech. Lit. in der Alexandrinerzeit, 1891–1892, II 185–186 · C. WENDEL, Überlieferung und Entstehung der Theokrit- Scholien, AAWG XVII 2, 1920, 166 · G. WENTZEL, RE 2, 1331–1332.   F. M. / M.-A. S.

[5] Rhetor aus Knidos, Zeitgenosse des Strabon (Strab. 14,2,15). Sein Vater → Theopompos, ein Freund Caesars, verfaßte eine *Synagogē mythōn* (Plut. Caes. 48). A. genoß unter der Herrschaft des Augustus hohe Ehren, vielleicht weil er versucht hatte, Caesar noch kurz vor seiner Ermordung zu warnen (vgl. Plut. Caesar 65; App. civ. 2,116).   M.W.

[6] Von Daldis. Lebte ca. im 2.Jh. n.Chr., auch unter dem Namen A. von Ephesos bekannt. Verf. von Ὀνειροκριτικά, der einzigen ant. Abhandlung zur Traumdeutung, die vollständig erh. ist. Die Bücher 1–3 sind einem Cassius Maximus gewidmet, der möglicherweise mit Maximus von Tyros identisch ist; die ersten beiden Bücher enthalten eine systematische Darstellung, gefolgt von Addenda in Buch 3. In den an A.' Sohn gerichteten Büchern wird esoterisches Material für den professionellen Traumdeuter vorgestellt: Buch 4 behandelt ausgewähltes Material aus den Büchern 1–3 unter Einarbeitung zusätzlicher Ratschläge und Anweisungen noch einmal; Buch 5 ist eine Sammlung von Träumen, die sich vorgeblich bewahrheitet haben.

A.' Interesse gilt prophetischen Träumen, ὄνειροι, im Gegensatz zu ἐνύπνια (die kein vorhersagendes Element enthalten und nur momentane physische und mentale Zustände widerspiegeln (1,1). Ὄνειροι sind für A. Erzeugnisse der Seele, diese besitzt von Natur aus nicht nur die Fähigkeit, die Zukunft vorherzusagen, sondern auch die, zu diesem Zweck Traumbilder zu erzeugen (1,2; vgl. 2,66; 3,22; 4 praef.; 4,2; 4,27; 5,40). Das vorhergesagte Ereignis kann entweder direkt (ὅ. θεωρηματικοί) oder symbolisch (ὅ. ἀλληγορικοί) dargestellt werden; Träume der letzteren Art erfordern einen erfahrenen Deuter.

Versuche, A. einer philos. Schule (gewöhnlich der Stoa) zuzuordnen, sind fehlgeleitet. Bedeutsamer ist jedoch, daß er den Eindruck erwecken möchte, im Besitz einer echten τέχνη (1 praef.) zu sein. Daß in Träumen Vorhersagen gemacht werden, ist für A. eine empirische Tatsache. Sein Erfolg in der Traumdeutung beruht neben umfassender Lektüre und weitreichender direkter Erfahrung (1 praef.; 2,66; 2,70; 4 praef.; πεῖρα und ἐτήρησα sind Lieblingswörter) auf seinem Differenzierungs- und Klassifikationsvermögen: Träume werden kohärent und systematisch in Kategorien und Subkategorien eingeteilt, um so die Semantik der seelischen Äußerungen mit bis dahin nicht erreichter Klarheit und Vollständigkeit aufzudecken. Ein Vergleich mit FREUD, der A. in der ›Traumdeutung‹ anerkennend erwähnt, ist bis zu einem gewissen Grade möglich, obwohl FREUDS Interesse nach der Terminologie von A. nicht den ὄνειροι, sondern den ἐνύπνια galt. Doch ist es vielleicht erhellender, A.' Ansatz mit Ptolemaios' Verteidigung der Astrologie in der *Tetrábiblos* und den Techniken allegorischer Interpretation bei ant. Grammatikern zu vergleichen.

A.' Werk war zu seinen Lebzeiten (Gal. CMG 5,9,1; 129,31–3) wie in byz. Zeit (Ps.-Lukian, Philopatris 21–2) bekannt und geachtet. Arab. Traditionen stehen unter seinem Einfluß, der zum Teil durch eine Übers. der Bücher 1–3, möglicherweise von Ḥunain-b. Isḥāq (gest. 873), vermittelt ist. In der Gegenwart hat man in ihm schließlich eine reiche Quelle für Denkweisen und Sitten einer ant. Gesellschaft erkannt.

Die Suda schreibt A. auch Οἰωνοσκοπικά und Χειροσκοπικά zu; er selbst erwähnt eine weitere Abhandlung über Träume (1,1) und nicht näher bestimmte Werke über andere Themen (3,66).

ED. UND ÜBERS.: R. PACK, 1963 • K. V. BRACKERZ, 1979 • A. FESTUGIÈRE, 1975 • D. DEL CORNO, 1975 • R. WHITE, 1975.
LIT.: C. BLUM, Studies in the Dreambook of Artemidorus, 1936 • T. FAHD, Le Livre des songes, traduit du grec en arabe, 1964 • J. M. FLAMAND, s. v. A., in: Goulet I, 1989 • M. FOUCAULT, Le Souci de soi, 1984, 13–50 • B. REARDON, Courants littéraires grecs, 1971, 274–254 • J. WINKLER, The Constraints of Desire, 1990, 17–45.   M.T./T.H.

[7] Aus Alexandreia. Griech. (karischer) Leibarzt von Apollonios Dioiketes, lebte um 250 v. Chr. und wird von Zenon (PCZ 59044; 59225; 59355; 59293; 59548) erwähnt. A.' Einfluß auf seinen Herrn stand dem des Zenon kaum nach. In einigen Angelegenheiten hatte er direkten Zugang zu Ptolemaios Philadelphos (SB 6748). Zeitweise kontrollierte er die Menge der Petitionen, die den Dioiketes erreichte (z.B. PSI 340; SB 6819), und vermittelt so eine Vorstellung vom Einfluß, den ein Leibarzt in der Politik haben konnte [1].

1 F. KUDLIEN, Die Stellung des Arztes in der röm. Gesellschaft, in: AAWM 6, 1979, 79–81.   V.N./L.v.R.-B.

[8] Kapiton (Καπίτων). Lebte um 120 n. Chr., gab eine Hippokratesausgabe heraus, die von Hadrian sehr geschätzt wurde (Gal. 15,21). Er erörterte die Authentizität bestimmter Traktate, wobei er dem letzten Teil des hippokratischen *Regimen in morbis acutis* Authentizität absprach, und die ›Epidemien‹ mehreren Autoren zuschrieb [4]. Das Verhältnis dieser Ausgabe zu der seines Zeitgenossen und Verwandten Dioskurides ist schwer festzustellen: Galen zit. sie gelegentlich ohne Differenzierung. Obwohl Galen ihr Werk wegen der leichtsinnig vorgenommenen Veränderungen und Unklarheiten häufig kritisiert, beruht doch sein eigenes Urteil über die Tradition der hippokratischen Kritik in hohem Maße auf A. und Dioskurides. A. nahm viele stilistische Änderungen vor, wobei er versuchte, den urspr. koischen Dial. wieder zur Geltung zu bringen. Einige der von A. vorgeschlagenen und von Galen diskutierten Lesarten wurden bis in die ma. Hss.-Tradition des Corpus Hippocraticum überliefert, andere jedoch nicht [5]. Spekulativ, aber denkbar ist die Annahme, das Werk des Dioskurides und des A. bilde die Grundlage der Hss.-Tradition des Corpus Hippocraticum [2].
→ Hippokrates; Galenos; Dioskurides

1 M. WELLMANN, s. v. A., RE 2, 1332 2 J. ILBERG, Die Hippokratesausgaben des A. Kapiton und Dioskurides, in: RhM 1890, 111–137 3 F. PFAFF, Die Überlieferung des Corpus Hippocraticum in der nach-alexandrinischen Zeit, in: WS 1932, 67–82 4 W. D. SMITH, The Hippocratic Tradition, 1979, 235–240 5 D. MANETTI, A. ROSELLI, Galeno commentatore di Ippocrate, ANRW II 37. 2, 1617–1635.   V.N./L.v.R.-B.

Artemis (Ἄρτεμις) I. Religion II. Ikonographie

I. Religion
A. Etymologie und Frühgeschichte
B. Homer C. Funktionen 1. Jagd
2. Initiation 3. Riten 4. Kultbilder
5. Stadtgöttin 6. Private Verehrung
D. Nachklassische Entwicklung

A. Etymologie und Frühgeschichte

Griech. Göttin, Tochter von Zeus und Leto, Zwillingsschwester von Apollon. Sie ist Göttin der Übergänge von Geburt und Erwachsenwerden beider Geschlechter, des weiblichen Todes, der Jagd und der Jagdtiere, im griech. Osten auch Stadtgöttin. Sie wurde in Kleinasien und im Vorderen Orient bes. mit Kybele und Anahita, in Rom mit Diana identifiziert, in etr. Darstellungen, wo sie *artume(s)* heißt, bleibt ihr Charakter als griech. Entlehnung gewahrt.

Ob ihr Name, der sich jeder Etym. entzieht, hinter Linear B atemit- (Pylos) steht, ist umstritten [1]. Zumindest das Heiligtum von Hyampolis/Kalapodi, wo im 1. Jt. A. (und Apollon) verehrt werden, geht ungebrochen in die Bronzezeit (SM IIIC) zurück, und eine früher oft angenommene Herkunft von Namen und Göttin aus Anatolien, bes. Lydien (*artimus*) oder Lykien (*ertemi*, aram. *r̆tmw̆s̆*), wird h. vorsichtiger beurteilt [2]; jedenfalls werden zahlreiche anatolische Lokalgöttinnen mit A. identifiziert. Ihre Beliebtheit in Kleinasien wird auch durch theophore Namen belegt.

B. Homer

Als Hauptbereiche der A. nennt Hom. h. Veneris 17–20: 1. Bogen und Jagd in den Bergen, 2. Phorminx, Tanz und weibliche Kultrufe (*ololygaí*) in den Hainen und 3. die »Stadt gerechter Männer«; später wird ihre Distanz zum polit. Leben der Städte betont (Kall. h. 3,19). Jagd und Mädchentanz finden sich im Erscheinungsbild der Göttin im frühgriech. Epos. Das homer. Bild der A., die Eber und Hirsche jagt, sich zugleich aber mit ihren Nymphen am Spiel ergötzt (Od. 6,102–9), vereinigt beide Bereiche. Wie Athene spielt A. im Chor der Kore und ihrer Mädchen bei der Blumenlese (Hom. h. Cereris 424): Auch sie ist Jungfrau, doch nicht ohne erotische Spannungen; der Chor der »tosenden« (*keladeinḗ*) A. und ihrer Nymphen (*kórai*, »Mädchen«) lädt zu erotischen Eroberungen ein (z.B. Il. 16,183). Als Herrin der Tiere (*pótnia therōn*, Hom. Il. 21,470) schützt sie den guten Jäger (Hom. Il. 5,51), hetzt den wilden Eber gegen ihren Feind (Il. 9,533–40), tötet die Jäger → Orion (Od. 5,123 f.) oder → Aktaion. Wie Apollon trägt sie den Bogen, mit dem sie nicht nur jagt, sondern Frauen jeden Alters unerwartet tötet: Neben der sichtbaren Krankheit steht A.' unsichtbares Geschoß als denkbare Todesursache (Od. 11,172; 15,410). Hera, die Beschützerin der Ehefrauen, nennt sie »Löwin der Frauen« (Il. 21,483 f.). Die Männer tötet → Apollon (Il. 24,606; Od. 15,410), außer jenen, die sich A. persönlich zur Feindin gemacht haben, wie z.B. Orion, Aktaios, Oineus (Il.

9,533–40) oder später alle Ungerechten (Kall. h. 3,122–4). Wie ihre Mutter Leto und ihr Bruder Apollon kämpft sie auf Seiten der Troianer (Il. 20,39 f., vgl. 5,445–7). Homer zeichnet allerdings vor allem A.' mädchenhafte Unterlegenheit im Kampf (Il. 21,479–513); tatsächlich findet sich in ihren Kulten nur wenig Kriegerisches.

C. Funktionen

A. Tauropolos, der Männerbündlerisches anhaftet, ist Gottheit der maked. und Diadochenheere; die Spartaner opfern vor der Schlacht an A. Agrotera (Xen. hell. 4,2,20), während die Athener den Sieg von Marathon mit einem jährlichen Opfer an A. Agrotera und Enyalios feiern (Aristot. Ath. pol. 58,1): Das läßt sich als Ausdehnung von Jagd und Ephebie verstehen [3; 4]. Auf ihre Geburt in Ortygia spielt Hom. h. Apollonis 16 an. Dabei ist Ortygia, ihr Geburtsort, von Apollons Geburtsinsel Delos getrennt, mit dem er später identifiziert wurde (Kall. h. Apoll. 59), wie auch die Geburt der A. auf Delos lokalisiert war, dessen A.-Tempel bereits aus der Zeit um 700 stammt. Ausführlicher über ihre Geburt in Ortygia, einem Hain am Meer bei Ephesos, berichtet Strab. (14,1,20; vgl. Tac. ann. 3,61): Danach haben die Kureten mit ihren Waffen gelärmt, um die eifersüchtige Hera von der Wöchnerin fernzuhalten. Das ist das Aition für die Riten des ephesischen Kollegiums der *koúrētes* [5]. Der Geburtstag der A. ist der 6. Thargelion; daher ist ihr jeder sechste Tag geheiligt (Diog. Laert. 2,44; Prokl. in Tim. 200d) [6]: Sie ist also einen Tag älter als Apollon.

1. Jagd

Die Jagd hat im öffentlichen Kult wenig Spuren hinterlassen. Individuell weihen ihr die Jäger in altem und verbreitetem Brauch Kopf, Geweih oder Fell des Jagdtiers (z.B. Kall. fr. 96; Anth. Pal. 6,111) [7]. Dabei steht sie in Konkurrenz zu Pan (Anth. Pal. 6,106), mit dessen Funktionen sie auch anderweitig Berührungspunkte aufweist (Orakel aus Didyma bei Eus. Pr. Ev. 7,5,1) [8]. Auch Fischer weihen der A. einen Teil des Fangs (Anth. Pal. 6,105).

2. Initiation

Wichtiger ist der in der homer. *agrotérē*, (wörtlich ›die vom *agrós*, dem bebauten Land‹ [9]) angesprochene Status einer Göttin der Passagen zw. den Extremen von Wildheit und Kultur, wobei sie letztlich doch deutlich zur Distanz von der Kultur neigt. Das präzisiert auch Wilamowitz' eingängige Formel der A. als »Göttin des Draußen« [10]. Darin gründet ihre Bed. für die weibliche und männliche Initiation. Die zentrale Funktion als Göttin der weiblichen Initiationsriten ist schon in den homer. Mädchenchören mit ihren erotischen Möglichkeiten angesprochen. Chortänze der Mädchen für Artemis sind häufig belegt und finden bes. in der Peloponnes in weit abgelegenen Heiligtümern in den Bergen und in feuchten Niederungen statt. Die »draußen« tanzenden Nymphen sind myth. Abbild dieser realen Chöre [11]. Nach dem Gewässer heißt die Göttin Limnatis, nach Lage der Heiligtümer trägt sie Baumnamen wie Kedreatis (»von der Zederntanne«, Paus. 8,13,2) oder Karyatis (»Herrin vom Nußbaum«). Vorstellungen von → Baumkult im engen Sinn haben fernzubleiben. Gut bekannt ist der Kult im att. Brauron, einem Heiligtum weitab der Stadt am Meer, in dem sich ausgewählte att. Mädchen eine Weile aufhielten. Hier bezeugen Vasen Tänze, Athletik und Bärenmasken; die mythographischen Quellen verbinden die Stiftung des Kults mit der Tötung einer der A. heiligen Bärin [12, 13; 14]. Das verbindet diese Institution auch mit dem Mythos von → Kallisto, die zur Strafe für den Verlust der Jungfräulichkeit in eine Bärin verwandelte Gefährtin der A. und Mutter des arkadischen Gründerheroen Arkas. Der Name der Kallisto verweist dabei auf die Epiklese *Kálliste*, »die schönste«, die A. mehrfach trägt und hinter der das Ritual des Schönheitswettbewerbs sichtbar wird. Eine andere Ausprägung der Institution ist die Rolle von Mädchenpriesterinnen, die bis ins heiratsfähige Alter amtieren (z.B. Aigira in Achaia, Paus. 7,26,3); solches Priestertum wird im Iphigenie-Mythos gespiegelt. Der definitive Eintritt in die Welt der erwachsenen Frau wird durch die erste Geburt vollzogen. Im Mythos hütet A. die Jungfräulichkeit ihrer Nymphen und bestraft ihren Verlust, was ihrer Rolle als Patronin der Initiandinnen im »Draußen« entspricht. Doch da es Aufgabe der Initiationsriten ist, aus Mädchen für die Gesellschaft unentbehrliche Frauen zu machen, sorgt A. auch oft für die Geburt. Sie erhält Opfer im Umkreis der Hochzeit (LSS 115 B) und wird etwa mit den Epiklesen *Lochía* oder derjenigen von *Eileithyía* angerufen, welche die Geburtsgöttin → Eileithyia zu einem Aspekt der A. macht [15; 16; 17]. In ihrem Heiligtum von Brauron dediziert man der dort ebenfalls verehrten Iphigenie die Kleider der im Kindbett gestorbenen Frauen (Eur. Iph. Taur. 1463–7).

Neben der Sorge um die Mädchen und Frauen steht diejenige um die männliche Initiation. Bes. gut faßbar ist sie im spartanischen Heiligtum der A. Orthia, deren blutige Riten das Interesse der gebildeten Griechen und Römer erweckten: Man peitschte an ihrem Altar einen jungen Mann, bis er blutete (Cic. Tusc. 2,34): Das soll ein früheres Menschenopfer ersetzt haben (Paus. 3,169f.). Im 4.Jh. hatte das Ritual allerdings noch aus einem Wettkampf zweier Gruppen bestanden, die Käse vom Altar stehlen sollten (Xen. Lak. pol. 2,9; Plat. leg. 1,633b; vgl. Alkm. fr. 56 PMG). A. Orthia ist auch an anderen Orten der Peloponnes belegt; in Messene geht ihr Kult mit Mädcheninitiationen zusammen. Die Überlieferung eines Menschenopfers hängt auch am Heiligtum der A. Tauropolos im att. Halai Araphenides, wo neben Waffentänzen der jungen Männer ein Ritual belegt ist, bei dem ebenfalls Blut zu fließen hatte (Eur. Iph. T. 1450–1457).

3. RITEN

Ein anderes Ritual, das mehrfach mit A. verbunden wird, ist die Verbrennung verschiedener Opfertiere in einem großen Feuer: Ausführlich berichtet Paus. (7,18,8–11) für die Laphria in Patrai darüber, wohin das Kultbild und das Ritual aus Kalydon kam; hier ist das Heiligtum der A. Laphria seit dem 7.Jh. nachweisbar. Dasselbe Ritual ist für A. Tauropolos in Phokaia (Pythokles FGrH 833 F 2) und durch das Aition für A. Laphria oder Elaphebolos von Hymapolis (Plut. mor. 244bd; Paus. 10,1,6) belegt, zudem im Kult des Herakles auf der Oita und in Theben (Pind. I. 4,65–7; Pherekydes FGrH 3 F 14). Das Ritual wurde von den Teilnehmern als unheimlich erlebt; von daher ist eine Verbindung mit den europ. Sonnwendfeuern problematisch [18; 19; 20].

4. KULTBILDER

Mit den unheimlichen Riten der A. zusammen gehen oft kleine, hochaltertümliche Kultbilder, wie sie bes. oft für A. bezeugt sind. Die kleinen Holzbilder in Halai und in Sparta gelten als das von Orestes geraubte Bild der A. aus dem Taurerland; dieselbe Überlieferung hängt am kleinen, tragbaren Bild der A. Phakelitis von Tyndaris. Im Ritual wurde das Bild in ein Rutenbündel gehüllt (deswegen Phakelitis, von *phákelos*, »Rutenbündel«), wie dasjenige der Orthia in Lygosruten eingebunden wurde (A. *Lygodésmē*, Paus. 3,16,11) [21; 22]. Für Messene überliefert die Ikonographie ein kleines, im Kult getragenes Bild [23], in Lousoi setzt die klass. Kultstatue geom. Ikonographie fort, in Pellene wurde ein altertümliches Bild (*brétas*) der A. Soteira (»Retterin«) um die Mauern getragen und sandte den Feinden Wahnsinn (Plut. Arat. 1042bc; Paus. 7,27,3). Auch A. Orthia sandte Wahnsinn (Paus. 3,16,9); umgekehrt kann A. Hemerasia (die »Zahme«, von Lusoi) den Wahnsinn heilen (Paus. 8,18,8).

In den gleichen Bereich gehören die zahlreichen kleinasiatischen Bilder vom Typus desjenigen der ephesischen A., das sich überall als altertümliche Statue mit abnehmbarem Schmuck und Bekleidung enthüllt; diskutiert in Ephesos sind freilich noch immer die »Brüste« [24]. Das ephesische Bild war eine Stiftung der Amazonen (Kall. h. 3,238, *brétas*).

5. STADTGÖTTIN

Bes. wichtig wurde neben Ephesos der Kult der A. in Perge (Pamphylien): beide Kulte fanden seit dem Hellenismus große Ausbreitung. »Mysterien« der A. Ephesia sind außer in Ephesos auch im Innern Anatoliens belegt [25]. In zahlreichen Fällen überlagert sich hier die griech. A. mit einer anatolischen Stadtherrin, wie der Herrin (*wánassa*, SEG 30,157) von Perge (A. Pergaia), der Kubaba von Hierapolis-Kastabala (A. Perasia) und ihnen ähnlichen anatolischen Göttinnen [26]. Die Gottheiten sind dadurch verwandt, daß beide einerseits in die Natur gehören (öfters heißen die anatolischen Göttinnen *Oreía*, »die vom Berg«), anderseits Stadtherrinnen sind, was der anatolischen Vorstellungen nicht fremde Hom. h. Veneris 20 von A. sagt. Von daher leitet sich insbes. die Rolle der großen Stadtgöttin von Ephesos her, die durch den Bericht über Paulus' Besuch (Apg 19,23–49) bekannt, rituell etwa durch die Prozessionsstiftung des Vibius Salutaris deutlicher faßbar ist [27]. Eine ähnliche Rolle spielt A. *Leukophryénē* in Magnesia am Maiandros (Strab. 14,1,40), deren Kult infolge einer

Epiphanie im späten 3.Jh. v.Chr. ausgebaut wurde (LSAM 33).

6. PRIVATE VEREHRUNG

Im privaten Bereich war A. vor allem Nothelferin (*Sōteira*); derselbe Aspekt drückt sich in der Epiklese *Phōphóros*, »Lichtbringerin« aus, die sie im Polis- wie im Privatkult trägt. Als solche wird sie immer wieder von den Frauen angerufen; sie erhält auch Weihungen von Frauen auf Geheiß eines Traums (SEG 18,166f.), ist zuständig bes. für die Manumission von Frauen und Kindern [28]. Die Manumission mag auch als »Passage« verstanden werden. Andere, reale Passagen sind Seereisen, für die sie als A. zuständig ist, oder Tordurchgänge, die sie wie Apollon als Propylaia schützt.

D. NACHKLASSISCHE ENTWICKLUNG

In der theologischen Spekulation wurde A. bald mit → Hekate gleichgesetzt, mit der sie das Attribut der Fakkel teilt; im athenischen Kult ist eine A. Hekate seit dem 5.Jh. belegt [29]. Die Identifikation mit der Mondgöttin erscheint zuerst und isoliert bei Aischylos (fr. 170 TGF); im Gefolge hell. Theologie ist die Identifikation (als gelehrter Graezismus) in der röm. Lit. geläufig (Catull. 34,15f.; Cic. nat. deor.). In der Kaiserzeit wird A. mit verschiedenen Göttinnen, insbes. als Mondgöttin mit Isis gleichgesetzt (Apul. met. 11,2, vgl. Paus. 10,32,13–17) und aus demselben Grund in Zauberpapyri angerufen.

→ Brauron; Griechische Religion

1 C. SOURVINOU, in: Kadmos 9, 1970, 42–7 2 R. LEBRUN, Problèmes de religion anatolienne, in: R. LEBRUN (Hrsg.), Hethitica 8. Acta Anatolica Ephesos Laroche Oblata, 1987, 241–262 3 W. KENDRICK-PRITCHARD, The Greek State at War 3, 1979, 84, 173–5 4 P. VIDAL-NAQUET, Le chasseur noir, ³1991 5 D. KNIBBE, Der Staatsmarkt. Die Inschr. des Prytaneions, in: FiE IX/1/1, 1981, 70–73 6 J. MIKALSON, The sacred and civil calendar of the Athenian year, 1975, 18 7 K. MEULI, Gesammelte Schriften 2, 1975, 1984–88 8 L. ROBERT, in: CRAI, 1968, 579 9 E. SCHWYZER, Griech. Gramm. 1, 1939, 534 10 WILAMOWITZ, 1, 175 11 A. BRINKMANN, Altgriech. Mädchenreigen, in: BJ 129/130, 1924/25, 118–146 12 W. SALE, The temple-legends of the Arkteia, in: RhM 118, 1975, 265–284 13 E. BEVAN, The goddess A. and the dedication of bears in sanctuaries, in: BSA 82, 1987, 17–22 14 C. SOURVINOU-INWOOD, Studies in Girls' Transitions, 1988 15 FARNELL, Cults 2, 567 Nr. 40 16 PH. BRUNEAU, Recherches sur les cultes de Délos, 1970, 191f. 17 B. HELLY, in: Gonnoi 2, 1973, 175–96 18 NILSSON, Feste, 218–225 19 GRAF, 410–7 20 Y. LAFOND, A. en Achaie, in: REG 104, 1991, 410–433 21 F. GRAF, Das Götterbild aus dem Taurerland, in: Antike Welt 10/4, 1979, 33–41 22 C. MONTEPAONE, A proposito di A. Phakelitis, in: Recherches sur les cultes grecs et l'Occident 2, 1984, 89–107 23 N. KALTSAS, Das ant. Messenien, 1989, 41 Abb. 25 24 G. SEITERLE, A. – die große Göttin von Ephesos, in: Antike Welt 10/3, 1979, 6–16 25 G. HORSLEY, The mysteries of A. Ephesia in Pisidia. A new inscribed relief, in: Anatolian Studies 42, 1992, 119–150 26 A. DUPONT-SOMMER, in: Jb. für kleinasiatische Forsch. 2, 1965, 200–209 27 G. M. ROGERS, The Sacred Identity of Ephesos, 1991 28 M. B. HATZOPOULOS, Cultes et rites de passage en Macedoine, 1994, 64f. 29 GRAF, 229.

BURKERT, 233–237 · G. BRUNS, Die Jägerin A., 1929 · C. CALAME, Les chœurs de jeunes filles en Grèce archaïque I: Morphologie, fonction religieuse et sociale, 1977 · CH. CHRISTOU, Potnia Theron, 1968 · R. FLEISCHER, A. von Ephesos und verwandte Kultstatuen aus Anatolien und Syrien, 1973 · K. HOENN, A. Gestaltwandel einer Göttin, 1946 · H. KING, Bound to bleed. A. and Greek women, in: A. CAMERON, A. KUHRT (Hrsg.), Images of Women in Antiquity, 1985, 109–127 · NILSSON 1, 481–500 · G. SCHNEIDER-HERMANN, Das Geheimnis der A. in Etrurien, in: AK. 13, 1970, 52–70. KULTORTE: L. KAHIL, L'A. de Brauron. Rites et mystères, in: AK 20, 1977, 86–98 · L. KAHIL, Mythological repertoire of Brauron, in: W. G. MOON (Hrsg.), Ancient Greek Art and Iconography, 1983, 231–244 · A. I. ANTONIOU, Συμβολὴ στὴν ἱστορία τοῦ ἱεροῦ τῆς Βραυρωνίας Ἀρτέμιδος, 1990 · H. GALLET DE SANTERRE, Délos primitive et archaïque, 1958 · A. BAMMER, Das Heiligtum der A. von Ephesos, 1984 · T. WOHLERS-SCHARF, Die Forschungsgesch. von Ephesos, 1995 · R. FELSCH, Tempel und Altäre im Heiligtum der A. Elaphebolos von Hyampolis bei Kalapodi, in: R. ÉTIENNE, M. TH. LE DINAHET (Hrsg.), L'espace sacrificiel dans les civilisations méditerranées de l'antiquité, 1991, 85–91 · E. DYGGVE, Das Laphrion, der Tempelbezirk von Kalydon, 1949 · C. ANTONETTI, Les Etoliens. Image et religion, 1990, 244–262 · P. C. BOL, Die A. von Lousoi. Eine klass. Wiedergabe eines frühgriech. Kultbildes, in: Kanon. FS Ernst Berger, 1988, 76–8c · V. MITSOPOULOS- LEON, Artémis de Lousoi. Les fouilles autrichiennes, in: Kernos 5, 1992, 97–108 · R. M. DAWKINS (Hrsg.), The Sanctuary of A. Orthia at Sparta, 1929. F.G.

II. IKONOGRAPHIE

Griech. Charakterisierungen der A. als Potnia Theron seit dem frühen 7.Jh. v.Chr., meist als geflügelte Göttin, mit versch. Tieren an ihrer Seite (Stiere auf einer Bronzetafel aus Kolophon, 7.Jh. v.Chr.; Löwe, Panther und Hirsch auf dem François-Krater in Florenz, 570/560 v.Chr.). Archa. Typen sind die »A. Ortheia« aus Sparta und die »A. Lousoi« (wohl Wiedergabe der dortigen dädalischen »A. Hemera«). Umstritten, ob mit der »Nikandre« aus Delos (Paris, Louvre, Mitte 7.Jh. v.Chr.) die Göttin A. gemeint ist. A. erscheint häufig als Jägerin in langem oder kurzem Gewand, mit Köcher, Pfeil und Bogen oder auch Speeren, oft mit Hindin, in versch. Medien (Vasenmalerei, Großplastik); s. auch die zahlreichen röm. Darstellungen der A./ Diana. Als Herrin der Tiere und der Jagd, unbewegt stehend: Typus Albani-Lateran, mit Hirschkalb und Jagdspeer (2.Jh. n.Chr., Orig. wohl um 450 v.Chr.), A. von Ariccia (ungesicherte Deutung; um 100 n.Chr., nach att. Kultstatue um 440/430 v.Chr.), A. Beirut (trajanisch, Orig. um 350 v.Chr.), A. Dresden (hadrianisch, Orig. um 350 v.Chr., Umkreis des Praxiteles), A. Piräus (Br.-orig., um 340 v.Chr.); s. A. von Gabii (nach Orig. des 4.Jh. v.Chr.; problematisch die Gleichsetzung mit der bei Paus. 1,23,7 belegten »A. Brauronia« des Praxiteles). Als in die Handlung eingreifende, bewegte Jägerin: Bronzestatuette aus Dodona (1. H. 6.Jh. v.Chr.), die statuarischen Typen A. Versailles-Leptis Magna (hadrianisches

Orig. um 350/340 v. Chr.; Zuschreibung an → Leochares umstritten), A. Colonna (röm. Kopie eines wohl frühhell. Orig.), A. Rospigliosi-Lateran und Louvre-Ephesos (2.Jh. n.Chr., wohl nach hell. Orig.). Neben Leto, Hermes und Dionysos tritt vor allem → Apollon als Begleiter auf: bei Götterversammlungen (Parthenon-Ost-Fries, um 440 v.Chr.), im Kampf gegen Giganten (Pergamonaltar, O-Fries, 180/160 v.Chr.), gegen Kentauren (Apollon-Tempel, Bassai, um 400 v.Chr.); bei der Tötung des Giganten Tityos und der Niobiden (Niobidenreliefs am olympischen Zeusthron: Paus. 5,11,2; röm. Sarkophagreliefs) und der Bestrafung des Aktaion. Ikonographische Angleichungen an andere Göttinnen: vgl. die thrakische → Bendis mit phrygischer Mütze oder Löwenhaupt; die anatolische »Große Göttin« von → Ephesos: Auffälligstes Merkmal der erh. Darstellungen der »Ephesia« (auf Münzen seit dem 2.Jh. v.Chr., in der Plastik seit dem 2.Jh. n.Chr.) ist der Brustschmuck, offenbar Bestandteil der abnehmbaren Garderobe (nach dem Vorbild bekleideter Kultstatuen aus Holz, vermutlich des 7.Jh. v.Chr.).

E. T. EGILMEZ, Darstellungen der A. als Jägerin in Kleinasien, 1980 • R. FLEISCHER, s. v. A. Ephesia, LIMC II,1, 1984, 755–763 • L. KAHIL, s. v. A., LIMC II,1, 1984, 618–753 (mit älterer Lit.) • E. SIMON, G. BAUCHHENSS, s. v. A./ Diana, LIMC II,1, 1984, 792–855. A.L.

Artemisia

[1] Tochter des Lygdamis; übernahm vor 480 v. Chr. die Herrschaft über ihre Vaterstadt → Halikarnassos und über einige Inseln; stieß 480 mit ihren Schiffen zur Flotte des Xerxes (Hdt. 7,99). Herodot – mit ihr verwandt – rühmt ihren Mut in der Schlacht von Salamis und betont ihren Einfluß auf Xerxes (Hdt. 8,68–69).
[2] Schwester und Gattin des → Maussollos und nach dessen Tod Königin des satrapalen Königreiches von Groß-Karien (353–351 v.Chr.). A. betrieb eine energische Politik gegenüber den Griechen, eine behutsame gegenüber den Persern (Demosth. or. 15,11). Sie berief die berühmtesten Künstler aus Griechenland, um das Grabmal des Maussollos, das Maussolleion, zu vollenden. P.HÖ.
[3] Compositengattung, deren Name bei Plin. nat. 25,73 eher von der Artemis Eileithyia, trotz dessen Entscheidung für die Gattin des Maussolos, abzuleiten ist. Sie umfaßt über 400 auf der Erde in allen Höhenlagen, vor allem in Trockengebieten, verbreitete Arten mit 4 Untergattungen: 1) *Abrotanon* (als ἁβρότανον, ἁβρότοvον und ἁβρ- für mehrere A.- Arten u. a. bei Theophr. h. plant. 6,7,3 f.) mit mehreren Beifußarten z. B. *A. vulgaris.* 2) *Absinthium* (ἀψίνθιον bei Hippokrates, ngr. ἀψιθιά, *absinthium* seit Plautus) mit der aromatischen, zu Tee und alkoholischen Destillaten (Absinth, Wermut; Absinthwein-Herstellung bei Pall. agric. 11,14,17) bis heute verwendeten *A. absinthium* und *arborescens* und den alpinen Edelrauten. 3) *Seriphidium* (als σερίφον = ἀψίνθιον θαλάσσιον bei Dioskurides 3,23,5 [1. 2. 32] = 3,24 [2. 279]) mit den als Wurmmittel geschätzten *A.*

maritima (Strandbeifuß), *santonica* u. a. 4) *Dracunculus* mit dem Gewürz Estragon *A. dracunculus, A. campestris* u. a. Nach Theophr. h. plant. 4,5,1 ist ἀψίνθιον charakteristisch für kalte nördliche Gebiete.

1 M. WELLMANN (Hrsg.), Pedanii Dioscuridis de materia medica 2, 1906 Ndr. 1958 2 J. BERENDES (Hrsg.), Des Pedanios Dioskurides Arzneimittellehre übers. und mit Erl. versehen, 1902, Ndr. 1970. C.HÜ.

[4] s. Dianium

Artemision (Ἀρτεμίσιον).

[1] War wohl in der Ant. die Bezeichnung des ganzen der Halbinsel → Magnesia gegenüberliegenden Küstenstreifens von → Euboia (Plin. nat. 4,64). Beim h. Dorf A. liegen oberhalb der Pevkibucht Reste eines kleinen Tempels der »nach Osten blickenden« Artemis (Proseoa), der zugleich als amphiktyonisches Heiligtum den kult. Mittelpunkt des Gebietes um → Histiaia bildete. Im Meer bei A. wurde die berühmte Bronzestatue des Poseidon gefunden (h. Athen, Nationalmuseum). 480 v. Chr. wurde in der Meerenge die 1. Seeschlacht zw. Griechen und Persern geschlagen (Hdt. 7,175 f.; 183; 8,1 ff.; Plut. Themistokles 8,2). Das Heiligtum wurde im 6.Jh. von Avares zerstört.

E. FREUND, s. v. A., in: LAUFFER, Griechenland, 135 f.
H. KAL.

[2] h. Malevos, Berg (1771 m) im Grenzbereich von Argolis und Arkadia zw. den Gebirgszügen Lirkio und Ktenias. An seinem Nordhang entspringt der → Inachos. Nach Paus. 2,25,3 → Artemis-Heiligtum.

PHILIPPSON/KIRSTEN 3,1, 1959, 35, 241. C.L./E.O.

Artemius

[1] war der letzte *vic. urbi Romae*, stellvertretender *praef. urbi Romae* im Jahr 359 n.Chr. (Amm. 17,11,5; nach dem 25. 8.: CIL VI 32004).
[2] **Flavius A.** war Offizier arianischen Glaubens unter Constantius II. Als *dux Aegypti* ging er 360 n. Chr. gegen heidnische Kulte vor. 362 wurde er von Iulian u. a. wegen Beteiligung an der Ermordung des Gallus verurteilt und hingerichtet (Amm. 22,11,2 ff.; Theod. hist. eccl. 3,18,1), später, wie eine reiche hagiographische Lit. bezeugt, als arianischer Märtyrer verehrt.

J. DUMMER, Fl. A. dux Aegypti, in: APF 21, 1971, 121–144 • F. HALKIN, Bibliotheca Hagiographica Graeca, 1957, Nr. 169–174. W. P.

Artemon (Ἀρτέμων).

[1] Aus Kassandreia. Griech. → Grammatiker. Da er → Dionysios Skytobrachion erwähnt, wird er in die 2. H. des 2.Jh. v. Chr. datiert. Athenaios zit. von ihm: Περὶ βιβλίων συναγωγῆς, Περὶ βιβλίων χρήσεως, Περὶ τοῦ Διονυσιακοῦ συστήματος. Der fast zeitgenössische A. aus Pergamon, Kommentator des Pindaros (FGrH 569), ist möglicherweise dieselbe Person; älter ist jedoch A. aus Klazomenai (FGrH 443). A., der Herausgeber der Ari-

stotelesbriefe (Demetrios, elocutiones 223), ist schwer zu identifizieren.

→ Aristoteles; Demetrios; Dionysios Skytobrachion; Pindaros

> P. CHIRON, Démétrios. Du style, 1993, xxxv- xxxviii ·
> FHG IV, 340 · J. M. RIST, Demetrius the stylist and A. the
> compiler, in: Phoenix 18, 1964, 2–8 · J. S. RUSTEN, Diony-
> sius Scytobrachion, 1982, 82–84 · WEHRLI, Schule I,
> 69–70 · G. WENTZEL, RE 2, 1446–1447 · FGrH 443, 569
> (Komm.).   F. M. / M.-A. S.

[2] Rhetor der frühen Kaiserzeit, der nur durch Erwähnungen bei Seneca d. Ä. bekannt ist (suas. 1,11: hier ein kurzes Fr.; contr. 1,6,12; 7,18; 2,1,39; 3,23; 7,1,26; 9,2,29; 10,1,15; 4,20). Er imitierte die Asianer → Glykon und → Niketes, Überschwang und Zuspitzung prägten seinen Stil.

> 1 H. BORNECQUE, Les déclamations et les déclamateurs
> d'après Sén. le père, 1902, Ndr. 1967, 153 2 D. A. RUSSELL,
> Greek declamation, 1983, 8.   M. W.

[3] 6. Jh. v. Chr. Satirisch angegriffen von → Anakreon (388 PMG), der ihn πονηρός nennt, da er als Parvenü sein früheres Leben von niedriger Abkunft für eines in verweichlichtem Luxus aufgegeben habe. Anakreon nennt ihn auch περιφόρητος (372 PMG), von Chamaileon (Athen. 12, 533 f.) dahingehend interpretiert, daß er auf einer Sänfte umhergetragen wurde, obwohl das Adjektiv wahrscheinlich einfach »berüchtigt« bedeutet. Die Namen wurden sprichwörtlich: Aristophanes spricht satirisch von Kratinos (Ach. 850), indem er ihn ὁ περιφόρητος Ἀρτέμων nennt. Ephoros sagte, daß der Ingenieur A., der Perikles bei der Belagerung von Samos half, περιφόρητος genannt wurde, weil er lahm war und in einer Sänfte umhergetragen wurde (FGrH IIA 70 F 194).

> C. G. BROWN, From Rags to Riches: Anacreon's Artemon,
> in: Phoenix 37, 1983, 1–15.   E. R. / L. S.

[4] Epigrammdichter, dem zwei päderastische Gedichte aus dem »Kranz« des Meleagros zugewiesen werden, die allerdings beide die problematische Überschrift ἄδηλον, οἱ δὲ Ἀρτέμωνος tragen (Anth. Pal. 12, 55. 124). Die Tatsache, daß ihr Adressat ein athenischer Junge namens Echedemos ist, berechtigt zu der Vermutung, daß dieser sonst unbekannte A. auch aus Athen stammte.

> GA I 1,44; 2,112–114.   E. D. / T. H.

[5] Aus Athen, Sohn des A., Tragiker; Sieg bei den Museia in Thespiai im 2. Jh. n. Chr. als Dichter einer neuen Tragödie (DID A 8,3).

> METTE, 60 · TrGF 189.   F. P.

[6] Aus Pergamon. Grammatiker, auf den die fünf Zitate eines Ἀρτέμων in den Pindarscholien zurückgehen (schol. Pind. O. 2,16b; O. 5,1b; P. 1 inscr. a; P. 1, 31c; P. 3,52b; I. 2 inscr. a). Da der Aristarcheer Menekrates von Nysa gegen ihn polemisierte (schol. Pind. O. 2,16b),

kann A. ungefähr ins 2. Jh. v. Chr. datiert werden. Vielleicht kann er mit dem Grammatiker A. von Kassandreia gleichgesetzt werden. Zu unterscheiden ist von ihm jedoch A. von Magnesia, der τῶν κατ' ἀρετὴν γυναιξὶ πεπραγματευμένων διηγήματα verfaßte.

→ Artemon [1]; Grammatiker; Menekrates von Nysa

> ED.: FGrH 569. LIT.: SANDYS I³, 160 · F. SUSEMIHL, Gesch.
> der griech. Lit. in der Alexandrinerzeit, II 13, 1891–1892 ·
> G. WENTZEL, s. v. A., RE 2, 1446–1447.   F. M. / T. H.

Artes liberales A. BEGRIFF   B. FÄCHERKANON C. GESCHICHTLICHE ENTWICKLUNG

A. BEGRIFF

A. l. ist der in der Spätant. kanonisch gewordene Ausdruck für ein Curriculum von Bildungsfächern, deren Studium für einen Freien standesgemäß war. Cassiod. inst. 2 praef. 3–4 und Isid. orig. 1,4,2 verstehen letzteres nicht mehr; sie leiten *liberalis* von *liber*, Buch, ab. In der Sache handelt es sich um die Übernahme der griech. ἐγκύκλιος παιδεία (→ *enkýklios paideía*) [1. 366–375; 2. 3–18]. Zu einem festen Namen kam es vorerst nicht [3. 196–206]. Der zuerst bei Cicero und bei ihm nur einmal (inv. 1,35) belegte Ausdruck *a. l.* ist in dieser Zeit kaum schon t. t. Zahlreiche Verbindungen wie *artes, quae libero dignae sunt / honestae / humanae / ingenuae* sowie analoge Verbindungen mit *disciplina, doctrina, eruditio* u. a. konkurrieren; am häufigsten aber ist der Ausdruck *bonae artes*. Das ordnet die *a. l.* dem Ideal des *vir bonus* zu (*bonae artes* umfaßt mitunter mehr). Eine bildungsfeindlich pointierte Ausnahme bei Sallust (Iug. 63,3).

B. FÄCHERKANON

Die ›sieben freien Künste‹ sind Gramm., Rhet. und Dialektik (schol. Hor. ars 307–308 *trivium* genannt), Arithmetik, Geom., Astronomie und Musik (Boeth. de institutione arithmetica 1,1 als *quadrivium* – eigentlich *quadruvium* – bezeichnet), wobei die Reihenfolge innerhalb beider Gruppen variiert [2. 59–64]. → Varro scheint den vollständigen Kanon in sieben Büchern der *Disciplinarum libri* behandelt zu haben [2. 26]. Außerdem schrieb er über Medizin und Architektur: Versprach er sich von den beiden Disziplinen einen Beitrag zu den Bildungszielen der *a. l.* [1. 387–388]? Aber *enkýklios paideía / a. l.* und Enzyklopädie sind nicht dasselbe [4. 197–203]. → Cato Censorius (und in seiner Nachfolge Cornelius Celsus) suchte mit seinen *Libri ad filium* über Landwirtschaft, Medizin, Rhet. und Kriegswesen gar die *enkýklios paideía* durch ein spezifisch röm. Bildungsprogramm zu ersetzen [2. 52–55; 5. 115 unter 2(e)]. So wollte wohl auch Varro den Laien befähigen, in zwei wichtigen Lebensbereichen – Gesundheit und Investition bedeutender Vermögenswerte – den Fachleuten auf die Finger zu sehen [2. 65–66]. Diese Sicht der Relation von Gebildetem und Fachmann ist aristotelischer Herkunft [2. 126–127]. Für einen fest ausgebildeten Kanon spricht auch folgendes: Trägt man die

Stellen zusammen, an denen Cicero beiläufig – er hat kein Interesse an Systematik in dieser Frage – Fächer der *a.l.* nennt, so hat man den vollständigen Katalog [2. 28]. Das Studium von Gesch., Rechtskunde und Philos., das er – und nach ihm Quintilian – außerdem vom Redner fordert, schließt sich erst an die Propädeutik der *a.l.* an [2. 26–31; 83–85]. Zu Unrecht wird aber Cic. off. 1,150–151 als Zeugnis für die *a.l.* herangezogen (z.B. [2. 4]), was zumal in der rechtshistor. Lit. für einige Konfusion gesorgt hat [3. 224–228]: Hier geht es nicht um die Frage, welche *artes*, sondern welche *artificia et quaestus*, also Erwerbsweisen, aus der Sicht des Senatorenstandes standesgemäß seien. Endlich dürfte auch Vitruv keine Gegeninstanz sein. Er verlangt vom angehenden Architekten Kenntnisse nicht nur in den Fächern der *a.l.* – mit Philos. statt Dialektik (dazu [2. 34–35]) –, sondern darüber hinaus in Medizin, Zeichnen, Jurisprudenz und Gesch. – z.T. aus beruflichen Bedürfnissen, z.T. von Ciceros Rednerideal beeinflußt – und subsumiert dies alles unter den Begriff *encyclios disciplina* (Vitr. 1,1,12), dem er aber die mit *enkýklios paideía* nicht urspr. verbundene Bed. eines alles umfassenden Wissens beilegt (6 praef. 4: *non ... sine litteraturae encyclioque doctrinarum omnium disciplina*) [2. 25–26; 89–90; 140–142]. Damit beschreibt er nicht Allg.-Bildung als solche, sondern die Vorbildung des Architekten.

Neuerdings werden die über die *a.l.* herrschenden Ansichten in Frage gestellt [6]: Die *a.l.* seien eine erst spätant., aus neuplatonischen Anschauungen hervorgegangene Bildungskonzeption; die hell. wie die röm. Bildung bestehe nur aus Gramm. und Rhet.; durch nichts werde bezeugt, daß Varros neunbändige Enzyklopädie neben Medizin und Architektur die sieben *a.l.* behandelt habe. Kritik an dieser These [7; 8] setzt mit Recht an dem letzten Punkt an: Eine glaubhafte Alternative zu den *a.l.* als Inhalt der sieben Bücher – zumal bei wahrscheinlicher Behandlung von je einer Disziplin pro Buch [6. 157] – kann nicht gezeigt werden. Es scheint weit hergeholt, die Tatsache, daß → Martianus Capella (9,891) Medizin und Architektur aus seinem Werk ausdrücklich ausschließt, nicht als Rekurs auf Varro, sondern mit der Wertschätzung von Medizin und Architektur durch Platon und Aristoteles begründen zu wollen [6. 94[119]; 150; 157f.[9]]. Denn das hat nichts mit Bildungsinhalten zu tun, sondern liegt auf derselben Ebene wie etwa die Wertschätzung der Steuermannskunst. Wenn aber Varro die *a.l.* behandelt hat, so setzt das eine bereits bestehende griech. Konzeption voraus. Diese dürfte spätestens bei → Isokrates vorgelegen haben.

C. GESCHICHTLICHE ENTWICKLUNG

Theorie und Praxis der Bildung in den *a.l.* klafften von Anfang an auseinander; das *quadrivium* wurde vernachlässigt, nach Platon betonten erst wieder die → Neuplatoniker (4.–5. Jh. n. Chr.) und, vom Neuplatonismus beeinflußt, → Augustinus seine Bed. für die Bildung [2. 69–70; 6. 63–136]. Maßgebend aber wurde und blieb im lat.-sprachigen Raum die Bildungskon-

zeption des Isokrates [9. 47; 10. 42–56]. Gramm. – d.h. das Studium griech. und lat. Autoren – und Dialektik legten den Grund für das Studium der Rhet.; sie konnten durch ein (nicht als Bestandteil der *enkýklios paideía* geltendes [2. 35, Anm.3]) Philos.-Studium ergänzt werden, das bei größerer Intensität die Bildung krönte [2. 34–35; 84–85; 86] (Beispiele: Cicero, Brutus, Vergil, Horaz, Thrasea Paetus, Helvidius Priscus, Persius, Seneca). Als letzter heidnischer Enzyklopädist vermittelte Martianus Capella die sieben freien Künste an das Mittelalter [6. 137–155; 9. 47–49]. Etwa zur selben Zeit stellte Augustinus die *a.l.* in den Dienst der Gotteserkenntnis (wie Platon die mathematischen Disziplinen in den Dienst der Philos. gestellt hatte) und legitimierte so die Aneignung heidnischer Bildung durch Christen [1. 391–395; 2. 67–69; 98–99; 6. 117–119; 9. 50]. Am Ausgang der Ant. integrierten Cassiodor und Isidor die *a.l.* in Handbücher, die das gesamte für die Christenheit relevante Wissen umfaßten [1. 395–396; 2. 69–70; 6. 191–214; 9. 51]. Zunächst Lehrgegenstände der Kloster- und Lateinschulen, wurden sie im späten Mittelalter Gegenstand der den Fachstudiengängen der Theologie, Medizin und Jurisprudenz vorgeschalteten Artistenfakultät. Das Aufblühen der Sprachwiss. im Humanismus verhalf ihnen zur Gleichrangigkeit als Geisteswiss. und ließ die Artistenfakultät zur Philos. Fakultät avancieren [9. 64–67].

→ Bildung; ARTES LIBERALES; BILDUNG

1 H. FUCHS, s. v. Enkyklios Paideia, RAC 3, 365–398 2 F. KÜHNERT, Allg.-Bildung und Fachbildung in der Ant., 1961 3 J. CHRISTES, Bildung und Ges., 1975 4 H. I. MARROU, Augustin und das Ende der ant. Bildung, 1982 (frz. 1938, ⁴1958) 5 Ders., Rez. zu: Friedmar Kühnert, Allgemeinbildung und Fachbildung in der Ant., 1961, in: Gnomon 36, 1964, 113–116 6 I. HADOT, Arts libéraux et philosophiques dans la pensée antique, 1984 7 M. BARATIN, in: REL 64, 1986, 269–271 8 E. RAWSON, in: JRS 77, 1987, 214–215 9 CURTIUS, ⁸1973 10 F. KÜHNERT, Bildung und Redekunst in der Ant., KS, 1994. J.C.

Arthmios (Ἄρθμιος). Sohn des Pythonax, wahrscheinlich *proxenos* der Athener in seiner Heimatstadt Zeleia in der Propontis. Zw. 477 und 461 v. Chr. trat er in den Dienst der Perser und wurde mit Bestechungsgeldern auf die Peloponnes geschickt, um dort Ressentiments gegen die Athener zu schüren und so die Rivalität zw. den griech. Städten zu verstärken. In Athen traf man daraufhin scharfe Maßnahmen gegen A., der mitsamt seinem Geschlecht, wohl auf Antrag des → Kimon, nicht nur in Athen, sondern auch im Gebiet der Bundesgenossen für ehrlos (*átimos*, → Atimia) und zum Feind erklärt wurde. Der Volksbeschluß wurde auf einer bronzenen Stele auf der Akropolis publiziert. Die Redner des 4. Jh. benutzen diese Gesch. immer wieder, um an die gute alte Zeit zu erinnern, als man in Athen Verräter noch streng zu bestrafen wußte (Plut. Themistokles 6,3; Demosth. or. 9,42ff.; 19,271; Deinarch. 2,24–25; Aischin. Ctes. 258f.).

BUSOLT/SWOBODA, 231 mit Anm. 1 · R. MEIGGS, The Athenian Empire, 1972, 508–512.   E. S.-H.

Arthur (Artus). Die Frage der Historizität ist durch bereits im 10. Jh. einsetzende Legendenbildung (*annales Cambriae*) erschwert. Überschneidungen der Arthurtradition mit der Gesch. der Angelsachsen in Britannien machen wahrscheinlich, daß A. ein Heerführer war, der aus Erfolgen gegen die Sachsen am Ende des 5. Jh. n. Chr. eine regionale Machtposition herleitete. Unklar bleibt, auf welchen Bereich Britanniens sich diese Sicherung bezog. A.s Erwähnung in der Walisischen Dichtung *Gododdin* (in frühen Teilen um 600 entstanden) muß als interpoliert gelten. Erst 831 wird A. in Nennius' *Historia Brittonum* (56) genannt. Nun beginnt A.s Verknüpfung mit dem Sieg gegen die Sachsen am Mons Badonis (ca. 500), den Gildas (*De excidio et conquestu Britanniae* 26; vor 547) als Beginn einer Friedenszeit anführt. Jeder Versuch, in A. einen Kavallerieführer (normannische Ritterkonzeption) zu sehen oder aus Nennius' Bezeichnung *dux bellorum* eine institutionelle Machtgrundlage zu filtern, bleibt zweifelhaft.

W. A. CUMMINS, King A.'s Place in Prehistory 1993, Ndr. 1994 · D. N. DUMVILLE, Sub-Roman Britain, History and Legend, in: History 62, 1977, 173–192 · K. H. JACKSON, The A. of History, in: R. S. LOOMIS (Hrsg.), Arthurian Literature in the Middle Ages, 1959, 1–11 · T. JONES, The Early Evolution of the Legend of A., 1964, 3–21.   C. KU.

Artischocke. Der über spanisch »alcarchofa«, it. »articiocco, carciofo« von arab. »al-haršūf« abgeleitete Name bezeichnet die im Mittelmeergebiet wegen ihrer eßbaren Hüllschuppen viel angebaute *Cynara scolymus L.*, eine Unterart der als Blattgemüse noch früher kultivierten *Cynara cardunculus L.* (it. »cardoncello«). Sie ist wohl identisch mit der σκόλυμος bei Hes. erg. 582 ff. und Alk. fr. 94 D. (zit. bei Plin. nat. 22,86 f.), Theophr. h. plant. 6,4,7 (eßbare Wurzel; vgl. Plin. nat. 21,96), Dioskurides 3,14 [1. 2. 21 = 2. 271] (Wurzel als Mittel gegen üblen Körpergeruch) u. a. Die von Sophokles bei Athen. 2,70a erwähnte κυνάρα, κινάρα, κύναρος, ἄκανθα (daher der Inselname Kynara), *cynara*, *ci-* bei Colum. 10,235–241 u. ö., bezeichnet dagegen nur z. T. Arten der Distelgattung *Cynara*, z. T. andere stachlige Compositen (wie *Scolymus hispanicus*) und Carlina-Arten (Eberwurz), ferner die Stranddisteln (ἐρύγγιον, *Eryngium maritimum*) und sogar Wildrosen (κυνόσβατος; Beschreibung: Theophr. h. plant. 3,18,4).

1 M. WELLMANN (Hrsg.), Pedanii Dioscuridis de materia medica 2, 1906, Ndr. 1958 2 J. BERENDES (Hrsg.), Des Pedanios Dioskurides Arzneimittellehre übers. und mit Erl. versehen, 1902, Ndr. 1970.   C. HÜ.

Artorius, M. Arzt und Anhänger des Asklepiades von Bithynien (Caelius Aurelius morb. acut. 3,113), war mit Octavian in Philippi, wo ein Traum dem zukünftigen Kaiser das Leben rettete (Plut. Antonius 22; Brutus 47; Val. Max. 1,7,2; Vell. 2,70,1). Er wurde, wohl anläßlich einer Reise nach Delos (IDélos 4116), von den Athenern geehrt (IG II/III² 4116) und starb um 27 v. Chr. in einem Schiffswrack (Hieron. chron. Olymp. 127). A. glaubte, daß Tollwut das Gehirn zuerst angreife, daß sie auf den Magen übergreife und Schlucken verursache, unstillbaren Durst und galliges Erbrechen. Die Inschr. CIG 3285 aus Verona, die A. mit Smyrna in Zusammenhang bringt und sein Cognomen mit Asklepiades angibt, ist eine Fälschung des 18. Jh.
→ Asklepiades [6]

T. RITTI, Iscrizioni nel museo maffeiano di Verona, 1981, 100.   V. N. / L. v. R.-B.

Artussage s. Arthur

Artystone (Ἀρτυστόνη, elam. Irtašuna). Tochter Kyros' II., Lieblingsgemahlin Dareios' I., Mutter von → Arsames und → Gobryas. Dareios hat eine Goldstatue von ihr anfertigen lassen (Hdt. 7,69). Sie besaß ausgedehnte Güter in der Persis (Kukkannakan, Randu), die sie selbst verwaltete. Elam. Verwaltungsurkunden aus Persepolis sind mit ihrem Siegel gesiegelt; A. wird dort auch zusammen mit ihrem Sohn Arsames erwähnt.

M. BROSIUS, Royal and Non-royal Women in Achaemenid Persia, 1996, 81, 125–127.   A. KU. u. H. S.-W.

Arulenus
[1] Caelius Sabinus, Cn. Suffektkonsul 69 n. Chr. Einflußreichster Jurist zur Zeit Vespasians (Dig. 1,2,2,53), Nachfolger des → Cassius Longinus als Haupt der sabinianischen Rechtsschule, schrieb einen Komm. *Ad edictum aedilium curulium.*

R. A. BAUMAN, Lawyers and Politics in the Early Roman Empire, 1989, 142 ff. 2 PIR I² 1194.   T. G.

[2] Iunius A. Rusticus, Q., 66 n. Chr. wollte er als *tribunus plebis* für Thrasea im Senat interzedieren (Tac. ann. 16,26,4 f.); 70 Praetor, Suffektkonsul 92 (AE 1949, 23). Angeblich wegen Abfassung von *laudes* über Thrasea von Domitianus im J. 93 oder kurz danach hingerichtet. Sein Buch wurde verbrannt (Tac. Agr. 2,1; 45,1; Plin. epist. 1,5,2; 5,1,8; PIR² J 730). Bruder des Iunius Mauricus (Plin. epist. 1,14,1 f.; PIR² J 730).   W. E.

Arura (Ἄρουρα). Eigentlich Erde oder Ackerland bezeichnend, wird die *a.* als griech. Ausdruck für das ägypt. *Sett* (Saatland) verwendet. Als Grundmaß der Fläche bildet die *a.* ein Quadrat mit der Seitenlänge von 100 Ellen (zu je 52,5 cm), also 2756 m². Das aus der pharaonischen Zeit stammende Maß (seit der 4. Dynastie belegt) wird von den Ptolemäern und den Römern in Ägypten in der Landvermessung weiterverwendet. Im röm. Palästina entspricht die *a.* zwei röm. *iugera* (→ *iugum*, 5046 m²). Die *a.* wird bis zu ¼₀₉₆ unterteilt.
→ Iugerum; Längenmaße; Pechys

F. HULTSCH, Griech. und röm. Metrologie, ²1882 ·
R. A. PARKER, A Mathematical Excercise –
P. Den. Heidelberg 663, in: JEA 61, 1975, 189–196 ·
W. HELCK, s. v. Maße und Gewichte, LÄ 3, 1199–1214.
                                                              A. M.

Arusianus Messius. Spätantiker Rhet.-Lehrer, Verf.
einer 395 publ., alphabetischen Phraseologie vorbildli-
cher Redewendungen *(Exempla elocutionum)*. Die Exzerpte aus → Vergil und → Sallust, → Terenz und
→ Cicero ergeben als klassizistische Engführung des
Kanons ein Quartett, das in der Spätant. bisweilen als
Inbegriff paganer Bildung verstanden wird *(quadriga
Messii)*. Zwei karolingische Codices sind nur bezeugt;
erh. war ein 1493 entdeckter und von G. GALBIATI
(heute Neap. IV. A. 11) kopierter Bobiensis.

ED.: GL 7, 439–514 · A. DELLA CASA, 1977 (mit Übers. und
Komm.). LIT.: SCHANZ/HOSIUS 4,1, 183 f.   P. L. S.

Arvales fratres
A. KULT   B. GESCHICHTE   C. AUSGRABUNGEN

A. KULT
Die röm. Bruderschaft der *A. f.* bestand aus zwölf
Priestern senatorischen Ranges, die ihr Amt durch
Kooptation auf Lebenszeit erhielten. An der Spitze des
Kollegiums stand ein jährlich gewählter *magister*, zu dem
jedes Jahr ein *flamen* trat. Nach ihrem Namen (Varro
ling. 5,85) sowie den von ihnen vollbrachten Riten hing
der Dienst der *A. f.* mit der Fruchtbarkeit der Flur zusammen. Sie feierten den Kult der → Dea Dia und be-
treuten deren Hain, der etwa 7–8 km westl. Roms gelegen und Hauptsitz des Kollegiums war. In Rom selbst
versammelten sich die *A. f.* entweder im Haus des jeweiligen Magisters oder in der Vorhalle eines Tempels,
meistens desjenigen der Concordia.

Das Opfer an Dea Dia wurde jedes Jahr im Januar
öffentlich von den *A. f.* angesagt und gewöhnlich Ende
Mai (am 17., 19., 20. oder am 27., 29., 30.) zelebriert.
Am ersten und letzten Tag wurde es in Rom im Hause
des Magisters durch *epulae* eröffnet und abgeschlossen;
am zweiten Tag begab sich die Bruderschaft in den
Hain, um dort mit Ähren bekränzt der Dea Dia ein
Lamm zu opfern. Nach dem Opfer rezitierten die Prie-
ster im Dreischritt *(tripudium)* ein uraltes Carmen, dessen
Text erh. ist (→ Carmen Arvale). Nach dem darauffol-
genden Opfermahl der Priester fanden Pferderennen im
Circus ad deam Diam statt. Durch das *sacrificium deae
Diae* wurde die Göttin des guten Himmelslichtes, die
das Getreide ungestört ausreifen lassen sollte, gefeiert.
Während des Opfers wurde mehrmals das Reifen des
Getreides rituell dargestellt.

Neben dieser Hauptpflicht unterhielten die *A. f.*
auch den Hain der Dia und brachten die mit den Arbeiten verbundenen Sühneopfer *(piacula)* dar. Weiterhin nahmen sie wie alle anderen Priesterkollegien an
den Gelübden *pro salute imperatoris* am 3. Januar, an außergewöhnlichen Vota und Opfern für den Kaiser und
seine Familie teil.

B. GESCHICHTE
Man nimmt an, daß die *A. f.* und ihr Kult sehr alt
waren. Die Lage des Hains der Dea Dia an der Grenze
des *ager Romanus antiquus* läßt dieses hohe Alter vermuten. Doch die Benutzung des Ortes und das daneben
gelegene Fors-Fortuna-Heiligtum sind erst vom 3. Jh.
an arch. und inschr. bezeugt. Die Form der Bruderschaft
scheint älter zu sein als die der vier großen Priesterkollegien; aber dieses Indiz hat nur bedingte Gültigkeit, da
wir von den Sodalitäten in der republikanischen Zeit
fast nichts wissen. Schließlich deklamieren die *A. f.* ein
Carmen, dessen Sprache auf Abfassung vor dem Ende
des 4. Jh. v. Chr. weist, so daß man annehmen darf, daß
die Bruderschaft spätestens in dieser Zeit schon bestand.
Das Aition der *A. f.* verbindet sie mit Romulus und
Acca Larentia, ist aber als eine Deutung des Kultes und
nicht als ein Zeugnis seines hohen Alters aufzufassen.

Das Kollegium ist erstmals bei Varro bezeugt. Seit
Ende des Bürgerkrieges (ca. 28 v. Chr.) erscheint die
Bruderschaft als senatorisches Priestertum. Der Grund
für die Gunst des Augustus war einerseits die Verbindung mit dem Gründer Romulus, andererseits der
Agrarkult der Dea Dia, der die hohe Frömmigkeit und
Legitimität des Princeps ausdrücken sollte. Zwischen 20
v. und 241 n. Chr. sind fast alle Mitglieder der Bruderschaft bezeugt. Nach 241 schweigen die Quellen; das
letzte Zeugnis stammt aus dem J. 304. Außer Kalatoren
besaßen die *A. f. servi publici* und einen *aedituus*. Bei den
epulae wurden sie durch Knaben senatorischen Ranges,
die noch Vater und Mutter hatten, bedient.

Die *A. f.* sind berühmt durch ihre *acta* oder besser
commentarii. Jedes Jahr ließ der Magister alle Handlungen
und Entscheidungen der Brüder von einem *commenta-
riensis* in einen Codex schreiben. Seit Augustus wurde
jedes J. ein Auszug dieses Codex auf Marmortafeln, die
eine der Mauern im Hain der Dea Dia bedeckten, abgeschrieben. Diese Kopien des Codex, die mit der Zeit
immer länger wurden, sind z. T. erh. und stellen das
einzige präzise und auf längere Zeit erh. Zeugnis eines
Priesterkommentariums dar. Das macht aus den *A. f.* ein
Modell für die öffentliche Religion im Rom der hohen
Kaiserzeit.

Der Hain der Dea Dia lag am 5. Meilenstein der Via
Campana, westl. von Rom, auf dem rechten Tiberufer
(h. La Magliana vecchia). Der eigentliche, in einem
Hang gelegene Hain enthielt die *aedes* der Dea Dia sowie einer Anzahl von *arae temporales* von Gottheiten, die
der Dea Dia in der Ausübung ihrer Funktion und in
ihrem Hain zur Seite standen. Am Fuß des Hügels stand
ein Caesareum (oder Tetrastylum) mit den Statuen des
kaiserlichen Genius, der Divi und Divae (im ganzen 16
im J. 183 und 20 nach 224), in dem die *A. f.* sich versammelten und das Opfermahl aßen. An das Caesareum
schlossen sich die sog. *papilliones* (Zellen, Zimmer?) der
A. f. und ein *balneum* an. Das ganze Heiligtum wurde
unter Caracalla und Elagabal z. T. neu erbaut.

C. Ausgrabungen

Die Arvalinschr. sind zum ersten Mal von G. Marini veröffentlicht und kommentiert worden [1]. Nach Ausgrabungen in La Magliana, bei denen eine große Anzahl von Fragmenten der Commentarii sowie Teile eines Kalenders und von *Fasti consulares* und *praetoriani* gefunden wurden, veröffentlichte W. Henzen eine neue kommentierte Ausgabe, die bis h. maßgebend ist [2]. Der Hain ist neuerdings ausgegraben worden [3]; dazu liegt auch eine neue Edition der Commentarii vor [4].

1 G. Marini, Gli atti degli fratelli Arvali, 1795
2 W. Henzen, Acta Fratrum Arvalium quae supersunt, 1874
3 H. Broise, J. Scheid, Recherches archéologiques à La Magliana. Le *balneum* des frères arvales, 1986 4 J. Scheid, Commentarii fratrum arvalium, 1996.

E. Norden, Aus altröm. Priesterbüchern, 1939 · I. Paladino, Fratres arvales. Storia di un collegio sacerdotale romano, 1988 · J. Scheid, Romulus et ses frères. Le collège des frères arvales, modèle du culte public dans la Rome des empereurs, 1990 · Scheid, Recrutement · Scheid, Collège.   J.S.

Arverni. Kelt. Stamm in der Auvergne, den Segusiavi und den Haedui benachbart, von den Helvetii durch den *Cebenna mons* getrennt (Caes. Gall. 1,31; Strab. 4,2,2; Ptol. 2,8,17). Die A. nahmen im 6. Jh. v. Chr. an den Zügen nach It. (Liv. 5,34,5) teil. Ihr König → Bituitus wurde 122/21 v. Chr. durch Domitius und Fabius besiegt und gefangengenommen (Liv. per. 61). Der A.-König → Vercingetorix führte 52 v. Chr. einen gesamtgallischen Aufstand. Nach der Unterwerfung wurden die A. von Rom schonend behandelt; Plin. nat. 4,109 stuft sie als *liberi* ein. Ihre Hauptstadt war das neugegr. Augustonemetum, Stammesheiligtum der Tempel des → Mercurius Arvernus (auch Dumias / Arvernorix) auf dem Gipfel des Puy-de-Dôme (1465 m); für diesen (im 3. Jh. n. Chr. zerstört) hat → Zenodoros unter Nero eine Kolossalstatue geschaffen (Plin. nat. 34,47). Lezoux im A.-Gebiet war im 2. Jh. n. Chr. ein → *terra-sigillata*-Zentrum (Herstellung, Export).

C. Jullian, Histoire de la Gaule 3, 1909.   E. FR. / S. F.

Arvina. Cognomen (von *a.* »Speck«) in den Familien der Cornelier und Papirier.

Kajanto, Cognomina, 91, 340.   K. L. E.

Arx Gerontis. Ortsname, geht zurück auf Geron/ Theron, einen König von → Tartessos (*fani est prominens et . . . Gerontis arx est eminens*: Avien. ora maritima 261; 263; 304). Das Heiligtum soll im Mündungsgebiet des → Baetis gelegen haben [1. 237], die A. südl. davon, möglicherweise auf der Halbinsel Salmedina, von der h. nur noch einige vom Meer überflutete Klippen übrig sind [2. 39, 41, Karte 1; 1. 236 f.]. Sie wurde nach einer späteren Quelle (schol. Apoll. Rhod. 2,767) ἄκρα Γλαύκου genannt, König Geron also mit dem Wassergott

→ Glaukos identifiziert [2. 41]. Seit 139 v. Chr. stand auf der gefährlichen Klippe der Leuchttturm *Caepionis monumentum* [1. 237].

1 A. Schulten, Landeskunde 1, 1955 2 Ders., Tartessos, 1950.   P. B.

Aryandes (Ἀρυάνδης). Satrap von Ägypten unter Kambyses II. und Dareios I., schlug einen Aufstand in Libyen nieder (Hdt. 4,200–203). Von Dareios wegen Hochverrats hingerichtet, weil er versucht habe, Goldmünzen (→ Dareikos) nachzuahmen, indem er hochwertige Silbermünzen prägte (Hdt. 4,166); arch. bisher nicht nachgewiesen.

J. Balcer, Prosopographical Study of the Ancient Persians, 1993, 93 f.   A. KU. u. H. S.-W.

Aryballos (ἀρύβαλλος).
[1] Lederbeutel.
[2] T.t. für kugelige Salbgefäße (→ Lekythos), vom Athleten am Handgelenk getragen, erh. in Ton, Fayence, Bronze, Silber. Entstanden in Korinth, gelangte die Form im 6. Jh. v. Chr. nach Sparta und Rhodos, später auch nach Attika.

N. Kunisch, Eine neue Fikellura-Vase, in: AA 1972, 558–565 (Typologie) · G. Schwarz, Addenda zu Beazleys »Aryballoi«, in: JÖAI 54, 1983, 27–32.   I. S.

Arybbas (Ἀρύββας). Sohn des Alketas (Plut. Pyrrhus 1,5; Paus. 1,11,1 ff.), wurde um 360 v. Chr. nach dem Tod seines Bruders Neoptolemos, mit dem er die Herrschaft geteilt zu haben scheint, alleiniger König der Molosser, heiratete Neoptolemos' Tochter Troas und übernahm die Vormundschaft über deren Geschwister → Alexandros [5] und → Olympias. Letztere gab er spätestens 357 dem Makedonenkönig Philippos II. zur Frau (Iust. 7,6,10 ff.). Dieser zog um 350 gegen ihn, vertrieb ihn und setzte Alexandros als Herrscher ein (Demosth. or. 1,13; Trog. prolog. 8; Iust. 8,6,4 ff.; Oros. 3,12,8). A. fand Zuflucht in Athen, wo er wie sein Vater und Großvater Bürgerrecht und andere Ehren erhielt (SIG³ 228) und ca. 342 starb (Diod. 16,72,1).

R. M. Errington, A. the Molossian, in: GRBS 16, 1975, 41–50 · J. Heskel, The political background of the A. decree, in: GRBS 29, 1988, 185–196.   M. Z.

Arykanda. Lyk. Stadt im Arykandos-Tal nördl. Finike. Funde (Felsgräber, Keramik) setzen in klass. Zeit ein, der Ortsname weist auf höheres Alter. Anf. des 2. Jh. v. Chr. als Polis bezeugt [2. Nr. 1], prägte A. nach 167 v. Chr. lyk. Bundesmünzen. Ausgrabungen erweisen für die Kaiserzeit Prosperität [1]. Ein Expl. der gegen die Christen gerichteten Bittschrift von Lykiern und Pamphyliern von 312 n. Chr. wurde in A. gefunden [2. Nr. 12]. Seit dem 5. Jh. Bischofssitz; im 14. Jh. letztmals erwähnt.

1 P. Knoblauch, Chr. Witschel, Arykanda in Lykien, in: AA, 1993, 229–262 2 S. Şahin, Die Inschr. von Arykanda, in: IK 48, 1994.   C. SCH.

Arzawa. Das im 2.Jt. v.Chr. in Westkleinasien gelegene, ans Meer grenzende Land gehörte dem luw. (→ Luwisch) Sprachraum (urspr. Luwiya) an, seine exakte Lokalisierung ist strittig [1. 220f.; 4. 325]. Bekannt aus Keilschrifttexten meist aus Boğazköy und aus ägypt. Hieroglypheninschr. [2. 280ff.]. Im 16./15.Jh. liegen nur wenige Hinweise vor. In Phasen tatsächlicher oder angestrebter Unabhängigkeit vom Hethiterreich sind Kontakte A.s mit Ägypten und → Achijawa überliefert [3. 50ff., 97ff., 240f.]. Nach der Vernichtung A.s durch den Hethiter-König Mursili II. (nach 1320 v.Chr.) existierten drei bzw. vier heth. Vasallenstaaten in A. [3. 239ff.].

1 O.R. GURNEY, Hittite Geography, FS Alp, 1992, 213–221 2 W. HELCK, Die Beziehungen Ägyptens zu Vorderasien im 3. und 2.Jt. v.Chr., ²1971 3 S. HEINHOLD-KRAHMER, A., in: THeth 8, 1977.

J. FREU, Luwiya, 1980, 255–305 · E.R. JEWELL, The Archaeology and History of Western Anatolia During the Second Millennium B.C., 1974. S.H.-K.

Arzos (Ἄρζος). Fluß in Thrakien, h. Sazlijka; an der Mündung in den → Hebros (nicht in die Propontis, vgl. aber Ptol. 3,11,4) gleichnamige *statio* (Itin. Anton. 136,7; Tab. Peut. 8,2), h. Kalugerovo, Bezirk Haskovo, im Territorium von Augusta Traiana (IGBulg 3,1704–1706). Von → Iustinianus befestigt.

IGBulg, 3,2, 131. I.v.B.

Arzt. Zahlreiche keilschriftliche Quellen über Ä. und ihre Aktivitäten zeigen, daß Herodot (1,197) mit der Meinung, die Babylonier hätten keine Ä. gekannt, einer Fehlinformation erlegen ist. Bereits in den nahezu ältesten verständlichen Schriftzeugnissen Mesopotamiens (Mitte des 3.Jt. v.Chr.) sind Ä. bezeugt. Für sie wurde spezielles Feinwerkzeug hergestellt [2]. Schon zu Ende des 3.Jt. v.Chr. kennt man Rezepte zur Herstellung von Medikamenten und therapeutische Anweisungen [3]. Die ärztliche Betreuung oblag einerseits Wund-Ä. deren Honorare in altbabylon. Zeit im Kodex Hammurapi geregelt waren. Andererseits gehörte die Behandlung von Krankheiten, die Herstellung und Verabreichung von Medikamenten in den Aufgabenbereich des Beschwörers, der eher rational anmutende somatische Therapieformen mit magischen verband. Opferschauer waren zusätzlich damit betraut, den Grund für das Auftreten einer Krankheit durch divinatorische Verfahren zu ermitteln. An den Königshöfen besaßen Ä. großes Ansehen. Vor allem aus dem 1.Jt. v.Chr. sind mehrere Hundert Tontafeln mit Rezeptsammlungen und Beschreibungen von therapeutischen Verfahren bekannt [4]. Assyr.-babylon. Ä. und Beschwörer verfügten über ein umfangreiches, aus über 40 Tontafeln bestehendes »Diagnosehandbuch«, in dem Krankheitssymptome der jeweilige Name der Krankheit und Heilungschancen des Patienten zugeordnet wurden [5].

→ Ausbildung (medizinische); Chirurgie; MEDIZINGESCHICHTE

1 H. WAETZOLDT, in: Notes brèves et utilitaires, 1995, 117 2 A. ARCHI, AOAT 240, 10 3 M. CIVIL, in: RAssyr. 54, 1960, 57–72; 55, 1961, 91–94 4 F. KÖCHER, Die babylon.-assyr. Medizin 1–6, 1963–1980 5 R. LABAT, Traité akkadien de diagnostics et prognostics médicaux, 1951.

P. HERRERO, Thérapeutique mésopotamienne, 1984 · E.K. RITTER, Assyriological Studies 16, 1965, 299–321. S.M.

As. Urspr. Bezeichnung für »Einer« oder »Einheit«, im röm. Maßsystem die Grundeinheit im Längenmaß (1 *pes* = 29,57 cm), im Flächenmaß (1 *iugerum* = 2523 m²) und im Gewicht (1 *libra*, »Pfund« = 327,45 g). Im Erb- und Güterrecht wird die gesamte Erbmasse als As bezeichnet; der Gesamterbe heißt daher *heres ex asse*. Im Gewichtssystem wird der As duodezimal geteilt, wobei einige Teileinheiten auch Münznominale (→ Aes grave) benennen. Die Nominale Quincunx, Bes, Dodrans

1/12 As	Uncia	27,29 g
1/6 (= 2/12)	Sextans	54,58 g
1/4 (= 3/12)	Quadrans	81,86 g
1/3 (= 4/12)	Triens	109,15 g
5/12 As	Quincunx (quinque uncias)	136,11 g
1/2 (= 6/12)	Semis	163,13 g
7/12 As	Septunx	191,02 g
2/3 (= 8/12)	Bes (binar [partes] assis)	218,30 g
3/4 (= 9/12)	Dedrans	249,39 g
5/6 (= 10/12)	Dexians	272,88 g
11/12 As	Deunx	300,16 g
1 As	Libra	327,45 g
2 Asse	Dupendius (Dussis)	654,90 g
3 Asse	Tressis	982,35 g
5 Asse	Quincussis	1637,26 g
10 Asse	Decussis	3274,50 g

und Dextans kommen aber selten vor [1. 39]. Die frühesten im libralen Standard in einer Bronze-Blei-Legierung gegossenen Asses (Wertzeichen I) werden, begleitet von den kleineren Nominalen (Aes grave), in die Jahre 290–275 v.Chr. datiert [7. 19; 10. 64]. Anfangs unregelmäßig, bilden die Köpfe des Janus, Saturn, Mars, Hercules, Merkur und der Roma ab etwa 240 v.Chr. die Motive, die zusammen mit dem Wertzeichen jeweils einem Nominal fest zugeordnet werden [7. 21ff.]. Die Asses in den verschiedenen Serien (z.B. Apollon / Apollon = ca. 398–287 g; Minerva / Stier ROMA = ca. 336–225,5 g) und die außerhalb Roms in Etrurien, Picenum, Latium und Apulien emittierten weichen im Gewicht voneinander ab und liegen häufig unter dem zugrunde gelegten Libralstandard [7. 28ff., 36f.]. Die relative Chronologie der As-Emissionen ist weitgehend geklärt [7. 19ff.]. Die Finanzierung des 1. Pun. Krieges führt zu einer schleichenden Gewichtsreduktion des As. Am Vorabend des 2. Pun. Krieges und während der Auseinandersetzungen zwischen Karthago und Rom fällt schließlich das Gewicht des As rapide, wobei sich die Forsch. über genauere Daten noch uneinig ist. Um 230 oder 217 v.Chr. sinkt der As auf den semilibralen

Standard (1 As = 6 Uncien), dann folgt 215/214 oder 211 v. Chr. der sextantale Standard (1 As = 2 Uncien), um vielleicht gleich auf den unzialen Standard zu fallen [13. 8f.]. Während zuvor 2 ½ Asses (später 3) auf ein → Didrachmon kommen [10. 35ff.], besitzt der um 211 v. Chr. eingeführte Denar einen Wert von 10 sextantalen, nun geprägten Asses [13. 364]. Bei der Festsetzung auf den unzialen Standard, spätestens um 141 v. Chr., gehen 16 Asses auf einen Denar (Nominaltabelle) [9. 613, 624f.]. Die Ausprägung des As erfolgt im 2. Jh. v. Chr. jedoch faktisch unterhalb des unzialen Standards, wenn auch vergeblich Versuche unternommen worden sind, den unzialen Standard wieder zu erreichen. Am Vorabend des Bundesgenossenkrieges schließlich wird durch die *lex Papiria* 91 v. Chr. der As im semunzialen Standard ausgemünzt [9. 75ff., 596f., 611]. Die Expansionspolitik und die Bürgerkriege Roms erfordern derart große Geldmittel, daß die Gewichtsreduzierung des As den Bedarf an mehr ausgeprägten Münzen decken muß. Er entwickelt sich von einer ehemaligen vollwertigen Münze zu Kreditgeld und verschwindet allmählich aus dem Zahlungsverkehr. Sulla stellt 82 v. Chr. die gesamte Bronzeprägung für über 30 Jahre ein. Die seltenen in den Bürgerkriegen geprägten Asses der Flottenpräfekten des M. Antonius liegen unter dem semunzialen Standard [11. 284ff.]. Im Rahmen der augusteischen Münzreform wird der As seit der Wiedereröffnung der röm. Münzstätte um 23 v. Chr. nun als kupferne Kreditmünze zu 129 g geprägt, wobei 30 Asses auf das Pfund gehen [5. 12,40; 8. 3f., 31f.]. Die neuen Asses tragen auf der Vs. anstatt den Götterporträts nun das Bildnis des regierenden Kaisers im Lorbeerkranz, selten barhäuptig. Die Rs. besteht bei den sog. Münzmeister-Asses aus einem SC (für → Senatus Consultum) und der Umschrift der jährlich wechselnden Tresviri monetales [3; 9]. Zusammen mit den sog. Altarprägungen (Rs.: Altar) aus Lugdunum (Lyon) [8. 57f.] und den etwas schwereren Nemausus-Asses (Rs: an eine Palme gekettetes Krokodil) [8. 51f.] bilden sie eine geeignete Grundlage für die Datierung der Kastelle an Rhein und Lippe (Haltern, Oberaden, usw.) sowie des jüngst entdeckten Geländes der Varus-Schlacht, nordöstl. von Osnabrück [12]. Bereits unter Tiberius verdrängen auf der Rs. → Personifikationen oder Motive kaiserlicher Selbstdarstellungspolitik das Kürzel SC in den Abschnitt. Eine leichte Gewichtsreduktion tritt nach dem Tode des Tiberius ein. Unter Caligula werden die provinzialröm. Münzstätten in Spanien, Sizilien und Afrika, die seit Augustus Bronze- und Kupferprägungen u. a. im Gewicht des As emittierten, aus noch unbekannten Gründen geschlossen [11. 18f.; 66]. Der entstehende → Kleingeldmangel, der möglicherweise inoffizielle → Beischläge in den westl. Prov. hervorrief, wird erst durch Nero um 64 n. Chr. korrigiert. In seiner kurzlebigen Reform wird der As in Messing geprägt, kurzzeitig mit dem Wertzeichen I auf der Rs. und ohne das Kürzel SC [8. 3f., 136f.; 6. 37ff., 144ff.]. Die As-Prägung bleibt im Gewicht bis etwa 200

n. Chr. unverändert, der Kupfergehalt verändert sich kaum. Nach der Einführung des → Antoninianus durch Caracalla 215 n. Chr. und des daraufhin einsetzenden Gewichtsschwunds werden die Asses seltener und mit geringerem Gewicht geprägt. Spätestens nach Aurelian (275 n. Chr.) wird der As nicht mehr emittiert [1. 41; 4. 569].

→ Aes grave; Antoninianus; Aureus; Bes; Decussis; Denar; Deunx; Dextans; Didrachmon; Dodrans; Dupondius; Iugerum; Libra; Münzwesen; Pes; Quadrans; Quadrigatus; Quincunx; Quincussis; Semis; Sextans; Tressis; Tresviri monetales; Triens; Uncia

1 SCHRÖTTER, s. v. As, 38–42 **2** K. KRAFT, Zur Dat. der röm. Münzmeisterprägung unter Augustus, in: Mainzer Zschr. 46/47, 1951/52, 28–55 **3** Ders, Das Enddatum des Legionslagers Haltern, in: BJ 155/156, 1955/56, 95–111 **4** M. H. CRAWFORD, Finance, Coinage and Money from the Severans to Constantine, ANRW 2. 2, 1975, 560–593 **5** C. H. V. SUTHERLAND, The Emperor and the Coinage, 1976 **6** D. W. MACDOWALL, The Western coinages of Nero, 1979 **7** B. K. THURLOW, I. G. VECCHI, Italian cast coinage, Italian aes grave, Italian aes rude, signatum and the aes grave of Sicily, 1979 **8** RIC, ²1984 **9** RRC, 1987 **10** A. BURNETT, The Beginning of Roman Coinage, in: Annali dell'Ist. Italiano di Numismatica 36, 1989, 33–64 **11** RPC I, 1992 **12** F. BERGER, in: W. SCHLÜTER (Hrsg.), Kalkriese – Römer im Osnabrücker Land, 1993, 211–230 **13** J. SEIBERT, Forsch. zu Hannibal, 1993.

H. WILLERS, Gesch. der röm. Kupferprägung, 1909 · M. H. CRAWFORD, Coinage and Money under the Roman Republic, 1985.   A.M.

As de pique s. Süditalienische Schrift

Asandros

[1] Sohn eines Philotas, wohl mit → Parmenion verwandt, unter Alexandros [4] d. Gr. Kommandeur der → Prodromoi und → Paiones (so bei Diod. 17,17,4), 334–331 v. Chr. Satrap von → Lydia, nahm an der Eroberung von → Karia teil. Im Winter 329/8 führte er Truppen zu Alexandros und wird dann nicht mehr erwähnt.

BERVE, 2, Nr. 165 · HECKEL, 385.

[2] Sohn des Agathon, nach → Alexandros' [4] d. Gr. Tod Satrap von → Karia, trat 320 v. Chr. zu → Antigonos [1] über, schloß sich aber 315 → Ptolemaios und → Kassandros an. Anscheinend wurde er aus Kleinasien vertrieben und floh mit einigen Schiffen über Athen zu Kassandros. Dieser schickte ihn mit einer Armee unter → Prepelaos zurück, doch wurde sie von Ptolemaios vernichtend geschlagen. A. unterwarf sich Antigonos, widerrief aber bald den Vertrag und wurde von ihm aus Karia vertrieben (Diod. 18,3,39; 19,62,68f.; 75).   E.B.

Asarhaddon. Assyr. König (680–669 v. Chr.). Assyr. Aššur-aḫu-iddina, biblisch Asarhaddon, jüngerer Sohn → Sanheribs und der Zakûtu (aram. Naqia), Vater

→ Assurbanipals und Šamaš-šumu-ukīns. Der Mord an seinem Vater durch einen Bruder und die Umstände seiner Machtergreifung werden in der Bibel (2 Kg 19,37; Jes 37,38) erwähnt. Unter A. wurde Ägypten erobert. Selbst kypr. Kleinstaaten erkannten die assyr. Herrschaft an. Im iran. Hochland bildeten Meder und → Kimmerier- bzw. → Skytheneinfälle die größte Gefahr. Die antibabylon. Politik seines Vaters wurde aufgegeben, der Kult des Marduk in Babylon restituiert, das → Esagila-Heiligtum wiederaufgebaut. Quellen sind neben zahlreichen assyr. Königsinschr. eine proassyr. babylon. Chronik [1], Verträge mit medischen Fürsten und Zagros-Staaten betr. Thronfolge (SAA II 6), ein Handelsvertrag mit Baal von Tyros (SAA II 5), Orakelanfragen an den Sonnengott betr. zukünftige mil. und polit. Ereignisse (SAA IV; VIII). Briefe an A. enthalten Informationen über polit. und rel. Vorgänge sowie Beobachtungen assyr. und babylon. Gelehrter (SAA VIII; X) über terrestrische und astronomische Ereignisse und ihre Bed. für König und Dynastie. Die griech. Überlieferung [2] kennt von A. (Ἀσαρίδινος: Ptol. Kanon, Ἀσορδάν: LXX) nur wenige Details wie Regierungsdauer und die Umstände seiner Machtergreifung. Ein aram. Roman und Sprüche sind mit der Person seines Siegelbewahrers → Aḥiqar verknüpft.

→ Divination; Mesopotamien

1 J.-J. GLASSNER, Chroniques mésopotamiennes, 1993 Nr. 18 2 P. SCHNABEL, Berossos und die babylon.-hell. Lit., 1923, 268–269.

A. K. GRAYSON, ²CAH III/2, 1991, 122–141 • SAA = State Archives of Assyria, 1987 ff.   H. KE.

Asbest

Asbest (ἄσβεστος), nach [1. 171] bei Dioskurides 5,115 [2. 85 f.] = 5,132 [3. 539] Name für gebrannten Kalk, auch λίθος ἀμίαντος bzw. nach Hauptfundort Καρύστιος, ist die bekannte faserige Abart der Hornblende, die man als feuerbeständig zu Geweben und Lampendochten verarbeitete. Nach Plin. nat. 19,19 f. war diese angebliche Flachsart aus Indien sehr kostbar, nach Dioskurides 5,138 [2. 99] = 5,155 [3. 550] lieferte der Amiantstein aus Zypern durchs Feuer gereinigte Webstücke (ὑφάσματα). Solche wurden bei Ausgrabungen aufgefunden [3. 550].

1 D. GOLTZ, Studien zur Gesch. der Mineralnamen in Pharmazie, Chemie und Medizin von den Anfängen bis Paracelsus, 1972 2 M. WELLMANN (Hrsg.), Pedanii Dioscuridis de materia medica Bd. 3, 1914, Ndr. 1958 3 J. BERENDES (Hrsg.), Des Pedanios Dioskurides Arzneimittellehre übers. und mit Erl. versehen, 1902, Ndr. 1970.   C. HÜ.

Aschenurne s. Urna

Ascia

Ascia. Bei Isid. (orig. 19,19,12) beschriebenes Werkzeug der Holzarbeiter und Maurer mit Kurzstiel, quergestellter Schneide, auf der Rückseite meist als Hammer ausgestaltet. Geeignet zum Entästen und groben Glätten. Der im Westen durch Grabinschr. belegte Brauch, ein Grab *sub a. dedicare*, ist nicht schlüssig gedeutet. Den Vorzug verdient wohl die Interpretation, daß mit dieser Formel das Grab der unauflöslichen Verfügbarkeit des Grabstifters unterworfen wurde (vgl. die Wendung *hoc monumentum heredem non sequitur*).

1 G. KLINGENBERG, s. v. Grabrecht, RAC 12, 590–637 2 B. MATTSSON, The a. symbol on Latin epitaphs, 1990 3 F. DE VISSCHER, L'a. funeraire, in: RIDA 10, 1963, 312–320 4 Ders., A., in: JbAC 6, 1963, 187–192 5 Ders., Le droit des tombeaux romains, 1963, 277–294.   P. H.

Asciburgium

Asciburgium. Das h. Asberg bei Moers (Etym. »Eschenberg«; vgl. althochdeutsch *ask*). Gegenüber der Ruhrmündung gelegen (CIL XIII 2,2,8588–8597), sind fünf Phasen eines Auxiliarkastells von 12/11 v. Chr. bis zur Aufgabe 83/85 n. Chr. mit 1,6 bzw. 2,3 ha gesichert, ein augusteischer → *vicus* und ein E. des 1. Jh. n. Chr. verlandender Hafen. Nach Abzug des Militärs blieb A. wichtige Etappe zw. Castra Vetera und Novaesium mit → *beneficiarii*. Die mil. Aufgaben übernahm das Kleinkastell Duisburg-Rheinhausen, später ein valentinianischer → *burgus* auf dem Asberger »Burgfeld«.

→ auxilia; castellum

T. BECHERT, Die Römer in A., 1989.   K. DI.

Asconius Pedianus, Q.

Asconius Pedianus, Q., aus Padua [6. 1524; 7. 26], lebte wahrscheinlich 3–88 n. Chr. [7. 27–30]. Verf. eines histor. ausgerichteten Komm. (für seine Söhne, s. Mil. p. 38,22) zu einer Anzahl Reden Ciceros [7. 2–25], erh. zu *Pis., Scaur., Mil.* (hier gibt A. über den tatsächlichen Hergang Aufschluß), *Pro Cornelio, In toga candida* (beide anhand von A. zu rekonstruieren). A. schöpft größtenteils aus den Angaben bei Cicero selbst, zieht jedoch andere Quellen korrigierend und in kritischer Auswahl heran, mit ungewöhnlich genauer Zitierweise [5; 7. 39–61]. Die Überlieferung teilt sich in drei Hss. (Madrid, Pistoia, Laurent.), die auf eine 1416 von POGGIO in St. Gallen gefundene, später verlorengegangene Hs. zurückgehen. Der ebenfalls in ihnen enthaltene Komm. zu *div. in Caec.* und *Verr.* 1–2,33 stammt sicher nicht von A. [6. 1526; 7. 1]. Weitere, h. verlorene Schriften: *Contra obtrectatores Vergilii* (s. Donat. vita Vergilii p. 66,2 REIFF), *Vita Sallustii* (s. Ps.-Acro in Hor. sat. 1,2,41; unsicher, s. [1. ix–x]) und ein Werk über Langlebigkeit (Suda α 3213; Plin. nat. 7,159).

ED.: 1 A. KIESSLING, R. SCHOELL, 1875 2 A. C. CLARK, 1907 3 S. SQUIRES, 1990.
LIT.: 4 J. N. MADVIG, De Q. A. Pediani commentariis, 1828 5 C. LICHTENFELDT, De Q. A. Pediani fontibus ac fide, 1888 6 G. WISSOWA, s. v. A., RE 2, 1524–1527 7 B. A. MARSHALL, A Historical Comm. on A., 1985.

CHR. KU.

Asculum

Asculum. Bedeutende Stadt im Picenum im Tal des Tronto (ant. Truentus) an der → *via Salaria*, h. Ascoli Piceno. Nach Fest. 235,16 f. von den → Sabini gegründet. Von den Römern 268 v. Chr. besiegt (Eutr. 2,16), *civitas foederata*. Mit dem Aufstand von A. begann 90

v. Chr. der → Bundesgenossenkrieg. A. wurde belagert und erobert (Vell. 2,21,1). → *Municipium*, dann → *colonia* (mit → *duoviri*, zur → *tribus Fabia* gehörig) der Triumvirn oder des Augustus. In die Kirchen S. Gregorio und S. Venazio einbezogene Teile röm. Tempel, Reste des Theaters und mehrere Brücken, darunter der sog. Ponte di Cecco.

N. ALFIERI, s. v. A. Picenum, PE 99 f. · G. CONTA, A. 2, 1982 · U. LAFFI, M. PASQUINUCCI, A. 1, 1975.
G. PA. / S. W.

Asea. Stadt im Süden von → Arkadia auf halbem Weg von Megalpolis nach → Tegea in der kleinen Hochebene von Frangovrysi bei den Quellen von Alpheios und Eurotas (Strab. 8,3,12). Siedlung auf der Akropolis neolithisch bis MH und hell. (Stadtmauer), in die Neugründung Megalopolis 368/67 v. Chr. einbezogen; z. Z. des Pausanias (8,44,3) stand A. in Ruinen. Die Siedlung der klass. Zeit ist nicht lokalisiert.

E. J. HOLMBERG, The Swedish excavations at A. in Arcadia, 1944 · M. JOST, Sanctuaires et cultes de l'Arcadie, in: Études Péloponnésiennes 9, 1985, 193–195.
Y. L.

Asebeia (ἀσέβεια). Verletzung der Ehrfurcht vor den Göttern wurde bei den Griechen bestraft. Tempelraub (→ Hierosylie) unterlag einer bes. Sanktion, Entweihung und Verspottung göttl. Dinge wurden als *a.* zusammengefaßt. Als Mittel der Politik wurden *a.*-Klagen in Athen bes. bei Verletzung der Ehrerbietung gegenüber den Staatsgöttern gegen Naturphilosophen und Sophisten angestrengt. Deren Erklärung der Welt und Infragestellung aller überkommenen Anschauungen schien die staatliche Ordnung zu gefährden. Anaxagoras, Diagoras, Protagoras und Sokrates wurden in *a.*-Prozessen verurteilt, Aspasia freigesprochen. Die gesetzliche Grundlage wurde 432 v. Chr. geschaffen. → Atheismus

D. COHEN, Law, Sexuality and Society, 1991, 203 ff. G. T.

Asellio. Beiname (»der Eseltreiber«) in der Familie der Sempronier.

KAJANTO, Cognomina, 323.
K. L. E.

Asellius

[1] **Aemilianus,** unter anderem praetorischer Legat von Thracia zw. 176 und 180 n. Chr., *cos. suff.* um 177 [1. 262]. Konsularer Statthalter von Syria um 188 [2]; Prokonsul von Asia 192/193. Als Verwandter des Clodius Albinus längere Zeit neutral zw. Septimius Severus und Pescennius Niger; schließlich aber als Feldherr des letzteren im Sommer 193 bei Cyzicus von Septimius besiegt und bald darauf hingerichtet (Herodian 3,2,2; 6; Cass. Dio 74,6,4; SHA Sept. Sev. 8,16; [3]).
[2] **Claudianus,** Senator, nach SHA Sept. Sev. 13,1 von Severus hingerichtet; wohl identisch mit A(ulus) Sellius Clodianus (AE 1974, 11; [2. 313 f.³⁵]).

1 ALFÖLDY, Konsulat, 190 f., 259 2 LEUNISSEN 3 A. BIRLEY, Septimius Severus, ²1987, 241 A. 12.
W. E.

Asellus
[1] Deminutiv von *asinus*, Beiname in den Familien der Annier und Claudier, auch in der Kaiserzeit häufig.

KAJANTO, Cognomina, 87, 325.
K. L. E.

[2] s. Esel

Asia
[1] **Kontinent.** s. Kleinasien
[2] **Römische Provinz.** Die → *provincia* A. wurde 129 v. Chr. gegründet, als Rom das Königreich → Pergamon in Besitz nahm, das dem röm. Volk durch dessen letzten König → Attalos III. (gest. 133 v. Chr.) vermacht worden war (Liv. per. 58 f.). Die Römer mußten sich erst einmal gegen → Aristonikos, den illegitimen Bruder des verstorbenen Königs, durchsetzen. Aber die Mehrzahl der griech. Städte war loyal geblieben, was ihnen die »Freiheit« eintrug (AE 1991, 1500). Zur Hauptstadt der Prov. wurde → Ephesos bestimmt. Die Prov. verschaffte der Staatskasse enorme Einkünfte: Der Zehnte der landwirtschaftlichen Erträge und Zollerträge (AE 1989, 681; 1991, 1501) wurde an → *publicani*-Gesellschaften verpachtet. Diese Ausbeutung schürte den Haß, dem 88 v. Chr. 80000 in der Prov. ansässige Italiker zum Opfer fielen; sie wurden auf Anordnung des Königs → Mithradates VI. an einem Tage hingemetzelt (FGrH 434: Memnon 1,22,9).

→ Sulla schlug den Aufstand nieder und verlangte der Prov. hohe Reparationen ab. Er verteilte die Städte auf 44 Steuerbezirke, die lange Zeit bestehen sollten. → Lucullus und → Pompeius sicherten den Frieden, der eine gegen Mithradates, der andere gegen die Seeräuber. Pompeius ordnete ganz Anatolien neu und schuf ein Netz von Clientel-Königen, um das Provinzialgebiet zu sichern. Eine goldenes Zeitalter für die *publicani*-Gesellschaften brach an.

Seit → Augustus wurde die Prov. von einem → *proconsul* geleitet, dem – theoretisch für ein Jahr durch das Los bestimmt – drei → *legati* und ein → *quaestor* zur Verwaltung der öffentlichen Gelder zur Seite standen. Die wichtigste Aufgabe der Prokonsuln war die Rechtsprechung. Sie reisten in den verschiedenen → *conventus* umher, großen Gerichtsbezirken, deren Hauptorte als Gerichtsstätten fungierten (in der Kaiserzeit 13: [1. 64 ff.]). Sie mußten mit dem Einfluß des → *koinón* rechnen, das sich aus der Provinzialelite zusammensetzte und ihre Autorität einschränken konnte.

Die Einkünfte des Staates wurden bald einem → *procurator* unterstellt, der aus dem Ritterstand stammte und von einem kaiserlichen Freigelassenen unterstützt wurde: Sie bildeten ein beträchtliches Gegengewicht zu den Prokonsuln (Tac. ann. 13,1). Die Prov. blieb hinsichtlich der Finanzen eine Einheit, obwohl → Phrygia unter einem freigelassenen Prokurator mit Sitz in → Synnada nach und nach zur wichtigsten Teilregion wurde. Ephesos, Ausgangspunkt einer Straße nach Zentralanatolien und Sitz der Verwaltung, gewann noch größere Bedeutung. Das Zeitalter des Augustus erlebte die Anf. des → Kaiserkults, und im Jahre 9 v. Chr. sorgte eine Kalenderreform dafür, daß der Jahresbeginn mit dem Geburtstag des Herrschers (23. September) zusammenfiel. Von diesem Zeitpunkt an wetteiferten die Städte darum, einen Tempel für den Kaiserkult zu erhalten, der sie zum provinzweiten Zentrum des Kults machen und ihnen die Neokorie (→ Neokoroi) eintragen sollte.

Ab Mitte des 3. Jh. n. Chr. wurde die Prov. administrativ unterteilt. Zunächst wurde 250 n. Chr. eine Prov. Phrygia-Caria errichtet, die einem → legatus Augusti pro praetore in konsularischem Rang übertragen wurde, während für die Finanzverwaltung ein neuer Bezirk unter einem Prokurator, aus dem Ritterstand errichtet wurde. Unter → Diocletian und seinen nächsten Nachfolgern nahm die Aufgliederung der Prov. so sehr zu, daß das Veroneser Provinzialverzeichnis (3) für die Jahre 310–315 an Stelle der einen alten Prov. sieben neue Verwaltungseinheiten verzeichnet: Phrygia I, Phrygia II, Asia, Lydia, Caria, Insulae, Hellespontus, die abgesehen von Asia alle durch Gouverneure aus dem Ritterstand regiert wurden. Zusammen mit Lycia-Pamphylia und → Pisidia bildeten sie unter einem → vicarius der praefecti praetorio die dioecesis Asiana.

1 C. HABICHT, New evidence on the province of A., in: JRS 65, 1975, 64–91.

MAGIE · S. MITCHELL, Anatolia 1/2, 1993 · R. SYME, Anatolica: Studies in Strabo, 1995.   M. CHR. u. T. D.-B. / S. F.

Asianismus. Die Benennung *Asiatici* für Redner kommt zum ersten Mal bei Cic. de orat. 3,43 vor und wird erneut mit negativer Beurteilung in Brut. 51 und orat. 27 benutzt. In Sen. contr. 1,2,23 und Quint. inst. 12,10,1 begegnet die Form *Asiani*. Diese Benennung ist aus dem Gegensatz zur att. Sprache und Beredsamkeit um die Mitte des 1. Jh. v. Chr. entstanden, als es Mode wurde, die alten att. Redner nachzuahmen (Cic. Brut. 51). Eine solche Abwertung der hell. und in Rom vor dem Attizismus ausgeübten Beredsamkeit findet sich neben → Cicero (Brut. 325) auch bei → Santra (Quint. inst. 12,10,16), → Dionysios von Halikarnassos (De oratoribus veteribus 1, 1, p. 47 U.-R.), bei → Seneca d. Ä. und → Quintilian. Cicero scheint, um sich, der er selbst Asianer war, zu entlasten, den Unterschied zwischen asianischem Schwulst und der eigenen rhodischen Rhet. übertrieben zu haben. Der A. war in der Tat nichts anderes als die hell. Entwicklung der vorangehenden Beredsamkeit und entsprach der sprachlichen Verwendung der Koine [10]. Die spätrepublikanische Polemik gegen den A. konnte entweder von in Rom lebenden griech. Grammatikern [5] oder bereits in Griechenland [2] ausgetragen werden. – Zu den berühmtesten Asianern zählen → Demetrios von Phaleron (Cic. Brut. 38; Quint. inst. 10,1,80) und → Hegesias. In Rom war → Hortensius der berühmteste Vertreter des A; er schrieb auch eine Gesch. des Bundesgenossenkriegs und bestätigt so die Verbindung des A. mit der hell. → Ge-

schichtsschreibung. Trotz der Kritik konnte sich der A. halten (z. B. M. → Antonius [I 9], Plut. Antonius 2,4; vgl. aber [8. 299]). Zur Zeit Senecas d. Ä. taucht er als eine Reaktion gegen den → Attizismus wieder auf (richtig [9. 260–273]; anders [6]).

1 F. BLASS, Die Rhythmen der asianischen und röm. Kunstprosa, 1905 2 G. CALBOLI, Asiani (Oratori), in: F. DELLA CORTE, Dizionario degli Scrittori Greci e Latini 1, 1987, 215–232 3 Ders., A. e Atticismo, in: A. PENNACINI, Studi di retorica oggi in Italia, 1987, 31–53 4 J. D. DENNISTON, Greek Prose Style, 1952, Ndr. 1979 5 A. DIHLE, Der Beginn des Attizismus, in: A&A 23, 1977, 162–177 6 J. FAIRWEATHER, Seneca the Elder, 1981 7 K. HELDMANN, Ant. Theorien über Entwicklung und Verfall der Redekunst, 1982 8 G. A. KENNEDY, The Art of Rhet. in the Roman World, 1972 9 NORDEN, Kunstprosa, ⁵1958 (ital. mit Nota di Aggiornamento 1989) 10 U. VON WILAMOWITZ-MOELLENDORFF, A. und Attizismus, in: Hermes 35, 1900, 1–52 (KS 3,223–273) 11 P. W. WALBANK, History and Tragedy, in: Historia 9, 1960, 216–234.   G. C.

Asiarchie. Provinziales Amt, ausgeübt von Angehörigen der regionalen Oberschicht, in die Zeit der röm. Republik zurückreichend, in der Kaiserzeit lit., numismatisch und bes. epigraphisch vielfach belegt [1. 1601 ff. bzw. 1604 ff., ergänzt von 2. 42 A.3 und 3. 112 ff.]. Der »Landtag« (→ Koinon) von Asia betätigte sich für die Prov. seit 29 v. Chr. im Roma-und-Augustus- bzw. allg. im → Kaiserkult. Seit 26 gab es mehrere Städte mit Tempeln des provinziellen Kaiserkultes in Asia und mehrere ihnen zugeordnete »Oberpriester *(archiereís)* Asias«. Die A. war als ethnisches Priesteramt definiert, unter röm. Herrschaft also ein Amt der Prov., nicht einer Stadt. Aufgabe des Asiarches war u. a. die Veranstaltung von Spielen. Oberpriesteramt und Asiarchie wurden jährlich vergeben, existierten gleichzeitig mehrfach in Asia und bezogen sich auf die Kaiserkulttempel je einer Stadt. Die Ehefrau des Asiarches wurde oft als »Oberpriesterin« bezeichnet. Wegen der hier genannten Fakten ist gegenüber der Definition des A. als »Landtagsabgeordneter« oder als städtischer Ehrentitel ohne Bezug zum Koinon [1. 449 f.] die Gleichsetzung von Oberpriester und Asiarches zu bevorzugen [2], eventuell mit der Unterscheidung von Titel und Funktion [4] oder von zwei Funktionen in einem Amtsträger (Strab. 14,649; Tac. ann. 4,15; 37; 55 f.; Cass. Dio 51,20; Aristeid. 26, 101 ff.; Dig. 27,1,6,14).

1 MAGIE 2 J. DEININGER, Die Provinziallandtage der röm. Kaiserzeit, 1965 3 P. HERZ, Asiarchen und Archiereiai, in: Tyche 7, 1992, 93–115 4 M. ROSSNER, Asiarchen und Archiereis Asias, in: Studii Clasice 16, 1974, 101–142.   A. ME.

Asiaticus. Beiname, der in augusteischer Zeit die ältere Form Asiagenus/-genes ablöst, verbreitet bei den Cornelii Scipiones, in der Kaiserzeit auch bei den Valeriern; zuerst als Siegerbeiname angenommen von P. → Cornelius Scipio Asiagenus *(cos.* 190), dann von seinen Nachkommen weitergeführt.

F. MÜNZER, s. v. Cornelius [337], RE 4, 1474 f.   K. L. E.

[1] Gallischer Aristokrat (*dux Galliarum*), der 68 n. Chr. für Iulius Vindex gekämpft hatte; durch → Vitellius auf Wunsch der Soldaten 69 hingerichtet (Tac. hist. 2,94,2; PIR² A 1215).

[2] Vielleicht ein Valerius A. (A. Vitellius), Freigelassener des Vitellius, der ihn sogleich nach der Herrschaftsübernahme in den *equester ordo* aufnahm. Er hatte großen Einfluß bei Vitellius; von Mucianus Ende 69 n. Chr. gekreuzigt (Tac. hist. 2,57; 95; 4,11,3; PIR² A 1216).   W. E.

Asina Beiname (»die Eselin«) in der Familie der Cornelier.   K. L. E.

Asine.

[1] Bedeutende prähistor. Siedlung seit FH Zeit auf dem Felskap Kastraki ca. 8 km südöstl. von → Nauplia an der Bucht von Tolon, galt als Stadt der Dryoper (→ Dryops) (Hdt. 8,73; Paus. 4,8,3; 34,9–12). Um 700 v. Chr. von → Argos [II 1] zerstört; der Tempel des → Apollon Pythaieus blieb erhalten. Die Bewohner wurden von Sparta in Messenia angesiedelt: → A. [2]. Neugründung mit Stadt- und Burgmauer in hell., auch spätröm. Zeit besiedelt und in venezianischer Zeit neu befestigt (Hom. Il. 2,560; Diod. 4,37,2; Strab. 8,6,1; Ptol. 3,16,20; Paus. 2,36,4–5). Neue Funde: Opuscula Atheniensia 11, 1975, 177–183; 13, 1980, 85–89; 14, 1982, 119–128; 15, 1984, 79–107; 17, 1988, 217–224; 18, 1990, 241–243; 19, 1992, 59–68, 135–142.

> I. und R. HÄGG, Excavations in the Barbouna area at A., 1973 · C. G. STYRENIUS, S. DIETZ, A. II: Results of the Excavations East of the Acropolis 1970–1974 · Acta Instituti Atheniensis Regni Sueciae 24, 1976–1983.

[2] Spartanische Perioikenstadt auf der messenischen Halbinsel, Neugründung für das zerstörte → A. [1], h. Koron(i). Arkadischer Angriff und Verwüstung der Vorstadt 368 v. Chr. (Xen. hell. 7,1,25). Mitglied des Achaiischen Bundes (→ Achaioi). Erh. haben sich Mauerring, Hafendamm, Zisternen, Gräber (Hdt. 8,73,2; Thuk. 4,13,1; 6,93,3; Pol. 18,42; Strab. 8,4,1; 4; 8,6,11; Ptol. 3,16,8; Paus. 4,34,9–12; IG V 1, 1405–1416; SEG 11, 985–987; 998–1000; HN, 418, 432).

> E. MEYER, s. v. Messenien, RE Suppl. 15, 198.

[3] Spartanische Perioikenstadt an der Westküste des lakonischen Golfes zw. Psamathus und → Gytheion, an der Bucht von Skutari; genauere Lokalisierung nicht möglich (Thuk. 4,54,4; Xen. hell. 7,1,25; Pol. 5,19,5; Strab. 8,5,2).

> E. S. FORSTER, Gythium and the N. W. Coast of the Laconian Gulf, in: Annals of the British School at Athens 13, 1906/1907, 235.   Y. L.

Asinius. Plebeischer Gentilname, in Rom seit dem 1. Jh. v. Chr. nachweisbar (zur Ableitung von *asinus* [1], zu etr. Parallelen [2]). Die Familie, deren berühmtester

Namensträger A. Pollio war, stammte aus Teate Marrucinorum (h. Chieti), gehörte seit augusteischer Zeit zum Patriziat und trat bes. im 1. Jh. n. Chr. hervor.

I. REPUBLIK

[I 1] A., Senator, Anhänger des Antonius vor Mutina 43 v. Chr. (Cic. Phil. 13, 28).

> 1 A. HUG, s. v. Spitznamen, RE 3 A, 1829 2 SCHULZE, 129.
>   K. L. E.

[I 2] A. (Marrucinus ?), Cn. (?), vielleicht identisch mit [I 1] und älterer Bruder von [I 4], Empfänger des Scherzgedichtes Catull 12 (*Marrucine Asini*), und möglicherweise identisch mit »Cn. Asinius Cn. f.« im Senatsbeschluß über Aphrodisias von 39 v. Chr. und damit Praetor in den 50er Jahren; vielleicht Prokonsul von Asia in den 30er Jahren.

> E. BADIAN, Notes on a New List of Roman Senators, in: ZPE 55, 1984, 107–109 · MRR 2,411; 3,26 · G. STUMPF, Numismatische Stud. zur Chronologie der röm. Statthalter in Kleinasien, 1991, 80–83.

[I 3] A., Herius, *praetor Marrucinorum*, fiel im Bundesgenossenkrieg 90 v. Chr. als Führer der Italiker (Liv. per. 73 u. a.).   K. L. E.

[I 4] A. Pollio, C., geb. um 76 v. Chr. als Sproß einer it. Familie von Neubürgern, ist eine der profiliertesten Persönlichkeiten in Politik und Kultur des Übergangs von der Republik zum Prinzipat. Seine erste Erwähnung um 60 bei → Catullus (12,6 ff.) bezeichnet das Milieu seiner Kontakte und Interessen. Dem *homo novus* diente wohl Ciceros zivile Karriere als Vorbild – Pläne, die sich mit der Niederlage in einem Prozeß gegen den jüngeren M. → Porcius Cato im J. 54 zerschlugen. A. entschied sich für die mil. Laufbahn und für → Caesar, nahm am Übergang über den Rubicon und an den wichtigeren Kampagnen des Bürgerkrieges teil. Nach Caesars Tod optierte er für das → Triumvirat, war 42/41 bis zum Perusinischen Krieg in Oberit. für Antonius [I 9] zumal bei der Landverteilung tätig und wurde nach dem Frieden von Brundisium (Herbst 40) für seine Vermittlung mit einem kurzen Konsulat belohnt (dazu Verg. ecl. 4,11 ff.). Das Prokonsulat 40/39 schloß er Okt. 39 mit einem Triumph über die → Parthini ab, blieb in Rom und – trotz der Angriffe des Antonius – der Schlacht von Actium fern.

Die 2. Hälfte seines Lebens (gest. um 5 n. Chr.) widmete A. den Musen: Er war als Kunstsammler bekannt, gründete die erste öffentliche Bibliothek Roms und nahm Anteil am Deklamationsbetrieb (→ Declamationes). Sein Interesse an Gelegenheitsdichtung [1] blieb ephemer; den Freunden Vergil und Horaz galt er etwa seit 40 als Verf. von Tragödien (vgl. Verg. ecl. 3,84 ff.; 8,6 ff. [11]; Hor. sat. 1,10,42 f.). Hor. carm. 2,1,9 ff. ist vor allem den *Historiae* gewidmet, die Sallust fortführten und in 17 Büchern vom sog. 1. Triumvirat bis Philippi reichten; ihre Spuren wurden in der späteren Historiographie gesucht. Auch A.' Reden (meist Verteidigungen), darunter eine Invektive gegen → Catullus [12] und eine Apologie *contra maledicta Antonii*, waren später noch berühmt. Ein Vergilkommentar ist für ihn bezeugt [13]; eine gramm. Arbeit kritisiert bes. den Archaismus Sallusts und die *Patavinitas* des Livius, harte Urteile, die – wie die Bewertung von Ciceros Tod in den *Historiae* – der *contumacia (ferocia)* von A.' Wesen zugeschrieben wurden. Sein als holprig und altertümlich geltender Stil mit einer Vorliebe für überholte Flexionsformen zog sich ähnliche Kritik zu.

> FR.: **1** FPL BLÄNSDORF, 242 f. **2** HRR 2, 83 ff., 67 ff., 224 **3** ORF, 516 ff. **4** GRF, 493 ff.
> LIT.: **5** PIR² A 1241 **6** J. ANDRÉ, La vie et l'œuvre d' A. P., 1949; ergänzend REL 24, 1946, 151 ff.; 25, 1947, 122 ff.; 26, 1948, 215 ff. **7** MRR 2, 266; 280; 300; 306; 310; 327; 343; 372; 377 f.; 387 f. **8** G. ZECCHINI, ANRW II 30. 2, 1982, 1265 ff. **9** SCHANZ / HOSIUS, 24–30 **10** J.-P. NÉRAUDAU, ANRW II 30. 3, 1983, 1732 ff. **11** J. FARRELL, in: CPh 86, 1991, 204 ff. **12** W. C. MCDERMOTT, in: AW 2, 1979, 55 ff. **13** A. GRISART, in: Athenaeum 42, 1964, 447 ff.   P. L. S.

[I 5] A. Quadratus. Verf. eines Epitaphios zu Ehren von Soldaten, die im heroischen Kampf gegen die Römer in einem feigen Hinterhalt gefallen sind (Anth. Pal. 7,312) – ein Ereignis, das sich nach der Angabe des Lemmatisten unter dem Konsulat des Sulla (ὑπάτου Σύλα), also im Jahre 88 v. Chr., zutrug. Diese Angabe läßt sich nicht ignorieren und schließt somit eine Zuweisung des mäßigen Epigramms, das vielleicht tatsächlich eine Inschr. war (= GVI 36), an jenen A. Q. aus, der im 3. Jh. n. Chr. eine ›Tausendjährige Geschichte Roms‹ (Ῥωμαϊκὴ χιλιάς) von den Anfängen bis zu Alexander Severus verfaßte (FGrH 97).

> FGE 86 f.   E. D. / T. H.

II. KAISERZEIT

[II 1] A. Agrippa, M. Sohn von A. [II 5]. *Cos. ord.* im J. 25 n. Chr., starb im J. 26 (PIR² A 1223).

[II 2] A. Atratinus, M. *Cos. ord.* 89 n. Chr. (AE 1949, 23; PIR² A 1319).

[II 3] A. Celer, Ser. Sohn von A. [II 5], *cos. suff.* 38 n. Chr.; *amicus* des Claudius; von diesem hingerichtet (PIR² A 1225 [10. 141 ff.]).

[II 4] A. Gallus. Sohn von A. [II 5]. Versuch einer Verschwörung gegen Claudius im J. 46, daraufhin lediglich verbannt (PIR² A 1228); CIL VI 1351 ist vielleicht auf ihn zu beziehen [10. 140 ff.]

[II 5] A. Gallus, C. Sohn des Konsuls von 40 v. Chr., C. → Asinius [I 4] Pollio; *III vir monetalis* 23/22 v. Chr., an den Saecularspielen 17 v. Chr. als *XV vir sacris faciundis* beteiligt, 8 v. Chr. *cos. ord.*, 6/5 v. Chr. *procos. Asiae*; *amicus* des Augustus; von ihm angeblich als für den Prinzipat ungeeignet bezeichnet (Tac. ann. 1,13,2) [1]. Als Tiberius sich 12 v. Chr. von Vipsania → Agrippina [1] hatte scheiden lassen müssen, heiratete sie Gallus. Spannungen mit Tiberius seit 14 n. Chr.; mit L. → Aelius [II 19] Seianus eng verbunden; nach dessen Sturz vom Senat verurteilt, drei Jahre in Haft gehalten, 33 gestorben. Be-

gabter Redner, von Tacitus in den Annalen oft genannt (PIR² A 1229) [2].

[II 6] A. Lepidus. *Cos. suff.*, konsularer Statthalter von Cappadocia 222 oder 226 n. Chr. (AE 1941, 163) [3; 11. 258].

[II 7] A. Lepidus Praetextatus, C., *cos. ord.* 242; Sohn von [II 6] (PIR² A 1230).

[II 8] A. Mamilianus, M. Senator wohl praetorischen Ranges, in einem S. C. vom J. 19 n. Chr. genannt (AE 1978, 145); wohl mit [II 5] verwandt [4].

[II 9] A. Marcellus, M., *cos. ord.* 54 n. Chr.; Nachkomme des C. → Asinius [I 4] Pollio, *cos.* 40 v. Chr. (Tac. ann. 14,40,2; PIR² A 1232).

[II 10] Marcellus, M., *cos. ord.* 104 n. Chr. (PIR² A 1233); Nachkomme von [II 9].

[II 11] A. Marcellus, Q. Suffektkonsul unter Traianus, Patron von Ostia, mit seiner Frau Ummidia in den Fasti Ostienses genannt (PIR² A 1236) [5]; (FOst 48; 111 ff.).

[II 12] A. Pollio, C. Sohn von [II 5]. Im J. 20 *praetor peregrinus*, 23 *cos. ord.*, *proconsul Asiae* erst ca. 38/39, da sein Vater mit Tiberius verfeindet war (PIR² A 1242; [2. 298 ff.]).

[II 13] A. Protimus Quadratus, C. *Procos.* von Achaia und *cos. suff.* unter Septimius Severus, wohl mit dem Historiker A. Quadratus identisch (PIR² A 1244–46; [6; 11. 233 ff.]

[II 14] A. Rufinus Fabianus, Sex., Sohn von [II 15]; seine senatorische Laufbahn am Ende des 2. Jh. ist bis zur Praetur bekannt (AE 1909, 176 = ILAfr. 297).

[II 15] A. Rufinus Valerius Verus Sabinianus, M. Aus Acholla in Africa; von Commodus unter die Praetorier aufgenommen; gelangte bis zum Suffektkonsulat (spätestens 185; AE 1954, 58) [7; 8].

[II 16] A. Triarius Rufinus A. Sabinianus, M. Wohl Sohn von [II 14]. *Cos. suff.* um 225 n. Chr.; *procos. Asiae* 238/9 oder 239/40 (PIR² A 1251) [8. 283 f.].

[II 17] A. Rufus Nicomachus Iulianus, C., *cos. suff.* und *procos. Asiae* (IGRR 1, 502; [11. 262 mit Anm. 98]).

[II 18] (A.) Salonius. Angeblich Sohn von Asinius Pollio und Bruder von [II 5] (PIR² A 1252) [9].

[II 19] A. Salonius. Sohn von [II 5] und Vipsania Agrippina, mit einer Tochter des Germanicus verlobt, starb im J. 22 n. Chr. (Tac. ann. 3,75,1; [10. 127 ff.]).

[II 20] A. Turcianus, C., *procos.* von Sardinien, vielleicht unter Traianus (CIL X 7516 = ILS 5352) begraben in Rom [10. 129 ff.].

> **1** R. SYME, Ten Studies in Tacitus, 1970, 30 ff.
> **2** VOGEL-WEIDEMANN, 300 ff. **3** LEUNISSEN, 234 f. **4** SENSI, in: EOS 1, 515 ff. **5** W. ECK, s. v. Q. A. Marcellus, RE Suppl. 14, 62 **6** H. BRANDT, Die Historia Augusta, in: ZPE 104, 1994, 78–80 **7** W. ECK, s. v. M. A. Rufinus Valerius Verus Sabinianus, RE Suppl. 14, 62 f. **8** Ders. et al., Inschr. aus Ephesos und Umgebung, in: ZPE 91, 1992, 283–295 **9** SYME, RP 1, 18 ff. **10** G. ALFÖLDY, Studi sull'epigrafia augustea e tiberiana di Roma, 1992 **11** P. HERRMANN, Inschr. von Sardes, in: Chiron 23, 1993, 233–266.   W. E.

Asios von Samos. Sohn des Amphiptolemos, Verf. von genealogischen Epen aus verschiedenen Sagenkreisen nach Art der hesiodeischen ›Ehoien‹. Neben einigen Hexameterfragmenten sind zwei Distichen erh. (Athen. 3,125bd). Ein etwa sieben Hexameter umfassendes Fragment (Athen. 12,525e), schildert den Luxus der Samier und ihren Hang zur τρυφή (*tryphḗ*).

EpGF 88–91 · IEG 2, 46.   C.S.

Asisium. Stadt der → Umbri an den Hängen des Subasio, h. Assisi. Seit 89 v. Chr. → *municipium* der *tribus Sergia*, später *regio VI* (Strab. 5,2,10; Plin. nat. 3,113; Ptol. 3,1,53). Geburtsort des → Propertius. Ringmauer in *opus quadratum* mit unregelmäßigem Verlauf (2,5 km), Reste eines Tores im Westen. Terrassenförmige Stadtanlage; zentrales Forum mit einem sog. Minervatempel an der Nordseite und Arkaden an den anderen drei Seiten (1.Jh. v. Chr.), Zisterne, in der Nähe Bogen (nicht als Reste eines Theaters zu deuten). Luxuriöse *domus* unter S. Maria Maggiore mit griech. Epigrammen. → *Circus* aus republikanischer Zeit und Amphitheater unmittelbar östl. der Mauern. In Santureggio monumentales → Nymphaeum. Auf dem Subasio ein Heiligtum aus dem 5.Jh. v. Chr. (Bronzefiguren).

M. L. Manca, Osservazioni sulle mura di A., in: Annali della Facoltà di lettere e filosofia, Università degli studi di Perugia 15, 1977/78, 98–123 · M. Guarducci, in: Memorie della R. Accademia Nazionale dei Lincei, 1979, 269ff. · M. J. Strazzulla, A., Problemi urbanistici, in: Les Bourgeoisies municipales Italiennes, 1983, 151–64 · Ders., A. romana, 1985 · L. Sensi, Assisi. Aspetti prosopografici, in: Les Bourgeoisies municipales Italiennes, 1983, 165–73 · M. A. Tomei, in: Les Bourgeoisies municipales Italiennes, 1983, 393f. · A. Ambrogi, Monumenti funerari, in: Xenia 8, 1984, 27–64 · G. Forni, G. Binazzi, Epigrafia lapidarie romane di A., 1987.   G.U./S.W.

Askalabos (Ἀσκάλαβος). Sohn der Misme von Eleusis. Als diese der Demeter auf der Suche nach ihrer Tochter den Kykeon zu trinken gab, verspottete A. die gierig trinkende Göttin. Sie schüttete den Rest des Getränkes über ihn und verwandelte ihn in eine gefleckte Eidechse (*askálabos*; Nik. Ther. 486ff.; Ov. met. 5,446–61; Ant. Lib. 24).

M. Forbes Irving, Metamorphosis in Greek Myth, 1990, 309f.   F.G.

Askalaphos (Ἀσκάλαφος).
[1] Dämon der Unterwelt, Sohn des Acheron und der Gorgyra (Apollod. 1,33) oder der Nymphe Orphne vom Avernersee (Ov. met. 5,539ff.). Er bezeugte, daß → Persephone in der Unterwelt bereits vom Granatapfel gegessen habe und somit dem Pluton gehöre. Persephone (Ov. ebd.) oder Demeter (Apollod. ebd.) verwandelte A. in eine Eule (ἀσκάλαφος), als Herakles den schweren Stein hob, der auf A. gewälzt war.
[2] Sohn des Ares und der Astyoche, mit seinem Bruder Ialmenos Führer der boiotischen Minyer vor Troia (Hom. Il. 2,511; 9,82), durch Deiphobos getötet (Hom.

Il. 13,518ff.). Ares wurde mit Mühe von Athene zurückgehalten, A. zu rächen (Hom. Il. 15,110ff.). Argonaut und Freier Helenas (Apollod. 1,113; 3,130; Hyg. fab. 81). Figur der vorhomer. Dichtung [1].

1 W. Kullmann, in: Hermes (Einzelschriften 14), 71.

F. Dümmler, s. v. A., RE 2, 1608f.   K.C.

Askalon. Arab. *ʿasqalan*, westl. des modernen *derech hanizachon*, 16 km nördl. von Gaza am Mittelmeer und an der *via maris* gelegen, war eine wichtige Hafen- und Handelsstadt, die Ägypten mit Kanaan/Syrien und über Byblos mit Mesopotamien verband. Im 2.Jt. stand A. unter ägypt. Einfluß. Im 1.Jt. gehörte A. stets zur Pentapolis der Philister (1 Sam 6,17) und war nie in israelitischer Hand. Das bei Ri 1,18, Ios. bell. Iud. 3,2,1–3 und 3,9–28 (u.ö.) durchweg feindliche Verhältnis Israels zu A. belegen prophetische Drohworte (u. a. Am 1,8; Jer 25,19f.). Nach dem Fall Ninives sollen Skythen den Tempel der Aphrodite Urania geplündert haben (Hdt. 1,103–106). Nebukadnezzar zerstörte 604/03 v. Chr. die Stadt. In persischer Zeit gehörte A. zu Tyros (Sach 9,3–5 mit Skyl. periplus 1,78), dann zunächst zu den Ptolemaiern, wird jedoch seit Antiochos III. seleukidisch. 104 v. Chr. errang A. seine Selbständigkeit (mit eigener Zeitrechnung (Plin. nat. 5,68) und Münzprägung). Seit 325 war A. Bischofssitz, bis die Stadt in den Kreuzzügen 1270 von den Arabern endgültig zerstört wurde. In klass. Zeit war A. nicht nur als Banken- und Handelsplatz, sondern auch für sein der Atargatis/Derketo (→ Dea Syria) geweihtes Heiligtum mit eigenen Festspielen berühmt (Diod. 2,4,2–6; Paus. 1,14,7; Antoninus Placentinus CSEL 39,210 G). Aus A. stammten Antiochos, Schulhaupt der Akademie in Athen, und der Grammatiker Dorotheos.

Orte und Landschaften der Bibel 2, 1982, 49–75 · NEAEHL, Bd. 1, 1993, 103–112.   M.K.

Askania Limne (Ἀσκανία λίμνη). Askanischer See, auch See von → Nikaia in → Bithynia (h. İznik Gölü); Name für See und umgebende Landschaft, im Westteil zu Mysia, im Ostteil zu Phrygia gerechnet (Strab. 12,4,5; Plin. nat. 5,40,8).

W. Ruge, s. v. A., RE 2, 1610.   K.ST.

Askanios s. Iulus

Askaules s. Musikinstrumente

Askese (ἄσκησις). Bezeichnet in der hell. Philos. die Übungspraxis zur Erlangung des Tugendideals. Bei Homer bedeutet das Verb ἀσκεῖν »etwas handwerklich bearbeiten« (Il. 3,388; 10,438 u. ö.); noch bei Herodot meint es »etwas ausschmücken« oder »ausführen« (Hdt. 3,57,4; 7,209,2). Die Wortbedeutung erweitert sich in klass. Zeit zu »sich bemühen«, »eine Kunst ausüben«, »eine Fertigkeit einüben« (z. B. Xen. Kyr. V 5,12; Thuk. 2,39; 5,67). Ein übertragener Wortgebrauch im Sinn rel.

Praxis erscheint etwa bei Pindar (P. 3,110) und bei Isokrates (Busiris 26). A. als eine seelisch-moralische Selbstschulung (ἀσκῆσαι ψυχήν) ist für die Sophistik durch ein Epigramm auf einer Gorgias-Statue belegt (EpGr 875a). Der Begriff A. erscheint in dieser Bed. auch bei Platon (Euthyd. 283a; Gorg. 527d) und Aristoteles (eth. Nic. 9,9,1170a 11), wenn auch beiläufig; die Idee »philos. Übungen« ist bei Sokrates, Platon und Aristoteles aber klar präsent. Eine zentrale Rolle im Sinn geistiger Übungen – teilweise auch im Sinn einer Verzichtleistung – spielt die A. im Kynismus, der Stoa, der Skepsis und im Mittel- und Neuplatonismus. Diog. Laert. 6,70–71 kennt eine zweifache, seelisch-leibliche A. [1]. Musonius und Epiktet beschreiben unter dem Titel περὶ ἀσκήσεως Stufen der Selbstschulung (Musonius fr. 6 HENSE, vgl. [2]; Epikt. Diss. 3,12, vgl. [3]), ähnliche Darstellungen gibt es etwa bei Sextus Empiricus, Plutarch und Porphyrios. Das NT enthält ἀσκεῖν nur einmal, ebenfalls im Sinn einer Übung (Apg 24,16). Die christl. A.-Theorie ist stark von Philon geprägt (z. B. Praem. Poen. 100; Abr. 129). In der christl. A. des MA tritt der Übungsaspekt schließlich zugunsten der Idee des Verzichts zurück [4].

→ Ethik; ASKESE

1 M.-O. GOULET-CAZÉ, L'ascèse cynique, 1986 2 A.C. VAN GEYTENBEEK, Musonius Rufus, 1963 3 B.L. HIJMANS, ΑΣΚΗΣΙΣ, 1959 4 P. HADOT, Exercices spirituels et philosophie antique, ²1987.

J. DE GUIBERT, M. OLPHE-GALLIARD, M. VILLER, s. v. Ascèse, ascétisme, Dictionnaire de la Spiritualité, 1937, 916–981 · R. HAUSER, s. v. A., HWdPh, 1971, 538–541 · B. LOHSE, A. und Mönchtum in der Ant. und in der alten Kirche, 1969 · P. NAGEL, Motivierung der A. in der alten Kirche und der Ursprung des Mönchtums, 1966 · H. STRATHMANN / P. KESELING, s. v. A., RAC 1, 1950, 749–795 · M. VILLER / K. RAHNER, Aszese und Mystik der Väterzeit, 1939.   C. HO.

Askioi (Ἄσκιοι). Die »Schattenlosen« heißen die Bewohner derjenigen Erdzonen, innerhalb deren die Sonne an einzelnen Tagen des Jahres in den Zenit zu stehen kommt, so daß der → Gnomon keinen Schatten wirft, wie am Tag der Sommersonnenwende in Syene (Poseidon. fr. 115 EDELSTEIN-KIDD); von *ascia loca* in Indien erzählte Onesikritos (FGrH 134 F 10). In der Systematisierung des Poseidonios (fr. 208 EDELSTEIN-KIDD) heißen die Menschen zw. den Wendekreisen ἀμφίσκιοι, diejenigen zw. den Polar- und den Wendekreisen ἑτερόσκιοι (ihr Schatten fiel während des ganzen Jahres entweder nur nach Norden oder Süden), diejenigen von den Polen bis zu den Polarkreisen περίσκιοι (z. B. an Mitternachtssonnentagen).

G. KAUFFMANN, s. v. A., RE 2, 1617.   F. G.

Asklepiades (Ἀσκληπιάδης).
[1] Von Samos. Epigrammdichter des »Kranzes« des Meleagros, der ihn im Proömium mit dem dunklen Pseudonym Σικελίδης (Anth. Pal. 4,1,46; vgl. Hedylos,

GA I 1, 101 6, 4; Theokr. 7,40) anspricht, herausragender Vertreter der ion.-alexandrin. Schule, lebte um die Wende vom 4. zum 3.Jh. v. Chr. Von Theokrit wurde A. hochgelobt (7,39–41), von Kallimachos dagegen angefeindet (schol. Flor. Kallim. fr. 1,1). Von diesem unterschied ihn u.a. eine diametral entgegengesetzte Bewertung der *Lyde* des Antimachos (9,63, vgl. Kall. fr. 398). A. war auch Verf. verlorener melischer, choliambischer und ep. Gedichte, vielleicht auch von Hymnen (SH 215–220). Seine 33 zum größten Teil erotischen Epigramme (abgesehen von 13 umstrittenen) behandeln die verschiedensten Aspekte der Liebe, von der Einladung zur Vergnügung bis zum Ärger über ein verpaßtes Rendezvous, von der hinschmelzenden Sehnsucht bis zum Aufbegehren gegen Eros, vom Lachen bis zum Weinen, zur Eifersucht und zur Niedergeschlagenheit, die manchmal sogar den Sinn des Lebens verdunkelt (Anth. Pal. 12,46). Trotz durchschaubarer Ironie scheint die Leidenschaft manchmal »bis in die Nägel« (5,162,2) zu dringen, auch wenn man schließlich immer im Wein, dem natürlichen Verbündeten der Liebe, Trost suchen kann (12,50). Das Motiv des *carpe diem* steht der verabscheuten Idee des Todes direkt gegenüber (5,85), während zarte, geradezu sentimentale Klänge (5,145; 12,135; 12,153 usw.) einen Kontrapunkt zum scherzend lasziven Ton mancher Epigramme bilden (z. B. 5,203). Obwohl A. die Überlegenheit der Knabenliebe ausruft, findet er auch für die weibliche Schönheit einzigartige Töne: Unter den Motiven, die später große Verbreitung finden sollten, verdienen jenes vom ›Eros, der auch in den Falten sitzt,‹ d. h. vom weiblichen Charme, der der Zeit widersteht (7,217), und die Verteidigung der dunkelhäutigen Frau, ein Thema, das in einem berühmten Epigramm entwikkelt wird (5,210), Beachtung. Auf A. gehen aller Wahrscheinlichkeit nach die Bilder vom Bogenschützen Eros (12,50,3; 75,1 usw.), von Aphrodite, die mit ihren Pfeilen schießt (5,189,4; 12,161,2 usw.), und das berühmte *paraklausithyron* (5,164; 189) zurück, das zu einem der verbreitetsten Motive der griech. und lat. Liebesdichtung wird. Die klare, aufs Wesentliche beschränkte Form dieser Gedichte wie ihre humorvolle und ironische, aber gleichzeitig auch melancholische und schon dekadente Anmut sollten noch oft und meistens vergeblich nachgeahmt werden. Der nüchterne, konzise Stil zeigt sich in einem frischen, spontanen Ausdruck, manchmal einfach in nachlässiger Eleganz, offenbar frei von jedem Zwang: Er ist das Ergebnis eines äußerst sorgfältigen *labor limae*, aber auch der Bemühung, das Epigramm für alltägliche Ausdrucksformen zu öffnen und mit minimalen Mitteln ein Maximum an Wirkung und Wirklichkeitsnähe zu erreichen. Nicht zufällig erscheinen zuweilen kleine Dialogszenen aus dem Alltagsleben (mit Fragen, Ausrufen und Antworten), in denen sich das ganze Gedicht erschöpft, das in einem solchen Fall alle Kennzeichen eines Mimus in Miniatur annimmt (5,181; 185; vgl. Poseidippos Anth. Pal. 5,183).

GA I 1,44–56; 2,114–151.   E. D./T. H.

[2] Aus Adramyttion. Sonst unbekannter Verf. eines päderastischen Epigramms, von dem sich nicht sicher sagen läßt, ob es aus dem »Kranz« des Meleagros oder dem des Philippos stammt (Anth. Pal. 12,36). Der Vorschlag, das Lemma Ἀσκληπιάδου Ἀδραμυντίνου (offenkundiger Irrtum anstelle von -μυττηνοῦ) in Ἀσκλ. ⟨οἱ δὲ Διοτίμου⟩ Ἀδρ. zu berichtigen, ist scharfsinnig, auch wenn von diesem bei Aratos (Anth. Pal. 11,437, vgl. Steph. Byz. 199,3 M.) erwähnten Diotimos nicht bekannt ist, daß er Epigramme geschrieben hat.

GA I 1,56; 2,150.   E.D./T.H.

[3] Aus Phleius. Seit dem gemeinsamen Studium zunächst bei → Stilpon in Megara und dann bei → Anchipylos und → Moschos in Elis (Diog. Laert. 2,126) in lebenslanger Freundschaft mit → Menedemos aus Eretria verbunden, später, nachdem die beiden Mutter und Tochter geheiratet hatten (Diog. Laert. 2,137), auch durch familiäre Beziehungen. Dank der bei Diog. Laert. 2,129–132 und 137–138 erh. Exzerpte aus dem ›Leben des Menedemos‹ des → Antigonos aus Karystos kennen wir eine Reihe von Details aus dem Zusammenleben der beiden in Eretria und andernorts. Nach Cic. Tusc. 5,113 war A. im Alter blind.

ED.: SSR III G. LIT.: K. DÖRING, Menedemos, in: GGPh 2. 1, 1997, § 18.   K.D.

[4] Tragiker, Sieg vielleicht bei den Lenäen des Jahres 351 v. Chr. (DID A 3b, 54); evtl. identisch mit dem bei Photios (bibl. 260, 486b 40) genannten A. von Tragilos, der mit seinen *Tragodúmena* eine systematische Darstellung der von den Tragikern behandelten Mythen verfaßte (FGrH Ia,12 T 2).

METTE, 183 · TrGF 81.   F.P.

[5] Sohn des Hikesios, Tragiker, Sieg bei den Sarapieia in Tanagra (DID A 7, 90–80 v. Chr.; evtl. auch erwähnt in CAT B 1, 16, ca. um 100 v. Chr.).

METTE, 53 ff. · TrGF 140.   F.P.

[6] Von Bithynien.
A. LEBEN B. ÄRZTLICHE LEHRE C. WIRKUNG

A. LEBEN
A., aus Kios in Bithynien (Prusias ad Mare), griech. Arzt in Rom; Lebensdaten unsicher (s. u.). Als angeblicher Rhet.-Lehrer (Plin. nat. 7,123–4) kam er nach Rom, wo er durch geschickte Werbung und erstaunliche Heilerfolge (Apul. florida 4,19) einen guten Ruf genoß. Bei Cic. de orat. 1,14,62, sagt L. Crassus (fiktiv im Jahre 91 v. Chr.), er habe in der Vergangenheit A.' Dienste als Freund und Arzt verschiedentlich in Anspruch genommen. A. wäre demzufolge in den 120er Jahren v. Chr. nach Rom gekommen und im J. 91 bereits (in hohem Alter) verstorben [10; 12; 13; 15; 16], womit auch erklärt wäre, warum Cicero über A. in seinen Briefen schweigt. Andererseits wäre dann Themi-son, A.' direkter Schüler, sehr früh anzusetzen, wodurch eine Lücke zwischen ihm und anderen Asklepiaden wie Antonius Musa entstünde. Alternativ könnte man Cicero [1.9; 11; 14] dahingehend interpretieren, daß Crassus sich nur auf seine eigene Behandlung bezieht und daß seine Bemerkung über die Ausdrucksweise des A. (*dicebat*) sich nicht auf die Zeit bezieht, da A. schon nicht mehr in Rom tätig war, sondern auf die Phase, als er Crassus nahestand. Dieser Chronologie zufolge dürfte er bis in die späten 70er Jahre v. Chr. gelebt haben. An seinem Einfluß auf das Rom des frühen 1. Jh. v. Chr. sowie an der Tragweite seiner Theorien besteht jedoch kein Zweifel.

B. ÄRZTLICHE LEHRE
Nach A. besteht der Körper aus unsichtbaren Partikeln, von deren uneingeschränkter und ausgewogener Bewegung durch (theoretische) Poren des Körpers Gesundheit abhänge [3; 6; 7; 8]. Krankheit war das Ergebnis eines unausgewogenen, behinderten oder gesteigerten Partikelflusses. War die Ursache der Störung erkannt, folgte daraus logischerweise die Behandlung (daher wird A. von den Doxographen in der Liste der Dogmatiker geführt). Auch ließen sich vor diesem Hintergrund Nosologie und Symptomatologie vereinfachen. A. wies humoralpathologische oder teleologische Erklärungsmodelle zurück und argumentierte, die Natur handele oftmals gefährlich. Er beschwor mechanistische Erklärungen und sprach von Partikeln, die sich dem Feineren, Wärmeren und Selteneren zugesellten, statt durch natürliche Kräfte angezogen oder abgestoßen zu werden [6; 13]. Die Erklärung der Nieren- und Blasenfunktion wird von Galen in *De facultatibus naturalibus* als mechanistisch und materialistisch kritisiert. A.' Theorien fußten in hohem Maße auf früheren hell. Denkern, vor allem auf → Erasistratos und → Herakleides von Pontos, doch war er sicherlich kein Epikureer, wie ihn Galen sieht. Er war kein Hippokratiker, schrieb jedoch Komm. (?) über die Aphorismen sowie über ›Die Chirurgie‹ und kritisierte frühere Kommentatoren wegen deren Unverständnis der hippokratischen Sprache. A.' Behandlungsmotto war »schnell, sicher und angenehm« (Cels. de med. 3,4); bei seinen Gegnern war er berüchtigt für seine großzügige Verschreibung von Wein und leichter sportlicher Betätigung. Er setzte sich beharrlich für Musiktherapie bei Geisteskrankheiten ein und hatte ein wachsames Auge auf den gesamten Heilungsprozeß und die unmittelbare Behandlung [15; 16]. Obwohl er vorsichtig im Umgang mit bestimmten starken Arzneimitteln, wie z. B. Nieswurz, war und ein bekanntes Mittel, Oxymel, nur bei Schlangenbissen einsetzte, lehnte er Arzneibehandlung keineswegs grundsätzlich ab (vgl. aber Scribonius Largus, praef. 3–4). Berühmt war er für die Einführung von fünf Basistherapien: die Regulierung der Nahrungsaufnahme und des Weinkonsums, Massagen, Bewegung und Schaukelgeräte als passive Bewegungsform für diejenigen, die keine anstrengenderen Übungen absolvieren konnten. Sein bes. Augenmerk galt dem Baden. Er empfahl verschiedene

Hydrotherapien, warnte vor der Gefahr übertriebener Kaltwasserkuren und entwickelte eine Art »Schwebebad« [9]. Die Vorliebe, seinen Patienten Wein zu verschreiben, brachte ihm den Spitznamen »Weinschenker« ein (vgl. ILLRP 799: ein zeitgenössischer Arzt aus Tralleis mit gleichem Spitznamen). Seine Gegner verurteilten ihn, weil er die Patienten verwöhne. Doch Celsus (de med. 1–3, 4, 3) berichtet, daß er auch als »Folterer« in Erscheinung trat. Caelius Aurelianus zeigt, daß er Brechmittel, Klistiere, Aderlässe (de morb. ac. 1,116–154), Punktieren gegen Wassersucht (de morb. chron. 3,127, 149) und sogar Pharyngotomie (de morb. ac. 3,34) einsetzte.

C. WIRKUNG

A.' Bed. für die Einführung griech. Medizin in Rom kann nicht nachhaltig genug unterstrichen werden. Plinius (nat. 29,6) empört sich über den Erfolg eines solchen Emporkömmlings, der die vertrauensseligen Römer mit griech. Eloquenz und phantastischen Erfindungen täusche. Galen verhält sich ambivalent, insgesamt ablehnend. Celsus zeigt sich wohlwollender, doch sind andere, vor allem Anhänger der methodischen Schule, wie Caelius Aurelianus, enthusiastischer. Anhänger des A. finden sich zweifellos in Gallien (ILS 7790) und sogar im Kleinasien des 3. oder 4.Jh. (DAWW 1970, 65). Die ganze Spätant. hindurch blieb er eine geradezu legendäre Figur. Seine Korpuskellehre, wenn sie auch von Themison beträchtlich modifiziert wurde, könnte man als die Grundlage des späteren Methodismus betrachten. A.' Theorie und Praxis standen jedoch der seiner hell. Vorgänger wesentlich näher und waren weit ausgefeilter als der Methodismus eines Thessalos von Tralleis.

→ Artorius; Antonius Musa; Dogmatiker; Medizin; Methodiker; Themison

ED.: 1 C. G. GUMPERT (Hrsg.), 1794 (Fragmente) 2 R. M. GREEN, Asclepiades. His life and writings, 1955 (engl. Übers.) 3 J. T. VALLANCE, The medical system of Asclepiades of Bithynia, ANRW II 37. 1, 1993, 711–27 (vollständige Quellenliste). LIT.: 4 A. COCCHI, Discorso primo sopra Asclepiade, 1758 5 M. WELLMANN, s. v. A., RE 2, 1632–1633; Ders., A. von Bithynien von einem herrschenden Vorurteil befreit, in: Neue Jbb. für das Klass. Alt. 1908, 684–703 6 I. M. LONIE, The anarmoi onkoi of Heraclides of Pontus, in: Phronesis 1964, 156–164 7 H. B. GOTTSCHALK, Heraclides of Pontus, 1980 8 G. HARIG, Die philos. Grundlagen des medizinischen Systems des A. von Bithynien, in: Philologus 1983, 43–60 9 J. BENEDUM, Die balnea pensilia des A. von Prusa, 1967, 93–107 10 E. D. RAWSON, The life and death of Asclepiades of Bithynia, in: CQ 1982, 358–370 11 J. PIGEAUD, Sur le Méthodisme, in: MPalerne 1982, 181–183 12 D. GOUREVITCH, Asclépiade de Bithynie dans Pline: problèmes de chronologie, in: Pline l'Ancien, témoin de son temps, 1987, 67–81 13 J. T. VALLANCE, The lost theory of Asclepiades of Bithynia, 1990 14 J. PIGEAUD, Les fondements du Méthodisme, in: P. MUDRY, J. PIGEAUD, Les écoles médicales à Rome, 1991, 42–47 15 D. GOUREVITCH, La pratique méthodique, in: P. MUDRY, J. PIGEAUD, Les écoles médicales à Rome, 1991, 50–81 16 J. T. VALLANCE,

The medical system of Asclepiades of Bithynia, in: ANRW II 37. 1, 1993, 693–727. V. N. / L. v. R.-B.

[7] A., in schol. Aristoph. Nub. 37 als Ἀλεξανδρεύς bezeichnet. Der Inhalt des Fragmentes läßt nicht so sehr an einen Komm. zu Aristophanes als vielmehr an ein Werk zur athenischen (Verfassungs-) Gesch. denken. So dürfen wir in ihm wohl den von Plutarch (Solon 1,1) und Etym. Gud. (355, 40 s. v. κύρβες) als Verf. eines Werkes über die Áxones des Solon zitierten A. erkennen (und erhalten so auch einen terminus ante quem), gegen das Didymos eine ἀντιγραφή schrieb; doch scheint es schwierig, auf dieselbe Person die Nachrichten der Suda 4173 und Steph. Byz. 475,3 über einen Ἀ. Νικαεύς (zu unterscheiden von A. von Myrlea) zu übertragen, wie JACOBY es tut. Offen bleibt dagegen die Möglichkeit, demselben A. von Alexandreia die Zitate eines A. ohne Appellativum in schol. Aristoph. Av. 368, 567, Ran. 1270, 1276, 1331, 1344 und in Hesych. κ 3309 zuzuweisen; in diesem Falle hätten wir auch Grundlagen für die Gestalt eines Aristophanesexegeten.

FGrH 339 · M. SCHMIDT, Didymi Chalc. Fragmenta, 1854, 399 · G. WENTZEL, RE 2, 1631. F. M. / T. H.

[8] Aus Myrleia, Bithynien. Griech. → Grammatiker des 2./1.Jh. v. Chr., Aufenthalte in Rom und in Spanien. Seine Werke umfassen: Traktate über die Grammatik und die Grammatiker (Περὶ γραμματικῆς, Περὶ γραμματικῶν); exegetische Schriften zu Homer, Theokrit und Aratos; Monographien über den Nestorbecher und über die Plejaden, beeinflußt von Krates von Mallos; lokale Geschichten über Bithynien und Turdetanien.

→ Aratos; Krates von Mallos; Theokritos

ED.: K. LEHRS, De A. Myrleano, in: Herodiani scripta tria emendatiora, 1848, 428–448 · FHG III 298–301 · FGrH 697 · A. B. MÜLLER, De Asclepiade Myrleano, 1903 · LIT.: A. ADLER, Die Commentare des A. von Myrlea, in: Hermes 49, 1914, 39–46 · R. BLUM, Kallimachos und die Lit.verzeichnung bei den Griechen, 1977, 19 n. 14, 22 n. 26, 266 · Entretiens XL, 98, 198, 252–291, 305 · F. MONTANARI, L'erudizione, la filologia e la grammatica, in: G. CAMBIANO et al., Lo spazio letterario della Grecia antica I 2, 1993, 277f. · PFEIFFER, KPI, 198, 203, 329f. · G. M. RISPOLI, Lo spazio del verisimile. Il racconto, la storia, il mito, 1988, 170–204 · W. J. SLATER, A. and historia, in: GRBS 13, 1972, 317–333 · G. WENTZEL, RE 2, 1628–1631. F. M. / M.-A.S.

[9] A. Pharmakion (Φαρμακίων). Griech. Autor pharmakologischer Schriften im letzten Viertel des 1.Jh. n. Chr. (in Rom?), da er → Andromachos [5] d.J. (Gal. 13,53) und → Dioskurides (Gal. 13,51) zit. und von Archigenes angeführt wird. Er war Schüler von Lucius und Lehrer eines Pharmakologen namens Moschion (Gal. 12,745; 13,528). Neben seinen Schriften über Theriak und Frauenkrankheiten (Gal. 13,441) verfaßte er 10 Bücher über Arzneimittel, die Galen als Hauptquelle seiner pharmakologischen Schriften ausführlich für Hunderte

von Rezepten zitierte. A.' Arzneibücher gliedern sich in zwei Reihen von jeweils fünf Büchern: die äußerlich anzuwendenden Mittel werden unter dem Titel *Markella* (der Name des Widmungsträgers?), die innerlich anzuwendenden unter dem Namen *M(n)ason* aufgeführt (Gal. 13,441 f.). Die sorgfältige Verzeichnung der jeweiligen Arzneinamen trug A. Galens Lob ein (13,441). Gewöhnlich macht A. Angaben zur Arzneimittelzubereitung und gibt häufig Gebrauchsanweisungen. A.' präzise Darstellung und Galens genaue Zitierweise ermöglichen zum einen den Einblick in die vielfältige Welt der praktischen Pharmakologie des 1. Jh. n. Chr., und die Kenntnisnahme von Rezepten einfacher praktischer Ärzte, von Lehrern, reisenden Händlern, auch von Laien und Frauen, schließlich von bedeutenden Vertretern der hell. und röm. Medizin. Zum anderen läßt sich die pharmakologische Tradition nachvollziehen: So stammen sämtliche Zit. des Scribonius Largus bei Galen fast ausschließlich aus den Schriften des A., der Largus nicht im lat. Original, sondern in einer griech. Übers. gelesen haben mag. Über eine Schulzugehörigkeit A.' ist nichts bekannt, da seine Bücher wohl, ähnlich denen des Scribonius Largus, lediglich Rezepte gegen bestimmte Krankheiten enthielten.
→ Pharmakologie; Galen; Scribonius Largus; Archigenes; Lucius Kathegetes

1 M. WELLMANN, s. v. A., RE 2, 1633 f. 2 H. SCHELENZ, Gesch. der Pharmazie, 1904, 163 f. 3 C. FABRICIUS, Galens Exzerpte, 1972, 192–198, 247–253.   V. N. / L. v. R.-B.

Asklepiodoros. Griech. Maler aus Athen, mittleres 4. Jh. v. Chr., von Plut. als wichtiger Vertreter der att. Malschule gerühmt (mor. 345 f–346a). Nach Plin. nat. 35,80 bewunderten die Kollegen die bes. Stärke in der ausgewogenen Komposition seiner Bilder, erreicht mit der räumlich proportionierten Anordnung der Motive in der Fläche zur Erzeugung von Raumperspektive. Über einen vielleicht mit Hilfe von Rastern konstruierten Bildaufbau verfaßte A. eine theoretische Schrift. Der hohe Preis für sein einziges überliefertes Bild, die Versammlung der 12 Götter, einem Auftrag von Mnason, dem Tyrannen von Elateia, mag neben dem Prestigegewinn für den Auftraggeber auch in der ausgeklügelten Komposition begründet gewesen sein.

G. BRÖKER, s. v. A. Nr. 2, AKL 5, 424 · N. HOESCH, Bilder apulischer Vasen und ihr Zeugniswert für die Entwicklung der griech. Malerei, 1992, 45–50 · OVERBECK, Nr. 1954–1956 (Quellen) · A. ROUVERET, Histoire et imaginaire de da peinture ancienne, 1989, 285.   N. H.

Asklepiodotos (Ἀσκληπιόδοτος).
[1] Nach 305 v. Chr. ptolemaischer Gouverneur (?) Kariens.

R. BAGNALL, The administration of the Ptolemaic posessions outside Egypt, 1976, 90 f.   W. A.

[2] Verf. einer militärtheoretischen Schrift in 12 Kapiteln (Ἀσκληπιοδότου φιλοσόφου τακτικὰ κεφάλαια; tradiert im cod. Laur. LV–4 (F) und 11 weiteren, davon abhängigen Hss.) und wird mit einem von Seneca erwähnten Hörer des Poseidonios identifiziert (Sen. nat. 2,26,6; 30,1; 5,15,1; 6,17,3; 22,2). Das Werk wäre demnach in das 1. Jh. v. Chr. zu datieren. Sein Verhältnis zur bei Ailianos 1,2 erwähnten verlorenen Abhandlung des Poseidonios über die Taktik ist nicht zu klären. Die Erwähnung der im 1. Jh. v. Chr. nicht mehr gebräuchlichen Streitwagen und Elefanten (Ἀσκληπιοδότου φιλοσόφου τακτικὰ κεφάλαια 8; 9) deutet freilich darauf hin, daß hell. Armeen als Vorbilder dienten bzw. eine entsprechende Vorlage zugrundelag. Das Werk ist theoretisch ausgerichtet und hatte kaum praktischen Nutzen. Es stellt stark schematisierend die Phalanx, ihre Untergliederungen und Aufstellung dar, behandelt daneben aber noch andere Truppengattungen wie die Peltasten und die Reiterei. Stilistisch und inhaltlich karg, ohne Beispiele und histor. Bezüge, ist die Schrift interessant für unsere Kenntnis der mil. Terminologie in hell. Zeit.

1 W. OLDFATHER, 1928, Ndr. 1986 2 L. POZNANSKI, Asclépiodote, Traité de tactique (éd. et trad.), 1992.   L. B.

[3] Neuplatonischer Philosoph, geb. in Alexandreia (Suda I, p. 383 ADLER; Zacharias, Vita Severi p. 16 f. KUGENER), Schüler des → Proklos (gest. 485 n. Chr.) in Athen. Proklos widmete ihm als ›seinem liebsten Freund‹ seinen Parmenides-Komm., und Simplikios (In Phys., p. 795,13 f. DIELS) bezeichnete ihn als den besten Schüler des Proklos. Ein weniger günstiges Bild von A. entwirft Damaskios in seiner *Vita Isidori*: Er habe sich mehr für Naturwiss., Medizin und Musik interessiert als für metaphysische Probleme, was in den Augen eines Platonikers einen Mangel darstellt. Olympiodoros dagegen (In Meteor., p. 321,26–29 STÜWE) erwähnt einen Timaios-Komm. des »großen Philosophen«. A. wirkte eine zeitlang in Aphrodisias (Suda I, p. 383 ADLER), bevor er nach Alexandreia zurückkehrte. Von A. sind keine Schriften erhalten. Über teilweise mögliche Verwechslung mit seinem Schwiegervater Asklepios vgl. [1].

1 R. GOULET, Asclépiodote d'Alexandrie, in: GOULET, 1989, 626–631.   P. HA.

Asklepios I. RELIGION II. IKONOGRAPHIE

I. RELIGION
A. MYTHOLOGIE B. GESCHICHTE C. KULT

A. MYTHOLOGIE
Wichtigster griech. Heilheros, Sohn Apollons und einer Sterblichen, in der kult. Realität bald zum Gott geworden, in Rom als Aesculapius verehrt. Der griech. Name entzieht sich einer etym. Deutung.
Die geläufige Form des Mythos, die nicht sicher aus den hesiodeischen ›Katalogen‹ stammt [1; 2], macht A.

zum Sohn Apollons und der Koronis, der Tochter des Thessalers Phlegyas; Hesiod nennt demgegenüber die Mutter → Arsinoe, Tochter des Leukippos, Enkelin des messenischen Urkönigs Perieres (fr. 50). Während der Schwangerschaft heiratete sie den sterblichen Ischys; der erzürnte Gott erschießt sie, rettet das Kind vom Scheiterhaufen und läßt es beim Kentauren Cheiron aufziehen; den Raben, der den Treubruch anzeigte, macht er schwarz (Hes. fr. 60). A. wird zum »tadellosen Arzt« (seit Hom. Il. 4,194), dessen Söhne Machaon und Podaleirios vor Troia das Kontingent aus Trikka, Ithome und Oichalia (Südwest-Thessalien) anführen (Hom. Il. 2,729–733). Doch als er Sterbliche wiederbelebt (Listen bei Hyg. fab. 49; Apollod. 3,121; schol. Pind. P. 3,96), erschlägt ihn Zeus mit dem Blitz. Aus Zorn tötet Apollon dann die Kyklopen, die den Blitz verfertigten (nach Pherekydes FGrH 3 F 35 ihre Söhne); Zeus will Apollon zur Strafe in den Tartaros verbannen, verdingt ihn dann aber statt dessen auf Bitten Letos für zehn Jahre an Admetos von Pherai (Hes. fr. 51; 52; 54b,c). Dabei verweist die Schilderung des Pausanias (2,26,7; 4,31,10f.) die Mutter Arsinoe nach Messenien, wohin schon Perieres gehört (Apollod. 1,87; 3,117f.), doch die Umrisse des Mythos bleiben unscharf. Eine weitere Mythenversion aus dem epidaurischen Heiligtum variiert den thessal. Mythos (Paus. 2,26,3–6): Phlegyas habe mit der bereits von Apollon schwangeren Koronis die Peloponnes besucht, Koronis habe ihr Kind im späteren Epidauros geboren und ausgesetzt; im Wald sei es von einer Ziege genährt und einem Schäferhund bewacht worden, bis der Hirte Arethanas es gefunden und aufgezogen habe. Daß die Ansprüche von Epidauros als Nachfolger des thessal. Kultes mit denen Messeniens konkurrierten, zeigt das durch Pausanias (2,26,7) überlieferte delph. Orakel [3].

B. GESCHICHTE

Die Frühgesch. des A.-Kultes ist unsicher. Obsolet ist die Diskussion, ob A. als Heros oder als reale Person zu betrachten sei [4]: Der Mythos macht ihn zum Heroen. Heroen sind gewöhnlich ortsgebunden; die schon in archa. Zeit belegte Bindung an zwei Orte ist ungewöhnlich. Für das thessal. Trikka bezeugt der epidaurische Hymnos des Isyllos (Z. 30) aus der Zeit um 300 v. Chr. den Kult in einem Adyton, für Messene führen die Grabungen im eindrücklichen, formal eigentümlichen Asklepios-Bezirk nicht in vorhell. Zeit. Das von Paus. 4,31,11f. beschriebene Gemälde des Omphalion stammt vom Ende des 4.Jh. Ins 8.Jh. führt die Kultbezeugung allein im arkadischen Gortys, ohne aber direkt A. zu belegen (A.-Bild des Skopas, Paus. 8,28,1) [5; 6]; in Titane bei Sikyon sind hochaltertümliche Kultbilder und das eigentümliche Haaropfer an Hygieia belegt (Paus. 2,11,6). Die Expansion des Kultes ist seit dem 5.Jh. zu fassen und geht von → Epidauros aus. Hier hatte sich an das Heiligtum des Apollon Maleatas auf dem Berg Kynortion, wo bereits im mittleren 2.Jt. Kult stattfand, der sich aber nicht kontinuierlich in das 1.Jt. fortsetzte, in spätarcha. Zeit am Hügelfuß derjenige des A.

angeschlossen [7; 8]. Im 5.Jh. wurden vom epidaurischen Kult Niederlassungen in Sikyon (Paus. 2,10,3), Korinth (Anschluß an einen Apollon-Bezirk), Aigina (Aristoph. Vesp. 122f.) und vor allem Athen geschaffen. Hierher kam der Gott im J. 421/20 zu Schiff und bezog ein erstes Heiligtum an der Ostseite des Zea-Hafens, bevor ihn ein gewisser Telemachos etwa ein Jahr später in einem Wagen in sein zweites Heiligtum am Akropolishang über dem Dionysostheater einführte [9; 10]. Es heißt auch, daß Sophokles den Gott erst in sein Haus aufnahm, weswegen er später als Heros *Dexíōn* (»Empfänger«) verehrt wurde (Etym. Mag. s. v. Dexion); Reste eines Paians des Sophokles auf A. sind erhalten (IG II² 4510). Im Verlauf des 4.Jh. wurden weitere Filialen gegründet, etwa in Erythrai (Paian aus 380/360, I. Ery. 205) [11], in Kos – vielleicht im schon bestehenden Hain eines Apollon Kyparissios (Zypressen auch in Sikyon, Paus. 2,11,6) [12] – oder in Pergamon [13]. Eine Pest des Jahres 293 brachte A. aus Epidauros nach Rom (u. a. Ov. met. 15,622–744). Dabei war er in It. schon früher bekannt: Eine griech. Dedikation an *Aischlapios* (die epidaurische Form, die mit Anaptyxe zur lat. Form *Aesculapius* führt [14]) aus dem späten 5.Jh. stammt aus Etrurien (IGA 549); der Bezirk der latinischen Kolonie Fregellae ist allerdings im 3.Jh. entstanden. Daran schließt sich eine Expansion in den ganzen Mittelmeerraum an, von Gallien (wo der Heiler Apollo, der indigene Gottheiten überlagerte, eine ernste Konkurrenz blieb [15]) bis in den Orient, wo A. mit indigenen Gottheiten (Eschmun, Imouthes, vgl. POxy 1381) gleichgesetzt wurde; bes. Ruhm erwarb sich in der Kaiserzeit das Heiligtum im kilikischen Aigai [16].

An manchen Orten sind ausführliche Einführungsberichte in fester Typologie bekannt [17]: A. kommt in der Gestalt seiner Schlange zu Schiff (Epidauros Limera: Paus. 3,23,6f., Rom) oder zu Wagen (Sikyon), eingeführt von einem geheilten Verehrer (Athen, Sikyon, Pergamon); gelegentlich sucht sich die Schlange ihren genauen Ort selber (Epidauros Limera, Rom). Dahinter steht die Propaganda des Kultes, wie sie sich auch in den aus verschiedenen Orten (Epidauros, Pergamon, Lebena auf Kreta, Rom) inschr. erh. Wunderberichten spiegelt. Bes. umfangreich sind die epidaurischen Berichte, zwei Stelen als Rest der sechs, die noch Paus. (2,27,3) gesehen hatte [18; 19; 20].

Der Aufstieg dieses Heilheros ist Folge des gewandelten rel. Bedürfnisses der Einzelnen, für welche die Polis-Religion keine Hilfe geben konnte. Eindrücklichstes Dokument sind die Tagebücher (*hieroí lógoi*) des → Aristeides aus Smyrna [21; 22]; persönliche Hingabe an A. wird noch von Proklos, dem letzten Schulhaupt der Akademie, berichtet (Marinus, Vita Procli 30, vgl. 32). Im Gefolge der stetig wachsenden Verehrung wurde aus dem Heros früh ein Gott: Schon die Ikonographie des bärtigen Heilers nähert ihn Zeus an, und in der Kaiserzeit ist Zeus A. in Epidauros, Pergamon, Lebena belegt [23]. Entsprechend rückt Apollon, mit dem A. viele Heiligtümer teilt, in den Hintergrund. An A. wird sogar das Haaropfer der Epheben gerichtet (Paros IG XII 5,169. 173/5; Pergamon: Stat. silv. 3,4), ohne daß in den offiziellen Dokumenten die Priorität Apollons aufgegeben wird. Diese Beliebtheit trug dazu bei, daß A. dem Christentum nur langsam wich: Um die Zerstörung des Tempels von Aigai kümmert sich 326 Konstantin persönlich (Eus. Vita Constantini 3,56; Soz. hist. eccl.2,4 f.), im athenischen Asklepieion wurde noch 484 Inkubation geübt (Damask. Vita Isidori fr. 218 ZINT-ZEN). An einigen Orten wurden die Asklepieia einem christl. Heiligen übergeben, etwa an Hagios Demetrios in Thessalonike oder S. Bartolomeo auf der Tiberinsel in Rom, wo der Brunnen noch im 12.Jh. als gesundbringend galt [24].

Zur Betonung des Individuellen gehört, daß A. von seiner ganzen Familie umgeben ist; dies kann als Reflexion des sozialen Ideals seiner Verehrer gedeutet werden. An allen Kultorten wird er zusammen mit seiner Frau → Hygieia verehrt; die Verbindung ist seit Mitte des 5.Jh. v.Chr. durch die Dedikationen des Mikythos von Rhegion in Olympia gesichert (Paus. 5,26,2; datiert durch Diod. 11,48 nach 467). A.' Söhne → Machaon und → Podaleirios, die schon die Ilias nennt, werden unabhängig ebenso wie in den Asklepieia verehrt; nur hier sind die Töchter → Akeso, → Iatros und Panakeia (»Heilung«, »Verarztung«, »Allesheilung«) belegt.

C. KULT

Der Kult des A. hebt sich von anderen Kulten u.a. durch eine einheitliche Erscheinungsform seiner Heiligtümer und der zugrundeliegenden Kultpraktiken ab. Unspezifisch ist die Bed. des blutigen Normalopfers als Haupfritual der A.-Verehrung, spezifisch ist bloß, daß an den meisten Kultorten die Ziege verboten ist [25; 26]: Für dieses wenigstens im bergigen Epidauros unpraktische Verbot, das durch den Mythos von der Ziege, die das A.-Kind ernährt, begründet wird, ist der Unterschied zu Apollon ausschlaggebend, dem die Ziege ausdrücklich geopfert wird. Fast immer gehört zum Heiligtum auch ein Tempel mit Kultbild, das durch eine Schranke vor den Besuchern geschützt wird [27]. Zum Heiligtum gehören auch die hl. Tiere, Schlangen und

Hunde, letztere durch den epidaurischen Mythos gerechtfertigt. Asklepieia liegen zumeist außerhalb der Siedlungen, gelegentlich an Fluß- oder Meeresufern; ant. Aussagen begründen dies mit praktischen und rel. Erwägungen (Vitr. 1,2,7; Plut. qu. R. 94,286d). Spezifisch mit der Heilung verbunden sind Wasseranlagen und Inkubationsraum (enkoimētḗrion). Wasser spielt im Heilkult eine große Rolle, alle Asklepieia verfügen über eine Süßwasserquelle, auch solche, die am Meer liegen [28]. Zentraler Heilritus ist der Heilschlaf (→ Inkubation), bei dem A. und seine Helfer im Traum erscheinen, Wunderkuren vollbringen oder Rezepte mitteilen; dafür steht das enkoimētḗrion zur Verfügung, ein meist hallenartiger Bau, in den direkte Einsicht nicht möglich ist. In Pergamon, wo ein Gesetz Einzelheiten mitteilt [29], bringt man erst am Tag ein Voropfer dar und wirft das Heilgeld in den Thesauros; vor dem abendlichen Betreten des Inkubationsraums opfert man Kuchen, außerhalb des Raumes u.a. an Mnemosyne, die hilft, sich an den Traum zu erinnern, drinnen an Themis, die die Rechtlichkeit des Traumes gewährleistet [30]. Man muß sich von Sexualverkehr, Ziegenfleisch und Ziegenkäse ferngehalten haben. Drinnen legt man den Ölkranz, den man im Heiligtum trägt, ab und legt sich auf eine stibás, ein Zweiglager. Diese Ritualstruktur führt den Einzelnen in zwei Schritten erst in den sakralen Raum des draußen liegenden Heiligtums, dann in den noch stärker sakralisierten des Inkubationsraums, welcher dem Kontakt mit der Gottheit vorbehalten ist.

→ Hygieia

1 U. v. WILAMOWITZ, Isyllos von Epidauros, 1886, 57–77 2 M.L.WEST, The Hesiodic Catalogue of Women, 1985, 69–72 3 J.FONTENROSE, The Delphic Oracle, 1978, 342, Q 226 4 FARNELL, GHC 234–45 5 M.JOST, Sanctuaires et cultes d'Arcadie, in: Étud. Pélop. 9, 1985, 202–10 6 M.E.VOYATZIS, The Early Sanctuary of Athena Alea at Tegea and Other Archaic Sanctuaries in Arcadia, 1990, 35–37 7 V.K.LAMBRINOUDAKIS, in: Praktika 1975, 162–175 bis, 1992, 44–52 8 Ders., in: Archaiognosia 1, 1980, 39–63 9 L.BESCHI, Il monumento di Telemachos, fondatore dell'Asklepieion ateniese, in: AnnSAAt 29/30, 1967/68, 381–436 10 R.GARLAND, Introducing New Gods, 1992, 116–35 11 L.KÄPPEL, Paian. Stud. einer Gesch. einer Gattung, 1992 12 S.SHERWIN-WHITE, Ancient Cos, 1978, 334–339 13 E.OHLEMUTZ, Die Kulte und Heiligtümer der Götter in Pergamon, 1940, 123–125 14 LEUMANN-HOFMANN, 69, 102 15 A.ROUSSELLE, Croire et guérir. La foi en Gaule dans l'antiquité tardive, 1990, 183 16 F.GRAF, Maximos von Aigai, in: JbAC 27/28, 1984/1985, 65–73 17 E.SCHMIDT, Kultübertragungen, RGVV VIII/2, 1909 18 M.GUARDUCCI, in: Epigrafia Greca 4, 1978, 143–66 19 R.HERZOG, Die Wunderheilungen von Epidauros, in: Philologus Suppl. 22/3, 1931 20 H.MÜLLER, Ein Heilungsbericht aus dem Asklepieion von Pergamon, in: Chiron 17, 1987, 193–233 21 E.R.DODDS, Pagans and Christians in an Age of Anxiety, 1965, 39–45 22 H.O.SCHRÖDER, Publius Aelius Aristides. Hl. Ber., 1986 23 H.SCHWABL, RE 10 A, 280f. 24 M.BESNIER, L'île tibérine dans l'antiquité, 1902, 200f. 25 M.H.JAMESON, Sacrifice and animal husbandry in classical Greece, in:

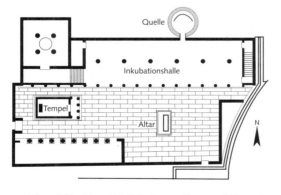

Athen, Asklepieion, östl. Seite des von TRAVLOS als Doppelheiligtum rekonstruierten Asklepieions. 4.Jh. v.Chr.

C. R. Whittaker (Hrsg.), Pastoral economics in classical antiquity, MDNM 1988, 176 **26** C. Habicht, M. Wörrle, Altertümer von Pergamon VIII.3. Die Inschr. des Asklepieions, 1969, 179 Anm. 57 **27** Graf, 63 **28** V. Boudon, Le rôle de l'eau dans les préscriptions médicales d'Asclépios chez Gallen et Aelius Aristide, in: L'eau, la santé et la maladie dans le monde grec, in: BCH Suppl. 28, 1994, 157–168 **29** Wie Anm. 26, Nr. 161 **30** C. Marinella, Themis. La norma e l'oracolo nella Grecia antica, 1988, 107.

C. Benedum, Asklepiosmythos und arch. Befund, in: Medizin. histor. Journal 22, 1987, 48–61 · A. Comella, Riflessi del culto di Asclepio sulla religiosità popolare etrusco laziale e campana di epoca medio e tardo repubblicana, in: Atti Fac. Lett. Perugia 6. 1, 1982/83, 215–244 · L. Deubner, De incubatione capita quattuor, 1900 · Edelstein, Asclepius · F. Graf, Heiligtum und Ritual. Das Beispiel der griech.-röm. Asklepieia, in: O. Reverdin, B. Grange (Hrsg.), Le sanctuaire grec. Entretiens sur l'Antiquité 37, 1992, 159–199 · G. Lorentz, Apollon, A., Hygieia. Drei Typen von Heilgöttern aus der Sicht der vergleichenden Religionsgesch., in: Saeculum 39, 1988, 1–11 · G. Solimano, Asclepio. Le aree del mito, 1976.

Kultorte:
G. Welter, Aigina, 1938, 121 · P. Roesch, Le sanctuaire d'A. Alipheira en Arcadie, in: BSABR 3, 1985, 22–32 · S. B. Aleshire, The Athenian Asklepieion, 1989 · R. A. Tomlinson, Epidauros, 1983 · F. Coarelli (Hrsg.), Fregellae 2. Il santuario di Esculapio, 1986 · Ders., I santuari del Lazio in età repubblicana, 1987, 24–33 · C. Roebuck, The Asklepieion and Lerna, Corinth XIV, 1951 · M. Lang, Cure and cult in ancient Corinth, 1977 · R. Herzog, Kos. Ergebnisse der dt. Ausgrabungen und Forsch. 1, 1932 · L. Pernier, L. Banti, Guida degli scavi italiani di Creta, 1947, 68–75 · A. K. Orlandos, Νεότεραι ἔρευναὶ ἐν Μεσσήνηι (1957–1973), in: U. Jantzen (Hrsg.), Neue Forsch. in griech. Heiligtümern, 1976, 9–38 · O. Rubensohn, Paros III. Das Asklepieion, in: MDAI (A) 27, 1902, 199–238 · P. Roesch, Le culte d'Asclépios à Rome, in: G. Sabbah (Hrsg.), Médicins et médicine dans l'antiquité, 1982, 171–179.   F. G.

II. Ikonographie
Darstellungen des A. setzen in der griech. Götter- und Heroen-Ikonographie erst mit der zunehmenden Verbreitung des A.-Kultes am Ende des 5. Jh. v. Chr. ein. Zahlreiche att. Weihreliefs dieser Zeit zeigen A. – oft in Begleitung Hygieias – in Adorationsszenen und bei Krankenheilungen. Überlieferungen auf Münzen aus Epidauros, Trikka, Pergamon geben, ähnlich den Weihreliefs, die statuarischen Typen wieder; schwierig bleibt aber die Rekonstruktion der vielfach variierten Prototypen. Grundsätzlich sind zwei Darstellungsschemata zu unterscheiden: A. als thronender Gott – ein Typus, der auf ein Kultbild des → Thrasymedes in Epidauros (um 370 v. Chr.) zurückgeführt wird – und der stehende, auf seinen Schlangenstab gestützte A., der weitaus häufiger verwendete und in vielen Varianten bekannte Typus: vgl. die umfangreiche Gruppe des A. Giustini (um 380 v. Chr., mit den davon abhängigen

Typen Athen-Macerata, um 330 v. Chr., London-Eleusis, Mitte 4. Jh. v. Chr., und Amelung, wohl 2. Jh. v. Chr.) und den ebenfalls weit verbreiteten Typus Este (4. Jh. v. Chr.). Mit letzterem wird der originale Kolossalkopf »Blacas« aus Melos in Verbindung gebracht, für den jüngst eine Datierung in den Späthellenismus um 80/70 v. Chr. vorgeschlagen wurde. Auf welchen Typus der pergamenische A. des → Phyromachos zurückzuführen ist, konnte bislang nicht geklärt werden. Charakteristisch für die A.-Ikonographie sind langes, gelocktes Haar (häufig mit Kranz oder Binde), Bart (neben nur wenigen Überlieferungen eines jugendlichen, bartlosen A.) und beim stehenden Typus ein bis in die Achsel gezogener, die Brust und eine Schulter freilassender Mantel.

B. Andreae u. a., Phyromachos-Probleme, in: MDAI(R) Ergh. 31, 1990 · E. Berger, Ant. Kunstwerke aus der Slg. Ludwig III – Skulpturen, 1990, 183–210 · A. Borbein, Zum »A. Blacas«, in: Kanon. FS E. Berger, 1988, 211–217 · B. Fehr, Die »gute« und die »schlechte« Ehefrau, in: Hephaistos 4, 1982, 37–65 · B. Holtzmann, s. v. A., LIMC 2, 863, 863–897 (mit älterer Lit.) · P. Kranz, Bemerkungen zum »Bonner A.-Pinax«, in: FS N. Himmelmann, 1989, 289–295 · Ders., Die A.-Statue im Schloßpark Klein-Glienicke, in: JDAI 104, 1989, 107–155 · M. Meyer, Erfindung und Wirkung. Zum A. Giustini, in: MDAI (A) 103, 1988, 119–159 · Dies., Zwei A.-Typen des 4. Jh., in: AntPl 23, 1994, 7–55 · V. Uhlmann, Wandel einer Göttergestalt, in: Hefte des Arch. Inst. Bern 8, 1982, 27–37.
A. L.

Askoliasmos (Ἀσκωλιασμός). »Hüpfen auf einem Bein« (Plat. symp. 190d mit schol.; Aristoph. Plut. 1129 u. a.), auch »Schlauchhüpfen«. Von Eratosthenes (fr. 22) und Didymos (schol. in Aristoph. ebd.) bei att. Kelterfesten als Tanzen auf einem Schlauch aus Schweins- oder Ziegenfell erwähnt, der mit Luft oder mit Wein gefüllt und – wie Poll. 9,121 schreibt – mit Öl eingerieben war, um das Stehen zu erschweren. Das mitunter erwähnte Fest Askolia ist eine Erfindung der Grammatiker. Eubolos (fr. 8) erwähnt den *a.* auch als att. Volksbelustigung. Nach Verg. georg. 2,382–384 war der *a.* auch bei röm. Winzerfesten üblich. Der Schlauchtanz wurde nur selten in der ant. Kunst (Satyrszenen) dargestellt.

Deubner 117f., 135 · K. Latte, ΑΣΚΩΛΙΑΣΜΟΣ, in: Hermes 85, 1957, 385–391 · M. Kunze, W. D. Heilmeyer u. a., Die Antikensammlung im Pergamon-Museum, 1992, 226f., Nr.115.   R. H.

Askos (ἀσκός).
[1] Weinschlauch aus Leder.
[2] Archäologische Sammelbezeichnung geschlossener Gefäße mit Bügelhenkel und Tülle (→ Gefäßformen). Größere »Sackkannen« schon in der Bronzezeit; A. in Vogel- und Entengestalt vorwiegend im 8. Jh. v. Chr., auch in Etrurien verbreitet. Tragösen weisen auf Feldflaschen, bildliche Darstellungen auf Trinkgefäße.

Speiseöl enthielten vermutlich die kleinen, schwarz ge-
firnisten oder rf. verzierten A. des 5.–4. Jh. v. Chr. in
Schlauch-, Linsen- oder Ringform. Unterital. A. des
4.–3. Jh. v. Chr. zeigen Reliefdekor. Funktional dem A.
vergleichbar ist der »Guttus«, ein Träufelkännchen mit
langer Tülle und Ringhenkel.
→ Gefäßformen

    H. Hoffmann, Sexual and Asexual Pursuit, 1977 ·
    L. Massei, Gli Askoi di Spina, 1978 · J. Boardman, Askoi,
    in: Hephaistos 3, 1981, 23–25 · F. Gilotta, Ancora sull'uso
    dei gutti, in: AION 9, 1987, 221–224 · P. Misch, Die Askoi
    der Bronzezeit, 1992.   I. S.

Askra (Ἄσκρα). Boiot. Ort am nordöstl. Fuß des Helikon im Musental, Heimat des → Hesiodos. Die Akropolis befindet sich auf der Anhöhe Pyrgaki (→ Ke-
ressos), an die sich ein in das fruchtbare Tal reichendes
20 ha großes Siedlungsgebiet anschließt (h. Episkopi).
Polit. rechnete A. als → Kome zum 7 km nordwestl.
gelegenen Thespeia, von dem es im 7. oder im 4. Jh.
v. Chr. zerstört wurde. A. war bis in das 1. Jh. v. Chr.
besiedelt. Paus. 9,29,1–2 erwähnt nur den »Turm von
A.«. Die Wiederbesiedlung beginnt im 4. Jh. n. Chr.
(Hes. erg. 639–40; Plut. mor. fr. 82; Strab. 9,2,25. IG VII
1883).

    Fossey, 142–145 · A. Snodgrass, The Site of Askra, in:
    La Béotie antique, 1985, 87–95.   K. F.

Asmonius (*Apthonius* die communis opinio, s. aber
Prisc. gramm. 3,420,1–7 und GL 6,80,30–81,3; [3. 62–
68]). Aelius Festus A., lat. Gramm. des 4. Jh. n. Chr.,
Verf. einer verlorenen, Constantius II. gewidmeten
Gramm. (Prisc. gramm. 2,516,15–16) und einer umfangreichen Metr. in 4 B., die bereits in der Spätant. zu
Beginn verstümmelt und mit dem Anfang der Gramm.
des → Marius Victorinus vereinigt worden ist (vgl. aber
GL 6,173,32); auch die Ergänzungen zur Horazmetrik
und zu metr. Definitionen (174–184) dürften A. gehören. Seine Lehre kombiniert die u. a. über → Terentia-
nus (und Thacomestus?) vermittelte Derivationstheorie
des → Caesius Bassus mit den alexandrinischen Prototypen (→ Iuba). Die Überlieferung beruht bes. auf drei
karolingischen Hss., denen ein spätant. Archetyp vor-
ausliegt.

    Ed.: GL 6,31–184, 345.
    Lit.: 1 P. L. Schmidt, HLL § 5 / 25.1 2 I. Mariotti, Marius
    Victorinus, Ars grammatica, 1967, 47–50 3 P. Hadot,
    Marius Victorinus, 1971 4 G. Morelli, Ricerche sulla
    tradizione grammaticale latina, 1970 5 Ders., Per una nuova
    ed. del »De metris« di Aftonio, in: BollClass 11, 1990,
    185–203.   P. L. S.

Aśoka (Aschoka). Maurya-Kaiser Indiens (269/268–
233/232 v. Chr.), auch Piyadassi / Priyadarōsi (griech.
Πιοδάσσης) genannt. Berühmt durch seine Edikte, von
denen man viele Exemplare, in mittelindischen Dial.
geschrieben, in vielen Teilen Südasiens gefunden hat,
im Nordwesten (h. Afghanistan) auch mehrere Frag-

mente auf Aram., sowie eine aram.-griech. Bilingue [3]
und ein griech. Fragment [4] in Kandahar. Die Edikte
vermitteln ein lebendiges Bild von A.s Reich und dessen
Verwaltung, auch seine engen Beziehungen zu den hell.
Reichen sind genannt [1; 2].

    1 G. Pugliese Carratelli et al., Ser. Orientale Roma 29,
    1964 (engl.) 2 D. Schlumberger, in: JA 246, 1958, 1–48
    3 É. Benveniste, A. Dupont-Sommer, in: JA 254, 1966,
    437–465 4 R. Thapar, Aśoka and the Decline of the
    Mauryas, 1963.   K. K.

Asopodoros. Jambograph aus Phleius, 4. oder 3. Jh.
v. Chr. Athenaios kennt οἱ καταλογάδην ἴαμβοι (Prosa
gemischt mit Versen?), die sich durch zusammengesetzte
Nomina auszeichnen (445b), und eine Dichtung über
Eros (639a), wovon er aber kein Fragment, sondern nur
eine Anekdote (631f.) überliefert.   E. BO. / L. S.

Asopos (Ἀσωπός).
[1] Kleiner, nordwärts aus dem → Oite-Gebirge aus-
tretender Fluß. Vor dem Eintritt in die Ebene mit Her-
akleia und Trachis bildet er eine tiefe, nur im Sommer
begehbare Schlucht (ca. 2,5 km lang, bis 200 m tief, zu
Beginn 6, am Ausgang ca. 30 m breit). Zur Zeit der
Perserkriege hatte der A. noch eine eigene Mündung ins
Meer (Hdt. 7,200), h. fließt er als Karvunarja in den
→ Spercheios. 480 v. Chr. umgingen die Perser in
[2. 194f., 203, 208] oder eher am rechten Ufer der A.-
Schlucht [1. 38–41] auf einem noch h. existierenden
Maultierpfad die → Thermopylai. In byz. Zeit war die
Schlucht in das Befestigungssystem des Oite-Gebietes
einbezogen.

    1 Y. Béquignon, La vallée du Spercheios, 1937
    2 F. Stählin, Das hellenische Thessalien, 1924.

    J. Koder, F. Hild, Hellas und Thessalien (TIB 1), 1976, 126.
                                              HE. KR.

[2] Hauptfluß Südboiotiens, dessen Quelle ca. 3 km von
→ Leuktra und ca. 2 km nördl. vom h. Kaparelli ent-
springt. Sein Oberlauf bildete in der Ant. die Grenze
zw. → Plataiai und → Thebai. Er fließt von Westen nach
Osten durch die ostboiot. Beckenlandschaften von
Thebai und → Tanagra und mündet westl. vom h. Skala
Oropu in den südeuboiischen Golf (Hom. Il. 4,383;
Hdt. 6,108,5f.; Thuk. 2,5,2; Strab. 9,2,24; Paus. 9,4,4).

    D. Müller, Top. Bildkomm. zu den Historien Herodots,
    1987, 455f. · E. Oberhummer, s. v. A. 2, RE 2, 1705f. ·
    Philippson / Kirsten, 1, 319, 500f., 503, 506, 512, 514,
    516f., 544, 667, 974 · TIB 1, 126.   P. F.

[3] Entspringt in der Megalovunia, fließt durch das Gebiet von → Phleius und → Sikyon und mündet in den
Korinthischen Golf – ein Fluß von ca. 80 km Länge mit
engem, steilwandigem Tal im Unterlauf (Asopia): Strab.
8,6,24; Paus. 2,5,2. Die Vermutung, daß der A. eine
Fortsetzung des phrygischen → Maiandros sei, überliefert Ibykos fr. 41 Page.

    Philippson / Kirsten 3, 1, 35, 160ff.   C. L. / E. O.

[4] Spartanische Perioikenstadt an der Westseite der → Parnon-Halbinsel (Strab. 8,5,2). Lage in Meeresnähe bei → Kyparissia, ca. 10 km von → Akraia entfernt (Paus. 3,22,9–10). Die Identifikation mit Plitra an der Bucht von Xyli ist durch Widmungsinschr. gesichert. (IG V 1, 968–974). Münzen: HN, 433. Ant. Reste: BCH 80, 1957, 550; BCH 104, 1980, 607; BCH 107, 1983, 762.

E. KOURINOU, Y. PIKOULAS, An inscription from A. in Lakonia, in: Horos 7, 1989, 125–127 • A. J. B. WACE, South-Eastern Laconia, in: ABSA 14, 1907/1908, 163f.

Y. L.

Aspalathos bezeichnete vor allem die in den mediterranen Macchien verbreiteten Stechginster *Calycotome villosa* (ngr. σπάλαθος, σπαλαθιά) und *C. spinosa* (it. sparzio spinoso), daneben aber auch dornige Ginster-Arten (z. B. *Genetha acanthoclados*, ngr. ἀφάνα) und *aspalathoides* und sogar → Akazien oder die zu anderen Familien gehörenden Rosenhölzer (*Lignum rosae, L. thuris*). Bei Plat. rep. 10,616a geißeln damit im Tartaros die Erinnyen Tyrannen, bei Theokr. 24,89 werden mit ihm und anderen Dornsträuchern von Herakles erlegte Schlangen verbrannt. Nach Dioskurides 1,20 ([1. 1. 26f.] = 1,19 [2. 48f.] = Plin. nat. 24,112f.) hat er wärmende und adstringierende Kraft und heilt u. a. Geschwüre. Seine Wurzel dient der Salbenherstellung (vgl. Plin. nat. 12,110; dort Lokalisierung in Ägypten).

1 M. WELLMANN (Hrsg.), Pedanii Dioscuridis de materia medica Bd. 1, 1907, Ndr. 1958 2 J. BERENDES (Hrsg.), Des Pedanios Dioskurides Arzneimittellehre übers. und mit Erl. versehen, 1902, Ndr. 1970.

P. WAGLER, s. v. A., RE 2, 1710f.   C. HÜ.

Aspar s. Ardabur

Asparagos. Von den etwa 100 in den wärmeren Ländern der Alten Welt wachsenden Arten der Liliaceengattung *Asparagus* werden mehrere mediterrane Wildarten wie *A. tenuifolius, acutifolius* [1. 85–88 und Abb. 158: heiliges, der Aphrodite geweihtes dorniges Kranzgewächs, von Theophr. h. plant. 6,4,2 als ἀσφάραγος beschrieben) und *aphyllus* von vorgesch. Zeit bis heute jung als Wildgemüse gesammelt und gegessen. Dioskurides 2,125 [2. 1. 197 f.] = 2,151 [3. 220f.] = Plin. nat. 20,108–111 empfiehlt den Felsenspargel u. a. als harntreibend. Unter Berufung auf Cato agr. 6,3–4 und 161,1–4 beschreiben Plin. nat. 19,145–151 und noch eingehender Colum. 11,3,43–46 sowie Pall. agric. 4,9,10–12 den Anbau des echten, aus dem wilden (*corrudus*) gezüchteten und bis heute hochgeschätzten (vgl. Pall. agric. 3,24,8) Spargels *A. officinalis L.*, der in Ägypt. wohl schon um 3000 v. Chr. verwendet wurde.

1 H. BAUMANN, Die griech. Pflanzenwelt in Mythos, Kunst und Lit., 1982 2 M. WELLMANN (Hrsg.), Pedanii Dioscuridis de materia medica 1, 1907, Ndr. 1958 3 J. BERENDES (Hrsg.), Des Pedanios Dioskurides Arzneimittellehre übers. und mit Erl. versehen, 1902, Ndr. 1970.   C. HÜ.

Aspasia. Hochgebildete und wegen ihrer Beredsamkeit bekannte Frau aus Milet, die wohl Anfang der 440er Jahre v. Chr. nach Athen kam; Frau des → Perikles, mit dem sie einen Sohn, ebenfalls Perikles gen., hatte. Nach Perikles' Tod 429 verband sie sich mit dem Viehhändler → Lysikles (Plut. Perikles 24,2–6; Schol. Plat. Mx. 235e, Harpokr. s. v. A.; Suda. s. v. A.). Das Datum ihres Todes (in Athen?) ist nicht bekannt, biograph. Daten sind spärlich.

Ihren Kontakt mit den geistigen Größen der Zeit (Plut. Perikles 24,2; 5–7; Suda s. v. A.; Harpokr. s. v. A.), hat die sokratische Tradition ausgemalt [1]. Die Komödie, die einzige zeitgenössische Quelle, stempelt A. zur Hetäre (→ Hetairai), Hure und Bordellmutter, deren Einfluß auf Perikles schwere Folgen für Athen gebracht habe: Sie habe den Peloponnesischen Krieg ausgelöst (Aristoph. Ach. 523ff; vgl. Duris, FGrH 76 F 65: A. verantwortlich für den Samischen Krieg). A. wird mit → Omphale, Deianeira und Hera gleichgesetzt (Eupol. fr. 98K; Krat. fr. 241K; Plut. Perikles 24,9; schol. Plat. Mx. 235e). Hinter dieser topischen und tendenziösen Charakterisierung steht teils der Versuch, die Politik des Perikles zu diffamieren [3. 19–28], teils spiegeln sich die Vorurteile gegenüber Ausländern und Frauen: Als Metoikin, die keine vollgültige Ehe eingehen konnte, und als öffentlich wahrnehmbare Mitgestalterin der geistigen Prozesse verstieß sie gegen das herkömmliche Frauenbild; dies legte die sexualisierende Umdeutung ihres Verhaltens nahe. Dazu paßt auch der Prozeß (um 432) gegen A. wegen Gottlosigkeit und Kuppelei (Plut. Perikles 32), der sich, falls er keine Erfindung der Komödien ist [2. 49–51], zudem als Angriff auf Perikles erklären läßt. Spätere Quellen, darunter Plutarch (etwa Perikles 24, 4: A. gleich der Thargelia), folgten dem Hetairaklischee, ohne aber an Intelligenz und Begabung A.s zu zweifeln.

In der Forsch., vor allem zu Lit. und Kunst des 5. Jh., gilt A. häufig als Vertreterin jener hochgebildeten und für Athen angeblich typischen Kurtisanen. Der bes. Typus der geistvollen Hetaira geht aber maßgeblich auf A. zurück und deckt sich nicht mit ant. Zeugnissen über andere erotische Unterhaltungsdamen [4. 80–85].
→ Frau

1 B. EHLERS, Eine vorplatonische Deutung des sokratischen Eros. Der Dialog *A.* des Sokratikers Aischines, 1966 2 L.-M. GÜNTHER, A. und Perikles, in: M. DETTENHOFER (Hrsg.), Reine Männersache?, 1994, 41–67 3 E. HENRY, Prisoner of history. A. from Milet and her biographical tradition, 1995 4 C. REINSBERG, Ehe, Hetärentum und Knabenliebe im ant. Griechenland, 1989.   H. S.

Aspasios.
[1] Aristoteleskommentator, 1. Hälfte des 2. Jh. n. Chr., Lehrer des → Herminos. Seine Werke wurden in Plotins Schule gelesen (Porph. Vita Plotini 14). A.' Komm. über die ›Nikomachische Ethik‹ [1] ist der früheste durchgehende Komm. zu einer aristotelische Abhandlung, der erh. ist, und beeinflußte die Behandlung der

»gemeinen Bücher« 5–7 als nikomacheisch, obwohl die These von [2. 29–36], daß er verantwortlich war für den Transfer dieser Bücher, von der ›Eudemischen Ethik‹ in Frage gestellt worden ist. A. gab körperlichen und äußeren Gütern nur instrumentellen Wert und lehnte stoizierende Intellektualisierung von Emotionen ab.

→ Aristoteles-Kommentatoren; Herminos

1 CAG 19. 1, 1889 2 A.J.P. KENNY, The Aristotelian Ethics, 1978.

F. BECCHI, Aspasio e i peripatetici posteriori: la formula definitoria della passione, in: Prometheus 9, 1983, 83–104 · F. BECCHI, Aspasio, commentatore di Aristotele, in: ANRW II 36. 7, 5365–96 · H.B. GOTTSCHALK, Aristotelian Philosophy in the Roman world, in: ANRW II 36. 2, 1079–1174 · MORAUX 2, 1984, 226–293. R.S./E.KR.

[2] Aus Byblos. Sophist des 2.Jh. n.Chr., Zeitgenosse des P. Aelius Aristeides. Er schrieb περὶ Βύβλου, περὶ στάσεων ἐσχηματισμένων, μελέται, τέχναι, ὑπομνήματα, λαλίαι und ἐγκώμια, u. a. eines auf Hadrian (Suda α 4203 ADLER). Interpret des Demosthenes (Syrianos 1,66 RABE), in der rhet. Tradition als Beispiel für Unwissenheit und unklaren Ausdruck zitiert: schol. rhet. graec. 5,517,23; 6,94,11; 7,951,24 WALZ; schol. Demosth. 20,460 DINDORF; Aischin. 24 DINDORF; vgl. Phot. bibl. 492 a 39.

[3] aus Ravenna. Sophist, Sohn des Demetrianos, Schüler von Pausanias und Hippodromos (2.–3.Jh. n.Chr.). Philostr. soph. 2,33 rühmt seine ἀφέλεια (aphéleia) und seine Beharrlichkeit, kritisiert jedoch seinen Mangel an Kraft und Fülle, das Beibehalten seines Lehrstuhls in Rom bis ins hohe Alter (wo er während der Schaffenszeit von Philostratos lehrte) und das Gepränge und die unklare Ausdrucksweise seiner Briefe in seinem Amt als ab epistulis Graecis. Diese sind auch die Zielscheibe des Werkes von Philostratos (wahrscheinlich des Lemniers) zur Epistolographie (KAYSER 2,257–8), dessen Streit mit A. sich lange hinzog und von Rom nach Asien gelangte (vgl. Suda α 4205 ADLER).

→ Philostratos; Zweite Sophistik

G.W. BOWERSOCK, Greek Sophists in the Roman Empire, 1969, 92. E.BO./L.S.

[4] Name zweier Steinschneider, deren Datierung umstritten ist [1. 30ff. (republikan.); 2. 199 Anm. 37, 285, 322 Anm. 104, 341; 4. 27f. (hadrian.)] und die sich durch rundes oder eckiges Sigma in ihrer Signatur unterscheiden. Mit rundem Sigma signiert sind drei Intaglii aus dunkelrotem Jaspis: die berühmte »Aspasios-Gemme« mit Athenabüste nach der Parthenos des Phidias (Rom, TM), ein Fragment mit Sarapiskopf (Florenz, AM) und eine Gemme mit Dionysos-Herme (London, BM) [2. 322, Anm. 104, Taf. 96, 1–3]. Die Aspasios-Signatur mit eckigem Sigma trägt ein Karneol mit Männerportrait en face (New York, MM) – u. a. als Commodus diskutiert [2. 323 Anm. 107 Taf. 96,7; 3. 28 Anm. 84]. Insbes. die ›Aspasios-Gemme‹ stand im Mittelpunkt der sich gerade zur Wiss. entwickelnden Gem-

menkunde des 18.Jh., ihre Reproduktion diente verschiedentlich zur Illustration von Gemmenbüchern (z.B. [3. 73 Taf. 8,1 und passim]).

→ Athena; Pheidias; Commodus

1 M.L. VOLLENWEIDER, Die Steinschneidekunst und ihre Künstler in spätrepublikanischer und augusteischer Zeit, 1966 2 ZAZOFF, AG 3 ZAZOFF, GuG 4 G. SENA-CHIESA, G.M. FACCHINI, Gemme romane di età imperiale, in: ANRW II 12. 3, 1985, 3–31.

G. BORDENACHE BATTAGLIA, La Gemma di Aspasios, in: Bollettino di numismatica 14/15 Ser.1, 1990, 219–248, Abb. 1–17. S.MI.

Aspekt
A. DEFINITION B. GRIECHISCH C. LATEINISCH

A. DEFINITION
A. als t. t. im frühen 19.Jh. aus russisch »vid« (»Ansicht«) über frz. »aspect« weitervermittelt [1. 172], ist mit → Aktionsart verquickt, aber nicht identisch. Er dient der Wiedergabe von distinktiven Vorgangsarten aus der »Sicht« des Sprechers (Autors) im Rahmen gegebener Kontexte. A. eignet mit differenten Details vielen, auch unverwandten Sprachen in der Sphäre des Verbums [2].

B. GRIECHISCH
Es gibt zwei- oder mehrgliedrige A.-Systeme: z.B. das der Slavinen mit vorrangig durch ihre sog. »Zweiverbigkeit« ausgedrücktem Gegensatz von (a) perfektivem und (b) imperfektivem A.; das des Griech. mit Unterscheidung von (a) konfektivem (auch »perfektivem«), (b) infektivem (auch: »imperfektivem«) und (c) perfektischem A., ausgedrückt durch (a) Aor.-, (b) Präs.- und (c) Perf.-Stamm, also jeweils auch in zugehörigen Infinitiven, Modi, Partizipien. (a) bezeichnet als nichtverlaufend, d.h. im einzelnen als abgeschlossen, komplexiv-gesamthaft, in einem Anfangs- oder Endpunkt (homer. δάκρυσα »brach in Tränen aus« einerseits, χαμάδις πέσε »schlug auf den Boden auf« anderseits) oder verlaufsneutral, d.h. als »actions pures et simples« [3. 183] erfaßte Vorgänge; (b) solche, die als verlaufend, (c) solche, die als in einen Zustand eingemündet erscheinen. Neben derartigen kategorialen A.-Funktionen von (a) und (b) – in Opposition z.B. Hdt. 1,130,3 (Κῦρος … ἐβασίλευσε, »K. … wurde König«) und Hdt. 4,120,2 (… τῆς ἐβασίλευε Σκώπασις, »… worüber S. König war«) – gibt es bei (a) eine kontextbedingte Variante des regelhaften Typs: Hdt. 1,16,1 Σαδυάττης … ἐβασίλευσεν ἔτεα δυώδεκα, »S. … war zwölf Jahre König« (Aor. von Durativa bei adv. Zeitdauerangabe [4. 197–216]). Da (c) urspr. nur intransitiv war und einen am Subjekt eingetretenen Zustand wiedergab (z.B. ὄλωλα »bin verloren«), hatte das alte Perf. zunächst nicht nur A.-, sondern auch Diatheseneigenschaft.

C. LATEINISCH
Nach dem Zusammenfall von (a) und (c) des voreinzelsprachlichen (dazu anders [5]), im Griech. erh. ternären A.-Systems ins Perf. (etwa vēxī »fuhr, brachte« aus

(a), *periī* »bin verloren« aus (c) besteht ein binärer Gegensatz von Infectum (mit Präs., Impft., Fut. I) und Perfectum (mit Perf., Plq., Fut. II), wozu schon Varro ling. 9,96–101. Darin erscheinen A.- und Tempuskategorien kombiniert [6. 150]: Neben die Kontinuanten des älteren A.-Systems (lat. Präs./Impft. für Verlaufs- bzw. Hintergrundsschilderungen, »histor.« und »präs.« Perf. für Ereignis- und Zustandswiedergaben) ist ein – aus jenem weiterentwickeltes, vorzugsweise in hypotaktischen Satzgefügen realisiertes – Subsystem relativer Tempora zur Unterscheidung von Gleichzeitigkeit und Vorzeitigkeit aufeinander bezogener Vorgänge in den Zeitstufen Gegenwart, Vergangenheit und Zukunft getreten [7. 548–554].
→ Aktionsart; Aorist

1 KNOBLOCH, Lfg. 3, 1965 2 B. COMRIE, Aspect, 1976
3 P. CHANTRAINE, Grammaire homérique II, 1953
4 K. STRUNK, Histor. und deskriptive Linguistik bei der Textinterpretation, in: Glotta 49, 1971, 191–216
5 O. SZEMERÉNYI, The Origin of Aspect in the Indo-European Languages, in: Glotta 65, 1987, 1–18
6 A. MEILLET, Esquisse d'une histoire de la langue latine, ³1933 7 M. LEUMANN, J. B. HOFMANN, A. SZANTYR, Lat. Gramm. II, 1965. K. S.

Aspendioi Kitharistai s. Musikinstrumente

Aspendos (Ἄσπενδος). Stadt in → Pamphylia (h. Belkis) auf dem Tafelberg am → Eurymedon (h. Köprü Cayı). Der Stadtname Köprü Cayı auf Münzen des 5. und 4. Jh. v. Chr. verweist evtl. auf eine hethit. Gründung durch König Asitawandia am Ende des 8. Jh. v. Chr. Nach griech. Überlieferung von argiv. Siedlern (Strab. 14,4,2) im 12. Jh. v. Chr. gegr. (vgl. Hdt. 7,91). Erstmalig bei Skyl. 101, E. des 6. Jh. v. Chr. genannt (vgl. auch Thuk. 8,81,3; Xen. an. 1,2,12; hell. 4,8,30). 469 v. Chr. siegte hier der Athener Kimon über die Perser (Thuk. 1,100,1; Plut. Kimon 12 f.); 334 v. Chr. besetzte Alexander der Gr. A. (Arr. an. 1,26,5; 27,1); seit 101 v. Chr. war A. Teil der Prov. → Cilicia. Bedeutendes Handelszentrum (Salz, Öl, Getreide, Wein, Pferde). Keine Siedlungsspuren aus vorröm. Zeit, aus der röm. Kaiserzeit sehr gut erh. Theater (Mitte des 2. Jh. n. Chr.), Stadion und Thermen in der Ebene; auf dem befestigten Plateau Agora mit großen Stoai und Nymphaeum; Aquädukt.

E. AKURGAL, Ancient Civilisations and Ruins of Turkey, 1985, 333–336 · G. E. BEAN, Kleinasien 2. Die türkische Südküste von Antalya bis Alania, ³1984, 15–17, 58–69 · K. GRAF LANCKORONSKI, Städte Pamphyliens und Pisidiens 1, 1890, 85–124 · J. WAGNER, Südtürkei. Von Kaunos bis Issos, 1991, 213–218. W. MA.

Asper s. Iulius; Aemilius; Sulpicius

Asphalt s. Pech

Asphaltitis limne. »Asphaltsee« heißt der in seinem nördl. Teil ca. 400 m unter N. N. liegende, 1000 km² große, abflußlose Grabensee, in den der Jordan mündet, bei Diodorus (2,48,6 ff.; 19. 98 f.), Iosephus (bell. Iud. 4,436–482) und Plinius (nat. 5,72). Tektonische Bewegungen hatten den in großen Mengen am Grunde der A. liegenden reinen Asphalt (oxydiertes Erdöl) an die Oberfläche steigen lassen, wo er in Klumpen abgesammelt wurde (Strab. 16,42 f.; Ios. bell. Iud. 4,8,4; Asphalthandel der Nabatäer [1]). Die älteren biblischen Bezeichnungen »Meer der Steppe«, »Salzmeer« und »Ostmeer / Vorderes Meer« beschreiben sachlich den großen Salzgehalt (Aristot. meteor. 2,359a und Gal. 4,20) oder seine Lage (Joel 2,20; Sach 14,8). Die rabbinische Bezeichnung »Meer von Sodom« (vgl. 4 Esr 5,7; Ios. ant. Iud. 5,81) und die arab. Namen »Meer des Lot«, »See von Zoar« betonen das Gottesgericht über die Städte exemplarischer Gottlosigkeit in Gn 19, wovon noch der Name *fluvium diaboli* in der Kreuzfahrerzeit bestimmt ist. Der heute gebräuchliche Name »Totes Meer« geht wohl auf Trogus (bei Iust. 36,3) zurück, ist aber von Galen damit erklärt worden, daß in diesem See keinerlei Leben bestehe (4,20; vgl. Paus. 5,7,5 und die Darstellung der Fische auf der Mosaik-Karte von Madeba).

1 PH. C. HAMMOND, The Nabataean Bitumen Industry at the Dead Sea, in: Biblical Archaeologist 22, 1959, 40–48.

R. J. FORBES, More Studies in Ancient Petroleum History, 1959 · Orte und Landschaften der Bibel 2, 1982, 235–247. M. K.

Asphodelos. Mit dem seit Homer (Od. 11,539. 573; 24,13) und Hesiod (erg. 41) u. a. als Bewohner der Wiesen der Ober- und Unterwelt erwähnten ἀσφόδελος soll die um das Mittelmeer häufigste der sieben weiß bis rosa blühenden Arten der Liliaceengattung *Asphodelus*, nämlich *A. microcarpus*, gemeint sein [1. 68 und Abb. 108–111]. Dioskurides 2,169 ([2. 1. 234 ff.] = 2,199 [3. 245 f.]) und Plin. nat. 22,67–72 loben ihn als vielfältige Heilpflanze unter Berufung auf griech. Ärzte. Der *albucus* des Plin. nat. 21,109 wurde als *A. fistulosus* gedeutet. Verwandt sind die gelb blühenden Arten der Gattung *Asphodeline*. Die in Notzeiten zu Brot verarbeiteten stärkereichen Wurzelzwiebeln erwähnt neben Hesiod bereits Theophr. h. plant. 7,12,1 und in der genauen Beschreibung 7,13,1–3. Als heilige, der Persephone geweihte stinkende Pflanze des Totenreichs wurde sie auf Gräber gepflanzt.

1 H. BAUMANN, Die griech. Pflanzenwelt in Mythos, Kunst und Lit., 1982 2 M. WELLMANN (Hrsg.), Pedanii Dioscuridis de materia medica 1, 1907, Ndr. 1958 3 J. BERENDES (Hrsg.), Des Pedanios Dioskurides Arzneimittellehre übers. und mit Erl. versehen, 1902, Ndr. 1970.

P. WAGLER, s. v. A., RE 2, 1730 ff. C. HÜ.

Aspis s. Schild

Aspledon (Ἀσπληδών, Σπληδών). Boiot. Stadt, 20 Stadien nördl. von → Orchomenos jenseits des Melas; wegen ihres Klimas wurden A. und seine Umgebung in Εὐδείελος (»die gut Beleuchtete«, Strab. 9,2,41) umbenannt; der Ort wurde wegen Wassermangels aufgegeben (Paus. 9,38,9). Er wird bei Pyrgos (früher: Xeropyrgos) lokalisiert (Hom. Il. 2,511; Plin. nat. 4,26; Steph. Byz. s. v. Ἀ. und s. v. Ὑηττός; Nonn. Dion. 13,94).

FOSSEY, 360–363 · J. KNAUSS, B. HEINRICH, H. KALCYK, Die Wasserbauten der Minyer in der Kopais, 1984, 45–49 · J. KNAUSS, Die Melioration des Kopaisbeckens durch die Minyer im 2. Jt. v. Chr., 1987 · N. D. PAPACHATZIS, Παυσανίου Ἑλλάδος Περιήγησις 5, ²1974–1981, 244 · PRITCHETT 4, 104–107 · P. W. WALLACE, Strabo's Description of Boiotia, 1979, 163–165.   P. F.

Aspona (Ἄσπονα, Ἄσπωνα). Grenzstadt von → Galatia nördl. des Tuz Gölü, h. Sarıhüyük. Station der Pilgerstraße, im 4. Jh. n. Chr. *civitas*; als Suffraganbistum seit 342/343 n. Chr. belegt. Befestigter, schon prähistor. bezeugter Siedlungshügel.

K. BELKE, Galatien und Lykaonien, TIB 4, 1984, 135 · S. MITCHELL, Regional Epigraphic Catalogues of Asia Minor 2, 1982, 403–405.   K. ST.

Asprenas s. Calpurnius, s. Nonius

Assakenoi. Indisches Volk im h. Swat westl. des Indus, mit Hauptstadt Massaga, von Alexander unterworfen (Arr. an. 4, 23 ff.; Ind. 1,1). Von Plin. nat. Aspagani, in Pāli Assaka genannt, aus altind. *aśva-* / iran. *aspa* »Pferd«.

O. v. HINÜBER, Arrian. Der Alexanderzug – Indische Gesch., hrsg. und übers. von G. WIRTH, O. v. HINÜBER, 1985, 1081 f.   K. K.

Assarion (ἀσσάριον). Epigraphisch und durch Wertmarken belegte griech. Bezeichnung für den lat. As [4], wobei 16 *a.* 1 Denar entsprechen [2. 32]. Neben Chalkus und Obol entwickelt sich im Laufe der Kaiserzeit das bronzene *a.* bis zur Einstellung der Bronzeprägung um 275 n. Chr. zur wichtigsten Münze des griech. Ostens und deckt den dortigen Kleingeldbedarf. Die Umrechnung der drei Bronzenominale wurde unterschiedlich gehandhabt, für Chios z. B. gilt 1 Obolos = 2 *a.* = 8 Chalkoi [1. 192, Anm. 8]. Nach Gewicht, Münzgröße bzw. Rs.-Motiv festgelegt, gibt es Nominale von ½, 1, 1 ½, 2, 3, 4, 4 ½, 5 und 6 *a.* (4 *a.* = 1 Sesterz), deren Wert sich mittels mitgeprägter Wertzeichen oder Gegenstempel (z. B. Θ = 9, ΙΒ = 12) besonders im 3. Jh. n. Chr. auf 7–12 *a.* erhöht [1. 33; 2. 245 ff.; 4. 191], während die Münze im Gewicht reduziert wird. Besondere Erscheinungen sind z. B. die neronischen Silbermünzen in Caesarea (Kappadokien), die mit der Legende AC(CARIA) IT(ALIKA) KD (24 ital. Asse) und AC IT IB (12 ital. Asse) einen Wert von 1 ½ bzw. ¾ Denar besitzen [1. 32; 3].

→ As; Chalkus; Denar; Gegenstempel; Obolos; Sestertius

1 K. BUTCHER, Roman Provincial Coinage: an Introduction to the Greek Imperials, 1988 2 J. NOLLÉ, Side. Zur Gesch. einer kleinasiat. Stadt, in: Ant. Welt 21, 1990, 244–265 3 RPC I, 1992, 556, 3635 f., 3643, Taf. 144 4 R. ZIEGLER, Methodische Überlegungen zur Rekonstruktion von Nominalsystemen der städtischen Aes-Prägung im Osten des röm. Reiches, in: Litterae Numismaticae Vindobonensis 4, 1992, 189–213.

D. O. A. KLOSE, As und Assarion, in: JNG 36, 1986, 101–105.   A. M.

Assel (ὄνος, πολύπους, ὀνίσκος, κούβαρις, κύαμος, τύλον, *centi-, mille-* (oder *mili-*) und *multipedium*). Die zu den Krebstieren gehörende Mauer-, Keller- oder Rollassel (schon Soph. fr. 363 N²), bei Aristot. hist. an. 5,31,557a 24 f. (Ähnlichkeit von Fischläusen mit vielfüßigen ὄνοι), Dioskurides 2,35 [1. 1. 133] (vielfüßige, sich bei Berührung zusammenrollende ὄνοι unter Wasserbehältern helfen z. B. bei Gelbsucht und als Bestandteil einer Injektion bei Mittelohrentzündung) = 2,37 [2. 164 f.] (hier κουβαρίδες) = Plin. nat. 29,136 = Kyraniden 2,32 [3. 165; lat.: 4. 122]. Verwechslungen [5. 2. 481 ff.; 6. 168 f.] kamen vor, 1.) mit dem als giftig angesehenen Tausendfüßler, σκολόπενδρα χερσαία (vgl. Aristot. hist. an. 8(9),37,621a 9 f.; incess. an. 7,707a 30 über Bewegung bereits abgetrennter Körperteile = Plin. nat. 11,10). Als Erdwurm wird der ungeschlechtlich aus Feuchtigkeit und Erde entstandene *multipes* durch Isid. orig. 12,5,6 dem MA überliefert. Thomas von Cantimpré 9,27 [7. 305] zit. aus Aug. de quantitate animae 31 [8. 1070] vom J. 388 n. Chr. das nach eigenem Erleben in Ligurien geschilderte Experiment, daß beide Teile von durchtrennten *multipedes* auseinanderliefen. Unbestimmbar ist σήψ bei Plin. nat. 29,136. Zudem 2.) mit der langgestreckten (vgl. Aristot. part. an. 4,5,682a 5) Art ἴουλος (Aristot. hist. an. 4,1,523b 18; part. an. 4,6,682b 3 f.), deren Auftreten nach Arat. 957 Regen ankündigt. 3.) mit der Meerassel, σκολόπενδρα θαλαττία, vielleicht dem Borstenwurm *Aphrodite aculeata L.*, beschrieben von Aristot. hist. an. 2,14,505b 13–18 (vgl. 8(9),37,621a 6–9 = Plin. nat. 9,145 über Fähigkeit, durch Umstülpen des Körpers einen Angelhaken zu entfernen). Nach Dioskurides 2,14 ([1. 126] = 2,16 [2. 157]) ist er, in Öl gekocht und aufgestrichen, ein Haarentfernungsmittel. An die Existenz der Riesen-Meer-A. bei Ail. nat. 13,23 glaubt dieser selber nicht, jedoch Antipater von Sidon (Anth. Pal. 6,222 f.; [9. 290 f.]).

→ Krebs

1 M. WELLMANN (Hrsg.), Pedanii Dioscuridis de materia medica 1, 1907, Ndr. 1958 2 J. BERENDES (Hrsg.), Des Pedanios Dioskurides Arzneimittellehre übers. und mit Erl. versehen, 1902, Ndr. 1970 3 D. KAIMAKIS, Die Kyraniden, Beitr. zur klass. Philol. 76, 1976 4 L. DELATTE (ed.), Textes latins et vieux français relatifs aux Cyranides, Bibliothèque de la Faculté de Philos. et Lettres de L'Université de Liège, fasc. 93, 1942 5 KELLER 6 LEITNER 7 H. BOESE (Hrsg.), Thomas Cantimpratensis, Liber de natura rerum, 1973

8 PL 32, 1877 **9** H. GOSSEN, Die Tiernamen in Älians 17 Büchern περὶ ζῴων, Quellen und Stud. zur Gesch. der Naturwiss. und der Medizin 4, 1935, Ndr 1973, 280–340.

A. MARX, s. v. A., RE II, 1744.   C. HÜ.

Assera

Assera (Assa). Von Hdt. 7,122 an der Nordküste des Singitischen Golfs lokalisiert, ist mit A. der Tributquotenlisten des → Attisch-Delischen Seebundes identisch und lag südl. vom h. Gomation am Meer. A. fiel 432 v. Chr. mit anderen Chalkidiern von Athen ab und gehörte seither zeitweise zum chalkidischen Staat, später zum Bund (FGrH Theopompos 115 fr. 147). Mit dessen Ende wurde A. maked., zuletzt um 200 v. Chr. in einer delph. Theorodokenliste genannt.

F. PAPAZOGLOU, Les villes de Macédonie à l'époque romaine, 1988, 433 · M. ZAHRNT, Olynth und die Chalkidier, 1971, 162–166.   M. Z.

Assesos

Assesos (Ἀσσησός). Vorgriech. Ort mit karischem Namen auf dem Polis-Territorium von → Miletos (Steph. Byz. s. v. A.), ca. 6,5 km südöstl. der Metropole mit bedeutendem extramuralen Heiligtum der → Athena Assesia, das der lyd. König Alyattes im 6. Regierungsjahr (kurz vor 600 v. Chr.) niederbrannte, dann aber auf Geheiß des delph. Orakels erneuerte (Hdt. 1,19–22). Stadt und Heiligtum wurden 1992 östl. des Mengereb Dağ oberhalb des Defilées entdeckt, durch das die Straße Söke / Milas führt. Sondagen im Athena-Heiligtum ergaben Funde von protogeom. bis in archa. Zeit. 494 v. Chr. von den Persern zerstört, verlor es offenbar an Bedeutung. Reste einer Befestigung (5. Jh. v. Chr.) der unweit westl. an einem schon neolithisch besiedelten Platz gelegenen Stadt A. sind im Gelände noch auf mehreren 100 m² erhalten. Die Bed. von A. in Spätklassik, Hellenismus und Kaiserzeit. ist noch weithin unklar; in frühbyz. Zeit erlebte die Stadt eine Nachblüte.

L. BÜRCHNER, s. v. A., RE 2, 1746 · F. HILLER v. GAERTRINGEN, s. v. Miletos, RE 15, 1589 · P. HERRMANN, Inschr., in: AA 2, 1995, 282–292 · O. KERN, s. v. Kabeiros und Kabeiroi, RE 10, 1402, 1407 f. · H. LOHMANN, Survey in der Chora von Milet. Vorbericht über die Kampagnen der Jahre 1990, 1992 und 1993, in: AA 2, 1995, 293–328 · O. RAYET, A. THOMAS, Milet et le golfe Latmique, 1877, Karte 2 · U. v. WILAMOWITZ-MOELLENDORFF, KS 5,1, 1971, 374 f.   H. LO.

Assimilation

Assimilation s. Lautlehre

Assinaros

Assinaros (Ἀσσίναρος, Ἀσίναρος). Fluß auf Sicilia, h. Noto, südl. des Erineos, ca. 25 km von Syrakusai entfernt, bekannt durch die Kapitulation der Athener, die sich 413 v. Chr. nach der Belagerung von Syrakusai dort in Sicherheit zu bringen suchten (Thuk. 7,84 f.; Diod. 13,19,2; Plut. Nikias 27; Paus. 7,16,5). Festspiel-Stiftung.

E. A. FREEMAN, History of Sicily 3, 1892, 706 f. · E. MANNI, Geografia fisica e politica della Sicilia antica, Kokalos Suppl. 4, 1981, 100 · M. MARGANI, Alcune questioni relative alla battaglia dell'Asinaro, in: RFIC, 1930, 189–202.

GI. MA. / M. B.

Assoros

Assoros. Hellenisierte Stadt der → Siculi im Innern von Sicilia zw. Henna und Agyrion (Diod. 14,78,6) nördl. vom Dittáino (ant. → Chrysas; Personifikation auf Münzen von A. aus röm. Zeit), h. Assoro. In der Liste der delph. → Theorodokoi (um 200 v. Chr.) aufgeführt. Aus dem *fanum* an der Straße nach Henna versuchte → Verres vergeblich, die Statue des Chrysas zu rauben (Cic. Verr. 2,4,96).

L. BERNARBÒ BREA, Assoro, in: Notizie degli scavi di antichità, 1947, 249 f. · R. CALCIATI (Hrsg.), Corpus Nummorum Siculorum 3, 1987, 259 f. · G. C. GENTILI, Assoro, in: Notizie degli scavi di antichità, 1961, 217–222 · HN, 127 · G. MANGANARO, Città di Sicilia e santuari panellenici nell III e II sec. a. C., in: Historia 13, 1964, 415–439 · J. P. MOREL, Recherches archéologiques et topographiques dans la région d'Assoro, in: MEFRA 75, 2, 1963, 263–301 · Ders., Scavi e ricerche archeològiche, in: BA 51, 1966, 93 f.   GI. MA. / M. B.

Assos

Assos (Ἄσσος). Der Platz des späteren A. – ein bis zu 234 m hoher Trachytfelsen an der Südwestküste der Troas, h. Behramkale, – war seit der Bronzezeit besiedelt. Man hat deshalb versucht, hier im Siedlungsgebiet der Leleges das homer. → Pedasos zu lokalisieren [3. 245 f.]. Die aiol. Kolonie A. wurde von Methymna aus gegr. (Strab. 13,1,58). A. selbst war Ausgangspunkt der Gründung von Palaia Gargara und scheint rasch zu wirtschaftlichem Wohlstand gelangt zu sein. Mit 1 Talent war der Ort Mitglied im → Attisch-Delischen Seebund. Im Zusammenhang mit den griech.-persischen Auseinandersetzungen des 5. und 4. Jh. v. Chr. wird A. nicht erwähnt. Im Satrapenaufstand war die Stadt jedoch von großer strategischer Bedeutung. 366 v. Chr. verschanzte sich der aufständische Satrap Ariobarzanes in A., wo er vergeblich belagert wurde (Xen. Ag. 2,26; Nep. Timotheos 1,3; Agesilaos 7,2; Polyain. 7,26). Dann unterstand A. Eubolos, dessen Nachfolger → Hermias von Atarneus seit ca. 350 v. Chr. A. zu einem festen Eckpunkt seines Machtbereiches ausbaute. In diese Zeit fällt der dreijährige Aufenthalt des → Aristoteles [7] in A. Nach des Hermias Überwindung durch → Memnon um 345 v. Chr. fiel A. wieder unter persische Herrschaft (Strab. 13,1,57). In hell. Zeit scheint A. ein → *koinón* mit den anderen sie umgebenden aiol. Kolonien Lamponeia und Polymedion gegr. zu haben, die später im Territorium von A. aufgingen [3. 248 f.]. Den Namen Apollonia wird A. wohl unter pergamenischer Herrschaft erhalten haben (Plin. nat. 5,123; Anth. Pal. 9,679) [1. 1748]. Als wichtiger Hafen vor der Umschiffung des Kap Lekton und Kreuzungspunkt der Küstenstraße mit der Straße aus dem Landesinneren behielt die Stadt bis in die Spätant. ihre große Bed. und ihren

Wohlstand, den die reichen kaiserzeitlichen Grabbauten bezeugen [4. 3] In byz. Zeit war A. Bischofssitz und gehörte zum Thema Aigaion pelagos. Die Stadt schrumpfte zwar, sie war jedoch bis in die Neuzeit durchgehend besiedelt. Noch 1306 wurde die Festung A., die sich inzwischen auf die Akropolis konzentrierte, von den Byzantinern gegen die Türken verteidigt. Berühmt war A. für seinen Getreidereichtum und den dort gebrochenen Stein, der darin aufgebahrte Leichen bes. schnell zerfallen ließ (Plin. nat. 36,131). Wahrscheinlich war hiermit weniger das Material der Sarkophage als ein bestimmter Ätzkalk gemeint [5. 20f.]. Von der ant. Stadt, die teilweise vom h. Dorf Behramkale überbaut worden ist, haben sich noch zahlreiche Bauwerke erhalten. Die Stadtbefestigung, bei der verschiedene Bauphasen unterschieden werden können, ist in ihrer Ausdehnung von 3 km mit den rechteckigen oder halbrunden Türmen und den Toren zu großen Teilen noch erhalten. Deren jeweilige Datierung ist umstritten: Die vorhandenen Mauern, die urspr. 19 m hoch waren, stammen wohl aus dem 3.Jh. v.Chr. [6. 41]. Der Athena-Tempel wurde wahrscheinlich um 530 v.Chr. erbaut, zumindest datieren die Tempelterrakotten aus dieser Zeit. Gut erh. geblieben sind das Theater, das Buleuterion, das Gymnasion, das röm. Bad, die auf dem Athena-Tempel erbaute byz. Kirche und Teile der Hafenanlage. In den J. 1881–83 war das Stadtgebiet Ziel mehrerer Grabungskampagnen unter amerikanischer Leitung [2]. Seit Anf. der 80er J. dieses Jh. wurde die Grabungstätigkeit wieder aufgenommen, wobei das Hauptinteresse bisher den Nekropolen galt.

1 Z. BÜRCHNER, s. v. A., RE 4, 1748 2 J. T. CLARKE, F. H. BACON, R. KOLDEWEY, Investigations at A., 1902/21 3 J. M. COOK, The Troad, 1973 4 Ü. SERDAROĞLU, Zur Gesch. der Stadt A. und ihrer Ausgrabungen, in: Asia Minor Studies 2, 1990, 1–6 5 Ders., R. STUPPERICH (Hrsg.), Ausgrabungen in A. 1990, 1992 6 F. E. WINTER, Problems of Tradition and Innovation in Greek Fortifications in Asia Minor, in: REA 96, 1994, 29–52.

R. MERKELBACH, Die Inschr. von A. (IK 4), 1976 ·
Ü. SERDAROĞLU, R. STUPPERICH (Hrsg.), Ausgrabungen in A. 1991, 1993. E.SCH.

Assur

[1] Aššur (h. Qalʿat Šerqat), auf dem rechten Tigrisufer. Kultort des gleichnamigen Stadtgottes. Rel. und bis zum 9.Jh. polit. Zentrum des assyr. Reiches, s. Grabung der Dt. Orient-Gesellschaft [1]. Die 55 ha große Altstadt wurde in der Mitte des 2. Jt. v. Chr. um eine 20 ha große Neustadt im Süden erweitert. Im Norden lagen der »Alte Palast« und die Tempel der Hauptgötter (östl. auf erhöhtem Sporn der A.-Tempel), südl. davon die Wohnbezirke. Ältester arch. Befund ist der Tempel der Ištar (Mitte 3. Jt. v. Chr.). Zu Beginn des 2.Jt. Zentrum eines Handelsnetzes mit Kontoren in Anatolien (→ Kaneš). Mitte des 2.Jt. Teil des Mitanni-Reiches. Nach der Unabhängigkeit unter Adadnirari I. (1305–1274 v. Chr.) wurde A. großzügig ausgebaut. Trotz Verlust der Hauptstadtfunktion im 9.Jh. v.Chr. blieb es weiterhin kult.-zeremonielles Zentrum des assyr. Staates. 614 v.Chr. zerstört durch Meder und Babylonier. Im 1.Jh. n.Chr. wurde A. Sitz arsakidischer Verwalter (parth. Palast). Die Stadt hieß vermutlich weiterhin A., nicht Kainai bzw. Labbana (Libanae, Sabbin), wie oft angenommen. Geringe Wiederbesiedlung nach der sasanidischen Eroberung um 241 n. Chr. [2]. Südl. von A. lag eine frühislamische Karawanserei. Im 12.–14.Jh. n.Chr. war A. (al-ʿAqr) Pilgerstation [3. 255–259].

[2] Stadtgott der Stadt A. und oberster Gott des assyr. Pantheons. In Keilschrifttexten seit Ende des 3.Jt. v.Chr. belegt. Anfangs als Personifizierung der Stadt A. vorgestellt [4], wird er im 2.Jt. oft mit → Enlil, dem Hauptgott des babylon. Pantheons, gleichgesetzt. Auf neu-assyr. Reliefs ist er als Bogenschütze mit → Hörnerkrone in einer → Flügelsonne zu sehen. In der Auseinandersetzung mit Babylon nimmt A. in Lit. (→ Enūma eliš) und Kult [5] die Rolle → Marduks ein. Nach der neu-assyr. Zeit ist sein Kult erst für die späte Arsakidenzeit wieder gesichert [6. 41–61]. Wie zuvor ist der Name des Gottes theophorer Bestandteil vieler Personennamen aus der Stadt A.

→ Mesopotamien; Bestattung

1 W. ANDRAE, Das wiedererstandene A., ²1977
2 S. R. HAUSER, Die Grabungen der FU Berlin in Assur I. Die Arsakidenzeit, WVDOG (im Druck) 3 S. HEIDEMANN, Al-ʿAqr. Das islamische A., in: K. BARTL, S. R. HAUSER, Continuity and Change in Northern Mesopotamia, 1996, 251–277 4 W. G. LAMBERT, The God Aššur, in: Iraq 45, 1983, 82–86 5 B. PONGRATZ-LEISTEN, ina šulmi īrub, 1994 6 B. AGGOULA, Inscriptions et graffites araméens d'Assour, 1985. R.W.

Assurbanipal (assyr. *Aššur-ban-apli*; griech. Σαρδανάπαλ(λ)ος, Σαρδάπαλος). Letzter bedeutender König des assyr. Reiches (669 bis ca. 627 v.Chr.). Obgleich nicht der älteste Königssohn, wurde er von seinem Vater → Asarhaddon zum assyr. Thronfolger bestimmt, sein älterer Bruder Šamaš-šum-ukīn zum König von Babylon. Die Oberhoheit über Babylonien lag aber dennoch bei A. Nur durch stete Feldzüge gelang es A., das Reichsgebiet zu halten. Ägypten ging jedoch 655 v.Chr. verloren. Zeitweise erkannte sogar Lydien die assyr. Oberhoheit an. A. unterstützte Gyges gegen die Kimmerier und kämpfte erfolgreich gegen die Mannäer. Ein vier J. dauernder Aufstand der Babylonier unter Führung seines Bruders Šamaš-šum-ukīn endete 648 v.Chr. mit der Einnahme Babylons und dem Selbstmord des Šamaš-šum-ukīn. In den folgenden Jahren konnte A. die Macht der Verbündeten Babylons (Elamer, Chaldäer, Araber) in grausamen Rachefeldzügen brechen. Über die letzten Jahre des A. schweigen die Quellen. A., wohl urspr. zum Gelehrten ausgebildet, ließ in seinen mit großartigen Reliefs geschmückten Palästen zu Ninive die bedeutendste → Bibliothek des Alten Orients anlegen, die auch zu seiner persönlichen Verfügung gedacht war. Ein wahrer Kern des auf Ktesias zurückgehenden Motivs des A. als »Weichling« (→ Arbakes) mag sein, daß A., anders als seine Vorgänger, an den wichtigen Feldzügen nicht persönlich teilnahm. Andere ant. Sagen um A. sind legendär oder beruhen auf Verwechslung mit anderen Königen.

→ Mesopotamien; Sardapalos

R. BORGER, Beitr. zum Inschr.-Werk A.s, 1996 · M. STRECK, A., 1916.   S. M.

Assyria (Assyrien). Die Bezeichnung A. geht auf assyr. māt-Aššur »Land (der Stadt) → Assur« zurück. Im engeren Sinne als Kernland des assyr. Reiches westl. und vor allem östl. vom Tigris (etwa h. Nord-Irak) verstanden, wird der Begriff postassyr. oft erweitert gebraucht.

Möglicherweise übernahmen bereits die Meder A. als Bezeichnung der eroberten nicht-babylon. Gebiete des früheren Assyrerreiches. Die achäm. Inschr. gebrauchen apers. Aθurā (akkad. Aššur, aram. 'twr) teils umfassender für das nichtbabylon. nordmesopotamische Territorium einschließlich Nord- und Mittelsyrien, teils verwaltungstechnisch nur noch für die Prov. Syrien (ebir nāri), da das assyr. Kernland zur achäm. Satrapie Babylon gehörte. Die Verkürzung von A. auf Syria und die Trennung beider Begriffe in griech. Quellen haben hier ihre Wurzel. Herodot (3,155) versteht unter A. das gesamte Mesopotamien mit Babylonien; weit gebraucht auch bei Strabon (16,1–4), der daneben Ἀρουρία (aram.) für das Kernland kennt.

Die polit.-geogr. Bezeichnungen Ḥdhayab (syr.) bzw. Adiabene (griech./lat.) und Nōd-Šīragān/Ardaxširagān (parth./mittelpers.) ersetzen allmählich den traditionellen Landschaftsnamen A. Die iran. Quellen kennen noch eine Prov. Asōrestān, die nun das zentrale Babylonien meint. Die griech. Version der großen Schapur-Inschr. gebraucht hierfür noch Assyria (Syria 35,305 II 2). Die Ambivalenz des Begriffs A. findet sich auch bei Ammianus Marcellinus (23,6), wo mit A. einmal die sasanidische Prov., ein anderes Mal geogr. das gesamte Babylonien einschließlich der südl. Mesene gemeint ist, doch ist ihm auch die frühere Bezeichnung A. für die → Adiabene bekannt. Aram. 'twr wird hingegen nur noch für Syrien verwendet.

Traian errichtete 115 n. Chr. eine von Hadrian wieder aufgegebene röm. Prov. A. (Eutr. 8,3,2; 6,2; Rufius Festus, Breviarium 14; 20). Ihre Ausdehnung dürfte etwa dem früheren assyr. Kernland entsprochen haben.

→ Mesopotamien

A. BERTINELLI, I Romani oltre l'Eufrate nel II secolo d. C., in: ANRW II 9. 1, 1976, 3–45 · C. BEZOLD, s. v. A., RE 2, 1751–1771 · M. DANDAMAYEV, s. v. A. II, EncIr II 816 · L. DILLEMAN, Haute Mésopotamie Orientale et pays adjacents, 1962 · P. GIGNOUX, Glossaire des Inscriptions Pehlevies et Parthes, 1972 · T. NÖLDEKE, Ἀσσύριος, Σύριος, Σύρος, in: Hermes 5, 1871, 443–468 · R. GYSELEN, La géographie administrative de l'émpire Sassanide, 1989.
K. KE.

Assyrien (Region) s. Mesopotamien

Assyrisch s. Akkadisch

Astai (Ἀσταί). Thrak. Stamm in Südostthrakien zw. Apollonia [2] und → Salmydessos in der Strandža mit dem Königssitz → Bizye. Polit. selbständig nach dem Zerfall des Odrysenreiches E. des 4. Jh. v. Chr., gewannen die A. nach dem Abzug der Kelten 278 v. Chr. immer mehr an Bedeutung (Ps.-Skymn. 729; Pol. 13,10,10). Gute Beziehungen zu den griech. Kolonien (IGBulg 312). Die A. kämpften zusammen mit den Maduateni, → Kainoi und → Korpiloi gegen Cn. Manlius Vulso (Liv. 38,40). Im 2. Jh. v. Chr. erweiterten sie ihr Gebiet, das u. a. Kabyle einbezog. Vor dem 3. Maked. Krieg von röm. Seite (172 v. Chr.). Annexion durch den Staat der Astai und Sapaioi 45 n. Chr. Erhalten blieb ihr Name in der Strategie *Astikḗ*; er bezeichnete in hell. Zeit wohl zwei Gebiete: eines um Perinthos (IGRom 1,677; 801), eines im Strandža. Anfang des 2. Jh. n. Chr. schuf man eine *Astikḗ* mit begrenzterem Territorium (Ptol. 3,11,6).

CHR. DANOV, Die Thraker auf dem Ostbalkan von der hell. Zeit bis zur Gründung Konstantinopels, in: ANRW II 7. 1, 21–185 · B. GEROV, Zum Problem der Strategien im röm. Thrakien, in: Klio 52, 1967, 123–132.   I. v. B.

Astakos (Ἀστακός, »Hummerstadt«).
[1] Stadt am Ostende des Golfs von A. bzw. → Nikomedeia in ungesunder Gegend; genaue Lage unbekannt. 712/1 v. Chr. von → Megara aus gegr. (Memnon, FGrH 434 F 12; Strab. 12,4,2), vermutlich seit 478/7 Mitglied des → Attisch-Delischen Seebundes [1]; 435/4 v. Chr. von Athen kolonisiert. Ca. 405 v. Chr. unter Doidalses erstmals unter bithynischer Oberhoheit. 315 v. Chr. von Zipoites I. belagert und von Antigonos [1] Monophthalmos befreit. Nach 301 v. Ch. von Zipoites gewonnen, wird A. in dessen Kämpfen gegen Lysimachos zerstört. Zipoites errichtet unweit gegenüber von A. eine neue Stadt, die sein Sohn Nikomedes I. als Hauptstadt unter dem Namen Nikomedeia neu gründet (Paus. 5,12,7 [2; 3]). Bevölkerung, Kulte und Tradition von A. wurden auf Nikomedeia übertragen [4]. Münzprägung vor 435 v. Chr. [5].

1 FGrH 3b, 276f. 2 CH. HABICHT, s. v. Zipoites, RE 10 A, 449–451 3 ATL 4, 1953, 13f. 4 ROBERT, OMS 2, 1969, 1319–1325 5 W. H. WADDINGTON, E. BABELON, TH. REINACH, Recueil général des monnaies grecques d'Asie Mineure, 2, 265f. 6 SNG 6923.

J. BOARDMAN, Kolonien und Handel, 1981, 2 · ATL 1, 1939, 471 f. · K. HANELL, Megarische Stud., 1934 · R. MEIGGS, Athenian Empire, 1979, 198 · W. RUGE, s. v. A., RE 2, 1774 f.   K. ST.

[2] Stadt an der Westküste Akarnaniens, von Kephalleniern gegr. (Steph. Byz. s. v. A.). Tyrannenherrschaft im → Peloponnesischen Krieg, zw. Athen und Korinth umkämpft (Thuk. 2,30,1; 33,1; 102,1). Im 4. Jh. v. Chr. Ziel der peloponnesischen Festgesandten (IG ²IV 95; SEG 36,331). Mitglied im Akarnanischen → Koinon.

Sichere Häfen (Skyl. 34; Strab. 10,2,21), auch im Süden bei Hagios Pandeleimon (ant. Marathos? Steph. Byz. s. v. A.; Eust. Dion. Per. 914 [2. 35; 1. 55–62]). Stadtanlage 2 km nördl. des h. A. [1. 66–81]. Im MA lag hier Dragameston. In der Ebene frühbyz. Reste [3].
→ Akarnania; Kephallenia

1 W. M. MURRAY, The coastal sites of West-Akarnania, 1982 2 E. OBERHUMMER, Akarnanien, 1887 3 P. SOUSTAL, Nikopolis und Kephallenia (TIB 3), 1981, 144.

LAUFFER, Griechenland, 139.   D. S.

Astarita-Krater. Spätkorinthischer rotgr. Kolonnettenkrater um 560 v. Chr. (→ korinthische Vasenmalerei; Vatikan, aus Slg. Astarita). Über einem Tierfries die singuläre Darstellung der Rückforderung Helenas durch Menelaos, Odysseus und Talthybios in Troia: Den auf einer Treppe sitzenden Heroen nähert sich die Athenapriesterin Theano, gefolgt von Frauen und einem Reiterzug (auf Rs. übergreifend; die reichen Namensbeischriften z. T. unpassend). Das Geschehen wird in den ›Kyprien‹ erzählt, Homer erwähnt es (Il. 3, 205–224; 11, 138–142). Die Rolle Theanos betont auch der von BEAZLEY herangezogene 15. Dithyrambos des Bakchyl.: ΑΝΤΗΝΟΠΙΔΑΙ Ἤ ΕΛΕΝΗΣ ΑΠΑΙΤΗΣΙΣ.

AMYX, CVP, 264, 576 Nr. 74 · AMYX, Addenda, 78 · J. D. BEAZLEY, ΕΛΕΝΗΣ ΑΠΑΙΤΗΣΙΣ, in: Proc. of the British Acad. 43, 1957, 233–244 · K. SCHEFOLD, Götter- und Heldensagen der Griechen in der früh- und hocharcha. Zeit, 1993, 308, 310.   M. ST.

Astarte. Die durch den Abendstern symbolisierte Göttin A. tritt mehrfach in den → Ugarit-Texten auf [1: 1. 43,1–8; 1. 47,25; 1. 92,2 u.ö.]. In ihr finden sich Züge der babylon. Ištar. In der phöniz. Religion begegnet sie in den Panthea von Tyros (KAI 17) und Sidon (KAI 13; 14). Ihr Kult ist auf den Mittelmeerinseln bis nach Spanien hin bezeugt, ebenso in Israel. Als ihre Domänen lassen sich Liebe, Fruchtbarkeit und Krieg erschließen. In hell.-röm. Zeit geht sie mit → Anat in der → Dea Syria auf.
→ Atargatis

1 M. DIETRICH et al., Keilschriftalphabet. Texte aus Ugarit, 1976.

C. BONNET, A., 1995 · M. DELCOR, s. v. A., LIMC 3. 2, 1077–1085; 3. 2, 739–741 · E. LIPIŃSKI, Dieux et déesses de l'univers phenicien et punique, 1995, 105–108, 128–134, 281f. · H.-P. MÜLLER, s. v. ʿštrt, Theologisches Wb. zum AT 6, 453–463 · W. RÖLLIG, s. v. Astarté, DCPP, 46–48 · N. WYATT, s. v. A., Dictionary of Deities and Demons, 203–213.   H. NI.

Asteas. Führender Vertreter der paestanisch rf. Vasenmalerei (→ paestanische Vasen) und zusammen mit → Python einziger signierender Vasenmaler Unteritaliens, arbeitete um 360–330 v. Chr. Vor allem auf den elf signierten Vasen mit unterschiedlichen Mythen (Telephos, Herakles, Europa u. a.) und Mythentravestie (Aias

und Kassandra, → Phlyakenvasen) benannte A. die dargestellten Personen, in einem Fall (Hesperiden-Lekythos Neapel, NM 2873) gab er der Szene einen Titel. Auf einer Phlyakenvase (Berlin, SM F 3044) bezieht er sich offenbar auf ein zeitgenössisches Theaterstück. A. bevorzugte dionysische Darstellungen, Frauen-, Eroten-, Mythen- und Phlyakenszenen. Schale, Glokkenkrater, Lekanis, Lekythos und Askos gehören zu den vornehmlich verwendeten Gefäßtypen. Für seine Malweise sind kennzeichnend als »A.-Blüte«, Bodenranken als Sitz und Fußstütze für Personen, vielfache Verwendung von weißen und roten Zusatzfarben, Detailfreudigkeit an Gewändern (Zinnenmuster), Gegenständen und Pflanzen. Manteljünglinge zieren oft die Rückseiten der Gefäße. Die Figuren haben häufig lockiges und langes Haar, sind sitzend oder in vorgebeugter Haltung abgebildet und agieren z. T. sehr gestenreich. Sehr gelungen sind auch seine Tierbilder. Mit ihm und Python arbeiteten weitere Vasenmaler von z. T. hoher darstellerischer Qualität in einer Werkstatt.

TRENDALL, Paestum, 62–135.   R. H.

Asteria
[1] s. Edelsteine
[2] Titanin, Tochter des Koios und der Phoibe, Schwester der Leto, Frau des Titanen Perses (Perseus, Persaios). Durch Zeus Mutter der → Hekate (Hes. theog. 409; Apollod. 1,8; 21). Im Gigantenkampf am pergamenischen Altarfries ist sie zw. Leto und Hekate inschr. bezeichnet. Ein delischer Mythos erklärte die früheren Namen der Insel, Asteria (Pind. Paean. 5,42) und Ortygia, durch Sturz der A. ins Meer und Verwandlung in eine Wachtel (Pind. Paean. 7b,48; Kall. h. 4,37–40; Apollod. 1,21).

H. PAPASTAVROU, s. v. A., LIMC 2.1, 903 f.   F. G.

Asterion (Ἀστερίων).
[1] König von Kreta, der → Europa heiratete und ihre Kinder von Zeus adoptierte (Hes. fr. 140; Bacchyl. fr. 10; Apollod. 3,5; 8).
[2] Sohn der Pasiphae mit dem kret. Stier, also → Minotauros (Apollod. 3,11; Paus. 2,31,1).   F. G.

Asterios/-us (Ἀστέριος).
[1] Nur bei byz. Schriftstellern belegte Epiklese des Zeus auf Kreta; entstanden durch euhemeristische Deutung des Mythos von Asterion [1]. Evolutionistische Deutungen verstanden ihn umgekehrt als Ursprung dieses Heroen.

H. SCHWABL, s. v. Zeus I, RE 10 A, 281.   F. G.

[2] Sophist aus Kappadokien, gehörte zum Schülerkreis des Lukianos von Antiocheia (Märtyrer 312 n. Chr.), aus dem die Wortführer der ersten Phase des arianischen Streites stammten. A., als *lapsus* der Diocletianischen Verfolgung ohne kirchliches Amt, trat nach dem Konzil von Nikaia (325) – Areios und Eusebios von Nikomedien waren in der Defensive – mit seiner ἐπιστολή (*epi-*

stolé) und/bzw. seinem συνταγμάτιον hervor, in dem er insbesondere den Eusebios verteidigte. Wahrscheinlich Verf. der wichtigen sog. zweiten Formel der Kirchweihsynode von Antiocheia (341). A. betont die Einzelexistenz von Vater, Sohn und Geist und ihre Nacheinanderordnung in Rang und Würde. Ihre Einheit ist Willensübereinstimmung. Er teilt die Lehre von den zwei Logoi (des eigenen Logos in Gott und des Sohnes als zweiten Logos). Der Sohn ist das unveränderliche Abbild (ἀπαράλλακτος εἰκών) der Einzigkeit, Vollkommenheit etc. des Vaters und darin grundlegend von den Geschöpfen unterschieden. Titel und Namen Christi differenziert er nicht nach Präexistenz und Inkarnation. Die 1935 entdeckten und 1956 edierten Psalmenhomilien (Authentizität umstritten) zeigen einen »neuen« A. Eine Gesamtinterpretation bleibt Forschungsaufgabe.
→ Arianismus; Lukianos von Antiocheia

W. Kinzig, In Search of Asterius, 1990 (Rezension: K.-H. Uthemann, VigChr 45, 1991, 194–203) · Ders., Asterius Sophista oder Asterius Ignotus? Eine Antwort, VigChr 45, 1991, 388–398 · M. Richard (Hrsg.), Asterii Sophistae Commentariorum in Psalmos quae supersunt, 1956 · M. Vinzent (Hrsg.), Asterius von Kappadokien – Die theologischen Fragmente, 1993 · Ders., Gottes Wesen, Logos, Weisheit und Kraft bei Asterius von Kappadokien und Markell von Ankyra, VigChr 47, 1993, 170–191 · Ders., Die Gegner im Schreiben Markells von Ankyra an Julius von Rom, in: ZKG 105, 1994, 285–328 · M.F. Wiles, R.C. Gregg, Asterius: A New Chapter in the History of Arianism?, in: Arianism, hrsg. von C. Gregg, 1985, 111–151.   K. SE.

[3] Stellte sich als *comes Hispaniarum* 420 n. Chr. auf die Seite der → Suebi und vertrieb die Vandalen aus Gallaecia nach der Baetica; daraufhin zum *patricius* ernannt (PLRE 2, 171 A. 4).   H. L.

Asteriskos (ἀστερίσκος). Textkritisches Zeichen der alexandrinischen Philologie. Unklar ist die Bedeutung, unter der es → Aristophanes [4] von Byzanz einführte; für → Aristarchos [4] von Samothrake zeigte es Wiederholungsverse an: Er setzte den A. bei solchen, die er für passend hielt; die, die er für interpoliert hielt, bezeichnete er mit einem A. mit Obelos. Im »editorischen« Gebrauch bezeichnete der A. das Ende einer Ode in der Lyrik: In der Alkaios-Edition kennzeichnete Aristophanes den Wechsel des Metrums, Aristarchos den Übergang zu einem anderen Gedicht durch den A. (Hephaistion 74,5–13).
→ Kritische Zeichen

C. Pace, L'asterisco di Aristofane di Bisanzio, in: Eikasmos 5, 1994, 325–328 · A. Gudeman, RE 2, 1921–1923 · Pfeiffer, KPI 221, 230–231, 267.   F.M./M.-A.S.

Asteropaios (Ἀστεροπαῖος). Sohn des Pelegon, Enkel des Stromgottes Axios, Führer der mit Troia verbündeten Paioner, von Achill getötet. Er war der körperlich größte Mann der Troer und Achaier (Hom. Il. 21,140–83; Philostr. Heroikos 48,14–22).

A. Kossatz-Deissmann, LIMC 1. 1, 132, Nr. 556.   F.G.

Astigi(s). Das h. am Genil gelegene Ecija (Prov. Sevilla), Hauptort einer der vier *conventus* der Baetica (Plin. nat. 3,12), wurde nach 27 v. Chr. augusteische Kolonie mit Beinamen *Firma* (CIL II 1471; 1630), *tribus Papiria*. A. war der wohl wichtigste Ölexporteur Hispaniens, wie die zahlreichen am Testaccio in Rom gefundenen Amphorenreste belegen. In der Spätant. war A. eine bedeutende Diözese, deren Bischöfe an den meisten hispanischen Konzilien teilnahmen.

J. Remesal Rodriguez, La annona militaris y la exportación de aceite bético a Germania, 1986 · Tovar 2, 1976, 111–113 · R. Wiegels, Die Tribusinschr. des röm. Hispanien, 1985,17 f.   P.B.

Astrabakos (Ἀστράβακος). Spartanischer Heros, Agiade, Sohn des Irbos, Bruder des Alopekos. Sein Schrein lag neben dem Haus des Königs Ariston; nach spartanischer, dem Pharaonenmythos nachgebildeter Tradition war A. der wirkliche Vater von Aristons Sohn → Demaratos (Hdt. 6,68 f.). Nach der hell. Kultaition des Geißelungsrituals für Artemis Orthia hatten A. und Alopekos das taurische Kultbild der Artemis gefunden (Paus. 3,16,3–9).

W. Burkert, Demaratos, A. und Herakles. Königsmythos und Politik zur Zeit der Perserkriege, in: MH 22, 1965, 166–177 (= Ders., = Wilder Ursprung. Opferritual und Mythos bei den Griechen, 1990, 85–95) · Graf, 83–90.   F.G.

Astragal (Ἀστράγαλος).
[1] s. Ornament
[2] Spielstein (*talus*). Fußwurzelknochen von Kälbern und Schafen/Ziegen, ebenso aus Gold, Glas, Marmor, Ton, Metallen und Elfenbein verfertigt, bereits bei Hom. Il. 23,85–88 als Spielgerät erwähnt. Man verwandte den A. als Zählmarke für Glücks-, → Würfel- und Wurfspiele, wozu das Spiel »Grad oder ungrad« (Plat. Lys. 206e) oder πεντάλιθα (*pentálitha*, → Geschicklichkeitsspiele) gehörten. Beim A.-Spiel hatten die einzelnen Seiten unterschiedliche Zählwerte: Die konvexe Seite wurde mit 3, die konkave mit 4 und die beiden glatten mit 1 bzw. 6 gewertet (κῷον – χῖος). Neben A.-Spielern mythischer Erwähnungen (z. B. Apollod. 3,176; Apoll. Rhod. 3,112–155) gab es histor. Spieler, die zur Berühmtheit gelangten (Cic. de orat. 3,84). Erwachsene und Kinder beiderlei Geschlechts spielten mit den A. (z. B. Plut. Alkibiades 2,3; »Knöchelspielerin« in Rom, Palazzo Colonna; Vasenbilder). Grabfunde von A. und Weihungen in Heiligtümern sind sehr häufig. Daneben wurden A. für Orakel genutzt (Astragalomanteia).
→ Sotades-Maler

R. Hampe, Die Stele aus Pharsalos im Louvre, 107, Berliner Winckelmannsprogramm, 1951 · G. Rohlfs, Ant. Knöchelspiel im einstigen Großgriechenland, 1963 · K. Schauenburg, Erotenspiele, in: Antike Welt 7, 1976, H. 3, 39–40 · S. Laser, Sport und Spiel, in: ArchHom T, 1987, 117–123.   R. H.

[3] Vasenform. Nachbildungen in Elfenbein, Bronze, Edelmetall, Stein. Salbgefäße in Ton; außergewöhnlich ein größerer, rf. bemalter A. des → Sotades; ein anderer A. ist von Syriskos signiert.

L. Curtius, Der A. des Sotades (SHAW 4), 1923.   I.S.

Astraia (Astraea). Im »Zeitaltermythos« bei Hes. erg. 197–200 verlassen im eisernen Zeitalter Aidos und Nemesis die Menschen; bei Arat. phain. 105 ist es Dike, und Ovid nennt met. 1,149f. die Virgo (Jungfrau) Astraea (vgl. fast. 1,249: Iustitia), wie dies später Iuven. 6,19f. tut, wenn er A. Schwester der Pudicitia (Αἰδώς) nennt.

Verg. ecl. 34,6 hatte von der Rückkehr der Virgo an der Schwelle des neuen Goldenen Zeitalters gedichtet. Die röm. Darstellungen setzen alle bei Arat. phain. 96–98 an, der Dike mit dem Sternbild der Virgo (Parthenos) gleichsetzt und sie als Tochter des → Astraios bezeichnet. Weiter geht dann Mart. Cap. 2,174, der A. → Themis und → Erigone nennt, weil auch Erigone als Virgo verstirnt wird (Hygin. astr. 2,4).   F.G.

Astraios (Ἀστραῖος). Titan, Sohn der Titanen Kreios (Krios) und Eurybie. Er zeugte mit Eos die Winde (*Astraei fratres*, Ov. met. 14,545), die bei Morgengrauen wehen, den Morgenstern und die andern Sterne (Hes. theog. 375–82; Apollod. 1,9). Daneben ist er Gigant, Sohn des Tartaros und der Ge (Hyg. praef. 4).

E. Simon, s. v. A., LIMC 2. 1, 927.   F.G.

Astrale Götter s. Gestirnsgottheiten

Astra(m)psychos (Astrapsukos). Sagenhafter Magier, den der Lyder Xanthos (nach Diog. Laert. prooem. 2) unter berühmte μάγοι wie Ostanes, Gobryas und Pazatas aus der Zeit vor Alexanders Ankunft in Persien reihte. A. galt als Verf. einschlägiger Schriften noch in byz. Zeit: zweier versifizierter Traumbücher, einer astrologischen Schrift [1], bes. aber eines über die Ant. hinaus weit verbreiteten Orakelbuchs, der *Sortes Astrampsychi*. Obwohl um etwa 300 n. Chr. (wohl in Ägypt.) abgefaßt, geben letztere sich im Geleitbrief an Ptolemaios als Orakel, die Alexander zur Weltherrschaft verholfen hätten. Das uns z. T. in Codices, z. T. auf Papyrus Erhaltene [2; 3; 4] sind 92 Fragen alltäglichen Inhalts, zur Verschleierung durchnumeriert von 12 bis 103 mit jeweils 10 Antworten, unter die der Verf. »Nieten« eingestreut hat. Der Ratsuchende muß sich zunächst zu der im Teil 1 gefundenen Kennzahl seiner Frage eine Zahl zw. 1 und 10 denken. Die so entstehende Zahlensumme hat auf einer Tabelle in Teil 2 (Κεφάλαια ἐπερωτήσεως) in roter Farbe eine Entsprechung, die ihrerseits die Kennziffer des Blocks der 10 Antworten in Teil 3 ist. Innerhalb dieses Blocks steht unter der vom Suchenden zuerst gedachten Zahl schließlich die Antwort. Für Ägypt. vereinnahmt wird A. auch im »Liebeszauber des

Astrapsukos« (4./5. Jh. n. Chr.; s. PGM 8, 1–63), dessen Gebet an Hermes-Thoth altes ägypt. Gut neben Neues stellt [5]. Die mangelnde Glättung wird bes. deutlich in der Schlußformel: Bei den beiden »wahren Namen« des Gottes kombiniert der Verf. den Hinweis auf den alten ägypt. Mondmonat von 30 Tagen mit Ἀβρασάξ (→ Abrasax), ›der die Zahl hat der 7 Regenten der Welt und den Zahlenwert 365 nach den Tagen des Jahres‹.
→ Abrasax; Hermes

1 E. Riess, s. v. Astrampsychos, RE 2, 1796f. 2 G. M. Browne (Hrsg.), Sortes Astrampsychi, 1983ff. 3 G. M. Browne, The Papyri of the Sortes Astrampsychi (Beitr. zur Klass. Philol. 58), 1974 4 G. M. Browne, The Composition of the Sortes Astrampsychi, in: BICS 17, 1970, 95–100 5 R. Reitzenstein, Poimandres, 1904, 20f.

G. Björk, Heidnische und christl. Orakel mit fertigen Antworten, in: Symbolae Osloenses 19, 1939, 86–88.
                                                        C.HA.

Astrolabium
A. Babylonien B. Griechische Kultur

A. Babylonien
Die A. genannten Keilschrifttexte (ältestes Expl. ca. 1100 v. Chr.) sind Listen von Sternbildern mit der ant. Bezeichnung »Die je drei Sterne«. Für jeden Monat werden drei Sternbilder genannt, die (heliakisch) aufgehen. Es sind auch vier Planeten mit aufgenommen, deren Aufgänge nicht im gleichen Monat bleiben; so kommt es zu Schematisierungen. Einige Expl. ordnen die Sterne in einem in 12 Sektoren geteilten Kreis an. Manche Texte enthalten auch Erklärungen der Sternnamen oder Zahlen, die parallel zur Tagesdauer variieren [1].   H.HU.

B. Griechische Kultur
Ptol. syntaxis 5,1 beschreibt als *astrolábon órganon* (ἀστρολάβον ὄργανον) eine Form der Armillarsphäre aus teils feststehenden, teils drehbaren Ringen zur Bestimmung der ekliptikalen Koordinaten von Gestirnen. Sonst versteht man jedoch unter A. eine zweidimensionale Darstellung der Himmelskugel: Über feststehenden »Scheiben« mit der Repräsentation des irdischen Horizonts (jeweils für eine bestimmte geogr. Breite) und seiner Parallelen bis zum Zenit liegt eine drehbare Darstellung des Himmels (»Spinne«, »Netz«) mit Tierkreis und Zeigern für eine Auswahl heller Merksterne. Auf der Rückseite ist ein Zeiger (»Alidade«) mit Visierplättchen zur Ermittlung der Höhe von Gestirnen. Mit dem A. lassen sich so u. a. die Tages- und Nachtstunden, Gestirnstände, aber auch Höhe und Tiefe irdischer Objekte (Berge, Gebäude, Brunnen) bestimmen [2; 3; 4]. Die bisher ältesten greifbaren Beschreibungen des flachen, planisphären A. stammen von Iohannes Philoponos, 6. Jh. [5; 6; 7], sowie (auf Syr.) von Severus Sebokht, um 660 [8]; indirekte Hinweise scheinen bis auf Theon (4. Jh.), zurückzureichen [7. 22f.]. Im 8.–9. Jh. übernahmen die Araber die Kenntnis des A. [9]. Von diesen wurde sie Ende des 10. Jh. [10] und im 12. Jh. [11; 12] an

das westl. Europa weitergereicht, wo A. bis ins 17. Jh. gebaut wurden. Erh. sind heute noch ein byz. A. (von 1062) [11] sowie ca. 750 arab.-islamische und etwa ebensoviele europ. A. [14].

→ Astronomie; Gnomon

1 F. WALKER, H. HUNGER, Zwölfmaldrei, in: MDOG 109, 1977, 27–34 2 J. D. NORTH, The Astrolabe, in: Scientific American 230, 1974, 96–106 3 H. MICHEL, Traité de l'astrolabe, 1947, Ndr. 1976 4 A. J. TURNER, Early Scientific Instruments – Europe 1400–1800, 1987 5 H. HASE, in: RhM 6, 1839, 127–156 (ed.) 6 J. DRECKER, in: Isis 11, 1928, 15–44 7 Jean Philopon, Traité de l'astrolabe, trad. A. P. SEGONDS, 1981 8 F. NAU, in: Journal Asiatique 1899, 58 ff., 238 ff. (ed. et trad.) 9 W. HARTNER, Asṭurlāb, EI 1, 1960, 722–728; Ndr. in W. HARTNER, Oriens-Occidens 1, 1968, 312–318 10 Sententie astrolabii, ed. J. M. MILLÁS VALLICROSA, Assaig d'història ..., 1931, 275 ff. 11 Ibn aṣ-Ṣaffār, lat. Übers. Joh. Hispalensis, ed. J. M. MILLÁS VALLICROSA, Las traducciones orientales ..., 1942, 261 ff. 12 Plato von Tivoli, ed. R. LORCH et al., in: FS Heribert M. Nobis (Algorismus, H. 13), 1994, 1, 125–180 (lat. Übers.) 13 A. TIHON, Les traités byzantins de l'astrolabe, 19. Internat. Congr. Hist. of Science, Zaragoza 1993 (Abstract Symp. 20, Nr. 6) 14 D. A. KING, in: Bulletin of the Scientific Instrument Society 31, 1991, 3–7 (zu einem Großprojekt zur wiss. Katalogisierung aller erh. A.en in Frankfurt). P. K.

Astrologie (Ἀστρολογία). A. BEGRIFF B. ALTER ORIENT C. GRIECHENLAND UND ROM 1. SYSTEM 2. GESCHICHTE

A. BEGRIFF

A. ist die urspr. und näherliegende Bezeichnung für die Himmelskunde insgesamt; sie wird von dem Konkurrenzwort *astronomía*, das eng mit der platonischen Schule verbunden ist, bis in die Spätant. hinein nicht streng geschieden [24]. Nach heutigem Verständnis bemüht sich die A. um Voraussagen nach einem bestimmten Sternstand und hält dafür nach Art der mythischen Denkweise ein umfassendes raumzeitliches Kategoriensystem bereit [10]. W. H.

B. ALTER ORIENT

Die A. im Alten Orient beruht vor allem auf Omina, die von Himmelserscheinungen abgeleitet werden. Es geht nicht um Wirkungen der Gestirne auf Menschen, sondern um Ankündigung zukünftiger Ereignisse durch Zeichen, die die Götter geben.

In der 1. H. des 2. Jt. v. Chr. sind astronomische Omina vor allem aus Monderscheinungen nicht nur in Mesopotamien, sondern auch in Elam, Syrien und im Hethiterreich belegt [1. 32]. Die astrologischen Omina wurden in Mesopotamien zu einer umfangreichen Sammlung ausgebaut, nach ihrem Anfang *Enūma Anu Enlil* (= EAE) genannt; Exemplare u. a. in der Bibliothek → Assurbanipals. EAE umfaßte mehr als 70 Tafeln, den Mond, Mondfinsternisse, die Sonne, Wettererscheinungen und Erdbeben, Planeten und Sterne betreffend.

Aus dem 7. Jh. v. Chr. sind Briefe von Omen-Experten an assyr. Könige erhalten. Darin werden Omina aus EAE zit., welche den Experten zu ihren Beobachtungen zu passen schienen. Durch Interpretation von Sternnamen als »Decknamen« für Planeten haben sie in EAE für eine Beobachtung ein passendes Omen gefunden. Dabei kann ein Stern durch einen Planeten von gleicher Farbe ersetzt werden. In manchen Briefen finden sich Anwendungen der Omina auf die Situation des Königs. Angekündigte Gefahren sollen z. B. durch die Einsetzung eines Ersatzkönigs, der sterben sollte, wenn der Tod des Königs vorausgesagt war, abgewendet werden [2]. Die Briefe zeigen auch die astronomischen Kenntnisse ihrer Verfasser, die z. B. Mondfinsternisse voraussagen können, wenn auch nur wenige Tage vorher. Ob sie auch astronomische Tagebücher (→ Astronomie) verfaßten, bleibt unklar.

Eine späte Form der Vorhersage aus den Gestirnen sind → Horoskope. Beispiele für astrale Magie finden sich oft in der babylonischen Literatur. Diese Praktiken hatten in anderen Kulturen [3] ein Nachleben. Ein Einfluß babylonischer Omina in demotischen Texten [4] und in Indien [5] ist erkennbar. H. HU.

C. GRIECHENLAND UND ROM
1. SYSTEM

Das ursprünglichere *génos katholikón* betrifft Völker, Städte und Länder (oder den König als deren Repräsentanten), das *thema mundi* (Firm. math. 3,1) sogar die ganze Welt, das *génos genethlia(log)ikón*, vom Hellenismus an zunehmend, einzelne Individuen. Geburts- oder (seltener) Empfängnishoroskope fragen nach dem Schicksal eines ganzen Lebens, καταρχαί nach dem günstigsten Zeitpunkt für den Beginn einer bestimmten öffentlichen oder privaten Handlung. Die Voraussagen benutzen eine strenge Klassifizierung von Planeten [17] und Tierkreiszeichen [22; 15] und deuten die Positionen der fünf eigentlichen Planeten und der Luminare, später auch der drakonitischen Mondknoten [19] nach Ost- oder Weststellung, Rückläufigkeit und bestimmten Aspekten (Winkelabständen: Konjunktion – Opposition; Geviert-, Gedritt- oder Sextilschein), oder Distanzen zum Aszendenten, nach denen κλῆροι (*sortes*) berechnet werden, ferner die Stellung der Tierkreiszeichen innerhalb eines von den sieben geogr. Breiten [20] abhängigen Koordinatenschemas mit 12 Sektoren à 30° (Dodecatropos [26]). Die Planeten regieren die Tierkreiszeichen entweder als ganze oder in kleineren Abschnitten (ὅρια oder δωδεκατεμόρια = Zwölftel à 2,5°), werden in einzelnen Graden »erhöht« oder »erniedrigt«. Die Tierkreiszeichen werden außerdem grad- oder abschnittweise differenziert durch hervorstechende Einzelteile, gleichzeitig aufgehende markante Einzelsterne oder Sternbilder (Paranatellonten [7]), Sonderbenennungen sowie Helligkeits- und Wetterangaben [25] oder Dekane [16]. Entweder planetar [28] oder zodiakal wird die Melothesie [21] und die Geographie [12] gegliedert. Für sich steht die rein zodiakale Lehre von den Göttertutelae bei Manil. 2,433–452 [7. 472–474].

2. Geschichte

Voraussagen nach den Sternbewegungen notierten schon die Babylonier (Keilschrifttexte ab 562 v. Chr.), von denen die Griechen die Benennung der Planeten nach Göttern sowie etliche Sternbilder übernahmen [7. 181–208; 14]. Die wichtigsten Vermittler waren der Belpriester Berossos, sodann Hystaspes, Ostanes und Sudines. Ägypt. Einfluß ist bei Nechepso-Petosiris, Teukros und Manilius und besonders in der Lehre von den Dekanen [16] festzustellen. Auch das erfolgreichste ὅρια-System wird auf die Ägypter zurückgeführt. Einzelne Zeichen des Tierkreises finden sich zum ersten Mal in dem Text MUL.APIN (um 1000 v. Chr.); als selbständiges Referenzschema begegnet der Tierkreis zuerst kurz vor 400 v. Chr. in Mesopotamien, er war dann auch Kallippos und Eudoxos im 4. Jh. bekannt. An der Ausformung der Lehre waren Pythagoreer und Orphiker beteiligt, bevor die A. mit der pantheistischen Kosmologie der Stoiker seit Poseidonios verschmolz (εἱμαρμένη, συμπάθεια, μικροκόσμος), während Panaitios die Lehre ebenso zurückwies wie Eudoxos, die Epikureer, Akademiker und Skeptiker. Trotz vieler Verurteilungen oder Vertreibungen von Astrologen seit 139 v. Chr. [11. 58, 233–248] wurde die A. von allen röm. Herrschern von Caesar an propagandistisch oder privat benutzt (Ausnahme: Traian). Über die teilweise pseudepigraphen griech. Werke der hell. Zeit wissen wir wenig (Nechepso – Petosiris [Fr. ed. 30], Hermes trismegistos, Asklepios), etwas mehr über die Paranatellonten des Teukros von Babylon [7; 25. 92–146]. Von dem Lehrgedicht des Dorotheos von Sidon besitzen wir außer einigen versprengten Versen und Prosaparaphrasen (bei Anubion, Hephaistion von Theben) eine (ungenaue) arab. Paraphrase.

Die Blütezeit der ant. Astrologie fällt ins 2. Jh. n. Chr.: Fast ganz erh. haben sich die Ἀνθολογίαι des Vettius Valens und die dann kanonisch gewordenen Ἀποτελεσματικά (Tetrabíblos) des Ptolemaios (Komm. von Porphyrios, Paraphrase von Ps.-Proklos). Ins späte 4. Jh. gehören die Ἀποτελεσματικά des Hephaistion von Theben (weithin Dorotheos und Ptolemaios folgend) und die Εἰσαγωγικά des Paulos Alexandrinos (mit Scholien, Komm. von Olympiodoros). Zu einem Sammelbecken wird im 7. Jh. Rhetorios, dessen Verhältnis zu Antiochos noch genauer Klärung bedarf.

Im Lat. sind nur die Astronomica des Lehrdichters → Manilius zu nennen, die früheste der Intention nach vollständige Darstellung der astrologischen Lehre, sowie die Mathesis des Firmicus Maternus mit dem einzigen Horoskop, das in lat. Sprache erhalten ist (Firm. math. 2,29,10–20). Die A. fand Eingang in die Medizin, in die neuplatonische Philos. und ins Christentum, das bis ins späte MA hinein zahlreiche Adaptationen erfand [23]. Sie verbreitete sich in Byzanz (Johannes Lydos, Theophilos von Edessa, Leon, Stephanos Philosophos), vereinigte sich auch dort mit neuplatonischer Mystik und wirkte auf den Klassizismus des Frühhumanismus (Lehrgedichte des Johannes Kamateros). Im 6.–7. Jh.

kam sie zu den Syrern und Arabern und weiter zu den Persern und Indern, um von dort wieder über Sizilien und bes. Spanien durch lat. Übers. auf Europa zurückzuwirken, bevor sie in der Renaissance eine neue Blütezeit erlebte, wobei sich wieder Dichtkunst und Kosmologie verbanden (Bonincontri, Pontano). Auch die kopernikanische Wende und gegenreformatorischer Eifer konnten ihr letzlich nichts anhaben. Die A. existiert unter Verfeinerung der Methoden bis heute weiter.

→ Antiochos [23]; Astronomie; Iatromathematike; Paranatellonta

ALTER ORIENT: 1 F. ROCHBERG-HALTON, Aspects of Babylonian Celestial Divination, 1988 2 S. PARPOLA, Letters from Assyrian Scholars, 1983 3 E. REINER, Astral Magic in Babylonia, 1996 4 R. PARKER, A Vienna Demotic Papyrus on Eclipse- and Lunar-Omina, 1959 5 D. PINGREE, Mesopotamian Astronomy and Astral Omens in Other Civilisations, in: H. J. NISSEN, J. RENGER (Hrsg.), Mesopotamien und seine Nachbarn, 1982, 613–631.
ANTIKE WELT: 6 G. AUJAC, Le zodiaque dans l'astronomie grecque, in: RHS 33, 1988, 3–32 7 F. BOLL, Sphaera, 1903 8 F. BOLL, C. BEZOLD, W. GUNDEL, Sternglaube und Sterndeutung, ⁴1931 9 A. BOUCHÉ-LECLERCQ, L'astrologie grecque, 1899 10 E. CASSIRER, Philos. der symbolischen Formen II, 1925 11 F. H. CRAMER, Astrology in Roman Law and Politics, 1954 12 F. CUMONT, La plus ancienne géographie astrologique, in: Klio 9, 1909, 263–273 13 Ders., L'Egypte des Astrologues, 1937 14 F. GÖSSMANN, Planetarium Babylonicum (= A. DEIMEL, Sumerisches Lexikon IV), 1950 15 H. G. GUNDEL, Zodiakos, 1992 16 W. GUNDEL, Dekane und Dekansternbilder, ²1969 17 W. und H.⟨G.⟩ GUNDEL, s. v. Planeten, RE 20, 2017–2185 18 W. und H. G. GUNDEL, Astrologumena, 1966 19 W. HARTNER, The pseudoplanetary nodes of the moon's orbit, in: Ars Islamica 5, 1938, 113–154 20 E. HONIGMANN, Die sieben Klimata, 1929 21 W. HÜBNER, Eine unbeachtete zodiakale Melothesie bei Vettius Valens, in: RhM, N. S. 120, 1977, 247–254 22 Ders., Die Eigenschaften der Tierkreiszeichen in der Ant., 1982 23 Ders., Zodiacus Christianus, 1983 24 Ders., Die Begriffe »Astrologie« und »Astronomie« in der Ant., 1990 25 Ders., Grade und Gradbezirke der Tierkreiszeichen, 1995 26 Ders., Die Dodecatropos des Manilius, 1995 27 O. NEUGEBAUER, H. B. VAN HOESEN, Greek Horoscopes, 1959 28 A. OLIVIERI, Melotesia planetaria greca, in: Memorie della Reale Accademia di archeologia, lettere ed arti, Napoli 15, 1936, 19–58 29 E. RIESS, RE 2, 1802–1828 30 E. RIESS, in: Philologus Suppl. 6, 1893, 325–394. W. H.

Astronomie A. UMFANG, DEFINITION UND BEGRIFF B. VORGRIECHISCHE ASTRONOMIE 1. BABYLONIEN [MESOPOTAMIEN] 2. ÄGYPTEN C. GRIECHISCHE ASTRONOMIE

A. UMFANG, DEFINITION UND BEGRIFF

A. ist die Beschreibung, ursächliche Begründung und Vorhersage von Himmelserscheinungen, letztere auf Grund von wiederholbaren und wiederholten Beobachtungen oder auf solchen – und daraus abgeleiteten Perioden – beruhenden Berechnungen. Im Griech.

umfaßte die A. urspr. sämtliche μετέωρα (*metéōra*, Himmelskörper; Thales fr. A 2; Gorgias fr. B 11, 13 DK), spätestens seit Aristoteles werden die als sublunar aufgefaßten *metéōra* weitestgehend ausgeschlossen. Der Name für die A. ist daneben in vorklass. Zeit ausschließlich, bei Aristoteles und bevorzugt (synonym) in hell. Zeit ἀστρολογία (*astrología*), während Platon vermutlich im Anschluß an ältere Pythagoreer und deren Vorstellung von mathemat. »Naturgesetzen« (Aristot. cael. 1,1: νόμος τῆς φύσεως) ausschließlich ἀστρονομία (*astronomía*) benutzt. Dieser Name setzt sich dann erst nach einer Dreiteilung der »A.« auf Grund der Übernahme der babylon. → »Astrologie« als Beschreibung und Vorhersage der Wirkung der Gestirne auf den sublunaren Bereich unter neuplaton. Einfluß in der Spätant. durch für die Beschreibung der Bewegungen der Gestirne. Diese Beschreibung erfolgte mathematisch, bereits bei den »Babyloniern« arithmetisch (s. B.1), bei den Griechen seit → Eudoxos geometrisch. Daraufhin teilt Aristoteles (ebenso Poseidonios fr. 255 TH., aus Geminos) die A. als mathematische Disziplin, welche nur akzidentelle Eigenschaften wie kinematische Bewegungen beschreibt (bes. Aristot. metaph. 12,8), von der »Physik« (des Himmels) ab und unterteilt sie ihrerseits in eine theoretische (mathematische) und eine angewandte, praktische, nämlich »nautische« A. (Aristot. an. post. 1,13, als Buchtitel schon bei Thales, fr. B 1 bzw. Phokos von Samos). Eine sachliche, aber noch nicht terminologische Unterscheidung von A. und Astrologie als zweier Teile der *astronomía* nimmt im 2. Jh. → Ptolemaios in dem ersten astrolog. Handbuch der Griechen vor (Ptol. tetrabiblos 1,1), wofür dann Sextus Empiricus (Adversus mathematicos 5,1–2) auch eine terminologische Bestimmung versucht: A. = *astrología* (manche sagten auch *astronomía*), Astrologie = *genethlialogía*/*astronomía* (wobei sich die Chaldäer [»Astrologen«] selbst aber *astrólogoi* nannten). Eine terminologische Festigung ist erst für das 6. Jh. n. Chr. bei neuplatonischen Aristoteles-Kommentatoren zu belegen, die bei der Dreiteilung der »Himmelskunde« in »Physik« (»Wesen« der Himmelskörper), A. (Bewegungen) und Astrologie (Wirkung und deren Vorhersage) für die A. den Begriff *astronomía*, für letztere *astrología* setzen (Olympiodoros in meteor. 1,3; Simpl. in phys. 2,2; Cassiod. in psalmos 148,14) [1] – das MA verwendet dann wieder beide Begriffe weitgehend wechselseitig synonym, und erst seit der Spätrenaissance ist die Terminologie im heutigen Sinne einheitlich.

1 W. HÜBNER, Die Begriffe »Astrologie« und »A.« in der Ant., 1989. F. KR.

B. VORGRIECHISCHE ASTRONOMIE
1. BABYLONIEN [MESOPOTAMIEN]

In Mesopotamien sind Sternlisten seit dem Anfang des 2. Jt. v. Chr. belegt, was aber noch nicht als A. bezeichnet werden kann. Ob die Beobachtungen, auf die die sog. Venus-Tafel des Ammiṣaduqa zurückgeht, astronomischen (a.) Zwecken diente, ist unsicher;

überliefert sind sie innerhalb von Omina. Dasselbe gilt für Beschreibungen von Mondfinsternissen in Omina für polit. Ereignisse zu Ende des 3. Jt. v. Chr. Gegen Ende des 2. Jt. finden sich nach heliakischen Aufgängen geordnete Sternlisten.

a) DER »PFLUGSTERN«

Eine Zusammenfassung der astronomischen Kenntnisse um 1000 v. Chr. bietet ein Text, der nach seinem Anfang MUL.APIN, »Pflugstern« heißt [1]. Er enthält 1. einen Sternenkatalog, unterteilt in drei Gruppen, die sog. »Wege« der Götter Enlil, Anu und Ea. Insgesamt sind 60 Sternbilder in den drei »Wegen« genannt; dazu kommen sechs Zirkumpolarbilder und fünf Planeten. 2. Eine Liste der heliakischen Aufgänge von 35 Sternbildern, allerdings in einem schematischen Kalenderjahr von 12 Monaten zu je 30 Tagen. 3. Eine Liste von gleichzeitig auf- und untergehenden Sternbildern. 4. Listen von Sternen, die sich bei ihrer Kulmination (etwa) im Zenit befinden. Diese Sterne wurden benützt, um Zeitpunkte während der Nacht genau anzugeben, z. B. für eine Finsternis oder Sternbedeckung [2]. 5. Die 17 Sternbilder, die der Mond in seinem Lauf berührt; von einem zwölfteiligen Tierkreis ist also noch keine Rede. Es folgt eine Aufzählung der fünf Planeten und der Sonne, die sich »im Weg des Mondes« bewegen. 6. Beschreibung der Phänomene der Planeten und die Zeiten ihrer Sichtbarkeit und Unsichtbarkeit. Die angegebenen Zeiten sind nur grobe Schätzungen. 7. Schaltregeln. Da 12 Mondmonate kein volles Sonnenjahr ausmachen, wird bei Bedarf (ca. alle 3 Jahre) ein Monat eingeschaltet, um den Kalender an die Jahreszeiten anzugleichen. Die Schaltregeln geben ideale Kalenderdaten für heliakische Aufgänge bestimmter Sterne an; wenn die Aufgänge gegenüber diesen Daten verspätet sind, soll geschaltet werden. 8. Schattentabelle. Für die Äquinoktien und Solstizien wird angegeben, nach welcher Zeit der Schatten eines Stabes eine bestimmte Länge erreicht. Hier liegt ein Schema vor, das zum Teil zu unmöglichen Angaben führt. 9. Wasseruhr. Die variierende Tageslänge wird durch die Menge an Wasser in einer Wasseruhr ausgedrückt. Dabei verhält sich der längste Tag zum kürzesten wie 2:1. Dieses Verhältnis paßt nirgends in Mesopotamien und ist als grobe Annäherung zu verstehen. Die mathematisch-astronomischen Texte verwenden das bessere, aber ebenfalls nicht gemessene Verhältnis 3:2. Aus der 1. H. des 1. Jt. v. Chr. gibt es weitere astronomische Texte etwa auf dem Niveau von MUL.APIN [3].

b) BEOBACHTUNGSTEXTE

Seit Mitte des 7. Jh. bis zum 1. Jh. v. Chr. sind in Babylonien sog. a. Tagebücher belegt [4], die folgende Beobachtungen enthalten: Monatslänge, Zeiten zw. den Auf- und Untergängen von Sonne und Mond um Vollmond und Neumond und Finsternisse. Bei den Planeten werden Sichtbarwerden, Stillstände und Verschwinden mit Datum angeführt. Ferner wird das sog. Vorbeigehen von Mond und Planeten an bestimmten ekliptiknahen Sternen und die Entfernung von ihnen angegeben. Die Tagebücher enthalten Berichte über das Wetter, Warenpreise, den Wasserstand des Euphrat und bemerkenswerte Ereignisse. Von ihnen abgeleitet sind Zusammenstellungen von Beobachtungen unter verschiedenen Gesichtspunkten, u.a. Sammlungen von Finsternissen. Vermutlich auf den Tagebüchern beruhen kalenderartige Texte mit vorausberechneten astronomischen Ereignissen [5].

c) MATHEMATISCHE ASTRONOMIE

Berechnungen a. Phänomene beginnen mit Schemata für die Länge des Tages und der Nacht. Ansätze dazu gibt es seit der 1. Hälfte des 2. Jt. Tabellen in MUL.APIN lassen die Tageslänge in Abhängigkeit von der Jahreszeit linear zw. einem Minimum und einem Maximum variieren. Diese sog. Zickzackfunktion wird später in vielen Varianten in den Tabellentexten angewandt. Die rechnenden Texte beginnen im 5. Jh. v. Chr. Über 400 meist fragmentarische Tontafeln aus Babylon und Uruk enthalten Tabellen und Rechenvorschriften für Mond und Planeten. Die Vorschriften geben keine inhaltlichen Erklärungen. Es wird nur mit Zahlen operiert; Geometrie spielt keine Rolle. Ziel der Mondrechnung sind die erste Sichtbarkeit des Mondes nach Neumond oder die Zeitintervalle zw. Sonnenauf- oder untergang bzw. Mondauf- oder untergang um Vollmond; auch Finsternisse können berechnet werden (→ Mond). Bei den Planeten geht es um Verschwinden und Sichtbarwerden sowie um Stillstände und Opposition. Für diese Phänomene werden Datum und Länge in der Ekliptik berechnet. Es wird also nicht die Position des Planeten in Abhängigkeit von der Zeit gesucht, sondern Datum und Position eines Phänomens des Planeten. Die Zeit und der Abstand (in der Ekliptik) zw. aufeinanderfolgenden Vorkommen desselben Phänomens variieren innerhalb gewisser Grenzen. Zur rechnerischen Darstellung dieser Variation werden Zickzackfunktionen oder sog. Stufenfunktionen verwendet. Die Berechnung der astronomischen Phänomene kombiniert mehrere solche Funktionen. Die Ergebnisse stimmen mit modernen Rechnungen und ant. Beobachtungen weitgehend überein. Der Erfolg beruht auf den sehr genauen Perioden. Die mathematische A. ist eine großartige eigenständige Leistung der Babylonier. Parameter der babylon. A. finden sich bei griech. Astronomen (Ptolemaios, Hipparchos) wieder; wie sie diese Kenntnis erhalten haben, ist ungewiß. Sie hatten jedenfalls babylon. Beobachtungen zur Verfügung. Babylon. mathematisch-a. Tabellen finden sich auf Papyri röm. Zeit in Ägypten. Damit ist eine direkte Übertragung babylon. A. in eine andere Kultur erwiesen [6]. Elemente der babylon. A. sind auch in Indien nachweisbar [8; 9].

2. ÄGYPTEN

In Ägypten gab es vor der hell. Zeit keine rechnende A. Sterne, deren Aufgänge um zehn Tage auseinanderliegen, wurden (vor 2000 v. Chr.) in Listen zusammengefaßt; diese Sterne (»Dekane«) zeigen dann (sehr ungefähr) den Beginn der Stunden der Nacht an. Später wurden auch die Vorübergänge von Sternen an bestimmten

Markierungen zur Zeitmessung verwendet; obwohl prinzipiell brauchbar, wurde diese Methode so ungenau gehandhabt, daß sich keine astronomischen Erkenntnisse ergaben [7].

1 H. HUNGER, D. PINGREE, MUL.APIN, 1989
2 J. SCHAUMBERGER, Die *ziqpu*-Gestirne nach neuen Keilschrifttexten, in: ZA 50, 1952, 214–229 3 D. PINGREE, E. REINER, A Neo-Babylonian Report on Seasonal Hours, in: AfO 25, 1978, 50–55 4 A. J. SACHS, H. HUNGER, Astronomical Diaries and Related Texts from Babylonia, 1988 ff. 5 A. J. SACHS, Babylonian Observational Astronomy, in: The Place of Astronomy in the Ancient World, 1974, 43–50 6 O. NEUGEBAUER, A Babylonian Lunar Ephemeris from Roman Egypt, in: FS Sachs, 1988, 301–304 7 O. NEUGEBAUER, R. PARKER, Egyptian Astronomical Texts, 1960/69 8 D. PINGREE, Babylonian Planetary Theory in Sanskrit Omen Texts, in: FS Aaboe, 1987, 91–99 9 Ders., MUL.APIN and Vedic Astronomy, in: FS Sjöberg, 1989, 439–445.

O. NEUGEBAUER, Astronomical Cuneiform Texts, 1955 · Ders., History of Ancient Mathematical Astronomy, 1975.
H. HU.

C. GRIECHISCHE ASTRONOMIE

Auch die Griechen haben seit je bestimmte Gestirnskonstellationen, vor allem heliakische Auf- und Untergänge von Sternen und Sternbildern (Plejaden u. a.), sog. Sternphasen, zur Zeitbestimmung für Landwirtschaft und Schiffahrt benutzt [1] (Lehrgedichte von → Hesiodos, → Thales, → Aratos [4], wiss. Abhandlungen von Eudoxos, → Hipparchos, Hypsikles, →Ptolemaios), während sie bei langperiodischen Ereignissen anfangs auf babylon. (weniger ägypt.) Kenntnisse und Verfahren zurückgriffen – so Thales bei der Vorhersage einer Sonnenfinsternis (möglicherweise für das Jahr 584 v. Chr.) vermutlich auf die babylon. »Saros-Periode«, so Meton auf einen 19jährigen Schaltzyklus, den er um 430 v. Chr. in Athen einführte. Aus der Blütezeit babylon. A. stammt auch die Einführung der hauptsächlichen Himmelskreise (zwölfteiliger Tierkreis; frühes 5. Jh. v. Chr. [2], Horizont, Äquator) und die Ausdehnung des Sexagesimalsystems – mit später sog. Graden (»Teilen«), Minuten, Sekunden usw. – auf deren Unterteilung. Übernommen wurden von den Griechen außerdem u. a. die Unterteilung von Tag und Nacht in je 12 »Stunden« sowie der → Gnomon vor allem zur Bestimmung der Jahrespunkte (→ Anaximandros) sowie des längsten und kürzesten (lichten) Tages und der damit zusammenhängenden geographischen Breite (Eudoxos, Hipparchos) [3]; griech. Papyri (P. Hibeh 27, um 300 v. Chr.; P. Par. 1, um 180 v. Chr.) benutzen allerdings für die Berechnung der Tageslängen auch die ägypt. Stammbrüche [4]. Selbst Ptolemaios griff zur Berechnung von Perioden noch vielfach auf Beobachtungen der Babylonier (die früheste 721 v. Chr.) zurück. Auch die babylon. Verfahren mit arithmetischen Differenzenregeln (Zickzackfunktionen) sind anfangs von den Griechen verwendet (Hypsikles, 2. Jh. v. Chr.) und dann insbesondere in der ebenfalls übernommenen (wenn auch umgeformten) Astrologie teilweise bis in die röm. Kaiserzeit für die Ortsberechnungen beibehalten worden [5; 6]. Die Kenntnisse flossen bis zum Ionischen Aufstand über die griech. Kolonien an der kleinasiat. Küste, vor allem Milet (Thales, Anaximandros u. a.) ein, nach der Hellenisierung dienten insbes. die von den Griechen sog. Chaldäer (neubabylon. Sternkundige, vor allem Astrologen) als Vermittler; namentlich und aus einzelnen Fragmenten bekannt sind → Berossos (3. Jh. v. Chr.) und Seleukos von Seleukeia (2. Jh. v. Chr.).

Babylon. Einflüsse wie die Kenntnis der Planeten und des Tierkreises (die in ptolemäischer Zeit vorgenommene Identifizierung alter ägypt. Kalendersterne mit Sternbildern auf dem babylon. Tierkreis ist astronomisch sinnlos und falsch; als »Dekane« spielten sie allerdings in der hell. und kaiserzeitlichen → Astrologie eine große Rolle) finden sich auch im hellenisierten Ägypten, ebenso wie Planetentafeln in sexagesimaler Schreibweise der Zahlen unter Verwendung der Differenzenmethode auf demotischen und griech. Papyri der Kaiserzeit (Daten von 16 v. Chr. bis 134 n. Chr.). In Ägypten befand sich allerdings seit den ersten Ptolemäern (bis zur Zerstörung durch die Araber 642) im Museion in Alexandreia das Wissenschaftszentrum der griech. Welt, die Wirkungsstätte vieler griech. Astronomen (Ptolemaios, Theon von Alexandreia u. a.). Hier wurde entdeckt, daß der heliakische Aufgang des schon auf einer Elfenbeintafel der 1. Dynastie als ›Bringer des neuen Jahres und der Überschwemmung‹ erwähnten Sirius (Sothis) im ägypt. Kalender, der 12 Monate zu 30 Tagen und 5 Zusatztage (*Epagomenen*) umfaßte, in vier Jahren um einen Tag früher eintritt; ein Dekret von Kanopos verfügte deshalb 238 v. Chr., alle vier Jahre einen sechsten Zusatztag einzufügen, was allerdings erst unter Augustus effektiv wurde. Die Astronomen von Alexandreia (und in ihrem Gefolge die Astronomen bis ins 17. Jahrhundert) benutzten statt bzw. neben diesem »Alexandrinischen Kalender« (entsprechend der Jahreslänge des Julianischen Kalenders) aus praktischen Gründen (Ganzzahligkeit) weiterhin das »ägyptische« Jahr für ihre Berechnungen. Der ägypt. Kalender ließ das Jahr (1. Thoth) urspr. mit dem heliakischen Aufgang des Sirius beginnen; wegen der zu kurzen Jahreslänge wandert dieses Ereignis allerdings durch das Kalenderjahr, bis es nach 1460 alexandrinischen bzw. 1461 ägyptischen Jahren (Sothisperiode) wieder auf den Jahresanfang fällt, so im Jahre 139. Erst Theon von Alexandreia (4. Jh.) errechnete diese sog. *apokatástasis* für die Jahre 4241, 2781 und 1321 v. Chr.; entsprechende Rückdatierungen in späteren Texten können deshalb nicht zur Erschließung eines hohen Alters ägypt. A. dienen.

Die Griechen konnten zwar Beobachtungsmaterial vor allem der Babylonier übernehmen, stellten dieses jedoch stets in den Dienst einer kosmogonischen Welterklärung; ihnen ging es von Anfang an um eine rationale, physikalische Erklärung der Himmelsphänomene. Bereits Anaximandros schuf in Anlehnung an Hesiods Theogonie ein kosmogonisches Weltbild mit (noch spekulativ gewonnenen) quantifizierten Ausmessungen [7]: In der Mitte der kristallenen (durchscheinenden) Himmelskugel schwebt die Erdscheibe; jenseits von ihr befinden sich die aus Nebel gebildeten und mit Feuer gefüllten Schläuche von Mond und Sonne in der Form speichenloser Räder, die sich im Rhythmus ihres Auf- und Unterganges um die Erde drehen, so daß das aus je einem zum Zentrum weisenden Loch wie aus einer Trompete austretende innere Feuer das nächtliche bzw. tägliche Erscheinungsbild von Mond (die Phasen sollen auf Verrußungen des Loches beruhen) und Sonne ergeben. Das Steigen und Sinken von Mond und Sonne am Himmel (Jahreszeiten) soll von einem von Winden verursachten Schwanken beider Räder beruhen (Grundlage bildete die Schiefe der Ekliptik, die er nach Plin. nat. 2,31 = Anaximand. fr. A 5 erstmals erkannt haben soll, während die Zeichen − in Griechenland − von Kleastratos eingeführt worden seien). Damit hat Anaximandros bereits das Prinzip griech. A. begründet, die erscheinenden komplexen Bewegungen der Himmelskörper aus mehreren realen (kreisförmigen) Komponenten entstehen zu lassen, hier aus der täglichen und der jährlichen bzw. monatlichen, deren Zustandekommen noch jeweils physikalisch erklärt wird. Nachfolger fand er auch mit seiner quantitativen Strukturierung des Kosmos: Der Durchmesser der Erdscheibe sei das Dreifache ihrer Höhe, die inneren/äußeren Radien von innerem Himmel, Mond(rad) und Sonnen(rad) betrügen 9/9+1, 2×9/2×9+1 und 3×9/3×9+1, also ⁹⁄₁₀, ¹⁸⁄₁₉ und ²⁷⁄₂₈ Erdradien. Zur Bestimmung der Jahrespunkte und Ekliptikschiefe benutzte er einen Gnomon mit Halbhohlkugel zwecks Abbildung der Himmelsbewegungen; auch soll er neben einer ersten Erdkarte ein Modell des Himmels (wohl einen Himmelsglobus) konstruiert haben. → Anaximenes, der die Gestirne als flache, auf der Luft schwebende, feurige (aus Luft entstandene) Gebilde ansieht, spricht dann bereits von weiteren gegenüber dem Fixsternhimmel bewegten Gestirnen (unter die gelegentlich auch Kometen gezählt wurden). Die Anzahl der im Vergleich zu den zueinander unbewegten »Fixsternen« so erscheinenden »Irrsterne« (πλανῆται, *planêtai*) wird dann seit Demokrit wieder kanonisch fünf (neben Sonne und Mond, die ebenfalls als »Planeten« gelten).

An die mathematischen Spekulationen des Anaximandros knüpft dann der Versuch älterer Pythagoreer des ausgehenden 5. Jh. (→ Archytas u. a.) an − ausgehend von den Umlaufperioden der sieben Planeten und der Fixsternsphäre, die entsprechend ihrer Bahngeschwindigkeit unterschiedliche Töne erzeugen sollen (→ Akustik), und dem Postulat, daß diese harmonischen Tonintervalle insgesamt eine »Sphärenmusik« (→ Sphärenharmonie) ergeben − Aussagen über die Reihenfolge und relativen Abstände der Himmelskörper zu gewinnen. Diese Idee nimmt Platon (rep. 10,13 f.) wieder auf und realisiert sie bezüglich der relativen Abstände in einer Beschreibung des Anblicks von der Spitze der Weltachse aus, die er mit einer Spindel und ihren ringförmigen Wirteln vergleicht, auf denen Sirenen säßen und insgesamt einen harmonischen Gesang ertönen ließen. Als ebenfalls pythagorisierend empfindet Platon aber auch seine grandiose Idee eines Weltaufbaus durch die im Plan des Weltenbauers integrierte Harmonik, die er im *Timaios* (8–10) entwickelt und die noch einen Johannes Kepler anregen sollte. Das Ergebnis mathematischer Teilungen sind dabei zwei Stränge der gemischten Seinsformen, deren einer gemäß dem Prinzip des Einen aus harmonischen Intervallen aufgebaut ist und, zu einem Kreis geformt, gleichförmig rotiert (sichtbar gemacht durch die ihm zugeordnete Fixsternsphäre, die daraufhin eine gleichbleibende Bewegung ausführt), während der andere, gemäß dem Prinzip der Zweiheit und des Anderen nach unharmonischen Verhältnissen unterteilt, sowohl das Prinzip der Vielheit als auch die Ungleichförmigkeit repräsentiert. Er wird ebenfalls zu einem (allerdings entgegengesetzt bewegten) Kreis geformt und entsprechend der Schiefe der Ekliptik schräg in den anderen Kreis eingepaßt, von dem er mitgerissen wird, jedoch entsprechend der Anzahl der Planeten versiebenfacht, so daß die diesen Kreisen in der Reihenfolge Mond, Sonne, Venus, Merkur, Mars, Jupiter, Saturn angehefteten Planeten sich sowohl auf ihrem eigenen Kreis ungleichförmig als auch im Vergleich untereinander unterschiedlich bewegen. Die aus den zugrunde gelegten Prinzipien abgeleitete Ungleichförmigkeit der Planetenbewegungen soll also *real* sein, die »physikalisch« erklärten Phänomene bedürften grundsätzlich keiner »Rettung«. Die Kreisbewegungen entsprächen vielmehr dem Denken der Weltseele, das der Astronom daraufhin erkennen könne. Noch der Neuplatoniker Proklos (hypotyposis astr. pos., prooem.) sieht in dieser umfassenden, vor- und überempirischen »Himmelskunde« (οὐρανοῦ ὑπεραστρονομεῖν) das eigentliche Ziel der A. und verurteilt die die Phänomene berücksichtigende mathematische A., die in der Folgezeit entstand.

Platon setzt die Planetenbewegungen wieder aus zwei Komponenten zusammen und faßt die jeweilige Eigenbewegung im Gegensatz zur Wirbeltheorie des Demokrit – dergemäß die Geschwindigkeiten mit größerem Abstand vom Zentrum Erde größer werden, so daß der äußerste Planet Saturn sich am schnellsten bewegt, weil er erst in 30 Jahren um eine Umdrehung hinter der Fixsternsphäre zurückbleibt, der Mond am langsamsten – als zur täglichen (Fixstern-) Bewegung gegenläufige Bewegung auf, so daß der Saturn am langsamsten umläuft, weil er erst in 30 Jahren zur selben Stelle am Himmel zurückkehrt usw. Vitruv (9,1,15) veranschaulicht dies mit auf einer Drehscheibe gegen die Drehrichtung in sieben konzentrischen Rillen laufenden Ameisen. Aus Vollkommenheitserwägungen heraus wird von Pythagoreern auch die Kugelform der Erde erschlossen, die dann rasch empirische Bestätigungen erfährt (Zirkumpolarsterne, Gestalt der Mondphasen usw.), aber auch etwa von Philolaos ein die »Dekas« ergänzender zehnter Weltkörper (»Gegenerde«, die sich

auf ihrer Bahn von der Erde aus stets jenseits des Zentralfeuers befinde) oder von den Pythagoreern Ekphantos und Hiketas (5. Jh. v. Chr.) eine bewegte Erde. Das Weltbild bleibt jedoch seit Platon und Aristoteles geozentrisch; die Erde im Zentrum ist als Ausgangspunkt gleichzeitig Konsequenz der bis in die Neuzeit gültig bleibenden Physik des Aristoteles – auch für die Astronomen (s. Ptol. syntaxis mathem. 1,5).

Die Abspaltung einer die Phänomene berücksichtigenden mathematisch-kinematischen A. erfolgt dann im Anschluß an Platons Himmelskunde, indem ein Mitglied seiner Akademie, → Eudoxos von Knidos, auch die ungleichförmige Komponente der Eigenbewegungen jeweils in gleichförmige, periodische Kreisbewegungen zerlegt (Titel seiner Schrift: Περὶ ταχῶν), die er von mit ihren Drehachsen ineinandergelagerten, konzentrischen mathematischen Kugeln ausführen läßt: Beim Saturn etwa übernimmt die äußerste, um die Himmelspole rotierende »Sphäre« die Periode des Fixsternhimmels (tägliche Bewegung), die zweite, entgegengesetzt bewegte und mit ihrer Drehachse um den Winkel der Ekliptikschiefe schräg zur Drehachse der ersten Sphäre in ihr gelagerte die (siderische) Periode der Eigenbewegung, während ein weiteres, mit der äußeren um einen rechten Winkel verschoben in der zweiten gelagertes Sphärenpaar die Ungleichförmigkeit der Schleifenbewegung wiedergeben soll, indem der auf dem »Äquator« der innersten Sphäre befindliche Planet vom Zentrum her gesehen die Figur einer liegenden Acht (»Hippopede«, Pferdefessel) beschreibt, die der siderischen Eigenbewegung überlagert wird. Kallippos verbesserte dieses »System der homozentrischen Sphären« durch die Ergänzung einer weiteren Sphäre, die in Kombination mit den beiden inneren neben der Schleifenbewegung auch die ungleichförmige Geschwindigkeit der gegenläufigen Eigenbewegung abdeckt. In beiden Fällen handelt es sich um rein mathematische Theorien zur Analyse der erscheinenden ungleichförmigen Planetenbewegungen als Resultante mehrerer gleichförmiger Sphärenrotationen. Für Aristoteles, der die gleichförmige Rotation des aus »Äther« bestehenden Himmels anderweitig erschlossen hatte, kam dieses System als theoriekonform sehr gelegen; er wandelte es deshalb in ein »physikalisches« (metaph. 12,8), indem er die »mathematischen« Kugeln zu materiellen, aus Äther bestehenden Sphären machte und auf das Sphärensystem eines Planeten eine Reihe von sog. zurückrollenden Sphären mit gleichen, aber gegenläufigen Perioden folgen ließ, die den Eigenanteil des äußeren Planeten kompensieren, bevor sich das System des nach innen folgenden Planeten anschließt. Er benötigt dazu insgesamt 55 Äthersphären. Dieses physikalische System bildete dann bis ins 16. Jh. (N. COPERNICUS will es wieder herstellen) die Grundlage sämtlicher Kosmologien, wenn auch die beobachteten Abweichungen in Form zusätzlicher »Anomalien« (scheinbare Größenänderung im Apo- und Perigäum) dazu zwangen, zur mathemat. Beschreibung der Phänomene unter Beibehaltung der Kreis- und Gleichförmigkeit der Bewegungskomponenten von der strengen Konzentrizität der Sphären abzurücken.

Nach Ansätzen bei Herakleides Pontikos (bei dem sich keine Anzeichen für eine Heliozentrik finden [8]) für die Venus wurde dazu von Apollonios von Perge (gest. um 170) für die Anomalie der synod. Periode die Epizykeltheorie entwickelt, dergemäß der Planet in der synod. Periode auf einem kleinen Kreis (»Epizykel«, Beikreis) bewegt wird, dessen Zentrum seinerseits gleichförmig auf einem großen, zur Erde konzentrischen Trägerkreis (Deferent) in der siderischen Periode von West nach Ost um die Erde geführt wird. Nach Theon von Smyrna (Expositio rerum mathematicarum p. 188) geht die Epizykeltheorie jedoch auf Hipparchos zurück; gemeint ist, daß er erstmals die von ihm speziell für die Sonne geschaffene Exzentertheorie, dergemäß die Sonne ihre Bahn zwar gleichförmig durchläuft, diese aber exzentrisch zur Weltmitte (Erde) gelagert ist, so daß daraus die ungleich langen Jahreszeiten zwischen den Jahrespunkten entstehen, für die Planeten (als siderische Komponente) mit Epizyklen kombinierte. Er sah aus physikalischen Überlegungen heraus die Epizykeltheorie als der Natur eher entsprechend an, die Exzentertheorie als bloße mathematische Wiedergabe der Anomalien. Die kinematische Gleichwertigkeit beider Theorien bezüglich der die Phänomene beschreibenden Resultante unter bestimmten Bedingungen (Epizykelradius = Exzentrizität, Rotation von Epizykel und Deferent gleichsinnig und -periodisch) sah er bereits (Ptol. syntaxis mathemat. 3,4; [9] erschließt dies aus Ptol. syntaxis mathemat. 12,1 und 4,6 bereits für Apollonios); mathematisch bewiesen wurde sie allerdings erst um die Zeitenwende von Adrastos von Aphrodisias sowie um 100 n. Chr. von Theon von Smyrna (Expositio rerum mathemat. p. 166). Auch scheint vorerst die Richtung der Epizykelrotation nicht klar gewesen zu sein; jedenfalls wird in Plinius' nur halb verstandenem Bericht (nat. 2,63–79) und im astrologischen P. Mich. 149 (um 150 n. Chr.) den Epizyklen der äußeren Planeten der falsche Drehsinn zugeordnet [10].

Spätestens seit Ptolemaios von Alexandreia, der in seinem Handbuch (σύνταξις μαθηματική, auch μεγίστη σύνταξις, woraus über das Arab. almagestum wurde) das Wissen der mathematischen A. der Griechen zusammenfassend darlegte, werden Epizykel- und Exzentertheorie für die Wiedergabe der Phänomene beider Anomalien der einzelnen Planeten zusammengefaßt, wobei den Epizyklen bei den äußeren Planeten (Saturn und Jupiter) entgegengesetzter Drehsinn, bei den inneren gleicher zugewiesen wird. Für den Mond mußte Ptolemaios gegenüber Hipparchos' Epizykel auf konzentrischem Exzenter (wie er es für die Sonne übernimmt) den Exzentermittelpunkt selber auf einem kleinen konzentrischen Kreis umlaufen lassen (Syntaxis mathemat. 5,2), was zwar eine bessere Wiedergabe der Bewegung in Länge gewährleistet, aber als real aufgefaßt eine falsche scheinbare Größenschwankung der

Mondscheibe ergeben würde (dies war Ausgangspunkt der Kritik bei N. Copernicus). Trotz allem genügte die Theorie den seit Hipparchos exakter bestimmten Parametern der Planetenbewegungen erst, nachdem Ptolemaios die Exzentrizität des Deferenten bezüglich der siderischen Längenbewegung verdoppelt hatte. Da dieses jedoch nicht bezüglich der synodischen Periode der Epizykel erfolgen durfte, nahm er diese Verdoppelung nur scheinbar vor, indem er einen imaginären »Ausgleichspunkt« auf der Apsidenlinie (von der Erde gesehen in gleichem Abstand jenseits des Exzentermittelpunktes) konstruierte, auf den bezogen der Epizykelmittelpunkt gleichförmig auf dem Deferenten umläuft. Auf Grund dieser dem zweiten Keplerschen Gesetz der Planetenbewegungen entsprechenden und die Phänomene vor Johannes Kepler am exaktesten wiedergebenden Ausgleichstheorie bewegt sich allerdings der Exzentermittelpunkt auf dem Exzenter selbst ungleichförmig – was physikalisch mittels rotierender Sphären nicht darstellbar war, so daß Copernicus insbesondere diese Abweichung von den Prinzipien der A. beseitigen wollte. Damit nahm er eine bereits von Ptolemaios' jüngerem Zeitgenossen Sosigenes stammende Kritik auf, der auf Grund der ringförmigen Sonnenfinsternis von 164, die neben den bis dahin bekannten totalen einen Entfernungswechsel von Mond und/oder Sonne signalisierte, für den Peripatos aber wenigstens nicht-konzentrische Sphären als empirisch gegeben deklarierte (Rekonstruktion der Schrift aus Simpl. De caelo p. 488 ff. in [11]).

Die den geometrischen Modellen der Griechen angepaßten mathematischen Hilfsmittel der sphärischen Geometrie (Autolykos von Pitane, Euklid, Theodosios, Menelaos) und Trigonometrie (Hipparchos) waren zwischenzeitlich auch soweit ausgereift, daß anfänglich benutzte arithmetische Verfahren der Babylonier aus der mathematischen A. gänzlich verschwanden und die geometrischen Modelle eine stetige Berechnung der Orte an beliebigen Stellen und zu beliebigen Zeiten erlaubten. Hierzu wurden die einzelnen Komponenten (Anomalien) ansatzweise seit Hipparchos für bestimmte Zeitintervalle tabellarisch dargestellt, so daß die Zusammenfassung der Werte mehrerer Tabellen den gewünschten Ort ergab. Ptolemaios' ›Handliche Tafeln‹ wurden für die Folgezeit lange unübertroffenes Vorbild, inschriftliche und Papyrus-Reste solcher »astronomischen Tafeln« auf geometr. Basis sind aber auch aus früheren Zeiten überliefert. Die Ausarbeitung der Methode zur parallaktischen Entfernungsbestimmung der erdnahen Objekte Sonne und Mond durch Aristarchos von Samos und Poseidonios, die Entdeckung der Präzession des Frühlingspunktes durch Hipparchos (sein Wert von 1° in 100 Jahren, den Ptolemaios als konstant annahm, ist allerdings zu groß), der Drehung der Apsidenlinie für die Planeten durch Ptolemaios sowie der sphärischen Refraktion durch Kleomedes und Ptolemaios hatten die Beobachtungsgenauigkeit ebenso erhöht wie der erste Fixsternkatalog des Hipparchos, den

Ptolemaios fast unverändert auf seine Zeit übertrug [12] und mit Größenklassen versah, die den Beginn der Photometrie darstellen. Aus nachptolem. Zeit verdienen die Komm. zu Schriften des Ptolemaios von Pappos und Theon von Alexandreia (4. Jh. n. Chr.) Erwähnung; letzterer weist in seinem »Kleinen Kommentar zu den Handlichen Tafeln« auf eine periodische Schwankung der Präzession (in Bezug auf den ungenauen Wert von Hipparchos) hin, die später als der Präzession überlagerte »Trepidation« gedeutet wurde [13]. Da die Theorien der mathemat. A. von der strengen Homozentrizität des Systems der »Himmelsphysik« abwichen, ja es sogar gleichgültig war, ob eine Bewegungsbeschreibung mittels Exzenter- oder kinematisch gleichwertiger Epizykeltheorie erfolgte, galten sie insbesondere den Physikern seit dieser Alternative in Betonung der Zweiteilung durch Aristoteles als bloße mathemat. Beschreibungen der akzidentellen Bewegungen (Hipparchos) und seit Poseidonios (nicht bereits seit Eudoxos bzw. Platon [14]) auch in positivist. Sinne als bloße *Hypothesen*, um die Phänomene, nämlich die erscheinenden Ungleichförmigkeiten (ἀνωμαλίαι, Anomalien), zu retten (σῴζειν τὰ φαινόμενα) [15] – durch die Kombination verschiedener gleichförmiger Kreisbewegungen, die den Prinzipien der »Physik« entsprechen – selbst Modelle und Analogrechner wie die Maschine von Antikythera mußten deshalb mit gleichförmigen Kreisbewegungen arbeiten (s. Pappos, collectio 8,3). Die »Anomalien« galten nach Aristoteles als nicht real, als bloß so erscheinend, real waren die kreis- und gleichförmigen Äthersphären (seit JOHANNES KEPLER galten dagegen die Anomalien als real). Ausdrücklich als eine solche Hypothese schlug auch → Aristarchos von Samos vor, daß die Phänomene auch bei einer Vertauschung von Sonne und Erde ›gerettet‹ würden. Physische Realität war damit nicht erreichbar, so daß Ptolemaios etwa für die Anordnung von Merkur und Venus unterhalb der Sonne lediglich anzuführen hat, daß sonst der Zwischenraum zwischen Mond und Sonne, deren Entfernungen mittels der Methode des Aristarchos prinzipiell bestimmbar waren, (trotz der viel zu kleinen Werte) zu groß bliebe. Auf der Grundlage von Mond- und Sonnendeferent, sowie durch lückenloses Anschließen der im Prinzip nur relativen Ausmaße der mathemat. Planetensysteme mit Deferent und Epizykel, erhält Ptolemaios allerdings einen Wert von 20000 Erdradien für den Radius der den Kosmos begrenzenden Fixsternsphäre, die sich jenseits der 19865 Erdradien betragenden äußeren Begrenzung der Saturnsphäre befindet (Ptol. hypothesis planet. I, in dem nur arab. erh. zweiten Teil [16]).

1 O. WENSKUS, Astronomische Zeitangaben von Homer bis Theophrast, 1990 2 G.J. TOOMER, in: Gnomon 44, 1972, 130 (zu D.R. Dicks, 1970) 3 Á. SZABÓ, E. MAULA, Enklima – ἔγκλιμα: Unt.en zur Frühgesch. der griech. A., Geographie und der Sehnentafeln, 1982 4 O. NEUGEBAUER, A history of ancient mathematical astronomy, 1975, 706 f. 5 Ders., The survival of Babylonian

method in the exact sciences of antiquity and the Middle Ages [1963], in: Ders., Astronomy and history, 1983, 157–164 6 A. AABOE, On the Babylonian origin of same Hipparchian parameters, in: Centaurus 4, 1955/56, 122–125 7 F. KRAFFT, 1971, 92–120 8 O. NEUGEBAUER, On the allegedly heliocentric theory of Venus by Heraclides Ponticus [1972], in: Ders., Astronomy and history, 1983, 370 f. 9 Ders., The equivalence of eccentric and epicyclic motion according to Apollonios [1959], in: Ders., Astronomy and history, 1983, 335–351 10 Ders., A history..., 1975, 801–808 11 M. SCHRAMM, Ibn al-Haythams Weg zur Physik, 1963, 32–63 12 G. GRASSHOFF, A history of Ptolemy's star catalogue, 1990 13 O. NEUGEBAUER, A history..., 1975, 631–634 14 J. MITTELSTRASS, Die Rettung der Phänomene, 1962 15 F. KRAFFT, Der Mathematikos und der Physikos. Bemerkungen zu der angeblichen Platonischen Aufgabe, die Phänomene zu retten, in: Beiträge zur Geschichte der Wissenschaft und der Technik, Heft 5, 1965, 5–24 16 B.R. GOLDSTEIN, The Arabic version of Ptolemy's Planetary hyotheses, 1967.

T. HEATH, Aristarchus of Samos, the ancient Copernicus: A history of Greek astronomy to Aristarchus, 1913 (1959, 1966) · O. NEUGEBAUER, The exact sciences in antiquity, 1952, ³1970 · D.R. DICKS, Early Greek astronomy to Aristotle, 1970 · F. KRAFFT, Geschichte der Naturwissenschaft, I: Die Begründung einer Wissenschaft von der Natur durch die Griechen, 1971 · O. PEDERSEN, M. PIHL, Early physics and astronomy, 1974 · O PEDERSEN, A survey of the almagest, 1974 · O. NEUGEBAUER, A history of ancient mathematical astronomy, 1975 (3 Bde.) · W.G. SALTZER, Theorien und Ansätze in der griech. A. im Kontext benachbarter Wissenschaften betrachtet, 1976 · O. NEUGEBAUER, Astronomy and history: Selected essays, 1983 · A. LE BOEUFFLE, A., astrologie – lexique latin, 1987 · B.L. VAN DER WAERDEN, Die A. der Griechen, 1988.   F. KR.

Astura. Fluß in Latium (Fest. 418,20 f.: Stura; Strab. 5,3,6), h. Torre Astura, der vom → *mons Albanus* durch die Pomptinischen Sümpfe zur Küste zw. Antium und dem *Circeius mons* fließt und vor der Insel A. mündet (Plin. nat. 3,57; 81). 338 v. Chr. kämpfte hier der Konsul Maenius gegen Latini und Volsci (Liv. 8,13,5; 12). Ciceros *villa*, in die er sich nach dem Tod seiner Tochter zurückzog; *villa* des Augustus und Tiberius (Überreste mit großangelegtem Fischteich und Laubengang auf der Insel – damals durch eine Brücke, h. direkt mit dem Festland verbunden). → *Statio* an der *via Severiana*.

F. CASTAGNOLI, A., in: Studi Romani 11, 1963, 637–44 · G. SCHMIEDT, Il livello del mare Tirreno, 1972 · F. PICCARRETA, A., 1977 · G. TOMASSETTI et al. (Hrsg.), La Campagna Romana antica, medioevale e moderna 1, 1979, 6 ff.; 2, 341 ff.   G.U./S.W.

Asturia. Landschaft im Norden Spaniens am Atlantik. Sie deckte sich mit den h. Prov. Asturias, Leon und Valladolid. Die Astures zerfielen in Stammesgruppen (*populi*), über die uns Poseidonios (bei Strab. 3,3,7) als erster berichtet. Sie wurden wie die → Cantabri von Augustus unterworfen. Die Goldreserven des Landes waren legendär. In der Stadt Astorga gab es eine dem *procurator metallorum* unterstellte Militäreinheit (Flor. epit. 2,33,60; ILS 9125 ff.).

F.J.LOMAS SALMONTE, Asturias preromana y altoimperial, 1989 · N.SANTOS YANGUAS, Astures y Cántabros: Estudio etnogeográfico, in: M.ALMAGRO-GORBEA, G.RUIZ ZAPATERO (Hrsg.), Paleoetnologia de la Península Ibérica, 1992, 431–447 · TOVAR 3,1989,103–109.   P.B.

Asty (ἄστυ). Im allg. Sinn »Stadt« (auch physisch im Gegensatz zu → *pólis* = Bürgerschaft), in → Attika im engeren Sinn → Athenai. In klass. Zeit entfielen von 139 Demoi ca. 42 auf das A. (1 bis 8 je Phyle, bei 3 Phylen, Aiantis, Antiochis, Pandionis, bestand die A.-Trittys nur aus je 1 Demos) [2. Tab. 1–10, Karte 1]. Die A.-Demoi besaßen überwiegend ländlichen Charakter, urban verdichtetes Habitat ist nur für wenige anzunehmen [1. 37]. Sie stellten in der → Bule insgesamt ca. 130 Buleutai, ihre Bürger sind in den Institutionen und Selbstverwaltungsorganen der Polis infolge der besseren Partizipationsmöglichkeiten deutlich überrepräsentiert, ihre Erwähnungsquote (»Deme Ratio« = Zahl der bezeugten Namen je Buleutes) beträgt in der Regel das 1,5– bis 2fache ländlicher Demoi [2. 65 ff.].

1 A. W. GOMME, The population of Athens in the Fifth and Forth Centuries B. C., 1933 2 TRAILL, Attica.   H.LO.

Astyages (Ἀστυάγης, akkad. Ištumegu). Letzter König der Meder, der nach Hdt. 1,130 35 Jahre regierte. Er soll vergeblich versucht haben, Kyros, den Sohn seiner Tochter Mandane und des Persers Kambyses, durch Aussetzung zu töten (Hdt. 1,108). Nach Hdt. 1,123–129 und babylon. Chronik-Berichten hat Kyros II. sich gegen A. erhoben (550 v.Chr.), vielleicht reflektiert in der Harpagos-Sage bei Hdt. Der Sieg Kyros' II. und die Eroberung Ekbatanas bedeuteten das Ende des Mederreiches. Ktesias (Persika 4 f.) bietet eine abweichende Version vom Ende des Mederreiches. In Xen. Kyr. 1,2,1 ist A. der vorletzte König der Meder. → Arbakes

A. K. GRAYSON, Assyrian and Babylonian Chronicles, 1975, 106 · H.SANCISI-WEERDENBURG, The Orality of Herodotus' Medikos Logos, in: Achaemenid History 8, 1994, 39–55 · R.SCHMITT, Medisches und persisches Sprachgut bei Herodot, in: ZDMG 117, 1967, 119–145, bes. 134 · T.C.YOUNG, The Early History of the Medes and the Persians and the Achaemenid Empire to the Death of Cambyses, in: CAH Bd. 4, ²1988, 1–52.   A.KU.u.H.S.-W.

Astyanax (Ἀστυάναξ). Sohn von → Hektor und → Andromache; von den Eltern Skamandrios, von den Troern Hektor zu Ehren A. (»Herr der Stadt«) genannt (Hom. Il. 6,402 f., 22,506 f.). Nach der *Iliupersis* wird der kleine A. auf Beschluß der Achaier von der Mauer Troias geworfen (Paus. 10. 25), damit er, herangewachsen, sich nicht an den Eroberern rächen könne (Clem. Al. strom. 6,2,19); dasselbe erzählt Stesichoros (fr. 25 PMG). Der von Accius in seinem *A.* benutzte Tragödiendichter läßt den Befehl zum Mord an A. vom Seher Kalchas ausgehen, um günstige Fahrtwinde zu erhalten (Serv. Aen. 3,489). Das Motiv des Mauersturzes über-

nehmen Euripides (Tro. 719–725) und Seneca (Tro. 1063–1103), die beide ebenso Odysseus eine Hauptrolle im Geschehen zuschreiben (nach Euripides war es Odysseus' Plan, nach Seneca führte er die Tat selber aus). In der Ilias ist es eben dieses Schicksal, das Andromache für ihr Kind fürchtet (24,734–736). Nach der ›Kleinen Ilias‹ zerschmettert Neoptolemos in der Nacht der Eroberung das Kind A. aus schierer Mordgier (Paus. 10,25,9); die att. Vasenbilder stellen sogar dar, wie Neoptolemos mit A. auf den greisen Priamos einschlägt [1]. Nach einer später überlieferten Sage blieb A. am Leben und gründete ein neues Troia (Schol. Il. 24,735).

1 S.v.A., LIMC 1. 1.

W.KULLMANN, Die Quellen der Ilias, 1960, 187.   F.G.

Astydamas (Ἀστυδάμας).
[1] Der Ältere. Tragiker aus Athen, laut Suda α 4265 Sohn des Morsimos und Enkel des Philokles; nach Diod. 14,43,5 erste Aufführung 398 v.Chr. Schon im Altertum wurde er mit seinem Sohn [2] verwechselt.

TRGF 59.   F.P.

[2] Der Jüngere. Tragiker aus Athen, Sohn des A. [1]. Erster Sieg bei den Dionysien 372 v.Chr. (DID A 3a,44 und D 1), weitere Erfolge 347 (DID A 1, 271), 341 mit *Achilleus*, *Athamas* und *Antigone* (DID A 1, 292 und A 2, 1) u. 340 mit *Parthenopaios* und *Lykaon* (DID A 1, 304 und A 2, 16); erster Sieg bei den Lenäen 340 (DID A 3b, 42). Die Suda nennt acht Stücke, sein *Alkmeon* wird von Aristot. poet. 1453b 32 erwähnt.

METTE 30 ff., 89 ff., 150, 162, 182 · Musa Tragica, hrsg. von B.GAULY (et al.), 1991, 60 · TRGF 60 .   F.P.

[3] Tragiker, im Jahr 279/78 v.Chr. Gesandter der att. Techniten des Dionysos in Delphi (Syll.³ 399, 33).

PICKARD-CAMBRIDGE / GOULD / LEWIS, 282, 308 · TRGF 96.   F.P.

Astydameia (Ἀστυδάμεια).
[1] Tochter des Doloperkönigs Amyntor, durch Herakles Mutter des Tlepolemos (Hes. fr. 232; Pind. O. 7,24). Bei Homer ist sie Astyocheia (Il. 2,658), bei Apollod. 2,149 und Hyg. fab. 162 Astyoche, Tochter des Phylas von Ephyra (Apollod. 1,166).
[2] Frau des → Akastos von Iolkos, der Peleus vom Totschlag an → Eurytion reinigte. Als Peleus ihre Liebe zurückweist, verleumdet sie ihn bei seiner Frau → Antigone [2], die sich erhängt, und bei Akastos, der ihn bei einer Jagd auf dem Pelion verläßt (Apollod. 2,164–67).
[3] Tochter des Pelops, Frau des → Alkaios und Mutter von → Amphitryo und Anaxo in einer von drei Genealogien (Apollod. 2,50).   F.G.

Astymedes. Rhodier, Sohn des Nauarchen Theaideton (Inschr. Lindos 216f) [1. 152⁴; 2. 188²⁵], befürwortete als Exponent der Römerfreunde rhodische

Waffenhilfe im 3. Maked. Krieg (Pol. 27,7,3) [2. 187; 3. 183], verteidigte in Rom 167–166 v. Chr. die rhodische Haltung mit von Polybios scharf kritisierten Darlegungen (30,4–5,22; Liv. 45,22–24; Diod. 31,5,1) [1. 22–23, 153; 2. 206; 3. 197], gewann aber erst 164 mit einer demütigeren Rede die *amicitia* zurück (Pol. 31,6,1. 7) [1. 160–161; 3. 205–211]. 153 kam A. als Nauarch im Rhodisch-kretischen Krieg nochmals nach Rom (Pol. 33,15,3) [3. 224].

1 H. H. SCHMITT, Rom und Rhodos, 1957 2 J. DEININGER, Der polit. Widerstand gegen Rom in Griechenland, 1971 3 R. M. BERTHOLD, Rhodes in the Hellenistic Age, 1984.

L.-M. G.

Astynomoi

Astynomoi (ἀστυνόμοι, »Stadtverwaltung«). Das Amt findet sich meist in ionischen Gemeinden. In der Übersicht über die in einer Stadt benötigten Beamten erwähnt Aristoteles die A. unmittelbar neben den Marktaufsehern, den *agoranómoi* (pol. 6,1321b 18–27), als verantwortlich für den guten Zustand öffentlicher und privater Gebäude, die Instandhaltung und Reparatur von Gebäuden und Straßen und für Grenzstreitigkeiten. Daneben kann es noch spezielle Beamte für die Mauern, die Brunnen und die Häfen gegeben haben.

In Athen amtierten im 4. Jh. v. Chr. zehn jährlich durch Los bestimmte A., fünf in der Stadt und fünf im Piräus. Sie sorgten für die Sauberkeit von Straßen und Heiligtümern und die Entfernung von Hindernissen, aber auch für die Einhaltung gewisser Aufwandsgesetze (Aristot. Ath. pol. 50,2). Eine Inschr. aus dem 2. Jh. n. Chr. enthält ein im 2. Jh. v. Chr. erlassenes Gesetz, das die Pflichten der A. in Pergamon regelt (SEG 13,521).

P. J. R.

Astyoche

Astyoche (Ἀστυόχη). Häufiger mythisch-ep. Frauenname, der gut in den Hexameter paßt, etwa
[1] Schwester von → Agamemnon und Menelaos, Frau des Phokers Strophios, des Vaters von Pylades (Hyg. fab. 117).
[2] Tochter des → Laomedon (Apollod. 3,146), Gattin des Telephos, Mutter des Eurypylos, den sie Priamos zur Hilfe sandte (Apollod. ep. 5,12).
[3] Tochter eines → Aktor, durch Ares Mutter von Askalaphos [2] und Ialmenos, dem Führer der Kontingente von Aspledon und Orchomenos vor Troia (Hom. Il. 2,513; Paus. 9,37,7).
[4] Tochter des Phylas von Ephyra, durch Herakles Mutter des → Tlepolemos von Rhodos (Hom. Il. 2,657f.). Sonst heißt sie Astydameia (Hes. fr. 232; Pind. O. 7,42 mit Schol.) oder Astygeneia (Pherekydes FGrH 3 F 80).

E. SIMON, s. v. A., LIMC 2. 1, 938 f.   F. G.

Astyochos

Astyochos (Ἀστύοχος). Spartanischer Nauarch 412/11 v. Chr. Im Sommer 412 scheiterte sein Versuch, Lesbos zu gewinnen (Thuk. 8,22f.); seine Operationen zw. Lesbos, Chios, Erythrai und Klazomenai verliefen glücklos (8,31–33). Unzufrieden mit seiner Amtsführung sandte ihm Sparta im Winter 412/11 »Ratgeber« mit außerordentlichen Befugnissen in sein Hauptquartier in Milet (Thuk. 8,39,1 f.). Nach Vorstößen bis Knidos und Rhodos unterzeichnete er im Frühjahr 411 den 3. Spartanisch-persischen Vertrag, in dem Sparta für Subsidien Ionien dem Perserkönig preisgab (Thuk. 8,40,3–44; 58). Zum Ende seiner Amtszeit konnte A. sich kaum vor Ausschreitungen seiner Soldaten retten, die ihm Mangel an Tatkraft, Arroganz und eine undurchsichtige Haltung gegenüber dem Satrapen → Tissaphernes vorwarfen (Thuk. 8,78f.; 83–85).   K.-W. W.

Astypalaia

Astypalaia (Ἀστυπάλαια). Insel im Dodekanes (97 km²; Umfang nach Plin. nat.4,23: 88 *milia passuum*), zw. → Amorgos, → Anaphe und Kalimnos gelegen. A. besteht aus zwei Teilen, die durch eine nur etwa 100 m breite Landenge verbunden sind. Frühbronzezeitl. Siedlungen sind im Ostteil bes. in der Bucht Vathy nachgewiesen. Myk. Kammergräber konnten im Westen und bei Armenochori ausgegraben werden. Die ant. Polis lag an der Stelle des h. Hauptortes Chora. Auf dem Akropolishügel fanden sich byz. Reste, Kirchen und ein Kastro. In gesch. Zeit war A. von → Dorieis besiedelt, im 5. Jh. v. Chr. gehörte es dem → Att.-Delischen Seebund an, im 3. Jh. v. Chr. war es ptolemäischer Besitz. Aus A. stammte → Phalaris, der spätere Tyrann von Akragas, und Onesikritos. In röm. Zeit war A. *civitas libera et foederata*. Nach dem 4. Kreuzzug wurde A. venezianisch, 1269 byz. (Mz.: HN, 630 f. Inschr.: IG XII 3, 167–246).

E. B. FRENCH, Archaeology in Greece 1993/94, 69 · H. KALETSCH, s. v. A., in: LAUFFER, Griechenland, 139–142.
H. KAL.

Astyra

Astyra (Ἄστυρα).
[1] Griech. Polis an der Südwestküste der Troas (Skyl. 98), war Mitglied des → Att.-Delischen Seebundes. Dann verlor die Siedlung an Bed. (Strab. 13,1,65). A. wird jedoch noch im Zollgesetz von Ephesos erwähnt [2. 63]. Das Heiligtum der → Artemis Astyra in A. stand in Abhängigkeit zu dem in der Nachbarschaft gelegenen Antandros (Strab. ebd.; Xen. hell. 4,1,41). Eine genauere Lokalisierung von A. konnte bisher nicht erreicht werden [1. 267].

1 J. M. COOK, The Troad, 1973 2 H. ENGELMANN, D. KNIBBE, Das Zollgesetz der Prov. Asia, in: EA 14, 1989.

L. BÜRCHNER, s. v. A., RE 4, 1877 · W. LEAF, Strabo on the Troad, 1923.   E. SCH.

[2] Stadt im Bergland der Troas, südl. von Abydos. Die Autonomie hatte A. schon früh an Abydos verloren. Da in der Umgebung von A. Goldminen lagen (Strab. 13,1,23), ist A. vielleicht mit Kremaste gleichzusetzen, wo sich laut Xen. hell. 4,8 die Minen der Abydener befanden. In diesem Fall wird A. in der Nähe dieser Minen an einer Enge des Koca Çay auf einem Felsvorsprung namens Gavur Hisar lokalisiert [1. 290]. Es fehlen jedoch ant. Überreste [2. 135].

1 J. M. COOK, The Troad, 1973 2 W. LEAF, Strabo on the Troad, 1923.   E. SCH.

Asylia (ἀσυλία). Schutz von Personen und Sachen, zunächst im hl. Bereich des ἱερὸν ἄσυλον (hierón ásylon). Bes. der Fremde, ξένος (xénos), bedurfte der a., weil er einer anderen Rechtsordnung unterstand und im Gastland erst Rechtsschutz erhalten mußte, um vor gewaltsamen Übergriffen sicher zu sein. Vgl. hierzu den Rechtsgewährungsvertrag zwischen Oiantheia und Chaleion um 450 v. Chr. [1; 2]. Möglicherweise stammte alle profane A. und sogar die μετοικία (metoikía) aus sakraler A. [3; 4].

1 H. BENGTSON, StV II, ²1975, Nr. 146   2 H. VAN
EFFENTERRE, Nomima I, 1994, Nr. 53   3 E. SCHLESINGER, Die
griech. Asylie, 1933   4 G. THÜR, H. TAEUBER,
Prozeßrechtliche Inschr. der griech. Poleis: Arkadien, 1994,
Nr. 36.   G. T.

Asylon (ἱερὸν ἄσυλον). Unverletzlicher (ἀ und συλᾶν, »wegnehmen«, »Selbsthilfe ausüben«) hl. Bereich, von dem Schutzflehende und Sachen nicht mit Gewalt entfernt werden dürfen.

Diese in Griechenland seit der Frühzeit gut belegte Institution wurzelt in der weit verbreiteten Vorstellung (Alter Orient, Ägypten, Israel) [1], daß Personen, die sich in einer hl. Stätte befinden, vor ihren Verfolgern sicher sind. Ihre gewaltsame Entfernung, gewissermaßen Raub eines Gliedes des hl. Ortes, galt als Frevel und zog göttl. Strafe nach sich. Mit der Verweltlichung des Rechtes entwickelte sich allmählich der Unterschied zw. dem von jedem Heiligtum gewährten und mit Reinigungen verbundenen sakralen Schutz (Hikesie) [2. 38–52; 3; 4. 226–230] und dem persönlichen bzw. ortsgebundenen, staats- oder völkerrechtlich garantierten Schutz (→ Asylia) [2. 53–68; 4. 219–226, 230–266].

Eigentlich war jedes Heiligtum A., doch waren bestimmte Heiligtümer in weiten Kreisen oder allg. als A. anerkannt, wie Delphi, das Artemision von Ephesos, das Heiligtum des Poseidon in Tainaron. Bereits im Perserreich wurde das A. bestimmter Heiligtümer staatlich garantiert, und diese Praxis setzten Alexander und die hell. Könige fort [2. 71–80; 5; 6. 118–138]. In der hell. Zeit bemühten sich viele Poleis – durch Hinweis auf ein delphisches Orakel, mit königlicher Unterstützung und in Verbindung mit einem Fest – um die Anerkennung eines Heiligtums als A., zuweilen des gesamten Territoriums [2. 71–84; 4. 226–230, 266–282; 6. 118–138; 7. 156–173].

Dabei stand der Schutz des Landes und der Bürger vor Seeräubern und nicht der Schutz von Flüchtlingen vor ihren Verfolgern im Vordergrund. Der Praxis der hell. Könige folgten röm. Feldherren [8. 78–80; 9]. Um den Mißbrauch des Asylrechtes durch Sklaven, Schuldner und Verbrecher einzuschränken, ordnete Tiberius 22 n. Chr. eine Revision der von den einzelnen Poleis behaupteten Rechte durch den Senat an [10. 164–180]. Aufgrund des Begnadigungsrechtes des Kaisers galt außerdem jede Kultstätte des Kaiserkultes als A. [11. 130f.], und zum Leidwesen der Juristen wurde die Flucht zur Kaiserstatue zu einem oft benutzten Mittel,

um sich der Strafe zu entziehen (Tac. ann. 3,36; Dig. 48,19,28,7). In Rom selbst gab es nur zwei A., im Sattel des Kapitols und im Tempel des Iulius Caesar.

Das A. schützte Schuldige und Unschuldige gleichermaßen (vgl. Eur. Ion. 1315; Strab. 14,1,23). Die Unterscheidung zw. Absicht und Fahrlässigkeit im profanen Recht führte zu der Ansicht, nur Opfer ungerechter Verfolgung oder fahrlässige Delinquenten besäßen ein Recht auf A. (Thuk. 4,98,6); verschiedene Maßnahmen sollten vor Mißbrauch schützen ([12. 61f.; 13. 839; 14]; IG I² 44; LSCG Suppl. 115 b 50; LSCG 124 Z. 10). Als A. galt nicht das gesamte hl. Land, sondern von Fall zu Fall nur der Altar, der Tempel, das Temenos, ein entsprechend durch Grenzsteine gekennzeichneter Bezirk, zuweilen das gesamte städtische Territorium. Manche Heiligtümer hatten Einrichtungen, die einen langen Aufenthalt vieler Schutzflehender ermöglichten [1. 391–401; 15].

Das A. der griech. und röm. Heiligtümer ging ins Kirchenasyl über, das jedoch vom staatlichen Ermessen unabhängig war. Die kaiserlichen Erlasse sind Ausführungsverordnungen zu einem Prinzip, das mit der Interzessionspflicht des Bischofs zusammenhängt und vom Staat 419 grundsätzlich bestätigt wurde; Verletzungen galten als Majestätsverbrechen. Allerdings wurden im 6. Jh. Bemühungen unternommen, vom Kirchenasyl Verbrecher (einschließlich der Häretiker) auszuschließen [13. 840–844; 16].

→ Asylia

1 L. DELEKAT, Asylie und Schutzorakel am Zionheiligtum, 1967   2 E. SCHLESINGER, Die griech. Asylie, 1933   3 J. GOULD, Hiketeia, in: JHS 93, 1973, 74–103   4 PH. GAUTHIER, Symbola, 1972   5 F. VON WOESS, Das Asylwesen Ägypt. in der Ptolemäerzeit und die spätere Entwicklung, 1923   6 P. HERRMANN, Antiochos der Große und Teos, in: Anadolu 9, 1965, 25–159   7 L. ROBERT, Documents d'Asie Mineure, 1987   8 J. REYNOLDS, Aphrodisias and Rome, 1982   9 P. HERRMANN, Rom und die Asylie griech. Heiligtümer, in: Chiron 19, 1989, 127–164   10 G. G. BELLONI, Asylia e santuari greci dell'Asia Minore al tempo di Tiberio, in: M. SORDI (Hrsg.), I santuari e la guerra nel mondo classico, 1984, 164–180   11 T. PEKÁRY, Das röm. Kaiserbildnis in Staat, Kultur und Gesellschaft, 1985   12 K. LATTE, Hl. Recht, 1920   13 L. WENGER, s. v. Asylrecht, RAC 1, 836–844   14 K. A. CHRISTENSEN, The Theseion: A Slave Refuge at Athens, in: AJAH 9, 1984, 23–32   15 L. DELEKAT, Katoche, Hierodulie und Adoptionsfreilassung, 1964   16 L. WENGER, Ὅροι ἀσυλίας, in: Philologus 86, 1931, 427–454.   A. C.

Asyndeton (ἀσύνδετον). »Unzusammengebunden«, vgl. Aristot. interpr. 17a 17 bzw. rhet. 1413b 29; lat. Entsprechungen: dissolutio (Quint. inst. 9,3,50) bzw. solutum (Aquila rhet. 41). Konjunktionslose Aneinanderreihung mindestens zweier koordinierter Syntagmen (Einzelwörter, Wortgruppen, Satzteile oder Sätze), die in inhaltlich-logischer Verbindung zueinander stehen. Man unterscheidet demnach Wort- und Satz-A. Gegensatz: → Polysyndeton. Funktionen: enumerativ (additiv, Kli-

max bzw. Antiklimax), adversativ, summativ, konsekutiv, explikativ oder kausal. Beispiele: ἀκηκόατε, ἑωράκατε, πεπόνθατε, ἔχετε· δικάζετε (Lys. 12,100). *Praeterea, milites, non eadem nobis et illis necessitudo inpendet: nos pro patria, pro libertate, pro vita certamus; illis supervacuaneum est pugnare pro potentia paucorum* (Sall. Catil. 58,11).
→ Stil, Stilfiguren; Syntax

LAUSBERG, 353–355 · KNOBLOCH, I 193–196 · J. B. HOFMANN, A. SZANTYR, Lat. Syntax und Stilistik, 1965, 828–831 · SCHWYZER/DEBRUNNER (s. Sachreg.).   R. P.

Atalante (Ἀταλάντη).
A. MYTHOS   B. IKONOGRAPHIE

A. MYTHOS
Myth. Tochter des Schoineus oder des Iasios und der Klymene. In einer boiotischen Version darf sie Jungfrau bleiben, muß aber alle Freier im Wettlauf besiegen (Hyg. fab. 185). → Hippomenes erhält von Aphrodite drei goldene Äpfel, die er während des Laufs vor A. hinwirft, welche sie aufhebt (Hes. fr. 72–76 M-W, Ov. met. 10.560–680), wodurch er gewinnt. Das Paar vereinigt sich darauf in einem Heiligtum der Kybele oder des Zeus und wird zur Strafe in Löwen verwandelt. In der arkadischen Version wird A. neugeboren ausgesetzt, von einer Bärin gesäugt und von Hirten aufgezogen. Sie zieht als Jägerin der Artemis durchs Gebirge, wehrt sich gegen Freier (Thgn. 1287–1294), bis sie schließlich Meilanion erliegt (Aristoph. Lys. 785ff., Prop. 1,1,9ff., Ov. ars 2,185ff.). Sie nimmt an der »Kalydonischen Jagd« teil, wo ihr → Meleagros Kopf und Haut des Ebers zuspricht, weil sie diesen als erste trifft (Eur. Phoen. 1106ff.; Kall. h. 3,215ff.; Ov. met. 8,316ff.; Hyg. fab. 174). Sie zieht mit den → Argonauten (Diod. 4,41,2; 48,5, Apollod. 1,112) und beteiligt sich an den Leichenspielen für → Pelias, wo sie → Peleus im Ringkampf besiegt. Ihr Sohn ist Parthenopaios (Aischyl. Sept. 532f.; Soph. Oid. K. 1320f.; Hyg. fab. 70). Die beiden Sagenversionen sind schwer zu trennen (vgl. Apollod. 3,106ff.).

J. BOARDMAN, G. ARRIGONI, s. v. A., LIMC 2.1, 940–950 · J. ESCHER, s. v. A., RE 2, 1890–1894
ABB.: J. BOARDMAN, G. ARRIGONI, s. v. A., LIMC 2.2, 687–700.   R. HA.

B. IKONOGRAPHIE
Mehr als die Hälfte aller A.-Darstellungen überliefert die Heroine als Jägerin: auf Vasenbildern des 6.–4. Jh. v. Chr. (François-Krater, Florenz, 570/560 v. Chr.), etr. Bronzespiegeln (4./3. Jh. v. Chr.), röm. Wandmalereien (1. Jh. n. Chr.), Mosaiken (1.–3. Jh. n. Chr.) und Sarkophagreliefs (2./3. Jh. n. Chr.). Ihre Waffen sind Pfeil und Bogen, Lanze, Axt oder Schwert; oft trägt sie einen kurzen → Chiton bzw. eine → Tunica und Stiefel. Die Handlung nimmt überwiegend Bezug auf die »Kalydonische Eberjagd«.

Als Athletin begegnet A. vor allem auf Vasen des 6./5. Jh. v. Chr.: als Ringerin im Kampf mit Peleus (Halsamphora aus Vulci, um 500 v. Chr., München SA.), in der Palaistra mit Peleus, Hippomenes oder auch allein (frühestes Beispiel: Schale des Euaion–Malers, 475–450 v. Chr., Paris LV), als Läuferin (Lekythos des → Duris, 500–490 v. Chr., Cleveland Mus.). Ihre typische Athletentracht ist auf frühen Vasenbildern der kurze Chiton, ab dem späten 6. Jh. v. Chr. überwiegend das Perizoma, ein von Tänzerinnen, Akrobatinnen und dorischen Athletinnen bekannter Schurz; als Palaistritin ist sie auch mit Bustier (→ Strophium) und Athletenhaube überliefert; selten wird sie nackt gezeigt.

G. ARRIGONI, Le Donne in Grecia, 1985, 55–201 · C. BÉRARD, La Chasseresse traquée. Cynégétique et érotique, in: Kanon. FS E. Berger, 1988, 280–284 · J. BOARDMAN, s. v. A., LIMC II, 1, 1984, 940–950 (mit älterer Lit.) · G. KOCH, Die myth. Sarkophage. ASR XII, 6, 1975 · A. LEY, Von der Athletin zur Liebhaberin. Ein Beitr. zum Rezeptionswandel eines myth. Themas auf Vasen des 6.–4. Jh. v. Chr., in: Nikephoros 3, 1990, 31–72 · W. RAECK, Modernisierte Mythen, 1992, 71–98 · A. SCHNAPP, Images et Programme: Les Figurations Archaiques de la Chasse au Sanglier, in: RA 1979, 195–218.   A. L.

Ataraxia (ἀταραξία)
bezeichnet in der Philos. das Freisein von jeglicher Erregung, die Seelenruhe. Der Begriff scheint zuerst von → Demokritos (2. H. des 5. Jh. v. Chr.) zur Umschreibung der Eudaimonie gebraucht worden zu sein (A 167 DK 68). Als zentraler Begriff wird *a.* dann von Pyrrhon (ca. 365–275 v. Chr.) und seiner Schule verwendet. Höchstes Ziel des Pyrrhonismus ist die Glückseligkeit des Individuums, und sie wird mit der *a.* gleichgesetzt. In der Selbstdarstellung des Pyrrhoneers war er urspr. erregt durch den Widerstreit der Meinungen und begann zu philosophieren, um die wahre herauszufinden und so zur Ruhe zu kommen. Da ihm das mißlang, hielt er inne (ἐπέσχεν), und da stellte sich ihm zufällig die *a.* ein (S. Emp. Pyrrhonei hypotyposeis 1,29). Sie scheint also eine Folge der skeptischen → *epoché* zu sein; somit wird die Skepsis der Königsweg zum Glück. Denn alles Unglück, d. h. alle Erregung, entspringt aus engagiertem Streben, das wiederum ausgelöst wird durch den Glauben an wahre Güter. Da nun der Skeptiker sich nicht im Besitz irgendeiner wahren Erkenntnis wähnt, bewahrt er allen Dingen gegenüber eine universale Gleichgültigkeit und sichert dadurch seine *a.* Freilich ist diese nicht durchgängig erhaltbar, weil es »aufgezwungene Affekte« (κατηναγκασμένα πάθη) gibt, die sich nicht vollkommen vergleichgültigen lassen. Deswegen formulieren die Pyrrhoneer ein bescheideneres Ziel: »*a.* in den auf dogmatischem Glauben beruhenden Dingen, in den aufgezwungenen dagegen maßvolles Leiden« (S. Emp. 1,30; [1. 149ff.]). Auch für Epikur (342/1–271/0 v. Chr.) liegt die Glückseligkeit des Einzelnen als das höchste Ziel in der *a.* Anderseits verlegt er sie auch in die Lust (Epik. Menoikeus 128f.).

Das ist jedoch kein Widerspruch. Denn Lust besteht für ihn in der Befreiung von Unlust, höchste Lust ist somit das vollständige Freisein von Unlust. Unlust nun ist innere Erregung, also ist höchste Lust gleich a. Diese ist durchgängig erhaltbar, weil sich alle Unlust vermeiden läßt. Ihre Quellen nämlich sind Furcht (vor Göttern und Tod), übermäßige Begierde und körperlicher Schmerz. Die Furcht vor Göttern und Tod aber ist unbegründet; Begierden, die über die – jederzeit stillbaren – Grundbedürfnisse hinausgehen, sind leer, und körperlicher Schmerz ist entweder kurz oder leicht [2. 51 ff.]. Die durch solche Einsicht gesicherte a. vergleicht Epikur wie auch Pyrrhon mit der γαλήνη (galénē), der heiteren Stille des Meeres. In der späteren → Stoa wird a. (lat. *tranquillitas animi*) – zu Recht – gleichbedeutend mit Apatheia (→ Affekte) gebraucht (Epikt. Encheiridion 12,2).

1 M. HOSSENFELDER, Stoa, Epikureismus und Skepsis, ²1995 2 Ders., Epikur, 1991.

M. HOSSENFELDER, Sextus Empiricus, Grundriß der pyrrhonischen Skepsis, ³1993.   M. HO.

Atarneus (Ἀταρνεύς).

Atarneus (Ἀταρνεύς). In der gleichnamigen Landschaft an der Gegenküste von → Mytilene nordöstl. vom h. Dikili gelegen, war eine ion. Polis in der Aiolis (Aioleis) (Plin. nat. 37,156), laut Steph. Byz. s. v. Ἄταρνα auf der Grenze zw. → Lydia und → Mysia. Ähnlich wie in Assos gruppierte sich das Stadtgebiet um die auf einem ca. 200 m hohen Hügel angelegte Akropolis (h. Kaléh Agili). Die Sicherheit von A. resultierte aus einem noch teilweise sichtbaren dreifachen Mauerring aus hell. Zeit [1. 682]. Unter der Perserherrschaft nahm der Tyrann der Stadt, Hermippos, am Feldzug des → Dareios teil (Hdt. 6,4). → Xerxes berührte den Ort auf seinem Weg nach Europa (Hdt. 7,42). 407 v. Chr. kam A. in den Besitz von Chiern (Diod. 13,65,4), die von Derkylidas 397 v. Chr. vertrieben wurden (Xen. hell. 3,2,11). Die größte Bed. erlangte A. jedoch im 4. Jh. v. Chr., als die Stadt dem → Hermias als Residenz diente, der von hier aus das Gebiet zw. A. und Assos beherrschte. Nach dessen Hinrichtung durch die Perser verlor A. trotz der guten wirtschaftlichen Ressourcen – Bodenschätze (Strab. 14,5,28; Plin. nat. 37,156) und fruchtbares Akkerland (Hdt. 6,28) – seine vorherrschende Stellung. Die Verödung von A. wurde angeblich durch eine Mückenplage beschleunigt (Paus. 7,2,11). Laut Plinius war sie vom einem → *oppidum* zu einem → *pagus* abgesunken (nat. 5,122; 37,156). Unter den Kaisern Augustus und Antoninus [1] Pius hat A. Münzen geprägt. Von Ptolemaios wird A. nicht mehr erwähnt. Umstritten ist die Existenz einer weiteren Stadt A. im Gebiet von → Pitane.

1 F. E. WINTER, Notes on Neandria, in: AJA 89, 1985, 680–683.

L. BÜRCHNER, s. v. A., RE 4, 1897.   E. SCH.

Atargatis s. Dea Syria

Ataulfus. Schwager des Alarich (→ Alaricus [2]), 410–415 n. Chr. König der Westgoten. Wohl im Auftrag des Alarich in Pannonien als Heerführer tätig, wurde A. 408 von ihm gerufen, erreichte 409 It. und wurde vom Usurpator → Attalus [11] zum *comes domesticorum equitum* ernannt. Nach dem Tod des Alarich 410 gab er dessen Afrikapläne auf und begab sich 412 auf Anraten des Attalus nach Gallien zum Usurpator → Iovinus. A. geriet bald in Konflikt mit ihm und lieferte ihn 413 an Dardanus, den gallischen Praefekten des Kaisers Honorius aus. Ein Vertrag mit Honorius wurde von diesem nicht erfüllt: Getreidelieferungen blieben aus, die feste Ansiedlung in Aquitanien wurde von der Freilassung der Kaiserschwester Galla Placidia abhängig gemacht (seit 410 Gefangene des A.). Nach schweren Verwüstungen Südgalliens durch A. kam es 414 scheinbar zum Ausgleich und zur Ehe zwischen A. und Galla Placidia nach röm. Ritus. Nach Ansicht des Orosius demonstrierte A. damit seine Bereitschaft, sich und sein Volk in den Dienst des röm. Reiches zu stellen (7,43,3–5). Dennoch zwang → Constantius [6], der *comes* des Honorius, die Goten zum Abzug nach Spanien, wo A. 415 in Barcelona einer Blutrache zum Opfer fiel. PLRE 2, 176–178.

D. CLAUDE, Gesch. der Westgoten, 1970, 19–21 • H. WOLFRAM, Die Goten, ³1990, 168–175.   W. ED.

Atax. Küstenfluß in Gallia Narbonensis, h. Aude. Er entspringt in den Pyrenäen und mündet unterhalb von Narbo.   Y. L.

Ate (Ἄτη). Verbalnomen zu ἀάω (aáō), dessen Etym. unbekannt ist ([1]; Wortspiel bei Hom. Il. 19,91;129). Bei Hom. bezeichnet A. an den meisten Stellen (z. B. Il. 19,270ff.; Od. 11,61) urspr. einen für frühgriech. Denken typischen Komplex von Vorstellungen, aus dem sich sekundär durch Begriffsverengung spezielle Bed. abstrahieren lassen: Die von Göttern gesandte Verwirrung der Sinne – dadurch ausgelöste Fehlhandlung – daraus resultierender Schaden [2. 56ff.; 3. 1ff.; so schon 4]; eine aus der dor. Rechtssprache (Gesetze von Gortyn) postulierte primäre Grundbed. »Schaden« [5; 6. 7ff.] ist nicht zu erweisen [3. 1f.,1; 2. 56,1]. Hypostasiert bzw. »personifiziert« [7. 25f. 346] erscheint A. bei Hom. (Il. 19,91ff.: A.-Mythos) als Zeus' altehrwürdige Tochter, die von ihm wegen eigener Verblendung aus dem Olymp auf die Erde geschleudert wird, sowie Il. 9,502ff. zusammen mit den Zeustöchtern Litai (Bitten), die der schnellfüßigen A. nur langsam folgen [8. 2ff.; 9. 40ff., doch ohne Kenntnis von 2; 3; 6]; unter den Kindern der Eris zählt Hes. (theog. 230) sie auf (vgl. Emp. B 121; Panyassis EpGF fr. 13; Aischyl. Ag. 1433). Die bei Homer beginnende Begriffsverengung (Schaden, Buße, Strafe) setzt sich nachhomer. fort [2. 61 ff.; 3.6 f.; 8. 25 ff.]: Hes. erg. 230f.; Sol. fr. 13 W. [3. 7 ff.];

Hdt. 1,32,6; Aischyl. Choeph. 383 (ὑστερόποινος, *hysterópoinos*); Netz der A.: Aischyl. Prom. 1078. Ilion auf dem A.-Hügel: Apollod. 3,143; Lykophr. 29.

→ Eris; Personifikation

1 FRISK, CHANTRAINE s.v. 2 J. GRUBER, Über einige abstrakte Begriffe des frühen Griech., 1963 3 G. MÜLLER, Der homer. A.-Begriff und Solons Musenelegie, in: Navicula Chiloniensis, 1956, 1–15 4 V. WERNIKE, s.v. A., RE 2, 1898 5 H. METTE, LFE, s.v. 6 J. STALLMACH, A., (1950) 1963 7 WILAMOWITZ I, 1931 8 E.R. DODDS, Die Griechen und das Irrationale, (1951) 1970 9 N. YAMAGATA, Homeric Morality, 1994.   P.D.

Ateas (Ἀτέας; lat. Atheas, auf Silbermünzen ΑΤΑΙΟΣ). Skythischer König, der 339 v.Chr. über 90jährig im Kampf gegen den Makedonen Philipp II. am Istros fiel (Lukian. Macr. 12,10). Von Strabon (7,3,18) als Herrscher über große Teile der Barbaren an der nördl. Schwarzmeerküste bezeichnet, doch ist die Ausdehnung seiner Macht umstritten. Die Münzprägung des A. in Kallatis und die Konflikte mit den → Triballoi (Frontin. strat. 2,4,20; Polyain. 7,44,1), Byzanz (Clem. Al. Stromateis 5,31,3) und den Histriani, die zum Krieg mit Philipp II. führten (Iust. 9,2; Oros. 3,13,5–7; Plut. mor. 174E), belegen seine expansiven Bestrebungen.

J.R. GARDINER-GARDEN, A. and Theopompus, in: JHS 109, 1989, 29–40 · K. JORDANOV, Thraker und Skythen unter Philipp II., in: Bulgarian Historical Review 1991, 3, 37–59.   U.P.

Ateius. Ital. Eigenname [1. 347, 426], im öffentlichen Leben Roms seit dem 1.Jh. v.Chr. nachweisbar, nicht sehr häufig.

[1] A., Legat (?) des M. → Antonius 41/40 v.Chr. in Gallien (MRR 3,26).

[2] A., M., *centurio*, zeichnete sich bei der Erstürmung Athens 86 v.Chr. aus (Plut. Sull. 14,3).

1 SCHULZE.   K.-L.E.

[3] A. Capito, C., kämpfte als Volkstribun von 55 v.Chr. zusammen mit seinem Kollegen → Aquillius [I 14] Gallus gegen die Politik der Triumvirn (→ Triumvirat) Pompeius, Caesar und Licinius Crassus. Er scheiterte mit seinem Versuch, die *lex Trebonia* (C. → Trebonius) zu verhindern, die Crassus Syrien und Pompeius beide Spanien als Prov. für fünf Jahre zusprach (Plut. Cat. min. 43, Cass. Dio 39,32,3; 35–38). Als Crassus im November in seine Prov. aufbrach, suchte A. ihn vergebens am Auszug zu hindern [1]. Später scheint sich A. dem siegreichen Caesar angedient zu haben (Cic. fam. 13,29,6; Att. 13,33,4).

[4] A. Capito, L., 52 (?) *quaestor* (MRR 2, 236; 246); das Datum der Praetur (Tac. ann. 3,75) ist nicht überliefert. Vielleicht identisch mit dem A., der 54 zusammen mit dem Volkstribunen C. Memmius gegen A. → Gabinius Repetundenklage erhob (Cic. ad Q. fr. 3,1,15).

1 DRUMANN/GROEBE 4, 107.   W.W.

[5] Philologus, L., ein bekannter Gelehrter und sowohl Grammatik- als auch Rhet.-Lehrer (Suet. gramm. 10). A. wurde in Athen geboren, versklavt (wahrscheinlich 86 v.Chr.) und später freigelassen. Schüler des → Antonius [I 12] Gnipho. A. behauptete, 800 B. geschrieben zu haben, und legte sich den Namen *Philologus* als Zeichen seiner mannigfaltigen Gelehrsamkeit zu (das Cognomen »Praetextatus« beruht auf einer falschen Konjektur). Schriften sind nicht erh., doch erwähnen Quellen eine für → Sallust verfaßte Epitome der röm. Gesch., für → Asinius Pollio (der ihn kritisierte) verfaßte Stilregeln, ein Werk über seltene und veraltete Wörter (*liber glossematorum*), einen lit. Katalog (*Pinaces*) und eine Abhandlung über die Frage *An amaverit Didun Aeneas?*

ED.: GRF, 136–141.
LIT.: HLL § 279 · R.A. KASTER, Suetonius, De Grammaticis et Rhetoribus, 1995, 138–148.
      R.A.K./M.MO.

[6] Capito, C. Jurist, Schüler des → Ofilius, Suffektkonsul 5 n.Chr., starb 22 n.Chr. Eifriger Befürworter des augusteischen Prinzipats (Tac. ann. 3,75), im Bereich des Privatrechts Traditionalist (Dig. 1,2,2,47). Ebenso wie → Antistius [II. 3] Labeo versammelte er um sich eine Schülergruppe (*secta*), aus der die nach seinem Nachfolger → Sabinus benannte Rechtsschule der Sabinianer hervorging [2]. Seine überwiegend öffentlichrechtlichen *Coniectanea* (mindestens 9 B.), *De iure pontificio* (mindestens 6 B.), *De officio senatorio* (1 B.) und weitere Werke (*Epistulae*) sind nur in indirekten Zitaten überliefert, kaum in den Digesten, eher bei Lexikographen und Antiquaren, vor allem Festus (Auszug aus Verrius Flaccus) und A. Gellius [1]. Nach Tac. ann. 1,79 soll der Senat im J. 15 einen von A. als *curator aquarum* mit Arruntius ausgearbeiteten Plan zur Verlegung des Flußbettes des Tiber abgelehnt haben. PIR² A 1279.

1 W. STRZELECKI, C. Atei Capitonis fragmenta, 1967
2 R.A. BAUMAN, Lawyers and Politics in the Early Roman Empire, 1989, 27 ff.   T.G.

[7] s. Terra sigillata

Ateleia (ἀτέλεια). Freiheit von Verpflichtungen, speziell von Steuern und anderen finanziellen Verbindlichkeiten, galt als Privileg, das der Staat verleihen konnte, um jemanden zu ehren. Dieser Begriff und das Adjektiv *atelḗs* wurden in Athen in Verbindung mit der Befreiung von Liturgien (Demosth. or. 20,1 etc.), von den Beiträgen im Attisch-Delischen Seebund (ML 65) und von der Metoikensteuer (TOD, 178) verwendet. Andere Beispiele umfassen anderswo die Befreiung von Verkaufssteuern (Syll.³ 330, Ilion), von Ein- und Ausfuhrsteuern (Syll.³ 348, Eretria), von Abgaben, die von Festbesuchern erhoben wurden (Syll.³ 1045, Arkesine), vom Militärdienst (Syll.³ 399, Delphi) und häufig von ›allem und jedem‹ (Syll.³ 195, Delphi). Ein Beschluß des Aitolischen Bundes bestimmte, daß keiner der *sýnoikoi*

(= Metoiken) in Delphi *atelés* sein sollte, es sei denn, er hätte die *a.* von der Stadt Delphi verliehen bekommen (Syll.³ 480). Nichtbürger bekamen häufig die *a.* von den üblichen Belastungen der Nichtbürger zugesprochen, um sie den Bürgern gleichzustellen. In diesem Fall wird manchmal der Begriff *isotéleia* gebraucht (z. B. in Athen, IG II² 53, *a.*; 287, *isotéleia*).

→ Proxenos   P.J.R.

Atella. Oskische Stadt in Campania, zw. S. Arpino und Fratta Minore. Seit 313 v. Chr. röm., ging 216 zu Hannibal über (auf Münzen oskisch ADERL) und wurde 211 v. Chr. dafür von den Römern bestraft: Vertreibung der Bewohner, Konfiskation des größten Teils ihres Territoriums (Liv. 22,61,11; 26,16,5; Pol. 9,45). *Municipium* der *tribus Falerna* 60/50 v. Chr. (Cic. fam. 13,7; Cic. leg. agr. 2,86; Cic. ad Q. fr. 2,14,3). Monumente: Zwei Thermen, Überreste von Wohnhäusern. Um das Stadtzentrum herum samnitische und röm. Nekropole.

D. ROMANO, Note critiche e filologiche (Virgilio ad A.), in: PdP 37, 1982, 39ff. · C. BENCIVENGA TRILLMICH, s. v. A., in: EAA, Suppl. 2,2, 1994, 494.   B. G.

Atellana fabula (Terminus erst seit Cicero und Varro belegt; später auch Atellania, so immer Gellius). Urspr. osk. Possenspiel, angeblich in Atella (Samniterland) entstanden (Liv. 7,2; Val. Max. 2,4,4; Euanth. de com. p. 7 R.; Diom. 1,489f.; Tac. ann. 4,14; Porphyrio zu Hor. epist. 2,1,145). Aus der Zugehörigkeit zu nicht identifizierten *ludi* in augusteischer Zeit (Strab. 5,3,6) und dem Auftreten des auch zur feierlichen Pompa gehörigen Manducus (Varro ling. 7,95; Paul. Fest. 115 L) wird auf urspr. kultische Verwendung und Einfluß des etr. Totenkults geschlossen. Der allg. behauptete Einfluß der vor allem von Vasenbildern des 4. Jh. bekannten südital.-griech. Phlyakenposse beschränkt sich auf die Rolle des Pappus und die Tragödienparodie, die nach [5] erst mit der Literarisierung Eingang in die A. gefunden hatte; in den Tragödienparodien fehlen bezeichnenderweise die *personae Oscae*. Die übrigen Merkmale sind verschieden: der Phlyakenposse fehlen die weiteren drei osk. Standardrollen, der A. das Phalloskostüm. Hier überwiegen die drastischen Alltagsszenen mit Bauern und Handwerkern, Gefräßigkeit und Sexualität jeder Art [13; 5]. Bezeichnenderweise unterscheidet → Caesius Bassus (gramm. 6,312) die wohl mit dem Phlyakenspiel zusammenhängende Rhinthonica von der Atellane und dem → Mimus. Die antiken Zeugnisse (Diom.; Mar. Victor. gramm. 6,82, Porphyrio zu Hor. ars 221) kennen keinen Einfluß, allenfalls eine Ähnlichkeit mit dem griech. Satyrspiel. Die A. wurde nach der Eroberung Kampaniens (Mitte 4. Jh.; Atella 313 v. Chr.) als Stegreifspiel in Rom übernommen und nach Einführung der lit. griech. Komödie (erste Palliaten-Aufführung durch Livius Andronicus 240 v. Chr.) von der röm. Jugend mit dem einheimischen Brauch der im Wechsel vorgetragenen Spottverse verbunden und ähnlich den Satyrspielen als *exodia* nach den von berufsmäßigen

Schauspielern getragenen Tragödien und Komödien griech. Herkunft aufgeführt (Cic. fam. 9,16,7; Liv. 7,2,11; Iuv. 6,71; Suet. Tib. 45,1; Lyd. mag. 1,40). Da die jugendlichen Laienschauspieler mit Maske spielten und diese auch am Ende der Aufführung nicht abzulegen brauchten, verloren sie ihre bürgerlichen Ehrenrechte nicht (Paul. Fest. 238 L; Liv. 7,2,12; Val. Max. 2,4,4; [11]). Der Einfluß der A. auf die Komödien des → Plautus zeigt sich an der Freude an derber Komik, an Wortwitz und wechselnden Spottreden, am Motiv des gefräßigen Parasiten, am Spott auf den verliebten Alten und an der Verbindung des eigenen Namens mit der A.-Rolle des Maccus (As. prol. 11; [7; 5]). Im 1. Jh. v. Chr. wurde die A. durch → Pomponius und → Novius literarisiert und geriet dadurch ihrerseits unter den Einfluß der künstlerisch höherstehenden Palliata, wie an Rollen (s. u.) und der komödientypischen Titelform *-aria* zu erkennen. Als A.-Dichter sind ferner → Aprissius (1. Jh. v. Chr.) und → Mummius (1. Jh. n. Chr.) bekannt; die lat. Satyrkomödien, die Sulla gedichtet haben soll (Nic. Damasc., FGrH 2,90 fr. 75), waren vermutl. ebenfalls A. Aus der Rolle als Exodium wurde die A. schon in cäsarischer Zeit durch den Mimus verdrängt (Cic. fam. 9,16,7 von 46 v. Chr.)

Im Ursprungsgebiet scheint die osk. A. bis zum Ende des 1. Jh. v. Chr. noch fortgelebt zu haben [11. 141–148]. In der frühen Kaiserzeit fand man wieder Geschmack an dem derben Spiel. Mummius soll die seit langer Zeit vernachlässigte A. zu neuem Leben erweckt haben (Macr. sat. 1,10,3), aber die Zügellosigkeit führte schon unter Tiberius 23 zur Vertreibung von Schauspielern aus Italien (Tac. ann. 4,14). Aufführungen durch berufsmäßige Schauspieler sind aus der Zeit des Tiberius, Caligula, Nero und Galba bezeugt; dabei wurden A.-Verse von Schauspielern und Publikum auf die Kaiser gemünzt (Suet. Tib. 45,1; Calig. 27,4; Nero 39,3; Galba 13,1). Im Zuge des → Archaismus des 2. Jh. n. Chr. las Marc Aurel zur Schulung seines Stiles außer den republikanischen Komödien und Rednern auch A. (Fronto ad Caes. 2,8,3; 3,17,3; vgl. Laudes fumi 1,2; SHA Hadr. 26,4). Die Christen erwähnen sie wegen ihrer Obszönität mit Abscheu (Arnob. 7,33; Hier. epist. 52,2). Im 6. Jh. n. Chr. galt die Gattung, anders als die noch lebendigen Mimi, als erloschen (Lyd. mag. 1,40).

Die ältesten bekannten Gattungsmerkmale der A. sind ihre derben Späße (Diom.; Sen. contr. 7, 3,9; Quint. inst. 6,3,46f.; Fronto ad Caes. 4,3,2), ihre – aus der Herkunft aus dem Stegreifspiel erklärbare – geringe Zahl von Schauspielern (Ps.-Ascon. zu Cic. div. in Caec. 48) und die vier Typenrollen (*Oscae personae*, Diom.) mit ihrer auffälligen – sicher komisch wirkenden – Doppelkonsonanz, die allein in 18 A.-Titeln mit oder ohne Attribut erscheinen: am häufigsten Maccus, der Dummkopf oder Possenreißer (verw. mit μακκοάω, dumm oder albern sein, vgl. Apul. apol. 81), sodann Bucco, der dickbäuchige Vielfraß oder Maulheld (von *bucca*, Isid. orig. 10,30, vgl. die Komödienrolle des Parasiten Gnathon) und Tölpel, der bucklige

Schlaukopf Dorsennus, der auch gefräßig, geldgierig und obszön ist, und die einzige rein griech. benannte Rolle des Pappus, des einfältigen Alten (*páppos* in der Nea die Bezeichnung des Alten, Poll. onom. 4,143), der osk. *casnar* (vgl. lat. *cascus*, alt, Varro ling. 7,29) oder *mesius* heißt (ebd., 7,96). Als Gruppenbezeichnungen erscheinen noch die Pannuceati im Flickenkostüm (von *pannus*, Flicken) und Sanniones (von *sanna*, Grimasse, vgl. Ter. Ad. 276, Eun. 780; Cic. de or. 2,251, fam. 9,16,10; vgl. σάννας bei Kratinos [Photios] und σάννορος bei Rhinthon [Hesych]), die über byz. τζαννός in den *zanni* der Commedia dell'Arte fortzuleben scheinen [3. 236f.]. Darüber hinaus traten Bauern und Winzer, Handwerker aller Art, bes. die für Tertullian (de pall. 4) sprichwörtlichen *fullones Noviani*, Soldaten und Gladiatoren, Priester und Wahrsager, Ausrufer, Ärzte, Schankwirte, kaum einmal Beamte und erst recht keine edlen Charaktere auf. Auch über Ausländer scheint man gespottet zu haben (*Galli Transalpini* des Novius). Die zahlreichen Frauenrollen – Mädchen, die immer häßlichen Ehefrauen, Dirnen – wurden wie in der Palliata von Männern gespielt. Sklaven scheinen nach Ausweis der Fragmente seltener gewesen zu sein als in der Komödie.

1 M. BIEBER, The History of Greek and Roman Theater, 1961 2 G. BONFANTE, La lingua delle A. e dei mimi, in: P. FRASSINETTI (ed.), A. F.e, V–XXIV 3 A. DIETERICH, Pulcinella, 1897, 236f. 4 P. FRASSINETTI (ed.), A. F.e, 1967 5 B. HÖTTEMANN, Phlyakenposse und Atellane, in: G. VOGT-SPIRA, Beitr. zur mündlichen Kultur der Römer, 1993, 89–112 6 LEO, Anh.: Die röm. Poesie in der sullanischen Zeit, 1967, 370–372, 507–517 7 J. C. B LOWE, Plautus' Parasites and the A., in: VOGT-SPIRA, wie Anm. 11, 161–169 8 F. MARX, s. v. A. f., in: RE 2, 1914–1921 9 A. MARZULLO, Le origini italiche e lo sviluppo letterario delle A., 1956 10 K. MEISTER, Altes Vulgärlatein, in: Indogerman. Forsch. 26, 1909, 87 11 H. PETERSMANN, Mündlichkeit und Schriftlichkeit in der A., in: G. VOGT-SPIRA, Studien zur vorlit. Periode im frühen Rom, 1989, 135–159 12 R. RIEKS, Mimus und A., in: E. LEFÈVRE, Das röm. Drama, 1978, 348–377 13 D. ROMANO, A. F., 1953 14 SCHANZ/HOSIUS I, 245–253.　　　　JÜ. BL.

Atene (Ἀτήνη). Att. Paralia-Demos durchschnittlicher Größe (drei → Buleutai) der Phyle Antiochis an der Südwestspitze von Attika; Name vorgriech. Bislang einziger Demos, der in seinen ant. Grenzen vollständig untersucht wurde. A. grenzt im Norden an Anaphlystos, im Osten an → Amphitrope (Grenz-Inschr. auf dem Megalo Baphi). Das Demengebiet umfaßt mit den Tälern von Charaka, Hagia Photini und Thimari sowie der vorgelagerten Insel Gaidouronisi rund 20 km², davon nur 22% (= 440 ha) landwirtschaftlich nutzbar. In prähistor. Zeit noch unbesiedelt, entsteht in SH III eine dörfliche (?) Siedlung im Charaka-Tal. Verstreute Spuren neuerlicher Siedlungtätigkeit werden nach den Dark ages« erstmals E. des 6. Jh. v. Chr. faßbar. A. ist demnach kein kleisthenischer, sondern ein klass. Demos. Hohe Blüte und dichte Besiedlung im 5./4. Jh.

v. Chr. gehen mit weitreichenden Maßnahmen zur Verbesserung der Infrastruktur (Bachverbauungen, Straßen, Saumpfade) und einer signifikanten Ausweitung der Anbauflächen durch Hangterrassierungen für den Ölanbau einher. Festgestellt wurden 33 Einzelgehöfte, aber kein dörflich verdichtetes Habitat. A., das im 5./4. Jh. ca. 400–450 Einwohner hatte, bildete demnach eine reine Streusiedlung. A. wird seit Anf. 3. Jh. v. Chr. entvölkert, evtl. infolge des Chremonideischen Krieges (267/62 v. Chr.), als der ptolemaiische Admiral Patroklos auf Gaidouronisi eine Festung errichtete (1975 zerstört). Kurze Nachblüte in frühbyz. Zeit (5./7. Jh. n. Chr.).

C. W. J. ELIOT, Coastal Demes, 1962, 125ff. • TRAILL, Attica, 14, 54, 59, 68, 109 (Nr. 20), Tab. 10, 12, 14 • Ders., Demos and Trittys, 1986, 135, 144ff. • H. LOHMANN, A., 1993 • Ders., Ein Turmgehöft klass. Zeit in Thimari (Südattika), in: MDAI(A) 108, 1993, 101ff.　　　　H. LO.

Aternius. Patrizischer Gentilname, früh verschwunden, in der Kaiserzeit vereinzelt Name von Sklaven und Freigelassenen (SCHULZE 269; ThlL 2,1022). A. Varus Fontinalis erließ als Konsul 454 v. Chr. ein Gesetz über die Bezahlung von Strafen; 448 angeblich als Patrizier in das Kollegium der Volkstribunen kooptiert (Liv. 3,65,1; MRR 1,42f.; 50).　　　　K.-L. E.

Aternus. Fluß in Samnium (CIL IX 3337–8), von Amiternum bis zur Vereinigung mit dem Tirinus von der Via Claudia Nova und bis Ostia Aterni (Hafen der Vestini, *vicus* und *mansio* an der Kreuzung mit der Adria-Küstenstraße, h. Pescara) von der Claudia Valeria (CIL IX 5973) flankiert.

Bibl. Top. 13, 1994, 477–488.　　　　G. U.

Atesis. Nordital. Fluß, h. Adige; vielfach lit. bezeugt (Plin. nat. 3,121; Vibius Sequester 11; Ennod. 1,46; Paul. hist. Lang. 3,23), auch Athesis und ähnlich (Verg. Aen. 9,680; Liv. per. 68,6; Val. Max. 5,8,4; Sil. 8,595; Flor. epit. 1,38,12; Claud. carm. 12,11; Cassiod. var. 3,48,2. Vgl. Plut. Marius 23,2: Ἀτισών; Tab. Peut. 4,3/4: *flumen Afesia*; Anonymus Ravennas 4,36,22: *Astago*; CIL V 3348: *trans Ath(esim)*). In den raetischen Alpen entspringend, bog der A. nach Aufnahme des Isarco südl. von Verona mit einem seiner nördl. Flußarme nach Osten ab und erreichte über Montagnana, Saletto und Ospedaletto Euganeo schließlich die nach dem A. benannte Stadt Ateste; hier ist der ant. Flußlauf arch. nachgewiesen. Unterhalb von Ateste verzweigte sich der A. vermutlich vor der Mündung in die Adria noch einmal. Seit der Überschwemmung von 589 n. Chr. (Paul. hist. Lang. 3,23) soll der Fluß bei Veronella (»La Cucca«) seinen urspr. nach Ateste gerichteten Lauf verlassen, sich in einen kleineren, weiter südl. Flußarm ergossen und so seinen h. Lauf angenommen haben.

L. Braccesi, Adige (Athesis), EV 1, 1984, 29 · L. Bosio, L'agro atestino in età preromana e romana, in: Este Antica, 1993, 173–204. E. BU.

Ateste. Venetische Stadt (Plin. nat. 17,122; Tac. hist. 3,6,2; Mart. 3,38,5; 10,93,3: Atestinus/a), Zentrum einer weiten, im Norden durch die Euganeischen Hügel begrenzten Ebene, benannt nach dem → Atesis, der A. durchfloß, an der Straße Bononia-Aquileia (Anonymus Ravennas 4,31: Adestum, Ptol. 3,1,30: Ἀτέστε; Itin. Anton. 281,6; CIL VI 2429, 37199: Atesta), h. Este. Röm. Eingreifen in die Verhältnisse von A. dokumentiert sich für eine Grenzziehung von 135 v. Chr. zw. A. und Vicetia in 4 *cippi* (CIL I² 636) und von 141 oder 116 v. Chr. zw. A. und Patavium (CIL I² 633–634). 89 v. Chr. erhielt A. das *ius Latii*; zw. 49 und 42/41 v. Chr. *municipium* der *tribus Romilia* (CIL V 1184). Nach 31 v. Chr. *colonia* (Plin. nat. 3,130; Actiacus M. Billienus: CIL V 2501; L. Saulicus Proculus: CIL VI 37567); *decuriones*: CIL V 2522 bzw. *decuriones adlecti*: CIL V 2395, 2501, 2524, 2860; *duoviri*: AE 1906, 76; *aediles, quaestores*: CIL V 2524, *quaestores aerarii*: CIL V 2875.

E. Buchi, Venetorum angulus, 1993 · L. Capuis, I Veneti, 1993. E. BU.

Athalaricus (Athalarich). Sohn der → Amalasuntha (Tochter Theoderichs des Großen) und des Fl. Eutharicus Cilliga, Bruder der Mathasuntha, geboren 516 n. Chr. Sein Großvater Theoderich designierte A. 526 auf dem Sterbebett zum Nachfolger als König der Goten und Römer. Die Regentschaft führte für ihn seine Mutter (Iord. Get. 304; Rom. 367; Excerpta Valesiana 16,96). Sie legte die am Schluß der Regierungszeit Theoderichs aufgetretenen Differenzen mit dem Senat und dem katholischen Klerus Italiens bei und ließ A. eine philos.-rhet. Erziehung zuteil werden. Ausdruck ihrer Regierungspolitik ist das sog. *Edictum Athalarici* (Cassiod. var. 9,18). Das Gotenheer befehligte der 526 zum *patricius praesentalis* erhobene Tuluin, mit einer Amalerin verheiratet und außerdem auch noch Mitglied des Senats (Cassiod. var. 8,9–11). Außenpolit. und mil. war aber die Position des ital. Ostgotenreichs nach dem Tod Theoderichs deutlich geschwächt. Es mußte 526 die Unabhängigkeit des Westgotenreiches anerkennen, in dem A.' Cousin Amalarich die Herrschaft übernahm. 532 nahmen die Franken im Zuge der Eroberung des Burgunderreiches vorübergehend auch das ostgot. Arles ein (Prok. BG 1,4f.; Cassiod. var. 11,1). Wohl deswegen und weil A. damals 16 Jahre alt wurde, versuchte eine Gruppe got. Großer, A. dem Einfluß seiner Mutter zu entziehen, und ließ ihn nach traditioneller got. Sitte als Krieger ausbilden. Amalasuntha, die schon das Exil in Konstantinopel vorbereitet hatte, wurde der Verschwörung noch durch die Ermordung dreier ihrer Anführer Herr, darunter wahrscheinlich Tuluin (Prok. BG 1,2). Ihr Sohn scheint sich freilich ihrem Einfluß weiter entzogen zu haben, starb aber bereits am 2.10.534 an Tuberkulose (Prok. BG 1,3f.; Agnellus lib. pontif. eccl. Rav. 62). (PLRE 2, 175f.)

1 L. Hartmann, s. v. A., RE 2, 1926–1928 2 H. Wolfram, Die Goten, ³1990, bes. 333–337. A. SCH.

Athamania (Ἀθαμανία). Landschaft im SO von Epeiros im Gebirgsland des Pindos (Strab. 7,7,8), im Osten an Thessalia angrenzend (später dazugerechnet: Strab. 9,5,11; Steph. Byz. s. v. a.). Im 4. Jh. v. Chr. Beteiligung der Ἀθαμᾶνες (*Athamânes*) am 1. Korinth. und 2. Att. Seebund (Diod. 14,82; Nep. Tim. 2), im 3. Jh. v. Chr. Mitglied im Epeirotischen Stammesbund. Unter den Königen Theodoros und → Amynandros (Pol. 4,16; Strab. 9,4,11; [1]) erlangte A. bes. in den Maked. Kriegen Bed. [2]. Im 2./1. Jh. v. Chr. → Koinon (IG IX 2, 613). Inschr.: Welles 35; StV 3,550; SEG 3,451; [1. 173]. Mz.: [3. 15–26].

1 M.-L. Baslez, La monarchie athamane à la fin du IIIᵉ siècle et au début du IIᵉ siècle, in: P. Cabanes (Hrsg.), L' Illyrie méridionale et l'Épire dans l'antiquité, 1987, 167–173 2 K.-W. Welwei, Amynanders ὄνομα τῆς βασιλείας und sein Besuch in Rom, in: Historia 14, 1965, 252–256 3 P. R. Franke, Die ant. Mz. von Epirus, 1961.

P. Cabanes, L' Épire, 1976 · N. G. L. Hammond, Epirus, 1967. D. S.

Athamas (Ἀθάμας). Sohn des älteren → Aiolos und der Enarete, in Thessalien geboren (Apollod. 1,51), herrschte in Halos und Orchomenos und war mit Nephele, Kadmos' Tochter → Ino und Hypseus' Tochter Themisto verheiratet. Der erh. Mythos geht zumindest teilweise auf verlorene Stücke des Aischyl. (TrGF 3.1–4), Soph. (TrGF 4.1–10; 721–723) und Eur. (TGF 398–427; 819–838) zurück. Da der Fluch auf A.' Haus bei Hdt. 7,197 erwähnt wird, kann man annehmen, daß der Mythos während der Perserkriege aus Nordgriechenland nach Athen kam.

Weil Ino ihre Stiefkinder loswerden wollte, ließ sie das Saatgut durch Ansengen verderben (Verbindung mit Ackerbauritual?). A. fragte in Delphi um Rat, aber Ino bestach die Boten und ließ A. wissen, daß er → Phrixos und → Helle dem Zeus Laphystios opfern müsse. Da nun → Nephele die Kinder rettete, sollte A. stattdessen geopfert werden; doch er wurde von Herakles gerettet [1. 2,4–7]. Nach seiner vermuteten Trennung von Ino gebar ihm Themisto zwei (Eur.) oder vier [1. 1,58 Anm.3] Kinder und wollte ihre Stiefkinder ebenfalls loswerden, aber aufgrund einer List Inos, die ohne ihr Wissen in ihrem Haushalt Sklavin war, brachte Themisto aus Versehen ihre eigenen Kinder um und beging darauf Selbstmord. A. Im Wahnsinn tötete A. Inos älteren Sohn Learchos auf der Jagd. Darauf tötete Ino ihren jüngeren Sohn Melikertes, sprang mit dem Leichnam ins Meer und wurde zur Göttin Leukothea (vgl. Hom. Od. 5,333–335). Melikertes wurde in Isthmia an Land gespült und dort als Palaimon verehrt.

A. ist eine »Laien-Figur« [2], der Stammvater eines der Völker, die sich in Zentralgriechenland niederliessen. Wenn die Verbindung seines Namens mit Athamania [3] stimmt, könnte sein Volk nordwestgriech. gesprochen haben und somit das boiotische Volk gewesen sein, das am Ende der Bronzezeit einfiel. Der Kult des Zeus Laphystios hingegen (verwandt mit demjenigen von Zeus Lykaios) muß noch viel älter sein [1. 3,107 f.].

1 SCHACHTER 2 CH. SCHWANZER, s. v. A., LIMC 2.1, 950–953 3 M. L. WEST, The Hesiodic Catalogue of Women, 1985, 67 Anm. 87.

M. P. NILSSON, The Mycenaean origin of Greek mythology, 1932, Ndr. 1972, 133–136.   A. S.

Athanarich (Athanaricus bei Amm. 27,5,6; 31,3,4; Hier. chron. 327F; Hydat. chron. s.a. 381). Iudex der got. Tervingen, Haupt ihrer königlichen Sippe (Zos. 4,34), wohl der älteren → Balthen, starb am 25.1.381 n. Chr. in Konstantinopel. Sein Vater nahm ihm den Eid ab, niemals röm. Boden zu betreten (Amm. 27,9; 31,4,13). Dies ist als Ausdruck der sakralen Funktion des tervingischen iudex zu werten, der auch oberster Heerführer der Gens war [1. 76]. 366 sandten die Tervingen dem Usurpator Procopius wegen seiner Verwandtschaft mit → Constantinus [1] Hilfstruppen gegen Kaiser → Valens, die dieser gefangennahm (Amm. 26,10,3; 27,4,1–5,1; 31,3,4; Eun. fr. 37). Dies führte zum Krieg von 367–369, der schließlich im Herbst 369 mit einem Friedensschluß zwischen A. und Valens auf einem Schiff auf der Donau endete (Amm. 27,5,6–9; Them. or. 10,134 f.). Es folgte 369–372 eine von A. angeordnete Christenverfolgung unter den Tervingen, die erst durch den von Valens unterstützten Abfall des → Fritigern von A. beendet wurde (Vita S. Sabae; Vita S. Nicetae; Basil. epist. 164 f.; Sokr. hist. eccl. 4,33; Soz. hist. eccl. 6,37; Aug. civ. 18,52; Prosp. s.a. 370 = MGH AA 9 S. 458). 375 von den Hunnen besiegt, wurde er vom größten Teil der Tervingen verlassen und zog sich in das obere Alutatal am Südrand der Karpathen zurück (Amm. 31,3 f.). Von dort wurde er Ende 380 vertrieben und von Theodosius I. am 11.1.381 in Konstantinopel ehrenvoll empfangen, wo er schon 14 Tage später starb und ein Staatsbegräbnis erhielt (Iord. Get. 142–145; Them. or. 15,190D–191A; Sokr. 5,10; Consularia Const. s.a. 381. Zos. 4,34,4 f.; Oros. 7,34,7; Amm. 27,5,10). PLRE 1, 120 f.

1 H. WOLFRAM, Die Goten, ³1990.

O. SEECK, s. v. A., RE 2, 1934 f. · E. A. THOMPSON, The Visigoths in the Time of Ulfila, 1966 · H. WOLFRAM, Got. Studien I., in: MIÖG 83, 1975, 1–32.   A. SCH.

Athanasios. Bischof von Alexandreia seit 328, * um 295, † 2. oder 3. Mai 373. Sein Verdienst besteht in der Verteidigung und Durchsetzung des Bekenntnisses des Konzils von Nikaia, das die gemeinsame Basis fast aller christl. Kirchen geblieben ist. Besonders seine Auseinandersetzung mit dem → Arianismus ist für die Kirchengesch. entscheidend gewesen. Seinen Einsatz bezahlte er mit 17 Jahren Exil. Beim Konzil von Nikaia (325) ist er noch Diakon und Sekretär des Bischofs Alex-

andros von Alexandreia; bei dessen Tode (330) wird A. zu seinem Nachfolger gewählt und übernimmt die Konflikte um die Melitianer (→ Melitios) und die Arianer, die immer wieder eine Auseinandersetzung mit dem jeweiligen Kaiser bedingen. Die von Konstantin für die Einheit der Kirche erstrebte Wiederaufnahme des in Nikaia verurteilten Presbyters Arius weiß A. zu verhindern, gegen die Anklagen der Melitianer kann er sich erfolgreich verteidigen; aber auf der Reichssynode von Tyros (335) wird er zum Exil verurteilt. Nach Konstantins Tod (337) kehrt A. wie andere verbannte Bischöfe zurück, kann dort jedoch nur bis 339 bleiben, dann flieht er vor der Partei des Eusebios nach Rom, wo er kirchenpolit. Unterstützung findet, die die westliche Kirche jedoch auf der Reichssynode von Serdika (342) nicht durchsetzen kann. Constans erzwingt die Rückkehr des A. 346, aber Constantius kann nach dem Tode des Constans erreichen, daß A. auf den Synoden von Arles (353) und Mailand (355) verurteilt wird. A. entzieht sich der Verhaftung durch Flucht; Mönche verstecken ihn. Unter der Herrschaft des Iulian Apostata kann er 362 zurückkehren, wird jedoch 363 nochmals verbannt, ein letztes Mal unter Valens (365/66). Diese Exilaufenthalte behindern aber sein Wirken nicht mehr ernstlich: Unter seiner Leitung tagt 362 die Synode von Alexandreia, in der den Gegnern des Nicaenums die Rückkehr erleichtert und Streitigkeiten innerhalb des nizänischen Lagers bereinigt werden. Nach dem Tode des A. wurde der Arianische Streit durch das 2. Ökumenische Konzil von Konstantinopel 381 beendet. Auch der Streit um die Stellung des Hl. Geistes in der Trinität wurde im Sinne des A. entschieden.

In seinen Schriften steht der von allem Anfang an den Menschen zugewandte Gott im Mittelpunkt. Bereits in der Schöpfung wird der künftige Fall und die einzig mögliche Erlösung des Menschen vorbedacht, die die menschliche Natur wirksam mit der göttlichen verbindet: die Inkarnation und der Kreuzestod des lógos. Für den soteriologischen Aspekt muß bei ontologischen Fragen in erster Linie die Stellung des Sohnes gegen jeden Angriff verteidigt werden; die Formel hierfür bietet das ὁμοούσιος (homoúsios) des Nicaenums.

PG 26–28 · H.-G. OPITZ (Hrsg.), A. Werke, 1934 ff. (bisher Lieferungen zu 2 Bd.) · G. MÜLLER, Lexicon Athanasianum, 1952 · CHR. BUTTERWECK, A.-Bibliographie (Abh. Nordrhein.-Westf. Akad.), 1995.   K. M.

Athanis (Ἄθανις). A. von Syrakus, Namensform Áthanis bei Athen. 3,98d und Plut. Timol. 23,6; Athánas bei Diod. 15,94,4; Athenis bei Theop. FGrH 115 F 194. Er nahm an der Expedition des → Dion nach Sizilien teil und war 356 in Syrakus zusammen mit → Herakleides und Archelaos von Dyme prostátēs tēs póleōs (»Vorsteher der Stadt«).

A. setzte das Werk des → Philistos (FGrH 556) fort, das bis 363/2 reichte, und beschrieb in 13 B. die weiteren Schicksale des jüngeren → Dionysios, die Ereignisse um Dion sowie die Gesch. des Timoleon mindestens bis zu dessen Rücktritt 337/6 (fr. 3). FGrH 562 (mit Komm.).

K. MEISTER, Die griech. Geschichtsschreibung, 1990, 69 · D. P. ORSI, Atanide, Eraclide e Archelao, prostatai della città, in: Chiron 25, 1995, 205–212 · L. PEARSON, The Greek Historians of the West, 1987, 31 f.   K. MEI.

Athanodoros. Sohn des Agesandros, Bildhauer aus Rhodos. Arbeitete zusammen mit → Agesandros und → Polydoros bereits in der Ant. gerühmte Marmorkopien von hell. Bronzegruppen. Die Schaffenszeit des Ateliers wurde anhand rhodischer Inschriften zuerst im mittleren 1. Jh. v. Chr. angesetzt, kann nach Auffindung des umfangreichen Skulpturenkomplexes von Sperlonga, der mit großer Wahrscheinlichkeit auf Tiberius zurückgeht, in der frühen Kaiserzeit verankert werden. Signiert ist die Skylla-Gruppe, anzuschließen sind die Blendung des Polyphem, der Raub des Palladion und eine Umbildung der sog. Pasquino-Gruppe zu Odysseus und Achill. Diese »Odyssee in Marmor« geht in allen Teilen auf hochhell. Originale zurück, die in Rhodos und Pergamon entstanden waren. Dasselbe Team schuf die von Plinius gepriesene und h. erhaltene Kopie der → Laokoongruppe, die seit ihrer Auffindung 1506 ein reiches Nachleben hat. Weitere Basissignaturen des A. sind teils verschollen, teils verdächtig. In Rhodos selbst fanden sich Signaturen zu Ehrenstatuen, die Plinius als Darstellungen edler Frauen erwähnt.

B. ANDREAE, Praetorium Speluncae, 1994 · LOEWY, Nr. 203, 480, 520 · P. MORENO, Scultura ellenistica, 1994, passim · OVERBECK, Nr. 2031–2034 (Quellen) · J. J. POLLITT, Art in the Hellenistic age, 1986, 120–126 Abb.   R. N.

Athaulf s. Ataulfus

Atheismus. Der moderne A. beruft sich als Autorität seiner Ablehnung der (christl.) Religion auf ant. Vorbilder, kreiert sogar Märtyrer. Während der A. in der Moderne sich aber gegen Monotheismus und daraus abgeleitete Institutionen wendet – der Begriff A. kommt erst im 16. Jh. auf –, sind die ant. Begriffe, darunter ἄθεος (átheos, »gott-los«), Teil eines polytheistischen Systems von lokalen Götter-Personen, das sich in kultischen Formen realisiert und nicht ein verbalisiertes, begriffliches Credo voraussetzt. Daher gilt es für den ant. A. zu unterscheiden: 1. Die Zerstörung des Kultortes macht eine Polis gott-los und fordert die kultlos Gewordenen zur Kritik an den Göttern heraus (Eur. Tro. 1060ff.; Diagoras nach der Zerstörung seiner Heimat Melos 416 v. Chr.: Melanthios FGrH 326 F 3; 342 F 16 [1; 2]; zu den A.-Prozessen → Asebeia [3]). 2. Mit dem Verlassen des eigenen lokalen Pantheons wird man zum Nicht-Bürger und verliert die Kultkompetenz (regionaler A.); diese Fremdheit erlaubt verbalen A. (Gorgias). 3. Auf dem Theater äußern einzelne Rollen – oft in

Verbindung mit den gottlosen Situationen 1 und 2 – A. gegen bestimmte Götter (partikularer A.). Das ist aber kein Bekenntnis des Dichters zum A. [4; 5; 6; 7; 8; 9]. 4. Indem Allmacht u. a. Gottesprädikate im → Polytheismus prinzipiell ausgeschlossen sind, können die vielen anthropomorphen Götter (→ Anthropomorphismus) nicht die Letztbegründung für ethische Normen leisten (Hom. Od. 1,1–79). Die Defizite der Theologie, die bes. mit der Entlokalisierung im Hellenismus aufbrechen [vgl. 2], versucht, eine gott-lose Ethik durch die Philos. auszugleichen, bes. die Angst vor der gottlos gewordenen Totenwelt (→ Epikuros; → Lucretius). 5. Der A. der (ion.) Naturphilos. ist zunächst eine Kritik der Anthropo-Morphe (Menschen-Form; → Xenophanes, → Anaxagoras). 6. Vorwurf des A. gegenüber bildlosen (anikonischen) Kulten wie denen der Juden und Christen.

→ RELIGIONSKRITIK

1 B. SMARCZYK, Unt. zur Religionspolitik und polit. Propaganda im Delisch-Att. Seebund, 1990, 278–287 2 CHR. AUFFARTH, 1995 (s. u.) 3 M. OSTWALD, From Popular Sovereignty to the Sovereignty of Law, 1986, 137–171 4 R. SCHLESIER, Götterdämmerung bei Euripides?, in: H. ZINSER (Hrsg.), Der Untergang von Religionen, 1986, 35–50 5 M. LEFKOWITZ, Was Euripides an Atheist?, in: SIFC 5, 1987, 149–166 6 Dies., Impiety and Atheism in Euripides' Dramas, in: CQ 39, 1989, 70–82 7 H. YUNIS, A New Creed, Hypomnemata 91, 1988 8 CHR. AUFFARTH, Der Opferstreik, in: Grazer Beiträge 20, 1994, 59–86 9 J. D. MIKALSON, Honor Thy Gods, 1991, 69–164.

W. FAHR, Θεοὺς νομίζειν: Zum Problem der Anfänge des A. bei den Griechen. Spudasmata 26, 1969 · P. GARNSEY, Religious Toleration in Classical Antiquity, in: W. SHEILS (ed.), Toleration and Persecution, in: Studies in Church History 21, 1984, 1–27 · M. WINIARCZYK, Bibliographie zum ant. A.: 17. Jahrhundert bis 1990, 1994 · CHR. AUFFARTH, Aufnahme und Zurückweisung »Neuer Götter« im spätklass. Athen, in: W. EDER, Demokratie, 1995, 337–365.   C. A.

Athen s. Athenai

Athena A. ETYMOLOGIE UND HERKUNFT B. MYTHOLOGIE C. FUNKTIONEN 1. STADTSCHÜTZERIN 2. KRIEG, EPHEBIE, JUNGBÜRGER 3. FRAUENLEBEN 4. RITUAL 5. HANDWERK D. ZUSAMENFASSUNG E. IKONOGRAPHIE

A. ETYMOLOGIE UND HERKUNFT

Zentrale griech. Polisgottheit, kopfgeborene Tochter des Zeus und der Metis, jungfräuliche Patronin des Krieges, des Handwerks und der weiblichen Arbeit (Hom. h. Ven. 7); ihr häufiges Beiwort Pallas wird als »Mädchen« verstanden (CHANTRAINE s. v. παλλακή). Die Römer identifizierten sie mit → Minerva (etr. Menrva), die Griechen mit zahlreichen oriental. Gottheiten, etwa der lyk. Maliya [1], der ägypt. → Saïs (Hdt. 2,28), der ugarit. → Anat oder der palmyren. Allat. Wie manche oriental. Göttin gehört sie zum Typus der bewaffneten Göttin [2].

Eine Frühform von A.s Namen ist Atana Potinija in einem Lin. B-Text aus Knosos. Unter den Deutungsmöglichkeiten überzeugt »Herrin (eines Ortes) At(h)ana« am besten [3]. Damit ist die alte Frage, ob der Göttername A. oder der Ortsname *Athenai* früher sei, zugunsten des Ortsnamens entschieden: die homer. Form *Athenaia/Athana(i)a* wird als Adj. »die zu *Athena(i)* Gehörige« verstanden. Ein Individualname der Göttin fehlt in Lin. B also, und ihre Erscheinungsform ist nur soweit zu fassen, daß sie eine der großen weiblichen Gottheiten (*Pótniai*) ist. Eine Deutung als myk. Palast- oder Schildgöttin ist nicht zwingend. Daß A.-Tempel myk. Paläste fortsetzen (Mykenai, Athen), trifft nur teilweise zu; die Herleitung der Schlange als myk. oder min. Hausschlange bleibt unverbindlich. Eher müßte eine myk. Herleitung die polit.-mil. Funktion der Göttin in ihrer Beziehung zum Fürsten berücksichtigen.

B. MYTHOLOGIE

A.s Geburt wird seit Hes. (theog. 886–99, 924–26, vgl. fr. 343) erzählt. Zeus heiratete → Metis; als sie mit A. schwanger war, sagte Gaia voraus, daß ein von Metis geborener Sohn ihn absetzen würde; Zeus verschlang Metis und gebar mit Hilfe von Prometheus oder Hephaistos (Apollod. 1,20) A. aus seinem Kopf. Eine ähnliche Voraussage erhält Zeus, als er Thetis heiraten will (Aischyl. Prom. 755–876; Pind. I.8,27–35). Das Motiv der seltsamen Geburt ist oriental. (→ Kumarbi); zugleich bindet es in eingängigem Symbolismus A. an die geistigen Fähigkeiten ihres Vaters (vgl. Hes. theog. 896).

Zahlreiche Mythen setzen A. in enge Beziehung zu einzelnen Heroen. Bei Homer erfahren bes. Achill (seit Il. 1,194–218) und Odysseus (z.B. Od. 1,48f.), daneben etwa Diomedes (Il. 5,826), außerhalb Homers Herakles, Perseus oder Iason ihre Unterstützung. In der athenischen Myth. streitet sie mit Poseidon um den Besitz der Stadt und erhält sie wegen ihrer Gabe des Ölbaums (Apollod. 3,179); das begründet nicht nur A.s athenischen Kult, sondern auch die Bed. der Ölkultur und, in einer andern Mythenversion (Varro bei Aug. civ. 18,9), die soziale Rolle der Frauen [4]. Ein anderer athenischer Mythos berichtet, daß Hephaistos ihr nachstellte und dabei seinen Samen vergoß; daraus entstand der schlangengestaltete Erichthonios. A. gab ihn, verdeckt in einem Korb, den drei Töchtern des Kekrops in Obhut, die den Korb öffneten; beim Anblick der Schlange stürzten sich zwei von der Burg zu Tode. Als Erwachsener setzte Erichthonios sich zum König ein, stiftete die A.-Statue auf der Burg und begründete die Panathenaia (Apollod. 3,188–190). Der Mythos verbindet ein Aition für das Ritual der → Arrhephoroi (s.u.) und die → Panathenaia mit einem komplexen Ursprungsmythos der Athener.

C. FUNKTIONEN

1. STADTSCHÜTZERIN

Grundlegend unter A.s Funktionen ist ihre Rolle als Stadtschützerin. Darauf weisen die sehr häufigen Epiklesen *Poliás* und *Poliúchos* und die Lage zahlreicher A.-Heiligtümer auf der Akropolis. Die Ilias betont die Rolle A.s als Schützerin Athens (2,549f.) und setzt einen A.-Tempel auf der Burg Troias mit Priesterin und Sitzstatue voraus: Ihr weihen die schutzflehenden Frauen in der Krise einen *péplos* (Gewand oder Stoffstück) und geloben zwölf Kühe (6,297–310). Aus früharcha. Zeit stammen das Heiligtum der A. auf der Akropolis von Gortyn mit einem großen steinernen Sitzbild und das auf der Akroplis des chiotischen Emporion, wo neben dem → Megaron des Stadtfürsten ihr Kult seit dem 8.Jh., aus dem 7./6.Jh. eine stehende behelmte Statue bezeugt sind.

Der Schutz geschieht entweder durch eine talismanische Statuette der Göttin (Palladion, von Hdt. 4,189 als ›Statue der Pallas A.‹ definiert) oder durch die kriegerische Gottheit selber. Der Mythos erzählt, daß das Überleben Troias an das Abbild gebunden war; nachdem Odysseus und Diomedes es geraubt hatten, fiel die Stadt. Mehrere Orte behaupteten später, das troianische Palladion zu besitzen, bes. Athen (Paus. 1,28) und Rom (Liv. 5,52,7 u.ö.). Solche talismanischen Bilder gehören nicht bloß zu A., die Vorstellung ist bis in das byz. Christentum verbreitet [5].

2. KRIEG, EPHEBIE, JUNGBÜRGER

Daneben steht A. als Göttin, der ›Streit und Krieg lieb sind‹ (Hom. Il. 5,333; Hes. theog. 926), worauf schon ihre Bewaffnung weist; in zahlreichen A.-Heiligtümern wurden Waffen dediziert. Als Kriegsgöttin unterscheidet sie sich dadurch von → Ares und Enyalios, den Göttern des kriegerischen Handelns an sich, mit denen zusammen sie oft genannt wird (z.B. Hom. Il. 5,430: Ares, A. und Enyo), daß ihr Kriegertum Mittel ist, die Stadt zu schützen. Als Kriegerin sorgt sie für die jungen Männer; das spiegelt sich im Mythos in ihrer Sorge für die Heroen [6]. So schwören die athenischen Epheben ihren Eid im Aglaureion unter bes. Aufsicht von Ares und A. Areia, in deren Tempel die entsprechende Inschr. (TOD II 204) gefunden wurde. Neben dem kriegerischen Aspekt steht derjenige der Einfügung der jungen Männer in die Gruppe der Bürger. Als A. Phratria gilt ihr, zusammen mit Zeus Phratrios, das grundlegende, schon vor der Auswanderung der Ioner am Ende der Bronzezeit gefeierte Fest der → Apaturia (Hdt. 1,147), das der Einführung der jungen Mitglieder in die Phratrie dient (Opfer: Schol. Aristoph. Ach. 146); Zeus Phratrios und A. Phratria sind die Götter, durch die sich die athenischen Bürger definieren (Plat. Euthyd. 302 D). Diese Verbindung mit Phratrie und ähnlichen gentilizischen Verbänden findet sich auch anderswo: A. Ph(r)atria wird in Kos, Lindos und Kamiros [7; 8; 9] verehrt, A. Ph(r)atria in Thasos [10], wobei sie in Kos (Euryanaktidai), Thasos (Priamidai) und Lindos (Grennadai) mit gentilizischen Gruppen verbunden ist. In denselben Kontext gehört der Schönheitswettbewerb der jungen Männer in Elis, dessen Sieger in einer Prozession die der A. dedizierten Waffen, der zweite die Opferkuh vorführen darf (Theophr. fr. 11; Myrsilos

FGrH 477 F 4; Athen. 13,20,565e; 609e). Reste initiatorischer Riten stehen auch hinter den Kinderpriestern der A. Alea in Tegea (Paus. 8,47,3), der A. Kranaia in Phokis (Paus. 10,34,8) und der A. in Siris (Lycophr. 984–90 und Schol. Iustin. 20,2,3).

3. FRAUENLEBEN

Ebenso ausgeprägt wie die Beziehung zu den Jungbürgern, die A. mit Apollon gemeinsam hat, ist ihre Beziehung zu den jungen Mädchen. Sie lehrt sie ›prächtige Werke‹ (Hom. h. Ven. 14f.); als solche heißt sie an zahlreichen Orten *Ergánē*, »Werkerin«. Das wichtigste Werk der Frauen ist das Spinnen und Weben: Für Homer ist A. die göttl. Weberin par excellence (Il. 5,734f. u.ö.), und seit Platon wird sie Erfinderin des Webens genannt (Plat. symp. 197 B; vgl. Diod. 5,73,8; Ael. nat. an. 1,21). Eine Spindel habe das hölzerne Sitzbild der A. auf der Burg von Erythrai (Paus. 7,5,9) und von Ilion (Apollod. 3,143) gehalten; eine Terrakotte der unbewaffneten Göttin mit Spindel stammt aus ihrem Heiligtum von Lindos; Münzen mehrerer kleinasiatischer Städte zeigen eine bewaffnete A. mit Spindel [11]. Webgewichte und Spindeln stammen aus zahlreichen A.-Heiligtümern archa. Zeit, zusammen mit anderen Weihungen von Frauen [12]. Rituellen Ausdruck findet diese Verbindung in einem für Tarent belegten Mädchenagon in Wollarbeit [13], bes. aber im Spinnen und Weben des → *péplos* für die athenische Burggöttin. Dabei sind es ausgewählte Frauen, welche den *péplos* weben; die beiden Arrhephoren genannten Mädchen aus guter Familie, die ein ganzes Jahr im Dienst der A. zu verbringen haben, beginnen ihn.

In der vorhochzeitlichen Institution der Arrhephoren setzt sich wie bei den männlichen Kinderpriestern altes initiatorisches Ritual fort [14; 15]. Dasselbe gilt für Kos, wo zwei Mädchen ein Jahr bei A. verbringen (Hesych. s. v. *agretaí*). Der lokrische Mädchentribut in den A.-Tempel von Ilion hat dieselben Wurzeln [16]. In Troizen erhält eine A. Apaturia die vorhochzeitlichen Gürtelweihen der Mädchen (Paus. 2,33,1).

4. RITUAL

Umfassender wird das Interesse an den jungen Mitgliedern der Polis in das Fest eingebracht, das der Polis gilt. Am bekanntesten sind die athenischen → Panathenaia, welche traditionelle Elemente (Einführung der jungen Krieger und Frauen, Opferfest, Neujahrsritual) zu einer grandiosen Selbstdarstellung der Stadt Athen verbinden [17; 18]. Am Fest, das jährlich und alle vier Jahre als Große Panathenaia am 28. Hekatombaion (Juli/August) gefeiert wurde, stellte sich die Stadt mit ihrer Elite, ihren Kriegern und ihren Verbündeten in einer großen Prozession dar, in der auch der *péplos*, welchen die Frauen der Göttin gewebt hatten, am Mast des Schiffskarrens mitgeführt wurde (zu den ungelösten Fragen um den *péplos* [19]); die Prozession endete am Hauptaltar auf der Akropolis mit einem gewaltigen Opfer (deswegen *Hekatombaion*). Es ist Teil eines Neujahrszyklus, der mit den Plynteria (»Waschfest«) am 25. des vorletzten Monats Thargelion begann: Das alte Bild der A. wurde entkleidet, zum Meer gebracht, gewaschen und neu eingekleidet, als deutliches Symbol für den Neuanfang [20; 21]. Nach Ausweis des ion. Monatsnamens Plynterion war das Fest sehr verbreitet [22]. Am 16. Hekatombaion folgten die Synoikia zur Erinnerung an den Synoikismos, die Bildung des athenischen Staates aus seinen einzelnen Dörfern; A. erhielt ein Opfer auf der Burg. Die Panathenaia schlossen den Kreis von Auflösung (Plynteria) bis zu bestätigender Selbstdarstellung (Panathenaia). Analog müssen die schlechter faßbaren Pamboiotia, die im Heiligtum der A. Itonia mit Opfer und Agon gefeiert wurden [23], die boiotische Liga festlich dargestellt haben. Überhaupt faßt man seit hell. Zeit an zahlreichen Orten prachtvolle Polisfeste für A., die gelegentlich ebenfalls Panathenaia hießen und sich in ihrer Entfaltung in das gesteigerte Repräsentationsbedürfnis der hell. Polis einfügen [24].

5. HANDWERK

Doch A. (Ergane) beaufsichtigt nicht allein die weibliche Arbeit, sie ist Patronin von allem Handwerk. Hier kommt ihre von ihrer Mutter ererbte raffinierte Klugheit (*mḗtis*) zur Geltung [25]. Ihre Erfindungen gelten nicht bloß dem Krieg, wie bei der von ihr erdachten Trompete (Etym. Mag. 708,2; Schol. Lykophr. 915), wonach sie A. Salpinx heißt (Argos: Paus. 2,21,3). Sie lehrte auch Wagenbau (Hom. h. Ven. 12f.) und Anschirren der Pferde (für Bellerophon schirrte sie den Pegasos, Pind. O. 14,63–87), wonach sie in Korinth Chalinitis, »die zur Trense Gehörige« heißt (Paus. 2,4,1) [26]. In ihrer Verbindung zum Pferd (oft als A. Hippia) steht sie in Konkurrenz zum Pferdeherrn Poseidon (Hippios), der wenigstens Antilochos die Pferdekunst (*hipposýnē*) lehrte (Hom. Il. 23,581–4). Sie half Iason, das erste Schiff, die → Argo, zu bauen (Apoll. Rhod. 1,18; Apollod. 1,110). Bes. in Athen ist sie dieser praktischen Klugheit wegen mit Hephaistos, dem Patron des Handwerks (bes. des mit Feuer umgehenden) verbunden. Der Tempel des Hephaistos an der Agora (das sog. Theseion) enthielt Statuen von Hephaistos und A. (Paus. 1,14,6), das Fest der Chalkeia am 30. Pyanopsion (Okt./Nov.) feierten Athens Handwerker mit einer Opferprozession zu Hephaistos und A. Ergane.

D. ZUSAMMENFASSUNG

Obwohl die Hauptfeste der Göttin einen leicht verständlichen Symbolismus auszudrücken scheinen, ist die Gestalt der A. nicht ohne seltsame Spannungen. Sie entsprang in voller Bewaffnung dem Kopf ihres Vaters; sie ist Jungfrau und Kriegerin, zugleich aber irgendwie auch Mutter des Schlangenkinds Erichthonios; sie ist verbunden mit der Schlange, der die Erdtiefe, und der Eule, der die Nacht gehört. Frühere Forsch. versuchte, diese Spannungen evolutionistisch (NILSSON) oder tiefenpsychologisch (KERÉNYI) aufzulösen; gegenwärtig überwiegt eine funktionalistische Deutung von A.s ambivalenten Kräften (DETIENNE, VERNANT). Als Kriegerin schützt sie die Polis, aber benutzt dazu die Techniken des abstoßenden Ares; ihre Hauptwaffen sind die Aigis (das Ziegenfell, das Zeus im Gigantenkampf benutzte) und das Gorgoneion (den versteinernden Kopf eines Ungeheuers), die beide von Schlangen umgeben sind. Sie teilt diese Ambivalenz mit ihren Schutzbefohlenen, den noch nicht zivilisierten Mädchen und den jungen Kriegern, die sich außerhalb der Polis bewegen. Doch auch ihre *métis* ist ambivalent. Ein Sohn ihrer Mutter Metis hätte Zeus' Herrschaft bedrohen können; erst als Zeus sie sich einverleibte und damit unterordnete, wurde er sicher: Der Mythos exploriert auch die Kräfte zivilisatorischer Intelligenz, die zeusgleiche Macht hat, aber jenseits der Natur liegt.

→ Griechische Religion; Heilkulte

1 R. LEBRUN, Problèmes de religion anatolienne, in: Ders. (Hrsg.), Hethitica. 8. Acta Anatolica E. LAROCHE oblata, 1987, 241–262 **2** G. COLBOW, Die kriegerische Ištar. Zu den Erscheinungsformen bewaffneter Gottheiten zw. der Mitte des 3. und der Mitte des 2. Jts., in: Münch. Vorderasiat. Studien 12, 1991 **3** M. GÉRARD ROUSSEAU, Les mentions religieuses dans les tablettes mycéniennes, 1968, 44 f. **4** P. VIDAL-NAQUET, Le chasseur noir, ³1991, 285 f. **5** H. BELTING, Bild und Kult, 1992 **6** J. N. BREMMER, Heroes, rituals, and the Trojan war, in: Stud. Stor. Rel. 2, 1978, 5–38 **7** R. HERZOG, Abh. Berlin 1928/6 **8** Inschr. von Lindos 615 **9** Tituli Camirensis 127,3 **10** BCH 89, 1965, 447 Nr. 6 **11** GRAF 210; 213 **12** GRAF 211 **13** M. J. MILNE, in: AJA 19, 1945, 528–33 **14** W. BURKERT, Kekropidensage und Arrhephoria, in: Wilder Ursprung. Opferritual und Mythos bei den Griechen, 1990, 40–59 **15** P. BRULÉ, La fille d'Athènes, 1987, 13–175 **16** F. GRAF, Die lokrischen Mädchen, in: Stud. Stor. Rel. 2, 61–79 **17** DEUBNER 22–35 **18** J. NEILS (Hrsg.), Goddess and Polis. The Panathenaic Festival in Ancient Greece, 1992 **19** J. M. MANSFIELD, The robe of A. and the Panathenaic procession, Diss. Berkeley 1985 **20** DEUBNER, 22–35 **21** W. BURKERT, Wilder Ursprung, 1990, 78 f. **22** GRAF, 19 **23** A. SCHACHTER, The Cults of Boeotia 1, 1981, 117–27 **24** A. CHANIOTIS, Sich selbst feiern? Städtische Feste des Hellenismus im Spannungsfeld von Religion und Politik, in: M. WÖRRLE, P. ZANKER (Hrsg.), Stadtbild und Bürgerbild im Hellenismus, Vestigia 47, 1995, 147–172 **25** M. DETIENNE, J. P. VERNANT, Les ruses de l'intelligence, 1974 **26** N. YALOURIS, Athena als Herrin der Pferde, in: MH 7, 1950, 91–101.

C. J. HERINGTON, Athena Parthenos and Athena Polias, 1955 · I. KASPER-BUTZ, Die Göttin A. im klass. Athen. A. als Repräsentantin des demokratischen Staates, 1990 · K. KERÉNYI, Die Jungfrau und Mutter der griech. Religion. Eine Studie über Pallas A., Albae Vigiliae, N. S. 12, 1952 · W. PÖTSCHER, Hera. Eine Strukturanalyse im Vergleich mit A., 1987 · N. ROBERTSON, The origin of the Panathenaea, in: RhM 128, 1985, 231–295 · S. V. TRACY, The Panathenaic festival and games. An epigraphic inquiry, in: Nikephoros 4, 1991, 133–154
KULTORTE: J. BOARDMAN, Excavations in Chios. Greek Emporio. BSA Suppl. 6, 1967 · G. RIZZO, V. SANTA MARIA SCRINARI, Il santuario sull'acropli di Gortina 1, 1969 · H. CASSIMARIS, L'Athéna de Gortyne en Crète et son culte, in: Akt. des 13. Internationalen Kongr. für Klass. Arch. in Berlin 1988, 1990, 467 ff. · M. E. VOYATZIS, The Early Sanctuary of A. Alea at Tegea and Other Archaic Sanctuaries in Arcadia, 1990, 10–28 · E. ØSTBY, J.-M. LUCE, G. C. NORDQUIST, C. TARDITI, M. E. VOYATZIS, The Sanctuary of A. Alea at Tegea. First Preliminary Report (1990–1992), Op. Ath. 20, 1994, 88–141.   F. G.

E. IKONOGRAPHIE

Die frühesten gesicherten Darstellungen überliefern den wehrhaften Charakter der A. mit Helm, Speer und Lanze, mit Aegis ab ca. 575 v. Chr.; das Gorgoneion erscheint ab etwa 600 v. Chr. auf dem Schild, auf der Aegis ab ca. 540 v. Chr. Der ältere sog. Palladiontypus zeigt A. immobil, mit geschlossener Beinstellung (protokorinth. Vasenbilder, 1. H. 7. Jh. v. Chr.; Tonstatuette aus Gortyn/Kreta, 7. Jh. v. Chr.). Mit gleicher Bewaffnung, aber ausschreitend: der archa. Typus der A. Promachos, der Vorkämpferin in der Schlacht (Bronzestatuetten von der Athener Akropolis); dieser Typus auf den → Panathenäischen Preisamphoren (ältestes Beisp.: Burgon-Amphora, um 560 v. Chr., London, BM; berühmt die verlorene Kolossalstatue des → Pheidias auf der Akropolis von Athen, eine Weihung aus der Beute der Perserkriege, um 450 v. Chr.; mit der röm. *A. Medici* (Torso Medici, Paris, LV) werden u. a. die *A. Areia* des Pheidias in Plataiai (460/450 v. Chr., zur Erinnerung an den Sieg über die Perser) und die A. in Elis (des Pheidias oder → Kolotes) in Verbindung gebracht.

Das älteste erh. Sitzbild der A. ist vermutlich ein Werk des Endoios, 530/525 v. Chr. (vgl. den Typus der *A. Lindia*). Die ca. 12 m große Gold-Elfenbein-Statue der *A. Parthenos* des Pheidias (vgl. die Varvakion-Statuette, Athen, NM), zw. 447/6 und 439/438 v. Chr. aus Gold des athenischen Staatsschatzes gefertigt, ist als Selbstdarstellung Athens in seinem Hegemoniestreben innerhalb des → Attisch-Delischen Seebundes zu verstehen (vgl. den bildlichen Bezug der *Parthenos* auf das archa. Kultbild des Apollon von Delos). Die *A. Lemnia* des Pheidias (Dresden/Bologna), um 450 v. Chr. wohl von att. Kleruchen auf die Akropolis geweiht, verkörpert in der verhaltenen Art ihrer Bewaffnung eher den friedfertigen Aspekt att. Bündnispolitik. Zu A. als Repräsentantin der athenischen Politik vgl. die Urkundenreliefs des 5. und 4. Jh. v. Chr.

Mit der *A. Hephaisteia* des → Alkamenes (um 420 v. Chr.) werden u. a. der Typus *Cherchel* und die A. von Velletri (des → Kresilas?) gleichgesetzt; vgl. auch den Typus *A. Ince* und *Hope-Farnese*. Charakteristische Typen des 4. Jh. v. Chr. sind die *A. Giustiniani* (Anf. 4. Jh.), *A. Vescovali* (2. H. 4. Jh.) und *A. Rospigliosi* (spätes 4. Jh.). Einen programmatischen Rückbezug auf das klass. Erbe Athens unternimmt die Kopie der *A. Parthenos* aus der Bibliothek des A.-Heiligtums in Pergamon (1. H. 2. Jh. v. Chr.). Als ein frühes eklektisches Werk des Hell. gilt die A. mit Kreuzband-Aegis aus Pergamon.

Der myth. Kontext wird in zahlreichen Darstellungen überliefert: u. a. Geburt der A. (Parthenon, Ost-Giebel, 438–432 v. Chr.), Streit zw. A. und Poseidon um die Herrschaft über Attika (Parthenon, West-Giebel, 438–432 v. Chr.), A.s entscheidene Rolle in den Gigantenkämpfen (Parthenon, Ost-Metope 4, 442–432; Pergamonaltar, Ost-Fries, 180/160 v. Chr.), A. und

→ Marsyas (Marsyasgruppe des → Myron, Mitte 5.Jh. v.Chr.), A. als Schutzgöttin des Herakles und anderer Helden.

I. E. Altripp, Zu den A.-Typen Rospigliosi und Vescovati, in: AA 1996, 83–94 · A.Delivorrias, Sparagmata. Aus der klass. Ikonographie der Athena, in: Archa. und klass. griech. Plastik 2, 1986, 149–154 · P.Demargne, s. v. A., LIMC II, 1, 1984, 955–1044 (mit älterer Lit.) · B. Fehr, Zur religionspolit. Bed. der A. Parthenos im Rahmen des delisch-att. Seebundes I–III, in: Hephaistos 1, 1979, 71–91; 2, 1980, 113–125; 3, 1981, 55–93 · E.B. Harrison, Lemnia and Lemnos. Sidelights on a Pheidian A., in: Kanon. FS E. Berger, 1988, 101–107 · Chr. Höcker, L. Schneider, Phidias, 1993, passim · P.Karanastassis, Unt. zur kaiserzeitl. Plastik in Griechenland 2, in: MDAI(A) 102, 1987, 323–428 · I. Kasper-Butz, Die Göttin A. im klass. Athen, 1990 · A. Linfert, Athenen des Phidias, in: MDAI(A) 97, 1982, 57–77 · B.S. Ridgway, Images of A. on the Acropolis, in: J. Neils (Hrsg.), Goddess and Polis, 1992, 119–127 · M. Weber, Zur Überlieferung der Goldelfenbeinstatue des Phidias im Parthenon, in: JDAI 108, 1993, 83–122. A.L.

Athenagoras von Athen (2.Jh. n.Chr.). Von diesem Autor stammt sicher eine mit πρεσβεία (*presbeía*) überschriebene Apologie an die Kaiser → Marcus Aurelius und → Commodus (CPG I 1070; [1]); ob die am Ende dieses Textes angekündigte Schrift über die Auferstehung (§ 37) mit der in Paris. graec. 451 überlieferten (CPG I 1071) identisch ist, ist umstritten. Neben kritischen Voten, die diese Identifikation ebenso dem Kopisten zuschreiben wie die Angabe »Philosoph aus Athen« im Parisinus (Schoedel), finden sich auch Verteidiger der Authentizität (Barnard).

Die Apologie muß zw. 176 und 180 abgefaßt sein (vielleicht 176 oder 177) und bekämpft traditionelle Vorwürfe gegen das Christentum (Atheismus, thyesteische Mahlzeiten und Inzest). Die Auferstehungsschrift betont die Einheit von Leib und Seele als Ziel der Schöpfung und argumentiert damit für die leibliche Auferstehung (11,3–25).

1 M.Marcovich, Patristische Texte und Studien 31, 1990.

Ed.: W.R. Schoedel, Oxford Early Christian Texts, 1972 · B.Pouderon, Sources Chrétiennes 379, 1992. Lit.: L.W. Barnard, A., in: Théologie Historique 18, 1972 · H.E. Lona, Über die Auferstehung des Fleisches, in: Beih. ZNTW 66, 1993 · B.Pouderon, Athénagore d'Athèns, philosophe chrétien, Théologie Historique 82, 1989. C.M.

Athenai (Ἀθῆναι).
[1] I. Geographie II. Topographie III. Geschichte IV. Kulturelle Bedeutung

I. Geographie

A. ist Hauptort des ant. »Flächenstaates« → Attika und liegt in der Ebene des Pedion, umgeben von den Bergzügen → Aigaleos, → Parnes, → Pentelikon und → Hymettos. Die Ebene öffnet sich nach SW zum Sa-

ronischen Golf. In der ant. Stadt selbst erheben sich die Kalkstein-Hügel der Akropolis, des Areopag (→ Areios pagos) sowie der Musen- und Nymphenhügel, an ihrem Rand der Lykabettos und der Ardettos. Vom Hymettos her durchfließen im Norden der → Eridanos und im Süden der Ilissos das Gebiet, während der am Pentelikon entspringende → Kephissos westl. an der Stadt vorbeiführt und die Wasser der beiden anderen Flüsse aufnimmt.

Seit dem Erscheinen des Bildlexikons des ant. Athen von J. Travlos (s. Bibliogr.; für die ältere Lit. bis 1970 wird generell hierauf verwiesen) haben der rapide Ausbau der modernen Stadt die Kenntnisse über die Topographie des ant. Athen maßgeblich erweitert (Publikation von Forschungs- und Grabungsergebnissen jährlich in Ἀρχαιολογικόν Δελτίον, Χρονικά (Akropolis und Stadtgebiet), in Hesperia (Agora-Grabung), AA (Kerameikos) und BCH (allg.).

II. Topographie
1. Akropolis 2. Akropolis-Abhänge
3. Areopag, Nymphen- und Musenhügel
4. Agora 5. Stadtgebiet 6. Ilissos-Gebiet
7. Stadtmauern, Tore und Nekropolen der Ausfallstrassen 8. Akademie

1. Akropolis
Fläche und Abhänge des Burgberges, in vorgesch. Zeit längst nicht so steil wie durch die späteren Mauern und Anschüttungen, dienten bereits im Neolithikum als Rückzugsort und Wohnstatt (Scherbenfunde). Mit einem Mauerring aus riesigen polygonalen Blöcken befestigt und durch ein Vorwerk (*pelargikón*) zusätzlich geschützt [1–3], entstand unter myk. Fürsten ein Palast (Felsbettungen). Der Hauptzugang lag – wie von nun an fortwährend – auf der flach abfallenden Westseite des Felsens [4], kleinere Pforten gab es auf der Südost- und der Nordseite. Der Wasserversorgung diente ein Brunnenschacht an der Nordost-Seite.

Der Herrschersitz wandelte sich in archa. Zeit zum zentralen Stadtheiligtum mit der Hauptgottheit → Athena. Von den frühesten Architekturen zeugen Ziegel von Tondächern und Reste skulpturgeschmückter Kleinarchitekturen; auch zwei geom. Naiskoi (→ Naiskos), die im Areal der späteren Ringhallentempel zu lokalisieren sind [5], lassen sich anhand von Dachziegeln nachweisen. Der erste große Tempel, nach neuesten, noch kontrovers diskutierten Forsch. im Bereich des späteren → Parthenon (daher »Ur-Parthenon«) um 590/580 v.Chr. aus → Poros mit einigen marmornen Schmuckelementen (→ Metopen, später für die sog. Hekatompedos-Inschr. und Verkleidungsplatten in den Propyläen wiederverwendet, Relieffiguren von Panthern und anderen Tieren) errichtet, war bereits ein → Peripteros dor. Ordnung; seine Giebel schmückten schlangenleibige, rundplastische Figuren [6–10]. In peisistratischer Zeit (2. H. 6.Jh. v.Chr.) wurde diesem Bau an der Stelle des myk. Palastes ein weiterer Poros-

Peripteros an die Seite gestellt (sog. »Alter Athena-Tempel«), dessen Giebel an der Front mit Marmorfiguren (→ Gigantomachie) und einer Sima aus hymettischem Marmor geschmückt war [11; 12]; dor. Bauglieder einer von der älteren Forsch. erschlossenen Bauphase des frühen 6. Jh. gehören nach ihren Maßen zum »Ur-Parthenon«, das Fundament des »Alten Athena-Tempels« ist aufgrund einheitlicher Werkspuren in einem Zuge verlegt worden. Nördl. neben diesem Tempel lagen mehrere Naiskoi bzw. Kultmale für att. Heroen wie → Kekrops oder → Erechtheus. Ebenfalls bereits im späteren 6. Jh. begann man mit der Anlage eines Heiligtums für Artemis Brauronia [13], vielleicht auf Initiative der Peisistratiden, deren Heimatgemeinde bei → Brauron lag. Im ausgehenden 6. Jh., wahrscheinlich im Zuge der neuen kleisthenischen Ordnung, wurde um den Cellabereich des »Ur-Parthenon« ein Neubau (»Vor-Parthenon« aus pentelischem Marmor) ins Werk gesetzt, der ebenso wie ein neuer Eingangsbau an der Westseite des Burgberges (»Vor-Propyläen«: [14; 15]) durch die Perser 480 v. Chr. (→ Perserkrieg) zerstört wurde. Auf der Turmbastion aus myk. Zeit lag vor der Akropolis ein offener Altarbezirk für Athena Nike.

Nach dem Persereinfall von 480 v. Chr. ließ man die zerstörten Bauten zunächst weitgehend unverändert liegen: Gebälkteile des »Alten Athena-Tempels« wurden in die Akropolis-Nordmauer integriert, unfertige Säulentrommeln des Vor-Parthenon markierten dort die Ostecke des Athena-Heiligtums. In der Südmauer verbaute man Teile des »Ur-Parthenon«. Im Heiligtum der Athena Nike entstand ein Naiskos aus fein bearbeiteten Porosblöcken (ohne Brandspuren, daher nachpersisch), der sich aufgrund von Inschr. als private Stiftung interpretieren läßt, in den Propyläen kann man eine »kimonische« Bauphase (→ Kimon) nachweisen. Die archa. Weihgeschenke, bes. die Statuenweihgaben [16–18], wurden in einer Füllschicht (sog. »Perserschutt«, freilich auch mit Funden aus hochklass. Zeit versetzt) hinter der Südmauer und nordwestl. des »Alten Athena-Tempels« deponiert.

Der hochklass. Ausbau der Akropolis hat seinen monumentalen Ausdruck bes. in den dor. Marmorarchitekturen der Propyläen und des → Parthenon. Der riesige Peripteros [19–23] mit 8 × 17 Säulen bildet mit seinen harmonischen Proportionen, der vollendeten Bauausführung (in nur 16 Arbeitsjahren: 448–432) und dem reichen Skulpturenschmuck einen Höhepunkt abendländischer Baukunst (→ Bauplastik; Architekten: → Iktinos und → Kallikrates). Freilich entstand auch dieses Werk im Zuge verschiedener Bauänderungen [24], die sogar bei der nachträglichen Planung eines ionischen Figurenfrieses einen Teilabbau der bereits begonnenen Ostseite des Tempels erforderte. Im Nordpteron (→ Tempel) wurde kürzlich ein Naiskos mit zugehörigem Altar entdeckt, der in archa. Zeit noch neben dem Fundament gestanden hatte, in der Klassik dann in die Säulenhalle hinaufverlegt wurde [25]; dieses Kultmal liegt auf der Flucht der Fronten des Erechtheus-Naiskos

und des »Alten Athena-Tempels« und markiert somit die Ostseite des gesamten Athenaion auf der Akropolis. Die Gold-Elfenbein-Statue der Athena Parthenos (→ Goldelfenbeintechnik) wurde in der → Cella durch das an Säulen und Wänden vielfach gebrochene Licht erhellt, das durch die Tür und zwei in der griech. Architektur hier erstmals nachgewiesene → Fenster fiel. Eine Treppe in der Ostwand der Cella (→ Scala) ermöglichte die Wartung des Dachstuhles. Der Bildschmuck des Parthenon stand zu allen Zeiten im Zentrum des Forscherinteresses [26–31]: Die Deutung des Frieses als zeitlose, überindividuelle Darstellung des Panathenäenzuges sowie weiterer Themen (Arrhephorie u. a.) hat die besten Argumente auf ihrer Seite [32] (dagegen mit myth. Deutung [33] und beide Interpretationen kombinierend [34]). Die bei der Pulverlager-Explosion 1687 – bis dahin war der zu einer christl. Kirche, später zu einer Moschee umgewandelte Parthenon noch weitgehend intakt – bes. stark zerstörten Südmetopen können jetzt durch Fragmentzusammenfügungen und Neufunde vervollständigt werden [35; 36]; dies gelingt bisweilen auch bei den Giebelfiguren.

Die Propyläen [37], die der Architekt → Mnesikles entwarf, blieben im Gesamtplan und in den Details unfertig: Einerseits wurden sie mit Rücksicht auf das Nikeheiligtum verkürzt und nach Westen nie vollständig ausgeführt, andererseits blieben auch die Einzelformen im Innern unvollendet (→ Bosse). Im Außenbau sind sie mit sechssäuliger dor. Tempelfront ausgestattet; im Innern überbrücken sechs schlanke ion. Säulen den beträchtlichen Höhenunterschied zw. West- und Ostfassade. Zu seiten des fünftürigen Mittelbereiches – hier und in der Pinakothek gliedern Streifen aus eleusinischem Kalkstein die Marmorwände – waren Flügelbauten geplant, von denen nur der nördl., von → Pausanias als Pinakothek bezeichnete, vollständig ausgeführt wurde (der Beleuchtung der Bilder dienten wohl auch die Fenster neben der asymmetrisch gelegenen Tür; vielleicht handele es sich zunächst um einen Gelageraum für prominente Besucher des Heiligtums); er steht auf Fundamenten aus Porosblöcken archa. Architekturen, darunter die Bauglieder eines Vorgängers mit apsidalem Nordabschluß. Der spiegelbildlich geplante Flügel auf der Südseite wurde zu einer Säulenfassade verkürzt, durch die man das Heiligtum der Athena-Nike mit einem kleinen, reich geschmückten ion. Tempel betreten konnte [38; 39]. Der Nike-Kult wurde in hochklass. Zeit vom Staat übernommen und erhielt eine Priesterin. Die Auftragserteilung einer Temenos-Tür an Kallikrates führte in der älteren Forsch. zu der Hypothese, dieser sei auch der Architekt des gesamten Bauwerks, das aufgrund von Raummangel auf dem Turmunterbau verkürzt werden mußte. Pronaos und Türwand fallen ineinander. Der vollständige Bauplan wurde im sog. Ilissos-Tempel sowie in gleichartigen → Amphiprostyloi auf dem Areopaggipfel [40; 41] und mehrfach im att. Land ausgeführt. Die myk. Bastion wurde mit Porosplatten verkleidet, wobei man ein polygonales Loch

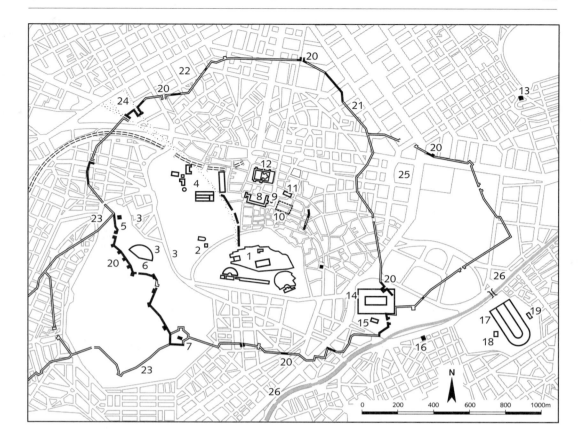

Athenai

1. Akropolis (s. Detailplan)
2. Ionischer Amphiprostylos auf dem Areopag
3. Wohnhäuser am Aeropag und Nymphenhügel
4. Agora (s. Detailplan)
5. Heiligtum für den Demos und die Nymphen
6. Volksversammlungstätte (Pnyx)

7. Mausoleum des C. Iulius Philopappos
8. Römische Agora
9. Horologion des Andronikos von Kyrrhestos (sog. Turm der Winde)
10. Bereich des Ptolemaios-Gymnasions, des Theseion und der archaischen Agora
11. kaiserzeitlicher Magazinbau

12. Bibliothek des Hadrian
13. Hadrianische Zisterne
14. Olympieion
15. Apollon Delphinios-Tempel (?)
16. Ilissos-Tempel
17. Stadion
18. Tempel der Tyche
19. Grab des Herodes Atticus (?)

20. Mauerring um Athen
21. Klavdmonos-Platz
22. Elevtheria-Platz
23. »Lange Mauern«
24. Kerameikos mit Dipylon, Heiligem Tor und Gräberstraßen
25. Syntagma-Platz
26. Bett des Ilissos

Agora

a. Panathenäenweg
b. Brunnenhaus
c. Rundbau (Prytanikon)
d. Altar für die Zwölf Götter
e. Bouleuterion und Heiligtum der Meter
f. Stoa Basileios

g. Stoa Poikile (oder Hermenstoa?)
h. Zeus-Stoa
i. Bronze-Münzstätte
k. Schusterwerkstatt des Simos
l. Hephaisteion
m. Südstoa

n. Mittelstoa
o. Attalos-Halle
p. Apollon Patroos-Tempel
q. Monument der Eponymen Phylenheroen
r. Ares-Tempel

s. Odeion des Aggripa
t. Nymphäum
u. Bibliothek des Pantainos
v. Südost-Tempel
w. Südwest-Tempel

Akropolis

a. Burgmauer
b. Parthenon und Vorgänger
c. Propyläen
d. Heiligtum der Athena-Nike
e. Alter Athena-Tempel
f. Erechtheion mit älterem Naiskos
g. Chalkothek
h. Artemis Brauronia-Heiligtum

i. Pergamenische Pfeilermonumente
k. Monopteros der Roma und des Augustus
l. Brunnenhaus (Klepsydra)
m. Heiligtümer für Apollon und Zeus, Pan
n. Heiligtümer für Aphrodite und Eros
o. Heiligtum für Aglauros

p. sog. Perikles-Odeion
q. Heiligtum des Dionysos Eleuthereus mit Theater und altem sowie neuem Tempel
r. Thrasyllos-Monument
s. Nikias-Monument
t. Eumenes-Halle

u. Asklepieion
v. kleine Tempel (u.a. Iseum)
w. Bronzewerkstatt
x. Heiligtum der Aphrodite Pandemos
y. Peripatos
z. Herodes Atticus-Odeion

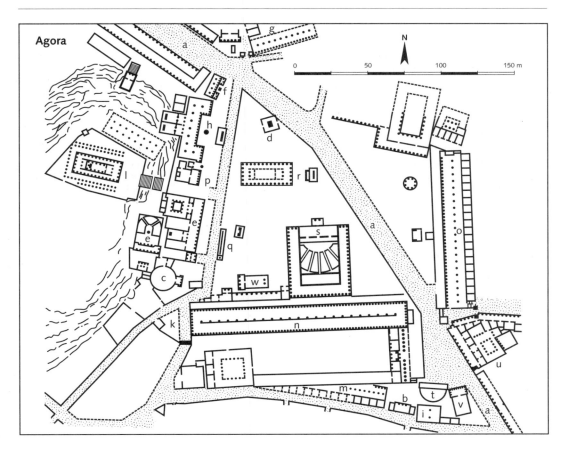

Agora

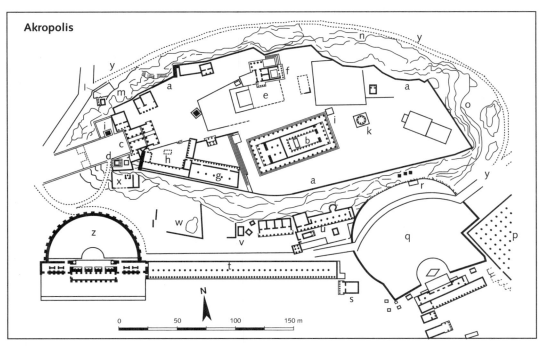

Akropolis

als Durchblick auf die Kyklopenmauer, als Hinweis auf die mythische Vergangenheit, freiließ. Bekrönt wurde der Pyrgosrand durch eine marmorne Balustrade, deren Reliefs Nikefiguren beim Stieropfer zeigen.

Ebenfalls die ion. Ordnung vertritt das Erechtheion, noch vor dem → Peloponnesischen Krieg begonnen und am Ende des 5. Jh. fertiggestellt [42]. Dieser »Tempel mit dem alten Kultbild« sollte den »Alten Athena-Tempel« ersetzen und zahlreiche andere Kultmale integrieren, die in seinem Bereich seit alters lagen. Daraus resultiert seine ungewöhnliche Form mit vielfältiger Raumteilung auf unterschiedlichen Niveaus im Innern (→ Cella) und andersartigen Fassaden auf allen Seiten: Der Ostfront als sechssäuligem Prostylos, hinter dem in der durch Fenster beleuchteten Cella das Heroon des Erechtheus auf tieferem Niveau lag, entspricht im Westen ein zweigeschossiger Aufbau mit Halbsäulengliederung; der reich ornamentierten Nordhalle mit dem Poseidon-Kultmal liegt im Süden eine kleine Halle mit sechs Frauenfiguren auf einer Scherwand gegenüber; im Innern dieser Korenhalle führt eine Treppe zum Kekrops-Mal; die → Karyatiden stellen die Wächterinnen am Grab des att. Urkönigs dar [43]. Ein Fries aus pentelischen Figuren vor dunklem eleusinischem Kalksteinhintergrund [44] sowie ein Lotos-Palmettenband fassen den gesamten Baukörper zusammen. Im Westen schließt an das Erechtheion ein offener Bezirk mit einem Naiskos an, der als das lit. bezeugte Pandroseion (→ Pandrosos) identifiziert werden kann.

Westl. des Parthenon liegen eine Weihgeschenkhalle (für Bronzegegenstände), die Chalkothek, zunächst ohne Säulenfront, dann im 4. Jh. um eine solche erweitert (zuletzt anders [45]); ferner die Hofanlage des Artemis Brauronia-Bezirkes. Seit der Entdeckung des originalen Kultbildkopfes, eines Werks des → Praxiteles, ist ein Tempel innerhalb des Heiligtums zu fordern, der wohl in der westl. Hälfte auf heute verschwundenen Aufschüttungen stand [46]. Auf der Nordseite des Burgberges befanden sich kleinere Gelagebauten [47] und eine große Zisterne im Rücken der Propyläen [48]. Im Osten der Akropolis gab es Heiligtumsbezirke für den att. Ur-König → Pandion und für Zeus, die sich anhand von Felsbettungen als Hofanlagen mit kleinen Naiskoi rekonstruieren lassen.

In nachklass. Zeit wurden auf der Akropolis nur wenige Monumente neu errichtet; die Hauptbautätigkeit muß sich auf immer wieder notwendige Reparaturen, die sich an allen Gebäuden finden, beschränkt haben. In hell. Zeit stifteten pergamenische Könige zwei Pfeilermonumente als Basen für Quadrigen, eines vor der Nordostecke des Parthenon, ein zweites vor den Propyläen, das man später auf den augusteischen Feldherrn → Agrippa [1] umwidmete [49]. Vor der Parthenonfront bot ein Monopteros – seine Bauornamentik zitiert die des Erechtheion – den Statuen von Augustus und Roma Unterkunft; seine prominente Lage weist auf die Dominanz der neuen Herrscher über Athena hin, deren Standbild hinter den beiden röm. Statuen durch die offene Parthenontür sichtbar war. Im Zuge der spätant. Befestigung des Stadtzentrums entstand eine enge Ummauerung der Akropolis unter Verwendung von → Spolien älterer Bauten.

2. AKROPOLIS-ABHÄNGE (PERIPATOS)

Auf einem den Burgberg umrundenden Weg (Peripatos, so auch eine Felsinschr. an der Nordostseite) erreichte man (von Nordwesten im Uhrzeigersinn) ein großes Brunnenhaus (Klepsydra) und zahlreiche Heiligtümer: für Apollon und Zeus, Pan, Aphrodite und Eros (im Norden), für Aglauros [2] (im Osten), für Dionysos und Asklepios, die Nymphen und Aphrodite Pandemos (im Süden und Südwesten). Eine der wichtigsten Entdeckungen der vergangenen Jahre ist die Lokalisierung (Inschriftenfund) des Aglaurion, das man bislang an der Westseite der Burg vermutet hatte, in der Höhle unter der steilen Ostseite der Akropolis; dadurch ist nun die Lage des archa. Prytaneion und einer alten, vorkleisthenischen → Agora, von der allerdings die ant. Schriftquellen schweigen, im Bereich des Nordosthanges der Akropolis anzunehmen (ausführlich [50]; anders [51]); dort legten nach lit. Quellen die Epheben ihren Eid ab (→ Ephebia), so daß die Auffindung der meisten Ephebeninschr. aus klass. bis spätant. Zeit in dieser Gegend nicht überrascht. Das noch unausgegrabene sog. Perikles-Odeion, ein Versammlungsbau, der wohl bereits auf Themistokles zurückgeht [52], nimmt in seiner Ausrichtung Rücksicht auf das frühklass. Dionysos-Theater, das als trapezoidale Anlage bis in das mittlere 4. Jh. v. Chr. bestand, also rectilineare Sitzreihen hinter einer geraden Prohedrie besaß (→ Theater). Im Rücken des Theaters, das spätestens um 500 v. Chr. am natürlichen Hang mit Holzsitzen errichtet wurde, verlief und gerader Weg (der alte Peripatos), darüber standen Wohnhäuser. Bei der Vergrößerung des Koilon (um 360 bis 329/4 v. Chr.) bis hinauf zum hoch abgearbeiteten Akropolisfels wurde die Form des Theaters zu einer steinernen Rundanlage verändert; dabei wurde auch der Peripatos, nun ein Weg durch das Koilon, verlegt; er bildete zudem den einzigen Zugang zum Theater von oben her, ein Diazoma gab es nicht. Das urspr. hölzerne Bühnengebäude erhielt unter → Lykurgos (2. H. 4. Jh. v. Chr.) eine marmorne, säulengeschmückte Fassade mit Eckrisaliten (Palastarchitekturschema). Die Orchestra, einst von rechtwinkliger, nun runder Gestalt, wurde mit einem Opus-sectile-Boden (→ Pavimentum, → Mosaik) gepflastert. Der geniale Architekt dieses Bauentwurfes ist unbekannt, sein Plan wurde aber sogleich überall in der griech. Welt verbreitet (zusammenfassend [53]).

Das Theater war Teil des Dionysos Eleuthereus-Heiligtums mit einem alten Tempel der Zeit um 530 v. Chr. [54]. Im mittleren 4. Jh. entstand südl. daneben ein größerer Neubau, in dem ein Gold-Elfenbein-Kultbild des → Agorakritos aufgestellt wurde. Zum Propylon des → Temenos führte eine der prächtigsten Straßen der ant. Welt, die vom Eleusinion auf der Nordwestseite kommend die gesamte Akropolis nördl. umrundete, die Tripodenstraße. Dreifüße (→ Tripus), die siegreiche

Choregen der Theaterfestspiele (→ Dionysia) hier auf-
stellten (zahlr. Inschriftenbasen), säumten den Weg; seit
etwa 340 v. Chr. nahmen die Basen der Siegespreise architektonische Form an: Am berühmtesten sind das Ly-
sikrates-Monument (Rundbau) am Ostfuß der Burg,
das Thrasyllos-Monument (Fassadenkopie des Südflü-
gels der Akropolis-Propyläen) vor der Katatome über
dem Theaterkoilon und das Nikias-Monument (sechssäuliger Prostylos) auf der Westseite des Dionysion;
zahlreiche weitere Architekturen sind anhand von
Fundamenten neben der Tripodenstraße und durch
aufgefundene Bauteile bekannt [55].

Westl. neben dem Theater ließ der Pergamenerkönig
→ Eumenes (von eigenen Handwerkern, so [56];
→ Bautechnik) eine lange, zweigeschossige Halle errichten. Am Akropolishang darüber wurde als zunächst
private Stiftung eines Telemachos 420/419 v. Chr. bei
einem archa. Brunnenhaus ein Asklepieion gebaut, bestehend aus einem Tempelbereich und einem Hallenteil
für Pilger [57]. Die angrenzenden Bauten sind kleine
Architekturen, die z.T. erst in der röm. Kaiserzeit entstanden (z.B. ein Iseum [58]). Auf derselben Höhe befinden sich am Hang die Reste einer klass. Erz-
gießereiwerkstatt, an die das von → Herodes Atticus gestiftete, einst mit einem Zedernholzdachstuhl gedeckte
Odeion anschloß. Darüber, am Südfuß des Nike-
Pyrgos, liegen die Felsfundamente des Tempels der
Aphrodite Pandemos, dem einige verstreute Bauglieder
zugeordnet werden können, unterhalb des Odeion ein
Nymphenheiligtum und zahlreiche Häuserreste: Der
gesamte Akropolis-Südhang war (bis weit in den modernen Stadtteil Makrygianni hinein) von klass. bis spätant. Zeit mit Wohnsiedlungen bebaut [59].

3. AREOPAG, NYMPHEN- UND MUSENHÜGEL

Auch die Hügelabhänge im Westen der Akropolis
waren von Wohnhäusern bedeckt; dazwischen gab es
zudem Heiligtümer und öffentliche Gebäude. Auf dem
Gipfel des Areopag stand ein ion. → Amphiprostylos in
der Art des Nike-Tempels, von dem eine Felstreppe und
Fundamentbettungen sowie geringe Bauglieder zeugen
[41]. Am westl. Abhang befand sich das oberste Gerichtsgebäude der att. Demokratie, an seinem Nordhang
wurde zu Ehren des Apostels Paulus eine frühchristl.
→ Basilika errichtet. Am Westfuß des Areopag wird das
Dionysosheiligtum *en límnais*, das älteste Dionysion, lokalisiert. Die in den Fels geschlagenen Fundamente von
Wohnhäusern, Läden und Straßen [60–63] überziehen
den Areopag ebenso wie den Nymphen- und den Musenhügel. Dazwischen hat man zahlreiche Spuren eines
verzweigten Netzes von → Wasserleitungen entdeckt
[64]. Den Gipfel des Nymphenhügels, auf der h. die
klassizistische Sternwarte aus dem 19.Jh. steht, nahm ein
Heiligtum für den Demos und die Nymphen ein [65].
Den Westteil des Musenhügels beherrscht die Volks-
versammlungsstätte (→ Pnyx), eine gerundete Anlage
mit monumentaler Stützmauer und Freitreppe aus dem
späteren 4.Jh. (→ Versammlungsbauten). Die früheren
Anlagen (im Innern ausgegraben) waren kleiner, die er-

ste hatte gar eine entgegengesetzte Ausrichtung [66; 67].
Im Süden wurde im späteren 4.Jh. ein Teil der
Wohnsiedlung durch ein Diateichisma von der Stadt abgeschnitten. Auf der Spitze des Musenhügels steht das
Mausoleum des letzten Königs von Kommagene, C. Iulius Philopappos, ein Grabbau mit röm. Relieffries im
unteren und hell. König- bzw. röm. Beamtenstatuen im
oberen Fassadengeschoß [68]. Die Kuppe umgeben die
Mauern einer hell. Festung.

4. AGORA

Neben der kürzlich nachgewiesenen alten → Agora
des 6.Jh. v. Chr. mit dem Prytaneion (→ Versammlungsbauten) am Nordostfuß der Akropolis bildete sich
im flachen Gelände nördl. des Areopag, einem Gebiet,
das seit myk. Zeit bis in das 7.Jh. als Begräbnisstätte
gedient hatte, seit dem mittleren 6.Jh. ein öffentlich
genutzter Raum (zusammenfassend [69]). Hier fanden
Pferderennen statt, hier errichtete man im letzten Drittel des 6.Jh. hölzerne Sitzränge (Ikria) für Theateraufführungen, und hier zog der Panathenäenzug auf einer
Straße zur Akropolis hinauf. Erste Architekturen entstanden – vielleicht als Bauprojekte der → Peisistratiden
– in Form eines Brunnenhauses im Süden und eines
Hofhauses im SO. Am Nordrand des Platzes befand sich
ein Altar für die Zwölf Götter – die steinernen Baureste
freilich stammen erst aus dem späteren 5.Jh. [70] – und
ein Bothros-ähnlicher Kultplatz. Am Hang des Kolonos
Agoraios war eine Bronzewerkstatt in Betrieb. Mit der
kleisthenischen Demokratie wandelte sich der Charakter des Platzes zum polit. Zentrum des klass. Athen.
→ Horoi grenzten die Agora gegen die Umgebung ab,
und an der Westseite der Fläche erschienen nach und
nach die Gebäude der athen. Staatsverwaltung, einige
Heiligtümer und Gerichtsgebäude. Über dem archa.
Hofhaus wurde ein großer Rundbau (Prytanikon) errichtet, daneben stand das → Buleuterion und das Heiligtum der Meter (→ Kybele), das Staatsarchiv. An der
Nordwestecke, am Zugang zur Agora vom Kerameikos
her, erhob sich die Stoa Basileios (in den Fundamenten
des klass. Baues Reste des von den Persern zerstörten
Vorgängers [71]). An der Südwestecke befand sich ein
offener Gerichtshof (→ Heliaia?). Im Verlauf der Klassik
wurde dieser Platz auch auf den anderen Seiten durch
Bauten, zumeist Stoen, gerahmt. An der Nordseite grub
man jüngst die Stoa Poikile (nach anderer Meinung
wegen einiger Hermenfunde: Hermenstoa) an. Besser
erforscht sind die Zeus-Stoa mit ihren Eckrisaliten und
die Südhalle mit zahlreichen Verkaufsräumen. An der
Südost-Ecke stießen die amerikanischen Ausgräber auf
die athenische Bronzemünzstätte. Im Südwesten des
Platzes und außerhalb der Agoragrenze fand man eine
Schusterwerkstatt (wohl die durch Sokrates bekannte
des Simos) und deckte das Staatsgefängnis auf. Den Hügel westl. über der Agora bekrönt seit perikleischer Zeit
(449–432 v. Chr.) der Tempel für Hephaistos; sein
Skulpturenschmuck beschränkt sich auf Metopen mit
Reliefs der Theseustaten an der Ostseite und zwei Friese
über dem Pronaos und dem Opisthodom, wobei er-

sterer über die Cellabreite hinaus auch die Ptera überbrückt (wie am Poseidontempel in → Sunion). Der Fries (→ Parthenon) und der profilierte Wandfuß (s. »Vorparthenon«) sind auffallend ion. Elemente dieses dor. Bauwerkes. Auf der Kultbildbasis aus eleusinischem Kalkstein mit angestifteten Marmorfiguren stand Hephaistos zusammen mit Athena [72–75]. Am Panathenäenweg hangaufwärts, an der Einmündung der Tripodenstraße, lag das Eleusinion, ein Bezirk mit einem Tempel der Demeter, der seine Bed. aus der kult. Verbindung mit den eleusinischen → Mysterien und seit 420 v. Chr. mit dem Asklepiosfest bezog.

Der bislang nicht regelmäßig gestaltete Agoraplatz erhielt in hell. Zeit einen fast orthogonalen Rahmen durch mehrere Hallen. Die Südstoa wurde verlegt und bildete mit der neuen Mittelstoa einen eigenen Marktplatz. Rechtwinklig dazu entstand die vom Pergamener → Attalos gestiftete Halle an der Ostseite (unter ihr die Reste eines klass. Gerichtshofes), während man dem Komplex des Buleuterion und Metroon eine einheitliche Säulenfassade vorlegte. So erlangte die Westseite der Agora von dort über die sechssäulige, prostyle Front des Apollon Patroostempels [76] und die Zeushalle bis zur Stoa Basileios (mit Risalitanbauten) eine nahezu geschlossene Gestalt. Vor dem Metroon stand das Monument der eponymen Phylenheroen, das im Hell. und auch in der röm. Kaiserzeit (jeweils nach der Einrichtung weiterer → Phylen zu Ehren von Herrscherpersönlichkeiten) mehrfach erweitert werden mußte; es war mit dem Altar der »Zwölf Götter«, dem Mittelpunkt des athenischen Straßennetzes, im Hell. noch das einzige Monument auf der Platzfläche. Das änderte sich mit dem Beginn der Kaiserzeit: Durch den Versatz von drei Tempeln aus att. Landgebiet (aus → Sunion, → Thorikos und im Falle des Arestempels aus → Pallene) und die Errichtung eines Odeion (Umbau im 2. Jh. n. Chr.) sowie durch einige kleinere Monumente wurde der freie Raum fast vollständig zugestellt. Im Südosten rahmten zusätzlich ein → Nymphaeum (2. Jh. n. Chr.) und eine Bibliothek (des Pantainos, um 100 n. Chr.) die Panathenäenstraße. Die reich ausgestatteten Wohnhäuser, die in der Spätant. vor der sog. valerianischen Mauer, also bereits außerhalb der Stadt, am Areopaghang entstanden, deutet man als Philosophenschulen; im Bereich des Odeion und der Mittel- und Südstoa war zudem eine Villa (oder Gymnasion) eingerichtet, und das Metroon sowie das Hephaisteion wurden zu christl. Kirchen umgewandelt; im letzteren Fall verdanken wir dieser Tatsache den besterhaltenen hochklass. Tempel Griechenlands.

5. STADTGEBIET
Eine Säulenstraße verband die klass. Agora mit der röm. Agora weiter östl., eine Anlage, die aufgrund epigraphischen Befundes in augusteischer Zeit errichtet wurde. Im Osten dieses Marktplatzes stand seit späthell. Zeit – und wohl kaum isoliert – das achteckige Horologion (→ Uhr) des Andronikos von Kyrrhestos, eine Kombination aus mehreren Sonnenuhren und einer mit

Wasserkraft betriebenen, bislang nicht vollständig in ihrer Funktionsweise erklärten Zeitmeßanlage im Innern [77]. Südl. daneben erstreckte sich eine lange Hallenanlage (Sebasteion?) in östl. Richtung [78]. Im Gelände der h. Plaka lagen zudem noch ein gymnasionähnlicher Bau (»Diogeneion«), bei dem die Mehrzahl der Ephebeninschr. gefunden wurden, das Ptolemaios-Gymnasium und ein kaiserzeitl. Magazinbau. Nördl. parallel zur röm. Agora ließ Hadrian (1. H. 2. Jh. n. Chr.) eine ebenso große Hofanlage mit einem Marmorpropylon im Westen und Bibliotheksräumen im Osten errichten. Ausgrabungen der letzten Jahre im Zuge von Restaurierungen der Westfassade brachten darunter späthell. Häuser ans Licht, die einer anderen Orientierung folgen und somit die Planierung eines älteren Wohnviertels für diese hadrianische Stiftung nahelegen [79; 80. 13–25]. In der Spätant. nahm ein Dreikonchenbau den Hof der Anlage ein.

Der städtischen → Wasserversorgung dienten mehrere kaiserzeitl. Leitungen, von denen eine (vom Pentelikon kommend) in einer hadrianischen → Zisterne mit Säulenfassade am Südhang des Lykabettos endete (Stifterinschr. h. im Nationalgarten). Zum hadrischen Ausbau Athens gehört auch der Bereich des Olympieion im Osten der Akropolis [80. 26–53]. Eine hohe Temenosmauer umschloß den Bezirk des Zeus Olympios – wohl das hadrianische Panhellenion –, ein Bogen verband ihn mit der ›Stadt des Theseus‹ (Inschr. am Hadriansbogen; östl. davon klass. Häuser und eine kaiserzeitl. Therme). Den bereits von den Peisistratiden als dor. → Dipteros begonnenen Großbau – jüngst wurde sogar ein solonischer Vorgänger rekonstruiert – hatte der römische Architekt → Cossutius für → Antiochos [6] IV. neu entworfen; dieser korinth. Dipteros konnte weder in hell. noch in augusteischer Zeit vollendet werden; erst Hadrian ließ ihn fertigstellen und nahm an der Einweihung 131 n. Chr. selbst teil (zusammenfassend [81]).

6. ILISSOS-GEBIET
Etwa 20 Höhenmeter unter dem Olympieion liegt das Ilissos-Bett. Zwischen der Stützmauer des Zeus-Temenos und dem Fluß befinden sich die geringen Fundamentreste eines spätarcha. Hauses (Gerichtsstätte am Delphinion?), eines hochklass. dor. → Peripteros (Apollon Delphinios-Tempel?), eines kaiserzeitl. Kronos- und Rhea-Tempels sowie eines großen kaiserzeitl. Hallenbaus. Aufgrund von Inschriftfunden, die sich auf Apollon Pythios beziehen, lokalisiert man hier auch das Pythion [82], und zusätzlich möchte eine bislang unbelegte Hypothese mit lit. Quellen an diesem Ufer des Ilissos das Dionysion en limnais sehen, das meist am Areopagwesthang vermutet wird. Auf der Südseite des Flußtales mit der Kallirrhoe-Quelle wurde aus dem anstehenden Fels eine Nische für ein Pan-Heiligtum herausgeschlagen. Wenige Meter oberhalb befinden sich die Fundamente eines bis in das späte 18. Jh. nahezu vollständig erh. klass. Amphiprostylos, der wohl der Artemis Agrotera geweiht war [83–85; 41]. Die östlich

davon gelegene Brücke über den Ilissos führte zum Stadion hinüber, das in eine Senke des Ardettos eingebettet
ist; bereits unter Lykurgos (seit 329 v. Chr.) errichtet,
erhielt es durch eine Stiftung des → Herodes Atticus
seine (zur ersten neuzeitl. Olympiade 1896 wiederhergestellte) Marmorgestalt. Zu beiden Seiten des Stadions
bekrönten kaiserzeitliche Bauten die Hügel – ein Tempel der → Tyche und ein Gebäude von umstrittener
Deutung [86], vielleicht das Grab des Herodes Atticus.
Südl. des Ilissos wird zudem auch das arch. bislang nicht
nachgewiesene Kynosarges-Gymnasion lokalisiert [87].

7. STADTMAUERN, TORE UND NEKROPOLEN DER AUSFALLSTRASSEN

Von der lit. belegten archa. Stadtmauer [88–90] kennen wir keine baulichen Reste. Nach der Zerstörung
A.s durch die Perser 480 v. Chr. wurde auf Themistokles' Initiative unter Spolienverwendung (z. B. archa.
Grabmonumente) schnell ein großer Mauerring um A.
errichtet, dessen Verlauf in vielen Teilstücken mit Torbauten gesichert ist, von denen jedoch nur im Kerameikos (Dipylon bis »Heiliges Tor«), im Olympieion-
Bereich, beim modernen Klavdmonos-Platz (Nordosten) sowie jüngst auch beim modernen Elevtheria-
Platz (Norden) Teile ergraben wurden. An dieser Stadtmauer setzten auf dem Nymphenhügel zwei »Lange
Mauern« an, die einen Korridor zur Anbindung des
→ Peiraieus bildeten.

Die eindrucksvollsten Tore findet man im Keramei-
kos-Gelände (zusammenfassend [91]). Das Dipylon, ein
zweiteiliger Durchgang mit im Hell. durch weitere
Tore zugesetztem tiefem Vorhof, leitete an einem großen Brunnenhaus vorbei auf dem breiten Dromos zur
Agora. Südl. davon befindet sich das »Heilige Tor«, neben dem der Eridanos durch einen eigens gesicherten
Tunnel das Stadtgebiet verläßt. Die Stadtmauer selbst
wurde durch ein Proteichisma mit einem vorgelagerten
Graben gegen Belagerungsmaschinen geschützt (→ Befestigungswesen; → Poliorketik). Im steinernen Aufbau
der Mauer kann man zahlreiche Reparaturphasen feststellen, die jeweils den Sockel für hohe Lehmziegelmauern gebildet haben (→ Bautechnik). Zwischen beiden Toren liegt das Pompeion, der Ausgangspunkt des
Panathenäischen Festzuges (→ Panathenaia) als Hofbau
mit anliegenden Speiseräumen für Prominente (in antoninischer Zeit wurde er zu einem Magazin, später,
nach Aufgabe des themistokleischen Mauerringes, zu
einer Hallenstraße umgewandelt); Nicht-Prominente
speisten im Torhof des Dipylon. Südl. des Hl. Tores
wurden in den letzten Jahren klass. Wohnhäuser mit
Werkstätten und ein Gebäude für Gelage ausgegraben
(sog. Bauten X-Z), unter denen Reste der archa.
→ Nekropole zutage kamen. Die Ausfallstraßen »Heilige Straße«, »Gräberstraße« sowie der Dromos, der zur
Akademie (→ Akademeia) führte und an dem das
dēmósion sēma zu lokalisieren ist, sind von zahlreichen
frühgesch. bis frühgriech. Nekropolen (auf beiden
Ufern des Eridanosbettes) und klass. Grabbezirken gesäumt, die z.T. mit prächtigen Grabdenkmälern ge-

schmückt waren: mit Reliefstelen, marmornen Grab-
vasen, Wächtertieren u. a., seit dem ausgehenden 4. Jh.
v. Chr. auch mit die Namen der Verstorbenen tragenden
Säulchen (Kolumellen) oder profilierten Quadern
(trápezai). Unter den einzelnen Gräbern, in der Regel
Familienbezirke mit sukzessiv aufgestellten Denkmälern, befinden sich auch einige Monumente, die öffentlichen Charakter haben (Lakedaimonier-Grab am Dromos; Gesandtengräber an der »Heiligen Straße«). Das
dēmósion sēma konnte aufgrund moderner Überbauung
bislang nicht gefunden werden, bekannt sind nur (z.T.
fragmentierte) Monumente mit Gefallenenlisten; umstritten ist, ob es sich um einen einzigen oder um mehrere Bezirke an der Straße zur Akademie handelte.
Röm. Grabbauten sind bislang nur in geringer Zahl bekannt, darunter ein Ziegelmausoleum aus dem späten
2. Jh. n. Chr. mit einem großen Klinensarkophag. In
diesem Areal waren ebenfalls Werkstätten (→ Handwerk), Töpfereien (→ Töpfer), Bronzegießereien
(→ Bildhauertechnik) oder Marmorateliers angesiedelt.

Außerhalb des alten Kerameikos-Grabungsgeländes
wurde entlang der »Heiligen Straße« beim Bau der
Metro die Fortsetzung der Nekropole vor diesem Tor
erforscht; auch im westl. gelegenen Botanischen Garten
ließen sich zahlreiche Grabstätten nachweisen. Ähnliches gilt auch für mehrere Ausgrabungsbereiche an anderen Ausfallstraßen der ant. Stadt: Auf dem modernen
Elevtheria-Platz, in der Lenormant-Straße (beide im
Norden), beim Syntagma-Platz – hier wurden zudem
Bronzewerkstätten, eine röm. Therme und ein Teil des
Eridanosbettes freigelegt – und im Süden der Akropolis
stieß man auf Nekropolen mit Gräbern aus prähistor.,
myk. [92], frühgriech. und klass. bis spätant. Zeit, dazwischen auch immer wieder auf Werkstätten, bes. solche der Töpferindustrie Athens [93]. Von bes. histor.
Interesse ist unter den Grabneufunden der Bezirk der
Lykurg-Familie [94; 95].

8. AKADEMIE

Die Akademie ca. 3 km nordwestl. der Stadt, der
Ausgangspunkt der zur Akropolis führenden Fackelläu-
fe bei den Panathenäen, war ein urspr. dem Heros
Hekademos (Frg. einer Grenzinschr. des 6. Jh.) sowie
anderen Gottheiten wie z. B. Eros, Hephaistos und Prometheus, den Musen und Athena geweihter Bezirk.
Ausgrabungen deckten neolithische bis geom. Siedlungsreste und Fundamente eines großen spätklass. Gebäudes sowie eines späthell.-frühkaiserzeitlichen Gym-
nasions auf [96]. Zwischen der Akademie und dem Kolonos Hippios, der Athena und Poseidon geweiht war
und in dessen Nähe man das Lykeion-Gymnasion,
Übungszentrum der Reiterei, lokalisieren will [97]
(nach jüngsten Ausgrabungen einer Palästra östl. des
Syntagma-Platzes nun auch im Osten der Stadt), muß
das Privathaus Platons gelegen haben, das zum Zentrum
der platon. Philosophenschule wurde, die bis zum Verbot durch Iustinian (529 n. Chr.) existierte.

→ ATHEN

1 S. E. IAKOVIDES, Ἡ μυκηναϊκὴ Ἀκρόπολις τῶν Ἀθηνῶν, 1962
2 Ders., Late Helladic Citadels on Mainland Greece.
Monumenta graeca et romana 4, 1983 3 P. A. MOUNTJOY,
Mycenaean Athens, 1995 4 J. C. WRIGHT, The Mycenaean
Entrance System at the West End of the Akropolis of
Athens, in: Hesperia 63, 1994, 323–360 5 C. NYLANDER,
Die sog. myk. Säulenbasen auf der Akropolis in A., in:
OpAth 4, 1962, 31–77 6 H. DRERUP, Parthenon und
Vorparthenon, in: AK 24, 1981, 21–38 7 B. KIILERICH, The
Athenian Acropolis. The Position of Lions and Leopards, in:
AArch 59, 1988, 229–234 8 U. HÖCKMANN, Zeus besiegt
Typhon, in: AA 1991, 11–23 9 M. KORRES, W. Dörpfelds
Forsch. zum Vorparthenon und Parthenon, in: MDAI(A),
108, 1993, 59–78 10 Ders., in: BCH 118, 1994, 698 Abb. 1
11 K. STÄHLER, Der Zeus aus dem Gigantomachiegiebel der
Akropolis?, in: Boreas 1, 1978, 28–31 12 W. A. P. CHILDS,
The Date of the Old Temple of Athena on the Athenian
Acropolis, in: W. D. E. COULSON et al. (Hrsg.), The
Archaeology of Athens and Attica under the Democracy,
1994, 2–6 13 R. F. RHODES, J. J. DOBBINS, The Sanctuary of
Artemis Brauronia on the Athenian Akropolis, in: Hesperia
48, 1979, 325–341 14 W. B. DINSMOOR JR., The Propylaia
to the Athenian Akropolis 1, 1980 15 H. EITELJORG, The
Entrance to the Athenian Acropolis before Mnesicles, 1995
(Rez.: T. TANOULAS, in: AJA 100, 1996, 188–189)
16 L. SCHNEIDER, Zur sozialen Bedeutung der archa. Koren-
statuen, in: Hamburger Beitr. zur Arch., 2. Beih., 1975
17 M. VICKERS, Early Greek Coinage, in: NC 145, 1985,
1–44 18 R. TÖLLE-KASTENBEIN, Die Athener
Akropolis-Koren, in: AW 23, 1992, 133–148 19 A. K.
ORLANDOS, Ἡ ἀρχιτεκτονικὴ τοῦ Παρθενῶνος, 1977
20 E. BERGER (Hrsg.), Parthenon-Kongress Basel (1982),
1984 21 M. KORRES, C. BOURAS, Μελέτη αποκαταστάσεως
του Παρθενώνος, 1983 22 M. KORRES, N. TOGANIDIS, K.
ZAMPAS et al., Μελέτη αποκαταστάσεως του Παρθενώνος II,
1989 23 M. KORRES, The Architecture of the Parthenon, in:
P. TOURNIKIOTIS (Hrsg.), The Parthenon and its Impact in
Modern Times, 1994, 54–97 24 M. KORRES, Der Plan des
Parthenon, in: MDAI(A) 109, 1994, 53–120 25 H. R.
GOETTE, Restaurierung und Forsch. auf der Akropolis von
Athen, in: Ant. Welt 22, 1991, 170–175 26 F. BROMMER, Die
Parthenonskulpturen. Metopen, Fries, Giebel, Kultbild,
1979 27 A. DELIVORRIAS, The Sculptures of the Parthenon,
in: P. TOURNIKIOTIS (Hrsg.), The Parthenon and its Impact
in Modern Times, 1994, 98–135 28 O. PALAGIA, The Pedi-
ments of the Parthenon, 1993 29 R. OSBORNE, Democracy
and Imperialism in the Panathenaic Procession, in: W. D. E.
COULSON et al. (Hrsg.), The Archaeology of Athens and
Attica under the Democracy, 1994, 143–150 30 E. BERGER,
Der Parthenon in Basel. Dokumentation zu den Metopen,
1986 31 E. BERGER, M. GISLER-HUWILER, Der Parthenon in
Basel. Dokumentation zum Fries, 1996 32 B. WESENBERG,
Panathen. Peplosdedikation und Arrhephorie, in: JDAI 110,
1995, 149–178 33 J. B. CONNELLY, Parthenon and Parthenoi
in: AJA 100, 1996, 53–80 34 ST. D'AYALA VALVA, La figura
Nord 55* del fregion del Partenone, in: AK 39, 1996, 5–13
35 A. MANTIS, Beitr. zur Wiederherstellung der mittleren
Süd-Metopen des Parthenon, in: Beitr. zur Ikonographie
und Hermeneutik. FS für N. Himmelmann, 1989, 109–114
36 I. TRIANTI, in: MDAI(A) 107, 1992, 187–197 37 T. TA-
NOULAS, M. IOANNIDOU, A. MORAITOU, Study for the
Restoration of the Propylaia [griech. mit engl. Resumée],
1994 38 I. S. MARK, The Sanctuary of Athena Nike in
Athens, Hesperia Suppl. 26, 1993 39 D. GIRAUD, Study for

the Restoration of the Temple of Athena Nike [griech. mit
engl. Resumée], 1994 40 M. KORRES, in: Athens in Prehistory and Antiquity. Ausstellungskatalog Athen, 1987, 31,
Abb. 2; 37, Abb. 1 41 Ders., Ein Beitr. zur Kenntnis der
att.-ionischen Architektur, in: DiskAB 6, 1996, 90–113
42 U. SCHÄDLER, Ionisches und Attisches am sog. Erechtheion in Athen, in: AA 1990, 361–378 43 A. SCHOLL,
ΧΟΗΦΟΡΟΙ: Zur Deutung der Korenhalle des Erechtheion,
in: JDAI 110, 1995, 179–212 44 K. GLOWACKI, A New Fragment of the Erechtheion Frieze, in: Hesperia 64, 1995,
325–331 45 L. LA FOLLETTE, The Chalkotheke on the
Athenian Akropolis, in: Hesperia 55, 1986, 75–87
46 G. DESPINIS, Neues zu einem alten Fund, in: MDAI(A)
109, 1994, 173–189 47 T. TANOULAS, Structural Relations
between the Propylaia and the NW Building on the
Acropolis, in: MDAI(A) 107, 1992, 199–215
48 T. TANOULAS, The Pre-Mnesiclean Cistern, in: MDAI(A)
107, 1992, 129–160 49 M. JORDAN-RUWE, Das
Säulenmonument, 1995, 38–45 50 S. MILLER, Architecture
as Evidence for the Identity of the Early Polis, in: M. H.
HANSEN (Hrsg.), Sources for the Ancient Greek City-State,
1995, 201–244 51 F. KOLB, s. v. Agora, DNP I, 267–273
52 B. SCHMALTZ, Zum Odeion des Perikles, in: MDAI(A)
110, 1995, 247–252 53 H. R. GOETTE, Griech. Theaterbauten der Klassik – Forschungsstand und Fragestellungen, in:
E. PÖHLMANN, Studien zur Bühnendichtung und zum
Theaterbau der Antike, 1995, 9–48 54 M. KORRES, in: AD
35, 1980, Chron. 9–21; 37, 1982, Chron. 15–18; 38, 1983,
Chron. 10 55 A. CHOREMI, Η οδός των Τριπόδων και τα
χορηγικά μνημεία στην αρχαία Αθήνα, in: W. D. E. COUL-
SON et al. (ed.), The Archaeology of Athens and Attica under
the Democracy, 1994, 31–42 56 M. KORRES, Vorfertigung
und Ferntransport eines athenischen Großbaus, in: DiskAB
4, 1984, 201–207 57 S. B. ALESHIRE, Asklepios at Athens,
1991 58 S. WALKER, A Sanctuary of Isis on the South Slope
of the Athenian Acropolis, in: Papers of the British School at
Athens 74, 1979, 243–257 59 P. CASTRÉN, Post-Herulian
Athens, 1990 60 H. LAUTER-BUFE, H. LAUTER, Wohnhäuser und Stadtviertel des klass. Athen, in: AA 86, 1971,
109–124 61 J. W. GRAHAM, Houses of Classical Athens, in:
Phoenix 28, 1974, 45–54 62 J. E. JONES, Town and Country
Houses of Attica in Classical Times, in: H. MUSSCHE et al.
(ed.), Thorikos and the Laurion in Archaic and Classical
Times, 1975, 63–136 63 H. LAUTER, Zum Straßenbild in
Alt-Athen, in: Ant. Welt 13, 1982, H. 4, 44–52
64 R. TÖLLE-KASTENBEIN, Das archa. Wasserleitungsnetz
für Athen und seine späteren Bauphasen, 1994 65 U. KRON,
Demos, Pnyx und Nymphenhügel, in: MDAI(A) 94, 1979,
49–75 66 B. FORSÉN, G. STANTON, The Pnyx in the History
of Athens, 1995 67 S. I. ROTTROFF, J. M. CAMP, The Date of
the 3rd Period of the Pnyx, in: Hesperia 65, 1996, 263–294
68 H. R. GOETTE, Relieffragment mit Calceus-Darstellung
in Athen, in: AA 1991, 394–398 69 J. M. CAMP, The
Athenian Agora. Excavations in the Heart of Athens, 1986
70 L. M. GADBERY, The Sanctuary of the Twelve Gods in
the Athenian Agora, in: Hesperia 61, 1992, 447–489 71
T. L. SHEAR, Ἰσονόμους τ' Ἀθήνας ἐποιήσατεν: The Agora
and the Democracy, in: W. D. E. COULSON et al. (ed.), The
Archaeology of Athens and Attica under the Democracy,
1994, 225–248 72 E. B. HARRISON, Alkamenes' Sculptures
for the Hephaisteion, 1. The Cult Statues, in: AJA 81, 1977,
137–178; ebd., 2. The Base, 265–287; ebd., 3. Iconography
and Style, 411–426 73 BOCKELBERG, Die Friese des
Hephaisteion. AntPl 18, 1979, 23–50 74 F. FELTEN, Griech.

tektonische Friese archa. und klass. Zeit, 1984, 57–61 **75** E. B. HARRISON, »Theseum« East Frieze, in: Hesperia 57, 1988, 339–349 **76** H. KNELL, Der jüngere Tempel des Apollon Patroos auf der Athener Agora, in: JDAI 109, 1994, 217–237 **77** H. J. KIENAST, Unters. am Turm der Winde, in: AA 1993, 271–275 **78** M. C. HOFF, The So-called Agoranomion and the Imperial Cult in Julio-Claudian Athens, in: AA 1994, 93–117 **79** AD 38, 1983, Chron. 12–14 **80** D. WILLERS, Hadrians panhellenisches Programm, in: 16. Beih. AK, 1990, 13–25 **81** R. TÖLLE-KASTENBEIN, Das Olympieion in Athen, 1994 **82** M. F. ARNUSH, The Career of Peisistratos Son of Hippias, in: Hesperia 64, 1995, 135–162 **83** H. BÜSING, Zur Bauplanung ion.-att. Säulenfronten, in: MDAI(A) 100, 1985, 159–205 **84** M. KRUMME, Das Heiligtum der »Athena beim Palladion« in Athen, in: AA 1993, 213–227 **85** K. V. v. EICKSTEDT, Bemerkungen zur Ikonographie des Frieses vom Ilissos-Tempel, in: W. D. E. COULSON et al. (ed.), The Archaeology of Athens and Attica under the Democracy, 1994, 105–111 **86** J. TOBIN, Some Thoughts on Herodes Atticus's Tomb, his Stadium of 143/4, and Philostrat VS 2.550, in: AJA 97, 1993, 81–89 **87** M. F. BILLOT, Le Cynosarges, Antiochos et les tanneurs, in: BCH 116, 1992, 119–156 **88** E. VANDERPOOL, The Date of the Pre-Persian City-Wall of Athens. Φόρος. Tribute to B. D. Meritt, 1974, 156–160 **89** H. LAUTER-BUFE, H. LAUTER, Die vor-themistokleische Stadtmauer Athens, in: AA 1975, 1–9 **90** F. E. WINTER, Sepulturae intra urbem and the Pre-Persian Walls of Athens, FS für E. Vanderpool, Hesperia Suppl. 19, 1982, 199–204 **91** U. KNIGGE, Der Kerameikos von Athen, 1988 **92** P. A. MOUNTJOY, Mycenaean Athens, 1995 **93** T. KARAGIORGA-STATHAKOPOULOU, Δημόσια έργα και ανασκαφές στην Αθήνα τα τελευταία πέντε χρόνια, in: Horos 6, 1988, 87–108 **94** A. MATTHAIOU, Ἡρίον Λυκούργου Λυκόφρονος Βουτάδου, in: Horos 5, 1987, 31–44 **95** V. VASILOPOULOU, Έκθεση για την ανασκαφή στην οδό Βασιλικών και Κρατύλου 6, in: Horos 5, 1987, 149–152 **96** P. BALATSOS, Inscriptions from the Academy, in: ZPE 86, 1991, 145–154 **97** D. G. KYLE, Athletics in Ancient Athens, 1987.
TOPOGRAPHIE: TRAVLOS, Athen, passim ᛫ Ders., Attika, s. v. Athen, 23–51 (Nachträge) ᛫ Ders., M. PETROPOULAKOU, E. PENTAZOS, Ἀθήναι. Οἰκιστικὰ στοιχεία. Πρώτη ἔκθεση (= Ancient Greek Cities 17), 1972 ᛫ J. TRAVLOS, Πολεοδομικὴ ἐξελίξις τῶν Ἀθηνῶν ¹1960, Ndr. 1993 ᛫ H. R. GOETTE, Athen, Attika, Megaris, 1993, 1–127.
AKROPOLIS: U. MUSS, C. SCHUBERT, Die Akropolis von Athen, 1988 ᛫ L. SCHNEIDER, C. HÖCKER, Die Akropolis von Athen, 1990 ᛫ R. F. RHODES, Architecture and Meaning on the Athenian Acropolis, 1995.
LIT. (NACH EPOCHEN GEGLIEDERT):
PRÄHIST., MYK. UND GEOM. ATHEN: M. A. PANTELIDOU, Αἱ προϊστορικαὶ Ἀθήναι, 1975 ᛫ O. BRONEER, Athens in the Late Bronze Age, in: Antiquity 30, 1956, 9–18.
ARCHAISCHE ZEIT: I. TRAVLOS, Η Αθήνα και η Ελευσίνα στον 8° και 7° π.Χ. αιώνα, in: ASAA 45, 1983, 323–338 ᛫ F. KOLB, Die Bau-, Religions- und Kulturpolitik der Peisistratiden, in: JDAI 92, 1977, 99–138.
KLASSISCHE ZEIT: T. HÖLSCHER, The City of Athens; in: Space, Symbol, Structure. City States in Classical Antiquity and Medieval Italy, 1991, 355–380 ᛫ J. W. ROBERTS, City of Sokrates. An Introduction to Classical Athens, 1984 ᛫ P. MUSIOLEK, W. SCHINDLER, Klass. Athen, 1980 ᛫ E. LA ROCCA, Introduzione. L'esperimento della perfezione, 1988, 7–36.

HELLENISMUS: C. BOURAS, Hellenistic Athens, Akten des 13. Int. Kongr. für Klass. Arch., 1990, 267–274 ᛫ H. SCHAAF, Unt. zu Gebäudestiftungen in hell. Zeit, 1992 ᛫ K. FITTSCHEN, Eine Stadt für Schaulustige und Müßiggänger, in: Vestigia 47, 1995, 55–71.
RÖMISCHE REPUBLIK UND KAISERZEIT: H. A. THOMPSON, The Impact of Roman Architects and Architecture on Athens, 170 B. C. A.D. 170, in: Roman Architecture in the Greek World, 1987, 1–17 ᛫ G. R. CULLEY, The Restoration of Sacred Monuments in Augustean Athens (IG II/III² 1035), Diss. Ann Arbor 1978 ᛫ M. HOFF, The Early History of the Roman Agora at Athens, in: The Greek Renaissance in the Roman Empire, 1989, 1–8 ᛫ Ders., Augustus, Apollo, and Athens, in: MH 49, 1992, 223–232 ᛫ T. L. SHEAR JR., Athens. From City-State to Provincial Town, in: Hesperia 50, 1981, 356–377 ᛫ CHR. BÖHME, Princeps und Polis. Unters. zur Herrschaftsform des Augustus über bed. Orte in Griechenland, 1995, 42–75 ᛫ A. K. ORLANDOS, Ἔκθεσις περὶ ἀνασκαφὴν βιβλιοθήκης Ἀδριανοῦ καὶ ῥωμαικῆς ἀγοράς, in: Archailogike Ephemeris, 1964, Chron., 6–59 ᛫ G. DONTAS, Μέγα ἀδριανειον κτήριον καὶ ἄλλα οικοδομικὰ λείψανα ἐπὶ τῆς ὁδοῦ Ἀδριανοῦ, in: AAA 1, 1968, 221–224 ᛫ S. WALKER, The Architecture of the Panhellenion, in: Πρακτικά του ΙΒ´ Διεθνούς συνεδρίου κλασικής αρχαιολογίας IV, 1988, 211–214 ᛫ M. ZAHRNT, Die »Hadriansstadt« von Athen, in: Chiron 9, 1979, 393–398 ᛫ M. T. BOATWRIGHT, Further Thoughts on Hadrianic Athens, in: Hesperia 52, 1983, 173–176 ᛫ D. E. E. KLEINER, Athens under the Romans. The Patronage of Emperors and Kings, in: Rome and the Provinces, 1986, 8–20 ᛫ A. KOKKOU, Ἀδριάνεια ἔργα εἰς τὰς Ἀθήνας, in: AD 25, 1970, 150–173 ᛫ A. J. SPAWFORTH, S. WALKER, The World of the Panhellenion, 1. Athens and Eleusis, in: JRS 75, 1985, 78–104 ᛫ D. WILLERS, Hadrians panhellenistisches Programm, in: 16. Beih. AK, 1990 ᛫ J. TOBIN, The Monuments of Herodes Atticus, 1991 ᛫ D. PLÁCIDO, La ley olearia de Adriano. La democracia ateniense y el imperialismo romano, in: Gerión 10, 1992, 171–179 ᛫ D. WILLERS, Die Neugestaltung Athens durch Hadrian, in: Ant. Welt, 1997, 3–17.
SPÄTANTIKE: A. FRANTZ, Herculius in Athens. Pagan or Christian?, in: Akt. VII. Int. Kongr. für Christl. Arch., 1969, 527–530 ᛫ Ders., A Public Building of Late Antiquity in Athens (IG II/III² 5205), in: Hesperia 48, 1979, 194–203 ᛫ P. CASTRÉN, Post-Herulian Athens, 1990 ᛫ D. I. PALLAS, Η Αθήνα στα χρόνια της μεταβάσης από την αρχαία λατρεία στη χριστιανική. Τα αρχαιολογικά δεδομένα. Επιστημονική επετερίς της Θεολογικής σχολής του Πανεπιστημίου Αθηνών 28, 1989, 851–930.
BYZANTINISCHE ZEIT, MITTELALTER UND NEUZEIT: A. A. PAPAGIANNOPOULOS-PALAIOS, Πολεοδομικὰ ἀρχαιολογία. Τὸ πολεοδομικὸν πρόβλημα τῶν Ἀθηνῶν ἐξ ἐπόψεως ἀρχαιολογικῆς, in: Polemon 8, 1965 f., 49–88 ᛫ J. TRAVLOS, Athens after the Liberation. Planning the New City and Exploring the Old, in: Hesperia 50, 1981, 391–404 ᛫ A. PAPAGEORGIOU-VENETAS, Hauptstadt Athen – Ein Stadtgedanke des Klassizismus, 1994.
KARTEN-LIT.: J. TRAVLOS, Bildlexikon zur Topographie des ant. Athen, 1971 ᛫ J. M. CAMP, The Athenian Agora, 1986 ᛫ M. KORRES, The History of the Acropolis Monuments, in: R. ECONOMAKIS (Hrsg.), Acropolis Restoration. The CCAM Interventions, 1994.   H. R. G.

III. GESCHICHTE

1. NEOLITHIKUM, MYKENISCHE ZEIT UND
»DARK AGES« 2. ARCHAISCHE ZEIT 3. TYRANNIS
4. DIE REFORMEN DES KLEISTHENES 5. ZEIT DER
PERSERKRIEGE 6. DER ATTISCH-DELISCHE
SEEBUND 7. DAS ZEITALTER DES PERIKLES
8. DER PELOPONNESISCHE KRIEG 9. DER ZWEITE
ATTISCHE SEEBUND 10. ZEIT PHILIPPOS' II.
11. ZEIT DER DIADOCHEN 12. RÖMISCHE ZEIT
13. BYZANTINISCHE ZEIT

1. NEOLITHIKUM, MYKENISCHE ZEIT UND »DARK AGES«

Der Name A. stammt aus einem vorgriech. Sprach-
substrat. Die Schutzherrin → Athena war bereits eine
minoische Palast- und Stadtgöttin [21. 160–177], doch
läßt sich die Entstehung des Siedlungsnamens zeitlich
nicht einordnen. Seit dem Neolithikum bestand zweifellos Siedlungskontinuität. Bevorzugte Wohnplätze
waren die Akropolishänge. Die Anf. protogriech. Spra-
chelemente scheinen auf eine sich über längere Z. erstreckende Infiltration neuer Ethnien der indoeurop.
Sprachfamilie um und nach 2000 v. Chr. zurückzugehen. In der späten Br.-Zeit gehörte A. zum myk.
Kulturkreis. Im 13. Jh. v. Chr. wurde auf der Akropolis
eine der mächtigsten myk. Burgen errichtet (vgl. Hom.
Od. 7,81 [10. 77 ff.]). Vermutlich residierte dort ein
Herrscher (→ wánax), der ähnliche Ressourcen wie die
Herren der Paläste mit Linear B-Funden (→ Linear-
inschriften; Linear B) besaß. In der Z. der Unruhen um
1200 v. Chr. wurde die Athener Residenz nicht zerstört.
Die Position des dortigen wánax scheint sich aber im
Zuge der allg. Devolution myk. Sozialordnungen und
Herrschaftsstrukturen zur Stellung eines Siedlungsfüh-
rers in einer Kleingesellschaft mit geringer Stratifikation
zurückgebildet zu haben. Dennoch blieb A. in den
»Dunklen Jahrhunderten« die größte Siedlung → Attikas. Dies war die Voraussetzung für ein Zusam-
menwachsen der verschiedenen Regionen dieses Raumes, in dem A. gleichsam Kristallisationspunkt der
Polisbildung (→ pólis) wurde, als im Zusammenhang
mit einer starken Bevölkerungszunahme seit dem
8./7. Jh. v. Chr. anstelle personengebundener Leitungs-
funktionen sich Organe des Gemeinschaftslebens entwickelten, die bestimmte öffentliche Aufgaben übernahmen und diese regelmäßig ausübten, so daß sie hierdurch den Charakter von Institutionen gewannen
[27. 145–181; 32. 185–191].

Eine unabdingbare Voraussetzung dieses Prozesses
war die Formierung einer Oberschicht größerer Landbesitzer, die willens und in der Lage waren, in turnusmäßigem Wechsel zeitlich befristete Ämter zu bekleiden. Es bestand aber keine ständerechtliche Gliederung
zw. Oberschicht (sog. → Adel) und breiter Masse
(→ dḗmos) der Freien. Ebensowenig existierten fa-
milienübergreifende Geschlechterverbände [2. 1367–
1394; 24. 15–89]. Die Entstehung des Amtes des eponymen → Archonten, der jeweils für ein Jahr eigent-

licher Leiter der Gemeinschaft wurde, bleibt unklar.
Die Anf. können noch vor der Eponymenzählung (ab
683/82 v. Chr.) liegen. Die in der atthidographischen
Tradition (→ Atthis; Aristot. Ath. pol. 3,1) angenommene Vorstufe eines zehnjährigen Archontats ist unwahrscheinlich. Eine Ausdifferenzierung des Archontats in die Funktionen des eponymen Archonten, des
polémarchos (d. h. des »Kriegsherrn«), des sakralen → basileús und der sechs → Thesmotheten, die als »Rechts-
setzer« urspr. nach dem Gewohnheitsrecht über Streit-
fälle zu urteilen hatten, war im späten 7. Jh. v. Chr. sicherlich abgeschlossen.

2. ARCHAISCHE ZEIT

Wichtige Stufen im Prozeß der Konsolidierung eines
institutionellen Gefüges waren die Kodifikationen Drakons (Aristot. Ath. pol. 4,1) und Solons (Plut. Solon 1;
Diog. Laert. 1,49 ff. [9. 153–156]). Durch → Drakon
(um 624 v. Chr.) wurde zweifellos nicht nur das aus einer späteren Inschr. (IG I³ 104) zu eruierende Gerichtsverfahren nach unvorsätzlicher Tötung, sondern auch
die Verfolgung einer Mordtat geregelt. → Solon (geb.
um 640 v. Chr.) suchte eine tiefgreifende Krise der pólis
A. durch Schuldentilgung (Aristot. Ath. pol. 6,1) und
durch Beseitigung der Schuldknechtschaft und der Ab-
gabenpflicht der → hektḗmoroi sowie durch eine Reihe
anderer Gesetze zu überwinden. Seine Regelungen betrafen zahlreiche Bereiche des privaten und öffentlichen
Lebens [19. 59–68]. Er konstituierte die → hēliaía und
wohl auch den Rat (→ bulḗ) der 400, in den nach Aristot.
Ath. pol. 8,4 jede der vier altatt. → Phylen jährlich 100
Mitglieder entsenden konnte, während in den bereits
bestehenden → Áreios págos (Areopag) nur ehemalige
Archonten aufgenommen wurden. Eine weitere wichtige Neuerung war die Einführung der Popularklage
(Aristot. Ath. pol. 9,1; Plut. Solon 18,6). Für die Wehr-
ordnung und Amtsfähigkeit der Bürger war die von Solon fixierte, aber offenbar auf ältere Prinzipien zurückgehende Einteilung der Bürger in → pentakosiomédimnoi, → hippeís, → zeugítai und → Theten bedeutsam
(Aristot. Ath. pol. 7,3; Plut. Solon 23,3). Das Archontat
konnten nach Solon zweifellos nur pentakosiomédimnoi
bekleiden.

3. TYRANNIS

Auch nach den solonischen Reformen entstanden
wieder Spannungen durch Rivalitäten der um Ämter
und Prestige rivalisierenden »Führer des dḗmos«, die sich
auf Hetairien stützten. Ein vorläufiges Ende fanden diese Machtkämpfe erst mit der Einrichtung der → tyrannís
des → Peisistratos, der nach zwei gescheiterten Versuchen um 546 v. Chr. die Herrschaft an sich riß und sie
bis zu seinem Tod 528/27 v. Chr. behauptete, ohne die
Polisorgane zu beseitigen (Hdt. 1,59; Aristot. Ath. pol.
14,1 [27. 193–200]).

Seine Söhne → Hippias und → Hipparchos traten
ohne Schwierigkeiten seine Nachfolge an (Thuk. 1,20;
6,54; Aristot. Ath. pol. 16,7; 18,1). Eine Wende leitete
die Ermordung des Hipparchos 514 v. Chr. ein (Thuk.
6,54; 56). Hippias, der eigentliche Machthaber, wurde

510 v. Chr. durch eine von → Kleisthenes eingefädelte
Intervention des spartanischen Königs → Kleomenes I.
vertrieben (Hdt. 5,62–65; Thuk. 6,59; Aristot. Ath. pol.
19,4).

4. DIE REFORMEN DES KLEISTHENES

Nach erneuten Adelsrivalitäten schufen die Reformen des Kleisthenes 508/07 v. Chr. wesentliche Voraussetzungen für die Entstehung der athenischen Demokratie [29. 1 ff.; 30. 168–177; 20. 145 ff.; 4. 31–33].
Die Neuordnung basierte auf einer Einteilung Attikas in
etwa 139 Demen (»Gemeinden«) in den drei Regionen
Stadt, Binnenland und Küste, die in jeweils 10 Trittyen
(»Drittel«) unterteilt wurden. Aus den 30 »Dritteln«
bildete Kleisthenes 10 neue Phylen (→ Attika [Karte:
Att. Phylen]) in der Weise, daß er jeweils eine Trittys aus
dem Stadtgebiet, dem Binnenland und der Küstenzone
zu einem Phylenverband zusammenfügte (Hdt. 5,66;
5,69 ff.; Aristot. Ath. pol. 21,1–4). Hierdurch wurden
die einzelnen Teile Attikas politisch stärker mit dem
Zentrum verklammert, denn jede Phyle stellte fortan
jährlich je 50 Mitglieder (→ buleutaí) für den neu konstituierten Rat der 500, der die Agenda der Volksversammlung (→ ekklēsía) vorzubereiten hatte. Die eigentliche Beschlußfassung erfolgte dann in öffentlicher Abstimmung in der ekklēsía, die das zentrale Polisorgan dar-
stellte. Schwer zu entscheiden ist, ob damals auch der
→ ostrakismós eingeführt wurde (Aristot. Ath. pol. 22,3
[14. 85–90]), durch den ein einflußreicher Athener gegebenenfalls für 10 J. verbannt und hierdurch von der
Politik ausgeschlossen werden konnte. Etwa 501/500
v. Chr. wurde das Amt der 10 Strategen eingerichtet
(Aristot. Ath. pol. 22,2; 61,1; Plut. Aristeides 5). Diese
stets gewählten Militärbefehlshaber gewannen zunehmend polit. Bed., als seit 487/86 v. Chr. die Archonten-
stellen nach einem ausgeklügelten kombinierten Los-
und Wahlverfahren besetzt und zu diesem Amt auch
hippeís (zweite Zensusklasse) zugelassen wurden.

5. ZEIT DER PERSERKRIEGE

Bereits 490 v. Chr. hatte das athenische Hoplitenauf-
gebot unter der faktischen Führung des → Miltiades
persische Landungstruppen bei → Marathon geschlagen, die A. für die Unterstützung des Ion. Aufstandes
»bestrafen« sollten (Hdt. 6,102 ff.). Als der Perserkönig
→ Xerxes 480 v. Chr. → Dareios' Plan der Unterwerfung Griechenlands zu realisieren suchte, hatten die
Athener nach internen Kontroversen über Abwehr-
strategien auf Antrag des → Themistokles eine große
Trierenflotte erbaut (Hdt. 7,144; Thuk. 1,14,2; Plut.
Themistokles 4,1), die entscheidenden Anteil an dem
griech. Sieg in der Schlacht bei → Salamis hatte (Hdt.
8,86 [13. 81–97, 151–197]). Nach dem Scheitern der Invasion des Xerxes, dessen Truppen A. 480 und 479
v. Chr. vorübergehend besetzt hatten, war die pólis dank
ihrer Flotte in der Lage, den Kampf gegen die Perser
offensiv fortzusetzen, anstelle Spartas die Führung des
Krieges zu übernehmen und ein eigenes Bündnissystem
zu organisieren, das fortan als Instrument athenischer
Hegemonialpolitik diente (Aristot. Ath. pol. 23,5; Plut.

Kimon 6). Vgl. → Achaimenidai (mit der Karte: Militärische Operationen im Ägäisraum).

6. DER ATTISCH-DELISCHE SEEBUND

Die weitaus meisten Mitglieder dieses Bundes zahlten Beiträge an die zunächst in → Delos deponierte und
454 v. Chr. nach A. überführte Bundeskasse. Nur einige
größere póleis stellten Schiffe und Mannschaften für
Bundesfeldzüge. A. tolerierte nicht, daß Bundesgenossen aus der → symmachía austraten, schirmte aber den
Ägäisraum wirkungsvoll gegen persische Herrschaftsan-
sprüche ab, während die athenische ekklēsía sich zum
wichtigsten Entscheidungsorgan für den gesamten Bereich des Seebundes entwickelte [25. 87 ff.]. Innenpolit.
Auseinandersetzungen, die u. a. auch das Verhältnis zu
Sparta betrafen, führten ca. 471/70 v. Chr. zur Ostrakisierung des Themistokles (Thuk. 1,135,3; Plut. Themistokles 22,4). Dominierend war lange Zeit → Kimon,
doch setzte → Ephialtes 462 v. Chr. eine Einschränkung
der Kompetenzen des Areopags und in Verbindung
hiermit die Übertragung von polit. Kontrollfunktionen
an die ekklēsía, den Rat der 500 und die Dikasterien
durch (Aristot. Ath. pol. 35 [23. 67–77]). Von diesen
Reformen, die durch Einführung von Tagegeldern für
Geschworene und Ratsmitglieder fortgeführt wurden,
gingen bedeutende Impulse zur Weiterentwicklung der
athenischen Verfassung aus, für die Mitte des 5. Jh.
v. Chr. erstmals der Begriff »Demokratie« geprägt wurde, so daß die unbestrittene Entscheidungsgewalt des
démos sich auch in der polit. Terminologie manifestierte
[17. 36–69; 16. 207 ff.]. Außenpolit. bahnte sich eine
Wende an, als 462 v. Chr. im Verlauf des großen Helo-
tenaufstandes die Spartaner ein von ihnen zunächst zu
Hilfe gerufenes athenisches Korps unter Kimons Führung zurückschickten (Thuk. 1,102; Plut. Kimon 16 f.).
Kimons Ostrakisierung (→ Ostrakismos) 461 v. Chr. ist
ein Indiz für die Neuorientierung der athenischen Politik, der sich durch ein Bündnisangebot Megaras und
ein ägypt. Hilfegesuch gegen die Perser die Chance zu
bieten schien, ein strategisches Vorfeld gegenüber Sparta
zu gewinnen und die persische Macht im östl. Mittelmeer entscheidend zu schwächen. Die Intervention in
Ägypten endete jedoch in einer Katastrophe. Erst nach
Kimons Rückkehr aus dem Exil und nach Abschluß
eines fünfjährigen Waffenstillstandes mit Sparta 451
v. Chr. unternahm A. eine neue Großoffensive gegen
Persien, war aber nicht in der Lage, die Kräfteverhält-
nisse im Osten grundlegend zu ändern. Nach dem Tod
Kimons und einem athenischen Sieg bei Salamis
(Kypros) wurden 449 v. Chr. die Kämpfe eingestellt. In
Griechenland fand 446 v. Chr. der Krieg durch den sog.
30jährigen Frieden ein Ende (Thuk. 1,35,1 f.; 115,1;
Diod. 12,7), nachdem die Athener ihre nach 460 v. Chr.
gewonnenen Positionen in Boiotien und in der Megaris
verloren hatten. Vgl. → Attisch-Delischer Seebund (mit
Karte).

7. DAS ZEITALTER DES PERIKLES

Die nächsten 15 J. standen im Zeichen der dominierenden Persönlichkeit des → Perikles [23. 77–95]. A.

war nunmehr nicht nur die Handelsmetropole des östl. Mittelmeeres, sondern auch das geistige Zentrum der griech. Welt. Durch ihr Prinzip der gleichberechtigten Teilnahme aller Bürger an der öffentlichen Entscheidungsfindung sowie durch die einzigartige Ausstrahlungskraft der sich hier entfaltenden Kultur hatte die klassische *pólis* A. universalhistor. Bed. gewonnen. Während das institutionelle Gefüge der Demokratie sich verfestigte, fand ihr Selbstverständnis im perikleischen Bau- und Bildprogramm monumentalen Ausdruck. Andererseits entwickelte sich die athen. Hegemonie im Seebund durch restriktive Politik gegenüber aufbegehrenden Bundesgenossen sowie durch eine neue Bezirkseinteilung zur Intensivierung der Abgabenerfassung und sonstige organisatorische Maßnahmen zu einer teils direkten, teils indirekten Herrschaft über die Symmachie. Das machtpolit. Problem des athenisch-spartanischen Dualismus wurde durch den Frieden von 446 v. Chr. nicht gelöst.

8. Der Peloponnesische Krieg

Verhängnisvoll wirkten sich Theorien von der Zwangsläufigkeit des Konfliktes großer Mächte aus [12. 297–307], als eine zunächst am Rande der griech. Welt in Epidamnos (→ Dyrrhachion) entstandene Krise eskalierte und 431 v. Chr. zum großen Krieg zw. Sparta und A. (→ Peloponnesischer Krieg) führte, der letztlich den polit. Niedergang der Poliswelt einleitete (Thuk.; Xen. hell. 1 f.; Diod. 12,38 ff.). Perikles' Strategie einer athenischen Defensive zu Lande und einer offensiven Kriegsführung zur See erfüllte nicht die in sie gesetzten Hoffnungen. Nach wechselvollen Kämpfen wurde zwar 421 v. Chr. ein Kompromißfrieden (»Nikiasfrieden«) geschlossen (StV 2, 188), doch ließ sich der athen. *démos* durch die Demagogie des → Alkibiades 415 zu einer großangelegten Intervention auf Sizilien verleiten und provozierte eine erneute mil. Konfrontation mit Sparta. Die Folgen der Katastrophe der Expeditionsstreitkräfte vor → Syrakusai 413 v. Chr. (Thuk. 6,8,4; Plut. Alkibiades 17; Nikias 12 f.) hat A. letztlich nicht überwunden, wenn auch der oligarchische Putsch 411 v. Chr. die Demokratie nur kurzfristig beseitigen konnte und die Einsatzbereitschaft des athen. *démos* bis in die Schlußphase des Krieges beeindruckend war. Nachdem → Lysandros 405 v. Chr. bei → Aigos potamos die att. Flotte durch einen Überraschungsangriff ausgeschaltet hatte (Xen. hell. 2,1,21 ff.; Diod. 13,105 f.; Plut. Lysandros 9,6–13,2), führte A. zwar noch einen verzweifelten Abwehrkampf, mußte aber 404 v. Chr. kapitulieren und auf seine Außenbesitzungen und sein »Seereich« verzichten (StV 2, 211). Die Demokratie wurde von einer kleinen Gruppe entschlossener Verschwörer beseitigt. Das aus ihrem oligarchischen Putsch mit Hilfe des Lysandros sich entwickelnde Terrorregime der »30 Tyrannen« (→ *triákonta*) hatte indes nur kurzen Bestand (Xen. hell. 2,3,2 ff.; Diod.14,3,4 ff. [18. 81–98]). Der bereits 403 v. Chr. restaurierten Demokratie gelangen in der Folgezeit eine Reihe von organisatorischen Neuerungen [22. 305–320; 1. 262–281]. Die Tagegelder für

Teilnehmer an Volksversammlungen sowie detaillierte Regelungen zum Ablauf der polit. Entscheidungsfindung, zur Verabschiedung und Überprüfung von Gesetzen, zur Besetzung der → Dikasterien und zur Interorgankontrolle bedeuteten in ihrer Gesamtheit eine Ausgestaltung des demokratischen Systems, aber auch eine zunehmende Formalisierung der Polisverwaltung. In der Außenpolitik erkannten weitsichtige athenische Politiker nach 404/03 v. Chr., daß ihre *pólis* angesichts ihrer eigenen mil. Schwäche einen vorsichtigen Kurs steuern mußte. Das Ziel blieb freilich die Überwindung der Abhängigkeit von Sparta und letztlich die Erneuerung der Seeherrschaft [6. 12]. Im Korinth. Krieg konnte A. vor allem durch den Sieg → Konons bei Knidos 394 v. Chr. (Xen. hell. 4,3,10 ff.; Diod. 14,83,5 ff.) seine außenpolit. Handlungsfreiheit weitgehend zurückgewinnen. Ansätze zu neuer athenischer Hegemonialpolitik wurden gerade durch die auf Expansion abzielende Machtentfaltung Spartas nach dem von → Artaxerxes II. »diktierten« sog. »Königsfrieden« 387/86 v. Chr. (StV 2, 242) begünstigt [31. 161–168].

9. Der Zweite Attische Seebund

Nach Abschluß von Verträgen mit verschiedenen *póleis* des Ägäisraumes zum Schutz gegen spartanischen Machtmißbrauch gelang den Athenern 377 v. Chr. die Konstituierung des Zweiten → Attischen Seebundes, in dem die Mitgliedsstaaten keine Abgaben (→ *phóroi*), sondern Beiträge (*syntáxeis*) zu leisten hatten und die Entscheidungsfindung durch Mehrheitsbeschlüsse der etwa 70 Bündner (Diod. 15,30,2) erfolgte, denen die athenische *ekklēsía* jedoch zustimmen mußte [26. 163–176]. Während im griech. Mutterland nach der Schlacht bei Mantineia 362 v. Chr. (Xen. hell. 7,5,8; 23) und dem unmittelbar folgenden »allg. Frieden« (*koinē eirēnē*: StV 2, 292) ein gewisses Gleichgewicht der Kräfte bestand, war A. bemüht, seine Positionen in der Ägäis auszubauen [11. 96–115]. Vgl. → Attischer Seebund (mit Karte).

10. Zeit Philippos' II.

Das Scheitern dieser Bestrebungen im sog. Bundesgenossenkrieg 357–355 v. Chr., durch den der ägäische Einflußbereich der Athener erheblich eingeschränkt wurde, sowie vor allem der Konflikt mit → Philippos II. veränderten jedoch die Gesamtlage grundlegend. A. war zwar nach wie vor die stärkste Seemacht, konnte aber Philippos' Druck auf die Meerengen nicht beseitigen und gewann auch durch den Frieden des → Philokrates 346 v. Chr. keine langfristige Entlastung. Auch im Bunde mit → Thebai (Plut. Demosthenes 18) war A. zu Lande Philippos nicht gewachsen. Nach der Schlacht bei Chaironeia 338 v. Chr. und der Gründung des Korinth. Bundes 338/37 v. Chr. (StV 3, 403) gehörte A. faktisch zum maked. Einflußbereich (→ Makedonia), wenn es auch nicht von Philippos gezwungen wurde, eine Besatzung hinzunehmen (wie Thebai) oder Gebiete abzutreten (wie Sparta) [11. 139–197]. Hauptgrund für Philippos' Milde war zweifellos die noch intakte athenische Flotte. Auch → Alexandros [4] d.Gr. agierte A. gegenüber nach der Erhebung von Thebai 335

v. Chr. mit diplomatischem Geschick. Der antimaked. Koalition → Agis' [3] III. schloß sich A. 331 v. Chr. nicht an. Geldzufluß durch Alexanders Perserfeldzug brachte großen wirtschaftlichen Aufschwung. A. war 324 v. Chr. bereit, Alexander göttl. Ehren zu erweisen [5. 276–298], fürchtete aber nach dem Tod des Königs den Verlust von Samos und erhob sich an der Spitze eines Hellenenbundes im → Lamischen Krieg gegen → Antipatros [1] (Diod. 18,11,1 f.; Plut. Phokion 23).

11. Zeit der Diadochen

Die Niederlagen bei → Abydos [1], → Amorgos und → Krannon zwangen A. 322 v. Chr. zur Kapitulation. Dies bedeutete die Stationierung einer maked. Besatzung und das Ende der Demokratie, an deren Stelle nach Ausbürgerung der Theten eine → Oligarchie trat, die 318 v. Chr. kurze Zeit durch eine Demokratie abgelöst wurde, bis 317 v. Chr. → Demetrios von Phaleron als Vertrauensmann des → Kassandros die Herrschaft übernahm (FGrH Demetrios 228 fr. 3). A. nahm zeitweise wieder einen bedeutenden materiellen Aufschwung. → Demetrios Poliorketes restaurierte 307 v. Chr. formal die Demokratie, die ihn und → Antigonos [1] Monophthalmos als »rettende Götter« ehrte, nach deren Niederlage bei → Ipsos 301 v. Chr. aber Neutralität zu wahren suchte. Nach dem Intermezzo der tyrannís des → Lachares [28. 163] wurde A. 294 v. Chr. von Demetrios Poliorketes zurückgewonnen, fiel aber 287 v. Chr. von ihm ab [7. 48–62]. Die seit 294 v. Chr. bestehende Oligarchie wurde beseitigt (Plut. Demetrios 46; Paus. 1,26,29). In den folgenden J. suchte A. Rückhalt bei den Ptolemaiern und beteiligte sich 279 v. Chr. an den Kämpfen gegen die Kelten. Nicht nur auf Salamis und in Nordattika, sondern auch im Peiraieus standen aber weiterhin maked. Besatzungen des → Antigonos [2] Gonatas, deren Vertreibung athenisches Ziel im → Chremonideischen Krieg ca. 268/67–262/61 v. Chr. war. Das Scheitern dieser antimaked. Erhebung (Paus. 3,6,4 ff.) verschärfte in A. und Attika zweifellos die negativen wirtschaftlichen und demographischen Folgen der Unruhen der Diadochenzeit [15. 251–253]. Die polit. Unabhängigkeit konnte erst durch den Abzug der maked. Besatzung 229 v. Chr. nach dem Tode → Demetrios' II. wiedergewonnen werden. Als A. 200 v. Chr. seine Neutralitätspolitik gegenüber → Philippos V. aufgab und ihm mit röm. Rückendeckung den Krieg erklärte (Pol. 16,26,6–8; Liv. 31,15,4), geriet die Stadt ins Fahrwasser der röm. Politik [8. 142–158]. Wirtschaftlich war für sie die Einrichtung des Freihafens auf Delos durch Rom nach dem Ende der Herrschaft der Antigoniden 168 v. Chr. ein großer Gewinn in einer Zeit allg. Depression in Hellas. Eine langfristige Folge war freilich die Verschärfung der Besitzunterschiede und die stärkere Betonung oligarchischer Verfassungselemente. Vgl. auch → Diadochen.

12. Römische Zeit

Dies trug in starkem Maße dazu bei, daß die Masse der Athener sich 88 v. Chr. von → Aristion [1] zum Anschluß an → Mithradates VI. verleiten ließ (Diod. 37,28;

App. Mithr. 24 ff.). Sullas Belagerung und Eroberung der Stadt 86 v. Chr. richtete schwerste Zerstörungen an (Plut. Sulla 25; App. Mithr. 62 f. [3. 248–261]), doch begann bald der Wiederaufbau, und A. blieb weiterhin ein kulturelles Zentrum mit den berühmten Philosophenschulen (→ Akademeia, → Peripatos, → Stoa, → Kepos). Eine neue Blüte erlebte A. unter → Hadrianus und den Antoninen (2. Jh. n. Chr). Nach den Verheerungen durch die → Heruli 267 n. Chr. (Zos. 1,39,1) wurde die sog. »Valerianische Mauer« errichtet. Unter und nach Kaiser → Constantinus (4. Jh. n. Chr.) übten die att. Schulen wieder eine starke Anziehungskraft aus. 529 n. Chr. erfolgte die Schließung der Akademie durch Kaiser Justinian (Johannes Malalas p. 64), oft interpretiert als Ende einer großen ant. Tradition.

1 J. Bleicken, Die Einheit der athenischen Demokratie in klass. Zeit, in: Hermes 115, 1987, 257–283 2 F. Bourriot, Recherches sur la nature du Genos, 2 Bd., 1976 3 J. Deininger, Der polit. Widerstand gegen Rom in Griechenland 217–86 v. Chr., 1971 4 W. Eder, Polis und Politai, in: Euphronios und seine Zeit, Kolloquium in Berlin 19./20. Apr. 1991, 24–38 5 J. Engels, Stud. zur polit. Biographie des Hypereides, 1989 6 P. Funke, Homónoia und Arché, 1980 7 Ch. Habicht, Unt. zur polit. Gesch. Athens im 3. Jh. v. Chr., 1979 8 Ders., Stud. zur Gesch. Athens in hell. Z., 1982 9 K.-J. Hölkeskamp, Tempel, Agora und Alphabet, in: H.-J. Gehrke (Hrsg.), Rechtskodifikation und soziale Normen im interkulturellen Vergleich, 1994, 135–164 10 Sp.E. Iakovidis, Late Helladic Citadels on Mainland Greece, 1983 11 M. Jehne, Koine Eirene 1994 12 F. Kiechle, Ursprung und Wirkung machtpolit. Theorien im Gesch.-Werk des Thukydides, in: Gymnasium 70, 1963, 289–312 13 F. Lazenby, The Defence of Greece 490–479 B. C., 1993 14 G. A. Lehmann, Der Ostrakismos-Entscheid in Athen, in: ZPE 41, 1981, 85–99 15 H. Lohmann, Atene 1993 16 D. Lotze, Zum Begriff der Demokratie in Aischylos' Hiketiden, in: E. A. Schmidt (Hrsg.), Aischylos und Pindar, 1981, 207–216 17 Ch. Meier, Entstehung des Begriffs »Demokratie«, 1970 18 W. Nippel, Mischverfassung und Verfassungsrealität in Ant. und früher Neuzeit, 1980 19 P. Oliva, Solon – Legende und Wirklichkeit, 1988 20 K.-E. Petzold, Zur Entstehungsphase der athenischen Demokratie, in: RFIC 118, 1990, 145–178 21 W. Pötscher, Hera, 1987 22 P. J. Rhodes, Athenian Democracy after 403 B. C., in: CJ 75, 1979/80, 305–323 23 Ders., The Athenian Revolution, in: CAH 5, ²1992, 62–95 24 D. Roussel, Tribu et cité, 1976 25 W. Schuller, Wirkungen des Ersten Att. Seebunds auf die Herausbildung der athenischen Demokratie, in: J. M. Balcer, H.-J. Gehrke u. a. (Hrsg.), Stud. zum Att. Seebund, 1984, 87–101 26 R. Seager, The King's Peace and the Second Athenian Confederacy, in: CAH 6, ²1994, 156–186 27 M. Stahl, Aristokraten und Tyrannen im archa. Athen, 1987 28 J. Seibert, Das Zeitalter der Diadochen, 1983 29 G. R. Stanton, The Tribal Reform of Kleisthenes the Alkmeonid, in: Chiron 14, 1984, 1–41 30 E. Stein-Hölkeskamp, Adelskultur und Polisgesellschaft, 1989 31 R. Urban, Der Königsfrieden von 387/86, 1991 32 U. Walter, An der Polis teilhaben, 1993.

J. BLEICKEN, Die athenische Demokratie, ²1994 · A. L.
BOEGEHOLD, A. C. SCAFURO (Hrsg.), Athenian Identity and
Civic Ideology, 1994 · J. CARGILL, The Second Athenian
League. Empire or Free Alliance?, 1981 · CARTLEDGE/MIL-
LETT/TODD · E. E. COHEN, Athenian Economy and
Society, 1992 · J. K. DAVIES, Wealth and the Power of
Wealth in Classical Athens, 1984 · M. DREHER, Hegemon
und Symmachoi, 1995 · EDER, Demokratie ·
M. FARAGUNA, Atene nell'età di Alessandro, 1992 ·
HABICHT · M. H. HANSEN, The Athenian Assembly in the
Age of Demosthenes, 1987 · HANSEN, Democracy ·
D. KAGAN, The Fall of the Athenian Empire, 1987 ·
MACDOWELL · CH. MEIER, A., 1993 · R. MEIGGS, The
Athenian Empire, 1972 · J. OBER, Mass and Elite in
Democratic Athens, 1989 · R. OSBORNE, S. HORNBLOWER
(Hrsg.), Ritual, Finance, Politics. Athenian Democratic
Accounts presented to D. Lewis, 1994 · M. OSTWALD,
From Popular Sovereignty to the Sovereignty of Law,
1986 · J. PAPASTAVROU, s. v. A., RE Suppl. 10, 47–90 · P. J.
RHODES, A Commentary on the Aristotelian Athenaion
politeia, 1981 · W. SCHULLER, Die Herrschaft der Athener
im Ersten Att. Seebund, 1974 · R. SEALEY, The Athenian
Republic, 1987 · P. SIEWERT, Die Trittyen Attikas und die
Heeresreform des Kleisthenes, 1982 · J. A. SMITH, Athens
under the Tyrants, 1989 · J. S. TRAILL, Demos and Trittys,
1986 · TRAILL · K.-W. WELWEI, A., 1992 · WHITEHEAD ·
W. WILL, A. und Alexander, 1983.   K.-W. W.

13. BYZANTINISCHE ZEIT

Ob die Schließung der Akademie durch Justinian so
wichtig war, wie früher angenommen, ist umstritten
[1]. Danach war die Gesch. A.s ereignisarm: Plünderung
durch Slaven (582) führte zu keiner Inbesitznahme A.
und Attikas; slaw. ON fehlen so gut wie ganz. Späte
Christianisierung und Weiterleben paganer Kulte ist bezeugt [2]. Trotz gesunkener Bed. war A. stets Bischofssitz. 662/63 Besuch Constans' II. Seit Ende des 7. Jh. war
A. Teil des Themas Hellas. Arab. Piraterie, auch eine
Moschee ist bezeugt [3]. Kaiserin Irene, Wiedereinset-
zerin des Ikonenkultes, ist in A. geboren.

1 ODB, s. v. Athens 2 G. FOWDEN, City and Mountain in
late Roman Attica, in: JHS 108, 1988, 48–59 3 G. MILES,
The Mosque of Athens, Hesperia 25, 1956, 329–344.
                                                      J. N.

IV. KULTURELLE BEDEUTUNG

A. trat, anders als die ion. Städte Kleinasiens
(→ Ephesos; Milet), die Inseln der Ägäis (→ Lesbos; Paros) oder als Sparta erst spät in Kunst und Lit. hervor. Die
erste bekannte Künstlerpersönlichkeit war → Solon
(→ Elegie). Die Kulturpolitik der → Peisistratidai (546–
510) führte zu einem ersten Höhepunkt in Lit., Vasenmalerei und Plastik. Diese Entwicklung steigerte sich im
5. Jh. v. Chr., als A. zur führenden Seemacht Attikas aufstieg und neben einheimischen auch zahlreiche auswärtige Künstler in A. wirkten. → Tragödie und → Komödie fanden ihre kanonische Form (→ Aischylos; Sophokles; Euripides; Aristophanes), die → Geschichtsschreibung setzte ein (→ Herodot; Thukydides), Architektur und Plastik blühten (→ Iktinos; Phidias), die
→ Sophistik hatte ihr Zentrum in A. Auch im 4. Jh.

v. Chr. war kein Niedergang zu entdecken: → Philosophie (→ Platon; Aristoteles) und → Rhetorik (→ Aischines; Demosthenes; Isokrates) erreichten ihren Höhepunkt. Obwohl im Hellenismus (3.–1. Jh. v. Chr.) die
intellektuelle Anziehungskraft der Stadt nachließ, blieb
A. neben Alexandreia, Antiocheia und Pergamon eine
angesehene Bildungsstätte; auch unter röm. Herrschaft
bis in die Spätant. war A. das traditionelle Zentrum von
Kunst und Wissenschaft.

→ ATHEN   W. ED.

[2] Früher Siedlungsplatz in Boiotia; nach der boiot.
und att. Überlieferung gemeinsam mit Eleusis von
Kekrops gegründet und schon früh durch den steigen-
den Wasserspiegel der → Kopais überflutet, aber nach
den Trockenlegungsmaßnahmen des Krates unter Alexander [4] d. Gr. wieder aufgetaucht. A. ist identisch
entweder mit dem bis in das FH zurückreichenden Siedlungsplatz Dekedes beim h. Ag. Paraskevi (früher: Ago-
riani) in der Nähe des alten Athena-Heiligtums von
→ Alalkomenai [1] oder mit einer frühen Vorgängersiedlung von Orchomenos [1. 61 f.]. Quellen: Paus.
9,24,2; Strab. 9,2,18; Steph. Byz. s. v. A.

1 J. M. FOSSEY, The End of the Bronze Age in the South
West Copaic, in: Ders., Papers in Boiotian Topography and
History, 1990, 53–71 2 S. LAUFFER, Forschungen im
Kopaisgebiet, in: AA 1940, 184–188.

J. KNAUSS, B. HEINRICH, H. KALCYK, Die Wasserbauten der
Minyer in der Kopais, 1984, 35 ff., 57 ff. · S. LAUFFER,
Kopais 1, 1986.   P. F.

Athenaia s. Athena

Athenaios (Ἀθηναῖος).

[1] Lakedaimonier, Sohn des Perikleidas, war 423
v. Chr. am Waffenstillstand mit Athen beteiligt (Thuk.
4,119), den er wenig später zusammen mit dem Athener
Aristonymos dem → Brasidas offiziell verkündete
(Thuk. 4,122).   M. MEI.

[2] A. war als jüngster Sohn Attalos' I. von Pergamon
Mitglied des »Kronrates«; auch als Agonothet ist er
nachgewiesen (Alt. Perg. 8,3,3; OGIS 315,46; Strab.
13,4,624; vgl. OGIS 296; 319,16 f.; 321). A. half seinen
regierenden älteren Brüdern Eumenes II. und Attalos II.
bzw. den Römern mil. 189/8 v. Chr. nach dem Sieg
über die Seleukiden → Antiochos III. gegen die Galater, 167 in Griechenland nach dem röm. Sieg über den
maked. König → Perseus und 154 gegen den bithynischen König → Prusias (Pol. 33,13; Liv. 38,12,8; 40,8;
45,27,6). Vor dem röm. Senat sprach er 183 gegen Philipp V. von Makedonien, 163 und 155 gegen Prusias
(Pol. 23,1,4; 31,9,2; 32,28,1; 33,1; Liv. 39,46,9).

→ Attalos [3]–[6].   A. ME.

[3] Sophist (laut Epitome) oder *grammaticus* (Suda) aus
Naukratis (73a; 301c; 480d), ca. 190 n. Chr. Weitere In-
formationen zur Person sind nicht überliefert. Verf. von
›Über die syr. Könige‹ (περὶ τῶν ἐν Συρίᾳ βασιλευ-

σάντων; 211a) und ›Über thrak. Frauen‹ (περὶ Θραττῶν, 329c) (beide verloren), und ›Gelehrte beim Gastmahl‹ (Δειπνοσοφισταί, *Deipnosophistai*).

In einer Tradition, die mit Platons ›Symposion‹ (woran A.' Einleitung mit der Anrede an Timokrates 1f–2a erinnert) beginnt und später von Plutarchs *Symposion* und den ›Tischgesprächen‹ (*quaestiones convivales*, vielleicht in Plut. mor. 686a-d A.' Inspiration) repräsentiert wird, übertreffen A.' *Deipnosophistai* bei weitem die bekannten Vorläufer an Umfang und Themenbreite (→ Buntschriftstellerei). Die 29 Gäste eines in Rom mehrere Tage dauernden Banketts erörtern Fragen zur Philol., polit. Gesch. sowie Kulturgesch., bes. bezüglich des Essens, Trinkens (und der ἑταίραι, Hetären), die A. nicht immer erfolgreich mit seinem sympotischen Rahmen verknüpft. A.' philol. Interessen spiegeln die seiner Zeitgenossen wieder (vgl. das *Onomastikón* seines Landsmannes → Pollux); ebenso sein Interesse an der att. Komödie und seine ausführlichen Zitate daraus. Dies macht A. zu unserer Hauptquelle der Kömödienfragmente, wie auch für viele andere Gattungen der griech. Literatur. Kritik an Taten des → Commodus, den er seinen Zeitgenossen nennt (καθ᾽ ἡμᾶς), lassen die Abfassung zw. dessen Tod 192 n. Chr. und seiner Rehabilitierung durch Septimius Severus 195 vermuten [1]. In den Charakteren der Beteiligten gehen Realität und Fiktion ineinander über. Der Gastgeber des Mahles, wahrscheinlich A.' Patron, der gebildete röm. Aristokrat Λαρήνσιος, von Marcus Aurelius zum Priester ernannt (2c), ist sicher P. Livius Larensius, *pontifex minor* in CIL VI 2126 (ILS 2932) [2], *proconsul* einer der zwei Moesiae (Μυσίας, Athen. 398e) ca. 189 [3], *procurator patrimonii* (SHA Commodus 20,1) und vielleicht der Freund des Pertinax bei Cass. Dio 74,1,2. → Galenos von Pergamon, dessen zahlreiche medizinische und philos. Werke A. erwähnt (1e), läßt an die histor. Gestalt (gest. 199 n. Chr.) denken. Der Name des Jambendichters und Rechtsgelehrten Mansurios spielt auf den julisch-claudischen Juristen Masurius Sabinus an (PIR M 358); der des *grammaticus* Plutarchos auf den großen Philosophen; der Rhetor Ulpianos von Tyros mit dem Spitznamen κειτούκειτος (*keitúkeitos*) wegen seiner Besessenheit für lit. bezeugten Wortgebrauch (κεῖται ἢ οὐ κεῖται; 1e) ist wahrscheinlich nicht der Rechtsgelehrte Ulpianus, dessen Ermordung 223 n. Chr. (POxy. 2565) durch Praetorianer (Cass. Dio 80,2,2) daher unerheblich ist für Ulpianos' Tod (εὐτυχῶς, 686c) und die Datierung des Werkes. Ulpianos' Gegner, der Kyniker Kynoulkos, dessen respektlose Witzemacherei zu den wenigen humorvollen Elementen bei A. gehört, trägt einen sprechenden Namen. Andere Namen von *grammatici*, Philosophen, Rhetoren und Ärzten aus Asien, Bithynien und Griechenland sind humorvolle Entlehnungen von berühmten Gestalten [4]. A. führt, vielleicht gegen Pollux gerichtet, mitleidslos den Attizismus seiner Charaktere Pompeianos (Lukian macht sich im *Lexiphanes* über neun seiner Ausdrücke lustig) und Ulpianos vor (Kynulkos widerlegt dessen Kritik an lat. Lehnwörtern, in-

dem er klass. Entlehnungen aus dem Persischen (121f) zitiert). A. kennt und bewundert It. und nennt Rom ἐπιτομὴ τῆς οἰκουμένης (die Epitome des Erdkreises, 20b) und die Römer οἱ πάντ᾽ ἄριστοι (die allerbesten, 547a, als das republikanische Rom Philosophen ausweist), ein Kompliment auch für → Hadrianus (574 f.; zusätzlich μουσικώτατος 361f; vgl. 115b) und → Marcus Aurelius (2c). Er hat nichts übrig für Philosophen, bes. Platon (vgl. 215b–221; 504e–508d). A., der einen Schatz an philol. und antiquarischen Informationen bietet, ist weniger offensichtlich nostalgisch als Pausanias, obwohl von den mehr als 700 zit. Autoren nur wenige zu seiner Zeit leben: der Dichter Pankrates aus Ägypten unter Hadrian, den A. persönlich kennt (677d-f); Aristomenes von Athen, ein *libertus* des Hadrian (den er *Atticoperdix* nennt), den Magnus in seiner Jugend kennenlernte (115b); → Herodes Atticus (99c); seine Feinde, die Brüder Quintilii (*coss. ordinarii* 151 n. Chr.) mit ihren Γεωργικά (*Geōrgiká*) 649d-e; → Oppianos (›ein wenig vor unserer Zeit geboren‹, 13b), dessen Ἁλιευτικά (*Halieutiká*) 177–180 n. Chr. veröffentlicht wurden.

Es bleibt unklar, wieviel von seiner ungeheuren Gelehrsamkeit A. direkt aus Texten zit. Autoren bezieht und wieviel aus der Vermittlung z. B. durch die Lexikographen Didymos, Tryphon oder Pamphilos (wie die Anordnung nach dem Alphabet oder nach Themen manchmal vermuten läßt), wieviel aus Monographien zu homer. Fragen (wie aus der des Dioskurides) oder zu κωμῳδούμενοι (den in der Komödie verspotteten Personen); oder (bei naturgesch. Themen) aus Alexandros von Myndos, vielleicht über Pamphilos [5; 6].

Der aus 15 Büchern bestehende Text von Cod. A (Marcianus 447) trägt Spuren einer früheren Ausgabe in 30 Büchern, die von → Macrobius sowie → Hesychios von Milet in seinem *Onomatológos* (6. Jh. n. Chr.) benutzt wurde, obwohl nach PAPENHOFF [7] die 15 Bücher lediglich von Abschreibern in 30 aufgeteilt wurden. Wir wissen nicht, welche Ausgabe von Sopatros von Apameia exzerpiert (Phot. Bibl. 103a32) und von Iohannes Lydos (De magistratibus populi Romani 3,63) verwendet wurde. Marcianus 447 (A), den SCHWEIGHÄUSER [8] als Archetypen aller anderen Hss. nachwies, wurde – was allerdings nicht nachweisbar ist – von Johannes dem Kalligraphen ca. 895–928 für seinen Patron Arethas abgeschrieben [9; 10. 129], und 1423 von G. Aurispa zu Bessarion nach Venedig gebracht, wahrscheinlich aus Konstantinopel. Heute fehlen der Hs. die Bücher 1–2, der Anfang von 3 (bis 73e); 466d-e, 502b-c und das Ende (700–701a) sind beschädigt. Psellos (ca. 1050 n. Chr.) kannte einen vollständigeren Text, und ein unversehrter Text (eher eine verwandte Hs. als A selbst [10. 163, 201–202]) war die Grundlage für eine reichhaltige Epitome (ca. 60% des gesamten Werkes), die erstmals von Eustathios (nicht ihr Verf. [11; 12; 13]) bezeugt wird, der A. immer wieder zitiert. Der *editio princeps* von MARCUS MUSURUS (Aldina, Venedig 1514) folgte die Ausgabe von J. WALDER (Basel 1535). Eine lat. Übers. von NOËL DEI CONTI (Venedig 1556) wurde von der des Gelehrten Jacques Daléchamp (Lyon 1583) ersetzt, die auch von Isaac Casaubon in seiner Edition (Genf/Heidelberg 1597) gedruckt wurde und der grundlegende *animadversiones* Casaubons folgten (Lyon 1600). J. Schweighäuser [8] verwendete als erster Hrsg. die Hs. A und bot einen ausführlichen Komm.

1 G. Zecchini, La cultura storica di Ateneo, 1989, 14
2 H. Dessau, Zu Athenaeus in: Hermes 25, 1890, 156–158
3 Pflaum, 1068 4 B. Baldwin, The Minor Characters in Athenaeus, in: Acta Classica 20, 1977, 37–48
5 M. Wellmann, Dorion, in: Hermes 23, 1888, 179–193
6 Ders., Pamphilos, in: Hermes 51, 1916, 35 ff.
7 H. Papenhoff, Zum Problem der Abhängigkeit der Epitome von der venezianischen Hs. des A., (Diss. Göttingen) 1954 8 J. Schweighäuser, Ausgabe in 14 Bd., 1801–07 9 N. G. Wilson, Did Arethas read Athenaeus?, in: JHS 82, 1962, 147–148 10 Ders., Scholars of Byzantium, 1983 11 M. van der Valk, Eustathius and the epitome of A., in: Mnemosyne 39, 1986, 400 12 H. Erbse, Unt.en zu den attizistischen Lexica, in: ADAW 1949, 2 [1950], 73–92
13 P. Maas, KS, 1973, 475–7, 505–20 (gegen Erbse).

Ed.: G. Kaibel, 1887–90 · C. B. Gulick, 7 Bd., 1927–41 (Kaibels Text mit engl. Übers., Loeb-Ausgabe) · B. 1–2: A. Desrousseaux (mit frz. Übers.), Budé, 1956 (vgl. H. Erbse, Athénée de Naucratis, edd. Desrousseaux et Astruc, in: Gnomon 29, 1957, 290 ff.) · S. P. Peppink, B. 3–15, 1937–39 (Epitome) · U. und K. Treu, 1985 (dt. Übers. mit Nachwort und Anm.).
Lit.: W. Dittenberger, A. und sein Werk, in: Apophoreton 1903, 1–28 · I. Düring, A. och Ploutarchos, in: Eranos 34, 1936, 1–13 · A. S. F. Gow, in: Machon 1965, 25–32 · A. Lukinovich, Tradition platonicienne et polémique antiphilosophique dans les Deipnosophistes d' A., in: Concilium Eirene 16,1, 1983, 228–33 · Ders., The Deipnosophistai of A. . . ., in: O. Murray (Hrsg.), Sympotica, 1990, 263–71 · J. Martin, Symposion, 1931 · K. Mengis, Die schriftstellerische Technik im Sophistenmahl des A., 1920 · L. Nyikos, A. quo consilio quibusque usus subsidiis Dipnosophistarum libros composuerit, 1941 · F. Rudolph, Die Quellen und die Schriftstellerei des A., in: Philologus Suppl. 6, 1891, 109–162. · G. Zecchini, La cultura storica di Ateneo, 1989, 14.   E. BO./L. S.

[4] Rhetor des 2. Jh. v. Chr., Zeitgenosse und Konkurrent des → Hermagoras von Temnos (Quint. 2,1,16). Er definierte die Rhet. als ›eine auf Überredung/Überzeugung der Zuhörer zielende Fähigkeit‹ (λόγων δύναμις στοχαζομένη τῆς τῶν ἀκουόντων πειθοῦς). Gegenüber Hermagoras vertrat er eine andere Methodenlehre: So betrachtete er die θέσις (*quaestio infinita:* die von Personen, Örtlichkeiten, Umständen unabhängige, allg. Fragestellung) nicht als einen der ὑπόθεσις (*quaestio finita:* der konkrete Fall) gleichberechtigten Gegenstand der Rhet., sondern lediglich als Teil davon (μέρος ὑποθέσεως, *pars causae;* vgl. Quint. 3,5,5). Seine Einteilung der στάσεις (→ *status*) unterschied sich von der des Hermagoras nicht nur in der Terminologie, sondern auch durch die Einbeziehung der Aristotelischen γένη (Quint. 3,6,47).

D. Matthes, Hermagoras von Temnos 1904–55, in: Lustrum 3, 1959, 73, 131.   M. W.

[5] Mechanicus. Verf. einer nicht datierten Schrift über Belagerungsgeräte (περὶ μηχανημάτων); A. widmete das Werk dem Römer Marcellus, der nicht sicher identifiziert werden kann; vielleicht handelt es sich um M. → Claudius Marcellus, den Schwiegersohn des Augustus. Als Quellen nennt A. zuerst Agesistratos (sonst nur bei Vitruvius erwähnt), außerdem Werke anderer griech. Poliorketiker wie Ktesibios. Zu Beginn erwähnt A. zwei Hochleistungskatapulte des Agesistratos mit Schußweiten von 3 1/2 und 4 Stadien. Die Angaben erscheinen glaubwürdig, doch waren Schüsse über diese Entfernung mil. nicht effektiv. Die weiterhin beschriebenen fahrbaren Sturmdächer, die Mauerbohrer oder Sturmböcke trugen, Wandeltürme sowie Fallbrücken und Belagerungsvorrichtungen auf Schiffen gibt A. als eigene Erfindung aus. Die dem Text beigefügten Zeichnungen liegen in mittelalterlichen Kopien vor. Bei einigen Belagerungsgeräten handelt es sich um praxisferne Prestigetechnik der hell. Epoche.

In Byzanz wurde A.' Schrift in den Kanon poliorketischer Werke aufgenommen; im lat. Westen blieb der griech. Text bis über das Mittelalter ohne Resonanz; erst in der Renaissance entstanden einige Abschriften. Inzwischen hatten die Feuerwaffen den Belagerungskampf revolutioniert, und das Interesse an A. war nur noch antiquarisch-wissenschaftlich. So erfolgte der Druck erst 1693 (ed. M. Thévenot).
→ Katapult; Poliorketik

Ed.: 1 C. Wescher, Poliorcétique des Grecs, 1867, 1–40
2 R. Schneider, Griech. Poliorketiker III. Abh. der Ges. der Wiss. Göttingen NF 12,5, 1912 (mit dt. Übers.).

1 C. Cichorius, Röm. Studien, 1922, 271–279
2 F. Hultsch, s. v. A., RE 2, 2033 f. 3 O. Lendle, Texte und Unt. zum technischen Bereich der ant. Poliorketik, Palingenesia 19, 1983, XIX 4 E. W. Marsden, Greek and Roman Artillery, Historical Development, 1969.   D. BA.

[6] Von Attaleia. Arzt, Begründer der pneumatischen Schule. Falls er, wie Galen andeutet (CMG Suppl. or. 2, 54; 134), Schüler des Stoikers Poseidonios war, dürfte er im 1. Jh. v. Chr. gelebt haben [1], in welchem Falle Cornelius Celsus (ca. 40 n. Chr.) seine Lehren nicht gekannt bzw. übergangen hätte. Falls Galen mit seiner Anspielung lediglich auf einen Einfluß des Poseidonios auf A. hinaus wollte, dürfte letzterer um 50 n. Chr. gewirkt haben [2; 3]. Seine Lehrmeinungen stellen eine Mischung aus Stoizismus und hell.-dogmatischer bzw. hippokratischer Medizin dar. Gegen Asklepiades (Gal. 1,486; 14,676) ging er von einem stofflichen Kosmos aus, der vom Zusammenspiel der aktiven Qualitäten »heiß« und »kalt« sowie der passiven Qualitäten »feucht« und »trocken« gesteuert und durch Pneuma zusammengehalten wird (Gal. 14,698). Veränderungen des Körperpneumas zeigten demzufolge Veränderungen seiner Mischungsverhältnisse an. Krankheit galt als Folge einer *dyskrasía*. Das Herz, das über die Lungen mit eingesogenem, kühlendem Ersatzpneuma versorgt wird, betrachtete A. als Sitz des Pneumas wie auch der dem Menschen eingeborenen Wärme. Daher schenkte A. der Umwelt des Menschen, einschließlich der Jahreszeiten und des Baustils seiner Behausungen, bes. Aufmerksamkeit, um auf diese Weise die Aufrechterhaltung eines ausgewogenen Säftehaushalts bei seinen Patienten zu gewährleisten. Auch schrieb A. über Wasseraufbereitung und Embryologie (Gal. 4,612), Diätetik und Pulslehre [4]. Sein wichtigstes Werk waren seine mindestens 30 B. umfassenden *Boethemata*, die Galen (1,457) als beste allgemeinmedizinische Schrift eines modernen Autors pries. Auch wenn A. in den Augen Galens zuweilen Fehler machte, gab er die Ansichten seiner Vorläufer präzise wieder und zollte ihnen gebührenden Respekt. Seine klinische Arbeit fußte oftmals auf einer klaren und einfachen Definition der einzelnen Krankheiten (Ps.-Gal. 19,347; vgl. Caelius Aurelianus, Morb. ac. 2,53). Er empfahl allen Menschen ein Studium der Medizin nicht nur wegen seines praktischen Nutzens, sondern weil es eine der Philos. ebenbürtige intellektuelle Beschäftigung sei, die es jedem freistelle, mit herausragenden histor. Persönlichkeiten in Berührung zu kommen. Zu seinen Schülern zählen Agathinos und Archigenes.

→ Agathinos; Archigenes; Pneuma; Poseidonios

1 F. KUDLIEN, Poseidonios und die Ärzteschule der Pneumatiker, in: Hermes 1962, 419–429 2 SMITH, 231–234 3 M. WELLMANN, s. v. A., RE 2, 2034–2036 4 HARRIS, The Heart and the vascular System in Ancient Greek Medicine, 237–242.

ED./FR.: 1 F. MATTHÄI, Medicorum graecorum varia opuscula, 1808 · 2 M. WELLMANN, Die pneumatische Schule bis auf Archigenes, 1895.　　　V. N./L. v. R.-B.

[7] Chorlyriker, Komponist eines → Paians an Apollon (127 v. Chr.), der in einer Inschr. am Schatzhaus der Athener in Delphi erh. ist, die neben dem Text auch die Noten der Melodie der Gesangsstimme wiedergibt: Päonisch-kret. Rhythmus, Aufnahme des Wortakzentes durch die Melodie, höchste Variabilität in der Verwendung der Tonarten.

→ Chorlyrik; Limenios

A. BÉLIS, A proposito degli »inni delfici« ad Apollo, in: B. GENTILI, R. PRETAGOSTINI (Hrsg.), La musica in Grecia, 1988, 205–218 · E. PÖHLMANN, Denkmäler altgriech. Musik, 1970, 58–67 · M. L. WEST, Ancient Greek Music, 1992, 288–293.　　　L. K.

Athenias (Ἀθηνίας) oder Athenion (Ἀθηνίων) aus Anthedon, Sohn des Nikarchos; 2. Preis als Dichter eines Satyrspieles zwischen 90 und 80 v. Chr. bei den Sarapieia in Tanagra (DID A 7,33).

METTE, 53 · TrGF 162.　　　F. P.

Athenion (Ἀθηνίων).

[1] Peripatetischer Rhetor in Athen (verschieden von → Aristion [1. 341–343]), nur aus einer polemischen Partei des → Poseidonios bekannt (FGrH 87 fr. 36). Von Athen 88 v. Chr. zu → Mithradates VI. gesandt, von diesem unter seine φίλοι (*phíloi*, Freunde) aufgenommen, gewann er mit dessen Unterstützung die Volksgunst und nahm als στρατηγὸς ἐπὶ τὰ ὅπλα (*strategós epí tá hópla*) bestimmenden Einfluß auf die Politik Athens (»Tyrann«). Ein mißglückter Überfall auf Delos beendete offenbar seine polit. Karriere.

1 J. MALITZ, Die Historien des Poseidonis, 1983, 346–356.

J. DEININGER, Der polit. Widerstand gegen Rom in Griechenland 217–86 v. Chr., 1971, 248–255 · B. C. McGING, The Foreign Policy of Mithridates VI Eupator King of Pontus, 1986, 101 f.　　　E. O.

[2] Kiliker, als Sklave Gutsverwalter über 200 Menschen in der Gegend von Egesta und Lilybaion; er organisierte im 2. Sizilischen Sklavenkrieg ca. 104–101 v. Chr. die Revolte im Westen der Insel. Er teilte die Aufständischen in Soldaten und Arbeiter, verstand sich auf Sterndeutung, wurde zum König gewählt, unterstellte sich aber ›wie ein Feldherr dem König‹ dem → Salvius Tryphon, der im Osten Siziliens die Sklaven anführte. Mit Salvius eroberte er Triokala und behauptete es trotz der Niederlage bei Skirthaia gegen gegen den Propraetor L. Licinius Lucullus. Nach dem Tod des Salvius übernahm A. die oberste Führung der Sklaven, besetzte Makella und überfiel Messana. 101 fand er im Zweikampf mit dem Konsul M. → Acilius [I 8] den Tod. Später nannte man Aufrührer wie Fimbria und Sextus Clodius »A.« (App. Mithr. 59; Cic. Verr. 2,2,136; 3,66,125; har. resp. 6; Att. 2,12,2. Hauptquelle: Diod. 36,5–9 nach Poseidonios).

K. R. BRADLEY, Slavery and Rebellion in the Roman World 140–70 B. C., 1991, 75 ff. · J. VOGT, Zur Struktur der ant. Sklavenkriege, in: Sklaverei und Humanität, ²1983, 23 ff.　　　K. MEI.

[3] Steinschneider des 3. Jh. v. Chr., signierte den meisterhaften Sardonyx-Kameo mit Zeus, der im Viergespann die schlangenbeinigen Giganten bekämpft (Neapel, NM).

→ Gigantomachie; Gemmen- und Kameenschneider

ZAZOFF, AG, 208 ⁹¹ (Lit.), Taf. 54,8 · U. PANNUTI, Cataloghi dei Musei e gallerie d'Italia. Mus. Arch. Naz. di Napoli. La collezione glittica II, 1994, 95–97, Nr. 71.　　　S. MI.

[4] φίλος Ptolemaios' III., wurde als Gesandter zu → Onias II. geschickt, um eine Steuerschuld einzutreiben. Durch seine Vermittlung wurde der Tobiade Iosephos Steuerpächter.

E. OLSHAUSEN, Prosopographie 1, 1974, 39 Nr. 23.　　　W. A.

[5] Später Dichter der Neuen Komödie, wohl im 1. Jh. am Hofe Jubas von Mauretanien tätig [1; 2. 71 f.], von dem ein langes Fragment (eine Kochrede) aus einer Komödie, den *Samothrakes*, erh. ist.

1 PCG IV, 13–16 2 H.-G. NESSELRATH, Die att. Mittlere Komödie, 1990. B. BÄ.

Athenis. Bildhauer aus Chios, Sohn des → Archermos. Er arbeitete im späten 6. Jh. v. Chr. zusammen mit seinem Bruder → Bupalos in Delos, Iasos, Chios und in Athen.

FUCHS/FLOREN, 335–337 · OVERBECK, Nr. 314, 315, 318 (Quellen). R. N.

Athenodoros (Ἀθηνόδωρος).
[1] Söldnerführer, aus der athenischen Kleruchie Imbros. Um 360 v. Chr. in persischen Diensten, dann im Dienst des Thrakerkönigs → Berisades, mit dem er sich verschwägerte. Im Kampf um die Herrschaft in Thrakien konnte A. für die verbündeten Berisades und → Amadokos die Athener als Symmachoi gegen → Kersebleptes gewinnen. Dadurch gelang es dem athenischen Strategen Chares 357/6, die Teilung der Herrschaft in Thrakien und den athenischen Besitz auf der Chersones vertraglich zu sichern (Demosth. or. 23,170–173; IG II² 126; StV 303). Die Stadt Kios verlieh A. Ehrenrechte (I. Kios 2). Bei der Einnahme von Sardeis durch Alexander 334 gefangengenommen, wurde A. auf Phokions Fürsprache freigelassen. TRAILL PAA 110950.

J. CARGILL, Athenian Settlements of the Fourth Century B. C., 1995, 24–26; 72; 100; 261 Nr. 37. W. S.

[2] von Tarsos, gen. Kordylion, angesehener Stoiker des 1. Jh. v. Chr., zunächst Leiter der Bibliothek von Pergamon. Er versuchte dort, aus den Werken älterer Stoiker die anstößig gewordenen Textstellen herauszuschneiden, und wurde deshalb angeklagt (Diog. Laert. 7,34). Im Jahr 67 v. Chr. besuchte ihn der jüngere M. → Porcius Cato und gewann ihn; seither lebte A. bei ihm in Rom als Hausphilosoph; gest. zw. 50 und 46 v. Chr. (vgl. Plut. Cato Minor 10,1–3; 16,1 und Strabo 14,5,14). K.-H. H.

[3] Calvus, aus Kana bei Tarsos, Sohn des Sandon, gewiß identisch mit dem von Cicero erwähnten Athenodoros Calvus: Stoiker des 1. Jh. v. Chr., lebte lange in Rom (Lehrer Oktavians), kehrte im Alter nach Tarsos zurück und starb dort 82jährig (ca. 13 oder 3 v. Chr.). A. forschte wie → Poseidonios über Ebbe und Flut und stellte im Jahre 44 v. Chr. Cicero eine poseidonische Schrift über die Pflicht zur Verfügung. Wie die meisten Stoiker rechtfertigte er die Mantik, lehrte aber mit einer Minderheit die Ungleichheit der Fehler. Ferner äußerte er sich zur Einteilung der Aussagen und kritisierte die aristotelische Kategorienlehre. K.-H. H.

Athenokles (Ἀθηνοκλῆς).
[1] aus Kyzikos. Grammatiker. Auf Grund von Didymos in schol. Hom. Od. 14,503, wo in Bezug auf ihn das Wort προηθέτει (›hat schon vorher athetiert‹) benutzt wird (s. auch schol. Hom. Od. 6,144), hält man ihn für älter als Aristarchos [4] von Samothrake oder höchstens für einen seiner Zeitgenossen, so daß er also ins 3./2. Jh. v. Chr. zu setzen ist. Gegen ihn verfaßte Ammonios [3] aus Alexandreia, der Schüler des Aristarchos, eine Schrift Πρὸς Ἀθηνοκλέα (von Didymos in Schol. Il. 3,368a; 7,7a zit.). Weitere Fragmente finden sich in Schol. Il. 6,71 a1 (mit dem Titel Περὶ Ὁμήρου) und in Schol. Il. 22,51c. Bei Athen. 5,177e wird er im Kontext einer Diskussion über den Vers Hom. Il. 2,409 zit., den A. streichen wollte.
→ Homeros, Scholia; Ammonios [3]; Didymos.

L. COHN, s. v. A., RE 2, 2049 · A. LUDWICH, Aristarchs Homer. Textkritik, 1884–85, I, 49, 51 · M. MUELLER, De Seleuco Homerico, Diss. 1891, 11–14. F. M./T. H.

[2] Nur inschr. bezeugter Komödiendichter der 2. Hälfte des 4. Jh.; Lenäensieger.

PCG IV, 17. B. BÄ.

Athetese s. Interpolation

Athinganoi (Ἀθίγγανοι). Die A. (»Unberührbare«, von θιγγάνω) werden als Häretiker, die zu den Paulikianern gezählt werden, zuerst von Patriarch → Germanos (De haeres. et synodis, PG 98, 85) im 8. Jh. erwähnt. Sie werden nach ihrer Herkunft »Phryger« oder wegen ihren magischen und astrologischen Praktiken »Manichäer« genannt. Blüte im 9. Jh.; Anhänger fanden sich selbst in Palastkreisen (→ Michael II.). Sie unterstützten den → Ikonoklasmus. Mehrere Versuche, sie zu integrieren, blieben ohne Erfolg.
→ Astrologia; Magie; Mani; Phrygia

J. STARR, An Eastern Christian Sect: the A., in: Harvard Theol. Rev. 29, 1936, 93–106 · G. C. SOULIS, The Gypsies in the Byzantine Empire, Dumbarton Oaks Papers 15, 1961, 141–165 · I. ROCHOW, Die Häresie der Athinganer im 8. und 9. Jh. und die Frage ihres Problems, in: H. KÖPSTEIN, F. WINKELMANN (Hrsg.), Studien zum 8. und 9. Jh. in Byzanz (Berliner byz. Arbeiten 51), 1983, 1973 ff. · Dies., Byzanz im 8. Jh. in der Sicht des Theophanes. Quellenkritisch-histor. Komm. zu den J. 715–813 (Berliner byz. Arbeiten 57), 1991, s. v. B. K. SA.

Athleten. Mit der namentlichen Kennzeichnung treten Athleten aus der Anonymität des prähistor. Sports heraus und werden zu individuellen Gestalten der Sportgeschichte. In diesem Sinne sind etwa Pharao Djoser beim Jubiläumslauf (3. Dyn., 2624–2605 v. Chr.) [1. A 6–9] und bes. Amenophis II. (18. Dyn., 1438–1412 v. Chr.) mit seinen Leistungen im Bogenschießen [2. 44–50] frühe A., und auch Šulgi von Ur (Ende des 3. Jt. v. Chr.) [3; 4. 46–53] sowie Šulgigalzu [4. 30 f.] lassen sich in diese Reihe stellen. An Privatpersonen kann man hier die Ringer 3ḥtj-ḥtpw und Ṯfw aus dem Grab des Ptahhotep (5. Dyn.) als frühes Beispiel anführen [1.L 4]. Weder die genannten Herrscher noch die ägypt. Kämpfer erfüllen jedoch den eigentlichen Wortsinn von ἀθλητής (»einer, der um einen ausgesetzten Preis kämpft«), das bereits in der ältesten lit. Quelle zum griech. Sport vorkommt. Sowohl in der Ilias (23,262–897) als auch in der Odyssee (8,96–103; 18,1–110; 19,571–581; 21) treten die tragenden Gestalten des Epos als A. in Erscheinung [5. 6–88]. Die Bezeichnung »Athlet« ist bei Homer so klar konturiert, daß sie dem Händler wirkungsvoll kontrastiert werden kann (Od. 8,159–164) [5. 20; 6. 68–69]. Mit der regelmäßigen Abhaltung von → Agonen seit der archa. Zeit treten die A., die häufig der Oberschicht angehören, stark ins öffentliche Bewußtsein [7]. Dies geschieht nicht nur durch ihre sportliche Präsenz, sondern auch durch die Pflege ihres Ruhmes [8] in Gestalt von Epinikion (das einschlägige Gesamtwerk des Pindar ist erh., ebenso Umfangreiches von Bakchylides, Simonides) und Epigramm [9] oder Siegerinschr. [10] sowie von Siegerstatuen [11; 12; 13].

Das Ansehen von A. konnte so hoch sein, daß es zur Heroisierung [14] führte. Ihre öffentliche Wirksamkeit spiegelt sich in der bereits im 6.Jh. v.Chr. aufkommenden A.-Kritik (Xenophanes, später z.B. auch Euripides), die die Gesch. der Athletik als immer wiederkehrender Topos begleitet [15]. In diesem Zusammenhang steht jedoch nie das Thema Amateur versus Berufsathlet

zur Debatte; in der Ant. gab es im Gegensatz zur Moderne kein Amateurproblem [16]. Erfolg als A. konnte nur derjenige haben, der die Zeit zum Training und zu den zeitaufwendigen Wettkampfreisen aufbrachte. Somit mußte ein A. entweder wirtschaftlich unabhängig sein, also in der Regel aus der Oberschicht stammen, oder seinen Lebensunterhalt aus den Preisgeldern bestreiten, die an den Wettkämpfen ausgesetzt waren bzw. seine Heimatstadt als Prämie für den Sieg gewährte. Athen z.B. zahlte seinen Olympiasiegern unter Solon 500 Drachmen [17; 18]. Wichtig konnten in diesem Zusammenhang auch juristische Ansprüche werden, die sich aus der offiziellen Anerkennung von neu eingeführten Agonen bes. in der Kaiserzeit herleiteten [19]. Gelegentlich werden A. auch von ihren Heimatstädten oder von Privatpersonen bei ihrem Training finanziell unterstützt, jedoch nicht vor der hell. Zeit [7. 69–70].

Um ihre Interessen besser vertreten zu können, schlossen sich die A. (wohl seit dem 2.Jh. v.Chr.) ähnlich wie die → Techniten zu einem lokalen, später auch zu einem internationalen Verband [20. 107–109] zusammen, der in der Kaiserzeit seinen Sitz in Rom hatte und auf ein gutes Verhältnis zum Herrscher angewiesen war, auf das es diesem wegen des Auftretens der A. bei Festen, die mit dem Kaiserkult in Verbindung standen, wiederum jenen gegenüber ankommen mußte [21]. Die Unterschriften einer Anzahl von hohen Funktionären des Verbandes, allesamt frühere herausragende A., ha-

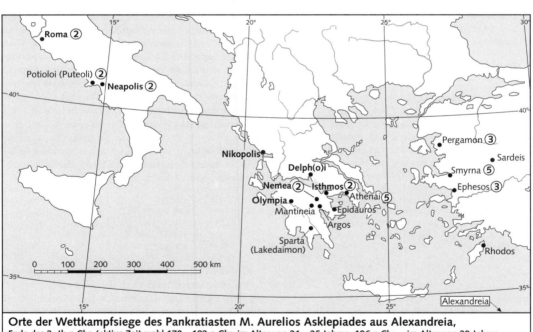

Orte der Wettkampfsiege des Pankratiasten M. Aurelios Asklepiades aus Alexandreia,
Ende des 2. Jh.n.Chr. (aktive Zeit wohl 178 – 182 n.Chr. im Alter von 21 – 25 Jahren, 196 n.Chr. – im Alter von 39 Jahren – einmalige Rückkehr in das Stadion in seiner Heimatstadt). Quelle IAG 79.

Olympia	Wettkampfstätten der Periodos (Olympien, Pythien, Isthmien, Nemeen) und kaiserzeitliche Erweiterungen (Kranz-Agone)	② Anzahl der Siege
Mantineia	sonstige Siegesorte (Geld- oder Wertpreise)	Alexandreia Herkunftsort des Athlethen

ben sich auf einer Urkunde des Jahres 194 n. Chr. erhalten, die die Mitgliedschaft und Übernahme eines Amtes durch den Boxer Herminos alias Moros aus Hermopolis bestätigt [20. Dokument 6]. Über das Training der A. gab es ein umfangreiches Spezialschrifttum, von dem unversehrt jedoch nur die Schrift περὶ γυμναστικῆς des Philostratos überliefert ist [22]. Manche A. schworen auf Zauber und Magie, und auch die Traumdeutung spielte bei ihnen eine nicht unwesentliche Rolle [23]. In der Forsch. mangelt es an einer A.-Prosopographie, wenngleich das vorzügliche Verzeichnis der Olympiasieger von L. Moretti die berühmtesten griech. A. enthält [24]. Es hat den Anschein, als seien die A. Etruriens Unfreie gewesen [25. 689–692]. Für Rom könnte man – im Gegensatz zu Griechenland – auch die Wagenlenker im → Circus zu den A. rechnen (vgl. z.B. CIL VI 10048).

1 W. Decker, M. Herb, Bildatlas zum Sport im Alten Ägypt., 1994 2 W. Decker, Sport und Spiel im Alten Ägypt., 1987 3 P.S. Vermaak, Sulgi as Sportsman in the Sumerian Self-laudatory Royal Hymns, in: Nikephoros 6, 1993, 7–21 4 R. Rollinger, Aspekte des Sports im Alten Sumer. Sportliche Betätigung und Herrschaftsideologie im Wechselspiel, in: Nikephoros 7, 1994 5 S. Laser, ArchHom T 6 J. Latacz, Homer, 1985 7 H. W. Pleket, Zur Soziologie des ant. Sports, in: Mededelingen van het Nederlandse Instituut te Rome 36, 1974, 57–87 8 H. Buhmann, Der Sieg in Olympia und in den anderen panhellenischen Spielen, Diss. München 1972 9 J. Ebert, Epigramme auf Sieger an gymnischen und hippischen Agonen, 1972 10 L. Moretti, Iscrizioni agonistiche greche, 1953 11 W. W. Hyde, Olympic Victor Monuments and Greek Athletic Art, 1921 12 H.-V. Herrmann, Die Siegerstatuen von Olympia, in: Nikephoros 1, 1988, 119–183 13 F. Rausa, L'immagine del vincitore, 1994 14 F. Boehringer, Cultes d'athlètes en Grèce classique: propos politiques, discours mythiques, in: REA 81, 1979, 5–18 15 St. Müller, Das Volk der Athleten, 1995 16 D. C. Young, The Olympic Myth of Greek Amateur Athletics, 1984 17 I. Weiler, Einige Bemerkungen zu Solons Olympionikengesetz, in: FS R. Muth, 1983, 573–582 18 D. G. Kyle, Solon and Athletics, in: Ancient World 9, 1984, 91–105 19 P. Weiss, Textkritisches zur Athleten-Relatio des Plinius (Epist. 10,118), in: ZPE 48, 1982, 125–131 20 P. Frisch, Zehn agonistische Papyri, 1986 21 F. Quass, Die Honoratiorenschicht in den Städten des griech. Osten, 1993 22 J. Jüthner, Philostratos, über Gymnastik, 1909 Ndr. 1969 23 W. Decker, Sport in der griech. Ant., 1995 24 L. Moretti, Olympionikai, 1957 25 J.-P. Thuillier, Les jeux athlétiques dans la civilisation étrusque, 1985.

E. Reisch, s. v. Athletai, RE 2, 1896, 2049–2058. Karten-Lit.: L. Moretti, Iscrizioni agnostiche greche, 1953 (= IAG 79). W. D.

Athlothetes s. Agonothetes

Athmonon (Ἀθμονον). Att. Mesogeia-Demos der → Phyle Kekropis, später der Attalis; fünf (sechs?) Buleutai. In A., das im Süden (?) an → Phlya grenzte (IG II² 2776 Z. 49; [1; 2]), lag das Heiligtum der Artemis Amarysia (Paus. 1,31,5), deren Name im ehemaligen Dorf

Marusi (h. Amarousio) fortlebt. Hier fanden sich zwei Grenzsteine des Heiligtums (IG I² 865; [2]) sowie ein Dekret der Athmoneis (IG II² 1203), das sich auf das Fest der Amarysia bezieht, einen Agon erwähnt und ›im Heiligtum‹ (der Artemis) aufgestellt war. Funde von Grabinschr. von Athmoneis aus Amarousio: IG II² 5346f.; 5349; 5359. Ein Demendekret aus Amarousio, daher wohl der Athmoneis, enthält 39 Personennamen, die Zahlungen an den Demos leisteten (SEG 24,197; frühes 4. Jh. v. Chr.). Paus. 1,14,7 bezeugt Kult der Aphrodite Ourania und eine selbständige Mythentradition.

1 A. Milchhoefer, Erläuternder Text, in: E. Curtius, J. A. Kaupert, Karten von Attika 2, 1883, 37f. 2 S. G. Miller, A Roman Monument in the Athenian Agora, in: Hesperia 41, 1972, 70, 92f.

Traill, Attica, 10, 20f., 50, 59, 67, 109 (Nr. 21), Tab. 7, 14 · Ders., Demos and Trittys, 1986, 135 · Whitehead, Index s. v. A. H.LO.

Athos (Ἄθως).
I. Klassische und hellenistische Zeit
II. Byzantinische Zeit

I. Klassische und hellenistische Zeit
Höchste Erhebung auf der gleichnamigen, in der Ant. zumeist Akte genannten, fast 50 km langen und durchschnittlich 6–8 km breiten, weitgehend bewaldeten Halbinsel, an deren SO-Spitze 492 v. Chr. eine pers. und 411 v. Chr. eine spartan. Flotte scheiterten, und deren Isthmos vor dem Zug des Xerxes durchstochen wurde. Die Bewohner der Halbinsel (Herkunft weitgehend unbekannt) galten als bes. langlebig (Makrobioi). Die meist kleinen Städte, Thyssos und Kleonai an der Süd-, Dion und Olophyxos an der Nord-Küste und Akrothooi an der SO-Spitze, gehörten im 5. Jh. v. Chr. meist dem Att. Seebund an und wechselten zw. 424 und 422 zweimal den Herrn. Später wurden sie, mit Ausnahme von Dion, nur noch in der geogr. Lit. genannt. Ein Architekt Alexanders d.Gr. soll vorgeschlagen haben, den Berg A. in eine riesige Statue des Königs umzuwandeln (lit. und arch. Zeugnisse s. [1]).

1 U. Hübner, Die lit. und arch. Zeugnisse über den vorchristl. A., in: Antike Welt 16,1, 1985, 35–44 2 F. Papazoglou, Les villes de Macédoine à l'époque romaine, 1988, 431f. 3 M. Zahrnt, Olynth und die Chalkidier, 1971, 150–152, 158, 182–185, 189–191, 194, 208, 253. M. Z.

II. Byzantinische Zeit
Die Entstehung der ersten Eremitenkolonien auf dem A. ist nicht genau auszumachen (erste Belege Mitte des 9. Jh.). Athanasios Athonites gründete 963 n. Chr. mit Unterstützung von Nikephoros II. Phokas im Südosten der Halbinsel (seit 1046 Ἅγιον Ὄρος) als erstes Kloster die Μεγάλη λαύρα. Es folgten weitere Klostergründungen, die Mönche verschiedener Nationalitäten des byz. Reiches und der Nachbarstaaten beherbergten.

Die Klöster wurden von Abgaben an die Reichskasse freigestellt und erhielten weitere kaiserliche Privilegien.

Le Millenaire du Mont Athos 963–1963, 2 Bde., 1963–64 · I. MALAMAKOS, Τὸ Ἅγιον Ὄρος (Ἄθως) διὰ μέσου τῶν αἰώνων, 1971.   K. SA.

Athribis (ägypt. Ḥwt-[t]-rj-jb, arab. Tall Atrīb). Hauptstadt des 10. unterägypt. Gaus, im südl. Zentraldelta. Hauptgott Chentechtai in älterer Zeit als Krokodil, im NR meist als Falke verehrt. A. gewinnt ab dem NR an Bedeutung. Im 9.–7. Jh. v. Chr. bildet es mit → Heliopolis ein selbständiges Fürstentum. Ammianus (22,16) zählt es zu den wichtigsten Städten Ägyptens.

P. VERNUS, Athribis, Bibliothèque d'études coptes 74, 1978 · LÄ 1, 519–24.   K. J.-W.

Athyras (Ἀθύρας). Flüßchen, das westl. von Byzantion in die Propontis mündet, h. Kara-su (Plin. nat. 4,47; nach Ptol. 3,11,4 mehrere Mündungsarme). In spätröm. Zeit befestigte Hafensiedlung (Amm. 22,8,8); von Iustinian wiederhergestellt (Prok. aed. 4,8,18). Berühmt war die befestigte, von Krum 812 zerstörte Steinbrücke.

V. ZLATARSKI, Istorija na bălgarskata dăržava prez srednite vekove 1,1, ²1994, 275.   I. v. B.

Atia
[1] Tochter des M. Attius Balbus aus Aricia und der Iulia, der Schwester Caesars. Aus ihrer Ehe mit C. Octavius gingen zwei Kinder hervor, Octavia minor und im J. 63 v. Chr. C. Octavius, der spätere Augustus (Suet. Aug. 4,1). Nach dem Tode ihres Ehemannes im J. 59/8 heiratete A. L. Marcius Philippus. Sie starb im J. 43/42, von Octavian mit einer öffentlichen Bestattung geehrt (Suet. Aug. 61,2; Cass. Dio 47,17,6). Tacitus (dial. 28,5) lobt A. wegen der hingebungsvollen Erziehung ihres Sohnes als Beispiel für den *mos maiorum*. Beim Kampf Octavians um die Macht im Staate geriet A. in die Propagandamühle, indem Octavians Gegner sie niedriger Herkunft bezichtigten (Suet. Aug. 4,2). Cicero (Phil. 3,15–17) nahm sie gegen diesen Vorwurf in Schutz. Die Legenden von der wundersamen Geburt des Augustus rankten sich auch um A. (Suet. Aug. 94,4; Cass. Dio 45,1,2–3).   H. S.
[2] Schwester der A. [1]. Sie heiratete L. → Marcius Philippus, den Sohn ihres gleichnamigen Schwagers. Mit diesem hatte sie eine Tochter namens Marcia. Wie später ihre Tochter, scheint A. mit der dritten Frau des Dichters Ovid bekannt gewesen zu sein (Ov. Pont. 1,136–142; fast. 6,802).

J. G. FRAZER, Publii Ovidii Nasonis Fastorum Libri Sex, Bd. 4, 1929, 348–351.   H. S.

Atidius (Attidius), selten belegter Eigenname (vgl. das Municipium Attidium in Umbrien, SCHULZE 558; ThlL 2,1174).
[1] A., Senator, Exilant bei → Mithradates VI., von diesem 67 v. Chr. getötet (App. Mithr. 410).

[2] A. Geminus, Statthalter in Griechenland (*praetor Achaiae*, Tac. ann. 4,43,3) unter Augustus nach 29 v. Chr., auf dessen Entscheidung sich die Messenier 25 n. Chr. beriefen.   K.-L. E.
[3] (Attidius). A. Cornelianus, L., praetorischer Statthalter von Arabia im J. 150 n. Chr. Suffektkonsul 151 (unpubl. Militärdiplom; Hinweis D. ISAC), konsularer Statthalter von Syrien mindestens seit 157 bis 162; von den Parthern 162 besiegt und getötet. [1. 328, 312]. (PIR² A 1342).

1 THOMASSON, 1.   W. E.

Atilia. Tochter eines (Atilius) Serranus, erste Frau des M. → Porcius Cato (Uticensis), der sich in den frühen 60er Jahren v. Chr. von ihr trennte (Plut. Cat. min. 7,3; 24,6; Stammbaum bei [1. 333]).

1 MÜNZER.   K.-L. E.

Atilicinus. Jurist, vermutlich Schüler des → Proculus (Dig. 23,4,17), nur durch 28 indirekte Zitate in späteren Rechtssammlungen bekannt. PIR² A 1292.

O. LENEL, Palingenesia iuris civilis, 1889 (Ndr. 1960), Bd. 1, 71 ff. · C. A. MASCHI, La scienza del diritto all'età dei Flavi, in: Atti Congr. Intern. Studi Vespasianei I, 1981, 64 ff.   T. G.

Atilius. Verbreiteter plebeischer Gentilname, seit dem 5. Jh. v. Chr. nachweisbar, Nebenform Ateilius, griech. Ἀτείλος, Ἀτίλλιος (SCHULZE 151; 440; ThlL 2,1172 f.). Erfindung ist ein M. A. unter Tarquinius Priscus (Dion. Hal. ant. 4,62,4). Bedeutendste Familien sind im 3. Jh. v. Chr. die Atilii Reguli, im 2. und 1. Jh. die Sarani (in der jüngeren Form Serrani). In der Kaiserzeit sinkt die Bed. der Namensträger im öffentlichen Leben.   K.-L. E.

I. REPUBLIK
[I 1] Palliaten(→ Palliata)- und Tragödiendichter. Lebte im 2. Jh. v. Chr., bald nach Ennius, vielleicht identisch mit → Aquillius [I 16]. Es sind nur 2 Titel, Μισόγυνος (›Der Frauenhasser‹, nach Menander) und *Elektra* (Cic. fin. 1,5: 1. Übers. von Sophokles), 2 Komödien- und 1 Tragödienvers überliefert. Im Komödiendichterkanon des → Volcacius Sedigitus nimmt er die 5. Stelle, nach Plautus, aber vor Terenz, ein. Varro (frg. 40 GRF) schätzte ihn wegen seines Pathos. Aus seiner Elektra wurden Cantica bei Caesars Leichenfeier vorgetragen (Suet. Caes. 84). Cicero beurteilte ihn wegen seiner archa.-überreichen Klang- und Stellungsfiguren als *poeta durissimus* (Att. 14,20,3).

ED.: 1 CRF 32f. 2 A. TRAINA, Antologia della Palliata, 1960, 134
LIT.: 3 BARDON 1,38, 44 4 T. MANTERO, Il poeta drammatico A., in: Tetraonyma, 1966, 181–209.   JÜ. BL.

[I 2] A., C., und **A., M.**, weihten 216 v. Chr. als *duoviri* den Tempel der Concordia in Rom (Liv. 23,21,7).

[I 3] A., L., brachte 311 v. Chr. als Volkstribun mit C. Marcius Rutilus ein Gesetz über die Wahl der Kriegstribunen durch das Volk durch (Liv. 9,30,3).

[I 4] A., L., Quaestor 216 v. Chr, fiel bei Cannae (Liv. 22,49,16).

[I 5] A., L., war als *praef.* Kommandant von Locri 215 v. Chr. (Liv. 24,1,9).

[I 6] A., L., brachte als Volkstribun 210 v. Chr. ein Plebiszit über die Campaner durch; vielleicht auch Urheber einer *lex Atilia* über die Bestellung von Vormündern (MRR 1,279; 3,26f.).

[I 7] A., L., *praetor* in Sardinia 197 v. Chr. (MRR 1, 333).

[I 8] A., M., angeblich 387 v. Chr. als erster von den Galliern erschlagen (Val. Max. 3,2,7).

[I 9] A. (Serranus ?), M., kämpfte als *praetor* in Hispania ulterior 152 v. Chr. gegen die Hispanier (MRR 1,453 f.).

[I 10] A., P., 67 v. Chr. Legat unter Pompeius im Seeräuberkrieg (MRR 2,148).

[I 11] A. Bulbus, C., *cos.* I 245 v. Chr., II 235, *censor* 234 (MRR 1,217; 223 f.).

[I 12] A. Bulbus, M., 74 v. Chr. (?) als Senator wegen Majestätsverbrechen verurteilt (Cic. Verr. 1,37–39) [1. 80f.].

[I 13] A. Calatinus, A., war 315 oder 306 v. Chr. am Abfall der Stadt Sora zu den Samniten beteiligt (Val. Max. 8,1,9; MÜNZER 57).

[I 14] A. Calatinus (Caiatinus ?), A., kämpfte im 2. Pun. Krieg gegen die Karthager: Als *cos.* I 258 v. Chr. eroberte er verschiedene sizilische Städte, sein Heer entging aber nur knapp der Vernichtung durch die Karthager (Gell. 3,7 u. a.). Ein Angriff auf Panormus und die Liparischen Inseln schlug fehl (Pol. 1,24,8–13). 257 feierte er wohl als *praetor* einen Triumph *ex Sicilia* (InscrIt 13,1,77). Als *cos.* II 254 mit Cn. Cornelius Scipio Asina fuhr er mit neu erbauter Flotte nach Sizilien und nahm u. a. Panormus; ein Angriff auf Drepana scheiterte (Pol. 1,38,5–10 u. a.). 249 führte er als erster *dictator* eine röm. Armee außerhalb Italiens. *Censor* 247. Er weihte einen Tempel der Spes auf dem Forum Holitorium und der Fides auf dem Capitol. Sein Grab lag an der Porta Capena (Grabinschr. bei Cic. Cato 61). Er ist vor allem bei Cicero ein häufig genanntes Beispiel röm. Größe.

[I 15] A. Luscus, L., Konsulartribun 444 v. Chr. (MRR 1,52 f.).

[I 16] A. Priscus, L., Konsulartribun 399 und 396 v. Chr.

[I 17] A. Regulus, C., kämpfte als *cos.* 257 v. Chr. in der Seeschlacht bei Tyndaris gegen die Karthager (Pol. 1,25,1–4). Obwohl auch die Karthager behaupteten, gesiegt zu haben, triumphierte Regulus. (InscrIt 13,1,77). In seinem 2. Konsulat 250 belagerte er zusammen mit seinem Kollegen L. Manlius Vulso erfolglos Lilybaeum (Pol. 1,41–48; Diod. 24,1,1–4).

[I 18] A. Regulus, C., schlug als *cos.* 225 v. Chr. einen Aufstand in Sardinien nieder (Pol. 2,23,2), ehe er bei seiner Rückkehr in der für die Römer siegreichen Schlacht bei Telamon gegen die Gallier fiel (Pol. 2,27 f.).

[I 19] A. Regulus, M., erhielt als *cos.* 335 v. Chr. den Auftrag, gegen die Sidiciner zu ziehen (Liv. 8,16).

[I 20] A. Regulus, M., wohl Sohn von A. [I 19], bekämpfte als *cos.* 294 v. Chr. die Samniten. Während die Triumphalfasten (InscrIt 13,1,73) seinen Triumph verzeichnen, wurde ihm dieser nach Liv. 10,36,19 wegen der großen Zahl röm. Gefallener verweigert. 293 war Regulus *praetor* (MRR 1,179).

[I 21] A. Regulus, M., besiegte als *cos.* 267 v. Chr. die Sallentiner (Eroberung von Brundisium, Liv. 10,36,19) und triumphierte (InscrIt 13,1,73). Als *cos. suff.* 256 schlug er mit seinem Kollegen L. Manlius Vulso Longus die Karthager unter Hanno und Hamilcar in der Seeschlacht bei Eknomos (Pol. 1,26–28), und beide setzten nach Africa über, wo die Karthager sich auf die Verteidigung ihrer Hauptstadt beschränkten und die Römer das offene Land ungehindert plündern ließen. Nachdem Manlius nach Rom zurückgekehrt war und triumphiert hatte, errang Regulus zunächst bei Adys einen Sieg, stellte jedoch den friedenswilligen Karthagern zu harte Bedingungen, woraufhin sie ihm unter Führung des Spartaners → Xanthippos eine vernichtende Niederlage beibrachten. Regulus geriet in karthagische Gefangenschaft (Pol. 1,29–34 u. a.).

Über sein weiteres Schicksal geht die Überlieferung auseinander: Nach Cicero (off. 3,99 f.; fin. 5,82; Pis. 43 u. ö.; Liv. per. 18; 28,43,1; 30,30,23), Cass. Dio (Zon. 8,15) und App. (Lib. 11–15) wurde Regulus 250 nach Rom entsandt, um über den Austausch von Gefangenen und – nach einigen Autoren – einen Friedensschluß zu verhandeln. Obwohl er sich verpflichtet hatte, für den Fall eines Scheiterns seiner Mission nach Karthago zurückzukehren, sprach er im Senat gegen die karthagischen Vorschläge und wurde nach seiner Rückkehr in Karthago unter Martern getötet. Während Polybios Regulus nach seiner Gefangennahme nicht mehr erwähnt, berichtet Diodor (24,12), daß nach seinem Tod in der Gefangenschaft seine Witwe sich an zwei Karthagern, die in Rom für sein Wohlergehen bürgen sollten, auf schreckliche Weise gerächt habe.

Ähnliches berichtet Gellius 7,4 aus C. Sempronius Tuditanus (HRR 1,143 f. F. 5 mit Anm.). Es spricht vieles dafür, daß diese Version durch die beschönigende Fassung bei Cic., der Regulus die Ansicht vertreten läßt, ein Austausch widerspreche seines hohen Alters wegen dem Staatsinteresse (off. 3,99 f.), und bei Livius, der Regulus die konzessionslose Standhaftigkeit Roms gegenüber dem karthagischen Feind vertreten läßt, verdrängt werden sollte. Die späteren Autoren folgten darin Cicero und Livius.

[I 22] A. Regulus, M., Sohn von A. [I 21], wurde nach seinem ersten Konsulat 227 v. Chr. im J. 217 *cos. suff.* für C. → Flaminius und kämpfte mit seinem Kollegen Cn. → Servilius Geminus auch 216 noch in Apulien (Liv. 22,32–34,1). 216 gehörte er zu den auf Grund der angespannten Finanzlage gewählten *IIIviri mensarii* (Liv. 23,21,6). 214 griff A. als *censor* mit seinem Kollegen P.

→ Furius Philus streng gegen Defaitisten durch (Liv. 24,18,1–9).

[I 23] A. Regulus, M., war 213 v. Chr. *praetor urbanus* und *peregrinus* (Liv. 24,44,2), 211 als Legat bei der Eroberung Capuas zugegen (Liv. 26,6,1) und gehörte 210 einer Gesandtschaft zu → Ptolemaios IV. Philopator an (Liv. 27,4,10).

[I 24] A. Serranus, A., veranstaltete wohl 194 v. Chr. als *aedilis* als erster szenische Aufführungen an den → Megalesia mit separaten Sitzen für die Senatoren (MRR 1,343). Als *praetor* 192 kommandierte er vor Griechenland im Kampf gegen → Nabis, 191 bis zu seiner Ablösung als *praef. classis* (MRR 1,350; 353). Als *praetor urbanus* 173 erneuerte er den Vertrag Roms mit Antiochos IV. 172 versuchte er als Gesandter zu Perseus den Kriegsausbruch im Interesse der Römer erfolgreich herauszuzögern (Liv. 42,38–43; 47; MRR 1,413). Als Legat besetzte er 171 Larissa. Konsul 170.

[I 25] A. Serranus, C., kämpfte als *praetor* 218 v. Chr. gegen die Boier in Oberitalien; wohl *augur* vor 217 (MRR 1,238; 283).

[I 26] A. Serranus, C., *praetor* 185 v. Chr. (Liv. 39,23,2).

[I 27] A. Serranus, C., *praetor* spätestens 109 v. Chr., *cos.* 106 (MRR 1,553), beteiligte sich 100 an der Ermordung des Volkstribunen → Appuleius Saturninus (Cic. Rab. perd. 21) und wurde 87 von den Marianern getötet (App. civ. 1,332).

[I 28] A. Serranus, M., war 190 v. Chr. *IIIvir coloniae deducendae* nach Cremona und Placentia (Liv. 37, 46,11), wohl *praetor* 174 in Sardinia (Liv. 41,21, 1 f.).

[I 29] A. Serranus, Sex., *praetor* spätestens 139 v. Chr., führte als *cos.* 136 mit seinem Kollegen L. Furius Philo die Auslieferung des C. → Hostilius Mancinus an die Numantiner durch (MRR 1,486); 135 *procos.* in der Gallia Cisalpina (ILS 5945).

[I 30] A. Serranus Gavianus, Sex., *quaestor* 63 v. Chr., widersetzte sich 57 als Volkstribun – angeblich bestochen – mit seinem Kollegen Q. → Numerius Rufus hartnäckig, aber erfolglos der Rückberufung Ciceros und wurde deshalb von diesem (auch wegen seiner Adoption aus der unbedeutenden *gens* Gavia) scharf angegriffen (Cic. Sest. 72; 74 u. a.; MRR 2,201 f.).

1 ALEXANDER, Trials.   K.-L. E.

II. Kaiserzeit

[II 1] P. A. Aebutianus, Praetorianerpraefekt des Kaisers → Commodus, erhielt senatorischen Rang: *clarissimus vir* (ILS 9001); auf Veranlassung Cleanders getötet. (PIR² A 1294).

[II 2] Q. A. Glitius Agricola s. → Glitius.

[II 3] C. A. Barbarus, *cos.suff.* 71 n. Chr. [1. 21]. (PIR² A 1295).

1 DEGRASSI, FC.

[II 4] A. Clarus, *procurator Asiae* im J. 202 (I. Eph. 3, 621a) [1. 403–412].

1 E. VARINLIOGLOU, D. H. FRENCH, A new Milestone from Ceramus, in: REA 94, 1992.

[II 5] A. Cosminus, konsularer Statthalter von Syria Coele im J. 249/251 (Frag. Vat. 272; Cod. Iust. 8,55,1; P. Dura 95; 97). [1. 316; 2. 471].

1 THOMASSON – 2 MILLAR, Emperor, ²1992.

[II 6] A. Crescens, *amicus* des Plinius des J. (epist. 6,8; 1,9,8; 2,14,2) [1. 449f.]. PIR² A 1300.

1 SYME, RP, Bd. 5.

[II 7] T. A. Maximus, *procos. Asiae*, s. T. → Statilius Maximus.

[II 8] M. A. Metilius Bradua, wohl Patrizier, *cos. ord.* 108. Unter Traian/Hadrian Statthalter von Germania (inferior?) und Britannia (ILS 8824a). Sohn von A. [II 10]. PIR² A 1302.

[II 9] A. Metilius Bradua Cauci[dius Tertullus . . .], M. Senator, *procos. Africae* wohl unter Antoninus Pius (IRT 517); Polyonymus, zu verwandtschaftlichen Zusammenhängen [1. 183–226].

1 G. DI VITA-EVRARD, Le proconsul d'Afrique Polyonyme IRT 517, in: MEFRA 93, 1982.

[II 10] A. Postumus Bradua, M. Vater von A. [II 8], *cos. suff.* unter Titus (?), *procos. Asiae* unter Domitian (I. Eph. 7,1, 3008) [1. 322]. PIR² A 1303.

1 W. ECK, Jahres- und Provinzialfasten, in: Chiron 12, 1982.

[II 11] A. Rufus, T. *cos. suff.* unter Vespasian, konsularer Legat von Pannonia im J. 80, von Syrien ca. 83/85, wo er wohl im Frühjahr 85 starb (Tac. Agr. 40,1). [1. 302ff.]. PIR² A 1304.

1 W. ECK, Jahres- und Provinzialfasten, in: Chiron 12, 1982.

[II 12] A. Rufus Titianus, *cos. ord.* 127; in den *Fasti Ostienses* ist sein Name eradiert (FOst², 49), weil er unter Pius nach der Herrschaft strebte; vom Senat bestraft (SHA Pius 7,3). PIR² A 1305.

[II 13] A. Scaurus, Freund Plinius' des J. (epist. 6,25,1). PIR² A 1307.

[II 14] A. Severus, M., praetorischer Statthalter von Arabia und *cos. suff.* in den letzten Jahren des Marcus Aurelius (CIL III 14149,2) [1]; von Commodus verbannt (SHA Comm. 4,11). PIR² A 1309.

1 ALFÖLDY, Konsulat, 199f.

[II 15] A. Vergilio, Fahnenträger der Praetorianerkohorte, die Galba unmittelbar vor seinem Tod begleitete (Tac. hist. 1,41,1). PIR² A 1310.

[II 16] A. Verus, *centurio* der *legio V Macedonia*, später *primipilus* der *legio VII Galbiana*, der 69 bei Cremona fiel (Tac. hist. 3,22,4). PIR² A 1311.   W. E.

Atimetos agon (ἀτίμητος ἀγών). Vor allem in Athen ein Prozeß, in dem der Beklagte keinen Gegenantrag (→ *antitimesis*) über das Strafausmaß stellen konnte. Nach einem Schuldspruch war keine weitere Abstimmung über die Höhe der Strafe nötig, der Prozeß war ἀτίμητος, »unschätzbar«. Das Strafmaß war bereits vom Gesetz festgelegt, in öffentlichen Prozessen wegen schwerer Verbrechen oft die Todesstrafe oder Verbannung.

A.R.W. HARRISON, The Law of Athens II, 1971, 81 f.
                                                          G.T.

Atimia (ἀτιμία). Ehrlosigkeit im Sinne von Aberkennung der bürgerlichen Rechte, die gerichtlich ausgesprochen werden muß, um rechtswirksam zu sein. *A.* kann auf die Erfüllung bestimmter Tatbestände als Strafe gesetzt sein (Fahnenflucht, Beamtenbestechung, dreimaliges falsches Zeugnis, Mißhandlung der Eltern u. a.) oder sie wird bei der → *dokimasía* (persönliche Überprüfung) festgestellt, wenn vor Beamtenbestellung die ἐπιτιμια (*epitimía*, das Vollbürgerrecht) überprüft wird. Die *epitimia* kann erloschen sein, wenn Geisteskrankheit, Verschwendung oder Prostitution vorliegen. Die Verletzung eines Volksbeschlusses zieht vielfach *a.* nach sich (IG I³ 46,27). Staatsschuldner sind bis zur Bezahlung der Schuld oder deren Erlaß ἄτιμος (*átimos*). Der *átimos* darf keine Gesetze beantragen, nicht Kläger, Zeuge, Soldat, Beamter oder Testator sein, er scheidet aus der Wehr-, Rechts- und Kultgemeinschaft der Bürger aus, bis ein Volksbeschluß seine *epitimía* wiederherstellt. Vgl. dazu: And. 1,73–76 (umstritten). Aischin. 1,19 ff.; 28 ff. (auch → *hypóthesis*); 3,175 f.; Lys. 6,24 f.; Aristot. Ath. pol. 57,4; IG I³ 104,26 ff.

E. RUSCHENBUSCH, Unt. zur Gesch. des athenischen Strafrechts, 1968.   G.T.

Atina

[1] Stadt der Volsci in Latium an den Quellen des Melpis, an der Via Latina zw. Casinum und Sora, h. A. (Frosinone). *Praefectura* (Cic. Planc. 8), dann *municipium* der *tribus Teretina*. Monumente: Teile der Stadtmauer, Reste eines ant. Gebäudes unterhalb von S. Marco, röm. Mosaik, Aquädukt.

NSA 1950, 108 ff. · E. BERANGER, A. SORRENTINO, La cinta muraria di Atina, 1979 · E. BERANGER, Testimoni archeologici dall'agro Atestino, in: Doc. Alb. s.2, II (1980), 75–93 · H. SOLIN, Iscrizioni, in: Epigraphica 43, 1981, 45–102 · Supplementum Italicum 3, 1987.   G.U.

[2] Lukanische Stadt am Tanagro (Plin. nat. 3,98), h. Atena Lucana. *Municipium* der *tribus Pomptina, praefectura* vor dem Bürgerkrieg (Liber coloniarum 1,209). Kulte für *Aesculapius, Iupiter, Penates* und *Magna Mater* (CIL X 1 Nr. 330–333). Nekropole.

W. JOHANNOWSKY, s. v. Atena Lucana, in: BTCGI 3, 1984, 336–338 · Ders., s. v. Atena Lucana, in: EAA, Suppl. 2,2, 1994, 494–496.   B.G.

Atinius. Plebeischer Gentilname (auch Attinius). Die wichtigste seit dem Ende des 3. Jh. nachweisbare Gens stammte aus Aricia (Cic. Phil. 3,16; SCHULZE 69; ThlL 2,1174 f.).

[1] A., Volkstribun im 2. Jh. v. Chr. und Urheber einer *lex Atinia* über die Aufnahme der Volkstribunen in den Senat (Gell. 14,8,2).

[2] A., C., *tribunus militum* in der 4. Legion 194 v. Chr., *praetor* 188 in Hispania ulterior (MRR 1,344; 365), wo er als *propraetor* bis 186 blieb und im Kampf gegen die Lusitanier starb (Liv. 39,21,1–3).

[3] A., C., Volkstribun 197 v. Chr.; er oder A. [6] war Urheber eines Gesetzes zur Koloniegründung an der ital. Küste (Liv. 32,29,3 f.); wohl *praetor* 195 [1. 225] Vgl. auch A. [6].

[4] A., M., *praef.* in Thurii 212 v. Chr. (Liv. 25,15,7–17).

[5] A., M., *praef. socium*, kämpfte 194 v. Chr. in Gallien (Liv. 34,47,2).

[6] A. Labeo, C. war als Volkstribun 196 v. Chr. möglicherweise Urheber einer *lex Atinia de usucapione* gegen die Ersitzung von gestohlenen Sachen [2; 3. 284 f., 420]; wahrscheinlich *praetor* 190 in Sicilia (Liv. 37,2,8). Vgl. auch A. [3].

[7] C. A. Labeo Macerio, Volkstribun 130 v. Chr., sollte von den *censores* nicht in den Senat aufgenommen werden und wollte daraufhin den *censor* Q. → Caecilius [I 27] Metellus Macedonicus vom Tarpeischen Felsen stürzen (Cic. dom. 123; Liv. per. 59; Plin. nat. 7,143). Er ist wohl identisch mit dem für 122/1 bezeugten Statthalter von Asia [4. 6–12].

1 J. BRISCOE, A Commentary on Livy Books 31–33, 1973
2 E. BERGER, s. v. lex Atinia, RE 12, 2331–2335
3 WIEACKER, RRG 284 f. 4 G. STUMPF, Numismatische Studien zur Chronologie der röm. Stthalter in Kleinasien, 1991.   K.-L. E.

Atintanes, Atintanoi (Ἀτιντᾶνες, Ἀτιντανοί). Die Lokalisierung ist wegen widersprüchlicher Angaben ant. Autoren umstritten: nach App. Ill. 7 ein illyr., nach Strab. 7,7,8; Skyl. 26 ein epeirotischer Stamm. [1] identifiziert daher zwei Stämme: die A.noi östl. von Epidamnos (Polyain. 4,11), 229 v. Chr. im Bündnis mit Rom (Pol. 7,9), nach 205 zu Makedonien gehörig (Liv. 27,30; 45,30; Steph. Byz. s. v. Ἀκαρνανία); die A.nes dagegen nordwestl. der epeirotischen Molossoi (Thuk. 2,80). [2] u. a. erkennen nur einen illyr. Stamm am → Aoos.

1 N. G. L. HAMMOND, The Illyrian Atintani, the Epirotic Atintanes and the Roman protectorate, in: JRS 79, 1989, 11–25 2 M. B. HATZOPOULOS, Le problème des Atintanes et le peuplement de la vallée de l'Aoos, in: P. CABANES (Hrsg.), L'Illyrie méridionale et l'Epire dans l'antiquité 2, 1993, 183–190.   D. S.

Atius Navius s. Navius

Atlantis s. Okeanos

Atlas (Ἄτλας).

[1] Name des nordwestafrikan. tertiären Faltengebirgs-systems. Von den beiden mittelmeerischen Küstenge-birgen des Rif-A. und des Tell-A. zweigt in Marokko der Mittlere A. ab; im Süden erhebt sich der Hohe A., an den sich östl. der Sahara-A. anschließt. Der sich südl. des Hohen A. erstreckende Anti-A. gehört nicht zum tertiären Faltengebirgssystem des A.; Rif-A., Mittlerer A. und Hoher A. umschließen die marokkanische Me-seta. Zw. dem Tell-A. und dem Sahara-A. liegt das Hochland der Schotts. – Hanno, peripl. 7 (GGM I 6) kennt den A., ohne ihn namentlich zu nennen. Hdt. 4,184,3 f. vermischt in seiner Beschreibung Geogr. und Mythologisches. Strab. 17,3,2 (anders jedoch 17,3,5 f.) läßt ihn sich von Κώτεις bis zu den Σύρτεις erstrecken. Plinius d. Ä. (nat. 5,5–7, 11–16 und 6,199 [Pol.]) sam-melt die Belege für den A., wobei er bes. die Arbeiten des → Iuba von Mauretanien heranzieht. Ptolemaios (4,1,1; 2; 4) spricht von ihm mit Irrtümern (vgl. außer-dem Diod. 3,60,1; Mela 3,101; Max. Tyr. 2,7). Nach Strab. 17,3,2 nannten die Einheimischen den A. Δύρις (Plin. nat. 5,13: Diris; Sol. 24,15: Addiris). Noch h. heißt *adrar* im Berberischen »Gebirge«.

J. DESANGES, J. RISER, s. v. A., EB, 1013–1026 · J. DESPOIS, R. RAYNAL, Géographie de l'Afrique du Nord-Ouest, 1967 · K. WERNICKE, s. v. A. 3), RE 2, 2119–2133.   W. HU.

[2] Mythischer Riese, Sohn des Titanen Iapetos und der Okeanostochter Klymene (Hes. theog. 507 ff.) oder Asia (Apollod. 1,8), Bruder des Prometheus. Wo sich Tag und Nacht begegnen, steht er an den Grenzen der Erde bei den Hesperiden im Westen (Hes. theog. 517–519; 746–749) oder bei den Hyperboreern im Norden (Apollod. 2,113) und trägt den Himmel auf Kopf und Händen (Hes. theog. 519), auf der Schulter (Aischyl. Prom. 348–350) oder auf dem Nacken (Eur. Ion. 1 ff.). A. ist die Last zur Strafe für die Teilnahme am Titanen-aufstand oder an der Zerstückelung des Dionysos aufer-legt worden (Aischyl. Prom. 347 ff.; 427). Vergeblich versucht A. seine Last für immer dem → Herakles auf-zuladen (Pherekyd. FGrH 3 F 16; 17). Hesperiden, Pleia-den und Hyaden gelten als Töchter des A., durch die er Stammvater vieler sterblicher Herrschergeschlechter ist. Nach anderer Version einst reicher König, der durch → Perseus' Medusenhaupt in Stein verwandelt wurde und seitdem als hoher Berg sichtbar ist (Diod. 3,60; Lu-can. 9,654 f.; Verg. Aen. 4,245 ff.; Ov. met. 4,631 ff.). Oder aber Schöpfer der ersten Himmelskugel, Mathe-matiker und Philosoph, von dem etwa → Hesiod ab-stammen sollte.
→ Dionysos; Hesperiden; Pleiaden

A. FURTWÄNGLER, s. v. A., Myth. Lex. 1, 704–11 · B. DE GRIÑO, R. OLMOS/J. ARCE, L. J. BALMASEDA, s. v. A., LIMC 3.1, 2–16 · A. LESKY, Hethitische Texte und griech. Mythos, in: AAWW, 9, 1950, 148–159 = Ders., Gesammelte Schriften, 1966, 356–371, bes. 363 ff. · J. RAMIN, A. et l'A., in: ABPO 84, 1977, 531–39 · K. WERNICKE, s. v. A., RE 2, 2118–2133.   T. S.

Atomismus. Nachdem die eleatische Schule die Mög-lichkeit einer kohärenten Darstellung der Alltagserfah-rung abgelehnt hatte, legten → Leukippos und → De-mokritos (2. H. des 5. Jh. v. Chr.) als Antwort eine Lehre vor, nach der die Welt aus zwei unveränderlichen Prin-zipien besteht: den nicht weiter teilbaren (ἄτομα, *átoma*) Körpern und dem Leeren (κενόν, *kenón*). Später wurde diese Darstellung von → Epikuros (342/1–270/1) und seiner Schule aufgenommen, modifiziert und vertei-digt.

Auch wenn der A. seine Bezeichnung nach dem er-sten der beiden Prinzipien erh. hat, sind beide für ihn konstitutiv. Es gab weitere Philosophen, die eine Lehre von unteilbaren Größen (ἄτομα μεγέθη) vorschlugen. Sie werden normalerweise nicht zu den Atomisten ge-zählt (vgl. [1] zu Platon und Herakleides Pontikos' ἄναρμοι ὄγκοι). Diesem zweiten, im weiteren Sinne verstandenen A. kann man das Prinzip der unbegrenzten Teilbarkeit gegenüberstellen, das, wie Aristoteles be-tont, das Herzstück der griech. Geometrie ist. Zu den antiatomistischen Philosophen gehören Anaxagoras, Aristoteles und seine Schule (vgl. jedoch Stratons inter-essante Stellungnahme zum Leeren [2. 58–69]) und die Stoiker (auch wenn diese die Existenz eines extrakos-mischen Leeren zugeben, ist der stoische Kosmos ein *plenum*).

Das Leere hat im A. eine zweifache Funktion. Zu-nächst ist es eine »negative Substanz« (μὴ ὄν). Als Ge-genteil von körperlichem Sein trennt es die Atome. Atome sind also vollkommen fest und kompakt, weil sie kein Leeres enthalten. Die Komplementarität dieser beiden Prinzipien ist jedoch nicht vollkommen. Wäh-rend Atome zahlreich sind, ist das Leere immer singulär, d. h. das Leere ist eine einzige Entität, deren Kontinuität von den Körpern, die sie enthält, nicht unterbrochen wird. Darin besteht die zweite Aufgabe des Leeren: Es kann die festen Körper in sich aufnehmen und somit den »Raum« oder den »Platz« für Bewegung bieten (vgl. [2; 3. 44–58]).

Der frühe A. war eine durchaus reduktionistische Philos. der Natur: Danach besaßen die Atome nur Ge-stalt, und die verschiedenen Anordnungen dieser Ge-stalten im Leeren – dem einzigen, das wirklich (ἐτεῇ) existiert – bringen dann die mannigfaltigen Phänomene hervor, die nur aufgrund von Konvention existieren (νόμῳ, vgl. 68 B 9 = B 125 DK).

Epikur erweiterte diese Behauptungen später erhe-blich; anstatt die Eigenschaften der Phänomene zu eli-minieren, schlug er einen Kausalnexus zwischen diesen und den entsprechenden Atomkonfigurationen vor. Diese Änderung hatte zwei Konsequenzen. Zunächst konnte Epikur auf diese Weise seine Epistemologie von skeptischen Zügen befreien und behaupten, daß die Wahrnehmungseindrücke wahr seien [4]. Darüber hin-aus scheint er bereit gewesen zu sein, rückläufige Kausalverbindungen der Eigenschaften der Phänomene, insbesondere zwischen Geist und Atomkonfigurationen, einzuräumen, um Raum für eine effiziente Ausübung der menschlichen Willensfreiheit zu schaffen [5].

Im 6. Buch der ›Physik‹ kritisiert Aristoteles den A. mit dem Argument, daß, wenn Körper aus Atomen bestehen, dann auch Raum, Zeit und Bewegung eine atomistische Struktur haben müßten. Spätere Atomisten (→ Diodoros Kronos, Epikur) akzeptierten dieses Argument und wiesen allen Größen eine granulare Struktur zu (s. [6; 1]; die aristotelische Argumentation wurde vermutlich von Straton zurückgewiesen, s. [7.377–379]. Epikurs Revision des A. führte zur Einführung von nicht weiter teilbaren *minima*, den kleinsten vorstellbaren Teilen der Materie. Diese sind vom Atom nicht zu trennen, welches eine unteilbare Entität bleibt und eine begrenzte Zahl von diesen kleinsten Teilen umfaßt.

→ PHILOSOPHIE; PHILOSOPHIEGESCHICHTE

1 H. J. KRÄMER, Platonismus und hell. Philos., 1971 2 D. SEDLEY, Two conceptions of vacuum, in: Phronesis 27, 1982 3 K. ALGRA, Concepts of space in Greek thought, 1995 4 D. FURLEY, Democritus and Epicurus on sensible qualities, in: J. BRUNSCHWIG, M. C. NUSSBAUM (Hrsg.), Passions and perceptions, 1993, 72–74 5 D. SEDLEY, Epicurus' refutation of determinism, in: ΣΥΖΗΤΗΣΙΣ, 1983, 11–51 6 D. FURLEY, Two studies in the Greek atomists, 1967 7 R. SORABJI, Time, creation and the continuum, 1983.

FR. JÜRSS, R. MÜLLER, E. G. SCHMIDT (Hrsg.), Griech. Atomisten. 1973 · C. BAILEY, The Greek atomists and Epicurus, 1928. I. B./T. H.

Atomisten, s. Demokritos, Leukippos

Aton. Vor der Amarnazeit bezeichnete A. die Sonnenscheibe als Himmelskörper bzw. als Sitz des Sonnengottes. → Amenophis [4] IV. (1364–1346 v. Chr.) ließ einen ausführlichen neuen Namen des A. in Königsringe schreiben und gründete → Amarna als alleinige Kultstätte für A. Die frühe Ikonographie der Amarnazeit kannte noch die traditionelle Darstellung des A. als falkenköpfigen Mann mit Sonnenscheibe. Bis zum E. der Amarnazeit war ausschließlich die Darstellung als Sonnenscheibe in Gebrauch, mit ausfächernden Strahlen, die in menschlichen Händen enden; an der Scheibe hängt ein (apotropäischer?) Uräus. Opferdarstellungen zeigen Amenophis IV. als Hohenpriester, dem die Königin und die Prinzessinnen assistieren; beim Opfer anwesende Untertanen huldigen dem König, nicht dem Gott. Ideologisch diente der A.-Kult wohl zur Sicherung der absolutistischen Herrschaft Amenophis' IV., der als alleiniger Mittler zw. seinen Untertanen und A. als Weltschöpfer auftrat; dem gleichen Zweck dürfte auch der von Amenophis IV. eingeführte atonistische Jenseitsglaube gedient haben. Der A.-Kult wird oft als Heno- oder Monotheismus gedeutet. Allerdings zielte die Verfolgung anderer Gottheiten in erster Linie auf die Trias von → Thebai mit dem Gott → Amun an der Spitze. Populär geworden ist Freuds Deutung der A.-Religion als Vorbild des biblischen Monotheismus [1].

1 S. FREUD, Wenn Moses ein Ägypter war ..., in: Imago 23, 1937, 387–419.

E. HORNUNG, Echnaton, 1995. R. K.

Atossa (Ἀτόσσα, altpers. *Utau/ā).

[1] Tochter Kyros' II., nacheinander mit ihren Brüdern Kambyses und Bardiya [1], dann Dareios II. verheiratet (Hdt. 3,88). Mutter von vier Dareios-Söhnen, u. a. → Masistes und → Xerxes. Ihr Name ist nur in griech. Quellen bezeugt. Weder Aischyl. Pers. (dort nicht namentlich gen., sondern nur als Königsmutter bezeichnet) noch Hdt. 7,2–3 beweisen, daß sie Dareios überlebte. Wann ihr Sohn Xerxes zum Thronfolger bestimmt wurde, ist ungewiß. Ihre einflußreiche Stellung am Hof (Hdt. 7,3) war Folge, nicht Ursache seiner Ernennung.

[2] Gattin des Pharnakes und Ahnfrau des kappadok. Königshauses; angeblich Schwester Kyros' II. (Diod. 31,19,1).

[3] Laut Plut. (Artoxerxes 23,27) Tochter und Frau Artaxerxes' II.

R. SCHMITT, EncIr 3, 13–14 · H. SANCISI-WEERDENBURG, Exit Atossa, in: A. CAMERON, A. KUHRT (Hrsg.), Images of Women in Antiquity, 1983, 32 ff. · M. BROSIUS, Women in Ancient Persia (559–331 BC) 1996, 48–51, 107–109.
A. KU. u. H. S.-W.

Atrahasis (»der überaus Weise«). Protagonist einer akkad. mythischen Dichtung aus altbabylon. Zeit (frühes 2. Jt. v. Chr.), von der es zwei oder drei voneinander abweichende Fassungen gab. Der Mythos wurde in Babylonien und Assyrien bis ins 1. Jt. v. Chr. hinein tradiert. Eine jüngere Version entstand in neuassyr. Zeit (7. Jh. v. Chr.). Textvertreter aus → Ugarit und → Hattuša bezeugen die Verbreitung des Mythos im 2. Jt. v. Chr. auch außerhalb Mesopotamiens. Er behandelt die Erschaffung des Menschen aus Lehm sowie dem Fleisch und Blut eines geschlachteten Gottes, damit die Menschen die zuvor von den niederen Göttern geleistete Fron übernehmen sollen. Gestört durch das Lärmen der zahlreich gewordenen Menschen versuchen die Götter, die Menschheit durch Plagen zu dezimieren. Da dies durch das von Gott Enki begünstigte Wirken des A. mißlingt, soll schließlich eine Sintflut (→ Sintflutsage) zur Vernichtung der Menschheit führen. Allein A. mit seiner Familie, seiner Habe und zahlreichen Tieren entgeht in einem Schiff (Arche) der Katastrophe. Der Sintflutbericht fand inhaltlich Eingang in die 11. Tafel des → Gilgamesch-Epos und bildete motivgesch. die Voraussetzung für die theologisch-ethisch umgedeutete Sintfluterzählung im AT.

→ Kosmogonie

ÜBERS.: B. R. FOSTER, Before the Muses, 1993, 158–201 · W. v. SODEN, in: TUAT 3, 1994, 612–645 (mit Lit.). H. N.

Atrans. Straßen- bzw. Post- und Zollstation, bed. Paß (563 m, h. Trojane/Slowenien) über die Hügel, die → Emona von → Celeia trennen, an der Grenze zw.

Italien und Noricum (Itin. Anton. 129,3; Itin. Hiero-solymitanum 560,9; Tab. Peut. 4,2). Name vorkelt. Posten von *beneficiarii consulares*. Funde aus röm. Zeit: Fragmente von zwei vergoldeten Pferdestatuen, Inschr., Kleinfunde, kaiserzeitliches Bauwerk (wiederhergestellte *mansio*, Heiligtum?); dokumentiert auf einem Inschr.-Fr. aus der Regierungszeit des Marcus Aurelius und des Lucius Verus.

ARHEOLOŠKA NAJDŠIČA SLOVENIJE [Archeological Sites of Slovenia], 1975, 267f.   M.Š.K.

Atratinus. Röm. Cognomen (wohl Herkunftsbezeichnung [1]) bei den Sempronii im 5./4.Jh. v.Chr. und bei M. → Asinius A. (*cos.* 89 n.Chr.).

1 KAJANTO, Cognomina, 184   K.-L.E.

Atrax (Ἄτραξ). Stadt in der thessalischen Pelasgiotis, ca. 20 km westl. von Larisa am Peneios. Besiedlung seit myk. Zeit (Scherbenfunde), Münzen seit dem 4. Jh. v.Chr. Unter maked. Herrschaft (ab 344) Festung, spielte in den Kriegen ab 198 eine bed. Rolle (Liv. 32,15,8). Seit 196 stellte A. öfter Strategen im neuen Thessalischen Bund sowie dessen Kultgesandte in Delphoi. Unter Iustinianus wurde die Befestigung der Oberstadt erneuert, die wohl bis ins 15.Jh. als Sperre der Straße Larisa-Trikala und als Signalstation diente. In der ant. Lit. wird »atrakisch« oft mit »thessalisch« gleichgesetzt. So heißt der grünliche Marmor (z.B. der monolithischen Säulen der Hagia Sophia in Konstantinopolis) atrakisch, obwohl er ca. 15 km nordöstl. von Larisa gebrochen wurde. Die gut erh. Ruinen von A. fielen Ende der 1960er Jahre der Flurbereinigung zum Opfer.

H. KRAMOLISCH, Die Strategen des Thessalischen Bundes, 1978 · T.S. MCKAY, Αἱ πόλεις τῆς Θεσσαλίας, in: Θεσσαλικό Ημερολόγιο 17, 1990, 8f. · V. MILOJČIĆ, (Begehung), in: AA 1960, 170f. · E. OBERHUMMER, s.v. A. I, RE 2, 2137 (lit. Belege) · D. THEOCHARIS, (Fundbericht), in: Arch. Deltion 21, 1966, chr. 246f. · TIB I, 129.
         HE.KR.

Atrebates
[1] Volk in Gallia Belgica, Region Artois (Ptol. 2,9,4; Strab. 4,3,5), siedelte im Einzugsbereich der Scarpe, vornehmlich in der Gegend um Nemetacum. Nach ihrer Unterwerfung zusammen mit den benachbarten Nervii (im Osten) und den Viromandui (im Südosten) durch Caesar 57 v.Chr. (Caes. Gall. 2,4,9; 16,2f.; 23,1) standen die A. in einem freundschaftlichen Verhältnis zu Rom. Ihr König → Commius bekam die Oberhoheit über die Morini (im Norden bzw. Nordwesten) und wurde mit einer diplomatischen Mission zu den nach Britannien ausgewanderten → A. [2] (Calleva Atrebatum) betraut (Caes. Gall. 4,21,7f.). 52 v.Chr. kämpften die A. aber auf Seiten des → Vercingetorix gegen Rom (Caes. Gall. 7,76) und nahmen im folgenden J. an der Erhebung der → Bellovaci teil (Caes. Gall. 8,6).

A. DÉROLEZ, La cité des Atrébates à l'époque romaine, in: Revue du Nord 40, 1958, 505, 533.   F.SCH.

[2] Stamm im Gebiet südl. der mittleren Themse (Berkshire, Hampshire und Sussex). Ihr Name leitet sich von dem der → A. [1] in Nordgallien ab (evtl. Ergebnis späteisenzeitlicher Wanderung). → Commius, ehemals Verbündeter Caesars, übernahm ca. 51 v.Chr. die Herrschaft über die A. [1. 28]. Weitere Herrscher der A. waren Tincommius, Eppillus und Verica. Stammeszentrum war → Calleva (h. Silchester; Ptol. 2,3,12; nachmals die röm. Stadt Calleva Atrebatum [2]: Geogr. Rav. 427,17). Das Stammesgebiet wurde wohl nach 44 n.Chr. Cogidubnus zugeteilt (Tac. Agr. 14,1; CIL VII 11).

1 S.S. FRERE, Britannia, ³1987 **2** G.C. BOON, Silchester, 1974.

B. CUNLIFFE, Iron Age Communities of Britain, ³1990.
         M.TO.

Atrek. Fluß in Südturkmenien zum Kaspischen Meer (→ *Kaspia thalatta*), im späten 2. und frühen 1. Jt. v.Chr. zur Bewässerung von → Dahistan benutzt; seit seleukidischer Zeit südl. Grenze des Nomadengebietes (→ Alexanderwall).   B.B.

Atreus (Ἀτρεύς), **Atriden.** Sohn des Pelops und der Hippodameia; die Atriden sind seine Nachkommen. Bei Homer noch friedliche Herrschaftsabfolge von A. auf Thyestes und schließlich → Agamemnon (Hom. Il. 2,105ff.). Bruderstreit und Atridenfluch sind offenbar erst nachhomerisch. Nach der Ermordung des → Chrysippos, Pelops' Lieblingssohn von einer Nymphe (Hellan. FGrH 4 F 157; Hyg. fab. 85), fliehen die vom Vater verwünschten Mörder A. und Thyestes von Pisa nach Midea und Mykene (Thuk. 1,9), wo sie schließlich die Herrschaft von Eurystheus erben (Strab. 8,6,19; Apollod. 2,56). Hier beginnt nach der Alkmaionis (PEG fr. 7) der Bruderstreit um die Macht. Anlaß ist das von Hermes dem A. gesandte goldene Lamm. Der Gott zürnt den Pelopssöhnen, deren Vater schuld am Tod des Hermessprößlings → Myrtilos ist (Eur. Or. 990). A. hat das Lamm der Artemis zu opfern versprochen, verbirgt es jedoch, weil er es als Herrschaftsunterpfand versteht (Apollod. epit. 2,11f.; schol. Eur. Or. 811). Thyestes verführt seine Schwägerin Aerope zum Ehebruch und stiehlt mit ihrer Hilfe das Herrschaftszeichen (Eur. El. 699ff.; Apollod. epit. 2,10–12). Als nun A. vertrieben werden soll (schol. Eur. Or. 811), ändern die Gestirne ihren Lauf (Eur. El. 726ff.; Iph. T. 816; Or. 1002), und er wird wiedereingesetzt. Jedoch hat A. den Zorn der Artemis auf sich geladen, die seinem Sohn Agamemnon später die Windstille in Aulis schicken wird (Apollod. epit. 3,21). Der vertriebene Thyestes sendet A. einen gedungenen Mörder, Pleisthenes, den er erzogen hat, der aber eigentlich A.' eigener Sohn ist (Hyg. fab. 86). Ihn läßt A. beim Scheitern des Anschlags, ohne seine Identität zu kennen, töten. A. nimmt nun Rache an seinem Bruder, der freiwillig (Aischyl. Ag. 1587) oder von ihm gelockt zurückkehrt (Sen. Thy. 297; Hyg. fab. 88), indem er ihm beim Wiedersehensmahl dessen eigene Kinder vorsetzt (Aischyl. Ag. 1502; 1590ff.; Hyg. fab. 88). Die Gestirne kehren ihren Lauf bei diesem Frevel um und Thyestes verflucht den Bruder (Aischyl. Ag. 1597ff.; 1219ff.). Die Ehebrecherin Aerope wird ins Meer geworfen (Soph. Ai. 1297). Nach Hyg. fab. 88 flieht Thyestes und schwängert nach einem Spruch des thesprotischen Totenorakels nun seine Tochter Pelopia in Sikyon (Plat. leg. 8. p. 838c): in → Aigisthos wird so ein Rächer erzeugt (Dion Chrys. 66,6). A. heiratet Pelopia, ohne um ihre Abkunft zu wissen und erzieht Aigisthos als eigenen Sohn. Agamemnon und Menelaos, die Söhne des A. aus der Ehe mit der Kreterin Aerope bzw. seine Stiefsöhne, dessen leibliche Eltern Kleola und Pleisthenes heißen (Aerope und Pleisthenes nach Apollod. 3,15), spüren im Auftrag des A. Thyestes auf und ergreifen ihn in Delphi. A. befiehlt Aigisthos, Thyestes zu töten, Vater und Sohn erkennen jedoch einander. Darauf begeht Pelopia Selbstmord mit dem Schwert des Thyestes, Aigisthos tötet seinen Stiefvater A. mit derselben Waffe und gelangt so mit seinem leiblichen Vater Thyestes zur Herrschaft in Mykene (Hyg. fab. 87; 88). Von Agamemnon, den Tyndareos von Sparta unterstützt, werden die beiden jedoch wieder vertrieben (Aischyl. Ag. 1605); dem zweiten Atriden → Menelaos hinterläßt Tyndareos die Herrschaft in Sparta (Apollod. 3,132; Hyg. fab. 78) und gibt ihm Helena zur Frau, deren Entführung schließlich den Trojanischen Krieg auslöst. A. galt nach Vell. (1,8,2) als Urheber der olympischen Spiele, die er als Leichenspiele für seinen Vater Pelops begründet hatte. Sein Grab zeigte man in Mykene (Paus. 2,16,6), in Tarent wurden den Nachkommen des A. jährliche Opfer dargebracht, von denen Frauen ausgeschlossen waren (Aristot. mir. 106).

→ Eurystheus; Pelops; Tyndareos

J. BOARDMAN, s. v. A., LIMC 3.1, 17–18 · J. ESCHER, s. v. A., RE 2, 2139–2144 · A. FURTWÄNGLER, s. v. A., Myth. Lex. 1, 712–715 · A. LESKY, Die griech. Pelopidendramen und Senecas Thyestes, in: WS 43, 1922/3, 172–198 = Ders., Gesammelte Schriften, 1966, 519–540 · A. NESCHKE, L'Orestie de Stésichore et la tradition littéraire du mythe des Atrides avant Eschyle, in: AC 55, 1986, 283–301. T. S.

Atria. Stadt in Venetia zw. der Po- und Adige-Mündung, h. ca. 25 km vom Meer entfernt, in ant. Zeit einer der wichtigsten Häfen an der Adria (daher der Name A.: Strab. 5,1,8), bes. für den Import griech. und oriental. Produkte; aber schon zu Strabons (ebenda) Zeit durch einen 12 km langen Kanal mit dem Meer verbunden (FGrH 1 Hekat. fr. 90: Ἀδρία; Iust. 20,1,9: *Adria, graeca urbs;* Strab. 5,1,8; Ptol. 3,1,26: Ἀτρία; Liv. 5,33,8: *Tuscorum colonia;* CIL V 2352; 6, XIII 7010; AE 1956, 33). 131 v. Chr. an die Via Annia (Aquileia-Bononia) angeschlossen (CIL V 1008a, 7992; AE 1979, 256–257) und

über die Via Popilia mit Ariminum verbunden (CIL I² 637). *Ius Latii* wohl seit 89 v. Chr., seit 49/41 v. Chr. *municipium* der *tribus Camilia* (CIL V 2394) [1]. Vom *municipium* (CIL V 2315, 2343) sind *ordo decurionum* (CIL V 2314), *collegium nautarum* (CIL V 2315), *curator rei publicae* (AE 1956, 33) und *IVviri i(ure) d(icundo) qu[inq(uennales)]* bekannt.

B. FORLATI TAMARO, in: Epigraphica 18, 1956, 50 mit Anm. · E. BUCHI, I quattuorviri iure dicundo di Adria e il culto del dio Nettuno, in: Epigraphica, 46, 1984, 65–89. E. BU.

Atrium. 1. Zentraler Raum im altital. und röm. Haus, mit seitlichen *cubicula* (Schlafgemächer) und rückwärtigem, von den türlosen → *alae* flankiertem *tablinum* (Vorbau). Frühformen des A. sind in etr. Kammergräbern (Cerveteri) nachgebildet, die ältesten Belege in der Hausarchitektur E. des 6. Jh. v. Chr. in Rom (Palatin) und im etr. Marzabotto. Das frühröm. *a.* diente als Empfangsraum für die Klientel, die der Patron im *solium* sitzend empfing. Im zentralen → *impluvium* mit → Zisterne wurde das Regenwasser gesammelt. Vitruv (6,3,1 ff.) unterscheidet fünf Typen, das *a. testudinatum* und das *a. displuviatum* mit regenabweisender Bedachung, davon letzteres mit Lichtöffnung; die übrigen *a.* mit trichterförmiger Dachkonstruktion (→ *compluvium*), beim *a. tuscanicum* freischwebend, beim *a. tetrastylon* und *a. corinthium* von vier bzw. mehreren Säulen getragen. Nachbildungen für die ersten beiden *a.* in spätetr. Kammergräbern (Perugia, Tarquinia), Beispiele für die *a.* mit *compluvium* bes. in Pompeii und Herculaneum. F. PR.

2. Von Säulenhallen umgebener, meist annähernd quadratischer Hof altchristl. und romanischer Kirchen, im Westen vor dem Eingang gelegen. Das *a.* war Unterstand und Empfangsraum für die Gläubigen, z. T. auch Begräbnisplatz, oft mit fließendem Wasser ausgestattet. C. HÖ.

F. PRAYON, Frühetr. Grab- und Hausarchitektur, 1975, 156–160 · M. CRISTOFANI (Hrsg.), La grande Roma dei Tarquini, Ausstellungs-Kat. Rom 1990, 97–99 · E. M. EVANS, The Atrium Complex in the Houses of Pompeji, 1980 · R. FÖRTSCH, Arch. Komm. zu den Villenbriefen des jüng. Plinius, 1993, 30–41 · R. KRAUTHEIMER, Early Christian and Byzantine Architecture, 1965 · A. M. SCHNEIDER, s. v. a., RAC I, 1950, 888–889.

Atrium Libertatis. Gebäude im Nordosten des Forum Iulium, das in der Republik als Amtsort der → Censoren, Aufbewahrungsort ihrer Dokumente sowie verschiedener Gesetzestexte diente (Liv. 43,16,13; 45,15,5); in Ausnahmefällen auch Tagungsort des Senats. Von der nahegelegenen Porta Fontinalis wurde 193 v. Chr. eine Porticus zum Altar des Mars auf dem → Campus Martius errichtet, wo man den Census abhielt (Liv. 35,10,12). Erweitert im Jahr 194 v. Chr. (Liv. 34,44,5), wurde das A. in aufwendiger Form neu erbaut von Asinius Pollio (Suet. Aug. 29,5), der ihm die erste öffentliche → Bibliothek Roms einschließlich einer

Porträtgalerie von Dichtern (Plin. nat. 7,115) sowie eine große Skulpturensammlung (Plin. nat. 36,23–25; 36,33–34) hinzufügte.

RICHARDSON, 41 · F. COARELLI, LTUR 1, 133–135.   R.F.

Atrium Vestae. Der Begriff bezieht sich auf das stadtröm. Gebiet zwischen der Sacra Via und Nova Via, südl. und östl. des Vesta-Tempels, und nicht allein auf den Wohnort der vestalischen Jungfrauen (Plin. epist. 7,19,2; Gell. 1,12,9; Serv. Aen. 7,153f.). Frühe Baureste, wahrscheinlich von kleinen Hütten aus dem 7. und 6. Jh. v. Chr., sind möglicherweise mit einem Votivdepot an die Ves(tai) aus der 2. H. des 6. Jh. verbunden. Ende des 3. Jh. v. Chr. kam es zu einer klaren Trennung zwischen A. V. und Domus Publica im Osten durch eine Mauer. Im 2. und 1. Jh. v. Chr. lag auf dem Gebiet des späteren Baus ein offener, auf allen Seiten von Gebäuden gerahmter Bezirk. Die Nordseite wurde zurückgenommen, um sie einer stärker rechteckigen Ausrichtung des → Forum Romanum anzupassen, der verlorene Raum durch Anbauten im Westen und Osten ergänzt. Nach Osten bildete eine Marmor- und Travertinportikus die Grenze zur Domus Publica. 12 v. Chr. schenkte Augustus die Domus Publica der Vesta und den Vestalinnen, so daß eine neue Ostgrenze entstand, die möglicherweise vom späteren kaiserzeitlichen Gebäude ganz ausgenutzt wurde. Das heute noch stehende, große Gebäude wird nach Ziegelstempeln in traianische Zeit datiert; es entstand unter Einbeziehung früherer Bauabschnitte aus domitianischer Zeit im Osten des Gebietes (die ihrerseits nach dem Brand 64 n. Chr. notwendig geworden sein dürften). In hadrianischer Zeit wurden kleinere Ergänzungen vorgenommen. Der wohl nicht severische, sondern doch eher traianische Westflügel war, wie in der späten Republik, durch Zugänge eng mit dem Vesta-Tempel verbunden. Das übrige Gebäude sieht einem Vereinshaus ähnlicher als einem Atrium, und auch die Weihungen an Vesta, die Vestalinnen und an verschiedene Kaiser zeigen ein breites Spektrum an Berufskorporationen (CIL VI, 32413, 32418, 32419, 32423, 32445, 31222). Für das 3.–4. Jh. sind besonders die Statuen der Vestalinnen mit Ehreninschriften bedeutsam (CIL VI 501; 32409–32428).

RICHARDSON, 42–44 · R. T. SCOTT s. v. A., LTUR 1, 138–142.   R.F.

Atropatene s. Media Atropatene

Atropates (Ἀτροπάτης). Medischer Dynast und Satrap Dareios', kämpfte bei → Gaugamela und begleitete ihn auf der Flucht. Nach Dareios' Tod schloß er sich → Alexandros [4] an und bekam seine Satrapie zurück. Einen besiegten medischen Thronprätendenten führte er 324 v. Chr. dem König zu. Zur Belohnung wurde seine Tochter bei den Hochzeiten von Susa mit → Perdikkas vermählt. Er soll Alexandros 100 → Amazonen

geschenkt haben (Arr. an. 7,13). Perdikkas wies ihm 323 die Satrapie von Westmedien zu, wo er sich als Herrscher festsetzte. Das Land (Atropatene, h. Aserbaidschan) verewigt seinen Namen.

BERVE 2, Nr. 180.   E.B.

Atropos s. Moira

Attagen s. Haselhuhn

Attaleia (Ἀττάλεια).

[1] Das h. Antalya; auf einem Felsrücken an der Küste von → Pamphylia um 150 v. Chr. von → Attalos [5] II. gegr. Hafenstadt (Strab. 14,4,1), die Pompeius 48 v. Chr. auf seiner Flucht auf- suchte (Plut. Pompeius 76; vgl. Ptol. 5,5,2; Acta Apostolorum 14,25). Stadtmauerreste aus attalidischer Zeit, Hadrianstor aus Anlaß des Kaiserbesuchs 130 n. Chr., monumentales Mausoleum (Rundbau auf ku- bischem Sockel).

E. AKURGAL, Ancient Civilisations and Ruins of Turkey, 1985, 324 · K. GRAF LANCKORONSKI, Städte Pamphyliens und Pisidiens 1, 1890, 7–32.   W.MA.

[2] Stadt in der nördl. Lydia (zur → Aiolis gerechnet bei Plin. nat. 5,121; 126) am rechten Ufer des Lykos, ca. 22 km nördl. von Thyateira beim h. Selçikli (nicht bei dem näher gelegenen Gördükkale, wo eher das befestigte Fort Meteorion, A. in byz. Zeit, lag); angeblich an der Stelle eines älteren Orts Ἀγρόειρα (Agróeira) oder Ἀλλόειρα (Allóeira; Steph. Byz.) von Eumenes I. gegr. (Söldnervertrag OGIS 266), vermutlich 262 v. Chr. nach seinem Sieg über Antiochos I. bei Sardeis (Strab. 13,4,2), nach seinem Großvater Attalos benannt. Im folgenden Hellenisierung; für die röm. Zeit sind als städtische Institutionen Rat und Volksversammlung nachgewiesen (IGR IV, 1167, 1168c).

Reisekarte Türkiye-Türkei, Türk. Verteidigungsministerium, 1994, Blatt 2 · TH. BÜRCHNER, s. v. A., RE 2,2, 2155 · C. Foss, Sites and Strongholds of Northern Lydia, in: Anatolian Studies 37, 1987, 81 ff., bes. 94–99 · J. KEIL, A. v. PREMERSTEIN, Ber. über eine 2. Reise in Lydien, in: Denkschriften der AWW 53, 1908, 60 f. · MAGIE 2, 733 f., 951, 980 · G. RADET, La Lydie au temps des Mermnades, 1892, 319 ff.   H. KA.

[3] Ortschaft in Mysia (Attalia in den röm. Itineraria; Ἄττεα, Attea bei Strab. 13,1,51, ein kleinasiatischer Name), auch mit → Atarneus identifiziert, vermutlich Hafen von Pergamon (29 km östl.) beim h. Dikili. Tatsächlich liegt Atarneus (h. Agilkale) im Norden von Dikili und wiederum nördl. von Attea (h. Seyitler). Die Existenz eines ant. A. (statt Attea) im h. Dikili bleibt fraglich.

H. KIEPERT, Formae Orbis Antiqui 9 · TH. BÜRCHNER, s. v. Attaia 1)–2), RE 2, 2154 f. · MILLER, 699, Skizze Nr. 228 f. · W. M. CALDER, G. E. BEAN, A Classical Map of Asia Minor, 1958 · L. ZGUSTA, Kleinasiat. Personennamen, 1964, 108.   H. KA.

Attaliden s. Attalos (Abb.)

Attalis s. Attalos [4] I. von Pergamon

Attalos/-us (Ἄτταλος).
[1] Freund → Philippos', der ihn für eine Pausanias zugefügte Beleidigung nicht bestrafte. Bei der Hochzeit seiner Nichte Kleopatra (II.) mit Philippos (337 v. Chr.) spielte er auf → Alexandros [4] d. Gr. als einen *nothos* (illegitimen Sohn) an und wurde von ihm angegriffen, worauf Alexandros und Olympias verbannt wurden (Plut. Alex. 9 u. a.). Mit seinem Schwiegervater (Curt. 6,9,18) Parmenion befehligte er die Invasionsarmee in Asien. Nach Philippos' Tod ließ ihn Alexandros ermorden, obwohl er seine Loyalität bewiesen hatte (Diod. 17,5,1).

E. BADIAN, The death of Philip II., in: Phoenix 17, 1963, 244–50 · HECKEL, 4 f.   E. B.

[2] Sohn des Andromenes, mit seinen Brüdern (→ Amyntas [6]) in die Anklage gegen seinen Freund → Philotas, Sohn des Parmenion, verwickelt, doch ließ → Alexandros [4] d. Gr. sie freisprechen. Nach Amyntas' Tod übernahm A. dessen Kommando und nahm an den Feldzügen in Ostiran und Indien teil. 325 v. Chr. marschierte er unter Krateros' Kommando von Indien nach Karmania. Vor Alexandros' Tod befragte er → Sarapis über Alexandros' Krankheit. Nach dessen Tod heiratete er eine Schwester → Perdikkas' und diente unter ihm, zuletzt als Admiral. Nach der Ermordung von Perdikkas und seiner Schwester sammelte er dessen treue Truppen, schloß sich → Alketas [4] an und wurde von → Antigonos [1] geschlagen und in einer Festung interniert. Er starb 317, vielleicht bei einem Versuch, aus der Festung auszubrechen.

BERVE 2, Nr. 181 · HECKEL, 180 ff., 381 ff.   E. B.

[3] A. wurde von seinem Onkel Philetairos adoptiert und 270 v. Chr. mit Achaios' [4] Tochter Antiochis verheiratet; beider Sohn war A. I. A. scheint vor seinem Adoptivvater gestorben zu sein (FdD 3,1, 1929, 432; Strab. 13,4,624).
[4] **A. I.**, Sohn des A. [3], erhielt 28jährig nach dem Tod seines Vetters (?) Eumenes I. 241 die Herrschaft über Pergamon und übte sie bis zu seinem Tod 197 aus (Pol. 18,41,8; Strab. 13,4,624). A. verweigerte die von Eumenes gezahlten Tribute den Galatern und schlug diese unweit Pergamon. Das war der Beginn einer von allen Attaliden betriebenen Politik und einer dynastischen Selbstdarstellung als Beschützer der Griechen und ihrer Kultur gegen sie bedrohende »Barbaren« [2. 576; 5. pass.]. Damit ging auch eine Förderung der Städte einher [4]. Bereits A. ließ diese Politik sowohl direkt als auch allegorisch in vielen Kunstwerken in Pergamon, Athen und Delphi darstellen (SIG 523; Paus. 1,25,2). Bruderzwist im Seleukidenhaus ausnutzend, vertrieb A. Antiochos Hierax aus Kleinasien (Chronologie?) und beherrschte dieses um 227 bis zum Tauros.

A.' Erfolg über die Galater oder wohl eher sein erster Sieg über Hierax war für ihn Anlaß, den Beinamen »Soter« anzunehmen, als Zeichen der Unabhängigkeit den Kopf des dynastischen Ahnherren → Philetairos auf die pergamenischen Münzen zu setzen und sich den Königstitel mit Zählung der Regierungsjahre ab 241 beizulegen (WILL 1, 298; Pol. 18,41,7; Liv. 33,21,3; 38,16,14; Trog. prol. 27; OGIS 273–280; Pol. 4,48,7; Iust. 27,3,6). Seleukos III. und Achaios [5] warfen A. auf das Gebiet von Pergamon zurück, doch glich A. die Verluste teilweise aus, indem er mit kelt. (!) Söldnern Griechenstädte an der (Nord-)Westküste Kleinasiens annektierte. Seit 216 war er mit Antiochos [5] III. gegen Achaios verbündet (Pol. 4,48; 5,77–78; 107,4; 111). Seit 211 wandte sich A. der Westseite der Ägäis zu. Er knüpfte panhellenisch gedachte Allianzen gegen Monarchen, die Griechen unterjochten [5. 92 ff.]. A.' Bündnis mit den Aitolern – nicht mit den Römern (WILL 2, 98) – in deren Kampf gegen Philipp V. brachte ihm die Insel Aigina ein; 209 wurde er Ehrenstratege des Aitolischen Bundes und eroberte Oreos auf Euboia (OGIS 281; Pol. 22,8,10; Liv. 27,29,10). Nach einer Niederlage kehrte A. in das vom bithynischen König Prusias I. bedrohte Pergamon zurück. Frieden zwischen beiden Herrschern kam 205 zustande durch A.' Beitritt zum Frieden von Phoinike auf röm. und Prusias' Beitritt auf maked. Seite (Liv. 28,7,4 ff.; 29,12,14; Cass. Dio 17,57,57 f.). Als Philipp V. 201 das pergamenische Gebiet verwüstete, bat A. nach der unentschiedenen Seeschlacht vor Chios Rom um Hilfe und veranlaßte in eigener Person die Athener, die ihn vielfältig ehrten, insbes. durch Einrichtung einer Phyle Attalis heroisierten, zum Eintritt an seiner und der Rhodier Seite in den Kampf, dem sich die Römer durch ihre Kriegserklärung alsbald anschlossen (OGIS 283; Pol. 16,1; 25 f.; Liv. 31,2,1; 15,6). Im nun folgenden 2. Maked. Krieg eroberte er Andros und die euböische Oreos und warb im eigenen Interesse – auch mit Wohltaten wie z. B. für Sikyon – Bundesgenossen, bes. 198 gegen den Achaiischen Bund und 197 gegen den spartanischen Tyrannen → Nabis (Pol. 18,16; Liv. 31,45 f.; 32,23,1; 39 f.). Als er zusammen mit dem röm. Prokonsul Flamininus 197 Boiotien für den Beitritt zu Philipps Gegnern gewinnen wollte, traf ihn mitten in einer Rede in Theben ein Schlaganfall. A. wurde nach Pergamon zurückgebracht und starb dort im Ruhm eines Helden für die Freiheit der Griechen. Seinen vier Söhnen aus seiner Ehe mit Apollonis aus Kyzikos, Eumenes II., Attalos [5] II., Philetairos und Athenaios [2], hinterließ er eine ungefährdete Herrschaft (Pol. 18,41,9 f.; 22,20; Liv. 33,1 f.; Strab. 13,4,624; Plut. mor. 480C.).

[5] **A. II., Philadelphos**, 220 v. Chr. geborener Sohn des A. [4] I., war König von Pergamon 159–138 (Strab. 13,4,624; Lukian. Makrob. 12). Zuvor unterstützte er immer wieder seinen regierenden Bruder Eumenes II. mil. und diplomatisch: 192 warnte er in Rom den Senat vor Antiochos [5] III.; im Syr. Krieg zwang er Seleukos (IV.) zum Abzug von Pergamon und trug bei Magnesia wesentlich zum Sieg der röm. Seite über Antiochos III.

Die Dynastie der Attaliden

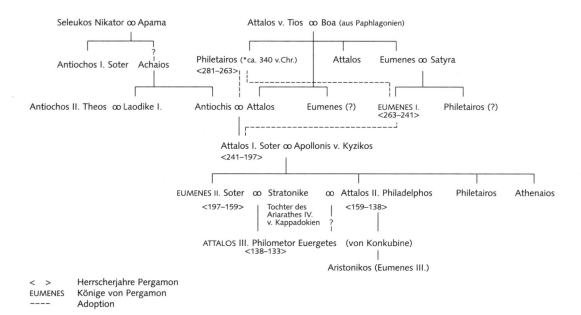

< >	Herrscherjahre Pergamon
EUMENES	Könige von Pergamon
----	Adoption

bei (190 v. Chr.). Auch im Galaterzug des Manlius Vulso 189 zeichnete er sich aus (SIG 606; Pol. 21,39,5 ff.; 43,9; Liv. 35,23,10 ff.; 37,18 f.; 43,5 ff.; 38,12,8 ff.; 23,11). Vor 183 schlug A. Prusias I. von Bithynien und die Galater; sodann kämpfte er gegen → Pharnakes von Pontos und bat 181 in Rom um Eingreifen gegen ihn (OGIS 298; Pol. 24,5; Diod. 29,22). Eumenes und A. förderten nach Seleukos' IV. Ermordung 175 die Thronfolge von dessen Bruder Antiochos [6] IV. (OGIS 248). Auf die Nachricht von Eumenes' Ermordung in Griechenland verpflichtete A. 172 die Besatzung in Pergamon auf sich und heiratete die »Witwe« Stratonike. Als wider Erwarten Eumenes lebend nach Pergamon zurückkehrte und A. Vorwürfe machte, löste dieser die Ehe und trat in seine vorige Position zurück (Liv. 42,16,8 f.; Diod. 29,34; Plut. mor. 489e-f).

Im 3. Maked. Krieg setzte sich A. einerseits für die Wiederherstellung zurückgenommener Ehrungen seines Bruders beim Achaiischen Bund ein und kämpfte andererseits, obwohl die Römer Eumenes mißtrauten, zuverlässig auf deren Seite, zuletzt in der Entscheidungsschlacht bei Pydna 168. Danach bat er die Römer, seinem Bruder gegen die Galater zu helfen (Pol. 27,18; 28,7; 12,7; Liv. 44,36,8; 45,19,1–3). Als der röm. Senat in seinem Argwohn gegen Eumenes A. gegen seinen Bruder aufwiegelte, dieser jedoch darauf nicht einging, blieb das gute Verhältnis zwischen letzterem und den Römern erhalten (Ehrungen für A. 163 und 160; Pol. 30,1 ff.; 31,1; 32,1; Liv. 45,19 f.). Als Eumenes 159 starb, wurde A. König, nach Strabon (13,4,624) jedoch nur

Vormund des neuen Königs A. III. und Reichsverweser, heiratete nun endgültig Stratonike, die Ariarathes' IV. von Kappadokien Tochter war, und führte seinen Schwager Ariarathes V. in dessen Königreich zurück (Pol. 32,22; Diod. 31,32b; Zon. 9,24). Infolge seiner langjährigen Erfahrung mit der Großmacht Rom legte A. Wert auf sichtbare Übereinstimmung mit dieser bei der von ihm fortgesetzten »attalidischen« Politik ([1. 195 f., 584, 594 ff.; 5. 177 ff.] OGIS 315,44 ff. = WELLES, 61; OGIS 327,4). Einen Krieg 156–154 gegen Prusias II. von Bithynien, der zeitweilig Pergamons Umgebung verwüstet hatte, beendete er durch röm. Intervention erfolgreich. Thronkämpfe im Seleukidenreich und in Bithynien ausnutzend, stellte er ab 158 Alexandros [II 11] gegen Demetrios I. als König auf und half 149 Nikomedes II. beim Sturz seines Vaters Prusias II. (OGIS 327; Pol. 33,12 f.; Diod. 31,32a; Liv. per. 50; Strab. 13,4,624). Wie seine Vorgänger stellte A. II. seine Dynastie und ihre prohellenische Politik durch Kunstwerke und Spenden an verschiedenen Orten heraus; zu seinen Ehren wurden in Delphi und anderwärts Spiele gefeiert und Kultgenossenschaften eingerichtet ([2. 573 f.] SIG 672; 682; OGIS 325 f.). Am »Pergamon-Altar« ließ A. zunächst weiterbauen, wegen dessen als antiröm. erkennbarer Programmatik in der Folge seiner auf Gleichklang mit Rom ausgerichteten Politik die Arbeiten jedoch vorzeitig einstellen [6].

[6] A. III., Philometor Euergetes, Sohn der kappadokischen Prinzessin Stratonike und Eumenes' II. (so mit Nachdruck [3. 16 ff.]) oder vielleicht auch des A. II., war regierender König von Pergamon 138–133. Seit 153 zog ihn A. II. zur Thronnachfolge heran: 153 wurde A. im röm. Senat und in griech. Städten vorgestellt, später an der Vergabe von Priesterstellen beteiligt (OGIS 331; Pol. 33,18). Inschr. als Kriegsheld gepriesen, galt er als Sonderling, der, statt zu regieren, die Botanik der Giftpflanzen, Gartenbau und Landwirtschaft studierte und darüber schrieb und Freunde mordete, weil er sie des Mordes an seiner Mutter und seiner Braut Berenike verdächtigte (OGIS 332,23; Varro rust. 1,1,8; Diod. 34,3; Colum. 1,1,8; Plin. nat. Autorenindices 8; 11; 14; 15; 17; 18; 18,22; Plut. Demetr. 20,3; Iust. 36,4). Als er noch jung an Jahren starb, hinterließ er, vielleicht akut von Aristonikos [4] bedroht [1. 592 ff.; 3. 121 ff.], ein Testament zugunsten des röm. Volkes; dieses erbte zwar Land und Schatz, die Stadt Pergamon jedoch hatte A. für frei erklärt (WILL 2, 418 f.). Als die Römer A.' Erbe antraten, bestätigten sie dessen und seiner Vorgänger gesamte Verfügungen (OGIS 338; 435; Liv. per. 58 f.; Strab. 13,4,624; Vell. 2,4,1; Plut. Tib. Gracch. 14; Flor. 1,35 (2,20); App. Mithr. 62,254; Iust. 36,4,5).

1 GRUEN, Rome 2 C. HABICHT, Athens and the Attalids in the second century B.C., in: Hesperia 59, 1990, 561–577 3 J. HOPPE, Unt. zur Gesch. der letzten Attaliden, 1977 4 I. KERTÉSZ, in: Tyche 7, 1992, 133–141 5 R.B. MACSHANE, The Foreign Policy of the Attalids of Pergamum, 1964 6 TH.-M. SCHMIDT, Der späte Beginn und der vorzeitige Abbruch der Arbeiten am Pergamonaltar, in: Phyromachos-Probleme, 1990, 141–162.

R. E. ALLEN, The Attalid Kingdom, 1983 · E. V. HANSEN, The Attalids of Pergamum, 1971 · H.-J. SCHALLES, Unt. zur Kulturpolitik der pergamenischen Herrscher im 3. Jh. v. Chr., 1985 · K. STROBEL, Die Galater, 1996 · B. VIRGILIO, Fama, Eredità e Memoria degli Attalidi di Pergamo, Studi ellenistici 4, 1994, 137–171. A.ME.

[7] Von Rhodos. Mathematiker und Astronom des 2. Jh. n. Chr., älterer Zeitgenosse des Hipparchos. Er verfaßte einen Komm. zu Aratos' [4] *Phainomena*, in dem er dessen astronomische Kompetenz heraushob. Hipparchos, der an A. Kritik übte, überliefert einige Bruchstücke von A.' Schrift in seinem Komm. zu den *Phainomena* des Aratos und Eudoxos (Ed.: [2. 1–24]).
→ Hipparchos; Aratos

1 KNAACK, s. v. A. 25a), RE Suppl. 1, 224 f. 2 E. MAASS, Commentariorum in Aratum reliquiae, 1898. M. F.

[8] Stoiker, Haupt einer Philosophenschule in Rom, von Seianus exiliert (Sen. suas. 2,12). Auch als Redner brillant, begeisterte er seine jugendlichen Hörer für Askese und moralischen Rigorismus. Er war der wichtigste Lehrer → Senecas, dessen Gewohnheiten er bis ins Alter prägte (epist. 108). Seneca hat wesentliche Gedanken des A. überliefert; so zitiert er ihn zu den Themen Freundschaft, Dankbarkeit, Nichtigkeit der Glücksgüter, Gottgleichheit des Weisen, erwähnt aber auch seine Lehre vom Blitz als Vorzeichen (nat. 2,48 und 50).

G. MAURACH, Seneca, 1991, 21–24. J. D.

[9] Bildhauer aus Athen, tätig im 2. Jh. v. Chr. Von seinen Kultstatuen ist ein Apollon Lykios in Argos überliefert, den Akrolith der → Hygieia im Asklepiosheiligtum von Pheneos z. T. erhalten.

P. MORENO, Scultura ellenistica, 1994, 555 (Abb.) · OVERBECK, Nr. 2067 (Quellen) · R. R. R. SMITH, Hellenistic sculpture, 1991, 240 (mit Abb.). R. N.

[10] Griech. Grammatiker aus unbekannter Zeit, Homer-Kommentator; Fragmente in ScholiaII 15, 444b; 15, 641a; 15, 651b; Etym. m. 584, 14. Wenn es sich um dieselbe Person handelt, schrieb er auch Περὶ παροιμιῶν, zit. bei Hesych. κ 3629 s. v. Κορίνθιος ξένος.
→ Homeros; Scholia

L. COHN, RE 2, 2179 · U. FRIEDLÄNDER, De Zoilo aliisque Homeri obtrectatoribus, Diss. 1895, 81 · G. KNAACK, RE Suppl. 1, 224 · E. MAASS, De Attali Rhodii fragmentis Arateis commentatio, 1888, XXV · E. MAASS, Commentariorum in Aratum reliquiae, 1898, XIII-XIV, Anm. 4. F.M./T.H.

[11] Der Heide Priscus A. stammte aus dem Osten; er lebte in Rom, wo er zum Bekanntenkreis des → Symmachus zählte. Wohl Anfang 409 n. Chr. wurde er *comes sacrarum largitionum*, 409 *praef. urbis Romae.* Unter dem Druck Alarichs (→ Alaricus [2]) vom Senat Ende 409 zum Kaiser erhoben, erwies er sich nicht als gefügiges Instrument der Goten; im Zuge der Einigung zw. Alarich und → Honorius wurde er wieder abgesetzt. Trotz seines Übertritts zum arianischen Christentum machte seine Regierung den Heiden Hoffnung. A. hielt sich auch nach seiner Absetzung bei den Goten auf; Athaulf machte ihn 414 erneut zum Kaiser, 415 wurde er von → Constantius [6] gefangen, 416 verstümmelt und verbannt (PLRE 2, 180 f.).

A. CHASTAGNOL, Les fastes de la préfecture de Rome au Bas-Empire, 1962, Nr. 116, 266 ff. · DELMAIRE, Nr. 90, 175 ff. · v. HAEHLING, 403 f. H. L.

Atthidographen s. Atthis

Atthis (Ἀτθίς). *Atthís*, Plur. *Atthídes* heißen die athenischen Lokalgeschichten, Atthidographen sind entsprechend die Verf. dieser Werke. Die Atthides waren eher antiquarisch als histor. orientiert und gaben in annalistischer und chronik-artiger Darstellung Auskunft über Mythos, Religion, Gesch., Kultur, Lit. sowie Top. Athens und Attikas. Sie behandelten im allg. den gesamten Zeitraum von den mythischen Anfängen bis in die Gegenwart der jeweiligen Verfasser. Die Atthidographen fungierten häufig als *Exegetaí*, Ausleger des Sakralrechts. Dies erklärt die breite Berücksichtigung von Kultus und Religion sowie den primär konservativen Charakter dieser Werke. Als Begründer der Atthidographie gilt → Hellanikos von Lesbos, der mit seiner nach 407/6 erschienenen *Atthis* das Rahmenwerk schuf und den Inhalt der späteren Werke beeinflußte. Er rekonstruierte die athenische Königsliste, ergänzte die

Archontenliste nach oben, kombinierte den mythischen und histor. Teil der Tradition über die Vergangenheit und band beide Teile in genealogische und chronologische Schemata ein. Dabei wurden mythische Themen und Stoffe häufig zur detaillierten Beschreibung histor. Ereignisse. Mit → Kleidemos, dem ersten aus Athen stammenden Atthidographen, beginnt die Atthidographie im eigentlichen Sinne: Sie ist durch polit. Parteinahme und die Darstellung der Zeitgesch. gekennzeichnet. Kleidemos, → Androtion, → Phanodemos, → Demon und → Philochoros übernahmen von Hellanikos den chronologischen Rahmen (vor allem die Archontendatierung!) sowie die Historisierung des Mythos. Anfangs lag der Schwerpunkt auf der athenischen Frühzeit und der Blüte der Stadt bis zum Ende des Peloponnesischen Krieges. Erst mit Androtion verlor die Atthidographie ihren vorwiegend retrospektiven Charakter und wandte sich mehr und mehr zeitgeschichtlichen Ereignissen zu. Philochoros schließlich verfaßte ein primär zeitgeschichtliches Werk im formalen Gewand einer Atthis. Eine Zusammenstellung der unterschiedlichen Überlieferungen über die Frühzeit Athens und Attikas gab dann noch der Kallimacher → Istros in seinen *Attiká* bzw. *Synagogé tōn Atthídōn* (Zusammenstellung der Atthiden). Dieses Sammelwerk bezeichnet nicht zufällig das Ende dieser Literaturgattung.

Die seinerzeit von WILAMOWITZ [1], in Analogie zur Entstehung der röm. → Annalistik vertretene These, die Atthiden beruhten in letzter Instanz auf angeblichen Aufzeichnungen der Exegeten, wird heute zu Recht allgemein abgelehnt.

Quellen: Für die Frühzeit Mythos, Epos, mündliche Tradition; für die histor. Epoche Archontenlisten, Gesetzestexte, Autoren wie Hekataios, Herodot, Hellanikos, Thukydides, Ephoros etc. (FGrH 323a–334).

1 U.V. WILAMOWITZ-MOELLENDORFF, Aristoteles und Athen, 1893.

P. HARDING, A. and Politeia, in: Historia 26, 1977, 148–160 · F. JACOBY, A., 1949 · F. JACOBY, A Commentary on the Ancient Historians of Athens, in: FGrH IIIb (Suppl.), Bd. 1, Text, Bd. 2, Notes, 1954 · O. LENDLE, Einführung in die griech. Geschichtsschreibung, 1992, 145 ff. · K. MEISTER, Die griech. Geschichtsschreibung, 1990, 76 f., 128–131 · K. MEISTER, Politeiai, A. e Athenaion politeia, in: G. MADOLI (Hrsg.), L' Athenaion politeia di Aristotele 1891–1991, 1994, 115 ff. · L. PEARSON, The Local Histories of Attica, 1942 · P. J. RHODES, The Atthidographers, in: Studia Hellenistica 30, 1990, 73 ff. · E. RUSCHENBUSCH, A. und Politeia, in: Hermes 109, 1981, 316–326. K. MEI.

Attia Viriola. Aus vornehmer Familie, mit einem Senator praetorischen Ranges verheiratet. Von ihrem 80-jährigen Vater enterbt, vertrat Plinius ihren Fall vor den *centumviri* (Plin. epist. 6,33); vgl. [1. 700 f.]. PIR² A 1370.

1 SYME, RP 2. W. E.

Attica. Tochter des T. → Pomponius Atticus; s. → Caecilia Attica. K.-L. E.

Atticus. Röm. Cognomen, zuerst bezeugt beim Konsul 244 v. Chr. A. → Manlius Torquatus A., dann beim engen Freund Ciceros, T. → Pomponius A., der es auf Grund eines längeren Aufenthaltes in Athen und seiner griech. Bildung erhalten hatte (Cic. Cato 1). Weitere prominente Träger des in der Kaiserzeit weit verbreiteten Beinamens (s. v. A. 1–20, RE 2, 2239–41; ThlL 2,1135–38) sind im 1. und 2. Jh. die Angehörigen der Familie des Ti. Claudius A. Herodes (→ Claudius, → Herodes). K.-L. E.

Attika (ἡ Ἀττική). A. LANDSCHAFT
B. PRÄHISTORISCHE PERIODE C. MYKENISCHE ZEIT D. ARCHAISCHE ZEIT E. KLASSISCHE ZEIT F. KULTE G. RÖMISCHE KAISERZEIT H. BYZANTINISCHE ZEIT I. FESTUNGSWESEN

A. LANDSCHAFT

Östlichste Landschaft Mittelgriechenlands, die als dreieckige Halbinsel nach SO zw. das Euboiische Meer und den Saronischen Golf vorspringt. A. grenzt im Westen an die Megaris, im Norden an → Boiotia. Über 40% der Fläche A.s (2530 km²) bedecken Gebirge: Im Norden der Kithairon (1407 m) als Grenze nach Boiotia, dessen östl. Fortsetzung die Megalo Vuno und das Parnes-Massiv (1413 m) bilden, ferner der Hymettos (1026 m) und der Pentelikon (1108 m). Weithin bestimmen Berge mittlerer Höhe den Landschaftscharakter: Die Kerata (470 m) bei Eleusis, der → Aigaleos (463 m) zw. Eleusis und → Athenai [1] sowie im Süden das Paneion (648 m), der südatt. Olympos (487 m) bei → Anaphlystos und das südatt. Bergland des Laureion. A. besitzt vier größere und mehrere kleinere Ebenen bzw. Küstenhöfe: 1) im Westen den großen Küstenhof der Thriasia mit Eleusis, 2) die att. Ebene (Pedias, Pedion) mit Athenai, die im Westen und NW vom Aigaleos/Korydallos, im Osten vom Hymettos und im NO vom Penteli begrenzt wird, 3) die Beckenlandschaft der Mesogeia und 4) den Küstenhof von Marathon. Kleiner, aber gleichfalls schon früh besiedelt sind die Küstenhöfe von Anaphlystos (Anavysso), das Vari-Tal mit Anagyrus und → Lamptrai sowie die Potami-Ebene bei → Thorikos. A.s morpholog. relativ stabile Karstlandschaft hat sich in histor. Zeit kaum verändert (Plat. Kritias 111b), doch werden die Küsten wegen der tektonischen Senkung des Landes und glazialeustatischen Hebung des Meeresspiegels transgrediert (neuere Untersuchungen zur Paläogeographie fehlen, vorläufig [18. 12ff.]). Das mediterrane Klima A.s mit trockenen, warmen Sommern und feuchten Wintern sowie seine urspr. artenreichere mediterrane Vegetation hatten sich bis zum Beginn der frühen Bronzezeit herausgebildet. Von Trockenheit geprägt (Jahresniederschlagsmittel 377 mm), besitzt A. keine perennierenden Flüsse.

B. Prähistorische Periode

Die älteste Besiedlung im Pedion und in der Marathonia durch Familienverbände von Ackerbauern reicht ins präkeramische Neolithikum zurück und ist auch im Früh- und Mittelneolithikum noch dünn (bedeutendster frühneolithischer Fundplatz ist Nea Makri [34. 219, 221 f.; 35. 3 f.]). Großflächig besiedelt wurde A. erstmals im Endneolithikum und Chalkolithikum. Neben zahlreichen kleinen Siedlungsplätzen existierten befestigte Höhensiedlungen (Kiapha Thiti, Vigla Rimbari, Zagani 4,5 km östl. Spata, evtl. auch die Akropolen von → Brauron und Thorikos [18. 87 f.]). Im eigenen Siedlungsverband lebende Hirten standen in regem Güteraustausch mit den Ackerbauern der Ebenen [35. 19]. Von besonderer Bed. für das att. Neolithikum sind Höhlenfunde [37. Bd. 1, 111] wie u. a. aus der Pansgrotte von Marathon (Paus. 1,32,7) [34. 218; 37. Bd. 2, 244ff.] und der Kitsos-Höhle im Laureion [10; 37 Bd. 2, 4ff.]. Eine monographische Behandlung des neolithischen A. fehlt (vorläufig [35. 3–7]). Das FH (ab 3000 v. Chr.) ist durch intensivierte Kulturkontakte, Ausbreitung der Metallurgie und Entstehung (befestigter) proto-urbaner Zentren (Askitario [34. 380f.], Plasi [34. 216], H. Kosmas [27; 34. 6ff.]) gekennzeichnet. Viele der kleineren Küstenplätze waren evtl. saisonale Fischercamps [18. 115]. Die Bed. der Lagerstätte des Laureion für die Metallurgie der frühen Bronzezeit ist umstritten [18. 114]. Zwar ist die Stufe FH III (2300/2000 v. Chr.) in A. nur schwach vertreten, eine Zäsur der Besiedlung indes unwahrscheinlich, zahlreiche vorgriech. Toponyme werden tradiert [18. 60; 35. 7ff.]. Im MH (2000/1600 v. Chr.) entstehen lokale Dynastensitze, die vorzugsweise die Ebenen und Küstenhöfe besetzen und eine stärkere soziale Stratifizierung belegen [18. 116ff.; 35. 23 ff.].

C. Mykenische Zeit

Der Übergang von MH III zur frühmyk. Zeit (SH I/II) vollzieht sich bruchlos. Einzelgräber und Nekropolen bestimmen das Bild des myk. A., Siedlungsfunde sind rar. Dennoch zeichnet sich eine relativ differenzierte Siedlungsstruktur ab, die neben dörflichen Siedlungen auch Einzelgehöfte umfaßte [18. 116ff.]. Die Spitze der Siedlungshierarchie bilden befestigte Dynastensitze wie die schachtgräberzeitliche Burg von Kiapha Thiti bei Vari [14; 22]. Doch werden in einem Konzentrationsprozeß ähnlich wie in der → Argolis die frühmyk. Kleinkönigtümer von einem Herrschaftszentrum aufgesogen [18. 65f., 118f.] (›Synoikismos des Theseus‹ Thuk. 2,15,1 f.; [2; 3]) und spätestens ab SH IIIB ist die Akropolis von Athenai die einzige myk. Residenz von Rang [35. 38]. Nach Zusammenbruch der myk. Palastherrschaften um 1200 v. Chr. ist auch in Athen und A. ein Rückgang der Siedlungtätigkeit festzustellen, nur der Hafenort Perati an der Ostküste blüht [6; 7; 35. 50ff.]. Siedlungskontinuität in den »Dunklen Jahrhunderten« beschränkt sich weithin auf Athen [35. 60ff.].

D. Archaische Zeit

Kultische [18. 234f.] und dialektale Verhältnisse bestätigen die Schlüsselrolle Athens bei der Wiederbesiedlung A.s ab dem 9. Jh. im Zuge einer von der Oberschicht initiierten Binnenkolonisation [18. 66; 28. 340; 35. 87ff.]. Die starke Zunahme von Bestattungen in der 2. H. des 8. Jh. wird als rapides Bevölkerungswachstum, als Folge einer Hungersnot [1] oder als Ausweitung der Beigabensitte auf breitere soziale Schichten gedeutet [25. 72ff., 216; 35. 85]. Die Siedlungsstruktur A.s in geom. Zeit ist unklar, im arch. Befund dominieren Nekropolen, deren korrelate Siedlungsform die geschlossene dörfliche Siedlung wäre; daneben gab es wohl Einzelgehöfte [18. 67]. Anf. des 7. Jh. erfolgt eine drastische Abnahme der Gräber [35. 85]). Siedlungsbefunde des 7./6. Jh. fehlen nahezu völlig (zu Lathureza [12; 23] → Anagyrus).

E. Klassische Zeit

Die Reform des → Kleisthenes schafft Ende des 6. Jh. keine neuen Siedlungen, sondern legt eine bestimmte Zahl von (zunächst evtl. nur 100: Hdt. 5,69,2) sog. konstitutionellen → dḗmoi (s. Karte »Attische Phylen«; → Phylenordnung) fest, die gemäß der Zahl ihrer Bürger im Rat von Athen durch → buleutaí vertreten und nach ihrer Lage in astý-, mesógeia- und parália-dḗmoi gegliedert sind [31; 32; 36]. Wohl infolge stufenweisen Siedlungsausbaus erhöht sich die Zahl der dḗmoi bis zum 4. Jh. auf 139 (→ Atene), die Buleutenquoten werden entsprechend angepaßt (→ Peiraieus). Die att. Demen bildeten territorial fest umrissene Verwaltungseinheiten, die innerhalb ihrer fest vermarkten und spätestens in hell. Zeit publizierten Grenzen [18. 55ff.] unterschiedliche Siedlungsformen (s.u.) vereinen konnten. In der Frage ihrer Lokalisierung [31. 37ff.; 32. 47ff., 123ff.] sind nach einer mehr als 100jährigen Forschungsgesch. keine nennenswerten Fortschritte mehr zu erwarten. Im 5. und 4. Jh. erfolgte eine Phase höchster Blüte und dichtester Besiedlung. Die Basis der stark gestuften Siedlungshierarchie bildeten die zahlreichen Einzelgehöfte, ihre Spitze die Metropole Athen als polit. und administratives Zentrum der pólis. Dazwischen entfaltete sich ein breites Spektrum von Siedlungsformen, das neben Hirtenstationen [21], Gehöften und Gehöftgruppen auch Weiler, Dörfer und Großdörfer bis hin zu urbanen Subzentren mit jeweils sehr spezifischem Charakter umfaßte [18. 126ff.]. Eleusis, → Rhamnus und → Sunion besaßen Kulte von überregionaler Bed. und waren überdies befestigte Garnisonsorte. Thorikos war durch seine Montanindustrie geprägt. Mindestens 14 dḗmoi verfügten über eigene Theater [5; 36].

In den Einzel- und Turmgehöften, die nach den Perserkriegen stark zunahmen und geradezu das Landschaftsbild prägten, sind wegen ihrer aufwendigen Bauweise und ihres Lagebezuges zu Einzel- und Familiengräbern die ständigen Wohnsitze einer bodenständigen bäuerlichen Bevölkerung zu erkennen und keinesfalls ephemere Feldhütten [18. 136ff., 161ff., 183f.]. In der Zunahme großer Turmgehöfte in der 2. H. des 4. Jh.

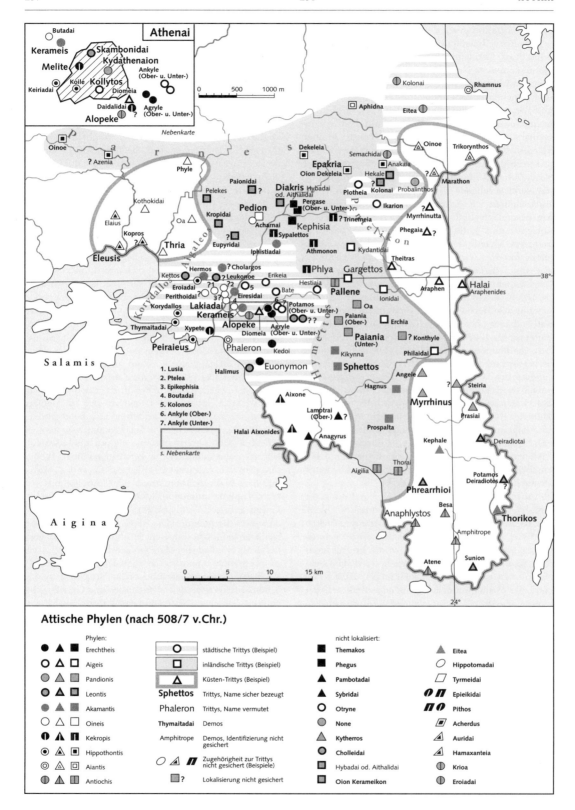

Athenai

Butadai
Kerameis
Skambonidai
Melite
Kydathenaion
Keiriadai
Kolle
Kollytos
Ankyle
(Ober- u. Unter-)
Diomeia
Daidalidai
Agryle
(Ober- u. Unter-)
Alopeke

Nebenkarte

0   500   1000 m

Attische Phylen (nach 508/7 v.Chr.)

			Phylen:				nicht lokalisiert:			
● ▲ ■			Erechtheis	○	städtische Trittys (Beispiel)		■	Themakos	▲	Eitea
○ △ □			Aigeis	□	inländische Trittys (Beispiel)		■	Phegus	○	Hippotomadai
◐ ▲ ■			Pandionis	△	Küsten-Trittys (Beispiel)		▲	Pambotadai	▱	Tyrmeidai
◔ ▲ ■			Leontis	**Sphettos**	Trittys, Name sicher bezeugt		▲	Sybridai	❚❚❚	Epieikidai
◑ ▲ ■			Akamantis	Phaleron	Trittys, Name vermutet		○	Otryne	❚❚❚	Pithos
○ △ □			Oineis	**Thymaitadai**	Demos		◐	None	▨	Acherdus
◖ ▲ ■			Kekropis	Amphitrope	Demos, Identifizierung nicht gesichert		△	Kytherros	◭	Auridai
◉ △ ■			Hippothontis				◑	Cholleidai	◮	Hamaxanteia
◎ △ ▫			Aiantis	○ ◭ ❚❚	Zugehörigkeit zur Trittys nicht gesichert (Beispiele)		▢	Hybadai od. Aithalidai	◐	Krioa
◑ ▲ ▨			Antiochis	▨?	Lokalisierung nicht gesichert		▢	Oion Kerameikon	◑	Eroiadai

könnte sich eine gewisse Konzentration des Grundbesitzes abzeichnen [18. 228 f.]. Nicht nur im 5. Jh. (Thuk. 2,14; 16), sondern selbst noch im 4. Jh. lebte die Mehrzahl der Athener als Bauern auf und von dem Land, das infolge hohen Bevölkerungsdrucks und trotz seines beschränkten Geopotentials jetzt seinen höchsten Ausbaustand erreichte (Thuk. 2,65; POxy 12,4 f.): Gegen die Erosion durch winterlichen Starkregen befestigte man Bachufer (Kykloboros, → Oinoe, Runsen [18. 239 ff.]). Ein dichtes und gut ausgebautes Straßennetz verband Athen mit allen Teilen A.s [18. 235 ff.]. Neben Wasser- und Straßenbau zählen großflächige Hangterrassierungen für den Ölanbau zu den eindrucksvollsten Zeugnissen der hochentwickelten Infrastruktur des klassischen A., die der *chóra* eine wichtige wirtschaftliche Rolle zuweist [18. 196 ff.]. Dennoch blieb Athen von Getreideimporten (ca. 50000 t/Jahr) zur Versorgung seiner städtischen Bevölkerung abhängig. Anf. 3. Jh. erfolgt jedoch eine tiefe Zäsur: Weite Teile A.s, insbes. der Süden, werden entsiedelt (Atene, Thorikos). Eine der wichtigsten Quellen für den Reichtum Athens und seine beträchtliche Wirtschaftskraft bildete in klass. Zeit der → Bergbau (vgl. Karte) im Laureion, der auf Blei- und Silbererze ging und bes. im 5. und 4. Jh. v. Chr. florierte, bis E. 4. Jh. die Lagerstätte erschöpft war.

F. Kulte

Das eisenzeitliche A. war übersät von Kultplätzen und Heiligtümern unterschiedlichster Art und Größe (Kultmale, Gipfelheiligtümer, ländliche Heiligtümer außerhalb und innerhalb der Demenzentren, Kulthöhlen u. a.), die sich nicht selten an prähistor. Fundstellen etablierten. Ein bes. Charakteristikum der att. Landschaft sind Höhenheiligtümer und Gipfelkulte, die oft auf die spätgeom. Zeit zurückgehen (Paus. 1,32,2) [15; 18. 229 ff.], ferner Kulthöhlen für Pan und die Nymphen (→ Anagyrus; Paiania; Phyle; Oinoe). Einige Kultstätten erlangten überregionale Bedeutung (Brauron, Rhamnus, Sunion), andere panhellen., wie die Mysterien von Eleusis (durch eine Hl. Straße mit Athen verbunden). Die Zahl der Kulte war beträchtlich [30]; es dominierten indes nicht volkstümliche Götter der Landbevölkerung, sondern wegen enger kultische Verbindungen zum Poliszentrum infolge der Binnenkolonisation A.s (s. o.) die olympischen Gottheiten [36. 202]. Der Kultkalender von → Erchia bezeugt 46 Kulte. Die Opfer finden überwiegend im Bereich des *démos* statt, sechs außerhalb sowie sieben auf der Akropolis von Athen (ἐν πόλει) [36. 199 ff.; 18. 133 f. Anm. 1031] (zu weiteren Kultkalendern [36. 185 ff.]). Die *démoi* verehrten ihre eponymen Heroen [36. 208 ff.]. Mindestens 14 ausnahmslos größere *démoi* begingen die ländl. Dionysia, die nachweislich in einigen mit Theateraufführungen verbunden waren [36. 212 ff.]. In klass. Zeit waren die Priester Funktionäre der *démoi*, die sie auch kontrollierten [36. 180 ff.]. Die Kulte wurden häufig aus verpachtetem Grundbesitz der Heiligtümer finanziert. Die Entsiedelung weiter Teile A.s Anf. des 3. Jh. führte

zu einem Bedeutungsverlust der ländlichen Heiligtümer bis hin zu ihrer Aufgabe; Gipfelkulte überdauerten häufig bis in hell. Zeit.

G. Römische Kaiserzeit

Während Athen in der Kaiserzeit seine Bevölkerungszahl annähernd behaupten kann, sind der Peiraieus und weite Teile A.s, insbes. der Süden, aber auch das Grenzgebiet zur Megaris und nach Boiotia weitgehend entvölkert: Im Parnes gibt es wieder Wildschweine und Bären (Paus. 1,32,1), → Eleutherai sah Paus. 1,38,9 nur in Trümmern, die Stadt Salamis verfallen (1,35,3), Thorikos und Brauron sind bereits für Mela (2,46) nur noch leere Namen, → Probalinthos und Oinoe existieren nicht mehr (Plin. nat. 4,24). Strab. 9,1,17 nennt → Aphidna und Dekeleia, das Alki. 2,39,1 mit Weidewirtschaft verbindet. Marathon wird nur noch in Zusammenhang mit Herodes Atticus erwähnt, der dort beheimatet war. Rhamnus ist bewohnt (Paus. 1,33,2), aber seine stattlichen Häuser stammen aus spätklass. und hell. Zeit. Deutliche Unterschiede gibt es bei den Kulten: Das Amphiareion von → Oropos sowie die Kulte von Rhamnus, Brauron oder Sunion versinken in Bedeutungslosigkeit, den Tempel des Poseidon von Sunion verwechselt Paus. 1,1,1 mit dem der Athena, aus A. werden Tempel nach Athen transloziert [33. 104]. Leben und Bautätigkeit konzentrieren sich in Athen [9. 92 ff.] und Eleusis, das einen Aufschwung nimmt [8. 45, 50]. Thriasia und Pedion sind landwirtschaftlich genutzt, hier gibt es neben Dörfern und Latifundien vermutlich auch kleinen und mittleren Grundbesitz. Wichtigstes landwirtschaftliches Produkt war immer noch das Öl, der hymettische Honig war zumindest bekannt, Weinanbau spielte offenbar keine große Rolle, und man war weiterhin von Getreideimporten abhängig. Neben der Ansammlung von Streubesitz in einer Hand kommt es auch zur Bildung großer (arrondierten) Latifundienbesitzes [8. 46 ff.], der Fundus des Herodes Atticus in der Marathonia erstreckte sich über mehrere alte Demengrenzen hinweg [8. 58]. Grundbesitz von 80 ha in → Acharnai nennt Lukian. Ikaromenippus 18 als Beispiel für Wohlstand antoninischer Zeit.

H. Byzantinische Zeit

Weite Bereiche des Mittelmeerraumes erleben in frühbyz. Zeit (5./7. Jh. n. Chr.) eine Renaissance. Zwar blühen die att. Kleinstädte Rhamnus, Sunion und Thorikos nicht wieder auf, doch die zahlreichen frühchristl. Kirchen zeigen die Herausbildung neuer Siedlungszentren, die häufig nicht an die alten Demenzentren anknüpfen [18. 260]. Neben geschlossenen dörflichen Siedlungen existieren auch Einzelgehöfte. Gleichzeitig werden weite Teile des Landes nur noch von Hirtennomaden mit ihren Herden aufgesucht, die vielfältige Spuren auf Berggipfeln und in Höhlen hinterlassen haben [18. 254 ff.; 28. 341 f.; 37. 210 ff.]. Die Slawen, die Athen anscheinend nicht eroberten, hinterließen kaum Spuren im Ortsnamengut A.s; dennoch haben wohl die slaw. Einwanderungswellen das Ende der frühbyz. Nachblüte A.s herbeigeführt [28. 341]. In der arch.

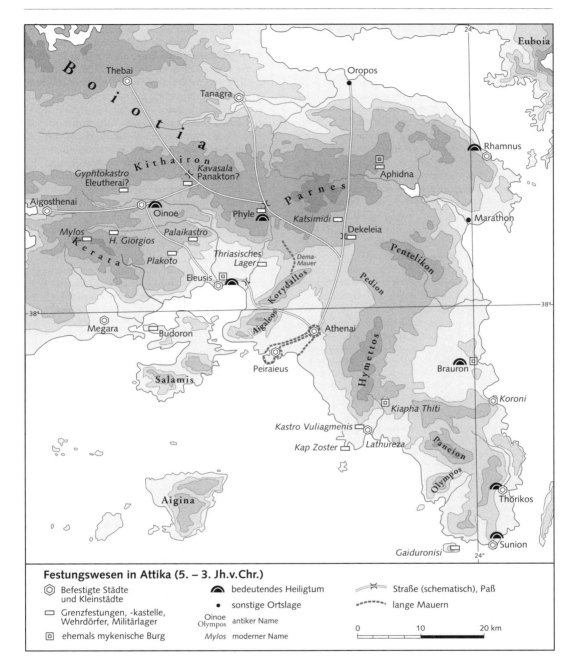

Festungswesen in Attika (5. – 3. Jh.v.Chr.)

⬡ Befestigte Städte   🌑 bedeutendes Heiligtum   ⌢ Straße (schematisch), Paß
    und Kleinstädte
                             • sonstige Ortslage   ⌐ lange Mauern
▭ Grenzfestungen, -kastelle,
    Wehrdörfer, Militärlager   Oinoe   antiker Name
                             Olympos
▣ ehemals mykenische Burg   Mylos   moderner Name   0   10   20 km

kaum erforschten mittelbyz. Zeit erfolgte nach den arab. Überfällen und dem Piratenunwesen des 9./10.Jh. im 12.Jh. ein einschneidender Niedergang. Ein mittelbyz. Dorf wurde bei Anavysso untersucht [18. 71], in Ovriókastro bei Keratea scheint eine mittelbyz. Fluchtsiedlung vorzuliegen [20]. Mit dem 4. Kreuzzug und der Errichtung eines Feudalstaats westl. Prägung als Herzogtum von Athen unter Otto de la Roche 1204 wird A. in Lehen aufgeteilt [11; 18. 71 ff.]. Nach neuerlicher

Verödung infolge von Pestepedemien erfolgt seit dem 14.Jh. die albanische Landnahme, die h. noch an der Vielzahl albanischer und albano-griech. Toponyme abzulesen ist [28. 343 ff.].

I. FESTUNGSWESEN

Die Geschichte des noch zu wenig erforschten att. Festungswesens reicht vom E. des 4. Jt. v. Chr. bis ins 8./10.Jh. n. Chr. [19]. Sie beginnt mit befestigten chalkolith. Höhensiedlungen (s.o.), gefolgt von den befestigten FH-Siedlungen Askitario bei Raphina (s.o.) und Plasi bei Marathon (s.o.), den MH-Befestigungen von Aphidna und Brauron, der frühmyk. Burg von Kiapha Thiti (→ Lamptrai) und der myk. Burg von Eleusis. Befestigungen der frühen Eisenzeit sind nicht bekannt. → Leipsydrion, von dem aus die Alkmaioniden (→ Alkmaionidai) die Tyrannis des Hippias zu stürzen suchten, ist nicht identifiziert. In klass. Zeit wird mit der ländlichen Infrastruktur A.s auch die Landesverteidigung ausgebaut. Bereits vor dem Peloponnesischen Krieg wurde als wichtigste att. Grenzfestung mit Brückenkopffunktion gegen Boiotia → Panakton errichtet und neben dem Grenzort → Oinoe auch Eleusis befestigt. Ins spätere 5. Jh. (Nikiasfrieden?) datieren die Festungen Plakoto und Palaiokastro am Nordwestrand des Thriasia [19. 520]. → Phyle am Parnes war evtl. schon vor 404 v. Chr. befestigt (die erh. Anlage datiert Anf. 4. Jh.). Die »Seefestung« von Thorikos (eine Fluchtburg der Thorikioi?) und die Stadtmauern von Sunion entstanden annähernd zeitgleich 413/09 bzw. 413/2 v. Chr. Seither überzieht A. sich mit einem zunehmend dichteren Netz unterschiedlichster Wehranlagen. Das Dema, das die Thriasia vom Pedion abriegelt, wurde 404/3 v. Chr. nach Vertreibung der 30 Tyrannen erbaut [19. 522]. Umfangreicher Festungsbau (→ Befestigungswesen, mit Karte) kennzeichnet das 4. Jh. Neben der Erneuerung der Stadtmauern von Athen durch Konon werden Anf. des 4. Jh. Phyle (neu?) erbaut, vor seiner Mitte Oinoe und Panakton, das die Boioter vertragswidrig 422/1 geschleift hatten (Thuk. 5,42).

Der letzte große Festungsbau in A. ist die Grenzfestung → Eleutherai im Kaza-Pass (h. Gyphtokastro). Das voll entwickelte att. Festungswesen des 4. Jh. ist als Produkt komplexer histor. Vorgänge hoch differenziert: Es umfaßt Signaltürme, isolierte Wehrtürme und Kleinkastelle wie Plakoto und Palaiokastro, Grenzfestungen wie Panakton, Phyle und Eleutherai. Ferner befestigte démoi wie Oinoe und befestigte Kleinstädte mit Garnison wie Eleusis, Rhamnus und Sunion sowie Fluchtburgen der ländlichen Bevölkerung [17]. Als neues taktisches Konzept, dessen Ansätze allerdings ins 5. Jh. reichen, soll A. künftig nicht mehr in Athen, sondern an seinen Grenzen verteidigt werden [29. 51 ff.]. Erst die Makedonenherrschaft beendet den athenischen Festungsbau. Im Chremonideischen Krieg (267/2) besetzen die mit Athen verbündeten Ptolemaier Küstenplätze rund um A. (u. a. das 286 v. Chr. befestigte Koroni [16]) und errichten ephemere Feldlager [24; 18. 142 ff., 248 ff.]. Zeitpunkt und Anlaß für den hell. Umbau der Stadtmauer von Sunion [13. 16 f.] (E. 4./3. Jh.?) sind unbekannt.

Dem Angriff der Heruli von 267 n. Chr. lassen sich bisher keine Befestigungen außerhalb von Athen zuordnen. Eine Reorganisation und Reaktivierung der att. Landesverteidigung unter Iustinian ist nicht erkennbar [4. 59]. In mittelbyz. Zeit (8./10. Jh. n. Chr.) datiert das Ovriókastro bei Keratea, das zeitweise einem Siedlungsverband von Viehzüchtern als befestigte Zuflucht

diente [20]. Als letzte Wehrbauten A.s entstanden nach 1204 n. Chr. unter fränkischer Herrschaft über 40 ma. Turmburgen [18. 71 ff.; 11].

1 J. M. Camp II, A drought in the late eighth century B. C., in: Hesperia 48, 1979, 398 ff. 2 J. Cobet, Synoikismos als Konzept für die polit. Anf. Athens und Roms, in: Concilium Eirene 16, Proc. of the 16th Int. Eirene Conference, Prag 31.8.–4.9.1982, 1, 1983, 21–26 3 S. Diamant, Theseus and the Unification of Attica, in: Studies in Attic Epigraphy, History and Topography presented to E. Vanderpool, in: Hesperia Suppl. 19, 1982, 38–47 4 G. Fowden, City and mountain in Late Roman Attica, in: JHS 108, 1988, 48–59 5 H. R. Goette, Griech. Theaterbauten der Klassik, in: E. Pöhlmann (Hrsg.), Studien zur Bühnendichtung und zum Theaterbau der Ant., 1995, 9–48 6 Sp. E. Jakovidis, Περάτι. Τὸ Νεκροταφεῖον 1–3, 1969/70 7 Ders., Perati, in: H. G. Buchholz (Hrsg.), Ägäische Bronzezeit, 1987, 437–477 8 U. Kahrstedt, Das wirtschaftliche Gesicht Griechenlands in der Kaiserzeit, 1954 9 Kirsten/Kraiker · 10 N. Lambert, La Grotte préhistorique de Kitsos, 1981 11 M. K. Langdon, The mortared towers of central Greece: An attic supplement, in: ABSA 90, 1995, 475–503 12 H. Lauter, Lathuresa, 1985 13 Ders., Das Teichos von Sunion, in: MarbWPr 1988, 11–33 14 Ders., Kiapha Thiti. Ergebnisse der Ausgrabungen II 1 (Die Bronzezeitliche Architektur), in: MarbWPr 1995 (1996) 15 Ders., H. Lauter-Bufé, Ein att. Höhenheiligtum bei Varkiza, in: FS zum 60. Geburtstag von W. Böser, Karlsruher Geowissenschaftliche Schriften 2,2, 1986, 285–309 16 H. Lauter-Bufé, Die Festung auf Koroni und die Bucht von Porto Rafti, in: MarbWPr 1988, 67–103« 17 H. Lohmann, Das Kastro von H. Giorgios (»Ereneia«), in: MarbWPr 1988, 34–66 18 Ders., Atene, 1993 19 Ders., Die Chora Athens im 4. Jh. v. Chr., in: W. Eder (Hrsg.), Die athen. Demokratie im 4. Jh. v. Chr., Bellagio 3.–7. August 1992, 1995, 515–548 20 Ders., Das Ovriókastro Kerateas – eine frühma. Fluchtsiedlung?, in: K. Fittschen (Hrsg.), H. G. Lolling 1848–1894. Histor. Landeskunde und Epigraphik in Griechenland. Symposium aus Anlaß des 100. Todestages von H. G. Lolling, Athen 28.–30.9.1994, 1997 21 Ders., Ant. Hirten in Westkleinasien und der Megaris, in: K.-J. Hölkeskamp, W. Eder (Hrsg.), Volk und Verfassung im vorhell. Griechenland. Symposium zu Ehren von K.-W. Welwei, 1.–2. März 1996 Bochum, 1997 22 J. Maran, Kiapha Thiti. Ergebnisse der Ausgrabungen II 2, in: MarbWPr 1990 [1992] (2. Jt. v. Chr.: Keramik und Kleinfunde) 23 A. Mazarakis Ainian, New evidence for the study of the late Geometric-Archaic settlement at Lathouriza in Attica, in: Klados. Essays in honour of J. N. Coldstream, 1995, 143–155 24 J. R. McCredie, Fortified Military Camps in Attica, in: Hesperia Suppl. 11, 1966 25 I. Morris, Burial and Ancient Society, 1987 26 H. F. Mussche, Thorikos III, 1967, 24 ff. Abb. 21–27 27 G. E. Mylonas, Aghios Kosmas, 1959 28 J. Niehoff-Panagiotidis, Arch. und Sprachwiss., in: Klio 77, 1995, 339–353 29 J. Ober, Fortress Attica, 1985 30 S. Solders, Die außerstädtischen Kulte und die Einigung A., 1931 31 Traill, Attica 32 Ders., Demos and Trittys, 1986 33 Travlos, Athen 34 Ders., Attika 35 K.-W. Welwei, Athen, 1992 36 D. Whitehead, The Demes of Attica, 1986 37 J. M. Wickens, The Archaeology and History of Cave Use in Attica. Greece from Prehistoric through Late Roman Times, 1986.

ALLGEM.: E. CURTIUS, J. A. KAUPERT (Hrsg.), Karten von A.
1881–1894, 26 Blätter 1:25 000. Erläuternder Text von
A. MILCHHOEFER, Heft 1–9, 1881–1900 ·
M. PETROPOLAKOU, E. PENTAZOS, Ancient Greek Cities 21.
Attiki, 1973 · PHILIPPSON/KIRSTEN I/3, 757–939,
971–1068 · H. R. GOETTE, Athen, A., Megaris, 1993.
NEOLITHIKUM: S. IMMERWAHR, Agora 13, 1971.
MYK. ZEIT: M. BENZI, Ceramica micenea in Attica, 1975 ·
Ders., L'Attica in età micenea, in: P. E. ARIAS, G. PUGLIESE
CARRATELLI (Hrsg.), Un decennio di ricerche archeologiche
I, 1978, 139–152 · R. HOPE SIMPSON, Mycenaean Greece,
1981, 41–51.
SIEDLUNGSWESEN: H. LAUTER, Att. Landgemeinden in
klass. Zeit, in: MarbWPr 1991 (1993) · R. OSBORNE,
Demos: The Discovery of Classical Attica, 1985.
FESTUNGSWESEN: M. H. MUNN, The Defense of Attica,
1993.
BYZ. ZEIT: CH. BOURAS, A. KALOGEROPOULOS,
R. ANDREADI, Churches of Attica, ²1970 · A. K.
ORLANDOS, Μεσαιωνικὰ Μνημεῖα τῆς Πεδιάδος τῶν Ἀθηνῶν
καὶ τῶν κλιτύων Ὑμηττοῦ – Πεντελικοῦ, Πάρνηθος καὶ
Αἰγάλεω, 1933 · TIB I.
KARTEN-LIT.:
Attische Phylen: J. S. TRAILL, Demos und Trittys, 1986 ·
A. DEMANDT, Ant. Staatsformen, 1995, 193 ff.
Befestigungswesen: H. LOHMANN, Atene, 1993 · M. H.
MUNN, The Defense of Attica. The Dema Wall and the
Boiotian War of 378–375 B. C., 1993 · J. OBER, Fortress
Attica. Defense of the Athenian Land Frontier 404–322
B. C., 1985 · R. J. A. TALBERT (Hrsg.), Atlas of the Greek
and Roman World (erscheint 1999; freundl. Vorab-
information; J. S. TRAILL, Attica. Karte Nr. 59). H. LO.

Attikos. Platonischer Philosoph, in der Chronik des
Eusebios im J. 176 n. Chr. erwähnt [1. 16, 148], Lehrer
des → Harpokration aus Argos, Verf. von Komm. zu
Platons *Timaios* [1. 50, 215 f.], *Phaidon* (?) [1. 30, 190 f.]
und *Phaidros* (?) [1. 42, 197]; die Fragmente 40–42 DES
PLACES, die auf einen Komm. zu den ›Kategorien‹ des
Aristoteles weisen könnten [1. 248, 258 f.], stammen aus
dem Traktat ›Gegen diejenigen, die vorgeben, die Lehren Platons durch die des Aristoteles erklären zu können‹ [1. 64, 247 f.]. In seinen Erklärungen Platons galt
Attikos als scharfsinniger Philologe [1. 180 f., 215;
2. 39]. Als solcher wandte er sich vor allem gegen die
Tendenz, Platon mit Hilfe des Aristoteles zu erklären
[1. 247]. Gegen den allg. Trend schloß er sich der Lehre
des → Plutarchos von Chaironeia an und lehrte, die
Welt sei nach Platons Ansicht zeitlich entstanden; bei
der Weltentstehung sei die Weltseele aus der präexisten-
ten bösen Urseele und der göttl. Seele zusammengefügt
worden; der → Demiurgos sei identisch mit der Idee des
Guten, er sei Geist und Seele; die Ideen hätten ihren
Platz innerhalb der Seele des Demiurgen; vor der Weltentstehung habe es nicht nur eine ungeordnete Materie
und Urseele gegeben, sondern auch eine ungeordnete
Zeit, beide seien vom Demiurgen geordnet worden
[2. 39 ff.]. Die Seele des Menschen bestehe aus einer
vernünftigen Seele, an die ›das unvernünftige Lebens-
prinzip‹ angefügt werde; die vernünftige Seele selbst sei
ihrerseits aus einer göttl. und einer alogischen Seele gemischt [2. 51 ff.; 3. 200 ff.].

Die Nachwirkung des A. war groß. Seine Kom-
mentare wurden in der Schule des → Plotinos gelesen,
seine Lehren fanden Eingang in die Schriften des Arztes
→ Galenos sowie in die des Longinos; in denen des Porphyrios, Iamblichos, Syrianos, Hierokles, Proklos, Damaskios und Simplikios werden sie meist sehr kritisch
gewürdigt. Von den Christen wurde A. vor allem wegen
seiner Lehre von der Weltentstehung geschätzt; zit. wird
er von Eusebios, Theodoret, Iohannes Philoponos, Aeneas von Gaza und Photios, doch reicht sein Einfluß
noch weiter [2. 56 f.].

1 DÖRRIE/BALTES III, 1993 2 M. BALTES, Zur Philos. des
Platonikers A., in: H.-D. BLUME, F. MANN (Hrsg.),
Platonismus und Christentum, FS H. Dörrie, 1983 (JbAC
Erg.-Bd. 10), 38–57 3 M. BALTES, Rez. W. Deuse, Unt.en
zur mittelplatonischen und neuplatonischen Seelenlehre,
1983, in: GGA 237, 1985, 197–213.

É. DES PLACES, Atticus, Fragments, 1977 · GOULET I, 1989,
664–665 · J. DILLON, The Middle Platonists, 1977,
247–258 · MORAUX II, 1984, 564–582 · C. MORESCHINI,
Attico: una figura singolare del medioplatonismo, in:
ANRW II 36.1, 1987, 477–491. M. BA.

Attila. Sohn Mundzuks, seit 434 n. Chr. mit seinem
Bruder Bleda König der Hunnen als Nachfolger des
Onkels Rua. Nach der Ermordung Bledas 445 ist A. bis
453 Alleinherrscher eines Hunnenreiches zwischen
Rhein und Kaukasus, das auch iranische und german.
Stämme umfaßt. Die schon von Rua begonnene straffe
zentrale Organisation der hunnischen Stämme ersetzt
zunehmend die frühere lockere Föderation. Wohl nach
dem Vorbild des röm. Reiches, aber nicht mit dem Ziel
seiner Zerstörung, errichtet A. eine bisher noch nicht
lokalisierte Residenz als polit. Zentrum in Ungarn, fördert die Seßhaftigkeit und ersetzt in seiner höfischen
Umgebung die hunnischen Stammesführer durch rang-
mäßig gegliederte, ihm ergebene, auch nichthunnische
Funktionäre in Verwaltung, Diplomatie und Militär.
Die dazu nötigen Mittel verschafft er sich seit 434 durch
Tribute, Kriegsbeute und Brandschatzung vor allem im
oström. Bereich. Dazu kommen die üblichen Geschenke Konstantinopels an seine häufigen Gesandtschaften
und das Gehalt eines *magister militum* ehrenhalber, das
wohl aus dem Westreich floß. Als ihm Honoria heimlich die Ehe anbot, Valentinian III. sich aber weigerte, A.
mit der Schwester auch die Hälfte seines Reiches zu
überlassen, wandte er sich gegen den Westen. Er zerstörte Metz, belagerte Orléans, scheiterte aber 451 auf
den Katalaunischen Feldern an einer von → Aetius ge-
formten Koalition aus röm., westgot., burgundischen
und fränkischen Truppen. Dem Rückzug mit wenig
Beute folgte 452 der Zug nach It., wo er wichtige Städte
wie Verona, Aquileia oder Mailand plünderte. Von einem Marsch nach Rom hielt ihn eine von Papst Leo I.
geführte röm. Gesandtschaft ab. 453 starb er während
seiner Hochzeit und kurz vor einem Feldzug gegen
Ostrom, das ihm den Tribut verweigert hatte. Wie sehr
die Stabilität des Reiches an seiner Person hing, zeigt der

sofort einsetzende Zerfall nach A.s Tod. In der Sage lebte A. (mhd. Etzel) als grausamer Herrscher, aber auch als guter Völkerhirt weiter. PLRE 2, 182 f.; Stemma Nr. 47, 1337.

A. ALTHEIM, A. und die Hunnen, 1951 · O. MAENCHEN-HELFEN, The World of the Huns, 1973 · E. A. THOMPSON, The Camp of A., in: JHS 65, 1945 · Ders., A History of A. and the Huns, 1948 · K. WAIS, Frühe Epik Westeuropas und die Gesch. des Nibelungenliedes, 1953 · R. WENSKUS, H. BECK, s. v. A., RGA 1, 467–473.
                                                        W. ED.

Attillus. Römischer Mosaizist, signierte ein bei Oberwenigen nahe Zürich gefundenes Figuralmosaik (*Attillus fecit*).

A. BLANCHET, La mosique, 1928, 56 · L. GUERRINI, s. v. A., EAA 1, 906.   C. HÖ.

Attinius s. Atinius

Attis (Ἄττις). Durch Selbstentmannung ums Leben gekommener Hirtenjüngling des phryg. Mythos, in Kultgemeinschaft mit → Kybele (Magna Mater) verehrt. Beider Kult verbreitete sich seit dem Späthellenismus auch in It. und verschiedenen Prov. des röm. Reiches [1].

Der phryg. Überlieferung nach (Timotheos bei Arnob. 5,5–7; vgl. Paus. 7,17,9–12) wurde der neugeborene A. in der Wildnis ausgesetzt, von einem Bock mit Milch ernährt und dann von Hirten aufgezogen (A. als Hirt: Schol. Nik. Alex. 8; Tert. apol. 15,2; Hippol. ref. 5,9,8). Später begleitete er den entmannten → Agdistis auf der Jagd. Als A. die Tochter des Königs Midas in Pessinus heiraten wollte, versetzte ihn die Intervention des Agdistis und der Kybele in Wahnsinn, so daß er sich entmannte. Er starb, sein Blut verwandelte sich in Veilchen. Obwohl A. eine Auferstehung im eigentlichen Sinne versagt blieb, bewahrte sein Leib Spuren von Leben in sich und wurde zum Objekt jährlicher Trauerriten. Älter bezeugt ist eine lyd., dem phönizischen Adonismythos angepaßte Nebenversion [2. 100 ff.]: Als jungverheirateter Mann verunglückt A. (Atys) tödlich auf einer Eberjagd (Hdt. 1,34–45; Hermesianax fr. 8 POWELL). In einer dritten euhemeristischen Version ist A. (Papas) Geliebter einer Königstochter namens Kybele, deren Vater ihn tötet (Diod. 3,58–59). Catull. 63 hat den traditionellen Stoff lit. frei umgebildet [6. 38 ff.].

A. war eine mythische Projektion kastrierter Mysterienpriester (Galloi), die sich an den A.-Festen in kult. Ekstase selbst entmannten. Der Brauch entstand vermutlich durch Radikalisierung einer normalerweise [3. 269 Anm.] bloß symbolisch vollzogenen Selbstkastration (vgl. Clem. Al. protr. 15) zum Zweck eines imaginären Geschlechtswechsels männlicher Jugendlicher vor dem offiziellen Erreichen des Erwachsenenstatus. Der kastrierte Priester verharrte sozusagen lebenslänglich im Übergangsstatus des Initianden [4. 45, 78] – ein Akt demonstrativer Askese, der den Eunuchen für die Rolle eines idealtypischen Repräsentanten und Organisators von Initiationsriten prädestinierte. Die von asketischen Idealen geleiteten Neuplatoniker unterlegten der Selbstkastration des A. eine soteriologische Funktion (Iul. or. 5 HERTLEIN; Sall. de diis et mundo 4 [5. 399 ff.]). Sie sollte einen vor aller sexuellen Differenzierung liegenden göttl. Idealzustand wiederherstellen.

Die Riten des A.-Kults verklammerten Tod und Neugeburt des Initianden offenbar mit dem agrarischen Zyklus. Ein mehrtägiges Fest zu Ehren des A. fand zur Zeit des Frühjahrsäquinoktiums statt. Im röm. Kalender des Philocalus (CIL I 2 p. 312) folgt auf den Tag »Sanguem« (24. März) der Tag »Hilaria« (25. März), was auf einen rituellen Umschlag von Trauer in Festfreude hindeutet. Daß die Riten eine mit der Erneuerung der Vegetation synchrone Auferstehung des A. evozierten [4. 69], beweist die Reaktion des Firmicus Maternus, der nicht nur von einem Wiederaufleben des A. spricht, sondern in dessen Kult eine teuflische Nachahmung des christl. Ostermysteriums erblickt (Firm. 3; 27,1). Die von der neueren Forsch. [6. 163 ff.] bezweifelte Auferstehung des A. erfolgte freilich nur in Form einer Metamorphose: A. wurde wie → Adonis und → Osiris u. a. mit dem Getreide identifiziert (Hippol. ref. 5,9,8; Firm. 3; vgl. die Gleichsetzung des A. mit der Blüte bei Porph. bei Eus. Pr. Ev. 3,11,15–17 und Aug. civ. 7,25). Falls das ein genuiner Kultgedanke war (oft unnötig geleugnet, z. B. [7. 93]), so gehörte der Hirtenjüngling A. zu jenen Göttern, die der rituellen Suggestion nach einst die Kulturpflanzen erschaffen hatten, indem sie sich postmortal in sie verwandelten. Dazu paßt, daß der Kybele-A.-Kult dem Anspruch Phrygiens Ausdruck verlieh, die Wiege des Ackerbaus zu sein (Lucr. 2,612 f.).

1 M. J. VERMASEREN, Corpus Cultus Cybelae Attidisque I–VII, EPRO 50, 1977–1989 2 H. HEPDING, A., RGVV I, 1903 3 FRAZER, The Golden Bough IV: Bd. 1 (1913) Ndr. 1980, 263 ff. 4 B.-M. NÄSSTRÖM, The Abhorrence of Love. Studies in Rituals and Mystic Aspects in Catullus' Poem of A., 1989 5 G. SFAMENI GASPARRO, Interpretazioni gnostiche e misteriosofiche del mito di A., in: R. v. DEN BROEK, M. J. VERMASEREN (Hrsg.), Studies in Gnosticism and Hellenistic Religions presented to G. QUISPEL, EPRO 91, 1981, 376–411 6 P. LAMBRECHTS, Les fêtes »phrygiennes« des Cybele et d'A., in: BIBR 27, 1952, 141–170 7 PH. BORGEAUD, L'écriture d'A., in: C. CALAME (Hrsg.), Métamorphoses du mythe en Grèce antique, 1988, 87–103.

W. BURKERT, Structure and History in Greek Mythology and Ritual, 1979, 99 ff. · J. PODEMANN SØRENSEN, The Myth of A., in: Ders. (Hrsg.), Rethinking Religion, 1989, 23–29 · G. SFAMENI GASPARRO, Soteriology and Mystic Aspects in the Cult of Cybele and A., EPRO 130, 1985 · G. THOMAS, Magna Mater and A., ANRW II 17. 3, 1984, 1500–35 · M. J. VERMASEREN, Cybele and A., the Myth and the Cult, 1977 · Ders., The Legend of A. in Greek and Roman Art, EPRO 9, 1966 · Ders., M. B. de Boer, A., LIMC 3. 1, 22–44.   G. B.

Attisch A. ATTISCH DER ÄLTEREN ZEIT (BIS 5./4.JH.) B. GROSSATTISCH UND ÜBERGANG ZUR KOINE

A. ATTISCH DER ÄLTEREN ZEIT (BIS 5./4.JH.)

Das A., das in der Lit. eine überragende Stellung einnimmt, ist seit E. des 7.Jh. auch durch eine Fülle von Inschr. bezeugt: Privatinschr., offizielle Urkunden, dazu auch Aufschriften auf Vasen und Ostraka sowie Fluchtafeln (4.–3.Jh.), die z.T. das »Vulgär-A.« widerspiegeln. Seit der Gründung des 1. → Attisch-Delischen Seebundes (478/7) und während der Zeit, als Athen im Mittelpunkt der griech. Politik stand, lassen die auch außerhalb Attikas gefundenen staatlichen Inschr. die Entwicklung vom lokalen »Alt-A.« zum ion. geprägten »Groß-A.« der Macht- und Kulturstadt Athen verfolgen. Das ion. → Alphabet, dessen Gebrauch sich schon seit Mitte des 5.Jh. beobachten läßt, wurde 403/2 offiziell eingeführt, und die alten Gesetze mußten umgeschrieben werden.

Das A. zeigt neben einem ostgriech. Bestandteil (–ti/–] > –si/–], *$t^{(h)}\underline{i}$ > s [τόσος]; Nom. Pl. οἱ/αἱ, athemat. Inf. auf –[ε]ναι; ὅτε, ἄν, βούλομαι, πρῶτος, ἱερός, εἴκοσι) eindeutige Übereinstimmungen mit dem → Ionischen, die auf urspr. Zusammengehörigkeit weisen: $\bar{e}/\bar{o}$ (urspr. notiert E, O, dann EI, OY) aus Ersatzdehnungen und Kontraktionen (Typ βουλή, τοῦ), *$\bar{a}$ > $\bar{a}$, z.T. *$\bar{u}$, *u > $\bar{\ddot{u}}$, $\ddot{u}$, Metathese *$\bar{a}o$ > $e\bar{o}$ (und sog. »att.« Dekl. λεώς) bzw. *ea > $e\bar{a}$ (notiert EΩ bzw. EA), früher Schwund von $\underline{u}$; *ἡμέ-ες/*ὑμέ-ες (> ἡμεῖς, ὑμεῖς), 3. Sg. ἦν »er war«, 3. Pl. Aor. vom Typ ἔθε-σαν; πρός, keine Apokope der Präpositionen. Isoglossen mit dem Dor. sind: *$\underline{r}$ > ra, themat. Flexion der Verba vocalia, *ἐν-ς. Allerdings unterscheidet sich das A. vom Ion. durch spezifische Merkmale: Rückverwandlung von $\bar{a}$ hinter e, i, r (»Alpha purum«: Typ νέᾱ, οἰκίᾱ, χώρᾱ); ea, eo, eō > $\bar{e}$, $\bar{o}$, $\bar{o}$ (H, OY, Ω: ἔτη, ἔτους, ἐτῶν); Gen. Sg. Mask. vom Typ πολίτου, die Flexion der -i-, -u-Stämme (Typ πόλεως, πόλει), *-ion-/-ios- im Komparativ (Typ μέζους, -ω), 2. Sg. εἶ »du bist«, 1. Pl. ἐσμέν, Ptz. ὤν. Es gibt auch Isoglossen mit Nachbar-Dial.: *$t^{(h)}\underline{i}$, *$k^{(h)}\underline{i}$, *$t\underline{u}$ > tt (Präs. auf -ττω, τέτταρες; auch West-Ion., Boiot.), rs > rr (Typ θάρρος; auch West-Ion.).

Besonderheiten des »Alt-A.« kommen bis E. des 5.Jh. in Inschr. vor: Dat. Pl. auf -ἐσι, -ᾱσι/-αισι, -ησι und –οισι, ὀλείζων »weniger« (bis 408), Iptv. 3. Pl. auf -οσθõν, ξύν, Gebrauch des Duals.

Im Laufe des Peloponnesischen Krieges hat das A. wichtige Veränderungen erfahren, wie sich an der konservativen Amtssprache der offiziellen Inschr. beobachten läßt: seit ca. 420 ist nur -αις belegt, seit 404 nur -οις; seit ca. 420 wird –εσθõν bevorzugt, seit ca. 410 σύν; seit E. des 5.Jh. ist der Dual nicht mehr lebendig (alte Formen werden später nur in Formeln gebraucht, z.B. ξύν seit 378 nur in γνώμην ξυμβάλλεσθαι, Dual bis E. des 4.Jh. nur in τὼ θεώ). Dies weist auf den Ersatz des Alt-A. durch eine neuere Form des A., die der ion. geprägten att. Prosa und dem Ion. nähersteht. Sie entspricht etwa

der kultivierten Umgangssprache Athens, die sich als »Groß-A.« vorwiegend im ion., seit Mitte des 5.Jh. stark attisierten Sprachgebiet der Mitglieder der att. Seebünde verbreitet hat und in mancher Hinsicht ein unmittelbarer Vorläufer der koiné ist. Im Laufe des 4.Jh. werden in Inschr. Formen gebraucht, die auch im Lit.-A. und im Ion. vorkommen (doch kaum im Alt-A.) und in der koiné fortleben: ἔθηκαν (seit 385), Iptv. auf -τωσαν und -σθωσαν (seit ca. 300), πρὶν ἤ + Inf., ὅπως + Konj. (seit 342), und ἵνα für alt-att. ἔθεσαν, -ντων und -σθων, πρίν + Inf., ὅπως ἄν + Konj. Schreibungen wie ⟨κι⟩ ⟨φιλιν⟩ ⟨στειχησω⟩ ⟨χριματα⟩ (= καί, φιλεῖν, στοιχήσω, χρήματα), die seit Mitte des 5.Jh. vorwiegend in privaten Inschr. vorkommen, lassen die Annahme zu, daß die Monophthongierung von ai, ei, oi und der Itazismus, die als charakteristisch für die koiné gelten, zumindest in einem Teil der Bevölkerung schon vollzogen waren.

Proben: (446/5 v.Chr.; Eid) τον φορον ηυποτελõ Αθ-ēναιοισιν ... και χσυμμαχος εσομαι · (Vorschriften) ... τον ηορκον αναψσαφσαι Αθēνēσι ... · ... ηοπõς δ'αν ταχιστα τυθēι, ηοι στρατēγοι συνεπιμελοσθõν · ... τõς στρατηγõς επιμελεσθαι ... ηοπõς αν εχēι ηõς βελτιστα Αθēναιοις.(Ca. 422) απαρχεσθαι τοιν θεοιν ... απο τõν ηεκατον μεδιμνõν μē ελαττον ē ηεκτεα... · εαν δε τις πλειõ καρπον ποιēι ē τ[οσουτο]ν ē ολειζõ, κατα τον αυτον λογον απαρχεσθαι · ... και παραδιδοναι τοις ηιεροποιοις τοις Ελευσινοθεν Ελευσιναδε · ... ευθυνοσθõν ... χιλιαισιν δραχμēσιν.(Tafeln aus der Akademie, E. 5. Jh.?) Αθινα Αρις ... Διμοσοθεν[τ]ς.

→ Griechische Dialekte; Griechische Literatursprachen; Ionisch; Koine

QUELLEN: IG II/III¹, 1877–97; II/III², 1913–40; I³ 1, 1981; I³ 2, 1994 · P.BALATSOS, Inscriptions from the Academy, in: ZPE 86, 1991, 145–154.

LIT.: C.BRIXHE (et al.), L'attique, in: REG 98, 1985, 279–284 (Forschungsbericht) · A. LÓPEZ EIRE, De l'attique à la koiné, in: C. BRIXHE (Hrsg.), La Koiné grecque antique: I. Une langue introuvable?, 1993, 41–57 · Ders., Historia del ático a través de sus inscripciones I, in: Zephyrus 47, 1994, 157–188 · E.RISCH, Das A. im Rahmen der griech. Dial., in: MH 21, 1964, 1–14 (= KS 222–235) · M.S. RUIPÉREZ, Esquisse d'une histoire du vocalisme grec, in: Word 12, 1956, 67–81 (= Opera Selecta 63–77) · E.SCHWYZER, Synt. Archaismen des A., 1940 (= KS 443–456) · THUMB/SCHERER, 284–313 · S.T. TEODORSSON, The Phonemic System of the Attic Dialect, 400–340 B.C., 1974 · Ders., The Phonology of Attic in the Hellenistic Period, 1978 (dazu E. CRESPO, in: Emerita 48, 1980, 145–148) · L. THREATTE, The Grammar of Attic Inscriptions. I. Phonology, 1980; II. Morphology, 1996.

J.G.-R.

B. GROSSATTISCH UND ÜBERGANG ZUR KOINE

Das A. hatte im Laufe der griech. Sprachgesch. verschiedene Funktionen inne: einmal (1) als epichorischer *gesprochener* Dial. Attikas und seiner »Hauptstadt« Athen, dann (2) als regionaler *Schreib*-Dial., (3) als Lit.-Sprache zuerst der att. Komödie und Tragödie, später auch der

Prosa als Konkurrent und unter dem Einfluß des in diesem Punkte bislang führenden Ion. (Diokles von Karystos aus dem 4. Jh. ist der erste, der sich für medizinische Fachprosa des A. und nicht mehr des Ion. bedient; bereits 403 v. Chr. wird das zu diesem Zeitpunkt schon häufig verwendete ion. → Alphabet, das z. B. offene und geschlossene Langvokale Ω/OY bzw. H/EI unterschied, nun auch offiziell eingeführt), (4) als geschriebene und gesprochene Prestigevarietät des Griech. auch außerhalb Attikas im Gefolge des Sieges über die Perser und des von Athen dominierten ersten → Attisch-Delischen Seebundes, (5) als Kanzleisprache am maked. Hof (die Voraussetzung für die Ausbreitung der koinḗ) und schließlich (6) mit dem Attizismus als das rückwärtsgewandte, aber das ganze byz. Reich hindurch als maßgeblich anerkannte Standardschriftgriechisch der Kaiserzeit. Als Groß-A. gilt das ›außerhalb Attikas‹ (v. a. auf den ägäischen Inseln seit dem zweiten → Attischen Seebund) geschriebene, stark ion. überformte und seiner spezifischsten Eigenheiten entkleidete A.; es ist von weniger konservativem Habitus als die gleichzeitig geschriebene Varietät in Attika selbst, wo sich auf die koinḗ vorausweisende Neuerungen erst mit zeitlicher Verzögerung nachweisen lassen: so ist auf delischen Inschr. ναός schon seit dem 4. Jh., in Attika selbst erst seit ca. 250 belegt; γίνομαι setzt sich in Attika erst seit ca. 300 gegen γίγνομαι durch, während es in att. Inschr. außerhalb Attikas schon im ganzen 4. Jh. die Regel ist. Mit dieser, erst einmal nur auf griech. Boden beschränkten Überregionalität waren die Weichen zur Entstehung der koinḗ, des »internationalen« Griech. des Hellenismus, gestellt; Groß-A. ist also das Zwischenglied zw. dem A. im engeren Sinne und der koinḗ.

A. DEBRUNNER, A. SCHERER, Gesch. der griech. Sprache II: Grundfragen und Grundzüge des nachklass. Griech., 1969, bes. § 36–45, § 114–119 · R. HERZOG, Die Umschrift der älteren griech. Lit. in das ion. Alphabet, Programm zur Rektoratsfeier der Universität Basel 191, 1912 · J. NIEHOFF-PANAGIOTIDIS, Koine und Diglossie, 1994, bes. Kap. II.1 und II.2 · E. RISCH, Das A. im Rahmen der griech. Dial., in: A. ETTER, M. LOOSER (Ed.), Ernst Risch. KS, 1991, 222–235 · B. ROSENKRANZ, Der lokale Grundton und die persönliche Eigenart in der Sprache des Thukydides und der älteren att. Redner, in: IF 48, 1930, 127–179 · J. SCHLAGETER, Zur Laut- und Formenlehre der außerhalb Attikas gefundenen att. Inschr. (Programm Freiburg/Breisgau), 1908 · Ders., Der Wortschatz der außerhalb Attikas gefundenen att. Inschr., 1912 · L. THREATTE, Attic Abroad: The language of the Attic Inscriptions at Delphi, in: E. CRESPO, J. L. GARCÍA RAMÓN, A. STRIANO (Ed.), Dialectologica Graeca. Actas del II Coloquio Internacional de Dialectología Griega, Miraflores de la Sierra, 19–21 de Junio de 1991, 1993, 323–330.   V.B.

Attisch-Delischer Seebund (5. Jh. v. Chr.). Der persische Angriff auf Griechenland war 480–79 v. Chr. zurückgewiesen worden, aber niemand konnte Ende 479 wissen, daß die Perser niemals wiederkommen würden. 478 setzten die Griechen den Krieg unter Führung Spartas fort, aber der spartanische Kommandeur → Pausanias machte sich bald so unbeliebt, daß Athen von sich aus (Aristot., Ath. pol. 23,4) oder auf Anregung durch die Verbündeten beschloß, die Führung zu übernehmen (Thuk. 1,94–5). Daraufhin gründete Athen ein ständiges Bündnis (nominell mit den Ionern, aber tatsächlich nicht auf die ion. Griechen beschränkt) zur Fortsetzung des Kampfes gegen die Perser, um Rache zu nehmen und Beute zu machen (Thuk. 1,96,1), und sicherlich (wie Thuk. an anderer Stelle berichtet), um die Ostgriechen von der persischen Herrschaft zu befreien und vor einem weiteren Angriff zu schützen. Sparta und die anderen Staaten der Peloponnes schlossen sich dem Bündnis nicht an.

Urspr. war die Allianz ein Bund freier Mitglieder, dem sich Athen als Führer zur Verfügung stellte. Die Bündner stellten für den Krieg entweder Schiffe oder zahlten Geldbeiträge (phoros). Die Bundeskasse wurde im Heiligtum des Apollo in Delos aufbewahrt, wo sich auch die Bundesversammlung traf. Aber Athen ging davon aus, daß eine ständige Allianz auch ständiges Kämpfen bedeute. Indem es auf den Verpflichtungen der Bündner bestand und sie ermutigte oder zwang, eher Tribut zu zahlen als eigene Schiffe zu stellen, verstärkte es seine eigene Stellung und schwächte die seiner Bundesgenossen, so daß der Seebund, der als Bündnis unter der Führung Athens begonnen hatte, schließlich zunehmend zu einem Reich unter der Kontrolle Athens wurde (Thuk. 1,96–7; 99).

Schon in den frühesten Stadien der Gesch. des Seebunds fand Athen Wege, eigene Vorteile zu erzielen (Thuk. 1,98–101). Das friedliche Nebeneinander von Spartas Hegemonie auf dem griech. Festland und der Hegemonie Athens in der Ägäis endete um 461 mit der Ausschaltung des pro-spartanischen → Kimon aus der Politik. Darauf trugen die Athener den Krieg gegen Persien nach Ägypten und begannen gleichzeitig im sog. Ersten Peloponnesischen Krieg, ihre Macht auf Mittelgriechenland auszudehnen (Thuk. 1,104–11). Der Krieg in Ägypten endete 454 mit einem Desaster, das wohl den Vorwand lieferte, um die Bundeskasse von Delos nach Athen zu schaffen. Seit 453 wurde 1/60 des von den Bundesstaaten gezahlten Tributs der Athena geweiht und alljährlich in den »Athenischen Tributlisten« verzeichnet.

Die frühesten Listen zeigen, daß die Kontrolle Athens keineswegs vollständig war. Nach dem Tod Kimons um 450 auf einem Feldzug in Zypern kam der reguläre Krieg gegen Persien zu einem Ende. Es ist möglich, aber nicht sicher, daß dies die Folge eines Vertrags, des sog. Kalliasfriedens, war. Nach einer Phase der Unsicherheit entschied sich Athen zur Fortsetzung des Seebunds und des Einzugs von Tributen: Direkt oder indirekt setzte der Tribut die Athener in die Lage, den Parthenon und andere Gebäude in den 440er und 430er Jahren zu finanzieren. Athen führte zwar nicht systematisch, aber immer dann, wenn es provoziert wurde, demokratische Verfassungen bei den Bündnern ein,

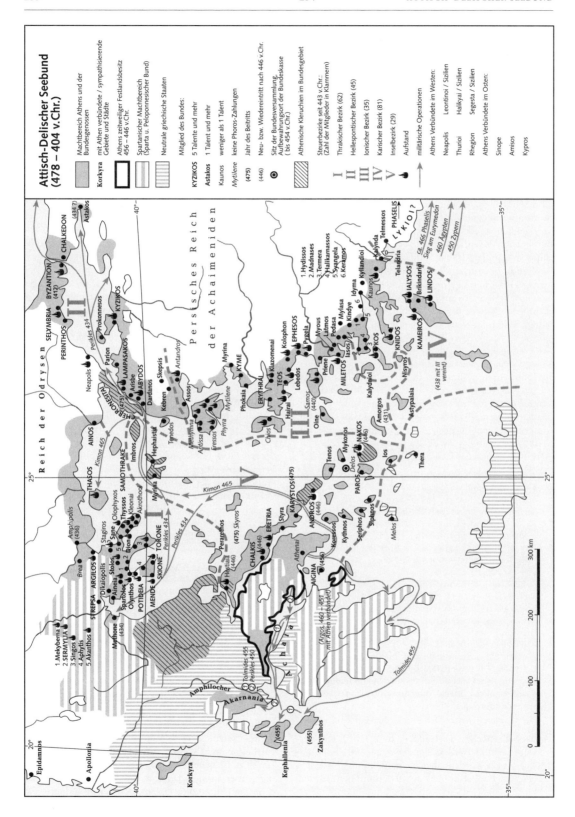

Attisch-Delischer Seebund (478 – 404 v.Chr.)

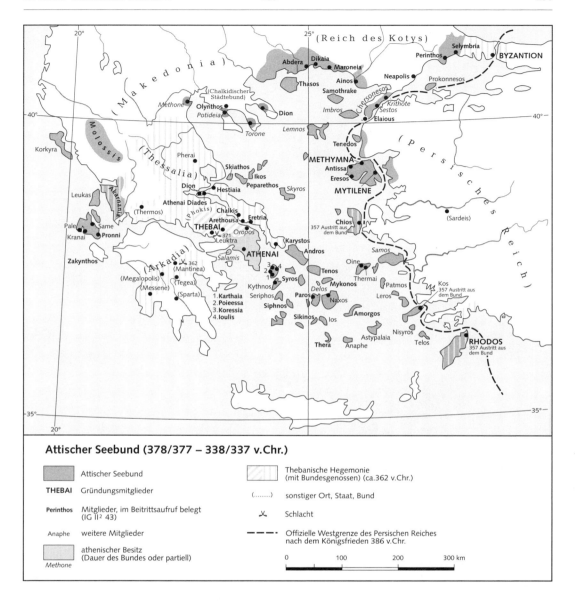

Attischer Seebund (378/377 – 338/337 v.Chr.)

▨ Attischer Seebund	▨ Thebanische Hegemonie (mit Bundesgenossen) (ca.362 v.Chr.)
THEBAI Gründungsmitglieder	(........) sonstiger Ort, Staat, Bund
Perinthos Mitglieder, im Beitrittsaufruf belegt (IG II² 43)	⚔ Schlacht
Anaphe weitere Mitglieder	– – – Offizielle Westgrenze des Persischen Reiches nach dem Königsfrieden 386 v.Chr.
▨ athenischer Besitz (Dauer des Bundes oder partiell) *Methone*	0 100 200 300 km

gründete Kleruchien (→ Kleruchoi) athenischer Bürger auf ihrem Gebiet und zog ihre Prozesse vor athenische Gerichte, die wohl zugunsten der Anhänger Athens entschieden. In der Blütezeit des Seebunds, als Athen den Mitgliedern nominell noch Freiheit und Unabhängigkeit beließ, übte es faktisch in einem noch nie dagewesenen Umfang Macht über eine große Anzahl von griech. Städten aus.

Die Gebietsgewinne der 450er Jahre auf dem griech. Festland gingen 447/6 als Folge von Aufständen wieder verloren, und 446/5 versuchte man, mit dem Abschluß eines Dreißigjährigen Friedens ein Gleichgewicht der Macht zwischen Sparta und Athen herzustellen (Thuk. 1,113–15). In den folgenden Jahren zeigte sich jedoch,

daß Athen sein Machtgebiet erweitern würde, wo immer es nur konnte, auch wenn es nicht unmittelbar in die Einflußsphäre Spartas übergriff. Folglich begann Sparta 431 den Peloponnesischen Krieg mit dem erklärten Ziel, die Griechen zu befreien (Thuk. 2,8,4). Um den Krieg zu gewinnen, mußte sich Sparta die Unterstützung Persiens sichern, und zwar mit dem Versprechen, auf die Griechen in Kleinasien zu verzichten. Spartas Sieg im Jahr 404 führte zur Auflösung des Seebunds und schließlich, nach einer Phase der Unentschlossenheit, zur Aufgabe der asiatischen Griechen im Königsfrieden von 386.

J. BLEICKEN, Die athenische Demokratie, ²1994, bes. 66–71; 396–97 · R. MEIGGS, The Athenian Empire, 1972 ·

B.D. Meritt et al., The Athenian Tribute Lists, 1939–53 · K.-E. Petzold, Die Gründung des Delisch-Att. Seebundes: Element einer »imperialistischen« Politik Athens?, Teile 1 und 2, in: Historia 42, 1993, 418–443; 43, 1994, 1–31 · P.J. Rhodes, The Athenian Empire, 1985, überarb. Aufl. ²1993 · Ders., D.M. Lewis, The Thirty Years Peace, CAH 5², 34–61, 121–46 · W. Schmitz, Wirtschaftliche Prosperität, soziale Integration und die Seebundpolitik Athens, 1988 · W. Schuller, Die Herrschaft der Athener im Ersten Att. Seebund, 1974.   P.J.R.
Karten-Lit.: B.D. Meritt, H.T. Wade-Gery, M.F. McGregor, The Athenian Tribute Lists IIV, 1939–1953 · W. Schuller, Die Herrschaft der Athener im Ersten Att. Seebund, 1974 · R. Meiggs, The Athenian Empire, 1975 (korr. Ndr.) · C.J. Tuplin, in: R.J.A. Talbert (Hrsg.), Atlas of Classical History, 1985 (Ndr. 1994), 44 · K.-E. Petzold, Die Gründung des Delisch-Att. Seebundes, Historia 42, 1993, 418–443; 43, 1994, 131.

Attischer Seebund (4. Jh. v. Chr.). Der → Attisch-Delische Seebund war 404 am Ende des Peloponnesischen Krieges zerbrochen. Man erinnerte sich zwar der Gewalt, die Athen über seine Verbündeten ausgeübt hatte, aber Spartas Verhalten gegenüber den Griechen im frühen 4. Jh. bot seinerseits Anlaß zur Unzufriedenheit. Im Königsfrieden von 386 wurden die Griechen in Kleinasien den Persern überlassen und alle anderen Griechen für unabhängig erklärt. 384 schloß Athen ausdrücklich im Rahmen dieses Friedens ein Bündnis mit Chios (IG II² 34 = Tod 118). 378 gründete Athen nach der Befreiung Thebens von spartanischer Herrschaft und vermutlich nach dem Freispruch des spartanischen Feldherrn → Sphodrias, der in Attika eingefallen war, einen neuen Bund zur Abwehr des spartanischen Imperialismus. Ein 377 verbreiteter Beitrittsaufruf (IG II² 43 = Tod 123) nannte das antispartanische Ziel des Bundes, erläuterte die Folgen für die Unabhängigkeitsgarantie des Königsfriedens und versprach, daß Athen verschiedene Dinge unterlassen werde, die im Attisch-Delischen Seebund Unmut hervorgerufen hatten.

Der Bund lockte viele Mitglieder an, aber bald wurden die Zusagen, wenn nicht dem Buchstaben, so doch dem Geiste nach, gebrochen. Zwar wurde kein Tribut (*phóros*) erhoben, aber bald forderte man von den Bündnern Beiträge (*syntaxeís*). In die verbündeten Staaten sollten weder Kommandanten noch Truppen gelegt werden, aber es finden sich einige bereits in den 370er Jahren und mehr noch in den 350er Jahren. Eine Einmischung Athens in die inneren Angelegenheiten der Bündner sollte unterbleiben, aber nach einer Revolte in Keos in den 360er Jahren wurden einige Prozesse von Keos in athenische Gerichtshöfe verlegt. Ebenso sollte kein Athener Land im Gebiet der Bündner besitzen dürfen, aber seit den 360er Jahren wurden Kleruchien (→ Kleruchoi) gegründet, wenn auch nicht auf dem Territorium der Staaten, die in dem inschr. erhaltenen Beitrittsaufruf enthalten sind. Vor allem wandelte sich der Zweck des Bundes, der als antispartanische Allianz mit Theben als Gründungsmitglied begonnen hatte, nach Spartas Niederlage gegen Theben bei Leuktra 371, als es Athen gefiel, Sparta gegen Theben zu unterstützen: Das einzige Ziel des Bundes blieb die Förderung athenischer Interessen. Einige Staaten hielten nach Leuktra eher zu Theben als zu Athen, andere verließen den Seebund nach dem → Bundesgenossenkrieg von 356–355. Der Seebund wurde aufgelöst, als → Philippos II. von Makedonien 338/37 die Griechen im Korinthischen Bund zusammenschloß.

J. Bleicken, Die Athenische Demokratie, ²1994, bes. 320–329 · J.L. Cargill, The Second Athenian League, 1981 · M. Dreher, Hegemon und Symmachoi, 1995 · D.G. Rice, Xenophon, Diodorus and the year 379–378 B.C., in: YCS 24, 1975, 95–130 · R. Seager, The king's peace and the second Athenian confederacy, CAH 6², 163–186.   P.J.R.
Karten-Lit.: J.L. Cargill, The Second Athenian League, 1981 · P.J. Rhodes, in: R.J.A. Talbert (Hrsg.), Atlas of Classical History, 1985 (Ndr. 1994), 60 · M. Dreher, Hegemon und Symmachoi, 1995.

Attischer Standard s. Münzfüße

Attisches Recht
A. Definition und Quellen   B. Grundlagen C. Prozess   D. Sicherung des Rechtsverkehrs E. Person und Familie   F. Sachherrschaft G. Haftungsgeschäfte   H. Delikt und Strafrecht

A. Definition und Quellen

Korrekt wäre die Bezeichnung »athenisches Recht«, weil »attisch« die Landschaft, den Dialekt, Kunst und Kultur bezeichnet, Athen hingegen die Polis, den Staat; doch ist die Bezeichnung A.R. bereits seit dem Beginn des 19. Jh. eingeführt, als Philologen und Juristen nach einer von der Königlichen Akademie der Wiss. in Berlin 1817 gestellten Preisfrage sich verstärkt mit dem Prozeß und Recht Athens beschäftigten [1]. Als Quellen waren damals die Gerichtsreden (E. 5.–4. Jh. v. Chr.) und die philos. Schriften Platons und Aristoteles' bekannt. Noch im Laufe des 19. Jh. wurde die Quellenbasis erweitert durch Inschr. auf Stein, direkte Zeugnisse aus dem Athen des 5.–4. Jh. v. Chr., und durch den Fund der Aristoteles zugeschriebenen Schrift vom ›Staat der Athener‹ auf einem Papyrus aus Ägypten; seither ist zwar die Zahl der Inschr. angewachsen, doch hat das am Gesamtbild nur wenig geändert. Im wesentlichen ist das Material durch die beiden fast hundert Jahre alten Hdb. von Beauchet [2] und Lipsius [3] (auf denen auch [4] – [6] aufbauen) erschlossen, doch fehlt immer noch eine juristisch voll befriedigende Gesamtdarstellung (s. einstweilen Wolff [7] und Biscardi [8]).

B. Grundlagen

Das A.R. als positives Recht Athens gehört zum Kreis der eng miteinander verwandten »griech. Rechte«. Dank der günstigen Quellenlage ist es uns am besten bekannt (daneben kennen wir das Recht der kretischen Polis Gortyn aus einer großen Gesetzesinschr. aus dem 5. Jh. v. Chr. und dank unzähliger Privaturkunden auf

Papyrus die Rechtspraxis des ptolemäischen Ägypten). Nur in Bruchstücken [9] und lit. Fragmenten [10] sind die Gesetze des → Drakon (Blutrecht) und → Solon (Prozeß, Familien- und Erbrecht) aus dem 7. und 6. Jh. v. Chr. erhalten. Im Grunde galt Recht als »unvordenklich«: die Idee, daß neues positives Recht als »Gewohnheitsrecht« entstehen konnte, war unbekannt. Die athenische Demokratie des 4. Jh. v. Chr. entwickelte ein differenziertes System der Gesetzgebung: Neben dem einfachen Beschluß der Volksversammlung (dem »Psephisma«) gab es das von einem kleineren Gremium erlassene formelle Gesetz (den »Nomos«). Die Gerichte waren durch einen Eid der Geschworenen streng an das positive Recht gebunden, zur elastischen Handhabung fehlte es an einem dem röm. vergleichbaren Juristenstand.

C. PROZESS

Auch in Athen ist das archa. Prinzip der »eigenmächtigen Rechtsdurchsetzung« noch greifbar. Das Gericht überprüfte, ob dem Kläger (διώκων, *diōkon*: Verfolger) ein Zugriffsrecht (eine δίκη, *díkē*) gegen den Beklagten (φεύγων, *pheúgōn*: Fliehender) zustand. Jeder der neun Archonten (Höchstmagistrate) hatte auch Gerichtsbarkeit. Seit Solon konnte sich jeder Bürger mit → *éphēsis* an die aus Geschworenen bestehende Gerichtsversammlung (→ Heliaía) wenden. Der Magistrat führte in klass. Zeit lediglich eine Vorverhandlung durch, die Entscheidung fiel in einem Geschworenengerichtshof (→ dikastḗrion), der in Privatprozessen aus mindesten 201, in öffentlichen aus 501 Mitgliedern bestand. Die Geschworenen (→ *dikastḗs*) wurden im 4. Jh. jeweils am Morgen des Verhandlungstages ausgelost (Aristot. Ath. pol. 63 ff.).

D. SICHERUNG DES RECHTSVERKEHRS

Auch im A. R. muß man von einem entwickelten Urkundenwesen ausgehen. Testamente oder Vertragsdokumente wurden vor Zeugen errichtet und einem privaten, unparteiischen Verwahrer übergeben. Der Publizität dienten Hypothekensteine (*hóroi*) auf dem belasteten Grundstück und der Heroldsruf, etwa bei Freilassungen.

E. PERSON UND FAMILIE

Nur ein Bürger hatte außer polit. Rechten vollberechtigte Familienbeziehungen, Eigentum an Grund und Prozeßfähigkeit im ordentlichen Verfahren, doch nahmen auch ortsansässige fremde Mitbewohner (Metöken) am privaten Rechtsverkehr teil. Unfreie bekleideten oft wirtschaftlich bedeutsame Positionen, waren jedoch von Vermögen und Familie ausgeschlossen. Grundlage des Staates war der Hausverband (οἶκος, *oíkos*) als sakrale und wirtschaftliche Einheit. Familien- und Erbrecht waren auf die Kontinuität des *oíkos* hin konzipiert. Nur ein legitim geborenes, aus vollgültiger Ehe zwischen Bürgern stammendes Kind war Mitglied des *oíkos*. Die Frau unterstand stets der Gewalt eines κύριος (*kýrios*: Herr), entweder ihres Vaters, nächsten Verwandten oder Ehemannes. Notwendige Erben waren die legitimen Söhne; nur bei Fehlen solcher durfte

man adoptieren. Töchter hatten neben Söhnen kein Erbrecht nach ihrem Vater; hatte dieser nur eine Tochter, so vermittelte sie als Erbtochter (→ *epíklēros*) die Erbschaft ihrem Sohn. Die Erbtochter konnte vom nächsten männlichen Seitenverwandten als Ehefrau beansprucht werden, der die Pflicht hatte, für den Verstorbenen »Söhne« (biologisch: Enkel) zu zeugen.

F. SACHHERRSCHAFT

Das A. R. kannte kein dem röm. vergleichbares Konzept von Besitz und Eigentum. Die Berechtigung zum Einwirken auf die Sache (*krátēsis*) und zur Verfügung darüber (*kyrieía*) konnte funktionell oder zeitlich begrenzt sein. Auch Geld in fremden Händen wurde nach den Kategorien der Sachherrschaft betrachtet. Erst die Zahlung des Kaufpreises ließ die Berechtigung des Käufers entstehen, auch wenn die Sache schon übergeben war. Das Pfandrecht war als inhaltlich geteiltes, nur zeitlich beschränktes Recht an der Sache konzipiert. Geschützt war die Sachherrschaft nicht über eine »Eigentumsklage«, sondern indirekt über das Deliktsrecht.

G. HAFTUNGSGESCHÄFTE

Es gab kein System von Ansprüchen, aus denen auf Erfüllung von Verträgen geklagt werden konnte. Die Haftung wurde nicht durch bloße Willenseinigung zwischen den Parteien begründet, sondern durch ein dem »Gläubiger« zugefügtes Delikt. Dieser konnte nur klagen, wenn er bereits über Teile seines Vermögens verfügt hatte und der »Schuldner« einen dabei zugesagten Erfolg nicht erbracht hatte. Durch die reale Vermögensschädigung (*blábēs díkē*) konnte ein Mechanismus von vereinbarten Sanktionen in Gang gesetzt werden. Jedenfalls haftete der Schuldner auf Rückzahlung des empfangenen Wertes, bzw. des Doppelten. Aus diesem Grund war die → *árrha* für den Kauf besonders wichtig. Miete und Pacht (→ *místhōsis*) waren erst mit Sachhingabe verbindlich, der Werkvertrag mit Vorauszahlung. Darlehen trat als → *chrḗsis*, → *dáneion* oder → *éranos* auf, Verwahrung als → *parakatathḗkē*. Bürgschaft (→ *engýē*) war vermutlich das älteste Geschäft der freiwilligen Haftungsübernahme.

H. DELIKT UND STRAFRECHT

Sachherrschaft und Vertrag waren über »Schädigung« (*blábē*) gesichert. Weitere private Unrechtstatbestände (→ *adíkēma*): Mord, Diebstahl, tätliche und wörtliche Beleidigung. Unrechtstaten gegen die Allgemeinheit (oder gegen Schutzlose) wurden in Sonderverfahren (→ *eisangelía*) oder durch Popularanklage (→ *graphḗ*) verfolgt: → Asebeia, → Hierosylie, → *prodosía*, → *hýbris*. Sanktionen waren → *atimía*, Todesstrafe, Verbannung, Vermögensverfall und Geldstrafen.

1 G. THÜR, Juristische Gräzistik im frühen 19. Jh., in: FS St. Gagnér, 1991, 521 ff. 2 L. BEAUCHET, Histoire du droit privé de la république athénienne I/IV, 1897 3 LIPSIUS 4 A.R.W. HARRISON, The Law of Athens I/II, 1968/71 5 D.M. MACDOWELL, The Law of Athens, 1978 6 ST. TODD, The Shape of Athenian Law, 1993 7 H.J. WOLFF, Recht (griech.), in: LAW, 2516 ff. 8 A. BISCARDI, Diritto greco antico, 1982 9 R. STROUD, Drakon's Law of Homicide, 1968 10 E. RUSCHENBUSCH, Solons Nomoi, 1966. G.T.

Attius Plebeischer Gentilname, bezeugt seit dem 2. Jh. v. Chr., in der älteren Form Atius, in den Hss. häufig mit Accius verwechselt (zu Herkunft und Verbreitung SCHULZE 68; 423; 551; ThlL 2,1169–71). Prominenz erlangte die *gens* erst mit → Atia, der Mutter des Kaisers Augustus. Frühkaiserzeitliche Pseudogenealogie erfand deshalb einen Ahnherrn Atys (Verg. Aen. 5,568 *Atys, genus unde Atii duxere Latini*).

K.-L. E.

I. REPUBLIKANISCHE ZEIT

[I 1] A. Balbus, M., Schwager Caesars (→ Iulia und Großvater des Augustus (→ Atia [1]). Er wurde 59 v. Chr. als ehemaliger *praet.* (Amtszeit unbekannt) in ein 20–Männer-Gremium gewählt, das die durch Caesars Ackergesetze [1. 64 ff.] beschlossene Landverteilung vornehmen sollte (Suet. Aug. 4,1; Cic. Att. 2,12,1).

1 M. GELZER, Caesar, [6]1960, Ndr. 1983. W. W.

[I 2] A. Celsus, C., forderte als *praetor* 66 oder 65 v. Chr. Cicero auf, den Volkstribunen C. → Cornelius zu verteidigen (Ascon. 65 C; MRR 2, 157 f.).

[I 3] A. (Accius?) Paelignus, C., verteidigte als Pompeianer 49 v. Chr. die Stadt Sulmo erfolglos gegen Caesar, wurde von diesem aber begnadigt (Caes. civ. 1,18; Cic. Att. 8,4,3). NICOLET, 2, 756.

[I 4] A. Tullius (Vorname = Appius), Fürst der Volsker → Appius Tullius.

[I 5] A. Varus, P., *praetor* spätestens 54 v. Chr., *propraetor* 53 in Africa (Caes. civ. 1,31,2; MRR 3,29), war Anhänger des Pompeius vom Ausbruch des Bürgerkrieges bis zu seinem Tod 45. Im J. 49 versuchte er erfolglos Cingulum und Auximum in Picenum zu veteidigen (Caes. civ. 1,12 f.). Darauf ging er nach Africa, beanspruchte dort ohne Autorisierung das Imperium und widersetzte sich mit Q. → Ligarius dem regulären neuen Propraetor L. → Aelius Tubero (Cic. Lig., passim; Caes. civ. 1,31). Er kämpfte zunächst erfolglos gegen C. → Scribonius Curio vor Utica, dieser wurde aber von König Iuba geschlagen, und A. hielt die Stellung (Caes. civ. 2,23–26; 43 f.). Nach Pharsalos mußte er das Oberkommando in Africa an Q. Caecilius Metellus Scipio abtreten (Plut. Cat. Min. 56 f. u. a.), blieb aber als *legatus pro praetore* (ILS 5319) und Flottenbefehlshaber bis 46 dort (bell. Afric. 44; 62–64). Nach der Niederlage bei Thapsus floh er nach Spanien, wurde dort in einer Seeschlacht geschlagen (Cass. Dio 43,30 f.) und fiel 45 in der Schlacht bei Munda (bell. Hisp. 31). K.-L. E.

[I 6] A. Varus, Q., Reiterpraefekt in der Endphase des Gallischen Krieges (Hirt. Caes. Gall. 8,28,2). Im Bürgerkrieg diente er 48 in gleicher Funktion unter → Domitius Calvinus in Makedonien (Caes. civ. 3,37,5).

W. W.

II. KAISERZEIT

[II 1] A. Alcimus Felicianus, C. Nach langer procuratorischer Laufbahn gelangte er zur *praefectura annonae*; dabei vertrat er auch die *praefecti praetorio* (CIL VIII 23963 = ILS 1347); erste H. des 3. Jh. [1. 843 ff.]. PIR[2] A 1349.

1 PFLAUM, 2.

[II 2] A. Clementinus Rufinus, P., *cos. suff.* Ende 2. Anf. 3. Jh. Aus Ephesos stammend ([1. 45 ff.] zu den anderen Mitgliedern der Familie).

1 W. ECK, Epigraphische Unt. zu den Konsuln und Senatoren des 1. bis 3. Jh. n. Chr., in: ZPE 37, 1980, 31–68.

[II 3] A. Cornelianus, M., *praef. praetorio* unter Severus Alexander (CIL VIII 26270 = ILS 1334). PIR[2] A 1353.

[II 4] A. Macro, L., praetorischer Statthalter von Pannonia inferior, anschließend *cos. suff.* 134 (AE 1937, 213); [1. 169 ff.]. PIR[2] A 1360.

1 W. ECK, Jahres- und Provinzialfasten, in: Chiron 13, 1983, 147–237.

[II 5] A. Suburanus, Sex., lange procuratorische Laufbahn, abschließend mit der Fiskalprokuratur der Belgica (AE 1939, 60 = IGLS 6, 2785). *Praef. praetorio* zu Beginn der Herrschaft Traians (Aur. Vict. Caes. 13,9). Nach Aufnahme in den Senat *cos. suff.* 101, *cos. II ord.* 104; zu dieser Zeit wohl Stadtpraefekt (Plin. epist. 7,6,10 f.); vgl. [1; 2. 128 ff.; 3. 645].

1 E. CHAMPLIN, Miscellanea testamentaria, in: ZPE 62, 1986, 247 ff. 2 PFLAUM, 1 3 SYME, Tacitus, 2. W. E.

Attizismus. Stilistische Tendenz, die sich gegen den → Asianismus gerichtet hat und deren wichtigstes Merkmal in der Nachahmung der att. Redner lag (zum Zusammenhang mit der umstrittenen Frage nach dem hell. [alexandrinischen] Rednerkanon vgl. [7. 131–146; 13. 251–265], zur lat. Rednerkanonisierung [2. 1071 f.]). So liegt im Rednerkanon eine Art Antizipation des A. [14. 138 ff], doch ist der eigentliche A. in der Zeit Ciceros (1. H. 1. Jh. v. Chr.) entstanden, der in orat. 89 von *istis novis Atticis* spricht [15. 45; 5. 170–174; 16. 76 f]. Auch Dion. Hal. (opusc. 1, p. 6,8–9 USENER/RADEMACHER) stellt A. als eine Neuerung dar. LEEMAN [9. 193–205; 10. 136–167] hat drei (ablehnend [3. 120 ff]) Stufen in der Entwicklung des A. erkannt: eine um 60 v. Chr. von Callidius, Calvus und Brutus repräsentierte, in der bes. → Lysias nachgeahmt wurde, eine zweite mit Nachahmung von → Thukydides (Asinius Pollio) und eine dritte, archaisierende (Sallust, Cimber, L. Arruntius).

Trotz ihrer Unterschiede scheinen sich die Attizisten einig zu sein, den ciceronianischen und vorciceronianischen Schwulst zu vermeiden. Cicero (Brut. 67) dagegen rät, → Cato statt Lysias und → Hyperides nachzuahmen. Der wohl ironische Rat wurde bes. von → Sallust angenommen [1. 62 f.], aber der → Archaismus kommt schon früher im 1. Jh. v. Chr. vor [7. 97 ff.].

A. und Analogie gehören zusammen: Caesar war Attizist und Analogist [2. 1123–1139]. Auch die Beziehung zwischen A. und Stoa darf nicht vernachlässigt werden (vgl. [12. 94f.]). Die berühmtesten Attizisten waren Atticus, Asinius Pollio, Brutus, Caesar und Sallust. Der WISSES Ansicht nach mit Calvus beginnende A. und der Streit zwischen A. und Asianismus reichte in die Zeit der Deklamatoren bis über Petronius [6. 243–303] hinaus. Auch bei Tacitus (dial. 21,1–7) findet man eine Stellungnahme des Redners → Aper gegen die Neuattizisten, die als Nachahmer von Calvus betrachtet werden [2. 1142].

1 G. CALBOLI, M. Porci Catonis Oratio pro Rhodiensibus, 1978 2 Ders., Nota di Aggiornamento, zu: E. NORDEN, La prosa d'arte antica, 1986 3 A. E. DOUGLAS, The Intellectual Background of Cicero's Rhetorica, in: ANRW I.3, 1973, 95–138 4 A. DIHLE, Analogie und A., in: Hermes 85, 1957, 170–205 5 Ders., Der Beginn des A., in: A&A 23, 1977, 162–177 6 J. FAIRWEATHER, Seneca the Elder, 1981 7 K. HELDMANN, Ant. Theorien über Entwicklung und Verfall der Redekunst, 1982 8 W. D. LEBEK, Verba Prisca, 1970 9 A. D. LEEMAN, Le genre et le style historique à Rome, in: REL 33, 1955, 183–208 10 Ders., Orationis Ratio, 1963 11 H. J. METTE, Parateresis, 1952 12 G. MORETTI, Acutum dicendi genus, 1990 13 R. NICOLAI, La storiografia nell'educazione antica, 1992 14 E. NORDEN, Kunstprosa 15 U. VON WILAMOWITZ-MOELLENDORFF, Asianismus und A., in: Hermes 35, 1900, 1–52 (KS 3, 223–273) 16 J. WISSE, Greeks, Romans, and the Rise of Atticism, in: Greek Literary Theory after Aristotle, FS D. M. Schenkeveld, 1995, 65–82.   G. C.

Atymnios (Ἀτύμνιος).
[1] Sohn des karischen Königs Amisodaros. Er und sein Bruder Maris, Waffengefährten des Sarpedon, wurden von zwei Söhnen Nestors getötet (Hom. Il. 16,317). Er gilt später als identisch mit Tymnios, dem eponymen Gründer der karischen Stadt Tymnos [1].
[2] Sohn des Zeus (des Phoinix: Schol. Apoll. Rhod. 2,178) und der → Kassiopeia, von den Brüdern Minos und Sarpedon im Streit umworben. Sonst gilt Miletos, Sohn Apollons und der Nymphe Areia, als Anlaß des Zerwürfnisses, in dessen Folge Miletos die gleichnamige Stadt gründet und Sarpedon König Lykiens wird (Apollod. 3,6) [2]. Der Name führt hier wie bei A. [1] nach Westkleinasien.

1 A. LAUMONIER, Les cultes indigènes en Carie, 1958, 669. 2 A. SAKELLARIOU, La migration grecque en Ionie, 1958, 375.   F. G.

Atymnos (Ἀτυμνος). Kret. Heros, Bruder der Europe. Ein Trauerfest in Gortyn galt dem frühen Tod, den Phoibos A. (Adymnos) als Lenker des Sonnenwagens gefunden hatte (Sol. 11,9; Nonn. Dion. 11,128ff.; 258; 12,217; 19,180).

R. F. WILLETTS, Cretan cults and festivals, 1962, 167.   F. G.

Atys (Ἄτυς).
[1] Lyd. Urkönig, Sohn des Manes und Bruder von Kotys. Seine Söhne sind Lydos und Tyrsenos, die Eponymen der Lyder und Etrusker (Dion. Hal. ant. 1,27, vgl. Hdt. 1,7; 94). A. ist verwandt mit dem kleinasiatischen Gott → Attis, wie Kotys mit der thrakischen Göttin Kotys (Kotytto).   F. G.
[2] Sohn des lyd. Königs → Kroisos. Der gewaltsame Tod auf der Eberjagd am mysischen Olymp wird nach Art der Attis-Sage stilisiert, Hdt. 1,34–45, rationalsiert ihn aber [1]. Histor. wertvoll für das Verständnis eines anatolischen Staates ist die Erwähnung, daß der lydische Kronprinz das Heer anzuführen pflegte (Hdt. 1,34,3), wie nicht anders Hektor das troianische und Mursili II. das hethitische.

1 F. MORA, Religione e religioni nelle Storie di Erodoto, 1986, 139–142.   P. HÖ.

Auctiones I. GESCHICHTE II. RÖMISCHES RECHT

I. GESCHICHTE

In Rom wurden *a.*, Versteigerungen, die von einem Magistrat durchgeführt wurden, als öffentlich bezeichnet, um sie von privaten Versteigerungen zu unterscheiden, bei denen ein Besitzer einen Teil seines Eigentums freiwillig verkaufte. Die Magistrate veranstalteten zum einen die *sectio bonorum*, die Versteigerung der Güter derer, die bei dem Gemeinwesen verschuldet waren, und andererseits die *venditio bonorum*, die Zwangsversteigerung der Güter von anderen Schuldnern. Die *venditio bonorum*, die seit dem 2. Jh. v. Chr. belegt ist, war eine Zwangsmaßnahme eines Gläubigers gegen einen Schuldner, der sich weigerte, seine Schulden zu bezahlen. Unabhängig von der Höhe der Schulden erstreckte sich die Versteigerung auf das gesamte Vermögen und wurde einem einzelnen Ersteiger, dem *emptor bonorum*, überlassen.

Privatversteigerungen waren sowohl in Griechenland als auch in Rom und dem röm. Westen üblich. Ein öffentlicher Ausbieter (*praeco*) organisierte die Durchführung der Versteigerung und nahm die Rolle des Auktionators ein. → *Coactores* (Kassierer) gaben das Geld der Käufer an die Verkäufer weiter. Seit der zweiten Hälfte des 2. Jh. n. Chr. traten in It. und im westl. Mittelmeerraum die Geldwechsler (*argentarii*) auch bei den privaten *a.* auf. Sie gaben den Käufern Kredite und führten die Bücher (*tabulae auctionariae* oder *auctionales*). Die Präsenz der Geldwechsler bei den *a.* ist weder im griech. Raum noch bei den öffentlichen Versteigerungen belegt. Auf den Privatauktionen wurden, oft bedingt duch einen Erbfall, Land, Häuser, Sklaven, Möbel und Vieh versteigert. Es kam auch vor, daß Landbesitzer einen Teil ihrer Ernte versteigerten (Cato agr. 2,7). In einigen Häfen und auf bestimmten Märkten (etwa auf dem Macellum Liviae und dem Macellum Magnum in Rom) wurden Waren wie Wein, Fisch, Sklaven und Stoffe versteigert.

1 J. ANDREAU, Les affaires de Monsieur Jucundus, 1974
2 L. BOVE, Documenti di operazioni finanziarie
dall'archivio dei Sulpici, 1984 3 M. FREDERIKSEN, Caesar,
Cicero, and the Problem of Debt, in: JRS 56, 1966, 128–141
4 FR. PRINGSHEIM, The Greek Sale by Auction, in: Scritti in
onore di Contardo Ferrini IV, 1949, 284–343
5 M. TALAMANCA, Contributi allo studio delle vendite
all'asta nel mondo antico, in: Memorie dell'Accademia dei
Lincei VIII, 6, 1954, 35–251 6 G. THIELMANN, Die röm.
Privatauktion, zugleich ein Beitrag zum röm. Bankierrecht,
1961. J.A.

II. RÖMISCHES RECHT

Der Kaufpreis pflegt durch → *stipulatio* gesichert zu werden (Cic. Caecin. 16). Gegen sie kann der Käufer fehlende Übergabe einwenden, wenn nicht bei den *a.* eine spätere Übergabe bekannt gemacht worden ist (Gai. inst. 4,126a). Der *coactor* hat den Versteigerungserlös an den Auftraggeber abzuführen. Er pflegt ein Prozent (*centesima*) auf den Kaufpreis aufzuschlagen (Cato agr. 146; Cic. Rab. Post. 12; 30) oder den Versteigerungserlös nach Abzug des Entgeldes (*mercede minus*) an den Auftraggeber abzuführen. Augustus unterwirft die *a.* einer einprozentigen Steuer, der *centesima rerum venalium*, die von Tiberius auf die Hälfte ermäßigt (Tac. ann. 1,78; 2,42), von Caligula für It. aufgehoben (Suet. Cal. 16) und dann wieder eingeführt wurde (Dig. 50,16,17,1).
→ argentarius; Banken (Rom) D. SCH.

Auctor ad Herennium s. Rhetorik ad Herennium

Auctoratus, Auctoramentum. *A.* ist nach Gai. inst.

3,199 eine abhängige Person, die mit den gewaltunterworfenen Hauskindern und Ehefrauen sowie den Schuldknechten (*iudicati*) zusammen genannt wird. Die Stellung des *a.* beruhte wohl auf einer freiwilligen Unterwerfung durch einen Eid (*auctoramentum*), vielleicht auch auf einer Dienstverpflichtung durch den → *pater familias* des *a.* gegenüber dem Dienstherrn. Seit Ende der Republik konnte sich ein Freier als *a.* zum → Gladiator verpflichten, was ihn aber nicht vor der → *infamia* bewahrte, die auch sonst mit der Gladiatorenstellung verbunden war. Eine Verpflichtung zum Militärdienst als *a.* ist ebenfalls seit dem Ende der Republik denkbar; hierfür spricht, daß eine *exauctoratio* als Voraussetzung einer Folterung von Soldaten genannt wird (Dig. 49,16,7). In diesem Zusammenhang ist wohl auch das *auctoramentum militiae* in Cod. Theod. 9,35,1 zu sehen. Die Quellen zu *a.* und *auctoramentum* sind jedoch so spärlich, daß ihre Deutung bis heute heftig umstritten ist.

W. KUNKEL, A., in: Symbolae R. Taubenschlag dedicatae, in: Eos 48, 1957, 207–226 · O. DILIBERTO, Ricerche sull' »auctoramentum« e sulla condizione degli »auctorati«, 1981 · MARTINO, WG, 190, 597 Anm. 10. G.S.

Auctoritas I. ALLGEMEIN
II. ÖFFENTLICHES RECHT III. PRIVATRECHT

I. ALLGEMEIN

A. meint die »Urheberschaft«, »Bekräftigung« und »Verstärkung« einer Sache und leitet sich aus der Bed. des Verbs *augere* (»mehren«) und bes. des Verbalsubstantivs *auctor* ab. Im Rechtsleben Roms bezeichnet das Wort in der privaten und öffentlichen Sphäre verschiedene außerordentlich wichtige Institute.

II. ÖFFENTLICHES RECHT

In der Republik bezeichnet *a.* die verfassungsrechtliche Souveränitätsposition des → Senats. Die *a. senatus* oder *a. patrum* ist eine Letztentscheidungskompetenz in den Kardinalfragen der Politik. Zwar ist sie durch die Gesetzgebung des Volks in Centuriat- wie Tributcomitien eingeschränkt, doch bleiben (mit Modifikationen bis zum Ende der Republik) wichtige Verfassungsgewohnheitsrechte erhalten. Diese berühren Notstandsmaßnahmen, Vorberatung und Kassierung von Gesetzesinitiativen für die Volksversammlung, Einsetzung provinzialer Promagistrate, Gesandtschaften und Senatskommissionen, generell die Letztentscheidung über Krieg und Frieden, in wichtigen Fragen der Außenpolitik wie der Staatsfinanzen sowie die Appellation gegen Entscheidungen der Magistrate und weitere wichtige Staatsangelegenheiten. Die jeweilige polit. maßgebliche Willensäußerung des Senats wird – wie die anderer Staatsorgane – *a.* genannt (Cic. leg. 2,37; de orat. 3,5; Liv. 22,40,2; Tac. ann. 1,42). Selbst dort, wo dem Senat im Laufe der Verfassungsentwicklung die Letztentscheidung nicht mehr zukommt, behalten seine *opiniones* (»Meinungsäußerungen«) ein bes., auf Tradition gegründetes polit. Gewicht, das – auch für sich – als *a.* bezeichnet zu werden pflegt (Cic. fam. 11,7,2; Brut. 1,10,1).

In der Kaiserzeit bezeichnet *a.* die verfassungsrechtliche Souveränitätsposition des Kaisers. Die ihm aufgrund der faktisch gegebenen innenpolit. Machtverhältnisse auch normativ zugestandene umfassende Zuständigkeit bei Letztentscheidungen (kaiserliche Souveränität) in wichtigen polit. Fragen wird ebenso als *a.* bezeichnet wie die ihm üblicherweise durch Gesetz (*lex de imperio*) übertragenen Amtszuständigkeiten und konzedierten Gesetzesbefreiungen. Hier beschreibt *a.* sowohl die eher polit. »Autorität« im heutigen Wortsinne als auch den Komplex der gesetzlich-»legitimen« Ermächtigungen (R. Gest. div. Aug. 8 und 34).

Die *a.* der *magistratus maiores*, d. h. vor allem der Konsuln und Praetoren, meint die Fähigkeit, *auctores* im Gesetzgebungsprozeß zu sein, also dem Senat und den in der → *contio* versammelten Bürgern Gesetzesentwürfe vorzulegen und darüber in der Volksversammlung abstimmen zu lassen (Cic. leg. 3,4,10). Generell bedeutet *a.* bei Magistraten die Fähigkeit, Verordnungen zu erlassen, konkrete Rechtsakte zu setzen und Ermächtigungen an ihre Untergebenen zu erteilen (Cic. S. Rosc. 139; Dig. 3,5,25; 49,3,3). Soweit diese Fähigkeiten den

Beamten der Kaiserzeit – den traditionellen wie den mit kaiserlichem Mandat versehenen höheren Beamten – zustehen, werden sie gleichermaßen als *a.* bezeichnet. In der Sprache des späten Rechts wurde *a.* zu einem Synonym für *dignitas* als Ausdruck für »Rang«, »Würde« einer Standesperson (Cod. Theod. 7,7,5; Dig. 1,18,19,1).

A. bezeichnet außerdem die Fähigkeit, Recht authentisch festzustellen. Damit verbunden ist die feststehende oder (etwa gerichtlich) festgestellte Gültigkeit eines Rechtssatzes der ungeschriebenen wie der schriftlichen Rechtstradition und schließlich der gültige Rechtssatz selbst (Dig. 1,3,38; 40,7,36). Ferner ist *a.* die Rechtskraft eines Urteils, die den erneuten Streit über eine gerichtlich entschiedene Sache ausschließt (*a. rei iudicatae*, Dig. 17,1,29,5; 27,9,3,3.). Schließlich ist *a.* die Genehmigung, Ermächtigung oder Anweisung eines Magistrats oder anderer Amtsträger, in der Kaiserzeit auch des Kaisers selbst (Dig. 3,5,25; 49,3,3).

→ lex; imperium; potestas

JONES, RGL, 13 f., 35 ff. · KASER, RZ, 289 ff. · T. MAYER-MALY, Studien zur Frühgesch. der usucapio II, in: ZRG 78, 1961, 221–276 · MOMMSEN, Staatsrecht 2, 125 ff., 881 ff., 894 ff.   C. G.

III. PRIVATRECHT

Im röm. Privatrecht bezeichnet man als *auctor* eine Person, auf die man sich zur Verteidigung einer Rechtsposition beruft (»Gewährsmann«), die Eigenschaft, *auctor* zu sein, als *a.* Wer durch Vertrag begründete Rechte gegenüber einem Mündel behauptete, mußte sich auf die *a. tutoris*, die Mitwirkung des Vormunds (→ *tutela*), berufen können [2.3.422, 429]. Wer eine verkaufte Sache durch → *mancipatio* übergeben hatte, mußte dem Käufer beistehen, wenn ein Dritter die Sache herausverlangte, und haftete dann, wenn er diesen Beistand nicht leistete oder dieser erfolglos blieb, dem Käufer aus der *actio auctoritatis* auf den doppelten Kaufpreis [1; 3. 311 f.]. Auf die Notwendigkeit, sein Recht an einer Sache durch Verweis auf den *auctor* darzutun, beziehen sich wohl auch die den XII Tafeln zugeschriebenen Sätze *usus a. fundi biennium, ceterarum rerum annus esto* (›Ersitzung und Gewährleistung an einem Grundstück betragen zwei Jahre, an anderen Sachen ein Jahr‹, nach Cic. top. 4,23) und *adversus hostem aeterna a. esto* (›unverjährbare Gewährleistung gegenüber Ausländern‹, nach Cic. off. 1,12,37) sowie die von Gellius (17,7,1) erwähnte Bestimmung der *lex Atinia: quod subreptum erit eius rei aeterna auctoritas esto* (›an einer gestohlenen Sache ist die *a.* nicht verjährbar‹); zu diesen Stellen und insbes. der Beweislast [2. 97; 4].

→ tutela; usucapio

1 H. ANKUM, Der Verkäufer als cognitor und procurator in rem suam im Eviktionsprozeß der klass. Zeit, in: D. NÖRR, NISHIMURA, Mandatum und Verwandtes, 1993, 285–306 2 R. DOMINGO, Teoría de la »a.«, 1987 3 H. HONSELL, TH. MAYER-MALY, W. SELB, Röm. Recht, ⁴1987 4 TH. MAYER-MALY, Studien zur Frühgesch. der usucapio II, in: ZRG 78, 1961, 221–276.   R. WI.

Audacia s. Kunsttheorie

Audoin. Hatte seit 540/41 n. Chr. die Regentschaft für Walthari (den unmündigen Sohn des Königs Wacho) inne und wurde nach dessen Tod (547/48) König der → Langobarden. Er führte die Langobarden nach Pannonien, wo sie von Iustinian angesiedelt und wohl mit der Aufgabe betraut wurden, die Donaugrenze gegen die Franken zu sichern. In den Kämpfen gegen die benachbarten Gepiden wurde er nur unzureichend von Iustinian unterstützt, obgleich A. 552 dem → Narses ein stattliches Heer nach It. sandte. Dennoch gelang ihm ein Sieg und ein Friedensschluß mit den Gepiden. Nach seinem Tod (zw. 561 und 568) folgte ihm sein Sohn Alboin auf den Thron, der mit Hilfe der → Avares die Gepiden entscheidend schlagen konnte. Dennoch überließ er Pannonien den Avares und führte die Langobarden 568/69 zusammen mit anderen Stämmen nach Italien. Dort konnte er große Teile Ober-It. dauerhaft besetzen, bis er 572/73 wohl auf Anregung Ostroms unter Mitwirkung seiner Frau Rosemunda ermordet wurde. PLRE 3A, 152–153.   W. ED.

Auerhahn (τέτραξ, *tetrax*). Plin. nat. 10,56 unterscheidet eine kleine schwarze Art (nämlich das Birkhuhn) von einer im Norden und in den Alpen lebenden, welche an Größe den ähnlich gefärbten Geier übertrifft und sich wegen ihres Gewichts auf der Erde fangen läßt [1. 234 f.]. Der A. soll bei Käfighaltung seinen Wohlgeschmack verlieren und durch Atemstillstand eingehen. Ob mit dem Vogel aus Mysien bei Athen. 9,398e-f der A. gemeint ist, bleibt unsicher. Auch andere Erwähnungen des Namens (z. B. Aristoph. Av. 883; Suet. Cal. 22,3) geben keine Gewißheit. Dem am Fuße des Apennins brütenden A. ([2. 283]: Haselhuhn) ist jedoch das anonyme Gedicht Anth. Lat. 883 gewidmet. Der Name (illyr. Ursprungs [3. 2,677]) bezeichnet urspr. wohl mehrere Wildvogelarten [4. 2,165]. Der von Aristot. hist. an. 6,1,559a 11–14 als Bodenbrüter auf Pflanzen beschriebene τέτριξ, von den Athenern οὔραξ gen., bleibt unbestimmbar. THOMPSON [2. 284] vermutet einen Wiesenpieper.

1 LEITNER 2 D'ARCY W. THOMPSON, A glossary of Greek birds, 1936, Ndr. 1966 3 WALDE / HOFMANN 4 KELLER.   C. HÜ.

Auerochs. *Urus* (οὔρος bei Hadrianos in Anth. Pal. 6,332,3). Das ausgestorbene Wildrind *bos primigenius*, wurde zuerst von Caes. Gall. 6,28 (interpoliert) für die Hercynia silva beschrieben (Abb. bei [1. 1,342]). Von Plin. nat. 8,38 [2. 55 f.] durch Kraft und Schnelligkeit ausdrücklich vom Bison oder → Wisent und vom → Büffel unterschieden, nennt ihn Hdt. 7,126 als erster für Makedonien. Er kam in Germanien, den Berggebieten Galliens und an der unteren Donau vor. Die großen Hörner als nach Caesar [3. 137 f.] gesuchte Trophäen der in Gruben erlegten unzähmbaren A. dienten (in Silber gefaßt) als kostbare Trinkgefäße, bei Isid. orig. 12,1,34 nach Sol. 20,5 (daher dem MA bekannt) für königliche Tafeln, bei Plin. nat. 11,126 außerdem als Lanzenspitzen und Luxusgegenstände und nach Veg. mil. 3,5,6 den Römern als Signalhörner mit silbernem Mundstück. Nach Macr. Sat. 6,4,23 ist der von Verg. georg. 2,374 erwähnte Name *urus* gallischen Ursprungs, nach Serv. georg. wird er etym. von den Bergen (hier den Pyrenäen) abgeleitet.

1 KELLER 2 LEITNER 3 TOYNBEE, Tierwelt.   C. HÜ.

Aufidena. Grabungen in den it. → Nekropolen (6.–5. Jh. v. Chr.) in Alfedena (Campo Consolino und Valle del Curino) und lat. Inschr. bei Castel di Sangro (Contrada Campitelli und Piano della Zittola) legen es nahe, den samnitischen Ort A. im h. Alfedena, den röm. Ort A. im h. Castel di Sangro anzunehmen.

298 v. Chr. von den Römern erobert (Liv. 10,12,9), erst nach 49 v. Chr. → *municipium* (vgl. die → *duoviri*); ILS 5896 (*praefecti operi faciundo*) ist kein Beleg für die Annahme, daß A. vor dem Bürgerkrieg → *praefectura* gewesen sein könnte.

M. BUONOCORE, in: RAL, s. 9 v. 6, 1995, 555–594 · F. PARISE BADONI, M. RUGGERI GIOVE, Alfedena. La necropoli di Campo Cosolino, 1980.   M. BU. / R. P. L.

Aufidius Plebeischer Gentilname ([1]; ThlL 2,1338 f.). Seit dem 2. Jh. v. Chr. sind Namensträger in Rom bekannt und begegnen bes. in der Kaiserzeit in bedeutenden Stellungen.

I. REPUBLIKANISCHE ZEIT

[I 1] Au., beteiligte sich 73 v. Chr. an der Ermordung des Q. → Sertorius (Plut. Sert. 26 f.).

[I 2] Au., Cn., Volkstribun 170 v. Chr. (MRR 1,420).

[I 3] Au., Cn., *praetor* vor 100 v. Chr. (Syll.³ 715; MRR 3,29).

[I 4] Au., Cn., *praetor* um 107 v. Chr. in Asia und *propraetor* ebenda um 106 (IG XII 5,722; MRR 1,551; 553); später erblindet, verfaßte er eine griech. Geschichte (Cic. fin. 5,54; Tusc. 5,112). Adoptivvater von Au. [I 8] (Cic. dom. 35).

[I 5] Au., T., *praetor* wohl 67 v. Chr. und *propraetor* 66 in Asia (Cic. Flacc. 45; Val. Max. 6,9,7; MRR 2,142 f.; 154); als Mitbewerber Ciceros um das Konsulat für 63 gescheitert (Cic. Att. 1,1,1).

[I 6] Au. Lurco (»der Schlemmer«), **M.,** versuchte als Volkstribun 61 v. Chr. erfolglos ein Gesetz gegen Bestechung (*ambitus*) durchzubringen (Cic. Att. 1,16,13); als bekannter Connaisseur (Cognomen!) mehrfach lit. bezeugt (Varro rust. 3,6,1; Hor. sat. 2,4,24; Tert. De pallio 5,6; [2]; MRR 3,29).

1 SCHULZE, 203, 269 2 J. LINDERSKI, Roman Questions, 1995, 262–279.   K.-L. E.

[I 7] Au. Namusa. Jurist, Schüler des Servius → Sulpicius Rufus, 1. Jh. v. Chr. Er soll eine Gesamtausgabe verfaßt haben (wohl *Digesta*; 140 B.), welche die Werke der acht Schüler zusammenfaßt, die aus dem Responsennachlaß des Lehres schöpften (Dig. 1,2,2,44). In Justinians Digesten wird er jedoch nur sechsmal erwähnt [1].

1 O. LENEL, Palingenesia iuris civilis, 1889 (Neudr. 1960) I, 75 f. 2 F. WIEACKER, RRG, 606 f.   T. G.

[I 8] Au. Orestes, Cn., Adoptivsohn von Au. [I 4], *praetor urbanus* 77 v. Chr. (Val. Max. 7,7,6), *cos.* 71 (MRR 2, 121; 3, 29 f.).   K.-L. E.

II. KAISERZEIT

[II 1] Au. Chius. In Frag. Vat. 77 als Gewährsmann für ein *responsum* angeführt; ob mit A. Chius bei Martial 5,61,10 identisch, muß unsicher bleiben; vgl. aber [1. 135].

1 KUNKEL.

[II 2] Au. Coresnius Marcellus, Legat der *legio I Minervia* in Bonn im J. 222 (CIL XIII 8035); vgl. [1. 337 A. 180]. Legat einer kaiserlichen Prov. (unpublizierte *tabella honestae missionis*). PIR² A 1383.

1 LEUNISSEN.

[II 3] Au. Fronto, M., Sohn von A. [II 6], Enkel von Cornelius Fronto. *Cos. ord.* 199; 217 wurde ihm von Macrinus das Prokonsulat von Africa verwehrt, ebenso von Asia; durch Elagabal *procos. Asiae* (Cass. Dio 78,22,5; AE 1971, 79); *pontifex*. Seine Frau war Cassia Cornelia Prisca (AE 1971, 79).

[II 4] Au. Marcellus, C., *cos. II ord.* im J. 226, zuvor zwischen 219 und 222 *procos.* von Asia (CIL III 7195 = IGRR 4,1206). PIR² A 1389.

[II 5] Au. Maximus, C. Präsidialprokurator der Prov. Alpes Poeninae, vielleicht erste H. des 3. Jh. (AE 1993, 1009).

[II 6] Au. Victorinus, C., Polyonymus, dessen Namen und Laufbahn auf einer stadtröm. Inschr. z. T. erh. sind (AE 1934, 155 = ALFÖLDY, FH, 38 ff.; Neurekonstruktion: Ders., CIL VI, neues Suppl.). Origo der Familie war Pisaurum (EOS 2, 273 f.); zusammen mit Marcus Aurelius Schüler Frontos, dessen Tochter Cornelia Gratia er heiratete [1]. Nach praetorischer Statthalterschaft *cos. suff.* 155, zahlreiche konsulare Ämter, darunter Germania inferior und Hispania citerior einschließlich der Baetica; *procos. Africae, cos. II ord.* 183 und Stadtpraefekt. In zahlreichen Briefen Frontos erwähnt, vgl. Fronto Epistulae (HOUT, 1988, Index). Wohl 185 gestorben; damals wurde ihm auf dem Forum Traiani eine Statue errichtet (CIL VI 41140; Cass. Dio 72,11,1 f.). Seine Söhne: A. [II 3] und [II 7]. PIR² A 1393.

1 E. CHAMPLIN, Fronto and Antonine Rome, 1980.

[II 7] Au. Victorinus, C., Sohn von A. [II 6], Enkel von Cornelius Fronto; *cos. ord.* 200. PIR² A 1394.

[II 8] Au. Orfitasius Umber, Q., konsularer Statthalter von Cappadocia-Galatia von 100/101 – mindestens 103 [1. 334ff.; 2].

1 W. Eck, Jahres- und Provinzialfasten, in: Chiron 12, 1982 2 G. Stumpf, Numismatische Studien zur Chronologie der röm. Statthalter in Kleinasien, 1991, 280ff.   W.E.

Aufidus. Größter Strom in Apulia (134 km), h. Ofanto. Er bildete die Grenze zw. Daunia und Peucetia (Pol. 3,110,9; Liv. 22,44; Strab. 6,3,9; Plin. nat. 3,102; Ptol. 3,1,15; Plut. Fab. 15). Entspringt bei Compsa, umfließt den Monte Voltur, wird von der Via Appia an der *statio* Pons A. überquert, berührt Canusium, wo er von einer h. noch erh. Brücke der Via Traiana überquert wird, und Cannae. Der Hafen (ad Aufidum/Aufidena) an der Mündung in die Adria diente als *statio* der Küstenstraße.

Civiltà antiche del medio Ofanto, 1976 · Dizionario di toponomastica, 1990, 450.   G.U.

Auflage, Zweite. Von der zweiten A. eines ant. Textes kann man sprechen, wenn der Autor ein Werk nach Freigabe für die Veröffentlichung überarbeitet hat oder eine unautorisierte Fassung in Umlauf gekommen ist. Der Unterschied zwischen dem Umlauf eines Entwurfes und der Veröffentlichung eines Werkes war in der Ant. auf keinen Fall so groß, wie er es durch die Einführung des Buchdruckes wurde. Zuweilen hat der Autor die Arbeit am Text aufgegeben, bevor er ihn anderen zeigte oder zu Gehör gab, doch weit häufiger verlief die Veröffentlichung stufenweise. Autoren führten Stücke auf, hielten Reden, gaben Rezitationen (Don. vit. Verg. 31–4; Tac. dial. 2–3) und zeigten Freunden Entwürfe, um zu informieren (Apollonios von Perge, Conica 1 init.) oder um Kritik zu hören (Hor. ars 438–52; Ov. Pont. 2,4,13–8). Der Gebrauch des Begriffs ὑπομνηματικόν (*hypomnematikón*), der durch PHerc. 1427, 1506, 1674 für die ersten drei Bücher von Philodemos' ›Rhetorik‹ belegt ist [1; 2], legt eine relativ formelle Entwurfstufe vor der Herstellung der Reinschrift (PHerc. 1426, 1672) nahe. Schriftsteller erlaubten die Herstellung vielfacher Abschriften (Ov. trist. 1,7,23–6) und sandten Freunden und Gönnern kurze Präsentationsrollen, die sich von denen unterschieden, die an das allg. Publikum ausgegeben wurden, wie es für Martial und Statius' *Silvae* gezeigt wurde [3]. Eine weitere Komplikation entsteht dadurch, daß die zweite A. wie in der Neuzeit von anderer Hand veranstaltet worden sein kann. Euklids ›Elemente‹ sind in zwei Rezensionen überliefert, eine davon durch Theon von Alexandreia. Außerdem weist die ältere (nur durch den Codex Vatic. graec. 190 repräsentierte) Fassung zahlreiche → Interpolationen auf; die von manchen Lemmata abgedeckten Gebiete überlappen einander zum Teil.

Mit der Entwicklung des → Buchhandels konnten Werke förmlicher veröffentlicht werden; der Autor (oder bei postumen Werken wie der *Aeneis* etwa der Herausgeber) konnte auf diese Weise kundtun, daß er mit der öffentlichen Verbreitung des Textes einverstanden war. In einer begrenzten Zahl von Fällen verfügen wir über einschlägige Belege, die zeigen, daß der Autor seinen Text anschließend im Hinblick auf eine zweite Veröffentlichung noch einmal überarbeitet hat. Die ›Wolken‹ sind ein gutes Beispiel für eine solche Überarbeitung [4]. Aristophanes änderte den Text des Originals, das unter seinen Mitbewerbern bei den Städtischen Dionysien im Jahre 424/3 nur den dritten Platz erreicht hatte, an einer Reihe von Stellen; in der Parabasis (518–62) schilderte er sogar die schlechte Aufnahme durch das Publikum und bat um dessen erneute Gunst. Das erh. Stück ist eine teilweise überarbeitete Fassung (die wahrscheinlich nie aufgeführt wurde), doch blieb das Original bis in hell. Zeit hinein erhalten. In den Büchern 12–13 von Ciceros Atticus-Briefen erhalten wir einen Einblick in die Gedanken des Autors bei der Umarbeitung der zwei urspr., Catulus und Lucullus gewidmeten Bücher in die vier Varro zugeeigneten Bücher der *Academica* (vgl. [5]). Da es sich um eine Diskussion mit dem Verleger handelt, hätte man erwarten können, keine Spur der früheren Fassungen mehr zu finden, doch überliefert sind der *Lucullus* der sog. *Academica priora* und ein Teil des ersten Buches der *Academica posteriora*. Zwei spätere lat. Autoren stellten ihren Werken Einleitungen mit der Angabe voran, daß es sich um verbesserte Auflagen handele. Solinus' zweiter Brief (p. 217 Mommsen) findet sich nur in einer Gruppe der Hss. (vgl. [6]), während Tertullian über seine Schrift *Adversus Marcionem* berichtet, daß es sich bei der erh. Fassung um die dritte Auflage handele (1,1,1–2): Die erste sei zu flüchtig gewesen und die zweite habe unautorisierte Auszüge, die von einem Apostaten verbreitet worden waren, enthalten. Im Falle des Columella ist nur das zweite Buch (*De arboribus*) von seinem anfänglichen Werk über Landwirtschaft (in drei oder vier Büchern) erhalten, jedoch alle 12 Bücher *De re rustica* (vgl. [7], immer noch die gründlichste Behandlung des Themas, und [8]); daß es nicht dahin gehört, wo die Überlieferung es hinstellt, zeigt sich an dem Hinweis auf den Inhalt des *primum volumen* und der Überlappung des Inhalts mit den Büchern 3–5 des längeren Werkes.

Die hell. Zeit bietet zwei Fälle, in denen die Beweislage sehr verschieden ist, der Grund jedoch durchaus derselbe. Die Scholien zu gewissen Versen des ersten Buches der *Argonautika* des Apollonios [2] Rhodios weisen alternative Fassungen auf, die einer προέκδοσις (*proékdosis*, »vorhergegangene Auflage«) zugewiesen werden. Da sie verständlich und stilistisch gelungen sind, kann es sich dabei sehr wohl um → Autorenvarianten handeln, die aus einer früheren Verbreitungsphase des Textes stammen (vgl. [9]). Das dritte und vierte Buch von Kallimachos' *Aitia* sind von panegyrischen Gedichten auf Berenike umrahmt, die nach 246/5 v. Chr. geschrieben wurden, und führen nicht das Musengespräch der ersten beiden Bücher fort. Es ist also denkbar, daß die vier Bücher paarweise herausgegeben wurden. Doch scheint der berühmte Prolog mit seiner Betonung des hohen Alters des Verf. erst spät, für die Ausgabe in vier Büchern verfaßt worden zu sein (so [10]). Jüngst hat A. CAMERON die These aufgestellt, daß die Bücher 1–2 keine Veränderungen erfuhren, als 3–4 hinzukamen; seinem chronologischen Schema zufolge wurden die *Argonautika* nach *Aitia* 1–2 veröffentlicht [11. 247–262], doch gibt er der wahrscheinlichen Annahme, daß diese Werke im Entwurf (daher προέκδοσις) unter den Dichtergelehrten des Museion zirkulierten, nicht genug Gewicht. Und selbst CAMERON ist der Ansicht, daß Kallimachos *Akontios und Kydippe* zweimal, zunächst als separates Gedicht und dann als Teil von *Aitia* 3, »veröffentlichte«.

Auch für Ovids Werk stellt CAMERONS Ansicht ein Extrem dar [11. 115; 12]: Nur im Fall der *Amores* handele es sich um eine zweite A., und selbst diese sei nur durch Streichung einiger Gedichte und Neuanordnung der übrigen entstanden. Das Einleitungsepigramm, das die Kürzung von fünf auf drei Bücher ankündigt, bestätigt, daß es sich um eine Überarbeitung handelt; und wir können ziemlich sicher sein, daß zumindest das Gedicht 2,18 für die zweite A. verfaßt wurde (vgl. [13]). In einer Reihe von Aufsätzen (zuletzt in [14]), hat C. E. MURGIA die Ansicht vertreten, daß auch *Ars amatoria* und *Remedia amoris* überarbeitet wurden. Einige seiner Argumente sind interessant, doch berücksichtigt er, wenn er Abhängigkeitsverhältnisse zwischen verschiedenen Stellen konstruiert, Ovids Neigung zur Kontamination nicht.

Weil die *Fasti* unter Beibehaltung eines Großteils der urspr. Form nur einige wenige Änderungen mit der Widmung des Werks an Germanicus (1 passim, und 4,81–4), aufweisen, hat man dabei an eine postume Veröffentlichung gedacht [15]. Doch ist es etwas überraschend, daß nur sechs Bücher erh. sind; neuere Unt. haben deutlich abschließende Elemente am Schluß von Buch 6 [16; 17] und in 6,725 eine Anspielung auf trist. 2,549 ergeben, die den Zustand des Werkes beschreibt, als Ovid relegiert wurde: *sex ego Fastorum scripsi totidemque libellos.* Diese Beobachtungen legen eine absichtlich fragmentarische Überarbeitung des früheren Textes nahe; doch eröffnet die Formulierung des Verses aus den *Tristia*, der sich in einer Passage findet, die Augustus Ovids Ernsthaftigkeit demonstrieren soll, die Möglichkeit, daß ein Gedicht im Umfang von sechs Büchern bereits vorlag.

Der Tod des Augustus war ein Grund für die Überarbeitung der *Fasti*, und solche Änderungen der polit. Landschaft führten auch sonst zu zweiten A., z.B. bei Martials zehntem Buch (vgl. 10,2 und [18]) und den verschiedenen Fassungen von Eusebios' ›Kirchengesch.‹ (vgl. [19]). Berühmter – und zweifelhafter – ist der Fall der *Georgica*: In seinen Anmerkungen zu ecl. 10,1 und georg. 4,1 teilt Servius mit, daß Vergil nach dem erzwungenen Selbstmord seines Freundes Cornelius Gallus die *laudes Galli* entfernte, um Augustus zufriedenzustellen, und den Text in die Form brachte, die wir

heute kennen. Viele blieben der ganzen Gesch. gegenüber skeptisch (z.B. [20]). Einerseits sollte man keine chronologischen Argumente dagegen anführen: Wir wissen nicht, ob die *Georgica* vor dem Tode des Gallus (27 oder 26 v.Chr.) formell veröffentlicht worden waren, doch selbstverständlich stellt die Überarbeitung eines unveröffentlichten Textes kaum eine zweite A. dar. Andererseits sind die Verbindungen zum Gallus der ›Eclogen‹ noch sichtbar (z.B. Arethusa 4,351: vgl. ecl. 10,1; Orpheus 4,454ff.: vgl. ecl. 6,71; und beachte Lycorias 4,339), und es ist möglich, daß ein Kommentator ohne Zugang zu Gallus' Dichtung versucht hat zu erklären, was ein früherer Leser noch vorfinden konnte (vgl. [21]). Doch wenn wir die Annahme einer zweiten A., die drei Jahre nach der ersten veröffentlicht wurde und in der der neue Text den alten ersetzte, gutheißen können, dann gibt es plausible Rekonstruktionen (z.B. [22]).

Aus diesem Überblick geht hervor, daß die Unterschiede zwischen verschiedenen Auflagen zuweilen Spuren in der Überlieferung hinterlassen haben, ob direkt (Solinus) oder indirekt (Apollonios Rhodios, Vergil). Manchmal ist eine Fassung völlig verschwunden (Aristophanes, *Wolken*; Ovid, *Amores*; Martial 10), wobei der spätere oder autorisierte Text den früheren meist ersetzte, doch nicht immer (Ciceros *Academica*). Die Annahme, daß zweite A. *e silentio* ausgeschlossen werden können, scheint verfehlt.

→ Abschrift

1 T. DORANDI, Per una ricomposizione dello scritto di Filodemo sulla Retorica, in: ZPE 82, 1990, 65–67 **2** D. DELATTRE, En relisant les Subscriptiones des PHerc. 1065 et 1427, in: ZPE 109, 1995, 40–41 **3** P. WHITE, The Presentation and Dedication of the »Silvae« and the Epigrams, in: JRS 64, 1974, 40–61 **4** K.J. DOVER, Aristophanes, Clouds, 1968, lxxx – xcviii **5** O. PLASBERG, Ciceronis Academicorum reliquiae cum Lucullo, 1922, iii – xv **6** H. WALTER, Die »Collectanea rerum memorabilium« des C. Iunius Solinus (Hermes Einzelschriften 22), 1969 **7** H. EMONDS, Zweite A. im Alt., 1941, 108–35 **8** R. GOUJARD, Le »De arboribus« de Columelle: problèmes de l'authenticité, in: RPh 53, 1979, 7–28 **9** M. FANTUZZI, Varianti d'autore nelle Argonautiche di Apollonio Rodio, in: A&A 29, 1983, 146–61 **10** P.J. PARSONS, Callimachus: Victoria Berenices, in: ZPE 25, 1977, 1–50 **11** A. CAMERON, Callimachus and his critics, 1995 **12** Ders., The First Edition of Ovid's »Amores«, in: CQ 18, 1968, 320–33 **13** A.S. HOLLIS, Ovid, Ars amatoria 1, 1977, 150–151 **14** C.E. MURGIA, Influence of Ovid's »Remedia amoris« on »Ars amatoria« 3 and »Amores« 3, in: CPh 81, 1986, 203–220 **15** G. KNÖGEL, De retractatione fastorum ab Ovidio Tomis instituta, 1885 **16** A. BARCHIESI, Il poeta e il principe, 1994, 264–277 **17** C.E. NEWLANDS, Playing with Time, 1995, 209–236 **18** L. FRIEDLÄNDER, Martialis epigrammaton libri, 1886 **19** T.D. BARNES, The Edition of Eusebius' Ecclesiastical History, in: GRBS 21, 1980, 191–201 **20** E. NORDEN, Orpheus and Eurydice. Ein nachträgliches Gedenkblatt für Vergil, in: KS zum klass. Alt., 1966, 468–532 **21** R.G.M. NISBET, Pyrrha among Roses: Real Life and Poetic Imagination in Augustan Rome. Review and discussion of Jasper Griffin, Latin Poets and Roman Life, in: Collected Papers on Latin Literature, ed. by S.J. HARRISON, 1995, 223 **22** M.L. DELVIGO, in: O. PECERE, M.D. REEVE (ed.), Formative Stages of Classical Traditions, 1995, 14–30.

S.H.u. N.W./T.H.

Aufschnürung. Riß- bzw. Ritzlinien in der → Architektur (→ Bautechnik; → Bauwesen). Durch die A. wird der Bauplan sukzessive im Maßstab 1:1 auf das entstehende Gebäude übertragen. A. sind schon aus vorgriech. Zeit in der mesopotamischen und ägypt. Architektur belegt; in der griech.-röm. Architektur machte die A. eine maßstäbliche Bauzeichnung lange Zeit entbehrlich. Gut erh. bzw. dokumentierte A. finden sich u. a. an den Propyläen in Athen, der großen Tholos in Delphi und dem jüngeren Apollontempel von Didyma.

L. HASELBERGER, Aspekte der Bauzeichnungen von Didyma, in: RA 1991, 99–113 • Ders., Ein Giebelriß der Vorhalle des Pantheon, in: MDAI(R) 101, 1994, 279–308 • J. P. HEISEL, Ant. Bauzeichnungen, 1993, 154–182 • A. PETRONOTIS, Bauritzlinien und andere A. am Unterbau griech. Bauwerke der Archaik und Klassik, 1968 • Ders., Zum Problem der Bauzeichnung bei den Griechen, 1972.

C. HÖ.

Auftragsdichtung kommt durch das Annehmen einer ausdrücklichen (nicht nur impliziten) Aufforderung seitens einer nicht mit dem → Verfasser identischen Macht zustande (zur Ablehnung → recusatio), ist also stets → Gelegenheitsdichtung. Diese Aufforderung kann durch eine Gottheit (Inspiration), einen Herrscher (→ Hofdichtung), eine sonstige Einzelperson (a) oder eine Gemeinschaft (b) ergehen. (a) Im 6. Jh. v. Chr. schuf nach ant. Tradition Simonides v. Keos in seinen Epinikien als erster bezahlte A. (Schol. Aristoph. Pax 697b H.), ihm folgten Pindar und Bakchylides [2. 46f.]. Die Professionalisierung des Dichterberufes seit dem Ende der archa. Zeit führte zu Kritik an der als pervertiert empfundenen Ausrichtung auf materiellen Erfolg, z. B. schon bei Aristophanes und Platon [3. 138–146], aber auch noch später (Iuv. 7,87 über Statius). Von solchen poetologischen Maximen beeinflußt, hat die moderne Forsch. kaum zur Kenntnis genommen, daß seit homerischer Zeit Auftrag und Entlohnung zur Existenz des Dichters gehören [1]. Gelungene A. ist demnach Ausweis dichterischer Kunst, auch heteronomes Gedankengut integrieren zu können. (b) Die attische Tragödie definiert sich durch die Aufführung unter den Bedingungen des Agons, der den äußeren Rahmen festlegte, als A. [5. 19–29]. In ihr fand die Bürgergemeinschaft der *pólis* konstitutive Elemente ihrer Identität wieder, die Dichter wurden dafür entlohnt [1]. In Rom bediente man sich zur Ausgestaltung staatsreligiöser Feiern schon früh der A.: 207 v. Chr. beauftragte der Senat zur »Sühnung« von Prodigien Livius Andronicus mit der Komposition eines Prozessionsliedes (Liv. 27,37,7). Bereits seit den *ludi Tarentini* 249 v. Chr. ge-

hörte zu den Säkularfeiern ein öffentlich bestelltes Festlied. 17 v. Chr. akzeptierte Horaz den Auftrag für das *carmen saeculare* [4. 115–118].

1 J. M. BREMER, Poets and their Patrons, in: H. HOFMANN, A. HARDER (Hrsg.), Fragmenta dramatica, 1991, 39–60 **2** A. P. BURNETT, The Art of Bacchylides, 1985 **3** J. DALFEN, Polis und Poiesis, 1974 **4** E. DOBLHOFER, Horaz in der Forsch. nach 1957, 1992 **5** J. LATACZ, Einführung in die griech. Trag., 1994.

U. SCH.

Auge

[1] s. Optik

[2] (Αὔγη). Tochter des Königs Aleos von Tegea, der sie zur Athena-Priesterin macht [1. 368–385], um sie zur Keuschheit zu zwingen, da nach einem Orakel ihr Sohn ihre Brüder ermorden werde. → Herakles vergewaltigt sie (Hes. fr. 165 MERKELBACH-WEST, Apollod. 2,146f.). Aleos entdeckt ihre Schwangerschaft und läßt sie mit ihrem Sohn → Telephos ins Meer werfen. In Mysien angeschwemmt, heiratet sie König Teuthras (Hekat. FGrH 1 F 29a, b). Bei Soph. und Eur. überlebt Telephos getrennt von A., die von Teuthras adoptiert wird (Hyg. fab. 99). Nach der Erfüllung des Orakels gelangt auch Telephos zu Teuthras, dem er hilft und dafür A. zur Frau erhält; beide erkennen sich aber rechtzeitig.

1 M. JOST, Sanctuaires et cultes d'Arcadie, 1985 **2** C. BAUCHHENS-THÜRIEDL, s. v. a., LIMC 3.1, 45–51 **3** K. WERNICKE, s. v. A. 2), RE 2, 2300–2306. ABB.: C. BAUCHHENS-THÜRIEDL, s. v. A., LIMC 3.2, 46–50.

R. HA.

Augeas. Nur durch einen kurzen Artikel im Suda-Lex. [1. test.] bezeugter att. Komödiendichter; die Suda rechnet ihn zur Mittleren Komödie und zählt drei Stücktitel auf.

1 PCG IV, 1983, 17.

H.-G. NE.

Augeias (Αὐγείας, Αὐγέας). König der Epeier (Hom. Il. 11,698), häufiger der Eleer oder von Ephyra. Seine Genealogie schwankt – Vater ist häufig und alt → Helios, mit dem ihn auch sein Name (von αὐγέα, »Glanz, Strahl«) verbindet; daneben stehen → Poseidon oder Phorbas, Mutter Hyrmine, Bruder Aktor. Er ist reich an Rinderherden, wie sein Vater Helios; sein Schatzhaus erbauten → Trophonios und Agamedes; daran knüpft sich seit der → Telegonie eine Novelle vom Meisterdieb (Schol. Aristoph. Nub. 508; vgl. Telegonie 109 ALLEN). Seine Rinderställe muß Herakles an einem Tag reinigen; er tut dies, indem er die Flüsse Alpheios und Peneios durch die Ställe leitet. Den dafür ausgemachten Lohn, einen Zehntel seiner unermeßlichen Rinderherden, hält A. zurück und jagt Herakles aus dem Land. Später überzieht Herakles Elis mit Krieg, wird erst von den → Aktorionen, A.' Neffen, besiegt, tötet dann A. und die Aktorionen. Die Gesch., die lit. seit Pind. O. 10,28 und Pherekydes FGrHist 3 F 79 belegt ist, wird außer auf einer Metope des olympischen Zeustempels in der bildenden Kunst sehr selten dargestellt [1]; ausführlich erzählt wird sie bei Apollod. 2,88–91; 139–141 (vgl. Diod. 4,13,3; Hygin. 30,7; Paus. 5,1,9).

Die Deutungen des Mythos reichen von euhemeristischen Versuchen [2] bis zur Verbindung mit den Rinderherden des Sonnengottes [3].

→ Herakles

1 S. WOODFORD, LIMC 5.1, 57–59 2 J. M. BAKER, in: AJA 78, 1974, 149 3 W. BURKERT, Structure and History in Greek Myth and Ritual, 1979, 95.   F. G.

Augenheilkunde

A. ÄGYPTISCH   B. KLASSISCH-GRIECHISCH
C. HELLENISTISCH   D. RÖMISCH   E. SPÄTANTIKE
F. OKULISTEN

A. ÄGYPTISCH

Ägyptische Augenärzte standen bereits in hohem Ansehen, als der persische König Kyros den Pharao Amasis um 540 v. Chr. um Vermittlung eines solchen Augenarztes bat (Hdt. 3,1; vgl. 2,84). In Ägypten waren Augenkrankheiten keine Seltenheit. Drei von sieben frühen medizinischen Papyri handeln von ihnen. Allein im Pap. Ebers finden sich über 100 Rezepte gegen Blindheit. Einige Rezepte verwenden Ingredienzen aus der Dreckapotheke, andere beispielsweise Leber, die reich an Vitamin A und ein wertvolles Mittel gegen Xerophthalmie ist. Augenchirurgische Eingriffe scheinen selten vorgenommen worden, augenanatomische Kenntnisse bescheiden gewesen zu sein.

B. KLASSISCH-GRIECHISCH

Im klass. Griechenland wurden Augenkrankheiten nicht von Spezialisten behandelt. Auch die hippokratische Schriftensammlung hat wenig zur Augenanatomie (vgl. De visu, Loc. in hom. 2,3) oder zu speziellen Behandlungsformen zu sagen (Celsus 6,6). Augenleiden wie Nachtblindheit, Pterygium, Star und Amblyopie werden jedoch bisweilen genannt. Man wagte operative Eingriffe, Verätzungen und Kauterisation und verschrieb bes. Augensalben. Der Vorsokratiker Alkmaion beobachtete anläßlich einer Sektion den Augapfel und den vom Auge zum Gehirn führenden Kanal (Chalcidius, in Timaeum 246), doch besteht kein Grund zu der Annahme, er oder einer seiner Zeitgenossen hätten systematische Augenanatomie betrieben.

C. HELLENISTISCH

Erst die Forsch. des Herophilos um 280 v. Chr. sicherten ein fundiertes Wissen vom anatomischen Aufbau des Auges, von seinen Häuten und Nerven, und führten zur Benennung seiner Strukturen wie beispielsweise der Arachnoidhülle der Netzhaut (Test. 84–9 v. STADEN). Die Auffassung, über einen mit Pneuma durchsetzten Kanal, d. h. den Sehnerv (Test. 140 v. STADEN), interagiere das Auge mit dem Gehirn, wurde von nachfolgenden Autoren (z. B. PACK² 2343) aufgegriffen. Auch hielten sie den kristallinen Glaskörper für die Kontaktstelle zwischen dem Pneuma und den von Objekten ausgesandten Strahlen [1]. Herophilos schilderte

Augenkrankheiten ausführlich in De visu (Test. 260 v. STADEN). Ein späterer Schüler, der um 40 n. Chr. wirkende Demosthenes Philalethes, setzte die Studien seines Lehrers fort. Noch wesentlich später fußten Kenntnisse über ant. A. auf seinem Liber ophthalmicus [2]. Darin hatte er die Anatomie, Physiologie und Pathologie des Auges beschrieben, gefolgt von Behandlungsempfehlungen mittels Medikamenten, chirurgischen Eingriffen und Augensalben, wobei er über 40 Augenleiden aufführte. Seine Staroperation gilt als die erste, von der wir detaillierte Kenntnis haben. Das Gedicht über ein Starmittel, das Aglaias (SH 18) zugeschrieben wird, dürfte aus dem Umkreis des Demosthenes stammen.

D. RÖMISCH

Die röm. Ant. hatte den im klass. Griechenland erworbenen augenanatomischen Kenntnissen wenig hinzuzufügen, auch wenn es terminologische Streitereien gab (Ps.-Gal. 14,711–712 K). Galens Abhandlung über das Auge ging in griech. Sprache verloren, jedoch finden sich Spuren davon auf Arab. (SEZGIN p. 101) sowie Zusammenfassungen in De usu partium (10,1–2) und in Admin. anat. 10,2–5. Galens wichtigste Korrektur überlieferten Wissens bestand darin, die Netzhaut als Ausläufer des Sehnervs zu begreifen. Er beschrieb zahlreiche operative Verfahren zur Behandlung von Augenleiden [3], lobte jedoch vor allem jene Ärzte, die Augenleiden medikamentös statt operativ zu heilen vermochten (CMG Suppl. Or. 4 p. 116–117). Daß seine Therapievorschläge realistisch waren, erhellen die auf Pap. erh. Fragmente [1], Celsus de medicina 6,6 und 7,78 sowie die langen Listen von Augentherapeutika im galenischen Schriftencorpus wie auch Funde ophthalmologischer Instrumente und sog. Okulistenstempel [4; 5]. Mit ihnen beschriftete man die Kollyrien-»Brötchen«, länglich-runde Stangen, die aus einem Medikament und einem Träger wie Fett oder Wachs geformt wurden, wobei man die Diagnose sowie den Namen des Medikaments und des Besitzers festhielt. Manche Ingredienzen werden das eine oder andere Augenleiden durchaus gelindert haben. So dürfte eine Mischung von Zinksilikat und Essig bei Bindehautentzündung geholfen, einige Gummiharze bakterizid gewirkt und gewisse Kupferverbindungen bei Trachom Linderung verschafft haben [6]. Zahlreiche Augenleiden waren jedoch unheilbar, wie z. B. Kurzsichtigkeit, oder neigten zu Rezidiven, z. B. lippitudo, Triefaugen [12].

E. SPÄTANTIKE

Spätant. Autoren medizinischer Schriften griffen stark auf Galens Rezepte und Verordnungen zurück. Aetios bezog sich bei der Trachombehandlung auch auf Severus, einen Arzt aus augusteischer Zeit, während die Araber auch einige chirurgische Verfahren von Antyllos zu zitieren wußten [7]. Im allg. stagnierte jedoch der Fortschritt in der Behandlung von Augenkrankheiten ab dem 2 Jh. n. Chr.

F. OKULISTEN

Augenspezialisten gab es schon im ant. Ägypten, doch beziehen sich erh. Berichte vor allem auf deren

Wirken in der röm. Kaiserzeit [8]. Ein solches Spezialistentum konnte sich jedoch nur in Metropolen wie Rom entwickeln, von wo über die Hälfte der epigraphisch überlieferten *medici ocularii* stammen, oder verdanken sich dem ärztlichen Wandergewerbe, das wiederum durch die Suche nach Patienten motiviert wurde. Die meisten Behandlungen fanden im Rahmen einer ärztlichen oder chirurgischen Allgemeinpraxis statt. Funde von medizinischen Instrumenten in unmittelbarer Nachbarschaft von Okulistenstempeln geben Grund zu der Annahme, daß die sog. gallo-röm. Okulisten fahrende Ärzte waren und von großen Städten wie dem h. Reims und Bar-le-Duc aus operierten [8; 9; 10; 11]. 98% der gefundenen Okulistenstempel befanden sich in den Prov. Galliens, Germaniens und Britanniens. KÜNZLS Versuch, diese Verteilung mit der Besteuerungspraxis im gallischen Zollbezirk zu erklären, ist zwar einfallsreich, aber nicht beweisbar [5].

→ Alkmaion; Anatomie; Antyllos; Demosthenes Philalethes; Galenos; Herophilos

1 M. H. MARGANNE, L'ophthalmologie dans l'Egypte gréco-romaine, 1994 2 v. STADEN, Herophilus, 570–578, 582–584 3 H. MAGNUS, Die A. der Alten, 1901 4 E. ESPÉRANDIEU, Signacula medicorum oculariorum, 1904 5 M. FEUGÈRE, E. KÜNZL, U. WEISSER, Die Starnadeln von Montbellet, in: JRGZ 1985, 436–508 6 H. NIELSEN, Ancient ophthalmological agents, 1974 7 E. SAVAGE-SMITH, Hellenistic and byzantine ophthalmology, in: DOP 1984, 168–186 8 V. NUTTON, Roman oculists, in: Epigraphica 1972, 16–29 9 G. C. BOON, Potters, oculists and eye trouble, in: Britannia 1983, 1–12 10 R. BOYER, Découverte de la tombe d'un oculiste à Lyon, in: Gallia 1990, 215–249 11 R. P. J. JACKSON, Eye medicine in the Roman Empire, ANRW II 37.3, 2226–2251 12 A. K. BOWMAN, J. D. THOMAS, A military Strength Report from Vindolanda, in: JRS 1991, 69 13 A. ESSER, Das Antlitz der Blindheit in der Ant., 1961 14 J. HIRSCHBERG, Gesch. der A. 1, 1899.

V. N./L. v. R.-B.

Augila (τὰ Αὔγιλα). Westlichste und größte Oase der Ğālū-Oasen, h. Auğila, nach Hdt. 4,172,1; 182 von der Oase Sīwa in westl. Richtung 10 Tagereisen entfernt (200 km südöstl. von Ağabīya). Im Besitz der → Nasamones, bekannt wegen der zahlreichen, mächtigen Dattelpalmen (Strab. 17,3,23; Mela 1,46; Plin. nat. 5,26f.; Ptol. 4,5,30; Steph. Byz. s. v. A. (= Apollod.); Prok. aed. 6,2,14f.). Heute das letzte Rückzugsgebiet der berberischen Sprache in Libyen.

W. VYCICHL, s. v. A., EB, 1050–1052. W. HU.

Auginus mons. Evtl. der Cimone im Appenninus, als hl. verehrt (Liv. 39,2). G. U.

Augures. Das Wort *a.*, von dem *augurium* und *augustus* Derivate darstellen, gehört zur Familie von *auctor, auctoritas* und auch *augere* »vermehren« [1]. Die Funktion des *augur* besteht jedoch nicht nur darin, den Erfolg einer Unternehmung zu gewährleisten [2. 57], sondern die göttl. Kraft zu geben, die es erlaubt, zur Existenz zu gelangen [3]: Die Götter gewähren ein *plein de force mystique* [4], deutlich wahrnehmbar bei der Gründung einer Stadt insbes. von Rom oder bei einer Amtseinsetzung (Numas Modell, Liv. 1,18,6–10). Auf der Ebene unserer Dokumentation erzeugt die Vermittlung des *augur* nicht mehr selbst diese Kraft: er begnügt sich damit, ihre Existenz durch ein von den Göttern geschicktes Zeichen festzustellen, das oft auf der Beobachtung von Vögeln basiert (*auspicium*). Zudem wird nach dem *rex augur* Romulus (Cic. div. 1,3; 30; 107) der *augur* in seiner öffentlichen Rolle vom Inhaber der Macht getrennt und diesem untergeordnet; er darf nur die Auspizien interpretieren (Cic. leg. 2,8,20: *interpretes Iovis O. M. publici augures*) und deren Bed. verkünden (*nuntiatio*), aber nicht Entscheide über das weitere Vorgehen fällen und ausführen (*spectio,* Cic. Phil. 2,81), was zum Geltungsbereich des Magistraten gehört, der *auspicium imperiumque* vereint (CIL I²,626=ILLRP 61 für Mummius; Liv. 40,52,5 für L. Aemilius Regillus; [5; 6]). Für diese Aufgabe sind die *a. publici* (Cic. leg. 2,8,20; fam. 6,6,7; Varro ling. 5,33), die *a. populi Romani* (Cic. Phil. 1,31) und die *a. publici populi Romani Quiritium* (CIL VI 503; 504; 511, etc.) zu einem Kollegium organisiert, dessen Ursprung man einerseits auf den *augur* Romulus (Cic. rep. 2,9,16; Dion. Hal. ant. 2,22,3), andererseits auf Numa, den Organisator der Priesterämter (Liv. 4,4,2; Dion. Hal. ant. 2,64,4), zurückführt und das dank dem *augur* Attus Navius zu seiner wichtigen Stellung gekommen sein soll (Szene mit Tarquinius Priscus: Cic. div. 1,32; Liv. 1,36,2–6; Dion. Hal. ant. 3,71, usw.; bei Cic. div. 1,31 und Dion. Hal. ant. 3,70 Volksetym. der Auspizien: Die Beobachtung der Vögel soll Attus erlaubt haben, die größte Weintraube zu finden).

Die Mitglieder wurden durch Kooptation (*cooptare* Cic. Brut. 1; *nominare* Cic. Phil. 2,4; *nominatione cooptare* ebd. 13,12) rekrutiert und sollen am Anfang drei gewesen sein, je einer pro Tribus (Liv. 10,6,7; Dion. Hal. ant. 2,22,3), aber Liv. spricht auch von vier oder sechs, bevor die *lex Ogulnia* des J. 300 die Zahl deutlich auf neun fixiert (davon sind fünf Plebeier: 10,6,6–7 und 10,9,2; Lyd. mag. 1,45). Sulla erhöht ihre Zahl auf 15 (Liv. perioch. 89), Caesar (Cass. Dio 42,51) auf 16. Während der Kaiserzeit wird die Zahl weit überschritten durch das Recht des *princeps* auf Ernennung *supra numerum* (schon im J. 36 n. Chr. Valerius Messala, Cass. Dio 49,16; anerkanntes Recht im J. 29 n. Chr., ebd. 51,20). Eine Aufgabe der *a.* ist es, beim Ritual der *inauguratio* von Menschen und Orten »voranzuschreiten«: Cicero (leg. 2,20) berichtet, daß die *a.* die *sacerdotes* inaugurieren (*flamen Dialis*: Liv. 27,8,4; 41,28,7; *Martialis*: 29,38,6; 45,15,10; *Quirinalis*: 37,47,8; *rex sacrorum*: 27,36,5; *pontifex*: 40,42,8). Eine zweite Form der Inauguration ist die Stadtgründung (Rom: Liv. 1,6,4; 5,52,2, usw.), aber auch Kultorte gehören in diese Kategorie (Tempel des Iuppiter Capitolinus, Liv. 8,5,8; weiter ebenda 1,55,2). Das *templum augurale* hingegen ist, im Sinne eines Beobachtungsbezirkes von Vögeln, nur ein *locus liberatus et effatus* und nicht *inauguratus* [5]. Hauptaufgabe der *a.* ist die Zeichendeutung, wenn eine Auspikation verlangt wird (Ernennung und Amtsantritt von Magistraten, Beschlüsse der Volksversammlung, Beginn eines Feldzuges, usw.), ob es sich nun um *auguria impetrativa* (von den Göttern aufgrund von Bitten erhaltene) oder *oblativa* (unerbetene, Serv. Aen. 6,190; 12,259) handelt; Festus unterscheidet fünf Kategorien von Zeichen (p. 316): *ex caelo* (Donner und Blitz), *ex avibus* (Vögel *alites,* deren Flug und *oscines,* deren Gekrächze man beobachtet), *ex tripudiis* (Verhalten der hl. Hühner), *ex quadrupedibus* (von Tieren gegebene Zeichen) und *ex diris* (drohende Vorahnungen). Die Kunst der *a.* kam zu genauen Regelungen – Gegenstand des *ius augurale* –, die in Spezialwerken von Autoren wie Ap. Claudius Pulcher, L. Iulius Caesar und M. Valerius Messala behandelt wurden. Ihre Handhabung konnte die wichtigsten Entscheidungen des Staates blockieren und gab so Gelegenheit zu polit. Manövern – was ein Konservativer wie Cicero, selbst *augur,* als nützliche Barriere gegen ein Übergreifen der Popularen sah [7]. Neben den öffentlichen gab es auch private *a.,* die oft ein geringes Ansehen genossen (Cat. agr. 5,4); sie sind in der Gesch. von Attus Navius faßbar, aber sonst fast nirgendwo.

1 WALDE, HOFMANN I, 83 2 ERNOUT, MEILLET 3 E. BENVENISTE, Vocabulaire des institutions indo-européennes, Bd. 2, 1969, 148–52 4 G. DUMÉZIL, in: REL 35, 1957, 126–51 5 A. MAGDELAIN, Jus, imperium, auctoritas, 1990, 209–28 6 Ders., in: Hommages J. Bayet, 1964, 427–73 7 F. GUILLAUMONT, Philosophe et augure, recherches sur la théorie cicéronienne de la divination, 1984.

P. CATALANO, Contributi allo studio del diritto augurale, Bd. 1, 1960.   D. BR.

Augurinus

[1] Prokonsul von Creta-Cyrenae unter Caligula. PIR² A 1397.

[2] Von Seneca apocol. 3,4 als minderwertige Person eingeführt, die im selben Jahr wie Claudius sterben sollte. PIR² A 1398.

[3] Fiktive Person (vgl. bei Seneca: Augurinus, Baba, Claudius = ABC).   W. E.

Augusta

[1] Bagiennorum. Ligurische Stadt am Oberlauf des Tanaro, h. Bene Vagienna. Gegr. vor dem 5. Jh. v. Chr., *regio IX* (Plin. nat. 3,49; Ptol. 3,1,35), *municipium* (CIL V 7135) der *tribus Camilia.* Monumente: Reste von Forum, Basilica, Thermen, Theater, Amphitheater, Aquädukt.

Fontes Ligurum et Liguriae antiquae, 1976, s. v. a. B. · Inscriptiones Italiae 9,1, 1948 · G. MENNELLA, Cristianesimo e latifondi tra Augusta B. e Forum Vibi Caburrum, in: RAC 69, 1933, 205–222 · A. T. SARTORI, Pollentia ed A. B., 1969.   G. GA.

[2] Emerita, h. Mérida am Anas in → Lusitania gelegen, als augusteische Kolonie der 5. und 10. Legion von P. → Carisius [1] gegr. (Cass. Dio 53,26,1), entwickelte sich bald zu einer der bedeutendsten Städte des Landes. Ihr Territorium war schon unter Augustus beträchtlich (ca. 20000 km²), wurde aber ständig erweitert, zuletzt unter → Otho (Tac. hist. 1,78,1). Als Hauptort der Prov. Lusitania erhielt A. viele Repräsentationsbauten (Tempel, Theater, Thermen, Brücke über den Anas), die noch h. das Stadtbild prägen. Die Bevölkerung war kosmopolitisch, wie uns die Inschr. lehren; die Dominanz von Militär und Verwaltung ist unübersehbar. Das Christentum faßte früh in A. Fuß und verbreitete sich von hier aus. Bischöfe aus A. nahmen an den Konzilien von Illiberis und Serdica teil. In westgot. Zeit verlor die Stadt nichts von ihrer kirchenpolit. Bedeutung. Ihre Bischöfe spielten bei den Konzilien von Toletum eine große Rolle; 666 fand in A. ein lusitanisches Konzil statt (conc. 325 ff.).

A. CANTO, Las tres fundaciones de A. Emerita, in: W. TRILLMICH, P. ZANKER (Hrsg.), Die Monumentalisierung hispanischer Städte zw. Republik und Kaiserzeit, 1990, 289–297 · K. GREWE, A. Emerita/Mérida – eine Stadt röm. Technikgesch., in: Ant. Welt 24, 1993, 244–255 · TOVAR 2, 223–230 · W. TRILLMICH, Colonia A. Emerita, die Hauptstadt von Lusitanien, in: Ders., P. ZANKER (Hrsg.), Die Monumentalisierung hispanischer Städte zw. Republik und Kaiserzeit, 1990, 299–318.   P. B.

[3] Praetoria. Röm. *colonia* in den westl. Alpen im Tal der Dora Baltea, h. Aosta. Gründung 25 v. Chr. durch Augustus nach Unterwerfung der Salassi (Strab. 4,6,7; Cass. Dio 53,25,3–5). Ansiedlung von ehemaligen Praetorianern (Cass. Dio 53,25,5). A. wurde der *regio XI Transpadana* zugeordnet (Plin. nat. 3,123). Straßenverbindungen zum Großen und Kleinen St. Bernhard. Regelmäßige, im h. Stadtbild noch erkennbare Stadtanlage [1]. Zahlreiche Überreste: Stadtmauer mit Toren und Türmen, Theater, Amphitheater, Triumphbogen, Häuser.

1 TH. LORENZ, Röm. Städte, 1987, 121 f. (mit Abb. 19) 2 P. BAROCELLI, A., in: Forma Italiae, Regio 11, 1, 1948 3 G. WALSER, Via per Alpes Graias, 1986.   H. SO.

[4] Raurica, röm. *colonia*, h. Augst (Schweiz), gegr. 44/43 v. Chr. von L. Munatius Plancus (s. arch. Lageplan von Augusta Raurica). Die Gründung liegt auf dem Boden der kelt. Raurici, welche die Jurahöhen im Süden des Hochrheins bis zum Rheinknie bei Basel bewohnten: Der Platz bot wegen der Mündung von Ergolz und Fielenbach sowie der vorgelagerten Insel Gwerd einen bequemen Stromübergang. Außerdem liefen hier die Straßen von Raetia (Bözberg) und Genfer See (Hauenstein) zusammen. Caesar wählte die Stelle in defensiver (Sperre gegen die Germanen) bzw. offensiver (Stoß in das rechtsrheinische Germanien) Absicht. Unter Augustus wurde die Siedlung umbenannt: *Colonia Paterna Pia Apollinaris Augusta Emerita Raurica.*

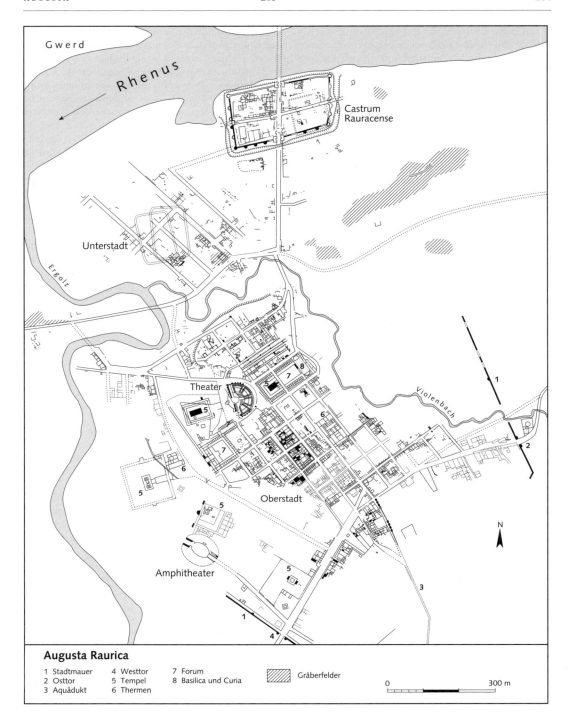

Augusta Raurica

1 Stadtmauer 4 Westtor 7 Forum
2 Osttor 5 Tempel 8 Basilica und Curia
3 Aquädukt 6 Thermen

Gräberfelder

0   300 m

Ausgrabungen haben die rechtwinkligen *insulae* der röm. Wohn- und Handwerkerquartiere aufgedeckt. Die Überreste der Monumentalbauten waren seit dem 16. Jh. bekannt: Theater (augusteische Zeit: szenische Anlage, im 1. Jh. n. Chr. Umbau zum Amphitheater, im 2. Jh. wiederum szenische Anlage), Tempelanlagen auf dem Schönbühl (gegenüber dem Theater), Heiligtum in Grienmatt. Das Hauptforum mit Iuppitertempel, *basilica* und *curia*, ferner das Amphitheater sind erst in neuerer Zeit entdeckt und bearbeitet worden. Die meisten Inschr. und Kleinfunde sind im 1954/55 erbauten Römermuseum aufbewahrt, darunter auch der 1962 in Kaiseraugst gefundene »Silberschatz« (Reliefteller und Mz. aus der Umgebung des Usurpators Magnentius, 352/53 vergraben). Reste einer Stadtbefestigung aus flavischer Zeit sind im Süden der *colonia* gefunden worden. Die Stadtmauer wurde nicht vollendet (beide Anlagen umfassen auch unbesiedeltes Gebiet). Die Wirren des 3. Jh. ließen Teile von A. veröden. Die urspr. strategische Funktion der *colonia*, die Verteidigung der Rheingrenze, ging auf das spätant. Kastell Kaiseraugst (*castrum Rauracense*) über.

R. LAUR-BÉLART, Führer durch A. Raurica, ⁵1988 (bearbeitet von L. BERGER) · W. DRACK, R. FELLMANN, Die Römer in der Schweiz, 1988, 323–337 · H. A. CAHN, A. KAUFMANN-HEINIMANN, Der spätröm. Silberschatz von Kaiseraugst, 1984 · G. WALSER, Röm. Inschr. in der Schweiz, 2, 1980, Nr. 203–246.
KARTEN-LIT.: M. SCHAUB, Die Brücke über den Violenbach beim Osttor von A. Rauricorum, Jahresber. aus Augst und Kaiseraugst 14, 1993, 135–158, bes. 154, Abb. 26 · A. R. FURGER, Die urbanistische Entwicklung von A. Raurica vom 1. bis zum 3. Jh., Jahresber. aus Augst und Kaiseraugst, 15, 1994, 2938, bes. 31, Abb. 4. G. W.

[5] Taurinorum. Ortschaft beim *oppidum* der Taurini, das 218 v. Chr. (Pol. 3,60; Liv. 21,39; App. Hann. 5) von Hannibal zerstört worden war, h. Torino (Turin). *Municipium IVvirale* z. Z. Caesars, nach 27 v. Chr. *IIvirale* als *Iulia Augusta Taurinorum* (CIL V 7047; *Iulia Augusta*: CIL V 6954; 7629; *Augusta Taurinorum*: CIL V 6480; 6991; 7033; XI 3940; XIII 6862; 6870; Ptol. 3,1,35; Tab. Peut. 2,5). Wichtiges Zentrum der *regio XI, tribus Stellatina*. Endstation der Flußschiffahrt auf dem Padus (Plin. nat. 3,123), Straßenknotenpunkt für den Verkehr nach Gallien. 69 n. Chr. teilweise durch Feuer zerstört (Tac. hist. 2,66). Beherbergte mil. Garnisonen (Not. Dign. oc. 42,56). Bischofssitz, 398 n. Chr. Konzil. Monumente: Porta »Palatina«, Stadtmauer, Theater, Nekropolen, *villae rusticae*.

G. CRESCI MARRONE, E. CULASSO GASTALDI (Hrsg.), Per pagos vicosque, 1988 · V. CASTRONOVO (Hrsg.), Torino antica e medievale (Storia illustrata di Torino 1), 1992 · Quaderni della Soprintendenza archeologica del Piemonte 1–12, 1981–94. G. C. M.

[6] Treverorum. Haupt-*civitas* der → Treveri (Mela 3,20; Tac. hist. 4,62; 72; Ptol. 2,9,7; Amm. 15,11,9; 16,3,3), h. Trier, in einer sanft geneigten Talweite der

Mosella unterhalb der Saarmündung an einer spätestens seit dem 2. Jh. v. Chr. benutzten Furt; unweit davon am unteren Altbach eine bis in die Frühlatènezeit zurückreichende Siedlung. Das übrige Stadtgebiet wurde nicht vor Mitte des 1. Jh. v. Chr. besiedelt; ein größeres Stammeszentrum der Treveri ist jedenfalls nicht nachweisbar [1]. Die verkehrsgeogr. und strategische Bed. des Ortes mit seinen Fernverbindungen nach Colonia Agrippinensis, Confluentes und Mogontiacum erklärt die zeitweilige Präsenz röm. Militärs. Eine Einheit lag um 30 v. Chr. auf dem Petrisberg, ein Reiterlager (*ala Hispanorum*) wird am Altbachufer vermutet. Im Rahmen der Neuordnung der Galliae und der Vorbereitung der Kriege gegen die Germani wurde um 17 v. Chr. eine Holzbrücke über die Mosella errichtet und etwa zur selben Zeit eine Zivilsiedlung angelegt, deren Westost-Achse (*decumanus maximus*) die auf die Brücke zulaufende Straße bildete. Ob es sich bei A. T. in augusteischer Zeit um einen zufällig entstandenen röm. Etappenort handelt oder ob Augustus in einer bewußten Neugründung A. T. als Hauptort der *civitas Treverorum* konstituierte, ist nicht sicher. Für Letzteres sprechen u. a. zwei Fragmente einer Ehreninschr. für die Augustusenkel C. und L. Caesar, die zeigt, daß A. T. schon als polit. Körperschaft agierte (CIL III 3671; BRGK 40, 1959, 123, Nr. 1). Unter Claudius, sicherlich aber noch vor 69/70 n. Chr., wird A. T. den Titel *colonia* erhalten haben. Es bleibt jedoch umstritten, welcher Art dieser *colonia*-Status gewesen ist. Eine Koloniegründung durch Deduktion scheidet jedenfalls aus. *Colonia* ist wohl nur auf die städtische Siedlung zu beziehen, während die Stammesgemeinde der Treveri (*civitas*) als Organisationsform daneben weiterhin Bestand hatte (AE 1968, 321) [2. 174–177, Nr. 33]. Möglicherweise wurde zur selben Zeit beiden das *ius Latii* verliehen.

Mit der nach dem Aufstand der Treveri von 69/70 n. Chr. einsetzenden polit. Konsolidierung begann eine 150jährige Blütezeit, die sich bes. in der Realisierung großer öffentlicher Bauprojekte manifestierte. Ob A. T. Durocortorum als Hauptstadt der → Belgica ablöste, ist fraglich, doch wird zumindest der Finanzprocurator, zu dessen Amtsbereich auch die zwei Germaniae gehörten, hier seinen Sitz gehabt haben (CIL III 5215). Am Kreuzungspunkt von *cardo maximus* (Nordsüd-Achse) und *decumanus maximus* wurde, wahrscheinlich in flavischer Zeit, anstelle der alten Wohnbebauung ein ca. 275 m langes und 135 m breites Forum angelegt, das eine Basilica, große Plätze, Säulenhallen und Ladenzeilen umfaßte. Im Westen schloß sich ein Gebäudekomplex (sog. »Victorinuspalast«) an, dessen genaue Bestimmung ungeklärt ist. Nördl. des Forums (am h. Viehmarktplatz) entstand etwa zur selben Zeit eine Thermenanlage, deren Kapazität für die rasch anwachsende Bevölkerung bald nicht mehr ausreichte, so daß noch vor Mitte 2. Jh. südwestl. vom Forum zur Mosella hin ein wesentlich größerer (250 × 170 m), repräsentativer Bau (»Barbarathermen«) errichtet wurde. Aus dieser Zeit (144–152 n. Chr.) stammt auch die noch h. bestehende Steinbrük-

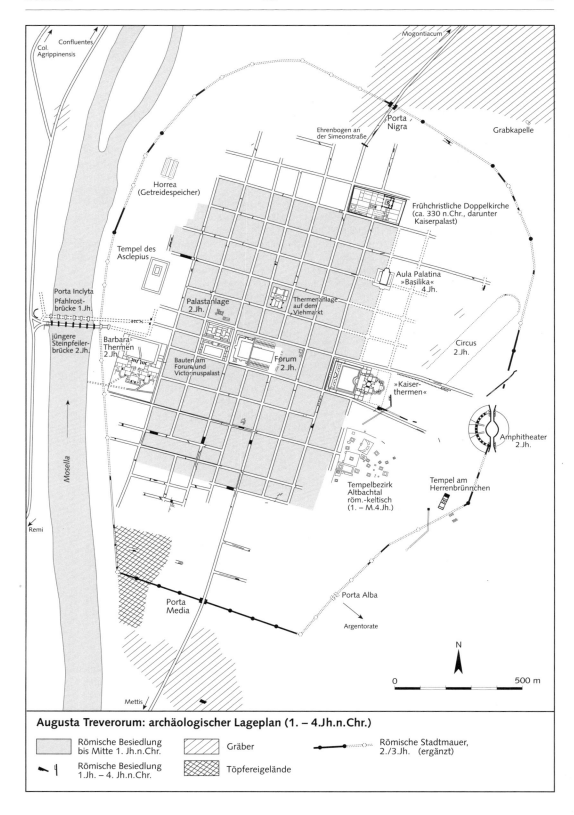

Augusta Treverorum: archäologischer Lageplan (1. – 4.Jh.n.Chr.)

ke, nachdem bereits um 71 n. Chr. die alte Holzbrücke durch eine Pfahlrostkonstruktion (Steinpfeiler auf einem Rost eingerammter Pfähle) ersetzt worden war [3]. Den östl. Abschluß des von der Brücke längs der Barbarathermen über das Forum verlaufenden *decumanus maximus* bildet das Amphitheater aus traianischer Zeit. Von dem ebenfalls ins frühe 2. Jh. anzusetzenden Circus nordwestl. davon sind keine sichtbaren Spuren mehr vorhanden. Der Bau der Stadtmauer zw. 160 und 180 n. Chr., die weit mehr als nur besiedeltes Gebiet einschloß (285 ha), erfolgte zwar nicht aus einer unmittelbaren äußeren Bedrohung heraus, doch kündigten sich bereits die unruhigen Zeit des 3. Jh. an. Das nördl. Stadttor (Porta Nigra) gilt als eines der besterhaltenen aus röm. Zeit.

Nach den Auseinandersetzungen Roms mit dem Gallischen Sonderreich (260–275), dessen Hauptstadt in den letzten Jahren vermutlich A.T. war, und der Zerstörung der Stadt 275/276 durch german. Völkerschaften stabilisierten sich die Verhältnisse unter Kaiser Probus wieder. Eine neue glanzvolle Epoche leitete die diokletianische Reichsreform ein, als A.T. unter Constantius I. zur kaiserlichen Residenzstadt avancierte und bes. von dessen Sohn und Nachfolger Constantinus I. eine repräsentative Ausgestaltung erfuhr. Die Bauten für Hof und Verwaltung entstanden im nordöstl. Teil der Stadt zw. Porta Nigra und *decumanus maximus*. Am nördl. Rand dieser Zone beim h. Dom und der Liebfrauenkirche wurde um 326 mit dem Bau einer Doppelkirche begonnen, wofür eine ältere kaiserliche *villa* weichen mußte. Weiter unterhalb davon befindet sich die noch h. beeindruckende Aula Palatina (sog. Basilika), die Empfängen und Audienzen diente. Den südl. Abschluß des Palastviertels bildete eine der größten Thermenanlagen des röm. Imperiums (»Kaiserthermen«), die offenbar nie in Betrieb ging und in der 2. H. des 4. Jh. in verkleinerter Form anderen Zwecken diente [4].

Anf. des 4. Jh. wurde A.T. als Sitz eines *praefectus praetorio Galliarum* Zentrale eines von Britannia bis Africa reichenden Verwaltungsbezirks. A.T. war offensichtlich zur polit. bedeutensten Stadt im Westen des Reiches außerhalb von Italia aufgestiegen.

Zeugnisse wirtschaftlicher Prosperität sind eine Doppelspeicheranlage (*horrea*) bei St. Irminen unweit des Moselufers, wo man einen größeren Hafen vermutet, ferner staatl. Waffenfabriken und Textilmanufakturen, sowie Stätten für die Glas- und Keramikproduktion, vornehmlich im Süden der Stadt. Seit Einrichtung der Tetrarchie besaß A.T. eine der bedeutensten Münzprägestätten, die noch Mitte des 5. Jh. betrieben wurde. Eine vermutlich noch längere Tradition hatte die Trierer Hochschule, an der unter anderen die Literaten und kaiserlichen Erzieher Lactantius (um 317) und Ausonius (367–388) wirkten. Der Tempelbezirk im Altbachtal mit über 70 Bauten im südöstl. Stadtteil kündet von der Vielzahl der in A.T. zw. dem 1. und 4. Jh. gepflegten Kulte [5]. Weiter östl. davon, am Herren-

brünnchen, befand sich ein mächtiger Podientempel und auf der westl. Mosella-Seite, am Irminenwingert, eine Tempelanlage für Lenus Mars. Eine christl. Gemeinde entwickelte sich in A.T. seit der 2. Hälfte des 3. Jh. und hat über 800 frühchristl. Grabinschr. hinterlassen. Als ältester Bischofsstuhl Deutschlands kann A.T. eine bis in vorconstantinische Zeit reichende Bischofsliste aufweisen. Zu den bedeutendsten Vertretern der Kirche, die sich im 4. und 5. Jh. in A.T. aufhielten, gehörten neben Athanasios und Martinus von Tours die Kirchenväter Hieronymus und Ambrosius. Aus den bei den suburbanen *villae* angelegten *coemeteria* (Gräbern) entwickelten sich bald Oratorien und Memorialkirchen, auf die sich die h. Kirchen von St. Eucharius-Matthias, St. Maximin, St. Paulin, St. Marien und St. Martin zurückführen lassen [6].

Unter Valentinianus und Gratianus (367–383) erlebte A.T. noch eine letzte kurze Blüte. Als 395 der Hof nach Mediolanum zog und vermutlich zur selben Zeit die Präfektur nach Arelate verlegt wurde, begann der polit. und wirtschaftliche Niedergang von A.T. Nach mehrfacher Zerstörung geriet A.T. schließlich um 470 endgültig in fränkische Hand [7].

1 K.-J. GILLES, Neue Funde und Beobachtungen zu den Anfängen Triers, in: Trierer Zschr. 55, 1992, 193–232 2 J. KRIER, Die Treverer außerhalb ihrer Civitas, 1981 3 H. CÜPPERS, Trierer Römerbrücken, 1969 4 D. KRENKER, E. KRÜGER, Die Trierer Kaiserthermen, 1929 5 E. GOSE, Der Tempelbezirk im Altbachtal zu Trier, 1972 6 H. HEINEN, Frühchristl. Trier, 1996 7 H. H. ANTON, Trier im Übergang von der röm. zur fränk. Herrschaft, in: Francia 12, 1984, 1–52.

H. CÜPPERS, Die Römer in Rheinland-Pfalz, 1990, 577–647 · H. HEINEN, Trier und das Trevererland in röm. Zeit, 1985 · Trier – Augustusstadt der Treverer. Ausstellungskat. Trier, 1984 · Trier – Kaiserresidenz und Bischofssitz. Die Stadt in spätant. und frühchristl. Zeit. Ausstellungskat. Trier, 1984 · E. M. WIGHTMAN, Roman Trier and the Treveri, 1970 · Vgl. ferner Trierer Zschr., die Reihe Trierer Grabungen und Forschungen sowie die Schriftenreihe des Rhein. Landesmuseums Trier. KARTEN-LIT.: C. M. TERNES, Die römerzeitliche Civitas Treverorum im Bilde der Nachkriegsforschung, ANRW II 4, 1975, 320–424 und 182 · H. WOLFF, »Civitas« und »Colonia Treverorum«, Historia 26, 1977, 204–242 · H. HEINEN, Trier und das Trevererland in röm. Zeit, 1985 · H. CÜPPERS (Hrsg.), Die Römer in Rheinland-Pfalz, 1990, 577–647, bes. 581. F. SCH.

[7] Vindelicum, h. Augsburg; am Zusammenfluß von Virdo/Wertach und Licus/Lech, an einem strategisch wichtigen Schnittpunkt von Reichsstraßen (Ptol. 2,12,3; 8,7,4). Seit 8/5 v. Chr. ist ein Uferkastell bei Oberhausen für Legionäre und Reiter anzunehmen, das ca. 16 n. Chr. wegen Hochwasser aufgegeben und durch ein Auxiliarlager für ca. 1000 Mann nordöstl. des h. Domes ersetzt wurde. Über diesem im späten 1. Jh. aufgelassenen Militärposten breitete sich der urspr. *vicus* rasch aus; der von Hadrian zum Municipium Aelium [1] erhobene Ort hatte inzwischen Kempten als Hauptstadt von → Raetia abgelöst. Um 170/189 n. Chr. auf ca. 65 ha ummauert, erfreute er sich großer Blüte bis Anf. des 3. Jh. n. Chr. A. blieb Sitz des raetischen Statthalters auch nach Ankunft der *legio III Italica* in Regensburg. Zerstörungen im 3. Jh. werden vermutet; 260 n. Chr. feierte man einen Sieg über die Iuthungi, Aurelius → Probus und → Diocletianus wurden geehrt. Im arealmäßig nicht reduzierten Hauptort der Raetia II verblieb mit den *equites Stablesiani seniores* hochrangiges Militär (Not. dign. occ. 35,14; Helme von Pfersee). Mitte des 5. Jh. aufgelassen, fehlen explizite Zeugnisse für Kontinuität. Der frühma. Kern entwickelte sich im fortgeschrittenen 6. Jh. um den heutigen Dom, woraus die Bischofssiedlung des 8. Jh. hervorging. Um 565 n. Chr. beschreibt Venantius Fortunatus (MGH AA 4,1,368) die Verehrung des Grabes der diokletianischen Märtyrerin Afra, das trotz der frühchristl. Gräber in Sankt Ulrich und Afra noch nicht arch. gesichert ist.

1 M. ZAHRNT, Zum röm. Namen von Augsburg, in: ZPE 72, 1988, 179f.

L. BAKKER, Augsburg, in: W. CZSYZ, K. DIETZ, TH. FISCHER, H.-J. KELLNER (Hrsg.), Die Römer in Bayern, 1995, 419–425 · E. BOSHOF, H. WOLFF (Hrsg.), Das Christentum im bairischen Raum, 1994.   K. DI.

[8] (Αὐγοῦστα). Stadt der Kilikia Pedias am linken Ufer des Saros (Steph. Byz. 68; 145; 313), in der Landschaft Bryklike (Ptol. 5,8,6) von Tiberius 20 n. Chr. gegründet (Anf. der Stadtära). Seit 72 n. Chr. endgültig in der von Vespasian wiederhergestellten röm. Provinz Cilicia, nach der Provinzordnung von 408 n. Chr. in der Cilicia Prima. Die 1955 als A. identifizierte Ruinen, 16 km nördl. von Adana, sind vom Seyhan-Stausee überflutet.

M. GOUGH, Anatolian Studies 6, 1956, 165ff. · F. HILD, H. HELLENKEMPER, Kilikien und Isaurien, TIB 5, 201.

M. H. S.

Augustales

[1] Die A., in einigen *civitates* auch *seviri A.* oder *magistri A.* genannt (darum h. gewöhnlich alle als A. bezeichnet), wurden von 12 v. Chr. an in den meisten Kolonien und Munizipien des westl. Teils des Imperiums eingesetzt, um den Kultus des → Genius Augusti, des → Numen Augusti und der → Lares Augusti zu betreuen. Ihr Amt ist mit dem der stadtröm. *vicomagistri* zu vergleichen und ist, wie dieses, von untergeordneter Würde. Der größte Teil der A. waren Freigelassene, aber auch *ingenui* sind unter ihnen bezeugt. An ihrer Spitze standen jährlich mehrere *magistri*; als andere Amtsträger sind auch *quaestores, curatores, quinquennales* und *patroni* bezeugt. Die A. besaßen ein eigenes Versammlungslokal und eine Kasse.

Über die innere Organisation der A. ist viel diskutiert worden. Man hat lange angenommen, daß unter A. zunächst nur Jahresbeamten zu verstehen seien und die Entwicklung zu einer größeren Organisation aller ehemaligen A. erst allmählich, vom E. des 1. Jh. n. Chr. an,

erfolgt sei [1; 2; 3]. Dagegen ist erwiesen worden, daß die A. von Anfang an eine Gesamtorganisation waren [4; 5]. Die A. werden so schon in Inschr. aus den ersten Jahrzehnten nach der Gründung der Institution als Gruppe neben den Decurionen genannt (AE 1979, 169; CIL VI 29681, 19–21). In Herculaneum ist vor dem J. 79 n. Chr. ein fragmentarisches Album von ca. 450 A. bezeugt. Auch wenn die A. erst im 2. Jh. ein regelrechtes *corpus* und einen *ordo* bildeten, gleicht ihre Organisation von Anfang an der des *ordo decurionum*. Die ordentlichen Mitglieder wurden von den Dekurionen als Jahresbeamte der A. ernannt. Dazu kam dann auch gelegentlich eine gewisse Zahl von *adlecti*. Die Mitgliederzahl der A. war wahrscheinlich festgelegt, aber ausnahmsweise konnte die *numerus* überschritten werden (ILS 6553: ...*adlecto supra numer(um) sevirum Augustalium*). Alle vier J. wurde dann das Album der A. von *quinquennales* neugeschrieben, wobei die *honore functi* sowie die *adlecti* dann definitiv auf Lebensdauer unter die A. aufgenommen wurden. Das *honos* der Augustalität gab Anlaß zu einer *summa honoraria* und anderen *munera*. Als Zeichen ihres Ranges findet man auf den Grabmonumenten der A. die *corona* und die *fasces*.

1 L. R. TAYLOR, A., seviri A., and seviri: a chronological study, in: TAPhA 45, 1914, 231–253 2 NOCK I, 1972, 348–356 3 R. DUTHOY, Les A., ANRW II 16.2, 1254–1309 4 A. v. PREMERSTEIN, A., in: Dizionario epigrafico, I, 1895, 824–877 5 A. ABRAMENKO, Die innere Organisation der Augustalität. Jahresamt und Gesamtorganisation, in: Athenaeum 81, 1993, 13–37.

A. ABRAMENKO, Die munizipale Mittelschicht im kaiserzeitlichen It.: zu einem neuen Verständnis von Sevirat und Augustalität, 1993 · S. E. OSTROW, A. along the bay of Naples: A case for their early growth, in: Historia 34, 1985, 64–101 · M. SILVESTRINI, Augustalità alla luce di una nuova iscrizione per i Lari Augusti, in: Quaderni di Storia 35, 1992, 83–105.   J. S.

[2] A. kann verschiedene, mit der Person oder dem Amt des Kaisers eng verbundene Einrichtungen (*ludi A.*), Militär- oder Verwaltungseinheiten (Veg. mil. 2, 7) bezeichnen. Ähnliche Bed. haben die Adj. *augustianus, augustalianus* (Tac. ann. 14,15; Cod. Theod. 11,2,3), während *augustanus, augustensis* oder *augusteus* sich eher nur auf die Person des Kaisers Augustus beziehen (CIL VI 2271: *domus*; CIL XI 1420: Tempel; Cod. Theod. 10,2,1: *civitas*).

[3] Singulär ist der Titel A. für den *praefectus Aegypti*. Die Kaiser betrachten das von Octavian (Augustus) 30 v. Chr. dem röm. Reich eingefügte ehemals ptolemäische Ägypten nach dem Muster des hell. Königtums und der Pharaonentradition als Gebiet persönlicher Herrschaft (*dominium*, δεσποτεία). Anstelle eines Promagistrats oder kaiserlichen Legaten, wie in größeren Prov. üblich, führt in der frühen Kaiserzeit ein ritterlicher → *praefectus* als Vertreter des Kaisers die Verwaltung; die ägypt. Provinzialen bleiben sogar noch in der → Constitutio Antoniniana (212 n. Chr.) vom röm. Bürgerrecht ausgeschlossene persönliche Untergebene (*servi*, δοῦλοι) des Kaisers. Der Status Ägyptens wird erst in der Provinzreform Diokletians dem der anderen Prov. angeglichen. In der Spätant. erhalten die Statthalter Ägyptens senatorischen Rang, der traditionsreiche Titel des *a.* besteht jedoch fort (Cod. Iust. 1,37).

JONES, LRE, 381, 389, 587 ff., 675 · MOMMSEN, Staatsrecht 3, 452 ff. · STEIN, Präfekten, 167 ff.   C. G.

Augustalia. Die A. sind Festtage (*feriae*) zur Erinnerung an die Rückkehr des Augustus nach Rom 19 v. Chr. Der Kalender von Amiternum gibt für den 12. Oktober genaue Auskunft: ›Festtage auf Senatsbeschluß, weil an diesem Tag der Imperator Caesar Augustus, zurückgekehrt aus den überseeischen Provinzen, die Stadt betrat und der Fortuna Redux ein Altar errichtet wurde.‹ [1]. Augustus hatte tatsächlich seit langem – seit 22 v. Chr. – Rom verlassen, um eine große Rundreise in Griechenland und im Orient zu unternehmen. Er selbst weist in den R. Gest. div. Aug. darauf hin, daß der Altar zu Ehren der Fortuna vor den Tempeln von Honos und Virtus nahe der Porta Capena (also dort, wo die Via Appia das Stadtgebiet verläßt) errichtet wurde, die Pontifices und die Vestalinnen dort alljährlich ein Erinnerungsopfer darbringen sollten und man den 12. Oktober *A.* nannte (R. Gest. div. Aug. 11). Diesen Feierlichkeiten gingen vom 3. Oktober an Spiele voraus [2]. Das Fest wurde von den Arvalbrüdern während der gesamten iulisch-claudischen Epoche gefeiert [3]. Es war noch zu Beginn des 3. Jh. n. Chr. lebendig (Cass. Dio 54,34,2) und darf nicht mit der jährlichen Feier der Geburt des Augustus verwechselt werden.
→ Spiele

1 CIL I (2), 332 2 Fast. Ant. (vgl. CIL I (2), 332)
3 W. HENZEN, Acta Fratrum Arvalium, 1874, 49–50.

J. SCHEID, Romulus et ses frères, 1990, 421–422 ·
G. WISSOWA, s. v. a., RE 2361–2362.   G. F./A. T.

Augustinus, Aurelius
A. LEBEN   B. WERK   1. AUTOBIOGRAPHISCHES
2. PHILOSOPHISCH-ANTIPAGANES
3. DOGMATISCH-ANTIHÄRETISCHES
4. EXEGETISCH-HERMENEUTISCHES
5. PASTORALES   C. REZEPTION   D. MUSIK

A. LEBEN
Neben Selbstzeugnissen vgl. bes. die Biographie des → Possidius. 13.11.354 Geburt A.' in Thagaste (Nordafrika) als Sohn eines einfachen, nichtchristl. röm. Beamten, Patricius, und einer Christin, Monnica. 370 Beginn der Rhet.-Ausbildung in Karthago. 372 Lektüre von Ciceros Hortensius. 373–382 Anhänger des Manichäismus 374 Rückkehr nach Thagaste; Gramm.- u. Rhet.-Lehrer. 376 Lehrtätigkeit in Karthago. 380/1 (Verlorene) Erstschrift *De pulchro et de apto*. 383 Lehrtätigkeit in Rom; Interesse an der Neuen → Akademie. Ab 383 Auseinandersetzung mit den Manichäern

(→ Mani). 384 Rhet.-Professor in Mailand. 386 Lektüre der *Libri Platonicorum*; »Bekehrung«. 386/7 Entstehung der Frühdialoge in Cassiciacum. 24.04.387 Taufe in Mailand; »Vision von Ostia«; Tod der Mutter Monnica. 387/8 Aufenthalt in Rom. 388 Rückkehr nach Afrika (Karthago/Thagaste). 391 Priesterweihe A.'; Beurlaubung zum intensiven Bibelstudium; Leben in klösterl. Gemeinschaft 395 Weihe zum Bischof von Hippo Regius (Nordafrika). Ab 395 Auseinandersetzung mit den Donatisten. 396/7 Neubewertung der Gnaden-/Erbsündenlehre in *De diversis quaestionibus ad Simplicianum*. Ab 412 Auseinandersetzung mit den Pelagianern. 28.8.430 A.' Tod.

B. WERK
Für A. ist eine in der paganen Bildungstradition stehende Erziehung und die erst im Erwachsenenalter erfolgende Bekehrung zum Christentum charakteristisch. Dies und seine Auseinandersetzung mit verschiedenen philos. und theologischen Richtungen prägen sein Werk [5; 6]; ebenso läßt sich eine qualitative Weiterentwicklung seiner Gedanken um 396/7 beobachten (stärker theozentrisch) [30].

1. AUTOBIOGRAPHISCHES
Die *Confessiones* (397–400) beschreiben das Leben A.' in 13 Büchern als ständige Suche nach der Wahrheit bis hin zu seiner Bekehrung (B. 1–10). Nach einer Analyse des Phänomens Zeit (B. 11) [10] werden die ersten Genesisverse analysiert (B. 12/3), worin sich A.' neue christl. Existenz manifestiert. Die mit vielen Bibelzitaten angereicherte Selbstreflexion in Form eines Großpsalms hat die Funktion der *excitatio in deum* (retract. 2,6,1). Das Bekenntnis eigener guter und schlechter Taten wird verbunden mit dem Preis Gottes und erhält durch grundsätzliche Reflexionen über das Wesen des Menschen eine allg. Dimension. Damit etabliert A. eine neue Gattung (→ Autobiographie). Ab 426 unterzog A. sein gesamtes lit. Œuvre in den (unvollendeten) *Retractationes* [8. 11–255] einer kritischen Revision in chronologischer Reihenfolge, ebenfalls eine Gattungsneuerung. Ziel ist die Verteidigung bzw. Korrektur anstößiger Stellen, wobei aber auch A.' gedankliche Fortschritte im Lauf der Zeit illustriert werden sollen (retract. prol. 3), weswegen A. auch von einer Systematisierung seines Denkens absieht.

2. PHILOSOPHISCH-ANTIPAGANES
In Cassiciacum entstanden 386/7 die Frühdialoge, formal an Ciceros philos. Dialoge anschließend. Sie bemühen sich um eine christl. Antwort auf zentrale Probleme der paganen Philos. In *Contra academicos* plädiert A. gegen den Skeptizismus für eine Möglichkeit des Zugangs zur Wahrheit, d. h. zur intelligiblen Welt, durch die Inkarnation, d. h. die Herabkunft des Intelligiblen in die materielle Welt [22]. In *De beata vita* wird das von allen Menschen angestrebte höchste Gut mit dem Genuß Gottes gleichgesetzt (4,34: *Deo perfrui*) [12; 15]. Einen meditativen Vorläufer der *Confessiones* bilden die *Soliloquia*, worin die Erkenntnis der spirituellen Natur Gottes mit der der menschlichen Seele verbunden

wird [24]. Darin folgt A. der platonischen Tradition, was er später in *De immortalitate animae* (387) und *De animae quantitate* (387/8) weiter ausführt. In *De diversis quaestionibus LXXXIII* (388–397) behandelt A. verschiedene theologische, philos. und exegetische Fragen, welche z.T. auch in seinen späteren Werken wichtig sind; in quaest. 46 formuliert er sein eigenes Ideenverständnis [21]. *De ordine mundi* (386) soll das hierarchische Prinzip der gesamten Schöpfung diskutieren, beschränkt sich dann aber auf die Darlegung der → *Artes liberales* [14. 101–136], welche die Erkenntnis dieser Ordnung ermöglichen (2,9,26). Deshalb verfolgte A. im Anschluß an Varro auch das ehrgeizige Projekt einer Gesamtdarstellung der *Artes liberales*, wovon nur *De dialectica* (387), welches Kenntnis der stoischen Zeichenlehre verrät [23], und *De musica* (388–390) [17] geschrieben wurden. Die Autorschaft von *De grammatica* ist umstritten [18]. In *De magistro* (389) entwickelt A. unter Zuhilfenahme der Zeichenlehre [16] eine christl. Lerntheorie, nach welcher Verstehen nur durch das Wirken des wahren Lehrers Christus möglich ist. In *De libero arbitrio* (387/8) behandelt A. einen in seinem späteren Denken in der Auseinandersetzung mit den Pelagianern immer zentraleren Gedankenkomplex, die Frage nach der Herkunft des Bösen in Zusammenhang mit der Freiheit des menschlichen Willens und der → Theodizeefrage.

Zum Begründer der Geschichtsphilos. wurde A. mit *De civitate dei* (412–426), apologetisch ausgerichtet zur Verteidigung des Christentums angesichts der Einnahme Roms durch die Westgoten 410. Der erste (negative) Teil (B. 1–10) soll den Beweis erbringen, daß die Anbetung der paganen Götter weder für dieses (B. 1–5) noch für das nächste (B. 6–10) Leben einen Vorteil bringt. Im 2. (positiven) Teil (B. 11–22) beschreibt A. den Gesamtverlauf der Menschheitsgesch. aus christl. Sicht als den steten Kampf zwischen der *civitas dei* und der *civitas diaboli*, ihren Ursprung (B. 11–14), Verlauf (B. 15–18) und festgelegtes Ende (B. 19–22). Darin imitiert A. die in der Bibel enthaltene universalhistor. Dimension der Genesis bis hin zum himmlischen Jerusalem der Apokalypse (civ. 20–22; vgl. Apk 21f.) und behält den heilsgesch. Horizont des Kampfes der beiden *civitates* konsequent im Auge, welche nicht mit Kirche bzw. Staat identisch sind, sondern einander durchdringen. Er verflicht hier pagane und jüd.-christl. Gedankenelemente [20], wobei das universalhistor. Kirchenkonzept (*ecclesia ab Abel*, civ. 15) und die scharfe Trennung zwischen innerweltlichem Geschichtsverlauf und eschatologischem Endzustand hervorzuheben sind [19].

3. DOGMATISCH-ANTIHÄRETISCHES

Die Entwicklung der dogmatischen Gedanken A.' wurde zu einem guten Teil von seiner Auseinandersetzung mit Häretikern geprägt, vor allem den Manichäern (ab 383: Materie/Geist) [27], den Donatisten (ab 395: Kirche) [7. 131–147] und den Pelagianern (ab 412: Gnade) [25]. Gegen die Manichäer bestreitet A. vor allem deren Materialismus, da so die Ewigkeit und Unveränderlichkeit Gottes nicht erklärt werden konnte, ferner

deren dualistische Vorstellung eines ewigen Kampfes zwischen guten und bösen Mächten. Bes. wendet er sich gegen deren Ablehnung des AT und Teilen des NT, weswegen viele seiner antimanichäischen Schriften ausgeprägt exegetisch sind, so sein erster Bibelkomm. überhaupt, *De genesi contra Manichaeos* (388–390), und *Contra Faustum* (398–400); ferner gehören u. a. hierher *Contra Fortunatum* (392) und *Contra Felicem* (404). Die Auseinandersetzung mit dem Donatismus (→ Donatus) war weniger dogmatischer als institutioneller Natur, da dieser die weltweite Christenkirche abstritt und nur die Donatisten in Nordafrika als die wahre christl. Kirche anerkannte. Daher sind zentrale Diskussionspunkte bei A. die Sakramentenlehre (Gültigkeit eines Sakraments auch bei Unwürdigkeit des spendenden Amtsträgers) und Ekklesiologie (Universalkirche als Einheit von Sündern und Heiligen, die erst im Eschaton getrennt werde), z.B. *De baptismo*, *Contra epistulam Parmeniani* (beide um 400), *Contra Cresconium* (405/6), *Contra Gaudentium* (um 419). Ein Sonderfall ist → Tyconius (gegen seinen Willen von den Donatisten exkommuniziert), dessen Ekklesiologie A. für »orthodox« hält (epist. 41 und 249) und dessen Hermeneutik er in doctr. christ. 3 rezipiert [31]. In der Auseinandersetzung mit den Pelagianern ging es hauptsächlich um Gnadenlehre (gegen → Pelagius) und Erbsündenlehre (gegen → Iulianos von Aeclanum). Pelagius betonte in platonisch-stoischer Tradition die naturhafte Ausrichtung des Menschen hin zum Guten. Die Gnade Gottes in Jesus Christus erleichtert dem Menschen (sozusagen additiv) seine Vervollkommnung, d. h. seine Hinwendung zur Nachahmung des idealen Vorbildes Christus, weg vom schlechten Vorbild des gefallenen Adam. Dagegen behauptet A. (im Wesentlichen ohne Vorgänger), daß der Mensch seit dem Sündenfall von Grund auf korrumpiert und die Gnade Gottes die unabdingbare Voraussetzung für das menschliche Gutsein ist, z.B. *De peccatorum meritis et remissione* (411/2) und *De natura et gratia* (413–415). Der brillante, systematische Denker Iulian treibt A. zu einer überscharfen Formulierung seiner Prädestinationslehre, die so nie von der christl. Tradition angenommen wurde, z.B. *Contra Iulianum* (421/2), *De nuptiis et concupiscentia* (418–421), *De gratia et libero arbitrio* (426/7). Weitere theologische Schwerpunkte A.' stehen nicht unmittelbar in antihäretischem Zusammenhang: In *De vera religione* (390) wird die platon. Philos. gegen den christl. Glauben abgegrenzt. In *De utilitate credendi* (391/2) verbindet A. die spirituelle Exegese des AT (antimanichäisch) mit der Rationalität des christl. Glaubensaktes [26]. In *Quaest. Simpl.* (396–398) bewertet er die Gnadenlehre grundsätzlich neu als die einzige und unabdingbare Voraussetzung für die Erlösung des Menschen [29]. In *De trinitate* (etwa 399–419) will A. die Einheit der göttl. Personen aufzeigen, zuerst in einem dogmatischen Teil durch Schriftzeugnisse (B. 1–4) und philos. Bestimmungen (B. 5–7). Der zweite, »psychologische« Teil enthält Analogien zwischen der göttl. Trinität und der menschl. Seelenstruktur (B. 8–15) [28].

4. Exegetisch-Hermeneutisches

Nach Tyconius, *Liber Regularum*, entwickelt A. in *De doctrina christiana* (B. 1–3 Mitte 396/7; B. 3 Ende/4 426/7) als zweiter eine in sich geschlossene Theorie der Schriftauslegung, in welcher der hermeneutische Referenzrahmen durch die christl. *caritas* (B. 1) und die Methodik mit Hilfe der Zeichenlehre (B. 2/3) festgelegt werden [31]. Dabei integriert er die philologischen Methoden des → Hieronymus, im Anschluß an pagane Verfahren der Textanalyse (Berücksichtigung verschiedener Übers.; Qualität der Hss.; Aufweis rhet. Figuren) [32]. Neu ist die Integration rhet. Anweisungen, wie die Ergebnisse der Schriftauslegung vorgetragen werden sollen, in die Hermeneutik (B. 4). A. betont die histor. Relativität aller Auslegungsergebnisse und die sukzessive Zuhilfenahme von litteraler und figürlicher Exegese, abhängig von der Komplexität der Bibelpassage. Durch alle seine Werke hindurch finden sich diese theoretischen Erörterungen auch praktisch angewandt; in seinen eigenen Bibelkomm. dominieren daher teils allegorische (*De genesi contra Manichaeos*, 388–390; *In psalmos enarrationes*, 392–420), teils litterale (*De genesi ad litteram*, 401–416; *Locutiones/Quaestiones in heptateuchum*, 419) Auslegungen. Sein ehrgeiziges Projekt, alle Paulusbriefe zu kommentieren, wird nach *In Gal.* und der unvollendeten *In Rom.* (beide 394/5) abgebrochen. Manche solcher Komm. wurden zuerst als Predigten vorgetragen (s. B. V.). Neben dem Erweis der histor. Relevanz der biblischen Aussagen für die Heilsgesch. war A. die Verteidigung der Bibel wichtig: gegen den Vorwurf der Widersprüchlichkeit der vier Evangelien (*De consensu evangelistarum*, um 400) oder von AT und NT (gegen die Manichäer in *Contra Faustum*, 398–400). Die Fülle von theologischen, kulturellen und antiquarischen Informationen sowie die Frage nach der hinter der Auslegungspraxis stehenden Textauffassung sind noch nicht erschöpfend behandelt.

5. Pastorales

Mit *De catechizandis rudibus* (400 oder 404) formuliert A. als erster pädagogische Grundsätze, die dem Katecheten eine erfolgversprechende Gesprächsführung mit Nichtchristen, die sich der Kirche anschließen wollen, ermöglichen sollten. Dabei ist der unterschiedliche Bildungsgrad dieser Erstinteressierten zu beachten, der narrativen Einführung in die Heilsgesch. wird Vorrang vor der dogmatischen Instruktion gegeben, ferner sind zwei Musterkatechesen beigefügt (catech. rud. 23–55) [35]. A. hat schätzungsweise 8000mal gepredigt, wovon nur ein Bruchteil (über 500 Predigten mit den Neufunden von Dolbeau [34]) erh. ist. Oft handelt es sich dabei um improvisierte Schriftinterpretation. A. selbst publizierte davon nur *in psalm.* (392–420), *in epist. Ioh.* (um 407), *in evang. Ioh.* (407–417) und einige andere. Die restlichen sind erhalten, da sie von Stenographen mitgeschrieben und in Form von Predigtsammlungen thematisch oder liturgisch geordnet bis ins MA tradiert wurden. Neben sprachlichen und stilistischen Details enthalten die Predigten eine Fülle von histor. und kulturellen Informationen, welche die täglichen Schwierigkeiten und Sorgen zur Zeit A.' widerspiegeln. Ähnliches gilt auch von den etwa 300 (von rund 2000) erh. Briefen A.', einschließlich des spektakulären Neufunds von Divjak [33]. Ein Gutteil dieser Korrespondenz nimmt zu exeget. und theolog. Fragen der Adressaten Stellung. Wie bei den Predigten findet sich hier häufig eine ungezwungenere Formulierung von Thesen aus streng ausgearbeiteten Lehrwerken. In Hippo lebte A. mit einer Gemeinschaft von Mönchen und nahm auch zu Fragen ihrer Organisation Stellung, wie in *De opere monachorum* (401). Die Authentizität, Funktion und Datier. von A.' Regeln für Nonnen und Mönche sind in der Forschung teilweise umstritten [36].

C. Rezeption

Aufgrund seiner großen Autorität war der Einfluß A.' bereits zu seinen Lebzeiten beträchtlich. Indem er auf die Vervielfältigung und Verbreitung seiner Werke Wert legte, trug er aktiv dazu bei, daß sich sein überragender Einfluß ungebrochen über das MA und die Renaissance bis hin zur Neuzeit erstreckt. Die zumeist sehr reiche Hss.-Überlieferung, Exzerpte aus seinen Werken wie die von → Eugippius sowie eine üppige → Pseudepigraphie [41], welche unter Ausnutzung der kanonischen Geltung A.' den ihm fälschlich untergeschobenen Werken mehr Einfluß sichern wollte, bezeugen dies anschaulich. Aufgrund der Vielseitigkeit, Weitgespanntheit und des Facettenreichtums seines gewaltigen Oeuvres ist es verständlich, daß Katholiken wie Protestanten, Theologen, Politiker, Philosophen, Literaten, Scholastik wie Mystik, Gegner wie Anhänger von ihm angeregt werden. So ist A., einer der vier großen Kirchenlehrer des Westens (und unter ihnen wohl der einflußreichste), der einzige, von dessen Lehren die Kirche eine zum Dogma erhob, ohne daß sie in der Bibel explizit bezeugt ist, nämlich seine Gnadenlehre im Konzil von Karthago 418. Sein Schüler → Possidius verfaßte 431–439 ein Verzeichnis seiner Werke sowie seine erste Biographie. Institutionell ist die fortdauernde Rezeption A.' durch den Augustinerorden gesichert. → Cassiodorus übernahm die liberale Einstellung A.' (doctr. christ. 2 Ende), daß ein Christ auch weltliche Bildung und Erkenntnis für ein verbessertes Schriftverständnis hinzuziehen dürfe. Cassiodorus' Bedeutung für die weitere monastische Regeltradition ist es zu verdanken, daß in den Klöstern auch pagane Texte kopiert und so vor dem Vergessen bewahrt wurden.

Im MA läßt sich oft eine indirekte Rezeption A.' beobachten, geprägt durch die vergröbernde Vermittlung Gregors d.Gr. So hat A. das MA besonders in drei Bereichen beeinflußt [4. 154–160]: durch das Fortwirken seiner Gnadenlehre im sog. theologischen Augustinismus; im sog. philos. Augustinismus, der eine Vollendung der Philos. in der Theologie behauptet und einen glaubensunabhängigen Vernunftgebrauch ablehnt; der sog. politische Augustinismus deutet den Gegensatz von geistlicher und weltlicher Macht mittels der Antithese zweier Reiche. Zu den von A. beeinflußten ma.

Denkern gehören u. a. → Beda, Eriugena, Anselm von Canterbury, Bernhard von Clairvaux, Hugo von St. Viktor, Joachim von Fiore, Thomas von Aquin und Johannes Peckham.

Die unmittelbar an den Originalschriften interessierte Renaissance wurde von A. in neuer Weise geprägt. Berühmt ist das »Confessiones-Erlebnis« → Petrarcas [42]. In seinen Werken *Methodus*, *Ratio* und *Enchiridion* beruft sich Erasmus durchgehend auf *De doctrina christiana*, um seine Empfehlung des Studiums der heidnischen Dichter und Philosophen für den Christen zu rechtfertigen [43]. Es wurden auch Dramen über A. verfaßt. Die Reformation mit ihrem Ringen um das richtige Verständnis zentraler Aspekte des christl. Glaubens geht z.T. zu A. zurück. Calvin macht sich A. durch dessen selbständiges Studium für sein Anliegen zunutze. Bei Luther ist nicht immer klar, wieweit sein Verständnis A.' durch den Augustinismus geprägt ist, den der Augustinerorden, dem er angehörte, tradierte. Auch wenn die Berufung auf A. nach 1519 zunehmend in den Hintergrund tritt, ist A.' Einfluß nicht zu bestreiten [13; 39]. Im 17. Jh. erfolgte die einflußreiche Aufnahme der augustinischen Gnadenlehre durch Cornelius Jansen, der sich damit gegen die laxe Sittlichkeit der Jesuiten wandte und eine bibelnahe Frömmigkeit forderte, unterstützt durch Pascal. Während die Aufklärung den Theologen A. in der Regel als engstirnig ablehnte, beeinflußte A.' Zeichenlehre (mag.; doctr. christ. 2) Herder [40]. Der Religionsphilosoph R. Otto (1869–1937) übernahm seine Sprechweise von Gott als dem »ganz anderen« (conf. 7,10,16: *aliud, aliud valde*). Auch Wittgensteins Reflexionen über Sprache erfolgten in Auseinandersetzung mit A. [37]; H. Arendt kritisiert sein *caritas*-Konzept. In jüngerer Zeit provozierte er Derrida [38] und Foucault.

→ Autobiographie

Ed.: Die Werke A.' werden nach und nach in modernen kritischen Editionen im CSEL und CCL zugänglich, bei manchen ist noch die unvollkommene Ed. der PL zu benutzen. Die von Dolbeau entdeckten neuen Predigten A.' werden sukzessive publiziert [34]. Die jeweils relevante Ed. der einzelnen Werke findet sich in C. P. Mayer u. a. (Hrsg.), A.-Lexikon 1, 1986, XXVI-XL; CPL, ³1995; H. J. Frede, Kirchenschriftsteller, ⁴1995.
Bibl.: Revue des Etudes Augustiniennes (jährlich).
1 C. Andresen, Bibliographia Augustiniana, ²1973 2 T. L. Miethe, Augustinian bibliography 1970–1980, 1982 • 2a H. I. Marrou, A. in Selbstzeugnissen und Bilddokumenten, 1984, 166–169 (Werkverz. mit dt. Übers.).
Leben: 3 P. Brown, A. of Hippo, 1967 (dt. ²1982) 4 Ch. Horn, A., 1995.
Werk: 5 H. Hagendahl, A. and the Latin classics, 2 Bde., 1967 6 H. I. Marrou, A. und das Ende der antiken Bildung, 1982 (frz. ⁴1958) 7 C. P. Mayer, K. H. Chelius (Hrsg.), Internationales Symposion über den Stand der A.-Forschung, 1989.
Autobiographisches: 8 G. Bardy, S. A., Retractations, 1950 9 P. Courcelle, Recherches sur les confessions de S. A., ²1968 10 K. Flasch, Was ist Zeit?, 1993 (Text, Übers.,

Komm. zu conf. 11) 11 J. J. O'Donnell, A., Confessions, 3 Bde., 1992.
Philosophisch-Antipaganes: 12 W. Beierwaltes, Regio beatitudinis, 1981 (SHAW 6) 13 U. Duchrow, Christenheit und Weltverantwortung, ²1983 14 I. Hadot, Arts libéraux et philos. dans la pensée antique, 1984 15 P. Hadot, Philos. als Lebensform, 1991 (frz. 1981, ²1987) 16 J. Hennigfeld, A. Äußeres Zeichen und inneres Wort, in: ders. (Hrsg.), Gesch. der Sprachphilos., 1994, 125–167 17 A. Keller, A. A. und die Musik, 1993 18 V. Law, St. A.'s *De grammatica*: Lost or found?, in: RechAug 19, 1984, 155–183 19 Ch. Müller, Geschichtsbewußtsein bei A., 1993 20 J. van Oort, Jerusalem and Babylon, 1991 (über civ.) 21 J. Pépin, A. et Atticus, in: FS P. Aubenque, 1990, 163–180 (zu quaest. 46) 22 F. Ricken, Antike Skeptiker, 1994, 29–67 23 H. Ruef, A. über Semiotik und Sprache, 1981 24 G. Watson, S. A., Soliloquies and Immortality of the soul, 1990.
Dogmatisch-Antihäretisches: 25 J. P. Burns, The development of A.'s doctrine of operative grace, 1980 26 A. Hoffmann, A. De utilitate credendi, 1992 (Einl., Text, Übers.) 27 L. Koenen, A. and Manichaeism in the light of the Cologne Mani Codex, in: Illinois Classical Studies 3, 1978, 154–195 28 D. Pintarič, Sprache und Trinität, 1983 29 T. G. Ring, An Simplicianus, 1991 30 B. Studer, Gratia Christi – Gratia Dei bei A. von Hippo, 1993.
Exegetisch-Hermeneutisches: 31 K. Pollmann, Doctrina Christiana, 1996 32 Ch. Schäublin, Zur paganen Prägung der christl. Exegese, in: J. van Oort, U. Wickert (Hrsg.), Christl. Exegese zwischen Nicaea und Chalcedon, 1992, 148–173
Pastorales: 33 J. Divjak (Hrsg.), A. Lettres 1*–29*, 1987 34 F. Dolbeau, Sermons inédits de S. A. dans un manuscrit de Mayence (Stadtbibliothek I 9), in: REAug 36, 1990, 355–359 35 W. Steinmann, O. Wermelinger, A. Vom ersten katechet. Unterricht, 1985 36 L. Verheijen, Nouvelle approche de la Règle de S. A., 2 Bde., 1980, 1988.
Rezeption: 37 M. F. Burnyeat, Wittgenstein und A., De magistro, in: Proceedings of the Aristotelian Society 61, 1987, 1–24 38 A. K. Clark, A. and Derrida, in: New Scholasticism 55, 1981, 104–112 39 H.-U. Delius, A. als Quelle Luthers, 1984 40 R. Haller, Die »Zeichen« und die »Zeichenlehre« in der Philos. der Neuzeit, in: Archiv für Begriffsgesch. 4, 1959, 113–157 41 I. Machielsen, Clavis patristica pseudepigraphorum medii aevi, Bd. 1A, 1990, 86–562 42 K. Steinmann, Petrarca. Die Besteigung des Mont Ventoux (lat.-dt.), 1995 43 P. Walter, Theologie aus dem Geist der Rhet., 1991.   K. P.

D. Musik

De musica libri sex, das einzige erh. von mehreren *Artes liberales*-Werken des Autors, das der zeitlichen Seite des ant. *musica*-Begriffs gewidmet ist (unvollendet, da sechs weitere Bücher über die Melodie geplant waren: epist. 101). Den 386 begonnenen, eher lehrhaften und lauten Versvortrag implizierenden Dialog (B. 1–5) ließ A. 389 philos.-theologische Erörterungen folgen, die dem Problem des Hörens in neuartiger Weise nachspüren (B. 6). A. geht von der Definition Varros aus: *musica est scientia bene modulandi* (›Musik ist das Wissen von der rechten (Ton-)Bewegung‹). Entsprechend ist für den *musicus* die *ratio* maßgebend (für Grammatiker die *auctoritas*, für Musikanten die *imitatio*, »Nachahmung«). Daher kann er sich in Fragen des *numerus* (Rhythmus) auf das Urteil seines Gehörs verlassen und Silben dehnen oder kürzen, gegebenenfalls unterstützt durch taktierende Bewegungen. Eine Besonderheit ist die ausgebildete Pausen-Lehre, die jedem Versrhythmus ein gleichmäßiges Taktiermaß sichert.

ED.: G. FINAERT, F.-J. THONNARD, 1947 (Œuvres, I,7/4; mit frz. Übers. und Komm.) · G. MARZI, 1969 (mit ital. Übers. und Komm.) · C. J. PERL, Musik, 2/1940 (dt. Übers.).
LIT.: H. EDELSTEIN, Die Musikanschauung A. nach seiner Schrift De musica, Diss. 1929 · G. WILLE, Musica Romana, 1967, 603–623 · M. BERNHARD, Überlieferung und Fortleben der ant. lat. Musiktheorie im MA, in: GMth 3, 1990, 14–18 · A. KELLER, Aurelius A. und die Musik. Unt. zu »De musica« im Kontext seines Schrifttums, 1993 (Cassicacum Bd. 44) · U. STÖRMER-CAYSA, A.' philol. Zeitbegriff, 1996.   F. Z.

Augustodunum. Augusteische Gründung am Berührungspunkt der Becken von Loire, Saône und Rhône, h. Autun. Ersatz für → Bibracte als Hauptort der Haedui, wurde A. zu einem regen Romanisierungszentrum. Gezeichnet durch Aufstände im 1. Jh. n. Chr. (Tac. ann. 3,43), war A. bis gegen Ende des 3. Jh. durch hohen Wohlstand ausgezeichnet (vgl. arch. Funde). Trotz des Niedergangs nach der Kapitulation vor Victorinus (269 n. Chr.) bewahrte A. dank seiner Schulen seinen Ruf als kulturelles Zentrum.

P. M. DUVAL, Travaux sur la Gaule 2, 1989, 1001–43 · M. PINETTE, A. REBOURG, Autun, Guides archéologique de la France 12, 1986 · A. REBOURG, A. OLIVIER, Le théâtre antique d'Autun, in: Revue Archéologique de l'Est 42, 1991, 125–152 · A. REBOURG, Carte archéoloique de la Gaule, 71/1, 1993.   Y. L.

Augustonemetum. Hauptort der → Arverni in Aquitania (Ptol. 2,7,12), erbaut Ende 1. Jh. v. Chr. auf unbewohntem Hügel um einen Kultplatz, h. Clermont-Ferrand. Als *Arverni* (Amm. 15,11,13) oder *civitas Arvernorum* bezeichnet (Notitia Galliarum 12,3), umfaßte A. 3 ha innerhalb einer Stadtmauer. Aquädukt, hl. Quelle (Tausende von Opfergaben, bes. Holzstatuetten). Inschr. Belege: CIL XIII, 1460–93; Inscriptions latines des trois Gaules, 1963, 194, 197–201.

DESJARDINS, 2, 424 · A. LONGNON, 477 · P.-F. FOURNIER, Clermont-Ferrand, in: Mélanges Vazeilles, 1974, 149–160 · J.-M. SAUGET, M. CH. PIN, in: D. SCHAAD, M. VIDAL (Hrsg.), Villes et agglomérations urbaines antiques du Sud-Ouest de la Gaule, 1992, 66–76 · J.-M. SAUGET et al., in: D. SCHAAD, M. VIDAL (Hrsg.), wie oben 191–198.   E. FR.

Augustoritum. Hauptort der → Lemovices in Aquitania an der Vienne (Ptol. 2,7), gegr. ca. 16–12 v. Chr., später Lemovica, h. Limoges. Arch. Monumente: Aquädukte, Forum, Theater, Amphitheater, Thermen.

In der späten Kaiserzeit verkleinertes *castrum*, Kirchen *extra muros*. Inschr. Belege: CIL XIII 1390–1420; Inscriptions latines des trois Gaules, 1963, 174–181.

J. PERRIER, Carte archéologique Haute-Vienne, 1993, 79–142 · J.-M. SAUGET et al., in: D. SCHAAD, M. VIDAL (Hrsg.), Villes et agglomerations urbaines antiques du Sud-Ouest de la Gaule, 1992, 191–198.   E. FR.

Augustus A. HERKUNFT UND ADOPTION DURCH CAESAR   B. POLITISCHER AUFSTIEG UND TRIUMVIRAT   C. VON PHILIPPI BIS NAULOCHOS D. DIE AUSEINANDERSETZUNG MIT ANTONIUS E. DIE ENTSTEHUNG DES PRINZIPATS F. DIE KONSOLIDIERUNG DES PRINZIPATS G. DAS NEUE »SAECULUM AUGUSTUM«

A. HERKUNFT UND ADOPTION DURCH CAESAR
Geboren am 23. September 63 v. Chr. in Rom als Sohn des C. → Octavius und der → Atia [1], aus wohlhabender, nicht zur Nobilität gehörender Familie. A. verlor mit vier Jahren den Vater und wurde bei seiner Mutter, einer Nichte Caesars, erzogen (Tac. dial. 28,5), erst in Velitrae, dann im Hause des Stiefvaters L. Marcius Philippus (Nic. Damasc. FGrH 2 A Nr. 90 F 127,5, dessen Biographie auf die Autobiographie des A. zurückgeht).

Im J. 51 hielt A. seiner Großmutter Iulia die Leichenrede (Suet. Aug. 8,1). Am 18. Oktober 48 nahm er die *toga virilis* und wurde bald danach zum *pontifex* gewählt ([1. p. 53]; Nic. Damasc. 127,8; Cic. Phil. 5,46; 53). Anf. 47 war A. *praef. urbi feriarum Latinarum causa* (Nic. Damasc. 127,12). Der kinderlose Caesar zog den Großneffen an sich. A. durfte an dessen afrikanischem Triumph im Herbst 46 teilnehmen. 45 reiste A. nach einer Erkrankung Caesar auf den spanischen Kriegsschauplatz nach (Suet. Aug. 8,1; Vell. 2,59,3). Nach der Rückkehr aus Spanien verfaßte Caesar sein Testament, worin er A. zum Haupterben einsetzte und an Sohnes Statt annahm (Suet. Iul. 83,1 ff.). Durch Senatsbeschluß ließ er A. in das Patriziat erheben. Im Hinblick auf Caesars geplanten Partherfeldzug wurde A. für das Jahr 44 zum *mag. equitum* designiert (App. civ. 3,30) und nach Apollonia vorausgeschickt, wo er im Herbst 45 mit seinen Freunden M. → Agrippa und Q. → Salvidienus Rufus ankam. Als er nach dem 15. März 44 von Caesars Ermordung und seiner Adoption erfuhr, setzte er nach Brundisium über. Mit dem Testament nahm er zugleich den Namen C. Caesar an (Octavianus wird von A. niemals, von Cicero nur bis November 44 gebraucht). Um die Legate an das Volk auszahlen zu können, beschlagnahmte er die Kriegskasse Caesars und den Tribut der Prov. Asia. Am 9. Mai ließ er sich in Rom durch den Volkstribunen L. → Antonius [I 4] dem Volk als Erbe Caesars vorstellen (Cic. Att. 14,20,5).

B. POLITISCHER AUFSTIEG UND TRIUMVIRAT
Da A. von M. → Antonius [I 9] vergeblich die Herausgabe von Caesars Geldern, die dessen Witwe diesem

Das iulisch-claudische Haus

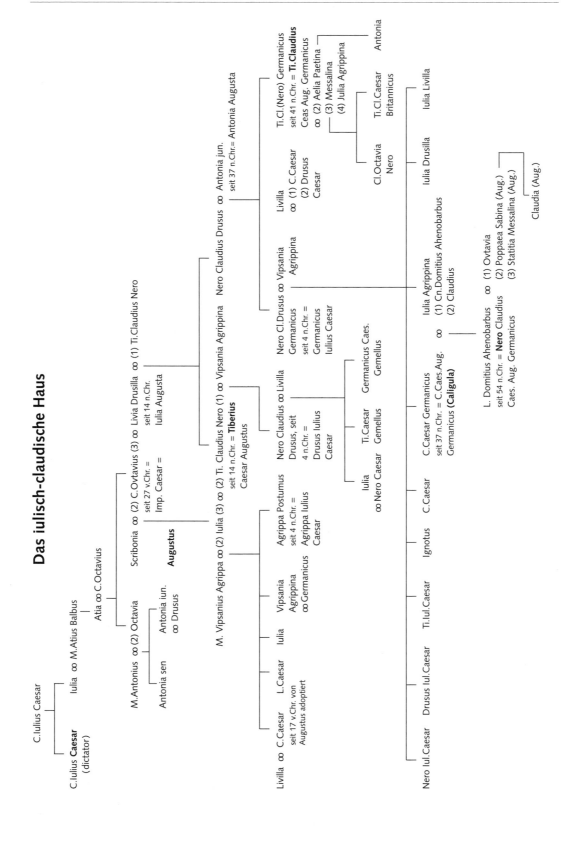

ausgehändigt hatte, verlangte, kam es zu einem Konflikt zwischen den beiden Männern. A. zahlte dennoch die Legate nach Caesars Testament, nachdem er eigene Güter verkauft hatte (App. civ. 3,77 ff.). Gleichzeitig richtete er vom 20.–30. Juli die *ludi Victoriae Caesaris* aus. Das damals erschienene *Sidus Iulium* wurde als Zeichen der Vergottung Caesars gedeutet (Suet. Iul. 88).

Von Antonius angeblich am Leben bedroht, brachte A. ›aus eigenem Entschluß und aus eigenen Mitteln‹ (R. Gest. div. Aug. 1,1) aus Caesars Veteranen ein Heer zusammen, während Antonius in die Prov. Gallia Cisalpina ging, um D. Brutus zu zwingen, ihm diese abzutreten. Zu Beginn 43 bestätigte der Senat auf Antrag Ciceros und anderer A. das angemaßte propraetorische Imperium, verlieh ihm Senatorenwürde und Stimmrecht eines Konsularen und erlaubte ihm, alle Ämter zehn J. vor der gesetzlichen Zeit zu bekleiden (Cic. Phil. 3,37 ff.; 5,45 ff.; R. Gest. div. Aug. 1,2 f.; App. civ. 3,209 f.). Als M. Antonius den D. Brutus in Mutina belagerte, zogen, um diesen zu entsetzen, A. und bald auch die beiden Konsuln A. → Hirtius und C. → Vibius Pansa nach Gallia Cisalpina. Pansa fiel Ende April bei Forum Gallorum in einem Hinterhalt, Hirtius am gleichen Tag im Kampf um Mutina (Suet. Aug. 11,1). Nach der Entscheidungsschlacht am 21. April, bei der A. tapfer kämpfte (Suet. Aug. 10,4), zog Antonius mit seinem Heer zu M. → Aemilius [I 12] Lepidus nach Gallien. A. versagte indessen dem Caesarmörder D. Brutus jede weitere Unterstützung (Cic. fam. 11,11,4) und zog nach Bologna ab. Er verfügte über acht Legionen und beherrschte Oberit., als D. Brutus beim Versuch, zu M. Brutus nach Makedonien zu kommen, getötet wurde (App. civ. 3,400 ff.). Da der Senat A. nicht das verlangte Konsulat übertragen wollte, zog er mit dem Heer gegen Rom (App. civ. 3,361 ff.; Cass. Dio 46,43,6 ff.) und erzwang am 19. August 43 seine Wahl zum Konsul, zusammen mit seinem Onkel Q. Pedius (R. Gest. div. Aug. 1,1). Durch eine *lex curiata* ließ er seine ungewöhnliche testamentarische Adoption rechtlich absichern (App. civ. 3,388 f.). Nach Ächtung der Caesarmörder (Vell. 2,69,5) ging A. wieder nach Bologna zurück.

Da Brutus und Cassius im Osten starke Truppen sammelten und M. Antonius und Lepidus mit 17 Legionen (Plut. Ant. 18) nach Mutina zogen, suchte A. eine Einigung mit ihnen; so kam es bei Bologna zum Abschluß des zweiten Triumvirats (Liv. per. 120; Cass. Dio 46,54,3 ff.; App. civ. 4,4 ff.). A. sollte mit Antonius die Caesarmörder bekriegen und als Prov. Afrika, Sizilien, Sardinien und Korsika erhalten. Er mußte den Proskriptionen und den Landanweisungen an die Veteranen zustimmen (Suet. Aug. 27; Plut. Cic. 46). In Rom ließen sich die Machthaber durch eine *lex Pedia* als *tresviri rei publicae constituendae* für die Zeit vom 27. November 43 bis 31. Dezember 38 mit diktatorischen Vollmachten ausstatten (App. civ. 27 ff.; Cass. Dio 47,2; dazu [2]). Der *praef. classis et orae maritimae* (Vell. 2,73,1 f.) Sex. → Pompeius Magnus, der zu den Proskribierten gehörte, besetzte Sizilien und begann einen Blockadekrieg gegen Italien (Cass. Dio 48,17,1 ff.).

C. Von Philippi bis Naulochos

A. nahm zunächst am Krieg gegen Brutus und Cassius teil (App. civ. 4,453 ff.). Nach der Schlacht bei Philippi 42 ließ er das Haupt des Brutus vor Caesars Statue in Rom niederlegen (Suet. Aug. 13,1). Bei einer Neuverteilung der Prov. wurde die Cisalpina zu It. geschlagen. A. erhielt Numidien und die beiden Spanien und sollte in It. mehr als 50000 Veteranen ansiedeln, was ihm später dort eine starke Machtstellung verschaffte (App. civ. 5,10 ff.; Cass. Dio 48,1,2 ff.; [3]). Zunächst kam es jedoch wegen der Landverteilungen zu schweren Differenzen zwischen A. und → Fulvia, der Gattin des M. Antonius, und dessen Bruder L. Antonius. Die beiden warben ein Heer, das schließlich in Perusia (Perugia) eingeschlossen wurde (App. civ. 5,115 ff.; Cass. Dio 48,5 ff.). Die Übergabe der Stadt durch L. Antonius am 15. März 40 beendete das *bellum Perusinum* (Suet. Aug. 14 f.). 300 Senatoren und Ritter wurden am Altar Caesars hingeschlachtet. Die aus dem Krieg erwachsenen Spannungen zwischen A. und M. Antonius wurden im Herbst 40 im Vertrag von Brundisium, an dem auch Sex. Pompeius teilnahm, vorübergehend bereinigt. A. bekam den Westen, Antonius den Osten, Lepidus Afrika.

M. Antonius erhielt nach dem Tod der Fulvia die ältere Schwester des A., → Octavia, zur Frau (Liv. per. 127). A. heiratete → Scribonia, die Schwester des L. Scribonius Libo, um sein Verhältnis zu den ehemaligen Republikanern zu verbessern (Suet. Aug. 62,2). M. Antonius ließ sich zum *flamen divi Iuli* konsekrieren, womit die Vergottung Caesars sakralrechtlich vollzogen wurde. A. konnte sich seitdem *imperator Caesar divi filius* nennen. Im Frühsommer 39 kam in Misenum ein Zusatzvertrag mit Sex. Pompeius zustande, dessen Tochter mit A.' Neffen M. Claudius Marcellus verlobt wurde (Cass. Dio 43,36 ff.). Der Friede war jedoch nicht von Dauer. A. entließ noch im J. 39 Scribonia, die ihm eine Tochter → Iulia geboren hatte, und heiratete 38 → Livia (Suet. Aug. 62,2 f.). Vergebens versuchte er im J. 38, gegen Pompeius nach Sizilien überzusetzen (App. civ. 5,342 ff.). Im Winter 38/37 baute Agrippa eine starke Flotte (Cass. Dio 48,49 f.). Der Vertrag von Tarent im September/Oktober 37 mit M. Antonius und die Verlängerung des Triumvirats um fünf Jahre stärkten die Position des A. (App. civ. 5,387 ff.; Cass. Dio 48,54). Nach wechselvollen Kämpfen errang Agrippa Ende August 36 bei Naulochos den endgültigen Sieg über Sex. Pompeius (Suet. Aug. 16). Lepidus, der Sizilien für sich beanspruchte, wurde entmachtet und nach Circei verbannt (Vell. 2,80). A. ließ Afrika für sich besetzen (Cass. Dio 49,14,6). Am 13. November 36 hielt er eine *ovatio* (InscrIt 13,1 p. 87). Er bekam die tribunizische *sacrosanctitas* und das Recht, auf der Tribunenbank zu sitzen (Cass. Dio 49,15). Die Bürgerkriege erklärte A. für beendet. Das Räuberunwesen in It. wurde beseitigt (App. civ. 5,546 ff.). Vergil, der zum Dichterkreis um → Maecenas gehörte, gab in den *Georgica* den neuen Friedenshoffnungen Ausdruck.

D. Die Auseinandersetzung mit Antonius

Von Ende 35 bis 33 führte A. Krieg im dalmatinisch-illyrischen Raum (App. Ill. 46 ff.), während M. Antonius durch seinen mißlungenen Partherfeldzug immer stärker in die Abhängigkeit von Kleopatra geriet (Plut. Ant. 37 ff.). Da nach Ablauf des zweiten Triumvirats A. seine Vollmachten nicht niederlegte, verließen Anf. 32 die beiden Konsuln und 300 Senatoren Rom und begaben sich zu Antonius nach Ephesos (Cass. Dio 50,2,5 ff.). Im Mai gingen die Konsulare L. Munatius Plancus und M. Titius von Antonius zu A. über und informierten ihn über das Testament des Antonius mit seinen Landschenkungen an Kleopatra und deren Kinder (Cass. Dio 50,3,1 ff.). A. konnte vom Rumpfsenat die Kriegserklärung an Kleopatra erreichen (Cass. Dio 50,4). Er durfte sich auf den *consensus universorum* berufen (R. Gest. div. Aug. 34). *Tota Italia* und die Westprov. leisteten ihm den Treueeid [4. 165–180] und verlangten ihn zum Führer des Krieges (R. Gest. div. Aug. 25). *Cos. III* am 1. Januar 31, von da an kontinuierlich bis zum J. 23 (*cos. XI*, InscrIt 13,1 p. 510 ff.).

Am 2. September 31 entschied die Seeschlacht bei Actium und bald darauf auch die Kapitulation der Landtruppen des Antonius den Krieg in Europa (Cass. Dio 50,12 ff.; Plut. Ant. 62 ff.). Ein Denkmal [5; 6. 239–48], penteterische Spiele (→ Aktia), eine neue Ära und die Anlage von Nikopolis erinnerten später an den Sieg (Cass. Dio 51,1,1–3; [7. 81–102]). Im J. 30 zog A. über Kleinasien und Syrien nach Ägypten. Nach dem Fall von Alexandreia am 1. August töteten sich Antonius und Kleopatra (Vell. 2,87,1). Ägypten wurde unter einem ritterlichen *praef. Aegypti* Teil des Imperium und zugleich »Kronland« des A. [8. 343–82; 9. 383–411].

In Pergamon und Nikomedeia erhielt A. im J. 29 zusammen mit der Dea Roma einen Kult (Cass. Dio 51,20,6 ff.). In Rom war Ende 30 eine Verschwörung des Sohnes des Lepidus von Maecenas rasch unterdrückt worden (Liv. per. 133; Vell. 2,88). Für A. wurden vom Senat zahlreiche, z.T. sakrale Ehren beschlossen (Cass. Dio 51,19 f.). Am 11. Januar 29 wurde wegen des Friedens im Reich der Janustempel geschlossen ([1. p. 45]; R. Gest. div. Aug. 13,1; Cass. Dio 51,20,4). Vom 13.–15. August 29 feierte A. einen dreifachen Triumph: über die Dalmater, wegen Actium und über Ägypten (Vell. 2,89,1; Cass. Dio 51,21,5 ff.; InscrIt 13,1 p. 570).

E. Die Entstehung des Prinzipats

Der konfiszierte Besitz seiner Gegner und bes. die Beute aus Ägypten (Suet. Aug. 41,1) ermöglichten A. nicht bloß große Schenkungen und eine reiche Münzprägung, sondern auch die Ansiedlung der Veteranen, den Beginn einer großzügigen Urbanisierungspolitik und eine rege Bautätigkeit in Rom, It. und den Provinzen [10. 336 ff., 386 ff.; 3; 11; 12; 13; 14. 332–353]. In Rom wurde am 18. August 29 der Tempel des Divus Iulius und bald danach die Curia Iulia geweiht, in der die Victoria (Augusti) aus Tarent aufgestellt wurde [1. 50 f.]. Es folgte die Wiederherstellung aller Tempel (R. Gest. div. Aug. 20; Liv. 4,20,7; Hor. carm. 3; 6,1 ff.) und am

9. Oktober 28 die Weihung des palatinischen Apollotempels, der durch einen Gang mit dem Haus des A. verbunden war [1. 53; 15. 263 ff.; 16; 17. 871–916]). Zugleich begann A. mit dem Bau seines Mausoleums, das ein Denkmal seiner Dynastie werden sollte (Suet. Aug. 100,4; Strab. 5,3,8; [18]). Im J. 28 hielt A. mit Agrippa einen Census ab, bei dem über 4 Millionen röm. Bürger gezählt wurden (Abschluß der Romanisierung Italiens) [19. 23–40]. Bei der *lectio senatus* schieden 190 Senatoren aus, dafür wurden neue Mitglieder aufgenommen und auf Grund der *lex Saenia* (Tac. ann. 11,25,2) die Zahl der Patrizier vermehrt (R. Gest. div. Aug. 8; InscrIt 13,1 p. 254; Cass. Dio 52,42). Die Annullierung aller Anordnungen der Triumvirn Ende Dezember 28 kündigte die Rückgabe der *res publica* an (Cass. Dio 53,2,5).

Als *cos. VII* legte A. am 13. Januar 27 seine außerordentlichen Vollmachten nieder und gab dem Senat die Verfügungsgewalt über die *res publica* zurück ([1. 45]; R. Gest. div. Aug. 34,1; Ov. fast. 1,589; Vell. 2,89,3). Auf Zurufe hin erklärte A. sich jedoch bereit, weiter für den Schutz des Staates zu sorgen. Er behielt das Konsulat und übernahm ein auf zehn Jahre befristetes (18 und 13 v. Chr. um je fünf Jahre, 8 v. Chr. 3 und 13 n. Chr. um je zehn Jahre verlängertes) *imperium proconsulare* für Spanien, Gallien, Syrien, Kilikien, Ägypten und (bis 22 v. Chr.) Zypern, d. h. für die noch nicht völlig befriedeten Prov., in denen starke Heere standen und in denen A. ›Herr über Krieg und Frieden‹ wurde (Strab. 17,3,25; [20. 387 ff.; 21. 204 ff.] gegen [22. 218 ff.]). Zum Dank wurde A. am 13. Januar die *corona civica* und am 16. Januar auf Antrag des Munatius Plancus der Name A. beschlossen. Das Tor seines Hauses wurde wie die Wohnung einiger Staatspriester mit zwei Lorbeerbäumen geschmückt und in der *curia* ein goldener Schild *virtutis clementiae iustitiae pietatis erga deos patriamque* aufgestellt (R. Gest. div. Aug. 34,3; [1. Nr. 22]). Seither überragte A. alle Bürger an *auctoritas*. Eichenkranz, *duo laurae* und *clupeus virtutis* wurden die Grundelemente einer monarchischen Bildpropaganda [15. 351 ff.; 23]. Nach einer Erkrankung im Mai (InscrIt 13,1 p. 151) ließ A. das ital. Straßennetz wiederherstellen. Er selbst übernahm die *via Flaminia* und erhielt dafür Ehrenbögen (R. Gest. div. Aug. 20,5; ILS 84; Cass. Dio 53,22,1 f.) an deren Anfang (*pons Milvius*) und Ende (Ariminum, erhalten).

Im Sommer ging A. nach Gallien, hielt dort einen Census ab und reorganisierte die Provinz (Cass. Dio 53,22,5); dann zog er nach Spanien, um die Dinge dort zu ordnen. A. überwinterte in Tarraco und trat dort im J. 26 sein achtes Konsulat an (Suet. Aug. 26,3). In Ägypten kam es zum Sturz des Praefekten C. → Cornelius Gallus wegen mangelnder Loyalität (Cass. Dio 53,23,5 f.). Nach dem Ausbruch des kantabrisch-asturischen Krieges mußte A. die Kämpfe bald durch Legaten führen, da er erkrankte (Cass. Dio 53,25,2 ff.). Auch das neunte Konsulat trat A. in Tarraco an. Der Krieg in Spanien wurde nach Rückgewinnung einiger röm. Feldzeichen beendet (R. Gest. div. Aug. 29). Für die Veteranen wurde die Kolonie Augusta Emerita gegründet; der Ianustempel wurde geschlossen (Cass. Dio 53,26,1 und 5). Auch seine Autobiographie beendet A. mit dem Kantabrerkrieg (Suet. Aug. 85,1). Während sein Neffe Marcellus in Rom seine Tochter Iulia heiratete (Cass. Dio 53,27,5), begab sich A. auf die Heimreise, auf der er sein zehntes Konsulat antrat (Cass. Dio 53,28,1).

In sein elftes Konsulat (23 v. Chr.) fällt wohl die Verschwörung des Fannius Caepio, in die auch A. Terentius Varro Murena, der Schwager des Maecenas, verwickelt war (Cass. Dio 54,3 unter dem J. 22. Dafür zuletzt [24. 471–91]). Nach ihrer Zerschlagung wurde der Republikaner Cn. Calpurnius Piso Mitkonsul des A. Da erkrankte der Princeps lebensgefährlich. Er übergab Piso ein *rationarium imperii* und Agrippa seinen Siegelring, nicht wie erwartet seinem Neffen Marcellus (Cass. Dio 53,30,1 ff.; Suet. Aug. 28,1). Die Frage einer möglichen Nachfolge war nicht gelöst. Doch A. genas wieder und trug der republikanischen Strömung im Senat dadurch Rechnung, daß er im Juni 23 (InscrIt 13,1 p. 157) das Konsulat niederlegte und dafür die *tribunicia potestas* auf Lebenszeit annahm (R. Gest. div. Aug. 10,1); ferner erhielt er das Recht, den Senat einzuberufen, das *ius referendi* über je einen Punkt der Tagesordnung und ein erweitertes *imperium proconsulare* mit Eingriffsmöglichkeiten auch in den Senatsprovinzen, das beim Überschreiten des *pomerium* nicht erlosch (zur umstrittenen Definition dieses *imperium* s. [25. 1–28] (Cass. Dio 53,32,5 f.). Agrippa übernahm die Leitung der Ostprov., Marcellus starb gegen Ende des Jahres.

F. DIE KONSOLIDIERUNG DES PRINZIPATS

Im J. 22 verlangte das Volk wegen einer Hungersnot infolge einer Seuche und einer Tiberüberschwemmung, A. solle die Diktatur, lebenslängliche Censur oder das ständige Konsulat übernehmen; er lehnte ab und übernahm nur die *cura annonae* (Cass. Dio 54,1; R. Gest. div. Aug. 5) und ließ durch Praetorier Hilfe schaffen.

Im September brach A. zu einer Reise in den Osten auf [26; 27. 158 ff.]. Zunächst begab er sich nach Sizilien, um die Getreidezufuhr zu regeln (Cass. Dio 54,6,1). Im J. 21 reiste er weiter nach Griechenland. Wegen Unruhen in Rom beorderte er Agrippa dorthin. Um ihn enger an sich zu binden, mußte jener seine Tochter Iulia heiraten (Cass. Dio 54,6,4 ff.; Suet. Aug. 63,2). Den Winter 21/20 verbrachte A. in Samos, reiste dann durch Bithynien und Asia nach Syrien, wo er die von dem Partherkönig zurückgegebenen röm. Feldzeichen, die Crassus im J. 53 verloren hatte, in Empfang nahm (Cass. Dio 54,7,4 ff.; R. Gest. div. Aug. 27). Darstellungen: Triumphbogen in Rom [15. 224 ff.], auf dem Panzer der Prima-Porta-Statue und auf den Münzen (Siegesdenkmal in Rom und in Athen? Vgl. [28. 18 ff.]. In Armenien wurde Tigranes II. von Tiberius als König eingesetzt (R. Gest. div. Aug. 27). In Fortsetzung der Politik des Antonius vergab A. weitere Klientelfürstentümer (Cass. Dio 54,9,2 ff.). Den Winter 20/19 verbrachte A. auf Samos (Cass. Dio 54,9,7). Da

Agrippa inzwischen in den Westen gereist war, kam es in Rom zu Unruhen durch M. Egnatius Rufus, der ungesetzlich das Konsulat anstrebte (Vell. 2,91,3). A. setzte die Wahl des Q. Lucretius Vespillo durch. Auf der Heimreise schloß sich ihm Vergil an, der am 21. September in Brundisium starb. A. veranlaßte die Edition der *Aeneis* (Suet. De poetis p. 95 ff. ROSTAGNI; [29. 281 ff.]).

Am 12. Oktober 19 traf A. in Rom ein (*ara Fortunae Reducis*, Einrichtung der *Augustalia*) [1. 53]. Die *cura morum legumque* und die censorische Gewalt lehnte er ab, nahm aber das *imperium consulare* auf Lebenszeit an (Cass. Dio 54,10,5; dazu [10. 95]). Im J. 18 ließ sich A. das *imperium proconsulare* um fünf Jahre verlängern (Cass. Dio 54,12,4). Unter Anwendung seiner *tribunicia potestas* ließ er vom Volk die *leges Iuliae de ambitu, de maritandis ordinibus* und *de adulteriis coercendis* beschließen (Cass. Dio 54,16,1 ff.; Dig. 4,4,37,1; [30. 33 ff.]). In einer Musterung des Senats wurden 200 Mitglieder ausgeschieden, nur 600 blieben; Anschläge auf sein Leben waren die Folge (Cass. Dio 54,13 ff.).

G. DAS NEUE »SAECULUM AUGUSTUM«

Um seine Stellung abzusichern, adoptierte A. die Söhne des Agrippa, C. und L. Caesar, als mögliche Nachfolger (Cass. Dio 54,18,1; Suet. Aug. 64,1). Nach Regelung der außen- und innenpolit. Verhältnisse feierten A. und Agrippa als *XVviri sacris faciundis* vom 1.–3. Juni 17 in den Saecularspielen den Anbruch eines neuen Zeitalters (ILS 5050); Horaz dichtete dafür das *carmen saeculare* [31. 2554–89]. Eine leichte Niederlage des M. Lollius durch die Usipeter, Sugambrer und Tenkterer, die den Rhein überschritten hatten, nahm A. zum Anlaß, nach Gallien zu reisen, um dort in den Jahren 16–13 die Verhältnisse neu zu ordnen (u. a. Bürgerrechtsverleihungen und Städtegründungen [13]; Cass. Dio 54,20 ff.) und die Voraussetzungen für die Offensive gegen das freie Germanien zu schaffen [15. 530 ff.]. Diesem Ziel diente auch die Unterwerfung der Alpenstämme durch Drusus und Tiberius in den J. 15 und 14 (deswegen viertes Odenbuch des Horaz: Suet. De poetis p. 116 R.). Rätien, Vindelizien und vier Stämme der Poeninischen Alpen wurden einem ritterlichen Praefekten unterstellt (ILS 2689), das *regnum Noricum* röm. Provinz. Am 4. Juli 13 kam A. nach Rom, wo ihm zu Ehren die *ara Pacis* gelobt wurde, die am 30. Januar 9 v. Chr. eingeweiht wurde [1. 49 und 46; 32; 33. 101–57; 34. 97–106]. Zugleich mit ihr wurde die riesige, dem Sol geweihte Sonnenuhr mit einem Oblisken als Zeiger eingeweiht, in deren Liniennetz die *ara Pacis* und das Mausoleum Augusti einbezogen waren [35]. Ende 13 wurde für den aus dem Osten zurückgekehrten Agrippa die *tribunicia potestas* um fünf Jahre verlängert (Cass. Dio 54,28,1). Er wurde Anf. 12 nach Pannonien geschickt, kehrte aber bald krank nach It. zurück. Nach dem Tode des Lepidus wurde A. am 6. März 12 zum *pontifex maximus* gewählt [1. 47]. Einige Tage später starb Agrippa, dem A. die Leichenrede hielt. Drusus veranstaltete in Gallien einen Census, weihte am 1. August 12 bei Lyon die *ara Romae et Augusti* (Liv. per. 139; Suet. Claud. 2,1) und begann den Eroberungskrieg in Germanien (Cass. Dio 54,32 ff.). A. vermählte im J. 11 seine Tochter Iulia dem Tiberius, der künftig die Stelle Agrippas einnehmen sollte (Cass. Dio 54,31,1 f. und 35,4). Am 4. Mai 11 wurde das Marcellustheater eingeweiht (Plin. nat. 8,65). A. übernahm auch die *cura aquarum* (Frontin aqu. 125).

Den Winter 11/10 v. Chr. verbrachte A. in Lugdunum (Cass. Dio 54,36,3 f.). 10/9 v. Chr. nahm A. wieder einen Census und eine *lectio senatus* vor (Cass. Dio 54,35,1; 55,3,3). In Asia wurde im J. 9 eine Kalenderreform durchgeführt (Jahresbeginn mit dem Geburtstag des A.: [36. 5–98]), 12–9 unterwarf Tiberius Dalmatien und Pannonien. Nach dem tödlichen Unfall des Drusus, der bis zur Elbe vorgedrungen war, hielt ihm A. die Leichenrede (Vell. 2,97; Cass. Dio 55,2). Im J. 8 reformierte A. den Kalender Caesars (Monat Sextilis in Augustus umbenannt; Macr. Sat. 1,14,13–15) und ließ sich sein *imperium proconsulare* um zehn Jahre verlängern (Cass. Dio 55,6,1). Während A. sich nach Gallien begab, überschritt Tiberius den Rhein, nahm die Unterwerfung der Germanen entgegen und siedelte 40000 Barbaren auf dem linken Rheinufer an (Cass. Dio 55,6,1 ff.; Vell. 2,97,4; Suet. Aug. 21,1). In Rom starben Maecenas (Cass. Dio 55,7) und bald darauf Horaz (Suet. De poetis p. 122 R.).

Die im J. 7 v. Chr. abgeschlossene Neueinteilung Roms in 14 Regionen und 265 *vici* war verbunden mit einer Reorganisation des von der *plebs urbana* praktizierten Kompitalkultes, in den nun auch der Genius Augusti eingeschlossen war. Die *vicomagistri* hatten außer für den Kult auch für das Feuerlöschwesen zu sorgen (Cass. Dio 55,8,5 ff.; InscrIt 13,1 p. 285). In It. und den Westprov. lag der Kult des A. spätestens seit 12 v. Chr. in den Händen der → Augustales. Im J. 6 v. Chr. wurde das *tropaeum Augusti* bei Monaco errichtet (Plin. nat. 3,136 ff.). Die Popularität des C. und des L. Caesar und ihre Herausstellung in der Öffentlichkeit veranlaßte Tiberius, sich acht Jahre lang nach Rhodos zurückzuziehen. Um diese Zeit wurde Jesus von Nazareth geboren. A. nahm 5 v. Chr. das Konsulat zum zwölften Mal an, um C. Caesar in feierlicher Form die *toga virilis* anzulegen; als *cos. XIII* erwies er im J. 2 v. Chr. dem L. Caesar die gleiche Ehre (Suet. Aug. 26,2). Die Ritterschaft machte die Caesaren als die präsumptiven Nachfolger des A. (der spätestens seit Actium als *princeps* bezeichnet wurde) zu *principes iuventutis* (R. Gest. div. Aug. 14). Am 5. Februar 2 v. Chr. verlieh auf Antrag des → Messalla Corvinus der Senat *consentiens cum populo Romano* dem A. den Titel *pater patriae* (Suet. Aug. 58; R. Gest. div. Aug. 35). Am 1. August wurden das Augustusforum sowie der Mars Ultor-Tempel eingeweiht (Cass. Dio 55,10; 60,5,3; [15. 149 ff.]). Geschmückt war das Forum mit Statuen berühmter Männer der Republik (Elogia in InscrIt 13,3; *ut ad illorum velut exemplar et ipse, dum viveret, et insequentium aetatium principes exigerentur a civibus*: Suet. Aug. 31,5). In einer Verschwörung gegen das Leben des A. war auch seine Tochter Iulia verwickelt, die er u. a.

wegen Ehebruch nach Pandateria verbannte (Tac. ann. 3,24,2; Cass. Dio 55,10,12 ff.; Plin. nat. 7,149). Schon vorher hatte er die Praetorianer zwei ritterlichen *praefecti* unterstellt (Cass. Dio 55,10,10).

Im J. 1 v. Chr. wurde C. Caesar gegen die Parther geschickt (Vell. 2,10,1 f.). Während dieser in Armenien vorübergehend Erfolg hatte (R. Gest. div. Aug. 27,2), starb am 20. August 2 n. Chr. sein Bruder L. Caesar in Massilia (Cass. Dio 55,10a,9). Tiberius kehrte im gleichen Jahr nach Rom zurück (Suet. Tib. 14,1). 3 n. Chr. wurde A. das *imperium proconsulare* um zehn J. verlängert (Cass. Dio 55,12,3). Doch C. Caesar wurde am 9. September bei der Belagerung der armenischen Stadt Artagira so schwer verwundet, daß er am 21. Febr. 4 n. Chr. starb [1. 47]. Daher adoptierte A. am 26. oder 27. Juni 4 n. Chr. Tiberius und → Agrippa Postumus, nachdem Tiberius zuvor Germanicus adoptiert hatte (Suet. Tib. 15,2; [1. p. 49]). Durch die *lex Fufia Caninia* (2 n. Chr.) und durch die *lex Aelia Sentia* (4 n. Chr.) ließ A. die Freilassungen regeln und ihre Zahl begrenzen (Gai. inst. 13 ff. 28 ff.; Cass. Dio 55,13,7; [30. 187]). Tiberius erhielt die *tribunicia potestas* für zehn J. und wurde mit *imperium proconsulare* nach Germanien geschickt, das er in den J. 4 und 5 erneut unterwarf (Vell. 2,104 ff.). Für die Abfindung der Veteranen aus den damals 26 Legionen wurde im J. 5 das *aerarium militare* geschaffen (R. Gest. div. Aug. 17,2; Cass. Dio 55,23 ff.). Die Einführung der Destinationscenturien [1. Nr. 94a] unterwarf die Volkswahlen ganz der Kontrolle des A. Die Weihung der *ara numinis Augusti* am 17. Januar 6 n. Chr. bezog auch in Rom die beiden oberen Stände in den Herrscherkult mit ein ([1. 46] dazu [37. 39 ff.]).

Als man im J. 6 gegen das Markomannenreich des → Maroboduus in Böhmen vorgehen wollte, kam es als Folge röm. Tributforderungen zu einem großen Aufstand der Pannonier und der Dalmater. Der Krieg, in dem zeitweise 15 Legionen eingesetzt waren, konnte von Tiberius erst im J. 9 beendet werden (Vell. 2,108 ff.; Suet. Tib. 16; Cass. Dio 55,28,5 ff.). Zur Sicherung des Friedens wurden Zwangsaushebungen vorgenommen und Illyricum in zwei Prov. geteilt.

In Rom kam es 5–9 n. Chr. zu Versorgungskrisen und Hungerrevolten, im J. 6 zur Ausschaltung des Agrippa Postumus und zur Gründung der *cohortes vigilum* (Cass. Dio 55,26,4), im J. 8 zum Sturz der Iulia Minor und Verbannung Ovids. Im J. 9 wurde das iulische Ehegesetz ergänzt und – auf Protest der Ritter – teilweise abgemildert durch die *lex Papia Poppaea* (Cass. Dio 56,1 ff.; [30. 131 ff.]). Fünf Tage nach dem Ende des illyr. Krieges traf in Rom die Nachricht ein vom Untergang des P. Quinctilius → Varus mit drei Legionen, drei Alen und sechs Cohorten im Teutoburgerwald, der durch den Cherusker → Arminius herbeigeführt worden war (Vell. 2,117; Cass. Dio 56,23; Flor. 2,30,29 ff.). An eine Aufgabe der Eroberungspolitik in Germanien scheint A. jedoch nicht gedacht zu haben (zum angeblichen *consilium coercendi intra terminos imperii* bei Tac. ann. 1,11,4, s. [38. 306–28]). Die Zahl der Rheinlegionen wurde von sechs auf acht erhöht. Im J. 13 bekam Germanicus den Oberbefehl und hielt in Gallien wie einst Drusus vor seiner Offensive einen Census ab (Tac. ann. 1,31,2; 33,1). In Rom begann A. einen Census, der fast zwei Jahre dauerte (R. Gest. div. Aug. 8,4; Suet. Tib. 21,1). Das *imperium proconsulare* wurde ihm im J. 13 auf zehn J. verlängert. Gleichzeitig erhielt Tiberius ein *imperium aequum* (Cass. Dio 56,28,1).

Da A. sein Ende herannahen fühlte, machte er am 3. April 13 sein Testament, das er im Vestatempel zusammen mit den *Res gestae* [39; 40]), den *mandata de funere suo* und einem *breviarium totius imperii* (Suet. Aug. 101) niederlegte. A. starb am 19. August 14 n. Chr. in Nola. Beim Begräbnis hielt Tiberius vor der *aedes Divi Iuli* die Leichenrede, sein Sohn Drusus auf der alten Rostra (Suet. Aug. 97 ff.; [1. p. 40 und 50]. Die Asche des A. wurde in seinem Mausoleum beigesetzt. Am 17. September 14 wurde A. konsekriert (→ consecratio) [1. 52]. Am gleichen Tag trat Tiberius die Nachfolge des A. an und übernahm u. a. das unbefristete *imperium proconsulare* (Suet. Tib. 24). Damit war das Prinzipat als eine neue Form der Monarchie dauerhaft etabliert.

1 V. EHRENBERG, A. H. M. JONES, Documents illustrating the Reigns of A. and Tiberius, [2]1976 **2** J. BLEICKEN, Zwischen Republik und Prinzipat, 1990 **3** L. KEPPIE, Colonisation and Veteran Settlement in Italy 47–14 B. C., 1983 **4** J. LE GALL, Le serment à l'empereur, in: CCG 1, 1990 **5** W. M. MURRAY, P. M. PETSAS, Octavian's campsite memorial for the actian war, 1989 **6** TH. SCHÄFER, Zur Datierung des Siegesdenkmals von Actium, in: MDAI(A) 108, 1993 **7** T. HÖLSCHER, Denkmäler der Schlacht von Actium, in: Klio 67, 1985 **8** E. G. HUZAR, A., heir of the Ptolemies, ANRW II 10.1, 1988 **9** G. GERACI, Ἐπαρχία δὲ νῦν ἐστι, ANRW II 10.1, 1988 **10** D. KIENAST, A. Prinzeps und Monarch, 1982 (dort die ältere Lit.). **11** M. G. COLIN, Les einceintes augustéennes dans l'occident romain, 1987 **12** W. TRILLMICH, P. ZANKER, Stadtbild und Ideologie, 1990 **13** CH. GOUDINEAU, A. REBOURG, Les villes augustéennes de Gaule, 1991 **14** N. K. MACKIE, Augustan Colonies in Mauretania, in: Historia 32, 1983 **15** W. D. HEILMEYER (Hrsg.), A. und die verlorene Republik, 1988 **16** G. CARETTONI, Das Haus des A. auf dem Palatin, 1983 **17** M. CORBIER, De la maison d'Hortensius à la curia sur le Palatin, in: MEFRA 104, 1992 **18** H. v. HESBERG, S. PANCIERA, Das Mausoleum des A., 1994 **19** E. LO CASCIO, The Size of Roman Population, in: JRS 84, 1994 **20** D. KIENAST, KS, 1994 **21** J.-M. RODDAZ, Imperium: nature et compétences à la fin de la République et au début de l'Empire, in: CCG 3, 1992 **22** K. M. GIRARDET, Zur Diskussion um das *imperium consulare militiae* im 1. Jh. v. Chr., in: CCG 3, 1992 **23** P. ZANKER, A. und die Macht der Bilder, 1986 **24** J. S. ARKENBERG, Licinii Murenae Terentii Varrones and Varrones Murenae, in: Historia 42, 1993 **25** W. AMELING, A. und Agrippa, in: Chiron 24, 1994 **26** H. HALFMANN, Itinera principum, 1986 **27** A. POWELL, Roman Poetry and Propaganda in the Age of A., 1992 **28** R. M. SCHNEIDER, Bunte Barbaren, 1986 **29** H. STRASBURGER, Studien zu Alten Geschichte 3, 1990 **30** A. METTE-DITTMANN, Die Ehegesetze des A., 1991 **31** J. F. HALL, The Saeculum Novum of A., ANRW II 16.3, 1986 **32** E. LA ROCCA, Ara Pacis Augustae, 1983 **33** G. M. KOEPPEL, Die histor. Reliefs der röm. Kaiserzeit V. Ara Pacis A., 1, in: BJ 187, 1987 **34** G. M. KOEPPEL, Die histor. Reliefs der röm. Kaiserzeit V. Ara Pacis A., 2, in: BJ 188, 1988 **35** E. BUCHNER, Die Sonnenuhr des A., 1982 **36** V. LAFFI, Le iscrizioni relative all'introduzione nel 9 a. C. del nuovo cal. della Prov. d'Asia, in: SCO 16, 1967 **37** A. ALFÖLDI, Die zwei Lorbeerbäume des A., 1973 **38** J. OBER, Tib. and the Political Testament of A., in: Historia 31, 1982 **39** E. S. RAMAGE, The Nature and Purpose of A.' Res gestae, 1987 (dazu Rez. D. KIENAST, in: AJPh 110, 1989, 177 f.) **40** B. SIMON, Die Selbstdarstellung des A. in der Münzprägung und in den Res gestae, 1993.

ED.: Res gestae divi Augusti, hrsg. und erklärt von H. VOLKMANN, [3]1969 · E. MALCOVATI, Imperatoris Caesaris operum fragmenta, [5]1969.
MÜNZEN: RRC, 1974, 499 ff. Nr. 490 ff. · C. H. V. SUTHERLAND, RIC I[2], 1984 · Ders., C. M. KRAAY, Catalogue of Coins of the Roman Empire in the Ashmolean Museum 1, 1975 · RPC 1, 1992.
BILDNISSE: Das röm. Herrscherbild 1,2, 1994 (D. BOSCHUNG); 4, 1982 (A.-K. MASSNER) · P. ZANKER, Studien zu den A.-Porträts 1, [2]1978 · K. FITTSCHEN, P. ZANKER, Katalog der röm. Porträts in den kapit. Museen 1, 1985 · W. HAUSMANN, ANRW II 12.2, 1981, 513 ff. · W. H. GROSS, ebda. 599 ff. · E. TOULOUPA, in: MDAI(A) 101, 1985, 185 ff. (Reiterstandbild).
LIT.: G. ALFÖLDY, Studi sull'epigrafia augustea e tiberiana di Roma, 1992 · Ders., Tradition und Innovation. A. und die Inschr., in: Klio 1991, 289–324 · R. BAUMAN, Lawyers and Politics in the Early Roman Empire, 1989 · G. BINDER (Hrsg.), Saeculum Augustum, 3 Bde., 1987–91 · CH. BÖHME, Princeps und Polis, 1995 · A. K. BOWMAN, E. CHAMPLIN, A. LINTOTT (Hrsg.), The Augustean Empire, 43 B. C.-A. D. 69, CAH X, [2]1996 (mit Lit.) · A. CHASTAGNOL, Le senat romain a l'epoque imperiale, 1992 · G. S. CHIESA (Hrsg.), Augusto in Cisalpina, 1995 · K. CHISHOLM, J. FERGUSON (Hrsg.), The Augustan Age – A Source Book, 1981 · D. FAVRO, The Urban Image of Augustean Rome, 1996 · V. GARDTHAUSEN, A. und seine Zeit, 2 Bde., 1891 · J. GONZÁLEZ, The first oath pro salute Augusti found in Baetica, in: ZPE 72, 1988, 113–127 · A. E. GORDON, Album of Dated Latin Inscriptions, Bd. 1, 1957 · H. HÄNLEIN-SCHÄFER, Veneratio Augusti, 1985 · F. KÜHNERT, Die Kultur der Augusteischen Zeit, in: Klio 67, 1985, 118–129 · M. A. LEVI, Augusto e il suo tempo, 1994 · G. C. MARRONE, Ecumene Augustea, 1993 · F. MILLAR, E. SEGAL (Hrsg.), Caesar A. Seven Aspects, 1984 · K. A. RAAFLAUB, M. TOHER (Hrsg.), Between Republic and Empire, 1990 · P. SATTLER, A. und der Senat, 1960 · E. SIMON, A., 1986 · W. SPEYER, Das Verhältnis des A. zur Religion, ANRW II 16.3, 1986, 1777–1805 · SYME, AA · SYME, RR · S. WALKER, A. BURNETT, The Image of A., 1981 · A. WALLACE-HADRILL, Augustan Rome, 1993 · P. WHITE, Promised verse, 1993 · R. WINKES (Hrsg.), The Age of A., 1986 · T. WOODMAN, D. WEST, Poetry and politics in the age of A., 1984.
HISTOR. ROMAN: J. BUCHAN, A., 1937 (dt.= LORD TWEEDSMUIR, A. Herr der Welt, 1939) · A. MASSIE, The Memoirs of the Emperor, 1986 (dt.: Ich A., 1990).
DRAMA: A. HAUSHOFER, A., 1939.
REZEPTION: F. SCRIBA, A. im Schwarzhemd, 1995 · I. STAHLMANN, Imperator Caesar A., 1988.   D. K.

Aulaeum s. Theater

Aule. Bei Homer (Od. 14,5) der umbaute lichte
Hofraum eines → Hauses. Seit dem 7.Jh. v.Chr. ist die
A. Kernbestandteil des griech. Hofhauses, wo sich die
mehrräumige Hausanlage um die auch landwirtschaftlich, etwa als Stall, genutzte A. herumgruppiert. Die
Entstehung des Hofhauses bildet einen markanten
Schnittpunkt in der Entwicklung der griech. Hausarchitektur; es verdrängt die bis dahin üblichen Formen
des Einraumhauses (Megaronbau, Oval- u. Apsiden-
haus). Die A. war meist gepflastert; ab klass. Zeit fehlt sie
bei kaum mehr einem Haus (Lys. 1,17). Die den Hof
umgebenden Raumkombinationen werden zunehmend einheitlicher und in größere städtebauliche Einheiten (→ Insula) integriert. Hofanlagen können an einer oder zwei Seiten Säulenstellungen aufweisen, aber
auch ganz darauf verzichten. Eine Sonderform der A.
bzw. des Hofhauses ist das Peristylhaus (Olynth, Delos),
das seit dem 4.Jh. v.Chr. bis zu palastartiger Größe ausgebaut werden kann. In der röm. Kaiserzeit bezeichnet
der von A. abgeleitete lat. Begriff *aula* einen repräsentativen Palastraum für Staatsakte (*aula regia*,
→ Palast).

> H.DRERUP, Zum geom. Haus, in: MarbWPr 1962, 1–9 ·
> Ders., Prostashaus und Pastashaus, in: MarbWPr 1967,
> 6–17 · H.LAUTER, Die Architektur des Hell., 1986,
> 223–227 · W.HOEPFNER, E.-L. SCHWANDNER, Haus und
> Stadt im klass. Griechenland, ²1994, passim (Index s.v.
> Hof) · M.KIDERLEN, Megale Oikia, 1995, 14–19.   C.HÖ.

Aulerci. Volk in Gallia Celtica, später Lugdunensis, zw.
Loire und Seine, das in vier Teilstämme zerfiel (Caes.
Gall. 3,17; 7,75; Plin. nat. 4,107; Ptol. 2,8): 1. Die Ce-
nomani, die teils nach Oberit. zogen (Liv. 5,35,1), teils
um Subdinum (h. Le Mans) siedelten, wo sie Mars Mul-
lo verehrten [1. 343–348]. 2. Die Diablintes/Diablinti,
Hauptort Noviodunum [2. 454–463; 3]. Nicht Caesar,
wohl aber Ptol. (2,8,7) hat diese den A. zugeordnet. 3.
Die Eburovices [4], Hauptort Mediolanum. 4. Die
Brannovices, *clientes* der Haedui (Caes. Gall. 7,75,2).
Die Lokalisierung ihres Gebietes bleibt ungewiß.

> 1 P.WUILLEUMIER, Inscr. lat. des trois Gaules, 1963
> 2 GRENIER 1, 1931 3 J.NAVEAU, in: Rev. archéologique de
> l'Ouest, 1991, 103–116 4 D.CLICHET, Carte Archéol.
> de la Gaule, L'Eure, 1993.   Y.L.

Aulis (Αὐλίς). Boiot. Küstenort am euboiischen Golf,
ca. 3km südl. des Euripos; mit Artemis-Heiligtum. Im
Norden von A. liegt eine kleinere, im Süden, ca. 1 km
entfernt, eine größere Bucht (βαθὺς λιμήν, *bathýs limēn*).
In der ep. Tradition Sammelpunkt der Griechen zur
Fahrt nach Troia und Ort, wo Agamemnon seine Toch-
ter → Iphigeneia der Artemis für günstigen Fahrtwind
opferte. 396 v.Chr. demonstrativer Ausgangspunkt des
Heereszugs nach Kleinasien unter dem Spartanerkönig
Agesilaos. Bis 387 v.Chr. gehörte A. zu Thebai, dann zu

Tanagra. Myk. Siedlungsspuren; Tempel (archa. Proportionen) aus dem 5.Jh. v.Chr., inschr. als Artemis-
tempel gesichert, sowie Nebengebäude. In röm. Zeit
wurde der Tempel restauriert, in der Spätant. teilweise
zum Bau eines Bades genutzt. Quellen: Strab. 9,2,8;
Paus. 9,19,6ff.

> S.C. BAKHUIZEN, Salganeus and the Fortification on its
> Mountains, 1970, 96–100, 152–156 · FOSSEY, 68–74 ·
> N.D. PAPACHATZIS, Παυσανίου Ελλάδος Περιήγησις 5,
> ²1981, 151f.   M.FE.

Aulodes. Stadt in der Africa proconsularis, h. Sidi
Reiss. Unter Septimius Severus wurde A. *municipium*.
CIL VIII Suppl. 1, 14355.

> AATun 050, Bl. 19, Nr. 9 · C.LEPELLEY, Les cités de
> l'Afrique romaine 2, 1981, 75f.   W.HU.

Aulon

[1] Häufige Bezeichnung für Talmulden und Schluchten: 13 Belege bei [1], 17 bei [2]. Athen. 5,189 bezeugt
für Attika mehrere *hieroi Aulones* (»hl. A.«), nur der des
Dionysos ist bekannt [3]. Der südatt. A., ein kleines
Bergbaurevier, erscheint in mehreren Grubenpachtur-
kunden und lag evtl. im Bereich des Demos → Phrear-
rhioi [4].

> 1 Pape/Benseler 1, 176 2 A.MILCHHOEFER, s.v.a., RE 2,
> 2413ff. 3 J.JESSEN, s.v. Auloneus, RE 2, 2415
> 4 H.LOHMANN, Atene, 1993, 53, 98f.   H.LO.

[2] (Aulona). Hafen im südl. Illyrien, geschützt durch
das Akrokeraunische Vorgebirge am Eingang der
gleichnamigen Bucht, it. Valona, h. Vlorë in Albanien.
Siedlungsspuren aus myk. und hell. Zeit. Seit der späteren röm. Kaiserzeit als Hafen zur → Via Egnatia ausgebaut [1. 697–700], verdrängt A. im frühen MA
→ Apollonia [1]. Mehrfach erwähnt in den Itin. Anton.
und Burdig., in der Tab. Peut. 6,3 sowie bei Hierokles
653,7 und Konst. Porph. De them. 93 PERTUSI. Bistum,
zur Νέα Ἤπειρος gehörig; Bischöfe bezeugt in der
Briefserie von 457/458 [2] und beim Konzil 553 [3. 20,
30, 136, 148, 150f.]. Frühchristl. Gräber in der Umgebung [4. 438f.]; Reste einer Ummauerung (6.Jh.
n.Chr.).

> 1 N.G.L. HAMMOND, Epirus, 1967 2 ACO II 5,95f.
> 3 E.CHRYSOS, Die Bischofslisten des V. Ökumenischen
> Konzils (553), 1966 4 A.EGGEBRECHT (Hrsg.), Albanien,
> 1988.
>
> G.KOCH, Albanien, 1989, 283–285 · PHILIPPSON/KIRSTEN
> 2,1, 57f.   E.W.

Aulos

[1] s. Musikinstrumente

[2] Steinschneider des 1.Jh. v.Chr., Sohn des → Alexas,
Bruder des Quintus. Signierte Werke: Eros an Tropaion
gefesselt (Amethyst, London, BM), Schmetterling fest-
nagelnd (Hyazinth, Den Haag, MK), gefesselt (Kameo,
verschollen), mit Aphrodite (Karneol, London, BM);

Satyrkopf (Intaglio, verschollen); Mänadenbüste (Hyazinth, ehem. Slg. Ludovisi); Athlet (Karneol, Paris, CM); Poseidon und Amymone (weiße Pasten, London, BM und Paris, CM); ferner Glaspasten nach Original des A., z. B. Quadriga (Berlin, PM).
→ Gemmen- und Kameenschneider

ZAZOFF, AG, 285–287[113–122] (Lit.), Taf. 80, 1–10.   S. MI.

Aunobaris. Stadt in der Africa proconsularis, südsüdwestl. von *Thugga*, h. *Kern el-Kebch*, seit E. des 3. Jh. n. Chr. *municipium* (CIL VIII Suppl. 1, 15563). Inschr.: CIL VIII Suppl. 1, 15562–15568; Suppl. 4, 27395–27405; Inscr. latines d' Afrique 591 f.

AATun 050, Bl. 19, Nr. 160 • C. LEPELLEY, Les cités de l'Afrique romaine 2, 1981, 76.   W. HU.

Aurelia
[1] wohl Tochter von C. → Aurelius Cotta [I 5] und Schwester von L. Aurelius Cotta (MÜNZER, 327), Gattin des C. → Iulius Caesar und Mutter des Dictators Caesar. Sie entdeckte P. Clodius beim → Bona-Dea-Fest Ende 62 v. Chr. in Caesars Haus (Plut. Caes. 10.2; Suet. Iul. 74,2 u. a.). Gestorben vor Sept. 54.
[2] Orestilla, Witwe, dann Geliebte und seit Mitte der 60er Jahre v. Chr. zweite Ehefrau des Catilina (Sall. Catil. 15,2; vgl. Cic. Catil. 1,14; Ascon. 91C).   K.-L. E.

Aurelia Aquensis s. Aquae [III 6]

Aurelianus
[1] Aurelius A., Prätorischer Legat Arabiens unter zwei Augusti (AE 1965, 23); *cos. suff.* zw. 180/182 n. Chr. (CIL 10570=ILS 6870). PIR[2] A 1424.
[2] Konsularer Senator. Seine von den Soldaten geforderte Hinrichtung wurde von Kaiser → Macrinus (217–18) zunächst verweigert (Cass. Dio 78,12,4), aber wohl doch bald darauf vollzogen (Cass. Dio 78,19,1). PIR[2] A 1425.
[3] Imperator Caes. L. Domitius A. Augustus am 9. September 214 n. Chr. geb. im Gebiet, das später von ihm Dacia ripensis benannt wurde (Eutr. 9,13,1); von niederer Abkunft ([Aur. Vict.] epit. Caes. 35,1). Als Reiterführer war er Mitglied der Verschwörung gegen Gallienus im J. 268 (Aur. Vict. Caes. 33,21; Zon. 12,25), unter Claudius II. Gothicus weiterhin *dux equitum* (SHA Aur. 18,1). Nach dessen Tod (August 270) wurde A. noch während der kurzen Zwischenherrschaft des Quintillus im Sept. von den Soldaten in Sirmium zum Kaiser ausgerufen (SHA Aur. 37,6; Zos. 1,47) und nach dessen Tod vom Senat bestätigt.
Nach einem Aufenthalt in Rom im Winter 270/71, wo er eine Revolte der *monetarii* unter Felicissimus niederschlug (Aur. Vict. Caes. 35,6; Aur. Vict. epit. Caes. 35,4; SHA Aur. 21,5 f.), führte er Feldzüge in Oberitalien und an der Donau gegen Vandalen, Iuthungen und Sarmaten (Dexippos FGrH IIA 460 F 7; SHA Aur. 18,2;

Zos. 1,48); 271 *cos. I* und Germanicus maximus. Während seines zweiten Aufenthaltes in Rom im Winter 271/72 begann er, die Stadt mit der nach ihm benannten Mauer zu umgeben, und verfuhr ähnlich in anderen italischen Städten (SHA Aur. 21,9). Im Frühjahr 272 brach er in den Osten auf. Unterwegs kämpfte er auf dem Balkan gegen die Goten (Eutr. 9,13; Amm. 31,5,17; SHA Aur. 33,3 f.; 272 Goticus maximus), überließ dann aber die Prov. Dakien den Goten und anderen Barbaren und schuf südl. der Donau für die vertriebenen Einwohner ein neues Dakien (SHA Aur. 39,7).
Im Sommer 272 besiegte A. vor Emesa (Homs/Syrien) die Herrscherin von Palmyra, → Zenobia, die zusammen mit ihrem Sohn → Vaballathus versuchte, ein selbständiges Großreich im Osten zu gründen. Er belagerte Palmyra, das sich ergab, als Zenobia in Gefangenschaft geriet (Eutr. 9,13; SHA Aur. 25,3 ff.; Zos. 1,50–6; 272 Parthicus bzw. Persicus maximus). Im Winter 272/73 hielt sich A. vielleicht in Byzanz auf (Cod. Iust. 5,72,2); von dort aus zog er 273 gegen die Karpen, besiegte sie und siedelte einen Teil des Volkes auf Reichsboden an (SHA Aur. 30,4; Aur. Vict. 39,43; [273 Carpicus maximus]). Eine Erhebung in Palmyra zwang ihn im J. 273 zum zweiten Feldzug gegen die Stadt, die er nun plündern ließ; anschließend schlug er einen Aufstand in Ägypten nieder und verhinderte damit vorerst die drohende Abspaltung des Ostteils des röm. Reiches. Nach seiner Rückkehr feierte er einen Triumph in Rom (Zos. 1,60–61).
Schon 274 zog A., nunmehr *cos. II*, in den Westen, um die Reste des gallischen Sonderreiches, das seit 260 (→ Postumus) bestand, zurückzuerobern. Der gallische Kaiser → Esuvius Tetricus ging in einer Schlacht in der katalaunischen Ebene zu A. über (Aur. Vict. 35,4; Eutr. 9,13). Im Herbst 274 feierte A. einen zweiten Triumph und nannte sich nun nach der Konsolidierung des Reiches *restitutor orbis*; seine Gattin Ulpia Severina wurde zur *Augusta* erhoben.
Es folgten wichtige innen- und religionspolit. Maßnahmen zur Festigung des Reiches, vor allem eine Münzreform (Zos. 1,61; s. RIC 5/1 265 ff. [1]) und die Stilisierung des → Sol invictus zum Reichsgott. Am Ende des J. 274, wohl am 25. Dez., erfolgte die Einweihung eines neuen Tempels des Sonnengottes in Rom. Als *cos. III* unterdrückte A. zu Beginn des J. 275 Unruhen in Gallien und schützte Vindelicien vor Barbareneinfällen (SHA Aur. 35,5 f.; Zon. 12,27). Da nach der Eingliederung des palmyrenischen Sonderreiches der Schutz vor den Persern wieder ausschließlich Sache des Kaisers geworden war, rüstete er zu einem Perser- bzw. »Skythen«-Feldzug. Auf dem Weg nach Byzanz im September oder Oktober 275 fiel er jedoch bei Caenophurium einem Komplott zum Opfer (Aur. Vict. 35,7 f.; SHA Aur. 35,5 ff.; Zos. 1,62; Zon. 12,27); dadurch kam es nicht mehr zu der schon drohenden Christenverfolgung (Eus. HE 7,30,20 f.). A. verfiel vielleicht vorübergehend der *damnatio memoriae*, wurde aber als Divus A. konsekriert (PIR[2] D 135; PLRE 1, 129 f.).

1 D. KIENAST, Die Münzreform A.', in: Chiron 4, 1974, 547–565 = KS, 1994, 575–600.

RIC 5/1, 248–312 · KIENAST, ²1996, 234–236.   A.B.

[4] Wohl *mag. officiorum* 392/3 n. Chr. [1. 148], *praef. urbis Constantinopolitanae* 393/4, *praef. praet. Orientis* 399–400; *cos.* 400 (zum genauen Datum [2. 259ff.; 3. 164ff.], wohl *praef. praetorio Orientis* II 414–416 (zur Annahme eines zweiten Aurelianus [1. 149]) und *patricius*. Mit dem Osiris in Synesios *De providentia* zu identifizieren [3. 80ff.; 4. 70ff.]; demnach Bruder des → Caesarius [3] oder → Eutychianus. Wird oft den Antigermanen zugerechnet (vgl. aber [2. 105f.]). A. war 399 am Sturz des → Eutropius beteiligt und wurde 400 an → Gainas ausgeliefert, seines Amtes enthoben und verbannt; nach dem Sturz des Gainas restituiert und mit hohen Ehren ausgezeichnet. Der Christ A. förderte das Mönchwesen in Konstantinopel und war Gegner des Johannes Chrysostomos; in der zweiten Praefektur erließ er eine strenge Gesetzgebung gegen Nicht-Orthodoxe (PLRE 1, 128f.).

1 CLAUSS, 148 f. 2 J. H. W. G. LIEBESCHUETZ, Barbarians and Bishops, 1990 3 A. CAMERON, J. LONG, Barbarians and Politics at the Court of Arcadius, 1993 4 G. ALBERT, Goten in Konstantinopel, 1984.

v. HAEHLING, 82 f.   H. L.

Aurelius. Verbreiteter plebeischer Gentilname (ThlL 2, 1482–87), der in ant. Etym. aus dem Sabinischen hergeführt und über die ältere Form Auselius von *sol* (Sonne) abgeleitet wurde (Fest. p. 22; daraus die moderne Ableitung aus sabinisch *ausel über etr. *usil* »Sonnengott«, vgl. [1. 36; 2. 468]). Die Familie gelangte im 1. Pun. Krieg mit Aur. [3] in die Nobilität und stellt im 2. Jh. v. Chr. in den Zweigen der Cottae, Orestae und Scauri zahlreiche Konsuln. Daher sind auch die Baustufen und die Zuweisung der verschiedenen *viae Aureliae* aus dem 2. Jh. nicht restlos geklärt [3; 4]. Das spätrepublikanische *tribunal Aurelium* war Ort für Aushebungen [5. 400f.]. In der Kaiserzeit gehörte seit dem 2. Jh. n. Chr. und bes. nach der → Constitutio Antoniniana von 212 n. Chr. A. (auch in der Fom Aurellius und abgekürzt AUR.) mit Aelius, Claudius und Flavius zu den häufigsten Gentilnamen. Seit dem Kaiser Antoninus Pius (138–161) ist A. auch Familienname zahlreicher Kaiser bis ins 4. Jh. (s. u.).

I. REPUBLIKANISCHE ZEIT

[1] **A., L.**, *procos.* oder *propraetor* von Macedonia Ende 2./Anf. 1. Jh. v. Chr. (MRR 3, 30).

1 WALDE, HOFMANN 2 SCHULZE 3 G. RADKE, s. v. Viae publicae Romanae, RE Suppl. 13, 1614f. 4) · E. FENTRESS, Via Aurelia, Via Aemilia, in: PBSR 52, 1984, 72–76 5 RICHARDSON.   K.-L. E.

[2] **A. Cotta**, Volkstribun 49 v. Chr. (Lucan. 3, 143).
W. W.

[3] **A. Cotta, C.**, eroberte als *cos.* I 252 v. Chr. mit seinem Kollegen Thermae Himeraeae und Lipara (Pol. 1, 39, 13 u. a.) und erhielt darauf einen Triumph (InscrIt 13, 1, 76 f.; MRR 1, 212). Als *cos.* II 248 belagerte er erfolglos Lilybaeum und Drepana (MRR 1, 215; Straßenbau [?]: ILLRP 1277; MRR 3, 30 f.). *Censor* 241 und *mag. equitum* des *dictator* C. → Duilius 231 (MRR 1, 219; 226).

[4] **A. Cotta, C.**, *praetor* wohl um 220 v. Chr., *praetor urbanus* 202 v. Chr. (als *praetor iterum* ILLRP 75 bezeichnet; MRR 3, 31; [1]). Als *cos.* 200 erhielt er den Oberbefehl in Oberitalien gegen die aufständischen Kelten und die Reste der Karthager unter Hamilkar, die jedoch der *praetor* L. Furius Purpureo noch vor Eintreffen des A. gegen dessen Willen besiegt hatte (Liv. 31, 6, 1; 22, 3; 47, 4–49, 3; MRR 1, 323). Meilenstein: ILLRP 1288.

[5] **A. Cotta, C.**, geb. 124 v. Chr. (Cic. Brut. 301), Sohn der Rutila (Tochter des P. Rutilius Rufus) und Bruder von A. [9] und [11], verteidigte 93/2 seinen Onkel. Als Freund des Volkstribunen M. Livius → Drusus wurde er nach dessen Tod 90 unter der *lex Varia* angeklagt und ging ins Exil (Cic. de orat. 3, 11; Brut. 205 u. ö.). Er kehrte nach Sullas Sieg nach Rom zurück, wurde wohl 81 *praetor* (MRR 3, 31) und kämpfte als *propraetor* 80 erfolglos gegen Sertorius (Plut. Sert. 12, 3). Als *cos.* mit L. Octavius gab er 75 den Volkstribunen das ihnen von Sulla entzogene Recht zur Bekleidung weiterer Magistraturen wieder (Ascon. 66 f.; 78C). Obwohl er 74 als *proconsul* in Gallia Cisalpina nichts Bedeutendes leistete, erhielt er einen Triumph, vor dem er jedoch starb (Cic. Pis. 62; Ascon. 14C). Sein Nachfolger im Amt als *pontifex* wurde Caesar (Vell. 2, 43, 1). Obwohl Cicero ihn mit seinem Zeitgenossen P. Sulpicius Rufus als Redner sehr hoch schätzte und ihn zum Gesprächspartner der Dialoge de orat. und nat. deor. machte, veröffentlichte A. keine seiner Reden (ORF I⁴, 286–291).

[6] **A. Cotta, L.**, Volkstribun um 154 v. Chr. (MRR 1, 450), *praetor* spätestens 147. Als er als *cos.* 144 mit seinem Kollegen Ser. Sulpicius Galba um das Kommando gegen Viriatus stritt, verhinderte Scipio Aemilianus ihre Bestellung (Val. Max. 6, 4, 2). 138 wurde er von Scipio wegen Erpressungen angeklagt, von Q. Caecilius Metellus Macedonicus verteidigt und freigesprochen (Cic. div. in Caec. 69; Font. 38; Mur. 58; Liv. per. Oxy. 55).

[7] **A. Cotta, L.**, Sohn von A. [6], *praetor* spätestens 122 v. Chr., *cos.* 119, widersetzte sich einem Gesetz des Volkstribunen C. → Marius über die Verengung der Stege bei Abstimmungen in den Comitien (Plut. Mar. 4; Cic. leg. 3, 38), worauf dieser erfolgreich mit seiner Verhaftung drohte.

[8] **A. Cotta, L.**, Volkstribun 103 v. Chr (MRR 1, 563), *praetor* um 95 und von Cicero (Brut. 137 u. ö.) als altmodischer und ungeschliffener Redner kritisiert.

[9] **A. Cotta, L.**, Bruder von A. [5] und [11], besetzte als *praetor* 70 v. Chr. mit der *lex Aurelia* die Geschworenensitze der Quaestionen (→ Quaestio) drittelparitätisch mit Senatoren, Rittern und *tribuni aerarii*, und beendete damit den Kampf um die Gerichte (MRR 2,

127). 66 erhob er Anklage wegen Bestechung gegen den designierten *consul* P. → Autronius Paetus [2] und wurde an dessen Stelle gewählt (Ascon. 75C; 88C; Cass. Dio 36,44). Als *censor* 64 wurde er von den Volkstribunen gehindert, die Senatsliste zu erstellen (Plut. Cic. 27,3; Cass. Dio 37,9,4). 63 beantragte er eine *supplicatio* für Cicero für die Aufdeckung der catilinarischen Verschwörung (Cic. Phil. 2,13) und erkannte später die Rechtmäßigkeit von dessen Exil nicht an. Zu Beginn des Bürgerkrieges neutral, war er 44 Anhänger Caesars und *XVvir sacris faciundis* (angebliche Weissagung vor Caesars Ermordung: Suet. Iul. 79,3; Cic. div. 2,110).

[10] A. Cotta, M., *aedilis* 216 v. Chr., 203–201 Gesandter bei König Philipp V. von Makedonien (MRR 1, 313; 321).

1 T. Corey Brennan, C. A. Cotta, praetor iterum (CIL I² 61), in: Athenaeum 67, 1989, 467–487.

[11] A. Cotta (Ponticus), M., Bruder von A. [5] und [9], *praetor* spätestens 77 v. Chr. Er kämpfte als Konsul 74 mit dem Kollegen L. Licinius Lucullus gegen Mithradates VI. (MRR 2, 101); 73–70 Prokonsul von Bithynia und Pontus, eroberte er 71 Herakleia Pontika (Memnon, FGrH 434, 47–60). 67 wurde er wegen Unterschlagung verurteilt, verlor seinen Senatssitz (MRR 2,128) und wohl auch den Beinamen Ponticus.

J. Linderski, A Missing Ponticus, in: AJAH 12, 1987 [1995], 148–166.

[12] A. Cotta, M., *praetor* um 54 v. Chr. (MRR 2, 222), Pompeianer, 49 in Sardinien, dann in Africa (MRR 2, 260).

[13] A. Opillus (nicht Opilius), Freigelassener, Lehrer der Philos., Rhet. und Gramm., folgte dem P. → Rutilius Rufus 92 v. Chr. ins Exil nach Smyrna (Suet. gramm. 6).

[14] A. Orestes, L., *praetor* spätestens 160 v. Chr., *cos.* 157. 147–145 als Legat beim Aufstand des Achäischen Bundes in Griechenland (MRR 2, 464; 467f.).

[15] A. Orestes, L., Sohn von A. [14], *praetor* spätestens 129 v. Chr., kämpfte als *cos.* 126 gegen die Sarden (MRR 1,508), blieb dort als *procos.* und triumphierte 122 nach seiner Rückkehr (InscrIt 13,1,83).

[16] A. Orestes, L., *praetor* spätestens 106, *cos.* 103, starb im Amt (MRR 1, 562).

[17] A. Scaurus, C., *praetor* 186 v. Chr. in Sardinia (MRR 1, 371).

[18] A. Scaurus, M., vielleicht Münzmeister 118 v. Chr. (MRR 3, 32), *quaestor* um 117 (?), *praetor* spätestens 111, *cos. suff.* als Nachfolger des L. (?) → Hortensius (MRR 1, 548). Ab 106 Legat im Krieg gegen die Germanen, wurde er 105 von den Kimbern gefangen und getötet (MRR 1, 557).   K.-L. E.

II. Kaiserzeit

[1] A. Antiochus, *cos. suff.* um 275 n. Chr., *procos. Africae* um 290 (ILAfr. 513). PIR² A 1444; PLRE 1, 72 Nr. 13.

[2] A. Appius Sabinus, *praef. Aegypti* 249–250 n. Chr., leitete eine Christenverfolgung (Eus. HE 6,40,2); später, offenbar Senator geworden, wurde er *corrector Asiae* (ILS 9467). PIR² A 1455.

[3] T. Cl. A. Aristobulus, *praef. praetorio* unter → Carinus (Aur. Vict. Caes. 39,14) 285 n. Chr. *cos. ord.* erst mit Carinus, dann mit → Diocletianus (Amm. 23,1,1). *Procos. Africae* 290–294 (CIL VIII 4645=ILS 5714; 5290=ILS 5477), *praef. urbi* 295–6 (1,66 Chron. min. Mommsen) PIR² C 806; PLRE 1, 106.

[4] A. Atho Marcellus, M., Tribun der Praetorianer, wohl 243/44 n. Chr. im Osten (P Dura 81) und Prokurator von Mauretania Caesariensis 246–249 unter Philippus Arabs (CIL VIII 8809=ILS 5785; AE 1908,30 [1; 2]). PIR² A 1460.

[5] A. Basileus. Praef. Aegypti 242–244 (P Mich. 164 = CPL 143; P Flor. 4=[3]). PIR² A 1467.

[6] Imperator Caesar M. A. Antoninus Caracalla s. Caracalla.

1 R. W. Davies, M. Aur. Atho Marcellus, in: JRS 57, 1967, 20–22 2 Pflaum, Suppl. 93 f. 3 U. Wilcken, Chrestomathie, 206.

[7] M. A. Carinus Augustus Imperator Caesar s. Carinus.

[8] M. A. Carus Augustus Imperator Caesar s. Carus.

[9] M. A. Claudius Quintillus Augustus Imperator Caesar s. Quintillus.

[10] M. A. Cleander. Von phrygischer Herkunft, kaiserlicher Sklave, von → Marcus Aurelius freigelassen, von → Commodus sehr geschätzt. Zusammen mit dem *praef. praetorio* Tarrutienus Paternus beseitigte er den Kämmerer des Commodus, Saoterus, dessen Stelle er selbst übernahm: *a cubiculo* (CIL XV 8021 = ILS 1737). Am Sturz des Praetorianerpraefekten Tigidius Perennis war er beteiligt und erlangte dadurch größten Einfluß. Nach Beseitigung des *praef. praetorio* Atilius II 1 Aebutianus nahm er selbst dessen Position ein, zusammen mit zwei anderen Funktionsträgern; sein Titel allerdings nur *a pugione* (AE 1961, 280). A. II 29, den Cleander zum *praef. annonae* degradiert hatte, zettelte einen Hungeraufstand gegen ihn an. Deshalb wurde A. Cleander von Commodus beseitigt. [1. 290ff.]. PIR² A 1481.

1 Grosso, La lotta politica al tempo di Commodo, 1964.
                                                        W. E.

[11] Imperator Caesar M. A. Commodus Antoninus Augustus s. Commodus.
[12] L. Aelius A. Commodus s. Verus.

[13] A. Cotta Maximus Messalinus, M., Sohn von M. Valerius Messalla Corvinus, *cos.* 31 v. Chr., und einer Aurelia [1. 230 ff.]. Sein Bruder war M. Valerius Messalla Messalinus, *cos. ord.* 3 v. Chr., von dem er das Cognomen Cotta übernahm (Vell. 2,112,2). Eng mit Ovid befreundet, der an ihn mehrere Briefe aus der Verbannung schrieb (Ov. Pont. 1,5;9; 2,3;8; 3,2;5, vgl. [2. 117 ff.]). Im J. 16 als *praetor designatus* am Liboprozeß beteiligt, 17 *praetor peregrinus* (InscrIt 13,1 p. 297) [2. 117]. Im J. 20 *cos. ord.* während des gesamten Jahres; im Prozeß gegen Cn. Calpurnius Piso formulierte er die Strafsentenz (Tac. ann. 3,17,4) [3]. Einflußreich im Senat, aber auch heftige Feindschaft mancher Senatoren gegen ihn. Anklage im J. 32, doch ein Brief des Tiberius bestätigte die Freundschaft. *Procos. Asiae* (I. Eph. 7,1, 3022) [1. 237; 4. 280 ff.]. Er verursachte nach Tacitus (ann. 6,7,1) den Niedergang seiner Familie; von Iuvenal als Förderer der Dichtung hervorgehoben (Iuv. 7,94 f.).

1 SYME, AA 2 Ders., History in Ovid, 1978 3 W. ECK, A. CABALLOS, F. FERNÁNDEZ, Das s.c. de Cn. Pisone patre, 1996, 100 f. 4 VOGEL-WEIDEMANN.

[14] A. Fulvus, T., Senator aus Nemausus stammend, unter Claudius oder Nero Aufnahme in den Senat. Legat der *legio III Gallica* im Osten, 69 in Moesien; Erfolge gegen die Roxolanen, deshalb von Otho mit den *ornamenta consularia* ausgezeichnet. Wahrscheinlich 70 *cos. suff.* [1. 242 ff.], Statthalter von Hispania citerior (AE 1952, 122 = Inscr. Rom. de Catalogne 3, 172–174) [2. 196]. *Cos. II ord.* im J. 85 zusammen mit Domitian (AE 1975, 53; RMD 3, Nr. 139). Stadtpraefekt [3. 615 f.]. Vater von A. II 15, Großvater von Antoninus Pius. (PIR² A 1510).

1 SYME, RP 1 2 W. ECK, Jahres- und Provinzialfasten, in: Chiron 13, 1983 3 SYME, RP 5.

[15] A. Fulvus, T., Sohn von A. II 14, Vater des Antoninus Pius, Mann der Arria Fadilla. *Cos. ord.* 89 (AE 1949, 23). Starb kurze Zeit später. Möglicherweise Aufnahme unter die Patrizier. (PIR² A 1509).

[16] A. Fulvus Antoninus, M., Sohn des Antoninus Pius, starb vor dessen Adoption, später im Hadriansmausoleum beigesetzt (CIL VI 988=ILS 350). (PIR² A 1511).

[17] A. Fulvus Antoninus, T., *31. August 161, Zwillingsbruder des Commodus, starb mit vier Jahren. (PIR² A 1512).

[18] A. Fulvus Boionius Arrius Antoninus, T. s. Antoninus Pius.

[19] A. Gallus, L., *cos. suff.* ca. 129/133 (CIL XVI 173; vgl. RMD 3, 157 n. 6). Auf ihn vielleicht der *cursus honorum* von CIL VI 1356=ILS 1109 zu beziehen [1. 69].

1 W. ECK, s.v. L. A. Gallus (Nr. 141a), RE Suppl. 14.

[20] A. Gallus, L., *cos. suff.* im J. 146 (FOst², 50; CIL XVI 178; unpubl. Diplom aus Pannonia inferior). Sohn von A. II 19, Vater von A. II 21.

[21] A. Gallus, L., *cos. ord.* 174, Vater von A. [II 22]. PIR² A 1516. W.E.

[22] A. Gallus, L., *cos. ord.* 198, Statthalter von Moesia inferior zw. 202–205 n. Chr. (PIR² A 1517).

LEUNISSEN, 251. A.B.

[23] M. A. (Sabinus) Iulianus Augustus, Imperator Caesar. Iulianus.

[24] M. A. Marius Augustus, Imperator Caesar s. Marius

[25] A. Merithates, Bruder des armenischen Königs A. Pacorus, starb in Rom mit 56 Jahren (IGRR 1, 222 = IGUR 2,1, 415). PIR² A 1558.

[26] A. Nemesianus Olympius, M. s. → Nemesianus.

[27] M. A. Numerius Numerianus Augustus, Imperator Caesar s. Numerianus.

[28] A. Pacorus, König von Armenien, der wohl von Marcus Aurelius das röm. Bürgerrecht erhielt und in Rom lebte (IGRR 1,222 = IGUR 2,1,415). Möglicherweise mit dem Pacorus identisch, den L. Verus als König absetzte (Fronto ad Ver. 2,1,15 HOUT). PIR² A 1566.

[29] A. Papirius Dionysius, M., juristisch erfahrener Ritter, der nach mehreren Funktionen als *praef. annonae* amtierte; danach zum *praef. Aegypti* ernannt; A. Cleander verhinderte offensichtlich, daß er diese Stelle übernahm, so daß er *praef. annonae* blieb; durch Verknappung der Lebensmittel führte er einen Aufstand gegen Cleander herbei. Wohl noch im gleichen Jahr von Commodus hingerichtet. [1. 352 f.; 2. 472 ff.]. (PIR² A 1567).

1 H. PAVIS D'ESCURAC, La préfecture de l'annone, 1976 2 PFLAUM, 1 3 J. REA, P. Oxy. 36, 2762 (introd.). W.E.

[30] M. Aurelius Probus Augustus, Imperator Caesar S. Probus.

[31] A. Quietus, T., Statthalter von Lycia-Pamphylia 80/81, *cos. suff.* 82 [1. 51 ff.]. (PIR² A 1592).

1 W. ECK, Epigraphische Unt. zu den Konsuln und Senatoren des 1. bis 3. Jh. n. Chr., in: ZPE 37, 1980, 31–68.

[32] A. Valerius Claudius Augustus, M. S. Claudius [III 2] Gothicus.

Aureolus. Daker (Synk. p. 717), unter → Gallienus Reiterführer (Zos. 1,40; Zon. 12,24; 25). Besiegte 260 n. Chr. den Usurpator Ingenuus in Pannonien (Aur. Vict. Caes. 33,2), 261 den Macrianus (Zon. 12,24; SHA Gall. 2,6). Postumus in Gallien griff er zögernd an, trat wahrscheinlich zu ihm über [1]. Wohl im August oder September 268 zum Augustus in Mailand erhoben, kurz danach von den Soldaten des → Claudius [III 2] erschlagen (Zos. 1,41). PIR² A 1672; PLRE 1, 138.

1 A. ALFÖLDI, Studien zur Weltkrise, 1967, 1 ff. A.B.

Aureus. Goldprägung; im Gegensatz zu den hell. Reichen im republikanischen Rom selten; ergänzt in Notzeiten (vgl. Liv. 27,10,11 f.) die Ausmünzung des Silbergeldes. Die erste Goldprägung, das sog. Schwurszenengold [4. 144 Abb. 28/1; 145 Abb. 29/1] – das Ferkelopfer auf der Rs. weist auf einen Vertragsabschluß hin –, wird im allg. in das J. 216 v. Chr. verlegt. Eine andere Interpretation, die auch die Ianus-Darstellung auf der Vs. berücksichtigt, legt eine Datierung für das J. 241 v. Chr. nahe [5. 14 ff.]. Das Gold wird zu 6 (6,82 g) zu 3 (3,41 g) Skrupeln ausgemünzt [4. 593]. Die zweite Emission (um 211–209 v. Chr.) fällt in den 2. Pun. Krieg. Das sog. Mars/Adler-Gold hat gemäß den Beizeichen (LX, XXXX, XX) den Wert von 60, 40 und 20 Assen (nach der Überlieferung Sesterzen, Plin. nat. 33,47) und wiegt 3 (3,35 g), 2 (2,23 g) und 1 (1,11 g) Skrupel [1. 16 ff.].

T. Quinctius Flamininus münzte 196 v. Chr. in Griechenland gemäß dem Prägerecht des Feldherrn seltene A. im att. Gewicht (8,73 g) aus [4. 544]. Weitere A. wurden im Bundesgenossenkrieg von Minius Iegius [2. 95, 643], um 84/83 v. Chr. von Sulla zu 1/30 röm. Pfund (10,75 g) [1. 24 ff.] und 71 v. Chr. von Pompeius zu 1/36 Pfund (8,95 g) geprägt [11. 112 ff.]. Nachdem Caesar mit gallischer Beute beladen nach Rom gezogen war und die Goldvorräte im → Aerarium beschlagnahmt hatte, setzte ab 48 v. Chr. eine breite Ausmünzung des A. zu 1/40 Pfund (8,56 g, später 8,02 g) ein, in einem für die weiteren Jh. gültigen Wert von 25 Denaren [1. 30 ff.]. Mit dem 2. Triumvirat wurde der A. im gesamten röm. Reich ausgemünzt und verdrängte somit die letzten einheimischen Goldprägungen (z. B. Ephesos), so daß er nicht nur die einzige Goldwährung, sondern auch das alleinige Nominal war, das im gesamten Imperium (einschließlich Ägypt.) kursierte [9. 49 f.]. Die Gewichtsreduktion des A. begann bereits unter Augustus (1/42 Pfund zu 7,72 g). Er wurde nur noch in Lugdunum (Lyon) und Rom geprägt [6. 3]. Die Münzreform Neros 64 n. Chr. setzte den A. auf 1/45 Pfund zu 7,4–7,25 g fest [6. 4]. Kurzzeitig wurde der A. unter Domitian auf das augusteische Niveau gehoben, fiel aber am Beginn des 2. Jh. n. Chr. auf den neronischen Standard zurück und veränderte sich bis in das 3. Jh. n. Chr. nicht mehr [9. 50]. Mit der Herrschaft des Commodus ließ die Goldprägung nach. Unter Septimius Severus setzte eine Dezentralisierung der Goldprägung ein. A. wurden nun auch in der neuen Münzstätte Laodicea in Syrien ausgemünzt. Die Münzreform des Caracalla führte zu einem Absinken des A. auf 1/50 Pfund zu 6,55 g [10. 404]. Im weiteren Verlauf des 3. Jh. n. Chr. fiel der A. auf 1/72 Pfund und wurde schwankend im Gewicht in einem unregelmäßigen Verhältnis zum Denar ausgeprägt [3. 249 ff.] Der urspr. konstante Feingehalt von 99 % wurde nun reduziert [9. 112 f.]. Die uneinheitliche Goldprägung wurde nach der Machtergreifung Diokletians auf 1/70 Pfund bei etwa 4,6 g (Wertzahl O) und nach der Reform von 294 n. Chr. auf 1/60 Pfund bei etwa 5,5 g gesetzt (Wertzahl

Ξ) [3. 292 ff.]. Erst Konstantin d. Gr. gelang es 309 n. Chr. mit der Einführung einer neuen Goldprägung, des Solidus zu 1/72 (4,4 g), die Goldwährung für die kommenden Jh. weitgehend zu stabilisieren [7. 466].

Seit Caesar wurden mit dem Quinarius ein halber A., in der Spätant. verstärkt mehrfache Stücke (Binio, Quaternio, Octonio) u. a. als Festprägungen ausgemünzt [8. 22 ff.]. Die Götterbildnisse auf den Vs. der republi-

	Au	Gq	De	Sq	S	Du	As	Se	Qu
Au	1	2	25	50	100	200	400	800	1600
Gq	2	1	12½	25	50	100	200	400	800
De	25	12½	1	2	4	8	16	32	64
Sq	50	25	2	1	2	4	8	16	32
S	100	50	4	2	1	2	4	8	16
Du	200	100	8	4	2	1	2	4	8
As	400	200	16	8	4	2	1	2	4
Se	800	400	32	16	8	4	2	1	2
Qu	1600	800	64	32	16	8	4	2	1

Au = Aureus; Gq = Goldquinar; De = Denar; Sq = Silberquinar; S = Sesterz; Du = Dupondius; Se = Semis; Qu = Quadrans

kanischen A. wurden unter den Machthabern des 2. Triumvirats durch das Porträt des Triumvirn und später des Kaisers ersetzt. Bereits im 1. Jh. v. Chr. wurden die Rs. der Goldprägungen in den Dienst der polit. Selbstdarstellung gestellt. Seit Augustus waren die A. ein fester Bestandteil der kaiserlichen Münzpropaganda.

→ Binio; Münzreform; Münzwesen; Octonio; Quadrigatus; Quaternio; Quinarius; Solidus

1 M. v. BAHRFELDT, Die röm. Goldmünzenprägung, 1, 1923 2 E. A. SYDENHAM, The Coinage of the Roman Republic, 1952 3 S. BOLIN, State and Currency in the Roman Empire to 300 A. D., 1958 4 RRC 5 H. W. RITTER, Zur röm. Münzprägung im 3. Jh. v. Chr., 1982 6 RIC ²1, 1984 7 M. F. HENDY, Studies in the Byzantine Monetary Economy c. 300–1450, 1985 8 J. M. C. TOYNBEE, W. E. METCALF, Roman Medallions, 1986 9 A. BURNETT, Coinage in the Roman World, 1987 10 F. DE MARTINO, Wirtschaftsgesch. des alten Rom, 1991 11 W. HOLLSTEIN, Die stadtröm. Münzprägung der J. 78–50 v. Chr. zwischen polit. Aktualität und Familienthematik, 1993.

SCHRÖTTER, s. v. a., 49 f. · L. C. WEST, Gold and Silver Coin Standards, 1941 · M. H. CRAWFORD, Coinage and Money under the Roman Republic, 1985.   A. M.

Auridai (Αὐρίδαι). Attischer Paralia(?)-Demos der Phyle Hippothontis, später evtl. der Antigonis; ein Buleut [1. 106]. Lage unbekannt, wohl im Thriasion Pedion.

1 J. S. TRAILL, Diakris, the inland trittys of Leontis, in: Hesperia 47, 1978, 89–109 2 Ders., Attica, 12, 27, 52, 70, 109 (Nr. 22), Tab. 8, 11.   H. LO.

Auriga s. Agitator

Aurora s. Eos

Aurum s. Gold

Aurum coronarium (στεφανικόν, στεφανωτικόν, στεφανικὸν χρυσίον), das »Kranzgold«, war eine aus der griech. Ehrbezeugungspraxis durch Bekränzung oder Kranzüberreichung hervorgegangene Abgabe, die in den hell. Monarchien und – über diese vermittelt – in Rom von den siegreichen republikanischen *imperatores* und später von den *principes* als anlaßgebundene, regelmäßig einforderbare Steuer erhoben wurde, ohne den Charakter einer freiwilligen Gabe je ganz zu verlieren. Dazu paßt vorzüglich das für die Prinzipatszeit gut bezeugte Ritual, das *a. c.* zu ermäßigen oder ganz zu erlassen, wobei die it. Städte im Vergleich zu denen der Prov. regelmäßig bessergestellt wurden; Rom erscheint hingegen nie als Überbringerin des *a. c.* Anlaß für das *a. c.* waren mil. Siege, in der Principatszeit und vor allem in der Spätant. der Herrschaftsantritt des *princeps* sowie die *quinquennalia* oder → *decennalia*. Leistungspflichtig waren vornehmlich die Stadtgemeinden, denen der *princeps* die Fälligkeit durch den Statthalter ansagen ließ (so Julian: Cod. Theod. 12,13,1; 362). Das *a. c.*, das in der Spätant. vornehmlich von den Kurialen aufgebracht werden mußte, war eines der wichtigsten Mittel der *principes*, sich das für Donative benötigte Gold zu beschaffen. Die kaiserlichen Erlasse zum *a.c.* sind im Cod. Theod. 12,13,1–6 zusammengestellt. Vom Senat wurde bei denselben Anlässen das *aurum oblaticium* entrichtet, dessen Höhe die Senatoren selbst bestimmten (Cod. Theod. 6,2,16; 6,2,20; Symm. epist. 2,57).
→ Donativum

1 P. A. BRUNT, Roman Imperial Themes, 1990, 56, 147f.
2 R. DELMAIRE, Largesses sacrées et res privata, 1989, 387ff.
3 A. DEMANDT, Die Spätant., 1989 4 JONES, LRE, 430, 464
5 J. KARAYANNOPOULOS, Das Finanzwesen des frühbyz. Staates, 1958, 144ff. 6 TH. KLAUSER, A. c., in: MDAI [R] 59, 1944, 129–153 7 Ders., s. v., RAC I, 1010–1020 8 W. KUBITSCHEK, RE 2, 2552f. 9 MILLAR, Emperor, ²1991, 140–142
10 L. NEESEN, Unt. zu den direkten Staatsabgaben der röm. Kaiserzeit, 1980, 142ff. 11 S. L. WALLACE, Taxation in Egypt from Augustus to Diocletian, 1938. E. P.

Aurunculeius. Plebeischer Gentilname (Weiterbildung von Aurunceius, ThlL 2,1532f. [1. 354]); die Familie ist seit dem 3. Jh. v. Chr. in Rom nachweisbar, in der Kaiserzeit aber bedeutungslos.
[1] **A., C.**, *praetor* 209 v. Chr. und *propraetor* 208 in Sardinia (MRR 1,285; 291).
[2] **A., L.**, *praetor urbanus* 190 v. Chr., 189 unter den Gesandten zur Ordnung der Verhältnisse in Kleinasien (MRR 1, 356; 363).

1 SCHULZE. K.-L. E.

[3] **A. Cotta, L.** Zusammen mit Q. Titurius Sabinus Befehlshaber (Legat) einer röm. Besatzungstruppe im Winter 54/3 v. Chr. (MRR 2, 225 mit allen Quellen) im Gebiet der Eburonen (zw. Maas und Rhein). Beim Versuch, sich vor den Angriffen des Eburonenkönigs → Ambiorix in Sicherheit zu bringen, wurde nahezu das ganze Heer (eine Legion, fünf Kohorten) aufgerieben, A. fiel. Es war Caesars bis dahin schwerste Niederlage; sie eröffnete die blutigste Phase des Gallischen Krieges (Caes. Gall. 5,24,4f.; 26–37). Er erklärt die Katastrophe mit Betrug und Wortbruch durch Ambiorix – ein Topos. Für die Fehler auf röm. Seite macht Caesar Sabinus verantwortlich, während er Cotta als besonnenen und tapferen Feldherrn schildert. Nach Athen. 6,273B berichtete A. als Augenzeuge über den Britannienfeldzug Caesars in einer sonst unbekannten Schrift. W. W.

Auruncus. Röm. Cognomen (Herkunftsbezeichnung) bei Postumius → Cominius A. (*cos.* 501 v. Chr.).
K.-L. E.

Ausbildung (medizinische). In der Ant. lernten die meisten Heilkundigen ihr Handwerk von ihren Vorfahren oder als Autodidakten, doch gingen einzelne auch bei einem Meister in die Lehre (z. B. Pap. Lond. 43, 2. Jh. v. Chr.) oder reisten zu medizinischen Hochburgen, um dort Unterricht zu nehmen. Überreste solcher A.-Zentren finden sich in Babylonien [1] und in Ägypten, wo das unter Dareios um 510 v. Chr. wieder aufgebaute »Haus des Lebens« in Sais als ein solches Schulungszentrum und Skriptorium gedient haben mag [2]. Wenn auch im griech. Bereich die Überlegenheit der auf Kos, Knidos und (vorübergehend) auf Rhodos ausgebildeten Heilkundigen in hippokratischer Tradition (→ Hippokrates) betont wurde, so sind doch auch andere, weit weniger berühmte medizinische A.-Stätten vor allem aus röm. Zeit bekannt, wie z. B. Sparta [3; 4]. Das Ansehen, das das hell. Alexandrien bis weit in die Spätant. und darüber hinaus genoß (Expositio totius mundi 37), führte dazu, daß es sich zum eigentlichen Studienzentrum für Medizin, nicht zuletzt für → Anatomie, entwickelte. Aus dem ganzen hell. Reich strömten die Studenten, unter ihnen auch → Galen, nach Alexandrien, wobei Amm. 22,16,18 das hohe Niveau der dortigen Ausbildung attestiert. In röm. Zeit finden sich Ärzte und Lehrer nicht nur in Rom, Ephesos, Pergamon, Smyrna, Tarsos und Massilia zusammen, sondern auch in Aventicum, im h. Turin und im 4. Jh. n. Chr. auch im h. Bordeaux. Zu Zeiten Galens präsentierten sich in Rom weilende Ärzte auf dem Forum Pacis und möglicherweise auch am Porticus Octaviae, wo ein breites Publikum ihre Vorlesungen und Vorführungen verfolgen konnte. Durch ihr Versprechen, selbst Sklaven sämtliche medizinische Kenntnisse in nur wenigen Monaten zu vermitteln, gewannen die Methodiker in Rom viele Anhänger, was Domitian oder Trajan in ihrem Entschluß bestärkt haben mag (SDAW 1935, 167–172), diejenigen Medizinlehrer zu bestrafen, die aus Profitsucht wertlose Sklaven unterrichteten. Die Anwesenheit von *discentes capsariorum* in einem medizinischen *collegium* in Lambaesis (ILS 2438) deutet darauf hin, daß es bei der Armee so etwas wie eine medizinische Grund-A. gab.

Über den Unterrichtsstoff wissen wir nur wenig. Überreste institutioneller Bibliotheken sind aus einigen ägypt. Tempeln [5] und aus Antinoopolis (ZPE 1984, 117–121) bekannt. Auch das *Corpus Hippocraticum* könnte seinen Ursprung einer solchen Sammlung verdanken. Einige wenige Handbücher für Anfänger sind auf Griech. und Lat. erh., entweder in Frage- und Antwort-Form oder als medizinische Doxographien [6]. Der Lehrplan für Fortgeschrittene schrieb weniger Anatomie vor als vielmehr Unterricht am Krankenbett (Mart. 5,9) und Kommentierung ausgewählter Texte. Bis 350 n.Chr. hatte man sich, z.T. dank Galens, auf die wichtigsten hippokratischen Schriften geeinigt. Im Alexandreia des 5.Jh. waren ausgewählte galenische Schriften fester Bestandteil eines Lehrplans, der ins Lat., und zwar in Ravenna, ins Syr. und im 9.Jh. auch ins Arab. übernommen wurde [7]. Dies brachte eine wichtige, wenn auch kaum belegte Wandlung im Selbstverständnis der »offiziellen Medizin« mit sich, die sich fortan nicht mehr als Lehrwissen, sondern als Buchwissen definierte.

1 I. FINKEL (im Druck) 2 A. GARDINER, The House of Life, in: JEA 1938, 157–179 3 W.D.SMITH, Galen on Coans and Cnidians, in: BHM 1973, 569–585 4 J.N. COLDSTREAM, Cythera, 1972, 314 5 I. ANDORLINI, Trattato di medicina su papiro, 1995, 8–11 6 J.KOLLESCH, Unt. zu den ps.-galenischen Definitiones medicae, 1973 7 E. LIEBER, Galen in Hebrew, in: V. NUTTON, Galen, problems and prospects, 1981, 167–186.

8 C.D.O'MALLEY, The history of medical education, 1970, 3–37 9 V.NUTTON, Museums and Medical Schools, in: History of Education 1976, 3–11 10 J.M. DUFFY, Byzantine medicine in the sixth and seventh centuries, in: DOP 1984, 21–28.   V.N./L.v.R.-B.

Ausci. Iberisches Volk in Aquitania, später Prov. Novempopulana; 56 v.Chr. durch Caesar unterworfen (Caes. Gall. 3,27), ausgestattet mit dem *ius Latii* (Strab. 4,2,2). Später hieß der Hauptort, der in der mittleren Kaiserzeit Augusta Auscorum hieß und Nachfolger eines nicht näher lokalisierten Ortes der einheimischen Bevölkerung am Gers war, mit iberischem Namen Eliumberris (-rrum, -rre) (Mela 3,20; Plin. nat. 4,108). Inschr. Belege: CIL XIII 432–501, 11020–89; Inscriptions latines des trois Gaules, 1963, 134–138.

J. LAPART, in: D. SCHAAD, M. VIDAL (Hrsg.), Villes et agglomerations urbaines antiques du Sud-Ouest de la Gaule, 1992, 30–36 · Dies., Origines et développement urbain des cités de Saint-Bertrand-de-Commignes, d'Auch et d'Eauze, in: Dies. (Hrsg.) a. O., 211–221 · J. LAPART, C. PETIT, Carte archéologique, Gers, Paris, 1993, 52–106.   E.FR.

Auser. Fluß im Appenninus (Plin. nat. 3,50) im Gebiet der Apuani, entspringt bei Luca, mündete bei Pisa in den Arnus; h. mit eigener Mündung ins Mare Tyrrhenum, der h. Serchio.

F. CASTAGNOLI, SE 20, 1948–49, 285–90 · G. CIAMPOLTRINI, SE 58, 1992, 53–74; SE 59, 1993, 59–86.   G.U.

Ausgabe. Als A. (ἔκδοσις, *ékdosis*) wird der Akt bezeichnet, mit dem ein Autor in der Ant. sein Werk für das Publikum freigab. Die gängige Interpretation (VAN GRONINGEN) beschränkte die Bed. von ἔκδοσις auf eine rein private Weitergabe durch den Autor selbst, der sein Werk jedem zur Verfügung stellt, der davon Kenntnis nehmen möchte. Diese Ansicht ist aus guten Gründen aufgegeben worden [1. 60f.]. Einige Belege bei Porphyrios, Galen und Quintilian legen nahe, das Verb ἐκδοῦναι eher in Sinne von »veröffentlichen« zu interpretieren. Das davon abgeleitete Substantiv bezeichnet also eine öffentliche Handlung, mit der ein Autor ein von ihm verfaßtes lit. Werk für den Vertrieb freigab.

Wenn ein lit. Werk die einzelnen Phasen (→ Abschrift) bis zur fertigen Abfassung durchlaufen hatte und in Reinschrift vorlag, konnte der Autor sein Werk der Öffentlichkeit zur Verfügung zu stellen. Dies geschah entweder über Lesungen (ein schon für die griech. Welt bezeugtes Phänomen, das dann in röm. Zeit mit den sog. *recitationes* weite Verbreitung fand) oder dadurch, daß das Werk einem Verleger anvertraut wurde, der den Vertrieb übernahm (als berühmtester sei hier Atticus, ein Freund Ciceros, genannt, aber auch andere Namen von Verlegern aus dem kaiserlichen Rom sind bekannt: Secundus, Trypho und die Brüder Sosii; → Buch). Schließlich bot sich auch die Übergabe an einen reichen Mäzen an. Ein regelrechtes Urheberrecht fehlte in der Antike. Daher war der unrechtmäßige Vertrieb von Werken berühmter Autoren ein nicht zu unterschätzendes Problem: es war möglich, daß jemand Werke berühmter Autoren unter seinem eigenen Namen herausgab oder Werke eines unbekannten oder anonymen Autors unter dem Namen eines berühmteren Urhebers vertrieb. Zeugnisse von Werken, die ohne die Erlaubnis ihres Autors veröffentlicht wurden, sind in der ant. heidnischen und christl. Lit. zahlreich ([1. 110[187]]; vgl. Cic. Att. 13,12,2; Quint. inst. prooem. 7 und 3,6,68; Tert. adversus Marcionem 1, 1; Aug. retract. 2; 13; 15,1).

Ekdosis kann auch die kritische Bearbeitung (Herausgabe) im heutigen Sinne bedeuten. Nach dem Tode des Autors konnte die A. seines Werks von einem → Grammatiker in verschiedener Weise besorgt werden, wobei man jedoch stets darauf bedacht war, das zu respektieren, was man als den letzten Willen des Autors voraussetzte. In den Quellen wird zwischen A. und διόρθωσις (*diórthōsis*), »durchgesehener«, bzw. »verbesserter« A., d. h. zwischen dem Ergebnis einer Durchsicht der Hss. und einer Verbesserung des überlieferten Textes, unterschieden; dieses Verfahren wurde vor allem durch die bedeutender Philologen, die an der Alexandrinischen

→ Bibliothek und am Hofe von → Pergamon arbeiteten, angewandt und verbreitet. Bearbeitet wurden klass. Autoren, bes. Aufmerksamkeit wurde Homer und den Tragikern geschenkt. Die Nachricht über eine bereits von Aristoteles besorgte A. der ›Ilias‹ hat sich zwar inzwischen als unzuverlässig erwiesen, mit Sicherheit haben sich jedoch Antimachos aus Kolophon, → Aristarchos von Samothrake und → Zenodotos um die beiden homer. Epen bemüht (ihre A. wurden als ἐκδόσεις κατ' ἄνδρα, »von einer einzelnen Person besorgte A.«, bezeichnet, um sie von den ἐκδόσεις κατὰ πόλεις, »Städte-A.« zu unterscheiden). Doch auch A. der Werke der Philosophen waren in der Ant. verbreitet: die A. der platonischen Dialoge durch Trasyllos (1.Jh. n. Chr.), mit ihrer Einteilung in Tetralogien und die von Andronikos von Rhodos (1. Jh. v. Chr.) besorgte A. der Schulschriften des Aristoteles.

Im 1.Jh. v. Chr. waren die von Atticus, dem gelehrten Freund Ciceros und Herausgeber seiner Schriften, veröffentlichten A. sehr gefragt. Später verbreitete sich das Verlagswesen dann durch Gelehrte und Philologen auch in Byzanz. Es wurden A. oder Rezensionen von Prosatexten (wie z.B. die von Maximos Panudes herausgegebenen Schriften Plutarchs), von Epigrammatikern (die von Konstantinos Kephalas zusammengestellte ›Anthologia Palatina‹ oder die von Planudes besorgte ›Anthologia Planudea‹) und der att. Tragödie besorgt (die Rezension des Demetrios Triklinios). Viele Hss. der griech. und röm. Renaissance (13.–15.Jh.) sind im Grunde genommen A. im eigentlichen Sinne.
→ Abschrift

1 J.MANSFELD, Prolegomena, 1994 2 B. A.v. GRONINGEN, ἔκδοσις, in: Mnemosyne S. IV 16, 1963, 1–17 3 R.PFEIFFER, History of classical scholarship from the beginnings to the end of the hellenistic age, 1968 (dt: PFEIFFER, KP I) 4 N. G. WILSON, Scholars of Byzantium, 1983. T.D./S.SO.

Auson (Αὔσων). Sohn des Odysseus (oder des Atlas) und der Kirke (oder der Kalypso). Erster König der → Ausones (Serv. Aen. 3,171; 8,328 u. a.). F.G.

Ausones (Aurunci). Die Griechen nannten Süditalien *Hesperia*, später *Ausonia* (Dion. Hal. ant. 1,35,3). Stammvater war Auson, Sohn des Odysseus und der Kirke oder der Kalypso (Serv. Aen. 8,328 bzw. 3,171). Von Αὐσονικοί leitete sich die lat. Form *Aurunci* ab (Serv. Aen. 7,727; Rhotažismus), erhalten in *Sessa Aurunca* (Liv. 9,25,4). Man wollte in den Aurunci eine prähistor. einheimische Bevölkerung sehen: im Norden von Campania (Strab. 5,4,3), in Nola (Hekat. FGrH 1 F 61), in Sorrent (Diod. 5,7) [1], im Westen von Calabria (Hellanikos FGrH 4 F 79; Cato fr. 71 HRR), in Apulia (Lykophr. Alexandra 593f.; 615ff.; 1047) und auf Lipara, auf den Aiol. Inseln (Timaios FGrH 566 F 164) [2]. Heute vermutet man allg., daß Kolonisten aus Euboia mit A. die gesamte ital. Bevölkerung bezeichneten, der sie hier begegneten. Von ihr mögen einzelne Elemente

in die griech. Tradition eingeflossen sein [3], in myk. Zeit jedoch noch wenig [4].

In histor. Zeit siedelten die Aurunci (von Antiochos mit den Opici identifiziert: Strab. 5,4,3) im Grenzgebiet zw. Latium und Campania, bes. um das Roccamonfina-Massiv zw. Liris und Volturnus (Liv. 8,15,8f.; 16; 9,25). Anf. 5.Jh. kämpften die Aurunci mit Rom um den Ager Pomptinus (Liv. 2,16ff.) und wurden 314 v. Chr. vernichtend geschlagen (Liv. 7,28ff.; 8,15; 9,25,9).

Arch. wurden die verschiedenen Orte der Fossakultur mit Sinuessa und Trebula, die Nekropolen von Suessa Aurunca, Cales, Vairano, Rufrium, Pozzilli von Venafrum und Alife sowie die geweihten Stätten von Mondragone, Minturnum, Cassino, an der Mündung des Garigliano, Panetelle (an der Mündung des Savone) und Presenzano mit den Aurunci in Verbindung gebracht [5]. Eng erscheinen auch die Beziehungen zu Latium und Etruria (bucchero rosso-Keramik) [6].

1 A. LIVADIE, L'età dei metalli nella pensisola sorrentina, in: Napoli antica, 1985, 50f. 2 L.BERNABÒ BREA, Gli Eoli e l'inizio dell' età del bronzo nelle isole Eolie e nell' Italia meridionale, in: AION 2, 1985, 205f. 3 L. CERCHIAI, I Campani, 1995, 21–25 4 B. D'AGOSTINO, Il mondo periferico della Magna Grecia, in: Popoli e Civiltà dell'Italia antica, 2, 1974, 179–271 5 S. DE CARO, Arte e artigianato artistico nella Campania antica, in: G. PUGLIESE CARRATELLI (Hrsg.), Storia e civiltà della Campania, 1991, 6 W.JOHANNOWSKY, Materiali di età archaica dalla Campania, 1983, 291–293. U.PA.

Ausonische Kultur. Als A. K. wird die spät- und endbronzezeitliche Kultur der Liparischen Inseln und Nordostsiziliens bezeichnet. Der Name bezieht sich auf Auson, den Vater des mythischen Gründers Liparos (Diod. 5,7,5–6; Dion. Hal. ant. 1,22,3). Die Herkunft der → Ausones vom it. Festland ist durch die Verwandtschaft ihres Fundgutes mit dem der subapenninischen Kultur allg. anerkannt. Die Phase »Ausonio A« (Anf. 13.–11.Jh. v. Chr.) setzte als offensichtlich kriegerische Inbesitznahme der Liparischen Inseln ein. Die zerstörten Siedlungsplätze der bisherigen Einwohner (*facies del Milazzese*) wurden aufgelassen. Lediglich auf der Akropolis von Lipari ist eine Siedlungskontinuität, wohl unter ausonischer Herrschaft, anzunehmen. Ausonische Keramik wird in geringerer Zahl an der Nordostküste Siziliens angetroffen. Die Kontakte intensivierten sich in der Phase »Ausonio B« (10.Jh. v. Chr.), die den Übergang zur sog. Protovillanovakultur (→ Villanova-Kultur) gleichzeitig mit den Siedlungen der kalbrischen Westküste vollzog, welche wahrscheinlich mit den Ausones gleichzusetzen sind. Noch ist unklar, wann die Eigenständigkeit dieser Kultur endete, die auf Sizilien zunehmend Einflüsse der sog. Pantalicakultur aufnahm. Wichtige Fundorte dieser Phase sind Lipari (wohl Mitte des 9.Jh. v. Chr. zerstört), Milazzo und Lentini.
→ Aeoli Insulae; Ausones; Lipara; Sicilia

L. Bernaò Brea, Gli Eoli e l'inizio dell'età del bronzo nelle isole Eolie e nell'Italia meridionale, 1985 · R. Peroni, Enotri, Ausoni, Itali e altre popolazioni dell'estremo Sud d'Italia, in: G. Pugliese Carratelli (Hrsg.), Italia omnium terrarum parens, 1989, 111–189.   C. Ko.

Ausonius, Decimus Magnus

A. Leben.   B. Werk.   C. Wirkung.

A. Leben.

A.' Lebenszeit fällt in das 4. Jh. n. Chr. (ca. 310–394). In seiner Heimatstadt Burdigala (Bordeaux) war er lange Jahre als *grammaticus* und *rhetor* tätig, bis er in fortgeschrittenem Alter (vermutlich 367) von Valentinian I. als Erzieher des jungen Gratian an den Hof nach Trier berufen wurde – ein Musterfall für soziale Mobilität. Damit, bes. mit dem Regierungsantritt → Gratianus' (375), begann eine polit. Karriere, die bis zum eponymen Konsulat (379) führte. Es gelang ihm, weiteren Familienangehörigen einflußreiche Ämter zu verschaffen. Die Machtkonzentration in der Hand des Ausonius-Clans (Stemma: [1. CXV-CXVIII]; PLRE 1,1134 f.) beschränkt sich jedoch nur auf wenige J.; der zunehmende Einfluß des Mailänder Bischofs → Ambrosius auf Gratian dürfte dafür maßgebend gewesen sein. Nach dem Tode Gratians (383) zog A. sich auf seine Landgüter bei Bordeaux zurück.

B. Werk.

Im lit. Werk werden polit.-soziale Probleme der Zeit wie die drohende Barbarengefahr, die Katastrophe von Adrianopel (378) oder der Usurpator Maximus (383) ausgespart oder privat-persönlich überformt. Die Teilnahme am Alemannenfeldzug Valentinians und Gratians (368) zeigt im topisch geprägten Lobpreis eines blauäugigen Beutemädchens, das dem alternden Dichter zugefallen ist (*Bissula*), und das hexametrische Epyllion *Griphus ternarii numeri*, eine gelehrte und raffinierte Spielerei um die Zahlen 3 und 9 (für den *Cento nuptialis* ist der zeitliche Ansatz nicht zu sichern). Die Herrschaft des Maximus spiegelt sich in einem Brief an den Sohn Hesperius (epist. 20 P. = VII Gr.), der aber nur die eigene Befindlichkeit zur Sprache bringt; ähnlich wird im *Ordo urbium nobilium* 64–72 Aquileia, wo Maximus 388 hingerichtet wurde, zum Anlaß, um den ›britannischen Räuber‹ zu schmähen.

Die Hinwendung zum Privaten und Persönlichen dokumentiert sich bes. in dem moralisierenden *Epicedion in patrem*, den *Parentalia* (auf verstorbene Verwandte), der Beschreibung des vom Vater ererbten Landguts (*De herediolo*), dem *Protrepticus* (mit einer Schilderung des eigenen Lebenslaufs und mühevollen Lehrerdaseins) und dem *Genethliacos* für den Enkel sowie der Beschreibung des Tagesablaufs *(Ephemeris)*. Doch auch die Gedichte auf einstige Kollegen, Grammatik- und Rhetorikprofessoren, sind hierhin zu stellen, der Brief an den Vater anläßlich der Geburt des ersten Sohnes (epist. 19 P. = III Gr.) sowie Epigramme auf die mit 27 J. verstorbene (Par. 9) Gattin Attusia Lucana Sabina (epigr.

39. 40. 53–55 P. = 19. 20. 27–29 Gr.). Signifikant ist die wohl einer Werkausgabe beigegebene ›Vorrede an den Leser‹ (I,1). Der Dichter will in Fortsetzung und Radikalisierung eines von → Ovid begründeten Ansatzes als Person in der *memoria* fortleben, wie sein vielschichtiges und kleinteiliges Werk überhaupt der *memoria* dient.

A. repräsentiert eine Kultur der Bewahrung und des Erbes. Allenthalben greift er auf die griech. und lat. Lit. zurück, über die er souverän verfügt, und gestaltet anspielungs- und voraussetzungsreiche pretiöse Gebilde von formalem Raffinement. Das zeigt sich bes. in der »Kunstdichtung« im engeren Sinn: dem → *Technopaegnion*, einem hexametrischen Virtuosenstück, dessen Verse jeweils mit einem Monosyllabon enden, wobei dieses in einer Partie außerdem mit dem ersten Wort des folgenden Verses identisch ist, dem Vergilcento (*Cento nuptialis*, mit einer bedeutsamen → Cento-Theorie) und dem *Griphus*, der komischen Selbstvorstellung der Sieben Weisen in iambischen Senaren (*Ludus septem sapientum*), der poetischen Beschreibung eines Wandgemäldes in einem Trierer Triclinium (*Cupido cruciatur* oder *Cupido cruciatus*).

Einen Thesaurus überlieferten Wissens stellt auch die sog. → Katalogdichtung dar: In den *Caesares* (bis Elagabal; weitere wohl verloren) ist das Sammel- und Ordnungsinteresse leitend, das in den Dienst poetisch-epigrammatischer Fertigkeit gestellt wird (Tetrast. 3 f. P. = 44 f. Gr.). Entsprechendes gilt für den *Ordo urbium nobilium*, für die *Epitaphia* von Teilnehmern am trojanischen Krieg, die die *Commemoratio professorum Burdigalensium* ergänzen (wie diese ihrerseits die *Parentalia*), sowie für die *Fasti* (*Consularis liber*), von denen nur vier poetische Fragmente erhalten sind und die durch die *Caesares* fortgeführt werden. Schulwissen dominiert auch in den beiden Sammlungen der *Eclogae*, die philos., mythologisches, histor., fachwiss. Gut in versifizierter Form bieten, häufig in nachweisbarer Anlehnung an poetische Vorlagen.

So wenig wie mit den polit. Gegebenheiten und den wiss.-philos. Gehalten findet eine Auseinandersetzung in Fragen des Glaubens statt. A. ist »Namenchrist«. Die christl. *Precatio matutina* und die *Versus paschales* können problemlos neben pagane *Precationes* zum Beginn des Konsulatsjahrs treten, der ›dreieinige Gott‹ neben mythische ›Dreiheiten‹ wie Sphinx, Geryones, Chimaera, Scylla oder die Sibyllen (Griph.). In einer seiner Villen steht eine Statue des Bacchus Pantheus (epigr. 48 f. P. = 32 f. Gr.); als »Mysten« gelten Christen, doch der Begriff findet ebenfalls im Apollokult Verwendung (V. p. 2 und Prof. 4,12). Darin zeigt sich eine Verschmelzung von Heidnischem und Christl., die der Behauptung kultureller Identität dient. Selbst der berühmte Briefwechsel mit dem früheren Schüler → Paulinus v. Nola ist nicht als Konfrontation von antiker und christl. Position, sondern als Bedauern und Klage über die Preisgabe einer die Tradition integrierenden Existenzform zu verstehen.

Den besten Einblick in diese private Welt der Gelehrsamkeit und der Lit., eines kulturell gefaßten Romgedankens und der Inaktualität gibt die Sammlung der überwiegend in Versen abgefaßten, teils griech.-lat. *Epistulae*, in denen das autonome, selbstbezogene und zeitlose Spiel künstlerischer Formen besonders greifbar wird. Sogar die Dankrede an Gratian für die Übertragung des Konsulats, das einzige durchgängige Prosawerk des A., beschränkt sich auf weitgehend an der Lit. orientierte allgemeine Tugendkataloge für den Gelobten wie für den Lobredner. So wird man auch für das bekannteste und meistgeschätzte Werk des A., die *Mosella*, schwerlich eine aktuelle polit.-ideologische Motivation oder Absicht annehmen dürfen. – Zweifelhaftes und Unechtes bietet [2. 667–695].

C. WIRKUNG.

Symmachus und Paulinus v. Nola vergleichen A. mit Cicero und Vergil, die nachfolgenden Generationen schätzen und benutzen ihn, bes. in Gallien und Spanien, was die Überlieferung bestätigt. Die *Mosella* hinterläßt Spuren in der Karolingerzeit, z. B. bei Walahfrid Strabo und Ermenrich von Ellwangen. Ihre Verwendung in den *Gesta Treverorum* (12. Jh.) wird wohl lokalem Interesse zu verdanken sein. Im MA spielt A. kaum eine Rolle, doch zirkulieren einzelne Stücke, weitgehend anonym oder unter anderem Namen (z. B. Vergil oder Sueton). Das Interesse der Humanisten erwacht zu Beginn des 14. Jh., vielleicht sogar schon früher; die von R. WEISS publizierte Werkliste Giovanni Mansionarios [2. 720] legt ein beredtes Zeugnis ab. A. tritt vor allem als Epigrammatiker in Erscheinung, freilich steht er im Schatten der griech. Anthologie (als deren Übersetzer er gilt) und → Martials. Die moderne wiss. Beschäftigung mit dem »ersten frz. Dichter« nimmt von Frankreich ihren Ausgang; sie konzentriert sich verständlicherweise besonders auf die *Mosella*.

Die Text- und Überlieferungsgesch. ist verwickelt und weist ungelöste Probleme auf (Autorvarianten?). Drei auf die Spätant. zurückgehende Überlieferungsstränge sind auszumachen: ein spanische mit dem als wichtigstem Textzeugen geltenden cod. Leid. Voss. Lat. F III (V), ein auf einen Codex Bobiensis zurückgehender Überlieferungsstrang sowie eine Sammlung (Z), die stark bearb. und interpoliert zu sein scheint.

ED.: **1** R. PEIPER, 1886 (Ndr. 1976) **2** R. P. H. GREEN, 1991 (dazu Prometheus 20, 1994, 150–170).
LEX.: **3** L. J. BOLCHAZY, J. A. M. SWEENEY, Concordantia in A., 1982.
LIT.: **4** CH.-M. TERNES, A., in: BAL 14, 1983, 1–126 (mit Études Ausoniennes 2, 1986, 5–13) **5** R. ÉTIENNE, S. PRETE, L. DESGRAVES, A., humaniste aquitain, in: Revue française d'histoire du livre NS 15, 1985, 1–251 (Ndr. 1986) **6** W.-L. LIEBERMANN, P. L. SCHMIDT, HLL § 554 **7** M. J. LOSSAU (Hrsg.), A., 1991 (jeweils mit Lit.).   W.-L. L.

Auspicius von Toul, fünfter Bischof der Stadt, Korrespondent des → Sidonius (epist. 7,10, vor 475). In der Epistel an → Arbogast, Comes in Trier, preist A. ihn

wegen seiner Abkunft und edlen Gesinnung und warnt ihn vor der alles beherrschenden Habgier. Das poetisch schlichte Gedicht (164 iambische Dimeter) ist ein frühes Beispiel rhythmischer Hymnenstrophik, in der der Wortakzent herrscht.

ED.: MGH PL 4,2, 1914, 614.
LIT.: SCHANZ/HOSIUS, 4,2,380–382 · HLL § 784.2.
                                                        J. GR.

Aussatz s. Lepra

Aussetzungsmythen und -sagen. Weltweit bei vielen Völkern anzutreffen; sie unterscheiden sich strukturell wenig von den vor allem bei europ. und asiatischen Völkern sehr verbreiteten Ursprungs- oder Tierabstammungsmythen, in denen der Ahnherr, der erste König oder der Heros eines Stammes, entweder selbst von einem Tier (oft von einem Wolf) abstammt oder zumindest von einem Tier (am häufigsten belegt sind wieder Wölfin oder Hündin) gesäugt wird. Auch werden A. vorwiegend von mythischen Königen, Sehern, Reichs- oder Stadtgründern erzählt; sie liegen oft nur in lokalen Traditionen vor, werden dort mitunter im Kult des jeweiligen Gottes oder Heros nachvollzogen.

In allen A. finden sich – mit Variationen – folgende Elemente: Die Aussetzung eines Neugeborenen, eines Götter- oder Königskindes, erfolgt entweder durch die Mutter (z. B. bei → Zeus, bei → Iamos oder → Parthenopaios), oft aus Scham oder Angst vor dem eigenen Vater (u. a. bei Asklepios in der Version von Epidauros, Paus. 2,26,3–7, → Linos, → Hippothoon oder → Miletos), oder durch den von üblen Orakeln oder Träumen gewarnten Kindesvater (→ Oidipus, → Paris) bzw. Großvater (→ Kyros; Dionysos im Mythos von Brasiai, Paus. 3,24,3 ff.). Die Aussetzung ist häufig an mythische Urzentren wie Berge und Höhlen (Zeus), Bäume (→ Romulus und Remus), Quellen (→ Atalante, → Caeculus) oder Gewässer (→ Sargon, → Moses) gebunden; oft hat der Ort der Aussetzung kult. Bed. als Heiligtum eines Gottes. Häufig belegt ist auch die Aussetzung auf dem Meer in einer Kiste (z. B. für → Perseus oder für → Telephos, Hekat. 1,29). Das ausgesetzte Kind wird gewöhnlich von (wilden) Tieren genährt, von Wölfinnen (Miletos, Romulus und Remus) oder Hündinnen (→ Neleus; Kyros nach Ail. var. 12,42), von Ziegen (Zeus; → Aigisthos), Hindinnen (Telephos), Stuten (Hippothoon), Bärinnen (Atalante, Paris), oder es wird von Vögeln betreut (→ Kyknos, Aichmagoras). In anderen Varianten schützt der göttl. Vater sein ausgesetztes Kind (wie Apollon den Asklepios, den → Ion, den → Anios oder Herakles den Aichmagoras). Das Kind, das sich in einem Spannungsfeld zw. Unglück und Glück, zw. schutzlosem Ausgeliefertsein und verheißungsvoller Zukunft befindet, wird meist von Hirten aufgefunden und wächst in einfachen Verhältnissen auf. Kostbare Beigaben deuten gelegentlich auf die edle Abkunft hin und tragen dazu bei, die wirklichen Eltern wiederzufinden (Daphnis und Chloe, Longos 1,1–6;

4,30–36; Hippothoon). Der Name des Findlings gibt Zeugnis vom Auffindungsort, so wurde Miletos unter einem Taxusbaum ([σ]μῖλαξ) ausgesetzt, Iamos auf Veilchen gebettet (schol. Apoll. Rhod. 1,85), oder erinnert an die tierische Nährmutter (Aigisthos wurde von einer Ziege genährt, Kyknos von Schwänen gerettet) oder an das Schicksal des Ausgesetzten (Oidipus). Oft wächst das ausgesetzte Kind schneller als seine Altersgenossen (Zeus) und ist diesen an Stärke, Klugheit, Schönheit überlegen (Paris, Oidipus, Daphnis und Chloe). Einmal erwachsen, erringt es ein eigenes Königreich oder gründet eine Stadt (Miletos, Kydon, Romulus) oder einen Kult und bestraft die, welche ihm oder seiner Mutter Unrecht getan haben.

Häufig wird die Aussetzung von Zwillingspaaren beschrieben (Romulus und Remus, → Aiolos und Boiotos, → Amphion und Zethos, → Lykastos und Parrhasios, → Pelias und Neleus u. a.), was vielleicht seine Ursache in der uralten Institution des Doppelkönigtums hat [1. 73–74]. Grundsätzlich galten in der Ant. Zwillingsgeburten als numinos; man vermutete doppelte Befruchtung durch einen menschlichen und einen göttl. Vater (Plin. nat. 7,48 f.). Deshalb wurden Zwillinge auch als Wesen göttl. Art mit oft übernatürlichen Kräften betrachtet.

Urfassungen der einzelnen Mythen und Sagen sind selten greifbar. In jüngeren Varianten, vor allem bei Historikern, zeigen sich Rationalisierungsbestrebungen; so wird die Wölfin zu einer *lupa*, einer Dirne, umgedeutet (Plut. Romulus 4; Liv. 1,4,7) oder die Hündin zu einer menschlichen Frau namens Kyno (Kyros, Hdt. 1,110 f.). Vielfach leben A. in Legenden und Märchen fort. A. wurden auch auf histor. Personen übertragen, bei denen Aussetzung, Rettung und Aufstieg (aus niederem Stand) zu hoher Macht als bes. Zeichen göttl. Gunst gedeutet und zur Legitimierung von Herrschaftsansprüchen herangezogen wurden (→ Agathokles, → Kypselos von Korinth, → Ptolemaios I. Soter, → Constantinus d. Gr., die → Sassanidenherrscher, die Mutter Karls d. Gr., Theoderich, Dietrich von Bern, Wolfdietrich u. a.). Im kult. Bereich bestand eine enge Verbindung zw. dem Brauchtum der einzelnen Völker und ihren mythischen Ursprüngen (→ Lupercalia). Initiationsriten, (rituelle) Kämpfe und Umzüge von Gemeinschaften (»Bünden«) junger Männer spiegeln offensichtlich deren Rolle in A. [vgl. 1. 29–44]. Große Bed. hatte dabei, wie es scheint, das kult. Tragen von Masken. Das Muttertier oder die tierische Nährmutter wurde häufig auf Feldzeichen und Wappen des Stammes oder Volkes abgebildet, deren Ursprungsheros das ausgesetzte Kind war [1. 45–49].

1 G. BINDER, Die Aussetzung des Königskindes. Kyros und Romulus, 1964.

W. BURKERT, Ant. Mysterien, ²1991 • M. HUYS, The Tale of the Hero who was exposed at Birth in Euripidean Tragedy, 1995 • M. KLISCHES, Der Stern als Geburtssymbol, Einzelne Vorformen und ähnliche Zeichen, 1992 •

W. SPEYER, Der numinose Mensch als Wundertäter, in: Kairos NF 26,3–4, 1984, 129–153 • W. SPEYER, Die Verehrung der Heroen, des göttl. Menschen und des christl. Heiligen, Analogien und Kontinuitäten, in: P. DINZELBACHER, D. R. BAUER (Hrsg.), Heiligenverehrung in Gesch. und Gegenwart, 1990 • H. USENER, Die Sintflutsagen, 1899 • A. WIRTH, Danae in christl. Legenden, 1892.   R. OS.

Aussprache. Die originale Aussprache eines in in »toter« Sprache verf. Dokuments kann folgendermaßen eruiert werden: Beschreibungen der Lippen- und Zungenstellung, Mundöffnung, Aktivität der Stimmlippen etc. für die einzelnen Laute der ant. Sprachen Europas fehlen weitgehend (s. z. B. die späten Angaben bei Ter. Maur.), doch lassen schon die bei Platon (Krat. 393e, 424c: φωνήεντα, ἄφωνα, ἄφθογγα) bezeugten t.t. auf phonetische Beobachtung schließen. Plinius maior (nach Prisc. 2,29,8 ff.) unterschied drei Phonemvarianten (→ Lautlehre) von lat. /l/: eine *exilis* (wohl mouilliert) in der Geminata (z. B. *ille*), eine *plena* (nach anderen *pinguis*, wohl velar) im Silbenauslaut (*sōl*, *sil-va*, wie im Engl.) und nach Kons. (*clārus*) sowie eine *media* in den übrigen Stellungen (z. B. *lectus*, *paulum*). Von solchen seltenen Fällen abgesehen, sind wir auf Argumente der modernen Sprachwiss. angewiesen. Die → Alphabet-Schrift setzt uns allerdings Grenzen, weil sie fast nur Phoneme unterscheidet, d. h. Laute als relativ zu den anderen definierte Größen (z. B. /r/ im Gegensatz zu /l/ in *vērum* : *vēlum*), nicht aber stellungsbedingte Phonemvarianten (z. B. die drei lat. [l], oder [ŋ] für /n/ in *incertus* im Gegensatz zu [n] in *integer*), es sei denn, diese sind gleichzeitig auch als Phoneme in Gebrauch (z. B. [m] Variante für /n/ in *impius*, aber /m/ Phonem in *mox* : *nox*). Angaben wie Varro ling. 5,97 *hircus, quod Sabini fircus; quod illic fedus, in Latio rure hedus, qui in urbe ut in multis* »A« *addito haedus*, zeigen uns deshalb nicht, ob sabinisch [f] in *fircus* gleich wie lat. [f] in *ferō* und ländlich-lat. [ē] in *hēdus* gleich wie lat. [ē] in *vērum* klang.

Zuerst ist für das Dokument, dessen A. wir bestimmen wollen, abzuklären: (1) Aus welcher Zeit es stammt; die A. auch intakt bleibender Wörter kann sich bekanntlich ändern (vgl. idg. *[bʰérō] »ich trage« > altgriech. [pʰérō] > neugriech. [féro]). (2) Ob seine Orthographie schwankt; dies deutet meist auf archaisierende Schreibweise, eine Tendenz, mit der außer am Anf. der Schrifttradition einer Sprache immer zu rechnen ist; z. B. verrät im sog. → *senatus consultum de Bacchanalibus* (CIL I² 581, 186 v. Chr.) die moderne Schreibweise ⟨ae⟩ in *aedem* die Schreibweise [ai] in *haice, aiquom, tabel(l)ai* und zugleich das ganze Dokument als archaisierend. (3) Ob seine Sprache dialektal oder soziolektal von den in der Schrift sonst dominierenden (und uns meist besser bekannten) Sprachformen abweicht; möglicher normierender Einfluß stellt uns dann vor bes. große Probleme (z. B. Umgangssprache auf att. Vasen oder pompeianischen Wänden).

Sodann ziehen wir unsere generellen Kenntnisse über die A. der betr. Sprache hinzu. Diese kommen zustande (1) durch Beobachtung der → Metrik: z. B. hom. τέκνον, πατρός mit langer, klass. att. aber mit kurzer erster Silbe (z. B. Hom. Il. 1,362; 396; Aristoph. Lys. 7,889); trotz Kurzvok. lange erste Silbe in lat. *maius*, *peius* (z. B. Verg. Aen. 7,386; Ov. Pont. 1,3,37), also [majjus pejjus]; Doppelkürze von lat. *cito, bene, tibi, homo, cave, amo*, ja sogar *novos* – so schon Plaut. Truc. 244 – durch sog. »Iambenkürzung«. (2) Durch Sonderschreibungen: z. B. Vokallänge in *paastores, Maarco*, Μααρκιος, *veixsit, vIximus* (sog. »I longa«), *cúnctárum* (sog. »Apex«) etc. (3) Durch Nebenüberlieferung bzw. Lehnwörter: z. B. griech. Κικέρων, Καῖσαρ als Reflex der maßgeblichen lat. A. von /k/ bzw. /ai/ z. Z. der beiden Politiker (auch wenn man damals *in Latio rure* zweifellos /kēsar/ sagte, s. o. Varro), desgleichen dt. *Kiste, Keller, Kaiser*; noch im 1. Jh. v. Chr. Transkription *Prune* für eine Griechin Φρύνη (CIL I² 2273), d. h. die A. von griech. φ war noch nicht gleich lat. [f]. (4) Durch sprachinterne Schlüsse: z. B. Kürze des [e] in *Falerii* (Liv. 5,27,4), weil *-er-* auf älteres *-is-*, noch erhalten in *Falis-cī* (Liv. 5,27,1), zurückgehen muß; Länge des [a] in *āctus*, aber Kürze desjenigen in *aptus* angesichts von *adactus* ohne, aber *adeptus* mit Mittelsilbenvokalschwächung; Kürze des [i] in lat. *strictus* wegen it. *stretto*, frz. *étroit*, aber Länge in *scrīptus* wegen *scritto, écrit*; identische A. von lat. *-ēs* und *-ēns* angesichts der verschiedenen Schreibung desselben Suffixes in *quotiens: quinquies*. (5) Durch histor. Sprachvergleich (→ Sprachverwandtschaft), etwa für die Frage »echter oder unechter Diphthong« (z. B. in Hom. Il. 7,94 f. μετέειπε νείκει ὀνειδίζων ›sprach zu ihnen schimpfend und tadelnd‹. (6) Durch sachliche Argumente: z. B. ist das Schlußwort Ϝοικεταις des lokrischen Gesetzes betrifft die Kolonisierung von Naupaktos (IG IX² 1,718, ca. 500–475 v. Chr.; ML, Nr. 20) Ϝοικεταῖς, nicht Ϝοικέταις zu lesen, da »Siedler«, nicht »Haussklaven« gemeint sind (im betr. Lokalalphabet konnte die Länge eines [e] nicht ausgedrückt werden).

Ein paar zusätzliche Hinweise zur A. des Griech. (Hom. = Homer, Att. = klass. Attisch, Koi. = hell. Koine, Kz. = Kaiserzeit): Lange Vokale bzw. Silben sind (wie im Lat.) etwa doppelt so lang wie kurze (auch wenn unakzentuiert), wobei eine Silbe nur kurz ist, wenn sie Kurzvok. hat und die vor dem nächsten Vok. folgenden Kons. alle zu dessen Silbe geschlagen werden (att. πατρός im Gegensatz zu hom. πατ-ρός, s. o.); in der Kz. fällt die Unterscheidung langer und kurzer Vok. (nicht aber langer und kurzer Silben) dahin. → Akzente sind wie im Lat. eher durch erhöhten als verstärkten Ton auszudrükken. Zu den Vok. (bei den drei ersten ist die Quantität aus der Schrift nicht zu ersehen): α als [ă]; ι als [ĭ]; υ als [ŭ], ab Att. als [ü]; ε als [ĕ]; η Hom. als [ę̄], Att. und Koi. [ē], Kz. [ī]; o als [ŏ]; ω als [ō]. Diphthonge: αι als [ai], Kz. wie ε; αυ als [au], Kz. wie o; ει Hom. die sog. »echten« als [ei], die »unechten« (d. h. durch Kontraktion von [e+e] oder Ersatzdehnung entstandenen) als [ē], Att. alle als [ē], ab Koi. [ī]; ου Hom. die »echten« als [ou], die »unechten« als [ō], Att. alle als [ō], ab Koi. [ū]; ευ als [eu] (nicht [öi]!); οι als [oi], ab Kz. wie υ. Vor Vok. wird die

Zweitkomponente eines Diphthongs gelängt, so daß eine lange Silbe entsteht: z. B. τέλειος [télejjos] (Aeschyl. Ag. 1432, Suppl. 739), daneben gekürzt τέλεος (Suppl. 525). Langdiphthonge ᾱι, ηι, ωι (bzw. ᾳ, ῃ, ῳ) ab Koi. ohne [i]. Verschlußöffnungslaute: π τ κ wie frz.; β δ γ wie dt., in der Kz. spirantisiert (außer γ vor γ κ χ ξ, dort [ŋ]); φ θ χ aspiriert wie engl. *p t k*, in der Kz. spirantisiert wie engl. *f, th*, dt. *ch* (wohl in neugriech. Regelung: wie in *ich* vor vorderen Vok., wie in *ach* vor hinteren Vok. und vor Kons.). Dauerlaute μ ν λ ρ wie dt.; σ ς stimmlos; Spiritus asper (ʽ) schon früh bes. im Ostgriech., ab Kz. generell stumm. Kombinationen: ξ ist [ks], ψ [ps], ζ (immer stimmhaft) im Anlaut [dz], im Inlaut evtl. auch [zd zdz zz]; ξ, ψ und ζ sowie die Langkons. (sog. »Geminaten«) längen die Silbe eines vorgehenden Kurzvokals. → Alphabet; Akzent; Lautlehre; Metrik

M. LEJEUNE, Phonétique historique du mycénien et du grec ancien, 1972 · M. LEUMANN, Lat. Laut- und Formenlehre, 1977 · W. S. ALLEN, Vox Latina, 1978 · Ders., Vox Graeca, 1987.   R. WA.

Auster. Von der A. (ὄστρειον, ὄστρεον; *ostrea, ostreum*) waren der Ant. ein oder zwei Arten bekannt [5]: a) die Europ. A. (*Ostrea edulis L.*) – wozu zahlreiche früher für selbständige Arten gehaltene Varianten zählen-, und b) anscheinend die Portugiesische A. (*Crassostrea angulata Lmk.*). Zoologisch behandeln die A. bes. Aristoteles, *historia animalium* (wie weit sind hier aber wirklich speziell A. gemeint?) und Plinius, der einige über Aristoteles hinausgehende Beobachtungen mitteilt (z. B. die in nat. 9,160 geschilderte, die der aristotelischen These von der Urzeugung der A. widerspricht, Aristot. hist. an. 5,15,547b 18–20). Genützt wurde die A. seit früher Zeit als Speisetier (roh oder auch als Bestandteil der warmen Küche; vgl. z. B. Macr. Sat. 3,13,12 [1]). Bes. der röm. Geschmack hat ihr die *palma mensarum* zugesprochen (Plin. nat. 32,59). Für röm. Zeit läßt sich auch erkennen, daß neben A.-Fischerei A.-Kultur (Brutfang, Aufzucht und Mästung) betrieben wurde [2; 4]. Der zumindest in It. früheste A.-Park war der des C. Sergius Orata im Lukrinersee, einer Lagune bei Baiae (um 100 v. Chr.). Außerhalb It. ist A.-Kultur in der Kaiserzeit für Spanien, Gallien, Griechenland, Kleinasien und Afrika bezeugt (s. bes. Xenokrates bei Oreib. 2,58,96). Eine andere röm. Neuerung war der Fernversand von A. – nachweislich lebend und vielleicht auch als Konserve – z. B. ins mitteleurop. Binnenland [6; 7]. Den Lebendtransport ermöglichte die Tatsache, daß sich A. bei niedrigen Temperaturen 24 Tage halten können; eine trockene, unter gewissem Druck stehende Verpakkung genügt. – Die A. diente auch als Rohstoff zur Herstellung verschiedener Produkte (so von Kitt; Kosmetika; Arzneimitteln [6. 350; 7. 288 f.]). – Zur Perl-A. → Margaritai.

1 A. C. ANDREWS, Oysters as a Food in Greece and Rome, in: CJ 43, 1947–48, 299–303 2 R. T. GÜNTHER, The Oyster Culture of the Ancient Romans, in: Journal of the Marine Biological Association of the United Kingdom N. F. 4,

1895, 360–365 **3** KELLER 2, 562–568 **4** G. LAFAYE, in: Bull.
de la Société Nationale des Antiquaires de France 1915,
218–221 **5** A. T. DE ROCHEBRUNE, De l'existence, à
l'embouchure de la Gironde, de l'Ostrea angulata Lamck.,
à l'époque gallo-romaine, in: Bull. du Mus. d'Histoire
Naturelle 6, 1900, 113–115 **6** F. STRAUCH, G. E. THÜRY,
Austernfunde aus röm. Gebäuderesten in Tittmoning, Ldkr.
Traunstein, in: Bayerische Vorgesch.blätter 50, 1985,
341–354 **7** G. E. THÜRY, Röm. Austernfunde in der
Schweiz, im rechtsrheinischen Süddeutschland und in
Österreich, in: FS für Hans R. Stampfli, 1990, 285–301.

                                                    G. TH.

Ausum. *Castrum* des numidischen → Limes, 75 km
west-südwestl. von Biskra gelegen, h. wohl Sadouri.
Das Lager schützte das Gebiet südl. des Chott el-Hodna.
In A. traf die von Lambaesis kommende Straße auf die
von Auzia über Doucen nach Gemellae führende Straße. Ehreninschr. für → Gordianus (247 n. Chr. [1. 31–
33]); evtl. bestand A. aber schon früher.

1 J. CARCOPINO, Le Limes de Numidie et sa garde syrienne,
in: Syria 6, 1925 **2** AAAlg, Bl. 48, Nr. 1 **3** J. BARADEZ,
Fossatum Africae, 1949, 367, s. v. Sadouri.   W. HU.

Auszeichnungen, militärische. Um die Tapferkeit
und den Mut von Soldaten zu belohnen, wurden im
röm. Heer − wie in allen anderen Heeren auch − A.
vergeben, die den Vorteil hatten, daß sie das Gemeinwesen wenig kosteten und gleichzeitig das Bewußtsein
soldatischer Ehre verstärkten (Pol. 6,39). Das starke
Empfinden für hierarchische Strukturen hatte auch Einfluß auf derartige A., denn sie wurden abhängig vom
Dienstgrad des Empfängers vergeben (→ *dona militaria*).
Wie A. BÜTTNER gezeigt hat, waren die röm. A. sicherlich ital., daneben aber auch kelt., griech. und oriental.
Ursprungs. Man kann sie in verschiedene Kategorien
einteilen:

1. *Hasta pura*: Diese ehrenhalber vergebene Waffe
stellt für die Historiker ein Problem dar. Nach Varro
(Serv. Aen. 6,760) war sie »ohne Eisen« hergestellt; daher nahm man an, daß es sich um eine schlichte, spit-
zenlose Stoßlanze aus Holz handelte. Aber auf mehreren
Grabreliefs ist eine *hasta pura* mit Spitze abgebildet.
V. MAXFIELD meint deshalb, daß das Fehlen von Eisen
einen rituellen Grund hatte und die *hasta pura* niemals als
Waffe diente.

2. *Vexillum* war ein Zeichen der Reiterei und sah aus
wie ein an der *hasta* herunterhängendes Stück Stoff. Die
älteste Erwähnung solcher Ehrenzeichen geht auf das
Jahr 107 v. Chr. zurück und bezieht sich auf Marius
(Sall. Iug. 85,29).

3. *Corona* (Krone): Es gab eine große Vielfalt an
Coronae (Gell. 5,6), deren Ursprung weit zurückliegt. L.
Siccius Dentatus soll im 5. Jh. v. Chr. neben anderen A.
26 Kränze erhalten haben (Gell. 2,11). a) Die Krone aus
Gras (*graminea*) war die einfachste, aber ehrenvollste A.
dieser Art. Sie belohnte Soldaten, die eine Armee aus
der Gefahr gerettet hatten (Plin. nat. 22,6 f.). b) Die
Bürgerkrone (*civica*) war aus dem Laub der Steineiche

(*aesculus*) gefertigt und wurde einem röm. Bürger verliehen, der einem anderen röm. Bürger das Leben gerettet hatte (Gell. 5,6,11–14). c) Die Mauerkrone (*mu-
ralis*) oder Wallkrone (*vallaris* oder *castrensis*) wurde dem
Soldaten überreicht, der als erster die Befestigungsanlagen oder den Schutzwall des Feindes erstiegen hatte.
Die goldene Mauerkrone stellte eine mit Zinnen bewehrte Mauer dar (Pol. 6,39,5; Gell. 5,6,16). d) Die Be-
lagerungskrone (*obsidionalis*) gehörte dem General, der
die Aufhebung einer Belagerung erzwungen hatte (Plin.
nat. 22,7). e) Die Schiffskrone (*navalis*, *classica* oder *ro-
strata*) ähnelte einem Schiffsbug und wurde von Soldaten getragen, die als erste den Fuß auf ein feindliches
Schiff gesetzt hatten. f) Mit der Goldkrone (*aurea*)
schließlich wurde jede Heldentat ausgezeichnet, die
nicht mit einer der aufgezählten Kronen belohnt wurde.
So erhielt im Jahre 361 v. Chr. T. Manlius eine Goldkrone, da er einen Gallier im Einzelkampf besiegt hatte
(Liv. 7,10,14).

4. Die *dona minora*, A. zweiter Klasse, wurden an
Soldaten und Centurionen vergeben. Es gab vier verschiedene Arten: a) Der meist silberne, nur ausnahmsweise goldene Armreif (*armilla*) konnte unterschiedlich
gefertigt sein und eine oder mehrere Windungen aufweisen. Der Ausgezeichnete trug die Armreifen an einem oder an beiden Handgelenken. b) Für die Halskette
(*torques*, ein runder, einem gedrehten Strick gleichender
Metallschmuck) wird allg. ein kelt. Ursprung angenommen, obgleich bekannt ist, daß auch Perser und Scythen
derartigen Schmuck besaßen. Der *torques* war offen und
konnte ganz verschieden aussehen (gedreht oder nicht,
mit oder ohne Verschluß). In republikanischer Zeit war
Gold ausschließlich für die *socii*, Silber für die röm.
Soldaten bestimmt. c) Auch die Pferdeschmuckplatten
(*phalerae*) waren weitverbreitete Ehrenzeichen. Urspr.
schmückten kleine Ziernägel den Helm. Später waren
sie einfache oder verzierte kreisförmige Plättchen.
Während der Republik wurden die Reiter mit der
Pferdeschmuckplatte ausgezeichnet, die einen Feind erschlagen hatten. In der Principatszeit wurden diese A.
oft vergeben. M. Caelius, ein bei der Niederlage des
Varus 9 n. Chr. gefallener Centurio, ist auf seinem Grabmal mit mehreren *phalerae* dargestellt. d) Die kleine Opferschale (*patella*), die auch *phiálē* (φιάλη) genannt wurde, war eine einfache Platte, die den *phalerae* glich. Vor
der Principatszeit wurde sie an Fußsoldaten vergeben.

5. Die Soldaten und Offiziere konnten mit verschiedenen Gegenständen für bes. Taten ausgezeichnet werden. Als Beispiele seien hier die Schmucknadel (*fibula*)
und der Ehrenschild (*clipeus*) genannt. Es ist bekannt,
daß der Senat Augustus für seine Verdienste die *corona
civica* und den *clipeus* verliehen hat (R. Gest. div. Aug.
34,2). Damit wurden nicht nur die mil. Leistungen, sondern gerade auch die polit. Fähigkeiten des Augustus
(*virtus*, *clementia*, *iustitia* und *pietas*) ausgezeichnet. Dagegen sollte man die *cornicula* nicht als mil. A. im herkömmlichen Sinne betrachten, denn sie stellten keine
Belohnung für bes. Taten dar, sondern waren Rangab-

zeichen. Insgesamt gesehen, variierte die Vergabe von A. nicht nur gemäß des Ranges des Empfängers, sondern weist auch in den verschiedenen Epochen spezifische Eigenheiten auf. Die Entwicklung der Ehrenzeichen ist in den ersten beiden Jh. n. Chr. trotz einiger Unklarheiten durch die Inschr. gut bekannt. Die Fragen des Rangunterschiedes der Empfänger der A. spiegeln dabei die sozialen Strukturen des Imperium Romanum wider.

→ Corniculum; Dona militaria

1 A. BÜTTNER, Unt. über Ursprung und Entwicklung von A. im röm. Heer, in: BJ 157, 1957, 127–180 2 V. MAXFIELD, The Military Decorations of the Roman Army, 1981 3 P. STEINER, Die *dona militaria*, 1905.   Y. L. B.

Auszeichnungsschriften   A. DEFINITION
B. GRIECHISCHE AUSZEICHNUNGSSCHRIFT
C. LATEINISCHE AUSZEICHNUNGSSCHRIFT

A. DEFINITION
Schriften, die für die Hervorhebung von Textpartien (Titeln, Untertiteln, Anfangszeilen, Scholien, Lemmata, Subskriptionen, Inhaltsverzeichnissen und Initialen), einzelnen Sätzen (z. B. Bibelzitaten) innerhalb eines Textes und Bücher- und Kapitelzählungen bestimmt sind (→ Schrift).

B. GRIECHISCHE AUSZEICHNUNGSSCHRIFT
In der griech. Schrift spricht man, abgesehen von vereinzelten Beispielen in Majuskelcodices, von A. erst seit der Entstehung der → Minuskel und unterscheidet üblicherweise drei Stilarten (teils sind jedoch auch Mischformen anzutreffen): 1. Die alexandrinische Auszeichnungsmajuskel (auch koptische Unziale [1]), bes. in Zusammenhang mit der Perlschrift (10.–11. Jh.) gebräuchlich, zeichnet sich durch die Alternanz von fetten und mageren Buchstaben, die Verdickung der Extremitäten und die Formen für *Alpha, My, Ypsilon* und *Omega* aus. 2. Die konstantinopolitanische Auszeichnungsmajuskel (auch Spitzbogenmajuskel genannt), deren Alphabet von der Bibelmajuskel abgeleitet ist, wird oft in Verbindung mit den älteren Minuskeln und der italo-griech. Schrift verwendet. Kennzeichnend sind ein ausgeprägtes Helldunkel und die Brechung der Bögen. 3. Der Terminus »epigraphische Auszeichnungsmajuskel« wurde auf Grund der möglichen Abstammung von der Schrift der Inschr. geprägt [2]. Kennzeichnend sind hier Minuskelformen, Juxtapositionen und Ligaturen sowie die Hochstellung und Einschließung einzelner Buchstaben. Es wird zwischen einer schmalen und harmonischen Variante sowie einer quadratischen und ausladenden unterschieden. Diese z. T. zusammen mit der ersten Variante verwendete Schriftart findet ab Ende des 10. Jh. Verbreitung.

→ Unziale; Majuskel; Minuskel

1 J. IRIGOIN, L'onciale grecque de type copte, in: Jb. der Österreichischen Byz. Ges. 8, 1959, 29–51 2 H. HUNGER, Epigraphische Auszeichnungsmajuskel, in: Jb. der Österreichischen Byz. Ges. 26, 1977, 193–210

3 H. HUNGER, Minuskel und Auszeichnungsschriften im 10.–12. Jh., in: La paléographie grecque et byzantine, 1977, 204–209.   P. E. / S. SO.

C. LATEINISCHE AUSZEICHNUNGSSCHRIFT
Die Verwendung von A. ist für die Gesch. der lat. Schrift seit den frühesten Urkunden bezeichnend. Anfangs verwendet man unterschiedliche Schreibmuster, kleinere Schrift für fortlaufende Titel oder größere für das *explicit*. Der Anfangsbuchstabe einer jeden Seite (oder auch Kolumne) kann (unabhängig von Textzäsuren) vergrößert sein. Zu Beginn einer Texteinheit können dann nicht nur einzelne Buchstaben sondern auch ganze Wörter oder Zeilen graphisch hervorgehoben werden.

Spätestens seit dem 5. Jh. setzt sich das Prinzip durch, eine Schriftart zu verwenden, die sich von der des Textes unterscheidet. Im allg. werden ältere Schriftarten bevorzugt. In *Capitalis* werden Rubriken, Kapitelüberschriften, die Beschriftung von Miniaturen, *incipit, explicit*, Kolophone und Zitate (teils auch durch Anführungszeichen am Rande oder Vorspringen bzw. Einrückung der Zeile hervorgehoben) in Unzialcodices geschrieben. *Capitalis* und Unziale werden für A. in Halbunzialcodices benutzt. Daneben werden unterschiedliche Tinten, Zeilenabstände oder Rahmendekorationen verwendet. Der Text kann auch unterstrichen, die Buchstaben verziert werden. Das geht so weit, daß innerhalb einiger Skriptorien (z. B. Luxeuil und Lindisfarne) Majuskelalphabete eigens für A. entwickelt werden.

In karolingischer Zeit wird eine strenge Hierarchie der Schriftarten festgelegt: An erster Stelle steht die *Capitalis quadrata* (oder seltener *rustica*) in verschiedener Größe, gefolgt von Unziale und Halbunziale (mit beschränkterer Verbreitung: z. B. »Hofschule« Karls des Großen und Tours). Innerhalb des Textes können *auctoritates* und *nomina sacra* durch eine Art A. hervorgehoben werden, bei der *Capitalis* mit unzialen Formen gemischt sind. Vor allem die Unziale ist Grundlage der durch Verdoppelung und Anschwellungen der Linien schwerfälliger gemachten A. in der gotischen Stilepoche. Weiter im Gebrauch bleibt aber auch das Minuskelalphabet mit vergrößerten Buchstaben, das ohnehin zur Unterscheidung von Text und Komm. dient; es wird nun ebenfalls mit Verdoppelung der Striche, Verstärkungsrippen und Verzierungskerben versehen. *Textura* wird als A. für Urkunden in *Kursive* und *Bastarda* verwendet. Der Humanismus entdeckt die ant. *Capitalis* wieder und läßt sich teils an inschr. Mustern (konstant ist die Beziehung zwischen A. und zeitgenössischen Inschr.), teils an Vorbildern aus der Buchschrift inspirieren. Später setzt sich eine leicht gerundete *Capitalis quadrata* durch, die mit Hilfe von farbiger, teils goldener Tinte veredelt wird und in ein Zierfeld eingeschlossen werden kann, das Inschr., Säulenstümpfe u. ä. darstellt.

→ Kapitale; Unziale

1 J. AUTENRIETH, »Litterae Virgilianae«. Vom Fortleben einer Schrift, 1988, 5–35 (passim) 2 B. BISCHOFF, Paläographie des röm. Alt. und des abendländischen MA, 1979, 77–79; 92; 100–102; 127; 134; 148; 162; 179; 244; 259 • J. J. JOHN, s. v. A., LMA 1, 1259–1260 (mit weiterer Bibl.) • E. KESSLER, Die A. in den Freisinger Codices von den Anfängen bis zur karolingischen Erneuerung, 1986 • O. MAZAL, Buchkunst der Gotik, 1975, 30–31.

D. F. / S. SO.

Autariatae. Ein illyr. Volk im Hinterland der dalmatischen Küste am Oberlauf des → Naro zw. den Flüssen Bathinus (h. Bosna) und → Drinus, mit Zentrum auf dem Berg Romanija (anders [1. 87–129]: weiter im Osten, oberhalb des *lacus Labeatis*). Die A. erscheinen lit. im 4. Jh. v. Chr. (basierend auf früheren Autoren, vgl. Ps.-Skyl. 24), arch. wohl der eisenzeitlichen Glasinac-Kultur zuzuordnen. Nach Strab. 7,5,11 das größte und stärkste illyr. Volk, Nachbarn der → Ardiaei, mit denen sie um einige bed. Salzquellen stritten (App. Ill. 3), evtl. ohne feste ethn. und polit. Identität. Teilweise wanderten sie ca. 310 v. Chr. wegen einer Naturkatastrophe nach Dardania aus. Wenig später wurden sie laut Strab. 7,5,11 von den Scordisci unterworfen, dann durch die Römer. Seit der mittleren Latène-Zeit wurde ihr Territorium von den → Daesitiates besiedelt.

1 F. PAPAZOGLU, The Central Balkan Tribes in Pre-Roman Times, 1978.

M. Š. K.

Autaritos (Αὐτάριτος). Kelt. Söldner im Heer des → Hamilkar Barkas in Sizilien; ab 241 v. Chr. in Libyen Führer des größten Kontingents (2000 Kelten) im Söldnerkrieg gegen Karthago; er entkam der Niederlage am Bagradas, hetzte zum Massaker an → Geskon und anderen gefangenen Karthagern und war in ausweisloser Lage bei Prion Unterhändler der Kapitulation. Als Garant des Vertrags wurde er nach dessen Bruch durch die Aufständischen 238 bei Tunes mit → Spendius und → Zarzas hingerichtet (Pol. 1,77–86).

HUSS, 259–261.

L.-M. G.

Autarkeia (αὐτάρκεια).
A. ÖKONOMISCH B. PHILOSOPHISCH

A. ÖKONOMISCH

Der griech. Begriff *a.* bedeutet Selbstgenügsamkeit oder die Fähigkeit zur Selbstversorgung, praktiziert von einzelnen Personen und von Gemeinschaften im persönlichen sowie im ökonomischen Sinn, und ist eng verwandt mit der Idee der → Autonomia (αὐτονομία). *A.* war ein wichtiges Konzept in der Gesch. der griech. Philos. und der christl. Theologie.

Aufgrund der Unbeständigkeit des Wetters und der ungleichen Verteilung der für einen zivilisierten Lebensstil unerläßlichen Rohstoffe waren Selbstgenügsamkeit und Selbstversorgung Ideale, die keine Einzelperson, keine Familie und keine Gemeinschaft in der Ant. erreichen konnte. Das in bäuerlichen Gesellschaften weit verbreitete Ideal, nie von anderen abhängig zu sein, ist in auffallender Weise bei Hesiod dargestellt (z. B. erg. 471–478). Es ist anzunehmen, daß die meisten Bauern in der griech. Welt, reich oder arm, versuchten, ihre *a.* zu vergrößern, indem sie von allem geringe Mengen anbauten und nur nebenbei für den Markt produzierten, anstatt Gewinnmaximierung durch Beschränkung auf bestimmte Produkte anzustreben [2. 92]. In Hesiods *Erga* wird dies direkt mit einer Konzentration auf den eigenen Haushalt und einem Mangel an Interesse am Wohlergehen der Gemeinschaft in Verbindung gebracht. Eine Spannung zwischen dem Ideal der *a.* der Familie und der Zugehörigkeit zu einer polit. Gemeinschaft wurde auf der Ebene weitverbreiteter Vorstellungen durchaus wahrgenommen. Aristoteles, der die → Polis als grundsätzlich autark ansehen wollte (Aristot. pol. 1252b28–29, 1291a10), betont, daß *a.* für eine Polis eher möglich ist als für einen einzelnen Haushalt, und daß dies ein Argument gegen eine übertriebene Gleichheit innerhalb der Polis sei (Aristot. pol. 1261b11), während er zugibt, daß durch Anwachsen oder innere Differenzierung eine Polis ihre Fähigkeit zur Selbstversorgung auf Kosten der polit. Stabilität erhöhen kann (Aristot. pol. 1326b2–5). Obgleich die Möglichkeit, *a.* zu erreichen (Hdt. 1,32,8), sogar für Länder prinzipiell verneint wurde, war die Forderung nach einem hohen Grad von *a.* für das polit. Denken, die Moralphilos. und die polit. Rhet. grundlegend. Bei Thukydides behauptet Perikles, daß Athen καὶ ἐς πόλεμον καὶ ἐς εἰρήνην αὐταρκεστάτην, sowohl im Krieg als auch im Frieden völlig unabhängig sei (Thuk. 2,36,3; vgl. 2,41,1).

Die persönliche *a.* wird von → Xenophon im letzten Abschnitt der *Memorabilia* (Xen. mem. 4,8,11; vgl. 1,2,14) als ein bes. Charakteristikum des Sokrates hervorgehoben, der fähig war, allein zu entscheiden, was besser und was schlechter war; die *a.* wurde von Sokrates erreicht, indem er die Bedürfnisse auf ein Minimum reduzierte (mem. 1,6,10). → Demokritos scheint darauf bestanden zu haben, daß *a.* mit der Befriedigung der Seele, nicht des Körpers, in Verbindung zu bringen (B 171 DK) und eher durch *sophrosýnē* als durch *týchē* zu erreichen sei (B 176; 210 DK); diese Auffassung scheint sich eher auf die moralische als auf die intellektuelle Seite der *a.* zu beziehen und *a.* als einen Aspekt der Beziehung des Individuums zu sich selbst und nicht seiner Beziehung zu seiner Umwelt zu betrachten. Dieses Verständnis von *a.* herrscht in der hell. Philos. vor: für die Epikureer war die *a.* wichtige Voraussetzung der → *ataraxía*, während für die Stoa das glückliche Individuum gleichgültig gegenüber seiner Umwelt und unberührt von den Wendungen des Schicksals war (Cic. Tusc. 5; Sen. epist. 85).

→ Aristoteles thematisiert in zwei wichtigen Abschnitten der *Ethica Nicomachea* (1,7; 10,7) im Rahmen einer Definition der Glückseligkeit (εὐδαιμονία, *eudaimonía*) das Konzept der *a.* In 1,7 wird zunächst festgestellt, daß *a.* sich nicht nur auf ein einzelnes, allein lebendes Individuum bezieht, sondern vielmehr auch Eltern, Kinder, Ehefrau und darüber hinaus Freunde und Bürger einschließt, da Menschen von Natur aus polit. sind (Aristot. eth. Nic. 1097b10–11); αὐταρκές (autarkés) wird definiert als dasjenige, das für sich allein genommen lebensfähig ist und keines anderen bedarf (1097b14–16), was auf die Glückseligkeit zutrifft. In 10,7 begründet Aristoteles seine Auffassung, die Glückseligkeit werde durch die philos. Reflexion (θεωρητική, theōrētikḗ) erlangt, mit dem Hinweis darauf, daß die Philos. den höchsten Grad an a. besitzt. Der Weise bedarf zwar auch wie andere Menschen zum Leben der äußeren Güter; aber anders als der Gerechte, der eine andere Person braucht, der er sich gerecht gegenüber verhalten kann, benötigt der Weise für die philos. Reflexion keinen anderen Menschen (1177a 27–35).

Es war allerdings nicht die aristotelische, sondern die stoische Auffassung, die später in der griech. Philos. dominierte, von Plotinos verteidigt (Plot. 1,4,4–5; vgl. aber 5,3,16–17) und von christl. Autoren (etwa Greg. Naz. epist. 32; Ambr. off. 2,5,18–19) als Idee von der Trennung der christl. Seele von der irdischen Welt rezipiert wurde, ein Gedanke, der schon in den Evangelien (etwa Mt 6,19–34) und in den Paulusbriefen (1 Tim 6) erscheint. Die Auffassung von der Selbstgenügsamkeit Gottes (Apg 17,24–25; Iust. Mart. apol. 1,10; 1,13) war angesichts der paganen Götter, die Opfer brauchten, neu, verlangte aber anders als die Selbstgenügsamkeit Christi (Ioh. Chrys. hom. Jo 24,2) keine ausführliche Begründung.

1 R. KRAUT, Aristotle on the Human Good, 1989
2 P. MILLETT, Hesiod and his World, in: PCPhS 30, 1984, 84–115 3 P. WILPERT, s. v. Autarkie, RAC 1, 1039–50.

R. O.

B. PHILOSOPHISCH

A. (Selbstgenügsamkeit) ist die Fähigkeit, sich ohne Hilfe anderer aus sich selbst zu erhalten. Sie wurde zuerst in der → Sophistik zum Ziel menschlichen Handelns, aber in dem Sinne, daß der einzelne fähig ist, alles, was er braucht, sich selbst zu verfertigen. Die radikalste Position vertrat die → Kynische Schule durch Reduzierung der Bedürfnisse auf ein Minimum. Zu einer Zentralfrage der Ethik wurde die a. der Tugend: ob zur Erlangung der Eudaimonie die Tugend ausreicht. Für den → Peripatos gehören zur vollkommenen Eudaimonie auch äußere Güter (Aristot. eth. Nic. 7,4,1153b17–21), die → Stoa dagegen betonte die Tugend als einzigen Wert und alleinige Quelle des Glücks (SVF III 49–67.764). Nach Aristoteles verwirklicht der Mensch a. nicht als Einzelwesen, sondern nur in der Polis, die, um autark zu sein, möglichst vielgliedrig sein muß (pol. 1,2,1252b27–1253a1; 1253a25–29; 7,4,1326b 2ff.). Vollkommene a. besitzt nur das göttl. Sein, vgl. Plat. Tim. 68e), bei Aristoteles der Unbewegte Beweger (eth. Eud. 7,12,1244b 7–10; metaph. 13,3,1091b 16ff.; cael. 279a 20–22). Konsequent hat → Plotinos wahre a. nur dem Einen als dem Seinsgrund zugesprochen (Plot. En-

neades 5,5,12,40f.). Die a. Gottes wurde vom Christentum rezipiert, das a.-Ideal aber letztlich als der Erlösungstat Christi und der Gnade Gottes widerstreitend verworfen (Augustinus, epist. 155).

J. ANNAS, The Morality of Happiness, 1993 · H. KRÄMER, Die Grundlegung d. Freiheitsbegriffs in der Ant., in: J. SIMON (Hrsg.), Freiheit, 1977, 239–270 (mit älterer Lit.) · A. N. M. RICH, The Cynic Conception of αὐτάρκεια, in: Mnemosyne Ser. IV 9, 1956, 23–29. S. M.-S.

Autessiodurum. Stadt der → Senones in Gallia Celtica, später Lugdunensis (h. Auxerre). A. lag auf der linken Uferseite der Yonne (CIL XIII 2920–2939).

R. KAPPS, s. v. A., PE, 128. Y. L.

Autobiographie I. ALTER ORIENT II. GRIECHISCH III. RÖMISCH IV. RÖMISCHE SPÄTANTIKE V. NACHWIRKUNGEN

I. ALTER ORIENT

Im Alten Orient existiert eine heterogene Gruppe von Texten, denen aufgrund formaler (1. Person Singular) und semantischer Kategorien (Reflektion auf vergangenes Handeln im Hinblick auf eine gegenwärtige oder zukünftige Sinnstiftung) autobiographischer Charakter zuzuschreiben ist. Dazu gehören in Mesopotamien zum einen Texte, die mehr oder weniger fiktiv zu einem späteren Zeitpunkt über einen Ausschnitt des Lebens großer Herrscher der Vergangenheit berichten, so über → Sargon und → Narām-Sîn und entweder didaktische Anweisungen zu gottgefälligem Verhalten enthalten oder den Anspruch auf den Königsthron über göttl. Erwählung dokumentieren. Zum anderen gibt es Texte, die stilistisch weitestgehend den Königsinschr. entsprechen und das Leben eines Herrschers im Überblick schildern, wie die Inschr. des Idrimi, angebracht auf seiner Statue, die sowohl historisierende, legitimierende wie auch folkloristische Partien enthält und über die Taten des Gründers der letzten unabhängigen Dynastie des Stadtstaates → Alalaḫ berichtet. Die Inschr. der Adad-Guppi, von ihrem Sohn → Nabonid verfaßt, schildert deren Verdienste um den Kult des Mondgottes Sîn sowie ihren Tod und ihre Bestattung. Darüberhinaus weisen die Inschr. der assyr. Könige → Asarhaddon und → Assurbanipal apologetische Passagen auf. Als Vorläufer hierfür ist aus dem hethit. Raum die sog. A. Ḫattušailis III. zu nennen [7]. Adressaten der A. sind die königlichen Nachfolger. Während im Alten Orient die A. bisher nur als Teil der offiziellen Königsideologie überliefert ist, gehört sie in Ägypt. in die private Sphäre, wo seit der 4. Dynastie im Kontext des Grabes eine Entwicklung von der »Idealbiographie« mit Beteuerung einer ethisch vorbildlichen Lebensführung über die »Laufbahnbiographie« zur Selbstdarstellung im Königsdienst im NR stattfindet. Im Mittelpunkt stehen hier Erwerbungsgesch. des Amtes, Gerechtigkeit, gesellschaftliche Stellung; in den darauffolgenden Jh. bis zum

2. Jh. n. Chr. erhält die A. zusätzlich moralisierenden und philos. Charakter. Histor. Informationen kommen nur in der Laufbahnbiographie vor. Typisches zusätzliches Element ist die Bitte, für den Sprecher zu beten oder zu opfern. Inschriftenträger sind Grabwände, ab dem MR auch Stelen und Felswände, seit dem NR auch Tempelstatuen. Die Gesch. des Sinuhe, formal nach dem Vorbild der Grabbiographie gestaltet, gehört funktional zur polit. Lit. des MR.

→ AUTOBIOGRAPHIE

1 H. GUKSCH, Königsdienst, 1994 2 J. GOODNICK WESTENHOLZ, Heroes of Akkad, in: JAOS 103, 1984, 327–336 3 M. LICHTHEIM, Maat in Egyptian Autobiographies, OBO 120, 1992 4 T. LONGMAN, Fictional Autobiography, 1991 5 E. OTTO, in HbdOr, 1,1,2², 1970, 179–188 – 6 M. A. POWELL, Narām-Sîn, Son of Sargon, in: ZA 81, 1991, 20–30 7 E. v. SCHULER, Die Einleitung der »A.« Hattušilis, in: J. TISCHLER (Hrsg.), Serta Indogermanica, 1982, 389–400 8 H. TADMOR, Autobiographical Apology in the Royal Assyr. Lit., in: H. TADMOR, M. WEINFELD, History, Historiography and Interpretation, 1983, 36–57 9 B. D. WALLE, s. v. A., LÄ 1, 1975, 815–821.　　　K. J.-W.

II. GRIECHISCH

Die A. ist im Gegensatz zur → Biographie in der Ant. nie als lit. Gattung betrachtet worden. Neuzeitliche Muster (ROUSSEAU) legen es nahe, introspektive Selbsterfahrung zu einem wesentlichen Kriterium der A. zu machen; aber in der Ant. tritt Vergleichbares erst spät bei → Gregor von Nazianz und → Augustinus auf. Autobiographische Elemente finden sich freilich zerstreut in verschiedenen Zusammenhängen; G. MISCH hat im ersten Doppelband seines grundlegenden Werkes [4] berichtende und reflektierende Äußerungen ant. Autoren über sich selbst in großer Materialbreite untersucht. Gegenüber dem geistesgesch. Problem des »Ich-Bewußtseins« traten freilich lit. Fragen bei ihm zurück.

Zusammenfassend lassen sich fünf Ursprungsbereiche nennen. 1. Rhetorik: Darstellung des eigenen Lebens und Charakters ist in der Gerichtsrede, insbes. der Verteidigungsrede, üblich. Beispiele: → Antiphon von Rhamnus, Apologie; → Isokrates, Antidosis-Rede; → Demosthenes, De corona. Hierher gehört auch → Platons Apologie des Sokrates, die freilich als fingiert gelten muß. 2. Briefe (→ Epistel): Auch diese berichten manchmal, mit der Absicht der Rechtfertigung, über das eigene Leben. Platon, 7. Brief ([5. 60–62]; allg. hell. [5. 91 f.]). 3. Memoiren (→ Hypomnemata), insbes. von polit. Persönlichkeiten: Sie werden seit dem Hellenismus üblich (Demetrios von Phaleron, Pyrrhos, Aratos, Ptolemaios VIII. Euergetes II., Herodes I. [2], → Nikolaos von Damaskos, Flavius → Iosephos). → Xenophons ›Anabasis‹ gehört hierher, obwohl durch den Gebrauch der dritten Person als histor. Monographie stilisiert. Häufig haben solche Memoiren eine Tendenz zur Rechtfertigung oder Selbstverherrlichung. Anknüpfung an die Selbstdarstellungen oriental. Herrscher ist denkbar [5. 35–37]. 4. Autoren stellen sich ihrem Publikum vor: Dichter (→ Sphragis) und Prosaiker

(manchmal in Vorworten). Von diesem Autor-Publikum-Verhältnis sind auch einige selbständige Schriften bestimmt: → Lukianos, Somnium; → Galenos, Περὶ τῆς τάξεως τῶν ἰδίων βιβλίων und Περὶ τῶν ἰδίων βιβλίων; → Libanios, or. 1; 5. Die stoische Praxis der sittlichen Selbsterforschung ist bei → Marcus Aurelius literarisch geworden; doch finden sich biographische Elemente nur am Anfang seiner Schrift. Philos. und rel. Lebensberichte kreisen in der Regel um ein Bekehrungserlebnis. So: Lukianos, Bis accusatus, → Dion Chrysostomos, Περὶ φυγῆς, Ailios → Aristeides, Ἱεροὶ λόγοι. Diese Auffassung vom eigenen Lebensweg ist verwandt mit gnostischen Denkweisen [4. II 522–537]. Sie fand bei den Christen bes. Anklang: → Paulus (Gal 1,11 ff.; 1 Kor 15,8; Phil 3,7 ff.); → Iustinus Martyr, Dialogus; Ps.-Clementinen; → Gregorios Thaumaturgos, Dankrede an Origenes.

Mehrere dieser Ansätze konvergieren in den Gedichten des → Gregorios von Nazianz, vor allem in De vita sua (Carmen 2,1,11) und De rebus suis (2,1,1). Sie berichten über Lebensweg und innere Erfahrungen und führen, auf klagenden Ton gestimmt und seelische Verletzlichkeit enthüllend, trotz grundsätzlichen Gottvertrauens an den Rand von Resignation und Verzweiflung.

III. RÖMISCH

Literarische Selbstdarstellungen sind bei den Römern bes. breit entwickelt. Von der A. sind zu unterscheiden die → commentarii [3. 633–638], polit.-mil. Rechenschaftsberichte. Diese haben jedoch die eigentlichen Lebensbeschreibungen, die stets eine starke Tendenz zur Rechtfertigung eigenen polit. Handelns hatten, von Anfang an (seit M. Aemilius Scaurus, P. Rutilius Rufus und Q. Lutatius Catulus um 100 v. Chr.) stark beeinflußt. Aus der Fülle von Namen seien genannt → Sulla, → Varro, → Cicero (in Prosa und Vers), → Augustus (seine A. ist zu unterscheiden von seinen Res gestae). Auch spätere Kaiser haben die A. als publizistisches Mittel benutzt. Keine dieser polit. A. ist vollständig erhalten. Die poetische A. ist vorbereitet durch Sphragis-artige Selbstaussagen (→ Ennius) und wird zur selbständigen Form bei → Ovidius (trist. 4,10) und → Prudentius (praefatio). Eine andere Linie, die unbefangen plaudernde Selbstdarstellung, die von → Lucilius ausgeht, findet bei → Horatius in den Satiren und Episteln (bes. sat. 1,6) ihren Höhepunkt. Psychologisch-ethische Selbstbeobachtungen, jedoch ohne biographischen Rahmen, finden sich in → Senecas Briefen an Lucilius. Der kaiserzeitliche Typ der um eine Bekehrung kreisenden A. ist im Lat. in romanhafter Einkleidung durch die Metamorphosen des → Apuleius vertreten. Aus christl. Lit. ist → Cyprianus' Ad Donatum (praef.) zu nennen. Vielleicht gehört hierhin die eigenartige A. des Acilius Severus; sie war als Reisebericht (→ Reiseliteratur) eingekleidet und nach Art der menippeischen Satire in Prosa und Versen gehalten [4. 2, 405–408]. Höhepunkt der ant. A. sind dann die

Confessiones des → Augustinus, welche den Grundriß einer Bekehrungs-A. durch intensive psychologische und theologische Analysen zu einem Seelen- und Weltdrama ausweiten. Dieses Werk hat einige A. der ausgehenden Ant. angeregt (Paulinus von Pella: in Versform, St. Patrick u. a.). Augustinus' *Retractationes* sind dagegen der lit. A. in der Art Galens verwandt.

1 P. COURCELLE, Antécédents autobiographiques des Confessions de Saint Augustin, in: RPh 31, 1957, 23–51 2 FGrH II C: Autobiographien 3 R. G. LEWIS, Imperial Autobiography, Augustus to Hadrian, in: ANRW II 34,1, 1993, 629–706 4 G. MISCH, Gesch. der A., I.1, ³1949, 2, ³1950 5 A. MOMIGLIANO, The Development of Greek Biography, 1971 6 L. NIEDERMEIER, Unt. über die ant. poetische A., Diss. 1919 7 G. W. MOST, The Stranger's Stratagem. Self-Disclosure and Self-Sufficiency in Greek Culture, in: JHS 109, 1989, 114–133.   H. GÖ.

IV. RÖMISCHE SPÄTANTIKE

Die Fülle autobiographischer Erscheinungen der Spätant. reduziert sich auf einen überschaubaren Bestand, wenn man von Partien in Lit.-Werken (Bekehrungserlebnisse, Autobibliographisches etc.) die Werke abhebt, die insgesamt als Darstellungen des eigenen Lebens gelten können. Beiseite bleiben müssen alle fiktiven Formen der Ich-Erzählung (wie die romanhaften *Recognitiones* des Ps. Clemens) sowie die Reiseberichte, die eine eigene lit. Gattung bilden (→ Itineraria).

Eine anfangs wohl selbständige (urspr. lat.? [11]) autobiographische Aufzeichnung der Vibia Perpetua bildet den Kern der *Passio SS. Perpetuae et Felicitatis*. Perpetua schildert darin, wie sie sich als Christin mit dem Vater auseinanderzusetzen hat und im Kerker visionären Trost erfährt. In Perpetuas Vision der Himmelsleiter schließen sich viele Einzelmotive zu einer ›christl. Mythe des Hinübergangs von einer Welt in eine andere‹ zusammen [3, 1. 50], von der Passio unter den Menschen zur Gloria [1. 52] mit dem väterlichen Gott. Das Beispiel hat sofort Nachahmung hervorgerufen; in dieselbe Passio ist eine sprachlich einfache visionäre Aufzeichnung eines Saturus (urspr. lat.? [7]) integriert; der Redaktor (→ Tertullian?) hat die Texte ergänzt und in der Einl. die hohe Bedeutung dieser Biographie für Christen betont. Die Form der aus A. und Bericht zusammengesetzten Passio wird in der *Passio SS. Montani et Lucii* (259) und teilweise auch in der gleichzeitig entstandenen *Passio SS. Mariani et Iacobi* nachgeahmt.

→ Augustinus führt die A. als große Form gleich mehrfach in die christl.-lat. Literatur ein. In dem 386 geschriebenen Dialog *Soliloquia* prüft er im Gespräch mit der Ratio seine Seelenverfassung. Von der rationalen zur affektiven Darstellung geht er über in den um 400 geschriebenen *Confessiones*. Die B. 1–9 schildern sein Leben bis zum Tod seiner Mutter Monica im Jahr 387 unter den verschiedenen Aspekten des Wortes *confessio: c. peccati, c. laudis, c. fidei* [6. 13–29; 10]. Das B. 10 handelt von der *ingens aula memoriae*, dem Bewußtseinszentrum des Menschen (10,14). Die B. 11–13 legen die

Schöpfungsgesch. der Bibel (Gn 1) aus. Der Zusammenhang der B. 1–9 einerseits, dann 10 und 11–13 andererseits, bleibt unklar, solange man A. auf den Ausdruck des ›Selbstbewußtseins und Bewußtmachens der Persönlichkeit‹ [8. 1/1, XI] beschränkt. Bezieht man die Dimension Mikro-/Makrokosmos ein [4. 68], dann läßt sich das *ganze* Buch als exemplarisch verstandene A. würdigen. Die *Confessiones* sind in der lat. Lit. weithin ohne Vorläufer. Nie hat bis dahin ein lat. Autor in so breiter Form und mikroskopisch detaillierter Psychologie seine seelische Befindlichkeit im Hinblick auf Gott reflektiert. Das dritte und letzte autobiographische Werk Augustins sind seine *Retractationes*. In ihnen revidiert er um 428 sein schriftstellerisches Werk unter chronologischen und dogmatischen Gesichtspunkten.

Der Erfolg der *Confessiones* Augustins spiegelt sich in einer ›ersten Welle der Konfessionen, die über den Westen‹ hingeht, wider [8. 1/2, 693]: (1) eine früher dem Augustinusschüler Prosper v. Aquitanien zugeschriebene kurze, allg. gehaltene Confessio (Incipit: *Nato mihi quondam sub lege peccati*); (2) der εὐχαριστικός *deo sub ephemeridis meae textu* (›Danksagung an Gott für die Fügungen meiner Lebenstage‹) in 616 Hexametern, den → Paulinus v. Pella in Südgallien um 459 schrieb; (3) die *Confessio* des Iren-Apostels Patricius († 461 oder 491); (4) das zwischen 511 und 521 geschriebene *Eucharisticum de vita sua* des biographisch versierten → Ennodius v. Pavia. Bes. Beachtung findet in der neueren Forschung die *Confessio* des Patricius: Im eigenen Lebensschicksal schildert er die Bekehrung der Iren und gibt seinem paulinischen Sendungsbewußtsein in einem emphatisch gesteigerten Bibellatein Ausdruck [3. 2, 228–230; 9].

Das durch Gregor d. Gr. († 604) nachdrücklich ins Lebensgefühl des 7. Jh. eingeführte *naufragium* ist das Grundmotiv der *Narrationes* des Valerius v. Bierzo in Galicien († 695 [3. 2, 209]). Im 10. Jh. tritt in Bischof Rather v. Verona ein ähnlich konstituierter schriftstellerischer Charakter auf. Mit Augustinus' *Confessiones* wagt sich erst Guibert v. Nogent († 1124), *De vita sua*, zu messen [5. 272–276].

LIT.: 1 E. AUERBACH, Literatursprache und Publikum in der lat. Spätant. und im MA, 1958 2 C. I. BALMUŞ, Etude sur le style de saint Augustin dans les Confessions et la Cité de Dieu, 1930 3 W. BERSCHIN, Biographie und Epochenstil im lat. MA, 3 Bde., 1986–91 4 H. CHADWICK, Augustine, 1986 5 P. COURCELLE, Les Confessions de saint Augustin dans la tradition littéraire, 1963 6 Ders., Recherches sur les Confessions‹ de saint Augustin, ²1968 7 Å. FRIDH, Le problème de la passion des saintes Perpétue et Félicité, 1968 8 G. MISCH, Geschichte der A. 1/1, ³1949; 1/2, ³1950 (dazu F. JACOBY, in: DLZ 30, 1909, 1093–1098, 1157–1163, 1421–1423) 9 C. MOHRMANN, The Latin of St. Patrick, 1961 10 H. RHEINFELDER, Confiteri, confessio, confessor im Kirchenlatein und in den roman. Sprachen, in: Ders., Philologische Schatzgräbereien, 1968, 54–67 11 L. ROBERT, Une vision de Perpétue martyre à Carthage en 203, in: CRAI 1982, 228–276 12 M. VERHEIJEN, Eloquentia Pedisequa, 1949.   W. B.

V. Nachwirkungen

Eine starke und direkte Wirkung hat Augustinus mit den *Confessiones* gehabt, die zu allen Zeiten viel gelesen wurden. Im Mittelalter stehen sie hinter vielen Selbstdarstellungen, die den Charakter von Sündenbekenntnissen haben. Ferner haben sie zwei Autoren beeinflußt, die für das »Ich-Bewußtsein« der Neuzeit wesentlich wurden: Petrarca (bei seiner Besteigung des Mont Ventoux führte er Augustinus' *Confessiones* mit sich) und Rousseau (deutlich in Titel und Beginn seiner ›Confessions‹. Ant. Selbstreflexion hat auch außerhalb der Form der A. vielfältig weitergewirkt. So beruft sich Montaigne auf Lucilius und Horaz; sein Denken ist bestimmt von Seneca und Plutarch.

→ Autobiographie

1 T. C. Price Zimmermann, Bekenntnis und A. in der Renaissance, in: G. Niggl (Hrsg.), Die A., 1989, 343–366.

H. GÖ.

Autograph. Die Existenz von »eigenhändig« geschriebenen Hss. lit. Texte in der Ant. ist bis h. umstritten und steht in engem Zusammenhang mit der Arbeitsweise der einzelnen Autoren (→ Abschrift). Diejenigen Hss. müssen berücksichtigt werden, bei denen eine eigenhändige Abschrift behauptet wurde, sowie die Zeugnisse der indirekten Überlieferung, die bei dem Verfassen eines lit. Werks auf eigenhändiges Schreiben schließen lassen.

Die einzigen Texte, bei denen die eigenhändige Niederschrift durch den Verf. mit absoluter Sicherheit vorausgesetzt werden kann, sind die Gedichtkonzepte des Notars und Dichters Dioskurides von Aphroditopolis in Oberägypten (6. Jh. n. Chr.); dies ist durch die Gegenüberstellung der restlichen, eigenhändig abgefaßten Urkunden aus dem Notariatsarchiv des Dioskurides nachweisbar. Als A. werden auch weitere 18 Papyri mit der Überlieferung anonymer Texte angesehen. Es sind unbedeutende Gedichte oder Prosatexte, die durchweg alle Eigenschaften eines Konzepts oder einer ersten Ausfertigung aufweisen. In keinem dieser Fälle kann die Eigenhändigkeit wie bei den Dioskuridespapyri nachgewiesen werden, da eine Gegenüberstellung mit Urkunden der gleichen Hand nicht möglich ist. Auch die Papyri aus der Bibliothek von Herculaneum, bei denen eine mehr oder weniger eingehende direkte Beteiligung von Philodemos vorausgesetzt wird, können insgesamt nicht als A. betrachtet werden. Ein bes. Fall ist dagegen der A. Plit Lond 165 (ein als → Anonymus Londiniensis bekannter medizinischer Text).

Interessante indirekte Angaben, die auf die eigenhändige Niederschrift lit. (und zwar poetischer) Texte schließen lassen, finden sich bei einigen lat. Autoren (Ov. met. 9, 522–9; Plaut. mil. 200–7; 214 f.; Hor. sat. 1,10,70–74; Pers. 1,106). Aus diesen und anderen Quellen wurde geschlossen, daß die Dichter zum Teil, eventuell sogar vorzugsweise, von ihren Versen eine eigenhändige erste Niederschrift anfertigten. Bei Prosawerken dagegen war das Diktat verbreitet, wenn nicht gar

vorherrschend. Die geringe Verbreitung des A. in der Ant. zeigt sich auch in der Sprache: nur in einem einzigen Falle scheint der Terminus αὐτόγραφος (*autógraphos*) tatsächlich in der Bed. eines vom Autor eigenhändig geschriebenen lit. Textes vorzukommen (Porph. vita Plot. 20,7–9). Ansonsten kommen die Adjektive αὐτόγραφος oder *autographus* zumeist mit Bezug auf ἐπιστολή (oder *epistula*) vor, da Briefe in der Regel eigenhändig geschrieben wurden.

Im Westen und im Osten verbreitet sich das eigenhändige Schreiben von lit. Texten erst spät, wahrscheinlich erst ab dem 11.–12. Jh. Aus dem lat. und byz. MA und der Renaissance kennen wir zahlreiche A. wichtiger Autoren; unter den lat. schreibenden: Petrarca, Boccaccio und Poliziano; unter den Byzantinern: Eustathios von Thessalonike, Matthäus von Ephesos und Kritobulos von Imbros.

→ Verfasser; Diktat

T. Dorandi, Den Autoren über die Schulter geschaut, in: ZPE 87, 1991, 17–25 • Ders., in: W. Kullmann, J. Althoff (Hrsg.), Vermittlung und Tradierung von Wissen in der griech. Kultur, 1993, 71–83 • A. Petrucci, Minuta, autografo, libro d'autore, in: C. Questa, R. Raffaelli (ed.), Il libro e il testo, 1984, 397–414 • D. Reinsch, Bemerkungen zu byz. Autorenhss., in: D. Harlfinger (Hrsg.), Griech. Kodikologie und Textüberlieferung, 1980, 629–44.

T. D. / S. SO.

Autokles (Αὐτοκλῆς).

[1] Von Anaphlystos (IG I³ 370,17), Sohn des Tolmaios. Strategos 425/24 (mit Nikias u. a. vor Kythera, Thuk. 4,53,1), 424/23 und 418/17 v. Chr. (IG ebd.). Schloß, mit Nikias u. a., Waffenstillstand mit Sparta 423 (Thuk. 4,119,2; Schol. Aristoph. Equ. 796). Traill, PAA 239060.

Davies, 2717.

K. KI.

[2] Sohn des Strombychides aus dem Demos Euonymon, athenischer Rhetor und Strategos. Er hielt 372/71 v. Chr. als athenischer Friedensgesandter in Sparta eine schroff antispartanische Rede (Xen. hell. 6,3,2; 6,3,7–9). Als athenischer Stratege unterstützte er 368/67 → Alexandros von Pherai (Diod. 15,71,3). Im Sept. 362/61 erneut als Stratege nach Thrakien entsandt, wurde er schon im Frühjahr 361 nach Athen zurückberufen, wo ihn → Apollodoros wegen Verrates an Athens Verbündeten → Miltokythes anklagte. Der Ausgang des Verfahrens ist unbekannt (vgl. Demosth. or. 23,104; Hyp. fr. 55–65 Jensen). A. spielte danach keine polit. Rolle mehr.

PA und Davies, 2727.

J. E.

Autokrates. Att. Dichter der Alten Komödie [1. test. 1], aus dessen einzigem noch bekanntem Stück, den Τυμπανισταί, Aelian zehn trochäische Kurzverse eines Tanzliedes zitiert (fr. 1). Die Notiz der Suda, A. habe auch τραγῳδίας πολλάς (›viele Tragödien‹) geschrieben [1. test. 1], scheint unglaubwürdig, bezieht sich vielleicht aber auf κωμῳδοτραγῳδίαι [2. 172[12]], d. h. ein auf komischen und trag. Elementen gemischtes Drama, lat. *tragicomoedia*.

1 PCG IV, 1983, 18 f. 2 SCHMID/STÄHLIN I 4, 1946, 172.

T. HI.

Autokrator (Αὐτοκράτωρ).

A. GRIECHISCH B. BYZANTINISCH

A. GRIECHISCH

Die Bedeutung »Herrschaft über sich selbst ausübend« drückt den Gegensatz zur Unterwerfung unter einen fremden Willen aus. So nehmen die Thebaner für sich in Anspruch, ihre Parteinahme für die Perser in 480 sei einer herrschenden → *dynasteia* zuzuschreiben, nicht der ganzen Stadt, die *a.* über sich gewesen sei (Thuk. 3,62,3–4). Als *a.* werden oft auch Beamte und Gesandte bezeichnet, wenn ihnen mehr Macht als in diesen Funktionen üblich zugestanden wird. Dieser Hintergrund wird z. B. klar, wenn die Athener 415 die Führer der Expedition nach Sizilien zu ›*a.es* wegen der Größe der Streitmacht und des gesamten Unternehmens‹ erklären (Thuk. 6,26,1). Weniger klar sind die Implikationen in anderen Fällen, etwa wenn → Alkibiades [3] in Athen 420 die Gesandten Spartas überredet zu erklären, sie seien nicht *a.es* (Thuk. 5,45), oder wenn es sich die athenischen Gesandten nach Sparta 392/1 als Verdienst anrechnen, die Friedensbestimmungen der Volksversammlung vorzulegen, obwohl sie doch *a.es* seien (And. 3,33). Jedenfalls konnte eine Volksversammlung immer die Tätigkeit von *a.es* mißbilligen, sie bestrafen und die Ergebnisse zurückweisen. In manchen Städten wird *strategos a.* gleichsam ein Titel für mächtige Generäle: In Syrakus forderte → Hermokrates 415/4 eine kleine Gruppe von *strategoi a.es* (Thuk. 6,72,5), → Dionysios ernannte sich selbst 405 zum *strategos a.* (Diod. 13,95,1).

In röm. Zeit bezeichnet *a.* den Imperator und *strategos a.* den Dictator (Pol. 3,86,7). P. J. R.

B. BYZANTINISCH

Byzantinischer Titel, griech. Übers. des lat. *imperator*, in der aber der Aspekt der autonomen Herrschaft stärker betont ist. Spätestens seit dem ausgehenden 8. Jh. n. Chr. dem byz. Hauptkaiser vorbehalten, der ihn aber seit dem 13. Jh. mehrfach auch dem ranghöchsten Mitkaiser verlieh.

ODB 1, 235 · F. DÖLGER, Das griech. Mitkaisertum, 1936, in: Ders., Byz. Diplomatik, 1956, 102–129. F. T.

Autolykos (Αὐτόλυκος).

[1] Sohn von Hermes und Chione (oder Philonis, die von Apollon auch den Sänger → Philammon gebar, Hes. fr. 64,14). Er wurde in verschiedene Mythenkreise einbezogen, als Vater von → Odysseus' Mutter Antikleia (Hom. Od. 11,85), von → Iasons Mutter Polymede (Apollod. 1,107) sowie von Aisimos, Vater des → Sinon. Er gibt dem neugeborenen Odysseus seinen Namen, und auf der Jagd mit seinen Söhnen am Par-

nassos erhält Odysseus seine Schenkelwunde (Od. 19,392–466). Von Hermes erhielt er den Meineid und die Diebeskunst; seine Beute konnte er unsichtbar machen (Hes. fr. 67) oder verwandeln (Ov. met. 711–715), doch überlistete ihn schließlich Sisyphos beim Rinderdiebstahl (Polyain. 6,52; Hyg. fab. 201; als Rinderdieb erscheint er auch bei Apollod. 2,129).

In seiner Gestalt, die den »Werwolf« im Namen trägt [1. 137], sind im Thema von Rinderdiebstahl und Jagd idg. Initiationsmotive aufbewahrt [2; 3].

[2] Der mythische Gründer von → Sinope, Sohn des Deimachos aus Trikka, Bruder von Deileon und Phlogios; Herakles lernte von ihm die Ringkunst (Apollod. 2,63). Die Brüder begleiteten Herakles auf dem Amazonenzug; er läßt sie bei Sinope zurück, die Argonauten nehmen sie mit (Apoll. Rhod. 2,955–961; Plut. Lucullus 23,4; Hyg. fab. 14,30 scheint sie zu Söhnen des Phrixos und Medeas Schwester Chrysothemis zu machen). Er wurde in Sinope kult. »wie ein Gott« verehrt; als Lucullus Sinope eroberte, entführte er das Kultbild, ein Werk des → Sthennis (Strab. 12,3,11; Plut. ebenda).

1 W. BURKERT, Homo Necans, 1972, 137 2 N. F. RUBIN, W. M. SALE, Meleager and Odysseus. A structural and cultural study of the Greek hunting-maturation myth, Arethusa 16, 1983, 137–171 3 J. N. BREMMER, Heroes, rituals, and the Trojan war, Studi Storico-Religiosi 2, 1978, 15–23 4 O. TOUCHEFEU, LIMC 4.1, 55 f. F. G.

[3] **Von Pitane.** Lehrer von → Arkesilaos, des Gründers der »Mittleren Akademie« (Diog. Laert. 4,29), lebte somit um 310 v. Chr. Neben seinem Zeitgenossen → Eukleides ist er der älteste Mathematiker und Astronom, von dem Werke vollständig erh. sind. Die beiden Schriften des A. lehren die Geometrie auf der Kugel und ihre Anwendung auf die Astronomie; sie liefern die Grundlagen, um die Bewegung der Fixsterne mathematisch zu erfassen.

Das Buch ›Über die sich bewegende Kugel‹ (Περὶ κινουμένης σφαίρας), das vor Eukleides' *Phainomena* entstanden ist, behandelt Sätze über Kreise auf einer sich gleichförmig drehenden Kugelfläche und beweist sie im Stil des Eukleides. Die Darstellung und die Begriffe sind zwar abstrakt, lassen sich aber leicht auf die Hauptkreise und -punkte der Himmelskugel (Horizont, Äquator, Wendekreise, Tierkreis, Pole) übertragen. Diese Schrift kann als theoretische Vorbereitung auf das rein astronomische Werk ›Über die Auf- und Untergänge der Sterne‹ (Περὶ ἐπιτολῶν καὶ δύσεων, 2 B.) gesehen werden. Hier werden, ähnlich wie in Euklids *Phainomena*, Sätze über die sichtbaren und unsichtbaren Auf- und Untergänge der Sterne über, in und unter dem Tierkreis aufgestellt. Nach SCHMIDT [5] sind beide Bücher verschiedene Fassungen desselben Werks.

Ihrer leichten Faßlichkeit und Eignung als Einführung in die Astronomie verdanken A.' Bücher ihre große Verbreitung. Sie wurden in die ›Astronomia parva‹ aufgenommen und im MA ins Arab., Hebr. und Lat. übersetzt (s. [3; 4]).

In einer verlorenen Schrift befaßte sich A. mit den Schwierigkeiten, die die Theorie der homozentrischen Sphären bei der Erklärung der unterschiedlichen Größen der Planeten bot (Simpl. in Aristot. cael. 504,23 HEIBERG).

1 Autolyci De sphaera quae movetur liber, de ortibus et occasibus libri duo ..., ed. F. HULTSCH, 1885 2 A.: Rotierende Kugel und Aufgang und Untergang der Gestirne. Theodosios: Sphärik. Übers. und mit Anm. versehen von A. CZWALINA, 1931 3 J. MOGENET, Autolycus de Pitane. Histoire du texte suivie de l'édition critique des »Traités de la sphère en mouvement et des levers et couchers«, 1950 4 J. MOGENET, La traduction latine par Gérard de Crémone du »Traité de la sphère en mouvement« d'Autolycus, in: Archives Internationales d'Histoire des Sciences 2, 1948, 139–164 5 O. SCHMIDT, Some Critical Remarks About Autolycus' »On Risings and Settings«, in: De 11. Skandinaviske Matematikerkongres i Trondheim 1949, 1952, 202–209.   M. F.

Automaten (αὐτόματα). Der A.-Bau als Spezialdisziplin der Mechanik diente in der Ant. überwiegend der Unterhaltung. Die Bewegungen der Automaten zielten fast immer auf das Erstaunen der Betrachter, die sich das beobachtete Geschehen nicht erklären konnten. Automaten wurden in der Ant. nicht als Arbeitsmaschinen in der Produktion verwendet.

Αὐτόματα (*autómata*) waren Geräte, in denen ein vom Mechaniker konzipiertes Bewegungsprogramm durch eine Kombination sogenannter einfacher Instrumente (z. B. Hebel, Schraube, Zahnrad, Heber) wie von selbst ausgeführt wurde, sobald die dazu notwendige Energie von außen zugeführt oder eine in der Antriebsvorrichtung gespeicherte Energie durch einen äußeren Impuls freigesetzt wurde. Für die Wiederholung der Programmabwicklung mußten die Geräte zum Teil in einen genau definierten Ausgangszustand zurückversetzt werden.

Bereits Homer verwendete bei der Beschreibung der von Hephaistos angefertigten Dreifüße, die sich von selbst bewegten (Hom. Il. 18,372–379), das Adjektiv αὐτόματος. Seit der klass. Zeit kann die Entwicklung der A.-Technik aufgrund der überlieferten Texte in Umrissen beschrieben werden. Archytas von Tarent soll eine mechanische Taube angefertigt haben, die täuschend echt aussah und vielleicht durch einen pneumatischen Antrieb bewegt auffliegen konnte (Gell. 10,12,8–10). Nachdem die Mechanik in aristotelischer Zeit als Disziplin wiss. begründet worden war, entwickelte sich der A.-Bau im Hell. zu einem ihrer wichtigen Aufgabenfelder. Automaten wie die Schnecke des Demetrios von Phaleron (308 v. Chr; Pol. 12,13,12) oder die in der Prozession des → Ptolemaios II. Philadelphos gezeigte Statue der Nysa (etwa 270 v. Chr.; Athen. 5,198f) hatten die Aufgabe, die Macht hell. Herrscher zu demonstrieren und ihre Position gegenüber der Bevölkerung zu legitimieren.

Wie die Geräte konstruiert waren, geht in vielen Fällen aus den überlieferten Schriften zur A.-Technik

(Philon von Byzanz; Heron) hervor. Als Antrieb der fahrenden Automaten dient bei Heron der Zug eines Gewichtes, ein Prinzip, das auch bei dem Automatentheater Philons Anwendung fand. Dabei wurde die Bewegung des Gewichtes auf eine Achse übertragen. Es war bei Szenen des A.-Theaters bereits möglich, die Rotationsbewegung in die Stoßbewegung eines Hammers umzuwandeln. Die in der Pneumatik Herons beschriebenen Automaten nutzten zur Erzielung bestimmter Effekte etwa die Ausdehnung der Luft durch Erwärmung (zum Öffnen von Tempeltüren; Heron pneu. 1,39), die Dampfkraft (l.c. 2,6; 2,11) oder die Windkraft (l.c. 1,43).

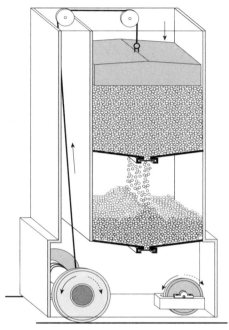

Druckkraft: Gewichtzug dient als Antrieb eines fahrenden Automaten; das Gewicht wird von Hirse- oder Senfkörnern gebremst (Rekonstruktion).

Einzelne Apparate dienten durchaus praktischen Zwekken, so die zum Feuerlöschen verwendete, von Ktesibios konstruierte Wasserspritze (Heron. pneu. 1,28; Vitr. 10,7). Biographische Informationen über die Mechaniker, die A. konstruierten, fehlen fast vollständig; immerhin zeigen die Ausführungen des Vitruvius über Ktesibios (9,8,2 ff.) ein Interesse an der Person einzelner Techniker.

Während der Principatszeit wurden vereinzelt Automaten bei Festgelagen eingesetzt, wobei teilweise neue verblüffende Schaueffekte erzielt wurden (Petron. 54,4). Im griech. Osten wurde zumindest bei einem Festzug ein großer Automat mitgeführt, wie der Bericht über das durch einen nicht sichtbaren Mechanismus vorwärtsbewegte Schiff zeigt, das → Herodes Atticus im

2.Jh. n.Chr. für die Panathenäen konstruieren ließ (Philostr. soph. 550). Es war offenbar eine Reminiszenz an die große Zeit der Prozessionsautomaten im Hellenismus. In der Renaissance belebte die Wiederentdeckung der ant. Lit. erneut das Interesse an den A. und an mechanischen Schöpfungsphantasien.
→ Mechanik

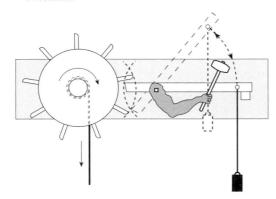

Rotationsbewegung wird in die hin- und hergehenden Bewegungen eines Hammers umgewandelt (Rekonstruktion).

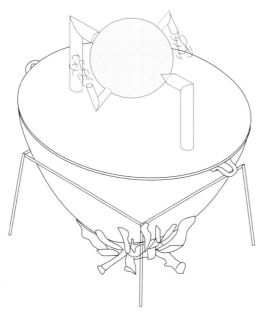

Dampfkraft: die Rotationsbewegung der Kugel wird bei Erwärmung durch die Ausdehung der Luft hervorgerufen (Rekonstruktion).

B. CARRA DE VAUX, Le Livre des appareils pneumatiques et des machines hydrauliques par Philon de Byzance, in: Notices et extraites des manuscrits de la Bibliothèque Nationale de Paris 38, 1903, 27–235 • W. SCHMIDT (Hrsg.), Heronis Alexandrini opera quae supersunt omnia, Bd. I, Druckwerke und A.-Theater, 1899.

1 H. DIELS, Ant. Technik, ²1920, 57–70 und 192–232
2 A. G. DRACHMANN, Ktesibios, Philon and Heron. A Study in Ancient Pneumatics, 1948 3 B. GILLE, Les mécaniciens grecs, 1980 4 H. VON HESBERG, Mechanische Kunstwerke und ihre Bed. für die höfische Kunst des frühen Hellenismus, in: Marburger Winckelmann-Programm, 1987, 47–72 5 D. HILL, A History of Engineering in Classical and Medieval Times, 1984, 199–222 6 A. SCHÜRMANN, Griec. Mechanik und ant. Ges., 1991.   AS.S.

Automedon (Αὐτομέδων).

[1] Sohn des Diores aus Skyros (Hyg. fab. 97). Wagenlenker des Achilleus und des Patroklos (Hom. Il. 9,209; häufig in Buch 16 und 17 der Il.). Er wird als solcher oft auf Vasenbildern dargestellt. Bei Vergil (Aen. 2,476f.) wird er Wagenlenker des Neoptolemos. Seit Varro (Men. 257) wird *Automedo* in Rom zur Bezeichnung des verläßlichen persönlichen Wagenlenkers (z.B. Cic. S. Rosc. 98; Iuv. 1,61).

A. KOSSATZ-DEISSMANN, s. v. A., LIMC 3.1, 56–63.   F.G.

[2] Epigrammdichter des ›Kranzes‹ des Philippos (Anth. Pal. 4,2,11), wahrscheinlich aus augusteischer Zeit (vgl. 10,23). Die 11 auf uns gekommenen Gedichte (7,534 ist nicht von ihm) zeigen einen Satiriker von Rang, mit oft glücklichen und originellen Einfällen, ohne Zweifel der angesehenste und unmittelbarste Vorläufer des → Lukillios (vgl. Anth. Pal. 11,29; 50; 319; 324–326; 361). Von ihm ist Antimedon von Kyzikos zu unterscheiden, von dem wir ein geschmackvolles Distichon, auch dieses vielleicht aus dem »Kranz« des Philipp, über die Animalität des Menschen haben (11,46).

GA II 1,168–177 (vgl. 12 f.); 2,186–191 (vgl. 17 f.).
E.D./T.H.

Autonoë (Αὐτονόη). Tochter des → Kadmos und der → Harmonia, Schwester von → Semele, → Agaue und Ino (→ Leukothea), Frau des Aristaios, Mutter des → Aktaion (Hes. theog. 977; Apollod. 3,26; 30; Hyg. fab. 184). In Euripides' ›Bakchen‹ führt sie einen Zug der thebanischen Maenaden an (230; 680; Ov. met. 3,720). Nach dem Tod ihres Sohnes geht sie nach Megara; ihr Grab erwähnt Pausanias (1,44,5).

A. KOSSATZ-DEISSMAN, s. v. A., LIMC 3.1, 64 f.   F.G.

Autonomia (αὐτονομία). In der Bedeutung »eigene Gesetze haben«, und deshalb nicht den Gesetzen anderer gehorchen zu müssen, kann *a.* als Synonym von → *eleuthería* (Freiheit) gelten. Sie zielte bes. auf Freiheit in inneren Angelegenheiten, deren Erhalt von Mitgliedern eines Bundes mit hegemonialer Struktur erhofft wurde, während sie die Entscheidung über auswärtige Angelegenheiten dem Bund übertrugen. Das Wort *a.* soll vielleicht deshalb als Ausdruck dieser Art von Freiheit unter den Bedingungen des → Attisch-Delischen Seebunds geprägt worden sein ([2; 3]). Nach Thukydides waren seine Mitglieder ›anfangs *autónomoi* und entschieden in gemeinsamen Versammlungen‹, wurden aber dann ›versklavt‹ (1,97,1; 98,4); bekanntlich läßt er sich nicht über die Beschwerde der Aigineten aus, sie seien ›nicht *autónomoi* wie vertraglich bestimmt‹ (1,67,2). Er läßt die Spartaner fordern, die Athener sollten die Griechen *autónomoi* lassen, und Perikles zugeben, daß einige nicht *autónomoi* seien (1,139,3; 140,3; 144,2). Athen beseitigte die staatliche Selbständigkeit der Mitglieder des Seebunds nicht, griff aber in bisher ungewohnter Weise in ihre Autonomie ein.

Nach den 418 von Sparta geschlossenen Verträgen sollten die Städte auf der Peloponnes, die großenteils Sparta im → Peloponnesischen Bund unterstellt waren, ebenso *autónomoi* bleiben (Thuk. 5,77,5; 79,1) wie die griech. Städte im Königsfrieden von 386 (Xen. hell. 5,1,31). Im → Attischen Seebund des 4.Jh. galten die Mitglieder als *eleútheroi* und *autónomoi* (TOD, 123). Bei den Versuchen, die Zusage inhaltlich zu füllen (z.B. Thuk. 5,79,1), geht TOD 123 am weitesten. Freiheit und Autonomie wurden von hell. Königen und von Rom weiterhin angekündigt: Die Autonomie griech. Staaten mit langer Tradition war zwar prekär, aber nicht immer ohne Substanz.

1 T.J. FIGUEIRA, Autonomoi kata tas spondas (Thuc. 1,67,2), in: BICS 37, 1990, 63–72 = Excursions in Epichoric History, 1993, 255–266 2 P. KARAVITES, Ἐλευθερία and αὐτονομία in fifth century interstate relations, in: RIDA³ 29, 1982, 145–162 3 M. OSTWALD, A., 1982.

M.H. HANSEN, in: Ders., K.A. RAAFLAUB (Hrsg.), Studies in the Ancient Greek Polis, 1995, 21–43.   P.J.R.

Autophradates (Αὐτοφραδάτης).

[1] Identisch oder verwandt mit dem Satrapen von Lydia zur Zeit des Satrapenaufstands. Unter → Memmon, dann unter Pharnabazos Flottenkommandeur gegen → Philippos II. und → Alexandros [4], führte er in der Ägäis erfolgreiche Aktionen aus und unterstützte → Agis [3] mit Geld und Schiffen. Nach der Schlacht von → Issos löste sich seine Flotte auf.

BERVE 2, Nr. 188.   E.B.

[2] Satrap einer kaspischen Prov., kämpfte bei → Gaugamela für → Dareios, unterwarf sich 330 v.Chr. → Alexandros [4] und erhielt die Satrapie zurück, wurde aber nach → Spitamenes' Tod abgesetzt und vielleicht verhaftet. Nach Alexandros' Rückkehr aus Indien wurde er mit anderen Satrapen hingerichtet.

BERVE 2, Nr. 189.   E.B.

Autor s. Verfasser

Autorenvarianten.

Autoren ziehen oft bei der ersten Niederschrift alternative Formulierungen in Erwägung und ändern auch noch Texte, die schon zur Veröffentlichung freigegeben sind. Ant. Autoren unterscheiden sich in dieser Hinsicht nicht von ihren modernen Nachfolgern, wie wir Ciceros Briefwechsel mit seinem Verleger Atticus (12,6a,1; 13,21a; 44,3) entnehmen können. Wir wissen, daß manche überlieferten Texte Überarbeitungen urspr. Fassungen sind (→ Auflage, zweite),

und in solchen Fällen muß es einmal A. gegeben haben (selbst wenn bei einer zweiten Auflage Ergänzungen und Streichungen näher liegen als Umformulierungen).

→ Autographe sind aus der Ant. kaum erhalten, doch scheinen die Papyri mit den Gedichten des Dioskoros von Aphrodito (Mitte 6.Jh. n.Chr.) ein Beispiel für die erste Niederschrift eines Autors zu sein (vgl. [1; 2]).

Angesichts der Gewißheit, daß Autoren ihre Werke überarbeiteten, könnten Textkritiker versucht sein, A. anzunehmen, wenn die hsl. Überlieferung plausible Alternativen anzubieten scheint; selbst G. PASQUALIS *dictum*, daß dies die *ultima ratio* des Textkritikers sein müsse, findet sich in einem Kapitel seiner ›Storia della tradizione e critica del testo‹ [3], in dem er sich für A. z.B. bei Martial (vgl. außerdem [4]), Lukan und Prudentius ausspricht. D.C.C. YOUNGS unplausibler Versuch, A. in der hsl. Überlieferung des Longus nachzuweisen [5], ist von M.D. REEVE [6] zurückgewiesen worden. R.P.H. GREEN [7] ist G. JACHMANN [8] in der Ablehnung von A. bei der Ausonius-Überlieferung gefolgt. Plausibler ist die Annahme, daß Stellen aus beiden Aufführungen von Aristophanes' ›Fröschen‹ zu dem überlieferten Text von 1435–66 (vgl. [9]) zusammengezogen wurden. Gute Gründe konnten dafür vorgebracht werden, im Text der ›Metaphysik‹ (und von *De anima*) Belege für ›verschiedene Phasen in Aristoteles' Lehrtätigkeit‹ anzunehmen [10]; ebenso in der ›Rhetorik‹ (vgl. [11] in der Rezension der Ausgabe von R. KASSEL [12]). Andere Fälle sind sehr umstritten; ein berühmtes Beispiel ist Platon, *Kratylos* 437d–438b, wo die Oxoniensis von 1995 [13] zwei Fassungen des zehnzeiligen Passus als gleichermaßen gültige Alternativen druckt. Im Lat. bieten Ovids ›Metamorphosen‹ eine Reihe von Beispielen, die immer noch diskutiert werden (bes. 1,544ff.; 8,595ff.; 8,651ff.); die Komm. von F. BÖMER [14] und A.S. HOLLIS ([15], nur zu Buch 8) stimmen der Hypothese einer Doppelfassung (im Anschluß an R. LAMACCHIA [16] und P.J. ENK [17]) vorsichtig zu; andere Gelehrte haben sich für eine Interpolation ausgesprochen, bes. H. MAGNUS [18] und C.E. MURGIA [19]. R.J. TARRANT ist der letzteren Ansicht, hat aber in seinen Aufsätzen über → Interpolation (bes. [20]) anerkannt, daß die Qualität wetteifernder Nachahmungen des Autors durch seine Leser von seinen eigenen ausschmückenden Formulierungen gegebenenfalls ununterscheidbar ist, und kommt sogar zu dem Schluß, daß ›der erste Leser der ›Metamorphosen‹, der eine »kollaborative« Interpolation einsetzte, vielleicht gar Ovid selbst war‹ [20. 297]. Das Erscheinen von Komm. in der Spätant. wird die Überlieferung von A., aber auch von plausiblen Interpolationen ermöglicht haben. Die Vergilscholien zeigen mit ihren Verweisen auf Verbesserungen *ipsius manu* (vgl. [21] und [22]), wie einfach aus Behauptungen der Authentizität Erklärungen für die Inkonsistenzen der Überlieferung werden können.

Der unvollendete Zustand von Vergils und Lukans Epos und Ovids Behauptung, daß er die ›Metamorphosen‹ unvollendet zurückgelassen habe (trist. 1,7), ließen die Annahme von »Doppelfassungen« natürlich glaubwürdig erscheinen. Andere von ihren Autoren unfertig hinterlassene Werke geben zu ähnlichen Hypothesen Anlaß. Die Lukrezüberlieferung bietet zahlreiche Stellen, die Wiederholungen anderer Stellen des Gedichtes sind; sie sind wahrscheinlich den Aktivitäten späterer Leser zuzuweisen (vgl. [23]), doch O. REGENBOGEN [24] sprach sich dafür aus, zumindest in 1,44–9 ein Fragment zu sehen, das der Dichter nicht mehr in den Text integriert hat. Als A. werden zuweilen auch Stellen erklärt, die durch die → indirekte Überlieferung (z. B. Verg. Aen. 2,567–88, dazu [25]) oder nur in einem Teil der hsl. Überlieferung (z. B. Demosth. or. 9,6–8 und andere Stellen der 3. Philippica; das Oxfordfragment von Iuvenal, dazu [26]) erh. sind. So wird Cic. off. 1,40 von WINTERBOTTOM [27] als erster Entwurf in Klammern gesetzt, der unangemessenerweise stehenblieb, als sein Inhalt 3,113–5 einen besseren Platz gefunden hatte.

Im MA sind eindeutige Fälle von »Doppelfassungen« häufiger (vgl. [28]).

1 L. S. B. MacCOULL, Dioscorus of Aphrodito, 1988, 2 2 E. COURTNEY, The Formation of the Text of Vergil, in: BICS 28, 1981, 14 3 G. PASQUALI, Storia della tradizione e critica del testo, ²1952, S. 419 4 REYNOLDS, 243–4 5 D. C. C. YOUNG, Author's variants in the MS tradition of Longus, in: PCPhS 14, 1968, 65–74 6 M. D. REEVE, Author's Variants in Longus?, in: PCPhS 15, 1969, 75–85 (p. 75, Anm. 1 eine nützliche Bibliographie zu diesem Thema) 7 R. P. H. GREEN, The Works of Ausonius, 1991, xlii–ix 8 G. JACHMANN, Das Problem der Urvarianten in der Ant. und die Grundlagen der Ausoniuskritik, in: Ausgewählte Schriften, 1981, (Beiträge zur klass. Philol., Heft 128), 470–527 9 K. J. DOVER, Aristophanes, Frogs, 1993, 75–76, 373–376 10 R. WALZER, Aristotelis Metaphysica M. Jaeger, in: Gnomon 31, 1959, 588–90 11 F. SOLMSEN, Rev. Aristotelis Ars rhetorica ed. Kassel, in: CPh 74, 1979, 69–70 12 R. KASSEL, Aristotelis Ars Rhetorica, 1976 13 E. A. DUKE et al., Platonis opera I, 1995 14 F. BÖMER, P. Ovidius Naso, Metamorphosen, Buch I–III, 1969; VIII–IX, 1977 15 A. S. HOLLIS, Ovid, Metamorphoses VIII, 1970 16 R. LAMACCHIA, Varianti d'autore nelle »Metamorfosi« d'Ovidio?, in: RAL 1956, 379–422 17 P. J. ENK, Metamorphoses Ovidii duplici recensione servatae sint necne quaeritur, in: Ovidiana, 1958, 324–46 18 H. MAGNUS, Ovids Metamorphosen in doppelter Fassung?, in: Hermes 40, 1905, 191–239 19 C. E. MURGIA, Ovid. Met. 1. 544–547 and the Theory of Double Recension, in: Classical Antiquity 3, 1984, 227–31 20 R. J. TARRANT, Toward a Typology of Interpolation in Latin Poetry, in: TAPhA 117, 1987, 281–98 21 J. E. G. ZETZEL, Emendavi ad Tironem: Some Notes on Scholarship in the Second Century A. D., in: HSCPh 77, 1973, 233–40 22 S. TIMPANARO, Per la storia della filologia virgiliana antica, 1986, 184–95 23 M. DEUFERT, Pseudo-Lucretisches im Lukrez, 1996 24 O. REGENBOGEN, Lukrez, seine Gestalt in seinem Gedicht, 1932, 69–77 25 G. P. GOOLD, Servius and the Helen Episode, HSCPh 74, 1970, 101–68 26 REYNOLDS 203 27 M. WINTERBOTTOM, Cicero, de Officiis, 1994 28 G. ORLANDI, Pluralità di redazioni e testo critico, in: La critica del testo mediolatino, 1994.

S. H. u. N. W./T. H.

Autronius. Seltener, seit dem 2. Jh. v. Chr. bezeugter plebeischer Gentilname (ThlL 2,1601 f.).

[1] A. Paetus, L., *cos. suff.* 33 v. Chr.; wohl *procos.* von Africa 29/28, feierte 28 einen Triumph *ex Africa* (Inscr. It. 13,1,87). PIR I² A 1680.

[2] A. Paetus, P., Jugendfreund Ciceros und mit ihm 75 v. Chr. *quaestor* (Cic. Sull. 18), zwischen 73–71 als Legat wohl des M. Antonius (Praetor 74) in Griechenland (SIG³ 748, Z. 16). *Praetor* spätestens 68. Im J. 66 wurde er mit P. Cornelius Sulla zum Konsul für 65 gewählt, aber wegen Bestechung von L. → Aurelius Cotta angeklagt und wie sein Kollege verurteilt (Ascon. 76; 78C; Sall. Catil. 18). Er schloß sich dann Catilina an und beteiligte sich 63 aktiv an der Verschwörung (Hauptquelle Cic. Sull.; Sall. Catil. 47). Cicero zeichnet Sull. 71 ein sehr negatives Bild von A. – angeblich soll er sogar die Ermordung Ciceros geplant haben (Sull. 18). 62 wurde er nach der *lex Plautia de vi* verurteilt und ging ins Exil nach Epirus, wo er sich wenigstens bis 58 aufhielt (Cic. Att 3,2; 3,7,1); gestorben ist er vor 46 (Cic. Brut. 241; 244). K.-L. E.

Autumnus. Der Herbst; als Personifikation in Bildkunst und Dichtung seit den Augusteern faßbar, doch ohne nachgewiesenen Kult. Meist wird er zu den → Horai gerechnet und deswegen oft weiblich dargestellt.

L. A. CASAL, s. v. A., LIMC 5.1, 819 f. F. G.

Auxesia, Auxo s. Charites

Auxilia. In den letzten beiden Jh. der Republik hat Rom Angehörige nicht-ital. Völker mit bes. mil. Fähigkeiten etwa kret. Bogenschützen, Schleuderer von den Balearen oder Reiter aus Numidien, Spanien oder Gallien, zwangsweise rekrutiert oder als Söldner angeworben. Nach der Schlacht von Actium verblieben 31 v. Chr. viele dieser Einheiten entweder als Freiwillige oder durch einen Vertrag an Rom gebunden im Dienst, während andere weiterhin unter ihren eigenen mil. Führern in ihrem Heimatland oder in dessen Nähe dienten. Es war die Leistung des Augustus, viele Einheiten aus verschiedenen Stämmen oder Völkern in das röm. Heer einzugliedern und somit systematisch ein großes Reservoir an Soldaten und mil. Fähigkeiten zu nutzen.

Im frühen → Prinzipat wurden die meisten a. von → Centurionen oder Militärtribunen kommandiert. Einige trugen den Titel eines früheren Kommandeurs, wie die *ala Scaevae*, die wahrscheinlich nach Caesars berühmtem Centurio benannt worden ist, andere trugen den Titel eines Distrikts oder Stammes (z. B. *I Alpinorum*), weiterhin gab es Titel, die auf die Bewaffnung hindeuteten (z. B. *Sagittariorum* – »der Bogenschützen«). Manchmal wurde auch der Name des *Princeps* hinzugefügt (*I Augusta Thracum*). Spätestens im 1. Jh. n. Chr. bestanden die meisten a. vermutlich aus Soldaten, die in Gebieten wie Belgica und Pannonia, später auch aus an den Militärlagern angrenzenden Ländereien rekrutiert worden sind. Damit wurde mit Ausnahme einiger spezialisierter Krieger wie den syr. Bogenschützen der homogene ethnische Charakter der *a.* nach und nach aufgegeben.

Im Jahre 23 n. Chr. waren die *a.* scheinbar ebenso zahlreich wie die Soldaten der Legionen (Tac. ann. 4,5). Unter den Flaviern betrug die Zahl der in *a.* dienenden Soldaten 180000; sie wuchs vermutlich auf über 220000 bis zur Mitte des 2. Jh. n. Chr. an. Die *a.* bestanden aus den Cohorten der Fußtruppen und den *alae* der Reiterei von etwa 480–500 Mann sowie aus teilweise berittenen Cohorten (*cohortes equitatae*) mit etwa 120 Reitern und 480 Fußsoldaten. Vielleicht entstanden unter den Flaviern größere, bis zu 800–1000 Mann starke Einheiten (*milliaria*).

Die Soldaten der *a.* dienten 25 Jahre und hatten dieselben Funktionen wie die Soldaten der → Legionen, obwohl Fußsoldaten der *a.* etwas schlechter bezahlt wurden. Durch den Eintritt röm. Bürger in die *a.* verlor der Unterschied zwischen diesen und den Legionen an Bedeutung. Im Prinzipat wurden Angehörige der *a.* geschickt in die röm. Gesellschaft integriert, indem man ihnen und ihren Nachkommen das → Bürgerrecht gewährte, was seit dem 2. Jh. n. Chr. generell mit der Entlassung aus den *a.* einherging.

In der Spätant. waren *a.* Infanterieeinheiten, die als → *comitatenses* oder *limitanei* dienten, während *alae* und *cohortes* zu den → *limitanei* gehörten.

1 Y. LE BOHEC, Les unités auxiliaires de l'armée romaine en Afrique proconsulaire et Numidie, 1989 **2** G. L. CHEESMAN, The A. of the Roman Imperial Army, 1914 (Ndr. 1971) **3** W. ECK, H. WOLFF (Hrsg.), Heer und Integrationspolitik, 1986 **4** P. A. HOLDER, Studies in the A. of the Roman Army from Augustus to Trajan, 1980 **5** K. KRAFT, Zur Rekrutierung der Alen und Kohorten an Rhein und Donau, 1951.   J. CA.

Auximum. Stadt im nördl. → Picenum (*regio V, tribus Velina*) zw. Musone und Aspio, ca. 12 km von der Adria entfernt, h. Osimo. Hier sind sowohl picenische (Osimo) wie kelt. Siedlungen (S. Paolina, S. Filippo) nachgewiesen. Seit 157 v. Chr. röm. *colonia (praetores)*. Diente Pompeius 83 v. Chr. als Rekrutierungsbasis. Von Attius Varius belagert, fiel A. 49 v. Chr. an Caesar. A. war bed. in augusteischer Zeit (Inschr. und Skulpturen). Zeugnisse frühen Christentums. Seit dem 4. Jh. n. Chr. Bischofssitz. Von strategischer Bed. im Krieg zw. Goti und Byzantinern (539 n. Chr.). Stadtmauern (*opus quadratum*, Tuffstein). Arch. Funde im Stadtzentrum, außerhalb eine monumentale Quellenanlage (Fonte Magna), bei Montetorto eine *villa rustica*.

G. V. GENTILI, s. v. Osimo, in: EAA 5, 781 · G. V. GENTILI, Osimo nell'antichità, 1990.   S. M. M.

Auzia (Αὐζία). Stadt in der → Mauretania Caesariensis, 124 km südöstl. von Algier, h. Aumale bzw. Sour el-Ghozlane. Ptol. 4,2,7; Itin. Anton. 30,6 (Auza); Amm.

29,5,44; 49 (*Audiense castellum*). Kaum identisch mit Αὐζα bei Menandros von Ephesos FGrH 783 F 3 [1. 52], aber wohl mit dem *castellum . . . cui nomen Auzea* (Tac. ann. 4,25,1). A. war ein bed. Straßenknotenpunkt nahe des mauretanischen Limes (Not. dign. occ. 30,17 erwähnt einen *praepositus limitis Audiensis*). Spätestens seit E. des 2. Jh. n. Chr. war A. *municipium* (CIL VIII 2, 9046), seit Septimius Severus *colonia* (CIL VIII 2, 9062). Als *genius et conservator coloniae* wurde ein *Auzius deus* verehrt (CIL VIII 2, 9014). Inschr.: CIL VIIII 2, 9014–9177; Suppl. 3, 20735–20815; AE 1966, 183 Nr. 597. Erh. sind zahlreiche Votiv- und Grabmonumente.

1 G. BUNNENS, s. v. Auza, DCPP.

G. CAMPS, s. v. A., EB, 1187–1189 · C. LEPELLEY, Les cités de l'Afrique romaine 2, 1981, 534–538.   W. HU.

Avares. Turkstamm, z. T. im Gefolge der Hunnen und aus Mittelasien von den Türken vertrieben, der im 6. Jh. n. Chr. westwärts zog (Synk. 5,15 f.). 558/59 standen die A. mit ca. 20000 Kriegern nördl. des Kaukasus. Konstantinopolis verhielt sich ihnen gegenüber ablehnend, während sie unter ihrem Khagan Baian einen Siegeszug durch die südrussischen Steppen unternahmen. Ihr Gesuch um Siedlungsplätze südl. der Donau wurde von Konstantinopel abgelehnt (Theophanes Byzantios FGH 4, 270b). Zw. 562 und 566 griffen sie zweimal die → Franci an. Nach einem erfolgreichen Feldzug zusammen mit den → Langobardi gegen die → Gepidae 567 ließen sie sich im Karpatenbecken nieder, 582 eroberten sie Sirmium. Die Nachfolger des Baian dehnten das Einflußgebiet der A. nach Süden und Westen aus. 791 wurden sie von Karl dem Gr. geschlagen. Anf. des 9. Jh. wurden sie von den → Bulgaroi teils eingegliedert, teils ostwärts abgedrängt.

A. KOLLANTZ, H. MIYAKAWA, Gesch. und Kultur eines völkerwanderungszeitlichen Nomadenvolkes, 1970 · S. SZÁDESZKY-KARDOSS (Hrsg.), Avarica, 1986 · W. POHL, Die Awaren, 1988.   I. v. B. und S. R. T.

Avaricum. Hauptort der → Bituriges Cubi (lt. Caesar: 30000 Einwohner; ca. 100 ha.) am Zusammenfluß von Auron und Yèvre, zwei Nebenflüssen des Cher, wo sich zw. dem 8. und 6. Jh. eine Siedlung befunden hatte, h. Bourges. 52 v. Chr. von Caesar erobert und zerstört (Caes. Gall. 7,13–28), dann aber wieder aufgebaut. A. war Hauptort der *civitas*, unter Diokletian Hauptstadt der Aquitania I. Monumente: Tempel, großer Säulengang, Amphitheater, Thermen, Aquädukte, Werkstätten. Inschr. Belege: CIL XIII, 1189–315; 11082–150; Inscriptions latines des trois Gaules, 1963, 160–164.

J.-F. CHEVROT, J. TROADEC, Carte archéologique, Cher, Paris, 1992, 75–152 · Y. ROUMEGOUX, in: D. SCHAAD, M. VIDAL (Hrsg.), Villes et agglomérations urbaines antiques du Sud-Ouest de la Gaule, 1992, 48–58 · J.-M. SAUGET et al., in: Ebd., 191–198 · F. JACQUES, Gallia, 1973, 297–312; 1974, 255–85.   E. FR.

Avedda. Stadt in der Africa proconsularis, nördl. von Medjez el-Bab gelegen, h. Henchir Bedd. Seit Caracalla (211–217 n. Chr.) war A. *municipium* (CIL VIII Suppl. 1, 14369; Inscr. latines de la Tunisie 1206). Inschr.: CIL VIII Suppl. 1, 14369–14376; Inscr. latines d' Afrique 435–439; Inscr. latines de la Tunisie 1206–1213; AE 1973, 193 Nr. 602.

AATun 050, Bl. 19, Nr. 8.   W. HU.

Avens. Fluß im Sabinum, entspringt am Fiscellus nahe → Nursia (Plin. nat. 3,109). Ihn begleitete die → Via Salaria von Falacrinae über Interocrium und Cutilia nach Reate, wo er in den Velinus mündet.   G. U.

Aventia. Fluß im Gebiet der → Apuani in Etruria (Tab. Peutingeriana), evtl. h. Avenza.   G. U.

Aventicum. Von den Römern bestimmter Hauptort der → Helvetii im Westen des Stammesgebiets an der alten Überlandstraße zw. Genfer See und Aare, h. Avenches. Von ca. 12 v. Chr. bis ins 2. Jh. n. Chr. erfolgte der Ausbau des Platzes zur röm. Stadt. 69 n. Chr. entging A. nur knapp der Plünderung durch die Armee des Vitellius (Tac. hist. 1,69). Kaiser Vespasian, dessen Familie Beziehungen zu A. unterhielt (Suet. Vesp. 1,3), gestattete den Bau eines Mauerrings (Umfang 5650 m, z. T. erhalten). Ausgrabungen seit dem 18. Jh. haben den Stadtplan mit Monumentalbauten aufgedeckt: rechteckige Wohnquartiere, Amphitheater, szenische Theater, Tempel, Bäder, *scholae* (Vereinshäuser). A. nannte sich zunächst *Civitas Helvetiorum*, nach Vespasian *Colonia Pia Flavia Constans Emerita Helvetiorum foederata* (Zahlenverhältnis zw. *coloni* und *incolae* unbekannt). Die Verfassung entsprach dem Modell röm. Kolonien mit *duoviri* und *decuriones*; aber die Mehrheit der einheimischen Bevölkerung blieb bis ins 3. Jh. ohne röm. → Bürgerrecht. 259/60 erlitt A. eine erste Zerstörung durch einen Einfall der → Alamanni. Im MA dienten die röm. Bauten als Steinbruch; so besteht z. B. das Cluniazenserpriorat Münchenwiler z. T. aus röm. Spolien.

H. BÖGLI, A., 1984 · W. DRACK, R. FELLMANN, Die Römer in der Schweiz, 1988, 337–348 · E. MEYER, Die röm. Schweiz, 1941, 252–268.   G. W.

Averruncus. Kaum belegte Gottheit, die Übel abwehrt (*deus*, bei Varro ling. 7,102, daher θεὸς ἀποτρόπαιος Gloss. 3,290,31). Daneben existiert die Namensform *Auruncus* (Gell. 5,12,14).   F. G.

Avestaschrift. Die A. wird nur für die in avest. Sprache (→ Iranische Sprachen) abgefaßten hl. Schriften der von Zarathustra (griech. Ζωροάστρης) gestifteten Rel. verwendet. Sie ist im Sasanidenreich (224–651 n. Chr.) auf der Grundlage der Pahlavī-Schrift erfunden worden. Als rechtsläufige Alphabetschrift besteht die A. aus ca. 53 Buchstaben. Sie sind teils direkt aus der Pahlavī-

Schrift übernommen, teils durch diakritische Zusätze neu geschaffen. Neu gegenüber den oriental. Alphabeten ist die Existenz eigener Buchstaben zur Wiedergabe der Vokale. Sie dürfte vom benachbarten Griech. inspiriert worden sein.
→ Alphabet

K. HOFFMANN, Zum Zeicheninventar der A., in: W. EILERS (Hrsg.), Festg. dt. Iranisten zur 2500-Jahrfeier Irans, 1971, 64–73 (= Aufsätze zur Indoiranistik Bd. 1, 1975, 316–326).   N. O.

Avianus. Verfasser einer Sammlung von 42 → Fabeln in Distichen (Anfang 5. Jh. n. Chr.), die wahrscheinlich → Macrobius gewidmet ist; zum Namen des A. [8. 10–19]; Identifikationsversuche mit dem Lehrdichter → Avienus oder mit dem in den ›Saturnalien‹ des Macrobius auftretenden Avienus sind abzulehnen [4. XI-XIV; 3. 392–396; vgl. 11]. Der Stoff der meisten Fabeln ist → Babrius als direkter Quelle, nicht aber durch Vermittlung einer lat. Prosaparaphrase [7. 71–73; 8. 163–191] entnommen. Mit dem Bemühen um eine gefällige hohe poetische Fassung (Versmaß, Klassikerreminiszenzen) kontrastieren sprachliche und metrische Lizenzen der Zeit [11]. Die alle Fabeln prägende Tendenz zu einer allg.-gültigen Moralisierung hebt sich deutlich von sozialkritischen Zügen z. B. bei → Phaedrus ab.

Von den mehr als 100 erh. A.-Hss. teilen sich die ältesten in zwei Textrezensionen auf, die jüngeren vermischen diese. Das ganze MA hindurch war A. kanonischer Schulautor und stand zusammen mit der Phaedrus-Paraphrase des → Romulus weithin für die antike aesopische Fabel insgesamt [5. 58–67; 10]. Die Fabeln des A. wurden mehrfach in Prosa und Versform bearbeitet oder neugefaßt, u. a. von Alexander Neckam [6].

ED.: **1** A. GUAGLIANONE, 1958 **2** F. GAIDE, 1980 (vgl. Gnomon 53, 1981, 239–245).
LIT.: **3** A. CAMERON, Macrobius, Avienus and A., in: CQ 17, 1967, 385–399 **4** R. ELLIS, The Fables of A., 1887 (1966) **5** K. GRUBMÜLLER, Meister Esopus, 1977 **6** L. HERVIEUX, Les fabulistes latins 3, 1894 **7** N. HOLZBERG, Die antike Fabel, 1993 **8** J. KÜPPERS, Die Fabeln A.s, 1977 **9** Ders., HlL § 622 **10** M. MANITIUS, Beitr. zur Gesch. röm. Dichter im MA, in: Philologus 51, 1892, 533–535; 61, 1902, 630 **11** O. UNREIN, De Aviani aetate, Diss. Jena 1885.   J. KÜ.

Avidia

[1] Tochter des Avidius Nigrinus, Frau von L. Aelius II 6 Caesar, aus SHA Hadr. 23,10 zu erschließen [1. Nr. 128].
[2] (A.) Alexandria. Tochter des Avidius [1] Cassius, Frau des Tib. Claudius Dryantianus Antoninus (SHA Marc. 26,11 f.) [1. Nr. 129].
[3] A. Plautia. Tochter des Avidius [4] Nigrinus, Halbschwester von L. Aelius II 6 Caesar, Tante von L. Verus (CIL X 6706 = ILS 8217); verheiratet mit L. Epidius Titius Aquilinus [1. Nr. 130].

1 RAEPSAET-CHARLIER.   W. E.

Avidius

[1] A. Cassius, C., aus Kyrrhos in Syrien stammend, Sohn von A. [2] (SHA Marc. 25,12). Aufnahme in den Senat unter Antoninus Pius, im Partherkrieg Unterbefehlshaber des L. Verus mit dem Kommando über die *legio III* Gallica und Auxiliartruppen (Lukian. 31), eroberte Seleukeia und Ktesiphon (Cass. Dio 71,2,2 ff.; 3,1); auch in Rom wurde sein Beitrag zum Partherkrieg anerkannt (Fronto ad am. 1,6) [1; 2. 141 ff.]. Wohl 166 Suffektkonsul [6. 181 f.], ab ca. 166 auch Statthalter von Syrien [3. 312 f.], spätestens ab 172 mit einem Kommando über alle Prov. im Osten betraut (Cass. Dio 71,4; Philostr. soph. 2,1,13) [2. 284 Anm. 32]. Auf das falsche Gerücht vom Tod des Marcus Aurelius 175 von den Truppen in Syrien zum Kaiser ausgerufen, auch in Ägypten anerkannt [4]; die »Rebellion« wurde möglicherweise durch geheime Abreden mit → Faustina ausgelöst. Nach drei Monaten und sechs Tagen von einem *centurio* getötet (Cass. Dio 71,27,2 f.). Seine Korrespondenz wurde von Martius Verus verbrannt, die Familie wurde geschont [2. 184 ff.; 5. 689 ff.]

1 G. ALFÖLDY, H. HALFMANN, Iunius Maximus und die Victoria Parthica, in: ZPE 35, 1979, 195 ff. 2 A. BIRLEY, Marcus Aurelius, ²1988 3 THOMASSON, I 4 A. BOWMAN, A letter of A. Cassius?, in: JRS 60, 1970, 20–26 5 SYME, RP Bd. 5 6 ALFÖLDY, Konsulat.

[2] A. Heliodorus, C., Vater von A. [1], Ritter, epikuräischer Philosoph und Rhetor, *ab epistulis* des → Hadrianus (Cass. Dio 69,3,5) [1. 547 ff.; 696 f.; 2. 196 f.]. Von 137–142 *praef. Aegypti* [3. 288; 4. 81]. Stand mit Aelius → Aristeides in Verbindung (Aristeid. or. 50,75).

1 SYME, RP 5 2 A. BIRLEY, in: Laverna 5, 1994 3 G. BASTIANINI, Lista dei prefetti d'Egitto dal 30ᵃ al 299ᵖ, in: ZPE 17, 1975 4 Ders., Lista dei prefetti d'Egitto dal 30ᵃ al 299ᵖ, Aggiente e correzioni, in: ZPE 38, 1980.

[3] A. Nigrinus. Wohl aus Faventia stammend. Unter → Domitianus praetorischer Prokonsul, wohl von Achaia (Plin. epist. 10,66,2); [1. 186]. Plutarch widmet ihm und seinem Bruder A. [5] eine Schrift [2. 51 ff.].

1 W. ECK, Jahres- und Provinzialfasten, in: Chiron 13, 1983 2 C. P. JONES, Plutarch and Rome, 1971.

[4] A. Nigrinus, C., Sohn von A. [3]. Unsicher, ob mit dem *tribunus plebis* Nigrinus von 105 identisch (Plin. epist. 5,13,6; 20,6; 7,6,2;4 [1. 328]), denn das Intervall bis zum Suffektkonsulat 110 wäre dann sehr kurz. Als *legatus Aug. pro praetore* in Achaia, entweder Statthalter oder Sonderbeauftragter [2. Nr. 290; 3. 187]. Statthalter von Dacia ca. 114–116; vgl. [4. 19 ff.]. Angeblich von → Hadrianus als Nachfolger vorgesehen, wurde er Anf. 118 auf Befehl des Senats zusammen mit anderen Senatoren hingerichtet (SHA Hadr. 7,1; Cass. Dio 69,2,5). Verheiratet mit einer Plautia, seine Tochter Avidia [3] Plautia. (PIR² A 1408).

1 SYME, RP 1 2 A. PLASSART, Fouilles de Delphes 3,4, 1970 3 W. ECK, Jahres- und Provinzialfasten, in: Chiron 13, 1983 4 PISO.

[5] A. Quietus, T., Bruder von A. [3], eng mit → Thrasea Paetus verbunden (Plin. epist. 6,29,1). Prokonsul von Achaia um 91/2 [1. 319], *cos. suff.* 93, konsularer Legat von Britannien 98 [2. 85 ff.]. Eng mit Plutarch verbunden [3. 51 ff.]. Um 105/6, als Plinius epist. 6,29 schrieb, bereits tot.

1 W. ECK, Jahres- und Provinzialfasten in: Chiron 12, 1982 2 BIRLEY 3 C. P. JONES, Plutarch and Rome, 1971.

[6] A. Quietus, T., wohl Sohn von A. [5]. Suffektkonsul 111 n. Chr. (FOst², 47), Prokonsul von Asia 125/126 [1. 224 f.; 2. 162].

1 THOMASSON, I 2 W. ECK, Jahres- und Provinzialfasten, in: Chiron 13, 1983.   W. E.

Avienus, Postumius (?) Rufius Festus. Röm. Dichter um die Mitte des 4. Jh. n. Chr. Als stadtröm. Aristokrat ist er den pagan restaurativen Tendenzen des Adels der Zeit verpflichtet. In einer Weihinschr. an die etrusk. Göttin Nortia (CIL 6,537 = ILS 2944) nennt er Volsinii als seinen Geburtsort, führt sein Geschlecht auf den stoischen Philosophen → Musonius Rufus zurück und weist auf sein zweifaches Prokonsulat hin [8; 10; 11].

A. dokumentiert mit seinen poetischen Bearbeitungen von Vorlagen aus dem Bereich der griech. Wissenschaft und Lehrdichtung noch einmal Kontinuität und Einheit der griech.-röm. Lit.-Tradition; zugleich bildet er einen der Schlußpunkte der ant. Lehrdichtung [11]: 1. Das erste größere Werk, das geogr. Lehrgedicht *Descriptio orbis terrae*, hat seine Vorlage in der viel gelesenen hexametrischen *Periegesis* des Alexandriners → Dionysios Periegetes (entstanden 124 n. Chr.). 2. Die in iambischen Senaren verfaßte *Ora maritima* greift die alte Form des → *Periplus* auf. In den erh. Anfangsteilen wird die Atlantikküste sowie die Mittelmeerküste bis Marseille beschrieben. Ob A. als Quelle (s. ora 32–50) alte *periploi* oder aber spätere Kompilationen, z. B. aus augusteischer Zeit, benutzte, wird kontrovers diskutiert [vgl. 5. 10–13; 7; 11]. 3. Die *Arati phaenomena* setzen die Tradition der lat. Bearbeitungen des astronomischen Lehrgedichts des → Aratos von Soloi durch Cicero, Germanicus u. a. fort, bieten aber umfangreiche, auf Scholienmaterial zurückgreifende Erweiterungen. Wahrscheinlich entstanden die *Aratea* als letztes Werk des A. um 360, auf jeden Fall aber vor 387 (vgl. Hier. comm. in Tit. 1,12 = PL 26,706; zur Werkchronologie insges. [6. 38 f.]). 4. Zum Frühwerk des A. gehört eine nicht erhaltene Dichtung über Sagen Vergils (*fabulae Vergilii*) in iambischen Trimetern (Serv. und Serv. auct. Aen. 10,272). Ob man aus Serv. Aen. 10,388 auf eine poetische Liviusparaphrase schließen darf, ist fraglich ([9; 6. 36]; zu apokryphen Kleindichtungen [6. 37 f.; 11. 327]); als authentisch hat dagegen die dem → Flavianus Myrmeicus gewidmete Versepistel zu gelten [6. 29; 11. 326].

A. wetteifert in der Gestaltung bewußt mit seinen Vorbildern [6. 40–75; 11]; in Erweiterungen wird A. als Repräsentant der synkretistischen Geistesströmungen des spätant. Paganismus faßbar (Prooem. und Schluß von *ora* und *Aratea*; Arat. 169 ff.; 277–303 u. a. [12; 13]).

Die erh. Werke des A. sind vollständig nur durch VALLAS Editio princeps (1488) überliefert; Teile der *Aratea* tradiert ein Vindobonensis aus dem 10. Jh., auf dem ein Ambrosianus des 15. Jh. basiert, der *Arat.* und *orb. terr.* dort noch vollständig vorfand [6. 75–89]. Eine Nachwirkung des A. läßt sich mit Gewißheit fassen bei → Paulinus von Nola und bei → Priscianus, der in seiner erneuten Bearbeitung der *Periegesis* des Dionysios Periegetes *orb. terr.* heranzieht und vor allem deren Prooemium und Schluß christl. umdeutet. Im MA wurde A. nicht rezipiert [11].

→ Lehrgedicht

> ED.: 1 A. HOLDER, 1887 (1965); orb. terr.: 2 P. VAN DE WOESTIJNE, 1961; ora: 3 A. SCHULTEN, 1922, ²1955; 4 M. BERTHELOT, 1934; 5 D. STICHTENOTH, 1968; Arat.: 6 J. SOUBIRAN, 1981.
> LIT.: 7 F. MARX, Aviens ora maritima, in: RhM 50, 1895, 321–347 (Ders., RE 2, 1896, 2386–2391) 8 J. MATTHEWS, Continuity in a Roman family, in: Historia 16, 1967, 484–509 9 C. B. MURGIA, A.' supposed iambic version of Livy, in: Californian Studies in Classical Antiquity 3, 1970, 185–197 10 PLRE 1, 336 f. 11 K. SMOLAK, HLL § 557 12 D. WEBER, Aviens Phaenomena, Diss. Wien 1986 13 Dies., 'Et nuper A.', in: Eos 74, 1986, 325–335.   J. KÜ.

Avillius. Flaccus, A. In Rom geboren, Spielgefährte der Caesaren Gaius und Lucius, Freund des → Tiberius (Philo, In Flacc. 19,158). Ankläger der älteren Agrippina (ebda. 1,9). Von 32 bis kurz vor 20. Oktober 38 n. Chr. Praefekt von Ägypten [1. 477]. Nach dem Tod des Tiberius ließ er aus Furcht vor Caligula den griech. Nationalisten gegen die Juden in Alexandria freie Hand, entging aber der Ungnade des Kaisers nicht. Er wurde nach Rom beordert, angeklagt, nach Andros verbannt und dort im J. 39 hingerichtet (Hauptquelle: Philo, *In Flaccum*).

> 1 P. BURETH, Le préfet d'Égypte (30 av. J. C. – 297 ap. J. C.), ANRW II 10.1, 1988.
>
> B. HENNIG, Zu der alexandrinischen Märtyrerakte P. Oxy. 1089, in: Chiron 4, 1974, 425–440 · E. M. SMALLWOOD, The Jews under Roman Rule, 1976, 236 ff.   D. K.

Aviola. Röm. Cognomen (von *avis*) bei den Acilii, Calpurnii u. a. Familien (ThLL 2,1431).   K.-L. E.

Aviones. German. Völkerschaft, die nach Tac. Germ. 40,2 mit den Reudigni, Angli, Varini, Eudoses, Suardones und Nuithones die → Nerthus verehrten; ihre genaue Lokalisierung ist trotz der Etym. »Wasserbewohner, Inselbewohner« nicht möglich.   K. DI.

Avitta Bibba (Ἀουίττα). Stadt in der Africa proconsularis, an der westöstl. Verbindungsstraße Agbia – Pupput gelegen, h. Henchir Bou Ftis. (Plin. nat. 5,30 *oppidum Avittense*; Ptol. 4,3,31; Tab. Peut. 5,4). Der pun. Einfluß zeigt sich in der sufetalen Verfassung der Stadt (CIL VIII 1, 797). Seit Hadrian (117–138 n. Chr.) war A. *municipium* (CIL VIII 1, 799; 800; 1177). Inschr.: CIL VIII 1, 796–813; 1177; Suppl. 1, 12265–12284; Suppl. 4, 23875; Inscr. latines de la Tunisie 670–675; AE 1989, 290 Nr. 893.

→ Sufeten

> AATun 050, Bl. 34, Nr. 51 · C. LEPELLEY, Les cités de l'Afrique romaine 2, 1981, 73–75.   W. HU.

Avitus

[1] Flavius Eparchius A., weström. Kaiser 9.7.455–17.10.456, * um 400 in Clermont. Er entstammte einer Senatorenfamilie der Auvergne, gewann Einfluß auf den Westgotenkönig → Theoderich I., vermittelte als *praef. praetorio Galliarum* 439 einen Friedensvertrag mit ihm und konnte ihn 451 zum Kampf gegen die Hunnen gewinnen (Sidon. carm. 7,295–355). 455 wurde A. vom Kaiser Petronius → Maximus zum *mag. militum praesentalis* ernannt und nach dessen Sturz mit Hilfe von Westgoten und gallischer Aristokratie in Arles selbst zum Augustus proklamiert (Sidon. carm. 7,377 f.; 571–80). Zum Konsulatsantritt in Rom am 1.1.456 hielt → Sidonius Apollinaris die Lobrede (carm. 6 f.). Anerkennung fand A. in Gallien, It. und Pannonien, aber nicht beim oström. Kaiser → Marcianus. Im Abwehrkrieg gegen die Vandalen zeichnete sich → Ricimer aus, der, von A. zum Heermeister berufen, sich gegen diesen erhob und ihn, im Bunde mit → Maiorianus und dem Senat, bei Placentia besiegte. Kurzzeitig Bischof dieser Stadt, starb A. bald darauf, wohl 457 (Chron. min. 1,304; 2,186 MOMMSEN; Greg. Tur. Franc. 2,11; Joh. Ant. fr. 202). PLRE 2, 196–98.

> A. DEMANDT, Die Spätant., 1989, 170 f. · R. W. MATHISEN, The Third Regal Year of Eparchius Avitus, in: CPh 80, 1985, 326–35 · J. HARRIES, Sidonius Apollinaris and the Fall of Rome, 1994.   K. P. J.

[2] Alcimus Ecdicius. Letzter Vertreter der von senatorischen Kreisen getragenen lit. Kultur des spätant. Gallien, 494 als Bischof von Vienne belegt, gest. 518 (Heiliger). Er vermittelte als Kirchenpolitiker zw. dem arianischen Burgunderreich und der röm. Kirche und erwirkte die Konversion des Thronfolgers Sigismund zum Katholizismus (516). Daneben ist A. als Bibelepiker bedeutend: Seine 5 B. *de spiritalis historiae gestis* wählen Episoden aus Genesis und Exodus aus und gestalten sie zu einem dichterisch herausragenden Ganzen; das Werk beeinflußte die mlat. Dichtung (z. B. Audradus im 9. Jh.), B. 5 (*de transitu maris rubri*) wurde von Alfred dem Gr. ins Altengl. übersetzt. Durch die Einführung Lucifers als Handlungsträger wirkte A. direkt auf MILTONS *Paradise Lost* und indirekt auf die Faustsage. Auf das Epos ließ A. ein Buch *de virginitate* an seine Schwester, die

Nonne Fuscina, folgen. Histor. und theologisch wichtig sind die 86 Briefe (z.T. an → Gundobadus). Nur bruchstückhaft erh. blieben die Homilien. Nicht überzeugen konnte die Zuweisung pseudonymer christl. Dichtungen [1. 258–275].
→ Bibeldichtung

ED.: **1** R. PEIPER, MGHAA 6,2 **2** D.J. NODES, 1985 (Spir. hist. 1–3)
LIT.: **3** H. GOELZER, Le Latin de S. Avit, 1909 **4** M. BURCKHARDT, Die Briefslg. des Bischofs A., 1938 **5** M. DANDO, Alcimus A. as the author of De resurrectione mortuorum, De pascha, De Sodoma and De Iona, in: CM 26, 1965, 258–275 **6** K. THRAEDE, Epos, in: RAC 5, 1030 **7** D. KARTSCHOKE, Bibeldichtung, 1975, 50–53 **8** M. ROBERTS, Biblical Epic and Rhetoric Paraphrase in Late Antiquity, 1985 **9** D.J. NODES, Doctrine and Exegesis in Biblical Latin Poetry, 1993. K. SM.

Avroman-Pergamente. Bei den sog. A., 1909 in einem Tonkrug in einer Grotte auf dem Kūh-i Salān bei dem Dorfe Pālāngān am Kūh-i Avrōmān im Südwesten Iranisch-Kurdistans gefunden und h. im British Museum aufbewahrt, handelt es sich um zwei griech. und eine parth. Pergamenturkunde. Während die griech. Verträge aus den J. 88/87 und 22/21 v. Chr. den Verkauf des halben Weinbergs Dādbakān bezeugen, kündet der parth. (in heterographischer Schreibung) aus dem J. 53 n. Chr. von der Veräußerung des ›halben Weinbergs Asmak, der sich beim Ackerland befindet‹, durch Pātaspak, den Sohn des Tīrēn aus Bōd an Avīl, den Sohn des Bašnīn und seinen Bruder für 65 Drachmen. Besonders wegen der Namen der am Rechtsakt beteiligten Personen (Verkäufer, Käufer, Zeugen), aber auch wegen des Wechsels der für die Beurkundung verwendeten »Notariatssprache« vom Griech. zum Parth. zw. 21 v. Chr. und 53 n. Chr. sind diese Texte forschungsgeschichtlich relevant geworden.

E. H. MINNS, in: JHS 35, 1915, 22–65 · H. S. NYBERG, The Pahlavi Documents from Avroman, in: Le monde oriental 17, 1923, 182–230. J. W.

Axidares. Sohn des Partherkönigs Pakoros, der um 110 n. Chr. von seinem Vater zum König von Armenien gemacht wurde. Als Osroes Pakoros verdrängte, verlor auch A. den Thron an seinen eigenen Bruder Parthamasiris. Er scheint in der Folgezeit versucht zu haben, eine Kontaktaufnahme zw. Parthamasiris und seinem röm. Oberherrn → Traianus zu verhindern und von diesem seine eigene Anerkennung zu erreichen, was jedoch nicht gelang.

M. KARRAS-KLAPPROTH, Prosopographische Studien zur Gesch. des Partherreiches, 1988 · A. STEIN, s. v. Exedares, RE 6, 1581. M. SCH.

Axilla. Röm. Cognomen (»Achselhöhle«) bei den Sempronii, ältere Form für → Ahala (Cic. orat. 153). K.-L. E.

Axiochos (Ἀξίοχος). Onkel des → Alkibiades (Plat. Euthyd. 275a), 415 v. Chr. mit diesem gemeinsam des Mysterienfrevels im Haus des Charmenides beschuldigt, worauf er aus Athen floh (And. 1,16); seine Güter wurden versteigert. Zu seinen angeblichen Liebesabenteuern vgl. Athen. 12,534F–535A; 13,574E und [1. 20]. Er tritt in einem nach ihm benannten pseudoplatonischen Dialog auf. TRAILL, PAA 139755.

1 W. M. ELLIS, Alcibiades, 1989. M. MEI.

Axiome. Die A. sind, ähnlich wie die Postulate, vermutlich in Auseinandersetzung mit der eleatischen Philos. eingeführt worden, um die Existenz der Vielheit annehmen zu können [1. 322–325; 2; 3]. Nach Aristoteles sind die A. zentral für jede Wiss., insbes. der Satz vom Widerspruch und ausgeschlossenen Dritten (metaph. Γ 3,1005a19–b27); zur Einteilung der Grundlagen für eine beweisende Wiss. s. Aristot. an. post. 1,2,72a14–24. Bei Eukleides werden die A. (genannt: κοιναὶ ἔννοιαι) von den Postulaten (αἰτήματα) unterschieden, wobei die Postulate geometrische Forderungen, die A. allg. logische Festlegungen enthalten.

1 F. KRAFFT, Gesch. der Naturwiss. I, 1971 **2** A. SZABÓ, Anfänge des euklidischen Axiomensystems, in: Archive for History of Exact Sciences 1, 1960, 38–106 **3** Ders., Der älteste Versuch einer definitorisch-axiomatischen Grundlegung der Mathematik, in: Osiris 14, 1962, 308–369. M. F.

Axionikos. Dichter der Mittleren Komödie, über dessen Lebensumstände nichts bekannt ist. Daß A. der Mese angehört, legen die vier noch bekannten Stücktitel (Τυρρηνός, Φιλευριπίδης, Φίλιννα, Χαλκιδικός) sowie die wenigen Fragmente nahe [1; 2. 245ff.]. Bes. charakteristisch ist die euripideisierende Monodie eines Kochs im Φιλευριπίδης (fr. 4), deren Komik weniger auf der Verspottung des tragischen Vorbildes als auf dem Kontrast zwischen der dithyrambischen Sprache und der Tätigkeit der Speisezubereitung beruht [2. 246f.].

1 PCG IV, 1983, 20–27 **2** H.-G. NESSELRATH, Die att. Mittlere Komödie, 1990. T. HI.

Axiopistos (Ἀξιόπιστος) aus Lokris oder aus Sikyon. Er lebte wahrscheinlich im 4.Jh. v. Chr. und ist Verf. zweier Bücher, des Κανών (Kanṓn) und der Γνῶμαι (Gnṓmai), die unter Epicharmos' Namen veröffentlicht wurden (Athen. 14,648d = Philoch. FgrH 328 F 79; Apollod. FRrH 244 F 226). Ob → Epicharmos selbst eine Sammlung aus seinen Dramen gezogener Sentenzen (Gnṓmai) angelegt hat oder nicht – der Ruhm, den er sich als γνωμικός, gnōnmikós (Anon. ap. CGF I p. 7,18 KAIBEL) erworben hatte, begünstigte die Tendenz zu Fälschungen sicher schon sehr früh. Es ist jedenfalls sehr schwer, sichere Kriterien für eine Unterscheidung zwischen authentischen und Epicharmos untergeschobenen Versen zu benennen. Es handelt sich daher um reine Konjekturen, wenn moderne Herausgeber eine große Zahl von gnomischen Fragmenten, die die ant. Überlieferung eigentlich schon Epicharmos zugeschrieben hatte (s. [1]), wieder A. zuweisen wollen. Man hat darüber hinaus vermutet, daß die aus PHibeh I,1.2 (= CGFPR 86; 87) wiedergewonnenen Verse zu den Γνῶμαι des A. gehören. Bei A. hat Ennius wahrscheinlich Inspiration für seinen *Epicharmus* gesucht; s. [6].

Fr.: 1 CGF I, 1889, 140ff. (1958², mit Addenda von K. Latte, VIIff.) 2 CollAlex, 219ff. 3 A. Olivieri, Frammenti della commedia greca e del mimo nella Sicilia e nella Magna Grecia, 1930, 90ff. (mit Komm.) 4 C. Austin, Comicorum Graecorum fragmenta in papyris reperta, 1973, 78ff. (=CGFPR).
Lit.: 5 Schmid/Stählin I, 645f., 649f. 6 C. Pascal, Le opere spurie di Epicarmo e l'*Epicharmus* die Ennio, in: RFIC 47, 1919, 54ff. M.D.MA./T.H.

Axios (Ἄξιος). Größter Fluß in → Makedonia, h. Vardar, entspringt im Sar Planina, mündet westl. von Thessaloniki in die Ägäis. Wegen seiner Schluchten schlecht schiffbar, bildet das A.-Tal dennoch seit ant. Zeit bis h. eine Hauptlandroute zw. Ägäis und Donauregion. Der A. floß durch die Siedlungsgebiete von Dardani, Paiones und Makedones (Amphaxitis).

N.G.L. Hammond, A History of Macedonia I, 1972.
MA.ER.

Axiothea (Ἀξιοθέα) aus Phleius. Sie soll nach der Lektüre einer Schrift Platons über die Staatsordnung in die Akademie gekommen sein und dort in Männerkleidern neben Lastheneia aus Mantineia am Unterricht teilgenommen haben (Diog. Laert. 3,46 = Dikaiarchos F 44 W.).
→ Akademeia

T. Dorandi, Assiotea e Lastenia. Due donne all'Academia, in: Atti e Memorie Accademia Toscana »La Colombaria« 54, 1989, 53–66. K.-H.S.

Axius. Plebeischer Gentilname, seit dem 3. Jh. v. Chr. bezeugt und vielleicht mit dem etr. Stadtnamen Axia zusammenhängend (Schulze, 70; ThlL 2,1640f.).
[1] A., Q., *senator* (*quaestor* vor 73 v. Chr., Sherk, RDGE 23, Z. 12). Er war *tribulis* des → Varro, der ihn rust. 3,2,1 als Dialogpartner einführt, und guter Bekannter Ciceros, der ihn in seiner Korrespondenz häufiger erwähnt (eine Briefsammlung *ad Axium* in wenigstens zwei B. ist verloren [1]).

1 Schanz, Hosius I, 477. K.-L.E.

[2] A. Aelianus (Ionius), Q. Röm. Ritter und Provinzialbeamter, als *curator* und *procurator* in Südit., Mauretanien, Belgien, Germanien und Dakien (zwischen 235 und 238) tätig. Stadtpatron des dakischen Samizegethusa [1. 851ff. Nr. 328] (PIR² A 1688).

1 Pflaum, 2. T.F.

Axones (Ἄξωνες; Achsen). In Athen wurden die Gesetze des → Drakon und → Solon auf numerierten A. aufgezeichnet. Die Bezeichnung → *kýrbeis*, deren Ursprung unbekannt ist, war ein anderer Name für A.

(ML 86; Ath. pol. 7,1; Plut. Sol. 25). Vermutlich waren es drei- oder vierseitige hölzerne Pfeiler, die vertikal so auf Achsen montiert waren, daß sie der Betrachter drehen konnte. Im 4. Jh. v. Chr. konnten sie wahrscheinlich noch gelesen und studiert werden, zur Zeit Plutarchs existierten noch kleine Fragmente.

E. Ruschenbusch, Σόλωνος νόμοι, 1966 · R.S. Stroud, The A. and Kyrbeis of Drakon and Solon, 1979. P.J.R.

Axum, Axomis (Aksum). Stadt des abessinischen Hochplateaus. Um Christi Geburt gegr., hatten die Könige von A. schon im Verlauf des 1. Jh. n. Chr. ihren Einflußbereich bis nach Adulis am Roten Meer ausgedehnt. Unter König 'Ēzānā wurde A. Mitte des 4. Jh. von Alexandreia aus christianisiert. Im 6. Jh. eroberte König Kālēb Ella Aṣbeḥā mit byz. Unterstützung das Reich des jüd. Königs der Ḥimyar, Yūsuf Asʾar Yaṯʾar (Ḏū-Nuwās). Vielleicht aufgrund der Isolierung des Reiches von A. durch die Ausbreitung des Islam wurde A. Ende des 7. Jh. als Königsstadt aufgegeben. J.P.

In einer Höhe von 2100 m über dem Meeresspiegel wurde A. im Norden und Osten von den Hügeln Beta Giyorgis und Mai Qoho begrenzt und von zwei Bächen, Mai Lahlaha und Mai Hejja, durchlaufen, die in der Ant. das ganze Jahr hindurch Wasser führten.

A. lag günstig am Schnittpunkt zweier Handelswege und kontrollierte bes. nach dem Niedergang des Königreiches Meroë den innerafrikanischen Elfenbeinhandel nach Ägypt. und in die Mittelmeerländer. Über den Hafen Adulis am Roten Meer, gegenüber dem Dahlak-Archipel, war A. mit dem Gewürz- und Seidenhandel verbunden, der von Indien über den Golf von Aden nach Ägypt. und weiter nach Norden verlief. Aus A. selbst wurde Gold exportiert.

Die Kenntnisse über die Vorzeit von A. weisen noch große Lücken auf. Aus dem 2. Jt. v. Chr. ist nubisch und später meroitisch beeinflußte Keramik nachweisbar. Weitere gemeinsame sprachliche Wurzeln von A. mit den südwestl. Kulturen der saudi-arabischen Halbinsel (Saba) sowie die vergleichbare Architektur legen die Vermutung nahe, daß es im mittleren 1. Jt. v. Chr. Wanderungen gegeben hat – nach den neuesten Theorien von Arabien nach Tigre, wobei zeitlich früher vielleicht bereits Wanderungen in umgekehrter Richtung stattgefunden haben. Die ersten schriftlichen Erwähnungen von A. finden sich im *Periplus maris Erythraei* aus dem mittleren 1. Jh. n. Chr. und bei Ptolemaios (Γεωγραφίας Ὑφήγησις), um 160 n. Chr. Danach wurde A. spätestens in der Mitte des 1. Jh. n. Chr. gegr. und königliche Residenzstadt der *Auxumites*. Surveys und Grabungen zeigen, daß bis zur Zeitenwende nur kleinere Dörfer und Weiler im Hochland von Tigre existiert haben. Unter dem Einfluß der Zuwanderung aus der arabischen Halbinsel scheint die Urbanisierung stattgefunden zu haben. Bald entwickelten sich kleinere Territorien mit Residenzstädten, die von einzelnen Stämmen beherrscht wurden. Die wirtschaftlich und mil. überlegenen Axumiter unterwerfen bis zur Zeitenwende die umliegenden Stämme im Hochland und bemächtigten sich der Hafenstadt Adulis. Der erste in der Lit. faßbare Herrscher ist ein gewisser Zoskales, der um 50 n. Chr. regierte. Mit dem Niedergang Meroës im späten 1. und 2. Jh. n. Chr. übernahm A. zunehmend die wirtschaftlichen Interessen in der Region der Nilquellen.

Die Gesch. von A. wird erst ab etwa 200 n. Chr. deutlicher. Es gelang den Axumitern, auf der arabischen Halbinsel Fuß zu fassen und zusammen mit den Sabäern gegen die Königreiche von Ḥimyar und Ḥaḍramaut die Kontrolle über den Handel am Roten Meer zu erlangen. Die Gebietsgewinne im heutigen Jemen konnten die axumitischen Könige 'ADBH ('Azeba?), DTWNS (Datawnas) und ZQRNS (Zaqarnas) trotz wechselnder Allianzen und Niederlagen bis etwa 300 n. Chr. behaupten. Unter Sembrouthes, der wohl um 240 n. Chr. mindestens 24 Jahre regierte, wurden große Teile des heutigen Eritrea hinzugewonnen. Zum Zahlungsverkehr mit Prägungen der Römer und Ku'an gesellten sich ab etwa 270 n. Chr. Gold-, Silber- und Bronzemünzen der Könige von A. hinzu. Die beidseitig mit dem Bildnis des Königs und mit einer griech. Umschrift, später in Ge'ez, geprägten Münzen orientieren sich in Gewicht und Metallgehalt an röm. Münzen. Der Stil leitet sich vom alexandrinischen Kurant, die Ikonographie mit der Mondsichel über der Königsbüste als Symbol des Gottes Mahrem (Ares) von den ḥimyaritischen Münzen ab. In der Blütezeit stellten die silbernen und kupfernen Münzen, die eine Vergoldung im Feld um die Büste herum aufweisen, eine Besonderheit dar. Die auf numismatischen Zeugnissen basierende Königsliste begann mit Endubis. Unter seinem Nachfolger Aphilas, gelegentlich auch mit Sembrouthes gleichgesetzt, wurde das Königreich Meroë um 297 n. Chr. durch die im Klientelverhältnis zu A. stehenden Blemyer zerstört, was sich in der Münzprägung durch die Aufnahme der Kappe der Könige Meroës widerspiegelte. Unter dem ersten Bischof von A. Frumentius wurde König Ezanas um 333 n. Chr. zum Christentum bekehrt. Seitdem erscheint auf den Münzen das Kreuz anstelle der Mondsichel. Das Gesuch des arianisch gesinnten Constantius II. um 356 n. Chr., den als Haeretiker verdächtigten, von Athanasius geweihten Frumentius auszuliefern, wurde abgelehnt. Ezanas scheint sich darauf beschränkt zu haben, innere Unruhen im Königreich zu unterdrücken und einige Vorstöße nach Meroë durchzuführen. In der zweiten H. des 4. und im 5. Jh. n. Chr. herrschte anscheinend unter seinen Nachfolgern keine große Expansionspolitik. Nach dem Konzil von Chalcedon 451 n. Chr. bekannte sich das christl. A. zum Monophysitentum. Mit König Kaleb fanden um 520 n. Chr. nochmals umfassende Feldzüge im Jemen gegen den jüd. König Jusuf Asar Jathar statt, der sowohl die axumitischen Interessen bedrohte als auch die Christen verfolgte. Trotz einiger Erfolge gelang es Kaleb nicht, die jüngst eroberten Besitzungen im Jemen zu halten. Der lang andauernde Krieg besiegelte den wirtschaftlichen und finanziellen Ruin von A.; der Jemen ging gänzlich ver-

loren. Kaleb trat als König ab und zog sich in ein Kloster zurück. Epidemien, Mißernten, mil. Schwäche, die sich auch in dem Verlust der Kontrolle des Handels im südl. Roten Meer auswirkten sowie schließlich die Eroberung der arabischen Halbinsel durch den Islam im 7. Jh. n. Chr. ließen A. in die Bedeutungslosigkeit zurücksinken. Gegen Anfang des 7. Jh. n. Chr. wurde die bereits verwilderte Münzprägung aufgegeben. A. verlor spätestens im 9. Jh. n. Chr. seine Stellung als Residenzstadt, diente aber noch einige Zeit als Krönungsort äthiopischer Herrscher.

Sichtbare arch. Überreste haben sich in A. erhalten: die bis zu 33 m hohen Stelen, welche wohl als Bekrönungen königlicher Gräber dienten, die als Thronsitze oder Statuenbasen gedeuteten Plattformen sowie die Ruinen ausgedehnter Palastanlagen.   A. M.

→ Adulis; Arabia; Blemyes; Frumentius; Hadramaut; Homeritae; Kuschan; Meroë; Monophysitismus; Nubien; Periplus; Ptolemaios; Saba; Zoskales

H. BRAKMANN, s. v. A., RAC Suppl. 1, 718–810 • E. LITTMANN, Deutsche Aksum-Expedition, 1–4, 1913 • W. HAHN, Die Münzprägung des axumitischen Reiches, Litterae Numismaticae Vindobonensis 2, 1983, 113–180 • S. C. MUNRO-HAY, Excavations at Aksum, Memoirs of the British Institute in Eastern Africa 10, 1989 • S. C. MUNRO-HAY, Aksum. An African Civilisation of Late Antiquity, 1991.   A. M. u. J. P.

Axylos (Axylos terra). Baumlose Grassteppe südl. des oberen → Sangarios zw. Emir Dağları und → Tatta (Tuz Gölü) – eine von Weidewirtschaft geprägte Übergangszone von Phrygia und Galatia zu Lykaonia (Liv. 38,18,4), vgl. Strab. 12,6,1).

K. STROBEL, Galatien und seine Grenzregionen, in: Asia Minor Studies 12, 1994, 29–65, hier: 54 ff., 59.   K. ST.

Aylesford. Spätkeltisches Gräberfeld in Kent, namengebend für die A.-Kultur in Südost-England; typisch sind Brandgräber aus der Zeit von ca. 50 v. Chr. bis ca. 50 n. Chr., deren Beigaben (kelt. Drehscheibenkeramik und Fibeln) enge Bindungen zum Kontinent zeigen, die evtl. auf eine Zuwanderung der → Belgae hinweisen. Reichen Gräbern (z. B. Lexden) sind in kelt. Stil verzierte, bronzene Eimerbeschläge, Amphoren und Silberbecher beigegeben.

→ Grabbauten; Kelt. Archäologie

R. WHIMSTER, Burial Practices in Iron Age Britain, British Arch. Reports 90, 1981, 147 – 166 • J. FOSTER, The Lexden Tumulus, British Arch. Reports 156, 1986.   V. P.

Azaila. Bei dem modernen Ort A. (Prov. Teruel) liegt der Cabezo de Alcalá, ein sedatanisches *oppidum* mit Unterstadt und befestigter Akropolis (Häuser ital. Grundrisses, gepflasterte Straßen, *sacellum in antis* u. a. mit Resten von Groß-Br.). Die iberisch-republikanische Stadt überlagert eine frühere Siedlung (Beginn um 650 v. Chr., zerstört um 200 v. Chr.); die Neuanlage scheint nach ihrer Eroberung um 80/70 v. Chr. in der

Zeit der Sertorianischen Kriege (Belagerungsrampe, Katapult) aufgegeben worden zu sein.

J. A. ASENSIO ESTEBÁN, La ciudad en el mundo prerromanoen Aragón, in: Caesaraugusta 70, 1995, 146–167 • J. CABRÉ, Los bronces de Azaila, in: Archivo Español de Arte y Arqueología 1, 1925, 297–315 • M. BELTRÁN LLORIS, Arqueología e historia de las ciudades del Cabezo de Alcalá de Azaila, 1976 • Ders., Nuevas aportaciones a la cronología de Azaila, Bol. Mus. Zaragoza 3, 1984, 125–152.   M. BL.

Azanes, Azania (Ἀζάνες, Ἀζανία). Stamm und Landschaft (ihre Unwirtlichkeit war sprichwörtlich, vgl. Zenob. 2,54; Diogenianus 1,24) zw. den Flüssen Erymanthos und Ladon, wo Arkadia an → Elis grenzt (Strab. 8,3,1; 8,1). → Paion war eine Stadt der A. (Hdt. 6,127).

PHILIPPSON/KIRSTEN 3, 1, 1959, 211.   E. O.

Azarmiducht. Sasanidische Königin, Tochter → Chosroes' II. und Schwester der → Boran, welcher sie für einige Monate auf dem Thron folgte. Sie ließ den Statthalter von Chorasan töten und wurde daraufhin von dessen Sohn Rustam beseitigt. (PLRE 3A, 160).

PH. GIGNOUX, s. v. Âzarmîgduxt, EncIr 3, 190.   M. SCH.

Azenia (Ἀζηνιά). Attischer Paralia(?)-Demos (→ Paralia) der Phyle Hippothontis, die ihren geogr. Schwerpunkt im Thriasion Pedion und im Raum von → Eleusis hat. Strab. 9,1,21 erwähnt Ἀζηνεῖς zw. Sunion und Anaphlystos, was indessen in Ἀτηνεῖς (→ Atene) zu emendieren ist [1. 50f.; 3. 144⁵⁰]. Die gleiche Ver-

schreibung auch IG II² 1706 Z. 73 [2. 83]. Eine Lage südl. von Kokkini [3. 137⁴⁰] bezweifelt [1. 50f.]. Azenieis machen Weihungen nach Eleusis (IG II² 3492), der Demos von Eleusis ehrt einen Azenieus (IG II² 3517; 3904), → Karneades wurde in A. eingebürgert (IG II² 3781).

1 H. LOHMANN, Atene, 1993, 50f. 2 TRAILL, Attica, 52, 68, 83, 109 (Nr. 23), Tab. 8 3 Ders., Demos and Trittys, 1986.
H. LO.

Azetium. Stadt in Calabria (Plin. nat. 3,105: Aezetini). Ἀζητινῶν auf Bronzemünzen des 3. Jh. v. Chr. [1; 3. 99–116], Ezetium in der Tab. Peut. 6,5, und Geogr. Rav. 4,35. Heute Castiello (nahe Rutigliano). Monumente: Großer Mauerring 4.–3. Jh. v. Chr., Gräber u. a. arch. Reste vom 6. Jh. v. Chr. bis 2.–3. Jh. n. Chr. [2; 3. 13 f., 66–72].
→ Peucetii

1 HN 45 2 M. T. GIANNOTTA, s. v. Castiello, BTCGI 5, 125–127 3 Il territorio di Rutigliano in et àntica, 1992.   M. L.

Azoros (Ἄζωρος). Stadt der Tripolis der → Perrhaiboi (Strab. 7,7,9) beim h. Vuvala am Sarandaporos. Zuerst als maked. Burg für 317 v. Chr. erwähnt (Diod. 19,52,6), dürfte A. jedoch viel älter sein. Im 2. Jh. v. Chr. wohl Mitglied des Bundes der Perrhaiboi, ließ A. einen Grenzstreit mit → Mondaia schlichten (Syll³ 638). Umkämpft im 3. Maked. Krieg (Pol. 28,13; Liv. 42,53,6; 44,2,8).

F. STÄHLIN, Das hellenische Thessalien, 1924, 19f.
MA. ER.

B

B (sprachwissenschaftlich). Der zweite Buchstabe des griech. und lat. → Alphabets bezeichnete zunächst einen Verschlußlaut (wie in nhd. *Band*); dieser ging später z. T. in einen Reibelaut über (lat. Inschr. *IVVENTE* = *iubente*; neugriech.). In der idg. Grundsprache war der Laut /b/ wohl selten. In griech. und lat. Erbwörtern geht er nur selten auf *b* (wie in βελτίων), gewöhnlich auf andere Laute zurück: z. B. auf *gʷ* in βοῦς, *bōs* (→ Gutturale); auf *m-* in βραχύς, *breuis*; auf *bh* in *lubet*; auf *dh* in *ruber*, *iubeō*; auf *du* in *bis* (altlat. *duis*). In lat. → Lehnwörtern aus dem Griech. (*bibliothēca*) und umgekehrt (βούλλα) wird *b* zumeist beibehalten. Die im Griech. und Lat. zunächst seltene Geminata *bb* (κάβ-βαλε κατ-; *ab-breuiare ad-*; *gibber, obba*) erhält nur geringen Zuzug durch Entlehnung von außerhalb (ἀββᾶς, σάββατον).   B. F.

B. In den griech. Zahlensystemen bezeichnet β (Beta) im »alphabetischen« System die Zahl 2, mit vorangestelltem diakritischen Zeichen ('β, ‚β) die Zahl 2000. Im »akrophonischen« System dient β' als Sonderzeichen für die Bruchzahl 2/3.
→ Rechenkunst; Zahlensysteme.   W. ED.

Baal (semit. *baˁl*, Fem. *baˁlat*; griech. *Bélos*, »Herr«, »Eigentümer«, »Herrscher«, »Meister«, »Ehemann«). Seit dem 3. Jt. v. Chr. im syr.-phöniz. Raum Gottesappellativ (im Sinne von »B. ist allmächtig, Herrscher der Ordnung über das Chaos, Herr des Himmels und der Welt und König«); bezeichnete zugleich aber auch in Verbindung mit Toponymen (»Herr« einer Stadt, eines Gebirges usw.) oder mit Naturerscheinungen (»Herr« des Donners, des Regens usw., d. h. B. als Wettergott) individuelle oder lokale Gottheiten.

In den Götterlisten von → Ugarit figuriert B. immer hinter → El und Dagan [2. 1.47,5, 1.118,4, RS 20.24,4]. Neben ihm treten noch sechs weitere B.-Gestalten auf [2. 1.47,6–11, 1.118,5–10, RS 20.24,5–10]. In den Ritualtexten wird B. vielfach als B. Zaphon ›Herr des (Berges) Zaphon‹ (→ Kasion) bezeichnet [2. 1.39,10, 1.46,14, 1.65,10 u.ö.]. Dem Mythos zufolge besiegt B. den Meeresgott Jam [2. 1,1f.], baut einen Palast, um König zu werden [2. 1.1,3f.], unterliegt aber zeitweilig im Kampf gegen den Todesgott Mut [2. 1.5f.]. Seine Paredra ist die Göttin → Anat. B. als Wettergott werden die Gaben des Regens und des Auflebenlassens der Vegetation zugeschrieben. Der nordwestl. Tempel auf der Akropolis von Ugarit war B. geweiht. Aufgrund der in der myth. Lit. anzutreffenden Charakterisierung als kämpfende Gottheit wird B. in der Ikonographie mit dem Typ des »smiting god« identifiziert. Die in den myth. Texten vorgenommene Parallelisierung von B. und → Hadad weist zurück auf den Wettergott von Aleppo, von dem B. auch das Motiv des Kampfes gegen den Meeresgott übernommen hat. Die einzige inschr. gesicherte Abbildung des B. liegt mit der Mami-Stele vor [13]. In Ägypten wurde B. mit Seth identifiziert [10].

Eine weibl. B.-Gottheit stand während der Spätbronze- und Eisenzeit an der Spitze des Pantheons von Byblos (b'lt gbl; [5. 68,4, 73,4, 74,2–3, 75,3 u.ö.]. In den → Amarna-Briefen tritt B. als theophores Element von PN wie B.-meḫir [5. 245,44, 257,3, 258,2, 259,2] und Šipṭi-B. [5. 330,3, 331,4, 332,3, 333,5, 333,9].

In der phöniz.-punischen Rel. hielt sich die Verehrung der »Herrin von Byblos« (KAI 5,2?; 6,2; 7,3–4 u.ö.; Eus. Pr. Ev. 1,10,35) und die des B. (KAI 26 A I 1–3.8, A II 6.10.12, A III 11, C IV 12 u.ö.). Daneben treten weitere Ausprägungen der B.-Gottheiten, so der Gott Baalšamēm, der sich an die Spitze alter Lokalpanthea setzt und als Beschützer des Königtums auftritt (KAI 4,3; 26 A III 18). Religiöse Entwicklungen und Neuerungen der phöniz. Stadtstaaten im Laufe des 1. Jt. v. Chr. führten zu deutlichen Unterschieden in Funktion und Morphologie gegenüber den B.-Gestalten des 2. Jt. So sind dem B. Zaphon vergleichbare B.-Gestalten als machtvolle und einflußreiche Stadtgottheiten mit tief verwurzelter lokaler Tradition belegt – u. a. der B. von Byblos (KAI 4,3 f.), der von Sidon (KAI 14,18; Eschmun) oder Tyros (Melkart), der des Libanon (KAI 31,1–2) usw. Daneben gibt es u. a. einen B. der Heilung (b'l mrp') und einen Baal des Opfers (b'l mlg'). In PN tritt B. häufig als theophores Element auf. Umstritten ist die Deutung anderer B.-Figurationen, so die des B. Hammon als »Herr des Amanus-Gebirges« oder »Herr der Palastkapelle« und die des B. Marqod als »Herr des Tanzes« oder »Herr von Marqod«. Eng mit B. verbunden sind die Göttinnen Tanit als pnb'l (»Antlitz des B.« KAI 78,2; 79,1.10–11; 85,1 u.ö.) und Astarte als šm b'l (»Name des B.« KAI 14,18) [13]. An der Spitze des Pantheons von → Karthago steht der B. Hammon [12]. Des weiteren werden hier Baalšamēm, B. Zaphon und (B.) Melkart verehrt.

In Palästina wird B. zum einen bei den Philistern als B. von Ekron oder B. Zebul (2 Kg 1,2 f.; 6; 16; 18,1–18), zum anderen in Israel und Iuda verehrt. Hier finden sich u. a. mit Baal zusammengesetzte ON wie B. Meon (Num 32,38; Jos 13,17 u.ö.; vgl. auch die Mescha-Stele Z. 9, 30), B. Hazor (2 Sam 13,23), B. Gad (Jos 11,17; 12,7; 13,5), B. Hermon (Ri 3,3; 1 Chr 5,23), B. Zaphon (Ex 14,2; 9; Num 33,7), die auf palästin. Kultorte einer B.-Gottheit hinweisen. Daneben steht B. auch als allg. Bezeichnung für einen Wettergott, so daß auch JHWH,

wie hebr. PN zeigen, als B. bezeichnet werden konnte (vgl. Hos 2,18). Unter der Dynastie der Omriden wurde im 9.Jh. v. Chr. JHWH in Samaria als Baalšamēm verehrt [3; 6]. Die antiomridische Opposition äußert sich zunächst in der Zerstörung des B.-Tempels in Samaria und der Polemik gegen Stierbilder (Ex 32; 1 Kg 12,26–30 u.ö.). Es wurde immer mehr ein Gegensatz zwischen JHWH und B. betont (1 Kg 18; 2 Kg 2,1–17; Hos), so daß B. als fremder Gott erscheinen mußte. In Konsequenz dieses Ansatzes benennen deuteronomistische Texte des Südreichs ab dem Ausgang des 7.Jh. jeden Fremdgott als B., so daß B. zur Chiffre für »Götze« wird (Ri 2,11. 13; 3,7 u.ö.; 1 Sam 7,4; 12,10; 1 Kön 18,18; Jer 2,8.11; 7,9 u.ö.; Zef 1,4f.) [9].

In der aram. Rel. Syriens tritt z.T. Baalšamīn als höchster Gott auf (KAI 202 A 3.11.12.13; B 23 u.ö.). B. ist selten belegt (z.B. B. Ṣmd; KAI 24,15), seine Stelle nimmt der Wettergott Hadad ein. In → Palmyra dominiert der Gott Bol das Pantheon der Stadt. Sein Name wurde unter Einfluß des spätbabylon. Bēl-Marduk zu Bel transformiert. Die alten Formen zeigen sich noch in den baalhaltigen Götternamen seiner Trabantengötter Jarḥibol und Aglibol; vgl. dagegen den jüngeren Gott Malakbel. Der Gott Bel ist eine kosmische Himmelsgottheit, die in der palmyren. Ikonographie als Adler dargestellt wurde. Daneben wurde in Palmyra Baalšamīn verehrt und z.T. mit Bel identifiziert [1; 11]. Eine weitere Hauptverehrungsstätte des Gottes B. ist vom 1. bis 3.Jh. n. Chr. → Baalbek, wo der B. Beqa als Zeus bzw. Iuppiter von Heliopolis verehrt wurde [8].

Durch Kaufleute, Soldaten und Sklaven gelangten unterschiedliche B.-Kulte aus der Levante und Nordafrika nach Griechenland und Rom, wo B. mit Zeus-Iuppiter, Kronos-Saturn, Helios-Sol u. a. Göttern gleichgesetzt wurde [7. 1066 f.].
→ Iuda und Israel; Karthago; Kronos; Saturnus; Zeus; Iuppiter

1 R. COMTE DU MESNIL DU BUISSON, Les tessères et les monnaies de Palmyre, 1962, 171–225, 305–329
2 M. DIETRICH, O. LORETZ, J. SANMARTIN, Die keilalphabetischen Texte aus Ugarit, 1976 3 O. EISSFELDT, Ba'alšamēm und Jahwe, in: KS 2, 1963, 171–198
4 E. LIPIŃSKI, Dieux et déesses de l'univers phénicien et punique, 1995, 79–90, 115 f., 168 f., 243–264, 308, 315, 360–363 5 W. MORAN, The Amarna Letters, 1992
6 H. NIEHR, JHWH in der Rolle des Baalšamēm, in: W. DIETRICH, M. A. KLOPFENSTEIN (Hrsg.), Ein Gott allein?, 1994, 307–326 7 F. NÖTSCHER, s. v. B., in: RAC I, 1063–1113 8 W. RÖLLIG, s. v. B., in: DCPP, 55
9 H. SPIECKERMANN, Juda unter Assur in der Sargonidenzeit, 1982, 200–212 10 R. STADELMANN, Syr.-palästin. Gottheiten in Ägypten, 1967, 91–96 11 J. TEIXIDOR, The Pantheon of Palmyra, 1979 12 P. XELLA, B. Hammon, 1991 13 M. YON (Hrsg.), Arts et industries de la pierre, 1991, 273–344.

J. A. DEARMAN, B. in Israel, in: M. P. GRAHAM et al., History and Interpretation. FS J. H. Hayes, 1993, 173–191 · J. DAY, s. v. B., in: Anchor Bible Dictionary, 545–549 · W. FAUTH, Das Kasion-Gebirge und Zeus Kasios, in: Ugarit-Forsch. 22,

1990, 105–118 · J. Fowler, Theophoric Personal Names in Ancient Hebrew, 1988, 54–63 · H. Gese, Die Rel. Altsyriens, in: H. Gese, M. Höfner, K. Rudolph, Die Rel. Altsyriens, Altarabiens und der Mandäer, 1970, 119–134, 182–185 · Y. Hajjar, La triade d'Héliopolis-Baalbek, 1977 · W. Herrmann, s. v. B., in: Dictionary of Deities and Demons, 249–263 · K. Koch, Baʿal Ṣapon, Baʿal Šamem and the Critique of Israel's Prophets, in: G. J. Brooke et al., Ugarit and the Bible, 1994, 159–174 · E. Lipiński, s. v. B., in: Dictionnaire encyclopédique de la Bible, 172 f. · J. C. de Moor, M. J. Mulder, s. v. bʿl, in: ThWAT 1, 706–727 · H. Niehr, s. v. B.-Zaphon, Dictionary of Deities and Demons, 289–293 · Ders., Zur Filiation des Gottes Baʿal in Ugarit, in: Journal of Northwest Semitic Languages 20, 1994, 165–177 · G. Pettinato, Pre-Ugaritic Documentation of B., in: The Bible World. FS C. H. Gordon, 1980, 203–209 · M. S. Smith, The Ugaritic B. Cycle, 1994 · P. J. van Zill, B., 1972.   H. Ni.

Baalbek. Ort in der Biqaʿ-Ebene zw. Libanon und Antilibanon in 1150 m Höhe, 64 km nordöstl. von Beirut. Die Umbenennung von B. in Heliopolis (Strab. 753; Plin. nat. 5,80) geschah wohl im Zusammenhang mit der Identifizierung des »Baʿal (Haddad) der Biqaʿ« mit dem ägypt. Sonnengott Ra/Helios durch die Ptolemäer von Alexandreia. Nach vorübergehender Herrschaft der Seleukiden (2. Jh. v. Chr.) wurde B. Kultzentrum der ituräischen Tetrarchen von Chalkis (100–75 v. Chr.). Mit Ansiedlung von Veteranen machte Augustus B. 16 v. Chr. zur *colonia Iulia Augusta Felix Heliopolitana*. Lat. Weihinschr. bezeugen die Fortsetzung des Kults der vorklass. Trias Baʿal, ʿAliyan und Anat als Iuppiter, Mercur und Venus. Das Heiligtum des Iuppiter Heliopolitanus erlangte als Orakelstätte höchste Bed. in der ant. Welt (Weissagung an Traian vor dem Partherfeldzug (114 n. Chr.) und wurde bes. von Antoninus Pius, Caracalla und Philippus Arabs zu monumentaler Größe ausgebaut (die 400 m lange Ostwest-Achse besteht aus Propyläen, einem hexagonalen und einem rechteckigen Hof sowie dem Tempelpodest). Nach Schließung der Tempel und des Orakels durch Konstantin bildete B. ein Zentrum des Widerstandes gegen das Christentum, obgleich unter Theodosius II. (408–450) eine Basilika im Vorhof des Iuppitertempels errichtet wurde. Nach der muslimischen Eroberung erscheint seit 661 anstelle von Heliopolis wieder Baʿlabakk auf den Mz. des Orts. Der Tempelbezirk wurde in dieser Zeit zur Festung ausgebaut.

N. Jidejian, B.: Heliopolis »City of the Sun«, 1975 · F. Ragette, B., 1980 · T. Wiegand et al., B. I–III, 1921–1925.   T. L.

Babrios. Verfaßte eine Sammlung von zumeist aisopischen Fabeln und verwendete dabei eine bes. Art des Choliambos, den er selbst *Mythiambos* nennt (Prologos 2,7–8). Der Name B. ist italisch [1. VII], in 57,1 versichert der Autor, er kenne die Araber gut, in Prologos 2,1 sagt er (als einziger Grieche), daß die Fabel in Mesopotamien ihren Ursprung habe. Sein Stil [4] und vor allem seine bes. Art der Versbildung [6] lassen für B. an

eine Zeit nicht vor dem 2. Jh. n. Chr. denken. Die Datierung der ältesten Textzeugnisse, POxy. 1249 [1. XXIX] und die *Hermeneúmata* des Ps.-Dositheos [1. XXXII] lassen die Vermutung zu, daß der Adressat des Werkes, der in dichterischer Weise als Branchos (mythischer Priester des Apollon) und als ›Sohn des Königs Alexander‹ bezeichnet wird, vielleicht Heliogabal (Priester des Helios), der Adoptivsohn des Caracalla [7] ist. Stilistische Ähnlichkeiten zwischen B. und Oppian weisen gleichfalls in diese Richtung [4. 44–49]. Die Widmung an einen Kaiser der syr. Dynastie könnte die schnelle Berühmtheit des Werkes schon im 3. Jh. n. Chr. von Syrien bis Ägypten (*Tabulae ceratae* von Palmyra; Papyri) erklären [1. XXIX-XXXI].

Nach dem Hs.-Codex A (10. Jh. n. Chr.) und Avianus war das Werk in 2 B. unterteilt (zu den 10 Büchern in der Suda vgl. [1. XL]). Die alphabetische Anordnung im Codex A, die allein dem ersten Buchstaben folgt, sowie die metrischen *Epimythia* sind authentisch [1. LXIV-LXVIII, XCI-XCIV; 3. 59–60]. Hinter dem ersten Buch stand eine aisopische Sammlung (Babrios Prologos 1,15–17). Im verstümmelten 2. B., das durch Fragmente byz. Paraphrasen ergänzt werden kann [1. LXXXIII-LXXXVIII], wurden verschiedene Quellen verwertet [2. 2663], vgl. 116; 136; 141 (Novellen); 128 (aus Xenophon); fr. 9 (aus der assyr. ›Gesch. des → Ahiqar‹; fr. 19 (aus dem → Aisopos-Roman). Die einzelnen Stücke haben einen Umfang von 4 bis 100 Versen (vgl. 8; 14; 39 etc.).

Dem Werk war im griech.-röm. Schulwesen Erfolg beschieden [5. 77–79], es gefiel dem Kaiser Julian und wurde von Avianus benutzt [1. XLVI; 3. 72–74]. Die Paraphrase des Titianus geht indes nicht auf B., sondern auf Phaedrus zurück [1. XLVI]. Das Werk hat die byz. Sammlungen unterschiedlich beeinflußt [10]. Ein Dichter Ignatios (vielleicht im 9. Jh. n. Chr.) hat B. für seine iambischen Tetrasticha aisopischer Fabeln benutzt.

1 Babrius, Mythiambi Aesopei, ed. M. J. Luzzatto, A. La Penna, 1986 2 O. Crusius, s. v. B., RE 2, 2655–2667 3 N. Holzberg, Die ant. Fabel, 1993, 57–68 4 M. J. Luzzatto, La cultura letteraria di Babrio, in: ASNP. s. 3,5, 1975, 17–97 5 M. J. Luzzatto, Note su Aviano e sulle raccolte esopiche greco-latine, in: Prometheus 10, 1984, 75–94 6 M. J. Luzzatto, Fra poesia e retorica: la clausola del coliambo di Babrio, in: QUCC 48, 1985, 97–127 7 K. J. Neumann, Die Zeit des B., in: RhM 35, 1880, 301–04 8 M. Nojgaard, La fable antique II, 1967, 189–365 9 B. E. Perry, Babrius and Phaedrus, 1965, XLVII-LXXIII 10 J. Vajo, Babrius and the Byzantine Fable, in: Entretiens Hardt 30, 1984, 197–220.   M. J. L./ A. Wi.

Babylon. Hauptstadt Babyloniens, am Euphrat südl. von Baghdad nahe dem h. Hilleh. Die griech. Namensform B. geht zurück auf einen ON in einer unbekannten mesopotamischen Substratsprache (Babillu), der von der semit. Bevölkerung Babyloniens volksetym. als Bāb-ili(m), »Gottestor«, gedeutet wurde. Aus dem 3. Jt. v. Chr. nur als wenig bedeutende Siedlung bekannt, erlangte B. zu Beginn des 2. Jt. v. Chr. nach dem Zusam-

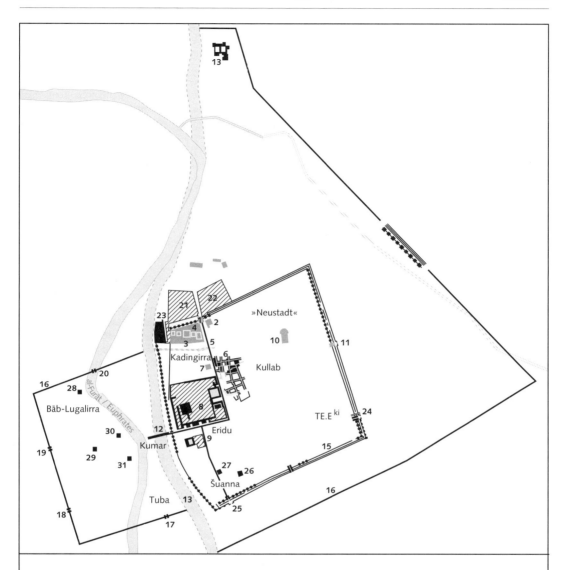

Babylon zur Zeit des neubabylonischen Reiches (7./6. Jh.v.Chr.)

1	Ištar-Tor	12	alte Brücke über den Euphrat	23	Westliches Vorwerk
2	Ninmaḫ-Tempel	13	Euphrates (antiker Verlauf), Kanal	24	Zababa-Tor
3	Südburg	14	»Sommerpalast«	25	Uraš-Tor
4	»Hängende Gärten« (?)	15	Innere Stadtmauer	26	Ninurta-Tempel
5	Prozessionsstraße	16	Äußere Stadtmauer	27	Išḫara-Tempel
6	Tempel der Ištar von Akkade	17	Šamaš-Tor	28	Tempel der Ištar von Ninive
7	Tempel des Nabu	18	Adad-Tor	29	Ea-Tempel
8	Ziqqurrat »Etemenanki«	19	Königstor	30	Enlil-Tempel
9	Tempel des Marduk »Esagila«	20	Enlil-Tor	31	Adad-Tempel
10	Griechisches Theater	21	Haupt- oder Nordburg	Kumar	Stadtviertel
11	Marduk-Tor	22	Vorwerk	Bāb-Lugalirra	

0   1 000 m

menbruch des Reiches der III. Dynastie von Ur als Stadtstaat zunehmend polit. Gewicht. Als Sitz des Königs → Hammurapi (18. Jh.), der → Mesopotamien unter seiner Führung einigte, wurde B. zum polit., rel. und kulturellen Zentrum des Alten Orients. Der Erfolg Hammurapis führte zu der theologischen »Erkenntnis«, daß → Marduk, der zuvor nur unbedeutende Stadtgott von B., von den Göttern der unterworfenen Stadtstaaten zum König erkoren worden sei. Marduk wurde mit dem sumer. Götterkönig Enlil und B. mit dessen Stadt Nippur gleichgesetzt, dessen alte Kulttop. weitgehend auf B. übertragen wurde. Wie zuvor Nippur galt nun B. als Zentrum des Kosmos. Als krönenden Abschluß der Schöpfung hatten die Götter laut Weltschöpfungsmythos Enūma eliš Stadt und Tempel dem Marduk zum Dank für seinen Sieg über die Kräfte des Chaos erbaut. Den Marduk-Tempel Esagil und den zugehörigen Stufenturm (→ Ziqqurrat) namens Etemenanki, den biblischen → Turm zu Babel, sah man als Achse an, die → apsû, Erde und Himmel fest miteinander verknüpfte. Der Tempel Marduks galt als Heimstatt aller Götter. Dort verehrten die Babylonier den »Heiligen Hügel«, den zuvor in Nippur lokalisierten vorweltlichen Urpunkt der Schöpfung. Im Rahmen des → Neujahrsfestes wurde dort die Erhebung Marduks zum Götterkönig gefeiert und der babylon. König von den Göttern jährlich in seinem Amt bestätigt. Die Auffassung, B. sei auch ein Abbild der irdischen Welt, spiegelt sich in dem Umstand, daß mehrere Stadtviertel die Namen bedeutender mesopotamischer Kultstädte tragen. Nach der Hammurapi-Zeit kam B., abgesehen von einer kurzen Blüte unter Nebukadnezar I. (12. Jh.), erst nach dem Fall des assyr. Reiches (612 v. Chr.) wieder zu weltpolit. Bedeutung. Vom 13. Jh. v. Chr. an geriet B. häufig in assyr. Abhängigkeit und wurde mehrfach erobert. Dennoch behielt die Stadt ihre Stellung als kulturelles und rel. Zentrum. Der assyr. König → Sanherib versuchte die »Weltenachse« von B. zu brechen, indem er Stadt und Tempel vollständig zerstörte. Dies wurde sogar von seinen Nachfolgern, die B. wieder aufbauen ließen, als Hybris empfunden. Der babylon. König → Nebukadnezar II. (604–562 v. Chr.) baute B. zur prächtigsten Stadt des Alten Orients aus. Um den Anspruch B.s zu brechen, das Zentrum des Kosmos zu sein, ließ → Xerxes den Marduk-Tempel schleifen. → Alexandros [4] der Gr. wollte B. zur Hauptstadt seines Weltreiches machen. Geschickt griff er die alte Achsentheologie wieder auf und befahl den Aufbau des Esagil. Noch → Antiochos I. hat die Bauarbeiten fortgesetzt. Aufgrund des sehr hoch anstehenden Grundwasserspiegels konnte die dt. Ausgrabung unter R. KOLDEWEY (1899–1917) nur die jüngeren Bauphasen des 1. Jt. v. Chr. erschließen. Gewaltige Festungswerke (Außenmauern von einer Länge von 18 Kilometern) mit acht Toren, darunter das berühmte, in farbigen Emallieziegeln ausgeführte Ištar-Tor Nebukadnezars II. (h. im PM, Berlin), wurden freigelegt. Durch die mit herrlichen Löwenfriesen geschmückte Prozessionsstraße war es mit dem Marduk-

Heiligtum verbunden. Von dem Stufenturm blieben nur wenige Reste erhalten. Wichtig sind außerdem: westl. vom Ištar-Tor eine gewaltige neubabylon. Palastanlage mit einem Gewölbebau, vermutlich die »Hängenden Gärten«; im Norden an der Außenmauer das Sommerschloß Nebukadnezars II.; mehrere Tempelanlagen; die Euphratbrücke und das griech. Theater.

A. R. GEORGE, Babylonian Topographical Texts, 1992 ·
R. KOLDEWEY, Das wieder erstehende B., ⁵1990 ·
E. UNGER, Babylon, 1931 · F. WETZEL u. a., Das B. der
Spätzeit, 1957.   S. M.
KARTEN-LIT.: U. FINKBEINER, B. PONGRATZ-LEISTEN,
Beispiele altoriental. Städte. Babylon zur Zeit des
neubabylon. Reiches, TAVO B IV 19, 1993 · A. R. GEORGE,
Babylonian Topographical Texts, 1992, 24.

Babylonia. Nach dem Wortsinn bezeichnet der von den griech. und lat. Schriftstellern verwendete Terminus B. (auch durch γῆ, gḗ, μοῖρα, moíra bzw. χώρα, chóra erweitert) das Gebiet der Stadt → Babylon (im weiteren Umkreis), wird aber häufig nicht eindeutig in diesem Sinne verwendet. Davon abgeleitet verstehen wir heute darunter in der Regel das gesamte südl. Zweistromland zw. dem Persischen Golf und etwa dem 34. nördl. Breitengrad. In den altoriental. Quellen ist eine entsprechende, von der Stadt Babylon abgeleitete regionale Bezeichnung nicht gebräuchlich. Als Termini für diese Region dienen im 1. Jt. v. Chr. meist māt Akkadî (»Land Akkad«) und – vor allem in assyr. Inschr. – das seit dem späteren 2. Jt. v. Chr. bezeugte Karduniaš (Terminus wahrscheinlich kassitischer Herkunft, Grundbedeutung unklar) [1]. Die von Babylon aus regierenden Könige führen den Titel »König von (der Stadt) Babylon«.

Bei den ant. Schriftstellern ist die Verwendung von B. nicht einheitlich. Der von ihnen gebrauchte Begriff läßt sich auf die nach dem Verlust der polit. Selbständigkeit entstandene achäm. Satrapie (altpers. Baberuš) zurückführen, hat also urspr. einen polit. Inhalt. Geographisch bezieht Herodot (1,178,2 u.ö.) die mesopotam. Tiefebene in Assyria (→ Mesopotamien) ein, eine Bezeichnung, die ihrerseits ebenfalls in verschiedener Weise verwendet wird (vgl. auch Xen. Kyr. 2,1,5; 6,2,10 u.ö.). Auch Herodot (z.B. 1,92; vgl. auch Xen. an. 1,7,1; 2,2,13) und andere kennen eine Satrapie B. oder bezeichnen mit B. jenen Teil Assyriens, in dem die Stadt Babylon liegt (Hdt. 1,106; 193). Der äußerste Süden des Zweistromlandes wird häufig als → Chaldaia von B. unterschieden. Teilweise wird B. auch zu dem seit Alexandros [4] d. Gr. bezeugten Mesopotamien gerechnet (Belege zum unterschiedlichen Gebrauch [2; 3]). Als Verwaltungseinheit bleibt B. unter Alexandros und den Seleukiden bestehen, unter den Sasaniden ist es Teil von Āsūrestān. Die exakte Abgrenzung gegen die benachbarten Gebiete und der Amtssitz sind nicht immer deutlich zu bestimmen. Unklar bleibt auch, ob das südl. Zweistromland bei den kurzzeitigen röm. Provinzgründungen unter Traian (115–117 n. Chr.) Mesopotamia oder Assyria zugeschlagen wurde (sollte der Tigris die Grenze bilden, gehörte es zu ersterem).

1 J. A. Brinkman, s. v. B., in: RLA 5, 423 2 A. Baumstark, s. v. B., RE 2,2, 2701 f. 3 F. Schachermeyr, s. v. Mesopotamien, RE 15,1, 1106–1108. J. OE.

Babyloniaka s. Iamblichos

Babylonisch s. Akkadisch

Bacchanal(ia). Das lat. Wort B. wird in der ältesten Quelle, dem˙ → *senatus consultum de Bacchanalibus* aus dem Jahr 186 v. Chr., im Sing. zur Bezeichnung einer Kultstätte gebraucht (Schuhmacher, Röm. Inschr. II 11). Im Plur. bezeichnet es rel. Gruppen und Kulthandlungen (Macr. sat. 1,18,1–5). Der Begriff B. basiert auf einem Kultnamen des griech. Dionysos, → Bakchos bzw. des daraus abgeleiteten Pacha, Epitheton des mit Dionysos gleichgesetzten etr. Gottes Fufluns [1. 127] (ausführlich zur Begriffsgesch. [6. 24 f.]). Welche Art von Kultstätte ein B. gewesen sein könnte, wird kontrovers diskutiert (»Einweihungsgrotte«? Ort für »Mysterienfeiern«?), weil die Existenz von B. in Rom und It. zwar im *senatus consultum* und bei Livius (39,8–19) vorausgesetzt wird, bislang jedoch arch. nicht zweifelsfrei nachgewiesen werden konnte. Bekannt sind entweder Dionysos-Heiligtümer (*stibadeia*) wie z. B. in Pompeji und Sentinum [5. 651] oder etr. Kultstätten des Fufluns Pachies [1. 129 f.].

Den Beginn des in der Forsch. sog. »Bacchanalienfrevels« schildert Livius als privaten Ritualtransfer von Bacchusmysterien durch einen als »obskur« charakterisierten Griechen (*sacrificulus et vates*) zunächst nach Etrurien (39,8,3–8); sodann seine durch eine Campanierin in Rom Neuerungen eingeführt worden, indem auch Männer eingeweiht, die Zeremonien (»B.«) nachts und häufiger als bisher üblich in einer Höhle nahe des Tiber durchgeführt wurden. So seien die Mysterien zum Vorwand für Promiskuität, Verbrechen und abergläubische Raserei herabgesunken und schließlich – da die Anzahl der Eingeweihten eine ›gewaltige Menge, wie ein zweites Volk‹ erreicht haben soll – zu einer Bedrohung für den röm. Staat geworden (39,13,8–14). Die eher zufällige »Aufdeckung« dieser angeblichen Vorgänge durch die Sklavin Hispala führte zum einen zum oben gen. *senatus consultum* (u. a. Verbot des Besitzes eines ungenehmigten B.s; personelle und geschlechtsspezifische Reglementierungen der betreffenden Kultvereine), aber auch zu einer Reihe von letztlich wohl polit. motivierten Prozessen, für die der »Bacchanalienfrevel« als Vorwand diente [6. 325 ff.].

Bis in die 1970er Jahre wurde Livius' Bericht über eine angebliche Verschwörung (*coniuratio*, 39,15,10) von in ›die B.‹ eingeweihten Männern und Frauen als Zeugnis für verschiedene röm. und ital. B., in denen orgiastische Zusammenkünfte stattgefunden haben sollen, akzeptiert (so z. B. [2. 454 f.]). Demgegenüber ist in jüngster Zeit die Liviusstelle als ›historiographischer Diskurs‹ anstatt eines »Tatsachenberichts« analysiert und identifiziert worden ([3. 89] vgl. schon [4. 295]). Gegen

ihre Glaubwürdigkeit bezüglich der rel. Zeremonien und sexuellen Ausschweifungen spricht zudem das Fehlen weiterer lit. oder arch. Belege. So erwähnt etwa Cicero (leg. 2,37) neben der *quaestio* des Senates keinerlei weitere Einzelheiten, ein Bezug von B. zu arch. Material (dionysische Motive auf Vasen und Münzen vor allem aus Süd-It.; Kultstätten) ist nicht nachweisbar. Eine »panitalische Bewegung« von B., wie sie von verschiedenen Forschern immer wieder angenommen wurde (Übersicht bei [6. 61 ff.]), dürfte demnach nicht existiert haben.

1 M. Cristofani, M. Martelli, Fufluns Paxies. Sugli aspetti del culto di Bacco in Etruria, in: Studi Etrusci 46, 1978, 123–133 2 H. Jeanmaire, Dionysos. Histoire du culte de Bacchus, 1951 3 H. Cancik-Lindemaier, Der Diskurs Religion im Senatsbeschluß über die B. von 186 v. Chr. und bei Livius (B. 39), in: H. Cancik, H. Lichtenberger, P. Schäfer (Hrsg.), Geschichte-Tradition-Reflexion, FS M. Hengel (Bd. II), 1996, 77–96 4 Pfiffig 5 J. L. Voisin, Tite-Live, Capoue et les Bacchanales, in: MEFRA 96, 1984, 601–653 6 J. M. Pailler, B. La répression de 186 av. J.-C. à Rome et en Italie, 1988.

Y. Bomati, Les légendes dionysiaque en Etrurie, in: Revue des Études Latines 61, 1983, 87–107 · H. Cancik, H. Cancik-Lindemaier, Ovids B. Ein religionswiss. Versuch zu Ovid, Met. IV 1–415, in: Der altsprachliche Unterricht 28/2, 1985, 42–61 · O. de Cazanove, Lucus stimulae. Les aiguillons des Bacchanales, in: MEFRA 95, 1983, 55–113 · E. Montanari, Identità culturale e conflitti religiosi nella Roma repubblicana, 1988, 103–136. C. F.

Bacchus. Ursprünglich nur Epiklese (Anrufung) des → Dionysos (Βάκχος), als Gott des ekstatischen Taumels. B. wurde über die röm. Religion in der kaiserzeitlichen Dichtersprache zum Namen des hell.-röm. Liber oder Dionysos [1]. Schon in Etrurien wurde die Epiklese *pacie* (also Βάκχιος) vom etr. Gott Fufluns getragen [2] und tritt auch in *pachana*, das sich auf ein Kultlokal bezieht, auf [3; 2:99]. Auch in Rom ist die Epiklese vorerst in den Kultworten Bac(ch)a, Bac(ch)anal, Bac(ch)analia usw. bezeugt. Da Dionysos im Kult und in der Umgangssprache gewöhnlich als Liber pater bezeichnet wird, darf man annehmen, daß auch in Rom Bacchus anfangs nur als Epiklese, wahrscheinlich zu Liber (wie in Cic. Flacc. 60), und in der Bildung von Wörten, die sich auf den Kult beziehen, benutzt wurde. Dies zeigt, daß man so die ekstatische Form des Dionysos-Bakchos-Kultes bezeichnete. Der Kult machte am Anfang des 2. Jh. v. Chr. so viel von sich reden, daß er nach und nach zum dichterischen Namen des Liber und des Dionysos (z. B. SEG 30, 1980, 1136 aus Assisi) wurde. Daß er aber im Kult nicht gebraucht wurde, kann auch eine Folge der Geschehnisse von 186 v. Chr. (sog. »Bacchanalienskandal«) sein.

→ Dionysos; Liber; Bacchanal(ia); Bakchos

1 Graf, 286 f. 2 M. Cristofani, M. Martelli, Fufluns Pachies, in: SE 46, 1978, 119–133 3 C. De Simone, Die griech. Entlehnungen im Etr., 1, 1968; 2, 1970

A. BRUHL, Liber Pater. Origine et expansion du culte dionysiaque à Rome et dans le monde romain, 1953 • J.-M. PAILLER, Bacchanalia. La répression de 186 av. J.-C. à Rome et en Italie, 1988 • Ders., B. Figures et pouvoirs, 1995.

J. S.

Baculum s. Stab

Bacurius. Prinz (nach Rufin. hist. 1,10: König) der nördl. von Armenien wohnenden Iberer. Er trat evtl. schon 368/9 als *protector* in röm. Dienste und kämpfte 378 als *tribunus* einer der beiden *scholae palatinae* bei Adrianopel (Amm. 31,12,16). B. wurde *dux Palaestinae*, später (um 391/2) *comes domesticorum* bei → Theodosius I. In der Schlacht am Frigidus nahm er (als *magister utriusque militiae?*) teil (Rufin. hist. 2,33; nach Zos. 4,57,3; 58,3 fiel er in der Schlacht). B. war Christ (Rufin. hist. 1,10). → Libanios betrachtete ihn jedoch als Heiden (epist. 1060). PLRE 1, 144.

D. HOFFMANN, Wadomar, B. und Hariulf, in: MH 35, 1978, 307–318. W. P.

Bad Nauheim. In der Wetterau gelegener Ort mit reichen Solequellen, die schon in spätkelt. Zeit (1. Jh. v. Chr.) als Salinen mit Briquetageresten (Gradierbekken, Öfen, Tonfässer, Formgefäße) ausgebeutet wurden. Siedlungsspuren im Stadtbereich, eine Abschnittsbefestigung auf dem Johannisberg, ein großes Brandgräberfeld sowie ein kelt. Münzschatz gehören zu diesem Wirtschaftszentrum. Augusteische Lagerspuren im Stadtgebiet und ein Versorgungslager im Vorort Rödgen belegen die Bedeutung auch in frühröm. Zeit. → Salz

D. BAATZ, F.-R. HERRMANN (Hrsg.), Die Römer in Hessen, 1982, 237–240 • F.-R. HERRMANN, A. JOCKENHÖVEL (Hrsg.), Die Vorgeschichte Hessens, 1990, 314–317. V. P.

Badehose (ᾦα λουτρίς, *subligar*). Beim gemeinsamen Bad in den Badeanstalten trugen Männer und Frauen einen Schamgürtel bzw. ein Badetuch (Poll. 7,66; 10,181, → *perizoma*, → *subligaculum*) aus Schafsfell oder Stoff, Frauen auch eine Brustbinde (Vasenbilder, »Bikinimädchen« aus → Piazza Armerina). Für Männer konnte die B. (*aluta*, Mart. 7,35,1) aus Leder sein. Im Pap. Cair. Zen. 60,8 wird eine ἐκλουστρίς erwähnt. Ungewiß ist das Tragen einer Haube (*vesica*).

R. GINOUVÈS, Balaneutikè, 1962, 223–225 • W. HEINZ, Röm. Thermen. Badewesen und Badeluxus, 1983, 147. R. H.

Badekultur s. Bäder; Thermen

Baebia. B. Galla, Frau des Procurators Q. Licinius Silvanus Granianus, *flaminica* in der Hispania Tarraconensis (AE 1929, 232 = RIT 321); Mutter des gleichnamigen Konsulars von 106 (vgl. PIR² L 247). W. E.

Baebius. Plebeischer Gentilname (SCHULZE 133; ThlL 2,1674f.). Die Familie trat seit dem 2. Pun. Krieg hervor, aber ohne in der Republik dauerhaft in die ersten Ränge der röm. Nobilität aufzusteigen. Die wichtigste Familie ist die der Tamp(h)ili. In der Kaiserzeit stellen die Baebii zahlreiche Beamte in der Reichsverwaltung.

I. REPUBLIKANISCHE ZEIT

[I 1] B. (Tamphilus), M. (?), leistete als Volkstribun 103 v. Chr. Widerstand gegen die *lex agraria* des L. → Appuleius Saturninus (Vir. ill. 73,1).

[I 2] B., Offizier, wohl Legat unter Vatinius 45/44 v. Chr. in Illyrien, wo er mit fünf Cohorten aufgerieben wurde (App. Ill. 38; MRR 2,311).

[I 3] B., C., wurde als Volkstribun 111 v. Chr. in Rom von → Iugurtha bestochen, der damit B.s Aussage gegen röm. Feldherren verhinderte (Sall. Iug. 33,2; 34,1).

[I 4] B., C., übernahm im Bundesgenossenkrieg 90 v. Chr. vor Asculum den Oberbefehl (*pro praetore*) von Sex. → Iulius Caesar vor dessen Tod (App. civ. 1,210).

[I 5] B., L., 169 v. Chr. Mitglied einer Gesandtschaft nach Makedonien (Liv. 44,18,6).

[I 6] B., Q., war als Volkstribun 200 v. Chr. Gegner der Kriegserklärung an Philipp V. von Makedonien (Liv. 31,6,4–6).

[I 7] B. Dives, L., Legat unter Scipio 203 (Pol. 15,4,1), *praetor* 189 in der Prov. Hispania ulterior, wurde von den Ligurern überfallen, verwundet und starb in Massilia (Liv. 37,57,1 f.; MRR 1,361).

[I 8] B. Herennius, Q., setzte sich als Volkstribun 216 v. Chr. für die Wahl seines Verwandten M. → Terentius Varro zum Konsul ein (Liv. 22,34,3–11).

[I 9] B. Sulca, Q., *praetor* 175 v. Chr. (?), 173 Mitglied einer Gesandtschaft nach Makedonien und Ägypten (Liv 42,6,4–5). MRR 1,402; 409.

[I 10] B. Tamphilus, Cn., Sohn von B. [I 13], Volkstribun 203 (204?) v. Chr., *aedilis* 200, wurde als *praetor* 199 von den Insubrern geschlagen (Liv. 32,7,5–7). 186 war er IIIvir *coloniis deducendis* nach Sipontum und Buxentum (Liv. 39,23,3–4); er kämpfte 182 als Konsul und 181 als Prokonsul wie sein Kollege L. Aemilius Paullus gegen die Ligurer. (MRR 1,381; 385).

[I 11] B. Tamphilus, Cn., *praetor urbanus* 168 v. Chr., 167 als Legat in Illyrien (MRR 1,428; 435).

[I 12] B. Tamphilus, M., Sohn von B. [I 13], vielleicht Münzmeister um 194–190 v Chr (RRC 133), 194 IIIvir *coloniis deducendis* (Liv. 34,45,3) und vielleicht Volkstribun (MRR 1, 344). 192 wurde er *praetor* (MRR 1, 350) und kämpfte als *propraetor* 191 in Griechenland gegen Antiochos III. (MRR 1,353). 186/85 war er Gesandter bei Philipp V. (MRR 1, 373). Als Konsul 181 erließ er mit seinem Kollegen P. Cornelius Cethegus ein Gesetz gegen Wahlbeeinflussung (Liv. 40,19,11) und war wohl auch Urheber der *lex Baebia* (Liv. 40,44,2; Cat. orig. 34 [ORF I⁴, 54]), nach der jährlich wechselnd vier und sechs Praetoren gewählt werden sollten [1]. Er kämpfte als Konsul und Prokonsul in Ligurien und erhielt 180 für die Umsiedlung von 40000 Ligurern nach Samnium

(Gemeinde der Ligures Baebiani) den Triumph (Liv. 40,37,8–38).

  1 A. E. ASTIN, Cato the Censor, 1978, 329–331.

[I 13] B. Tamphilus, Q., Vater von B. [I 10] und [I 12], 219 v. Chr. Gesandter an Hannibal vor Sagunt (Liv. 21,6,8; Cic. Phil. 5,27), 218 nach Karthago zur Kriegserklärung (Liv. 21,18,1 u. a.).   K.-L. E.

II. KAISERZEIT

[II 1] Senator im 2. Jh., wohl aus der Tarraconensis, starb vor Antritt des Prokonsulats der Baetica (CIL VI 1361) [1. 83].

  1 CABALLOS, 1.

[II 2] B. Atticus C., aus Iulium Carnicum, Praesidialprokurator von Noricum unter Claudius [1. 27 f.].

  1 PFLAUM, 1.

[II 3] B. Avitus L., Finanzprokurator Lusitaniens unter Vespasian, wohl 73/74 mit praetorischem Rang in den Senat aufgenommen (CIL VI 1359=ILS 1378) [1. 87 f.].

  1 CABALLOS, Bd. 1.

[II 4] B. Aur. Iuncinus, L., nach fünf prokuratorischen Funktionen (CIL X 7580=ILS 1358) schließlich *praef. Aegypti* 212/3 [1. 306; 2. 86]; verwandt mit B. [II 8].

  1 G. BASTIANINI, Lista dei Prefetti d'Egitto dal 30ᵃ al 299ᵖ, in: ZPE 17, 1975, 263–328 2 Ders., Lista dei Prefetti d'Egitto dal 30ᵃ al 299ᵖ. Aggiente e correzioni, in: ZPE 38, 1980, 75–89.

[II 5] B. Hispanus, Freund Plinius' des J. (zum Problem der Identifizierung [1. 86 f.]).

  1 CABALLOS, 1.

[II 6] L. B. Honoratus, Prokonsul Makedoniens (SEG 16, 391), *cos. suff.* 85 n. Chr. [1. 199].

  1 W. ECK, Jahres- und Provinzialfasten, in: Chiron 13, 1983.

[II 7] B. Italicus P., Senator, der von Domitian im Chattenkrieg ausgezeichnet wurde; praetorischer Statthalter von Lycia-Pamphylia, *cos. suff.* 90; stammte aus Norditalien oder Canusium (EOS 2, 142; 350 f. [1. 486]). Umstritten, ob er Verf. der *Ilias Latina* ist. (PIR² B 17).

  1 SYME, RP 7.

[II 8] B. Iuncinus L., Tribun der *legio XXII Deiotariana* im J. 63 n. Chr. (P. Fouad 21), später *praef. vehiculorum* und *iuridicus Aegypti* (CIL X 6979=ILS 1434) [1. 381 f.]; vgl. auch B. [II 4].

  1 W. ECK, Die Laufbahn eines Ritters aus Arpi in Thrakien, in: Chiron 5, 1975.

[II 9] B. Macer, angeblich *praef. praetorio* Valerians 258 n. Chr. (SHA Aurelian. 13,1), wohl fiktive Person [1. 4, 6].

  1 R. SYME, Emperors and Biography, 1971.

[II 10] B. Macer Q., *cos. suff.* 103 n. Chr., konsularer Statthalter von Dacia im J. 113 (unpubliziertes Militärdiplom), *praef. urbi* 117; obwohl damals dem *praef. praetorio* Attianus verdächtig, von Hadrian nicht hingerichtet (SHA Hadr. 5,5; FOst², 46, 98); vielleicht Prokonsul der Baetica 100/1 (Mart. 12,98,7 [1. 334]) und *amicus* Plinius' des J. (EOS 2, 351; [2. 486, 567, 631]).

  1 W. ECK, Jahres- und Provinzialfasten, in: Chiron 12, 1982 2 SYME, RP 7.

[II 11] B. Marcellinus, ca. 205 n. Chr. *aedilis*, im Zusammenhang des Prozesses gegen den *procos. Asiae* Apronianus vom Senat grundlos verurteilt und hingerichtet (Cass. Dio 76,8,2–9,2). PIR² B 25.

[II 12] B. Probus, aus der Baetica stammend, Helfer des Prokonsuls Caecilius Classicus in der Baetica wohl 96/7, im Senat wegen Beteiligung an Verbrechen für fünf Jahre relegiert (Plin. epist. 3,4). PIR² B 27.

[II 13] B. Tampilus Vala Numonianus Cn., Senator der augusteischen Zeit, Prokonsul (CIL VI 1360=ILS 903); wohl identisch mit dem *procos. Illyrici* Cn. T. V. [1]. PIR² B 28.

  1 J. FADIČ, Arh. Vest. 37, 1986, 431 ff.

[II 14] B. Tullus L., *cos. suff.* 95 (FOst², 45, 88 f.); Prokonsul von Asia ca. 110/11 [1. 349].

  1 W. ECK, Jahres- und Provinzialfasten, in: Chiron 12, 1982.
                                         W. E.

Bäckereien stellten in der Ant. alle eßbaren Getreideprodukte her, bes. aber → Brot. Die Quellen zeigen, daß feines und weißes Mehl dem gröberen, aber nahrhaften Mehl vorgezogen wurde. Weizen und Gerste waren die vorherrschenden Getreidesorten [2]. Was die tägliche und die rituelle Nahrung anging, war in der griech. Welt Gerste wichtiger als Weizen (Theophr. c. plant. 3,21,3; Athen. 3,111c–112a). Mit Sicherheit war aber Homer Weizenbrot bekannt, und Theophrastos war sich der höheren Nahrhaftigkeit und Backqualität des Weizens bewußt (h. plant. 8,4,1–6; vgl. Athen. 3,115c). In der röm. Welt war Weizen ebenfalls die wichtigste Getreideart, obwohl Gerste nicht unbekannt war (Plin. nat. 18,74 zur Minderwertigkeit des Gerstenbrotes). Durch effizientes Entfernen der Kleie aus dem Weizenmehl erhielten die Römer generell feinere Produkte. Um Getreide eßbar zu machen, mußten äußere Hülsen durch Rösten entfernt werden; Gerste und Spelzweizen (*far*) verloren dadurch ihr Gluten, so daß aus ihnen kein Sauerteigbrot mehr gewonnen werden konnte. Die Griechen aßen daher Gerstenmehl (ἄλφιτον) als μᾶζα (*máza*), einen festen Teigkuchen; die frühe röm. Form von Getreidenahrung war *puls*, ein Brei aus *far*, das mit einem Stößel im Mörser zerstoßen wurde. Gerstenmehl wurde in Griechenland auf dem Markt angeboten (Aristoph. Eccl. 817ff.), aber der Gebrauch von frisch gemahlenem Mehl scheint üblich gewesen zu sein. Häusliches Brotbacken schloß das Getreidemahlen ein, und als σιτοποιός (*sitopoiós*) bezeichnete Frauen mahlten das Getreide und buken Brot (Hdt. 3,150; 7,187). Dasselbe gilt für den röm. *pistor* (Plin. nat. 18,107–108). Mühlen wurden in vielen Haushalten gefunden. Die athenischen Bäcker Thearion und Kyrebos mahlten ebenso Mehl wie die ἀρτοπῶλαι (*artopōlai*, Brotverkäufer), die das Gesetz verpflichtete, den Brotpreis entsprechend dem Weizenpreis festzusetzen (Aristot. Ath. pol. 51,3). Die Gerste hingegen wurde gemahlen und dann verkauft (vgl. den Fall des Nausikydes, Xen. mem. 2,7,6); ein Gesetz bestimmte, daß Müller Gerstenmehl entsprechend dem Preis der Gerste verkaufen mußten (Aristot. Ath. pol. 51,3). In der röm. Welt gehörten zu B. auch Mühlen, die, wie in Pompeii, mit Sklaven- oder Tierkraft betrieben wurden [6]. Nach dem Mahlvorgang mußte das Mehl gesiebt werden, um Kleie und grobe Rückstände zu entfernen. Im Gegensatz zu den eher primitiven griech. Geräten stellten die röm. Siebe eine beachtliche Verbesserung dar (Plin. nat. 18,107–108). Die Qualität der *alica*, Graupen, die aus bestem campanischen Weizen hergestellt wurden, hat man durch Zusatz von Kreide verbessert (Plin. nat. 18,109–114). Die verschiedenen Brotsorten hingen zunächst von der verwendeten Mehlsorte, den weiteren Zutaten und vor allem von dem Gärungsmittel ab (Plin. nat. 18,102–105). Die einfachste Backmethode bestand darin, den Teig, umwickelt oder nicht, in heiße Asche oder unter einem vorgewärmten Terracottadeckel auf den heißen Herd zu legen. Ausgefeiltere Methoden waren der κρίβανος (*kríbanos*), ein abgedecktes Tongefäß, das mit heißer Asche bedeckt war; es hatte den Vorteil, daß die Backhitze darin relativ konstant blieb. Flaches Brot konnte auf einer eisernen Platte oder in einer Bratpfanne über offenem Feuer gebacken werden. Der eigentliche Ofen (ἰπνός) stand auf Beinen über einem kleinen Feuer. Einige röm. Öfen gingen auf den *testu* zurück; der große Steinofen mit eigener Feuerkammer jedoch wie er in den B. stand, hatte sich sich aus dem *fornax* entwickelt, der zum Trocknen des geernteten Getreides verwendet wurde [1. 104–114]. In den meisten Haushalten war die eigene Herstellung von Brot und Backwaren aufgrund von Platz- und Brennstoffmangel beschränkt.

Die Entwicklung von gewerblichen B., die schon für das klass. Athen bekannt sind, begann vielleicht schon früher; Terrakottafiguren weisen darauf hin, daß in Argos und an weiteren Orten bereits im späten 6.Jh. v. Chr. von der Gemeinde betriebene, wenn nicht gar gewerbliche B. existierten [8]. In Athen hören wir außer von den Frauen der Komödie, die Brot verkauften, von Thearion, dem berühmten Bäcker, den Plato und auch die Komödiendichter kannten (Athen. 3,112.c-e) sowie von Kerybos, der durch B. ein beträchtliches Einkom-

men erzielte (Xen. mem. 2,7,6). In Rom scheint es gewerbliche B. erst ab 170 v. Chr. gegeben zu haben (Plin. nat. 18,107), was vielleicht darauf zurückzuführen ist, daß der häusliche Brennstoff zuvor billiger gewesen war. Spätestens im 1. Jh. v. Chr. wurden einige Bäcker wohlhabend; so konnte sich der freigelassene Bäcker und *contractor* Eurysaces ein großes Grabmal leisten; die Reliefs zeigen den Backvorgang vom Mahlen des Getreides bis zum Backen des Brotes [9. 128, Abb. 34–35]. Im frühen Principat unterbrach Caligula die Brotversorgung der Stadt Rom ernsthaft, als er die Zugtiere der Mühlen requirierte (Suet. Cal. 39). Zur Zeit Traians war in Rom die Nachfrage nach Brot so groß geworden, daß versucht wurde, die Anzahl der Bäcker durch bes. Anreize zu erhöhen. Manchmal erfuhren die Bäcker eine kompromißlose Behandlung; in Ephesos wurde ein Streik der Bäcker von dem Proconsul durch die Auflösung der Vereinigung der Bäcker beendet, wonach er den Bäckern befahl, ihre Arbeit wieder aufzunehmen [2. 259]. Unter Aurelianus wurden im Jahre 270 n. Chr. die alten Getreideverteilungen durch eine Verteilung von Brot abgelöst; nach und nach wurden B. unter öffentliche Aufsicht gestellt, die Konflikte zwischen Bäckern und dem Staat verschärften sich dabei [3. 859–860].

In Konstantinopel existierten neben privaten auch öffentliche B., die täglich für 4000 Menschen Brot herstellten [3. 698–701]. In byz. Zeit waren die Gewinne der öffentlich kontrollierten Betriebe zwar begrenzt, doch wurden ihnen Steuerermäßigungen gewährt. Auch hier herrschte ein Mangel an Arbeitskräften; daher konnten → Bettler zur Arbeit verpflichtet werden [7]. Um die Stadt vor Bränden zu schützen, wurden die B. außerhalb der Wohngebiete angelegt; die Verkaufsstände waren demnach auch nicht in die B.-Gebäude integriert. Solche Maßnahmen sind jedoch nicht aus Pompeii bekannt, wo Bäcker neben ihren B. lebten und in demselben Gebäude ihr Brot auch verkauften [10. 136–139].

1 BLÜMNER, Techn. 1,1–96 2 J. M. FRAYN, Subsistence Farming in Roman Italy, 1979 3 P. HERZ, Studien zur röm. Wirtschaftsgesetzgebung, 1988 4 GARNSEY 5 JONES, LRE 6 A. MAU, s. v. B., RE 2, 2734–2743 7 B. MAYESKE, Bakeries, Bakers, and Bread at Pompeii, PhDDiss, University of Maryland, 1972 8 L. A. MORITZ, Grain Mills and Flour in Classical Antiquity, 1958 9 Oxford Dictionary of Byzantium, 1991, S.V. Bakers, Bread 10 B. A. SPARKES, The Greek Kitchen, in: JHS 82, 1962, 121–137 11 J. M. C. TOYNBEE, Death and Burial in the Roman World, 1971 12 A. WALLACE-HADRILL, Houses in Society of Pompeii and Herculaneum, 1994 13 WHITE, Technology 14 WHITE, Farming. A. B.-C.

Baecula. Ortschaft im Bergbaugebiet des oberen → Baetis (h. Bailen). 208 v. Chr. fand hier eine der entscheidenden Schlachten des 2. Pun. Krieges statt, in der Hasdrubal von P. C. Scipio Africanus geschlagen wurde. Er verließ daraufhin Spanien (Pol. 10,38,7; 11,20,5; Liv. 27,18,1; 28,13,5; App. Ib. 24).

TOVAR 3, 153–154. P. B.

Bäder A. Terminologie und Definition
B. Griechenland C. Rom.
D. Christliche Zeit

A. Terminologie und Definition

Im Griech. wurden B. βαλανεῖον (*balaneíon*) oder
λουτρόν (*lutrón*) genannt, im Lat. *lavatrina, balneum, balnea, balnae*. In griech.-röm. Zeit gab es private B. in
Wohnhäusern, aber auch öffentliche B., während im
Alten Orient nur private B. bekannt waren. Die öffentlichen B. waren meist in Privatbesitz und von eher be-
scheidener Größe; zu den staatlichen, monumentalen B.
s. → Thermen.

B. Griechenland

Private B. gab es in Griechenland seit min.-myk.
Zeit; sie bestanden normalerweise aus einem Raum mit
einer Badewanne.

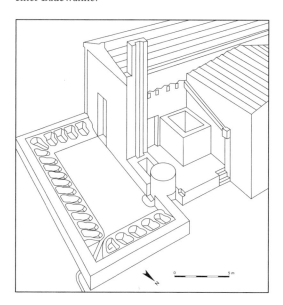

Olympia, griech. Bad (Bau III), um 350 v. Chr.
(Rekonstruktion).

Ähnliche B. waren noch in klass. und hell. Zeit in Gebrauch, nur wurde die Wanne häufig durch ein Sitzbad
ersetzt. Öffentliche B. kamen zuerst im 5. Jh. v. Chr. auf
und waren aufgrund ihres schlechten Rufes zunächst
meist am Stadtrand angesiedelt. Schon bald wurden sie
allerdings auch im Zentrum erbaut und spätestens im
Hell. waren sie ein fester Bestandteil des städtischen Lebens. Öffentliche B. findet man zuerst im griech. Mutterland und seit dem Hell. auch in den griech. Städten
und Kolonien in Kleinasien, Ägypten, Syrien/Palästina,
Großgriechenland und Sizilien (z. B. Athen, Piraeus,
Gortys, Amathus, Pergamon, Tell Atrib, Gezer, Megara
Hyblea).

Öffentliche B. waren nicht auf eine bestimmte Architektur festgelegt, sondern unterschieden sich in Größe, Form und Grundriß. Typisch war ein runder Raum
(θόλος, *thólos*) mit radial angeordneten Sitzwannen, über
denen sich Nischen für die Badeutensilien befanden.
Manchmal gab es zwei solcher θόλοι, in einigen B. war
eine für Frauen und eine für Männer bestimmt. Obwohl auch manchmal Schwitzbäder vorhanden waren
(z. B. Gortys, Megara Hyblea), herrschte doch das Sitzbad mit heißem Wasser vor. Normalerweise wurde nur
das Wasser für die Wannen erhitzt, z. T. gab es aber auch
unterirdische Raumheizungssysteme, von denen das in
Gortys am besten erh. ist; die meisten Beispiele stammen
jedoch aus Sizilien und Südit. (Velia, Syrakus, Gela).
Einige griech. B. (bes. in Ägypten) wurden bis in die
röm. Kaiserzeit benutzt, andere wurden aufgegeben
oder in röm. B. umgebaut.

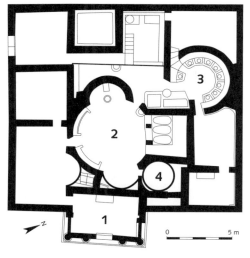

Gortys, Bad, 3. Jh. v. Chr., Grundriß.
1. Vorhalle, Vestibül 2. Aufenthaltsraum
3. Tholos mit Sitzwannen 4. Schwitzbad

C. Rom

Außerhalb der griech. Kolonien waren in It. spätestens seit der mittleren Republik recht einfache private
B. ohne Wannen (*lavatrinae*) üblich. In Zusammenhang
mit der zunehmenden Hellenisierung It.s erfolgte dann
die Einführung von Baderäumen und von öffentlichen
B. im griech. Stil. Ende des 3. Jh. v. Chr. sind die ersten
B. in Rom belegt (Cato, in Non. p. 108, 25; Plaut.
Persae 90; Stich. 533). Da die Übernahme eher aus den
griech. Kolonien Siziliens und Südit. und nicht aus dem
griech. Mutterland erfolgte, mögen die B. eher einen
lokalen Typus vertreten haben, der in Kampanien schon
im 3. Jh. v. Chr. entwickelt war (Zentral-B. in → Cumae, Stabianer Thermen in → Pompeii). Typisch waren
rechteckige, überwölbte Räume und ein funktional
durchorganisierter Grundriß. Diese Struktur war ein

Resultat der Erfindung des → *opus caementicium*, dessen Verbreitung zu dieser Zeit begann und neue Bauformen ermöglichte. Später wurden die einzeln stehenden Heißwasserwannen nach und nach durch Gemeinschaftsbecken ersetzt, was durch die Entwicklung der Hypokaustenheizung (um 100 v. Chr.) begünstigt wurde (→ Heizung). Dieses neue, effektive Heizungssystem beruhte auf der Erwärmung großer Oberflächen (Fußböden, später auch Wände und Gewölbe) durch zirkulierende Heißluft. Dadurch konnte das typisch röm. Bad mit der Abfolge unterschiedlich erwärmter Räume entstehen, wie bei Vitruv (5,10) beschrieben: *caldarium* (Heißwasserraum), *tepidarium* (lauwarmer Durchgangsraum) und *laconicum/sudatorium* (Schwitzraum) zusätzlich zum *frigidarium* (Kaltwasserraum) sowie dem *apodyterium* (Umkleideraum; zur Raumfolge → Thermen). Um die Zeitenwende war die kanonische Form der röm. B. ausgebildet, aber schon vorher hatte ihre Verbreitung in die Westprov. begonnen, wo öffentliche B. bis dahin unbekannt waren; im Osten wurden mehr und mehr B. griech. Stils in komfortablere röm. B. umgewandelt oder vollständig ersetzt. B. und Thermen waren eine der meistverbreiteten und beliebtesten Einrichtungen der röm. Welt und wurden, bes. im Westen, zu einem wirkungsvollen Instrument der Romanisierung.

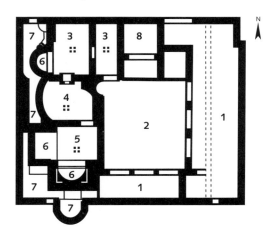

Timgad, die kleinen Zentralthermen, 2. Jh. n. Chr. (Grundriß):

1. Apodyterium	5. Caldarium
2. Frigidarium	6. Alveus
3. Tepidarium	7. Praefurnium
4. Sudatorium	8. Piscina

Wie auch in Griechenland wurden die B. in Rom anfänglich von beiden Geschlechtern getrennt genutzt; entweder gab es unterschiedliche Besuchszeiten oder zwei getrennte Abteilungen. Später war nur ein Badetrakt üblich; sowohl gemeinsames Baden als auch unterschiedliche Badezeiten für Männer und Frauen sind

dokumentiert. Da die öffentlichen B. oft von Privatleuten betrieben wurden, konnten sie, im Gegensatz zu den staatlichen Thermen, speziellen Gruppen vorbehalten bleiben (soziale Schichten, Geschlechter, Kollegien). Es gab B. in den unterschiedlichsten Ausstattungs- und Dienstleistungsklassen, wobei die Eintrittsgelder entsprechend angepaßt waren (zum Badebetrieb s. Thermen).

D. CHRISTLICHE ZEIT

Während viele der großen Thermen als Folge des wirtschaftlichen Niedergangs des röm. Reiches aufgegeben werden mußten, erfreuten sich die B. weiter großer Beliebtheit; häufig wurde der Betrieb von der Kirche übernommen. Das Verbot des gemeinsamen Badens von Frauen und Männern spiegelte sich in der Architektur wider, denn erneut wurden B. mit zwei Sektionen gebaut. Allmählich setzte sich auch eine Spezialisierung der B. auf bestimmte Gruppen wie Pilger, Bedürftige, Mönche etc. durch. So überlebten im Westen des röm. Reiches nur diejenigen B., die in Zusammenhang mit Kirchen und Klöstern standen. Im Osten wurden die B. von den Byzantinern und z.T. auch später im Islam weiter betrieben.

J. DeLaine, Roman Baths and Bathing, in: JRA 6, 1993, 348–358 · R. Ginouvès, Balaneutiké, 1962 · I. Nielsen, Thermae et Balnea, ²1993 · J.B. Ward-Perkins, From Class. Ant. to the Middle Ages, 1984 · F. Yegül, Baths and Bathing in Class. Ant., 1992.   I.N./R.S.-H.

Baetasii. Volk in Niedergermanien, dessen wohl der *colonia Ulpia Traiana*/Xanten attribuiertes Stammesgebiet am ehesten zw. Erkelenz und Krefeld lag. Durch ein Aufgebot waren die B. am Aufstand des → Iulius Civilis beteiligt (Plin. nat. 4,106; Tac. hist. 4,56,3; 66,1).

TIR M 31,39 · C.B. Rüger, Germania Inferior, 1968, bes. 98f.   K.DI.

Baeterrae. *Oppidum* der → Volcae Arecomici in der Gallia Narbonensis, h. Béziers (Hérault), spätestens seit 750/650 v. Chr. besiedelt. Seit Caesar *Colonia Urbs Iulia Septimanorum Baeterrae* mit Veteranen der *legio VII* (Plin. nat. 3,36; Mela 2,75; Strab. 4,1,6; Ptol. 2,10,6). Mittelpunkt eines bed. Straßennetzes, beherrschte B. ein großes, reiches Umland, begünstigt durch die nahen Häfen Agatha und Narbo. Nach der Zerstörung im Verlauf german. Einfälle (276 n. Chr.) entstanden erste Verteidigungsanlagen. Um 412/3 wurde B. von Westgoten erobert. Wenige ant. Reste sind erhalten.

M. Clavel, Béziers et son territoire dans l'Antiquité, 1970 · A. Pérez, Rev. archéol. de Narb., 1990, 33–51.   Y.L.

Baetis. Der h. Fluß Guadalquivir. Er hatte in ant. Zeit denselben Lauf wie h., mündete aber urspr. mit vier (Avien. 288ff.), in augusteischer Zeit mit zwei Armen (Strab. 3,1,9; 2,11); h. mündet er in einem einzigen Lauf in den Atlantik; die versandeten Mündungsarme lassen sich noch feststellen. Sein Wasserreichtum scheint unverändert: Große Seeschiffe fuhren bis Hispalis flußaufwärts, kleine bis Ilipa, Flußschiffe bis Corduba (Strab. 3,2,3).

A. CASAL, El Guadalquivir, 1975 · A. RUIZ RODRIGUEZ, M. MOLINOS Y LOPEZ, M. CASTRO, Settlement continuity in the territory of the Guadalquivir valley, in: G. BARKER (Hrsg.), Roman landscapes, 1991, 29–36 · SCHULTEN I, 1974, 324–335.   P.B.

Baetulo. Fluß (h. Besos) und *municipium* (h. Badalona) der → Lacetani an der spanischen Ostküste (Mela 2,90; Plin. nat. 3,22; Ptol. 2,6,19; CIL II 4606–4608; 4611).

SCHULTEN I, 1974, 305.   P.B.

Bagacum, h. Bavai, Hauptort (*civitas*) der → Nervii, im frz. Département Nord unweit der belgischen Grenze. Der kelt. Name des Ortes sowie spärliche latènezeitliche Spuren lassen eine bescheidene vorröm. Siedlung möglich erscheinen. B. ist aber eine röm. Gründung und im Zusammenhang mit dem Straßenbauprogramm Agrippas zur Neuorganisation der Galliae (20/19 v. Chr.) zu sehen. Am Knotenpunkt der Verbindungen nach Durocortorum (Süd), Augusta Treverorum (Südost), Colonia Agrippinensis (Ost), Turnacum (Nord) und Camaracum (West), entstand eine urspr. wohl kaum mehr als 5 ha umfassende Siedlung (Ptol. 2,90,6; Itin. Anton. 376–378; 380). Augusteische Töpferware und eine Ehreninschr. des Tiberius anläßlich seines Durchzugs 4 n. Chr. (CIL XIII 3570) zeugen von den Anf. von B. Während der Blütezeit im 2. Jh. erreichte die nach einem orthogonalen Plan angelegte Stadt ähnliche Ausmaße wie im MA (40–45 ha). Als administratives und kommerzielles Zentrum sind ein doppeltes Forum mit Kryptoportikus und Tempel nachgewiesen, an das sich östl. eine dreischiffige → Basilica anschloß. In den Wirren Mitte des 3. Jh. wurde B. völlig zerstört; lediglich der ehemalige Forumsbereich blieb weiter besiedelt (ca. 4 ha) und wurde in diokletianisch-konstantinischer Zeit durch eine doppelte Schutzmauer und zwei Kastelle gesichert. Die zu einer Festung reduzierte Stadt verlor ihre polit. Bed. als *Civitas*-Hauptort an das benachbarte Camaracum und findet in den spätant. Quellen keine Erwähnung mehr.

J.-L. BOUCLY, Les débuts de l' occupation à Bavai, in: Revue archéologique de Picardie 1984, 3 f., 19–26 · J. C. CARMELEZ, Bavay Romeinse Stad, Tongeren Provinciaal Gallo-Romeins Museum, 1983 · Regelmäßig Grabungsber. in Gallia und insbes. in Revue du Nord. F. SCH.

Bagai. Stadt in → Numidia zw. Aurès-Gebirge im Süden und dem Salzsee Garaat al-Tarf im Norden, h. Ksar Baghai, urspr. evtl. einheimisches *castellum*. Für 162 n. Chr. ist ein Rat der *decuriones* bezeugt (CIL VIII 1, 2275). 256 Bischofssitz, in spätant. Zeit eines der bedeutendsten Zentren des → Donatismus [1. 284, 304, 719–723]. Im J. 394 versammelten sich z. B. in B. 310 donatistische Bischöfe (Aug. epist. Parmeniani 3,4,21; c. Cresconium grammaticum 3 f.). In den folgenden Auseinandersetzungen wurde B. zerstört, die Byzantiner fanden B. 539 verlassen vor (Prok. BV 2,19,7). Wegen der günstigen strategischen Lage errichteten sie hier eine mächtige Festung. Inschr.: CIL VIII 1, 2275–2292; Suppl. 2, 17731 f., 18068. [2. 42–44].

1 A. MANDOUZE, Prosopographie chrétienne du Bas-Empire 1, 1982 2 J. DURLIAT, Les dédicaces d'ouvrages de défense, 1981.

P. TROUSSET, s. v. B., EB, 1307–1310.   W. HU.

Bagaios s. Zeus

Bagaudae. Die B. waren aufständische Landbewohner in Gallien und Spanien (3. bis 5. Jh. n. Chr.). Erstes Auftreten der B. (unter ihren Führern Aelianus und Amandus) ist für die Zeit um 285/6 n. Chr. belegt. Im Jahre 286 wurde → Maximianus Mitherrscher des → Diocletianus mit der Aufgabe, die B. niederzuwerfen (Eutr. 9,20; vgl. Pan. 2(10),4,3). Die Kämpfe brachen 407 n. Chr. im *tractus Aremoricanus* (zwischen den Mündungen der Loire und der Seine) erneut aus; der Aufstand konnte vor 417 durch Exuperantius, einen Verwandten des → Rutilius Namatianus (Rut. Nam. 1,213 ff.), niedergeworfen werden. In der Aremorica hatten auch die Aufstände des Tibatto (435/37 und 442 n. Chr.) ihren Schwerpunkt. B. waren ferner aktiv in den Alpen (Anfang des 5. Jh.) und in Spanien (Tarraconensis, Mitte 5. Jh.). Angestrebt wurde eine Loslösung vom röm. Imperium (Zos. 6,5,3; Chron. Gall. 117 [a. 435; MGH, AA 9,660]), was den B. zeitweilig gelungen zu sein scheint. Wiederholt wird in den Quellen auf den fiskalischen Druck als Auslöser der Aufstände hingewiesen (Salv. gub. 5,24 ff.); daneben richteten sich die Aktionen der B. gegen die Großgrundbesitzer (Rut. Nam. 1,213 ff.; vgl. auch Paul. Pell. 334 ff.). Die B., die also auch soziale Veränderungen anstrebten, rekrutierten sich vornehmlich aus den ländlichen Unterschichten (Sklaven: Rut. Nam. 1,216), wobei mit *servitia* (Chron. Gall. ebd.) nicht nur Sklaven, sondern auch abhängige Kolonen gemeint sein dürften; es sind aber auch Angehörige anderer Bevölkerungsgruppen auf Seiten der *B.* aktiv gewesen, darunter ein Arzt (Chron. Gall. 133 (a. 448) ebd. 662).

→ Diocletianus; Maximianus

1 B. CZÚTH, Die Quellen der Gesch. der Bagauden, 1965 2 A. DEMANDT, Die Spätant., 1989, 309 3 J. F. DRINKWATER, The Bacaudae of Fifth-Century Gaul, in: J. DRINKWATER, H. ELTON (Hrsg.), Fifth-Century Gaul: A Crisis of Identity?, 1992, 208–217 4 JONES, LRE, 811 f. 5 E. A. THOMPSON, Peasant Revolts in Late Roman Gaul and Spain, in: Past & Present 2, 1952, 11–23 (Ndr. in: M. I. FINLEY (Hrsg.), Studies in Ancient Society, 1974, 304–320) 6 R. VAN DAM, Leadership and Community in Late Antique Gaul, 1985, 25 ff.   J. K.

Bagistana s. Bisutun

Bagoas (Βαγώας), griech. Name für persische Eunuchen (Plin. nat. 13,41).
[1] ›Ein äußerst dreister und frevelhafter Mann‹ (Diod. 16,47,4); nahm unter → Artaxerxes Ochos an der Wiedereroberung Ägyptens teil, wurde Oberbefehlshaber der Oberen Satrapien, dann → Chiliarchos (»Herr des Reiches« Diod. 16,50,8). 338 v. Chr. vergiftete er den König und 336 dessen Sohn und Nachfolger → Arses und setzte einen Höfling, der den Namen → Dareios annahm, auf den Thron. Als er auch Dareios vergiften wollte, kam dieser ihm zuvor (Diod. 17,5,3–6). B. besaß in Babylon berühmte Gärten und in Susa einen Palast.
E. B.

[2] Schöner Günstling des Dareios, kam durch → Nabarzanes in den Besitz Alexanders des Gr. und gewann dessen Liebe und damit großen Einfluß. Er bewirkte Nabarzanes' Begnadigung und die Hinrichtung von → Orxines (Curt. 10,1,22–38). In seinem Haus fand eines der Gelage statt, die zu Alexandros' Tod führten.

BERVE 2, Nr. 195 • E. BADIAN, The Eunuch B., in: CQ 8, 1958, 144–157.
E. B.

Bagradas (Μακάρας Pol. 1,75,5; 1,86,9; 15,2,8 [1.1085 f.]; Βαγράδας Strab. 17,3,13; Ptol. 4,3,6; 4,3,18; 4,3,31; 6,10; Bagrada: Mela 1,34; Lucan. 4,587; Plin. nat. 5,24; vgl. 8,37). Heute Ksar Baghai (zum Namen [2. 1311]), längster Fluß im nordöstl. Afrika (365 km; anders Iulius Honorius, cosmographia 47: 318 Meilen). der B. entspringt bei Thubursicum Numidarum (Iulius Honorius ebd.; anders Ptol. 4,3,18; 6,10) und fließt – meist träge (Sil. 6,140–143) – von Westsüdwest nach Ostsüdost. Rechts fließen ihm der Oued Mellègue, der Oued Tessa und der Oued Siliana, links der Oued Bou Heurtma. Südöstl. von Simitthus betritt er die fruchtbaren »Großen Felder«. Bei Thuburbo Minus beginnt das Delta. In der Ant. mündete er bei Utica ins Meer, heute etwa 10 km weiter östlich.

1 M. FANTAR, s. v. B., LIMC 3.1, 1085–1086 2 J. GASCOU, s. v. Bagrada, EB, 1310–1312.
W. HU.

Bahrein. Insel im Persischen Golf. Arch. Zeugnisse verweisen auf eine Besiedlung seit dem 7. Jt. v. Chr. Nach schriftlichen Quellen aus Mesopotamien ist B. seit dem 3. Jt. v. Chr. Teil der Region → Dilmun und wurde am Übergang zum 2. Jt. v. Chr., zugleich der arch. am besten erforschten Epoche, zum polit. eigenständigen Handelszentrum. Texte aus Mesopotamien und arch. Zeugnisse aus B. belegen, daß es in der Mitte des 2. Jt. v. Chr. Kolonie der mesopotamischen → Kassiten war. In Qalʾat al-B. im Norden der Insel weist die »City IV« auf neuassyr., neubabylon. und achäm. Besiedlung hin, zu der auch verstreut gefundene Bestattungen gehören (Tilmun in neuassyr. Quellen). Hinweise auf eine hell. Ansiedlung bieten die befestigte

»City V« aus Qalʾat al-B., die von Grabhügeln bedeckten Kistengräber von Janussan im Norden B.s und der Münzhortfund von Raʾs al-Qalaʾat aus dem späten 3. Jh. v. Chr. Die Insel ist aus griech. Quellen als Tylos bekannt und wird oft mit → Arados [2], der kleinen Insel im Norden B.s, erwähnt. Im 2. Jh. n. Chr. war B. als Thiloua (aram. Form von Tylos) eine Satrapie des Königreiches → Charakene. Zur Zeit der Sasaniden ist die Hauptinsel B. aus Texten der nestorianischen Kirche unter dem Namen Talūn bekannt. Arch. sind diese Phasen bisher kaum nachgewiesen.
→ Dilmun

G. W. BOWERSOCK, Tylos and Tyre. Bahrain in the Graeco-Roman World, in: SH. H. A. AL KHALIFA, M. RICE (Hrsg.), Bahrain through the Ages, 1986, 399–406 • C. E. LARSEN, Life and Land Use on the Bahrain Islands, 1983 • D. POTTS, The Arabian Gulf in Antiquity, 1990 • M. RICE, The Archaeology of the Arabian Gulf, 1994.
M. H.

Baiae. Stadt in Campania, in der westlichsten Bucht des Golfes von Pozzuoli (Mela 2,70; Plin. nat. 3,61; Itin. Anton. 123,6; Prob. app. gramm. 4,195; Serv. Aen. 9,707; Βαῖαι: Strab. 5,4,5; Cass. Dio, 48,51,5; Βαιαί: Etym. m. 192,45–46; Boiae, Baie), h. Comune di Bacoli. B. gehört zur geologischen Region der Campi Phlegraei, einer durch Brandidismus und geothermische Phänomene geprägten Küstenlandschaft (daher viele Thermenanlagen, etwa der Venus, des Mercurius). *Villae* lit. (Marius, Caesar, Clodia, Licinius Crassus, Pompeius, Faustinus, Martialis) und arch. belegt. Im 1./2. Jh. v. Chr. Zucht und Verwertung von Meeresprodukten (Val. Max. 9,1,1; Plin. nat. 9,168). 59 n. Chr. wurde in B. Agrippina ermordet (Cass. Dio 62,16,5; Tac. ann. 14,4); 138 starb hier Hadrianus (Cassiod. var. 2,142). Totenorakelstätte, Kult der Venus Lucrina, der Mater Baiana. Abhängig von Cumae. Blüte zu Anf. der Kaiserzeit.

M. BORRIELLO, A. D'AMBROSIO, B.-Misenum, Forma Italiae Regio I, 14, 1979 • A. CORRETTI, s. v. B., in: BTCGI 3, 1984, 362–388 • F. ZEVI, s. v. Baia, in: EAA, Suppl. 2, 2, 1994, 592–595.
B. G.

Baiovarii. Röm.-german. Mischvolk (Baiern), zuerst bei Iord. Get. 55,280 in Süddeutschland östl. des Lech bezeugt (vgl. Venantius Fortunatus, vita Martini 4,640–645). Etym. am ehesten »Nachkommen der in Bai(a)-haim (= Böhmen) Wohnenden«; die arch. in der Friedenhain-Přeštovice-Keramik faßbaren *foederati* dürften zuerst selbständig, dann mit ostgot. Duldung (Theoderich d. Gr.) den mil. Kern gebildet haben, um den sich mit dem Zentrum Regensburg der Stamm der Baiern gebildet hat.

TH. FISCHER, Von den Römern zu den Bajuwaren, in: W. CZYSZ, K. DIETZ, TH. FISCHER, H.-J. KELLNER (Hrsg.), Die Römer in Bayern, 1995, 405–411 • A. SCHMID, Regensburg, 1995, 29–41 • K. DIETZ, TH. FISCHER, Die Römer in Regensburg, 1996, 218–226.
K. DI.

Baitylia (βαιτύλια; βαίτυλοι).

I. RELIGIONSWISSENSCHAFTLICH

Große, aufrechte Steine, die in Heiligtümern in den Kult einbezogen werden, finden sich im gesamten Mittelmeerraum [1]. Vor allem die Phoiniker trugen zu ihrer Verbreitung bei. Berühmt waren die B. in Tyros und in Emesa [2]. In Israel stehen Polemik und die Einbeziehung in Kult (Maṣṣebah) und Gottesprädikation nebeneinander (Gott als Fels: Ps 28,1 [3]). Ekstatische Theophanie (?) stellt die min. Ikonographie dar [4]. In Griechenland ist der Omphalos in Delphi prominent. Steine können mit Bändern geschmückt, mit Öl gesalbt werden; oft kommen sie »vom Himmel«. Religionswiss. ist zu klären, ob Steine als Objekt der Verehrung (»Fetischismus«; polemisch Aug. epist. 1,17,2) oder Zeichen der Anwesenheit der Gottheit gelten.

1 NILSSON, GGR 1, 201–207 2 E. STOCKTON, Phoenician Cult Stones, in: AJBA 2/3, 1974/75, 1–27 3 J. GAMBERONI, s.v. B., ThWAT 4, 1984, 1064–1074 4 P. WARREN, in: OpAth 18, 1990, 193–206.

U. KRON, Hl. Steine, in: Kotinos, FS E. Simon, 1992, 56–70.
C.A.

II. PHÖNIKISCH-PUNISCH

Im Rahmen der mediterranen Verbreitung des Kultes anikonischer Göttermale treten B. in von phönikischer bzw. pun. Kultur geprägten Gebieten zu allen Zeiten auf. Als bêt'êl (»Haus Gottes«) sind sie Sitz der numinosen Kraft, z.B. im Hof des Obelisken-Tempels von Byblos (19./18.Jh. v.Chr. [1. 48f.]). B. stammen u.a. vom Monte Sirai (Sardinien) und Mogador (Marokko). Bes. häufig sind B. im Bildrepertoire der zumeist aus dem Tophet einer Stadt stammenden Stelen. Darstellungen einer Trias von B. bilden eine Sondergruppe, finden aber in den B.-Schreinen von Kommos (Kreta, 8./7.Jh. [2. 165ff.]) und Soluntum (Westsizilien, 5./4.Jh. [3. 70f.]) eine »reale« Entsprechung.
→ Bethel

1 A. PARROT, M. CHEHAB, S. MOSCATI, Die Phönizier, 1977 2 J.W. SHAW, AJA 93, 1989 3 M.L. FAMÀ, SicA 42, 1980.

DCPP, s.v. Bétyle, 70f. • H.G. NIEMEYER, Sêmata. Über den Sinn griech. Standbilder, SB der Jungius-Ges. Hamburg 14, 1996/1, 60ff. H.G.N.

Bakchai s. Dionysos

Bakchanalien s. Bacchanal(ia)

Bakcheios (Βακχεῖος).
[1] von Tanagra. Nach Erotian (31,10) Arzt und Schüler des Herophilos (Gal. 18 A, 187 K.), um 250–200 v.Chr. tätig. Neben seinen Schriften über Pulslehre, Pathologie und Pharmakologie verfaßte er auch Erinnerungen an Herophilos und dessen Schüler. Sein Ansehen verdankt er seinem Hippokratesglossar, in dem sich gelegentlich Lesarten erh. haben, die in den Mss. hippokratischer

Schriften fehlen. Das drei B. umfassende Werk führt die in den hippokratischen Schriften enthaltenen besonderen, schwierigen oder seltenen Wörter in der Reihenfolge an, wie sie sich in den hippokratischen Texten fanden, wobei ihre Bed. oftmals unter Heranziehung poetischer Werke des Aristophanes von Byzanz (Gal. 19,65 K.) zu erklären versucht wird. B. kannte mindestens 18 Werke aus dem Corpus Hippocraticum. Auch wenn sich die meisten Hinweise auf Therapeutik im dritten Buch finden, ist umstritten, wie B. diese 18 Werke unterteilte. Eine alphabetisch gegliederte Kurzfassung wurde im 1.Jh. v.Chr. von dem Kreter Epikles verfaßt (Erotian. 31,10). Obwohl B.' Werk von Empirikern wie Philinos, Herakleides von Tarent und Apollonios von Kition wegen seines Mangels an Stringenz und kontextueller Einbettung seiner Zitate aufs schärfste kritisiert wurde, schätzte es Erotian (1. Jh. n.Chr.), der es über 60 Mal in seinem Hippokratesglossar zitiert, außerordentlich. Galen, der es ebenfalls zu schätzen wußte, verweist zwar (18 B 631) auf von B. verfaßte Komm. zu ausgewählten hippokratischen Schriften wie Aph., Epid. 6 und de off. medici hin, doch ist nicht ersichtlich, ob Galens Hinweise wörtlich genommen werden wollen oder sich lediglich auf unterschiedliche Interpretationen einzelner, im Glossar enthaltener Wörter beziehen.
→ Apollonios; Empiriker; Erotianos; Galenos; Herakleides; Herophilos; Hippokrates

ED.: 1 STADEN, 484–500.
LIT.: 2 M. WELLMANN, s.v. B., RE 2, 2789–2790 3 Ders., Hippokratesglossare, 1931 4 SMITH, 202–204.
V.N./L.v.R.-B.

[2] Verf. einer ›Eisagōgḗ téchnēs musikḗs‹ (Εἰσαγωγὴ τέχνης μουσικῆς) in Fragen und Antworten, vielleicht erst 10.Jh. Im Hauptteil (1–58) Definitionen und untergliedernde Ausführungen zu Ton, Intervall, Tongeschlecht, Tetrachord, Tonart (sieben τρόποι) und Metabole aus aristoxenischer Sicht, darunter Listen aller Konsonanzen. Es folgen zwei Ergänzungsteile zur Harmonik (59–66, 67–88), letzterer wieder mit ›Ton‹ beginnend und ein Schlußteil (89–101) zu Rhythmik und Metr. (10 Grundrhythmen, mit Bezug auf Arsis und Thesis).

MSG, 283–316. D.N.

Bakchiadai (Βακχιάδαι). Exklusive Adelsgruppe, die ab der Mitte des 8.Jh. v.Chr. über → Korinth herrschte. Die B. leiteten sich von dem korinthischen König Bakchis her und führten ihren Stammbaum bis auf → Herakles zurück. Zu ihnen gehörten 200 Familien (Diod. 7,9,6). Sie waren eine geburtsständisch abgeschlossene Gruppe, die ihre Exklusivität durch Endogamie aufrecht erhielt (Hdt. 5,92). Dadurch unterschieden sie sich grundsätzlich von der aristokratischen Führungsschicht anderer Poleis, in die Einzelne durch eigene Leistungen und Erfolge aufsteigen konnten. Den B. gelang es nach der Ermordung des letzten Königs, eine kollektive

Herrschaft zu errichten und für ca. 90 Jahre zu behaupten. Sie monopolisierten alle polit. Rechte und übernahmen in jährlichem Wechsel das Oberamt. Ob dessen offizieller Titel *basileus* oder *prytanis* lautete, läßt sich nicht mehr ausmachen. Unklar ist auch, ob die Bestellung durch Wahl erfolgte oder das Kriterium der Anciennität dabei den Ausschlag gab (Diod. 7,9,3; 6; Paus. 2,4,4). Daneben gab es noch den *polemarchos*, zu dessen Aufgaben es u. a. gehörte, Geldbußen einzutreiben, die wiederum andere Magistrate verhängt hatten (Nic. Damasc. FGrH 90 F 57,5). Eine Ratsversammlung der B. ist zwar nicht bezeugt, es spricht jedoch alles dafür, daß es ein solches Gremium gegeben hat.

Die B. besaßen zweifellos die besten Ländereien auf dem Territorium von Korinth. Der Gesetzgeber → Pheidon, vermutlich ein B., soll eine Landreform durchgeführt haben, die sicherstellte, daß sich die Zahl der Landlose und der Bürger entsprachen (Aristot. pol. 1265b12–16). Diese schwer zu deutende Maßnahme gehört wohl in den gleichen Kontext wie die Kolonisation, an der sich die B. aktiv beteiligten. Damit reagierten sie auf ein starkes Bevölkerungswachstum und die daraus resultierenden Probleme. Die Gründer von Syrakus und Korkyra, → Archias [1] und → Chersikrates, gehörten jedenfalls zu den B. (Thuk. 6,3,2; Strab. 6,2,4). Nach Strabon 8,6,20 kontrollierten die B. auch den Außenhandel und belegten den Gütertausch und den Export mit Abgaben. Die Gesch. des → Demaratos, der regelmäßig Fahrten nach Etrurien unternommen haben soll, zeigt, daß die B. möglicherweise auch selbst Handel trieben (Dion. Hal. ant. 3,46–49; Strab. 8,6,20). Die maritimen Unternehmungen Korinths zur Zeit der B. und die führende Rolle der Polis beim Bau von Kriegsschiffen werden von Thukydides (1,13) hervorgehoben. Jedenfalls entwickelte sich Korinth bereits in dieser Epoche zu einer wohlhabenden und mächtigen Stadt.

Die Herrschaft der B. wurde um 660 v. Chr. von → Kypselos gestürzt, der nur mütterlicherseits von ihnen abstammte. Der Verlust der Kontrolle über die Kolonie Korkyra zeigt, daß sich ihre Vormachtstellung in den Jahren zuvor schon nicht mehr durch mil. und außenpolit. Erfolge legitimieren konnte. Parallel dazu scheint ihr Regime auch innenpolit. immer stärker auf Widerstand gestoßen zu sein. Kypselos tötete den amtierenden Oberbeamten. Die übrigen B. mußten in die Verbannung gehen (Hdt. 5,92; Nic. Damasc. FGrH 90 F 57,5–7).

N. G. L. HAMMOND, CAH 3,3, ²1982, 334ff. · J. B. SALMON, Wealthy Corinth, 1984, 55ff.
E. S.-H.

Bakchides (Βακχίδης). »Freund« des Seleukiden Antiochos IV., verwaltete für diesen Mesopotamien. 162 v. Chr. setzte er im Auftrag Demetrios' I. Alkimos als Hohepriester ein, besiegte Iudas Makkabaios und hielt die seleukidische Herrschaft über Judäa mit Strenge aufrecht (1 Makk 7–9; Ios. bell. Iud. 1,35f.; ant. Iud. 12,393–396; 420ff. passim; 13,4ff. passim NIESE.
→ Antiochos [2–12]
A. ME.

Bakchon (Βάκχων). Sohn des Niketas, aus Boiotien, um 286 v. Chr. ptolemäischer Nesiarch des Nesiotenbundes, im Amt bis nach 280 (PP 6, 15038).

R. S. BAGNALL, The administration of the Ptolemaic possessions outside Epypt, 1976, 136ff.
W. A.

Bakchos (βάκχος). A. MYSTE
B. EPIKLESE C. RUTENBÜNDEL

A. MYSTE

Βάκχος, βακχεύειν (*Bákchos/bakcheúein*) und verwandte Wörter beziehen sich auf eine Verhaltensweise – Rasen (μανία, *manía*) –, die vor allem im Dionysoskult ihren Ausdruck fand ([1], wo auch die Herkunft des Wortes besprochen wird; Hdt. 4,79). Dieses entscheidende Merkmal eines B./einer Bakche war ein Zeichen, daß er oder sie vom Gott besessen war (ἔνθεος, *éntheos*). Der B./die Bakche trugen normalerweise einen Thyrsos (oder B. s.u.) und ein Hirschkalbfell (νεβρίς, *nebrís*). Zwar galt der Thyrsos als bes. deutliches Attribut eines B. (wie auch seines Gottes), doch als richtiger B. wurde nur angesehen, wer vom Gott besessen war: ναρθηκοφόροι (sc. Thyrsosträger) μὲν πολλοί, βάκχοι δέ τε παῦροι (*narthēkophóroi mén polloí, bákchoi dé te paûroi*, Plat. Phaid. 69c). In klass. Zeit (z.T. erschlossen durch spätere Zeugnisse) sind mehr Festschwärme (θίασοι, *thíasoi*) von Bakchai als von Bakchoi belegt (Mänaden wurden die Bakchai nur in der Dichtung genannt, mit der offensichtlichen Ausnahme von Inschr. Magnesia 215(a),30, die vielleicht auf einen urspr. poetischen Zusammenhang zurückzuführen ist); aber Hdt. 4,79 (über den Skythen Skyles), Herakl. fr. 87 MAROVICH (falls der Text richtig ist), Plat. Phaid. 69c und die Implikation der euripideischen Bakchen (daß alle Bakchoi sein sollten) zeigen, daß Bakchoi sehr wohl vorkamen.

Als B. galt jemand, wenn er auf eine bestimmte Art initiiert worden war (ἐτελέσθη τῷ Βακχείῳ ὁ Σκύλης, *etelésthē tō bakcheiō ho Skýlēs*, Hdt. 4,79,4), d.h. er war τετελεσμένος (*tetelesménos*), aber nicht ein μύστης (*mýstēs*): Er unterzog sich weder einer μύησις (*mýēsis*), noch nahm er an μυστήρια (*mystéria*) teil. Die Begriffe *mýēsis*, *mystéria* oder *mýstēs* kommen weder in Herodots Bericht über Skyles noch in Euripides' Bakchen (wo die Sprache der Initiation mit der des Herodot übereinstimmt: ἀτέλεστον οὖσαν τῶν ἐμῶν βακχευμάτων, *atéleston ūsan tōn emōn bakcheumátōn*, Bacch. 40) vor. Dieser Terminologie entspricht die Erfahrung des B./der Bakche: Er oder sie unterzieht sich keinem rituellen Tod, und es wird ihm/ihr, anders als den Mysten der eleusinischen Mysterien, kein seliges Leben nach dem Tod versprochen.

Daß in einem Grab in Hipponion ein Goldplättchen (SEG 26,1139 = 40,824) entdeckt wurde, das Bakchoi erwähnt, bestätigte, daß zumindest eine der bis dahin bekannten Serien von Plättchen, die B-Texte [2. 358–362], von bakchischen Initiationen ausgeht: Der Verstorbene muß ›die Straße nehmen, der auch die anderen

Eleusinische Einweihungsszene.
London, British Museum
F 68, Glockenkrater des
Pourtalès-Malers
(Umzeichnung).

Mysten und Bakchoi, die berühmten, folgen‹. Der Text zusätzlicher Plättchen aus Pelinna (SEG 37,497=40,485) ließ, obwohl er nicht die gleichen Begriffe benutzte, die gleiche Schlußfolgerung für die A-Texte zu [2. 300–340; 4. 250–255]. All diese Texte erwähnen oder beinhalten das Versprechen einer bes. Stellung in der Unterwelt. Bemerkenswert im Text von Hipponion ist, daß der Begriff »B.« allein offenbar nicht ausreichte, um einen Initiierten dieser Art zu bezeichnen; deshalb wurde er mit dem Begriff »Myste« verbunden. Ähnlich wird die Terminologie in einem bakchisch/orphischen Kontext bei Plat. Phaid. 69c verwendet: negativ ausgedrückt, daß der ἀμύητος καὶ ἀτέλεστος (einer, der sich weder einer *mýēsis* noch einer (bakchischen) *teleté* unterzogen hat) keine bes. Stellung im Leben nach dem Tod erreichen wird; positiv ausgedrückt, daß ὁ δὲ κεκαθαρμένος τε καὶ τετελεσμένος (*ho dé kekatharménos te kaí tetelesménos*) sie erreichen wird. Was diesen bakchischen Initiierten wie den von Hipponion auszeichnet, ist, daß er sich sowohl einer *mýēsis*, einer bes. Art von Reinigung, als auch einer bakchischen *teleté* unterzogen hat; er ist *mystḗs* und B. Die reinigende *mýēsis*, als Zusatz zur bakchischen *teleté*, war offenbar das Charakteristikum, das rituellen Tod beinhaltete und ein glückliches Leben nach dem Tod versprach. Das gleiche Muster zeigt sich in den Riten des Sabazios, wie sie Demosth. or. 18, 259 beschreibt: Nachts Reinigung mit rituellem Leiden und das Versprechen eines besseren Lebens, tagsüber *teleté* (oder die Fortsetzung davon) mit den Tätigkeiten von Bakchoi (rasendem Schreien, Umgang mit Schlangen).

In hell. und röm. Zeit tritt der Begriff B. in vielen Zusammenhängen auf; teils wird er im alten Sinn des rasenden Dionysosverehrers gebraucht, teils bezieht er sich auf *mýstēs*/B. (die Dedikation für die Priesterin Agrippinilla (IGUR 160) zählt Hunderte von Mysten zusammen mit Priestern, Kultpersonal verschiedener Art und verschiedenen Graden von Bakchoi und Bakchai auf), teils bezeichnet er nur die Mitgliedschaft in einem Verein; oft ist es schwierig zu entscheiden, welche Bed. gemeint ist [5; 6].

B. EPIKLESE

In Kultdokumenten ist B. (oder die Nebenform Bakcheus und die entsprechenden Formen der Adj. Bakcheios, Bakchios), wenn es sich auf den Gott bezieht, immer ein Epitheton; nur in der Dichtung steht es allein für den Namen des Gottes: Dionysos B. ist dementsprechend der Gott der Bakchoi [1. 286–287; 7].

C. RUTENBÜNDEL

Der Begriff B. für den von den Bakchoi getragenen Zweig, den Thyrsos, kommt nur in schol. Aristoph. Equ. 408 vor, wo Xenophan. fr. 17 für die einfache Bed. »Zweig« zitiert wird; allerdings ist der Kontext unklar. Der Thyrsos konnte verschiedene Formen haben; oft war er ein aus dem Stengel eines Riesenkerbels bestehender Stab, an dessen Spitze ein Gewinde von Efeublättern befestigt war, oder er konnte ganz einfach ein Zweig sein [8]. WEST [7] vertrat den Standpunkt, daß »Zweig« die urspr. Bed. des Wortes gewesen sei, aber da beinahe alle Wörter mit dem Stamm βακχ- Wahnsinn bedeuten und Wahnsinn das wesentliche Charakteristikum des B./der Bakche ist (in der Vasenmalerei hingegen Thyrsoi nicht selten auf Mänadenszenen fehlen), hat der bacchische Zweig seinen Namen eher vom Gläubigen und nicht umgekehrt.

Zeitgenössische Forscher nehmen aufgrund von Schol. Aristoph. Equ. 408 oft an, daß der von den in Eleusis Initiierten getragene Stab (durch Ringe zusammengehaltene Bündel von Myrtenzweigen, s. Abb.) auch B. genannt wurde. PRINGSHEIM stellte zu Recht fest, daß der Kontext des Scholions dionysisch ist und deshalb eleusinische Praktiken nicht betrifft [9; 10].

1 GRAF, 285–291 **2** G. ZUNTZ, Persephone, 1971, 275–393 **3** S. G. COLE, New Evidence for the Mysteries of Dionysus, in: GRBS 21, 1980, 223–238 **4** F. GRAF, Dionysian and Orphic Eschatology: New Texts and Old Questions, in: Masks of Dionysus, T. H. CARPENTER & C. A. FARAONE (Hrsg.), 1993, 239–258 **5** W. BURKERT, Bacchic Teletai in the Hellenistic Age, in: wie Anm. 4, 259–275 **6** S. G. COLE, Voices from beyond the Grave: Dionysus and the Dead, in: wie Anm. 4, 276–295 **7** M. L. WEST, Hesiod, Works and Days, 1978, 374–375 **8** F. VON LORENTZ, s. v. Thyrsos, RE 6, 747–752 **9** H. G. PRINGSHEIM, Arch. Beiträge zur Gesch. des eleusinischen Kultes, 1905, 16 **10** K. CLINTON, Myth and Cult: the Iconography of the Eleusinian Mysteries, 1992, 49, Anm. 102. K. C.

Bakchylides (Βακχυλίδης). Dichter von Chorlyrik, der im 5. Jh. v. Chr. wirkte. B. ist in Iulis auf Keos geboren, doch das genaue Jahr seiner Geburt bleibt umstritten; er war Enkel eines gleichnamigen Athleten, Sohn eines Mannes namens Meidon (Suda) oder Meidylos (Etym. m.) und Neffe des → Simonides [1. 130–132]. Seine *akmḗ* wird von Eusebios von Caesarea mit dem 2. J. der 78. Ol. angegeben, ohne Zweifel seines wichtigsten Auftrags wegen, den Sieg des Hieron von Syrakus im Wagenrennen vom J. 468 v. Chr. zu preisen. In Chr. pasch. wird seine *akmḗ* dreizehn Jahre früher angesetzt [2. Bd. 1.6–7]. Über sein Leben ist so gut wie nichts bekannt; es gibt lediglich die Behauptung Plutarchs, er habe im Exil gelebt, aber das ist vielleicht nur ein Rückschluß aus der Tatsache, daß Pindar einen Paian für die Keer gedichtet hat (Pind. Paian 4, nicht sicher datiert) und dieser Auftrag für unwahrscheinlich galt, wenn B. zu diesem Zeitpunkt in Keos gewesen wäre. Sein Todesjahr war vielleicht 451 v. Chr., denn Eusebios erwähnt ihn in seiner Rubrik für dieses Jahr; von der Eintragung für das Jahr 431 v. Chr. nimmt man im allg. an, daß sie einem gleichnamigen Auleten aus Opous galt [2. Bd. 1.7²⁴]. Ein Trinklied für Alexandros, Sohn des Amyntas und König der Makedonen von 498–454 v. Chr. (fr. 20B), scheint aus der Jugendzeit sowohl des Dichters wie des Adressaten zu stammen und ist vielleicht in die Zeit vor 490 v. Chr. zu datieren. Mit seinen Epinikien steht B. in direkter Konkurrenz zu Pindar: Bakchyl. 13 ist dem Sieg des jungen Pytheas von Aigina bei den Nemeen gewidmet, für den Pindar in demselben Jahr N. 5 dichtete. Die beiden Gedichte Pindars für dessen Bruder Phylakidas (I. 5 und 6) enthalten Einzelheiten, die uns erlauben, Bakchyl. 13 in das Jahr 485 oder 483 v. Chr. zu datieren [2. Bd. 2.250f.]. Die Gedichte, die Hieron von Syrakus gewidmet sind, sind alle zweifelsfrei datierbar. Bakchyl. 5 rühmt den Sieg des Pferdes Pherenikos in Olympia im Jahre 476 v. Chr., von dem auch Pindars O. 1 handelt; Bakchyl. 4 hat den Sieg im Wagenrennen in Delphi im Jahre 470 v. Chr. zum Anlaß, wie Pind. P. 1; Bakchyl. 3 preist den bedeutendsten Sieg Hierons im Jahre 468 v. Chr., für den es von Pindar kein Gedicht gibt. Die biographische Überlieferung geht davon aus, daß am Hofe von Syrakus Rivalität zw. Pindar und B. geherrscht habe und

Pindar mit den zwei Raben in O. 2,86–88 eine wenig schmeichelhafte Anspielung auf B. und Simonides und mit dem Affen in P. 2,72 eine weitere auf B. gemacht habe (s. die Scholien). Doch diese Auffassung wird heute weitgehend bezweifelt, und die Annahme persönlicher Abneigung ist in der Tat unwahrscheinlich: Man darf nicht vergessen, daß es keine Argumente für die Anwesenheit des einen wie des anderen Dichters am Hofe Hierons gibt außer denen, die sich auf Rückschlüsse aus ihren Dichtungen stützen. Bakchyl. 6 und 7 für die Siege des Lachon aus Keos bei den Olympischen Spielen und Bakchyl. 1 und 2 für den Sieg des Argeios aus Keos bei den Isthmien stammen aus den 50er Jahren des 5. Jh. v. Chr., höchstwahrscheinlich aus den letzten Lebensjahren des B. [2. Bd. 2.125].

Nur ungefähr hundert Verse aus dem Werk des B. waren durch Zitate bei ant. Autoren bekannt, als ein Papyrusfund in Ägypten Teile von vierzehn epinikischen Oden und sechs Dithyramben bekannt machte. Diese Papyrusfragmente wurden 1896 vom British Museum erworben und im darauffolgenden Jahre publiziert [3]. Eine von JEBB besorgte Ausgabe folgte bald danach [4]. Während die Entdeckung einerseits zum ersten Mal seit dem Alt. eine Beurteilung der Dichtkunst des B. erlaubte, führte sie andererseits auch dazu, daß sein Ansehen durch den Vergleich mit der Siegesdichtung des Pindar geschmälert wurde (ein Urteil, das bereits der Verf. der Schrift Περὶ Ὕψους 33,5 zum Ausdruck gebracht hatte). Sein mehr diskursiver Stil der mythischen Erzählung ist zum Teil vielleicht auf seinen ion. Hintergrund zurückzuführen. Wie Pindar baut er eine einzelne Szene aus, aber insgesamt gesehen ähnelt seine Erzählung weniger Pindar als eher den neugefundenen Fragmenten des → Stesichoros, mit dem ihn die Vorliebe für die direkte Rede verbindet. Die längeren Gedichte (3; 5; 11; 13) sind dennoch von sorgfältigem Aufbau und haben häufig die Struktur einer kunstvollen Ringkomposition. B. zeigt eine stärkere Vorliebe für homer. Epitheta als Pindar und verwendet viele eigenwillige Abwandlungen, in der Regel aus stilistischen Gründen oder der pathetischen Wirkung halber. Das Gedicht Bakchyl. 5, das vermutlich eine ep. Katabasis zum Vorbild hat, die auch im 6. B. der vergilischen *Aeneis* Spuren hinterlassen hat [5], ist eines der Meisterwerke der griech. Lyrik: Herakles trifft im Hades auf Meleagros, der die Gesch. seines Todes erzählt, dadurch die Bewunderung des Helden erregt und zugleich dessen Schicksal besiegelt, indem er ihn auf die Erde zurückschickt, damit er um Deianeira werbe. Hier wie in anderen Dichtungen des B. muß der Zuhörer aus der Erzählung auf ein Ende schließen, das außerhalb des Gedichtes liegt [6]: B. deutet auf den Tod des Herakles voraus, der durch das Eingreifen einer Gestalt der Unterwelt herbeigeführt wurde (vgl. Soph. Trach. 1159–1162), und möglicherweise auch auf die Apotheose des Helden, die Pindar direkt behandelt (Pind. N. 1). Bakchyl. 3 ist bes. deshalb bemerkenswert, weil das Gedicht ein Ereignis der kurz zurückliegenden Gesch., den Tod des Kroisos (546 v.Chr.), mit dem Mythos auf eine Ebene stellt; wie Bakchyl. 5 hebt es die dramatischen und pathetischen Aspekte hervor. Die Preisung der aiginetischen Sieger gibt, wie bei Pindar, Anlaß zur Erzählung aiakidischer Mythen: Bakchyl. 13 berichtet in einer der *Ilias* entlehnten Szene von der Tapferkeit des Aias bei den Schiffen, unterscheidet sich indes von der Vorlage durch die Betonung subjektiven Empfindens. Die Dichtung des B. ist voller Gnomen, die traditionelle Weisheit vermitteln und, wie der Mythos, die Gelegenheit und die hervorragenden Eigenschaften der Sieger in einen breiteren Zusammenhang stellen. Wie bei Pindar finden wir ein starkes Bewußtsein der Stellung des Dichters und der Wechselbeziehung, hung, die zw. dem Dichter und seinem Auftraggeber und Mäzen besteht. Die Dithyramben des B. sind von lebhafter Dramatik, bes. Bakchyl. 17 und 18; bei letzterem handelt es sich um einen Wechselgesang zw. Chorleiter und Chor, und es ist eine umfangreiche Diskussion darüber geführt worden, ob es sich hierbei um eine Fortführung jener Form von Dichtung handele, aus der sich angeblich die Trag. entwickelt habe (Aristot. poet. 4,1,449a 10–11), oder ob das Gedicht vielmehr seinerseits durch das att. Drama beeinflußt worden sei. Die Sprache des B. ist die Kunstsprache der Chorlyrik: sie ist ep., aiol. und dor. (letzteres weniger als bei Pindar). Die Gedichte gliedern sich in Triaden oder Strophen, die meisten sind in Daktyloepitriten und gelegentlich in iambisch-aiol. Versmaß verfaßt. Seine Werke sind in neun Büchern gesammelt worden: Dithyramben, Paiane, Hymnen, Prosoden, Parthenien und Hyporchemata zu Ehren der Götter, sowie Epinikien, Enkomien und Erotika zu Ehren von Menschen. Es gibt keinen Hinweis dafür, daß er sich im klass. Athen großer Beliebtheit erfreute. → Kallimachos hat B. gelesen, er wurde in den Alexandrinischen Kanon aufgenommen und Aristophanes von Byzantion besorgte eine Ausgabe. Papyrusfunde lassen darauf schließen, daß er in der hell. und der Kaiserzeit gelesen wurde, aber da sein Werk nicht erh. blieb, fand er in der Tradition der europ. Dichtung keine Beachtung.

1 B. SNELL, H. MAEHLER, Bacchylidis carmina cum fragmentis, 1970 (Testimonia) 2 H. MAEHLER, Die Lieder des B., I, I und II, 1982 3 F. G. KENYON, The poems of Bacchylides, 1897 4 R. C. JEBB, Bacchylides: the poems and fragments, 1905 5 H. LLOYD-JONES, Heracles at Eleusis, in: Maia, N. S. 19, 1967, 206–229 6 R. SCODEL, The irony of fate in Bacchylides 17, in: Hermes 112, 1984, 137–143 7 PICKARD-CAMBRIDGE/WEBSTER, Dithyramb, tragedy and comedy, 25–30.   E. R. / A. WI.

Bakis (Βάκις). Ekstatischer Seher aus Böotien, angeblich Autor von hexametrischen Orakeln, die seit den Perserkriegen in Umlauf sind (Hdt. 7,20; 77; 96; 9,43). Andere Orakel beziehen sich auf den Wiederaufbau von Messene (Paus. 4,27,4) oder auf thebanische Riten (ebd. 9,15,7; 10,32,8–11); ein Orakel ist möglicherweise in Athen inschr. bezeugt (IG II⁴968; SEG 10,175) [1]. Die Nymphen hatten B. in Wahnsinn versetzt (Paus. 4,27,4;

20,12,11), angeblich diejenige der korykischen Grotte (Schol. Aristoph. Pax 1279). Wie der Seher → Melampus heilt auch B. Wahnsinn, so die wahnsinnigen Spartanerinnen (Theop.): Er gehört so in dieselbe Kategorie fiktiver ekstatischer Propheten wie die → Sibylle, und wie bei dieser versuchte spätere Gelehrsamkeit verschiedene lokale Ansprüche auf die Heimat mit der Theorie mehrerer Bakides zu versöhnen (drei nach Philetas von Ephesos, vgl. auch etwa Aristot. probl. 954a 36; Plut. de Pyth. or. 10,399 A).

In der frühen Neuzeit ist er fast so berühmt wie die Sibylle: NICHOLAS FRÉRET widmet ihm eine Abhandlung [2], GOETHE dichtete die ›Weissagungen des B.‹.

1 H. W. PARKE, in: ZPE 60, 1985, 93–96 2 N. FRÉRET, Observations sur les recueils de prédictions écrites qui portent le nom de Musée, de Bacis et de la Sibylle, Mém. Acad. Inscr. 23, 1749, 187–212.

BOUCHÉ-LECLERC 2, 105–109.   F. G.

Baktria A. QUELLEN   B. GEOGRAPHISCHE DATEN C. GESCHICHTE   D. SIEDLUNG UND VERKEHR

A. QUELLEN

Über das alte B. hat zuerst der den von ihm beschriebenen Ereignissen zeitlich am nächsten stehende Herodot berichtet; alle weitere Überlieferung ist sekundär, vor allem auch die auf die Epoche → Alexandros' [4] d.Gr. bezüglichen Nachrichten des Arrianos (an.) und Curtius Rufus, die auf Aristobulos, Ptolemaios und Kleitarchos zurückgehen. Zusammenhängende Darstellungen B.s liefern Strabon (11,11) und Ptolemaios (6,11 N), dazu finden sich verstreute Berichte bei → Ailianos [2], Aischylos, Aristoteles, Diodorus Siculus, Plinius (nat.), Polybios, Theophrastos und bei Xenophon (Kyr.). Ausgrabungen wie in → Aï Chanum, Taḫt-e Sangīn und Termez geben Aufschluß über griech.-baktrische Bauten, Plastiken, Münzen usw., deren Stil noch Jahrhunderte nachwirkte.

B. GEOGRAPHISCHE DATEN

Βακτρία und Βακτριανή (*Bactriana regio* bzw. *terra*) waren die Ausdrücke für das Land B., Βάκτριοι und Βακτριανοί (*Bactriani*) für seine Bewohner; häufig war auch der Gebrauch von Βάκτρα für das Land B. (s.u.). B. entspricht etwa dem h. Afghanistan, zu beiden Seiten des oberen und z.T. auch des mittleren Oxos (h. Amudarja). Die Südgrenze von B. bildet das Gebirge Kūh-e Bābā, die Westgrenze annähernd der Fluß Margos (h. Murgab). Der im indischen Kaukasos (h. Hindukusch) entspringende → Araxes [2] (Oxos) ist von Arr. an. 3,29,2 ff. beschrieben. Der wichtigste südl. Nebenfluß des Oxos war der → Baktros [1] (Curt. 7,4,31 u. a.), der h. Balḫāb, an dem die Hauptstadt Baktra lag. Neben dem Araxes nennt Arist. met. 1,13,16 noch den Fluß → Choaspes [2] (h. Kunạr). B. war von der Natur reich begünstigt. Reife Getreidekörner erreichten angeblich die Größe von Olivenkernen (Theophr. h. plant. 8,4,5), Ail. nat. hist. 4,55 rühmt das Gedeihen der Tiere, Ail.

4,25 und 15,8 bezeugt das Vorkommen von Gold und
Plin. nat. 37,65 das von *Bactrianorum smaragdi*.

C. GESCHICHTE

Für die älteren Perioden sind Beziehungen zum Iran
bezeugt, für die jüngeren zu Assyrien (→ Semiramis)
und Persien (→ Kyros d.Gr.), wie bei Xen. Kyr. 1,1,4
und Diod. 2,5–7 erwähnt. Religionsgesch. bedeutsam
ist das Auftreten des → Zoroastres (Zarathustra), dessen
Datierung in das 5.Jh. v.Chr. umstritten ist. Seit Dareios I. gehörte B. dem 12. Steuerbezirk an (Hdt. 3,92;
9,113). B. stellte dem Xerxes 480–479 ein Kontingent
aus Fußvolk und Reiterei (Hdt. 7,64.66; 86; 8,113;
9,31). Die Verfolgung der baktrischen Satrapen → Bessos durch Alexander zog das Vordringen in den nördli-
chen Iran nach sich, womit die Periode einer zwei Jh.
dauernden griech. Beherrschung bzw. kulturellen Beeinflussung B.s beginnt. 329 überschritt Alexander den
Oxos. An den Grenzen B.s entstanden Alexandreia [12]
Oxiana und Alexandreia [9] πρὸς τῷ Καυκάσῳ (h. Cha-
rikar). → Seleukos I. Nikator sicherte (um 300 v.Chr.),
→ Antiochos [2] I. Soter erneuerte den Besitz B.s in
Verträgen mit indischen Fürsten (Chandragupta). Aus
dem Drängen der hell. Satrapen B.s → Diodotos I. und
II. nach Unabhängigkeit von den Seleukiden erwuchs
ein eigenes baktrisches Königtum. 206 v.Chr. erkannte
→ Antiochos [5] III. d.Gr. die Herrschaft des → Eu-
thydemos, eines Griechen aus Magnesia, über B. an.
Dieser und sein Sohn Demetrios schufen das hellenо-
baktrische Reich, das nach Vorderindien übergriff
(180), wo Demetrios seinem Vater zu Ehren die Stadt
Euthydemeia im Fünfstromland (h. Sänglawala-Tiba)
gründete. Die ἀρχή B.s soll um 170 v.Chr. bis zu den
Serern gereicht haben (Strab. 11,11,1). Um 140 v.Chr.
begann der Einbruch fremder Völker, so der von den
→ Yüe-Chi, vom → Aralsee und Syr-daryā vertriebenen Saken und Skythen. Im 1.Jh. n.Chr. wurde B. in
das neue Reich der Kuschanen einbezogen, von denen
wohl auch die z.Z. Hadrians nach Rom geschickte Gesandtschaft stammte. 450 drangen die → Hephthalitai in
B. ein, die ein Jh. darauf (567) von den mit den Persern
(→ Chosroes I.) verbündeten Turkoi über den Hindukusch nach Süden gedrängt wurden. Die seit dem
7.Jh. einfallenden Muslime kämpften noch bis in das
10.Jh. gegen Hephthaliten, Turk- und Hindu-Shahi, bis
das Land zum Ausgangsgebiet der islamischen Eroberung Indiens wurde.

Ausgrabungen haben u.a. in Aï Chanum eine griech.-
baktrische Stadt freigelegt. Bis nach Nord-Tāǧīkestān
(Taḫt-e Sangīn, evtl. dem Fundort des Oxos-Schatzes)
fanden sich griech. Münzen, Plastiken und Terrakotten.
Nachwirkungen griech.-baktrischer Kunst reichen in
Zentralasien bis in die islamische Zeit und in Osttur-
kestan bis in die Mongolenzeit. Von besonderer Bedeutung wurde die von dem hell. B. ausgehende Gandhāra-
Kunst, die nach Nordwest-Indien übergriff.

D. SIEDLUNG UND VERKEHR

Βάκτρα, der Name der Stadt, betraf urspr. nur das
Land B., wie mehrfach berichtet ist (Arr. an. 3,19,1;

Curt. 3,10,5; 4,5,4; Steph. Byz. s.v. Ἀλεχάνδρεια κατὰ
Βάκτρα u.a.). Nicht Βάκτρα, sondern Ζαρίασπα (Arr.
an. 4,1,5; 7,1; Pol. 10,49; bei Plin. nat. 6,48 Zariastes
genannt) war der ältere Name der Hauptstadt von B. (h.
Balḫ, → Balch). Neben Βάκτρα/Ζαρίασπα erscheinen
ferner als nennenswerte Plätze Δράψακα (h. Andarāb)
und Ἄορνος. Baktra lag an der → Seidenstraße; eine andere Straße folgte dem Laufe des Oxos und dem Nebenfluß Baktros westl. zum Kaspischen Meer (Strab.
11,7,3), und südl. fand eine Straße den Anschluß zum
Khaiber-Paß in das Tal des Kabul (→ Kophen) nach
Vorderindien.

LIT.: P. BERNARD, The Greek Kingdoms of Central Asia.
History of Civilizations of Central Asia II, 1994, 99–129 ·
G. FUSSMAN, Southern Bactria and Northern India before
Islam. A Review of Archeological Reports, JAOS 116, 1996,
243–259 · B. LYONNET, Prospections archéologique en
Bactriane orientale, 1996 · W. TARN, The Greeks in Bactria
and India, ¹1938, ²1952.
KARTEN: Griech. Histor. Weltatlas I, 1954, S. 11b, 12b, 17a,
20a-b, 21b-c, 22a und 38b (histor.) · Atlas of the World II,
1959, Plate 31 (physisch-polit.).   H.T.u.B.B.

Baktron s. Stab

Baktros (Βάκτρος).
[1] Einwohner der Stadt Baktra oder des Landes → Baktria (daher gewöhnlich ὁ Βάκτριος und Βακτριανός), s.
Dion. Per. 736 (GGM II p. 150), Nonn. Dion. 25,374,
Strab. 11,11,3 u.a.
[2] Südlicher Nebenfluß des Oxos (Āmū-daryā), h. Balḫāb (Curt. 7,4,31; Plin. nat. 6,48; Strab. 11,11,2 u.a.);
identisch mit dem → Araxes bei Aristot. meteor. 1,13,16
und Ps.-Plut. de fluv. 23, der nach Plin. 1,13,16 bei dem
Transport indischer Waren auf dem Wasser- und Land-
wege bis zum Schwarzen Meer benutzt wurde, s. Strab.
11,7,3 [1].
→ Baktria; Indien; Handel

1 W. TOMASCHEK, s.v. B., RE 2, 2814.   H.T.u.B.B.

Balai. Syrischer Dichter der ersten H. des 5.Jh. n.Chr.,
vermutlich in Chalkis/Qennešrin (Nordsyrien) tätig.
Zwei Gedichte sind sicher echt, das eine über die Weihung einer Kirche in Qennešrin, das andere über den
Tod des Bischofs Akakios von → Beroia [3] (Aleppo) im
J. 432 n.Chr. Ein ep. Gedicht in 12 Büchern über den
Patriarchen Joseph, das auch → Ephraem zugeschrieben
wird, könnte von B. stammen. Viele liturgische Gedichte im Fünf-Silben-Versmaß (»Balai-Versmaß«) werden ihm zugeschrieben.

K.V. ZETTERSTEEN, Beiträge zur Kenntnis der religiösen
Dichtung Balais, 1902 · A. BAUMSTARK, Gesch. der syr. Lit.,
1922, 61–63 · I. ORTIZ DE URBINA, Patrologia Syriaca,
1965, 91–93.   S.BR./S.Z.

Balakros (Βάλακρος). Verschiedene Männer dieses
Namens dienten als Offiziere unter Alexandros [4] d.Gr.

[1] Sohn eines Nikanor, heiratete Phila, Tochter von → Antipatros [1], die ihm einen Sohn gebar. Zuerst → *somatophýlax*, wurde er nach der Schlacht von Issos zum Satrapen von Kilikia ernannt, wo er gegen die Gebirgsstämme lange erfolgreich kämpfte, aber kurz vor Alexandros' Tod im Kampfe fiel.

BERVE 2, Nr. 200 · HECKEL 260.

[2] Sohn eines Amyntas, wurde im Winter 334/33 v. Chr. zum Kommandeur der griech. Bundesinfanterie ernannt und blieb 331 mit → Peukestas in Ägypten als Kommandeur der Besatzungsarmee zurück.

BERVE 2, Nr. 199 · HECKEL 335.

[3] Ein B. kommandierte leichtbewaffnete Truppen, u. a. eine Wurfspießbrigade, bei → Gaugamela und in Nordwest-Pakistan.

BERVE 2, Nr. 202 · HECKEL 332.

[4] Ein B. eroberte das von den Persern wiederbesetzte Milet zurück (Curt. 4,5,13).

BERVE 2, Nr. 203 · HECKEL 332.   E.B.

Balantion s. Geldbeutel

Balantiotomoi (βαλαντιοτόμοι). »Beutelschneider« (Taschendiebe) wurden in Athen auf Grund des νόμος τῶν κακούργων (*nómos tōn kakúrgōn*) mit der → *apagogē* (»Abführung«) verfolgt und mit dem Tode bestraft.

G.T.

Balari (Βαλαροί). Räuberisches Bergvolk in Sardinien (Strab. 5,225; Plin. nat. 3,85). Die B. waren angeblich Nachkommen iberischer und libyscher aus karthagischem Dienst desertierter Söldner (Paus. 10,17,9); beteiligten sich 178 v. Chr. am Aufstand der benachbarten → Ilienses gegen die Römer und besiegten 177 den Konsul Ti. Sempronius Gracchus (Liv. 41,6,12).

L.-M.G.

Balāwāt. Alt Imgur-Enlil, etwa 28 km südöstl. von Mossul (Iraq). Bekannt sind die Reste eines Palastes und eines Tempels für den Gott Mamu, errichtet von Assurnasirpal II. (883–859 v.Chr.) [1]. Im Bereich des Tempels fanden sich die reliefierten Bronzebeschläge von zwei Toren Assurnasirpals II. [1; 2] und einem zweiflügeligen seines Sohnes Salmanassar III. [3]. Dargestellt sind Episoden aus den Feldzügen, seltener aus den Jagden der Könige. Die Zitadelle wurde im späten 7.Jh. v.Chr. zerstört und erst in hell. Zeit kurzzeitig wiederbesiedelt.
→ Bildhauertechnik

1 J. CURTIS, Fifty Years of Mesopotamian Discovery, 1982, 113–119 2 R.D. BARNETT, More Balawat Games: A Preliminary Report, in: M.A. BEEK u.a. (Hrsg.), Symbolae biblicae et mesopotamicae F.M. Th. De Liagre Böhl dedicatae, 1973, 19–22 3 L.W. KING, Bronze Reliefs from

the Gates of Shalmaneser, King of Assyria B.C. 860–825, 1915.   U.SE.

Balbillus (Barbillus), Claudius Balbillus, Ti. *Praefectus Aegypti* 55–59 n. Chr.; zu seinen Ehren wurden in Ephesos nach 70 Spiele (Βαλβίλλεῖα) abgehalten. Sen. nat. 4,2,13 rühmt seine Gelehrsamkeit, daher von CICHORIUS u.a. [2; 3; 9. 39] gegen [10] mit dem Sohn des Thrasyllos, dem Astrologen der Kaiser Claudius (zu diesem kommt er 41 als Gesandter der Alexandriner nach Rom), Nero und Vespasian identifiziert. Seine an einen Hermogenes gerichtete Schrift hieß Ἀστρολογούμενα (*Astrologúmena*).

FR.: 1 F. CUMONT, CCAG VIII 4, 233–238; συγκεφαλαίωσις CCAG VIII 3, 103 f. · LIT.: 2 C. CICHORIUS, Röm. Studien, 1922, 390–398 3 Ders., in: RhM 76, 1927, 102–105 4 F.H. CRAMER, Astrology in Roman Law and Politics, 1954, 112–139 5 GUNDEL 151–153 6 H.S. JONES, in: JRS 16, 1926, 18f. 7 W. KROLL, RE Suppl. 5,59–60 8 MAGIE II 1398–1400 9 H.G. PFLAUM, Les carrières procuratoriennes équestres sous le haut-empire romain I, 1960, 34–41 10 A. STEIN, PIR B 38 und C 813.   W.H.

Balbinus. Röm. Cognomen (ThlL 2,1694 f.; [1. 240]). Konsuln mit dem Beinamen B.: L. Saenius B. (? 30 v.Chr.), P. Coelius B. Vibellius Pius (137 n.Chr.), L. Valerius Poblicola B. (256 n.Chr.).

1 KAJANTO, Cognomina.   K.-L.E.

[1] D.C. (Calvinus) B. = Imperator Caesar D.C. Calvinus B. Nach Zonaras (12,17, wohl ungenau) 60 Jahre alt im J. 238 n.Chr., als er zusammen mit dem immer vor ihm genannten → Pupienus vom Senat zum Kaiser gewählt wurde. Angeblich Nachkomme des Gaditaners Cornelius Balbus (SHA Max. Balb. 7,3), möglicherweise spanischer Herkunft [1. 93ff., vgl. 346ff.], wohl Sohn des Caelius Calvinus, Legat in Cappadocia im J. 184 (ILS 394). B. muß Patrizier geworden sein, da er *salius Palatinus* wurde (CIL VI 1981; nicht vor 191). Er war Statthalter mehrerer Prov. (Herodian. 7,10,4); von den sieben in der Historia Augusta (Max. Balb. 7,2) genannten angeblichen Statthalterschaften ist keine sonst belegt; eine phrygische Inschr. (AE 1909, 175), die zunächst das Prokonsulat in Asia zu bestätigen schien, hat sich als zweifelhaft erwiesen (AE 1913, 11 [2. 1,238]). *Cos. I suff.* war er wohl vor 200, da er 213 *cos. II ord.* als Kollege des Caracalla (*cos. IV*) wurde (CIL VI 269) [3. 114, 196]. Erst 238 taucht er wieder auf, als der Senat ihn unter die *XXviri rei publicae curandae* (ILS 1186) wählte, die It. gegen den aus Pannonien anrückenden → Maximinus schützen sollten (SHA Maximin. 32,3; SHA Gord. 10,1–2; Zos. 1,14,2). Nach dem Tod der beiden Gordiane erhob der Senat B. und Pupienus zu gleichberechtigten Kaisern, die bald den 13jährigen → Gordianus (III.) als Caesar nehmen mußten (Herodian. 7,10). Während sein Kollege Pupienus den Feldzug gegen Maximinus leitete, blieb B. in der Hauptstadt zurück. Nach dem Sieg gerieten die beiden Kaiser in Streit und wurden nach 99tägiger Regierung von der Garde getötet (Herodian. 8,8,6–8; Eutr. 9,2,2; Aur. Vict. Caes. 27,6; SHA Max. Balb. 14,5f). PIR² C 126.

1 CABALLOS 2 THOMASSON 3 LEUNISSEN.

RIC 4,2, 165 ff. • K.-H. DIETZ, Senatus contra principem, 1980, 99 ff. • KIENAST, ²1996, 193–194 • R. SYME, Emperors and Biography, 1971, 170 ff.   A.B.

Balbis. Start- und Zieleinrichtung des griech. → Stadion. Die *b.* war eine mit Rillen versehene, im Boden eingelassene Steinschwelle, in der Starttore aus Holzpfählen verankert waren; die Rillen dienten als Widerlager für die Füße beim Start. Zahlreiche Exemplare sind erh., u. a. in Olympia, Delphi, Nemea, Ephesos. Bilddarstellungen in der Rundplastik, Reliefkunst und Vasenmalerei. Darüber hinaus kann *b.* auch die Abwurfmarke beim Diskus- oder Speerwurf bezeichnen.

W. ZSCHIETZSCHMANN, Wettkampf- und Übungsstätten in Griechenland, 1, 1960, 35–39 • O. BRONEER, Isthmia, 2, 1973, 137–142 • P. ROOS, Wiederverwandte Startblöcke vom Stadion in Ephesos, in: JÖAI 52, 1978/80, 109–113.
                                                                    C. HÖ.

Balbura. Nordlyk. Stadt mit ausgedehnter Chora, evtl. von Pisidern Anf. 2. Jh. v. Chr. gegr. [1; 2]. Mit Bubon und → Oinoanda Mitglied in einer von → Kibyra geführten Tetrapolis (Strab. 13,4,17); nach deren Auflösung 84 v. Chr. durch Murena zum Lyk. Bund geschlagen, dennoch mit eigenen Mz. [3]. Älteste Baureste aus hell. Zeit (Akropolis); Bauten (u. a. Theater, Tempel, Aquädukt) und Gräber belegen kaiserzeitliche Blüte; spätant. Wehrmauer aus Spolien; bis ins MA Bischofssitz.

1 J. J. COULTON, The Fortifications of Balboura, in: REA 96, 1994, 327–335 2 Ders., A. S. HALL, A Hell. Allotment List from Balboura in the Kibyratis, in: Chiron 20, 1990, 109–158 3 S. JAMESON, s. v. B., RE Suppl. 14, 72–74.
                                                                    A.T.

Balbus. Weitverbreitetes röm. Cognomen (»der Stotterer«), in republikanischer Zeit bei den Acilii, Cornelii, Laelii, Lucilii u. a. Familien (ThlL 2,1693 f.). In der Kaiserzeit Beiname folgender Konsuln: L. Cornelius B. (40 v. Chr.), L. Cornelius B. (32 v. Chr.), D. Laelius B. (6 v. Chr.), L. Norbanus B. (19 n. Chr.), Q. Iulius B. (85 n. Chr.), Q. Iulius B. (129 n. Chr.).   K.-L. E.

Balch (Βάκτρα). Handels- und Residenzstadt an der Kreuzung zweier Karawanenstraßen in Nordafghanistan. Urspr. Ζαρίασπα (Arr. 3,1,5,71; Pol. 10,49) bzw. Zariastes (Plin. nat. 6,48). Heute dicht besiedelt, daher nur Grabungen am Rande des Tells. 206 v. Chr. belagerte → Antiochos III. vergeblich → Euthydemos, der von hier aus das graeco-baktrische Reich aufbaute (→ Baktria). 1966 erbrachte ein Hortfund über 170 griech. Münzen aus der Zeit vor 380 v. Chr. Bis h. bewohnt und befestigt.

F. R. ALLCHIN, N. HAMMOND, The Archaeology of Afghanistan from earliest times to the Timur period, 1978 • W. W. TARN, The Greeks in Bactria and India, 1951.
                                                              H. T. u. B. B.

Baletium. Messapische Stadt, ca. 17 km südöstl. von Brindisi, h. Valesio. Baleθas/Faleθas auf Silbermünzen (4. oder 5. Jh. v. Chr.) [1. 226–235]. B. in Geogr. Rav. 4,31, Balesium bei Plin. nat. 3,101, Valetium bei Mela 2,66, Balentium in der Tab. Peut. 7,2, Valentiam im It. Burd. 609,8. Arch. Überreste sind aus messapischer und röm. Zeit erhalten (bis 5. Jh. n. Chr.) [2; 3].

1 A. SICILIANO, Le zecche della Messapia, in: Atti del Convegno Internazionale di Studi sulla Magna Grecia 30, 1991, 224–254 2 J. S. BOERSMA, D. G. YNTEMA, Valesio, 1987 3 J. S. BOERSMA, Mutatio Valentia, 1995.   M.L.

Baliares.

A. ALLGEMEIN

Die h. Balearen wurden von den Griechen *Gymnḗsiai* gen., weil die Bewohner im Sommer nackt gingen. Die beiden Hauptinseln wurden *insula maior* bzw. *insula minor* genannt; die Formen *Maiorica* und *Menorica* (h. Mallorca und Minorca) finden sich erst seit dem 3. Jh. n. Chr. (Georgios Cyprianus, p. 108, 673 GELZER). Plin. nat. 3,78 nennt außer diesen beiden noch *Capraria, Triquada* und *parva* (sc. *insula*) *Hannibalis,* außerdem *Menariae.* Man kann sie wohl identifizieren mit den Inseln Cabrera, Porrasa, Sech und der Gruppe Las Isletas.
                                                                    P.B.

B. FRÜHGESCHICHTE

Urspr. Sitz der prähistor. sog. Talayot-Kultur, wurden die B. seit dem 6. Jh. v. Chr. durch die Ebusitaner von Ibiza aus in den phöniz.-pun. Kulturkreis integriert.
                                                              H. G. N.

C. HISTORISCH

Von den Inselstädten waren Bocchori und Guium auf der größeren, Mago und Jamo auf der kleineren Insel wohl karthagische, Palma und Pollentia auf der größeren Insel röm. Gründungen. Sanisera auf der kleineren trägt nach [1. 1349] einen kelt. Namen, Tuci auf der größeren wird nur von Plin. nat. 3,77 erwähnt. Die Einwohner galten als unzivilisiert (Diod. 5,17); sie produzierten in röm. Zeit anerkannt guten Wein und Weizen (Plin. nat. 14,71; 18,67). Im ganzen Alt. wurden sie als tapfere und geschickte Schleuderer gerühmt; beschrieben wird ihre Kampftechnik von Strab. 3,5,1. Wichtige Ereignisse: 206/05 v. Chr. besetzte → Mago die kleinere Insel (Liv. 28,37,3–10; 46,7); 123/22 v. Chr. eroberte Q. → Caecilius Metellus (später Balearicus) die Inseln (Liv. per. 60; Flor. 1,43; Oros. 5,13,1; Strab. 3,5,1); 47 v. Chr. besetzte Cn. → Pompeius die B. (Bell. Afr. 23,3; Cass. Dio 43,29,2). Im 1. Jh. n. Chr. waren die B. Verbannungsort (Tac. ann. 13,43, 5; Suet. Galba 10,1). Unter Augustus herrschte eine Hungersnot infolge Kaninchenplage, so daß die Bewohner den Senat um mil. Hilfe baten (Plin. nat. 8,217f.; Strab. 3,2,6). 411 n. Chr. griffen die → Vandali die B. zum ersten Mal an (Hydatius 21,86), die B. gehörten zum Vandalenreiche, 534 wurden sie von den Byzantinern erobert, 768 kamen sie unter die Herrschaft der Araber.

1 HOLDER 2, 1349.

DCPP, s. v. Baléares, 64f. • SCHULTEN, Landeskunde,
²1957, 251–256.   P. B.

Baliaricus. Siegerbeiname des Q. → Caecilius Metellus (*cos.* 123 v. Chr.), den er nach seinem Triumph 121 über die Baliaren annahm (InscrIt 13,1,83).   K.-L. E.

Balios (Βάλιος, Βαλίος) und Xanthos. Unsterbliche Pferde des Peleiden → Achilleus, welche die Harpyie Podarge dem Windgott Zephyros gebar. Poseidon schenkte sie Peleus zu dessen Hochzeit mit Thetis (Hom. Il. 16,148–154; Apollod. 3,170). Xanthos prophezeit Achilleus den nahen Tod (Hom. Il. 19,400–424). Als er stirbt, wollen B. und Xanthos den Bereich der Menschen verlassen, aber die Götter gebieten ihnen, Achilleus' Sohn Neoptolemos zu dienen und ihn später ins Elysium zu tragen (Q. Smyrn. 3,743). Diodor berichtet, B. und Xanthos seien Titanen gewesen, die im Kampf der Götter mit den Titanen den ersteren beistanden und, um nicht erkannt zu werden, in Pferde verwandelt wurden.

W. KULLMANN, Die Quellen der Ilias, Hermes (ES 14),
1960, 233.   R. B.

Balkanhalbinsel, Sprachen
A. PALÄOBALKANISCHE SPRACHEN
B. DIE SPRACHLICHE SITUATION NACH DER
SLAWISCHEN EINWANDERUNG

A. PALÄOBALKANISCHE SPRACHEN
Als paläobalkanische Sprachen gelten diejenigen, die im Alt. im Balkanraum gesprochen wurden, aber fast nur aus mittelbaren Quellen (Zeugnisse bei griech. und lat. Autoren, Namen auf griech. und lat. Inschr.) trümmerhaft bekannt sind (sog. Trümmersprachen), bes. 1. das Vorgriechische (→ Vorgriechische Sprachen), 2. das → Makedonische, 3. das Thrakische, 4. das Dakische, 5. das Illyrische.

Das Thrakische war in der östl. Hälfte des kontinentalen Balkanraumes verbreitet und wies entsprechend der Vielzahl thrakischer Stämme und der Ausdehnung ihres Gebietes wohl eine stärkere Dialektgliederung auf. Trotz des griech. Einflusses, der sich bes. in der ägäischen Küstenregion geltend machte, war es im Binnenland bezeugtermaßen noch im 6. Jh. n. Chr. lebendig. – Bekannt ist das Thrakische aus einer Reihe von Glossen, aus PN und ON (für letztere charakteristisch -*para*, -*diza*, -*bria*) sowie aus einigen in ihrer Deutung überaus umstrittenen Inschr. (Grabinschr. von K'olmen/Nordostbulgarien, 6.[?] Jh. v. Chr.; Ringinschr. von Ezerovo/Südostbulgarien, 5. Jh. v. Chr., u. a.). – Das Thrakische stellt, so dürftig unsere Kenntnis dieser Sprache ist, sicher einen selbständigen Zweig der → indogermanische Sprachen dar und gehört zu deren Satemgruppe (→ Satemsprache).

Das Dakische, die Sprache eines nach ant. Zeugnis den Thrakern eng verwandten Stammes, hatte sein Verbreitungsgebiet im Karpatenbecken und war dort der Romanisierung ausgesetzt. – Überliefert ist eine Liste von Pflanzennamen bei Pedanius Dioskurides, sonst ist man auf PN und ON (für letztere charakteristisch -*dava*, -*upa*, -*sara*) angewiesen. Gegenüber den Versuchen, aus dem Rumänischen dakische Substratwörter auszusondern, ist Vorsicht geboten. Das Dakische stand dem Thrakischen nahe, doch bleibt offen, ob es ein Dial. desselben war oder als selbständiger Zweig der idg. Sprachen anzusehen ist. Lit. Verwendung der Sprache der Geten, eines den Dakern enger zugehörigen Stammes, bezeugt der zuletzt in → Tomi lebende Ovid (Pont. 4,13,19f., trist. 3,14,18).

Als Illyrisch wird man derzeit vorsichtigerweise nur diejenige Sprache betrachten, die an der südostadriatischen Küste nördl. und südl. von Dyrrhachion (h. Durrës) und landeinwärts bis zum Lychnitis-See (h. Ohrid-See) im Siedlungsgebiet der illyrischen Stämme der Parthiner, Taulantier, Dassareten und Penesten verbreitet war. Außer ganz wenigen Glossen stehen für diese Region nur epigraphisch überlieferte und bei ant. Autoren ausdrücklich als illyrisch bezeugte PN sowie vereinzelte ON zur Verfügung. Beziehungen zur nördl. angrenzenden dalmato-pannonischen Namenlandschaft sind nicht zu verkennen, während solche zum → Messapischen in Apulien nicht als gesichert gelten können. Das Illyrische bildet, obwohl als reine »PN-Sprache« schwer beurteilbar, zweifellos einen selbständigen Zweig der idg. Sprachen.

Überlebt hat von den paläobalkanischen Sprachen allein die Vorstufe des → Albanischen. Ob diese mit dem Thrakischen oder Illyrischen zu identifizieren ist, bleibt strittig.

Im kontinentalen Balkanraum traf das durch die röm. Eroberung von der adriatischen Küste her ins Binnenland vordringende Lat. vielfach auf das Griech., das bes. seit dem Aufstieg der maked. Macht seinen Einflußbereich nach Norden erweiterte. So verlief durch das Verbreitungsgebiet paläobalkanischer Sprachen die lat.-griech. Sprachgrenze (sog. Jireček-Linie). Als alte Kultur- und Verkehrssprachen des Balkanraumes haben das Lat. im Rumänischen (→ ROMANISCHE SPRACHEN) und das Griech. im Neugriech. bis heute ihre Lebenskraft bewahrt.

R. KATIČIĆ, Ancient Languages of the Balkan, 2 Bde.,
1976 • Ders., Die Balkanprovinzen, in: G. NEUMANN,
J. UNTERMANN (Hrsg.), Die Sprachen im Röm. Reich der
Kaiserzeit, 1980, 103–120 • B. GEROV, Die lat.-griech.
Sprachgrenze auf der Balkanhalbinsel, ebd., 147–165 •
V. GEORGIEV, Thrakisch und Dakisch, ANRW II 29.2, 1983,
1148–1194 • Ders., Thrakische und dakische

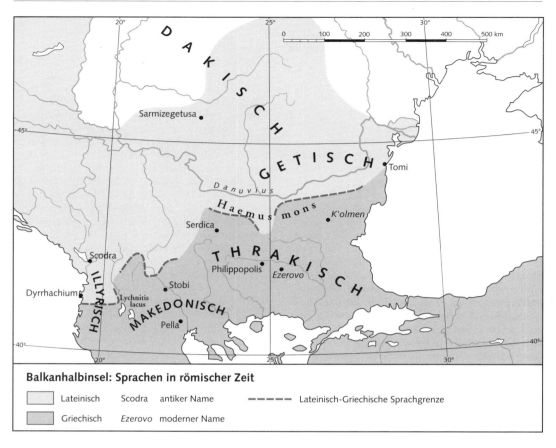

Balkanhalbinsel: Sprachen in römischer Zeit

	Lateinisch	Scodra	antiker Name	– – – – –	Lateinisch-Griechische Sprachgrenze
	Griechisch	*Ezerovo*	moderner Name		

Namenkunde, ebd., 1195–1213 · D.DETSCHEW, Die thrak.
Sprachreste, 1957 · I.DURIDANOV, Die Sprache der
Thraker, 1985 · V.BEŠEVLIEV, Unt. über die PN bei den
Thrakern, 1970 · Ž. VELKOVA, The Thracian Glosses,
1986 · G.REICHENKRON, Das Dakische (rekonstruiert aus
dem Rumänischen), 1966 · A.MAYER, Die Sprache der
alten Illyrier, 2 Bde., 1957, 1959 · R.KATIČIĆ,
Namengebiete im röm. Dalmatien, in: Sprache 10, 1964,
23–33 · Ders., Liburner, Pannonier und Illyrier, in: Studien
zur Sprachwiss. und Kulturkunde. GS für W. Brandenstein,
1968, 363–368 · G.WEIGAND, Sind die Albaner die
Nachkommen der Illyrier oder Thraker?, in: Balkanarchiv
3, 1927, 227–251 · E. ÇABEJ, L'illyrien et l'albanais.
Questions de principe, in: Studia Albanica 7/1, 1970,
157–170 · G.STADTMÜLLER, Forschungen zur albanischen
Frühgesch., ²1966.
KARTEN-LIT.: W.v. WARTBURG, Die Entstehung der
romanischen Völker, ²1951, Karte 2 · G. NEUMANN,
J. UNTERMANN (Hrsg.), Die Sprachen im Röm. Reich der
Kaiserzeit, 1980, 103–120, 147–165.   C.H.

B. DIE SPRACHLICHE SITUATION NACH DER SLAWISCHEN EINWANDERUNG

Für die Zeit vor der Südwanderung der Slaven stellte
in den röm. bzw. byz. Territorien des nördl. Balkanraumes das Lat. die Umgangssprache der städtischen und
stadtnahen Bevölkerung dar; auf dem Lande gab es
Rückzugsgebiete der altbalkanischen Sprachen Illyrisch
(West) und Thrakisch (Ost). Die Slaven waren im Laufe
des 5. und 6.Jh. in die Gebiete nördl. der Donau vorge-
rückt; im 6. und 7.Jh. kam es zur Daueransiedlung südl.
der Donau. Teile der dortigen romanischen Bevölkerung wichen über die Donau nach Norden aus, wo sich
ihre Sprache zum (Dako-)Rumänischen entwickelte; es
ist nicht auszuschließen, daß die Neueinwanderer in
Rückzugsgebieten des inneren Karpathenraumes auf
versprengte Reste der in der Zeit der röm. Herrschaft
über Dakien (106–271) romanisierten Bevölkerung trafen, aber der Anteil dieser »Sprachhorste« an der Herausbildung des Rumänischen ist als gering einzuschätzen. Andere Romanen wandten sich nach Nordwesten
(Istrorumänien) und nach Süden (Aromunen, Meg-
lenorumänen) bis weit in den griech.-sprachigen Raum,
wo sie noch heute (vor allem im Pindos und nördl. von
Thessaloniki) Sprachinseln bilden. Die Slavenansied-
lung verdrängte auch Teile der illyrischen Landbevölkerung; die Vorfahren der Albaner erreichten im
Westen die Adria und kamen nach Süden punktuell bis
weit in die Peloponnes und auf die ägäischen Inseln.
Charakteristisch für den Balkanraum ist die verbreitete
Mehrsprachigkeit: Die Südwanderung der Slaven und
die Nordwanderung der Romanen führte dazu, daß für

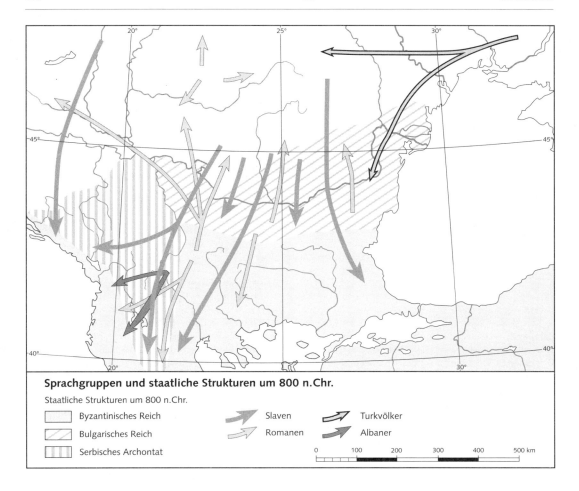

Sprachgruppen und staatliche Strukturen um 800 n.Chr.

Staatliche Strukturen um 800 n.Chr.

	Byzantinisches Reich		Slaven		Turkvölker
	Bulgarisches Reich		Romanen		Albaner
	Serbisches Archontat				

0   100   200   300   400   500 km

Jh. beide Gruppen in so engem Kontakt lebten, daß die Beherrschung beider Sprachen unumgänglich war. Das Griechische war die selbstverständliche Kultursprache, durch die sowohl das Slavische als auch das Romanische als auch das Illyrisch-Albanische tiefgreifend geprägt wurden. Die bis heute bestehenden strukturellen Gemeinsamkeiten der Balkansprachen (»Balkansprachbund«) erklären sich aus der jahrhundertelangen Mehrsprachigkeit in Kombination mit griech. Prägung.

K. SANDFELD, Linguistique balkanique, 1930 · I. POPOVIC, Gesch. der serbokroatischen Sprache, 1960, 1–337 · G. R. SOLTA, Einführung in die Balkanlinguistik, 1980 · E. BANFI, Linguistica balcanica, 1985.   J. KR.

Balletys s. Eleusinia

Ballista. Durch einen Schreibfehler »Kallistos« bei griech. Autoren genannt [1], Praetorianerpraefekt des → Valerianus, dann des → Macrianus (SHA Valer. 4,4; SHA Gall. 3,2). Nach der Gefangennahme des Valerianus ließ er die Söhne des Macrianus zu Kaisern ausrufen (SHA Gall. 1,3). Als Reiterführer des Macrianus besiegte er die Perser (Zon. 12,24). Er blieb im Osten mit Quie-

tus, dem jüngeren Sohn des Macrianus, gab aber im Kampf um Emesa den Quietus preis; doch wurde B. bald von Odoenathus getötet (Zon. 12,24; SHA Gall. 3,1 f.). PIR² B 41; PLRE 1, 146.

1 B. BLECKMANN, Die Reichskrise des 3. Jh., 1992, 116 f.
             A. B.

Ballspiele (σφαιρίσεις, *pilae lusus*). Bereits die homer. Gesellschaft erfreute sich an B. (Hom. Od. 6,110–118; 8,372–380), die auch in Zukunft von Personen aller sozialen Schichten (Athen. 1,14e, 15c; 12,548b; Plut. Alexander 39,5; Cic. Tusc. 5,60) und Altersgruppen ausgeübt wurden. Viele B. haben die Römer von den Griechen übernommen. Einige waren Mannschaftsspiele wie → Harpaston oder ἐπίσκυρος, *epískyros* (Poll. 9,103 f.; schol. Plat. Tht. 146 u. a.), bei dem die gegnerische Partei durch Weitwürfe allmählich aus dem Feld gedrängt wurde, vielleicht abgebildet auf dem Relief in Athen, NM, Inv. 3476 [1]. Mit einem Rundstock spielte man κερητίζειν (Plut. mor. 2,839c), s. Relief Athen, NM, Inv. 3477. Eine Besonderheit des Mannschaftsspiels bildet das von dem ältesten Jahrgang der spartanischen Epheben (σφαιρεῖς, *sphaireís*) ausgeübte B.

[2], dessen Verlauf jedoch unklar ist. Auch das οὐρανία (uranía) genannte B. zählt dazu, bei dem man den in die Luft geworfenen Ball auffing (Hom. Od. 8,372–380; Apoll. Rhod. 4,950–955; vgl. [3]) oder zurückschlug (Faustball, Sen. benef. 2,17,3–5, datatim ludere, → trigon); der Gewinner hieß βασιλεύς (»König«), der Verlierer ὄνος (»Esel«) und trug ersteren auf den Schultern [4]. Diese Namen trugen auch die Teilnehmer der Basilinda bzw. ἀπόρραξις, apórraxis (Poll. 9,103, 105; Eust. 1601,33) und ἀνακρουσία, anakrusía (Hesych. Α 4374); bei letzeren warf man den Ball auf die Erde bzw. gegen eine Wand, fing ihn oder schlug ihn zurück (Sen. nat. 6,10,2) und zählte die Würfe (expulsim ludere, vgl. [5]). Beliebt waren auch einfache Spielweisen, so das Jonglieren mit dem Ball [6. 51 f., Nr. 323 f.] und das »passeboule« [6. 51 f., Nr. 311 f.]. Die Bälle (pilae, folles, σφαῖραι u. a.) waren unterschiedlich in Größe, Gewicht und Aussehen; als Material diente Leder, das bunt gefärbt sein konnte. Die pila paganica war mit Federn gefüllt (Mart. 7,32,7; 14,45), der follis oder folliculus (Mart. 14,47; 14,45,2; 4,19,7) mit Luft und das harpastum bzw. die pila trigonalis, trigon, wohl mit Haaren.

Das B. galt in der griech. Gesellschaft als Teil der Erziehung, weshalb des öfteren in den Gymnasien sphairistếria angelegt wurden [7]. In röm. Zeit gab es B.-Felder in Palästren, Thermen (Sen. epist. 56,1–3) und auf privaten Besitztümern (Suet. Vesp. 20; Plin. epist. 2,17; 5,6,27). Auch auf dem Marsfeld wurden B. gepflegt (Sen. epist. 104,33; Hor. sat. 1,6,126; 2,6,48 f.). Die Bed. der B. heben nach Ov. trist. 2,485 Lehrgedichte hervor; Caesar (Macr. Sat. 2,6,5), Augustus (Suet. Aug. 83) und Maecenas (Hor. sat. 1,5,43) galten als begeisterte Ballspieler. Auch im kultischen (→ arrhēphóroi, → Erechtheion) und medizinischen Bereich (Athen. 1,14d; Val. Max. 8,2,2; Plin. epist. 5,6,27; Gal. de parvae pilae exercitio) spielten B. eine wesentliche Rolle.

1 R. LULLIES, Griech. Plastik, 1979, Abb. 58.
2 A. M. WOODWARD, Some Notes on the Spartan Σφαιρε, in: BSA 46, 1951, 191–199 3 AA 1957, 203, Abb. 37
4 N. YALOURIS u. a., Athletics in Ancient Greece, 1976, 256, Abb. 150 5 AdI 1857, Taf. B, C 6 F. A. G. BECK, Album of Greek Education, 1976 7 J. DELORME, Sphairistèrion et Gymnase à Delphes, à Délos et ailleurs, in: BCH 106, 1982, 53–73.

H. R. IMMERWAHR, An inscribed terracotta ball in Boston, in: GRBS 8, 1967, 258 · S. MENDNER, Das Ballspiel im Leben der Völker, 1956 · K. SCHAUENBURG, Erotenspiele, in: Antike Welt 7, Heft 4, 1976, 28–31 ·
G. SCHNEIDER-HERRMANN, Der Ball bei den Westgriechen, in: BABesch 46, 1971, 123–133 · E. WAGNER, Hockeyspiel im Alt., in: Philologus 103, 1959, 137–140 · E. WAGNER, Kritische Bemerkungen zum Harpastum-Spiel, in: Gymnasium 70, 1963, 356–366. R. H.

Baloia. Röm. municipium (z. Z. des Kaisers Hadrianus?) im oberen Pliva-Tal, Prov. Dalmatia; h. Šipovo (Bosnien-Herzegowina); sein städtischer Status wird bestätigt durch CIL III 13982, mit der Formel [l(ocus)] d(atus) d(ecreto) d(ecurionum). Weitverstreute urbane Habitate. B.

entwickelte sich im Bergbaugebiet von Sinjakovo bei Majdan entlang der bed. röm. Straße Salona – Servitium (Tab. Peut. 5,2: Baloie), unweit der Straße Salviae – Sarnade – Leusaba – Servitium (Itin. Anton. 268). Blüte im 3. und 4. Jh.; noch beim Anon. Ravennas 4,19 ist die civitas B. erwähnt. Evtl. Kohortenkastell, vgl. den Altar eines decurio der cohors III Alpinorum (AE 1975, 677). C. Minicius Fundanus (cos. 107 n. Chr. und evtl. legatus Augusti pro praetore von Dalmatia) wurde in B. geehrt (Inscr. Latinae Iugoslaviae, 1627), evtl. als Patron der Stadt. Arch. Monumente: Viele architektonische Überreste, Bäder, Teile eines »Mausoleums«, frühchristl. Kirche, Sarkophage.

I. BOJANOVSKI, Bosna i Hercegovina u antičko doba (Bosnien und Herzegowina in der Ant.) (Akademija nauka i umjetnosti Bosne i Herzegovine, Djela 66, Centar za balkanoloïka ispitivanja 6), 1988, 287–292 und passim.
M. Š. K.

Balsam (βάλσαμον), auch Balsamsaft bzw. geringerwertiger Holzbalsam (ὀποβάλσαμον bzw. ξυλοβάλσαμον), der aromatische, im Sommer abgezapfte Harzsaft der Burseracee Commiphora (= Balsamodendron) opobalsamum (inclusive gileadensis). B. war seit Theophr. h. plant. 9,6 nur als Produkt zweier Gärten aus Palästina (Judäa bei Jericho) und aus Arabien bekannt (Strab. 16,2,763). Dioskurides (1,19,1–5 [1. 1.24 ff.] = 1,18 [2. 45 ff.]; nach Theophrast) beschreibt eingehend den kleinen, dem Weinstock ähnlichen Strauch, der Fiederblätter von 2 Ellen Höhe besitzt (nach Plin. nat. 12, 111) und die Gewinnung des teuren Saftes durch Einritzen der Rinde, der als erwärmendes Mittel bei Frauenleiden und als Bestandteil von lindernden Salben benutzt wurde. Ähnlich wurde das bdellium, arab. kataf oder kafal (vgl. Isid. orig. 17,8,6) verwendet. Der hohe Preis führte zu vielen Verfälschungen (vgl. Dioskurides; Plin. nat. 12,119–123; Isid. orig. 17,8,14). Der echte B. war im MA nicht erhältlich und wurde vom 16. Jh. an durch den Peru-B. von der Leguminose Myroxylon balsamum L. ersetzt.

1 M. WELLMANN (Hrsg.), Pedanii Dioscurides de materia medica, Bd. 1, 1907, Ndr. 1958 2 J. BERENDES (Hrsg.), Des Pedanios Dioskurides Arzneimittellehre übers. und mit Erl. versehen, 1902, Ndr. 1970. C. HÜ.

Balthen. Die B. (»die Kühnen«) sind das Königsgeschlecht der Westgoten, das an Ansehen unter dem ostgot. Geschlecht der → Amali steht. Obgleich auch die B. als Geschlecht von »Königen und Heroen« gelten, verlor sich anders als bei den Amali die Erinnerung an göttl. Herkunft. Auch die histor. Entstehung der Königsfamilie liegt im Dunkeln, da die Beziehung des ersten faßbaren Balthenfürsten, Alarich I. (→ Alaricus [2]; † 410 n. Chr.), zu den drei Terwingenrichtern des 4. Jh. (Ariarich, Aorich, Athanarich) nicht geklärt ist. Selbst die Verbindung Alarichs I. zur Königsfamilie der jüngeren B. ist nicht eindeutig, da auf ihn drei nichtbalthische Könige folgen und unsicher bleibt, ob der Begründer der jüngeren balthischen Königsfamilie, Theoderid, Sohn oder Schwiegersohn Alarichs I. ist. Für eine Kontinuität spricht die ant. Sicht, die das Westgotenreich der B. von Alarich I. bis zu seinem Urenkel Alarich [3] II. reichen läßt (Iord. Get. 245). Sicher ist, daß es Theoderid gelang, in seiner langen Regierungszeit (418–451) eine königl. Position zu erlangen, die den bruchlosen Übergang auf seine Söhne ermöglichte. Als letzter Sproß der B. gilt Amalarich (→ Amalaricus, †531).

R. Wenskus, s. v. B., RGA 2, 13 f. · H. Wolfram, Die Goten, ³1990, 43 f., 206 f., 372 f. (Stammtafel).

W. ED.

Baltimore-Maler. Apulischer Vasenmaler aus dem letzten Viertel des 4. Jh. v. Chr., benannt nach einem Gefäß in Baltimore. Der B. bemalte vorwiegend großflächige Gefäße (Volutenkratere, Amphoren, Loutrophoren, Hydrien u. a. → Gefäßtypen/-formen) mit Grabszenen (→ Naiskosvasen), mythologischen Szenen (→ Bellerophon, Götterversammlungen) und dionysischen Sujets; seltener sind Genreszenen, wie Frauen-, Hochzeits- und Erotenbilder. Seine Anwesenheit und künstlerische Tätigkeit in Canosa (→ Canusium) kann als wahrscheinlich gelten. Der B. markiert den letzten Höhepunkt der → apulischen Vasenmalerei.

Trendall/Cambitoglou, 856–888 · Dies., Second Supplement to the rf. Vases of Apulia, 1992, 262–296 · K. Schauenburg, Zur Mythenwelt des B., in: MDAI (R) 101, 1994, 51–68 (Lit.).

R. H.

Baltische Sprachen. Die b. S. bilden einen Zweig der → indogermanischen Sprachen und bestehen aus Litauisch und Lettisch (Ostbaltisch) und dem um 1700 n. Chr. ausgestorbenen Altpreußischen (Westbaltischen) in Ostpreußen. Für die idg. Verwandtschaft vgl. z. B. litau. *diẽvas*, lett. *dìevs*, altpreuß. *deiwas* »Gott« mit lat. *deus*, alles aus idg. **deiu̯os* »Gott«, oder litau. *raũdas* »rot« mit lat. *ruber* und griech. ἐρυθρός, oder litau. *broterẽlis* »Brüderchen« mit lat. *fráter*. Die b. S. gehören zu den → Satemsprachen und sind den → slavischen Sprachen relativ ähnlich. Die Überlieferung der b. S. beginnt spät, und zwar beim Altpreuß. um 1400, beim Litau. 1515 und beim Lett. um 1550 n. Chr.

R. Eckert, E.-J. Bukevičiūtė, F. Hinze, Die b. S., 1994.

N. O.

Bambyke (Βαμβύκη). Stadt in Nordsyrien, 78 km nordöstl. von Aleppo am Zusammenfluß von Sadjur und Euphrat. B. (Strab. 16,2,7) war seit Seleukos I. als das syr. Ἱεράπολις, *Hierápolis* (Strab 16,1,27, Ptol. 5,14,10), gleichzeitig aber auch als Mabbog (Plin. nat. 5, 81) mit der gräzisierten Form, Μέμπετξε (Leo Diaconus, 165,22; daraus arab. Manbiğ), bekannt. Der Ort, allg. mit der assyr. Siedlung Nappigi/Nampigi identifiziert, besaß durch die Nähe einer wichtigen Euphratfurt eine strategische Schlüsselstellung an der Straße von Antiocheia nach Mesopotamien. B. war bed. Agrarzentrum

(Bewässerung durch unterirdische Kanäle) und Hauptsitz des syr. Atargatiskulte (Lukian. de Dea Syria 1, 10ff, 28 ff.). Unter Constantius II. Hauptort der Syria Euphratensis, wurde B.-Hierapolis Teil des Limes von Chalkis und Basis der byz. Militärexpeditionen gegen das sasanidische Mesopotamien. Abhängig von Antiocheia blieb B.-Hierapolis auch nach der muslim. Eroberung (637) ein monophysitisches Zentrum in Nordsyrien mit bed. Kirchen und Reliquien (z. B. das Keramion, s. Leo Diac. 165,21–166,3). Als Ausgangspunkt muslimischer Feldzüge gegen Anatolien zog es sich wiederholt byz. Angriffe (962, 966, 974) auf sich.

N. Elisséef, Manbidj, in: EI² 6, 377–383 · G. Goossens, Hiérapolis de Syrie. Essai de monographie historique. Rec. de trav. d'histoire et de philologie, 3ième ser. fasc. 12, 1943.

T. L.

Bâmijân. Wallfahrts- und Karawanenrastort zw. → Balch und Peschawar (→ Peukelaotis). Im 7. Jh. n. Chr. von dem chinesischen Pilger Hsüan Tsang beschrieben, seit 1824 in Europa bekannt, 1922–30 von einer frz. Expedition erforscht. Älteste Reste der Stadt im Tal von B. stammen aus dem 5. Jh. n. Chr. Bedeutendes buddhistisches Kloster, das vom 5.–7. Jh. in eine Steilwand eingemeißelt wurde. Große aus dem Fels geschlagene Buddhas (einer 53 m, der zweite 35 m hoch) entstanden wahrscheinlich im 6. Jh. Die Klosterhöhlen sind reich ausgemalt. Die Stadt wurde 1222 von den Mongolen zerstört.

D. Klimburg-Salter, The Kingdom of Bâmyân. Buddhist Art and Culture of the Hindu Kush, 1989.

B. B.

Banasa. Wohl einheimischer Name einer Stadt der Mauretania Tingitana am linken Ufer des Oued Sebou in der fruchtbaren Gharb-Ebene, h. Sidi Ali bou Djenoun. Älteste arch. Spuren führen ins 6./5. Jh. v. Chr.; Keramikfunde lassen phöniz. und iberischen Einfluß erkennen. Nach dem Tod → Bocchus' [2] II. erhob der junge Caesar B. in den Rang einer *colonia* (33–27 v. Chr.), Marcus Aurelius verlieh ihr den Ehrennamen *colonia Aurelia Banasa*. Inschr.: Inscr. antiques du Maroc 2, 84–246 (u. a. die *Tabula Banasitana* und ein Edikt des Caracalla).

M. Euzennat, s. v. B., EB, 1323–1328 · S. Girard, B. préromaine, in: AntAfr 20, 1984, 11–93.

W. HU.

Banausia s. Bildung

Bandum (τὸ βάνδον). Urspr. Bezeichnung der Fahnen kleinerer mil. Einheiten, wurde *b.* ab dem 6. Jh. für die Einheiten selbst gebraucht. Im 10. Jh. bestand ein *b.* aus 50–100 schwer- bzw. 200–400 leichtbewaffneten Soldaten. Das *b.* wurde von einem → *comes* kommandiert, fünf bis sieben *b.* bildeten eine *turma.* Der Terminus blieb bis zum 14. Jh. in Gebrauch.

J. Haldon, Byzantine Praetorians, 1984, 172–173, 276–277 · T. Kolias, s. v. Heer, LMA 4, 1989, 2002–2004.

G. MA.

Bandusia

[1] Quelle bei Venusia, der Heimatstadt des → Horatius, der durch B. zur Namensgebung für B. [2] angeregt wurde. Im Zusammenhang mit Bantia (h. Banzi) wird sie im Palazzo San Gervasio (h. Potenza) lokalisiert, und zwar aufgrund der Bulle des Papstes Pasquale II. (1103), die eine *ecclesia ss. martyrum Gervasii et Protasii in Bandusino fonte apud Venusium* und ein *castellum Bandusii* anspricht.

JAFFÉ, 714, 5945. G.U.

[2] *Fons splendidior vitro* ›eine Quelle, heller als Glas‹ Hor. carm. 3,13), von Horatius so benannt in Erinnerung an die apulische Quelle nahe seiner Geburtsstadt Venusia, → B. [1]. B. entsprang als Wasserfall aus einer Felswand des Mons Lucretilis (Colle Rotondo) oberhalb der sabinischen Villa des Dichters, rechts der Digentia (h. Licenza), gegenüber der ma. Stadt Licenza (Roma).
→ Horatius G.U.

Banken

I. ALTER ORIENT   II. GRIECHENLAND   III. ROM

I. ALTER ORIENT

Banken als Institutionen, deren spezifische Aufgabe darin besteht, den Zahlungsverkehr zu vermitteln, Einlagen anzunehmen und Kredite zu gewähren, hat es im Alten Orient nicht gegeben. Zwar sind Deposit- und Kreditgeschäfte in den altoriental. Gesellschaften in unterschiedlicher Quantität und Intensität sowohl im Bereich der Palast- und Tempelwirtschaft als auch im individuellen privaten Rechts- und Wirtschaftsverkehr bezeugt, doch waren sie stets den jeweils dominierenden redistributiven und tributären Grundstrukturen altoriental. Gesellschafts- und Wirtschaftsverhältnisse untergeordnet bzw. in diese eingebunden. Dies trifft auch auf die Geschäfte der zuweilen fälschlicherweise als B.-Häuser bezeichneten mesopotamischen Familien Egibi in Babylon [5. 4 mit Anm. 9] und Muraschû in Nippur [4] im 6./5. Jh. v. Chr. zu.

1 R. BOGAERT, Les origines antiques de la banque de dépôt, 1966 2 H. NEUMANN, Zur privaten Geschäftätigkeit in Nippur in der Ur III-Zeit, in: M. DE J. ELLIS (Hrsg.), Nippur at the Centennial, 1992, 161–176 3 J. RENGER, Subsistenzproduktion und redistributive Palastwirtschaft, in: W. SCHELKLE, M. NITSCH (Hrsg.), Rätsel Geld, 1995, 271–324 4 M. W. STOLPER, Entrepreneurs and Empire, 1985 5 C. WUNSCH, Die Urkunden des babylon. Geschäftsmannes Iddin-Marduk, 1993. H.N.

II. GRIECHENLAND

Ende des 5./Anf. des 4. Jh. v. Chr. wurden in Griechenland aus einfachen Wechslern Depositäre und schließlich Bankiers. Die griech. B. setzen sich von den altoriental. Vorgängern dadurch ab, daß sie nicht nur mit eigenem Kapital arbeiteten, sondern auch mit Einlagen (Depositen) von Fremden, daß sie Geld für Kredite beschafften und die bankmäßigen Geschäfte berufsmäßig ausübten. Voraussetzung für das Entstehen von B. ist die hinreichende Verbreitung der Münzgeldwirtschaft, wie sie in klass. Zeit gegeben war. Nach dem Tisch (τράπεζα, *trápeza*) des Wechslers bzw. Münzprüfers hießen die Bankiers Trapeziten. Zur einfacheren Abwicklung von Bankgeschäften räumte das athenische Recht im 4. Jh. Sklaven eine beschränkte Geschäftsfähigkeit ein; im Bankgeschäft selbständig wirtschaftende Sklaven wurden als Zeugen und Prozeßparteien anerkannt.

Die urspr. Funktionen der griech. B. waren das Wechseln und Prüfen von Münzen. Wegen der vielen unterschiedlichen Münztypen und -standards bestand gerade in Städten mit regem → Handel die Notwendigkeit, Münzen verschiedenster Herkunft auf Feingehalt und Gewicht zu prüfen und in eigene Währung einzutauschen. In Athen sind 374 v. Chr., in Alexandria im 3. Jh. amtliche Münzprüfer (δοκιμασταί, *dokimastaí*) nachgewiesen. Im Hellenismus verlor das Wechselgeschäft wegen allg. anerkannter Münzen an Bed.; in Ägypten hingegen blieb das Wechseln von Münzen wegen des eigenständigen Münzsystems wichtig.

Seit Anf. des 4. Jh. sind Bankdepositen und Kreditgeschäfte belegt. Kunden deponierten bei B. größere Summen für verschiedene noch zu bestimmende Zahlungen. Der Trapezit konnte die Echtheit der Münzen bestätigen und war Zeuge für die geleistete Zahlung; die Eintragung im Bankregister konnte vor Gericht als Nachweis dienen. *Émporoi* und *naúklēroi* fremder Städte nutzten darüberhinaus B. zur sichereren Verwahrung von Geldern. Für diese Deposite zahlte der Trapezit keine Zinsen. Ob er bei Einlagen zum Zweck der Anlage Zinsen zahlte, ist umstritten. Der Anteil produktiver Kredite an den Krediten insgesamt ist umstritten und damit auch die Bed. der B. für die ant. Wirtschaft. Wegen des hohen Risikos traten B. bei Seedarlehen nicht als Darlehensgeber auf, verwahrten aber Verträge und wickelten diesbezügliche Zahlungen ab. Begrenzt war die Beteiligung der B. auch bei öffentlichen und hypothekarischen Krediten. Kreditgeschäfte machten insgesamt einen geringen Anteil der Bankgeschäfte aus.

Aus Reden des → Demosthenes und des → Isokrates ist unter den Trapeziten Athens Pasion bes. gut bekannt, der zunächst als Sklave des Archestratos die Geschäfte einer B. führte, dann freigelassen wurde und schließlich wegen seiner Verdienste das athenische Bürgerrecht erhielt. Im Jahre 393 v. Chr. wurde Pasion wegen einer angeblichen Unterschlagung eines Deposits angeklagt (Isokr. or. 17). Das Vermögen des Pasion bestand neben der B. und Darlehen auch aus einer Schilderwerkstatt; die Erträge der B. sollen sich auf 10000 Drachmen, der Werkstatt auf 6000 Drachmen belaufen haben. Die B. des Pasion wurde nach dessen Tod von Phormion weitergeführt, der wiederum um 350 v. Chr. von Apollodorus, dem älteren Sohn des Pasion, eingeklagt wurde (Demosth. or. 36; vgl. or. 45,3 ff.). Das B.-Geschäft galt durchaus als risikoreich; bei Demosthenes werden mehrere Bankiers genannt, die ihr Vermögen verloren haben (or. 36,11; 50f.).

Seit dem 3. Jh. v. Chr. sind für Ägypten Überweisungen und schriftliche, direkt an die B. gerichtete Zahlungsanweisungen belegt, die die Namen von Aussteller, angewiesenem Bankier und Empfänger, den Grund der Zahlung, Betrag und Datum enthielten. Die B. führten über Ein- und Auszahlungen Bankregister (P.Tebt. III 2,890). Bei Zahlungen per Scheck (seit dem 1. Jh. v. Chr.) wurden zwei Urkunden ausgestellt: ein Zahlungsinstrument, das der Empfänger erhielt und der Bank übergab, und eine Notiz des Ausstellers, die als Kontrollnote direkt an die Bank geschickt wurde. Der in Ägypten leicht verfügbare Papyrus trug zur Ausdehnung der Bankgeschäfte bei.

Durch Gründung öffentlicher B. profitierten griech. Städte direkt vom Handel mit Geld, indem z. B. das Wechselgeschäft, durch Monopol gesichert, an B. verpachtet wurde. Sie übernahmen nach dem Vorbild der Privat-B. Kontoführung, Deposit- und Darlehensgeschäfte. In Athen wurde am Ende des 4. Jh. eine öffentliche Bank unter Leitung eines Amtsträgers eingerichtet. Später hat es solche δημόσιαι τράπεζαι auch in anderen griech. und ägypt. Städten gegeben, ohne daß ein Wechselmonopol bestand. Sie erleichterten den öffentlichen Zahlungsverkehr, da die Öffnung des Staats- und Tempelschatzes ein feierlicher Akt und daher umständlich war und das Risiko einer Abwicklung über private B. ausgeschaltet war. Die Ein- und Auszahlungen der Amtsträger wurden bei den öffentlichen B. zentralisiert; sie verwalteten außerdem Kapitalien von Stiftungen und bestimmte Etatposten. Im ptolemäischen Ägypten entstanden neben privaten B. die βασιλικαὶ τράπεζαι (königliche B.), die vor allem mit der Einziehung der Steuern befaßt waren und die privaten B. teilweise verdrängten. Die Steuereinnehmer zahlten die erhobenen Steuern auf Konten der öffentlichen B. ein, die Steuerpflichtigen konnten aber auch direkt an die öffentlichen B. zahlen, was das Verfahren vereinfachte. Viele Steuerquittungen aus Ägypten haben sich erhalten [7].

→ Darlehen; Münzwesen

1 R. BOGAERT, Les origines antiques de la banque de dépôt, 1966 2 Ders., Banques et banquiers dans les cités grecques, 1968 3 Ders., Epigraphica III. Texts on Bankers, Banking and Credit in the Greek World, 1976 4 Ders., Grundzüge des Bankwesens im alten Griechenland, 1986 5 Ders., Orders for Payment from a Banker's Archive, in: AncSoc 6, 1975, 79–108 (= Trapezitica Aegyptiaca, 1994, 219–252) 6 Ders., Le statut des banques en Egypte ptolémaique, in: AC 50, 1981, 86–99 (= Trapezitica Aegyptiaca, 1994, 47–57) 7 E. E. COHEN, Athenian Economy and Society: A Banking Perspective, 1992 8 H. KLOFT, Die Wirtschaft der griech.-röm. Welt, 1992, 124f.; 143f. 9 MILLETT 10 C. PRÉAUX, L'économie royale des Lagides, 1939, 280–297 11 W. E. THOMPSON, A View of Athenian Banking, in: MH 36, 1979, 224–241. W. S.

III. ROM

Wie die Griechen seit Ende des 5. Jh. v. Chr. unterschieden auch die Römer deutlich zwischen dem Zinsdarlehen (*fenus* oder *feneratio*) und dem Einlagengeschäft (*argentaria* oder *ars argentaria*), das von B. betrieben wurde. Deshalb dürfen nicht alle finanziellen Aktivitäten der Römer als Bankgeschäfte bezeichnet werden. Gegen Ende der Republik und zu Beginn der Principatszeit verliehen fast alle Senatoren (→ Senatus) und → Equites Geld; einige von ihnen waren zwar auch Finanziers, sind aber keineswegs als professionelle Bankiers anzusehen. Tatsächlich beschränkten sich die Bankiers nicht auf den Geldverleih oder auf die Vermögensverwaltung. Sie hatten das Recht, das Geld, das sie als Einlage empfangen hatten, auf eigene Rechnung wiederum zu verleihen. Zu den Tätigkeiten des professionellen Bankiers gehörten der Empfang von Einlagen und der Verleih disponibler Mittel an Dritte, wobei die Bankiers als Gläubiger auftraten. Sie konnten für jeden ihrer Kunden die Eröffnung eines Kontos (*ratio*) vornehmen, ein Recht, über das Finanziers, die keine Bankiers waren, nicht verfügten. Ulpianus, der Labeo zitiert, liefert eine Definition: *rationem autem esse Labeo ait, ultro citro dandi, accipiendi, credendi, obligandi, solvendi sui causa* (›Labeo sagt, daß das Konto wechselseitige Funktionen erfüllt wie die Aus- und Einzahlung, den Geldverleih und die Belastung sowie die Bezahlung der eigenen Rechnungen‹, Dig. 2,13,6,2). Die Kontenbewegungen wurden in ein spezielles Register (*codex rationum*) eingetragen, das die Bankiers im Falle eines Prozesses gegen einen ihrer Kunden dem Gericht vorlegen mußten (*editio rationum*). Die Rechtsnatur des Bankkontos, über das der Kontoinhaber verfügen konnte, wurde intensiv diskutiert. In der Zeit des Principats wurde es sehr wahrscheinlich als solches unter der Bedingung anerkannt, daß es keinen Zinsertrag abwarf. Wurde die Einlage verzinst, betrachteten die Rechtsgelehrten es nicht mehr als Konto, sondern als Darlehen.

In Rom sind die ersten Geldwechsler, Münzprüfer und Bankiers möglicherweise zwischen 318 und 310 v. Chr. auf dem Forum aufgetaucht (Liv. 9,40,16); sie wurden *argentarii* genannt. Zur Zeit von Plautus und Terentius (spätes 3. Jh./1. H. 2. Jh. v. Chr.) nahmen sie dieselben Funktionen wie die griech. Trapeziten wahr. Seit Beginn des 2. Jh. v. Chr. traten sie bei Versteigerungen auf. Gegen Ende des 2. Jh. v. Chr. sind außerdem die *nummularii* belegt, die sich vorerst auf die Prüfung der Münzen und auf den Geldwechsel beschränkten. In den ersten Jahrzehnten des 2. Jh. n. Chr. begannen die *nummularii* wie die *argentarii* Einlagen anzunehmen und diese Gelder als Darlehen zu vergeben. Folglich wurden die Bestimmungen, welche die Tätigkeit der *argentarii* regelten, auch auf die *nummularii* übertragen. In der röm. Welt kam der Münzprüfung eine große Bed. zu; sie war vielleicht wichtiger als das Wechseln von fremdem Geld (bes. im Prinzipat und im Westen, wo fremde Münzen nicht sehr verbreitet waren). Erwähnenswert ist auch die Aufgabe, die Münzen des Imperium

Romanum gegen lokale Prägungen zu wechseln. Vom 4. Jh. v. Chr. bis zum Ende der Ant. haben sich die Modalitäten des Geldwechsels und die technischen Methoden der Münzprüfung nur unbedeutend weiterentwickelt.

Die B. führten keine Geldtransporte von einem Ort zum anderen durch. Diese Geschäfte wurden vielmehr von den Publicanengesellschaften und den Geldverleihern durchgeführt, die teilweise in Verbindung zum Handel standen. Bankinterne Überweisungen sind für Ägypten nachgewiesen, sie wurden sicherlich auch zwischen den B. einer Stadt vorgenommen. Ein organisiertes Abrechnungssystem zwischen den B. einer Stadt existierte allerdings nicht.

Senatoren und Equites waren niemals von Beruf aus Bankiers, Geldwechsler oder Kassierer. Gegen Ende der Republik und während des Principates waren bes. in It. viele Bankiers Freigelassene, von denen einige reich wurden. So sind mehrere reiche Bankiers der Zeit Ciceros bekannt. Andererseits scheinen Senatoren und Equites − außer im Rahmen von Versteigerungen − nicht die Kunden von professionellen Bankiers gewesen zu sein, deren finanzielle Mittel den Bedürfnissen der Mitglieder der röm. Führungsschicht nicht gerecht wurden. Die wirtschaftliche Rolle der ant. Banken ist umstritten. Einige Bankdarlehen dienten Handelsgeschäften oder im weiteren Sinne wirtschaftlichen Aktivitäten. Aber wahrscheinlich hatte nur der geringste Teil aller gegebenen Darlehen derartige wirtschaftliche Funktionen. In den meisten Fällen handelte es sich um kurzfristige Darlehen. Während des 3. Jh. n. Chr. verschwanden die *argentarii* im Westen des Imperium Romanum und mit ihnen auch der Versteigerungskredit. Wahrscheinlich hat sich aufgrund der Instabilität der Währung auch die Zahl der *nummularii* und der Trapeziten verringert.

→ Argentarius, Auctio

1 J. ANDREAU, Enrichissement et hiérarchies sociales: l'exemple des manieurs d'argent, in: Index, 13, 1985, 529–540 2 Ders., Lettre 7*, in: Oeuvres de Saint Augustain, 46 B, Lettres 1*–29*, 1987, 146–151 und 457–459 3 Ders., La lettre 7*, document sur les métiers bancaires, in: Les lettres de Saint-Augustin découvertes par Johannes Divjak, Paris, 1983, 165–176 4 Ders., La vie financière dans le monde romain. Les métiers de manieurs d'argent, 1987 5 Ders., Mobilité sociale et activités commerciales et financières, in: E. FRÉZOULS (Hrsg.), La mobilité sociale dans le monde romain, 1992, 21–32 6 R. BOGAERT, L'essai des monnaies dans l'Antiquité, in: RBN, 122, 1976, 5–34 7 Ders., Trapeszitica Aegyptiaca, 1994 8 G. MANCINETTI SANTAMARIA, Filostrato di Ascalona, banchiere in Delo, in: Opuscula Instituti Romani Finlandiae 2, 1982, 79–89 9 L. MITTEIS, Trapezitika, in: ZRG, 19, 1898, 198–260.

J.A.

Bantia. Apulisch-lukanische Stadt (Βαντία: Plut. Marcellus 29,1), nahe bei Venosa (Liv. 27,25,13; Hor. carm. 3,4,15; Porph. Acron), h. Banzi. *Municipium* zw. 80 und 60 (CIL I² 582 mit CIL IX 416). *Templum augurale*, Ne-

kropolen des 7.–4. Jh. v. Chr. Zw. B. und Venosa fiel M. Claudius Marcellus im Kampf gegen Hannibal (Liv. 27,27,7; Plut. Marcellus 29).

A. BOTTINI, Osservazioni sulla topografia di Banzi preromana, in: AION 2, 1980, 69–82 · M. TORELLI, Una nuova epigrafe di Bantia e la cronologia dello statuto municipale bantino, in: Athenaeum 61, 1983, 252–257 · A. BOTTINI, s. v. Banzi, BTCGI 3, 1984, 390–395.   B.G.

Baphyras (Βαφύρας). Fluß in Pieria, der am Olympos unter dem Namen Helikon entsprang und östl. von Dion in die Ägäis mündete. Nach einer unterirdischen Strecke von ca. 5 km floß er wieder oberirdisch und war von Dion an schiffbar (Paus. 9,30,8).

N. G. L. HAMMOND, A History of Macedonia 1, 1972, 125.
MA. ER.

Baptai s. Kottyto

Baptisterium A. TERMINOLOGIE
B. BADEBECKEN C. TAUFKAPELLE

A. TERMINOLOGIE

Der latinisierte griech. Begriff B. (βαπτιστήριον, von βαπτίζω, »eintauchen«) wird erstmals von Plinius (epist. 2,17,11) für ein Badebecken verwendet; in der griech. Lit. ist diese Bedeutung des Wortes dagegen unbekannt.

B. BADEBECKEN

In Quellen zu röm. Bädern (→ Thermen) begegnet der Begriff B. sehr selten; gebräuchlicher ist → *piscina*. Solche Kaltwasserbecken waren in der Regel rechteckig oder apsidial und in einer Nische plaziert (Plin. epist. 5,6,25; 2,17,11). Plinius beschreibt zwei solcher B. im *frigidarium* seiner Villa bei Laurentum (2,17,11), die in Apsiden lagen; sie konnten sowohl zum Baden als auch zum Schwimmen benutzt werden. Nach Sidonius Apollinaris (epist. 2,2,8) konnte ein B., hier als griech. Synonym für das lat. *piscina* benutzt, auch im Freien liegen.

C. TAUFKAPELLE

Es ist kaum Zufall, daß das Wort B. seit dem 3./4. Jh. n. Chr. (Tert. de corona 3,2; Ambr. epist. 20) sowohl den Raum, in dem die christl. Taufe (hauptsächlich von Erwachsenen) stattfand, als auch das Taufbecken selbst (Sidon. epist. 4,15,1) bezeichnen kann; denn wahrscheinlich wurden die Kaltwasserbecken der Bäder in frühchristl. Zeit zur Taufe genutzt. Die B. wurden häufig, aber nicht immer, im Verbund mit Bischofskirchen erbaut. Das früheste und einzige erh. B. aus vorkonstantinischer Zeit gehört zu einer Hauskirche in → Dura Europos (um 240 n. Chr. erbaut und bereits 256 zerstört).

Es bestand aus einem langrechteckigen Raum, an dessen einem Ende ein Taufstein in Form einer röm. Badewanne stand, der von einem Baldachin (*ciborium*) überdacht war. Der Raum war mit Darstellungen christl. Taufszenen bemalt. In konstantinischer Zeit erforderte die große Zahl der Konvertierungen zum

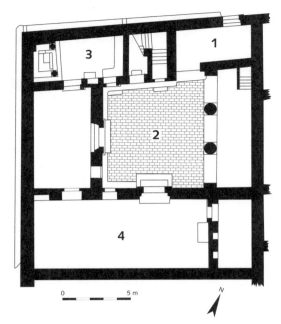

Dura-Europos, Hauskirche mit Baptisterium, Grundriß.
1. Vestibül   2. Innenhof mit Säulenportikus
3. Baptisterium   4. Gemeindesaal

Christentum neue architektonische Formen, und so entstanden die von Kirchenbauten unabhängigen B. Eine bes. im Westen beliebte Form des B. war der → Zentralbau, häufig ein Oktogon oder eine Rotunde mit Nischen, auch bekannt von den Frigidarien der Bäder. B. konnten aber auch rechteckig oder quadratisch sein, mit einer dem Eingang gegenüberliegenden → Apsis. Der Taufstein in Form eines Beckens war von sehr unterschiedlicher Gestalt. Wenn er in der Raummitte stand, war er meist von einem Baldachin überdeckt und von Säulen umgeben, oder er stand, wie vor allem in Syrien, in einer Apsis. Der Taufstein wurde meist *piscina* (griech. βαπτιστήρ, βαπτιστήριον) genannt, wie das Badebecken der Bäder. Ein frühes Beispiel stellt das Lateran-B. in Rom dar, das unter Konstantin über dem rechteckigen *frigidarium* eines röm. Bades erbaut wurde. Ursprünglich eine Rotunde wie das B., das von Papst Damasus 366/384 n.Chr. der Peterskirche hinzufügt worden war, wurde es später in ein Oktogon umgebaut. Beide B. beinflußten spätere Bauten wie das B. in Ephesos aus dem 4.Jh. n.Chr., das im Innenraum eine Rotunde und von außen ein Polygon war. Wie im Osten häufig, wurde die innere Rundform durch einen äußeren Kubus kaschiert. Solche freistehenden B. wurden lange Zeit gebaut, in It. selbst noch, nachdem die Kindstaufe vorherrschte und die Taufe auch von Gemeindepriestern durchgeführt werden konnte, so daß jede Kirche ihren eigenen Taufstein besaß.

F.W. Deichmann, s.v. B., RAC 1, 1950, 1157–1167 (mit Baukatalog) · J.H. Emminghaus, Die Gruppe der frühchristl. Dorf-B. Zentralsyriens, in: RQA 55, 1960, 85–100 · C.H. Kraeling, The Christian Building. The Excavations of Dura Europos, Final Report VIII, II, 1967 · I. Nielsen, Thermae et Balnea, ²1993, bes. 155 · R. Krautheimer, Early Christian and Byzantine Architecture, 1975, passim. I.N./R.S.-H.

Baquates. Ein maurusischer Stamm (*gens Baquatium*) [1. 2851], der wohl im Osten und Süden der Mauretania Tingitana lebte. Ptol. 4,1,10, das Itin. Anton. 2,2f. und der Liber generationis (1,197,65 Mommsen) bringen ihn mit dem Stamm der Macenites oder Μακανῖται bzw. Massennae in Verbindung, Iulius Honorius (cosmographia B 47) und der Provinciarum laterculus codicis Veronensis (14,4f.) mit den Barbares, d.h. den → Bavares. Die Römer beließen den freiheitsliebenden B. ihre Unabhängigkeit und behandelten sie als Verbündete; Inscr. latines d'Afrique 609.

1 H. Dessau, s.v. B., RE II.2, 2851.

J. Desanges, s.v. B., EB, 1334–1336 · E. Frézouls, in: AntAfr 16, 1980, 78^{5.6}, 79^{1–4}. W.HU.

Bar Kochba. Führer des großen jüd. Aufstands 132–135. Dokumentarisch gesichert ist die Namensform Simon Bar Kosiba. Die aus christl. und rabbinischer Lit. bekannte Namensform Bar Kochba (›Sternensohn‹) und Bar Koziba (›Lügensohn‹) sind tendenziöse Deutungen des urspr. Patronyms. Sie reflektieren die mit seiner Person verbundenen messianischen Erwartungen (→ Messias) und die mit dem Scheitern des Aufstands eingetretene Enttäuschung über den falschen Messias. Anlaß des Aufstands war möglicherweise der von Kaiser Hadrian im J. 130 geplante Wiederaufbau Jerusalems als röm.-hell. Stadt Aelia Capitolina; ob ein generelles Beschneidungsverbot Hadrians ein weiterer Anlaß war, ist umstritten (kritisch [1]). Der Aufstand konzentrierte sich auf das judäische Bergland, den unteren Jordangraben und um En Gedi am Toten Meer. Die Römer konnten des Aufstandes nur unter erheblichen Truppenkonzentrationen unter Führung des Iulius Severus Herr werden, mit den Mitteln eines Ausrottungskriegs, der auf beiden Seiten große Menschenverluste forderte.

Brieffunde vom Toten Meer zeigen B., den »Fürsten Israels«, als einen Führer, der von strenger Torafrömmigkeit geleitet war und mit drakonischen Strafmaßnahmen den Aufstand in bereits aussichtsloser Lage fortzusetzen versuchte. Vor allem die Münzen der Aufständischen bezeugen das messianische Ziel einer Erlösung bzw. Befreiung Israels und die Wiederherstellung des Tempels. Ob Jerusalem zeitweise in der Hand B.s war und der Tempelkult wieder aufgenommen wurde, ist fraglich. Mit dem Fall der Bergfeste von Bethar, 10 km südwestl. von Jerusalem, fand B. – und mit ihm der Aufstand – sein Ende.

1 P. Schäfer, Der B.-Aufstand, 1981.

E. SCHÜRER, History of the Jewish People, 1 (rev. edition 1973), 542–552 • Y. YADIN, B., 1971. K.BR.

Bar Pandera. Gestalt, die in Verbindung mit Zauberei und Götzendienst (bShab 104b; bSanh 67b) genannt wird; Name Jesu in der rabbinischen Lit. (KohR 1.1,8; tHul 2,22f.; yAZ 2,2 [40d], ySab 14,4 [14d]; KohR 10,5). Eine detaillierte Unt. der verschiedenen Überlieferungen konnte zeigen, daß B. P. urspr. nicht im Kontext antichristl. Polemik stand, sondern erst sekundär während der repressiven byz. Religionspolitik vor der arab. Eroberung mit Jesus identifiziert wurde. → Adversos Judaeos; Antisemitismus

J. MAIER, Jesus von Nazareth in der talmudischen Überlieferung, 1978, 264ff. B.E.

Barabara (*Barbara*, auch *Barbare*). Hafenstadt an der Indusmündung (Ptol. 7,1,59), Ἐμπόριον Βαρβαρικόν oder Βαρβαρική des peripl. m. r. 38f., altindisch *Varvara*. B. scheint der Haupthafen des Indusgebietes gewesen zu sein, ist aber im Deltabereich spurlos verschwunden.

K.K.

Barba Jovis. Die gelbblühende Hauswurzart *Sempervivum tectorum* (ἀείζωον) mit fleischigen, immergrünen und feuchten Blättern (Theophr. h. plant. 1,10,4 und 7,15,2) leitet ihren Namen von ihrer starken Behaarung ab. Nach Dioskurides 4,87–88 [1. 247ff.] = 4,88–89 [2. 418f.] dienten die Blätter ihrer beiden Arten (lat. *sedum* bei Plinius, nat. 25,160–163) u.a. äußerlich als kühlendes astringierendes Mittel gegen Geschwüre und Wunden. Demokrit soll den Saft zur Behandlung von Saatgut empfohlen haben (Plin. nat. 18,159). Nat. 16,76 meint Plin. jedoch den strauchigen Wundklee *Anthyllis barba-Jovis* (Leguminosae) mit gelben Blüten. *Impia* bei Plin. nat. 24,173f. wird heute [3. 173] als Ruhrkraut (*Gnaphalium L., Compositae*) gedeutet.

1 M. WELLMANN (Hrsg.), Pedanii Dioscurides de materia medica, Bd. 1, 1907, Ndr. 1958 2 J. BERENDES (Hrsg.), Des Pedanios Dioskurides Arzneimittellehre übers. und mit Erl. versehen, 1902, Ndr. 1970 3 Plinius, Naturkunde, lat.-dt., Bd. 24, 1993, hrsg. und übers. von R. KÖNIG. C.HÜ.

Barba. Röm. Cognomen (»der Bart«) bei den → Cassii, → Lucretii, → Sulpicii u.a. Familien (ThlL 2,1727f.). K.-L.E.

Barbaren. Anfänglich bezieht sich der B.-Begriff aus griech. Sicht auf fremdsprachige Gruppen. »Hellenen-B.« entsprechen als ›asymmetrische Gegenbegriffe‹ [5. 218–229] einem in der Ethnologie bekannten Muster: Andersartige, → Fremde werden in stark ethnobzw. hellenozentrisch bestimmten Vorstellungen als B. wertend von der eigenen Kultur abgegrenzt. Die Antithese ist häufiger in negativer als positiver Prägung des ant. B.-Bildes faßbar. Fremd-, Rand- und Grenzvölker begegnen darin ebenso wie Juden, Christen und »Hei-

den«. Der B.-Begriff hat als ›europäisches Schlüsselwort‹ (A. BORST) die Ant. überdauert. Der (spät)ant. Vorstellungsgehalt bestimmt letztlich auch den modernen wiss. Terminus »Barbaricum«.

Homer nennt am Beginn der Begriffsgeschichte nur die → Karer βαρβαρόφωνοι ›barbarisch redend‹ (Il. 2,867), nicht aber die Troianer. Das Auftreten des B.-Begriffs paßt am besten in die → Kolonisation. Diese bringt die Erfahrung fremder und nicht griech. sprechender Völker mit sich. Offen ist, ob der Begriff B. schon damals pejorativ gebraucht wird.

Den zunächst sprachlichen Bezug unterstreicht der Vergleich mit unverständlichen Tierlauten (Hdt. 2,57). In der Skala negativer B.-Topoi dominieren, z.T. tierischer Lebensweise entsprechend, Wildheit, Roheit und Unbildung. In das Gegenbild zur hellenischen Zivilisation passen Fremdenfeindschaft, Gesetz- und Treulosigkeit, sklavisches, feiges ebenso wie maßlos übertriebenes Verhalten und zahlreiche Varianten dieser Vorurteile [4. 8f.; 8. 837f.]. Positive, vor allem auf einfaches, naturgemäßes Leben bezogene Allgemeinurteile begegnen wesentlich seltener.

Als Ergebnisse früher Welterkundung und Begegnung mit Hochkulturen sind die B.-Topoi kaum denkbar: Nach traditioneller Auffassung werden sie erst im Kontext der Perserkriege scharf und negativ konturiert [4. 12f.].

Der Sieg über die Perser steigert das griech. Selbstbewußtsein, führt den Gegensatz Griechen-Perser (= griech. Freiheit – Despotie der B.) vor Augen und fördert so die Ausbildung der Hellenen-B.-Antithese. Bei Herodot erscheint der pers. Gegner durchaus als B. (7,35 und 8,142); daraus folgt aber keine durchgängige Herabsetzung, die auch in Aischylos' ›Persern‹ fehlt. Strittig ist, ob erst spätere Erfahrungen (Mitte bis Ende des 5. Jh.) das pejorative B.-Bild der Tragödie und Komödie geformt haben. Die mit dem Peloponnesischen Krieg verlorene Freiheit läßt ein kulturelles Überlegenheitsgefühl und ein ›antipersisches Ressentiment‹ [3. 47] entstehen. Letztlich bleiben die Perserkriege ein wichtiger Bezugspunkt der Hellenen-B.-Antithese: Das bestätigt sowohl das ›grundsätzlich ideologisierte und diskriminierte‹ B.-Bild der griech. Kunst z.B. mit ab 490 einsetzenden Perserdarstellungen auf Vasen [9. 901] als auch Euripides: Das barbarische Aufgebot erscheint als Heer willenloser Sklaven; das paßt zu der geläufigen Vorstellung von der Knechtsnatur der B. (Eur. Iph. A. 1400f.; Hel. 276), über die die Griechen naturgegeben herrschen sollen. Vor diesem Hintergrund setzt sich der Gegenbegriff → Hellenen bzw. die Formel »Hellenen-B.« durch (Hdt. 1,1; Thuk. 6, 33). B. sind als Nichthellenen von den olympischen Spielen (Hdt. 5,22) und den Mysterien ausgeschlossen [4. 6].

Eine positive Bewertung als B. finden alte Kulturvölker im Rahmen geogr. und histor. Erkundung bei → Hekataios und → Herodot. Dieser rühmt die Kultur der Ägypter, die für ihn B., d.h. Nichthellenen, sind. Sein Hinweis, daß die Ägypter selbst Fremdsprachige als

B. bezeichnen, modifiziert den Hellenen-B.-Gegensatz (Hdt. 2,158). Mit der Bewunderung der rel. Weisheit alter B.-Völker verbindet sich die Vorstellung, daß die Griechen von der »B.-Philosophie« abhängig sind [8. 827]. Die Eigenart der B. wird auch durch die auf Hippokrates zurückgehende und bei Herodot faßbare Klimatheorie erklärt. Unter den Völkern Europas und Asiens nehmen die Griechen – hellenozentrisch gesehen – in einer gemäßigten Klimazone die Mitte ein (so bei Aristoteles) und vereinigen in sich Vorzüge beider Völkergruppen, wie Mut, Denkvermögen, Freiheit, staatenbildende Kraft und Befähigung zur Herrschaft über andere Völker (Pol. 7,7,1327b 20ff.).

Ähnlich (klimatheoretisch) begründet ist die schon bei Homer erkennbare Idealisierung von Naturvölkern an dem zivilisatorisch immer weiter hinausrückenden Rand der Oikumene. Das Musterbild einfacher und unverdorbener B. liefern die Skythen. Ihren legendären Weisen → Anarcharsis verherrlichen vor allem die Kyniker, die ihn im 4.Jh. für ihre Zivilisationskritik benutzen. Im weiteren Kontext steht die spätere Vorstellung vom »edlen Wilden« [7. 26].

Für die Sophistik wie bei → Antiphon (B. 44a B D.-K.) sind B. wie Hellenen von Natur aus gleich; Platon spricht vom Vernichtungskrieg gegen die B. (rep. 5,470c), hat aber Vorbehalte gegen Verallgemeinerungen (polit. 262cd). Aristoteles und seine Schule sammelten, da B. νόμοι (nómoi) fehlen, νόμιμα βαρβαρικά (nómima barbariká). Antiphon vertrat die Auffassung von der »Knechtsnatur« der B. (s.o.); angeblich riet er Alexander erfolglos, die Griechen wie Herren, die B. wie Sklaven zu behandeln (Plut. fort. Alex. 6,329B).

Die Formeln der B.-Topik kennzeichnen den Aufstieg der Makedonen: Demosthenes verhöhnt Philipp II. als B. (or. 9,31). Isokrates teilt die Menschheit in Griechen, Makedonen und B. (Isokr. or. 5,154) und propagiert einen panhellenischen Krieg gegen die persischen B. (or. 4,150–159). Während Alexander im Gefühl starker Überlegenheit gegenüber den B. nach Persien aufbricht, verändert sein Eroberungszug das »Weltbild« beträchtlich: Im Weltreich verringert die »Verschmelzungspolitik« den Gegensatz Hellenen – B. Die Diadochenstaaten zerfallen aber in eine privilegierte griech. Minderheit und stark benachteiligte B. [3. 54–67]. Im Hellenismus gewinnt die philos. Auseinandersetzung mit Fremden an Bedeutung. Der Geograph → Eratosthenes verwirft das Schema Hellenen-B. und fordert eine Einteilung in Gute und Schlechte, Gebildete und Ungebildete (bei Strab. 6. 1,4,9).

Die Römer übernehmen den B.-Begriff von den Griechen. Die anfängliche Selbstbezeichnung als B. grenzt sie sprachlich von den Griechen ab: → Plautus überträgt aus dem Griech. ins Barbarische, d.h. Lat. (Plaut. Asin. Prol. 11) und spricht wohl mit negativem Beiklang vom barbarischen Land, Städten und Gesetzen (Capt. 492; 884; vgl. generell: ThlL 2, 1729–44). → Cato verwahrt sich gegen die herabsetzende Benennung der Römer als B. durch die Griechen (bei Plin. nat. 29,14).

Unter dem Aspekt des Kulturvergleichs bleibt das Verhältnis zu den Griechen lange zwiespältig. Die »Hellenisierung Roms« zeigt sich in der Zulassung zu den isthmischen Spielen (229 v. Chr.) und – den B. an sich verschlossen (s.o.) – Eleusinischen Mysterien – als eine Folge röm. Machtstellung [4. 68f.]. → Lucilius stellt als erster Römer und B. gegenüber (V. 615).

Die u.a. von Cicero verwandte Trias »Griechen, Römer und B.« steht für zunehmende Gleichberechtigung der Römer, Selbstbewußtsein in einer urspr. zwischen Hellenen und B. zweigeteilten Welt und findet auch geogr. Ausdruck (z.B. Cic. fin. 2,49: *Graecia, Italia, Barbaria*).

Die Expansion Roms, die schwere Konfrontation mit den Kelten und Karthagern, aber auch die Erfahrungen der Bürgerkriege – B. kämpfen auf beiden Seiten – prägen das röm. B.-Bild nachdrücklich [2. 100ff.]. Der B.-Vorwurf trifft den äußeren wie den inneren Feind – so z.B. Antonius und Verres (Cic. Phil. 3,15; Verr. 4,112).

Der röm. Begriff schließt bekannte B.-Völker wie Perser, Thraker, Skythen und der Expansion folgend die jeweiligen Randzonen des Imperiums, d.h. Gallien, Spanien, Britannien, Germanien und die Parther ein. Das B.-Bild verdichtet sich in den Begriffen *feritas, immanitas, inhumanitas, impietas, ferocia, superbia, impotentia, furor, discordia, vanitas, perfidia, imprudentia* [2. 576]. Wilde B.-Stämme müssen – metaphorisch ausgedrückt – wie Tiere domestiziert werden [6. 16]. Den Gegensatz zur röm. Zivilisation verkörpern die Keltiberer (Strab. 3,37) oder die Germanen (Tac. Germ. 16). Naturnahe Lebensweise steht positiv für freie Völker (*liberae gentes*) wie Germanen und Skythen (Sen. dial. de ira 2,15) und in der Tradition der Nordvölkeridealisierung für jugendliche, kriegerische Kraft [10. 43].

Die Romanisation ermöglicht die Integration auch von B. in die Reichsbevölkerung, die mit der Constitutio Antoniniana (212 n.Chr.) röm. Bürgerrecht erhält. Grenz- und Handelspolitik widersprechen eindeutig der Vorstellung einer auf Konfrontation und Abgrenzung angelegten ›ethischen Grenzscheide‹ (A. Alföldi) am Limes. Dazu bilden rhet. Praxis und röm. Bildersprache häufig einen Kontrast. In ihr begegnen der Typus des grundsätzlich ohnmächtigen und verachteten B., Unterwerfungsszenen und der triumphierend den besiegten B. niederreitende Römer [9. 920f.]. Trotz vieler Austausch-, Begegnungs- und Erkundungsmöglichkeiten hat sich das B.-Bild kaum verändert; dies unterstreicht seinen stereotypen Charakter. Die äußere Bedrohung des Reiches – ein Deutungsmuster für den Untergang Roms – belebt in der Spätant. das Klischee von wilden, grausamen, hinterlistigen und plündernden B.-Horden [7. 38]. Der Panegyrik des 4.Jh. sind B. »Stoff zum Siegen« (*materia vincendi*) für die Römer (Paneg. 6,4,4 vom Jahr 307). Unter Constantin dem Gr. erscheint die Münzlegende *debellator gentium barbararum* (RIC 7, 356; 357). Dieser Überlegenheitsanspruch prägt auch die staatliche Repräsentationskunst.

Der Realität entspricht eher, daß barbarische Einheiten, z.B. »Germanen im röm. Dienst«, den Grenzschutz mittragen und in das Reich integriert werden. In der röm. Verwaltungssprache bezeichnet *barbarus* den Gegensatz zu *Romanus* oder generell zu »Soldat« (*miles*) [1. 42; 4. 118f.]. Insgesamt sind Tendenzen zur Assimilation faßbar. Mit dem Christentum deutet sich die Möglichkeit an, den Gegensatz aufzuheben: Nach Kol 3, 11 waren ›Grieche, Jude, Barbar, Skythe, Knecht oder Freier‹ in Christus eins. Indessen werden wegen der jüd. Wurzeln auch die Christen B. genannt; sie nehmen gelegentlich auch im Blick auf die B.-Philos. die Selbstbezeichnung B. an [8. 849–852]. Auf »Heiden« und arianische Ketzer zielt → Prudentius zu Beginn des 5.Jh., der die Römer – dem Unterschied zwischen Mensch und Tier entsprechend – weit über die B. stellt (c. Symm. 2,816–819). Daneben sind in der Völkerwanderungszeit andere Wendungen erkennbar. Der Presbyter Salvian hebt die Sittlichkeit der heidnischen oder arianischen Germanen gegenüber seinen katholischen Landsleuten hervor (gub. 7,7). Dagegen verurteilt Victor Vitensis unter dem Eindruck der Christenverfolgung in Nordafrika die Barbarei der ketzerischen Vandalen [10. 55]. Die Goten firmieren bei → Orosius als B. (hist. 1,4,2), während → Cassiodor diese Benennung entschieden vermeidet [8. 875]. Die Zeugnisse für die Selbstbezeichnung der Germanen als B. reichen bis in karolingische Zeit [8. 880f.]. Darin und in der insgesamt vorherrschenden Abgrenzung und -wertung von den jeweiligen B. sind Anwendungsmuster des stark rhet.-propagandistisch geprägten B.-Begriffs erkennbar, der die Realität der Beziehungen zwischen griech.-röm. Welt und den »Fremden« selten zutreffend erfaßt.

1 K. CHRIST, Römer und B. in der hohen Kaiserzeit, in: Röm. Geschichte und Wissenschaftsgeschichte 2, 1983, 28–43 2 Y. A. DAUGE, Le barbare, 1981 3 A. DIHLE, Die Griechen und die Fremden, 1994 4 J. JÜTHNER, Hellenen und B., 1923 5 R. KOSELLECK, Vergangene Zukunft, 1989 6 A. A. LUND, Zum Germanenbild der Römer, 1990 7 W. NIPPEL, Griechen, B. und »Wilde«, 1990 8 I. OPELT, W. SPEYER, s.v. Barbar I, RAC Suppl. Bd. 1, 1992, 811–895 9 R. M. SCHNEIDER, s.v. Barbar II (ikonographisch), RAC Suppl. Bd. 1, 1992, 895–962 10 K.v. SEE, Barbar, Germane, Arier, 1994. V. L.

Barbaria (Βαρβαρία). Somalische Nordküste nach dem peripl. m. Erythraei 3; 7 (GGM 1, 261; 263). Sie verfügte zwar nicht über Häfen, aber über gute Landeplätze wie Aualites, Malao, Mundu, Mosylon und Aromata. Zur Lage vgl. auch Kosmas Indikopleustes (2,26; 29; 45; 48; 49; 50; 64). Im Namen der Stadt Berbera, des alten Emporion Malao (Ptol. 4,7,10), scheint sich der Name B. erhalten zu haben. Hinter Opone, h. Ras Hafun, begann das Azania gen. Küstengebiet, das bei → Rhapton endete (anders Ptol. 1,17,6; 4,7,4; 4,7,11f.; 4,7,28; Steph. Byz. s.v. Ῥάπτα; vgl. auch Steph. Byz. s.v. Ἀπόκοπα). Die Bewohner der B. werden in peripl. m. Erythraei 7 (GGM I 263 f.) als »Wilde« charakterisiert.

J. DESANGES, M. REDDÉ, La côte africaine du Bab el-Mandeb dans l'antiquité, in: Hommages à J. Leclant Bd. 3, 1994, 161–194 • W. TOMASCHEK, s.v. B., RE II.2, 2855f. W. HU.

Barbaroi s. Barbaren

Barbaron hyphasmata (βαρβάρων ὑφάσματα). Als *b.h.* bezeichneten die Griechen die kostbaren medisch-persischen Gewänder, Stoffe, Decken u.a. mit bunten → Ornamenten, detaillierten figürlichen Verzierungen, Misch- und Fabelwesen. Nach Griechenland gelangten *b.h.* durch Handel (Aristoph. Vesp. 1132ff.), als Beutegut (Hdt. 9,80) oder Geschenk (Athen. 2,48d). Zur → Weihung stiftete man *b.h.* in Heiligtümer (Paus. 5,12,4) oder man trug sie als Luxusgewänder zur Demonstration von Reichtum und Macht. Die *b.h.* führten zu Veränderungen der griech. Tracht (→ Zeira) und Textilien (→ Decke, → Kissen; Klinenbezüge). Vereinzelt sind *b.h.* als Grabfunde belegt.
→ Buntweberei; Kleidung; Textilkunst

F.v. LORENTZ, ΒΑΡΒΑΡΩΝ ΥΦΑΣΜΑΤΑ, in: MDAI (R) 52, 1937, 165–222 • H.J. HUNDT, Über vorgesch. Seidenfunde, in: JRGZ 16, 1969, 65–71 • D. SALZMANN, Unt. zu den ant. Kieselmosaiken, 1982, 56–57 • A. PEKRIDOU-GORECKI, Mode im ant. Griechenland, 1989, 116–120. R.H.

Barbatius. Seltener plebeischer Gentilname, der seit dem 1.Jh. v.Chr. bezeugt ist (SCHULZE 349; ThlL 2,1728).
[1] B. Philippus wurde (in spätrepublikanischer Zeit?) als entlaufener Sklave *praetor* (Dig. 1,14,3; Suda B 109; vgl. Cass. Dio 48,34,5).
[2] B. Pollio, M., sagte sich 41 v.Chr. als *quaestor pro praetore* des M. → Antonius von diesem los (RRC 517,1–3; App. civ. 5,120f.; vgl. Cic. Phil. 13,3); vielleicht identisch mit dem curulischen Ädil und Stifter des Puteal der Iuturna (ILS 9261).

Barbatus. Röm. Cognomen (»der Bärtige«) bei den Cornelii, Horatii, Quincti, Valerii u.a. Familien (ThlL 2,1746; Kajanto, Cognomina, 224). K.-L. E.

Barbier (κουρεύς/*kureús*; *tonsor*). Wann der B.- und Friseurberuf in Griechenland als eigenständiges Gewerbe ansässig wurde, ist ungewiß; im Mythos wird der B. nur selten erwähnt (→ Midas); frühe Darstellung eines B.: böotische Terrakotta in Berlin [1]. Der B. gilt als geschwätzig, neugierig (Plut. mor. 2,177a; 508) und weiß jede Neuigkeit. Die B.-Stube (κουρεῖον/*kureíon*) ist der Ort des Beisammenseins (Lys. 24,3,20; Plut. Timoleon 14; Plut. mor. 716ff.), wo man auch Geschäfte abwickelt. Der B. schneidet Haare, Fuß- und Fingernägel, Bärte, fertigt Haarteile und Perücken an. Zu seinen Gerätschaften gehören → Kamm, → Rasiermesser, → Schere, → Spiegel, Pinzette, → Salben, Stuhl und Tücher für die Kunden (Alki. 3,66,1, Lukian. 29; zum Aussehen der B.-Stuben vgl. Plin. nat. 35,112: »Schmutzmaler« Peiraikos).

Um 300 v. Chr. sind B. in Rom erstmalig bezeugt (Plin. nat. 7,211; Varro, rust. 2,11,10). Wie in Griechenland sind auch die röm. B.-Stuben (*tonstrinae*) Orte der Zusammenkunft; meist übten Männer das Gewerbe aus, seltener Frauen (CIL VI 6366/68; 37822a u.ö.); B. waren in Kollegien vereint (CIL IV 743); ihr Gehalt wird im → *Edictum Diocletiani* mit 2 Denaren angegeben (vgl. auch Amm. 22, 4, 9 [vgl. 2]). Die Gehilfen des B. machten auch Hausbesuche. Zu B.-Läden in Rom s. [3]; für Pompeji s. [4].

1 Terrakotta Berlin, SM Inv. T. C. 6683 b: E. ROHDE, Griech. Terrakotten, 1969, 40 Nr./Abb.16 2 U. WILCKEN, Griech. Ostraka, 1, 1912, 227 f. 3 LUGLI, Fontes, 3, 1955, 79 Nr. 7; 8, 1962, 330 Nr. 256. 4 L. ESCHEBACH (Hrsg.), Gebäudeverzeichnis und Stadtplan der ant. Stadt Pompeji, 1993, 453–464.   R. H.

Barbitos s. Musikinstrumente

Barbius. M. B. Aemilianus, *cos. suff.* im J. 140 (CIL XVI 177); RMD 1, 39; aus Aquileia stammend (EOS 2, 332 f.).   W. E.

Barbosthenes (Βαρβοσθένης). Berg, 14,8 km von Sparta entfernt, an dem → Nabis 192 v. Chr. von Philopoimen besiegt wurde (Liv. 35,27,13; 30,9 fehlerhaft *Barnosthenem*), vielleicht eine östl. Fortsetzung des → Olympos im → Parnon bei Vresthena oder Varvitsa.

C. BURSIAN, Geogr. von Griechenland 2, 1868, 117 Anm. 1 · A. FORBIGER, Hdb. der Alten Geogr. 3, 1877, 679 Anm. 77.   E. O.

Barbukallos, Iohannes, mit dem Beinamen Γραμματικός. Epigrammdichter des »Kyklos« des Agathias, lebte im 6.Jh. n. Chr., Verf. von 12 nicht ungeschickten, zum größten Teil ekphrastischen und epideiktischen Epigrammen (einige Unsicherheit besteht weiterhin bezüglich Anth. Pal. 7,555–555b und 9, 628 f.; die ersten sind Ἰωάννου Ποιητοῦ, die anderen Ἰωάννου Γραμματικοῦ überschrieben). Bemerkenswert sind die Epigramme über die Zerstörung von Berytos (Beirut) durch das Erdbeben von 551 (9,425–427; in 426,1f. ist der Einfluß von Nonn. Dion. 41 offenkundig).

AV. & A. CAMERON, The Cycle of Agathias, in: JHS 86, 1966, 11f.   E. D./T. H.

Barbula. Röm. Cognomen (»der Milchbart«) bei den Aemilii (ThlL 2,1728). Außerdem Name des Kommandanten des M. → Antonius bei Aktium; B. wurde von Octavian später begnadigt (App. civ. 4,210–214).   K.-L. E.

Barcino(na). Das h. Barcelona war eine iberische Siedlung der → Lacetani (Mela 2,90; Plin. nat. 3,22; Ptol. 2,6, 18). Während des Bürgerkrieges stand B. auf Caesars Seite. B. erhielt den Namen *Faventia Julia Augusta Pia* (oder *Paterna*?) *Immunis*. Ihre höchste Blüte erreichte

B. in der röm. Kaiserzeit. Bes. Bed. erlangte die Stadt – nicht zuletzt dank ihrer Bischöfe – unter den → Westgoten, als der Abstieg von Tarraco einsetzte.

TOVAR 3, 438–440 · R. WIEGELS, Die Tribusinschr. des röm. Hispanien, 1985, 96–98.   P. B.

Bardas. Byz. Staatsmann, Armenier, Bruder Theodoras, der Mutter Kaiser Michaels III. (842–867 n. Chr.). Träger des höchsten Hoftitels Caesar (καῖσαρ) seit 862. Er förderte die Slavenmission, begründete eine Schule für wiss. Studien im Kaiserpalast, begünstigte die Erhebung des gelehrten → Photios zum Patriarchen. B. wurde am 21.4.866 von dem Parvenü → Basileios [5] I., dem Begründer der Maked. Dynastie, ermordet.

LMA 1, 1456 · ODB 1, 255 f. · P. SPECK, Die kaiserliche Universität von Konstantinopel, 1974.   F. T.

Bardesanes. Bekannt als »aramäischer Philosoph« und Astrologe, ist B. (154–222 n. Chr.) der früheste bekannte syr. Autor von Edessa, wo er am Hofe → Abgars [3] VIII. (177–212) tätig war. Iulius Africanus (kestoi 1,20) erwähnt, ihn dort im J. 195 getroffen zu haben. Obwohl B. gegen die Markioniten (→ Markion) und die Chaldäer schrieb, zogen sich seine Ansichten über die Kosmologie das Mißfallen späterer Schriftsteller seit → Ephraem zu. Dies führte zum Verlust seiner Schriften (sowohl der Versdichtung als auch der Prosa). So müssen seine Lehren weitgehend aus den Berichten seiner Gegner rekonstruiert werden. Erhalten ist allerdings ein Dialog über das Schicksal (worauf sich möglicherweise Eus. HE 4,30 bezieht), bekannt unter dem Titel *liber legum regionum*, der in das Griech. übers. wurde und in den clementinischen *recognitiones* (10,19–29) und von Eusebius (Pr.Ev. 6,10,1–48) zit. wird. Verschiedene Inhalte seiner Lehre lassen stoischen Einfluß erkennen; beim Thema Willensfreiheit ist er weitgehend von Alexandros [26] von Aphrodisias abhängig. Die Tätigkeit seiner Nachfolger läßt sich noch in der frühen islamischen Zeit nachweisen.

ED.: F. NAU (ed.), Liber legum regionum, Patrologia Syriaca 2, 1907, 490–657 · H. J. W. DRIJVERS (ed.), The Book of the Laws of Countries, 1965. LIT.: H. J. W. DRIJVERS, Bardaisan of Edessa, 1965 · A. DIHLE, Antike und Orient, 1984, 161–173 · G. LEVI DELLA VIDA, Pitagora, Bardesane e altri studi siriaci, in: R. CONTINI (ed.), 1989 · TRE 5, 206–12 (Lit.).   S. BR./S. Z.

Bardiya (elam. *Pirtiya*; akkad. *Barzija*; griech. Σμέρδις, Μάρδος, Aischyl. Pers. 774).

[1] Jüngerer Sohn → Kyros' II. (und der → Atossa), laut → Bisutun-Inschr. leiblicher Bruder → Kambyses' II. [3. 117]; bei Ktesias Pers. 12,10,29 Tanyoxarkes, bei Xen. Kyr. 8,7,11 Tanaoxares, den Kyros als Satrap von Medien, Armenien und Kadusien eingesetzt habe, auf Befehl des Kambyses entweder vor [3. 117.29 f.] oder während (Hdt. 3,10) seines ägypt. Feldzuges (522 v. Chr.) ermordet (in der wiss. Lit. kontrovers diskutiert [4]). Keilschriftliche Urkunden aus Babylonien aus dem

Jahr 522 v. Chr. nennen in der Datenformel ›B., König von Babylon, König aller Länder‹ [2].

[2] Der falsche B./Smerdis, s. Gaumata.

[3] Ein persischer Rebell gegen → Dareios I. namens Vahyazdāta, der sich ebenfalls als B. ausgab [3. 125, 21–28].

> 1 M. A. DANDAMAYEV, A Political History of the Achaemenid Empire, 1989, 83–113 2 S. GRAZIANI, Testi … datati al regno di Bardiya (522 a.C.), 1991 3 R. KENT, Old Persian, 1953 3 J. WIESEHÖFER, Das ant. Persien, 1993 (Index).   A. KU. u. H. S.-W.

Bardylis

[1] Illyr. König in der ersten H. des 4. Jh. v. Chr., Dynastiegründer (Theop. fr. 35; Cic. off. 2,40). Er hatte großen Anteil am Sieg über Perdikkas III. 359 v. Chr.; fiel im Jahr darauf gegen Philipp II.

> P. CABANES, Les Illyriens de B. à Genthios, 1988 · N. G. L. HAMMOND, The Battle between Philip and B., in: Antichthon 23, 1989, 1–9.   M. STR.

[2] Vielleicht Enkel von B. [1], Vater der Birkenna, der Frau des → Pyrrhos von Epirus.   M. STR.

Bargala. Wohl thrak. Stadt (vgl. den Namen), h. Dolen Kozjak (Region Štip, Makedonien), auf der Route Oescus – Serdica – Stobi. Blüte in spätröm. Zeit; hat wohl die Bed. des alten paionischen Zentrums Astibus übernommen. Bargalenses sind in einer lat. Inschr. von 371/2 n. Chr. erwähnt (Bau des Stadttores auf Anordnung des Antonius Alypius, Statthalter der Dacia Mediterranea). Ende 4. Jh. zogen die Bewohner in die sicherere, 2 km entfernte, erhöht gelegene Gegend von Goren Kozjak. 451 wird B. in den Akten der Synode von Chalkedon als Bistum der Macedonia I bestätigt. Laut Hierokles 641,6 gehörte B. Ende 5. Jh. zur Macedonia II. Es wurde von den Slaven und Avaren ca. 586 n. Chr. zerstört.

> F. PAPAZOGLOU, Les villes de Macédoine à l'époque romaine (BCH Suppl. 16), 1988, 339–341.   M. Š. K.

Bargusii s. Bergistani

Bargylia (τὰ Βαργύλια). Karischer Küstenort südl. von h. Güllük an einer h. versumpften Nebenbucht des Golfs von Iasos (Βαργυλιητικὸς κόλπος, Pol. 16,12,1; Liv. 37,17,3; Steph. Byz. s. v. B.), h. Varvil-Bucht (ma. Namensform Βαρβύλια, anon., Stadiasmus maris magni 286, 288; Ptol. 5,2,7), karisch auch Ἄνδανος genannt (Steph. Byz. ebd.), einst zum Gebiet der Leleges gehörig (Strab. 13,1,59), h. Asarlık. Im 5. Jh. v. Chr. wie Euromos und andere kleine kar. Gemeinden Mitglied des → Attisch-Delischen Seebunds, 201/200 Winterquartier Philippos' V. (Pol. 16,24), von den Römern besetzt und 196 für frei erklärt (Pol. 18,2,3; 48,1; 50; Plut. Flamininus 12; Liv. 32,33,6; 33,30,3; 35,2; 39,2). 133 v. Chr. während der Einnahme von Myndos durch

→ Aristonikos auf röm. Seite; es ist unklar, ob sich auf diese Situation die Legende von der Errettung B.s aus großer Gefahr durch eine Epiphanie der Artemis Kindyas bezieht. Das nach der Legende wundertätige Bild der Artemis (Pol. 16,12,3; Strab. 14,2,20) stand in Kindya, einer schon im 3./2. Jh. mit B. verschmolzenen, ca. 7 km östl. gelegenen Siedlung (h. Kemikler). Mitte des 1. Jh. v. Chr. war B. mit fünf anderen karischen Gemeinden bei röm. Bankiers verschuldet. Mz. (mit Artemisbild) sind vom frühen 2. Jh. v. Chr. bis in die Kaiserzeit belegt. Aus B. stammte der epikureische Philosoph Protarchos (2. Jh. v. Chr.), Lehrer des Demetrios Lakon (Strab. ebd.).

Monumente: Ruinen hell.-röm. Zeit um den nördl. der beiden Stadthügel, darunter Fundament und verstürzte Architekturteile eines Tempels, Odeion, Altar, Theater; Spuren einer Stadtmauer, Stoa, Aquädukt. Auf dem südl. Hügel ein byz. Kastell, im Westen Ruinen einer Kirche, im Osten byz. Gebäude, im Norden Sarkophage einer Nekropole.

> Reisekarte Türkiye-Türkei, Türk. Verteidigungsministerium, 1994, Blatt 2 · W. M. CALDER, G. E. BEAN, A classical map of Asia Minor, 1958 · G. E. BEAN, J. M. COOK, The Carian Coast, in: ABSA 52, 1957, 96ff. · G. E. BEAN, Kleinasien 3, 1974, 85ff. · W. BLÜMEL, IK 28, 1f., 1985 · Ders., Neue Inschr. aus der Region von Mylasa (1988), in: EA 13, 1989, 1ff. · MAGIE 2, 907, 944, 952, 958, 965, 1039 · L. ROBERT, Études Anatoliennes, 1937, 459, 463f.   H. KA.

Baria. Heute Vera nahe Villaricos (Prov. Almeria), Stadt der → Bastetani mit starken pun. Einflüssen an der Mündung des río Almanzora. Vielleicht mit den Karthagern verbündet.   P. B.

Seit dem 6. Jh. v. Chr. pun. Hauptstützpunkt für die Erschließung des bed. Minengebietes (Silber, Kupfer, Blei) der Sierra Almagrera. Die über 2000 freigelegten Gräber aus der Zeit vom 6.–1. Jh. v. Chr. sind in Typologie und Grabbeigaben vom karthagisch-pun. Einfluß geprägt.   H. G. N.

Scipio belagerte und eroberte B. 209/208 v. Chr. (Plut. mor. 196b; Val. Max. 2,6,1). Plin. nat. 3,19 bezeichnet B. als *oppidum adscriptum Baeticae*. In einer dem Kaiser → Philippus Arabs gewidmeten Inschr. von 245 n. Chr. (CIL II 5847) nennt sich die Stadt *res publica Bariensium*. B. entsandte einen Presbyter zum Konzil von Illiberis (306 n. Chr.?).

> TOVAR 3, 161–163.   P. B.

Baris Oros (Βάρις ὄρος). Der ant. Name für den höchsten Berg Armeniens (→ Armenia), den Ararat (5165 m). Die quellenmäßige Grundlage hierfür ist Nikolaos von Damaskos, bei Ios. ant. Iud. 1, p. 95; S. 18 NIESE. Das B. O. gehörte der armenischen Landschaft Μινυάς an (h. Manawazeau) und befand sich südwestl. des alten → Artaxata (h. Artašat).

Atlas of the World II. Dardanelles, Bosporus, Turkey East, 1959, Pl. 37.   H.T. und B.B.

Barium (Βάρις). Peuketische Hafenstadt (Βάριον, Atbaris: schol. Hor. sat. 1,5,97; Beroes: Itin. Burdig. 609,15; vgl. Liv. 40,18; Strab. 5,3,8), von Illyrern (Plin. nat. 3,102) oder von Auswanderern von Barra (Fest. s.v.) gegr., an der Kreuzung der Via Traiana mit der Küstenstraße (Hor. sat. 1,5,96–97), h. Bari. Blüte zw. dem 6. und 4.Jh. v. Chr. (vgl. die reiche Nekropole außerhalb der Stadt im Süden nahe der Küste). *Municipium* der *tribus Claudia* (Inschr.: IG XIV 687; CIL IX 282–306).

G. ANDREASSI, S. CATALDI, s.v. Bari, in: BTCGI 3, 1984, 406–428 • F. TATEO (Hrsg.), Storia di Bari, 1989 • G. BERTELLI, s.v. Bari, EAA, Suppl. 2, 2, 1994, 603–604.
                                                          B.G.

BYZANTINISCHE ZEIT

Die Stadt kam Ende des 6.Jh. unter die Herrschaft der → Langobarden, Anf. des 8.Jh. wieder zu Byzanz. Nach zwei Jh. der Wirren ab 876 Residenz des Strategen des Themas Longibardia und später des Katepano (Gouverneurs) des byz. Italiens. Teile seines Palastes sind in der Kathedrale des hl. Nikolaus B. inkorporiert. Vorwiegend lateinsprachig und von Einheimischen und Langobarden bevölkert, beherbergte B. auch Griechen, Juden, Sarazenen und Armenier. 1071 von den Normannen erobert.

G. ANDREASSI, F. RADINO, Archeologia di una città. Bari dalle origine al X secolo, 1988, 499–589 • V. VON FALKENHAUSEN, Bari bizantina, in: G. ROSSETTI (Hrsg.), Spazio, società, potere nell' Italia dei Comuni, 1986, 195–227 • Fr. SCHETTINI, La basilica di San Nicola di Bari, 1967.   G.MA.

Barkas s. Barkiden

Barke (Βάρκη). Griech. Stadt in der → Kyrenaika, 97 km nordöstl. von Benghasi, h. Barka, gegr. Mitte 6.Jh. v. Chr. von Kyrenäern. Getreide und → Silphion ließen B. rasch aufblühen. (Quellen: Hdt. 3,13; 3,91; 4,160–205; Ain. Takt. 37,6f.; Herakl. Pont. 4,2 (FHG II 212); Ps.-Skyl. 108 (GGM I 83); FGrH 115 Theopompos von Chios F 103; Diod. 1,68,2; 18,20,3; Sil. 2,62; 3,251; Polyain. strat. 7,28,1; FGrH 156 Arrianos von Nikomedeia F 9, 16–19; Ptol. 4,4,11; Claud. carm. 15,159f.; Serv. Aen. 4,42; Hesych. s.v. Βάρκη; Steph. Byz. s.v. Βάρκη; schol. Soph. El. 727; Suda s.v. Βαρκαίοις). → Kambyses (529–522 v. Chr.) beließ B. eine gewisse Autonomie. In ptolemäischer Zeit wurde B. von der neugegr. Stadt Ptolemais überflügelt (beide Städte werden gelegentlich verwechselt: Strab. 17,3,20; Plin. nat. 5,32; Serv. Aen. 4,42; Steph. Byz. s.v. Βάρκη; schol. Soph. El. 727; Suda s.v. Βαρκαίοις). In röm. Zeit nur noch ein Dorf.

F. CHAMOUX, Cyrène sous la monarchie des Battiades, 1953 • A. LARONDE, Cyrène et la Libye hellénistique, 1987 • P. ROMANELLI, La Cirenaica romana, 1971 (= 1943).
                                                          W.HU.

Barkiden (Βαρκαῖοι). Angehörige des → Hamilkar Barkas (pun. *hbrq, brk'*, griech. Βάρκας, lat. Barcas, Boccor) »Blitz« [1. 220–221], eine der prominentesten Familien Karthagos, die sich von → Dido herleitete (Sil. 1,71–77) [1.76]. Seit 237 v. Chr. verschaffte Hamilkar mit der (Rück-?)Eroberung Hispaniens [2. 271–273; 3. 26] den B. eine solide Machtbasis; bis zum Abzug des → Mago, des letzten karthagischen Strategen für Iberien, im J. 206 (Liv. 28,36–37; App. Ib. 37,151) [3. 404–409] stellten B. stets einen der dortigen Oberbefehlshaber; allg. besetzten B. im 2. Pun. Krieg fast alle zentralen Kommandostellen. Die B. verbanden sich durch Heiraten mit den karthagischen Familien des → Bomilkar [2] (App. Hann. 20,90) und des »Volksführers« → Hasdrubal (App. Ib. 4,16; Liv. 21,2) [1. 77–78] sowie mit dem numidischen Herrscherhaus (Liv. 29,29) [2. 260] und iberischen Stammesfürsten (Diod. 25,12; Liv. 24,41; Sil. 3,97–106) [1. 77, 79]. Insbes. Hasdrubal, Hamilkars Nachfolger in der iberischen Strategie, intensivierte seit 229 die barkidische Eigenständigkeit mit der Gründung von → Carthago Nova und einer Münzprägung mit seinem Porträt [1. 134]. – »Barcini« und »*factio Barcina*« (Liv. 21,2.3 u.ö.) bezeichnen die polit. Parteigänger der B. mit einem demokratisch-demagogischen Tenor.

1 GEUS 2 HUSS 3 J. SEIBERT, Hannibal, 1993.   L.-M.G.

Die Dynastie der Barkiden

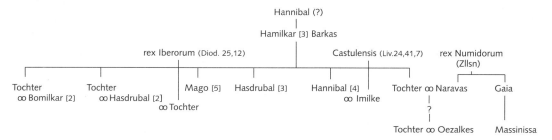

Barlaam und Ioasaph (Βαρλάαμ, Ἰωάσαφ). Griechischer Roman aus byz. Zeit; bezüglich Datierung und Verf. herrscht Ungewißheit (s.u.). Es wird die Gesch. von Ioasaph, einem indischen Prinzen, erzählt; sein Vater, König Abenner, ein Feind des Christentums, war aufgrund von Prophezeiungen, der Sohn werde den neuen Glauben annehmen, in Sorge und befahl ihm, abgeschlossen in einem prunkvollen Palast zu leben, ohne die Leiden der Menschen zu kennen. Trotz der Überwachung gelingt es dem Mönch Barlaam, sich Ioasaph anzunähern und ihn in die christl. Lehre einzuweihen. Als Abenner von der Bekehrung seines Sohnes erfährt, versucht er vergeblich, ihn davon abzubringen; auch die Weisen, die er zur Verteidigung der heidnischen Religion zusammenruft, treten schließlich zum Christentum über. Der König entscheidet sich daher, dem Sohn die Hälfte seines Reiches anzuvertrauen, und Ioasaph zeigt sich als ein sehr gerechter Herrscher, der seinen persönlichen Reichtum an die Armen verteilt. Auch Abenner tritt schließlich zum Christentum über und zieht sich zu einem Leben in Buße zurück. Bei dessen Tode überläßt Ioasaph den Thron einem Vertrauten und kommt einem alten Gelübde nach: Er geht in die Wüste, um dort als Eremit zu fasten, zu beten und in größter Armut zu leben. Er findet schließlich auch den geliebten Barlaam wieder. Als die beiden dann im Abstand von einigen Jahren gestorben sind, werden ihre Leichname in reiche Grüfte überführt und den Christen zur Verehrung aufgebahrt.

Der Roman des B.u.I. ist eine christianisierende Bearbeitung der Buddhageschichte. Das Schicksal des jungen Prinzen entspricht ihr in den Hauptzügen, und auch manche der in den Roman aufgenommenen Lehrfabeln sind christl. und buddhistischen Traditionen gemeinsam. Der Name Ioasaph läßt sich sogar über das arab. Budasaf oder Iodasaf auf das indische Bodhisattva zurückführen.

Die Frage, wann und wie sich die griech. Version der Gesch. von B.u.I. gebildet hat, ist ein heftig diskutiertes Problem (in einem solchen Maße, daß die Forsch. sich weit mehr auf die Ursprungsdiskussion als auf das Studium des Romanes selbst konzentriert hat); man hat an die Vermittlung des Stoffes durch eine verlorene syr. Übers. gedacht oder an eine arab. Bearbeitung, die einer georgischen Version als Vorlage diente, von der dann die griech. Fassung abgeleitet worden sei. Diese Frage hängt eng mit der Frage nach Datierung und Verf. zusammen. In den Lemmata der griech. Hss. wird der Roman fast einstimmig einem Mönch namens Johannes vom Hl. Sabas (einem Kloster im Südosten von Jerusalem, das nach der Überlieferung 483 vom Hl. Sabas gegründet wurde und in dem bis ins 11./12.Jh. Hss. produziert wurden) zugewiesen. In der Gunst der Gelehrten standen jedoch bes. zwei Hypothesen, die sich beide auch auf die Lemmata mancher Hss. stützen konnten: Die Zuweisung an Johannes von Damaskos, woraus sich eine Datierung des Romans in die 1. Hälfte des 8.Jh. n.Chr. ergäbe [1], und die Zuweisung an Euthymios

Iberikos († 1028), der den griech. Text aus einer georgischen Version übers. haben soll, womit die Datierung ins 10.Jh. verlagert würde [2].

Eine neuerliche Unt. des Problems [3] hat ergeben, daß die Überlieferung für keine der beiden Hypothesen entscheidende Beweise liefert, sondern daß verschiedene interne und externe Kriterien auf eine Abfassung um 800 in Palästina weisen, wahrscheinlich im Kloster von Sankt Sabas. Die Verbindungen zur arab. und syr. Kultur einerseits sowie zur kaukasischen andererseits, der apologetische Anspruch (im Roman des B.u.I. wird unter anderem einer der Romanfiguren die Apologie des Ailios Aristeides, des Rhetoren aus dem 2.Jh. n.Chr., in den Mund gelegt), und der Topos der Christenverfolgung und der Bekehrung zum Christentum lassen sich gut mit dem Kontext des damaligen Palästina und der dort produzierten hagiographischen Lit. in Einklang bringen.

Das Nachleben des Romans im MA dokumentieren die gut 140 Hss. und die zahlreichen Übertragungen: Die westliche Überlieferung hängt vor allem von den drei lat. Übers. ab, von denen sich weitere Übers. in die Volkssprachen ableiten, doch sind auch Übertragungen ins Russische, Serbische, Arab. und vom Arab. ins Äthiopische bekannt. Ioasaph wurde in den griech. Heiligenkalender aufgenommen, in den russischen auch Barlaam und Abenner.

→ Roman; Iohannes von Damaskus; Ailios [3] Aristeides

1 F. DÖLGER, Der griech. Barlaam-Roman, 1953
2 P. PEETERS, La première traduction latine de »Barlaam et Joasaph« et son original grec, in: Analecta Bollendiana 49, 1931, 276–312 3 A. KAZHDAN, Where, when and by whom was the Greek B. and Ioasaph not written, in: Zu Alexander dem Großen. FS G. Wirth, hrsg. von W. WILL, 1988, 1187–1209.

H.-G. BECK, Gesch. der Byz. Volkslit., 1971.

M.FU.u.L.G./T.H.

Barnabas. Der aus Zypern stammende, begüterte Levit B. gehörte zeitweilig zum engsten Mitarbeiterkreis des → Paulus und vorher zu den führenden Köpfen der antiochenischen Gemeinde. Nach einer gemeinsamen Missionszeit in Zypern und Galatien mit Paulus kam es zu einem schweren Konflikt zw. beiden, als B. mit anderen in Antiocheia (etwa 48 n.Chr.) die Tischgemeinschaft zw. Juden- und Heidenchristen aufkündigte (Gal 2,11–16). Ob er dann nach Ägypten gegangen ist, wie einzelne Traditionen zu wissen meinen (z.B. Ps.-Clem. Hom. 1, 8,3–15,9), bleibt unsicher (Belege und Diskussion bei [1. 136, 614]). Die Zuschreibung des Hebr an B. durch → Tertullian (de pudicitia 20,2) ist Phantasie.

1 J.E. GOEHRING, B.A. PEARSON (Hrsg.), The Roots of Egyptian Christianity, 1986 2 W.-H. OLLROG, Paulus und seine Mitarbeiter, Wiss. Monographien zum Alten und Neuen Testament 50, 1979. C.M.

Barnabasbrief. Der Verf. des als Brief gerahmten Traktates (CPG I 1050), der zu den sog. → Apostelvätern zählt, nennt sich selbst nicht. Die Hss. sowie christl. Theologen des 2./3. Jh. wie → Clemens und → Origenes (der den Brief als καθολικὴ ἐπιστολή einschätzt: c. Cels. 1,63) geben als Autor den Paulusbegleiter → Barnabas an. Der erste Teil (Kap. 2–16) legt die hl. Schrift (= das AT) auf Gott, Christus und das neue Gottesvolk aus; der zweite (17–20) bietet eine »Zwei-Wege-Lehre« und stellt die Christen vor die Entscheidung zw. dem Weg der Finsternis und dem des Lichtes. Neueste Arbeiten bemühen sich, die theologische Kraft und Originalität des Autors im Umgang mit seinen Quellen herauszuarbeiten, und vermeiden das bisher gängige Vorurteil, der Autor habe vor allem geprägte Traditionen (z.T. aus Testimonien, d. h. bereits vorgeordneten Zusammenstellungen biblischer Texte) kompiliert. Vielleicht ist die Abfassung auf die Jahre nach 130 n. Chr. zu datieren. Der Entstehungsort bleibt unklar (Ägypten, Kleinasien oder Syrien?).

K. WENGST, Tradition und Theologie des B., in: AKG 42, 1971 · J. C. PAGET, The Epistle of Barnabas, WUNT 2.R. 64, 1994 · P. PRIGENT, Les testimonia. L'Épitre de Barnabé I–XVI et ses sources, 1964.   C. M.

Barpana. Insel zw. der etr. Küste und Corsica, evtl. Scoglio d'Affrica (Formica di Montecristo).   G. U.

Barren

I. ÖSTLICHER MITTELMEERRAUM, GRIECHENLAND UND ROM

In verschiedene Formen gegossenes, unbearbeitetes Metall unterschiedlichen Gewichts, das seit der Br.-Zeit als Rohmaterial für die Weiterverarbeitung oder als prämonetäres Zahlungsmittel dient. Gold, Silber und Elektron kommen seit frühester Zeit im östl. Mittelmeerraum als Gußklumpen, kleine Rund-B. (vielleicht Tiegelrückstände) und runde oder eckige Stäbe vor, die bereits Einkerbungen für das Zerteilen aufweisen. Legierte Bronze, Zinn und vor allem Kupfer erscheinen als Gußklumpen, Rund-B., scheibenförmige Fladen, quader- oder kissenförmige B., aus denen Mitte des 2. Jt. v. Chr. die Vierzungen-B. (*Keftiu*-B.) hervorgehen [3]. Die frühen B. tragen eingeschnittene oder gestempelte schriftähnliche Markierungen, die den Herstellungsort oder den Besitzer bezeichnen [3. 13 ff.; 2]. Seit der archa. Zeit geben Stempel die Qualität und Quantität der B. an [6]. Seit dem 1. Jt. v. Chr. kommen Eisen als Fladen (vgl. die πελανοί der Spartaner) und Doppelspitz-B. und Blei als Ziegel- oder Rund-B. vor. Ein in Haltern gefundener B. weist eingravierte Buchstaben auf, die das Gewicht CCIII Pfund (hier nur 64 kg) und mit L XIX die 19. Legion bezeichnen [5].

Die Verwendung der B. als Geld wird z. B. in der Ilias (23,851) und bei Caesar (Gall. 5,12) für Britannien erwähnt [1. 979f.]. Die Entwicklung vom ungeformten Rohmetall mit Geldcharakter zu den Mz. läßt sich gut in Italien verfolgen. Nach Bruchmetall (*aes rude*) folgt das quaderförmige und genormte, in Modeln gegossene *aes signatum* und schließlich das gegossene runde Schwergeld (*aes grave*). In der Spätant. werden mit münzstempelähnlichen Markierungen versehene Gold- oder Silber-B. in Scheiben- oder Doppelaxtform den Soldaten als Donativum gegeben. Sie wiegen etwa 1–3 röm. Pfund [6; 4. 71 ff.; 7. 327 f.].

→ Aes grave; Aes rude; Aes signatum; Donativum; Elektron; Libra

1 REGLING, s. v. Geld, RE 7, 970–984 2 H. G. BUCHHOLZ, Der Kupferhandel des 2. vorchristl. Jt. im Spiegel der Schriftforsch., in: Minoica, FS J. Sundwall, 92–115 3 H. G. BUCHHOLZ, Keftiu-B. und Erzhandel im zweiten vorchristl. Jt., in: PrZ 37, 1959, 1–40 4 J. W. SALOMONSON, Zwei spätröm. Gedenk-Silber-B. mit eingestempelten Inschr. in Leiden, in: Oudh. Meded. Rijkmus. Leiden 42, 1961, 63–77 5 S. VON SCHNURBEIN, Ein Blei-B. der 19. Legion aus dem Hauptlager von Haltern, in: Germania 49, 1971, 132–136 6 H. WILLERS, s. v. B., RGA 2, 70f. 7 H. A. CAHN, Der spätröm. Silberschatz von Kaiseraugst, 1984.

H. WILLERS, Röm. Silber-B. mit Stempeln, in: NZ 30, 1898, 211–235 · Ders., Nochmal die Silber-B. nebst COMOB, in: NZ 31, 1899, 35–50 · Ders., Röm. Silber-B. aus dem Britischen Mus., in: NZ 1899, 369–386 · C. ARNOLD-BIUCCHI, L. BEER-TOBEY, N. M. WAGGONER, A Greek Archaic Silver Hoard from Selinus, ANSMusN 33, 1988, 1–35.   A. M.

II. FRÜHGESCHICHTLICHES MITTELEUROPA

In der kelt. Eisenzeit überwiegen Eisen-B.; nur vereinzelt gibt es B. aus anderen Metallen. Bei den Eisen-B. werden zwei Formengruppen unterschieden, die hauptsächlich im Bereich der kelt. Späthallstatt- und Latènekultur (→ Hallstatt-Kultur) verbreitet sind:
1. Doppelspitz-B., die oft aus mehreren Eisenteilen unterschiedlicher Qualität zusammengeschmiedet wurden;
2. schwertförmige B. Erstere sind ab dem 6. Jh. v. Chr. – auch im Bereich der jüngeren Lausitzer Kultur – nachweisbar und kommen auch noch in der röm. Kaiserzeit und in röm. Lagern vor; letztere datieren vor allem in die Zeit der Oppida (→ Oppidum) des 2./1. Jh. v. Chr. Beide Barrenformen waren vorrangig Rohmaterial zur Weiterverarbeitung in kelt. Schmiedewerkstätten. Häufig tauchen sie in Depots nahe den großen Siedlungen oder Eisenerzzentren auf, wie z. B. die Funde vom Schwanberg (Franken) oder von der Kalteiche im Siegerland zeigen. Sie kommen aber auch als Weihefunde in Flüssen und Mooren vor. Auf den Britischen Inseln sind schwertförmige B. sehr häufig und werden als *taleae ferreae* (Caes. Gall. 5,12) bezeichnet, die auch Zahlungsmittel waren. Eine allg. gültige Normierung nach Form oder Gewicht ist bei den Eisen-B. nicht nachweisbar. Für german. Kulturgruppen sind eigene B.-Formen nicht bekannt.

→ Eisen; Hallstatt-Kultur; Opfer; Rohstoffe

H. Willers, s. v. B., RGA 2, 60–70 · S. Sievers, Die Kleinfunde der Heuneburg, 1984, 73–74 · K. Peschel, Ein B.-Fund der Latènezeit vom Schwanberg im Steigerwald, in: Ber. der Bayerischen Bodendenkmalpflege 30/31, 1989/90 (1994), 137–178.   V. P.

Barsabas (Βαρσάβας). Sapäischer Dynast, Mitte des 2. Jh. v. Chr. Nahm am Feldzug des → Andriskos nach Makedonien teil (Diod. 32,15,7).

Ch. M. Danov, Die Thraker auf dem Ostbalkan von der hell. Zeit bis zur Gründung Konstantinopels, ANRW II 7.1, 1979, 21–185.   U. P.

Barsaentes (Βαρσαέντης). Unter → Dareios Satrap von Arachosia und Drangiana; kommandierte bei der Schlacht von Gaugamela die Arachoten und ihnen benachbarte Inder. Mit → Bessos und → Nabarzanes ermordete er Mitte 330 v. Chr. Dareios, floh dann in seine Satrapie und von dort zu den Indern. Als → Alexandros [4] den Indus erreichte, wurde er an ihn ausgeliefert und hingerichtet.

Berve 2, Nr. 205.   E. B.

Barsch

[1] Meer-B. (λάβραξ, *lupus marinus*). Ein wichtiger, und bes. von der Küste vor Milet (vgl. Athen. 7,311 cd) und aus dem Tiber bei Rom (Hor. sat. 2,2,31; Plin. nat. 9,169; Colum. 8,16,4) geschätzter Speisefisch der Ant., den Aristoteles mehrfach erwähnt, u.a. hist. an. 5,10,543a3 f.; 543b4 bzw. 5,11,543b11 als zweimaligen Winterlaicher (= Plin. nat. 9,162) an Flußmündungen. Eine genauere Beschreibung liefert erst Athen. 7,310e–311e. Er hatte ein gutes Gehör (Aristot. hist. an. 4,8,534a9) und war (l.c. 9,2,610b10f.) Feind der Meeräsche (κεστρεύς), nach Ail. 1,30 und Opp. Hal. 2,128 auch des Heuschreckenkrebses (καρίς). Er wird in Fischteichen gezüchtet (*piscinae*; vgl. die Anekdote über einen verschmähten Meerbarsch aus dem Süßwasser nach Varro, rust. 3,3,9 bei Colum. 8,16, 4); in diesem Zusammenhang betonen Opp. hal. 2,130 und bes. Colum. 8,17,8 seine Gefräßigkeit. Seine Schlauheit (*ingenium* bei Plin. nat. 32,11 nach Ovid) zur Vermeidung des Netzes war bekannt (Opp. hal. 3,121 ff.; Plut. soll. an. = mor. 977f). Galen hält diesen Tiefseefisch für nicht so nahrhaft wie Vierfüßer (nat. fac. 3,25). Sehr realistische Abbildungen finden sich auf einem ant. Fischteller [1. II.350, Abb. 120] und auf Mosaiken aus Pompeji [1. II.392, Abb. 124] und England [1. II.493, Abb. 147]. Der *lupus aquaticus* des 13. Jh. (= *lucius* bei Thomas von Cantimpré 7,48 [2. 264f.]) ist aber als Hecht zu identifizieren.

[2] Fluß-B. (Πέρκη, *lupus fluviatilis*), bes. aus Rhein und Donau (Oreib. 1,121; Ail. 14,23 und 26). Angeblich hält er Winterschlaf (Aristot. hist. an. 8,15,599b8, vgl. Plin. nat. 9,57). Nach Hippokr. de victu 2,12 galt er als sehr trockene Nahrung. Sicherlich auch wegen seiner vielen Gräten wurden ihm seit dem 1. Jh. v. Chr. andere Speisefische vorgezogen (vgl. Colum. 8,16,3), doch be-

zeichnet ihn Gal. nat. fac. 3,27,2 (ed. Helmreich, CMG V,4,2) als gesunde und leicht verdauliche Kost.
→ Fische

1 Keller 2 Thomas Cantimpratensis, Liber de natura rerum, ed. H. Boese, 1973.   C. HÜ.

Barsine (Βαρσίνη). Tochter des Artabazos, Gemahlin des Mentor von Rhodos, dann seines Bruders Memnon. B. wurde nach der Schlacht von Issos in Damaskos gefangen. Sie wurde die Geliebte von Alexander dem Gr. und gebar ihm (wahrscheinlich 327 v. Chr.) den → Herakles. Sie kehrte mit dem Sohn nach Kleinasien zurück, wahrscheinlich bald nach Alexanders Vermählung mit Roxane. 309 wurde sie auf → Polyperchons Befehl in Pergamon ermordet.

Berve 2, Nr. 206.   E. B.

Bart
I. Alter Orient II. Griechenland und Rom

I. Alter Orient

Erwachsene Männer sind im Alten Orient meist bärtig dargestellt, doch können sie wie Götter und Dämonen auch bartlos auftreten, ohne daß uns eine unterschiedliche Bedeutung erkennbar wäre. Die Barttracht bestand aus einem langen oder kurzen Vollbart mit oder ohne ausrasierte Lippenpartie. Der kurze B. schließt unten halbrund oder spitz ab, der lange B. gerade oder halbrund; die auf die Brust fallenden, gewellten Haarsträhnen enden meist in Locken, die bei gestuften Formen dekorative Reihen bilden. Die Wangen- und Kinnpartie ist bei allen Bartformen gekraust. Schnurrbärte bei glattem Kinn sind im Alten Orient nicht bezeugt, doch sind unsere Quellen dadurch einseitig, daß aufgemalte B. und solche aus vergänglichem Material heute weitgehend verloren sind. Schriftlich sind künstliche B. bezeugt, die Herrscher bei bestimmten Anlässen anlegten. Fremdlinge waren häufig durch ungewöhnliche Bartformen oder Bartlosigkeit gekennzeichnet, ebenso gewisse soziale Gruppen; so werden glattrasierte Personen auf neuassyr. Reliefs als Eunuchen angesehen.

J. Börker-Klähn, s. v. Haartracht, RLA 4, 1–22 · K. Watanabe, Neuassyrische Siegellegenden, in: Orient 29, 1993, 109–138 · NABU 1994.3, 60–61.   G. CO.

II. Griechenland und Rom

Nach Ausweis arch. Denkmäler war das Tragen von Bärten in der min. und myk. Kultur weit verbreitet. Die Oberlippe war rasiert, die Wangen mit B.-Haaren bedeckt, die Unterlippe frei, und ein Keil-B. ragte weit nach vorne. Diese B.-Tracht blieb bis in histor. Zeit bestehen (vgl. für Sparta: Plut. Kleomenes 9); ab dem 6. Jh. v. Chr. kommen Ober- und Unterlippen-B. in Mode. Ab dem 5. Jh. v. Chr. wurde zwischen dem der Rundung des Kinns folgenden, kurz zugeschnittenen, lockigen »Strategen-B.« (vgl. sog. »Strategenbildnisse«; → Porträt) und dem eher einem natürlichen Wuchs entsprechenden, kaum frisierten oder zugeschnittenen »Philosophen-B.« (vgl. u. a. Sokrates-Bildnisse) unterschieden. Die männlichen Götter wurden meist bartlos dargestellt; wichtige Ausnahmen sind Zeus und Poseidon. Bartlosigkeit wurde mit Alexander dem Großen (→ Alexandros [4], der Große) eingeführt und ab 300 v. Chr. Mode. Gesetze gegen Bartlosigkeit aus Rhodos und Byzanz (vgl. Athen. 13,565 c; d) blieben wirkungslos. Bärte trugen jedoch vor allem Philosophen.

1. Mykenisch, um 1500 v. Chr.
2. Archaisch-etruskisch, 6. Jh. v. Chr.
3. Klassisch, 5. Jh. v. Chr.
4. Strategenbart, 5. Jh. v. Chr., nach Perikles' Portrait
5. Philosophenbart, 5.–4. Jh. v. Chr., nach Platons Porträt
6. Römischer Kurzbart, 1. Jh. n. Chr.
7. Hadrianisch, 1. Jh. n. Chr.
8. Severisch, 2. H. 2. Jh.–1. H. 3. Jh. n. Chr.

Im etr.-röm. Kulturkreis entsprach anfänglich die B.-Tracht der griech. Mode der Frühzeit. Mit dem Aufkommen der → Barbiere wurde Bartlosigkeit üblich (vgl. aber Ov. met. 13,844), wobei die (tägliche) Selbstrasur (Scipio, Augustus) die Ausnahme war. Mit → Hadrian wurde im 2. Jh. n. Chr. der griech. geprägte »Strategen-B.« wieder vorherrschend (Cass. Dio LXVIII 15,5; SHA Hadr. 26; Ausnahmen: Caracalla, Elagabal), unterlag aber modischen Wandlungen. Die Soldatenkaiser bevorzugten den kurz zugeschnittenen Voll-B. Dieser konnte durch einen B.-Kranz von den Schläfen zum Kinn oder kurzen Ober- und Unterlippen-B. ersetzt werden. Ab Konstantin (→ Constantinus) wurde Bartlosigkeit wieder häufiger.

Der B. galt als lästige Plage (z. B. Anth. Pal. 12,186), aber auch als Zierde des Mannes (Ov. met. 13,844 f.; Musonius Rufus, Reliquiae 21). Ein ordentlich zugeschnittener B. war erstrebenswert (Aristoph. Eccl. 502); nur bei Trauer, Anklage und Verurteilung ließ man ihn lang wachsen (Mart. 2, 36, 3). Der Griff in den B. war ein Bittgestus und bedeutete auch Verlegenheit und Nachsinnen. Sein B. brachte Julian (→ Iulianus) Spott ein, gegen den er sich wehrte (Amm. 22, 14, 9). Das Abschneiden des ersten B. war bei den Römern eine symbolische Handlung beim Eintreten in das Man-

nesalter, die man öffentlich feierte (*depositio barbae*, → Iuvenalia). Philosophen tragen einen langen B. und langes Haar, um ehrwürdiger zu erscheinen (Lukian. de morte peregrini 15) oder aus Gleichgültigkeit gegenüber irdischen Dingen (Aristoph. Av. 1282). Er war u. a. ihr Kennzeichen (Dion. Chrys. 72, 2), und Philosophenschulen konnte man nach der B.-Tracht unterscheiden (Alki. 3, 55).

G. SCHELLE, Geschichte des männlichen Bartes unter allen Völkern der Erde bis auf die neueste Zeit, 1797, 73–84 · A. MAU, s. v. B., RE 3,1, 30–34 · J. FINK, Bärtigkeit griech. Götter und Helden in archa. Zeit, in: Hermes 80, 1952, 110–114 · S. MARINATOS, Haar- und Barttracht, ArchHom, 1 A, 1967, 22–26.   R.H.

Baruch. Nach biblischer Überlieferung Gefährte und Schreiber Jeremias. Ihm kommt in der frühjüd. Überlieferung große Bed. zu. Im apokryphen B.-Buch erscheint er vor allem als Prediger, der Israel zur Buße aufruft, ihm aber auch Trost verheißt. In den B.-Schriften (z. B. im syrBar und grBar, äthiop. B.-Apokalypse) wirkt B. bes. als prophetischer Offenbarungsempfänger, der sogar Jeremia vorgeordnet werden kann, wenn er diesem Gottes Entscheidung mitteilt (syrBar 10,1ff). B. werden sowohl die Ereignisse bis zur Tempelzerstörung und das bevorstehende Endgericht mit dem Anbruch der Heilszeit offenbart (syrBar) wie auch die Geheimnisse der himmlischen Welt (grBar). In der rabbinischen Überlieferung gilt B. sowohl als Prophet wie auch als Priester (u. a. SifBem 78), der als Lehrer Esras in Babylonien verstarb (bMeg 16b). Eine Unterdrückung der Bed. B.s scheint auch im Jeremia-Apokryphon vorzuliegen, wonach B. nach der Zerstörung Jerusalems verschwindet.

P. BOGAERT, Apocalypse de B. Introduction, traduction du Syriaque et commentaire Bd. 1, SC 144, 1969 · L. GINZBERG, Legends of the Jews, 1909–1938, Index s. v. B. · H. H. MALLAU, Art. B./B.-Schriften, TRE 5, 1980, 269–276.   B.E.

Barygaza (Βαρύγαζα ἐμπόριον, Ptol. 7,1,62 und Steph. Byz.), Hafenstadt am Golf von Cambay in Gujarat, alt- und mittelind. Bharukaccha, h. Broach. Bei Peripl. m. r. 43–49 ausführlicher Bericht über Route und Handel; ein Münzfund bestätigt die Angabe über Gültigkeit der indogriech. Münzen [1]. B. war der Hafen von Ozene und sein Handel reichte bis Gandhāra und → Baktria. Wohl identisch mit Βαργόση bei Strab. 15,1,73.

1 J. S. DEYELL, Indo-Greek and Ksaharata Coins from the Gujarat Seacoast, in: NC 144, 1984, 115–127.

B. G. GOKHALE, »Bharukaccha/Barygaza«, in: G. POLLET (Hrsg.), India and the Ancient World History, Trade and Culture before A. D. 650, Orientalia Lovaniensia Analecta 25, 1987, 67–79.   K.K.

Barytonese s. Akzent

Basel s. Basilia

Basileides (Βασιλείδης).
[1] Epikureer (ca. 245–175 v. Chr.), viertes Oberhaupt der → epikureischen Schule (seit 201/0), Lehrer des Philonides von Laodikeia am Pontos. Er studierte Mathematik und trat in Verbindung mit dem Vater des Mathematikers Hypsikles auf, mit dem er in Alexandreia über eine Schrift des Apollonios [13] aus Perge diskutiert. Mit einem anderen Epikureer, Thespis, tritt er in einer Debatte über den Zorn gegen Nikasikrates und Timasagoras auf.

> TEST.: W. CRÖNERT, Kolotes und Menedemos, 1906, 87–89
> LIT.: T. DORANDI, in: GOULET 2, 1994, 91 · M. ERLER, in: GGPh 4.1. 280.   T.D./E.KR.

[2] Nach → Clemens von Alexandreia (strom. 7,106,4) lehrte der unter die Gnostiker eingereihte B. unter Hadrian und Antoninus Pius (117–161 n. Chr.) in Alexandreia. Dabei kommentierte er eine selbst erstellte Evangelienrezension in 24 Büchern. Sein Sohn und Schüler Isidoros setzte die Lehrtätigkeit des Vaters mit eigenen Schriften fort. Die Quellen lassen sich in drei Gruppen gliedern: Neben den wohl authentischen Nachrichten bei Clem. Al. (strom. 2,112–114; 3,1–3; 4,81–83 u. a., angelehnt Origines und die *Acta Archelai*) berichten Irenaeus von Lyon (haer. 1,24,3–7) und Hippolytus von Rom (haer. 7,20–27; 10,14) in stark abweichender Weise. Charakteristisch ist für die als ›christliche, theologische Lehrer und Seelsorger‹ [2. 327] wirkenden B. und Isidoros die Verknüpfung philos. Vorstellungen (dualistische Seelenlehre; Seelenwanderung; Leiden des Menschen aus eigener Schuld) mit biblischer Exegese. Die Verbindungen der außerhalb Ägyptens wenig wirksamen Schule zur valentinianischen Gnosis bleiben unklar, ebenso die Einordnung der von Hippolytos B. zugeschriebenen Emanationslehre [2. 323].

> 1 R. M. GRANT, Place de Basilide dans la théologie chrétienne ancienne, in: Revue des études augustiennes 25, 1979, 201–216 2 W. A. LÖHR, Basilides und seine Schule, 1995 (mit Lit.) 3 E. MÜHLENBERG, s. v. Basilides, TRE 5, 296–301.   J.RI.

Basileios (Βασιλεῖος).
[1] B. der Große, von Kaisareia/Kappadokien.
A. BIOGRAPHIE B. WERKE C. THEOLOGIE

A. BIOGRAPHIE
Zusammen mit seinem jüngeren Bruder → Gregor von Nyssa und seinem Freund → Gregor von Nazianz zählt B. (* um 329/30 als Sohn einer christl. senatorischen Großgrundbesitzerfamilie) zu den sog. drei großen Kappadokiern. Seine Großmutter gab ihm eine erste Einführung in Bibel und Theologie in den Bahnen des Origenismus. Kaisareia/Kappadokien, Konstantinopel und Athen bildeten die weiteren Stationen seiner Ausbildung. In Athen (ca. 349–355) hörte er die Rhetoren → Himerios und → Prohairesios und lernte → Li-

banios, Gregor von Nazianz und den späteren Kaiser → Iulianus kennen. Nach kurzer Zeit als Rhetoriklehrer in Kaisareia wandte er sich 357/358 dem asketischen Leben zu, für ihn mit wahrem evangeliumsgemäßen Christentum und einem wahren philos. Leben (ep. 1,1) identisch. Nach einer Bildungsreise zu den Zentren des Mönchtums ließ er sich auf einem Landgut bei Neokaisareia (Annisi: epist. 14) nieder. Sein asketisches Programm entwickelte er in zunehmender Absetzung vom Konzept der Weltentsagung bei → Eustathios von Sebaste. Seit Anf. der 60er Jahre kam B. stärker in Kontakt mit der allg. kirchenpolit. Entwicklung; er leistete gegen die (Christus subordinierende) homoiische Reichskirchenpolitik des Kaisers → Constantius II. Widerstand. Die ähnlich ausgerichtete Politik des Kaisers → Valens brachte B. ab 364 aus seiner Einsamkeit – zunächst kommissarisch, ab 370 als Bischof und Metropolit von Kappadokien – an die Spitze der Kirche in Kaisareia. Dort bemühte er sich – trotz eines persönlichen Versuches des Kaisers von 372, ihn umzustimmen (Greg. Naz. or. 43,46–53) – um Einigung der nicaeafreundlichen Ortskirchen im Osten wie im Westen des Reiches und entfaltete eine intensive Sozialarbeit. Während das »Einigungswerk« mit dem Westen weitgehend scheiterte, gelang – vor allem nach dem Tod des Valens in der Katastrophe von 378, die zugleich als Desaster seiner Kirchenpolitik empfunden wurde – die Einigung in Kleinasien. 379 starb B. und konnte daher den Triumph seiner Kirchenpolitik auf den Synoden von Konstantinopel 381/382 nicht mehr erleben.

B. WERKE
(Auswahl) Neben dem umfangreichen Briefwechsel [1] verfaßte B. zunächst vor allem asketische Schriften, darunter auch Regeln. Auf 359/60 sind z. B. die später τὰ Ἠθικά gen. Zusammenstellungen von über 1500 nt. Texten zu 80 Regeln [2] zu datieren, eine Kirchenreformschrift, die christl. Identität bilden und bewahren helfen will [so 13]. Die kirchenpolit. Aktivitäten führen zu systematisch-theologischen Schriften, darunter nach 364 drei Bücher gegen → Eunomios [s. 3] und die Schrift über den hl. Geist [4]. Vom berühmten Prediger, der einen bes. Schwerpunkt auf die Sozialethik legte, sind einige Homilien zu verschiedenen Themen überliefert [5]. Eine bes. Wirkung bis in die Neuzeit (bes. in der europ. Renaissance) übte seine ›Schrift an die Jugend über die Lektüre griechischer Literatur‹ [6] aus, die der paganen Kultur einen Platz in asketischer *paideía* anweist. Von seiner origenistischen Orientierung zeugt eine gemeinsam mit Gregor von Nazianz verf. Origenes-Textauswahl, die Ὠριγένους φιλοκαλία [7; 8].

C. THEOLOGIE
In den asketischen Schriften verbindet sich theologisch begründete Kirchenkritik mit dem Bemühen um Kirchenreform, deren Motor für B. das Mönchtum darstellt. In den theologischen Schriften hat B. den ›Abschluß des trinitarischen Dogmas‹ [9] auf der Basis der sog. »neunizänischen« Interpretation des Glaubensbekenntnisses von 325 (in formelhafter Verkürzung: μία οὐσία ἐν τρισὶν ὑποστάσεσιν) vorbereitet.

ED.: **1** CPG II, 2900 **2** CPG II 2877 **3** CPG II 2837:
B. SESBOÜÉ (Hrsg.), Schr. 299/305, 1982, 1983 **4** CPG II
2839 **5** CPG II 2835–2869 **6** CPG II 2867 **7** M. HARL (Hrsg.),
Schr. 302, 1983 **8** E. JUNOD (Hrsg.), Schr. 226, 1976.
LIT.: **9** H. DÖRRIES, De Spiritu Sancto, AAWG III 39, 1956
10 P. FEDWICK (Hrsg.), Basil of Caesarea, 2 Bde., 1981
11 B. GAIN, L'Église de Cappadoce au IVe siècle d'après la
correspondance de Basile de Césarée, 1985
12 J. GRIBOMONT, s. v. Basil of Caesarea in Cappadocia,
Encyclopedia of the Early Church I, 1992, 114 f. **13** W.-D.
HAUSCHILD, s. v. Basilius von Cäsarea, TRE 5, 1980 = 1993,
301–313 **14** K. KOSCHORKE, Spuren der alten Liebe, in:
Paradosis 32, 1991.   C. M.

[2] Stammte aus Spanien (Zos. 5,40,2) und war wahrscheinlich Christ. Er (oder sein gleichnamiger Vater)
war Prokonsul von Achaia (Phot. 65), dann *comes sacra-*
rum largitionum 382–383 n. Chr. unter → Gratianus
(Symm. rel. 34,6; Cod. Theod. 4,20,1; 11,30,40;
12,1,101), schließlich *praef. urbis Romae* 395 (Cod.
Theod. 7,24). Während der Belagerung Roms war er
408 Gesandter des Senats an → Alaricus (Zos. 5,40,2–4).
PLRE 1, 149 Nr. 3.

A. CHASTAGNOL, La préfecture urbaine à Rome sous le
Bas-Empire, 1960, 443 f. · H. P. KOHNS, Versorgungskrisen
und Hungerrevolten im spätant. Rom, 1961, 191 f.   W. P.

[3] Von Seleukeia (Βασίλειος Σελευκείας, ca. 435–
468), Bischof von → Seleukeia (Isaurien). Zu Beginn
des monophysitischen Streites bezog er keine eindeutige Position, nach dem Konzil von → Chalkedon (451)
stand er auf Seiten der Orthodoxie. Zu seinem Werk
gehören Predigten und meist unter den Namen anderer
Autoren tradierte Homilien. Unvollständig überliefert
ist sein Werk über das Leben der hl. Thekla.

ED.: PG 85.
LIT.: B. ALTANER, A. STUIBER, Patrologie, ^8 1978, 335 ·
B. MARX, Procliana, 1940 · DERS., Der homiletische
Nachlaß des B. von Seleukia, Orient. Christ. Period. 7,
1941, 329–369 · G. DRAGON, Vie et miracles de sainte
Thècle (Subsidia hagiographica 62), 1978.   K. SA.

[4] B., Flavius bzw. Anicius Faustus Albinus, 541
n. Chr. letzter *privatus* als Konsul (ohne Kollege), *patri-*
cius (seit 542–565 wurden Konsulate als Postkonsulate zu
seiner Amtszeit gewählt). Floh 546 von Rom nach Konstantinopel (PLRE 3, 174 f.).   H. L.

[5] B. I. (867–886, geb. um 830/36), byz. Kaiser, entstammte einer Bauernfamilie armen. Abkunft im Raum
Adrianopel, Thema (Prov.) Makedonien (daher der
Name der von ihm begründeten »Makedonischen
Dynastie«). Er stieg in Konstantinopel zum Günstling
Kaiser Michaels III. auf, der ihn 866 zum Mitkaiser
krönte; doch ermordete ihn B. am 23./24.9.867 und
übernahm die Herrschaft. Unter ihm wurde der Kampf
gegen die Araber in Kleinasien und Unterit. mit wechselndem Kriegsglück fortgesetzt. Er straffte die Finanzverwaltung, förderte die Bautätigkeit und die Künste
und leitete eine Reform des Rechtswesens ein. Eine im

Auftrag seines Enkels Konstantin VII. verfaßte *Vita* ver-
klärt sein Bild durch legendäre Züge.

LMA 1, 1521 · ODB 1, 260.   F. T.

[6] B. II. (976–1025, geb. 958), byz. Kaiser der »Makedonischen Dynastie«, Ururenkel → B.' I., Mitkaiser
seit 960. Nach dem Tod seines Vaters Romanos II. 963
herrschten zunächst die dynastiefremden Kaiser
→ Nikephoros II. Phokas (963–969) und → Johannes I.
Tzimiskes (969–976). Danach bekriegten B. noch bis
989 die Usurpatoren Bardas Phokas und Bardas Skleros.
989/90 heiratete Fürst Vladimir von Kiev B.' Schwester
Anna und leitete die Christianisierung seines Landes ein.
Seit 986 kämpften die seit 972 unterworfenen Bulgaren
unter dem Armenier Samuel von Ohrid erneut um ihre
Unabhängigkeit. Trotz Samuels plötzlichem Tod 1014
konnte B. erst 1019 Bulgarien dem byz. Reich eingliedern, bei dem es bis 1185 verblieb.

LMA 1, 1522 · ODB 1, 261 f.   F. T.

[7] B. Megalomytes. Epigrammdichter, von dem 32
mehr oder weniger gelungene Rätsel (Anth. Pal. append. 7,47–78 COUGNY) auf uns gekommen sind, die
schmale Berührungspunkte mit Produkten der spätbyz.
Änigmatik von Theodoros Aulikalamos (append.
7,79 f.) bis Michael Psellos (append. 7,34–45) aufweisen.
Über den Autor und sein ungewöhnliches Cognomen
»großnasig« (nach [1]: *cognomen hominis nasi longitudine*
conspicui) ist nichts bekannt; eine Datierung vor das
10. Jh. n. Chr. ist ziemlich unwahrscheinlich.

1 J. F. BOISSONADE, Anecdota Graeca, 3, 1831, Ndr. 1962,
437–452.   E. D. / T. H.

Basileus (βασιλεύς).
I. MYKENISCHE ZEIT BIS HELLENISTISCHE
MONARCHIEN   A. MYKENISCH
B. HOMERISCH   C. ARCHAISCH   D. KLASSISCH
E. HELLENISTISCHE MONARCHIEN   II. SPÄTANTIKE

A. MYKENISCH
Das üblicherweise mit »König« übersetzte Wort *b.*
stammt wohl aus dem vorhellenischen Substrat und ist
etym. noch nicht befriedigend geklärt.

Die myk. Form *qa-si-re-u* ist sicher mit βασιλεύς
identisch, bezeichnet aber nicht den Souverän eines
Königreichs (er trägt den Titel *wa-na-ka*), sondern einen
deutlich geringeren Rang. *Qa-si-re-u* und die Ableitung
qa-si-re-wi-ja finden sich etwa 20 mal in den Linear-B
Archiven aus Knosos, Pylos und Theben. Die Kürze
und Lückenhaftigkeit der Texte läßt jedoch keine präzise Analyse der Funktionen zu: Drei *qa-si-re-we* von
Pylos haben mit der Vergabe von Bronze an Schmiede
zu tun. Sie sind aber kaum Vorarbeiter oder »Zunft-
meister«, da sie nur bei drei von 21 Gruppen erwähnt
werden, sondern eher lokale Würdenträger, die zuweilen die Waffenherstellung für den Palast kontrollieren.
Einer der obigen *q.* ist mit seinem Sohn erwähnt (PY Jn

431,1), was auf die mögliche Erblichkeit der Zuständigkeitsbereiche schließen läßt. Das in Pylos, Knosos und Theben bezeugte Kollektivwort *qa-si-ri-wi-ja* (fem.) bezeichnet eine von einem *q.* abhängige männliche Gruppe (in Knosos sind 23 Personen belegt, KN As 1516, Z. 12–20). In Pylos (PY Fn 50 und Fn 867) wie in Kossos (KN K 875) sind diese Gruppen Priestern oder Betreuern von Heiligtümern zugeordnet; vielleicht haben sie selbst rel. Charakter. In einer der vier *ke-ro-si-ja* (wohl: γερουσίαι) von Pylos (PY An 261 und 616) trägt die Person an der Spitze, *a-pi-qo-ta*, den gleichen Namen wie der mit der Bronzezuteilung beschäftigte *q.* (Jn 431–6). Falls es keine Homonymie ist, leitet ein *q.* eine Gruppe von Ältesten.

Vermutlich haben die *qa-si-re-we*-βασιλεῖς den Zusammenbruch des Palastsystems überdauert, weil sie die Verarbeitung von Bronze kontrollierten, eine Rolle in der Religion spielten und in ein weites, z.T. vom Palast unabhängiges Beziehungsnetz eingebunden waren.

B. HOMERISCH

Anders als ἄναξ (*ánax*), das monarchische Autorität in einem → *oíkos* und in einem Königreich bezeichnen kann, ist *b.* immer ein polit. Titel, bes. einer Person an der Spitze einer übergreifenden polit. Gemeinschaft, z.B. einer → *pólis*, einer Volksgruppe oder eines Heeresaufgebots der Achaier. Der kollektive Plural βασιλῆες steht bei Gruppen von Ältesten, die den B. umgeben und öffentlich beraten.

Gemeinsam ist dem *b.* und den βασιλῆες der Besitz des γέρας (*géras*), das konkrete Privilegien (etwa das Wahlrecht bei der Beuteteilung) und metonymisch auch die Autorität des B. (Hom. Il. 20, 182; Od. 11,175 und 184; 15,522) oder der Ältesten (Hom. Od. 7,150) meint; es ist meist erblich, wird aber grundsätzlich als vom Volke stammend betrachtet.

Zwar wird die Übers. von *b.* mit »König« oft abgelehnt, doch findet sich kaum ein besserer moderner Begriff für die *b.* an der Spitze polit. Gemeinschaften mit im allgemeinen erblicher Autorität, die durch ein Szepter dokumentiert wird. Dennoch ist diese »Königsherrschaft« nicht gleichbedeutend mit »Monarchie«.

Der homer. König ist weder Autokrat noch Magistrat. Er trifft die letzte Entscheidung, aber er tut dies öffentlich, nach Beratung mit dem Rat und oft vor versammeltem Volk: das Volk hört zu, König und Älteste schlagen vor, der König ordnet an.

Das Königtum als Institution erscheint in Ilias und Odyssee, es zeigen sich aber große Unterschiede bei der Gestaltung der Königsherrschaft. In der Ilias weisen die beiden bedeutendsten Könige, → Agamemnon und → Hektor, gravierende Schwächen auf, die damit erklärt werden, daß die Götter keinem Sterblichen, auch nicht den Königen, alle guten Gaben verleihen (Hom. Il. 9,38 f.; 13,727–734). In der Odyssee wird dagegen der vollkommene Sieg eines legitimen Königs gefeiert, der zudem eine außerordentliche Persönlichkeit ist.

Kohärenz und Realitätsnähe der homer. Darstellung beweisen noch nicht die Existenz eines derartigen polit.

Systems zur Zeit Homers. Erst die Konfrontation der Epen mit weiteren Hinweisen auf die Struktur des archa. Königtums stützt die Vermutung, daß die homer. Form großenteils der histor. Form des Königtums zur Entstehungszeit des Epos oder etwas früher (9.–8. Jh. v. Chr.) entspricht.

C. ARCHAISCH

Kollegien von *b.* mit rel. und häufig richterlichen Funktionen sind bezeugt in Athen (φυλοβασιλεῖς), Thespiai, Kos, Milet, Chios, Methymna, Eresos, Mytilene, Nesos und Kyme, im *koinón* der Eleier und in der ion. Dodekapolis. Sie erinnern weithin an die Ratsgremien der homer. βασιλῆες. Einzelne Träger des Titels *b.* sind in klass. Zeit in 30 Städten und zwei Staatenbünden belegt (ion. Zwölfstädtebund, Thessalien). Erbliches Königtum hielt sich in Kyrene bis ca. 440 v. Chr., in Sparta (als Doppelkönigtum) bis zum Ende des 3. Jh. v. Chr. In Ephesos und Skepsis behielten die Mitglieder des alten königlichen *génos* den Titel »Könige«.

Die meisten *b.* sind jährlich gewählte oder erloste Beamte, die fast immer rel. Befugnisse haben und bes. in den ältesten und geheimsten Kulten der Stadt auftreten (für Athen: [Arist.] Ath. Pol., 57,1). Etwa in Chios (SGDI 5653, 5662) tritt zur rel. Funktion direkt richterliche Kompetenz; die Zuständigkeit in Mordprozessen ist nur für Athen bezeugt ([Arist.] Ath. Pol. 57, 2–4); ebenso haben die Vorrechte der spartanischen Könige in Bezug auf Adoptionen und Erbtöchterrecht (*patrōchroi*, Hdt. 6,57) keine Parallele. Bei den mil. Befugnissen der B. zeigt sich, daß der Oberbefehl immer bei erblichen Königen (Kyrene, Sparta, Argos bis auf Meltas, den Enkel des Pheidon) oder auf Lebenszeit amtierenden liegt (Thessalien, Argos nach Meltas). Aristoteles (Pol. 1285b) sah in den *b.* der griech. Poleis die schwachen Erben früherer königlicher Dynastien und bietet damit die einfachste und befriedigendste Erklärung.

Die Lokalgeschichten der meisten Städte kennen Königsgeschlechter aus der Zeit nach dem Troianischen Krieg (Ausnahme bei Paus. 9,1,2). Diese histor. oder pseudo-histor. Konstruktionen sind in der Regel gleichartig aufgebaut: Anfangs breite detaillierte Erzählungen der Entstehung von Dynastien, ihrer ersten Eroberungen und ersten Taten (»Rückkehr« der Herakliden, Ablösung der Theseusfamilie durch Melanthos und Kodros, Ionische Wanderung unter Führung der Neleiden). Anklänge findet man schon bei Tyrtaios (fr. 2 DIEHL), Mimnermos (fr. 12 DIEHL) und Alkaios (LOBEL-PAGE, fr. 12 D). Diese Geschichten sind wohl gleichzeitig mit den großen ep. Zyklen im 8. Jh. entstanden. Dann geraten ab der 2. oder 3. Generation Dynastien in völlige Vergessenheit; häufig behaupten die Quellen, die Dynastien hätten bis zu ihrem Sturz weiter kontinuierlich bestanden. Manchmal versuchen phantasievolle Gelehrte oder um Ansehen bemühte Aristokraten, mit zusammengefügten Genealogien und Königslisten das totale Fehlen einer Überlieferung zu verschleiern. Schließlich tauchen in den Berichten über das 8. und 7. Jh. wiederum zahlreiche Könige auf. Obwohl relativ spät überliefert (Strab., Nikolaos von Damascus, Plut. und Paus.), weist ihre Verbreitung und Vielfalt auf alte, unabhängig entstandene lokale Überlieferung. Es ist deshalb wahrscheinlich, daß die frühen Gemeinschaften und Poleis von Königen regiert worden sind, deren Position sich vermutlich nicht grundsätzlich von der der homer. Könige unterschied.

Die Vertreibung königlicher Dynastien ist häufig von Gewalt und langdauernden Konflikten begleitet: Die Überlieferung zeigt klar, daß das Königtum der Hocharchaik nicht »in Anmut« ausklang. Kann man ein dynastisches Königtum am Ende der geom. Zeit Griechenlands nahezu für sicher halten, so bleibt die polit. Struktur der Dark Ages (1100–800) rätselhaft. Der Vermutung, damals sei jede Form von Staatlichkeit verschwunden, steht die von der ep. Tradition wach gehaltene Erinnerung an das achäische Königtum und das Modell der benachbarten östl. Monarchien gegenüber.

D. Klassisch

Im klass. Griechenland bezeichnet *b.* ohne weitere Spezifizierung den Perserkönig (ὁ βασιλεύς). Griech. Autoren unterscheiden betont die Barbaren als Sklaven eines Monarchen von den freien Griechen, die nur dem Gesetz gehorchen (Aischyl. Pers. 192–95; Hdt. 7,104). Gleichwohl wird am Ende des 5. und während des 4. Jh. die Monarchie Gegenstand polit. Reflexion, indem eine pervertierte Form, die → Tyrannis, von einer richtigen Form, der βασιλεία (*basileía*), abgegrenzt wird.

Platon preist im *Politikós* (292d –297b) die Herrschaft eines »königlichen Mannes« (βασιλικὸς ἀνήρ), der aufgrund seiner Kenntnis des Guten und seines sicheren Urteils besser als das generelle und rigide Gesetz die Gerechtigkeit in der → Polis verwirklichen könne. In den ›Gesetzen‹ jedoch scheint er das königliche Wissen für unerreichbar zu halten und nimmt, wie schon Herodot (3,80), den Gedanken auf, eine Monarchie mit unbeschränkter Gewalt verfalle notwendig der ὕβρις (*hýbris*, leg. 713c und 875c). Aristoteles nennt im 3. Buch der ›Politik‹ fünf Formen des Königtums: das lakonische Königtum, ein Heerführertum auf Lebenszeit; das Königtum bei den Barbaren; die Aisymnetie als eine Form der gewählten Tyrannis; das Königtum der heroischen Zeit und die *pambasileía*, in der ›ein einziger Mann die souveräne Gewalt über alles hat‹ (Pol. 1285b 28–33). Aristoteles will gegen Platon zeigen, daß die Herrschaft der Gesetze der eines Menschen vorzuziehen ist (bes. pol. 1287a 30). Die *pambasileía* stehe in flagrantem Widerspruch zur Polis als Gemeinschaft von Gleichen. Nur eine Person, deren Verdienste größer sind als die aller anderen zusammen, sei ›wie ein Gott unter den Menschen‹. Dann sei es gerecht, wenn ihm alle gehorchen (pol. 1284a 3–17; 1284b 22–34; 1288a 15–29).

Trotz der Bed. des Königtums in der polit. Theorie wäre es übertrieben, dahinter monarchistisches Denken zu vermuten oder dies gar aus einer »Krise der Polis« abzuleiten; denn die Monarchie faßt im ägäischen Griechenland kaum Fuß. Überraschend ist aber der wachsende Einfluß, den Könige aus den Randgebieten der griech. Welt ausüben: Euagoras und Nikokles auf Zypern, Iason in Thessalien, die Könige in Makedonien. Im *Philippos* fordert Isokrates den Makedonenkönig Philipp II. auf, die Griechen auszusöhnen und gemeinsam gegen die Perser zu ziehen; wenig später wird Philipp im Korinthischen Bund zum *hēgemōn* der Griechen.

Lange zuvor hatte → Xenophon in seiner *Kyrupädie* die Eroberung eines Reiches durch einen wohlerzogenen und mit seinen Truppen eng vertrauten Fürsten, dann den unausweichlichen Wandel der Königsmacht zu absoluter despotischer Gewalt und schließlich den Untergang geschildert. Die *Kyrupädie* macht Besorgnis wie Begeisterung über eine griech. Eroberung des Ostens deutlich.

E. Hellenistische Monarchien

Das maked. Königtum der Argeaden vor Philipp II. ist wenig bekannt. Es fand seine Grenzen in der Widersetzlichkeit der halbabhängigen Dynasten Obermakedoniens. Erst die militärischen Erfolge Philipps II. und die Eingliederung Obermakedoniens verstärkten die Autorität des Königs. Alexander der Gr. (→ Alexandros [4]) wurde durch seine Siege zum Nachfolger des Achaimenidenkönigs. Seine Idee eines universalen Königtums über Makedonen, Griechen und Perser brach mit seinem Tod 323 v. Chr. zusammen. Seine Generäle nahmen seit 306 den Titel von βασιλεῖς in einzelnen, miteinander scharf konkurrierenden Gebieten des Reichs an; im Laufe des 3. und 2. Jh. nahm die Zahl der Könige hauptsächlich durch den Zerfall des Seleukidenreiches zu.

Die hell. Könige herrschten über unterschiedliche Untergebene in unterschiedlicher Weise, gaben sich aber alle als Makedonen und ließen sich ihr Königtum fast immer durch eine Versammlung von »Makedonen« durch Akklamation bestätigen, obwohl die Herkunft dieser Truppen meist nur fiktiv »maked.« war. Nur in Makedonien selbst spielte die maked. Tradition noch eine wichtige Rolle: Die Antigoniden führten den Königkult nicht ein; einige Makedonen beriefen sich auf den maked. *nómos* und das Recht der freien Rede (Pol. 5,27). Der Unterschied zeigt sich im Gebrauch der Titel: Während die Antigoniden »Könige der Makedonen« sind, heißen die anderen Herrscher einfach Βασιλεύς Ptolemaios, Βασιλεύς Seleukos oder Βασιλεύς Attalos, so daß die Unterscheidung in nationales und persönliches Königtum (A. Aymard) gute Gründe hat.

Als Nachfolger Alexanders gründen die hell. Könige ihre Herrschaft auf das »Recht des Speererwerbs«, doch sicherte dies noch nicht Gehorsam und Treue der Eroberten. Gestützt auf lokale Priesterschaften präsentierten sich Lagiden und Seleukiden als ägypt. oder asiatische Könige in der Tradition der Pharaonen oder der Könige von Babylon.

Trotz der Unterschiede zeigen die hell. Monarchien grundlegende gemeinsame Züge: Alle Könige sind von einem stark gegliederten Hofstaat umgeben (»Freunde« oder »Verwandte« des Königs usw.), verfügen über eine umfangreiche Verwaltung, bes. zur Eintreibung von Steuern, und alle Könige erlassen Gesetze per Edikt (*prostágmata*) und tun ihren Willen durch → Briefe kund. Der hell. König gilt als »lebendes Gesetz« (*nómos empsychós*), er ist Quelle des Rechts und keine Rechenschaft schuldig; seine Macht ist insofern absolut.

Die Ideologie des hell. Königtums zeigt eine bemerkenswerte Konvergenz griech. und östl. Konzepte. Das Lob des Königs als Retter (σωτήρ, *sōtér*) nimmt sehr alte oriental. Themen auf, läßt aber auch den Nachklang griech. Mythen spüren. Im Preis des Siegescharisma, seiner Vernunft und Gerechtigkeit, seines Wohlwollens, seiner Güte und Freigiebigkeit finden sich eben die Tugenden, die Aristoteles in der → Nikomachischen Ethik behandelt und die Isokrates den Königen Euagoras und Nikokles zuschreibt. Zahlreiche Traktate über das Königtum sind verloren, allein der Aristeasbrief mit der jüd. Sicht des hell. Königtums und die später überarbeiteten pythagoreischen Traktate geben eine Vorstellung von den polit. Inhalten.

Der Herrscherkult zeigt sehr unterschiedliche Formen: In Makedonien fehlt er völlig; in Ägypten verbindet er sich mit den ägypt. Göttern in den ägypt. Heiligtümern; griech. Städte gestalten mehr oder weniger freiwillig Feste und Tempel; dynastische Kulte entstehen, sei es für die Vorfahren, sei es für den König selbst (die Aufzählung ist keineswegs vollständig). Die verschiedenen Formen deuten auf eine überall ähnliche Sorge: Das wohltätige Wirken einer Person zu sichern, deren Macht ihr den Anschein eines Gottes gibt, eines nahen und wirkenden Gottes, der den fernen Göttern sogar überlegen ist (Athen. 6, 253; Duris von Samos, FGrH 2 A, Nr. 76, fr. 14). Mag dahinter häufig auch Schmeichelei stehen, so zeigt sich auch tiefe Loyalität von Griechen und Nicht-Griechen zu den hell. Dynastien: Der Widerstand gegen die Römer entsteht häufig im Umkreis von Königen (Perseus, Mithradates) oder Anführern, die vorgaben, königlicher Herkunft zu sein (Andriskos, Aristonikos).

MYKENISCH: F. GSCHNITZER, ΒΑΣΙΛΕΥΣ. Ein terminologischer Beitrag zur Frühgesch. des Königtums bei den Griechen, in: FS für L.C. Franz, 1965, 99–112 · P. CARLIER, Qa-si-re-u et qa-si-re-wi-ja in Politeia, Society, and State in the Aegean Bronze Age, in: Aegaeum 12, 1995, 355–364. HOMERISCH: E. BENVENISTE, Le vocabulaire des institutions indo-européennes II, 1969, 5–95 · P. CARLIER, La Royauté en Grèce avant Alexandre, 1984, 135–230 · S. DEGER, Die Herrschaftsformen bei Homer, 1970 · M. DELCOURT, Oedipe ou la légende du conquérant, 1944 · M. I. FINLEY, Die Welt des Odysseus, ²1979 · F. GSCHNITZER, Zur homer. Staats- und Gesellschaftsordnung, in: J. LATACZ (Hrsg.), 200 Jahre Homer-Forsch., 1991, 182–204 · CH. ULF, Die homer. Ges., 1990. ARCHAISCH: P. BARCELO, Basileia, Monarchia, Tyrannis (=Historia-Einzelschriften 79), 1993 · P. CARLIER, La Royauté en Grèce avant Alexandre, 1984, 233–514 · F. CHAMOUX, Cyrène sous la monarchie des Battiades, 1953 · W. DONLAN, The Pre-State community in Greece, in: SO 64, 1989, 5–27 · R. DREWS, B. The evidence for kingship in geometric Greece, 1983 · F. PRINZ, Gründungsmythen und Sagenchronologie, 1979 · C. G. STARR, The Decline of Early Greek Kings, in: Historia 10, 1961, 129–138. KLASSISCH: P. CARLIER, L'idée de monarchie impériale dans la Cyropédie de Xénophon, in: Ktéma 3, 1978, 133–163 · Ders., La notion de pambasileia dans la pensée politique d'Aristote, in: Aristote et Athènes, 1993, 103–118 · W. EDER, Monarchie und Demokratie im 4. Jh. v. Chr., in: Eder, Demokratie, 153–73 · H. KEHL, Die Monarchie im polit. Denken des Isokrates, 1962 · K. STEGMANN VON PRITZWALD, Zur Gesch. der Herrscherbezeichnungen von Homer bis Platon, 1930 · K. F. STROHEKER, Zu den Anfängen der monarchischen Theorie in der Sophistik, in: Historia 2, 1953/54, 381–412. HELLENISTISCHE MONARCHIEN: A. AYMARD, Etudes d'hist. anc., 1967, 74–163 · E. BIKERMAN, Les institutions des Séleucides, 1938 · L. CERFAUX et J. TONDRIAU, Le culte des souverains dans la civilisation gréco-romaine, 1956 · L. DELATTE, Les traités de la Royauté d'Ecphante, Diotogène et Sthenidas, 1942 · H. J. GEHRKE, Der siegreiche König, in: AKG 64, 1982, 247–277 · G. R. GOODENOUGH, The political philosophy of Hellenistic Kingship, in: YClS 1, 1928, 55–102 · P. GOUKOWSKY, Essai sur les origines du mythe d'Alexandre, 2 Bde., 1978–1981 · CH. HABICHT, Gottmenschentum und griechische Städte, ²1970 · F. HAMPL, Der König der Makedonen, 1934 · M. HATZOPOULOS, Les institutions macédoniennes, 1996 · L. MOOREN, The nature of Hellenistic monarchy, in: Studia hellenistica 27, 1983, 205–240 · C. PRÉAUX, Le monde hellénistique 1, 1975 · W. SCHUBART, Das hell. Königsideal nach Inschr. und Papyri, in: APF 12, 1937, 1–26 · F. TAEGER, Charisma 1, 1957 · WELLES.   P. CA.

II. SPÄTANTIKE

B. war seit der Zeit → Constantinus' I. in Lit. und Alltagssprache des griech. Ostens zur Bezeichnung des röm. Kaisers gebräuchlich, während für andere (»barbarische«) Könige nun das lat. ῥήξ (*rex*) verwandt wurde. In offiziellen Dokumenten hingegen erschien der röm. Kaiser als → Autokrator und nur der Perserkönig als *b.* Der Sprachgebrauch, die Benennung der biblischen Könige (in der Septuaginta) als *b.*, hell. Theorien vom Königtum und sein endgültiger Sieg über die Perser könnten Kaiser → Herakleios unter anderem veranlaßt haben, sich erstmals in der Intitulatio einer Novelle des Jahres 629 *b.* zu nennen. Im numismatischen Bereich erscheint der Titel erstmals auf Silbermünzen Leons III. (717–741) und Goldmünzen Constantinus' VI. (780–797). Schon im 7. Jh. findet sich auch die umgangssprachlich längst eingebürgerte Verbindung β. Ῥωμαίων (*B. Rhomaíōn*) als Selbstbezeichnung des Kaisers in offiziellen Dokumenten. Sie gewann an Bed., seit Byzanz Karl dem Gr. 812 den Titel *b.* ohne Zusatz zugestand, und erschien wohl deshalb unter dem damaligen Kaiser Michael I. (811–813) erstmals auf Münzen. In bestimmten Formen der Kaiserurkunde (vor allem im χρυσόβουλλος λόγος, der Privilegienurkunde) erscheint β. Ῥωμαίων als Selbstbezeichnung des Kaisers im Protokoll (als Intitulatio) und in seiner eigenhändigen Unterschrift, gewöhnlich in erweiterter Form wie z. B. πιστὸς β. (καὶ) αὐτοκράτωρ Ῥωμαίων (*pistós b. kai autokrátor Rhomaíōn*) und anderen Kombinationen. Außer den Kaisern des Westens beanspruchten bulgarische Herrscher seit dem 10. und serbische im 14. Jh. den *b.*-Titel. Im Laufe des 12. Jh. wurde die inoffizielle Bezeichnung *b.* auch für andere ausländische Herrscher üblich.

LMA 1, 1523 · ODB 1, 264 · E. CHRYSOS, The Title ΒΑΣΙΛΕΥΣ in Early Byzantine International Relations, in: Dumbarton Oaks Papers 32, 1978, 29–75 · G. RÖSCH, Ὄνομα βασιλείας, 1978 · I. SHAHID, On the Titulature of the Emperor Heraclius, in: Byzantion 51, 1981, 288–296.
F. T.

Basilia (Basel).

I. KELTISCH

Das röm. B. hatte eine kelt. Vorgängersiedlung, die von → Helvetii bzw. → Rauraci bewohnt war. Zunächst gab es während der 2. H. des 2. Jh. v. Chr. in der Rheinebene (Basel-Gasfabrik) eine große, offene Siedlung mit zugehörigem Brandgräberfeld. In der 1. H. des 1. Jh. v. Chr. besteht auf dem Münsterhügel ein mit einem *murus gallicus* befestigtes → Oppidum, das möglicherweise beim Helvetierauszug 58 v. Chr. verlassen wurde.
→ Befestigungswesen; Keltische Archäologie

E. MAJOR, Gallische Ansiedlung mit Gräberfeld bei Basel, 1940 · A. FURGER-GUNTI, Die Ausgrabung im Baseler Münster, 1, 1979 · S. RIECKHOFF, Süddeutschland im Spannungsfeld von Kelten, Germanen und Römern, 1995, bes. 169–182.
V. P.

II. RÖMISCH

Die geogr. Lage von B. im Stammesgebiet der kelt. Raurici ist durch die Richtungsänderung des Rheins von Westen nach Norden und durch den Schnittpunkt prähistor. Straßen aus Frankreich, Jura und Alpen bestimmt (erstmals erwähnt bei Amm. 30,3,1 für 374 n. Chr.). Früheste röm. Besatzung im Drususkastell auf dem Münsterhügel (ca. 15 v. Chr.). Geschützt durch die Abhänge zu Rhein und Birsig sowie durch eine Sperrmauer in der h. Bäumleingasse, entwickelte sich das röm. Lagerdorf zum *vicus*. Das spätröm. *castrum* entspricht dem Grundriß des h. Münsterplatzes. Seit dem 4. Jh. hieß B. *Civitas Basiliensium*, seit dem 7. Jh. war B. Bischofssitz.

F. STAEHELIN, Die Schweiz in röm. Zeit, ³1948, 45–611 · R. FELLMANN, Basel in röm. Zeit, 1955 · W. DRACK, R. FELLMANN, Die Römer in der Schweiz 1988, 354–360 · G. WALSER, Röm. Inschr. in der Schweiz 2, 1980, 190 ff.
G. W.

Basilica (Bautyp) s. Basilika

Basilica Aemilia. Geläufige Bezeichnung der Basilica an der Nordost-Ecke des → Forum Romanum in Rom; zunächst auch als → Basilica Fulvia (Varro, ling. lat. 6, 4) oder Basilica Aemilia et Fulvia (Liv. 40, 51, 5) bekannt, ab 55 v. Chr. dann auch als → Basilica Paulli (Plut., Caes. 29). Die Benennung als B. A. gründet sich auf die Häufung von Baumaßnahmen der *gens Aemilia* (78, 54, 34, 14 v. Chr. sowie 22 n. Chr.).

Die Forschungsdifferenzen über dieses Bauwerk haben in unterschiedlichen Beurteilungen der Bauaktivitäten des L. → Aemilius Paullus Lepidus ihren Ausgangspunkt, der die B. A. wohl im Jahr 54 v. Chr. als Ädil begonnen hat (Cic., ad Att. 4, 16, 8). Man hat meist angenommen, daß dabei die B. A. et Fulvia im Nordosten des Forum Romanum restauriert und zugleich derjenige Bau begonnen wurde, der später zur → Basilica Iulia wurde. Unstrittig ist, daß die Basilica Paulli die Stelle der Basilica Fulvia einnahm; nach E. STEINBY war dies jedoch nicht das Gebäude im Nordosten des Forum Romanum, sondern Lepidus habe eine B. A. in der Mitte des Forums restauriert, während die sehr prachtvolle Basilica Paulli an der Nordost-Ecke des Forum Romanum ein Neubau war. Dagegen spricht, daß im Jahre 22 n. Chr., als M. Aemilius Lepidus vom Senat die Erlaubnis erbat, die Basilica Paulli restaurieren und schmücken zu dürfen (Tac. ann. 3, 72), von *aemilia monumenta* die Rede ist. Wegen der Abstammung des Aemilius Paullus aus der *gens Aemilia* wird die Basilica Paulli heute allg. mit der B. A. gleichgesetzt.

E. M. STEINBY, in: LTUR 1, 167–168 · RICHARDSON, 54–56 (s. v. Basilica Paulli).
R. F.

Basilica Argentaria. Stadtröm. Basilica, in konstantinischer Zeit erwähnt (Cur. Reg. VIII) und inschriftl. auch als *basilica vascularia* bezeichnet (CIL 9, 3821); der Name stammt wahrscheinlich von hier ansässigen Silberhändlern (*argentarii vascularii*; Schol. Hor. epist. 1, 1, 53). Die B. A. verband die Südwest-Exedra des Trajansforums mit dem Caesarforum, dessen Nordwesthalle sie nach zwei Treppen auf höherem Bodenniveau fortsetzte.

Die an den Hallen des Caesarforums orientierten Schiffe wurden durch Pilaster geteilt; in das hintere Schiff ragte als Rückwand schräg die domitianische Terrassierungsmauer des Kapitolshügels. Die zwei Stockwerke besaßen je zwei Serien von Kreuzgewölben. Möglicherweise nach dem großen Brand von 283 n. Chr. erhielten die Pilasterreihen des hinteren Schiffes sowie die Rückwand ein flacheres System aus Ziegelpilastern und -bögen, die über einem neu eingezogenen Kreuzgewölbe ein Zwischengeschoß trugen. In die weiß stuckierten neuen Bauglieder wurden Graffitti eingeritzt, die vorwiegend Namen und Verse aus Vergils Aeneis wiedergeben.

C. MORSELLI, in: LTUR 1, 169–170 · RICHARDSON, 50 f.
R. F.

Basilica Constantiniana (Basilica Nova; Maxentiusbasilica). Die von Maxentius begonnene, von Konstantin vollendete B. C. in Rom (Aur. Vict. Caes. 40, 26) knüpfte an frührepublikanische Lokaltraditionen im

Bereich der Velia an. Die Grundfläche von 100 × 65 m wird von einem 80 × 25 m messenden Mittelschiff dominiert. Betretbar durch fünf Türen einer flachen Eingangshalle an der östl. Schmalseite, endete das Mittelschiff westl. in einer Apsis mit der akrolithen Sitzstatue Konstantins (Fragm. erh., Rom, KM). In einer späteren Bauphase erhielt der mittlere Raum auf der Nordseite eine flachere Apsis mit Statuennischen. Gegenüber im Süden öffnete man einen neuen Eingang, gerahmt von einer Vorhalle auf Porphyrsäulen. Die drei Kreuzgewölbe des Mittelschiffes ruhten auf 14,50 m hohen Marmorsäulen und gehörten mit 35 m Scheitelhöhe zu den größten derartigen Konstruktionen in Rom überhaupt. Eine der Säulen stellte Papst Paul V. 1613 vor S. Maria Maggiore auf.

F. COARELLI, in: LTUR I, 170–173 · RICHARDSON, 51–52 (Lit.).   R. F.

Basilica Fulvia. In Rom auf Anweisung der Zensoren M. Aemilius Lepidus und M. Fulvius Nobilior im Jahr 179 v. Chr. erbaut (Liv. 40, 51, 2 f.), vielleicht unter Einbeziehung eines Vorgängerbaus von 210 v. Chr. (Plaut. Capt. 815; Plaut. Curc. 472); 78 v. Chr. fand ein baulicher Eingriff des amtierenden Konsuls M. Aemilius Lepidus (Plin. nat. 35, 13) statt; → Basilica Aemilia.

Aus geringen Resten hat H. BAUER eine Vorstellung vom Grundriß entwickelt. Die vor den *tabernae* verlaufende Portikus lag, nach der Nordost-Ecke ihres Fundamentes zu urteilen, 3 m hinter der Portikus der augusteischen Phase der → Basilica Paulli. Aus der I. Phase (nach 210 v. Chr.?) konnte das Bodenniveau in den *tabernae* ca. 1,50 m unter dem der Basilica Paulli lokalisiert werden. Ein zweites Niveau fand sich dort in ca. 1,20 m Tiefe und gehört zu einem Umbau des I. Jh. v. Chr. Der Innenraum wurde nach Südwesten durch eine Reihe von *tabernae* begrenzt, nach Nordosten durch eine Wand oder eine Portikus, deren Fundamente unter denen der Basilica Paulli liegen. Eine Rekonstruktion der Inngliederung muß davon ausgehen, daß in der I. Phase ein Abzugskanal, in der 2. Phase eine *cloaca* die Mittelachse bildete. Hieraus würde folgen, daß die entscheidende Veränderung zur Phase 2 eine Vergrößerung des Mittelschiffes gewesen ist.

H. BAUER, in: LTUR I, 173–175 · G. FUCHS, Architekturdarstellungen auf röm. Münzen, 1969, 49–50 · RICHARDSON, s. v. Basilica Paulli, 54–56.   R. F.

Basilica Hilariana. Innerhalb der modernen Villa Celimontana an der Piazza della Navicella in Rom gelegen, hatte man von der B. H. 1889 zunächst das Mosaik mit der namengebenden Beischrift entdeckt; nahebei fand sich eine Basis für die von der Priesterschaft der Kybele gestiftete Statue des Manius Publicius Hilarus, der das Gebäude als Kollegium eines Kultvereins errichtet hatte. Seit 1987 wurde eine Fläche von 30 × 35 m freigelegt. Datierung durch Ziegelstempel in die Jahre 145/155 n. Chr. Eine Umbauphase im 3. Jh., in der aus den Portiken neue Räume abgeteilt wurden, bezeugt

eine intensivierte Nutzung; im 5. Jh. ist eine tiefgreifende Restrukturierung zu beobachten, bei der einige Räume im Nordosten zu einer Fullonica wurden.

C. PAVOLINI, in: LTUR I, 175–176 · RICHARDSON, 52.   R. F.

Basilica Iulia. Die B. I. in Rom nimmt den Raum zwischen dem Saturn-Tempel und dem Tempel der Dioskuren ein, begrenzt vom *vicus Iugarius* im Westen und *vicus Tuscus* im Osten; sie überbaute die → Basilica Sempronia und das darunterliegende angebliche Haus des Scipio Africanus. Von beiden Gebäuden wurden Reste gefunden. Die neue B. I. verdrängte zudem die *tabernae veteres*, wahrscheinlich mußten auch die angrenzenden Straßen verlegt werden. Begonnen im J. 54 v. Chr. (→ Basilica Aemilia) und von Augustus vollendet, brannte sie 12 v. Chr. ab; der Neuaufbau war den beiden Adoptivsöhnen Caius und Lucius geweiht. 283 n. Chr. brannte sie erneut ab und wurde von Diokletian wiederhergestellt.

Der fünfschiffige Bau mit großem, dreistöckigem Mittelschiff (75 × 16 m) und zweistöckigen Seitenschiffen war über die *porticus* (Plin. ep. 6,33; Suet. Cal. 37) zum Forum gewandt; das Tribunal der *centumviri* hatte hier seinen Sitz. Die Stufen zum Forum tragen Einritzungen von Gesellschaftsspielen und möglicherweise Darstellungen von Statuen der Umgebung.

C. F. GIULIANI, P. VERDUCHI, LTUR I, 177–179 · RICHARDSON, 52–53.   R. F.

Basilica Neptuni. Ein von Hadrian restauriertes Gebäude in Rom (SHA Hadr. 19,10), möglicherweise ein Wiederaufbau des 80 v. Chr. unter Titus abgebrannten Poseidonion. Der Bau liegt, teilweise überdeckt von der modernen Via della Palombella, direkt im Süden des Pantheon und im Westen der Porticus Argonautorum. Der Hauptraum war ein ca. 45 × 20 m großer Saal mit einer Rundnische, in der wohl eine Kolossalstatue aufgestellt war. Die schmaleren Nebenseiten des Saales nehmen längliche Rechtecknischen auf, die Langseiten alternierende Rund- und Rechtecknischenreihen. Acht große, an die Wände gerückte Säulen tragen das Gebälk, zu dem der noch erh. Delphinfries gehört. Das Dach bestand wahrscheinlich aus drei Kreuzgewölben. Der Haupteingang im Süden war auf die Thermen des Agrippa orientiert. Zusammen mit dem Pantheon, der Saepta und den Thermen des Agrippa restauriert, ist es möglich, daß die B. N., zusammen mit einigen schlecht erh. Räumen direkt im Süden, zu einem Teil der Thermen wurde.

L. CORDISCHI, in: LTUR I, 182–183 · RICHARDSON, 54.   R. F.

Basilica Opimia. Vom Konsul A. L. Opimius 121 v. Chr. gleichzeitig mit dem Tempel der Concordia in Rom errichtet, bei dessen Wiederherstellung durch Tiberius zwischen 7 v. Chr. und 10 n. Chr. möglicherweise abgerissen. Reste sind nicht erh., was die Lokalisierung im Verhältnis zum Tempel der Concordia, in dessen Nähe sie lag (Varro, ling. 5, 156), erschwert. Es ist daher kaum zu beurteilen, ob es sich um eine eigenständige Basilica handelte oder um einen Raum mit ähnlichen Funktionen, der in einem von Opimius errichteten oder restaurierten Gebäude im Nordwesten des → Forum Romanum lag.

A. M. FERRONI, in: LTUR 1, 183 · RICHARDSON, 54.
R. F.

Basilica Paulli. Als ›eines der schönsten Gebäude der Welt‹ (Plin. nat. 36,102) nahm sie, mit Abwandlungen des Grundrisses, den Platz der → Basilica Fulvia an der Nordost-Ecke des → Forum Romanum in Rom ein (Stat. silv. 1,1,30). Restaurierungen durch Mitglieder der *gens Aemilia* (78, 54, 34 und 14 v. Chr. sowie unter Tiberius 22 n. Chr.; vgl. → Basilica Aemilia), ferner nach Bränden von 283 n. Chr. sowie zu Beginn des 5. Jh. Erste Grabungen 1898–1914; 1922–1940 wurde die Reihe der vorgelagerten *tabernae* und die Trennwand zur Basilica rekonstruiert, seit 1948 die Architekturordnungen des 1. und 2. Geschosses. L. Aemilius Paullus Lepidus begann seine Bautätigkeit wohl 54 v. Chr. als Ädil (App. civ. 2,16) und führte sie über sein Konsulat 50 v. Chr. hinaus (Cic. Att. 4,16,8), finanziert vielleicht von einer Bestechungssumme von 1500 Talenten, die Caesar aus gallischen Beutegeldern zahlte – die B. P. wäre damit Teil der caesarischen Neugestaltung des Forum Romanum.

Der 1. Bauphase (Einweihung 34 v. Chr.; Cass. Dio 49,42) zuzurechnen sind vom Untergeschoß Reste der marmornen Wandinkrustation im 2. pompejanischen Stil; das Mittelschiff war durch seine Ausstattung herausgehoben: Erh. sind Säulen und Pavimente aus wertvollen farbigen Marmorsorten. Das Gebälk trug einen urspr. ca. 184 m langen Fries, dessen erh. Fragmente Ereignisse aus der mythischen Frühzeit Roms darstellen. Die 2. Bauphase begann mit der Restaurierung nach einem Brand 14 v. Chr., die im Namen eines weiteren Aemilius erfolgte, hinter dem diesmal Augustus und die Freunde des Paullus standen (Cass. Dio 54,24). Ihr sind die beiden Obergeschosse und die vorgelagerte Frontporticus zuzurechnen. Rundplastische Orientalenstatuen sind die frühesten erh. Beispiele dieser Gattung als → Bauplastik; sie standen auf Konsolen oder, wie die kolossalen Standbilder gefangener Daker, am Konstantinsbogen, auf dem verkröpften Geison über dem in der Aula umlaufenden Fries.

H. BAUER, in: LTUR 1, 183–187 · RICHARDSON, 54–56.
R. F.

Basilica Porcia. Nahe der Curia Hostilia 184 v. Chr. von Cato Censorius aus öffentlichen Mitteln (Plut. Cato mai. 19, 3) errichtet (Plut. Cato min. 5, 1), die älteste Basilica Roms. Als die Anhänger des getöteten Clodius 52 v. Chr. die Curia zu seinem Scheiterhaufen machten, brannte auch die B. P. ab. Zu einer sullanischen Bauphase gehörten vielleicht zwei Substruktions-

räume in *opus incertum*, direkt am Clivus Lautumiarum (Clivus Argentarius) gegenüber dem Carcer.

E. M. STEINBY, in: LTUR 1, 187 · RICHARDSON, 56.   R. F.

Basilica Sempronia. Basilica an der Nordseite des → Forum Romanum in Rom, von → Sempronius Gracchus (Censor des Jahres 169 v. Chr.) errichtet. Für den Bau wurden aus öffentlichen Mitteln Grundstücke angekauft, auf denen zuvor das Haus des P. Scipio Africanus und die *tabernae veteres* standen; Reste dieser Bauabfolge wurden möglicherweise unter der → Basilica Iulia freigelegt.

I. IACOPI, in: LTUR 1, 187–188 · RICHARDSON, 56.   R. F.

Basilika A. TERMINOLOGIE UND DEFINITION
B. VITRUVS BASILIKA   C. URSPRUNG
D. RÖMISCHE BASILIKEN   E. CHRISTLICHE
BASILIKEN

A. TERMINOLOGIE UND DEFINITION

Der Begriff B. geht auf das griech. Wort βασιλική (*basilikē*) zurück, das soviel wie »majestätisch, königlich, fürstlich, herrlich, großartig« (lat. *regalis*) bedeutet; bezeichnet dieses Adj. ein Gebäude, muß ein Subst. wie στοά (*stoá*) ergänzt werden, denn B. ist in griech. Texten häufig als στοά übersetzt worden. In christl. Zeit ist B. gleichbedeutend mit Kirche.

Die spezifische Architektur einer B. bestand aus einer langgestreckten Halle, die nach außen sowohl offen als auch geschlossen sein konnte und sich in Hauptschiff und Seitenschiffe untergliederte. Die Schiffe waren durch Kolonnaden getrennt, die sich manchmal auch an den Schmalseiten fortsetzten und so ein Peristyl bildeten. Die Seitenschiffe konnten über ein zweites Stockwerk mit Fenstern verfügen, das überhöhte Hauptschiff besaß oft einen Obergaden. Der Haupteingang befand sich an der Lang- oder Schmalseite. B. verfügten ferner über verschiedene Einbauten, die ihren vielseitigen Funktionen als Gerichtssaal, Bank und Börse, Thronsaal, Heiligtum usw. entsprachen.

B. VITRUVS BASILIKA

Vitr. 5,1,4–5 definierte die B. als ein an das Forum angrenzendes, an der wärmsten Stelle zu errichtendes Gebäude, das den *negotiatores* als Geschäftsort dienen sollte. Die Breite sollte mindestens ein Drittel und höchstens die Hälfte der Länge des Gebäudes betragen; falls das Grundstück zu lang wäre, könnte ein *chalcidicum* (»Vorhalle«?) angefügt werden. Die Säulenhöhe sollte der Breite der Seitenschiffe (*porticus*) entsprechen, die Vitruv wiederum mit einem Drittel der Breite des Hauptschiffes angibt. Die Säulen der oberen Stockwerke sollten um ein Viertel niedriger als die unteren sein. Das *pluteum* (Mauerbrüstung) zwischen der oberen und unteren Säulenstellung sollte um ein Viertel niedriger sein als die oberen Säulen, so daß die Besucher (*ambulantes*) im ersten Stockwerk nicht von den *negotiatores* im Erdgeschoß gesehen werden konnten. Vitruvs eigene B. in

→ Fanum (5,1,6–10) variiert diesen Typus leicht mit einer umlaufenden Säulenhalle innen und einem Heiligtum (*aedes*) für Augustus, das gegenüber dem Eingang in der Mitte der Langseite gelegen und mit einem halbkreisförmigen, nach innen gekrümmten Tribunal versehen war, damit ›die, die bei den Beamten stehen, die Geschäftsleute in der B. nicht behindern‹ (5,1,8). Die heidnische B. war somit ein multifunktionaler Bau und diente Kaufleuten und Bankiers als Markthalle, den Magistraten als Amtssitz sowie als Gerichtsgebäude (worauf die in der Regel dem Eingang gegenüber gelegenen Tribunale hinweisen).

C. Ursprung

Wie der Begriff ist auch der Ursprung der B. vieldiskutiert. Zwar werden meist griech. Vorläufer angenommen, doch gilt der Bautypus allg. als eine röm. Erfindung; die erste überlieferte B. ist die B. Porcia, die M. Porcius → Cato 184 v. Chr. auf dem → Forum Romanum errichten ließ (Liv. 39,44,7). Über die allg. Verwandtschaft mit griech. Peristylen und säulenumgebenen Plätzen hinaus werden zwei konkrete griech. Vorbilder erwogen: 1. Die griech. → Stoa wegen der Gleichsetzung mit dem Begriff στοά in der griech. Sprache und wegen der ähnlichen Funktion und Lage. Stoai flankierten häufig Plätze und waren ein- oder zweischiffig, jedoch immer ohne Hauptschiff; z. T. besaßen sie ein zweites Geschoß und Läden. Solche Säulenhallen stellten eher einen überdachten Wandelgang als einen Zentralraum dar. Auch Theorien über die Kombination zweier Stoai zu einer B. wurden erwogen; als Beleg dient der »salle hypostyle« auf Delos (spätes 3. Jh. v. Chr.). 2. Als zweites Vorbild gilt der Thron- und Audienzsaal hell. Könige, häufig αὐλή (→ *aulé*, lat. *aula*) genannt. Diese Annahme basiert auf dem im Wort B. enthaltenen Begriff βασιλεύς (*basileús*), aber auch auf der Form der Thronsäle der Nachfolger dieser Könige, der röm. Kaiser. Tatsächlich mag die Beschreibung des Festzelts, das Ptolemaios II. in der alexandrinischen Basileia errichten ließ (Athen. 5,196–197c), diese Ansicht stützen, wie auch der Hauptsaal des gut erh. Statthalterpalastes in Ptolemais (Palazzo delle Colonne; spätptolemäisch). Die Beziehung zu Ägypt. wird bestärkt durch Vitruvs Vergleich einer B. mit einem ägypt. *oecus* (»Saal«) in röm. Privathäusern (6,3,9). Solche *oeci* sind auch aus den herodianischen Palästen in Palästina bekannt. Möglicherweise sind beide Vorbilder für die Entwicklung der B. in Anspruch genommen worden; hierin könnte, wie Langlotz meinte, der Grund für das Entstehen von zwei unterschiedlichen B.-Typen liegen.

D. Rom

Die ältesten B. standen am Forum Romanum. Vollständig zerstört sind die B. Porcia (184 v. Chr.) und die B. Opimia (121 v. Chr.). Dagegen sind Reste der B. Aemilia und B. Sempronia, die an den Langseiten des Forums hinter bereits bestehenden *tabernae* 179 bzw. 170 v. Chr. erbaut wurden, unter den Folgebauten gesichert. Die bekannteste republikan. B. ist die in Pompeji (55 × 24 m; 2. H. 2. Jh. v. Chr.).

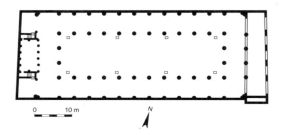

Pompeji, Basilika, um 120 v. Chr. (Grundriß).

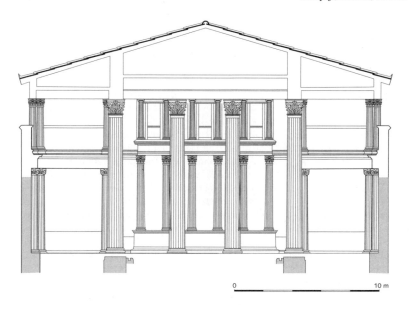

Pompeji, Basilika, um 120 v. Chr. (rekonstruierter Querschnitt).

Sie lag am Forum, aber nicht wie die B. in Rom mit der Langseite. Man betrat die B. durch ein monumentales *chalcidicum* an der Schmalseite; am anderen Ende der Längsachse lag das Tribunal. Diese Lösung ist einzigartig im republikanischen It.; alle anderen bekannten B. hatten vom Forum aus ihren Eingang an der Langseite: z. B. in Cosa (Länge 35,52 m; 2. H. 2. Jh. v. Chr.), Alba Fucens (53 × 22 m, ca. 100 v. Chr.), Fanum (35,52 × 17,76 m) und Ardea (45,80 × 23,80 m, 2. H. 2. Jh. v. Chr.). Die B. in Cosa und Ardea waren an der Forumsseite in ihrer ganzen Länge durch eine offene Portikus zugänglich; das gilt auch für die B. Iulia (105 × 46 m), einen augusteischen Neubau der B. Sempronia in Rom. Typisch für alle diese frühen Markt- und Amts-B. war, daß das Hauptschiff einen von Säulen umringten Zentralraum bildete. In augusteischer Zeit konnten B. offen oder geschlossen sein; ihr Eingang lag an der Lang- oder Schmalseite.

Im 1. und 2. Jh. n. Chr., aus denen die meisten B. stammen, fanden die verschiedenen Formen der Forums-B. weiterhin Verwendung. Seit augusteischer Zeit wurden sie auch in den Prov., hauptsächlich im Westen, errichtet. Es ist ein langsamer Wandel vom Zentraltyp republikanischer Zeit zum Längstyp wie dem in Pompeii festzustellen, aber stets befand sich der Eingang noch an der Langseite. Ein Typus mit einer → Apsis an jeder Schmalseite war während der frühen Kaiserzeit in Britannien und Gallien (bes. bei Militär-B.) beliebt. Später wurde er für die riesige B. Ulpia (159 × 55 m) am Trajansforum in Rom und die gut erh. severianische B.

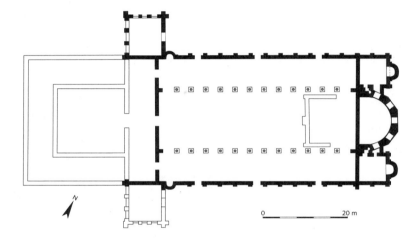

Ravenna, S. Apollinare in Classe, Basilika, 1. H. 6. Jh. n. Chr. (rekonstruierter Grundriß mit hypothetischem Atrium).

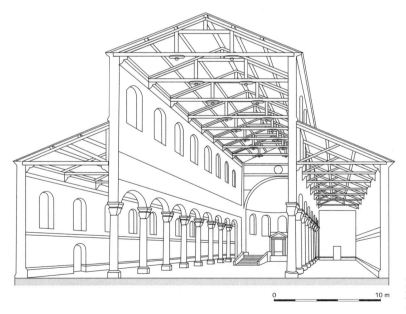

Ravenna, S. Apollinare in Classe, Basilika, 1. H. 6. Jh. n. Chr. (Aufriß).

in Leptis Magna (70,30 × 36,60 m) verwendet. Der letztere weist mit seinem langgestreckten Grundriß und mit nur einer Säulenstellung zwischen Haupt- und Seitenschiffen auch auf eine Verbindung zu den wenigen B. im Osten des röm. Reiches hin. Diese hatten ihren Eingang normalerweise an einer Schmalseite und waren auf eine Apsis hin orientiert. Die Bauten konnten mit der Agora (z.B. in Aspendos), aber auch mit Tempeln für den Kaiserkult in Verbindung stehen (z.B. in Kyrene, auch Fanum). Obwohl sehr viel breiter proportioniert, war auch die dreischiffige B. des Maxentius am Forum Romanum (100 × 65 m) ähnlich strukturiert.

B. waren nicht nur freistehende Bauten, sondern konnten auch Teil eines größeren Gebäudekomplexes sein: In den → Thermen wurden B. für Sportübungen, Spaziergänge, Versammlungen etc. benutzt. Die Privat-B. großer Häuser, die bereits Vitr. 6,5,2 erwähnt, dienten dem Hausherrn (und Magistrat) als Empfangshalle und zur Abwicklung seiner Amtsgeschäfte. Auch von den röm. Kaisern wurde dieser Bautypus für Audienzen, Hofhaltung und andere kaiserliche Zeremonien (→ Palast) benutzt. Diese langgestreckten Hallen waren immer auf eine Schmalseite, meist mit einer Apsis, ausgerichtet. Die Eingänge befanden sich an den Schmalseiten, häufig gab es eine Vorhalle. Mehrere solcher B. sind bekannt, z.B. vom Domitians-Palast auf dem Palatin (23,54 × 20,60 m); am besten erh. ist die Konstantins-B. in Trier (56,13 × 27,54 m; ohne Innengliederung durch Säulen).

E. CHRISTLICHE BASILIKEN

Als Vorbild für die christl. B. werden einerseits die röm. Forums-B. angenommen, andererseits die königlichen B. (so auch von Isid., orig. 15,4,11; wohl um 600 n.Chr.). Die B., die von Konstantin benutzt wurde, um einen neuen monumentalen Tempel für den 313 n.Chr. eingerichteten christl. Staatskult zu schaffen, war nicht die offene Markt-B. mit innen umlaufenden Portiken, sondern eine geschlossene, axiale Halle mit Säulen nur zwischen den Schiffen. Der Apsis gegenüber lag der Eingang mit einer Vorhalle (*chalcidicum*, nun → *narthex*

genannt; bisweilen lag vor der B. eine Hofanlage, das *atrium*). Insbes. ähnelte diese B. sehr stark der kurz zuvor erbauten Maxentius-B. in Rom. Der gleiche Bauplan wurde dann auch für die berühmte B. St. Peter und die Lateran-B. in Rom, die Grabeskirche in Jerusalem sowie die Geburtskirche in Bethlehem verwendet, die alle unter Konstantin und seiner Mutter Helena errichtet wurden. Seit der 2. H. des 4. Jh. n.Chr. bildeten sich lokale Entwicklungen heraus. Die B. wurde zum Prototyp des Kirchenbaus und findet im Westen bis in heutige Zeit Verwendung. Im byz. Osten hingegen wurde die B.-Form nach und nach zu Gunsten des → Zentralbaus aufgegeben.

Leptis Magna, Basilika, nach 210 n.Chr. (rekonstruierte Innenansicht).

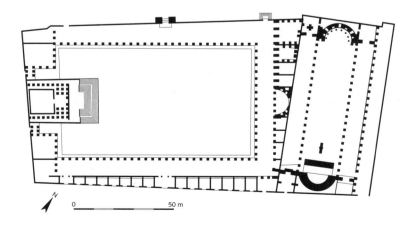

Leptis Magna, Forum und Basilika, nach 210 n.Chr. (Grundriß).

0   50 m

A. Boëthius, J. B. Ward-Perkins, Etruscan and Roman Architecture, 1970, 127–131 und passim • J. Ch. Balty, Le centre civique des villes romaines et ses espaces politiques et administratifs, in: La ciudad en el mundo romano, XIV Congr. int. de Arqueología clásica, Actas vol. 1, 1994, 91–107 • H. Brandenburg, Roms frühchristl. B. des 4.Jh., 1979 • G. Carettoni, s. v. B. civile, EAA 2, 1959, 2–12 • F. Coarelli, Il Foro Romano 2, 1985, passim • É. Coche de la Ferté, s. v. B. cristiana, EAA 2, 1959, 12–15 • J.-M. David, Le tribunal dans la b., in: Architecture et Société, Kongr. Rom 1980, 1983, 219–241 • F. W. Deichmann, s. v. B. (christl.), RAC 1, 1950, 1249–1259 • G. Fuchs, Die Funktion der frühen röm. Markt-B., in: BJ 161, 1961, 39–46 • M. Gaggiotti, Atrium regium – basilica (Aemilia), in: Analecta Romana 12, 1985, 53–73 • A. von Gerkan, Die profane und die kirchliche B., in: RQA 48, 1953, 129–146 • R. Krautheimer, Early Christian and Byzantine Architecture, 1975, passim. • E. Langlotz, s. v. B. (nicht-christl.), RAC 1, 1950, 1225–1249 • Ders., Der architekturgesch. Ursprung der christl. B., 1972 • I. Nielsen, Thermae et Balnea, ²1993, 162 und passim • Dies., Hellenistic Palaces, 1994, 20 und passim • A. Nünnerich-Asmus, B. und Portikus, 1994 • K. Ohr, Die B. in Pompeji, 1991 • J. B. Ward-Perkins, Constantine and the Origins of the Christian B., in: PBSR 22, 1954, 69–90 • E. Welin, Studien zur Topographie des Forum Romanum, 1953, 111–120 • L. M. White, Building God's House in the Roman World, 1990. I.N./R.S.-H.

Basilika Therma (Βασιλικὰ Θέρμα, Θέρμα, Θέρμαι Βασιλικαί).
Stadt in Kappadokien, im Grenzbereich zu Ostgalatien, h. Sarıkaya (früher Terzili Haman). Thermalbadeort, seit 451 n. Chr. als Bistum bezeugt.

Hild/Restle, 156f. K.St.

Basilikoi paides (βασιλικοὶ παῖδες).
Lat. pueri regii, Pagen des maked. Königs: Knaben, die er sowohl als Geiseln wie auch als »Pflanzschule für Heerführer und Offiziere« (Curt. 8,6,6) aus der Aristokratie rekrutiert. Unter → Alexandros [4] waren es über 50; sie begleiteten und bewachten den König, leisteten ihm persönliche Dienste und standen unter strenger Hauszucht (Curt. 8,6,2–6), weshalb Griechen sie oft als Sklaven bezeichneten. Ob die älteren an der Seite des Königs kämpften, ist nicht sicher. Die Gründung der Einrichtung wird oft → Philippos II. zugeschrieben (so Arr. an. 4,13,1), doch finden sich Spuren unter früheren Königen [s. bes. 1. 261–264]. Philippos hat diese Praxis auf neu eroberte Landstriche ausgedehnt und systematisiert. Wir hören nicht oft von ihnen, doch unter Alexandros verschworen sich einige Pagen gegen den König (→ Hermolaos; → Kallisthenes). Die Einrichtung wurde von den → Diadochen übernommen und bestand sicher bis an das Ende der maked. Monarchie (s. Liv. 45,6,7–8).

1 N. G. L. Hammond, Royal Pages, Personal Pages, in: Historia 39, 1990, 261–94.

Berve 1, 37–39. • A. B. Bosworth, Hist. Comm. on Arrian's History of Alex. 2, 1995, 91–93. E.B.

Basilikos (Βασιλικός).
[1] Rhetor des 2.Jh. n. Chr., der bis nach 200 lebte. Er lehrte in Nikomedeia in Bithynien (Suda s. v. Apsines). Sein Schüler → Apsines nennt ihn neben Aristeides als einzige Quelle für seine Rhetorik. Neben einem Demosthenes-Komm. soll B. mehrere rhet. Werke verfaßt haben (περὶ τῶν διὰ λέξεως σχημάτων, περὶ ῥητορικῆς παρασκευῆς ἤτοι περὶ ἀσκήσεως, περὶ μεταποιήσεως), von denen sich geringe Reste in den Hermogenes-Scholien erh. haben. M.W.

[2] Gnostischer Theologe um 180 n. Chr., aus der Schule des → Markion. In einer Streitschrift des Rhodon wird B. als Vertreter einer dem Markion nahestehenden dualistischen Lehre genannt (Eus. HE 5,13,3). B. ist wohl mit dem von Theodoret von Kyros genannten Blastos (Haereticar. fabular. compendium 1,25) identisch.

A. v. Harnack, Marcion: Das Evangelium vom fremden Gott, Ndr. 1996 (²1924). R.B.

Basilinda (Βασιλίνδα).
Spiel, bei dem ein Kind durch Losen zum König ernannt wird, während die Spielkameraden den Rollen nachkommen müssen, die der »König« ihnen zuweist (Poll. 9,110). Vergleichbar ist das bei Herodot geschilderte Königsspiel des Kyros, nur daß dort der König gewählt wird (Hdt. 1,114). Das Spiel ist zu unterscheiden von dem Ballspiel, bei dem der Sieger König und der Verlierer Esel genannt wird (Poll. 9,106); ein weiteres (anderes) Kinderspiel nennt Horaz (epist. 1,1,59–60). R.B.
→ Ballspiel; Kinderspiel; Spielzeug

Basilinna (βασιλίννα; »Königin«)
heißt die Gattin des athenischen → Archon Basileus (»König«), der als demokratischer Nachfolger in den sakralen Pflichten des Königs verstanden wird (Aristot. Ath. pol. 3 zur Entstehung; 57 zu den Aufgaben). Sie muß athenische Bürgerin und bei der Verheiratung Jungfrau sein. Zu ihren sakralen Aufgaben gehören geheime Riten im Dionysos-Kult, bes. an den Anthesterien, die sie mit den Gera(i)rai (»Greisinnen« oder »ehrwürdige Frauen«) durchführt und in deren Zusammenhang sie → Dionysos zur Frau gegeben wird. Wichtiger als diese in den Einzelheiten unklare, in der Forsch. umso häufiger diskutierte »hl. Hochzeit« [1. 117–119; Bilder: 2; 3] ist die Tatsache, daß einige zentrale Riten des athenischen Dionysos-Kultes diese strukturell wohl sehr alte Rolle einer Königin weiterführen (Hauptstelle Demosth. 59,73–79) [2].

1 A. Avagianou, Sacred Marriage in the Rituals of Greek Religion, 1991 2 E. Simon, Festivals of Attica, 1983, 96f. 3 A. Lezzi-Hafter, Anthesterien und Hieros Gamos, in: Proc. 3d Symposion on Ancient and Related Pottery, Copenhagen 1987, 1989. F.G.

Basilisk (Βασιλίσκος), »der König der Schlangen« (griech.), fabelhafte Schlange der libyschen Wüste, die seit hell. Zeit belegt ist. Ausführliche Beschreibungen geben Plinius (nat. 8,78 f.) und Isidor (12,4,6 f.). Auffallend ist ein weißer Fleck »wie ein Diadem« am Kopf (Plin.) und die nicht schlangenartige Vorwärtsbewegung. Der B. tötet durch Atem und Geruch; wo er durchgeht, verbrennt er Büsche und Gräser und zerbricht Steine (Plin.). Menschen kann er auch einfach durch seinen Blick töten (Plin. nat. 29,66), oder er beißt wie jede Schlange (Lucan. 9,724–6. 828). Gegner sind Wiesel (Plin.; Isid.) und Hahn, dessen Krähen ihn tötet, weswegen Libyenreisende Hähne mit sich führen (Ael. hist. an. 3,31); als Gegengift gelten auch Mohnsaft und Bibergeil (Ps.-Diosk. 2,91).

Bei den Kirchenvätern wird er zum Bild des Teufels (*rex daemoniorum*, Aug. in psalm. 90,9) oder der Sünde (Isid. in Genes. 5,8). In mittelalterlichen Erzählungen löst er sich von der geographischen Bindung an Libyen und wird zur drachenartigen geflügelten Echse, die allein durch den Blick tötet; deswegen habe ihn Alexander (und andere sagenhafte Könige) mit einem Spiegel sich selber ansehen und so umbringen lassen; geboren wird er gewöhnlich aus dem Ei eines Hahns.

F.G.

Basiliskos (Βασιλίσκος), Flavius. Oström. Gegenkaiser, Bruder der Kaiserin Verina, der Gattin Kaiser → Leos I. (457–474). Seit 468 *mag. militum*, kämpfte er 468 erfolglos gegen die Vandalen, unterstützte Leo bei Sturz und Ermordung des mächtigen *mag. militum* Aspar (→ Ardabur) 471 und revoltierte von Januar 475 bis August 476 mit Unterstützung monophysitisch gesinnter Kreise gegen Leos Schwiegersohn → Zenon (474–491). Während seiner Herrschaft erließ er ein Edikt, das die Glaubenslehren des Konzils von Chalkedon (451) aufhob, und wurde daher von den Chalkedoniern unter Patriarch Akakios von Konstantinopel bekämpft. Er starb nach seinem Sturz durch Zeno und dessen Anhänger 476 in der Verbannung. Da seine angebliche Verwandtschaft mit → Odoacer nicht haltbar ist (BRANDES gegen KRAUTSCHIK und DEMANDT), kann sie einen Zusammenhang seiner Revolte mit der Odoakers nicht begründen (PLRE 2, 212–14 Nr. 2).

ODB 1, 267 · W. BRANDES, Familienbande?, in: Klio 75, 1993, 407–36 · ST. KRAUTSCHIK, Zwei Aspekte des Jahres 476, in: Historia 35, 1986, 344–71.   F.T.

Baskisch. Das B. ist mit keiner anderen Sprache genetisch verwandt. In seiner Phonologie steht es dem Iberischen nahe, hat aber mit diesem nur wenige lexikalische und morphologische Gemeinsamkeiten. Sein Formenbestand geht im wesentlichen auf eigene Bildungen zurück. Im Bereich der Lexik ist es jedoch stark von außen beeinflußt worden. Zu den ältesten Schichten gehören Wörter aus den Alpen, dem Kaukasus und Nordafrika, sowie idg.-kelt. Importe. Die

Hauptmasse der Entlehnungen stammt aus dem Lat., z.B. *gurutze* »Kreuz«, *lege* »Gesetz«, *errota* »Mühle«, *kale* »Straße«, *ahate* »Ente«, *pago* »Buche«. Es kommen Romanismen und griech.-lat. Neologismen hinzu. Auch einzelne lat. Ableitungssilben werden übernommen, z.B. das -*tu* des Partizips. Trotz alledem hat das B. in Morphologie und Syntax weitgehend seine Eigenständigkeit bewahrt.

→ Hispania: Sprachen

J. ALLIÈRES, Les Basques, 1977 · G. ROHLFS, B. Kultur im Spiegel des lat. Lw., in: FS für K. Voretzsch, 1927, 58–86.
                                                        H. SCH.

Bassaeus Rufus, M. Von niederer Herkunft, ohne die übliche Bildung (Cass. Dio 71,5,2 f.); stieg im Heer bis zum *primus pilus* auf, erreichte Procuraturen in Spanien, Noricum und Gallien/Germanien, wurde *a rationibus*, *praef. vigilum*, *praef. Aegypti* 168/169 [1. 297], *praef. praetorio* 169 – vor 180 n. Chr.; ausgezeichnet mit den *ornamenta consularia*, nach dem Tod mit drei Statuen in Rom (CIL VI 1599=ILS 1326 [2. 389–393]).

1 G. BASTIANINI, Lista dei Prefetti d'Egitto dal 30ᵃ al 299ᵖ, in: ZPE 17, 1975 **2** PFLAUM, 1.   W. E.

Bassarai, Bassareus s. Dionysos

Bassiana(e)
[1] Stadt der Pannonia Superior (Itin. Anton. 262,10), 18 Meilen von Savaria an der Straße nach Arrabona und → Brigetio, bei Sárvár am Mittellauf der Raab. M.Š.K.
[2] Röm. Stadt der → Pannonia Inferior beim h. Petrovci und Putinci im östl. Srem an der Straße Sirmium – Taurunum im Gebiet der Scordisci und vorkelt. Amantini (CIL III 3224; Ptol. 2,15,8; Tab. Peut. 5,4; Itin. Anton. 131,5; Itin. Hierosolymitanum 563,11). B. entwickelte sich in landwirtschaftlich günstigem Gebiet nahe der Hauptstraße von *civitas Sirmiensium et Amantinorum* (Plin. nat. 3,148), wurde wohl unter Hadrianus *municipium*, unter Caracalla *colonia* (*Bassianae* wohl ein vorkelt. Name ohne Bezug auf den Namen des Kaisers). Not. dign. occ. 11,46 erwähnt eine Textilfabrik (*gynaecium Bassianense*), die nach Salona verlegt wurde.

S. DUŠANIĆ, B. and Its Territory, in: Archaeologia Iugoslavica 8, 1967, 67–81.   M.Š.K.

Bassianus
[1] Urspr. Cognomen des → Caracalla.
[2] Urspr. Cognomen des späteren Kaisers M. Aurelius → Severus Alexander.   A.B.
[3] Mit → Anastasia [1] verheiratet, wurde er kurz vor dem Krieg mit Licinius (316 n. Chr.) von → Constantinus d. Gr. als Caesar für It. designiert, doch von seinem Bruder Senecio zu einer Verschwörung gegen Constantinus angestachelt und nach deren Aufdeckung hingerichtet (Anon. Vales. 5,14–15). PLRE 1, 150 Nr. 1.

KIENAST, ²1996, 307.   B. BL.

[4] stammte aus Antiochia und war Rechtsanwalt. Er war mit → Libanios verwandt und dessen Schüler (Lib. epist. 541). Wahrscheinlich war er Christ (epist. 1364). Unter → Iulianus trat er in den Staatsdienst (epist. 592). 371 n. Chr. wurde er in einen Hochverratsprozeß verwickelt und zu Güterkonfiskation verurteilt (Amm. 29,2,5). PLRE 1, 150 Nr. 2.　　　　　　W. P.

Bassos Lollios. Epigrammdichter aus der ersten H. des 1. Jh. n. Chr. ´ (vgl. Anth. Pal. 7,391 über den Tod des Germanicus im Jahre 19 n. Chr.), vielleicht in Smyrna geb. (dem Lemma von Anth. Pal. 11,72 zufolge; das Gedicht läßt sich allerdings nicht sicher zuweisen). Erh. sind von ihm wenigstens neun Gedichte aus dem »Kranz« des Philippos (zuzüglich einiger *incerta*, vgl. auch Anth. Pal. 9,30), alle von ziemlich mäßigem Niveau, bei denen es sich zum größten Teil um epideiktische (9,236 ist ein panegyrisches Gedicht auf das kaiserzeitliche Rom, ›die Heimat des ganzen Universums‹ und Grabepigramme (7,372 = GVI 1580 ist vielleicht eine tatsächliche Inschr.) handelt.

GA II 1,176–183; 2,191–197.　　　　　E. D./T. H.

Bassus

[1] Ovid nennt unter seinen besten Freunden → Propertius, → Ponticus und *Bassus quoque clarus iambis* (Ov. trist. 4,10,45–47). Dieser B. könnte also gut der Adressat von Prop. 1,4,1 und vielleicht Horazens Freund (carm. 1,36,14) sein. Es sind keine Frg. erhalten. Ob der Iambograph auch mit → Iulius B. identisch ist, dem vom älteren Seneca erwähnten Rhetor, der *consectari . . . solebat res sordidas* (contr. 10,1,13), kann nicht entschieden werden.

H. BARDON, 2, 52.　　　　　　　　　J. A. R.

[2] Mil. Helfer des *praef. Aegypti* A. → Avillius Flaccus um 35/37, (Phil. in Flacc. 92). PIR² B 83.

[3] Konsul im gallischen Gegenkaiserreich unter Postumus (CIL XIII 3163). PIR² B 79.　　　　　　W. E.

[4] Freund des Septimius Severus, 193 *praef. urbi* (SHA Sev. 8,8; [Aur. Vict.] epit. Caes. 20,6); nicht identifizierbar [1. 106, 207].

1 A. BIRLEY, Septimius Severus, ²1988.　　　W. E./M. MO.

Bast s. Schreibmaterial

Bastarda. Neben den *litterae textuales* sowie den kursiven und Kanzleischriften entsteht in der Zeit zwischen dem Ende des 13. Jh. und den ersten Jahrzehnten des 14. Jh. ein dritter *modus scribendi*, der, wie aus Quellen des Spät-MA und der Renaissance hervorgeht, *littera bastarda, lettre bastarde, textus bastardus,* b. genannt werden kann.

Mit B. wird eine Schriftart bezeichnet, in der sich die beiden graphischen Traditionen des 13. Jh. vereinen: die Kursive, was die Formen der Buchstaben und deren Zusammenschluß in einem Schriftsystem betrifft, und die Tradition der *littera textualis*, in Hinsicht auf Schreibtechnik und Stil. Ausgangspunkt für die B. waren nach Vorlagen der *textualis* ausgearbeitete kursive oder Kanzleischriften. Normalerweise zeigt die B. eine vorgegebene Auswahl an alphabetischen Formen, gesetzte Ausführung, keine Ligaturen, einen Wechsel von oft nach der bestimmten Stilart ausgesuchten Haar- und Schattenstrichen. Die B. wird sowohl für Urkunden als auch für Bücher verwendet.

Die Verbreitung der B. steht in engem Zusammenhang mit dem wachsenden Gebrauch der Schrift in einer städtischen Gesellschaft und der Herausbildung einer Klasse von Berufskopisten, die im 14. und 15. Jh. eine klar ausgeprägte graphische Hierarchie entwickelte. Kennzeichnend für die B.-Schriften ist eine große Vielfalt von Ausführungen und Stilarten (z. B. teilweises Auftreten von gebrochenen Schäften, Oberlängen mit Schlingen, Schrägstriche, unterschiedlich ausgeprägte Ober- und Unterlängen). Die verschiedenen Ausführungen entsprechen im allg. der gesellschaftlichen Funktion und der graphischen Tradition der einzelnen Texte (Bücher oder Urkunden). Schon im 14. Jh. sind B.-Schriften Zeugnisse einer Kultur, die sich nicht nur in lat. Sprache, sondern auch in den nationalen Vulgärsprachen ausdrückt.

Nur wenige Merkmale sind allen B.-Schriften gemeinsam: gewöhnlich ein einfaches, einstöckiges *a*, langes *s* und *f*, deren Schäfte unter der Zeile enden, und das aus einer Kapitalisform abgeleitete runde *s* am Wortende. Weniger konstant sind andere charakteristische Formen (z. B. *h, m, n* können am Ende unter der Zeile einwärts gebogen werden; Oberlängen von *b, d, h, l* mit Schlingen).

B.-Schriften sind ein allen Ländern Europas gemeinsames Phänomen. In der Paläographie wird der Terminus jedoch abgesehen von vereinzelten Ausnahmen vorwiegend für Schriften aus dem frz., dt. und engl. Kulturbereich verwendet, die kursive Typologie bei gesetzter Ausführung aufweisen. Die am besten bekannte B. ist die kanonisierte, in Frankreich und bes. in Burgund im 15. und 16. Jh. gebräuchliche Schrift, auch *lettre bourguignonne* genannt. Sie zeichnet sich durch Brechung der Schäfte, rechtsgeneigte Ober- und Unterlängen, spindelförmige Unterlängen und häufige auftretende viereckige An- und Abstriche von *t, u, m, n* aus.

Die wichtigste Quelle für das Studium der B. sind die Kataloge der datierten Hss., wo zahlreiche, im Schrifttyp einheitliche Beispiele vor allem für Frankreich, Belgien, die Niederlande, Österreich und die Schweiz vertreten sind. Daraus geht hervor, daß die B. vor allem bei theologischen, philos., juristischen, moralischen und asketischen Werken Verwendung fand, aber auch bei lit. Werken in den nationalen Vulgärsprachen. Bei den klass. lat. Texten ist die B. selten.

→ Gotische Schrift

B. BISCHOFF, Paläographie des röm. Alt. und des abendländischen MA, ²1986, 191–195 · E. CROUS, J. KIRCHNER, Die gotischen Schriftarten, 1928, 13–17, 19–21, Abb. 16, 18, 27, 28, 31–51 · J. KIRCHNER, Scriptura gothica libraria, 1966, Taf. 43–66 · O. MAZAL, Beobachtungen zu österreichischen Buchschriften des 14. Jh., in: Codices manuscripti, II, 9, 16, 1992, 1–26 · W. OESER, Beobachtungen zur Entstehung und Verbreitung schlaufenloser Bastarden, in: Archiv für Diplomatik 38, 1992, 235–243 · E. OVERGAAUW, Die Nomenklatur der gotischen Schriftarten bei der Katalogisierung von spätmittelalterlichen Hss., in: Codices Manuscripti, H. 15, 17, 1994, 100–106.   S. Z./S. SO.

Bastarnae, Basternae. German. Stammesverband (Plin. nat. 4,81; Strab. 7,3,17), urspr. an der oberen Weichsel (Gesichtsurnen). Seit ca. 233 v. Chr. in der Gegend zw. Olbia und dem Donaudelta bezeugt (IOSPE I² 32; Pomp. Trog. 28). Vor der Zeitenwende einer der größten südöstl. german. Stämme. B., die bis in die Spätant. im Karpatenbecken siedelten, sind als Peucini bekannt. Philippos V. forderte die B. 182 v. Chr. zur Ansiedlung im Gebiet der Dardani auf. 179 drangen sie in → Thrakia ein (Liv. 40,57 f.). Sie waren möglicherweise Verbündete der Makedonenkönige Philippos V. und Perseus gegen Dardani und Rom (Pol. 25,5,6 zum J. 177/76 v. Chr.). 88 v. Chr. waren sie mit → Mithradates VI. verbündet. 61 v. Chr. schlugen sie das röm. Heer unter dem Prokonsul C. Antonius bei Istros. Zeitweilig unter der Herrschaft des Dakers → Burebista; seit 45 v. Chr. wieder unabhängig. 29 v. Chr. unternahm der nachmalige Augustus einen Feldzug gegen die B. Licinius Crassus besiegte sie 29/28 v. Chr. östl. von Vidin und drängte sie über die Donau zurück, wobei ihr König Deldo fiel (Cass. Dio 23,2 ff.). M. Vinicius besiegte 14 v. Chr. einen Teilstamm der B. Weitere Zusammenstöße Mitte des 1. Jh. n. Chr. (Abb. der B. auf der Trajanssäule, 12, Tafel 6, 8, 29). Bedrängt von Iazyges und Goti stießen Teile der B. um 170 n. Chr. bis nach Kleinasien vor. E. des 3. Jh. (z. Z. des Kaisers Probus) ließen sie sich in Thrakia nieder.

RGA 2, 88 ff.   I. v. B. u. S. R. T.

Bastetani, Bastuli. Der Name dieses südspanischen Stamms hängt wohl mit der Stadt Basti (h. Baza) zusammen, die als ihr Hauptort zu gelten hat (Ptol. 2,6,13; 60). Nach der Einnahme von Carthago Nova 207 v. Chr. schickte P. → Scipio seinen Bruder L. zu den B., wo dieser den Karthager → Mago besiegte (Liv. 28,1 f.; Zon. 9,8,8). Zur Rolle der B. beim Aufstand des → Viriatus vgl. App. Ib. 66. Bastetania ist noch in westgot. Zeit bezeugt, als Leovigild hier die Byzantiner bekämpfte (Chron. min. 2,212,3).

TOVAR 3,26 f.   P. B.

Batanaia. Hochebene, die im Westen vom Golan-Gebirge (Γαυλανῖτις), im Nordwesten vom Berg Hermon, im Nordosten von der Basaltwüste Laǧā (Τραχωνῖτις), im Südosten vom Ḥaurān-Gebirge (Αὑρανῖτις) und im Süden vom Yarmuk (Hieromykes) und seinen Nebenwadis begrenzt wird und somit der heutigen Nuqra entspricht. Der Name geht auf das at. Bāšān zurück (daher griech. Βασάν und Βασανῖτις).

Mit der Auflösung der seleukidischen Verwaltung in Syrien und Palästina zum Ende des 2. Jh. v. Chr. geriet B. kurzzeitig unter nabatäische Herrschaft. 72 v. Chr. fiel B. an Ptolemaios, den Sohn des Mennaios. Nach dem Auftreten Roms als neuer Ordnungsmacht in Syrien gab Augustus 23 v. Chr. B. an Herodes d. Gr.; 4 v. Chr. erbte dessen Sohn Philippos das Gebiet als Teil seiner Tetrarchie. Auf Herodes und seine Nachfolger geht die Ansiedlung babylon. Juden in B. zurück.

Infolge des Übergangs von mittelbarer röm. Kontrolle in Syrien und Palästina mit Hilfe von Klientelkönigen zur direkten Herrschaft im 1. Jh. n. Chr. wurde B. vermutlich 92/93 n. Chr. der Prov. Syria angegliedert. Nach der Teilung Syrias durch Septimius Severus gehörte B. bis zum Ende der byz. Herrschaft in Syrien und Palästina der Prov. Arabia an. Im 6. Jh. bildete die fruchtbare Hochebene eine der zentralen Landschaften des Herrschaftsgebietes der monophysitischen, arab. Ġassāniden, einer Dynastie byz. Klientelfürsten. Wohl aufgrund deren Förderung lassen sich für diese Zeit im Ḥaurān und in B. zahlreiche monophysit. Klöster nachweisen. Wie im Ḥaurān bestimmten dörfliche Siedlungen auch den Charakter der Hochebene von B. → Syrien

J.-M. DENTZER (Hrsg.), Hauran I, 1985 · F. MILLAR, The Roman Near East, 1993 · M. SARTRE, Trois études sur l'Arabie romaine et byzantine, 1982 · I. SHAHID, Byzantium and the Arabs in the Sixth Century I, 1995.   J. P.

Bataveraufstand. Endphase des Bürgerkriegs nach dem Tod Neros nördl. der Alpen zw. August 69 und September/Oktober 70 n. Chr. (Quellen bei [1]). Die schwer durchschaubaren Kettenreaktionen von Treuebrüchen und Solidarisierungen schildert bes. Tacitus (hist. 4,12–37; 54–79; 5,14–26), der nach den einen Autoren (z. B. BRUNT) ein widerspruchsfreies, glaubwürdiges Gesamtbild einer separatistischen Bewegung weg von Rom in Form eines gallischen Weltreichs (vgl. die druidische Verheißung bei Tac. hist. 4,54,2; → Veleda) zeichnet, nach anderen (etwa URBAN), die wahren Sachverhalte verschleiernd, innenpolit. Auseinandersetzungen zur äußeren Bedrohung umstilisiert.

Unruhen bei den → Batavi und den benachbarten → Cannenefates und → Frisii wegen Neuaushebung führten, bes. aufgrund des Treuebruchs einer Cohorte der → Tungri (Tac. hist. 4,16,2; [2]), zu einer röm. Niederlage gegen den batavischen Adeligen und röm. Präfekten → Iulius Civilis. Auf sein Betreiben revoltierten im September 69 aus Britannien nach It. beorderte Cohorten der Batavi in Mogontiacum [3], durchbrachen bei Bonna die Legion und belagerten die *colonia Ulpia Traiana* (Xanten), die heftig umkämpft und im Frühj. 70 unter Massakrierung der Legionäre zerstört wurde. Dies sollte die dem Vitellius treue Rheinarmee von der Ent-

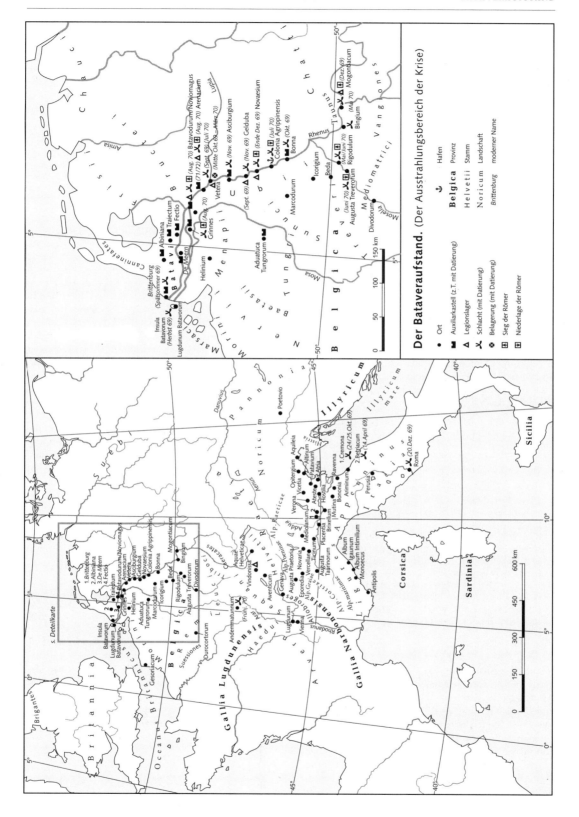

Der Bataveraufstand. (Der Ausstrahlungsbereich der Krise)

•	Ort
⚔	Auxiliarkastell (z.T. mit Datierung)
◼	Legionslager
△	Schlacht (mit Datierung)
⚔	Belagerung (mit Datierung)
⊗	Sieg der Römer
⊞	Niederlage der Römer

⚓	Hafen	
Belgica	Provinz	
Helvetii	Stamm	
Noricum	Landschaft	
Brittenburg	moderner Name	

scheidung um das Kaisertum in It. fernhalten. Nach des Vitellius Tod E. 69 blieb ein regional orientierter Teil der auf Vespasian vereidigten Rheintruppen dem Verstorbenen treu; dies mündete mit der Ermordung des obergerman. Statthalters Hordeonius Flaccus (Anf. 70) in eine von dem evtl. nach der Kaiserwürde strebenden Treverer Reiterführer Iulius Classicus angeführte und durch den Treverer Iulius Tutor sowie den Lingonenfürsten Iulius Sabinus unterstützte antiflavische Aufstandsbewegung. Wiewohl im Kern auf die Gebiete der Treveri und Lingones beschränkt, führte sie zur Ermordung des Legaten Dillius Vocula und involvierte u. a. Mogontiacum, Colonia Agrippinensis und Novaesium.

Mit der Niederlage Tutors gegen den Flavianer Sextilius bei Bingium brach die Revolte zusammen (ca. Mai 70), hatte aber alsbald einen zweiten Aufstand der → Treverer unter Iulius Valentinus zur Folge, die von dem aus It. heranrückenden General Petillius Cerialis unterdrückt wurde [4]. Die seit dem Massaker von Vetera veränderte Haltung der Flavianer gegenüber Civilis führte zu dessen Annäherung an Classicus; trotz rechtsrheinischer Unterstützung durch die → Bructeri und → Tencteri unterlagen sie dem Cerialis bei → Augusta [6] Treverorum und Vetera, zogen sich über den Rhein zurück, wo es nach Gefechten bei Arenacium, Batavodurum, Grinnes und Vada schließlich zur Kapitulation der Batavi kam, die freilich – anders als wohl die Treveri – mit der Herstellung der früheren Ordnung glimpflich davonkamen.

1 H.-W. GOETZ, K.-W. WELWEI (Hrsg.), Altes Germanien II, 1995, 170–261 2 D. TIMPE, Romano-Germanica, 1995, 71–78 3 L. BESSONE, Il ruolo dei Batavi nel *bellum Neronis*, in: Atene e Roma 22, 1977, 138–146 4 H. HEINEN, Trier und das Trevererland in röm. Zeit, 1985, 67–81.

R. URBAN, Der »B.« und die Erhebung des Iulius Classicus, 1985 · P. A. BRUNT, Roman imperial themes, 1990, 33–52, 481–486 · O. SCHMITT, Anmerkungen zum B., in: BJ 193, 1993, 141–160. K. DI.
KARTEN-LIT.: P. A. BRUNT, Tacitus on the Batavian Revolt, Latomus 19, 1960, 494–517, bes. 511–516 · W. J. H. WILLENS, Romans and Batavians, in: R. BRANDT (Hrsg.), Roman and Native in the Low Countries, 1983, 105–128 · Ders., Romans and Batavians, in: Berichten van de Rijksdienst voor het Oudheidkundig Bodemonderzoek 34, 1984, 3–9331 · W. WILL, Röm. »Klienten-Randstaaten« am Rhein? Eine Bestandsaufnahme, BJ 187, 1987, 161.

Batavi. Von den → Chatti abgespaltener Mannusstamm (Mannus: german. Gottheit), der zw. 55 und 12 v. Chr. in das ehemals von den Menapii besiedelte Gebiet in das Rheindelta einwanderte. Hauptwohngebiet war die von Oude Rijn und Waal/Maas gebildete *Insula Batavorum*, vgl. die h. Betuwe. Hauptorte der B. waren Batavodurum und seit Trajan Ulpia → Noviomagus Batavorum. Sie hießen ›B.‹, weil sie die tüchtigsten Reiter waren‹ (Cass. Dio 55,24); etym. daher zu got. *batiza* »besser«. Seit 12 v. Chr. wichtige Klienten Roms, waren sie bis 69 n. Chr. steuerfrei; seit dem 2. Jahrzehnt n. Chr.

wurden sie in *alae* und *cohortes* wegen ihrer Reit- und Schwimmkünste (CIL III 3676) bevorzugt als Pioniere verwendet. Auch nach dem → Bataveraufstand dienten sie unter einheimischen Führern [1]. Gerne wurden sie als kaiserliche Leibgardisten verwendet, weshalb die → *equites singulares Augusti* auch B. hießen (AE 1990, 990; BE 1992, 542). In der Spätant. tauchen B. in den *auxilia Palatina* auf.

1 K. STROBEL, Anmerkungen zur Gesch. der Bataverkohorten in der hohen Kaiserzeit, in: ZPE 70, 1987, 271–292 2 M. P. SPEIDEL, Germanen in der kaiserlichen Leibwache zu Rom, in: B. und P. SCARDIGLI (Hrsg.), Germani in Italia, 1994, 151–157.

TIR M 31,41 · W. J. H. WILLEMS, Romans and the Batavians, 1986 · W. WILL, Roms »Klientel-Randstaaten« am Rhein? Eine Bestandsaufnahme, in: BJ 187, 1987, 1–61, bes. 4–20. K. DI.

Batavis. Heute Passau-Altstadt. Name spät belegt (Not. dign. occ. 35,24; Eugippius, vita Severini 19,1; 22,4; 24,1; 27,1; *Batavini*: ebd. 20,1; 22,1; 27,3). In → Raetia, gegenüber Boiodurum/Innstadt in Noricum. Ein spätkelt. *oppidum* zw. Donau und Inn brach ca. 100 J. vor der röm. Besiedlung ab; diese seit wenigstens spätflavischer Zeit dicht, aber noch unklar strukturiert: Streifenhäuser unter Kloster Niedernburg stammen vom → *vicus* mit Donauhafen (östl. des Rathausplatzes), *militaria* (neben Ziegeln der *legio III Italica*) von einer unbekannten Garnison. Kastellspuren fehlen, für die *cohors IX Batavorum milliaria* war kaum Platz. Die günstige Verkehrslage ermöglichte eine kurze Blüte (vgl. AE 1984, 707). E. des 3. Jh. entstand eine spätant. Festungsstadt (Spuren z. B. bei der Hl. Kreuz-Kirche), die – von Romanen und wenigen Germanen bewohnt – im letzten Drittel des 5. Jh. verlassen wurde. Aus dem 6. und 7. Jh. stammen nur wenige Grabfunde im Domhof. Ein seit ca. 90 n. Chr. in der Innstadt bestehendes Numeruskastell wurde im 3. Jh. zerstört und etwas innaufwärts durch das trapezförmige Kastell Boiotro abgelöst, das vor 400 vom Militär geräumt wurde und wohl ein vom hl. Severin gegründetes Kloster beherbergte.

TIR M 33,25 · TH. FISCHER, Passau, in: W. CZSYZ, K. DIETZ, TH. FISCHER, H.-J. KELLNER (Hrsg.), Die Römer in Bayern, 1995, 494–498 · E. BOSHOF, H. WOLFF (Hrsg.), Das Christentum im bairischen Raum, 1994. K. DI.

Bate (Βατή). Att. Asty(?)-Demos (→ Asty) der Phyle Aigeis; ein (zwei) Buleut(ai). Lage unbekannt (bei Ambelokipi?); zur Lokalisierung trägt das Dekret der Mesogeioi IG II² 1245, das beim Acharnaischen Tor, d. h. Sophokleous/Ecke Aiolou, gefunden wurde, nichts bei. IG II² 2776 Z. 53 wird eine σχαστηρία in B. verpfändet [1. 81] (weitere Belege für σχαστηρίαι [1. 81²³].

1 S. G. MILLER, A Roman Monument in the Athenian Agora, in: Hesperia, 41, 1972, 50–95.

TRAILL, Attica, 5, 7, 15 f., 39, 69, 109 (Nr. 24), Tab. 2. H. LO.

Bathykles. Legendärer Bildhauer und Architekt aus → Magnesia am Mäander, berühmt wegen seines sog. »Thrones« des Apollon in Amyklai bei Sparta, der von Pausanias (3,18,6–3,19,6) ausführlich beschrieben wird: als Bauwerk eine Verbindung von Hyakinthos-Grab, → Altar und kolossalem → Kultbild, geschmückt mit 45 myth. Szenen, Statuen und einer Darstellung seiner Mitarbeiter als Reigentänzer. Da nichts erhalten ist, sind die zahlreichen Rekonstruktionen und die Datier. ins späte 6. Jh. v. Chr. spekulativ.

A. FAUSTOFERRI, Il trono di Amyklai e Sparta. Bathykles al servizio del potere, 1996 • FUCHS/FLOREN, 216, 395–396 • R. MARTIN, Bathyclès de Magnésie et le »trône« d'Apollon à Amyklae, in: RA, 1976, 205–218 • OVERBECK, Nr. 360–361 (Quellen) • A. STEWART, Greek Sculpture, 1990, 246–247.
R. N.

Batieia, Bateia (Βατίεια, Βάτεια). Hügel vor dem skaischen Tor Troias zwischen Skamander und Simoeis, auf dem sich die Troianer zur Schlacht ordneten. Die Götter nannten ihn »Mal der sprunggeübten Myrine« (Hom. Il. 2,811–815). Wegen des Beiworts sah man in B. eine Amazone (Strab. 12,573). Lykophron nennt den Ort selbst Myrine (Lykophr. 243). B. war angeblich die Tochter des troischen Urkönigs Teukros und der Nymphe Idaia und Gattin des Dardanos (Dion. Hal. ant. 1,62; Apollod. 3,139; Hellanikos FGrH g 4 F24; Diod. 4,75).

A. HEUBECK, Die homer. Göttersprache, in: WJA 4, 1949/50, 202–206 • L. KAHIL, s. v. Dardanos, LIMC 3.1, 352–353.
R. B.

Batis (Βάτις). Angeblich Eunuch, war unter Dareios Kommandant von Gaza, wo er Alexander den Gr. 332 v. Chr. zwei Monate lang durch mutigen und hoffnungslosen Widerstand aufhielt. Nach dem Fall der Stadt wurde er vom Sieger grausam hingerichtet.

BERVE 2, Nr. 209.
E. B.

Bato
[1] Dardanischer Fürst, der 200 v. Chr. die Römer im Kampf gegen → Philipp V. mit Hilfstruppen unterstützte (Liv. 31,28,1–2.).

CAH VIII, ²1989, 262 • ERRINGTON 187.
M. STR.

[2] Dalmatier aus dem Stamm der Daesidiaten. Anführer im pannonisch-dalmatischen Aufstand 6–9 n. Chr., dessen Ursachen Cassius Dio (55,29–34; 56,11–26) und Velleius Paterculus (2,110–116) in Steuerlast und Rekrutierungsmaßnahmen sehen. B., dem sich nach ersten Erfolgen auch die Breuker unter B. [3] anschlossen, unterlag zunächst dem Messalla Messalinus, im J. 7 griffen jedoch beide B. vom Mons Alma (Fruska Gora) aus die Römer an. Erst → Tiberius konnte mit Hilfe des Caecina Severus und des Plautius Silvanus, die aus Moesien heraneilten, und später des M. Lepidus 8 n. Chr. die durch Hunger und Krankheit geschwächten Aufstän-

dischen bezwingen. Nach der Befriedung Pannoniens verfolgte Tiberius B., bis dieser sich 9 n. Chr. mit seinen Anhängern im Felsenkastell Andetrium (Gornje Muc, zur Lage CIL III p. 361) ergeben mußte. B. wird im Triumphzug mitgeführt (Suet. Tib. 20) und exiliert (Ov. Pont. 2,1,45 f.).

A. BERNECKER, Die Feldzüge des Tiberius, 1989, Index s. v. B. • A. MÓCSY, Pannonien und das röm. Heer, 1992, 53–58 • R. SYME, Danubian Papers, 1971, 135–42 • J. J. WILKES, Dalmatia, 1969, 69–77.
ME. SCH.

[3] Führte die → Breuci aus Pannonien im pannonisch-dalmatischen Aufstand 6–9 n. Chr. und griff zusammen mit → B. [2] im J. 7 die Römer von der Fruska Gora aus bei den Volcaeischen Sümpfen an. Nach der Niederlage 8 n. Chr. lieferte er seinen Waffengefährten Pinnes den Römern aus, was ihm zunächst eine Vorrangstellung bei den Breukern eintrug, letztlich aber zur Gefangennahme und öffentlichen Hinrichtung durch B. [2] noch im selben Jahr führte.

s. B. [2] • J. FITZ, Die Verwaltung Pannoniens in der Römerzeit, 1993, 32–41 • A. MÓCSY, s. v. Pannonia, RE Suppl. 9, 546.
ME. SCH.

Baton (Βάτων).
[1] Wagenlenker des → Amphiaraos. Wie dieser stammte er aus dem Geschlecht des Melampus. Zusammen mit Amphiaraos und seinem Wagen wurde er in der Schlacht von Theben von der Erde verschlungen. Er besaß in Argos ein Heiligtum in der Nähe des Amphiaraos-Heiligtums (Apollod. 3,77; Paus. 2,23,2). Die Argiver weihten den Wagen des Amphiaraos mit der Statue des B. nach Delphi (Paus. 10,10,3).

I. KRAUSKOPF, s. v. B.I, LIMC 3.1, 83–87.
R. B.

[2] Att. Komödiendichter des 3. Jh. v. Chr.; die Datierung ergibt sich aus Nachrichten, die ihn mit dem Stoiker Kleanthes und dem Akademiker Arkesilaos zusammenbringen [1. test. 3; 4]. Vier Stücktitel sind für ihn belegt (evtl. kommt noch ein weiterer hinzu [1. test. 2]); in insgesamt fünf etwas längeren Versfragmenten wird eine hedonistische Weltsicht vertreten, die sich wiederholt auf → Epikuros beruft (fr. 5: ein Sklave gegenüber seinem Herrn) und die Philosophen anderer Couleur als arme Tröpfe oder als Heuchler darstellt.

1 PCG IV, 1983, 28–35.
H.-G. NE.

[3] (**Bathon**). Bildhauer des Hell. Von ihm stammten Statuen von Apollo und Iuno im Concordia-Tempel in Rom. Mit dem Ethnikon *Herakleia* firmierten mehrere homonyme Bildhauer in Attika; eine Verbindung ist unsicher.

LÖWY, Nr. 61; 61a; 258 • OVERBECK, Nr. 1593–1595 (Quellen).
R. N.

Batrachomyomachia A. Literarhistorische
Einordnung B. Inhalt und parodistische
Elemente C. Wirkungs- und Wissenschafts-
geschichte

A. Literarhistorische Einordnung

Homerparodie aus späthell. Zeit [1], wie der → *Margites* dem Homer (Stat. Silv. I praef.; Mart. 14,183; Vita Herodotea 24) oder Pigres von Halikarnassos (Suda s. v. Πίγρης 1551 Adler; Plut. de Herodoti malignitate 873f ist interpoliert [2. 25–27]) zugeschrieben; der Titel lautete zunächst Βατραχομαχία (*Batrachomachía*) bzw. -íη und wurde aus Pedanterie oder in parodistischer Absicht um den Bestandteil -μυο- erweitert [2. 23–33]. Das ca. 300 Hexameter (Zahl schwankt) umfassende, eng an Formelsprache und typische Szenen der homer. Epen angelehnte → Tierepos verdankt seine Idee der aesopischen Fabel von Maus und Frosch (302 Hausrath) [2. 22, 116f.], verfährt aber mit dem Stoff sehr selbständig. Vermutlich war auch eine (fragmentarisch erh.) *Galeomyomachie* [3] Vorbild.

B. Inhalt und parodistische
Elemente

Nach einem ep. Proömium (V. 1–8), in dem die B. als Gigantomachie angekündigt wird, beginnt die Erzählung nach Art der Fabel: Eine (noch namenlose) Maus stillt, dem Wiesel entronnen, an einem Teich ihren Durst. Da redet der »Froschkönig« Physignathos (alle Namen sind sprechend), Sohn des Peleus und der Hydromeduse, die Maus in ep. Selbstvorstellung an (V. 13–23); diese (Psicharpax, Sohn des Troxartes und der Leichomyle) antwortet in gleichem Stil und preist die Überlegenheit der (parasitären) Mäusezivilisation über die primitive Naturverbundenheit der Frösche (V. 24–55). Daher lädt Physignatos den Psicharpax ein, sein Reich zu besichtigen, nimmt ihn auf den Rücken und fährt mit ihm über den See (V. 56–81; Beschreibung nach Moschos' *Europa*). Als eine Wasserschlange erscheint, taucht Physignatos ab, worauf Psicharpax ertrinkt, nicht ohne Rache angedroht zu haben (V. 82–99). Die Mäuse unter Troxartes beschließen, den Fröschen den Krieg zu erklären, und rüsten sich (V. 99–131); die Frösche unter Physignatos, der jede Schuld von sich weist, beraten und rüsten sich ebenfalls (V. 132–67). Parodistisches Glanzstück ist die folgende Götterversammlung (V. 168–201): Zeus fordert die Götter auf, Mäusen oder Fröschen zu helfen, Athene lehnt beides mit höchst irdischen Begründungen ab (Ärger durch Mäusefraß, Geldsorgen, Kopfschmerzen durch Froschgequake) und plädiert dafür, der Schlacht nur zuzuschauen. Dies wird beschlossen, und Zeus gibt das Kriegssignal. Die (von manchen [2. 175–7] für urspr. unabhängig gehaltene) Schlachtenschilderung (V. 202–303) mit zahlreichen Einzelkämpfen ist verworren und schwelgt nach iliadischem Vorbild bes. in Verwundungs- und Todesarten. Als die Mäuse durch die Aristie des überragenden Meridarpax die Oberhand gewinnen und die Frösche zu vernichten drohen, schickt Zeus als letzte

Rettung die grotesk wirkenden Krebse, welche die Mäuse in die Flucht schlagen. Damit endet der eintägige Krieg.

C. Wirkungs- und Wissenschaftsgeschichte

Die B. wurde schon früh Schullektüre, wovon u. a. die weite Verbreitung (über 100 Hss. [4. 1–46], darunter viele Miszellanhss. mit Schultexten), die Scholien (darunter der Komm. des Moschopulos [5. 117–29]) sowie eine hemmungslose Bearbeitung und Itp. zeugen. Letztere führte zu zwei stark abweichenden byz. Rezensionen (Hss. des 11./12.Jh.) und zu kontaminierten Fassungen, greifbar schon in der ältesten B.-Hs., dem Baroccianus 50 (10.Jh.) [2. 37–67]. Gedruckt wurde die B. erstmals (vermutlich) 1474 in Brescia (zusammen mit der lat. Übers. von Marsuppini) und ist damit vielleicht das erste gedr. Buch in griech. Sprache überhaupt [4. 44]. Die lit. Nachwirkung der B. war gewaltig [vgl. 6; 7; 8]; die prominentesten Nachschöpfungen – im Gegensatz zum Original alle mit satirisch-polit. Tendenz – sind der ›Froschmeuseler‹ Rollenhagens (1595), die 5 Bücher umfassende lat. Bearbeitung Baldes (1637) und zuletzt die it. Übers. und Fortsetzung (eine ›Karkinomyomachie‹) Leopardis (1831–7). Die intensive gelehrte Beschäftigung des 19.Jh. fand 1896 ihren krönenden Abschluß im Werk Ludwichs [5], über das erst Wölke [4] und Glei [2] wesentlich hinausgelangten. Innovative Interpretationen auf der Grundlage der Intertextualitätstheorie bzw. der Parodiekonzepte russischer Formalisten sowie Bachtins lieferten zuletzt Fusillo [8] und Most, der – in Anlehnung an Šklovskijs Charakteristik des »Tristram Shandy« – die B. als ›das typischste Epos‹ [9. 40] bezeichnet hat.
→ Parodie

1 J. Wackernagel, Sprachliche Unt. zu Homer, 1916, 188–99 2 R. Glei, Die B. Synoptische Ed. und Komm., 1984 3 H.S. Schibli, Fragments of a Weasel and Mouse War, in: ZPE 53, 1983,1–25 4 H. Wölke, Unt. zur B., 1978 5 A. Ludwich, Die homer. Batrachomachia des Karers Pigres nebst Scholien und Paraphrase, 1896 6 U. Broich, B. und Margites als lit. Vorbilder, in: Lebende Antike. Symposion für R. Sühnel, 1967, 250–7 7 H. Wölke, s. v. Frosch-Mäuse-Krieg, EDM 5, 1987, 424–30 8 M. Fusillo, La Battaglia delle Rane e dei Topi, 1988 (Appendice di C. Carpinato S. 137–48) 9 G. W. Most, Die B. als ernste Parodie, in: W. Ax, R. F. Glei (Hrsg.), Literaturparodie in Ant. und MA, 1993,27–40. R. Gl.

Battiaden (Βαττιάδαι). Bezeichnung für die acht Generationen umfassende Dynastie von Kyrene; vier Könige mit Namen → Battos alternieren mit vier namens → Arkesilaos (Hdt. 4,159). Der Eponym ist Battos I. (seit ca. 630 in Kyrene). Ungewöhnlich sind die von Herodot (4,161) erwähnten Privilegien des Königs. Seit → Arkesilaos II. (ca. 560) zeigen sich in Kyrene die typischen aristokratischen Parteiungen, die in den griech. Städten jener Zeit zur Tyrannis führen. Das Verhalten der Nachfolger wechselt zw. Schlichten und Beherrschen. Die Könige verbünden sich zu ihrem Machter-

Die Dynastie der Battiaden von Kyrene

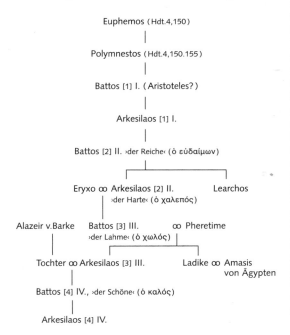

Euphemos (Hdt.4,150)

Polymnestos (Hdt.4,150.155)

Battos [1] I. (Aristoteles?)

Arkesilaos [1] I.

Battos [2] II. ›der Reiche‹ (ὁ εὐδαίμων)

Eryxo ∞ Arkesilaos [2] II.   Learchos
›der Harte‹ (ὁ χαλεπός)

Alazeir v.Barke   Battos [3] III.   ∞ Pheretime
›der Lahme‹ (ὁ χωλός)

Tochter ∞ Arkesilaos [3] III.   Ladike ∞ Amasis
von Ägypten

Battos [4] IV., ›der Schöne‹ (ὁ καλός)

Arkesilaos [4] IV.

halt mit auswärtigen Herrschern, versuchen auch, wie → Battos III., ihre Stellung durch Verfassungsreformen zu festigen, und begeben sich nach der Eroberung des benachbarten Ägypten durch die Perser (→ Kambyses) freiwillig unter die Herrschaft des persischen Großkönigs. Die Dynastie endet um 440 unter Arkesilaos IV., der flieht und, wohl mit seinem Sohn Battos, ermordet wird.   B. P.

Battos (Βάττος).

[1] B. I., Sohn des Polymnestos aus dem Geschlecht des Minyers Euphemos aus Thera (Hdt. 4,150). Anführer der Kolonisten und König von Kyrene (Hdt. 4,153,3; SEG 9,3: ἡγεμόνα ἀρχαγέταν καὶ βασιλέα). Siedelte um 630 v. Chr. zuerst auf der Insel Platea, dann an der libyschen Küste und schließlich in Übereinkunft mit den Einheimischen am Ort → Kyrene (Hdt. 4,153; 156; 158). Dort regierte er nach Herodot (4,159) 40 Jahre. Um die Gründergestalt ranken sich Legenden aus Thera und Kyrene (Hdt. 4,153–159; Reminiszenz in SEG 9,3). Unklar ist, ob der Name des Eponymos auf spätere Volksetym. zurückgeht (»Battos« für »Stotterer«), oder aus einem libyschen Königstitel abgeleitet ist (Hdt. 4,155). Pindar nennt als urspr. Eponym einen Aristoteles (Pind. P. 5,87).

[2] B. II., Sohn des Arkesilaos I., Enkel des Battos I. Warb im großen Stil um Neusiedler aus Griechenland und rief zur Landverteilung (γῆς ἀναδασμός) auf. Die dadurch ihres Landes beraubten Libyer verbündeten sich mit dem ägypt. Pharao → Apries, der gegen Kyrene

zu Felde zog und um 570 in der Schlacht von Iraso besiegt wurde (Hdt. 4,159). Vermutlich gerieten die aufständischen Libyer mit diesem Ereignis unter die direkte Herrschaft des Königs von Kyrene.

[3] B. III., Sohn des Arkesilaos II. und der Eryxo, Enkel des Battos II. Folgte wahrscheinlich nach den Wirren um den Mord an → Arkesilaos II. nach Learchos auf dem Thron (Polyain. 8,41). Rief → Demonax von Mantinea als Schlichter des unter seinem Vater entstandenen Bürgerzwists. Die Verfassung des Demonax gliederte das Gemeinwesen in drei Phylen nach der Herkunft der Siedler: Theräer und Periöken, Peloponnesier und Kreter, Nesioten. Die Vorrechte des Königs wurden auf dessen Landgüter und Priesterämter beschnitten (Hdt. 4,161). Nach Herodot (2,181) schloß Battos ein Bündnis mit → Amasis von Ägypten, dem er seine Tochter (?) Ladike zur Frau gab.

[4] Sohn des Arkesilaos III., Enkel des Battos III. und der Pheretime. Vorletzter König von Kyrene (Hdt. 4,163; Herakl. Pont. 4,3). Folgte auf dem Thron wohl nach dem von → Pheretima mitinitiierten Feldzug des ägypt. Satrapen Aryandes gegen Libyen und Kyrene. Ob er die Perserherrschaft nach 480 wieder abwerfen konnte, ist ungewiß. Nach den arch. Funden zu urteilen lebte Kyrene zu seiner Zeit in großem Wohlstand.

H. BERVE, Die Tyrannis bei den Griechen, 1967, 125f., 592 ˙ F. CHAMOUX, Cyrène sous les Battiades, 1953 ˙ A. J. GRAHAM, The Authenticity of the ὅρκιον τῶν οἰκιστήρων of Cyrene, in: JHS 80, 1960, 94–111 ˙ B. M. MITCHELL, Cyrene and Persia, in: JHS 86, 1966, 99–113.   B. P.

[5] Messenischer Hirt, der sieht, wie → Hermes die Apollon gestohlenen Rinder vorbeitreibt (Ant. Lib. 23=Hes. fr. 256 M.-W.; Ov. met. 2,676–707; Ov. Ibis 586). Gegen eine Belohnung gelobt B. zu schweigen (›Eher wird dieser Stein da deinen Diebstahl verraten‹: Ov. met. 696). Als Hermes kurze Zeit später in veränderter Gestalt wiederkehrt, B. ein Geschenk anbietet und ihn nach den gestohlenen Rindern fragt, bricht dieser den Schwur. Zur Strafe verwandelt Hermes B. in einen Felsen. So ist die Geschichte eine Fortführung des klass. Rinderdiebstahls des Hermes. Im homer. Hermeshymnos ist der Verräter ein anonymer Greis aus Onchestos in Boiotien (Hom. h. 4,87ff./186ff.). Der Name B. ist wohl sprechend für einen Schwätzer (βαττολογεῖν, battologeín = schwatzen). Das Motiv der Schwatzhaftigkeit ist verbreitet in der ant. Überlieferung [1].

1 F. BÖMER, Metamorphosen (Komm. zur Stelle), 1969, 401f.

R. HOLLAND, B., in: RhM 75, 1926, 156–183.   R. B.

Bauaufsicht s. Bauwesen

Baubehörden s. Bauwesen

Baubo (Βαυβώ). Nach der Orpheus zugeschriebenen Version des eleusinischen Mythos zusammen mit den Heroen Triptolemos, Eumolpos, Eubuleus und ihrem Mann Dysaules Ureinwohnerin von Eleusis, zu denen → Demeter auf der Suche nach ihrer Tochter kommt. Wie → Iambe in der Mythenversion des homer. Hymnus bewirtet B. die Göttin und macht ihr gegenüber den obszönen Gestus, ihren Unterleib zu entblößen, um sie zu erheitern (Clem. Protreptikos 20f.; Arnob. 5,25, der ausführlich beschreibt, wie B. ihrem nackten Unterkörper die Form eines Gesichtes gibt; die Divergenzen zwischen den beiden Quellentexten werden verschieden erklärt [1. 194–199; 2; 3. 174–177]. Der Gestus, ein weibliches Gegenstück zur phallischen Präsentation, gehört zu den im Demeter-Kult unter Frauen gut belegten erheiternden Obszönitäten; Männern gegenüber hat er verächtliche oder apotropäische Wirkung [4. 30f.; 5.].

Aus dem Demeter-Heiligtum von Priene stammen Terrakotten, die einen weiblichen Unterleib mit Gesicht darstellen; ob sie B. meinen, ist ungewiß. Dasselbe gilt für die röm. Terrakotten einer nackten Frau, die auf einem Schwein reitet und ihre Genitalien präsentiert; die Deutung als B. hat aber Goethes ›Klassische Walpurgisnacht‹ inspiriert.

1 F. GRAF, Eleusis und die orphische Dichtung Athens, 1974 2 M. MARCOVICH, Demeter, B., Iacchus and a redactor, in: Vigiliae Christianae 40, 1986, 294–301 3 F. MORA, Arnobio e i culti di mistero, 1994 4 G. DEVEREUX, B. Die mythische Vulva, 1981 5 M. OLENDER, Aspects de B., in: RHR 102, 1985, 3–55. F.G.

Bauentwurf s. Bauwesen

Bauern I. GRIECHENLAND II. ROM

I. GRIECHENLAND

Kein griech. Begriff entspricht genau dem deutschen Wort Bauer. Das griech. Wort γεωργός (geōrgós) war eine Bezeichnung für jemanden, der das Land bewirtschaftete, gleichgültig, ob er Landbesitzer, Landbesitzer und Landarbeiter zugleich oder nur Landarbeiter war (Xen. oik. 5,4), und galt somit für Reiche und Arme, für Bürger und Nicht-Bürger sowie für Sklaven und Freie. Der relativ ungewöhnliche Begriff αὐτουργός (auturgós) meinte jemanden, der für sich selbst oder mit den eigenen Händen arbeitete, und war auf freie Männer beschränkt; obwohl der Begriff »Männer, die keine Muße haben« bezeichnet (Thuk. 1,141,3–5), bezog er sich jedoch weder nur auf Menschen mit einem niedrigen sozialen Status noch auf Landarbeiter [1. 168–73]. Keiner dieser Begriffe hat die pejorative Bedeutung, die der Terminus ἄγροικος (ágroikos) aufweist (Theophr. char. 4). Diese lex. Aspekte sind wichtig für unsere Wahrnehmung der griech. B. und für deren Selbstwahrnehmung. Reiche und arme B. traten füreinander ein, da sie grundlegende gemeinsame Interessen hatten. Für Athen ergibt sich dies aus (Xen.) Ath. pol. 2,14 und aus Aristoph. Eccl. 198, wo Reiche und B., anders als die Ar-

men, der Aufstellung einer Flotte ablehnend gegenüberstehen. Das Kleinbauerntum galt nicht als eine soziale Schicht, die von Außenstehenden dominiert oder ausgebeutet wurde oder die eine eigene kulturelle Tradition besaß, wie man es von dem klass. B. erwartet [3. 142].

Obwohl es wahrscheinlich ist, daß die meisten Bürger in den meisten Poleis Land besaßen, war der γεωργός eine Figur, die auffallend genug war, um in der alten und in der neuen Komödie die Titelrolle zu spielen. Charakterisiert wird er durch die tiefe Zuneigung zu dem Land, das er bearbeitet, die jedoch von dem Groll über geringe Erträge nicht unberührt bleibt (Men. Georgos 35–39; vgl. Xen. Kyr. 8,3,38), und durch seine manchmal mürrische Abneigung (Aristoph. Plut. 903), sich in der Politik zu betätigen (Aristoph. Georgoi fr. K-A). Daher betrachtete Aristoteles die Demokratie der B. als eine bes. Verfassung; seiner Meinung nach handelte es sich um die beste Form der Demokratie, da die Bürger, die keine Muße hatten, sich wenig um die Politik kümmerten (pol. 1318b6–1319a19). Aber dem bäuerlichen Leben wurden auch positive Wirkungen auf die Bürgerschaft nachgesagt. So behauptete Xenophon im Oikonomikos, daß Landwirtschaft Reichtum, Gesundheit und Freude in Aussicht stelle und somit die bestmögliche Tätigkeit für einen freien Mann darstelle. Zwar bemühte sich Xenophon, die Vorzüge eines Mannes, der Muße genießt, zu betonen – Muße ist die Voraussetzung für den Dienst in der Reiterei und für athletische Übungen –, aber Bauern wurden generell als der Rückhalt der Hoplitenarmeen angesehen (Aristot. pol. 1291a30).

Der Bauer war keineswegs eine einfältige Figur. Hesiod etablierte durch seine Erga (›Werke und Tage‹) eine Tradition, die Landwirtschaft als eine Tätigkeit ansah, die eine große Sachkenntnis verlangte, und Xenophons Oikonomikos war nur eine (und vielleicht die am wenigsten systematische) der zahlreichen Abhandlungen über Landwirtschaft, die im klass. Athen entstanden. Xenophon tendiert in seinem Werk deutlich zu der Auffassung, daß die Arbeitsmethoden der B. lediglich auf gesundem Menschenverstand beruhen, doch Aristoteles scheint eine weit verbreitete Meinung wiederzugeben, wenn er die Vielzahl der Kenntnisse, die ein Bauer besitzen muß, betont (Aristot. pol. 1258b12–20). Von Homer an boten die Fertigkeiten der B. in der Literatur Stoff zu Gleichnissen, seit Hesiod wird die Tätigkeit der Bauern zudem gerade auch unter dem Aspekt der Moral gesehen.

Arch. Surveys tragen neuerdings zur Kenntnis der unterschiedlichen Lebensverhältnisse von B. in verschiedenen Regionen und Epochen der Ant. bei. Der Grad sozialer Isolation der auf dem Land lebenden Menschen hing nicht nur vom Reichtum ab, sondern war auch von Ort zu Ort und von Epoche zu Epoche unterschiedlich. Aus oft schwer zu erklärenden Gründen war die Siedlung in Dörfern oder in verstreut liegenden Höfen weit verbreitet. In einer Reihe von klass.

Landschaften (Boiotien, südl. Argolis, Kea) scheinen viele einzelne, isolierte oder aber in kleinen Gruppen zusammenliegende Höfe existiert zu haben; dasselbe trifft auch zumindest auf einzelne Gebiete Attikas zu. Unter solchen Bedingungen hing die Möglichkeit einer Partizipation am polit. oder sozialen Leben der Stadt für einen Landbesitzer von seinem Wohlstand ab und davon, ob er sich, wie Ischomachos bei Xenophon, ein zweites Haus in der Stadt und einen Gutsverwalter (ἐπίτροπος) leisten konnte, der die Arbeit der Sklaven auf dem Hof beaufsichtigte. Obwohl Menander im *Dyskolos* auf die Isolation des B. anspielt, sollten wir dies nicht überbewerten: Die im Jahresverlauf sehr ungleich verteilten Arbeitsanforderungen haben die Gelegenheit zur Muße gegeben, die eine tagelange Abwesenheit vom Hof möglich machte, aber es gleichzeitig notwendig machten, Verwandte und Nachbarn als Arbeitskräfte heranzuziehen.

→ Agrarstruktur; Agrarschriftsteller

1 A. BURFORD, Land and Labor in the Greek World, 1993 2 T. GALLANT, Risk and Survival in Ancient Greece. Reconstructing the Rural Ancient Economy, 1991 3 R. OSBORNE, Demos. The Discovery of Classical Attika, 1985 4 S. POMEROY, Xenophon Oeconomicus: A Social and Historical Commentary, 1994 5 S. TODD, Lady Chatterley's Lover and the Attic Orators: The Social Composition of the Athenian Jury, JHS 110, 1990, 146–173.   R. O.

II. ROM

Der Begriff »Bauer« hat eine Bed., die im Lat. in verschiedenen Worten erfaßt wurde: *Agricola* bezeichnete denjenigen, der auf dem Land arbeitete, während *colonus* zwar zunächst eine ähnliche Bed. besaß, aber schließlich auf den Kleinpächter bezogen wurde; *assiduus* meinte hingegen einen Klein-B., dessen Besitz (*census*) ihn zum Militärdienst berechtigte und als privilegierten Wähler qualifizierte. Bezeichnungen wie *agrestis*, *rusticus* und *paganus* drückten die Verachtung der Stadtbewohner gegenüber der Landbevölkerung aus.

Die Aristokraten des frühen Rom beschäftigten auf ihren Gütern eher nichtröm. Sklaven als abhängige Arbeiter (*nexi*), womit sie zum Wachstum der Schicht der Kleinbauern beitrugen, aus der die großen Armeen Roms ausgehoben werden konnten. So wurde die röm. Republik in ihrer Selbstauffassung zu einem Gemeinwesen unabhängiger Kleinbauern. Die polit. Moral dieses Ideals ist in der *praefatio* von Catos *De agricultura* (Mitte des 2. Jh. v. Chr.) enthalten: Landwirtschaft ist moralisch einwandfrei, sozial akzeptiert und in ökonomischer Hinsicht risikoarm, B. (*agricolae*) sind dabei die besten Soldaten und neigen am wenigsten zu umstürzlerischen Ideen. In diesem Zusammenhang ist auch der Mythos der frühen Feldherren aus der Bauernschaft wie → Cincinnatus und M. Curius Dentatus zu sehen, denen → Cato nachzueifern suchte, indem er von Zeit zu Zeit mit seinen Sklaven zusammenarbeitete. Tatsächlich versuchte die röm. Republik unter großen Anstrengungen, die Anzahl der *assidui* durch Gründung von Kolonien und die Verteilung des eroberten Landes ital. Völker zwischen dem 4. und dem frühen 2. Jh. v. Chr. zu erhalten und zu steigern. Die in der Zeit zwischen den Gracchen (→ Gracchus) und Augustus realisierten Ansiedlungsprogramme waren in vielerlei Hinsicht eine Fortsetzung dieser Politik, auch wenn nun öffentliches röm. Land verteilt wurde.

In der aristokratisch geprägten röm. Lit. gibt es abgesehen von wenigen sentimentalen oder moralisierenden Texten kaum realistische Informationen über das tägliche Leben röm. B. Auch die *Georgica* Vergils können nur in begrenztem Ausmaß als eine realistische Beschreibung kleinbäuerlicher Wirtschaft in Oberit. bewertet werden. Die Handbücher zur Landwirtschaft, darunter auch das des älteren Cato, behandeln die Verwaltung der auf Sklavenarbeit beruhenden Güter der Reichen; obwohl sie auch Elemente der bäuerlichen Arbeitspraxis und ländlichen Wissens (einschließlich der Volksmedizin) überliefern, geben sie sehr wenig Aufschluß über freigeborene Kleinpächter und Erntearbeiter, die auch von Großgrundbesitzern beschäftigt wurden. Die annalistische Überlieferung verzeichnet jedoch oft die Größe der durch staatliche Siedlungsprogramme zugewiesenen Ländereien, die in der Regel (mit Ausnahme der latinischen *coloniae* des frühen 2. Jh. v. Chr. und des von den Gracchen verteilten Landes) zwischen sieben und zehn *iugera* (1,8 bis 2,5 ha) groß waren. Es handelte sich hier um Landzuweisungen für eine bäuerliche Subsistenzwirtschaft; die Höfe waren nicht groß genug, um einen Ochsen zu halten oder eine große Familie zu ernähren. Sehr wahrscheinlich wurden auf diesem Land eher Hülsenfrüchte und Gemüse als Weizen angebaut. Solche Ansiedlungsprogramme bewirkten, daß Söhne in der Hoffnung auf eine neue Landzuteilung in die Armee eintraten. Als sich mit der Zeit die Größe, Zusammensetzung und die Besitztümer der einzelnen Familien zu verändern begannen, mußte die urspr., auf Gleichheit zielende Verteilungsstruktur des Landes durch soziale und marktbedingte Transaktionen wie Teilung des Erbes, Heirat, Verkauf oder Verpachtung zusammenbrechen. Während einige B. in den Besitz größerer Ländereien gelangten, sahen sich andere zu Gelegenheitsarbeit gezwungen oder wanderten in die Städte ab. Lohnarbeit und Besteuerung bedeuteten selbst für arme Klein-B. eine Berührung mit der Geldwirtschaft. Surveys und Ausgrabungen haben gezeigt, daß in ganz It., nicht nur in den Kolonien, weit verstreute Siedlungen sehr häufig waren. Es sind einige sehr kleine und unscheinbare Gehöfte, die mit Subsistenzwirtschaft in Verbindung gebracht werden können, ausgegraben worden, doch hinterlassen derartige Gebäude nur selten arch. faßbare Spuren; es sind mehr Fälle größerer und komfortablerer Bauernhäuser nebst Installationen zur Produktion von Olivenöl oder Wein bekannt. Diese gehören wohl zu größeren Höfen, auf denen Sklaven und Ochsen eingesetzt werden konnten und die in aller Regel Überschüsse produzierten.

Die »B.« stellten im republikanischen It. keine statische soziale Schicht dar, sondern besaßen eine hohe soziale Mobilität; diese Schicht umfaßte dabei landlose Arbeiter ebenso wie Familien, die im Begriff standen, *domus nobiles* zu werden. Der Aufbau einer stehenden Armee im Prinzipat und das Ende der Volksabstimmungen machten es schließlich überflüssig, durch polit. Maßnahmen die Existenz freier B. zu sichern. Allmählich verbreitete sich die Verpachtung immer mehr, und schließlich entstand mit dem Kolonat ein System, das den Pächter an die Scholle band; allerdings verschwanden die freien Klein-B. niemals gänzlich. Obgleich das röm. Konzept von Privateigentum das Kleinbauerntum in den Prov. stärkte, gab es keine offizielle Politik einer Begünstigung der Klein-B. im Imperium Romanum. Viele Zeugnisse zur sozialen Lage der Klein-B. stammen aus den Prov., so etwa die moralisierende Beschreibung des ländlichen Lebens in der euboeischen Rede von Dio Chrysostomos (or. 7) oder die auf Papyri überlieferten Dokumente aus dem röm. Ägypten, wobei das Archiv des Kronion aus dem frühen 2. Jh. n. Chr. (P. Kronion) und das Archiv des Aurelius Isidorus des späten 3. und frühen 4. Jh. n. Chr. (P.Cair.Isid.) von bes. Bedeutung sind.

→ Agrarstruktur (Rom); Colonatus; Landwirtschaft (Rom); Subsistenzproduktion

1 J. K. Evans, Plebs rustica. The Peasantry of classical Italy II. The Peasant Economy, in: AJAH 5, 1980, 134–173 **2** J. M. Frayn, Subsistence Farming in Roman Italy, 1979 **3** K. Greene, The Archaeology of the Roman Economy, 1986 (Kap. 4, 5) **4** W. E. Heitland, Agricola. A Study of Agriculture and Rustic Life in the Greco-Roman World from the Point of View of Labour, 1921 **5** W. Scheidel, Grundpacht und Lohnarbeit in der Landwirtschaft des römischen Italien, 1994.　　　　　　　D. R.

Bauinschriften. B. sollten an einem öffentlichen Bauwerk (z. B. Theater, Tempel, Aquädukt) den Namen des Bauherrn festhalten. Erbauer konnte etwa eine Stadt – vertreten durch Magistrate –, eine Körperschaft, ein Angehöriger des Kaiserhauses oder eine Privatperson sein. Träger der Inschr. war entweder ein Architekturteil, meist der Architrav, oder Stein-, seltener Bronzetafeln, die am oder im Bauwerk an exponierter Stelle angebracht wurden.

Das Formular einer B. besteht in seiner einfachsten Form aus dem Namen des Erbauers im Nominativ und einem Prädikat, das den Akt des Bauens/Renovierens festhält (z. B. *fecit, restituit*; bei Magistraten: *faciundum curavit idemque probavit*). Vor allem kaiserzeitliche B. enthalten auch weitere Informationen. Im Kopf des Formulars kann der Name einer Gottheit oder einer Person stehen, die mit dem Bauwerk geehrt werden soll (*Dianae sacrum; pro salute imperatoris*). Wie → Ehreninschr. führen B. bisweilen die Titel und Ämterlaufbahn des Erbauers an. Die Bezeichnung des Baus (*murum, templum* etc.) kann durch eine Beschreibung seines Zustands vor der Baumaßnahme ergänzt werden (*vetustate corruptum;*

longa aetate neglectum). Häufig werden auch der Finanzierungsmodus (*pecunia publica, pecunia sua*), die den Bau autorisierende Behörde (*decreto decurionum; senatus consulto*) und das Datum der Fertigstellung genannt. ILS 5317–5800 (zahlreiche Beispiele).

→ Weihinschriften

R. Cagnat, Cours d'Epigraphie Latine, ⁴1914, 263–279 · E. Meyer, Einführung in die lat. Epigraphik, ³1991, 59–61.　　　　　　　B. GO.

Baukis (Βαῦκις, Baucis). »Die Zärtliche« [1. 193]; alte phrygische Frau, die zusammen mit ihrem Mann Philemon in ihrer einfachen Hütte die bei ihnen als müde Wanderer einkehrenden Götter Juppiter und Merkur beherbergt. Zur Strafe dafür, daß den beiden Göttern in der ganzen Gegend die gastliche Aufnahme verweigert worden ist, wird das Land von einer Wasserflut vernichtet. Nur die Hütte von Philemon und B. wird verschont und in einen prächtigen Tempel verwandelt, in dem die beiden auf eigenen Wunsch hin Priester sein dürfen. In hohem Alter werden sie, auf den Stufen des Tempels stehend, in Bäume (Eiche und Linde) verwandelt, die daraufhin von den Umwohnern kult. verehrt werden (Ov. met. 8,620–724). Woher Ovid den Stoff gekannt hat, läßt sich nicht mit Sicherheit sagen. Auffällig sind Parallelen zu biblischen Episoden (Besuch Gottes bei Abraham und Sara in Mamre, Gen 18; Paulus und Barnabas in Lystra, Act. apost. 14,11 ff.) und zur hell. Literatur: Einkehr des Theseus in der Hütte der alten → Hekale (Kall. Hekale), Herakles bei Molorchos (Kall. fr. 54–59) [1. 190–96].

1 F. Bömer, P. Ovidius Naso, Metamorphosen, 1977 (Komm. zur Stelle).

M. Beller, Philemon und B. in der europ. Lit. (= Stud. zum Fortwirken der Ant. 3), 1967 · M. K. Gamel, B. and Philemon: Paradigm or Paradox?, in: Helios 11, 1984, 117–131 · H. F. Griffin, Philemon and B. in Ovid's Metamorphoses, in: G&R 38, 1991, 62–74.　　　R. B.

Baukommission s. Bauwesen

Bauli. Ortschaft in den → *campi Phlegraei* ca. 2 km von Baiae entfernt, wohl h. Bacoli. Der Name scheint abgeleitet von den Ställen (*boaúlia*), in denen Hercules die Ochsen des Gerion aufbewahrte (Serv. Aen. 6,107) [1. 5–19]. Überreste zahlreicher *villae* (lit. Belege: Cic. fam. 8,1,14 [Pompeius], Varro rust. 3,17,5 [Hortensius]); im 4. Jh. n. Chr. erwähnt Symmachus seine bes. geschätzte *villa* in B.: epist. 1,1,2 [2. 11–13]. Nero, der die *villa* des Hortensius geerbt hatte, ließ hier seine Mutter Agrippina ermorden und bestatten (Tac. ann. 14,4 f.; Suet. Nero 34).

1 O. Seeck, MGH AA 6,1,2 **2** Ders., MGH AA 6,1,1.

A. Maiuri, I Campi Flegrei, 1958 · P. Amalfitano, G. Camodeca, M. Medri, I Campi Flegrei, 1990.　　U. PA.

Baumaß s. Bauwesen

Baumaterial s. Bautechnik

Baumgottheit s. Baumkult

Baumkult. In Griechenland und It. war oft ein bestimmter Baum mit einer Gottheit oder einem Heros
eng verbunden: Die orakelgebende Zeus-Eiche von
Dodona (Hom. Il. 16,233–235), Athenas hl. Ölbaum
auf der Akropolis, von dem das Schicksal der Stadt abhängig sein sollte (Hdt. 8,55), sind Beispiele. Weitere
sind das Keuschlamm der Hera auf Samos (Paus. 7,4,4),
die *ficus Ruminalis*, die zum Andenken an die Romulus
und Remus nährende Wölfin auf dem Forum stand
(Plin. nat. 15,77), sowie der Lorbeer des Apollon, der
durch die Metamorphose der Nymphe → Daphne entstanden sein sollte. Die Beziehung zw. Gottheit und
Pflanze wurde jeweils mythisch begründet, was dem
Baum einen symbolischen Wert verlieh. Das letzt-
genannte Beispiel ist charakteristisch: Bäume hatten, wo
sie personifiziert wurden, meist weibliche Züge. Sie galten als Wohnsitze von Nymphen (Hom. h. Veneris
264 ff.) und Urmütter der Menschen (Anth. Pal. 9,312).
   In der Kultpraxis gehörten Bäume und hl. Haine
(neben → Quellen) zur Standardausstattung eines Heiligtums, wie viele Darstellungen seit min.-myk. Zeit
belegen. Auf ländlichen Anwesen wurden Bäume bei
bestimmten Gelegenheiten geschmückt (Plin. nat. 12,3;
Apul. apol. 56). Schließlich dienten die Bestandteile von
Bäumen als Material für Kultobjekte. Götterbilder aus
Holz galten als bes. altertümlich (Paus. 7,4,4; Plin. nat.
12,5); bei vielen Riten spielte das Tragen von Zweigen
eine Rolle (→ Eiresione, → Daphnephoria), aus Zweigen wurden Kränze (→ Kranz) gefertigt.
   Trotz christl. Kritik an der Sakralisierung von Bäumen (Arnob. 1,39) konnte nicht übersehen werden, daß
die symbolische Überhöhung des Kreuzesholzes die ant.
Tradition fortführte (Firm. 27,1).
   Die in Kult und Mythos hervortretende rel. Bed. des
Baumes basiert letztlich auf seiner stammesgesch. Ur-
sprungsfunktion als Heim- und Zufluchtsort.

D. BAUDY, Das Keuschlamm-Wunder des Hermes, in:
GB 16, 1989, 1–28 · G. J. BAUDY, s. v. Baum, HrwG II,
109–116 · C. BÖTTICHER, Der B. der Hellenen, 1856 ·
A. J. EVANS, Mycenaean Tree and Pillar Cult and its
Mediterranean Relations, in: JHS 21, 1901, 99–204 ·
W. FAUTH, Widder, Schlange und Vogel am Hl. Baum, in:
Anatolica 6, 1977/78, 129–155 · K. ERDMANN (u. a.), s. v.
Baum, RAC 2, 1954, 1–34 · K. MEULI, Die Baum-
bestattung und die Urspr. der griech. Göttin Artemis (1965),
in: Gesammelte Schriften II, 1975, 1083–1118.   D. B.

Baumwolle. Das Wort B. entspricht der griech. Nomenklatur ἔριον ἀπὸ ξύλου, ἐριόξυλον. Unter B. verstehen wir die weichen Samenhaare kultivierter Arten
der Gattung *gossypium* (B.-Pflanze) aus der Familie der
Malvengewächse. Die B.-Pflanze, meist ein einjähriger

Strauch, kann eine Höhe bis zu 2 m erreichen, weshalb
die ant. Autoren auch von Bäumen sprechen. Aus den
Blüten entwickeln sich walnußgroße, kapselartige
Früchte, aus denen im Herbst die weichen weißen Samenhaare, die eigentliche B., herausquellen. Die reifen
Kapseln werden geerntet und anschließend getrocknet.
   Herodot (3,106) nennt als Heimat der B.-Pflanze Indien und beschreibt sie als wild wachsenden Baum, dessen Wolle an Schönheit und Güte die Schafwolle über-
treffe. Bei Theophrastos und Plinius finden sich ebenfalls Angaben über Heimat und Aussehen der B.-Pflan-
ze (Theophr. h. plant. 4,4,8; 4,7,7; Plin. nat. 12,38–39),
die diesen Autoren zufolge auch am Persischen Golf
wuchs. Nach Strabon (15,1,20) hat Nearchos berichtet,
daß in Indien Kleidung aus B. hergestellt wurde. Unklar
bleibt, ob es sich bei dem von Pausanias (5,5,2; 6,26,6;
7,21,14) erwähnten βύσσος (*byssos*), der in Elis wuchs
und in Patrai verarbeitet wurde, um B. gehandelt hat.

1 E. J. W. BARBER, Prehistoric Textiles. The Development
of Cloth in the Neolithic and Bronze Ages with Special
Reference to the Aegean, 1991, 32 f. 2 BLÜMNER, Techn. 1,
199 f. 3 WAGLER, s. v. B., RE 3, 167 ff. 4 J. P. WILD, Textile
Manufacture in the Northern Roman Provinces, 1970,
17–19.   A. P.-G.

Bauornamentik s. Ornament

Bauplanung s. Bauwesen

Bauplastik
I. ALTER ORIENT
II. GRIECHENLAND   III. ROM

I. ALTER ORIENT
   B., d. h., in Architekturen integrierte Figuralplastik
findet im Alten Orient zumindest seit dem 15. Jh.
v. Chr. Verwendung. In Nordmesopotamien und den
westl. angrenzenden Gebieten sind ab dem 14. Jh. Orthostatenreliefs und Wächterfiguren an Torlaibungen,
ab dem 9. Jh. skulptierte Stützen- und Säulenbasen sowie Stützfig. bevorzugt in Stein gearbeitet worden. In
der steinlosen südmesopotamischen Schwemmebene
boten sich aus Modeln gezogene Ziegelreliefs als Ersatz
an. Frühester Beleg für Formziegelreliefs ist der kassiti-
sche Karaindaš-Tempel in → Uruk (15. Jh.); aus → Susa
kennen wir bereits farbig glasierte Beispiele des 12. Jh.
Den Höhepunkt erreichte die Schmelzfarbenkunst auf
Formziegeln im → Babylon → Nebukadnezars II. an
den Löwen-, Stier- und Schlangendrachenbildern des
Ištartores, wo die Farbflächen in Blau, Türkis, Grün,
Gelb und Weiß mit schwarzen Glasurlinien eingefaßt
wurden, eine Technik, welche die Achämeniden fortführten (→ Susa, Apadanareliefs). Letzte Vertreter dieser
Gattung finden sich um 200 v. Chr. in Uruk. Als dritter
Werkstoff ist Metall bezeugt, wie z. B. getriebene
Bronzebeschlagbleche mit histor. Szenen an Palasttor-
flügeln des neuassyr. → Balawat (9. Jh.), oder, aus ge-
gossener Bronze, löwenförmige Säulenbasen in den

→ bīt hilāni → Sargons II. und → Sanheribs. Urspr. werden in der altoriental. B. Wesen mit apotropäischem Symbolgehalt bevorzugt. Sphingen, Lamassu, Löwen und Götterfiguren schmückten im 14./13.Jh. die Burgtorlaibungen → Hattušas, assyr. Torwächterfiguren sind offenbar von hethit. Vorbildern abgeleitet (ab 12./11.Jh.) und spielen in Königsritualen eine Rolle. Im späthethit. Tell Halaf standen in der Portikus des »Kapara-Palastes« im 9./8.Jh. Stützfiguren in Form von Gottheiten auf Löwenbasen, Orthostatenreliefs an Außen- und Innenwand der Halle. Sie (vgl. → Karkemisch) stehen in hethit. Tradition (Alaca Höyük, 14.Jh.); im 8.Jh. machen sich jedoch neuassyr. Einflüsse bemerkbar. Im kret. Prinias (7.Jh.) ahmt die Fassade des Tempels A späthethitische nach. Neuassyr. Palastreliefs des 9.–7. Jh. in Kalchu, Dur Scharukkin und Niniveh tragen farbig bemalte Bildzyklen aus dem Bereich der Verherrlichung des Königs und seiner Taten. Für den Bau der achämenidischen Paläste sind im Sinne einer Reichskunst verschiedene Handwerkertraditionen verschmolzen worden. So stellen z. B. die Doppelprotomenkapitelle der Apadana hybride Neuschöpfungen aus ionisch-kleinasiatischen Säulenkomponenten und orientalischen Einzelformen (Lamassu-, Stier- und Greifenprotomen) dar. Zusammen mit der Wiedergabe tributpflichtiger Völker an den Freitreppenreliefs von Persepolis manifestierte sich hierin der pers. Herrschaftsanspruch.

In Ägypten schmücken Rundplastik und Relief in Stein bereits im AR die Tempel, werden als tektonische Bauglieder aber kaum verwendet. Rundplastische kolossale Königsstatuen, zuerst eng vor Pfeiler gerückt, binden seit Sesostris I. (20.Jh.) auch in selbige ein, ohne selbst eine Stützfunktion auszuüben (»Osiris-Pfeiler«); sie gehören in den Bereich des Königskults und -tempels. Ein tektonisches Bauglied bilden Hathorkapitelle, die seit der 12. Dynastie in → Bubastis in Tempeln weiblicher Gottheiten verwendet, im 6./5.Jh. in Zypern nachgeahmt und noch in der Ptolemäerzeit oft verbaut wurden, bes. in Geburtshäusern. Wasserspeier in Form von Löwenprotomen sind seit dem Pyramidentempel des Niuserre (24.Jh.) im oberen Teil von Tempelwänden belegt und unter Sesostris I. bes. häufig (→ Edfu; Hathortempel zu → Dendera). Daß sie dem Bösen den Zugang durch die Wandöffnung verwehren sollten, belegen entsprechende Inschr. an ihren Konsolen. Apotropäisch sind auch die Schlangen-Falkenreliefs an den Treppenbrüstungen des Hatschepsut-Tempels oder die omnipräsenten Königsdarstellungen. Versenkte und flache Reliefs stehen in ihrer Flächenhaftigkeit und Polychromie Wandmalerei und Wandteppichen nahe. Bes. in der ptolemäisch-röm. Zeit überziehen sie sowohl innen als auch außen ganze Wände, Türrahmen, Decken, Säulen und Pfeiler. Sie verherrlichen u. a. die Taten und die Person des Pharao, illustrieren die Funktion des jeweiligen Raumes oder zeigen an, wer der Kultinhaber ist.

P. Amiet, Die Kunst des Alten Orients, 1977 ·
W. Orthmann (Hrsg.), Der Alte Orient, PKG 14, 1975 ·
D. Arnold, Lex. der ägypt. Baukunst, 1994.   A. KO.

II. Griechenland

B. bezeichnet in der Klass. Archäologie in Rundplastik und → Relief ausgeführte Bestandteile und Schmuckelemente eines Bauwerkes, sofern figürliche oder pflanzliche Themen gewählt sind, nicht aber ornamental geschmückte Bauglieder (→ Ornament). B. kommt vorwiegend an nichttragenden Teilen zur Anwendung und erläutert an kanonisch festgelegten Bauteilen bildhaft Funktion, Bedeutung und histor. Einbindung von → Architektur. Seit der Monumentalisierung von Architektur und Plastik im 7.Jh. v. Chr. ist B. der schmückende Aussageträger der sakralen Architektur und verbleibt bei Erneuerungen wie eine Votivgabe im Heiligtum (Aigina). An Profanbauten übernimmt B. die sakrale Konnotation.

Die myk.-min. Architektur weist an B. allein das Löwentor von Mykene auf; ohne Nachwirkung bleiben Versuche der »dädalischen« Epoche in Dreros (1. H. 7.Jh. v. Chr.). Die eigentliche Entwicklung der B. setzt an Holzteilen der ersten Kultbauten an, denen als Schutz im Dachbereich schmückende Elemente aus → Terrakotta appliziert werden. Reliefierte Antefixe, Löwenkopfwasserspeier und Metopen mit Hochrelief finden sich ab ca. 630 v. Chr. im griech. Raum und zahlreich in Unter-It.; Simen und Friese besonders in etr. Einflußzonen. Rundplast. B. mit Akroter-Figuren (→ Akroterion) beginnt um 600 v. Chr. und wird an Bedeutung bald von Giebelreliefs abgelöst, in Mittel-It. von der spätarcha. Sonderform der Firstbalken-Statuen. Alle Formen der B. werden ab ca. 580 v. Chr. mit Ausnahme Etruriens zunehmend in Marmor umgesetzt. Damit wird ein kanonisches System erreicht, das geschlossene Bildprogramme am Tempel ermöglicht. Der Giebel nimmt die wichtigste Stelle ein. Korinth hatte im frühen 6.Jh. v. Chr. die Dachform entwickelt, die das Tympanon zunächst für Reliefbilder, dann für Hochreliefs (→ Korkyra, Artemis-Tempel) und zuletzt für Giebelfiguren (Siphnier-Schatzhaus in Delphi; → Delphoi) zur Verfügung stellt. Die dem flachdreieckigen Feld adäquate Komposition geschlossener Szenen wurde in Athen entwickelt. First- und Seiten-Akroterfiguren bilden häufig als geflügelte Wesen auch thematisch die Peripherie des Tempels.

Die Tempel Ioniens bleiben ohne Figuren im Giebel, da unter anatolischem Einfluß Wanddekor bevorzugt wird. Zuerst werden Tonreliefs an den Simen in kürzere Serien gesetzt, bevor sie als Friese in die Gebälkzone wandern, zunächst ohne eine verbindliche Stelle am Bau zu finden. Vor der Kanonisierung des ion. Frieses tritt B. auch in Marmor bis in das 4.Jh. v. Chr. selbst an Gebäudekanten auf. Im kleinasiatischen Griechenland erhalten ab dem 6.Jh. v. Chr. sogar Säulen eine reliefierte Manschette am unteren oder oberen Schaftende (*columnae caelatae* in → Ephesos), und dort tauchen die ersten Figuralkapitelle auf, die ab hell. Zeit weite Verbreitung finden. Singulär bleiben *stylopinakia* (3. Jh. v. Chr.). Die Säule wird um 525 v. Chr. zuerst an der kykladisch geprägten Schatzhausarchitektur durch Stützfiguren (→ Karyatiden) ersetzt, denen um 480 v. Chr. Telamone (Olympieion in → Akragas) als figürliche Pilaster folgen.

Diesem im Laufe des 6. Jh. v. Chr. ausgebildeten Kanon entspricht eine ikonologische Festlegung. Im Dachbereich, anfangs auch im Giebelfeld, wachen Raubtiere und Mischwesen. Akroterfiguren wie Niken und Götterboten verweisen auf Sieghaftigkeit und Herrschertum der Gottheit. Mythen werden hierarchisch verteilt: Heroen wie Herakles und Theseus, Perseus und der troianische Kreis agieren in Fries und Metopen, die Götter im Giebel. Dort wird anfangs Überlegenheit im Kampf vorgeführt, bis in der Klassik die Darstellung von Fest und Versammlung erscheint. Geschlossene zyklische Darstellungen werden zunehmend beliebter, da sie paradigmatische Bildprogramme über den Schutz der Weltordnung und die Normen des Handelns ermöglichen. Der Bezug auf das rel.-polit. Zeitleben erreicht in Athen am → Parthenon seinen Höhepunkt.

III. ROM

Röm. Tempel sind weniger umfangreich mit B. versehen. In Fries und Metopen überwiegen Embleme und Kultgegenstände, figürliche Szenen an Friesen des Innenraumes stellen meist histor.-kultische Ereignisse dar. Giebelfelder tragen oft nur Relief-Embleme, Giebelfiguren führen rel. oder myth. Vorgänge in kontinuierender Komposition vor. Als polit.-rel. Aussage ist die Wiederverwendung originaler griech. Giebelfiguren zu werten (Rom, Apollon Sosianus-Tempel; → Spolien). Stadtröm. Giebel sind nur auf Mz. und histor. Reliefs überliefert.

An gebauten Altären ist B. inhaltlich den Tempeln angeschlossen und typologisch uneinheitlich (→ Altar). Meist werden die Wandflächen der Umfriedung reliefiert, am reichsten an der → *Ara Pacis Augustae* in Rom mit histor. und gründungsmyth. Bildern. Am Zeusaltar in → Pergamon gerät B. zum eigenständigen architektonischen Denkmal, das in aufwendigster Weise mit myth. Friesen geschmückt wird. An anderen Denkmalgattungen wie Choregenmonumenten und Tropaia ist B. thematisch besonders eng an den aktuellen Anlaß gebunden und so vielseitig verteilt wie die herangezogenen Bauformen. Auch Grabarchitektur wird primär als Träger von B. konzipiert (→ Grabbauten). Sie beginnt um 350 v. Chr. gleich an einem unüberbietbaren Monument, dem → Maussolleion, mit Friesen und Skulpturen in mehreren Etagen. Bevorzugt werden am hell. und röm. Grabbau der Fries und Reliefpanele, an denen neben myth. und sepulkralsymbolischen Bildern zunehmend ein enger Bezug zu Rang und persönlicher Gesch. des Grabinhabers hergestellt wird.

An öffentlicher Profanarchitektur wird B. wegen ihrer publizistischen Brisanz fast nur in der röm. Kaiserzeit eingesetzt. Polit.-rel. Platzanlagen bieten an Portiken und Basiliken Raum für myth. oder histor. Friese, vom röm. Gründungsmythos an der → Basilica Aemilia über den Athena-Fries des Forum Transitorium bis zum Schlachten-Fries des Trajansforums. Eigenständig röm. Entwicklung ist der → Triumphbogen als Träger polit. Aussagen, in Rom am Titusbogen noch auf Bildpanele beschränkt, am Severusbogen dicht mit Reliefbildern und Figuren überzogen. Ebenfalls eine röm. Erfindung sind die → Säulenmonumente mit historiographischer Friesspirale (Trajanssäule; Markussäule) im Dienste kaiserlicher Propaganda.

In der Wohnarchitektur findet B. nur selten und dann als Zubehör von Bautypen Verwendung, die aus sakralem und öffentlichem Bereich übernommen wurden. Sie beschränkt sich auf Innenräume (Campana-Reliefs), wo myth. Schmuckreliefs dem Kunstgenuß dienen (→ Kunstinteresse). Ant. B. hat in der abendländischen Kunst ein reiches Nachleben, nicht zuletzt wegen der Möglichkeiten zu programmatischer Aussage. Aus demselben Grund ist sie in der Klass. Archäologie ein wichtiges Objekt zur Erforschung der Bildersprache und der histor. Bedeutung der Architektur.
→ Architektur

EAA Atlante dei complessi figurati e degli ordini architettonici, 1973 · B. ANDREAE, Röm. Kunst, 1973 · A. ANDRÉN, Architectural Terracottas from Etrusco-Italic Temples, 1939 · B. ASHMOLE, Architect and Sculptor in Classical Greece, 1972 · N. BOOKIDIS, A Study of the Use and Geographical Distribution of Architectural Sculpture in the Archaic Period, 1979 · E. D. VAN BUREN, Archaic Fictile Revetments in Sicily and Magna Graecia, 1923 · A. DELIVORRIAS, Att. Giebelskulpturen und Akrotere des 5. Jh., 1974 · F. FELTEN, Griech. tektonische Friese archa. und klass. Zeit, 1984 · FUCHS/FLOREN, 113–119, 191–198, 238–250 · M. Y. GOLDBERG, Types and Distribution of Archaic Greek Akroteria, 1982 · H. V. HESBERG, Röm. Grabbauten, 1992 · P. HOMMEL, Studien zu den röm. Figurengiebeln der Kaiserzeit, 1954 · H. KNELL, Mythos und Polis, 1990 · R. LULLIES, Griech. Plastik, ⁴1979 · E. v. MERCKLIN, Ant. Figuralkapitelle, 1962 · K. PAPAIOANNOU, Griech. Kunst, 1972 · N. A. WINTER, Greek Architectural Terracottas, 1993.   R. N.

Baurecht. Auch die Ant. unterschied öffentliches und privates B. Bestimmungen des privaten B., das im Rahmen des öffentl. B. die Rechtsbeziehungen der an der Planung und Durchführung eines Bauwerks Beteiligten regelt, sind bes. aus der röm. Kaiserzeit bekannt [1]. Das öffentliche B. beschränkt die Handlungsfreiheit des Bauenden mit Rücksicht auf das öffentliche Interesse.

A. GRIECHENLAND

Die ant. Quellen setzen bereits im klass. Griechenland ein und zielen darauf, die allg. Nutzung des staatlichen Grundbesitzes zu sichern. So galt in Athen das Verbot, in öffentliche Straßen hineinzubauen bzw. Anlagen wie Balkone o. ä. hineinragen zu lassen (Heracl.

Lemb. 8, ed. DILTS). Verbindlich war dieser Grundsatz auch für öffentliche Plätze, wie ein Dekret des Demos der Sunier zeigt (SIG³ 913, vor 330 v. Chr.). Derartige Bauten konnte der Staat enteignen und verkaufen (Aristot. oec. 2,2,4) oder abreißen, bzw. den Besitzern eine Abgabe auferlegen (Polyain. 3,9,30). In Athen hatten die → astynómoi private, das öffentliche Interesse beeinträchtigende Bauten zu verhindern (Aristot. Ath. Pol. 50), in Pergamon entschieden sie im 2. Jh. v. Chr. in Streitfällen um gemeinsame Mauern (OGIS 483).

B. ROM

In Rom grenzen Bestimmungen das sonst unumschränkte Eigentumsrecht ein. Dabei sind Eingriffe des Staates auf der Grundlage des sakralen und öffentlichen Rechts zu unterscheiden von Eigentumsbeschränkungen privatrechtlichen Charakters, die ein im Zivilprozeß durchsetzbares Eingriffsrecht gegen den Eigentümer gewähren [2. I,124–125]. Letztere gehören zum Nachbarrecht, das bereits im Zwölftafelgesetz (Taf. 7) dokumentiert ist; es sieht etwa einen das Gebäude umgebenden Mindestabstandsstreifen (ambitus) von 2,5 Fuß vor oder ermöglicht eine Klage auf Grenzbereinigung. Das klass. Recht bringt hier Neuerungen bes. mit den servitutes (Grunddienstbarkeiten) luminum und altius non tollendi (→ servitus), die den Lichteinfall sowie die Gebäudehöhe regelten. Ferner konnte ein Eigentümer, der durch die Bauführung eines anderen beeinträchtigt wurde, diesem das Weiterbauen untersagen (operis novi nuntiatio) [2. I,408].

In der Kaiserzeit lassen sich bei den öffentlich-rechtlichen Beschränkungen der privaten Baufreiheit zwei Bereiche unterscheiden: 1. baupolizeiliche Verbote und 2. Maßnahmen zur Erhaltung öffentlicher Anlagen. Die baupolizeilichen Bestimmungen sollten die allg. Sicherheit in Gebieten dichter Besiedlung gewährleisten und erhöhen, da hier durch Brände und dadurch verursachte Gebäudeeinstürze erhebliche Gefahren drohten. Deshalb legte Augustus eine Maximalhöhe von 70 Fuß (20,8 m) für die Vorderseiten der direkt an öffentliche Straßen grenzenden Gebäude fest (Strabo 5,3,7). In diese Kategorie gehören ferner zwei Senatsbeschlüsse (SC Hosidianum und SC Volusianum von 44 und 56 n. Chr.), die den Kauf von Gebäuden zum Zweck des Abbruchs und spekulativen Handel mit den Materialien verboten, da die Sorge um den städtischen Baubestand im weitesten Sinne auch die öffentliche Sicherheit betraf. Vorstufen enthalten die Stadtgesetze von Tarentum und Urso, die auch das Entstehen störender Baulücken verhindern sollten.

Die staatlichen Maßnahmen zur Erhaltung öffentlicher Anlagen sichern den allg. Zugang und die Nutzung aller öffentlichen Anlagen (sakrale und profane Gebäude, Plätze, Straßen, Wasserleitungen, Flußufer). Hier verfügen Gesetze z. B. den Abriß störender Privatbauten auf oder über öffentlichen Plätzen, sehen entlang von Wasserleitungen bebauungsfreie Zonen vor oder lassen Enteignungen zum Zweck öffentlicher Bauführung zu. In der Kaiserzeit übten verschiedene Amtsträ-

ger diese Kontrolle aus, z. B. die curatores operum publicorum [3. 36]. In der Spätant. lag die Aufsicht darüber und über den gesamten städtischen Baubestand beim → praefectus urbi [4. 368–71]. Trotz grundsätzlich gleichbleibender Struktur beginnt mit der Spätant. eine neue Ära des B.; denn zum einen nehmen die Beschränkungen zu und werden strenger, zum anderen kommen seit dem 5. Jh. staatliche Anordnungen im privaten Interesse hinzu [2. II,266–271]. Schließlich faßt das Baugesetz → Zenons Regelungen des öffentlichen und des privaten B. in einer umfassenden Bauordnung für die Stadt Konstantinopel zusammen (Cod. Iust. 8,10,12).

1 S. D. MARTIN, The Roman Jurists and the Organisation of Private Building in the Late Republic and Early Empire, 1989 2 M. KASER, RPR 3 A. KOLB, Die kaiserliche Bauverwaltung in der Stadt Rom, 1993 4 A. CHASTAGNOL, La préfecture urbaine à Rome sous le Bas-Empire, 1960.

J. M. RAINER, Bau- und nachbarrechtliche Bestimmungen im klass. röm. Recht, 1987 · C. SALIOU, Les lois des batiments. Voisinage et habitat urbain dans l'Empire Romain, 1994.   A. K.

Bautechnik I. VORDERER ORIENT UND ÄGYPTEN II. GRIECHENLAND UND ROM

I. VORDERER ORIENT UND ÄGYPTEN
A. VORDERER ORIENT

Wichtigstes Baumaterial war in Mesopotamien seit frühesten Zeiten Lehm, daneben in den Sümpfen des äußersten Südens stets auch Schilf. Steinarchitektur im engeren Sinne kommt bis auf wenige Ausnahmen nicht vor, weder im abgesehen von Kalksteinbänken rohstoffarmen Babylonien noch in Assyrien. Wenn Stein verwendet wurde, war dies zumeist funktional motiviert, z. B. bei Fundamentierung. Erst ab dem 8. Jh. findet sich in neuassyr. Monumentalarchitektur ein nennenswerter Anteil von Steinmauerwerk, entstanden vielleicht unter Einfluß von Baumeistern aus phöniz.-syr. Randgebieten des assyr. Reiches, wo ebenso wie in Kleinasien (Hethiter) und später im Iran (Achämeniden) Stein eine wichtigere Rolle in der Architektur spielte. Über Steinbrüche und Methoden der Steingewinnung ist wenig bekannt, abgesehen von vereinzelten Darstellungen in der neuass. Reliefplastik. Die Schilfbauweise der Babylonier entspricht weitgehend der noch heute im Südirak anzutreffenden Technik; auch die Herstellung von Lehmziegeln hat sich im Lauf der Jahrtausende kaum gewandelt. Erste handgeformte Lehmziegel entstanden um 8000 v. Chr.; aus Modeln geformte Ziegel finden sich ab der zweiten H. des 8. Jt. Die Ziegelproduktion besteht aus mehreren Arbeitsschritten: der Lehmgewinnung aus Gruben, der Vorbereitung des Ziegelbreis, der Formung der Ziegel in hölzernen Modeln und dem Trocknen. Da zur Ziegelherstellung große Mengen von Wasser erforderlich waren, lagen Ziegelfelder meist in der Nähe von Kanälen oder Flüssen. Als Magerung wurde Häcksel verwandt. Bevorzugte Zeit für die Anfertigung von Lehmziegeln waren Mai und Juni: der Trocknungsprozeß dauerte dann nur wenige Tage. Juli und August waren die üblichen Monate des Bauens. Gebrannte Ziegel waren aufgrund Brennstoffmangels teuer und wurden sparsam eingesetzt, vorzugsweise in Bereichen, die starker Feuchtigkeitseinwirkung ausgesetzt waren. Holz wurde in Mesopotamien hauptsächlich für die Dachkonstruktion benutzt. Bei geringen Spannweiten reichten einheimische Palmstämme oder Pappeln aus, für große Säle der Monumentalarchitektur wurde der Import geeigneter Hölzer (u. a. Zedern und Pinien) aus Gebirgsregionen des Zagros, Taurus, Amanus und Libanon notwendig.

B. Ägypten

Baukonstruktionen sind hier maßgeblich durch die jeweilige Bestimmung einer Architektur bedingt. Profanbauten mit begrenzter Lebensdauer bestanden aus gebrannten oder ungebrannten Ziegeln, Holz oder Schilf, Sakral- und Funerärbauten, die dauerhaften Bestand haben sollten, hingegen vornehmlich aus Stein. Die Frühzeit ist noch durch Ziegelarchitektur geprägt, auch im Grabbau. Ab der 3. Dyn. nimmt, in Verbindung mit der Entwicklung von Metallwerkzeugen, die Verwendung von Stein zu. Bevorzugtes Material im AR war Kalkstein, aber auch Hartgestein findet Verwendung, z. B. bei den Verkleidungsblöcken der Pyramiden. Die Steinformate waren anfangs klein, später infolge zunehmender Dimensionen der Bauten größer. Die gewaltigen Bauprojekte der 4. Dyn. geben Leitlinien für die weitere Entwicklung von Bautechnik und Bauorganisation. Im MR ist allerdings ein zeitweiliger Rückgang der Steinarchitektur zu beobachten. Große Tempel des NR bestanden zunächst noch aus Kalkstein, später überwiegt Sandstein. In der 25. und 30. Dyn. wird Hartgestein bevorzugt.

Das Brechen der Gesteine geschah durch Keilwirkung, bei Hartgesteinen erfolgte die Bearbeitung jedoch zunächst an freiliegenden Brocken. Benutzung von Kupfersägen und abschließende Oberflächenbehandlung mit Reibsteinen und Schmirgelmasse ist bezeugt. Der Transport der Steine erfolgte meist zu Wasser, darüber hinaus wurden Rollen und Schlitten verwendet. Die Bauplatzeinmessung erfolgte mit Zollstöcken und Meßschnüren; das Grundmaß war die königliche Elle (52,5 cm). Im Felsboden waren keine besonderen Fundamente nötig, lediglich Abarbeitung zur Aufnahme der untersten Steinlage. Im Alluvium hingegen wurden tiefe Fundamentgräben angelegt, jedoch bis ins NR mit meist zu kleinen Fundamentsteinen, wodurch Einsturzgefahr bestand. Der Aufbau bestand aus unterschiedlich großen Blöcken, die erst beim Versatz paßgenau gefertigt wurden, was zu unregelmäßigem Fugenverlauf führte. Weite Spalten im Mauerinnern wurden mit Steinen und Mörtel aufgefüllt. Bei größeren Bauprojekten wurde das Material mittels Rampen emporgebracht, wobei es zu sukzessiver Aufschüttung des gesamten Gebäudes mit Sand kommen konnte. Die abschließenden Abarbeitungen und Glättungen der

Mauern geschah von oben nach unten.
→ Architektur; Bauwesen; Steinbruch

D. Arnold, s. v. Bautechnik, LÄ 1, 1975, 664–667 · Ders., Building in Egypt. Pharaonic Stone Masonry, 1991 · O. Aurenche, L'origine de la brique dans le Proche Orient ancien, in: M. Frangipane, H. Hauptmann, M. Liverani, P. Matthiae, M. Mellink (Hrsg.), Between the Rivers and over the Mountains. Archaeologica Anatolica et Mesopotamica Alba Palmieri Dedicata, 1993, 71–85 · P. R. S. Moorey, Ancient Mesopotamian Materials and Industries, 1994, 302–362.   U.S.

II. Griechenland und Rom
A. Definition und Abgrenzung
B. Griechenland 1. Material
2. Werkzeuge, Transport 3. Konstruktion
C. Rom D. Nachbarkulturen

A. Definition und Abgrenzung

Material und Konstruktionstechnik der griech. und röm. → Architektur sind seit dem 19. Jh. bevorzugter Gegenstand der neuentstandenen arch. Bauforsch. gewesen; das Erkenntnisinteresse galt, anders als in der Kunst-Arch. des 19. Jh., bes. auch dem ant. Rom und war dabei lange verknüpft mit den technischen Ambitionen der zeitgenössischen Architektur des 19. und frühen 20. Jh. Als Quellen für Überlegungen zur B. dienten neben den zahlreichen Spuren ant. Arbeitsprozesse an Bauwerken, Baustellen oder Steinbrüchen vor allem die bisweilen detaillierte lit. und inschr. Überlieferung sowie vereinzelt Funde von Werkzeugen und bildliche Darstellungen (z. B. Relief vom Haterier-Grab). Bis heute überwiegt die Forsch. zu praktisch-technischen Gesichtspunkten; zu konstatieren ist darüber hinaus jedoch, daß Entwicklungen und Veränderungen der ant. B. eng verflochten waren mit sozialen und wirtschaftlichen Gegebenheiten der ant. Gesellschaften. Die griech. Quaderarchitektur etwa ist ohne Kenntnis von der sozialen und politischen Rolle ihrer Bauträger und der hochspezialisierten Handwerker-Unternehmer (→ Bauwesen) ebensowenig verständlich wie die röm. Gußzementbauweise, deren revolutionäre Effektivität sich erst aus der Beschäftigung eines ganzen Heeres von ungelernten Hilfskräften unter der Leitung von Ingenieurs- und Holzbauspezialisten (→ Architekt; Materiatio) erklärt. Zu weiteren, hier nicht näher thematisierten B.-Aspekten: → Gewölbe- und Bogenbau; Grabbau; Kuppel, Kuppelbau; Mauerwerk; Optical Refinements; Säule; Steinbruch; Überdachung (jeweils mit Fachlit.); zu Planung und Statik → Bauwesen.

B. Griechenland
1. Material

Wichtigste Baumaterialien waren Stein und → Holz, daneben luftgetrocknete oder gebrannte → Ziegel aus Lehm oder Ton, → Terrakotta, verschiedene Metalle sowie → Stuck, Mörtel und andere Bindemittel. Die griech. → Architektur bestand nur in ihren repräsentativen und militärischen Formen (→ Befestigungswesen) aus monumentalen Quaderbauten, insgesamt mehrheitlich aus einer meist schlecht erh. Kombination von Holz-, Lehm- und Bruchsteinbauweise. Bevorzugter Stein war πῶρος (póros), ein regional unterschiedlich harter Kalkstein, sowie → Marmor; härtere Steinsorten wie Granite oder Basalte wurden meist nur als Bruch für Fundamente und Verfüllungen verwandt, bisweilen aber auch in konstruktivem Verbund, z.B. bei der dekorativ motivierten Verwendung verschiedenfarbiger Steinsorten (Erechtheion und »Eumenes-Pfeiler« in Athen). Die Erschließung von Steinbrüchen wurde um 600 v.Chr. notwendig, als neue, repräsentative Formen öffentlichen Bauens (→ Tempel) entstanden, für die größere Blöcke in einer Anzahl benötigt wurden, wie sie sich nicht mehr aus Lese- oder Feldsteinen decken ließ; bes. Marmorbrüche gehörten seit dem 6.Jh. v.Chr. zu begehrten → Bodenschätzen. – Holz war nicht nur für Pfostenwände mit Flechtwerk oder Lehm/Bruchstein-Bauten und im frühen Holztempelbau (→ Tempel), sondern zu allen Zeiten fortgeschrittener Steinbauweise immer unverzichtbares Baumaterial für Dach- und Tragekonstruktionen, Brücken, Zwischendecken, Stützen, für Fachwerke und alle Bereiche des Innenausbaus. Daneben war Holz im Bauprozeß allgegenwärtig für Gerüste und Kräne, Dübel, verschiedene Transportvorrichtungen und andere Werkzeuge. Verwendet wurden überwiegend heimische Nadelhölzer (Fichte, Kiefer, Zypresse), Eiche oder Pappel; der große Bedarf auch für andere Zwecke machte Holz zu einem erstrangigen Handels- und Importgut.

Schon in der frühgriech. Architektur finden sich Lehm und Ton als Mörtel, Füll- und Dichtmasse oder als Rohstoff für Architekturteile (Simen, Rohre, → Ziegel). Luftgetrocknete Lehmziegel wurden trotz geringer Haltbarkeit aus Kostengründen umfassend, bis ins 4.Jh. v.Chr. hinein sogar für Stadtmauern verwandt. Gebrannte Mauer-Ziegel begegnen in Griechenland ab ca. 400 v.Chr., gehäuft erst im Hell.; gebrannte Formstücke für Tonrohre, → Akrotere, Metopenplatten, vor allem aber Dachziegel, Simen, Wasserspeier und Firstelemente sind seit ca. 700 v.Chr. in der griech. B. geläufig (→ Bauplastik; → Terrakotta). – Außer für die Herstellung von Werkzeugen sind an Metallen in der griech. B. meist → Eisen, → Bronze und → Blei verwandt worden. Aus Bronze, ab dem 6.Jh. v.Chr. auch aus Eisen, bestanden Nägel, Beschläge und Verdübelungen, Haken und Armierungen (z.B. Architrave der Propyläen der Athener Akropolis), vor allem aber die Klammern, durch die die einzelnen Quader miteinander verbunden wurden; sie wurden mit Blei vergossen. Edelmetalle und Glasfluß wurden bisweilen als prunkvoller Dekor verwandt (Kapitele der Nord-Halle des Erechtheion auf der Athener Akropolis). – Als Bindemittel war Lehm geläufig, auch als Verputz (z.T. vermischt mit Häcksel); Kalk- oder Gipsmörtel als Binder entstand im Hell., wasserdichter Putzmörtel schon im 6.Jh. v.Chr. (Korinth, Asklepieion) und diente für Unterwasserbauten (→ Hafenanlagen) und → Zisternen.

Stuckierter Innendekor bestand meist aus leichtem Gipsmörtel; der feine Marmorstuck, mit dem die Poros-Bauten durch eine ca. 5 mm starke Schicht überzogen wurden, war eine Mischung aus Kalk, Sand und Marmormehl.

2. Werkzeuge, Transport

Stein wurde mit Hämmern, Schlägeln, Keilen, Meißeln und Bohrern für verschiedene Feinheitsgrade bearbeitet, frisch gebrochene Blöcke wurden mit Sägen zerteilt. Runde Bauglieder (Basen, Trommeln und Kapitele der → Säule) wurden auf großen Drehscheiben gedrechselt bzw. profiliert. Zum Bauhandwerkszeug gehörten Stahlnadeln und Zirkel für Risse (→ Aufschnürung), Winkeleisen, Lote, Raspeln sowie Schablonen als Vorgaben für Profile und Farbe für Markierungen. Gerüste, Kräne und Flaschenzüge bildeten z.T. komplizierte mechanische Konstruktionen. Von erheblicher Bedeutung waren stabile, reißfeste Seile zum Fixieren der → Kurvatur, aber auch für Transport und Versatz von Baugliedern. Der Materialtransport vom Steinbruch zur Baustelle konnte schon bei kleinen Bauten ein erheblicher Kostenfaktor sein (Asklepiostempel, Epidauros) und geriet bisweilen zur Geste herrscherlicher Großzügigkeit (Transport ganzer Gebäude als Bausatz an ihren späteren Standort, z.B. die Eumenes-Stoa in Athen). Der Landtransport großer und schwerer Bauteile geschah mittels Wagen, auf Rollhölzern oder durch spezielle, rollbare Verkleidungen und Walzenkonstruktionen aus Holz, wie sie etwa → Chersiphron für den Bau der bis zu 70 t schweren Bauglieder des archa. Artemisions von Ephesos konstruiert hat; als Zugtiere dienten meist Ochsen. Über größere Entfernungen war der Schiffstransport üblich, setzte aber steinbruch- und baustellennahe Häfen mit geeigneten Ver- und Entladegeräten voraus.

3. Konstruktion

Für Fundamente wurde anstehender Fels bevorzugt; die Gestalt künstlicher Fundamentkonstruktionen ist ansonsten abhängig von Baugröße und Gelände. Wohnhäuser waren oft nur mit einer einfachen Bruchsteinpackung fundamentiert. Massive Fundamentierung ist selten und auf sehr schlechten Baugrund beschränkt (Delphi, Tholos in der Marmaria); üblich sind Rost-, Streifen- oder Punktfundamentierung, seltener Pfahlgründung zur Stabilisierung bes. belasteter Geländepartien. Fundamente beinhalteten des öfteren Material von Vorgängerbauten und bestanden aus geschichtetem Bruchstein, in klass. Zeit auch aus sauber, oft mit Steinschnitt gefugten Quadern. Erst die leicht über das Bodenniveau aufragende → Euthynterie war nivelliert und mit Klammern fixiert; auf ihr erhob sich die gestufte → Krepis mit dem → Stylobat als Standfläche von Säulen oder Mauern. Die Konstruktion aufgehenden → Mauerwerks war abhängig vom Material; hölzerne Säulen, Flechtwerk- oder Lehmziegelwände standen zum Schutz vor Staunässe auf niedrigen Basen oder Sockeln. Im Steinbau wurden die Blöcke zunächst nur ungefähr paßgenau geschichtet und mit Bruchstein

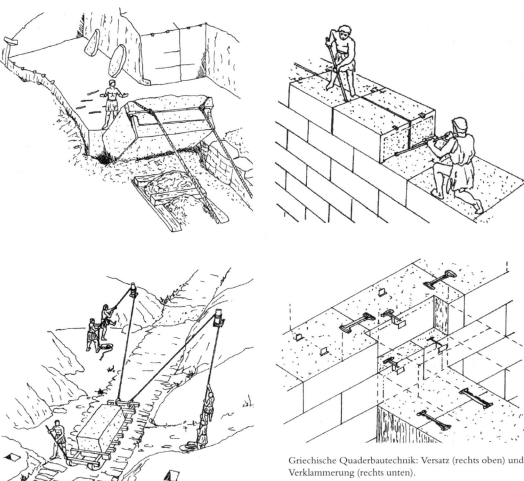

Griechische Quaderbautechnik: Bruch (links oben) und Transport von Baumaterial (links unten).

Griechische Quaderbautechnik: Versatz (rechts oben) und Verklammerung (rechts unten).

verfugt (myk. »Zyklopenmauerwerk«), später exakt gefugt, entweder in isodomer, pseudo-isodomer oder polygonaler Form, wobei bes. bei Stadtmauern (→ Befestigungswesen) spätklass. und hell. Zeit Oberflächenstruktur und Fugenverlauf regelrecht künstlerischen Charakter annehmen konnten. Steinmauern konnten massiv oder zweischalig sein; zweischalige Mauern wurden mit Schotter verfüllt und zur Stabilisierung des Verbunds regelmäßig mit durchgehenden Steinlagen verbunden.

Beim Quader- und Säulenbau wurden die im → Steinbruch vordimensionierten Blöcke auf der Baustelle weiter ins Maß gebracht und hinsichtlich ihrer Positionierung gekennzeichnet, beim Versatz zum Schutz vor Beschädigungen aber in → Bosse belassen; einzelne Hebe-Bossen, Stemmlöcher, Aussparungen für Greifzangen oder einen Wolf ermöglichten den Versatz mit Kränen und Hebeln. Säulen und Architrave waren nur im 6. Jh. v. Chr. monolith; die Verwendung von Säulentrommeln und Architraven aus zwei oder drei parallelen Steinen (→ Epistylion) bedeutete eine erhebliche Vereinfachung von Transport und Versatz. Die Kontaktflächen von Quadern und Säulentrommeln wurden zur Erhöhung der Paßgenauigkeit durch → Anathyrose minimiert, die Bauglieder mit Klammern arretiert bzw. Säulentrommeln mit Dübeln gesichert. Brüche und Absplitterungen waren bes. am spröden Marmor häufig; sie wurden durch Flickungen repariert. Erst nach Ende des Versatzes wurden → Bossen, Kantenschutz und Saumschlag abgearbeitet, blieben bisweilen aber auch, als ästhetisch motivierte Unfertigkeit, erhalten. Abschließend wurden die Säulen nach der Vorgabe auf der untersten, manchmal auch der obersten Säulentrommel mit einer → Kannelur, Porosbauten mit Stuck und in allen Fällen die Kapitell- und Gebälkzonen mit Malerei versehen (→ Polychromie). Zahlreiche → »Optical Refinements« wie die → Kurvatur des Stylobats (die bisweilen das ganze Bauwerk durchzog, z.B. am → Parthenon), die → Inklination und die → Entasis der Säulen bildeten eine erhebliche Erschwerung der Bauaufgabe und erforderten äußerste technische Präzision.

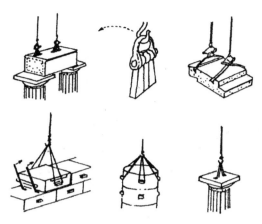

Griechische Bautechnik: Verschiedene Hebeverfahren

C. ROM

In der röm. Ant. blieben wesentliche Prinzipien der griech. B. wie die Holz-Lehm-Bruchsteintechnik für anspruchslose Zweckarchitekturen (z.B. Wirtschafts- oder Militärbauten) und die über Etrurien vermittelte Quadertechnik in Gebrauch; der für ital. Quaderbauten oft verwandte weiche, leicht zu bearbeitende und zu versetzende, überall anstehende Tuff erforderte dabei in erhöhtem Maße eine Behandlung der porösen Oberfläche, machte zugleich jedoch viele in der griech. B. durch die Sprödheit des Steins motivierte Schutzvorkehrungen für den Versatz überflüssig. Konsistenz und Färbung des Tuffs ermöglichen häufig eine Zuordnung zu bestimmten Brüchen und damit eine zeitliche Eingrenzung des Baues oder der Bauphase, da einzelne Brüche oft nur wenige Jahrzehnte benutzt wurden. Eine Besonderheit röm. B. ist die häufige optische Heraushebung technisch-konstruktiver Baupartien, z.B. der Fundamente und Substruktionen, als ein Ergebnis röm. Vorstellungen von der Überwindung der Natur durch Kultur (→ Architektur). Darüber hinaus kam es in der röm. B. seit dem 2.Jh. v.Chr. zu Neuerungen, in denen der bes. enge Zusammenhang zwischen technischer Innovation, dem Entstehen neuer Bautypen und -formen, den polit.-ideologischen Rahmenbedingungen sowie den sozialen und logistischen Organisationsformen des → Bauwesens evident wird. Zu den verschiedenen bautechnischen Innovationen für Infrastruktur- und Militärbauten: → Befestigungswesen; Hafenanlagen; Kanal, Kanalbau; Kanalisation; Leuchtturm; Straßen- und Brückenbau; Werftanlagen. Zu technischen Aspek-

ten der Innendekoration: → Freskotechnik; Wandmalerei.

Das Aufkommen des Gußzements (zu Entstehung, Quellen und technischen Details von Herstellung und Verwendung → opus caementicium) mit seiner mittels Holzverschalung fast universellen Formbarkeit und der nahezu unbegrenzten Haltbarkeit und Belastbarkeit bot einen billigen, nach Belieben verfügbaren und schnell herzustellenden Baustoff, dessen Verarbeitung überdies nur wenige hochspezialisierte Fachleute für Planung, Baustellenlogistik und den Bau der Holzverschalungen benötigte, darüber hinaus lediglich eine große Zahl angelernter Hilfskräfte. Ähnliche Vorteile (Formbarkeit der Architektur, Haltbarkeit, billige und schnelle Herstellung und Verarbeitung durch große Trupps angelernter Kräfte) bot die ebenfalls im 2.Jh. v.Chr. stark zunehmende Verwendung gebrannter → Ziegel, wo opus caementicium als dauerhafter und belastbarer Binder fungierte. Vor allem der Gußzement ermöglichte die Konstruktion neuer Bauformen und damit neuer Bautypen; → Gewölbe- und Bogenbau sowie der Guß von → Kuppeln finden sich gehäuft als Formen der → Überdachung; Voraussetzung waren hier spezielle, durch Beischlag von vulkanischem Bimsstein gewichtsreduzierte Zementmischungen und kunstvolle Holzverschalungen als Gußformen (→ Materiatio). Hochhausähnliche Geschoßbauten wurden auf diese Weise konstruierbar (in Rom entstanden bis zu siebenstöckige Wohnhäuser, → Haus); Brücken (→ Straßen- und Brückenbau) und → Wasserleitungen mit z.T. erheblichen Spannweiten führten auf hohen Pfeilern über Täler und Flüsse.

Von Beginn an wurde der schmucklose Gußzementkern mit einer dekorativen Verkleidung aus Ziegeln oder Tuffsteinen (→ Mauerwerk) verblendet. Die verschiedenen Verkleidungsformen gelten trotz ungelöster chronologischer Probleme weiterhin als eine Möglichkeit, Bauten bzw. einzelne Bauphasen zeitlich einzugrenzen. Seit der späten Republik wurden auch Ziegelbauten zunehmend als schmucklos empfunden und mit vorgeblendeten Platten aus Travertin, Marmor oder anderen Hartsteinsorten verkleidet. In der Kaiserzeit entstand aus repräsentativen Bedürfnissen heraus ein regelrechter Materialluxus, der zur Verwendung immer aufwendigerer Bauverkleidungen und immer edlerer Steinsorten auch in konstruktiven Bauzusammenhängen (Porphyr, Granite und Basalte auch für Säulen, Gebälke und Quader) führte; bes. Wert wurde auf die Farbigkeit des Materials gelegt (→ Polychromie). Ähnlich aufwendig wurden auch die Fußböden von Bauten gestaltet (→ Pavimentum); versch. Ziegeltechniken, kostbare Plattenbeläge und → Mosaiken sind in öffentlichen Bauten der röm. Kaiserzeit die Regel.

D. NACHBARKULTUREN

Die B. der verschiedenen Nachbarkulturen der griech.-röm. Welt ist als Forschungsgegenstand bisher unterrepräsentiert. Es dominiert nach wie vor eine hellenozentrische bzw. romanozentrische Sicht, die mehr

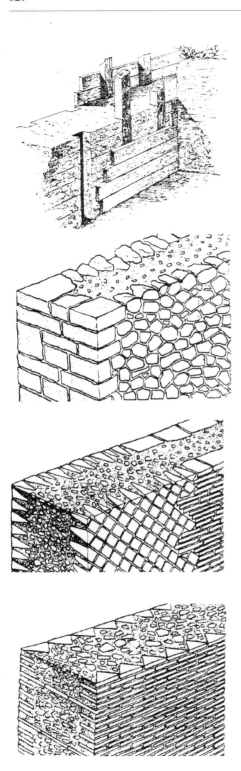

Römische Bautechnik: Erstellung des Gußkerns aus *opus caementicium* (oben) und verschiedene Verblendungen aus Tuff (Mitte) und Ziegel (unten).

oder minder starke Einflüsse der griech. und röm. B. auf die Nachbarkulturen annimmt und hieraus den Grad einer vermeintlichen kulturellen Abhängigkeit erschließt. Dies ist in Einzelfällen richtig; so diente z. B. röm. B. – wie röm. Technik generell – als ein erstrangiges Mittel zur Romanisierung, zur kulturellen Unterwerfung eroberter Gebiete. Diese Sichtweise ist insgesamt aber problematisch, da sie einen einseitigen und passiven Rezeptionsprozeß unterstellt und weder die Frage nach der Übernahme von in diesen Nachbarkulturen entwickelten Techniken durch Griechen und Römer aufwirft, noch die Frage stellt, inwieweit Technikadaptionen durch Nachbarkulturen Teil eines bewußt eklektischen Kulturverständnisses waren. Zu bautechnischen Eigenheiten von Nachbarkulturen: → etr., iberische, phöniz., skythische und thrakische Archäologie.

G. LUGLI, La tecnica edilizia romana, 1957 · R. MARTIN, Manuel d'architecture grecque, 1, Matériaux et techniques, 1965 · A. ORLANDOS, Les matériaux de construction et la technique architecturale des anciens Grecs, 2 Bde., 1966/68 · A. BURFORD, The Greek Temple Builders at Epidauros, 1969 · B. FEHR, Plattform und Blickbasis, in: MarbWPr 1969, 31–67 · F. RAKOB, Hell. in Mittelitalien: Bautypen und Bautechnik, in: P. ZANKER (Hrsg.), Hell. in Mittelitalien, Kongr. Göttingen (1974), 1976, 366–386 · J. J. COULTON, Greek Architects at Work, 1977 · H. DRERUP, Zum Ausstattungsluxus in der röm. Architektur, ²1981 · F. RAKOB, *opus caementicium* und die Folgen, in: MDAI(R) 90, 1983, 359–372 · J. M. CAMP II., W. B. DINSMOOR JR., Ancient Athenian Building Methods, 1984 · J. P. ADAM, La construction romaine. Matériaux et techniques, 1984 · R. GINOUVÈS, R. MARTIN, Dictionaire méthodique de l'architecture grecque et romaine, 1, Matériaux, techniques, 1985 · E. M. STERN, Die Kapitelle der Nord-Halle des Erechtheion, in: MDAI(A) 100, 1985, 405–426 · G. BRODRIBB, Roman Brick and Tile, 1987 · W. MÜLLER-WIENER, Griech. Bauwesen in der Ant., 1988 · G. GRUBEN, Fundamentierungsprobleme der ersten griech. Großbauten, in: Bathron, FS H. Drerup, 1988, 159–171 · A. HOFFMANN u. a. (Hrsg.), B. der Ant., Kongr. Berlin (1990), DiskAB 5, 1991 · H.-O. LAMPRECHT, *opus caementitium*: Bautechnik der Römer, ⁴1993.   C. HÖ.

Bauto. Flavius B. war Franke (Zos. 4,33,2) und bekannte sich zum Heidentum (Ambr. epist. 57). Unter → Gratianus ca. 380 n. Chr. zum *mag. mil.* aufgestiegen (Zos. 4,33,1) half er → Theodosius I. gegen die Goten. Er wurde 383 *mag. peditum praesentalis* und maßgeblicher Ratgeber am Hof → Valentinianus' II. (Ambr. epist. 24,4,8; 18,1,57). Er war zwar Gegner des → Ambrosius beim Streit um den Victoriaaltar 384, scheint sich aber schließlich den Argumenten des Bischofs angeschlossen zu haben (Ambr. epist. 17,18 und 57,3). Er starb bald nach seinem Konsulat von 385. Seine Tochter → Aelia Eudoxia wurde später die Frau des → Arcadius (Philostorg. hist. eccl. 11,6). Er ist Empfänger von Briefen des → Symmachus (epist. 4,15 f.). PLRE 1, 159 f.   W. P.

Bauwesen I. Vorderer Orient und Ägypten
II. Griechenland und Rom

I. Vorderer Orient und Ägypten

Vorderer Orient: Für eine periodenübergreifende Darstellung des altoriental. Bauwesens fehlen Vorarbeiten; nur für wenige Zeitabschnitte gibt es Untersuchungen. Genauere Vorstellungen sind bislang am ehesten für die neuassyr. Zeit (1. H. des 1. Jt. v. Chr.) zu gewinnen, aus der umfangreiches Quellenmaterial zum B. in den Bereichen der Palast-, Tempel- und Festungsarchitektur zur Verfügung steht. Herrscherinschr. zeigen, welch große Bed. die Assyrer der Bautätigkeit und deren Fortleben im Gedächtnis der Nachwelt beigemessen haben. Ihre zahlreichen Feldzüge trugen maßgeblich dazu bei, Geldmittel, Materialien und Arbeitskräfte für gewaltige Bauvorhaben in den jeweiligen Residenzstädten (→ Kalchu, → Dur Scharrukin, → Ninive) bereitzustellen. Einzelne Einsichten bieten bildliche Darstellungen von Arbeiten in Steinbrüchen auf → Orthostatenreliefs neuassyr. Paläste.

Ägypten: Große Bauprojekte der Pharaonen, insbes. in den Bereichen der Sakral- und Funerärarchitekur, ließen sich ebenso wie in Vorderasien nur auf Grundlage einer straffen staatlichen Arbeitsorganisation und der Verfügbarkeit riesiger Arbeiterheere realisieren. Vielfach wohnten Arbeiter in bes. Siedlungen nahe der Steinbrüche bzw. Bauplätze. Die Oberaufsicht lag in den Händen von hohen Beamten, die oft über ihren Tod hinaus großes Ansehen genossen. Einblick in Planungsvorgänge gewähren zahlreiche erh. nichtmaßstäbliche Bauzeichnungen und Handskizzen auf Ostraka. Über die Baudurchführung geben u. a. Biographien aus Gräbern von Baumeistern Auskunft, in denen diese ihre Tätigkeit im Auftrag des Königs schildern. Detaillierte Angaben zu vollbrachten Arbeitsleistungen liefern Inschr. aus Steinbrüchen.

D. Arnold, s. v. Baupläne, LÄ 1, 1975, 661–663 · J. P. Heisel, Ant. Bauzeichnungen, 1993, 7–151 · S. Lackenbacher, Le palais sans rival, 1990 · W. K. Simpson, s. v. B., LÄ 1, 1975, 667–672 · R. Stadelmann, s. v. Bauinschr., LÄ 1, 651–654. U. S.

II. Griechenland und Rom
A. Definition, Abgrenzung, Forschungssituation B. Rahmenbedingungen
C. Bauträger und Handwerker
D. Planung und Entwurf
E. Bauorganisation und Bauprozess

A. Definition, Abgrenzung, Forschungssituation

Der soziale, organisatorische, finanzielle und juristische Hintergrund ant. → Architektur ist in den letzten Jahrzehnten zum bevorzugten Gegenstand einer gesellschafts- und wirtschaftsgesch. orientierten Archäologie geworden; die auf Erfassung und monographische Beschreibung einzelner Bauwerke sowie im weiteren Sinne auf die → Bautechnik ausgerichtete arch. Bauforsch. hat diese Umfeld-Aspekte hingegen nur am Rande (und wenn, dann überwiegend aus technischformgesch. Perspektive, z. B. hinsichtlich der Maßwerke oder einer möglichen Form- oder Entwurfs-Tradierung durch Bauhütten etc.) thematisiert. Im Zentrum stand dabei, korrespondierend mit dem Interesse am griech. Tempelbau, überwiegend das griech. B. archa. und klass. Zeit, das sich indessen aus einer Synopse von nicht zeitgenössischen lit. Quellen, zeitlich näheren Inschriften (meist aus dem 4. Jh. v. Chr.) sowie aus authentischen Werkspuren an den Bauten nur teilweise erschließt; zahlreiche Details werden weiterhin kontrovers diskutiert. Das röm. B. war demgegenüber als Forschungsthema wenig präsent, zum einen, weil viele Details von Vitruv ausführlich geschildert sind, zum anderen, weil weitere lit. Nachrichten eine enge Verzahnung der Bauorganisation, -gesetzgebung und -finanzierung mit dem Verwaltungszentralismus des Kaiserhofes nahelegen, so daß zahlreiche seit etwa 1970 diskutierte Problemstellungen für die röm. Ant. gegenstandslos schienen. Die hier unter B. gefaßten Phänomene sind derzeit durch eine disparate und widerspruchsvolle Forschungslage gekennzeichnet; zu sozialen Aspekten des griech. und röm. B. vgl. auch → Architekt.

B. Rahmenbedingungen

Die lebenspraktischen Aspekte des B., das → Baurecht sowie Probleme von Reparatur und Instandhaltung existierender Gebäude waren in griech. und röm. Zeit grundverschieden und insgesamt abhängig vom jeweiligen politischen, ökonomischen und sozialen Umfeld. Im privaten griech. B. scheint es kaum Reglementierungen gegeben zu haben; Konflikte um zu weit überstehende Balkone etc. wurden fallweise gelöst und waren selten (Aristot. oec. 2,2,4; Polyain. 3,9,30). Die Instandhaltung privater Bauten oblag dem Besitzer. Öffentliche Bauten der griech. Polis wurden von den → Astynomoi, bisweilen unter Hinzuziehung eines Architekten, verwaltet und ggf. auf Kosten der Polis repariert; für den Unterhalt von → Zisternen ist mehrfach die Gesamtverantwortlichkeit und damit ein Instandhaltungszwang der Bürgergemeinschaft belegt. In Heiligtümern waren die → Naopoioi für den Erhalt der Architektur verantwortlich. Mittel für den Unterhalt waren meist Bestandteil der hell. Baustiftungen. In Rom unterstand das öffentliche B. einem der → Censores, der für die Instandhaltung (bes. der Stadtmauern, Wasser- und Abwasserleitungen) einen Etat verwaltete, dessen Verwendung zu Beginn des Amtsjahres festgeschrieben wurde; in anderen Städten fiel diese Aufgabe den *duumviri quinquennales* zu. Die Tendenz zur Verrechtlichung der röm. Gesellschaft zeigt sich auch im B.; verschiedene Gesetze (→ Baurecht, → Städtebau) regelten mindestens für die Stadt Rom die erlaubte Bauhöhe und die Mindestbreite der Straßen; Verstöße gegen diese Normen waren häufig. Ebenfalls gesetzlich geregelt waren Enteignungen gegen Entschädigung,

nicht hingegen die bes. im 1. und 2. Jh. n. Chr. z. T.
hemmungslose Spekulation mit Wohnraum. Griech.
und röm. B. ist zu allen Zeiten von rel. Handlungen
begleitet; arch. Ausgrabungen haben häufig Reste eines
Bauopfers, z. T. ähnlich heutigen Grundsteinlegungen,
nachgewiesen. Auch sind vielfach aufwendige Zeremonien für den Akt der Einweihung öffentlicher Neubauten überliefert.

C. Bauträger und Handwerker

Die verschiedenen Bauträger und die Bauhandwerker sind die im ant. B. hauptsächlich agierenden Personengruppen; die Interaktion dieser Gruppen wird jedoch bereits früh von koordinierenden Gremien
(Baubehörden und Baukommissionen; s. unten Teil E)
oder Einzelpersonen (→ Architekt) beeinflußt. Als
Bauträger treten im griech. B. zuerst die Poleis in Erscheinung, durch deren Konstituierung die frühesten
Großbauten mit komplexerer Bauorganisation motiviert waren (→ Architektur); wichtige Bauträger waren daneben die Priesterschaften der Heiligtümer mit
ihren z. T. beträchtlichen Finanzmitteln (jedoch beschränkt auf Bauaufgaben innerhalb des jeweiligen Heiligtums) sowie die griech. Tyrannen (deren Baumaßnahmen häufig dem Infrastrukturbereich galten). Die
Errichtung öffentlicher Architektur geschah im griech.
B. immer unter Aufsicht staatlicher Institutionen; Privatpersonen waren als Bauherren und damit Auftraggeber für Bauhandwerker zwar präsent, spielten jedoch als
Träger größerer Repräsentationsarchitekturen erst ab
dem späteren 4. Jh. v. Chr. eine Rolle. In den hell. Monarchien werden Stiftungen von Königen und der vermögenden Nobilität zu einem wesentlichen Faktor und
damit auch die vielfach erh., die Stifter rühmenden
Bauinschr., die zu den wichtigsten primären Zeugnissen
bauhistor. Vorgänge werden. Über Organisation und
sozialen Status griech. Bauhandwerker im 6. und 5. Jh.
v. Chr. herrscht Unklarheit; erst Inschr. des späten 5.
und frühen 4. Jh. v. Chr. geben detailliert Aufschlüsse,
können aber kaum vorbehaltlos auf frühere Zeiten
rückübertragen werden. Die Abrechnungen des Erechtheion auf der Athener Akropolis (z. B. IG I³ 474) lassen
ein kleingewerblich organisiertes B. aufscheinen; die
dort verzeichneten 107 Handwerker waren, von neun
Hilfskräften abgesehen, spezialisierte Facharbeiter
(Steinmetze, Zimmerleute, Bildhauer) und setzten sich
aus Bürgern, Metöken und in Firmendienst tätigen
Sklaven zusammen; sie galten als Techniten und waren
in der sozialen Ordnung durchweg der *banausia* zugehörig. Zumindest in Athen waren sie sich jedoch seit
dem frühen 5. Jh. v. Chr. ihrer ideologie- und staatstra-
genden Rolle bewußt. Die Beschäftigung erfolgte im
Tagelohn und wurde gegen Ende des 5. Jh. v. Chr. in
Athen mit durchweg 1 Drachme/Tag vergütet. Erst im
späten 5. Jh. v. Chr. sind Kontrakte im Sinne der heutigen Verdingungsordnung bezeugt, zunächst in geringem Umfang (z. B. am Erechtheion für das Kannelieren
einer Säule), um 380/370 v. Chr. am Asklepios-Tempel
von Epidauros (IG IV² 1,102) dann aber schon in einem

so erheblichen Ausmaß, daß größere Baubetriebe, Be-
triebskooperationen und Subunternehmertum vorauszusetzen sind. Die Kontrakte bezogen sich auf ganze
Bauabschnitte und umfaßten alle damit verbundenen
Tätigkeiten von der Materialbeschaffung bis hin zur
Feinarbeit (→ Bautechnik); Kontraktnehmer erhielten
z. T. erhebliche Vorschüsse, hatten deshalb Bürgen zu
stellen und bei Säumigkeit mit manchmal drastischen
Konventionalstrafen zu rechnen. Langfristige Großpro-
jekte wie der Tempelbau von Didyma wurden von einer
festinstallierten Bauhütte betrieben, die aus Mitteln des
Heiligtums finanziert wurde; hier entwickelte sich im
Gegensatz zur Baupraxis des 6. und 5. Jh. v. Chr. ein
bisweilen hoher Spezialisierungsgrad (z. B. Unterscheidung von λευκουργοί, Steinmetzen für Feinarbeiten,
und λατόμοι, Steinmetzen für Herstellung und Versatz
von Quadern; vgl. [1]). Die große Mobilität einzelner
griech. Bauhandwerker ist seit etwa 450 v. Chr. mehrfach bezeugt; in welchem Maße hier jedoch bereits mit
einer dem späten 4. Jh. v. Chr. vergleichbaren Professionalisierung zu rechnen ist und in welchem Größenver-
hältnis Wander-Handwerker zu einem lokal seßhaften
Handwerkerstamm standen, wird weiterhin diskutiert.

Im röm. B. begegnen seit der frühen Republik neben
den Feldherren und den → Censoren in Rom (dazu unten Teil E), den kommunalen Behörden und den Ver-
waltungen der Heiligtümer in den zugewonnenen Territorien bes. auch vermögende Privatpersonen als Träger großer öffentlicher Bauten; zahlreiche stadtröm.
Basiliken, Portiken, Fernstraßen und Aquaedukte sind
mit dem Namen ihres Stifters verbunden, wobei jedoch
häufig eine Vermischung privater Sponsorentätigkeit
mit polit. Ambitionen und Staatsämtern zu konstatieren
ist. Diese Verschmelzung privater und öffentlicher Interessen kulminierte in der Bautätigkeit des röm. Kaiserhauses. Auf komplexe Weise verzahnen sich im röm. B.
Motive der Bauträger mit technischer Innovation
(Gußzement und Ziegelbauweise; → Bautechnik) und
sozialen Erfordernissen: Anders als im griech. B. mit
seiner hochspezialisierten Handwerkerschaft erforderte
das röm. B., abgesehen von wenigen Holzbau- und
Ingenieursspezialisten (→ Architekt; Bautechnik; Materiatio), ein großes Heer un- oder angelernter Hilfskräfte. Das röm. B. war durch diese gegenüber dem
griech. B. grundverschiedene Struktur als Arbeitsbe-
schaffungsmaßnahme immer auch ein sozialpolit. Faktor mit bisweilen populistischem Impetus; die Konzeption einer Baustiftung zielte selten allein auf die Architektur mit ihren Nutzfunktionen ab, sondern sie schloß
auch ökonomische Effekte ihrer Errichtung ein.

D. Planung und Entwurf

Konzipierende Vorüberlegungen und die Schritte
zur Umsetzung einer Bauidee in einen realisierbaren
Bauprozeß waren immer geprägt von den Intentionen
der Bauträger und erst in Abhängigkeit hiervon Produkt
eines Architekten. Das Festhalten an formalen oder
technischen Traditionen wie auch Versuche zur Innovation waren Leitentscheidungen, die nicht dem Ar-

chitekten oblagen; im Prozedere öffentlichen Bauens im klass. Athen konnten die zahlreichen beteiligten Gremien und Beschlußorgane bis in die Details der Planung eingreifen. Die intensive Forschungsdebatte der letzten Jahrzehnte um Planung und Entwurf hat diese Aspekte vernachlässigt; sie konzentrierte sich auf die Planungsprobleme des griech. Tempelbaus archa. und klass. Zeit, die in ihrer Gesamtheit wie auch in Details weiterhin kontrovers diskutiert werden. Vor allem die Rückübertragung moderner Meßwerte eines Bauwerks in ein ant. Zahlengefüge weist bislang ungelöste methodische Komplikationen auf. Sicher ist, daß in der Ant. als rechnerische Bezugsgröße ein Grundmaß Verwendung fand, das zur Darstellung einzelner Maße gebrochen oder vervielfacht wurde (wie z.B. in der Syngraphé des philonischen Arsenals im Piräus, IG II² 1668); inwieweit hier neben Fußmaßen auch Module im Sinne Vitruvs (3,1,1 ff.) anzunehmen sind, wird ebenso debattiert wie die Art der Brechung und der Charakter griech. → Längenmaße insgesamt. Gegen die Auffassung vom Entwurf als einem »mathematischen Kunstwerk« des Architekten hat z.Z. diejenige Ansicht die besseren Argumente, nach der ein in Maß und Zahl gekleideter Entwurf relativ einfacher Natur und eng mit der Proportionierung des Bauwerks verknüpft war und überdies nicht nur der Formung des Bauwerks, sondern auch der Planung der Baulogistik diente. Brechungen des Grundmaßes über 1/4 hinaus blieben als Ausnahmen auf bauliche Details beschränkt (z.B. in den Bauurkunden aus Eleusis, IG II² 1666, 1670, 1671, 1675, 1680; Ausnahme: IG II/III² 1678). Ebenfalls umstritten ist die Frage, in welchem Umfang Modelle und Zeichnungen im Entwurfsvorgang verwandt wurden. Ein griech. Bauentwurf ließ sich problemlos in Wort und Zahl dokumentieren (IG II² 1668); vom im Bauwerk selbst verborgenen, konstruktiv notwendigen Riß im Maßstab 1:1 (→ Aufschnürung) abgesehen, begegnen separate Werkzeichnungen erst ab dem Frühhell. (maked. Kammergrab von Angista, Apollontempel von Didyma, später das Pantheon in Rom). Architektenskizzen und Modelle als erste, grobe Visualisierungen sind wohl schon für das 6. und 5. Jh. v. Chr. anzunehmen, nicht aber festdefinierte Maßstäblichkeit. Im röm. B. sind detailliertere Zeichnungen hingegen üblich (Vitr. 1,2,2). Daß bis in die Spätant. im ant. B. in vielen Punkten der Planung ein »trial and error«-Verfahren geläufig war, zeigt die geringe Antizipation statischer Probleme. Ein Scheitern des Projekts konnte bisweilen trotz hochstehender technischer Improvisationskunst (z.B. metall-armierte Architrave, → Bautechnik) nicht vermieden werden (z.B der wegen unüberbrückbarer Spannweiten unvollendet gebliebene Tempel G in → Selinunt und der Kuppeleinsturz der → Hagia Sophia).

E. Bauorganisation und Bauprozess

Quellen zu organisatorischen Details des Bauvorgangs, zu baubegleitenden bzw. einem Neubau vorangehenden Entscheidungsfindungen sowie zu Details von Verwaltung und Abrechnung öffentlicher Baumaßnahmen sind für das klass.-griech. B. weitgehend auf Athen bezogen (Parthenon-, Propyläen- und Erechtheion-Urkunden [IG I³ 436–451, 462–466, 474–476], daneben aus dem 4. Jh. v. Chr. die Verdingungsordnung IG V 2, 6A aus Tegea und die Baudekrete aus Delos IG XI 2, 135–289). Ähnliche Verhältnisse sind jedoch auch für andere griech. Poleis vorauszusetzen; es zeigt sich ein erhebliches Ausmaß an Regelungs- und Kontrollmechanismen. Beschlußorgan für ein größeres öffentliches Bauprojekt war in Athen die Volksversammlung (→ Ekklesia; IG I², 24); jedes Mitglied konnte hier als Antragsteller auftreten. Beschlossen wurden Art und Ort des Baus sowie der Finanzrahmen; die weitere Realisierung wurde einer projektbezogenen Kommission übertragen, die jährlich neu besetzt wurde (abgesehen von dem die Kommission leitenden → Epistaten und dem Sekretär, die in Einzelfällen mehrere Jahre oder sogar für die Gesamtdauer des Projekts im Amt bleiben konnten). Der → Architekt wurde von der Volksversammlung gewählt oder bei nachrangigen Projekten auch unmittelbar von der Baukommission herangezogen. Die Kommission entwarf Bauanweisungen und Kostenpläne, die in der Regel der → Bule zur Genehmigung vorgelegt werden mußten und dann zur Grundlage der öffentlichen Ausschreibung der Kontrakte wurden; erhebliche Abweichungen vom Ursprungskonzept erforderten einen neuen Entscheidungsgang. Die Rechenschaftspflicht der Kommission gegenüber der Bule bzw. der Volksversammlung, aber auch ihre jährliche Neubesetzung machten präzise Abrechnungen ebenso notwendig wie eine dauerhaft wirksame Überwachung der Verwendung des Baumaterials und eine Kontrolle des termingerechten Fortgangs der Arbeiten. Als Mittler zw. der Baukommission als dem »Exekutiv-Organ« des Bauherrn und der Handwerkerschaft fungierte der Architekt. Dies Prozedere blieb in seiner Grundstruktur auch im Hell. erhalten, wobei sich jedoch die polit. Veränderungen − monarchische Stifter und nicht mehr die autonome Bürgergemeinschaft als Bauträger − in unmittelbaren Einwirkungsmöglichkeiten des Bauherrn und in einem Verzicht auf einzelne, durch die demokratische Praxis des 5. Jh. v. Chr. motivierte Verfahrensschritte manifestierten.

Die Organisation des röm. B. kombiniert griech. Strukturen zunächst mit Zuständigkeiten republikanischer Ämter; wie für Instandhaltungen, sind auch für die Abwicklung von Neubauten die → Censoren zuständig. Später wird der Kaiser als Bauherr durch eine Vielzahl von *curatores* vor Ort vertreten. Censoren, *duumviri* oder kaiserliche Beamte sorgten für eine detaillierte öffentliche Ausschreibung und Vergabe der Kontrakte an selbständige Unternehmer (*redemptor, conductor operis*), die ihrerseits Bürgen oder eine Kaution stellten und für Termine und Kostenkalkulation garantieren mußten; schriftliche Verträge und Weitergabe von Teilkontrakten an Sub-Unternehmer waren die Regel. Ebenso überwachten Censoren oder *duumviri* die Bauausführung und führten die Endabnahme mitsamt Schlußrechnung durch.

Art, Aufwand und Ablauf des Bauprozesses waren abhängig von Größe und zeitlicher Dauer des Bauprojekts. Der griech. Quaderbau erforderte hochspezialisierte Handwerker (→ Bautechnik) und war meist von mehrjähriger Dauer; bereits im → Steinbruch wurde das Baumaterial gemäß dem Bauplan in vermaßter Form vorgefertigt, bei der Weiterverarbeitung auf der Baustelle dann häufig mit Steinmetzmarkierungen versehen (zur Organisation des Versatzes, aber auch zum Zwecke der Abrechnung). Für schwierig darstellbare Bauglieder (Triglyphen, Kapitele, Simen-Profile) wurden Modelle im Maßstab 1:1 hergestellt, die dann gemäß dem Muster in Serie hergestellt wurden (→ Reproduktionstechniken). Als Arbeitsform scheint die Tätigkeit in kleineren Trupps von drei bis sieben Mann üblich gewesen zu sein, wie sie für die Kannelierung der Erechtheionsäulen bezeugt sind (IG I³, 474); insgesamt herrschte im griech. B. des 6.–4. Jh. v. Chr. ein hohes Maß an Allroundfähigkeit, wie zahlreiche Kontrakte zeigen, in denen ganze Bauabschnitte, deren Realisierung unterschiedlichste Fertigkeiten und Qualifikationen erforderte, an ein und denselben Kontraktnehmer vergeben wurden. Im röm. B. nahm die Arbeitsteilung beim Bauprozeß bisweilen nahezu industrielle Formen an; eine Vielzahl von gering spezialisierten Arbeitern war mit Materialherstellung und -verarbeitung befaßt, was zu bisweilen spektakulärer Geschwindigkeit bei der Errichtung von Großbauten führte (z.B. bei den z.T. in nur wenigen Monaten erbauten Palästen spätant. Kaiser).

1 A. REHM, Didyma, 2: Die Inschr., 1958, Nr. 20–44.

Architecture et Société de l'Archaisme à la fin de la République Romaine. Kongr. Rom (1980), 1983 · Bauplanung und Bautheorie der Ant., Kongr. Berlin (1983), 1984 (= DiskAB 4) · H. BÜSING, Eckkontraktion und Ensembleplanung, in: MarbWPr 1987, 14–46 · A. BURFORD, The Greek Temple Builders of Epidauros, 1969 · Dies., The Purpose of Inscribed Building Accounts, in: Acta 5th. Epigr. Congr. 1971, 71–77 · J. J. COULTON, Greek Architects at Work, 1977 · P. H. DAVIS, The Delian Building Contracts, in: BCH 61, 1937, 112–137 · H. EITELJORG, The Greek Architect of the 4th Century B.C., 1973 · P. GROS, Status social et rôle culturel des A., in: Architecture et Société, Kongr. Rom (1980), 1983, 425–452 · W. H. GROSS, Zur Stellung des Architekten in klass. Zeit, in: H.-G. BUCHHOLZ (Hrsg.), Hellas ewig unsre Liebe, FS W. Zschietzschmann, 1975, 33–50 · L. HASELBERGER, Aspekte der Bauzeichnungen von Didyma, in: RA 1991, 99–113 · J. P. HEISEL, Ant. Bauzeichnungen, 1993 · H. v. HESBERG, Bemerkungen zu Architekturepigrammen des 3. Jh. v. Chr., in: JDAI 96, 1981, 55–119 · Ders., Formen privater Repräsentation in der Baukunst des 2. und 1. Jh. v. Chr., 1994 · N. HIMMELMANN, Phidias und die Parthenonskulpturen, in: FS J. Straub, 39. Beih. BJ, 1977, 67–90 · Ders., Zur Entlohnung künstlerischer Tätigkeit in klass. Bauinschr., in: JDAI 94, 1979, 127–142 · CH. HÖCKER, Planung und Konzeption der klass. Ringhallentempel von Agrigent, 1993, 153–166 · Ders., Architektur als Metapher, in: Hephaistos 14, 1996, 45–79 · W. KOENIGS, Maße und Proportionen in der griech.

Baukunst, in: Polyklet. Ausstellungs-Kat. Frankfurt/Main 1990, 121–134 · H. LAUTER, Zur ges. Stellung des bildenden Künstlers in der griech. Klassik, 1974 · Ders., Die Architektur des Hell., 1986, 7–32 · Le dessin d'architecture dans les sociétés antiques, Kongr. Strasbourg (1984), 1985 · F. G. MAIER, Griech. Mauerbauinschr., 2 Bde., 1959/61 · S. D. MARTIN, Building Contracts in Classical Roman Law, Diss. Ann Arbor 1981 · D. MERTENS, Zum klass. Tempelentwurf, in: DiskAB 4, 1984, 137–145 · W. MÜLLER-WIENER, Griech. Bauwesen in der Ant., 1988, 18–25 · R. H. RANDALL, The Erechtheum Workmen, in: AJA 57, 1953, 199–210 · H.-J. SCHALLES, Unt. zur Kulturpolit. der pergamenischen Herrscher im 3. Jh. v. Chr., IstForsch 36, 1985 · H. SCHAAF, Unt. zu Gebäudestiftungen in hell. Zeit, 1992 · L. SCHNEIDER, CH. HÖCKER, Die Akropolis von Athen, 1990, 124–151 · R. L. SCRANTON, Greek Architectural Inscriptions as Documents, in: Harvard Library Bull. 14, 1960, 159–168 · R. S. STANIER, The Costs of the Parthenon, in: JHS 73, 1953, 68–76 · J. DE WAELE, The Propylaia of the Acropolis of Athens, 1990 · B. WESENBERG, Beitr. zur Rekonstruktion griech. Architektur nach lit. Quellen, 9. Beih. MDAI(A), 1983 · Ders., Kunst und Lohn am Erechtheion, in: AA 1985, 55–65 · M. WILSON JONES, Principles of Design in Roman Architecture, in: PBSR 57, 1989, 106–151 · A. WITTENBURG, Griech. Baukommissionen des 5. und 4. Jh., 1978 · Ders., Texte und Bemerkungen zum Werkvertrag bei den Griechen, in: Historica 2, Stud. zur Alten Gesch.: FS S. Lauffer, 1986, 1077–1088. C. HÖ.

Bauzeichnung s. Bauwesen

Bavares. Ein anscheinend zweigeteilter berberischer Stamm; die eine Gruppe siedelte im äußersten Westen, die andere im äußersten Osten der Mauretania Caesariensis. Quellen: Amm. 29,5,33; Liber generationis 1,197,67 MOMMSEN; Iulius Honorius, cosmographia A 47; provinciarum laterculus codicis Veronensis 14,4.

G. CAMPS, s. v. B., EB, 1394–1399 · J. DESANGES, Catalogue des tribus africaines, 1962, 47 Anm. 2. W. HU.

Bavius, M., war ein von Vergil (ecl. 3,90) kritisierter und von Domitius Marsus in einem von Filagrius ad locum (COURTNEY, 301) zitierten Epigramm lächerlich gemachter zeitgenössischer Dichter. Marsus berichtet, er und sein Bruder hätten alles miteinander geteilt, bis einer dem anderen seine Frau verweigerte. Ein kritischer Vers gegen Vergil (COURTNEY, 285) wurde ihm bisweilen zugeschrieben, aber die Zuweisung ist wahrscheinlich bloße Vermutung. Er starb 35 v. Chr. in Kappadokien (Hier. chron. a. Abr. 1982). ED. C./M. MO.

Baza. Bei der spanischen Stadt B. liegen u. a. der *Cerro Cepro*, ein seit dem 5. Jh. v. Chr. besiedelter Hügel (das iberisch-röm. Basti?) sowie die iberische Nekropole *Cerro del Santuario*. Aus Grab 155 stammt die »Dama de B.«, eine thronende weibliche Kalksteinstatue, die als Urne gedient hat (ca. 400–350 v. Chr.).
→ Iberische Plastik, Iberische Nekropole

F. J. PRESEDO VELO, La necrópolis de Baza, 1982 · R. OLMOS u. a., La dama de Baza, in: El Puteal de

LaMoncloa, Coloquio 1987, 183–209 · N.Marín Díaz u.a., La ciudad ibero-romana de Basti, in: Florentia Iliberritana, 4/5, 1993/94, 323–333. M.BL.

Bazira (Βάζιρα). Stadt in Nordwest-Pakistan, am Swatfluß zw. Indus und Hindukusch, von → Alexandros [4] d.Gr. erobert und befestigt (Arr. an.). Wohl bei Bīr-kōṭ-Gundai, wo hell. Mauern, Keramik und Graffiti gefunden wurden.

P.Callieri, in: A.Gail, G.Mevissen (Hrsg.), South Asian Archaeology 1991, 1993, 339–348. K.K.

Bebaiosis (βεβαίωσις) bedeutet in Rechtsgeschäften, durch die der Besitz einer Sache übertragen wurde, also in Kaufverträgen [4. 115f.], Gebrauchsüberlassungsverträgen (μισθώσεις, *misthóseis* [3. 141; 4. 122]) und mit παράδοσις (*parádosis*) verbundenen Arrhalverträgen, die Zusage des bisherigen Besitzers gegenüber dem Erwerber, den übertragenen Besitz nicht zu stören (in den Papyrus-Urkunden: μὴ ἐπελεύσεσθαι, *mḗ epeleúsesthai*) sowie ihn gegen Angriffe Dritter zu verteidigen [1. 357, 360, 444]. Gegen Verletzung dieses Versprechens war der Erwerber durch die δίκη βεβαιώσεως (*díkē bebaióseōs*) geschützt (Harpokr. s.v. βεβαίωσις 8,34f.). Wollte der Erwerber seinen Besitz im Rechtsstreit nicht selbst verteidigen (αὐτομαχεῖν, *automacheín*), so händigte er die Sache dem Vorbesitzer aus und überließ diesem die Verteidigung. Im Falle der Ablehnung der Verteidigung oder des Prozeßverlustes mußte der Veräußerer wegen der Gewährschaftsverletzung eine Buße bezahlen [2. 18], deren Höhe in den griech. und ptolemäischen Quellen schwankt. In Kaufverträgen wurde die Stellung des Käufers verstärkt, wenn er auf Vormänner seines Verkäufers als Eviktionsgaranten (βεβαιωτῆρες, *bebaiō-téres*) zurückgreifen konnte [1. 432].

1 F.Pringsheim, The Greek Law of Sale, 1950 2 M.Talamanca, L'arra della compravendità in diritto greco, 1953, 17f. 3 H.J.Wolff, Beiträge zur Rechtsgesch. Altgriechenlands und des hell.-röm. Ägypten, 1961, 139ff. 4 H.-A.Rupprecht, Einführung in die Papyruskunde, 1994. G.T.

Bebrykes. Die spanischen B. werden von Skymn. 201 (vor 202 v.Chr.) erwähnt. Avien. 485 beschreibt die ›Berybrakes‹ als rauhes, wildes Volk, über dessen Siedlungsräume keine Klarheit besteht.

F.J.Fernández Nieto, Beribraces, edetanos e ilercaones, in: Zephyrus 19/20, 1968/69, 115–142 · Tovar 3, 64. P.B.

Becher s. Gefäßformen

Beda, h. Bitburg, *vicus* auf einer natürlichen Erhebung an der röm. Straße Augusta Treverorum – Colonia Agrippinensium gelegen (Itin. Anton. 372,4), Mittelpunkt des treverischen *pagus* der *Bedenses*. Inschr. zeugen von regem Theaterwesen (CIL XIII 4132; BRGK 40,

1959, 125,8) und Aktivitäten der → *iuniores* (CIL XIII 4131). Nach Zerstörungen um 275/6 n.Chr. Anf. 4.Jh. als Wehrkastell mit ovaler Ummauerung (2 ha) neu errichtet und bis in das 5., evtl. sogar 6.Jh. kontinuierlich besiedelt.

H.Cüppers (Hrsg.), Die Römer in Rheinland-Pfalz, 1990, 336f. F.SCH.

Beda Venerabilis A. Leben B. Werk C. Bedeutung

A. Leben

B. (oder Baeda) V. lebte 672/3–735 n.Chr. in Northumbria. Er wurde seit seinem siebten Lebensjahr im Kloster St. Peter und Paul, in Wearmouth und Jarrow, erzogen. Mit 19 J. zum Diakon und mit 29 J. von Bischof John von Hexham zum Priester ordiniert, kam B. nach Lindisfarne (Holy Island) und zur Abtei Streanæshalch (h. Whitby), dessen Äbte unter Rückgriff auf die Buchmärkte Italiens und Galliens sowie anhand von Kopien aus Rath Maelsigi in Irland eine hervorragende Bibliothek aufgebaut hatten, korrespondierte jedoch mit Freunden und ehemaligen Studenten in Canterbury (Kent) und im ganzen, bes. im küstennahen Land der Angeln und Sachsen.

B. lernte einfaches, doch nuanciertes Lat. zu schreiben und zu rechnen, um die Naturphänomene zu verstehen. Er schrieb Hymnen, Epigramme und Lehrverse, von denen nur wenige erhalten sind. Nachdem B. Lindisfarne besucht hatte, verfaßte er eine *Vita metrica Cuthberti* (706/7), sowie zwei Viten in Prosa (ca. 710, 720) über diesen Lehensmann und Räuber, der zu einem frommen Mönch und Einsiedler wurde. B. war dabei, sein frühes wiss. Werk zu überarbeiten und einen neuen Komm. zum Johannesevangelium zu vollenden, als ihn der Tod ereilte.

B. Werk

B.s erste Schriften um 700 waren die eines Lehrers von Oblaten. Er unterrichtete *Notae* im Scriptorium, d.h. die Gestalt der lat. Buchstaben, Rechtschreibung und Syntax; *De orthographia liber* liefert dafür einen Abriß. In zwei Werken, *De metrica arte* und *De schematibus sive tropis*, ging er auf Versformen, Rhythmen, Tropen und Bilder ein, besonders auf die in der Hl. Schrift. Eines seiner frühen Bücher war ein Überblick *De natura rerum* (701 n.Chr.), in dem er oft wörtlich aus Ambrosius, Basilius und Isidor sowie bes. Plinius zitiert, dessen *Naturalis historia* er als *opus pulcherrimum* bewunderte. B. schrieb auch über die Geographie des Hl. Landes mit den Hauptpunkten für Gebete auf den Pilgerwegen (*De locis sanctis*) nach den Berichten Arculfs. Diese Werke betonten, daß die Schöpfung geordnet sei und Erscheinungen auf der Erde und im Himmel rational erklärt werden können. Sie machten die Studenten bekannt mit einem Modell des Erdballs, der auf allen Seiten bewohnt ist, mit seinen Kontinenten und großen Weltmeeren, den Gezeiten, zwei Systemen geographischer Breiten, dem Tierkreis zur Berechnung von Pla-

netenzyklen und -perioden, mit der Theorie von Mond-
und Sonnenfinsternissen, der aristotelischen Schwer-
kraftkonzeption und mit den vier klassischen Elementen Erde, Luft, Feuer und Wasser. Er besprach auch einzelne außergewöhnliche Erscheinungen wie Stürme,
Erdbeben und Seuchen.

De temporibus liber (703) stellte Konzeptionen von
Tagen, Nächten, Wochen, Monaten und Jahren aus
einigen Mittelmeerkulturen vor und erklärte Anwendungen des metonischen 19jährigen Mondzyklus. An-
gehängt war eine kurze Chronik denkwürdiger Ereignisse von der Schöpfung bis zum Zeitenende, die aus
den Werken des Ios., Eus., Rufin., Hier., der LXX und
der lat. Bibel ausgewählt waren, die er *Hebraica veritas*
nannte. Er berechnete 3952 J. von der Schöpfung bis zur
Inkarnation. Wie alle Meister der Osterberechnung verwarf B. die Jahresberechnungen für die Wiederkunft
Christi.

In seinem 59. Lebensjahr konnte B. 15 Titel in 36
Teilen an Komm., Kapiteln, Vorlesungen und Aufsätzen
über at. Bücher und Themen und acht Titel in 26 Teilen
an Büchern über das NT anführen (Historia Ecclesiastica
5,24 [im folgenden HE]). Die Hl. Schrift muß den größten Teil seiner Arbeitszeit beansprucht haben. Daneben
stehen auch Sammlungen von Briefen, Hymnen und
Epigrammen, eine Gesch. der ersten Äbte seines Klosters, Viten von Felix, Anastasius und Cuthbert, ein
Martyrologium, die HE (vollendet 731), die die Anfänge
der christlichen Gemeinden in verschiedenen Teilen der
britischen Inseln beschreibt, und schließlich seine Lehrbücher, von denen *De temporum ratione liber* (im folgenden: DTR) in B.s Kat. fehlt. B. besorgte eine Vers-für-
Vers-Auslegung ausgewählter Bücher der Hl. Schrift,
insbes. im Rückgriff auf frühere Kommentatoren, bes.
→ Ambrosius und → Augustinus und → Gregor d. Gr., gelegentlich → Athanasius und → Hieronymus. Diese Ka-
tenen betonten die geistliche Bed. der Schriften durch
Allegorie und andere Redefiguren. Üblicherweise hebt
er aber in Biographien die Ereignisse und die Beziehungen der Personen zu anderen hervor, so daß es
immer Ebenen histor. und moralischer Interpretation
gibt. Mit viel Gefühl für Gleichnisse und Analogien
kam B. dem klass. »vierfachen Schriftsinn« näher als die
alexandrinischen Kommentatoren oder Gregor; das
kann auch in seinen erh. Predigten und Hymnen beobachtet werden. Seine Lektüre etwa der Hälfte der
Schriften Augustins war gründlich. Obwohl er ihn selten zitierte oder auch nur paraphrasierte, repräsentierte
seine Theologie den Kern augustinischen Denkens.

C. BEDEUTUNG

B. dürfte als erster die neuen metrischen Praktiken
christl. Dichter, etwa des → Paulinus' von Nola und
→ Prudentius', in der Tradition klass. Metrik erklärt und
den isosyllabischen Rhythmus und Reim beschrieben
haben, der in christl. Hymnen entwickelt worden war.
Daten und Theorien, die er in seinen ersten Jahren als
Lehrer aus den Werken des Plin. und Isid. bezogen hatte, wurden im späteren DTR berichtigt. B. erklärte die

Kugelgestalt der Erde und das System der geographischen Breiten; ein Horologium, das er auf die Erde (*in
terra*) zeichnete, wurde nicht nur während des Son-
nenscheins, sondern auch nachts verwandt. Dieses hatte
mehr Linien und kleinere Einteilungen als irgendeine
Sonnenuhr enthalten konnte: *partes, momenta, minuta,
puncti.* So konnte er Sonnenwenden auf dem Nord-
Süd-Meridian beobachten und davon die Ost-West-
Linie für die Beobachtung der Tagundnachtgleiche
nach römischer Methode (nicht sehr genau) berechnen.
Aber sein Instrument *in terra* diente vornehmlich zur
Beobachtung des Mondes, der Planeten und Sterne.
Dadurch konnte er eine engere Abstimmung der
Mondphasen mit den Sternzeiten festlegen als die syn-
odische Zeit, die von anderen Osterberechnern wie
Aldhelm verwendet wurde. Aus diesen Daten schuf B.
eine ganz neue Gezeitentheorie (DTR 27f.) – eine
fundamentale wiss. Errungenschaft. Sie lieferte die
Struktur der jährlichen ›British Admiralty Tide Tables‹
von heute.

B.s erweiterter DTR (vollendet 725) erklärt, wie
Dionysius Exiguus alexandrinische Wiss. an röm. Ge-
bräuche anpaßte und wie er selbst einige der Praktiken
des Dionysius ändern wollte, um sie auf den jährlichen
Sonnen-, den 19jährigen Mondzyklus und die längeren
95- und 532-jährigen Zyklen anzuwenden. Sein Ziel
war, daß Christen dadurch immer und überall die Auferstehung Jesu Christi am selben Ostersonntag feiern
konnten. Er wandte seine neuen Tabellen mit Daten-
reihen für die 790 Jahre Gesch. in seinem größeren
Chronicon (DTR 66–71) sowie in der kurzen Synopse am
Ende der HE 5,24 an. Die Ergebnisse von B.s Werk
schufen in der europ. Zivilisation viele Jh. lang Ordnung in der Zeitrechnung. Die gregorianische Kalenderreform von 1582 n. Chr. setzte B.s Zeitrechnung
fort, berücksichtigte jedoch den früheren Eintritt von
Tagundnachtgleichen durch eine neue Form von Ep-
akten und zusätzlichen Saltus.

→ Zeitrechnung

ED.: J. A. GILES, 12 Bde., 1843f. (unvollständig; Ndr. PL
90–95, 1850f.) · C. PLUMMER, 2 Bde., 1896 (HE, Historia
Abbatum, Epistola ad Albinum, Epistola ad Ecgbertum) ·
B. COLGRAVE, R. A. B. MYNORS, HE, 1969 · M. L. W.
LAISTNER, Bedae venerabilis Expositio Actuum
Apostolorum et Retractatio, 1939 · C. W. JONES, Bedae
opera de temporibus, 1943 (z. T. Ndr. CCL 118–123, 1960ff.
[dort auch zur hsl. Überlieferung]) · B. COLGRAVE, Two
lives of saint Cuthbert, 1940.
LIT.: B. COLGRAVE u. a., Bede and his world, 2 Bde., 1994 ·
G. BONNER (Hrsg.), Famulus Christi, 1976 · K. HARRISON,
The Framework of the Anglo-Saxon History to A. D. 900,
1976 · P. HUNTER BLAIR, The World of Bede, 1970 ·
M. HERREN (Hrsg.), Insular Latin Studies, 1981 · C. W.
JONES, Bede, the schools and the computus, 1994 ·
M. L. W. LAISTNER, H. H. KING, A Hand-list of Bede
Manuscripts, 1943 · D. Ó CRÓINÍN, The Irish provenance
of Bede's computus, in: Peritia 2, 1983, 229–247 · Ders.,
Rath Melsigi, Willibrord and the earliest Echternach, in:
Peritia 3, 1984, 17–49 · R. RAY, What do we know about

Bede's commentaries?, in: Recherches de théologie ancienne et médiévale 49, 1982, 5–20 • B. P. ROBINSON, The venerable Bede as exegete, in: The Downside Review 112/388, 1994, 201–226 • G. BONNER, D. ROLLASON, C. STANCLIFFE (Hrsg.), St. Cuthbert, his cult and his community to A. D. 1200, 1989 • M. LAPIDGE, B. the poet, 1994 • W. M. STEVENS, Cycles of time and scientific learning in medieval Europe, 1995.   W. M. S. / M. MO.

Befestigungswesen I. GRIECHENLAND II. FRÜHGESCHICHTE UND NACHBARKULTUREN III. ROM

I. GRIECHENLAND

Nach Aufgabe der massiven myk. Palastburgen dauerte es mehrere Jh., bis in Griechenland wieder größere Befestigungen errichtet wurden. Während der *geom. Zeit* blieb der Festungsbau im Mutterland bescheiden. Man baute einfache Anlagen, von denen kaum Überreste vorhanden sind, oder es genügten die Ruinen der myk. Burgen für das Schutzbedürfnis der Menschen. Auf den Inseln der Ägäis und in Ionien wurden dagegen zum Schutz vor Seeräubern (Thuk. 1,5) bzw. gegen den Druck aus dem Landesinnern Burgberge (Akropoleis), Halbinseln oder andere top. geeignete Orte befestigt.

In *archaischer Zeit* ging mit der Entstehung der → Polis (8./7. Jh.), dem Wachstum der Bevölkerung, der Kolonisationsbewegung und der Bedrohung durch die Großmächte im Osten (Lydien, dann Persien), die über eine ausgereifte Belagerungstechnik verfügten, der Übergang zum eigentlichen Siedlungsschutz einher. Dabei konnten Befestigungen zu Siedlungskernen werden wie in Alt-Smyrna, oder aber zugunsten neuer Orte aufgegeben werden, wie Zagora auf Andros. Die spätarcha. Befestigungsanlagen bestanden meistens wie zuvor aus Lehmziegelmauern auf Steinsockeln oder allenfalls polygonalem Mauerwerk. Sie konnten, wie der Fall von Burunçuk-Larissa in Äolien zeigt, schon über zweistöckige Türme verfügen (zu Samos vgl. Hdt. 3,54). Im Mutterland vollzog sich diese Entwicklung erst, als auch dort die Bedrohung durch Persien evident wurde.

In *klassischer Zeit* führte der fast ständige Kriegszustand im Perser- und im Peloponnesischen Krieg dazu, daß die meisten Poleis eine Stadtmauer errichteten, deren Größe und Stärke ebensosehr von den wirtschaftlichen Möglichkeiten wie von der Bedrohungslage abhingen (Thuk. 1,7). Sie bot nicht nur mil. Schutz, sondern galt auch als Symbol der → Autonomie einer Polis. Für Aristoteles (pol. 1331a 10 ff.) war eine Mauer eine notwendige Vorkehrung für die erfolgreiche Verteidigung einer Stadt. Tatsächlich wurden jetzt vielfach bossierte Quader oder trapezoidale Steine als Baumaterial verwendet; außerdem errichtete man in dieser Zeit oft möglichst an die Topographie angepaßte, mitunter weitläufige Geländemauern (»Landschaftsfestungen«; so etwa die Euryalos-Mauer in Syrakus). Daneben entstanden Systeme zu Schutz und Überwachung der *chora*, deren Rückgrat einzelne Festungen oder Wachtürme

bildeten (Attika, Megaris). Die Zeit bis ca. 350 ist gekennzeichnet durch eine strategische Überlegenheit der Verteidiger gegenüber den Angreifern. Die direkten mil. Angriffsmittel wie Sturm und Ersteigen der Mauern mit Leitern, Rammböcken oder der Bau von Rampen waren den Gegenstrategien unterlegen; Verrat, Aushungern oder Überraschungsangriffe führten eher zum Ziel. Markanter Ausdruck hierfür waren die Langen Mauern in Athen, die den befestigten Hafen Peiraieus mit der Kernstadt verbanden und mil. nicht zu bezwingen waren (zum Mauerbau in Argos vgl. Thuk. 5,82,6). Mit der Erfindung neuer Belagerungsgeräte (einfaches Katapult 399 in Sizilien, dann Torsionskatapult Mitte 4. Jh., Helepolis, Schildkröte u. a.) oder der mit Entwicklung weiterer Techniken (Stollen) wuchsen die Chancen der Belagerer; gleichzeitig änderten sich die Verteidigungsstrategien (vgl. Aristot. pol. 1331a 10 ff.; Ain. Takt. 32). Bes. Philipp II. und Alexander der Gr., aber auch die Diadochen konnten u. a. dank wachsender finanzieller Mittel ganze Geräteparks mit Erfolg einsetzen.

Im *Hellenismus*, aus dem die meisten der noch sichtbaren oder ausgegrabenen Mauerreste stammen und der deswegen die am besten dokumentierte Aera des griech. B.s ist, wurden demgemäß die Verteidigungsmaßnahmen aufwendiger: Vorwerke und Gräben wurden errichtet, die Mauern erhielten viele Ausfalltore, Wehrgänge wurden überdacht, Türme baute man zu Geschützträgern aus. Damit traten neben die passive Verteidigungsstrategie auch aktive Komponenten.

1 J.-P. ADAM, L'architecture militaire grecque, 1982 2 A. W. LAWRENCE, Greek Aims in Fortification, 1979 3 P. LERICHE, H. TRÉZINY (Hrsg.), La Fortification dans l'histoire du monde grec, 1986 4 S. VAN DE MAELE, J. M. FOSSEY (Hrsg.), Fortificationes anticae, 1992 5 F. G. MAIER, Griech. Mauerbauinschr. I, 1959; II, 1961 6 E. W. MARSDEN, Greek and Roman Artillery I, 1969; II, 1971 7 F. E. WINTER, Greek Fortifications, 1971.   L. B.

II. FRÜHGESCHICHTE UND NACHBARKULTUREN A. VORRÖMISCHES ITALIEN UND SARDINIEN B. IBERISCH C. KELTISCH-GERMANISCH

A. VORRÖMISCHES ITALIEN UND SARDINIEN 1. VORGESCHICHTE 2. SIZILIEN UND MAGNA GRAECIA 3. ETRURIEN 4. LATIUM 5. MITTEL- UND SÜDITALIEN 6. SARDINIEN

1. VORGESCHICHTE

Schon im Neolithikum gibt es in Apulien und Sizilien durch Kreisgräben befestigte Siedlungen, die zumeist in der Ebene liegen. Seit der Bronzezeit ist eine Tendenz zur Befestigung natürlich geschützter Lagen auf Hügeln oder Halbinseln zu beobachten. Anlagen aus großen unbearbeiteten Steinen, z. T. mit Graben und Türmen, wie in Thapsos, Coppa Nevigata oder Scoglio del Tonno, sind möglicherweise von myk. Burgen beeinflußt. Bis in die frühe Eisenzeit herrschen in ganz It.

kleine, mit Mauern aus kleinem unbearbeiteten Steinmaterial befestigte Höhensiedlungen vor.

2. Sizilien und Magna Graecia

Die Zahl und die Dimensionen der Befestigungsanlagen stiegen mit der griech. und phöniz. Kolonisation in Süditalien und Sizilien. Bes. die Phönizier brachten das System der offensiven Verteidigung mit turmflankierten Ausfallpforten aus dem Orient mit nach Sizilien (Motya, Eryx, Lilybaion), wo es seit dem späten 5.Jh. v. Chr. von den Griechen übernommen wurde, als neue Angriffswaffen wie der Rammbock und das Torsionsgeschütz ein Fernhalten des Angreifers von der Mauer erforderlich machten.

Früheste griech. Stadtmauern sind erst seit dem ausgehenden 7.Jh. v. Chr. nachgewiesen (Siris, Leontinoi). Vermutlich wurden urspr. Systeme aus Lehmziegeln (Siris) später durch Anlagen aus Stein (v. a. Quadermauerwerk mit Wechsel von Bindern und Läufern) ersetzt. Auffallend ist das weitgehende Fehlen von gesonderten Akropolisbefestigungen bei griech. Kolonien, ein Zeichen der seit dem 8. Jh. v. Chr. ausgebildeten Polisgesellschaft ohne Einzelherrscher. Konflikte zw. Griechen und Karthagern förderten die Entwicklung des B. in Sizilien und beeinflußten auch indigene Völker des Hinterlandes, die ihre Siedlungen seit dem 6.Jh. v. Chr. ummauerten.

3. Etrurien

In Nord-Etrurien werden seit dem 6.Jh. v. Chr. Hügelkuppen mit umlaufenden Mauern aus großen weitgehend unbearbeiteten Blöcken ummauert, die bis ins 3.Jh. v. Chr. z.T. mehrfach erweitert wurden (Volterra, Vetulonia, Populonia). Im nördl. Inneretrurien sind umlaufende Befestigungen aus großen unregelmäßigen Quadern erst seit Ende des 5.Jh. v. Chr. üblich (Perugia, Arezzo). In Süd-Etrurien wurden die meist auf Tuffspornen am Zusammenfluß zweier Täler liegenden Siedlungen seit archa. Zeit zunächst durch Wälle und Gräben vom Hinterland abgeschnitten. Später wurden diese Wälle durch Mauern aus Tuffquadern ersetzt, die nun auch um die ganze Siedlung herumgeführt wurden (Tarquinia, Caere, Veji). Erst seit dem 4.Jh. v. Chr. wurden in Etrurien vereinzelt Neuerungen des griech. Festungsbaus, wie Türme oder kompliziertere Toranlagen mit Torhöfen übernommen.

4. Latium

Umlaufende Befestigungen aus polygonalen Kalksteinblöcken sind bei den auf Höhen gelegenen Städten Latiums im Zusammenhang mit der ständigen Bedrohung durch Rom seit dem 5.Jh. v. Chr. zu sehen (Norba, Cori, Segni, Alatri, Arpino, Ferentino, Artena). Wie in Rom ist bei den Städten Latiums offenbar eine gesondert befestigte *arx* wichtig. Südl. von Rom finden sich sehr frühe Befestigungen ähnlich wie in Südetrurien (Castel di Decima, Ardea). Befestigungen röm. Kolonien in Südetrurien waren offenbar bewußt wie in Latium in Polygonalmauerwerk aufgeführt (Cosa, Saturnia, Orbetello).

5. Mittel- und Süditalien

Erst seit dem 4.Jh. v. Chr. befestigten die ital. Völker des Zentralapennins (Vestiner, Paeligner, Marser, Aequer, Sabiner, Umbrer), Samniums, Lukaniens, Apuliens und in Bruttium ihre Siedlungen. In Umbrien sind Ähnlichkeiten zu Mauern der Städte des östl. Inneretruriens (Bettona, Todi) vorhanden. Die Höhensiedlungen in Samnium und im Zentralapennin sind durch umlaufende Hangstützmauern aus nicht oder nur wenig bearbeiteten Steinen befestigt. Die Siedlungen liegen entlang der Fernweidewege und lassen sich nach größeren Zentren und kleineren abhängigen Orten differenzieren. Die Sicherung der Weidewege war offenbar erst wegen der zunehmenden Bedrohung durch die Römer nötig. In Lukanien, Bruttium und bei den Salentinischen Halbinsel wurden im 4.Jh. v. Chr. zahlreiche Siedlungen in regelmäßigem durchgeschichteten Quadermauerwerk befestigt. Griech. Einfluß ist bei Toranlagen mit Torhof und vereinzelten Türmen offenbar. Die bei den Bruttiern überlieferte Vereinigung zu einem Bund (356 v. Chr.) kann wegen der Gleichartigkeit vieler Befestigungen auch für Lukaner (um das Heiligtum von → Rossano di Vaglio) und Messapier angenommen werden. Ohne Vorbild sind die riesigen Wallanlagen des 6.Jh. v. Chr. der Daunier in Nord-Apulien (Arpi).

6. Sardinien

Die indigene Bevölkerung Sardiniens siedelte bis in die Eisenzeit im Umfeld der Nuraghen, die ausgehend von turmartigen Einzelbauten der Bronzezeit bis ca. 900 v. Chr. zu immer komplizierteren Befestigungskomplexen ausgebaut wurden (Su Nuraxi, Losa, Santu Antine). Neue, z.T. oriental. Elemente des Befestigungsbaus (Graben, Mauern mit Vorwerken, schräg ansteigender Mauerfuß, Türme und Ausfallpforten), die mit der phöniz. Kolonisation (Tharros, Sulcis, Monte Sirai, Nora) ab dem 9.Jh. v. Chr. auf die Insel gebracht wurden, beeinflußten die indigene Bevölkerung offenbar nicht.

→ Poliorketik

1 M. Miller, Befestigungsanlagen in Italien vom 8. bis 3.Jh. v.Chr., 1995 2 G. Tore, Osserrvazioni sulle fortificazioni puniche in Sardegena, in: La fortification dans l'histoire du monde grec, Actes du Colloque International, Valbonne 1982, 1986, 229–240.   M. M.

B. Iberisch

Seit der Kupferzeit sind Befestigungen wie Los Millares (Prov. Almería) und Zambujal (Distr. Lissabon) belegt. Unter phöniz. Einfluß entstanden z.B. die Mauern der Hafenstadt → Castillo Doña Blanca (Prov. Cádiz, 2. H. des 8.Jh. v.) mit Bastionen, Kasematten (?) und Graben, und unter griech. Einfluß Stadtmauern wie in Ullastret (Prov. Gerona, ab 500 v. Chr.), ferner die orthogonale Anlage von La Picola, Santa Pola (Prov. Alicante, 430–330 v.Chr.), die von zwei Fünfecktürmen flankierte Toranlage Tivissas (Prov. Tarragona, 3.Jh. v.Chr.) u. a. Von Einzellösungen abgesehen (z. B.

die Toranlage von El Castellar de Meca, Ayora, Prov. Valencia), steht das eisenzeitliche B. in brz. Tradition: Kennzeichnend sind Schalenmauerwerk aus bearbeitetem Bruchstein und massive Bastionen wie z. B. die Befestigungen des tartessischen Tejada la Vieja (Prov. Huelva, E. 8. Jh. v. Chr.) und Höhensiedlungen wie Plaza de Armas, Puente Tabla (Prov. Jaén, 7. Jh. v. Chr.), deren Zahl seit dem 5. Jh. v. Chr. sprunghaft zunahm (vgl. z. B. den befestigten Weiler Puntal dels Llops [Prov. Valencia] mit massivem Turm). Eine Sondergruppe bilden in den Meseten die »Castros« wie Mesa de Miranda, Chamartín (Prov. Avila) mit den durch Mauerzüge getrennten Siedlungs- und Fluchtbereichen.

> Simposio int. d'arqueologia ibèrica: Fortificacions, Manresa 1990, 1991 · RUIZ MATA, C. J. PÉREZ, El poblado fenicio del Castillo de Doña Blanca, 1995 · P. MORET, Les fortifications ibériques, de la fin de l'âge du bronze à la conquête romaine, 1996. M. BL.

C. KELTISCH-GERMANISCH

Das kelt./german. B. hat eine lange Tradition seit dem Neolithikum und der Bronzezeit. Während der kelt. Späthallstatt- und Frühlatènezeit (6./5. Jh. v. Chr.) sind es vor allem mit Mauern in Holz-Stein-Erde- Bauweise befestigte Höhensiedlungen. Holzroste oder Pfostenverstärkungen in Steinfronten (→ »Pfostenschlitzmauern«) und mit Erdanschüttungen führen ältere Traditionen der Bronzezeit fort. Durch zugehörige reiche Grabfunde gekennzeichnete »Fürstensitze« gibt es von Slowenien (Sticna) bis Burgund (Mt. Lassois), von denen die Heuneburg an der oberen Donau das besterforschte Beispiel ist. Wichtig sind die mediterranen Elemente, die auch das B. prägen, wie z. B. die Lehmziegelmauern oder Bastionen. Diese Siedlungen sind polit.-repräsentative und wirtschaftliche Zentren sowie Sitz einer Führungsschicht. Auch im german. Bereich setzt das B. ältere Traditionen z. B. der Lausitzer Kultur fort. Sowohl auf Höhen wie auch in der Ebene werden befestigte Siedlungen von Skandinavien bis zu dem Mittelgebirgsbereich angelegt, die ebenfalls meist keine Fluchtburgen, sondern Wirtschafts- und Machtzentren waren. In der jüngeren Eisenzeit bestimmen im kelt. Bereich die → Oppida im 2.– 1. Jh. v. Chr. das B. Die Abgrenzung dieser Oppida und anderer Höhenbefestigungen (z. B. → Castellum) von den nördl. anschließenden german. befestigten Siedlungen ist umstritten, da sie gerade im Mittelgebirgsraum viele gemeinsame Züge aufweisen und wohl auch ähnliche Bevölkerungs-, Wirtschafts- und Sozialstrukturen dahinter stehen (z. B. die Alteburg b. Niedenstein/Nordhessen). Im eigentlich german. Gebiet der jüngeren vorröm. Eisenzeit Skandinaviens und Norddeutschlands treten naturgemäß Höhenbefestigungen gegenüber befestigten Flachsiedlungen (z. B. Heidenschanze bei Bremerhaven) zurück.
→ Fürstengrab, Fürstensitz; Hallstatt-Kultur; Heuneburg; La-Tène-Kultur

> D. CHROPOVSKÝ (Hrsg.), Symposium zu Problemen der jüngeren Hallstattzeit in Mitteleuropa, 1974 (versch. Beitr.) · G. MILDENBERGER, German. Burgen, 1978 · H. G. H. HÄRKE, Settlement Types and Settlement Patterns in the West Hallstat Province. Brit. Arch. Reports Intant. Ser. 57, 1979 · R. v. USLAR, RGA 4, 1981 s. v. Burg · F. AUDOUZE, O. BUCHSENSCHUTZ, Villes, Villages et Campagnes de l'Europe Celtique, 1989. V. P.

III. ROM
A. FRÜHZEIT UND RÖMISCHE REPUBLIK
B. PRINZIPAT UND SPÄTANTIKE C. MILITÄRISCHES BEFESTIGUNGSWESEN

A. FRÜHZEIT UND RÖMISCHE REPUBLIK

Mit Einsetzen der griech. und etr. Kolonisation im 8. Jh. v. Chr. nahm das B. in It. einen beträchtlichen Aufschwung. Ob es in der etr. Epoche Roms bereits eine Befestigung gab, die die frühe Stadt umschloß, wird diskutiert. Auf dem Kapitol (→ Capitolium) entstand die stark befestigte *arx*, die während des Galliersturms 387 allein verteidigt worden ist. Kurz darauf wurde die erste bedeutende Stadtmauer Roms errichtet, die sog. Servianische Mauer (2. Viertel 4. Jh.). Zum Schutz der seit Mitte des 4. Jh. gegründeten röm. Kolonien entwickelte sich ein röm. B. aus griech. und etr. Komponenten. Als Besonderheit kann der oft hinter der steinernen Mauerfront vorhandene Erddamm (*agger*) gelten (u. a. bei der Servianischen Mauer).

Auf die Fortschritte der → Poliorketik in der hell. Epoche reagierte die Befestigungsarchitektur mit mehrfachen Umwehrungen und Gräben, gedeckten Wehrgalerien, Katapultständen, starken Türmen mit flankierenden Schußfeldern und komplizierten Torbauten, wobei man z. T. auf längst von den Assyrern und Persern verwendete Architekturformen zurückgriff. Mit dieser in der gesamten hell. Welt sowie bei den Karthagern verbreiteten Befestigungsarchitektur wurden die Römer seit dem 3. Jh. v. Chr. konfrontiert. Sie übernahmen von den hell. Vorbildern jedoch nur, was ihrem Bedarf entsprach (z. B. regelmäßige Besetzung der Stadtmauer mit Türmen; Fallgatter) und wandten es bei den Stadtmauern der zahlreichen Kolonien an, die bis in die augusteische Epoche entstanden. So erhielten die röm. Stadtbefestigungen nicht die raffinierte Gestaltung und enorme Größe mancher hell. Befestigungen. Als neue Konstruktionselemente kamen seit dem 2. Jh. v. Chr. der Gewölbebau (*concameratio*) und das gemörtelte Bruchsteinmauerwerk (*structura caementicia, opus incertum*) auf, die den rationellen Bau sehr fester Mauern erlaubten. Die Bruchsteinmauern wurden oft mit Quader- oder Ziegelschalen versehen, auch verputzt, weiß getüncht und z. T. bemalt; Torbauten wurden oft repräsentativ gestaltet (etwa in Verona, Turin, Nîmes, Autun, Trier).

Weil die Mauer die Stadt umschloß, kamen ihr seit frühester Zeit juristische und sakrale Funktionen zu. Die Stadtmauer war meistens das umfangreichste und teuerste öffentliche Bauwerk; daraus ergaben sich für die Stadt schwierige Aufgaben der Finanzierung, Bauorganisation und Erhaltung. Stadtmauer und Stadttor entwickelten sich zum Identifikationssymbol der Stadt und wurden in der Prinzipatszeit auf Münzen als Symbol für die Stadt dargestellt.

B. Prinzipat und Spätantike

Die Architekten der Prinzipatszeit konnten jederzeit auf das Vorbild hell. Befestigungsbauten zurückgreifen. Aufgrund der *pax Romana* verloren die meisten Stadtbefestigungen jedoch zunächst ihre mil. Bedeutung. Nur die Städte in gefährdeten Grenzprov. des Imperiums bildeten eine Ausnahme; hier entstanden neue Stadtmauern (z. B. Nîmes, Köln, Avenches, Trier, London). In It. und in den grenzfernen Prov. verfielen die alten Mauern oder wurden in prosperierenden Städten überbaut (Rom, Pompeii u. a.).

Im 3. Jh. n. Chr. zwangen Einfälle der Nachbarvölker das Imperium in die Defensive und lösten eine neue Epoche des B. aus. Zahlreiche Städte setzten ihre alten Stadtmauern wieder instand oder errichteten neue, starke Mauern, wegen des Bevölkerungsrückgangs oft in wesentlich verkleinertem Umfang. Diese Stadtmauern waren für massiven Einsatz von Fernwaffen wie Katapulte konzipiert. Sie wurden daher mit dicht aneinandergereihten, weit vorspringenden Wehrtürmen besetzt. Auch Rom erhielt mit der Aurelianischen Mauer wieder eine starke Befestigung. Als einzige Stadtmauer des Westens war sie mit gedeckter Wehrgalerie versehen und dadurch in der Lage, dem Angriff des röm. Heeres selbst und seinen technischen Mitteln standzuhalten. Mit Hilfe der Belagerungstechnik konnten sonst nur die Sassaniden gegen röm. Städte im Osten vorgehen. Seit langer Zeit waren dort neben zahlreichen, vorspringenden Wehrtürmen auch gedeckte Galerien und mehrfache Stadtmauern bekannt, Architekturelemente, die nicht nur bei den Befestigungen röm. Städte im Osten, sondern auch bei der großen Landmauer von Konstantinopel zum Einsatz kamen.

C. Militärisches Befestigungswesen

Das Heer der röm. Republik hat nur kurzfristig belegte, leicht befestigte Lager gebaut, von denen die Circumvallationen bes. bekannt sind (z. B. Numantia, Alesia). Erst als die Heere in der späten Republik längere Zeit im Felde standen, begann die Entwicklung dauerhafter Truppenlager, die zur Regel wurden, als Augustus das stehende Berufsheer schuf. Im Krieg baute das Heer weiterhin Feldbefestigungen (Marschlager, Circumvallationen, lineare Sperren). Das Reich sicherte die Grenzprov. mit Limites (→ Limes), die häufig mit Annäherungshindernissen versehen waren (Wall und Graben, Palisaden, Mauer), der Grenzüberwachung dienten und nur in Ausnahmefällen den Charakter einer Befestigung hatten (z. B. Hadriansmauer, Britannien). Seit dem Ende des 3. Jh. n. Chr. wurden Truppenlager und Grenzfestungen nach einem neuen Konzept errichtet und mit wesentlich stärkeren Wehrmauern versehen. → castellum

1 G. Brands, Republikanische Stadttore in It., BAR Int. Ser. 458, 1988 2 E. Gose, Die Porta Nigra in Trier, 1969 3 A. Johnson, Röm. Kastelle, 1987 4 S. Johnson, Late Roman Fortifications, 1983 5 P. Leriche, Les fortifications grecques et romains en Syrie, 1989 6 J. Maloney, B. Hobley (Hrsg.), Roman Urban Defences in the West. Council of British Arch., Research Report 51, 1983 7 M. Todd, The Walls of Rome, 1978 8 P. Varène, L'enceinte gallo-romaine de Nîmes, 1992.   D. BA.

Begehren (ἐπιθυμία).

A. Definition   B. Platon und Aristoteles   C. Stoa und Epikureismus

A. Definition

Bei Homer ist ἔρος (*éros*) als sehr allg. Begehrensausdruck im Gebrauch; auch späterhin hatte das Wort über seine sexuelle Kernbedeutung hinaus eine so weite Anwendung, daß es oft nur ein Synonym für ἐπιθυμία (*epithymía*) (B.) ist [1]. Prodikos unterschied zw. B. im allg. und ἔρως (*érōs*) durch eine Intensitätsdifferenz, indem er *érōs* als verdoppeltes B. definierte (84 B 7 DK; ähnlich Xen. mem. 3,9,7); vom Objekt her wieder lag es nahe, ἔρως vom B. im allg. als das B. nach Geschlechtsverkehr abzugrenzen (Plat. symp. 192e–193a; Aristot. top. 146a9). Gleichwohl blieben die Grenzen des Sprachgebrauchs fließend, so daß noch Aristoteles den kosmologischen Eros Hesiods ἔρωτα ἢ ἐπιθυμίαν nennen konnte (met. A 984b24).

B. Platon und Aristoteles

Platon entwirft in der *Politeia* eine großangelegte Theorie über das B. Zunächst sind die *epithymíai* die Regungen des untersten Seelenteils (ἐπιθυμητικόν, *epithymētikón*), mit dem die Seele Hunger und Durst verspürt, sexuell begehrt (ἐρᾷ) und dergleichen (rep. 439d). Er hält eine allg. Bestimmung dieses Seelenteils wegen seiner uneinheitlichen Vielgestaltigkeit nicht für möglich (rep. 580d-e). Doch gibt er ein Kriterium an, das das dem *epithymētikón* Zugehörige von dem zum »muthaften« Seelenteil (θυμοειδές, *thymoeidés*) Gehörenden klar trennt: Während ein B. als solches von den Werteinstellungen des Begehrenden unabhängig ist und mit ihnen in Konflikt stehen kann, ist ein Phänomen wie Zorn unmöglich gegen die Werteinstellungen des Zornigen gerichtet (rep. 440a-d).

Doch das B. ist nicht auf das *epithymētikón* beschränkt. Das *thymoeidés* und der vernünftige Seelenteil (λογιστικόν, *logistikón*) besitzen ihr eigenes B., das nach Ehre und das nach Erkenntnis, so daß das B. wie die Seele selbst dreigliedrig ist (rep. 580d-e). Dazu tritt der Gedanke einer »Kanalisierung« des Gesamtbegehrens von einem Seelenteil zum anderen (rep. 485d), so daß das B. schließlich als eine einzige psychische Energie erscheint, die auf die drei Seelenteile variabel verteilt ist. In der Beschreibung der Wirksamkeit dieser Energie beim *logistikón* bzw. beim Philosophen bedient sich Platon erotischer Terminologie sowie explizit erotischer Bilder (besonders rep. 490b), so daß Eros wie im niedrigsten so auch im höchsten Seelenteil auf den Plan tritt. Damit gleicht sich das B. in der *Politeia* dem Eros in der Diotimarede des *Symposion* an, in der denn auch die Tendenz, nur das sexuelle B. als *érōs* im eigentlichen Sinn zu verstehen, zurückgewiesen wird (symp. 205a-d) [2; 3].

Aristoteles schränkt das B. begrifflich auf die »niedrigen« Strebungen, wie sie Platon dem *epithymētikón* zugeordnet hatte, ein. Sein allg. Begriff für den konativen Aspekt der Seele ist Streben (ὄρεξις, *órexis*), und das B. als die Anstrebung des Lustvollen (ἡδύ, *hēdý*) bildet zusammen mit dem θυμός den irrationalen Teil des ὀρεκτικόν, *orektikón* (an. 414b 2–6; 432b 3–6). In der Theologie aber blieb er Platons Sicht und Sprache verbunden, denn der erste Beweger bewegt ὡς ἐρώμενον (met. 12,1072b 3). Beim B. selbst zeigt sich Platons Erbe vor allem hierin: Es ist verschieden vom θυμός (*thymós*) wie wertmäßig tieferstehend, mit ähnlicher Abgrenzung (eth. Nic. 1149a 24–b 3); und obwohl vernunftfremd, ist es fähig, der Vernunft ›hörig‹ (κατήκοον, *katḗkoon*, eth. Nic. 1102b 31) zu sein, so daß es ihr nicht bloß unterworfen sein, sondern – was das Wesen der Besonnenheit ist – mit ihr auch positiv im Einklang (συμφωνεῖν, eth. Nic. 1119b 15; συμφωνία, rep. 442c 10) stehen kann.

C. Stoa und Epikureismus

Die → Stoa und → Epikur nahmen dann im Konnex mit ihrer Konzeption der Philos. als »Psycho-Therapie« eine den beiden Klassikern fremde Intellektualisierung des B. vor. Die Stoa handelte vom B. in der Lehre von den → Affekten (πάθη, *páthē*). Ein Affekt ist ein exzessiver Impuls (πλεονάζουσα ὁρμή), der als ein solcher wider die ›richtige und naturgemäße Vernunft‹ geht (SVF III 378; 389). Von den vier Arten des Affekts (B., Furcht, Schmerz, Lust) ist das B. der das scheinbar Gute (τὸ φαινόμενον ἀγαθόν) anstrebende (SVF III 378; 386). Daraus wird deutlich daß die *thymós*-Phänomene zum B. gehören (SVF III 394–397). Andererseits ist das B. bereits definitorisch auf das für die Klassiker nicht vernunftgemäße B. eingeschränkt. Die wesentlichste Neuerung ist die, daß für die (ältere) Stoa, explizit jedenfalls für → Chrysippos, der Affekt und somit das B. nicht einem vernunftfremden Seelenvermögen entstammt, sondern wie der Irrtum nur im normativen Sinn, als gegen die richtige Vernunft gehend, irrational ist: Die Affekte sind nichts anderes als eine Art von Meinungen (δόξαι, *dóxai*) oder Urteilen (κρίσεις, *kríseis*) (SVF III 378, 456, 459), was einsichtig machen sollte, wie sehr die Affekte – damit auch das Ziel der ἀπάθεια, *apatheia* – *in nostra sint potestate* (Cic. Tusc. 4,14).

Epikur betrachtet das B. vom Ziel der Realisierung des Glücks als Lust her. Diese hat eine »Grenze der Größe«, die in der Freiheit von physischer und seelischer Unlust (Schmerz, Ängste) liegt (ad Menoeceum 128,131; RS 3,18). Im Hinblick darauf teilt Epikur die B. ein in natürliche und in ›leere‹ (κεναὶ ἐπιθυμίαι), die natürlichen weiters in bloß natürliche und in notwendige, die wieder für das Glück, für die Gesundheit des Körpers oder für das bloße Leben notwendig sind (Epik. ad Menoeceum 127; vgl. RS 29; Cic. fin. 2,26. Antizipationen: Plat. rep. 558d–559c; Aristot. eth. Nic. 1118b 8–15). Notwendige, bei Nichterfüllung Schmerz nach sich ziehende B. sind dasjenige nach Essen, Trinken und Kleidung (Us. 456; SV 33; Schol. zu RS 29; das für das Glück im bes. notwendige B. wird das nach Befreiung von seelischer Unlust sein [4]). Bloß natürlich ist ein B., das bei Nichterfüllung zu keinem Schmerz führt (RS 26,30), und die leeren B. schließlich sind solche, die aus bloß natürlichen durch ›leere Meinungen‹ entstehen (παρὰ κενὴν δόξαν γίνονται) und intensiven Drang (σπουδὴ σύντονος) aufweisen (RS 30; die Zuordnung einzelner B. zu diesen beiden Klassen in der Überlieferung schwankend: vgl. Us. 456 mit Schol. zu RS 29). Der wesentliche Gegensatz ist der zw. notwendigem und leerem B. Jenes hat aufgrund der Lustgrenzen ein Maximum seiner Erfüllung und ist leicht zu befriedigen (ad Menoeceum 130; RS 15,18,21; Us. 469). Das leere B. hingegen ist unbegrenzt (ἀόριστος καὶ κενὴ ἐπιθυμία, Us. 485), daher schwer zu befriedigen und eine Quelle von Unlust (ad Menandrum 130; RS 15). Die Arznei gegen das leere B. ist die Beseitigung seiner Ursache, der Kenodoxie, durch richtiges Denken (ad Menoeceum 132–133; Us. 221,457; vgl. Cic. fin. 1,42–46).

1 K. J. DOVER, Homosexualität in der griech. Ant., 1983, 45–46 2 F. M. CORNFORD, The Unwritten Philosophy and Other Essays, 1950, 68–80 3 G. SANTAS, Plato and Freud, 1988, 26–34, 75–79 4 R. MÜLLER, Die Epikureische Ethik, 1991, 82.

J. ANNAS, The Morality of Happiness, 1993 · M. C. NUSSBAUM, The Therapy of Desire, 1994. W. SA.

Begräbnisvereine s. Vereine

Begram s. Kapisa

Begrüßung s. Gruß

Behaghelsches Gesetz. Zusammenfassende Bezeichnung für fünf von O. BEHAGHEL (1854–1936) aufgestellte Grundsätze der Wort- und Satzgliedstellung [2]. Am bekanntesten davon ist das sog. Gesetz der wachsenden Glieder: Es stützt sich auf die schon in der Ant. beobachtete Neigung, vom kürzeren zum längeren Glied überzugehen [1. 139; 2. 6], vgl. Demetrios Phalereus, de elocutione 18: ἐν δὲ τοῖς συνθέτοις περιόδοις τὸ τελευταῖον κῶλον μακρότερον χρὴ εἶναι. Cic. de orat. 3,48: *quare aut paria esse debent posteriora superioribus et extrema primis aut, quod etiam est melius et iucundius, longiora*. Am Satzende steht, was man als bes. wichtig und einprägsam einstuft oder wegen des größeren Umfangs sich nicht so leicht merken kann. Beispiele: εἵπετο γὰρ δή σφι καὶ ὀχήματα καὶ θεράποντες καὶ ἡ πᾶσα πολλὴ παρασκευή (Hdt. 5,21,1); *contra fas, contra auspicia, contra omnes divinas atque humanas religiones* (Cic. Verr. 2,5,34).
→ Stil, Stilfiguren; Syntax

1 O. BEHAGHEL, Beziehungen zw. Umfang und Reihenfolge von Satzgliedern, in: IF 25, 1909, 110–142 **2** Ders., Dt. Syntax IV, 1932, 3–9 **3** N. E. COLLINGE, The Laws of Indo-European, 1985, 241 f. **4** KNOBLOCH I, 304.

R. P.

Behistun s. Bisutun

Beifall (κρότος, ἐπικροτεῖν, *plausus, plaudere*). Impulsive und unvorbereitete Beifalls- und Mißfallensäußerung, die sich durch Worte, Lärmen, Gestik und Handlungen als Lob und Zustimmung, aber auch als Ablehnung, Verwünschung und Tadel kundtut; diese Eigenarten der B.-Kundgebung stehen in enger Verbindung zur → *acclamatio*, so daß eine Trennung vielfach nur schwer zu ziehen ist [1]. Die häufigste B.s-Gebärde ist das Händeklatschen im Theater, bei Musik, Tanz oder Gesang (Theophr. char. 19,10; Sen. apocol. 13,4; Lukian. verae historiae 2,5; Aristoph. Ran. 157), in Volks- oder Heeresversammlungen (Xen. Kyr. 8,4,12; Plaut. Cas. 1015–1018; Cic. Att. 16,2,3), ferner wird der Hochzeitszug durch Händeklatschen begleitet (Petron. 26,1; Lukian. dialogi marini 15,3; Claud. carmina maiora 10,172). Verbal äußert sich die B. in Ausrufen wie *sophos* (Mart. 1,3,7, 1,49,37, 1,66,4 u.ö.; Petron. 40,1), *tanto melior* (Petron. 69,5) und *pulchre, recte, bene* (Hor. ars 428). Hinzu gesellen sich spontane Aktionen der Anwesenden wie das Stampfen mit den Füßen, Trampeln, Aufspringen von den Sitzen im Theater, Winken mit Händen und Tüchern u. a. (Hor. ars 429,30; Cass. Dio 61,20,3; Mart. 10,10,10; Plin. epist. 6,17). Ebenso ist das Schlagen der Spieße an die Schilde (Amm. 20,8,5) eine B.-Äußerung wie auch das Umarmen und Küssen (Mart. 1,76; Plin. epist. 5,17). Das Mißfallen äußert sich in schrillem Zischen und Pfeifen (συρίττειν, *sibilare*, Cic. Att. 2,18,1, S. Rosc. 11; Sen. epist. 115,15; Mart. 14,166 u.a.), wozu auch das Werfen mit Steinen gehört (Petron. 90,1, 90,3). Brummen, unartikulierte Laute oder ›es ist genug‹ tönen verhöhnend unliebsamen Rednern entgegen (Hor. sat. 2,5,96; Mart. 2,27, 4,89; Juv. 7,62). Eine extreme Mißfallensäußerung ist das Anpinkeln der Christen bei Predigten (Tert. apol. 48,1). Vom Auspfeifen und von Schmähungen sind Politiker betroffen, auch der Kaiser bleibt nicht unverschont: Vespasian wird während eines Tumultes mit Rüben beworfen (Suet. Vesp. 4). Mißfallen äußert sich vor allem beim Tode eines verhaßten Herrschers (z. B. Suet. Tib. 75, Dom. 23; Cass. Dio 73,2,3 u. a.). Vielfältig waren die Bemühungen, sich im voraus des B. zu versichern; dazu gehört in der röm. Republik und erst recht in der Kaiserzeit die Lenkung des B. der Zuschauer durch bezahlte Claqueure (*plausores*) (Petron. 5,10, 5,11; Hier. epist. 69,6; Tert. de spectaculis 25 usw.), was zu einer Steigerung unter Nero mit den Augustiani (Cass. Dio 63,8,3; Suet. Nero 25) führt und seine Fortsetzung in den Parteiungen des Publikums durch die *plausores* beim Spielen und im Theater mit z.T. tumultartigen Auswirkungen in Rom und Konstantinopel finden wird. Anzufügen sind die privaten lit. Veranstaltungen während eines Gastmahls, bei denen bezahlte Klatscher B. spenden und daher *laudiceni* genannt wurden (Plin. epist. 2,14,4 f.; Mart. 2,27, 3,50, 6,48; Hor. epist. 1,19,37 f.; vgl. Petron. 36; Lukian. Rhetorum Praeceptor 21). In dem Wunsch nach B. erinnern Dichter wie Schauspieler die Zuhörer an das erhoffte Klatschen (*Nunc spectatores . . . clare plaudite*; vgl. Quint. inst. 6,1,52; an seinem Lebensende zitiert Augustus die zum Beifall auffordernde Schlußformel des griech. Theaters (Suet. Aug. 99)).

→ Salutatio

1 A. STUIBER, s. v. B., RAC 2, 1954, 92–103 (Hervorragende Aufarbeitung des Materials)

A. ALFÖLDI, Die Ausgestaltung des monarchischen Zeremoniells am röm. Kaiserhofe, in: MDAI (R) 49, 1934, 79–88 · J. ENGEMANN, Akklamationsrichtung, Sieger- und Besiegtenrichtung, in: JbAC 22, 1979, 152–79 · C. SITTL, Die Gebärden der Griechen und Römer, 1890, 55–65 · D. STUTZINGER, Der Adventus des Kaisers und der Einzug Christi in Jerusalem, in: H. BECK, P. C. BOL (Hrsg.), Spätant. und frühes Christentum, Ausstellung Frankfurt a. M. 1983–1984, 1983, 284–307.

R. H.

Beifuß s. Artemisia

Beisan (Besan). 25 km südl. des Sees Genezareth (Tiberias-See) auf dem Tall al-Ḥiṣn; der ant. Ort vom Chalkolithikum bis zur Kreuzfahrerzeit besiedelt. Der arab. Name geht auf hebr. *bēt-šeʾan* (ägypt. *btsr*, keilschriftl. *Bītšāni*) zurück. Wegen seiner strategischen und ökonomischen Bed. wurde B. vom 15. bis Mitte des 12. Jh. v. Chr. ein mil. und administratives Zentrum der ägypt. Asienpolitik und blieb als einziger Ort in Israel bis in die frühe Eisenzeit eine »ägypt.« Stadt (anders Jos 17,11; 16; Ri 1,27; 1 Kg 4,12). In hell.-röm. Zeit hieß der Ort Skythopolis (Herkunft des Namens unklar) bzw. Nyssa-Skythopolis (2 Makk 12,29; Jdt 3,9 f.), gehörte zunächst den Ptolemäern und wurde 218 v. Chr. von Antiochos [5] III. dem Seleukidenreich eingegliedert. 107 v. Chr. wurde B. von Johannes I. Hyrkanos besetzt, 63 v. Chr. von Pompeius befreit; anschließend Metropole der → Dekapolis. In byz. Zeit entwickelte sich B. zu einer Stadt von Heiligen und Gelehrten, Kirchen und Klöstern.

A. MAZAR, G. FOERSTER, Beth-Shean, NEAEHL 1, 1993, 214–235.

R. L.

Beischlag s. Kleingeldmangel

Belagerung s. Poliorketik

Belenus (Belinus). Kelt. Gott, durch *interpretatio Romana* dem Apollo vor allem in seiner Eigenschaft als Sonnengott gleichgestellt. Die Silbe *bel-* scheint sich vom idg. »glänzen, strahlen, brennen« herzuleiten. Tertullian berichtet (apol. 24,7) von B. als dem Gott der Noriker, doch findet sich die Mehrzahl der Zeugnisse in Aquileia und Umgebung. Dies wird von Herodian bestätigt (8,3,8), der berichtet, daß in Aquileia bes. B. als

Apollon verehrt wurde (vor allem deshalb, weil der Gott der von Maximinus belagerten Stadt leibhaftig zu Hilfe gekommen sei). Eine Inschr. nennt B. auch tatsächlich Defensor. In den Inschr. ist B. oft Epitheton zu Apollo, sonst als Deus B. oder nur B. angesprochen. Außerhalb Aquileias sind einige Weihungen aus Noricum, Nord- und Mittelit. sowie Südgallien bekannt. Ausonius berichtet (prof. 4,7ff; 10,17ff), es habe ein Heiligtum des B. in Bordeaux gegeben. Mit Mommsen nimmt De Vries hier eine rhet. Eitelkeit des Ausonius an, der einen exotischen Namen für Apollo gewählt habe. Es ist nicht geklärt, ob die gallischen Zeugnisse für B. diesen als den kelt. Heilgott anrufen, der in Gallien mit Apollo Borvo und Apollo Grannus zu identifizieren ist. Allerdings scheinen Weihungen an den Fons Bel(eni?) in Aquileia auf einen heilkräftigen Aspekt des B. hinzuweisen. Die Blütezeit des Kultes, dessen Anfang wohl in tiberische Zeit datiert, ist in Aquileia für die 2. H. des 3.Jh. n.Chr. belegt. Die Dedikanten stammen aus allen sozialen Schichten. Erwähnenswert ist die Weihung Diocletians und Maximians (CIL V 732) an B.

H. d'Arbois de Jubainville, RA 1973 I, 197–202 · A. Holder, s.v. Altceltischer Sprachschatz, 1861, 370 · M. Ihm, s.v.B., RE 3, 199ff. · J. Gourvest, Ogam 6, 1954, 257ff · J. De Vries, Kelt. Religion, 1961, 75ff. · F. Maraspin, Atti del Centri studi e documentazione sull'Italia romana 1, 1967–1968, 145–159 · A. Calderini, Aquileia Romana. Ricerche di storia e di epigrafia 81, 1972, 93ff. · G. Bauchhenss, LIMC 2.1, 462ff., s.v. Apollo B.

M.E.

Belesys (babylon. Bēlšunu). Untergouverneur Babyloniens von 421 bis mindestens 414 v.Chr.; Satrap von Syrien mindestens zw. 407 und 401, wo er (Xen. an. 1,4,10) umfangreiche Ländereien und einen Palast besaß. Als Babylonier hatte er die außergewöhnliche Ernennung zum Gouverneur wahrscheinlich seiner Unterstützung für Dareios II. im Thronkampf zu verdanken. In babylon. Sprache verf. Geschäftsurkunden des B. (datiert 424–400 v.Chr.) wurden in → Babylon gefunden.

M.W. Stolper, The Kasr Archive, in: Achaemenid History 4, 1990, 195–205. A.KU. (H.S.-W.)

Beleuchtung I. Vorderer Orient und Ägypten II. Griechenland und Rom

I. Vorderer Orient und Ägypten

Vorderer Orient: Die B. der Räume war im allg. gedämpft; an Außenwänden fanden sich gewöhnlich nur hochliegende Fenster, belegt vornehmlich durch Architekturdarstellungen, selten im Original. Bei Räumen an Höfen genügte vermutlich durch Türen einfallendes Licht. Innenliegende Räume speziell größerer Architekturkomplexe erforderten bes. B. mittels verschiedener Dachhöhen und hochgelegener Wandöffnungen oder durch verschließbare Oberlichter in den Decken.

Weitere Lichtquellen neben Tageslicht waren fest installierte oder bewegliche Feuerstellen sowie Lampen, die in Wandnischen abgestellt werden konnten.

Ägypten: Ähnlich wie im Vorderen Orient erfolgte die B. durch hochsitzende Fensterschlitze und Luken, Obergaden, Fackeln und Lampen.
→ Fenster; Lampe

H.G. Fischer, s.v. Lampe, LÄ 3, 1980, 913–917 · G. Haeny, s.v. Fenster, LÄ 2, 1977, 168f. · E. Heinrich, Die Tempel und Heiligtümer im alten Mesopotamien, 2 Bde. (DAA 14), 1982 · E. Heinrich, Paläste im alten Mesopotamien, 2 Bde. (DAA 15), 1984. U.S.

II. Griechenland und Rom

Für die B. von Innenräumen nutzte man in erster Linie das Tageslicht, das durch Türen und → Fenster schien; Fenster sind bereits für die min.-myk. Kultur (Thera/Akrothiri; Fayenceplättchen mit Hausfassaden aus Knossos) und an den geom. Häusern von Zagora/Andros belegt, ferner auch an Tempeln (→ Parthenon in Athen, Asklepios-Tempel in → Epidauros). Den Vorteil eines Fensters als Lichtquelle und seine bestmögliche Anbringung erklärt Vitruv (6,6,6; vgl. 6,4,1–2). Für die Bed. des Fensters als Lichtquelle war die Einführung des Glasfensters im 1.Jh. n.Chr. (specular, Sen. epist. 90,25; Plin. epist. 2,17,11; 17,22, vgl. Plin. nat. 36,160f.) entscheidend. Ferner mag eine Öffnung im Hausdach (→ Opaion, Hdt. 8,137; → Pantheon in Rom; → Kuppel) für den Rauchabzug des Herdfeuers als B. gedient haben. Für die B. des Innenraumes haben auch dünngeschliffene marmorne Dachplatten (Heiligtum von Sangri/Naxos) gesorgt.

Vielfältiger ist jedoch die künstliche Beleuchtung der Innenräume, wozu von alters her das Herdfeuer diente (Hom. Il. 9,205f.; Hom. Od. 6,305f.), ferner Reisigbündel, Kienspäne und Fackeln, die bei Homer (Od. 7,100ff.) von Knaben gehalten werden (vgl. dazu die späteren röm. *Lychnophóroi* oder *Lychnoúchoi* [2]). Homer (Od. 19, 31f.) erwähnt auch Leuchtbecken, deren reales Aussehen aber unbekannt ist. Wichtigstes Beleuchtungsgerät ist die → Lampe, deren Lichtkraft mit Öl oder Talg erzeugt wurde. Eine weitere Lichtquelle war die Wachskerze (*candela*), für die man einen eigenen Ständer (*candelabrum; funale*) zum Aufstecken der Kerzen schuf. Die bereits aus dem archa. Etrurien bekannten Kandelaber haben als Stand drei miteinander verbundene Tierklauen, auf denen eine Figur steht, aus der sich ein unterschiedlich verzierter Schaft erhebt, der in dem eigentlichen Kerzenhalter endet. Der größeren Stabilität wegen legte man über die drei Tierfüße noch eine Platte. Vielfach erlauben aufwärts gerichtete Haken ein Aufhängen von Haushaltsgegenständen [3]. Die erh. Kandelaber sind aus Br., seltener aus Eisen oder Silber; bisweilen handelt es sich um reich dekorierte Marmorkandelaber [1]. Mit dem 2. Jh. v.Chr. kommt die Wachsfackel (*cereus*) auf (Plaut. Curc. 90), die man vorwiegend zum nächtlichen Ausgang nutzte. Um das Licht gegen Zugluft und Wind zu schützen, gab es seit der klass. Zeit Laternen (Aristoph. Pax 840), seit dem Hell. auch Lichthäuschen. Die B. der → Straßen in der Nacht war weitgehend nur durch eine Fackel (vgl. Komasten-Darstellungen auf att. Vasen) oder Laterne, die man mit sich führte, möglich. Erst die Spätant. kennt eine installierte, öffentliche Straßen-B. (Prachtstraße, sog. »*Arcadiané*«, in Ephesos; Byzanz; evtl. Antiochia).

1 H.-U. CAIN, Röm. Marmorkandelaber, 1985
2 M. HILLER, Zwei bronzene Figurenlampen, in: G. HELLENKEMPER SALIES u. a., Das Wrack. Der ant. Schiffsfund von Mahdia, Ausstellung Bonn 1994, 515–530
3 B. RUTKOWSKI, Griech. Kandelaber, in: MDAI (A) 94, 1979, 174–222.

K. KILIAN, Ein myk. Beleuchtungsgerät, in: *Philia epē*. FS G. E. Mylonas, 1, 1986, 152–166 · W. D. HEILMEYER (Hrsg.), Licht und Architektur, Kongr. Tübingen 1990, *passim* · D. BAATZ, Fensterglas, Glasfenster und Architektur, in: A. HOFFMANN u. a., Bautechnik der Ant., DiskAB 5, 1990, 4–13 · R. C. A. ROTTLÄNDER, Der Brennstoff röm. Beleuchtungskörper, in: JberAugst 13, 1992, 225–229 · F. BARATTE, Les Candélabres, in: G. HELLENKEMPER SALIES u. a., Das Wrack. Der ant. Schiffsfund von Mahdia, Ausstellung Bonn 1994, 607–628.   R. H.

Belgae (Βελγικοί: Cass. Dio 39,1; 40,42; Βέλγαι: Strab. 4,1,1).

A. URSPRÜNGE   B. STAMMESKULTUR
C. STAMMESGESCHICHTE

A. URSPRÜNGE

Nach Caesars Gliederung der Gallia in drei Bevölkerungsgruppen (Caes. Gall. 1,1) diejenige, die zw. Seine, Marne, Nordsee und Rhein siedelte; ihre südl. Ausdehnung ist nicht genauer definiert. Über die Herkunft der B. läßt sich nur wenig Sicheres sagen. Anf. 3. Jh. v. Chr. drangen vermutlich aus Jütland und dem baltischen Raum Völkerschaften hier ein (Mela 3,36; 57; Amm. 15,9–13), die mit jenen verwandt waren, die etwa zur selben Zeit die Donau entlang nach Süden zogen, 280/279 v. Chr. unter ihrem Führer Bolgios (Βόλγιος) den Makedonenkönig → Ptolemaios Keraunos besiegten (Paus. 10,19,7; Iust. 24,5) und sich in Pannonia und Kleinasien unter den Namen Belgites (Plin. nat. 3,148) bzw. Galati etablierten. Die nach Westen bis nach Nord- und Ostfrankreich vorstoßenden Verbände trafen auf eine hochstehende Latènekultur, die sich seit Mitte 5. Jh. v. Chr. bes. im Marne-Gebiet entwickelt hatte. Aus den ansässigen und den neu hinzugekommenen Völkern sind die als B. bezeichneten Stämme hervorgegangen.

B. STAMMESKULTUR

Bei aller Uneinheitlichkeit ihrer Struktur (sukzessive Ankunft in Nordgallien oder unterschiedliche kulturelle Entwicklungen im 1. Jh. v. Chr.) sind sie als Randgruppe der Gallier von der »klass.« kelt. Zivilisation, der sog. spätlatènezeitl. »*Oppida*-Kultur«, abzusetzen. Eine eigene »belgische« Sprache ist nicht nachweisbar [1. 112–114], aber die dialektalen Verschiedenheiten in-

nerhalb einer gemeinsamen kelt. Sprache sind evident (Strab. 4,1,1). Die von Caes. Gall. 2,4 wiedergegebene Meinung, ›die meisten Belger stammten von den Germanen ab‹, sowie die von anderen ant. Autoren geteilte Auffassung vom germanischen Ursprung belgischer Stämme ließen einige Forscher glauben, Caesar habe bei seiner Gliederung der Gallia das eine Drittel inkorrekterweise ausschließlich als Wohngebiet der B. bezeichnet [1. 43–48; 2; 3]. Der vom modernen Betrachter empfundene Widerspruch beruht aber auf einer unwillkürlichen Übertragung der im rein linguistischen Bereich vorgenommenen Differenzierung zw. »kelt.« und »german.« auf die histor. Ebene. Ein ant. Autor wie Poseidonios (FGrH 87 fr. 22) konnte aber um 90 v. Chr. ohne weiteres eine Gruppe von Völkerschaften – vermutlich auch solche, die Caesar später zu den B. zählte – als Γερμανοί (Germanoí) bezeichnen und sie zugleich den Kelten zuordnen. Germanen im linguistischen Sinne (Jastorf-Kultur) haben sich erst nach Caesar in dem von ihm als *Germania* bezeichneten Raum niedergelassen. Das Ursprungsproblem sowie das der ethnischen Identität der belgischen Völkerschaften ist aber gegenüber der Frage nach regionalen Unterschieden in den sozio-kulturellen Strukturen von sekundärer Bedeutung.

C. STAMMESGESCHICHTE

Zur Zeit Caesars lassen sich drei größere Einheiten feststellen [4]: Im Südwesten (Picardie und Obere Normandie) lag die von Caesar mehrfach als *Belgium* bezeichnete Landschaft (Caes. Gall. 5,12; 5,24 f.; 8,46; 8,49; 8,54), wo die Ambiani, Caleti, Veliocasses und der mächtigste Stamm der B., die Bellovaci, siedelten. Von hier hauptsächlich nahmen seit dem 1. Jh. v. Chr. die Wanderungen und Expeditionen der B. nach Britannia ihren Ausgang (Caes. Gall. 2,4; 5,12). Eine andere Identität besaß das nordöstl. an den Rhein grenzende Gebiet, das von Stämmen bewohnt war, die als *Germani Cisrhenani* (Eburones, Paemani, Caerosi, Segni) bezeichnet wurden (Caes. Gall. 2,4,10; 6,2,3; 6,32,1). Die übrigen belgischen Stämme – Aduatuci, Atrebates, Morini, Menapii, Nervii, Remi, Suessiones, Treveri – formierten eine weit weniger homogene Gruppe. Während die Atrebates mehr zu den B. im engeren Sinne tendierten und die Aduatuci (Caes. Gall. 2,29,4), Nervii (Strab. 4,3,4) und Treveri (Tac. Germ. 28) dem german. Kreis nahe standen, sind beim Verbund aus Remi und Suessiones im Aisne-Tal die lokalen Eigenheiten zu betonen. 57 v. Chr. wurden die belgischen Völkerschaften von Caesar unterworfen (Caes. Gall. 2,4), leisteten aber in wechselnden Koalitionen bis 51, die Bellovaci sogar bis 46 v. Chr. der röm. Herrschaft Widerstand. Bei der Neuordnung von Gallia durch Augustus kamen sie zur Prov. Gallia Belgica.

→ Belgica; Gallia

1 R. HACHMANN, G. KOSSACK, H. KUHN, Völker zw. Germanen und Kelten, 1962   2 R. HACHMANN, The problem of the Belgae seen from the Continent, in: Bulletin of the London Institute of Archaeology 13, 1976, 117–137

3 Chr. Hawkes, New thoughts on the B., in: Antiquity 42, 1968, 6–16 **4** N. Roymans, Tribal Societies in Northern Gaul, in: Cingula 12, 1990.

S. Fichtl, Les Gaulois du nord de la Gaule, 1994 · G. Neumann, H. Callies, H.-E. Joachim, s. v. B., RGA, 1976, 210–213. F.SCH.

Belgica. Urspr. die von Caesar bei seiner Dreiteilung der Gallia (Caes. Gall. 1,1) als das Siedlungsgebiet der → Belgae (Caes. Gall. 2,4) bezeichnete Region. Eine einheitliche Verwaltung blieb aber bestehen, bis Augustus im Rahmen der Neuorganisation der *Tres Galliae* 16/13 v. Chr. die kaiserliche Prov. B. konstituierte. Aufgrund der von Plin. nat. 4,105 und Ptol. 2,9 überlieferten Völkerschaften der B. lassen sich die Prov.-Grenzen ungefähr festlegen, die von der Einteilung Caesars stark abweichen. Im Norden bildete die Nordsee die Grenze, im Osten der Rhein von der Mündung bis zum Bodensee, im Süden die westl. Gebiete der Schweiz; im Westen reichte die B. teilweise über die Saône hinaus (Lingones), die *civitates* am östl. Seine-Ufer gehörten aber schon zur *Gallia Lugdunensis*. Von der belgischen Provinzialverwaltung ausgeklammert war eine Zone entlang des Rheins, die dem Militär direkt unterstellt war. Die Umwandlung der Militärdistrikte in die eigenständigen Prov. Germania Inferior und Germania Superior unter Domitianus zw. 82 und 90 n. Chr. war nur noch die juristische Fixierung eines schon bestehenden Zustands. An die Germania Inferior verlor die B. neben dem linken Niederrheingebiet große Teile der Niederlande und Belgiens, an die Germania Superior gingen neben einem ca. 40 km breiten Streifen links des Oberrheins vermutlich die gesamten südlichen Teile der B. mit den *civitates* der Helvetii, Sequani und Lingones. Die Verwaltung der B. leitete ein kaiserlicher Statthalter praetorischen Ranges (*legatus Augusti pro praetore*) mit Sitz in Durocortorum (Strab. 4,3,5). In der Finanzverwaltung wurden jedoch die B. und die zwei Germaniae zu einem Sprengel zusammengefaßt (*procurator Belgicae utriusque Germaniae* bzw. *duarum Germaniarum*). Das Gleiche galt für die Staatspost und die kaiserlichen Güter (*ratio privata*). Durch die diokletianische Verwaltungsreform wird die B. als Teil der *diocesis Galliarum* in die Belgica I und II mit den Hauptorten Augusta Treverorum bzw. Durocortorum geteilt (Not. Gall. 5f.). Im 5. Jh. setzte unter dem Druck der einfallenden Germanen ein Loslösungsprozeß vom Imperium ein.

M.-Th. und G. Raepsaet-Charlier, Gallia B. et Germania Inferior, ANRW II 4, 1975, 3–299 · E. M. Wightman, Gallia B., 1985. F.SCH.

Belginum. *Vicus* bei Wederath (Kreis Bernkastel-Wittlich) an der röm. Straße Augusta Treverorum – Mogontiacum (Tab. Peut.; CIL XIII 7555a). Das dazugehörende gallo-röm. Gräberfeld weist kontinuierliche Belegung vom 4. Jh. v. bis zum 4. Jh. n. Chr. auf. Die Anfänge des *vicus* liegen dagegen nicht vor dem 1. Jh. n. Chr. Eine latènezeitliche bzw. frühröm. Vorgängersiedlung konnte noch nicht nachgewiesen werden. Nach den Wirren von 275/6 n. Chr. blieb B. dank seiner verkehrsgeogr. Bed. bis ins 4. Jh. bewohnt.

A. Haffner (Hrsg.), Gräber – Spiegel des Lebens, 1989. F.SCH.

Belgius (Βόλγιος). Kelt. Name, vgl. irisch *Bolg* »Blitz« [1.88], Führer der galatischen Kelten. Fiel Ende 280/Anf. 279 v. Chr. in Makedonien ein und vernichtete das kleine Heer des Königs → Ptolemaios Keraunos, der dabei umkam (Iust. 24,4–5; Paus. 10,19,5–7).

1 H. Rankin, Celts and the Classical World, 1987.

Holder, 1, 384. W.SP.

Belisarios (Βελισάριος). B. (*ca. 500/505 in Germania bei → Serdica), bedeutender Feldherr unter → Iustinianus I. Hauptquelle für sein Leben ist das vor allem zu seinem Ruhm geschriebene (und daher kritisch zu benutzende) Geschichtswerk (*Bella*) des → Prokopios von Caesarea, der ihn auf seinen Kriegszügen bis 540 begleitete. Seit 529 *mag. militum per Orientem*, übernahm B. die Führung im 528 neu ausgebrochenen Krieg mit den Persern. Er siegte 530 bei Dara, wurde aber 531 am Euphrat vernichtend geschlagen, was zu seiner ersten Abberufung führte; doch konnte mit Chosrau I. 532 ein »ewiger Friede« geschlossen werden. Durch seine Intervention während des → Nika-Aufstandes 532 erneut in kaiserlicher Gunst, erhielt B. 533 den Oberbefehl im Krieg gegen das nordafrikanische Reich der → Vandalen. Im September 533 fiel ihre Hauptstadt Karthago in seine Hand, und sein Sieg über die Armee ihres Königs Gelimer bei Tricamarum im Dezember 533 führte zum Zusammenbruch ihres Reiches; B. feierte den Erfolg 534 in Konstantinopel mit einem großen Triumphzug.

In It. hatte nach dem Tod des Ostgotenkönigs → Theoderich 526 seine Tochter → Amalasuntha für ihren minderjährigen Sohn Athalarich regiert und freundliche Beziehungen zu Byzanz unterhalten. Doch konnte sich nach Athalarichs Tod (Oktober 534) ihr Vetter → Theodahad, Anführer der ostgot. Opposition, durchsetzen, ließ sie im April 535 ermorden und brach die Beziehungen zum Kaiser ab. Damit begannen die Gotenkriege; der Oberbefehl wurde im Juni 535 B. übertragen. Im November 536 riefen Opponenten Theodahads den General Vitigis zum König der Ostgoten aus. Inzwischen hatte B. Rom kampflos in seine Gewalt gebracht, wurde aber dort von Februar 537 bis März 538 von Vitigis, schließlich ohne Erfolg, belagert. Nach weiteren Kämpfen ergab sich ihm Vitigis im Mai 540 in Ravenna. Zwar hatte er kurz zuvor noch mit Justinian einen Friedensvertrag ausgehandelt, aber der siegesgewisse B. verweigerte die Unterschrift. Dieser Ungehorsam brachte ihm die alsbaldige Rückberufung nach Konstantinopel ein, wo ihm ein Triumph verweigert wurde.

Im März 540 hatte der Perserkönig Chosrau mit einem Einfall in das Reichsgebiet den »ewigen Frieden« gebrochen. Neben B. trug damals auch der im Grenzgebiet stationierte → Buzes den Titel eines *mag. militum per Orientem*; er übernahm zunächst allein die Leitung der Abwehr. Erst im Frühjahr 541 wurde B. erneut als Oberbefehlshaber zur Ostgrenze entsandt, kehrte aber nach der Einnahme von Sisaurana (bei Nisibis) im gleichen Jahr wegen des Ausbruchs einer Epidemie im Heer nach Konstantinopel zurück. 542 zog er gegen einen weiteren Angriff der Perser aus, doch veranlaßte erst der Ausbruch der großen Pest Chosrau zum Rückzug. Folgendes steht nur in Kap. 4 der *Historia arcana* Prokops (nach [1] eine Kompilation des 10. Jh. aus drei *opuscula* Prokops, von denen das erste, Kap. 1–5 über Belisar, als satirischer Roman zu verstehen sei): Als auch Justinian an der Seuche schwer erkrankte, hätten B. und Buzes erklärt, einen anderen Kaiser nicht zu akzeptieren. Kaiserin → Theodora habe dies auf sich bezogen und ihre alsbaldige Rückberufung und Absetzung verfügt. Der Kaiser habe B. seiner Privatgarde beraubt und einen großen Teil seines Vermögens konfisziert. Später sei B. auf Vermittlung seiner Gattin Antonina, einer Intimfreundin Theodoras, verziehen worden.

Jedenfalls erhielt B. 544 erneut den Oberbefehl in It., wo König Totila (541–552) inzwischen den Gotenkrieg gegen das Reich fortsetzte. Dieser brachte zwar im Dezember 546 Rom in seine Gewalt, doch konnte B. die Stadt im April 547 wieder zurückerobern und damit einen letzten großen Erfolg erzielen. Nach Theodoras Tod im Juni 548 berief ihn Justinian 549 nach Konstantinopel zurück, wo B. fortan als Privatmann lebte. 562 noch einmal eines Komplotts gegen Justinian bezichtigt, aber alsbald rehabilitiert, ging er im März 565 dem Kaiser um einige Monate im Tod voraus.

Die byz. Sage verklärte B. zum Helden, der am Neid seiner Widersacher scheitert; sein Bild wurde durch Schicksale und Taten von Heerführern späterer Jahrhunderte ergänzt und umgestaltet. Diesen Traditionen ist das romanhafte B.-Lied des späten 14. Jh. verpflichtet, dessen Held mit dem histor. B. wenig gemein hat (PLRE 3 A, 181–224 Nr. 1).

1 K. ADSHEAD, The Secret History of Procopius and its Genesis, in: Byzantion 63, 1993, 5–28.

LMA 1, 1843 • ODB 1, 278 • Av. CAMERON, Procopius and the Sixth Century, 1985 • B. RUBIN, Das Zeitalter Justinians, Bd. 1, 1960; Bd. 2, 1995 (hrsg. von C. CAPIZZI), s. Index, 264 • E. STEIN, Histoire du Bas-Empire 2, 1949 (Ndr. 1968) •
BELISARLIED/ED.: W. F. BAKKER, A. F. VAN GEMERT, Ἱστορία τοῦ Βελισαρίου, 1988
INHALT: H.-G. BECK, Gesch. der byz. Volkslit., 1971, 150–153.   F. T.

Bellerophontes, Bellerophon (Βελλεροφόντης, Βελλεροφῶν).

Nach Homer (Il. 6,152–205) Angehöriger der korinth. Königsfamilie, Sohn des Glaukos und der Eurymede (Apollod. 1,85) oder Eurynome, Enkel des Sisyphos. Oder aber Sohn des Poseidon, der ihm das geflügelte Götterroß → Pegasos bändigen hilft (Pind. O. 13,69). Auch Athena unterstützt ihn hierbei. Wegen eines Totschlags flieht er zu König Proitos von Tiryns, der ihn entsühnt (Serv. Aen. 5,118; Tzetz. Lykophr. 17). Proitos' Frau Anteia (→ Stheneboia) verleumdet B., als dieser ihre Liebe zurückweist (Hom. Il. 6,160 ff.; Apollod. 2,30; Hyg. fab. 57). Proitos sendet B. mit der verschlüsselten Botschaft, den Überbringer zu töten, zu seinem Schwiegervater Iobates nach Lykien. Dieser schickt B., den er erst freundlich aufgenommen hat, gegen das Ungeheuer → Chimaira aus (Hom. Il. 6,179 ff.; Hes. theog. 319 ff., Apollod. 2,30). Homer erwähnt den Pegasos nicht, in den übrigen Quellen ist er stets mit den Erfolgen des B. verbunden (Hes. theog. 325; Pind. O. 13,87) und ermöglicht ihm die Besiegung der Chimaira sowie eines wilden Ebers, der Amazonen und räuberischer Solymer, mit deren Bekämpfung Iobates den B. als nächstes beauftragt. Als B. schließlich einen Hinterhalt von Iobates' stärksten Männern siegreich besteht (Hom. Il. 6,187 ff.), gibt der König ihm seine Tochter zur Frau und Anteil an der Herrschaft. Rehabilitiert nimmt B. Rache an Anteia/Stheneboia und stürzt sie über Melos vom Pegasos hinab ins Meer (schol. Aristoph. Pax 141), oder sie begeht Selbstmord (Hyg. fab. 57). Im Alter vermaß sich B., den Himmel erforschen zu wollen, Pegasos warf ihn jedoch ab und flog allein zum Olymp empor (Pind. I. 7,44 ff.; Pind. O. 13,92; Eur. B. TGF fr. 285–315). B. soll als den Göttern verhaßt, erblindet und lahm auf der Aleischen Ebene in Kilikien umhergeirrt sein (Hom. Il. 6,200 ff.) oder bei seinem Sturz den Tod gefunden haben (Hyg. astr. 2,18). Bei den Solymern zeigte man das befestigte Lager des B. (Strab. 13,4,16), der Großvater des Zeussohns Sarpedon (Hom. Il. 6,199) und Stammvater der lykischen Herrscher war (Hom. Il. 6,196 ff.). Kult empfing er in Lykien (Q. Smyrn. 10,162) und Korinth (Paus. 2,2,4), als Gründerheros galt er im karischen Baryglia, und Leukippos, Archeget von Magnesia am Maiander, wollte von ihm abstammen. Evtl. führte sich auch die Familie des Cossutius Sabula in der späten röm. Republik auf B. zurück. Als Zähmer des Pegasos war er für manche der Erfinder der Reitkunst (Plin. nat. 7,56,202) und entsprechend Sieger im Pferderennen bei den Leichenspielen des Pelias (Hyg. fab. 273). Seine Begier, den Himmel zu erforschen, ließ ihn auch zum ersten Astronomen werden (Lukian. astr. 13). Die These vom »B. christianus« läßt sich anhand der Zeugnisse nicht erhärten.

→ Iobates; Proitos

E. BETHE, s. v. B., RE 3, 241–251 • H. BRANDENBURG, B. christianus? in: RQA 63, 1968, 49–86 • P. CHUVIN, Apollon au trident et les dieux de Tarse, JS 1981, 305–326 • W. LERMANN, F. HANNIG, s. v. B., Myth. Lex. 3, 1727–1752 • C. LOCHIN, s. v. Pegasos, LIMC 7.1, 214–230 • R. PEPPERMÜLLER, Die B.-Sage. Ihre Herkunft und Gesch., 1961 • T. J. WISEMAN, Legendary Genealogies in Late Republican Rome, in: G&R 21, 1974, 153–164, 156.   T. S.

Belli. Keltiberischer Stamm am Jalón, einem Nebenfluß des Duero, Hauptort Segeda. Die B. spielten in den keltiberischen Kriegen (154–133 v. Chr.) eine herausragende Rolle; danach werden sie nicht mehr erwähnt (Pol. 35,2,3; 11; App. Ib. 44 ff.).

> H. SIMON, Roms Kriege in Spanien, 1962, 200 ·
> TOVAR 3, 92. P. B.

Bellicius

[1] B. Calpurnius Torquatus, C., gehört zu einer aus Vienna stammenden senatorischen Familie (EOS 2, 415). *Cos. ord.* 148 n. Chr. [1. 42], Sohn von [3], Bruder von [2].

> 1 DEGRASSI, FC.

[2] B. Flaccus Torquatus, C., *cos. ord.* 143 n. Chr. (AE 1940, 62) [1. 144]. Sohn von [3], Bruder von [1].

> 1 ALFÖLDY, Konsulat.

[3] B. Flaccus Torquatus Tebanianus, C., *cos. ord.* 124 n. Chr. (IGUR 2, 741) [1. 36]. Vater von B. [1] und B. [2].

> 1 DEGRASSI, FC.

[4] B. Natalis, C., *cos. suff.* Oktober/Dezember 68 n. Chr., einer der ersten Senatoren aus Vienna (EOS 2, 415). PIR² B 101.

[5] B. Natalis Tebanianus, C., *cos. suff.* 87 n. Chr., *XVvir sacris faciundis*, *sodalis Flavialis* (CIL XI 1430=ILS 1009). Sohn von B. [4], sein Nachkomme ist B. [3]. PIR² B 102.

[6] B. Sollers Ti. Claudius Alpinus, L., Ritter, der nach den *tres militiae* wohl die Procuratur von Britannien verwaltete (CIL V 3337; CIL III 13250=ILS 5968 kaum auf ihn zu beziehen). B. wurde von einem B. Sollers adoptiert und in den Senat aufgenommen. *Cos. suff.*, vielleicht unter Traian; im Senat beantragte er, auf seinen Gütern einen Markt abhalten zu dürfen (Plin. epist. 5,4). Seine Frau war Claudia Marcellina (CIL V 3337; 3338; 3356). [1. Nr. 243, 212; 2. 12 f.; 3. 45 ff.]. (PIR² B 103).

> 1 RAEPSAET-CHARLIER 2 A. BIRLEY, Officers of the Second Augustan Legion in Britain, 1990 3 O. SALOMIES, Adoptive and Polyonymous Nomenclature in the Roman Empire, 1992. W. E.

Bellienus. Röm. Eigenname (auch Billienus; SCHULZE 429; ThlL 2,1816; 1989).

[1] → Annius I 10 B.

[2] Billienus, C., *praetor* um 107 v. Chr. (MRR 1,551), dann Legat bzw. *praetor pro consule* (von Asia?, IDélos 1710; 1854; vgl. MRR 3,34 f.). Nach Cic. Brut. 175 gelangte er Ende des 2. Jh. wegen der Vormachtstellung des C. → Marius nicht zum Konsulat.

[3] B., L., *praetor* 105 v. Chr. in Africa (Sall. Iug. 104,1). Vielleicht der Onkel Catilinas, der sich 81 an den Proskriptionen beteiligte und dafür 64 verurteilt wurde (Ascon. 91C). K.-L. E.

Bellinus wurde als *praetor* 68 v. Chr. (?) von Seeräubern gefangen genommen (Plut. Pomp. 24,9). K.-L. E.

Bellona. Die röm. Göttin des Krieges (von *bellum*, alte Form Duellona von *duellum*; vgl. Varro, ling. 5,73; ant. rer. div. fr. 189 CARDAUNS), die relativ unabhängig neben Mars steht: Die Devotionsformel des P. Decius Mus nennt sie unmittelbar nach dem bei jedem Beginn angerufenen → Ianus und der Trias der alten röm. Staatsgötter Iupiter, Mars und Quirinus wohl als die eigentliche Kriegsherrin (Liv. 8,9,6). In Latium ist ihr Kult im 5. Jh. inschr. belegt (CIL I² 441) [1], während ihr stadtröm. Tempel im 2. Samnitischen Krieg 296 v. Chr. durch Appius Claudius Caecus gelobt und kurz danach gebaut wurde (Liv. 10,19,17). Er lag beim Apollotempel außerhalb des → Pomerium, das Weihedatum ist der 3. Juni (Ov. fast. 6,201–208) [2]. An ihm fand das Ritual der → Fetialen zur Eröffnung außeritalischer Kriege statt: Von der vor dem Tempel stehenden *columna bellica* aus wurde die in Blut getauchte Lanze in ein symbolisch zum Feindesland erklärtes Landstück beim Circus Flaminius geworfen (zum erstenmal im Krieg gegen Pyrrhus, Serv. Aen. 9,52).

Städtische Feste für B. sind unbekannt; sie ist die Vergöttlichung der zerstörerischen, jeder städtischen Ordnung gegenläufigen Kraft des brutalen Krieges. So wurde sie in Rom selbst ebenfalls als »fremd« wahrgenommen. Deshalb die Lage des Tempels außerhalb des Pomerium und die Ikonographie als medusenartiges Monstrum mit Schlangenhaar (CIL I² 441), deshalb die späteren Identifikationen mit der griech. → Enyo, dem weiblichen Pendant zum ebenfalls aus der Polis ausgenommenen → Ares bzw. Enylios und vor allem mit der kappadokischen Göttin → Mâ von Komana, einer der zahlreichen ekstatischen anatolischen Göttinnen, welche im Gefolge der mithridatischen Kriege in Rom eingeführt wurde; sie soll Sulla in Komana im Traum erschienen sein (Plut. Sulla 9,7).

Dieser Kult, durch Dedikationen seit der späten Republik belegt, hatte aber erst spät offiziellen Charakter und war Bürgern wohl lange verboten. Während die ekstatischen Umzüge ihrer Verehrer (*fanatici*), die sich mit Doppeläxten Wunden beibrachten, Roms Dichter faszinierten (Tibull 1,6,43–54; Bild: [3]), stieß B.s Kult viele ab, und man sagte ihm Menschenopfer nach (Cass. Dio 42,26,2 aus dem J. 48 v. Chr.). Immerhin ist im Stadtbezirk mindestens ein Tempel (CIL VI 490; 2232 f.; vgl. auch 2234) mit einem Hain (CIL VI 2232) belegt [4].

> 1 R. BENEDETTO, Roma medio-repubblicana, 1973, 62, Nr. 21 mit Abb. 7 2 E. M. STEINBY, Lex. Topographicum Urbis Romae 1, 190–193 3 HELBIG 2, Nr. 1179 4 G. WISSOWA, Religion und Kultus der Römer, 1912², 151 f.; 348–350. F. G.

Bellovaci. Volk in Gallia Belgica (Region Picardie) südl. der Ambiani im Théraintal (Ptol. 2,9,4; Strab. 4,3,5). Beauvais (→ Caesaromagus), einst Hauptort der *civitas*, und die umliegende Beauvaisis verdanken den B.

ihren Namen. Dieser mächtigste Stamm der → Belgae wurde von Caesar 57 v. Chr. besiegt (Caes. Gall. 2,4,5; 2,13–15). Am Aufstand des → Vercingetorix 52 v. Chr. beteiligten sie sich nur zögerlich (Caes. Gall. 7,75), organisierten jedoch im folgenden Jahr den Widerstand gegen Rom (Caes. Gall. 8,6–22). Nach einer letzten Erhebung 46 v. Chr. (Liv. epit. 114) traten sie nicht mehr in Erscheinung.
→ Bratuspantium   F.SCH.

Bellovesus. Der Sage nach schickte der gallische König Ambigatus wegen Übervölkerung seine Schwestersöhne B. (der Totschläger) und Segovesus (der Siegreiche) auf die Suche nach neuen Wohnsitzen (Liv. 5,34; 35,1). Die Losbefragung wies B. mit seinem Heer den Weg nach It., wo sie die Etrusker besiegen und Mediolanum gründeten. Der Kern dieser Wandersage wird für echt gehalten.

H. HOMEYER, in: Historia 9, 1960, 346ff. • F. FISCHER, in: Madrid. Mitt. 13, 1972, 122ff. • Ders., in: K. BITTEL, W. KIMMIG, S. SCHIEK (Hrsg.), Die Kelten in Baden-Württemberg, 1981, 56f.   M. E.

Bellum Africanum / Alexandrinum / Hispaniense s. Corpus Caesarianum

Bellum. Aus altlat. *dvellum*. Seit den augusteischen Dichtern ist B. gelegentlich die Personifikation des Krieges (Verg. Aen. 1,296; Ov. met. 1,143). Vergil nennt B. neben *sopor*, *discordia* und den Furien in seiner Unterweltbeschreibung (Aen. 6,279). Der Maler → Apelles stellte B. mit auf den Rücken gebundenen Händen zusammen mit dem auf einem Triumphwagen daherfahrenden Alexander in einem nicht erh. Bild dar, das Augustus auf dem Forum aufstellen ließ (Plin. nat. 35,27,93; Serv. Aen. 1,294).

WALDE/HOFMANN, s. v. B., 100–101 • P. ZANOVELLO, s. v. Polemos, LIMC 7.1, 423–424.   R. B.

Belos s. Baal

Belsazar. Nach legendärer Überlieferung im AT (Dan 5) Sohn des babylon. Königs → Nebukadnezar II. Der dahinter stehende histor. Bel-šar-uṣur war jedoch erstgeborener Sohn des → Nabonid (556–539 v. Chr.), des letzten Herrschers von → Babylon, und verwaltete während dessen Aufenthaltes in Arabien (Oase → Teima; 553–543 v. Chr.) das Reich. Trotz der Gewaltenteilung blieben gewisse königliche Funktionen Nabonid vorbehalten (Königstitel und Zählung der Regierungsjahre; Recht zur Durchführung des → Neujahrsfestes in der Hauptstadt Babylon). Andererseits wird seine Rolle z. B. in einem Erlaß erkennbar, den B. im Namen seines Vaters verkündete und in dem das Bestreben erkennbar wird, den Einfluß der königlichen Autorität auf die Tempelgüter zu erweitern. In der gegen seinen Vater gerichteten Polemik babylon. Priesterkreise wird auch seine Amtsführung kritisch bewertet. Daß er in der

Schlacht gegen die Perser unter → Kyros II., in der die Babylonier eine vernichtende Niederlage erlitten (Oktober 539 v. Chr.), die Armee geführt und den Tod gefunden habe, geht aus den Quellen nicht hervor.

P.-A. BEAULIEU, The Reign of Nabonidus, 1989.   J. OE.

Bema s. Rednerbühne

Bematistai (βηματισταί, »Schrittmesser«). Bezeichnung für die Geodäten im Heer Alexandros' [4] d. Gr. Ihre Aufgaben: Berechnung von Wegzeiten und Distanzen sowie die Sammlung landeskundlicher Daten als Grundlage für ein offizielles Journal (Strab. 15,2,8). Namentlich bekannte B. sind → Baiton, Diognetos und Philonides (FGrH 119–121).

BERVE 1, 44, 51f.; 2, Nr. 198, 271, 800.   C. HEU.

Bendis (Βενδῖς). Die thrak. Göttin B., im 6. Jh. (Hipponax fr. 127 W.) den Griechen bekannt geblieben (s. Herodian. 2, 761 L.; Liv. 38,41,1; nur noch antiquarisches Wissen? [1. 114]), wird in der *Interpretatio Graeca* verstanden als eine → Artemis (Hdt. 4, 33; 5, 7; Palaiphat. 31; Hesych.), als → Hekate (Plut. de def. or. 13, 416e, durch falsche Etym.; Hesych. s. v. Ἀδμήτου κόρη) oder Persephone (Orph. fr. 200 OF; vgl. Texte in PCG 4, p. 165; vgl. 159). Auch in der Ikonographie ist die Gleichsetzung mit Artemis als jagender Göttin gesucht, mit Jagdstiefeln, phrygischer Mütze und Rehfell, typisch die Doppellanze (auch ihr Epitheton δίλογχος Kratinos PCG 85) [2]. Sie wird begleitet von Deloptes. Mit dem Hellenismus wandern Ikonographie und Kultform (zurück ?) nach Thrakien; über die vor-hell. B. gibt es dort praktisch keine Zeugnisse. Sie ist wohl als eine Erscheinungsform der »Großen Mutter« anzusehen [4]. In Athen wurde der Kult der B. mit einem groß ausgestatteten Fest (Massenopfer IG II² 1496,86; 117) am 19./20. Thargelion begangen, in dessen Mittelpunkt ein nächtlicher Fackellauf zu Pferde stand, ausgehend vom Prytaneion in der Stadt bis zu ihrem Heiligtum im Piräus-Munichion (zur Lage [5]; Plat. rep. 1,327a und 354a; Xen. hell. 2; 4,11). Inschr. von 430 an bezeugen das außergewöhnliche Engagement für einen fremden Kult (IG I³ 136; 383, 143; 369, 68 = ML 72) [6; 3]. Hinzu kommt ein Heiligtum im Laureion (mit Bergwerkssklaven, vgl. SEG 39,210) und auf Salamis. Die Einführung der B. um 430 könnte mit einem Freundschaftsvertrag mit den Thrakern bei den Vorbereitungen des Peloponnesischen Krieges zu tun haben [7]. Auffällig ist, daß ihr Kult sowohl von den Thrakern wie von den Einheimischen durchgeführt wird, die als Orgeones organisiert sind (IG II² 1283,4) [6; 8]. Die Fremdheit der »Neuen Göttin« [1. 111ff.; 9; 10] wird heruntergespielt mit Verweis auf Götter »aus Thrakien«, die lange schon ins Pantheon integriert seien: Ares und Dionysos (Hdt. 5,7; vgl. die Göttin Kottyto), während die Komödie (430 Kratinos, Thrakerinnen fr. 85; Aristoph. fr. 384) ihren Kult wohl eher als orgiastisch karikierte (PCG 4, p. 165; 159; vgl. Strab. 10,3,16, 470f.) B. wird auch als

Mädchenname gegeben (wie sonst nur Artemis: LGPN;
[11. 86; 12]). Artemiden vom Typ B. sind auch in der
Magna Graecia bekannt [13].

1 R. GARLAND, Introducing New Gods in Athens, 1992
2 Z. GOČEVA, D. POPOV, s. v. B., LIMC 3.1, 95–97
3 NILSSON GGR 1, 833 f. 4 G. KAZAROW, Thrake, RE 6 A,
505–509 5 H. R. GOETTE, Athen, Attika, Megaris, 1993,
128 6 DEUBNER, 219 f. 7 M. P. NILSSON, Cults, Myths,
Oracles, 1951, 45 ff. 8 W. FERGUSON, Orgeonika, in:
Hesperia, Suppl. 8, 1949, 130–163 9 R. R. SIMMS, The Cult
of the Thracian Goddess B. in Athens and Attica, in:
Ancient World 18, 1988, 59–76 10 C. MONTEPAONE,
B. Tracia ad Atene, in: AION 12, 1990, 103–121
11 J. BREMMER, Götter, Mythen und Heiligtümer im ant.
Griechenland, 1996 12 O. MASSON, in: MH 45, 1988, 6–12
13 K. SCHAUENBURG, B. in Unterit., in: JdI 89, 1974,
137–186.

P. HARTWIG, B., 1897 · M. P. NILSSON, B. in Athen (1942),
in: Ders., Opuscula Selecta, 1960, 55–80.   C. A.

Benedictus von Nursia A. LEBEN B. RELIQUIEN C. REGULA BENEDICTI D. WIRKUNGSGESCHICHTE

A. LEBEN

Die wichtigsten Fakten sind den ›Dialogen‹ (Buch II)
von Gregor dem Großen zu entnehmen, deren Authentizität man nach verschiedenen Diskussionen wieder annehmen darf (geschrieben um 593/4). B., um 480
in Nursia (Abruzzen) in einer wohlhabenden Familie
geboren, brach die Studien in Rom ab, um sich einer
Asketengruppe in Affile anzuschließen, und lebte dann
3 J. als Einsiedler in Subiaco (ca. 75 km sö von Rom). Als
Leiter einer benachbarten Mönchsgemeinschaft gescheitert und nach Subiaco zurückgekehrt, konnte er
für die zahlreichen Schüler 12 Klöster in einem lockeren
Verband gründen. Um 530 ließ er sich auf dem Monte
Cassino nieder. Hier verband B. monastisches Leben
mit pastoraler Tätigkeit. Als Friedensvermittler traf er
546 mit dem Gotenkönig Totila zusammen (dial. 2,15).
Das traditionelle Todesdatum am 21. März 547 (evtl.
auch 547–550) hat, obwohl angefochten, doch viele
Gründe für sich. Dial. 2,36 verweist auf die Regel B.' als
discretione praecipuam und *sermone luculentam.*

B. RELIQUIEN

Nach einem Bericht aus dem 8. Jh. nahmen fränkische Mönche gegen 670/680 vom verwüsteten Monte
Cassino die »Gebeine B.'« (bzw. das, was sie dafür hielten) mit in ihr Kloster Fleury sur Loire, das dann Zentrum der B.-Verehrung wurde (11. Juli als Gedenken).
Doch nach der Zerstörung Monte Cassinos im 2. Weltkrieg entdeckte man das vermutlich authentische Grab
B.', konnte die Reliquien genau untersuchen und sie
dann unter dem Hauptaltar beisetzen.

C. REGULA BENEDICTI

Die *Regula Benedicti* (RB) wurde in Monte Cassino
vollendet als Frucht der eigenen Erfahrungen B.' und
aufgrund guter Kenntnisse lat., bzw. ins Lat. übersetzter
monastischer Texte wie: *Praecepta* des Pachomius (übs.

von Hieronymus), *Regula* des Basilius (übs. von Rufinus, ›kleines Asceticon‹), *Praeceptum* des Augustinus,
Conlationes und *Instituta* des → Iohannes Cassianus und
Schriften aus dem Umkreis Lérins. Neben den ›anerkannten, rechtgläubigen, katholischen Vätern‹ (RB 9,8;
vgl. 73,4) wie → Cyprianus, → Leo d. Gr., → Hieronymus, → Ambrosius und → Augustinus war für B. jedoch
die Hl. Schrift wichtigste Quelle (vgl. RB Prol. 21, RB
73,3), meist in ihren altlat. Übers. (→ Vetus Latina).
Auch wenn immer wieder in Frage gestellt, kann mit
guten Gründen behauptet werden, daß die RB von der
→ *Regula Magistri* (RM) abhängig ist. B. folgt ihr z. T.
wörtlich in seinen ersten Kapiteln (bis RB 7). Auch im
weiteren Verlauf läßt sich seine Benutzung der RM
nachweisen. Ab RB 67 fügt B. eigene Nachtragskapitel
an, die in RB 72 (vom guten Eifer der Liebe) ihren
Höhepunkt finden und durch einen Epilog (RB 73) abgeschlossen werden, der die RB als ›kleine Anfangsregel‹
bezeichnet und für Fortschreitende auf die Väter weist.
– Person und Werk B.' werden durch den Vergleich mit
den Quellen deutlicher: Christozentrik, Dynamik des
Weges zu Gott, Gemeinschaftsbezogenheit, Unterscheidungsgabe und Maßhaltung, Barmherzigkeit mit
Schwächen, aber auch Sinn für Ordnung und Disziplin.
B. ist kein genialer Schöpfer, aber ein in der Tradition
verwurzelter Mensch mit der Fähigkeit zur Synthese.

D. WIRKUNGSGESCHICHTE

Neben diesen Werten hatten u. a. folgende Elemente
in der Folgezeit großen Einfluß: Tageseinteilung mit
Zeit für Liturgie, Lesung der Hl. Schrift und körperliche
Arbeit, Überwinden der Standes- und Rassentrennungen durch Bruderschaft, Anstreben des Friedens (*pax*)
und der Einheit in Verschiedenheit, sowie die örtliche
Beständigkeit. Die Verbreitung der RB (auf dem Wege
durch das Frankenreich und England) wurde begünstigt
durch ihre innere Qualität und durch äußere Faktoren:
Sie galt als Werk des *Abbas romensis*, wurde von Merowingern und Karolingern empfohlen und schließlich im
Zuge des monastischen Reformwerks des Benedikt von
Aniane ausdrücklich vorgeschrieben (814). Es dauerte
jedoch noch lange, bis sie sich gegenüber den vorhandenen Mischregeln durchsetzen konnte. – Das Original
der RB ist verloren gegangen. Karl d. Gr. ließ in Monte
Cassino eine Kopie anfertigen (Aachener Normalexemplar), nach welcher andere Mss. abgeschrieben
wurden, so der Codex Sangallensis 914 A (*textus purus*),
der den meisten Regelausgaben zugrunde liegt. Kaum
ein Buch ist nach der Bibel im Früh-MA so oft kopiert
worden wie die RB (über 70 lat. Hss.; mit Übers. mehrere Hundert). Die ältesten Komm. zur RB reichen bis
in den Anfang des 9. Jh. zurück (Smaragdus; Hildemar).
Papst Paul VI. erklärte 1964 B. zum »Vater des Abendlandes«. Man kann B. eher als Patriarch des abendländischen Mönchtums bezeichnen.

ED.: 1 R. HANSLIK (ed.), Benedicti Regula (CSEL 75),
²1977 2 Die Benediktusregel (lat./dt.), 1992 3 A. DE
VOGÜÉ, P. ANTIN (edd.), Grégoire le Grand, Dialogues,
1 & 2 (SC 251. 260), 1978/1980 ·

LIT.: **4** Annuarium internat.: RB Studia (1973 ff.) **5** Atti del 7. Congresso internazionale di studi sull'Alto Medioevo, 1 & 2, 1982 **6** A. BÖCKMANN, Perspektiven der RB, 1986 **7** P. ENGELBERT, Regeltext und Romverehrung, in: Röm. Quartalschrift 81, 1986, 39–60 **8** B. JASPERT, Studien zum Mönchtum, 1982 **9** F. PRINZ, Askese und Kultur, 1980 **10** A. DE VOGÜÉ, La Règle de S. Benoît 1–6 (Sources chrétiennes 181–186), 1971, 7 (Sources chrétiennes), 1977 **11** Ders., S. Benoît, sa vie et sa Règle, 1981 **12** A. WATHEN, B. of Nursia: Patron of Europe, in: Cistercian Studies 15, 1980, 105–125, 229–238, 313–326   A. BÖ.

Beneficiarii wurden bereits bei Caesar (civ. 1,75,2; 3,88,5) erwähnt; nach Vegetius (mil. 2,7) handelte es sich um Soldaten, die ihre Beförderung einem *beneficium* ihrer Vorgesetzten verdankten und von den → *munera* befreit waren. Sie waren einem Offizier zugeordnet, in dessen Diensten sie rechtliche und finanzielle Funktionen ausübten, die eine gewisse Kompetenz erforderten. Man findet die *b.* in allen Einheiten, in der Marine, in den *auxilia*, in den Legionen und in Rom. Einige von ihnen nahmen auch Aufgaben im zivilen Bereich wahr und wurden in den *stationes* zum Schutz der Fernstraßen eingesetzt.

1 M. P. SPEIDEL, Centurions promoted from B.?, in: ZPE 91, 1992, 229–232 2 J. OTT, Die Beneficiarier, 1995.   Y. L. B.

Beneficium ist eine begünstigende Ausnahmeregelung. Nach deren Urheber unterscheidet man *beneficia principis (Caesaris)* [3], *legis, senatus consulti, praetoris*. *B.* sind im allg. generelle Normen, können aber auch einer bestimmten Person gewährt werden. Vor allem die Kaiser gewährten als *b.* Gemeinden oder Einzelpersonen z. B. öffentlichen Grundbesitz und Abgabenfreiheit. Einige Fälle einer privatrechtlichen Begünstigung, wo die Quellen oder die Lehre von *b.* sprechen, seien genannt:

Im Bereich des → Erbrechts spricht Ulp. Dig. 29,2,71,4 untechnisch von einem *b. abstinendi* (→ *abstentio*), Papin. Dig. 35,2,13 von einem *b. legis Falcidiae.* Justinian schließlich hat ein *b. inventarii* gewährt (Cod. Inst. 6,30,22). Die → *separatio* (vgl. Dig.-Titel 46,2) wurde konsequenterweise im gemeinen Recht ebenfalls als *b.* bezeichnet. Wer ihm zugedachte Nachlaßwerte in Händen hat, die aber wegen seiner Ehe- oder Kinderlosigkeit dem → *aerarium* zufielen, kann nach dem *b. Traiani* (Dig. 49,14,13) durch Angeben dieser Werte die Hälfte für sich retten.

Wird einer von mehreren Bürgen (*fideiussores*) vom Gläubiger auf die volle Schuldsumme in Anspruch genommen, ermöglicht ihm das *b. divisionis* [2. I,664 f.] aus der *epistula Hadriani*, den Gläubiger anteilig auf die anderen zahlungsfähigen Bürgen zu verweisen. Zahlt ein Bürge, so kann er wegen des *b. cedendarum actionum* [4] die Abtretung der Ansprüche des Gläubigers zum Zwecke des Regresses gegen den Hauptschuldner verlangen. Justinian macht die Bürgenverpflichtung subsidiär, indem er Ansprüche gegen den Bürgen erst nach erfolglosem Prozeß des Gläubigers gegen den Hauptschuldner zuläßt (*b. excussionis*) [2. II,459].

B. competentiae [1] ist die Vergünstigung für einen Schuldner, das Lebensnotwendige behalten zu dürfen, was im Prinzipat nur bestimmten Gläubigern gegenüber geltend gemacht werden konnte (Verurteilung auf *quod facere potest*: seine wirtschaftliche Leistungsfähigkeit). *B. aetatis* (Dig. 4,4,42) bedeutet die Möglichkeit Minderjähriger, für sie eingetretene ungünstige Rechtsfolgen durch → *restitutio in integrum* wieder zu beseitigen. → *privilegium*

1 J. GILDEMEISTER, Das b. competentiae im klass. röm. Recht, 1986 2 KASER, RPR I, II 3 V. SCARANO Ussani, Forme del privilegio, 1992 4 W. SELB, Entstehungsgesch. und Tragweite des § 255 BGB, in: FS Larenz 1973, 517–548.   R. WI.

Beneventana. Eine charakteristische Hs. des MA., die etwa Mitte des 8. Jh. in der Abtei von Montecassino entstand und sich im 9. Jh. im gesamten Herzogtum Benevento ausbreitete. Sie wurde noch in der zweiten Hälfte des 15. Jh. in Montecassino und in der ersten Hälfte des 15. Jh. in Neapel verwendet [1]. Die Schrift erreichte auch die dalmatinische Küste, wo die frühesten Belege beneventanische Urkunden aus dem 10. Jh. sind. Die ältesten beneventanischen Hss. aus dieser Gegend datieren ins 11. Jh., die jüngste ist ein Fragment aus dem 15. Jh. Die 800jährige Lebensdauer der B. beruht sowohl auf polit.-rel. Faktoren als auch der geogr. Lage (relative Isolation von kontinentalen Entwicklungen).

E. A. LOEW (später LOWE) betonte den weiter gefaßten Ausdruck »B.« in Hinsicht auf das allg. Gebiet, mit dem die Schrift bes. verbunden ist [3. 22–40]. Von den heute bekannten ca. 1900 beneventanischen Hss. oder Fragmenten enthalten etwa 75 % liturgische Texte, der Rest besteht aus klass., patristischen, medizinischen und gesch. Werken. Montecassino war das wichtigste Zentrum der Produktion von beneventanischen Hss. Andere größere Scriptorien lagen in Benevento, Neapel und Bari.

Die B. ist im wesentlichen die Kalligraphisierung einer Urkundenschrift, die auf der Neuen Röm. Kursive basierte (3./4. – 1. H. 7. Jh.). Die Buchstabenformen der B. zeigen diese kursive Herkunft, besonders *a*, langes *i* (*i*-longa), *t*, obligatorische Ligaturen von *ei fi gi li ri ti* und Verbindung von *e f g r t* mit dem folgenden Buchstaben durch Verlängerung der Haste oder des obersten Striches respektive der Schulter. Ein kalligraphischer Effekt, der Dicke und Schattenstrich mit sich brachte, wurde schließlich erzielt, indem der Grundstrich des *i* zu zwei Rauten entwickelt wurde, die in der Mitte durch einen kleinen Haarstrich verbunden waren. Zu dem Eindruck von Eleganz und Schönheit trug die Berührung einander zugekehrter Bögen bei (*ba do od pa* usw.). Das hochentwickelte Interpunktionssystem verbesserte die Lesbarkeit.

Es gibt allg. zwei Typen der B.: 1) Der *Montecassinotyp* bezeichnet den allg., gleichförmigen Aspekt der B. in zahlreichen dort und anderswo geschriebenen Hss., gewöhnlich des ausgehenden 11. Jh., wo der Wechsel dicker und dünner Striche eine beinahe unglaubliche Meisterschaft erreicht, ohne die extreme Winkligkeit späterer Hss. [Abb. 1]; 2) Der *Barityp*, der die rundliche, wegen ihrer vergleichsweise kurzen Auf- und Abstriche sowie des Fehlens von Schattenstrichen auffällige B. darstellt, ist Apulien eigen und wurde dort etwa im 10./11. Jh. entwickelt [Abb.: 2].

Die jüngere Forschung hat sich auf die Entdeckung neuer Specimina der B. [2], die Edition liturgischer Texte und die Untersuchung der Dekoration der Hss. konzentriert.

1 V. BROWN, The Survival of Beneventan Script: Sixteenth-Century Liturgical Codices from Benedictine Monasteries in Naples, in: Monastica. Scritti raccolti in memoria del XV centenario della nascita di S. Benedetto (480–1980), Bd. 1, 237–355 **2** V. BROWN, A New List of Beneventan Manuscripts, in: Mediaeval Studies 50, 1988, 584–625 und 56, 1994, 299–350 **3** E. A. LOEW, The Beneventan Script, 1914, ²1980 **4** E. A. LOWE, Scriptura beneventana, 1929. V.B./M.MO.

Beneventum. Stadt der → Hirpini in Samnium am Zusammenfluß von Calore und Sabato, wo die *via Traiana* von der *via Appia* abzweigt, 11 Meilen von → Caudium entfernt. Nach der Niederlage des Pyrrhos 275 v. Chr. wurde der urspr. (illyr.) Name Mal(e)ventum (Liv. 9,27,14) in B. geändert. Kolonie latinischen Rechts 268 v. Chr. (Liv. 15,13,9; Vell. 1,14,7), hielt die Stadt im 2. Pun. Krieg treu zu Rom (Liv. 22,13,1). Bezeugt sind *consules, praetores, censores, interreges* und ein *collegium* von sieben *quaestores*. 89 v. Chr. erhielt B. den Status eines *municipium* mit *IV viri* (*tribus Stellatina*). 42 v. Chr. erfolgten Landzuweisungen durch die *III viri rei publicae constituendae* an Veteranen der Legionen *VI Ferrata* und *XXX*; unter Augustus wurde B. *Colonia Iulia Concordia Augusta Felix Beneventum* mit *II viri, aediles* und *praetores Ceriales*. Unter Diokletian wurde B. mit einem Teil des hirpinischen Gebiets von der *regio II* zugunsten der *regio I* abgetrennt. Die h. Stadt deckt sich nur teilweise mit dem ant. B.; die rechteckige Anlage von B. ist an → *cardo* und → *decumanus* erkennbar (Corso Dante und Corso Garibaldi mit Forum und Via S. Filippo; im h. Zentrum bzw. im Ostteil der Stadt gelegen); *insulae*. Ein Amphitheater wurde 1985 nahe des Ponte Leproso entdeckt.

G. CHOUQUER (Hrsg.), Structures agraires en Italie centro-méridionale (Collection de l'École Française de Rome 100), 1987, 159–164 • D. GIAMPAOLA, in: EAA Suppl. 1, 1994, 658–661. M.BU.

Beos (Βέος). Ant. Siedlung zw. Apros und Resisto, h. Bunarli, deren Name oft auf Werken thrak. hell. Toreutik auftritt: Rogozen, Vraza, Borovo und Agighiol. Wohl identisch mit der *mutatio* Bedizos (IH 570,1; 601,9).

G. MIHAILOV, Rogozen Linguistique Balkanique 1, 1987, 5–19. I.v.B.

Berberisch. Sprache der Urbevölkerung Nordafrikas (westl. des Nils) und der kanarischen Inseln außer den in Felszeichnungen bezeugten Negriden, von den Griechen und Ägyptern Libyer bzw. *rbw*, von den Römern Numider (»Nomaden«) genannt. Das Alt-B. (Libysche, Numidische) mit seinen modernen Tochtersprachen (z. B. Twareg, Kabylisch) gehört zur semitohamitischen (afroasiatischen) Sprachfamilie. Mehr als tausend Inschr. sind in drei verwandten Alphabeten geschrieben, einem östl. (Massylisch) und zwei westl. (Masaesylisch und Gaetulisch). Allein die massylischen Inschr. aus Kleinafrika sind dank der fünf großen altb.-pun. Bilinguen aus → Thugga sicher entziffert, auf deren Grundlage man einige andere alt-b. Inschr. lesen und teilweise verstehen kann. Die meisten altb.-lat. Bilinguen sind abgesehen von den Namen noch nicht zufriedenstellend interpretiert. Das gilt auch für das reichhaltige alt-b. Namensgut (PN und ON) in einsprachigen phöniz. und lat. Quellen. Die alt-b. Schrift mit ihren fast ausschließlich symmetrischen Zeichen ist ein Ableger der südsemit. Schrift, die die Altnordaraber (vermutlich Thamudener) in vorchristl. Zeit nach Nordafrika gebracht hatten. Nächstverwandt ist die altsüdarab. und äthiop. Schrift. Die Besonderheit der alt-b. Orthographie besteht darin, daß ein Konsonantenzeichen den vorangehenden Vokal in sich trägt (Vok.-Kons.), während es im Semit. der folgende Vokal (Kons.-Vok.) ist (so wird der phöniz. PN ʿabd- [ʿabd-], »Diener des«, im Alt-B. mit *wd-* [awd-] wiedergegeben). Diese Tifinagh (πίναξ, wegen der Zeichenformen und des unterschiedlichen Duktus nicht *Punica*) gen. Schrift ist bis h. bei den Twareg in Verwendung.

→ Gaetuli; Masaesyli; Massyli; Numidia; Thugga

O. RÖSSLER, Die Numider, 1979, 89–97, 576–577. R.V.

Berekyntes. Mythisches Volk in der zu griech.-röm. Zeit von Phryges bewohnten Gegend einschließlich des in hell. Zeit als Galatia geläufigen Gebiets (*Berecyntos*›ein *castellum* in Phrygia am Sangarios‹: Serv. Aen. 6,784). Von Dichtern der klass. (z. B. Aischyl. Niobe), hell. (Kall. h. 3, 246) und röm. Zeit (z. B. Hor. carm. 1,18; 3,19; Ov. met. 11,106) sowie von den Prosaikern (von Stesimbrotos, Strab. 10,3,20, bis Aug. civ. 2,5,7) gleichbedeutend mit »phryg.« gebraucht. Dagegen Strab. 12,8,21: ›Man spricht auch von gewissen phryg. Völkern, die nicht mehr vorhanden sind, wie etwa den B.‹ Während die Phryges bei Homer auch Phrygia am Hellespontos bewohnten (Troas), ist der *Berecynthius tractus* nach Plin. nat. 16,71, der wie Verg. Aen. 9,619f. auf den Berg Ida anspielt, reich an Buchsbaum. Doch beruht die Lokalisierung des *Berecynthius tractus* bei Plin. nat. 5,108 in Karia auf einem inhaltlichen Irrtum [1. 156f.; 2. 820f.]. Nach Diod. 5,64,5 war *Berekynthos* ein Gebirge nahe Aptera in Westkreta [3. 10].

1 ROBERT, Villes, 156f. **2** W. RUGE, s. v. Phrygia, RE 20, 820f. **3** M. GUARDUCCI, Inscriptiones Creticae 2,10. T.D.-B.

Berengar. B. I., *850/53 n. Chr., Markgraf von Friaul, Enkel Ludwigs des Frommen. Nach Absetzung Karls III. zu Tribur durch Arnulf von Kärnten wurde er Januar 888 in Pavia zum König von It. erhoben, hatte sich aber jahrelang mit Rivalen (Wido und Lambert von Spoleto; Ludwig von der Provence) auseinanderzusetzen. 915 wurde er im Einvernehmen mit Byzanz vom Papst zum Kaiser gekrönt, 924 zu Verona ermordet.

LMA 1, 1933 · R. HIESTAND, Byzanz und das Regnum Italicum, 1964   F. T.

Berenike (Βερενίκη).

[1] B., * ca. 340 v. Chr. als Tochter des Magas und der Antigone, durch ihre Mutter Großnichte des Antipatros [1]. Heiratete ca. 325 einen Philippos, von dem sie zwei Kinder hatte: Antigone, die spätere Frau des Pyrrhos, und Magas. Antipatros schickte sie ca. 322 (als Witwe?) mit seiner Tochter Eurydike zu Ptolemaios I., der Eurydike heiratete. B. erreichte relativ schnell hohes Ansehen bei Ptolemaios, dem sie 316 Arsinoe, 308 Ptolemaios II. gebar; weitere Kinder des Paares: Philotera, Theoxene. Ihre Rechtsstellung im Verhältnis zu Eurydike, die erst 286 Ägypten verließ, ist unklar (zwei Königinnen?); Magas prägte als König in Kyrene Münzen mit βασιλίσσης Βερενίκης. Ihre Kinder von Philippos erhielten spätestens ab 300 hohe Positionen, doch mag das Datum mit ihrem Alter zusammenhängen. Ptolemaios II. wird 285/4 Mitregent. Das Datum ihres Todes ist unsicher, zw. 279 und Winter 275/4. Zu Lebzeiten wurde sie an → Aphrodite und → Isis angeglichen, es gibt in Alexandria ein eigenes Berenikeion (FGrH 627 F 2); ab 272 ist sie in den Kult der Theoi Soteres eingeschlossen (PP 4, 8523?; 6, 14497).

G. M. A. RICHTER, The Portraits of the Greeks III, 1965, 261 · F. SANDBERGER, Prosopographie zur Gesch. des Pyrrhos, 1971, 55 ff. · G. WEBER, Dichtung und höfische Ges., 1993, 252 ff.

[2] B. I., Tochter Ptolemaios' II. und Arsinoes [II 2], *285/80 v. Chr.; zur Sicherung des Friedens nach dem 2. Syr. Krieg im Frühjahr 252 mit Antiochos II. verheiratet, der sich von Laodike und ihren Söhnen trennte. Ihr Beiname Φερνηφορός (Phernephorós) weist vielleicht auf eine verdeckte Kriegsentschädigung hin. Als Antiochos II. im Sommer 246 starb, bestimmte er nicht Antiochos, seinen Sohn von B., sondern Seleukos II. zum Nachfolger. B. versuchte daraufhin, ihren Sohn als König und sich als Regentin durchzusetzen. Einige Orte in Kleinasien und die meisten östl. Satrapien stellten sich auf ihre Seite, weshalb Ptolemaios III., der ihr im September zu Hilfe kam, ohne Schwierigkeiten in diese Gebiete einziehen konnte. Vor der Ankunft des Ptolemaios fiel B.s Sohn einem Attentat zum Opfer; im Winter 246/5, während Ptolemaios den Euphrat überschritt, erlitt B. dasselbe Schicksal.

B. BEYER-ROTTHOFF, Unt. zur Außenpolitik Ptolemaios' III., 1993, 17 ff.

[3] B. II., Tochter des Magas und der Apama, * nach 270 v. Chr., wurde vor dem Tod ihres Vaters (250) mit Ptolemaios III. verlobt. Nach dem Tod des Magas verheiratete Apama sie mit Demetrios »dem Schönen«, um die erneute Verbindung Kyrenes mit Ägypten zu verhindern. Zusammen mit einer republikanisch gesinnten Gruppe stürzte B. Demetrios nach ca. einem Jahr, und es kamen Nomotheten aus Megalopolis. Um die eigene Stellung nicht zu verlieren, mußte B. auf die ägypt. Verbindung zurückgreifen; sie heiratete noch vor dem Tod Ptolemaios' II. (Anf. Jan. 246) den Thronfolger Ptolemaios (III.). Von Anfang an galt sie in dynastischer Fiktion als Tochter der θεοὶ ἀδελφοί (theoí adelphoí, Kall. fr. 110, 45). Als Ptolemaios im Herbst 246 nach Syrien zog (s. B. [2]), blieb B. in Ägypten zurück (Weihung der Locke für seine Heimkehr); ob sie als offizielle Stellvertreterin des Königs mit eigenem Münzrecht agierte, ist unsicher. B. ist allerdings die erste ptolemäische Königin, die zu Lebzeiten mit der ägypt. Königstitulatur (Horus-Name) bezeichnet wird, und sie steht in ägypt. Darstellungen gleichberechtigt neben ihrem Mann. Über ihren polit. Einfluß läßt sich nichts sagen.

Ab 243/2 wird sie mit ihrem Mann zusammen im Kult der θεοὶ εὐεργέται (theoí euergétai) verehrt; 239/8 kommt es noch einmal zu einer Erweiterung der ägypt. Kultehren (OGIS 56). Sie wird von offizieller wie privater Seite in Ägypten als → Demeter-Isis und → Aphrodite verehrt, wird bei Kultgründungen außerhalb Ägyptens in den Kult Ptolemaios' III. eingeschlossen (IG II/III² 4676; ICret 3,4,4; in Athen ein Demos Berenikidai). Kinder: Ptolemaios IV., Arsinoe, B., Magas. Nach dem Tod ihres Gatten wurde sie 221 zusammen mit Magas von Ptolemaios IV. ermordet – was aber weitere dynastische Bezugnahme nicht störte: 211/10 wurde ein Priesterinnenamt ἀθλοφόρος Βερενίκης Εὐεργέτιδος (athlophóros Bereníkēs Euergétidos) geschaffen.

B. ist Gegenstand mehrerer → Kallimachos-Gedichte: fr. 388, wohl vor 246; πλόκαμος Βερενίκης (›Die Locke der B.‹; fr. 110) datiert ins Jahr 245, victoria B. (SH 254–69) wurde anläßlich eines Gespannsieges bei den Nemeen (245?) verfaßt. In der letzten Edition der Aitia bildeten πλόκαμος und victoria den Anfang von B. 3 und das Ende von B. 4.

W. A. DASZEWSKI, Corpus of Mosaics from Egypt I, 1985, 151 ff. · A. LARONDE, Cyrène et la Libye hellénistique, 1987, 380 ff. · P. A. PANTOS, Bérénice et Déméter, in: BCH 111, 1987, 343–352 · M. PRANGE, Das Bild Arsinoes II. Philadelphos (287–270 v. Chr.), in: MDAI(A) 105, 1990, 197–211 · J. QUAEGEBEUR, The Egyptian Clergy and the Cult of the Ptolemaic Dynasty, in: AncSoc 20, 1989, 97–116.

[4] Tochter Ptolemaios' III. und Berenike II., geb. nach 246, gest. Februar (Tybi) 238 v. Chr.; sie führte noch zu Lebzeiten den Titel »Königin«; nach ihrem Tod beschloß die Synode der ägypt. Priester ihre Apotheose. Zu den hohen kult. Ehren s. OGIS 56, 46–60, Kanoposdekret (PP 4, 8523?; 6, 14500; 14501?).

HÖLBL, 102 f.

[5] B. III. → Kleopatra B. III.

[6] Gattin des Psenptah II., Mutter Petobastis' III., der 121 v. Chr. geboren wurde. Steht in nicht näher definierbaren Beziehungen zur ptolemäischen Dynastie (nach Huss Tochter Ptolemaios' VIII., Schwester Ptolemaios' X.).

> W. Huss, Die Herkunft der Kleopatra Philopator, in: Aegyptus 70, 1990, 191–203, bes. 200.

[7] B. IV., Tochter Ptolemaios' XII. und Kleopatras V., *78/5 v. Chr. Sie regierte nach der Vertreibung ihres Vaters im J. 58 zunächst ein Jahr mit ihrer Mutter zusammen. Als 56 die Rückführung ihres Vaters bevorstand, heiratete sie zur Festigung ihrer Position für wenige Tage Seleukos Kybiosaktes, einen Bruder Antiochos' XIII., dann den Archelaos. Ca. April 55 wurde sie von Ptolemaios XII. umgebracht. Kultname: Thea Epiphanes (PP 6, 14504). W. A.

[8] (h. Benġāzī). Hafenstadt in der Cyrenaica an der Ostküste der Großen Syrte. Von Ptolemaios III. gegr. und nach seiner Frau benannt, verdrängte B. bald das benachbarte Euhesperides, wo von einigen die Gärten der Hesperiden lokalisiert wurden. B. beheimatete eine größere jüd. Gemeinde und war Bischofssitz.

> F. Sear, The Architecture of Sidi Khrebish (Berenice), in: J.-P. Descœudres (Hrsg.), Greek Colonists and Native Populations, 1990, 385–403. J.P.

[9] Hafenstadt an der Westküste des Roten Meeres. Von Ptolemaios II. gegr. und nach seiner Mutter benannt, stellte B. als Endpunkt verschiedener vom Nil zum Roten Meer führender Handelsstraßen einen wichtigen Umschlagplatz im ägypt. Arabien- und Indienhandel dar.

> D. Meredith, Berenice Troglodytica, in: Journal of Egyptian Archaeology 43, 1957, 56–70 · S. E. Sidebotham, Ports of the Red Sea and the Arabia-India Trade, in: Münstersche Beiträge zur Ant. Handelsgesch. 5/2, 1986, 16–36. J.P.

Berenikidai (Βερενικίδαι). Att. Demos der 224/23 v. Chr. konstituierten Phyle Ptolemais, benannt nach → Berenike, Gattin Ptolemaios' III. Euergetes. Evtl. bei Eleusis gelegen (vgl. die Grabinschr. IG II² 5868 aus Mandra und IG II² 5888 aus Eleusis). Der Sprecher des Demendekrets(?) IG II² 1221 (FO: Eleusis) stammt aus B.

> Traill, Attica, 29f., 109 (Nr. 25), Tab. 13. H.LO.

Berezan'. Dem Mündungsgebiet des → Borysthenes vorgelagerte Insel (in ant. Zeit noch Halbinsel), auf der sich die ältesten Siedlungsspuren milesischer Kolonisten an der nördl. Schwarzmeerküste gefunden haben: Rhodisch-ion. Keramik seit E. des 7. Jh. v. Chr.; Der Ort B. entstand in der 2. H. des 7. Jh. (zahlreiche Graffiti; Blüte E. 6. bis Anf. 5. Jh.). Kult des Apollon Ietros und der Apature (Aphrodite). Evtl. wurde Olbia von hier aus gegründet. In einem Konflikt mit Olbia vermittelte Didyma. B. wurde von Olbia abhängig und sank ab der 2. H. des 5. Jh. zu dessen → empórion herab. Verfiel in hell. Zeit. Im 1.Jh. n. Chr. Kultzentrum des Achilleus Pontarchos von Olbia; gewisser Aufschwung bis Anf. des 3. Jh.

> N. Ehrhart, Milet und seine Kolonien, 1983, 74f., passim · K. K. Marčenko, Varvary v sostave naselenija Berazani i Olvii, 1988 · S. L. Solov'ev, Novye aspekty istorii i arheologii antičnoj Berezani, in: Peterburgskij arheologičeskij vestnik, 1994, 85–95. I. v. B.

Bergaios. Thrak. Dynast Ende 5./Anf. 4. Jh. v. Chr. Bekannt nur durch seine Silber- und Bronzeprägung mit den Legenden ΒΕΡΓΑΙΟΥ und ΒΕΡΓ (auch als Stadt- bzw. Beamtenname interpretiert). Parallelen zu thasischen Münzbildern legen eine Lokalisierung im Südwesten Thrakiens am unteren Nestos nahe.

> HN 283 · J. Jurukova, M. Domaradski, Nov centăr na trakijskata kultura – s. Vetren, Pazardžiško, in: Numizmatika 3, 1990, 3–19. U.P.

Bergbau I. Vorderer Orient und Ägypten
II. Griechenland und östliches Mittelmeer
III. Italien und die römischen Westprovinzen

I. Vorderer Orient und Ägypten

Aus Nilterrassen wurden vor über 33000 Jahren Flintgerölle im Schachtweitungsbau gewonnen. Neolithische Silexgewinnung ist in Israel (Mosad Mazza) belegt. In einem anatolischen Zinnober-B. ereignete sich das größte prähistorische Grubenunglück, bei dem mehr als 50 Menschen verschüttet wurden. Im 3. und 2. Jt. bauten ägypt. Expeditionen im Sinai unterirdisch Türkis ab. Blei aus B. des 2. Jt. in Ägypten diente als schwarzes Pigment für kosmetische Zwecke. B. auf gediegenes Kupfer und Kupfererze ist erst für das 4. Jt. in Anatolien, Iran und im Wadi Arabah belegt. Im Revier von Fenan zwischen Rotem und Totem Meer wurden oxidierte Erze mit Steinhämmern und -picken in engen untertägigen Gruben gewonnen. Da das 3. und 1. Jt. dort komplexere Erze bis zur Erschöpfung der Lagerstätten abgebaut hatte, mußten die Römer zu den oxid. Armerzen zurückkehren. Bedeutender Kupfer-B. fand in Oman, dem sumer. Makan, statt. In Ägypten beginnt unterirdischer Gold-B. bereits in vorpharaonischer Zeit, Blütezeit vor allem im 2.Jt.. Zu wenig ist über das Alter der zahlreichen Goldbergwerke der Arab. Halbinsel bekannt (möglicherweise Ophir). Mittelasien kennt bronzezeitlichen Zinn-B. Die Deutung eines Zinn-B. im Taurus ist noch strittig.

> G. Castel, G. Soukiassian, Gebel el-Zeit I, Les mines de galène (Egypte, IIe millenaire av. J.-C.). FIFAOC 35, 1989. · R. Klemm, D. Klemm, Chronologischer Abriß der antiken Goldgewinnung in der Ostwüste Ägyptens, in: MDAI(K) 50, 1994, 189–222. · F. F. Sharpless, Mercury Mines at Konia, Asia Minor, in: The Engineering and Mining Journal 86,

1908, 601–603. · P. M. VERMEERSCH, E. PAULISSEN, PH. VAN PEER, Palaeolithic chert exploitation in the limestone stretch of the Egyptian Nile Valley, in: The African Arch. Review 8, 1990, 77–102. · G. WEISGERBER, B. im alten Ägypten, in: Das Alt. 37, 1991, 140–154. · Montanarch. – mehr als Technikgesch.: Das Beispiel Fenan (Jordanien), in: Die Technikgesch. als Vorbild moderner Technik, Bd. 20, 1996, 19–34. · K. A. YENER, P. B. VANDIVER, Reply to J. D. Muhly, ›Early Bronze Age Tin and the Taurus‹, in: AJA 97, 1993, 255–262.   G. WE.

II. GRIECHENLAND UND
östliches Mittelmeer

Montanarchäologische Forsch. der letzten Jahrzehnte haben den Beginn des B.s auch in Griechenland weit vor der histor. Überlieferung nachgewiesen. Archäometallurgische Methoden lieferten Aufschluß über Produktionstechniken und Verbreitung der Metalle und trugen zum besseren Verständnis histor. Quellen bei.

Gräbereien nach Silex und Rötel sind in Europa schon für die jüngere Altsteinzeit nachgewiesen. Die ältesten Untertagebergwerke Europas, 20000 Jahre alte Gruben bei Limenaria auf → Thasos, lieferten Rotocker zu kult. Zwecken und die über 200 europ. Bergwerke im Neolithikum Feuerstein, der in den Ländern um das östl. Mittelmeer durch ägäische und anatolische Obsidiane ersetzt wurde (→ Ägäische Koine). Wenn man auch bereits im Neolithikum gediegenes Kupfer verwendete, so läßt sich B. auf Kupfererze doch erst seit dem Chalkolithikum (4. Jt.) in Anatolien und der Levante nachweisen. Zur gleichen Zeit demonstrierte man durch (Fluß-)Gold soziales Prestige. In den urbanen Zentren des Nahen und Mittleren Ostens, von Kleinasien über Iran und Mittelasien bis zu den Industalkulturen spielte seit dem 3. Jt. die Kupfer-Zinn-Legierung Bronze eine zunehmend wichtigere Rolle. Kupferbau wurde damals an unzähligen Stellen betrieben; so wurde das in mesopotamischen Keilschrifturkunden genannte Kupfer aus Makan in Oman produziert. Die Herkunft des wichtigen Metalls Zinn ist noch nicht geklärt. In Westanatolien, Griechenland und der Ägäis bestanden zu dieser Zeit fortschrittliche Kupfer- und Silbermetallurgien. In Ägypten begann unterirdischer Goldbau bereits in vorpharaonischer Zeit, um dann vor allem im 2. Jt. zu blühen. In der 2. H. des 2. Jt. erlangten Kupferbau und Verhüttung auf Zypern eine fast monopolartige Stellung. Die Eisenproduktion, vermutlich ausgehend von den Hethitern, gewann bes. seit Beginn des 1. Jt. an Bed., zunächst für Schmuck, dann für Waffen und Geräte. Die Bed. der Phönizier für die Nutzung der Metalle wird kaum in eigener B.-Produktion, sondern vielmehr in der Kontrolle – etwa des Goldbaus auf Thasos – und dem Handel mit Metallwaren bestanden haben, da es keinen arch. Nachweis für ihre Aktivitäten in Montanrevieren gibt.

Herodot (3,57f.) und Pausanias (10,11,2) berichten von dem auf ihre Gold- und Silberbergwerke gegründeten Reichtum der Insel → Siphnos. Reste dieses B.s aus archa. und klass. Zeit sind noch vorhanden, er geht bis in die früh-kykladische Zeit zurück. Teile dieses B.s liegen heute unter dem Meeresspiegel. Außer den Münzen von Siphnos wurden nach Aussage der Bleiisotopie auch die von Ägina aus siphnischem Silber geschlagen.

Der von Herodot (6,46f.) erwähnte Goldbau auf Thasos liegt im Südosten der Insel bei Koinyra. Er soll zusammen mit den Gruben auf dem Festland bei Skaptehyle den Thasiern bis zu 300 Talente im Jahr eingebracht haben. Es wurden vor allem Karstlagerstätten ausgebeutet, bei denen Goldflitter in den Lehm der Hohlräume gelangt waren. Technisch unterscheidet sich der Goldbau nicht vom umfangreichen Bleisilber-B. im Westen der Insel, welcher das Silber der thasischen Münzen lieferte.

Auch der für die Gesch. Athens so wichtige Bleisilber-B. von → Laureion (s. auch Karte) in Attika geht auf prähistor. und myk. Wurzeln zurück. Nach Erschöpfung der Lagerstätte E. des 4. Jh. v. Chr. gab es in röm. Zeit einen Nachlese-B. (Strab. 9,1,23). Wie in Siphnos, Thasos und zahlreichen anderen Revieren (Anatolien, Levante, Ägypten, Etrurien, Iberien) waren gute eiserne Werkzeuge auch in Laureion Voraussetzung für die Blüte des B. im 1. Jt., der bis über 50 m tiefe Schächte aufwies. Kenntnisse zur Technik der ant. lauriotischen Bergwerke beruhen auch heute noch fast ausschließlich auf den Berichten des vorigen Jh., als man begann, die Lagerstätte, die Aufbereitungsabfälle und die Schlacken erneut auszubeuten. Die Ant. hatte nacheinander drei flözartige Erzhorizonte in Kontaktzonen von Marmor und Gneis in immer größerer Tiefe durch rechteckige Förder- und Ventilationsschächte erschlossen. Die Entdeckung des dritten Kontaktes 483 v. Chr. löste eine neue Blüte des B. aus. Die Zahl der Schächte wird mit mehr als 2000 angegeben. Im Schein der üblichen Öllämpchen geschahen Vortrieb und Gewinnung durch die Schlägel- und Eisentechnik. Zur Versorgung der Erzwaschanlagen mit ausreichenden Wassermengen im quellenlosen Karstgebirge gehören zu jeder Wäsche umfangreiche Zisternensysteme zum Speichern der Winterregen. Erzwäschen waren in größere Wohn- und Arbeitskomplexe integriert. Die Verhüttung der Erze scheint an wenigen Stellen konzentriert gewesen zu sein. Schmelzöfen waren in Felsnischen eingebaut, Frischluft wurde mittels Schlauchgebläsen zugeführt. In einer speziellen Kupellationstechnik wurden Blei und Silber getrennt.

Berggesetze regelten Verpachtung und Organisation des B. durch die Polis und stellten zudem jede Behinderung oder Gefährdung von Berwerkspächtern unter Strafe (Demosth. or. 37,35f.); die Einkünfte wurden zunächst an die Bürger verteilt. → Themistokles verwandte 483/82 die Einkünfte zum Schiffbau und stärkte so in der Zeit der Perserkriege Athens Stellung zur See. Bürger und Isotelen (→ Isoteleis) waren zum Pachten von Bergwerken berechtigt und konnten den B. selbst, als Unternehmer oder als Gesellschaft, betreiben. Die Behörde der → Poletai verlieh freigewordene alte und neue Gruben sowie Erzwäschen und hielt das Ergebnis in Inschr., die auf der Agora aufgestellt wurden, fest (Aristot. Ath. pol. 47,2). Feldgrenzen wurden durch Wege, Himmelsrichtungen und Nachbargruben beschrieben, Grenzsteine wurden gesetzt oder Grenzverläufe im Gelände markiert, so daß einzelne Gruben aus den Pachtlisten lokalisiert werden können. Die Konzessionen mußten nach drei Jahren erneuert werden.

Nichtgriech. Sklaven bildeten die hauptsächlichen Arbeitskräfte. Ihre Zahl wird von LAUFFER für das 5. Jh. auf 10–20000, für das 4. Jh. auf 30000 und für das 2. Jh. auf 5–10000 geschätzt. Sie gehörten Unternehmern oder Verleihern. Fachleute aus B.-Gebieten (Thrakien, Bithynien, Paphlagonien, Zypern) konnten mit 6000 Drachmen mehr als das 30fache des sonst üblichen kosten. Die Vermietung von Sklaven an Bergwerkspächter war außerordentlich lukrativ; so soll → Nikias etwa 1000 Sklaven, die in den Bergwerken von Laureion arbeiteten, besessen haben (Xen. vect. 4,14). Viele athenische Politiker verdankten ihre wirtschaftliche Unabhängigkeit der Bergwerkspacht oder der Vermietung von Sklaven. Manche der mehr als 170 namentlich bekannten Grubenpächter spielten in der Politik eine wichtige Rolle.

In nachklass. Zeit fand B. in allen mediterranen Ländern mit Erzlagerstätten statt, allerdings sind die histor. Nachrichten unzulänglich. Agatharchides berichtet über die inhumanen Zustände im ptolemäischen Goldbau in Ägypten (Diod. 3,12–15). Jüngst wurde kelt. Goldbau in der Dordogne ausgegraben.

III. ITALIEN UND RÖMISCHE WESTPROVINZEN

Erst für den röm. B. verbessert sich die Überlieferung (Strab. 3,2,3; 3,2,8–10; 3,4,2; Pol. 3,57,3; Diod. 5,35–38). Wichtigstes B.-Gebiet war die Iberische Halbinsel, deren Mineralreichtum bereits Phönizier und Karthager angelockt hatte. Die röm. Verfahren der Goldgewinnung aus Sedimenten, etwa in Las Medulas bei Leon (Plin. nat. 33,70–78) prägen durch hoch aufragende, bizarre *ruinae montium* und durch Seen, die von ausgewaschenem Bergematerial aufgestaut wurden, noch h. die Landschaft. Die Ausbeutung goldhaltiger Quarzgänge konnte ebenfalls einen über das normale Maß hinausgehenden Aufwand erfordern. In Três Minas bei Vila Pouca de Aguiar (Portugal) sind im Gneis drei gewaltige Tagebaue entstanden, deren Entwässerung aufwendige Tunnelarbeiten erforderte. Kupfer und Silber wurden vor allem in den Lagerstätten des »Iberischen Pyritgürtels« im Südwesten der Halbinsel gewonnen, in dem B. seit dem Chalkolithikum nachgewiesen ist, aber erst seit dem 1. Jt. v. Chr. in großem Umfang betrieben wurde. Hüttenaktivitäten hinterließen viele Millionen Tonnen Schlacken etwa in Rio Tinto und Tharsis bei Huelva sowie Aljustrel in Portugal. Zinn wurde bes. in Lusitanien und Galizien gewonnen. Seit dem 1. Jh. spielte die Messingproduktion eine größere Rolle. Iberische Quecksilbererze wurden in Rom verarbeitet (Vitr. 7,9,4).

Blei, Zinn, Silber und Gold wurden auch in Britannien erzeugt (Strab. 4,5,2; Diod. 5,22; Tac. Agr. 12,6). Bleibarren mit Inschr. geben Aufschluß über Handelsströme. Moesien und Dalmatien waren wichtige Zentren der Goldproduktion. Vom dalmatinischen Salona wurden Bergleute in den dakischen Goldbau umgesiedelt. Eisen wurde fast überall im Imperium erzeugt. Zwar werden Britannien (Caes. Gall. 5,12; Strab. 4,5,2), Elba (Diod. 5,13,1 f.), Noricum und Spanien als Produktionszentren bes. hervorgehoben, bislang aber fehlen entsprechende Überreste.

Wenn die Römer den bereits seit langem von der einheimischen Bevölkerung betriebenen bzw. aufgegebenen B. in den Prov. wieder aufnehmen konnten, war dies vor allem ihrer überragenden Technik des Gruben-Entwässerns zuzuschreiben (Erbstollen, Archimedische Schrauben, Wasserheberäder und Doppelkolbenpumpen). Aber auch die Verfügbarkeit einer großen Zahl von Arbeitskräften spielte eine wichtige Rolle. In Nova Carthago (Spanien) sollen zur Zeit des Polybios 40000 Sklaven gearbeitet haben (Strab. 3,2,10).

Wegen der äußerst schlechten Arbeitsbedingungen in den Bergwerken war freie Lohnarbeit im röm. B. zunächst selten. Gehörten urspr. Bodenschätze dem Besitzer des Landes, so veränderte sich die Organisation des röm. B. im 1. Jh. n. Chr. Die Principes übernahmen den Besitz der Edel- und Buntmetallbergwerke – beim Eisen blieb es bei Privatpächtern – und ließen sie von bestellten Prokuratoren verwalten, welche die Gruben verpachteten. Aus dieser Zeit stammen die beiden Bronzetafeln von → Vipasca, auf denen zahlreiche Lebensumstände der Bergwerkspächter geregelt sind (FIRA I 104; I 105; CIL II 5181). Erworbene Konzessionen waren auf einer Tafel an Ort und Stelle anzuzeigen, und nach spätestens 25 Tagen mußte die Arbeit begonnen sein (Betriebspflicht). Im 4. und 5. Jh. wurden hauptsächlich Strafgefangene im B. eingesetzt, wie vor allem über Punon/Fenan in Jordanien von den Kirchenvätern berichtet wird (Eus. HE. 8,13; De Martyribus Palestinae 7). Die weithin zu beobachtende Ausbeutung armer Lagerstätten in der Spätzeit kann bedeuten, daß die ehedem großen Erzvorkommen bis zur Grenze ihrer Bauwürdigkeit und der technisch zu bewältigenden Schwierigkeiten abgebaut worden sind.

→ Blei; Bronze; Etruskische Archäologie; Gold; Iberische Archäologie; Kupfer; Laureion; Nikias; Phönizische Archäologie; Silber; Zinn

1 C. E. CONOPHAGOS, Le Laurium antique et la technique grecque de la production de l'argent, 1980 2 O. DAVIES, Roman mines in Europe, 1935 3 DOMERGUE 4 J. C. EDMONDSON, Mining in the Later Roman Empire and Beyond: Continuity or Disruption?, in: JRS 79, 1989, 84–102 5 D. FLACH, Die Bergwerksordnungen von Vipasca, in: Chiron 9, 1979, 399–448 6 J. F. HEALY, Mining and Metallurgy in the Greek and Roman World, 1978 7 G. D. B. JONES, The Roman Mines at Riotinto, in: JRS 70, 1980, 146–165 8 R. F. J. JONES, D. G. BIRD, Roman Gold-Minig in North-West Spain II, in: JRS 62, 1972, 59–74

9 H. KALCYK, Unt. zum att. Silberbergbau, 1982 10 J. G.
LANDELS, Engineering in the Ancient World, 1978, 58–83
11 LAUFFER, BL 12 Ders., Prosopographische Bemerkungen
zu den att. Grubenpachtlisten, in: Historia 6, 1957, 287–305
13 P. R. LEWIS, G. D. B. JONES, The Dolaucothi Gold Mines
I, in: The Antiquaries Journal 49, 1969, 244–272 14 Dies.,
Roman Gold-Mining in North-West Spain, in: JRS 60,
1970, 169–185 15 H.-C. NOESKE, Studien zur Verwaltung
und Bevölkerung der dakischen Goldbergwerke in röm.
Zeit, in: BJ 177, 1977, 269–416 16 J. RAMIN, La technique
minière et métallurgique des Anciens, 1977 17 P. ROSU-
MEK, Technischer Fortschritt und Rationalisierung im ant.
Bergbau, 1982 18 G. A. WAGNER, G. WEISGERBER (Hrsg.),
Silber, Blei und Gold auf Sifnos, Der Anschnitt, Beih. 3,
1985 19 Dies. (Hrsg.), Ant. Edel- und Buntmetall-
gewinnung auf Thasos, in: Der Anschnitt, Beih. 6, 1988
20 G. WEISGERBER, Das röm. Wasserheberad aus Rio Tinto
in Spanien im British Museum London, in: Der Anschnitt
21, 1979, 62–80 21 WHITE, Technology, 113–126
22 A. WOODS, Mining, in: J. WACHER (Hrsg.), The Roman
World II, 1987, 611–634.   G. WE.

Bergistani, Bargusii. Iberischer Stamm in der Hispania Tarraconensis (h. Cataluña); der ON Berga (Prov.
Barcelona) erinnert an ihn. Auf dem Marsch nach It.
durchzog Hannibal das Stammesgebiet (Pol. 3,35; Liv.
21,19; 23). In der ersten Phase der röm. Eroberung Spaniens leisteten die B. Widerstand, wurden jedoch von
Cato 195 v. Chr. unterworfen (Liv. 34,16ff.).

TOVAR 3, 39f.   P. B.

Bergkristall s. Edelsteine

Bergomum. Zentrum der Golasecca-Kultur (6./5. Jh.
v. Chr.) zw. den orob.-raet. Voralpen (an der Stelle von
Parra Oromobiorum: Cato orig. 40) und den Cenomani
der kelt. Padana (Ptol. 3,1,31) [1. 61f.], h. Bergamo.
Municipium [2. 51] seit E. der röm. Republik [1. 181f.],
tribus Voturia, in der *regio IX* (ab dem 4. Jh. in der *regio X*).
452 n. Chr. von Attila erobert und verwüstet (historiae
miscellaneae 15,7). Militärstützpunkt an der Via Padana
z. Z. der Goti (Prok. BG 2,12,40) und Langobardi (Paul.
Diaconus, historia Langobard., passim).

1 Bergamo dalle origini, 1986 2 L. BERNI BRIZIO, Bergamo
romana, in: Atti CeSDIR I, 1967.

B. BELOTTI, Storia di Bergamo e dei Bergamaschi 1959.
          A. SA.

Bergule (Βεργούλη). Lüle-Burgas am Erghene, thrak.
Siedlung und wichtige *statio* der Prov. Thracia (Ptol.
3,11,7), seit Anf. 5. Jh. n. Chr. Arkadiopolis. 441 n. Chr.
von den Hunnen bedroht, 473 von den Goten des
→ Theoderich erobert. Im MA eine starke Festung.

V. ZLATARSKI, Istorija na bălgarskata dăržava prez srednite
vekove 1,1, ²1994, pass.   I. v. B.

Bergwerksmarken s. Tessera

Bericus. Britanne, dessen Hilfegesuch Kaiser Claudius
43 n. Chr. den Vorwand zur Invasion der Insel lieferte
(Cass. Dio 60,19,1). B. dürfte identisch sein mit Verica,
der auf seinen Münzen (südl. Themse im Gebiet der
→ Atrebates; Münzstätte ist Calleva/Silchester) als *rex*
und Sohn des → Commius erscheint. Auf Grund ihrer
Fundplätze und Motive (u. a. Weinblatt) wird Verica
eine romfreundliche anticatuvellaunische Politik unterstellt.
→ Cunobellinus; Catuvellauni

S. FRERE, Britannia, ³1987, 27–47.   C. KU.

Berisades (Βηρισάδης). Thrak. Dynast, der nach dem
Tod → Kotys' I. zusammen mit Amadokos 359–357
v. Chr. von Kersobleptes die Teilung des Odrysenreiches erzwang. Er erhielt den westl., an Makedonien
grenzenden Teil. Ihm half sein Schwager, der athenische
Söldnerführer → Athenodoros (IG II/III² 126; Demosth.
or. 23,8; 10; 170; 173–174; Strab. 7, fr. 47; StV 303).
358/7 besetzte Philippos II. das in B.' Gebiet liegende
Krenides. 357/6 folgten B. seine Söhne in der Regierung.

E. BADIAN, Philip II and Thrace, in: Pulpudeva 4, 1983,
51–71.   U. P.

Berliner-Maler. Sehr produktiver att.-rf. Vasenmaler,
benannt nach der Amphora des Typs A in Berlin (SM,
Inv. Nr. F 2160). Bemalte eine große Anzahl verschiedener, darunter auch seltener Gefäßformen, jedoch
wohl keine Schalen. Elegante, schlanke Figuren, deren
Konturen sich harmonisch mit den Gefäßkörpern verbinden, charakterisieren ebenso seinen Zeichenstil wie
die Ausgewogenheit der Details, hervorgerufen durch
Relief-, schwarze und verdünnte Glanztonlinien. Der
B.-M. bevorzugte die Darstellung einer alleinstehenden
Gestalt auf jeder Seite des Gefäßes, mit nur wenigen
oder gar keinen Ornamenten, was den Kontrast zw. roten Figuren und schwarzem Hintergrund steigerte. Bei-
und → Lieblingsinschr. sind selten.

Sein Frühwerk (505–480 v. Chr.) verdeutlicht seine
Herkunft aus der »Pioniergruppe« der rf. Vasenmaler.
Zuerst bevorzugte er rf. Amphoren panathenäischer
Form, dann Strickhenkelamphoren. Später fertigte er
eine große Anzahl von Stamnoi, Lekythoi und Nola-
nischen Amphoren. Er war der erste rf. Maler, der eine
nennenswerte Anzahl dieser Gefäßtypen dekorierte,
und sie blieben stets ein Haupterzeugnis seiner Werkstatt. Viele Szenen aus dieser Phase sind dem Mythos
entnommen und zeigen ihn auf der Höhe seiner zeich-
nerischen Kunst. Eine Schale des Töpfers Gorgos
(Athen, Agora P 24113), die als ein wichtiges Frühwerk
des B. galt, wird ihm heute allg. nicht mehr zugeschrieben; ein wgr. Teller sowie zwei korallenrote Phialen
deuten darauf hin, daß er auch in diesen Techniken arbeitete.

Die Malweise des B.-M. wurde während seiner mittleren Schaffenszeit (480–475 v. Chr.) konventioneller;

es scheint, als hätte der spätarcha. Künstler Schwierigkeiten gehabt, sich dem frühklass. Stil anzupassen. Reiche Ornamentik und vielfigurige Kompositionen werden häufiger, viele seiner Figuren wirken nun schwer und statuenhaft.

Ein merklicher Qualitätsverfall wird in der Malerei seiner Spätphase (475–460 v.Chr.) sichtbar. Die Figurenschemata wiederholen sich mechanisch, ebenso die wenig einfallsreichen Posen. Verfolgungsszenen und Götterdarstellungen sind häufig, aber das Repertoire ist insgesamt begrenzt. Stamnoi, Nolanische Amphoren und Lekythoi bilden den Grundstock; sf. panathenäische Preisamphoren dieser Zeit zeigen den B. von einer neuen Seite.

Der B. war einer der herausragenden rf. Vasenmaler in Athen; er beeinflußte nicht nur die Darstellung von Ornamentik, Komposition und Zeichenstil seiner Zeitgenossen wie des → Pan-Malers und → Eucharides-Malers, sondern prägte auch Maler der folgenden Generationen, von denen der → Providence-Maler, → Hermonax und der → Achilleus-Maler zu seinen wichtigsten Schülern zählen.

J.D.BEAZLEY, Der B.M., 1930 · C.M.CARDON, The Berlin Painter and His School, 1977 · S.KLINGER, Illusionism in Vase-Painting: A Case Study on the Berlin Painters Approach to Hydria Design, in: Hephaistos 14, 1996, 135–164 · D.C.KURTZ, The Berlin Painter, 1983 · M.ROBERTSON, The Art of Vase-Painting in Classical Athens, 1992, 66–83, 198.   J.O./R.S.-H.

Bermion (Βέρμιον). Berg im Süden von → Makedonia, westl. der Emathia (h. Doxa), östl. von Beroia [1]. Von hier aus drangen die Makedonen in Niedermakedonien ein (Hdt. 8,138). B. soll die Heimat der thrak. → Bryges gewesen sein (Strab. 7 fr. 25).   MA.ER.

Bernstein I. ALLGEMEIN II. ALTER ORIENT III. KELTISCH-GERMANISCHE FRÜHGESCHICHTE UND RÖMISCHE ZEIT

I. ALLGEMEIN

Das fossile Harz von Coniferen, das dt. nach seiner Brennbarkeit oder als Succinit bezeichnet wird. Die magnetische Anziehungskraft des B. ist schon Thales bekannt (A 1,24 und A 3 DK); aus dem griech. Namen ἤλεκτρον ist der mod. Begriff »Elektrizität« abgeleitet. B. wird bei Aristoteles (z.B. met. 4,10,388b19f.) und Theophrast (h. plant. 9,18,2; lapid. 3,16; 5,28 und 29 [2]) erwähnt, sowie als *sucinum* bei Tacitus (Germ. 45). Plinius (ital. *thium*, german. *glaesum*: nat. 37,31–46) charakterisiert B. als *defluens medulla pinei generis arboribus* (>von Bäumen der Gattung Kiefer herunterfließendes Mark<; nat. 37,42) und unterscheidet nach Farbe und Durchsichtigkeit mehrere Sorten. B. soll nach einigen Legenden aus den Tränen des Phaethon oder indischer Perlhühner (so bei Sophokles) entstanden sein (Plin. nat. 37,47–51). → Pytheas von Massalia (3.Jh. v.Chr.) be-

richtet über eine Bernsteininsel Abalus (fr. 8) im Nordmeer [1. 60]. Die Hauptmasse des schon im Neolithikum und in der Bronzezeit über ganz Europa als Schmuck (Halsketten, Amulette) zu Land und Wasser verbreiteten B. kam von der Ostseeküste, vor allem von den Aestyi (das Samland in Ostpreußen), wo man ihn aus der umgebenden »blauen Erde« im Tagebau gewann. Man kannte es auch aus Nordafrika, Sizilien, Ligurien und Skythien. Als heilkräftigen Schmuck verglich man den B. als »gelbe Ambra« mit der vom Pottwal gelieferten grauen Ambra. Der B. war im MA durch die Vermittlung des Isidor (orig. 16,8,6) in zahlreichen Steinbüchern bekannt und wurde z.T. auch, wie schon bei Plinius, volksmedizinisch genutzt (z.B. bei Thomas von Cantimpré 14,64). Die richtige Erklärung des B. mit seinen organischen Einschlüssen wird erst wieder seit 1734 durch Linné verbreitet [3. 20].

1 D.STICHTENOTH (Hrsg.), Pytheas von Marseille über das Weltmeer, 1959 2 D.E.EICHHOLZ (Hrsg.), Theophrastus de lapidibus, 1965 3 C.BENEDICKS, Linnés Pluto Svecicus och Beskrifning öfver Stenriket, 1907. 4 F.WALDMANN, Der B. im Alt., 1883, Ndr. 1973.   C.HÜ.

II. ALTER ORIENT

Ob Fundstücke aus echtem (baltischen) B. oder aus b.-ähnlichen fossilen Harzen aus dem Libanon bestehen, läßt sich nur durch naturwiss. Untersuchungen zeigen und ist ungeklärt. Objekte aus B. sind im Alten Orient seit dem Neolithikum (Buqras) bis ins 1. Jt. v.Chr. (Babylon) bekannt, häufiger aus Fundstellen des späten 3. bzw. frühen 2. Jt. v.Chr. (Tell Asmar, Assur, Ur, Tepe Hissar). Umstritten sind zwei neuassyr. Statuetten aus B. (9./8.Jh. v.Chr.) hinsichtlich Echtheit und Material. In Äg. sollen Funde aus dem Grab Tutenchamuns aus B. sein. Im Akkad. ist das Wort für B. höchstwahrscheinlich *elmešum*; im Hebr. *ḥalmaš*.

W.HELCK, s.v. B., LÄ 1, 1975, 710f. · B.LANDSBERGER, Akkadisch-hebräische Wortvergleichungen. in: FS Walter Baumgartner, 1967, 176–204 · P.R.S.MOORY, Ancient Mesopotamian Materials and Industries. The Archaeological Evidence, 1994, 79–81.   R.W.

III. KELTISCH-GERMANISCHE FRÜHGESCHICHTE UND RÖMISCHE ZEIT

In der kelt. und german. Eisenzeit ist B. ein wichtiges Handelsgut. Bes. in kelt. Körpergräbern der Späthallstatt- und Frühlatènezeit sind mediterran geformte und z.T. gedrechselte Perlen und Zierteile aus B. verbreitet. Baltischer Roh-B. wurde im 6./5.Jh. v.Chr. offensichtlich auf mutmaßlichen »B.-Straßen« über die Salzhandelszentren Hallstatt und → Dürrnberg zu ital. Werkstätten verhandelt, die bereits über → Drehbänke usw. verfügten. Von dort kamen die Produkte wieder zurück in den kelt. Bereich (z.B. in das Grab von Reinheim/Saarland). Mit dem Wiederaufleben der Körpergrabsitte in der späten röm. Kaiserzeit (3/4.Jh. n.Chr.) nehmen B.-Funde wieder deutlich im german. Bereich zu. Auch dieser B. wurde in südl. Werkstätten verarbeitet und kam dann zu den german. Stämmen zurück (Tac. Germ. 45).

→ Handel; Rohstoffe; Schmuck

D. BOHNSACK, s. v. B. und B.-Handel, RGA 2, 1976 · C. W. BECK, J. BOUZEK (Hrsg.), Amber in Archaeology, 1990 · M. GANZELEWSKI, R. SLOTTA (Hrsg.), B. – Tränen der Götter, 1996, bes. 413–430.   V. P.

Beroia (Βέροια).
[1] In Makedonien.
A. HELLENISTISCHE UND RÖMISCHE ZEIT
B. BYZANTINISCHE ZEIT

A. HELLENISTISCHE UND RÖMISCHE ZEIT

Stadt in der maked. → Bottike, östl. vom Bermion, h. Verria. Erstmals im 5. Jh. v. Chr. erwähnt (Thuk. 1,61,4), wurde B. bes. im Hellenismus wie viele maked. Städte ausgebaut; die Antigoniden scheinen B. bes. bevorzugt zu haben, so daß B. 167 v. Chr. als gleichwertig mit Edessa und Pella der *Macedonia tertia* als Hauptstadt zugeteilt wurde (Liv. 45,30,5). Schon unter den Königen städtische Infrastruktur mit Stadtmauer, der von → Philippos V. gestifteten Stoa [1] und einem Gymnasion, für das das einzige bislang aus Griechenland erh. Gymnasiarchengesetz erhalten ist (gegen oder kurz nach 167 v. Chr.). Obwohl B. nicht an der Via Egnatia lag, sammelten sich schon z. Z. der röm. Republik röm. Geschäftsleute dort, was wohl dazu beitrug, daß 48 v. Chr. Pompeius B. als mil. Basis benutzte (Plut. Pompeius 64); es entstand hier eine größere jüd. Gemeinde, die vom Apostel Paulus um 50 n. Chr. besucht wurde (Apg 17,10 f.). Mit der Gründung des maked. *koinón* im 1. Jh. n. Chr. – seit den Flaviern bezeugt – wurde B. Hauptort und blieb dies bis ins 3. Jh. Seit Nerva (96–98 n. Chr.) führte B. den Titel *neokóros* (wiederholt im 3. Jh.: [2. 1282]) und *mētrópolis* und galt allg. als eine der bedeutendsten maked. Städte (Ps.-Lukian. Asinus 34) mit einem regen und gut funktionierenden Munizipalleben. Die früheste christl. Gemeinde geht wohl auf Paulus zurück, doch wird ein Bischof erst auf dem Konzil zu Serdica (343) explizit belegt. B. hatte wie andere maked. Städte im 3. Jh. n. Chr. unter Barbareneinfällen zu leiden [3].

1 AD 1965, Chronikon 427 Taf. 478 2 L. ROBERT, Opera minora selecta 2 3 AA 1942, 172 f.

F. PAPAZOGLOU, Les villes de Macédoine, 1988, 141–148 · A. B. TATAKI, Ancient Beroea, in: Meletemata 8, 1988 · PH. GAUTHIER, M. B. HATZOPOULOS, La loi gymnasiarchique de Beroia, in: Meletemata 16, 1993.   MA. ER.

B. BYZANTINISCHE ZEIT

In Reaktion auf die zunehmende äußere Unsicherheit wurde die hell. Stadtmauer im 3. Jh. unter Verwendung von Spolien repariert und verstärkt. Nach der diocletianischen Verwaltungsreform war B. zur ἐπαρχία Μακεδονίας πρώτης gehörig (erwähnt bei Hierokles 638,6 und bei Konstantinos Porphyrogennetos, de the-

matibus 88 PERTUSI). Bistum, vielleicht seit vorkonstantinischer Zeit, Bischöfe sind bezeugt bei den Konzilien 343 [1], 449, 451? (widersprüchliche Zuordnung zu B. [1] oder B. [2], vgl. ACO IV 3, 2, 426) und 869. Überfälle und Zerstörungen erfolgen im 3. Jh. durch Heruler, im 5. Jh. durch Hunnen und Goten, 904 durch Araber, wohl 989 durch Bulgaren; im 7. Jh. slaw. Ansiedlungen in der Umgebung von B. [2]. Spätant. Inschr. [3], arch. Reste [4].

1 C. H. TURNER (ed.), Ecclesiae Occidentalis Monumenta Iuris Antiquissima. Canonum et conciliorum Graecorum interpretationes Latinae I, 558 f., Nr. 56 (EOMIA: 2 Bde. sowie opus postumum, ed. ED. SCHWARTZ, 1899–1939) 2 LMA I, 1980, 2014 f. 3 D. FEISSEL, Recueil des inscriptions chrétiennes de Macedoine du IIIe au VIe siècle, 1983 4 ODB I, 1991, 283 f.

DHGE VIII, 1935, 885–887 · LAUFFER, Griechenland, 703 f. · LThK³ II, 1994, 287 · PE, 150 f.   E. W.

[2] In Thrakien.
A. HELLENISTISCHE UND RÖMISCHE ZEIT
B. BYZANTINISCHE ZEIT

A. HELLENISTISCHE UND RÖMISCHE ZEIT

Evtl. von Philippos II. gegr. Stadt südl. des → Haimos, h. Stara Zagora; vorröm. Spuren im östl. Teil, 106 n. Chr. von Traianus neu gegr. als Augusta Traiana. Bewohnt von Veteranen und freien, teilweise zur oberen Gesellschaft gehörigen Thrakern, vgl. die reich ausgestatteten Grabhügel; auch kleinasiatische Zuwanderer. Befestigung unter M. Aurelius, Ausbau des Forums unter Commodus. Verwaltungszentrum eines großen, südl. über den Haimos reichenden Territoriums in Thracia. Mitglied des *koinón Thrākōn*; Mz.-Prägung von M. Aurelius bis Gallienus. In der Umgebung *villae* (u. a. Čatalka), thrak. Heiligtümer und kaum romanisierte Dörfer (z. B. Kiril-Metodievo, Pizus). Im 3. Jh. wurde B. zerstört.

G. MIHAILOV, IGBulg III/2, p. 23 ff. und Nr. 1552–1619 · B. GEROV, Der Besitz an Grund und Boden im röm. Thrakien und Moesien (bulg.), 1980, 49 f., 113 ff.   I. v. B.

B. BYZANTINISCHE ZEIT

B. wird in byz. Zeit. erwähnt bei Hierokles (635,5) und bei Konstantinos Porphyrogennetos (de thematibus 86 PERTUSI). 314 war die Stadt Zufluchtsort des Kaisers → Licinius, der auch für das Martyrium der »40 Frauen und des Ammon« verantwortlich gemacht wird, 355 Verbannungsort des röm. Bischofs → Liberius. Bistum der ἐπαρχία Θράκης seit dem 4. Jh., erste sichere Erwähnung als autokephales Bistum 536 [1]; Bischöfe sind bezeugt 370 und bei den Konzilien 451? (widersprüchliche Zuordnung zu B. [1] oder B. [2], vgl. ACO IV 3, 2, 426) und 536. Arch. Reste: (Märtyrer?–)Basilika des 4.–5. Jh. außerhalb der Mauern, zahlreiche Gräber. Die Grenzlage führte zu Zerstörungen, aber auch zu starken Befestigungsanlagen mit doppeltem Mauerring (2.–6. Jh., mehrfach erweitert). Ob der 784 erfolgte Besuch der

Kaiserin → Eirene, der zu Wiederaufbau der Stadt und ihrer Umbenennung zu Eirenupolis führte, diesem B. (oder B. [1]) galt, erscheint ungewiß [2]. B. ist 812–971 bulgarisch und bleibt danach bis zum 13. Jh. zw. Bulgaren und Byzanz umkämpft. Der h. Name Stara Zagora ist seit dem 14. Jh. belegt.

1 E. Chrysos, in: ByzZ 62, 1969, 271 2 ODB I, 1991, 283.

DHGE VIII, 1935, 877 f. · PE 1976, 150 · TIB VI, 1991, 203–205. E. W.

[3] (Arab. *Ḥalab*, in europ. Sprachen Aleppo, Alép). Stadt im NW Syriens an der Kreuzung der Handelswege von der Mittelmeerküste nach Mesopotamien und von der Levante nach Anatolien. Nach einer Periode der Bedeutungslosigkeit im 1. Jt. v. Chr. erfolgte die Neubesiedlung durch maked. Veteranen und die Neubenennung in Βέρ(ρ)οια durch Seleukos Nikator (301–281 v. Chr.) Belege: Strab. 16,2,7; Ios. ant. Iud. 12, 9,7 u. ö.

B. besaß eine rechteckige Mauer; die Straßen waren nach dem hippodamischen Prinzip ausgelegt (App. Syr. 57). Unter den Römern (seit 64 v. Chr.) Bau einer Kolonnadenstraße, deren Verlauf noch h. verfolgt werden kann. B. besaß früh eine christl. Gemeinde (Erhebung zum Bischofssitz jedoch erst 536), ebenso zahlreiche jüd. Einwohner. Der Karawanenhandel lag in den Händen des arab. Stammes Tanūḫ, die eine südl. Vorstadt bewohnten. 540 erfolgte die Zerstörung B.s mit Ausnahme der Zitadelle durch den Sasaniden Chosrou I. Wiederaufbau durch Iustinian, Umbenennung in Χαλέπ und Einquartierung der *legio IV Parthica* gegen Ende des 6. Jh. (Theoph. Simokattes 2,6). Die arabische Eroberung 636 brachte B.-Ḥalab eine allmähliche Islamisierung; es profitierte jedoch langfristig von der Zerstörung von Chalkis (Qinnasrīn) und stieg zum Administrationszentrum Nordsyriens auf. Überbauung der Agora durch die Umayyadenmoschee erfolgte im frühen 8. Jh. Seine Glanzzeit erlebte B.-Ḥalab unter dem Emirat des Hamdaniden Saif ad-Daula (seit 944).

EI² 3, 85–90 · H. Gaube, E. Wirth, Aleppo, 1984 · J. Sauvaget, Alép, 1941. T. L.

Berones. Keltischer Stamm am mittleren Iberus in La Rioja. Die wichtigsten Städte der B. waren Tricio, Oliba und → Vareia (Liv. fr. 91: *validissima urbs*). Sertorius besetzte das Stammesgebiet 76 v. Chr.

Tovar 3, 77–78. P. B.

Beros(s)os von Babylon. Priester des Bēl/Marduk, Zeitgenosse Alexandros' [4] d. Gr. (FGrH 680 T 1), Autor einer chaldäischen Geschichte in 3 Bd. für → Antiochos [2] I., überliefert unter den Titeln *Babylōniaká* (F1 [1], F 2) oder *Chaldaiká* (T 8a, 7a, 11). Bd. 1: Geographie Babyloniens (nach Vorbild hell. Ethnographie); Fischmensch (*apkallu* Syn. für Weiser) Oannes als Kulturbringer; Kosmogonie; Anthropogonie. Bd. 2: 10 vorsint-

flutliche Könige; Flutbericht; entsprechend aus Uruk überlieferter babylon. Tradition (van Dijk [2]) nachsintflutliche Dynastien mit ihren Weisen (*apkallū*) bis Nabû-nāṣir (8. Jh. v. Chr.) aufgeführt. Bd. 3: Assyrische Herrschaft, nach Vorbild babylon. Chroniken ausschließlich unter dem Blickwinkel ihres Konfliktes mit Babylonien seit Tiglatpilesar III. (744–727 v. Chr.) bis Niedergang unter Sîn-šar-iškun; glorreiche Regierungszeit → Nebukadnezars II. (604–562); Herrschaft der Perser über Babylonien bis zur Eroberung durch Alexandros. Das Werk ist das Produkt des Kulturkontaktes von griech. und babylon. Tradition zur ideologischen Unterstützung der Seleukidendynastie (A. Kuhrt [4]). Die nur sekundäre Überlieferung geht zurück auf → Alexandros [23] Polyhistor (*Chaldaiká*), dessen B.-Auszüge in Eusebios' Chronik (armen. Fassung) benutzt sind; → Iuba (bei Tatianos); → Iosephos (vgl. Eus. chron., pr. Ev.); → Abydenos (FGrH 685). Davon zu trennen ist die Vitruv, Seneca, Plinius d. Ä., Josephos u. a. zuzuschreibende Überlieferung von der astronomischen und astrologischen Schule des B. auf Kos, der Berechnung von Feuer- u. Wassersintflut, der Mondlehre, der Statue mit goldener Zunge im Gymnasium von Athen (Plin. T 6) und der babylon. oder ägypt. Sibylle mit B. als ihrem Vater, aufgenommen von Ps.-Iustin (T 7c) und im 10. Jh. von den Kompilatoren der Suda (T 7b) [4].

Fr.: FGrH 680; vgl. 244 F 83, 84; 273 F 79, 81; 275 F 4. Lit.: 1 P. Schnabel, Berossos 1923 2 J. J. van Dijk, Inschriftenfunde, in: 18. Vorläufiger Bericht … Uruk-Warka, 1962, 39–62 mit Taf. 27–28 3 S. M. Burstein, The Babyloniaka of Berossus, Sources from the Ancient Near East 1/5 1978 4 A. Kuhrt, Berossus' Babyloniaka and Seleucid Rule in Babylonia, in: A. Kuhrt, S. Sherwin White (ed.), Hellenism in the East, 1987, 32–56 (mit Lit.) 5 C. Wilcke, Göttliche und menschliche Weisheit im alten Orient, in: A. Assmann, Weisheit, 1991, 259–270. B. P.-L.

Bersabe (Βηρσαβεέ). Im nördl. Negev, entweder mit *biʾr as-sabaʿ* (h. Beʾer Ševaʿ) oder mit *tall as-sabʿ* (5 km östl.) identifiziert. In der bibl. Überlieferung erscheint B. als Freilichtheiligtum für Jahwe als El-Olam und wird mit den drei Erzvätern verbunden, ist aber allenfalls in der Isaak-Überlieferung fester verankert. Volksetym. als »Schwurbrunnen« (Gn 21,22–27, 31b; 26,25–33), oder als »Siebenbrunnen« (Gn 21,28–31a) gedeutet. In der Formel »von Dan bis Beerseba« bezeichnet B. die Südgrenze des Reiches (in 2 Kg 23,8 die Grenze Judas). Archäologisch sind im Gebiet B. lediglich chalkolithische und eisenzeitliche Siedlungen nachgewiesen (gründlichere Grabungen, 1969–1976, nur auf *tall assabʿ*). In der Spätbronzezeit (ca. 14./13. Jh. v. Chr.) gehörte es offenbar zum Einzugsgebiet von Randnomaden (Simeoniten: Jos 19,2, nach 19,1; 15,28). Nach dem Ende Judas übernahmen zunächst die Edomiter den Negev (vgl. 41 Ostraka ökonomischen Inhalts mit edomit.-arab. Namen aus spätpers. Zeit). Herodes gliederte

B. dem *limes Palaestinae* ein; B. wurde schließlich röm. Garnison. In byz. Zeit war B. ein wichtiges mil. und administratives Zentrum im Negev (vgl. Eus. On. 50,3 und die Darstellung auf der Madeba-Karte, zahlreiche Inschr., Papyri und ein Steueredikt aus dem 6.Jh.).

→ Gaza

O.KEEL, M.KÜCHLER, Orte und Landschaften der Bibel 2, 1982, 185–209 • NEAEHL 1, 1992, 161–173.   M.K.

Berufsvereine I. ALTER ORIENT
II. GRIECHENLAND UND ROM

I. ALTER ORIENT

Zwar ist gemeinschaftliches Auftreten und Handeln von Vertretern spezifischer Berufszweige, etwa von Kaufleuten, Handwerkern und → Priestern, im Alten Orient bezeugt, jedoch lassen sich B. im Sinne freiwilliger Zusammenschlüsse zur Wahrung und Verteidigung polit. und wirtschaftlicher Interessen nicht nachweisen [1. 79–82; 2. 161 f.].

1 A. L. OPPENHEIM, Ancient Mesopotamia, 1964 2 H. M. KÜMMEL, Familie, Beruf und Amt im spätbabylon. Uruk, 1979.   H.N.

II. GRIECHENLAND UND ROM

Es können drei verschiedene Typen von Zusammenschlüssen im Wirtschaftsleben der Ant. unterschieden werden. 1. die zeitlich begrenzten Partnerschaften etwa von Kaufleuten, 2. offizielle Vereinigungen, die von der Verwaltung kontrolliert wurden, um bestimmte Dienste zu gewährleisten wie im ptolem. und röm. Ägypten, sowie 3. freiwillige Vereinigungen, die teilweise auch Verbindungen mit der Verwaltung hatten [3]. Nur die zweite und die dritte Gruppe sind als B. anzusehen. Aristoteles erkannte bereits die fundamentale Notwendigkeit von Vereinigungen (Aristot. eth.Nic. 1160a8–30). Vor allem diejenigen, die von den traditionellen Vereinigungen ausgeschlossen blieben, wie etwa unter den Bürgern die Handwerker (βάναυσοι, *bánausoi*) oder aber die Fremden, hatten Grund, sich für soziale oder rel. Zwecke sowie für gegenseitige Hilfe mit anderen Angehörigen ihrer eigenen Berufsgruppe oder mit Menschen aus demselben Land zusammenzuschließen. Die Italiker in Delos, die Sidonier oder Thraker in Athen sowie die Alexandriner in Perinthos und Tomi waren Händler, die in fremden Häfen ihr Lager hatten. Vereinigungen von Angehörigen derselben Berufsgruppe sind erstmals im frühen Hellenismus belegt, obwohl ihre Ursprünge noch weiter zurückreichen. Als Vorgänger solcher Vereinigungen können Gruppen von Händlern gelten, die im 4.Jh. v. Chr. etwa Land für ein Heiligtum erwarben (IG II² 337). In Delos traf das Koinon (κοινόν) der Poseidoniasten aus Berytos sich in einem eigenen Komplex von Heiligtümern und Versammlungsräumen, die rund um den mit einem Säulengang versehenen Hof angelegt waren [7. 788 ff.].

Viele Vereinigungen verwendeten ihre Berufsbezeichnung als Namen, wie etwa die Leinenverkäufer, während andere ihre Berufsidentität hinter einem Kultnamen verbargen, so wie die Heracleistae aus Tyros in Delos. Name und Satzungen der Vereinigungen waren oft an diejenigen der Stadt, in der sie geschaffen worden waren, oder an die dort bereits bestehenden Kultvereinigungen angelehnt [10]. Begriffe aus dem Bereich der Städtebunde wurden ebenfalls von vielen Vereinigungen gebraucht; so bildeten die dionysischen τεχνῖται (*technítai*) aus Ionien und vom Hellespont ein Koinon; daneben erscheinen auch andere Bezeichnungen wie συνέδριον, σύνοδος und σύστημα (*synédrion, sýnodos, sýstema*). Namen, die von dem Wort ἔργον abgeleitet sind und wirtschaftliche Interessen andeuten, wurden auch für Vereinigungen verwendet, aber nicht für solche von Handwerkern. Die *technítai* etwa blieben bis zur Spätant. Angehörige einer Vereinigung von Leuten, die mit dem → Theater in Verbindung standen. Die Ausübung von Ämtern in solchen Vereinigungen bot die Möglichkeit, zu Ansehen zu gelangen: Der Rat von Athen, der von Diognetos, dem Schatzmeister der ναύκληροι καὶ ἔμποροι (*naúklēroi kaí émporoi*) des Zeus Xenios eine Spende erhalten hatte, faßte so den Beschluß, daß diese Vereinigung Diognetos durch ein Portrait auf einem Schild ehren sollte (IG II² 1072). Zweifelsohne wurde von solchen Männern Großzügigkeit der eigenen Vereinigung gegenüber erwartet, im Gegenzug erwarteten diese wiederum Ehre und Prestige. So ehrten die dionysischen τεχνῖται ihren Priester und ἀγωνοθέτης (*agonothétēs*) Krates mit einer jährlichen Krönung und drei Statuen.

Die Anziehungskraft der Vereinigungen beruhte auch auf dem Recht zum Ausschluß anderer, ein Recht, das wiederum den Wert der Mitgliedschaft erhöhte. Die Regeln für die Aufnahme von Mitgliedern waren zweifellos streng, wobei jedoch unklar ist, ob nur finanziell gut gestellte Berufskollegen zugelassen wurden. Sklaven waren wahrscheinlich ausgeschlossen, wenn auch einige als Verwalter mit großen Kompetenzen versehen für ihren Besitzer tätig waren und so ihre berufliche Qualifikation sicher für eine Mitgliedschaft ausgereicht hätte. Die Einnahmen der Vereine deckten die Ausgaben für Ehrungen, vielleicht auch von verstorbenen Mitgliedern. Wenn auch die Mitglieder berufsbezogene Fragen diskutierten, so konnten die Vereinigungen als solche jedoch kaum die Arbeitsbedingungen (wie etwa Gewerkschaften der Neuzeit) direkt beeinflussen; die Kornhändler waren in Athen während des 4.Jh. v. Chr. (Lys. 22) keine Berufsvereinigung in Aktion, sondern einfach Kleinhändler, die so zusammenarbeiteten, wie es der Markt diktierte. Da aber gemeinsame wirtschaftliche Interessen zur Gründung der Vereine beitrugen, konnten diese indirekt die wirtschaftliche Lage ihrer Mitglieder nachhaltig beeinflussen, indem sie etwa durch Ehrungen den Kontakt mit einflußreichen Persönlichkeiten herstellten. So ehrten die πραγματευταί (*pragmateutaí*) von Peiraieus die Gattin des Herodes Atticus (SIG 3,856), die ναύκληροι καὶ ἔμποροι den Feldherrn Argeios (IG II² 2952) und die dionysischen

τεχνῖται Ariarathes V. von Kappadokien (IG II² 1330).
Der Nutzen solcher Vereinigungen für ihre Mitglieder
kann daher nicht geleugnet werden. Es stellt sich aber
die Frage, warum die B. nicht weiter verbreitet waren
und nicht ein größeres Spektrum von Berufen umfaßten. Der Dominanz von Textilarbeitern stand eine sehr
geringe Anzahl von Töpfern gegenüber. In der eigentlichen griech. Welt sind nur in Athen, Delos und Rhodos mehr als bloß vereinzelte Beispiele von B. zu finden;
die Vereine von Argos dienten wahrscheinlich nur dem
Kult. Für die Küstenstädte Kleinasiens sind nur wenige
Vereinigungen belegt, weitaus mehr existierten in den
hellenisierten Städten des Inlandes wie Tralles, Thyateira, Hierapolis sowie in Ägypten, in Regionen also, die
schon in der Zeit vor der griech. Eroberung Zentren der
gewerblichen Entwicklung waren.

Im röm. Principat wuchs der Druck auf Produzenten
und Händler; unter diesen Bedingungen gewannen die
B. einen größeren Einfluß auf das Wirtschaftsleben und
zogen damit das Mißtrauen der röm. Verwaltung auf
sich. Dies gilt für die *fabri* aus Nikomedia (Plin. epist.
10,33) oder für die Bäcker aus Ephesos, deren B. im
2.Jh. durch einen Prokonsul aufgelöst wurde, um ihren
Streik zu beenden (SEG 14,512). Zu Konflikten mit
Bäckern kam es später häufig auch an anderen Orten.
Auseinandersetzungen mit den Bauhandwerkern von
Sardes führten dazu, daß Vereinbarungen mit der Verwaltung getroffen wurden; dies erweckt den Eindruck,
daß die B. nun zu Zünften wurden, die bis zur byz. Zeit
Bestand hatten [4. 859–860]. Im 10.Jh. mußten die
Zünfte in Konstantinopel zwar Dienstleistungen für
den Staat erbringen und unterlagen strengen Marktkon-
trollen, jedoch waren sie dabei für die eigenen Arbeitsbedingungen verantwortlich und hatten einen maßgeblichen Einfluß auf städtische Angelegenheiten [5].

→ Collegium

1 M. AUSTIN, The Hellenistic World from Alexander to the
Roman Conquest, 1981 2 ESAR, 2,392–400; 4,841–849
3 H. FRANCOTTE, L'industrie dans la Grèce ancienne II,
1901, 206 4 JONES, LRE 5 A. KAZHDAN, s.v. Guilds, ODB
6 F. POLAND, Vereinswesens, 1909 7 M.I. ROSTOVTZEFF,
Hellenistic World, ¹1941 8 Ders., Roman Empire, 619
9 STÖCKLE, s.v. B., RE Suppl. 4, 155–211 10 M.N. TOD,
s.v. Clubs Greek, OCD, 1970 11 J. VÉLISSAROPOULOS, Les
nauclères grecs, 1980. A.B.-C.

Beryllos s. Edelsteine

Berytos (Βηρυτός). A. PHÖNIZISCHE ZEIT
B. HELLENISTISCHE UND BYZANTINISCHE ZEIT

A. PHÖNIZISCHE ZEIT

B., das h. Beirut, ist in den → Amarna-Briefen und in
Texten aus Ugarit für das 14. bzw. 13.Jh. v.Chr. als
Beruta und in den Annalen Asarhaddons für das 7.Jh.
v.Chr. als *Bi'rû* [1. 48] erwähnt. Eine Identifizierung
mit *Ba'urad* in den Ebla-Texten ist umstritten [2. 68].
Die Quellen zeigen, daß das kanaanäische B. im 2.Jt.

v.Chr. unter dem Einfluß von Byblos und damit Ägypt.
stand. In phönizischer Zeit geriet es unter die Vorherrschaft Sidons und wurde im 7.Jh. v.Chr. mit Sidon zur
neuassyr. Provinz *Kar Asarhaddon* gerechnet. Ausgra-

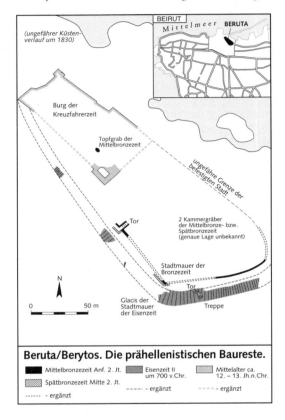

Beruta/Berytos. Die prähellenistischen Baureste.

Mittelbronzezeit Anf. 2. Jt. — Eisenzeit II um 700 v.Chr. — Mittelalter ca. 12. – 13. Jh. n.Chr. — Spätbronzezeit Mitte 2. Jt. — ----- ergänzt — ----- ergänzt — ------ ergänzt

bungen seit 1993 [3] zw. der Place des Martyrs und dem
Hafen haben umfangreiche Reste der brz. und eisen-
zeitl. Stadtmauern freigelegt. Einzelfunde belegen aber
auch eine neolith. und chalkolith. Ansiedlung.

→ Asarhaddon; Byblos; Ebla; Kanaan; Sidon; Ugarit

1 R. BORGER, Die Inschriften Asarhaddons, Königs von
Assyrien, AfO Beih. 9, 1967 2 M. BONECHI, I nomi
geografici dei testi di Ebla. Répertoire Géographique des
Textes Cunéiformes 12/1, 1993. 3 Bulletin d'Archéologie
et d'Architecture Libanaises (BAAL) 1, 1997 (im Druck).

N. JIDÉJIAN, Beyrouth à travers les âges, 1993 • W.A.
WARD, Ancient Beirut, in: Beirut – Crossroads of Cultures,
1970, 14–42 • R. SAIDAHA (H. SEEDEN, Beirut in the Bronze
Age: The Kharji Tombs, in: Berytus 41, 1993/94, 137–210.
KARTEN-LIT.: Bisher unpubl.; mit freundlicher
Genehmigung der Direction Générale des Antiquités
Beyrouth. Kartenautor: U. Finkbeiner. U.F.

B. HELLENISTISCHE UND BYZANTINISCHE ZEIT
Um 200 v.Chr. annektierte → Antiochos III. B. nach
einem Sieg über Ptolemaios V. Die Stadt, die für kurze
Zeit Laodikeia in Kanaan hieß, wurde um 140 v.Chr.

von dem syr. Usurpator Tryphon zerstört. Dennoch erlangte B. durch Handelsbeziehungen mit Delos, ital. Städten und schließlich Rom eine überragende Stellung als Bindeglied zw. Mittelmeeranrainern und dem Nahen Osten. Von M. Agrippa für Augustus eingenommen, wurden in B. Veteranen angesiedelt und die Stadt 14 v. Chr. zur *Colonia Iulia Augusta Felix Berytus* erhoben. Ausgedehnte Vororte erstreckten sich südl. von B. an der Küste (Jnah und Auzaʿī) oder an den Hängen des Libanon (Beit Mery). B. wurde Administrationszentrum (Residenz Herodes d.Gr. und seiner Nachfolger) und besaß eine bed. Akademie mit bekanntem juristischen Zweig. Gegen Ende des 4. Jh. war B. die wichtigste Stadt in Phoenicia und Bischofssitz. Ein Erdbeben mit Flutwelle zerstörte B. im Juli 551 n. Chr. Obgleich von Iustinian wiederaufgebaut, büßte B. seine Stellung zunächst ein. Ein Aufschwung erfolgte erst wieder unter den Umayyaden, die B. durch Iraner kolonisierten und den Handel mit Damaskus und Ägypten belebten (7.–8. Jh). Wegen der Bedrohung der Levante durch byz. Flotten diente B. bis ins 9.Jh. als Seefestung.

L. BADRE, The Historic Fabric of Beirut, in: Beirut of Tomorrow, 1983, 65–76 · EI² I, 1137f. · N. JIDEJIAN, Beirut through the Ages, 1973 · R. MOUTERDE, J. LAUFFRAY, Beyrouth ville romaine, 1952 · R. MOUTERDE, Regards sur Beyrouth, 1966.   T.L.

Bes. Im röm. Maß- und Gewichtssystem bezeichnet B. (*binae partes assis*) 2/3 (8/12) des As und wiegt unter Zugrundelegung des röm. Pfundes (327,45 g) 218,30 g [1. 72]. In der röm. Münzprägung wurde der B. mit dem Wertzeichen *S:* nur von C. Cassius im J. 126 v. Chr. (Kopf des Liber/*prora*) in Br. ausgegeben [2. 290]. → As; Kleingeldrechnung; Libra

1 SCHRÖTTER, s. v. B. **2** M. H. CRAWFORD, Roman Republican Coinage, ²1987.   A.M.

Besa (Βῆσ(σ)α). Attischer → Paralia-Demos der Phyle Antiochis, später der Hadrianis. Zwei Buleutai. Bedeutendes Bergbaurevier im → Laurion, für das 24 Grubenpachten bezeugt sind. Wohl beim h. Hagios Konstantinos (ehemals Kamareza) gelegen, denn Xen. vect. 4,43 empfiehlt den Bau einer Festung auf dem höchsten Punkt von B. (= Vigla Rimbari?) halbwegs zw. Anaphlystos und Thorikos. B. grenzte also im Süden an Amphitrope, im Norden an Thorikos, im Osten und Südosten an Sunion, mit dem es durch die *astikḗ hodós* verbunden war. Straßenverbindungen zu anderen Revieren bestätigen zentrale Lage. Für B. ist ferner eine Agora bezeugt, an der eine Grube lag. Mehrfach grenzen Heiligtümer und Habitate an Gruben. Im Gegensatz zu südatt. Demen wie Amphitrope, Atene oder Thorai werden Βησαιεῖς in der Kaiserzeit noch häufig erwähnt.

C. W. J. ELIOT, Coastal Demes, 1962, 117 ff. · H. LOHMANN, Atene, 1993, 50f., 79 ff., 83 ff., 94, 109 Abb. 12, 283 · TRAILL, Attica 14, 54, 58 Anm. 15, 69, 109 (Nr. 26), Tab. 10, 15.   H. LO.

Besantinos (Βησαντῖνος). Dichter aus hadrianischer Zeit, vielleicht aus Rhodos (so das Lemma von Anth. Pal. 15,27, einem Gedicht, das allerdings nicht ihm gehört, sondern Simias von Rhodos; weiterhin falsch zugewiesen 9,118 = Thgn. 527f., vgl. Stob. 4,50,44). Ihm weisen die Hss. *F Y* der Bukoliker einen βωμός zu, ein Figurengedicht in der Gestalt eines Altares: 26 Verse in verschiedenen Metren, die das glückwünschende Akrostichon Ὀλύμπιε πολλοῖς ἔτεσι θυσείας, das gewiß an Hadrian gerichtet ist (vgl. ThGL 5,1924A). Es ist auch anon. in der Anth. Pal. 15,25 überliefert. Das in ion. Dial. verfaßte, gekünstelte Werk ahmt die »Ara dorica« des Dosiadas (Anth. Pal. 15,26) nach; an diese beiden Vorlagen wird sich später P. Optatianus Porphyrius (carm. 26) halten.   E.D./T.H.

Beschreibstoffe s. Schreibmaterial

Beschwörung s. Magie

Bessapara. Röm. Siedlung an der Straße Serdica – Philippopolis (Itin. Anton. 136; Prok. aed. 4,11 Βεσούπαρον), h. Sinitovo/Pazardžik, Südbulgarien. Blüte in der Kaiserzeit. Dank ihrer Lage behielt sie in spätant. und frühbyz. Zeit überregionale Bed. Die Befestigung stammt aus der Zeit Iustinianus' I. Griech. Inschr. und Weihereliefs.

V. VELKOV, *Gradât v Trakija i Dakija prez kâsnata antičnost*, 1959, 109 (bulg. mit dt. Resümee: Die spätant. Stadt in Thrakien und Dakien) · D. CONČEV, in: VDI, 1960, 3, 142 ff.   J.BU.

Bessas. Gote thrak. Herkunft (* um 480 n. Chr.), dessen Familie 488 n. Chr. dem Theoderich nicht nach It. folgte. Er diente als Offizier in der Armee Justinians gegen die Perser, unter → Belisar bei der Rückeroberung It. wie auch gegen die Goten und noch in hohem Alter im syr. Raum. Er erreichte hohe Positionen (*dux Mesopotamiae* 531; *mag. mil. vacans* in It. 535–546; *mag. mil. per Armeniam* 550–554), wurde sogar *patricius*, aber schließlich wegen lässiger Dienstauffassung als Folge übergroßer finanzieller Interessen verbannt. PLRE 2, 226–229.   W. ED.

Bessi, Bessoi (Βεσσοί). Bezeichnung verschiedener thrak. Stammesverbände, erstmals von Hdt. 7,111 als Teil der → Satrai in der westl. Rhodope, danach erst wieder im 2. Jh. v. Chr. erwähnt (Pol. 23,8,4; Syll.³ 710 A). Polit. Bed. gewannen die B. durch ihren Widerstand gegen die Römer: 72 v. Chr. von Lucullus besiegt, 59 v. Chr. von C. Octavius (ILS 47), ca. 15 J. später von Brutus bekämpft (Liv. Per. 77); 29 v. Chr. griff M. Licinius Crassus sie an und entriß ihnen das Dionysosheiligtum in der Rhodope, das er den Odrysai übergab (Cass. Dio 51,25,5). Etwa 15 Jahre später erhoben sich die B. in einen großen Aufstand, geführt von dem Dionysospriester Vologaises, der auch benachbarte thrak. Stämme mitriß. L. Calpurnius Piso konnte ihn im

3. Kriegsjahr niederwerfen (Cass. Dio 54,34; Tac. ann. 6,10). Teile der in den Quellen als B. bezeichneten thrak. Stämme in der westl. Rhodope und der thrak. Ebene wurden zw. Tomi und Histria angesiedelt (Ov. trist. 3,10,5; 4,1,67). Erneute Aufstände 21 und 68 n. Chr. (Tac. ann. 3,38; 4,46 ff.) wo mit Dii die B. gemeint sind). Später wurde B. Synonym für Thraker überhaupt (Iord. Get. 75; Symeon Metaphrastes, PG 114, 505c).

> Chr. Danov, Altthrakien, 1976, 111 ff. · T. Sarafov, Trak. Satri, 1974 · A. Fol, T. Spiridonov, Istoričeska geografija, 1983, 24 f., 116.   I. v. B.

Bessos. Satrap von Baktrien, Feldherr des Dareios III. in der Schlacht bei → Gaugamela. Kurz danach tötete er Dareios, legte sich den Namen Artaxerxes bei, und versuchte den Osten des Perserreiches gegen → Alexandros [4] d. Gr. zu halten. → Spitamenes u. a. verrieten ihn; er wurde in Ekbatana als Hochverräter zum Tode verurteilt (Arr. an., Curt. passim).

> F. Holt, Alexander the Great and Bactria, 1989.   A. Ku.

Bestattung A. Allgemein B. Ägypten und Vorderasien C. Griechenland D. Italien und Rom

A. Allgemein

Nach dem Tode eines Menschen die Behandlung und Verbringung seines Körpers an einen bestimmten Ort (→ Grab), zumeist verbunden mit Totenritualen. B.-Sitten variieren mit den rel., insbes. → Jenseitsvorstellungen der Gesellschaft und dem (sozialen) Status des/der Verstorbenen bzw. derjenigen, die die B. ausrichten. Hauptformen sind Körper- oder Brand-B. (Aschen-B.). Daneben ist vereinzelt seit dem Neolithikum bis h. das Aussetzen des Körpers zum Abnagen durch Tiere mit anschließender Beisetzung der Knochen belegt (→ Zoroastres).

Die B. der Toten gilt als hl. Pflicht, die durch rel. und staatliche Vorschriften eingeschärft und geregelt wird. Das beruht einerseits auf der Notwendigkeit, die Leichen (in der Regel außerhalb des Wohngebietes) zu beseitigen, berücksichtigt andererseits die emotionalen Reaktionen der Hinterbliebenen, in denen sich Liebe und Trennungsschmerz mit Furcht vor der Macht des Toten verbinden. Das B.-Ritual ist differenziert: zeitlich und regional, nach rel. Hintergrund, bes. den → Jenseitsvorstellungen, und nach dem (sozialen) Status der Verstorbenen bzw. der die B. ausrichtenden Hinterbliebenen. Dennoch sind Grundstrukturen vergleichbar und auch manche Elemente auffallend ähnlich.

B. Ägypten und Vorderasien

In Ägypt. und Mesopotamien fand allg. Körper-B. statt, da man sich vorstellte, daß der Tote mit dem Körper in die Unterwelt eingehe. In Ägypt. spielte die Sicherung eines guten Lebens nach dem Tod eine wesentliche Rolle im irdischen Leben. Dies führte zu außergewöhnlichem architektonischen Aufwand in der Gestaltung der Grabbauten der Oberschicht (→ Pyramide(n); → Theben). Deren Gräber, generell in → Nekropolen am Rande des Niltals angelegt, waren mit Inschr., bemalten Reliefs oder Malereien ausgestaltet, deren Themen sich teilweise in den ägypt. Totenbüchern wiederfinden. Zunehmende Bed. erhielt die Konservierung der Körper (→ Mumie), die anfänglich nur in Felle, Tücher oder Matten gewickelt, später zusätzlich in hölzerne, bemalte Sarkophage gelegt wurden. Seit dem NR hat man auch mehrere anthropoide Sarkophage ineinandergesetzt. Ab dem MR halfen goldene (Tutanch-amun) oder golden bemalte Mumienmasken den Toten zu einem ewig Lebenden zu verklären. Grabstatuen und (auto)biographische Texte (→ Autobiographie) betonen gleichzeitig die Individualität der (wohlhabenderen) Toten. In röm. Zeit wurden die Mumienmasken weitgehend durch → Mumienportraits und Stuckmasken abgelöst. Die Masse der Toten wurde jedoch zu allen Zeiten nur in einfachen Erdgruben bestattet. Während des durch Texte und bildliche Befunde detailliert dokumentierten B.-Rituals wurden den Toten Beigaben ins Grab gelegt. Diese reichten je nach Reichtum von wenigen Tongefäßen zu kompletten Haushalten mit Möbeln, Geräten des täglichen Lebens, Gefäßen sowie Speisen und Getränken, die den Toten eine sorgenfreie Existenz im Jenseits sichern sollten.

Im übrigen Vorderasien wurden Tote überwiegend mit leicht angezogenen Beinen (Hockergräber) beigesetzt. Während in Ägypt. die Toten ab dem MR allg. nach Osten blicken, ist in Mesopotamien keine generelle Blickrichtung festzustellen, eine grobe Ost-West-Ausrichtung scheint jedoch vorzuherrschen. Da viele Tote, später gerade die Angehörigen der Oberschicht, unter dem Fußboden der Häuser bestattet wurden, richteten sich die Grabstätten oft an den Mauern der Häuser aus. Neben intramuralen gab es auch extramurale B. in Friedhöfen oder Einzelgräbern. Generell wurde weniger Aufwand als in Ägypt. betrieben. Eine Konservierung der Toten fand nicht statt, Namensbeschriften sind nur vereinzelt ab dem späten 2. Jt., vor allem in Königsgräbern (→ Ahiram), bezeugt. Je nach Region sind die → Grabbauten und -anlagen unterschiedlich. In Mesopotamien herrschen B. in gemauerten Grüften, Sarkophagen oder zwei großen Töpfen vor. In den angrenzenden Bergregionen finden sich bevorzugt Fels-, Schacht- und Steinkistengräber. Der bekleidete und in Tücher gehüllte Leichnam wurde entweder direkt auf den Boden, auf Ablagen aus Stein oder auf Betten gelegt, oder in Holzsärgen, Steinsarkophagen oder Töpfen bestattet. Oberirdische Grabkammern sind erstmals mit dem Grab des → Kyros II. (→ Pasargadai) belegt. Im 2. Jt. v. Chr. setzte zunächst in Anatolien [4. xxx], im Verlauf des 1. Jt. auch in Nordsyrien und der Levante, der Brauch ein, Tote zu verbrennen und in Urnen beizusetzen. Als Grabbeigaben finden sich persönliches Eigentum, z. T. Statussymbole, und Güter zur Versorgung im Totenreich, aber auch Geschenke für die Unter-

weltsgötter. Bemerkenswert sind einige Fälle von Gefolgschafts-B. aus dem 3. Jt. v. Chr. (→ Ur).
→ Chefren; Cheops; Jenseitsvorstellungen; Luristan; Mumie; Osiris; Sarkophag; Totenkult

1 H. ALTENMÜLLER, B.(sritual), LÄ 1, 1975, 743–777 2 ST. CAMPELL, A. GREEN, The Archaeology of Death in the Ancient Near East, 1995 3 GH. GNOLI, J.-P. VERNANT (Hrsg.), La mort, les morts dans les sociétés anciennes, 1982 4 V. HAAS, Gesch. der hethit. Rel., 1994 5 B. HROUDA, E. STROMMENGER, Grab, Grabbeigabe, Grabgefäß, in: RLA 3, 1957–1971, 581–610 6 L. H. LESKO, Death and the Afterlife in Ancient Egyptian Thought, in: Civilizations of the Ancient Near East 3, 1995, 1763–1774. S. H.

C. GRIECHENLAND

Im Gegensatz zur myk. Zeit, in der Körper-B. mit reichen Grabbeigaben üblich war, werden die Helden der homer. Gedichte verbrannt. Das Ritual kennt schon die typischen drei Bestandteile (bes. Hom. Il. 18,343–355, 23,3–23; Od. 24,43–46): 1. Der Leichnam wird gewaschen und gesalbt, in ein Leichentuch oder weißes Gewand gehüllt und auf ein Bett (κλίνη) gelegt; während der mehrtägigen Aufbahrung (→ Prothesis) begehen Verwandte und Freunde die Totenklage (γόος), eine Ehrenpflicht gegenüber dem Toten (nach Hom. Il. 23,9; Od. 24,190 γέρας θανόντων), die oft durch kunstvolle Klagelieder professioneller Sänger (θρῆνοι) ergänzt wird (zu Form und Inhalt der Klage [1.11–56; 2]). 2. Danach wird der Tote unter großem Geleit auf einer Bahre zum Scheiterhaufen getragen (→ Ekphora), wobei man ihn klagt und ihm abgeschnittene Haarsträhnen weiht. Manche Begleiter fahren in Streitwagen. 3. Bei der Verbrennung werden der Leiche Totenopfer (neben Tieropfern bes. Öl und Honig), aber auch Teile des persönlichen Besitzes (z. B. Waffen; Pferde) mitgegeben. Die Reste des Leichenbrandes füllt man in ein Gefäß, über dem man dann einen Grabhügel als Erinnerungsmal (σῆμα) aufhäuft (manchmal auch direkt über dem abgebrannten Scheiterhaufen). Es folgen in manchen Fällen Leichenspiele und stets das Totenmahl (→ Perideipnon: in Hom. Il. 23,28–34 vorverlegt). Dieser Ablauf entsprach wohl der Dark-Age-Praxis (Grab von Lefkandi), beeinflußte aber seinerseits vielleicht die Praxis (und Darstellung) geometrischer Zeit (z. B. Fürstengräber im zyprischen Salamis: [3]; Leichenspiele des → Amphidamas in Chalkis: Hes. erg. 654–657). Adelsbegräbnisse der geometrischen und früharcha. Zeit waren offenbar aufwendige und spektakuläre Veranstaltungen (Vasenbilder). Dagegen richteten sich seit dem 6. Jh. v. Chr. in Athen und vielen anderen Orten Verordnungen zur Begrenzung von Aufwand, Teilnehmerzahl und Publikumswirkung privater B. (Überblick: [4]). So war im klass. Athen die Totenklage auf die eintägige Prothesis im Trauerhaus beschränkt, die Ekphora mußte frühmorgens in aller Stille erfolgen, Frauen durften nur teilnehmen, soweit sie über 60 Jahre alt oder nahe Verwandte waren (Ps.-Demosth. 43,62; ähnl. Plat. leg. 959a–960a5). Weiter zulässig waren die üblichen

Grabspenden (Speisen und Getränke; Salben in → Lekythoi und anderen Gefäßen), nicht aber das aus alter Zeit übernommene Stieropfer (Plut. Solon 21,5). Im 4. Jh. v. Chr. nahm der B.-Aufwand wieder zu, wurde aber in Athen durch → Demetrios v. Phaleron erneut drastisch beschnitten (Cic. leg. 2,66).

Die B. gefallener Soldaten ist nach Zeit und Ort sehr unterschiedlich. Meist erfolgt sie am Ort des Kampfes, so nach den Hauptschlachten der Perserkriege (Marathon; Thermopylai; Salamis; Platää). Während Sparta im wesentlichen bei dieser Sitte bleibt und nur im Ausland verstorbene Könige nach Sparta zurückbringt (Plut. Agesilaos 40,3; [5.241–242]), erfolgt in Athen seit dem 2. Viertel des 5. Jh. v. Chr. regelmäßig eine öffentliche B. der zunächst an den Kampforten eingeäscherten Gefallenen (Beschreibung: Thuk. 2,34) im δημόσιον σῆμα (dēmósion sêma) vor dem Dipylon-Tor. Ähnliche staatliche Beisetzungen in Polyandria (mit inschr. Namenslisten) sind seit der 2. H. des 5. Jh. v. Chr. aus Tanagra, Thespiai, Argos und Tegea bekannt (Katalog: [6.222–243]). Öffentliche B. gab es in Athen auch für auswärtige Gesandte und einzelne verdiente Männer. Auch die außergewöhnliche B. der spartanischen Könige (Hdt. 6,58) hat den Charakter des Staatsbegräbnisses.

Jeder Todesfall macht Verwandte und Trauergäste unrein; deshalb steht vor dem Trauerhaus ein Gefäß mit Quellwasser, mit dem sich jeder fremde Besucher beim Hinausgehen besprengt (Eur. Alc. 98–100; Poll. 8,66); nahe Verwandte bedürfen gründlicherer Reinigung, die meist nach dem 3. bzw. 9. Tag nach regional unterschiedlichen Regeln vorgenommen wird [7].

D. ITALIEN UND ROM

Schon im alten It. begegnet neben der Erd-B. die Einäscherung (crematio), auch bei den Etruskern, die durch aufwendige Grabbauten und häufig reiche Grabbeigaben die postmortale Existenz der Verstorbenen zu fördern pflegten. In Rom hatte sich gegen Ende der Republik in den besitzenden Schichten die Verbrennung fast allg. durchgesetzt; für die ärmste Bevölkerung scheint allerdings nur die formlose Beisetzung in Massengräbern (puticuli: Aelius bei Varro ling. 5,25), z. B. auf dem noch unbebauten Esquilin (vgl. Hor. sat. 1,8,8–13), möglich gewesen zu sein. Seit Mitte des 2. Jh. n. Chr. geht man im allg. zur Körper-B. über, die im griech. Osten längst bevorzugt wurde (graeco more: Petron. 111,2) und sich im 3. Jh. n. Chr. auch in den westl. und nördl. Teilen des Imperium durchsetzte. Der Wechsel ist wahrscheinlich keine Folge tieferer Bewußtseinsveränderungen (vgl. [8; 9.33]), hat jedenfalls keine Folgen für das B.-Ritual, das über Jh. beibehalten wurde; es konnte sogar vollzogen werden, wenn der Leichnam aus Gründen (z. B. Tod auf See, in Feindesland) nicht zur Verfügung stand (→ funus imaginarium). Regelmäßige Bestandteile waren die (oft mehrtägige) Aufbahrung, der Leichenzug (exsequiae bzw. funus) und die Verbrennung und/oder Beisetzung der Leiche; darauf folgten das Totenmahl und Reinigungsriten für die durch den Tod befleckten Angehörigen.

1. Wenn die Augen des Toten geschlossen waren, riefen die Verwandten ihn mehrfach laut beim Namen (→ *conclamatio*). Dann wurde er gewaschen und gesalbt, standesgemäß gekleidet und (mit den Füßen zur Tür) auf den *lectus funebris* gelegt, umgeben von Fackeln und Kandelabern und manchmal mit Blumen geschmückt. Während der Aufbahrung stimmen Familie und Dienerschaft, oft unterstützt von fremden Klagefrauen und begleitet von Flötenspielern, wiederholt die Totenklage an. Ein anschauliches Bild dieser Phase gibt das Relief vom Haterier-Grab [10. Abb. 9].

2. Beim Leichenzug gab es große Unterschiede in Form und Aufwand (vgl. Tac. ann. 16,13,2). Kleine Kinder wurden nachts und ohne Feierlichkeit beigesetzt. Beim *funus indictivum* (Fest. 94) der Oberschicht geleitet eine geordnete Prozession (→ *pompa*) aus Musikanten, Fackelträgern, Klageweibern, Leichenträgern und Trauergefolge den Toten unter erneuten Klageliedern zum Ort der *crematio* bzw. Beisetzung (Relief aus Amiternum: [10. Abb. 11]). Notwendiges Gerät und Personal stellten die → Libitinarii. Bei der B. senatorischer Würdenträger ziehen der Leiche die »Ahnen« der Familie voran (Pol. 6,53,6–10), und der Leichenzug macht auf dem Forum halt, wo ein Verwandter *pro rostris* eine Lobrede auf den Toten (und seine Vorfahren) hält, um der Allgemeinheit den Verlust deutlich zu machen (→ *laudatio funebris*). Diese Besonderheiten übernimmt seit Augustus das röm. Kaiserbegräbnis, mit noch größerer Prachtentfaltung und Einbeziehung von Elementen des Triumphzuges (→ Triumphus).

3. Der Leichnam wurde auf einem Scheiterhaufen (→ *rogus*) außerhalb der Stadt verbrannt, oft zusammen mit persönlichem Besitz und Gaben des Trauergefolges (bes. Salben und → Weihrauch). Nach dem Anzünden des Feuers erklang ein letztes Mal die Totenklage. Nahe Angehörige sammelten nach dem Löschen der Glut die Reste des Leichenbrandes (*ossilegium*), deponierten sie mit Duftstoffen in einer Urne und setzten diese im Familiengrab oder einem → *columbarium* bei. Zwei Totenmähler, das *silicernium* am Tag der Beisetzung (häufig am Grab: Non. 48,3) und die *cena novemdialis* (nach den Totenopfern am neunten Tag), begrenzten die Zeit der familiären Reinigungsriten. Ebenfalls am neunten Tag veranstalteten vornehme Familien die Leichenspiele (bes. → Gladiatorenkämpfe, erstmals 264 v. Chr.).

In aller Regel ist die B. Sache der Familie; viele kleine Leute (auch Sklaven) wurden Mitglied eines Begräbnisvereins (*collegium funeraticium*), der ihnen *funus* und Grabstätte garantierte. In Ausnahmefällen übernahmen Gemeinden Ausrichtung und Kosten der B. für bes. verdiente Bürger, in Rom auch für auswärtige Gesandte und Fürsten (→ *funus publicum*). Seit augusteischer Zeit wurden öffentliche Begräbnisse mit Staatstrauer und → *iustitium* häufig für den Princeps und Mitglieder seiner Familie beschlossen.

Die Christianisierung des Imperium brachte trotz grundlegender Veränderung der Jenseitsvorstellungen nur geringfügige Modifikationen in der äußeren Form der B. mit sich: Man versuchte, die Totenklage durch Psalmengesang zu ersetzen (Hier. epist. 108,29); anstelle der alten Totenopfer sollten am Grab nur noch Ölspenden dargebracht werden (Prud. Liber Cathemerinon 10,171) – im wesentlichen blieb das traditionelle Ritual erhalten.

→ Totenkult

1 E. REINER, Die rituelle Totenklage der Griechen, 1938 2 M. ALEXIOU, The ritual lament in Greek tradition, 1974 3 J. N. COLDSTREAM, Geometric Greece, 1977, 349–350 4 R. GARLAND, The Well-Ordered Corpse, in: BICS 36, 1989, 1–15 5 W. K. PRITCHETT, The Greek State at War 4, 1985, 94–259 6 C. W. CLAIRMONT, Patrios Nomos, 1983 7 R. PARKER, Miasma, 1983, 35–41 8 A. D. NOCK, Essays on Religion and the Ancient World, 1972, 277–307 9 I. MORRIS, Death-Ritual and Social Structure in Class. Antiquity, 1992 10 J. M. C. TOYNBEE, Death and Burial in the Roman World, 1971.

M. ANDRONIKOS, Totenkult, 1968 · J. ARCE, Funus Imperatorum, 1988 · H. BLÜMNER, Die röm. Privataltertümer, 1911, 482–511 · H. CHANTRAINE, »Doppel-B.en« röm. Kaiser, in: Historia 29, 1980, 71–85 · K. HOPKINS, Death and Renewal, 1983, 201–256 · W. KIERDORF, Totenehrung im republikanischen Rom, in: Tod und Jenseits im Altertum, 1991, 71–87 · D. KURTZ, J. BOARDMAN, Thanatos, 1985 [Greek Burial Customs, 1971] · J. MAURIN, Funus et rites de séparation, in: Annali dell'Istituto universitario orientale di Napoli (archeologia e storia antica) 6, 1984, 191–208 · K. REECE (Hrsg.), Burial in the Roman World, 1977 · E. ROHDE, Psyche, ¹⁰1925 · A. C. RUSH, Death and Burial in Christian Antiquity, 1941.

W. K.

Bestiarius s. Munera

Beta-Gamma-Stil. Stilrichtung der griech. Gebrauchsminuskel aus der frühen Palaiologenzeit, so benannt wegen der übergroßen Ausformung der Buchstaben Beta und Gamma; letztlich gehört der B. in den Bereich der → Fettaugen-Mode, wie aus einigen Schriftproben (u. a. aus dem Laurentianus Conventi Soppressi 627 und dem Vaticanus graecus 1899) eindeutig hervorgeht. Die im Grunde nicht zulässige, aber durchaus bequeme Bezeichnung als B.-G.-S. ist allg. noch sehr üblich; unter der Beta-Gamma-Gruppe laufen im übrigen viele Hss. klass. Autoren (z. B. Vaticanus graecus 64, J. 1270; Vat. gr. 110; Parisinus graecus 2735) sowie Textzeugen byz. Schriftsteller (z. B. Oxon. Barocci 131). Nach WILSON [1], der als erster von B.-G.-S. sprach, ist diese Schrift in der 2. H. des 13. bis zum Anf. des 14. Jh. bezeugt.

→ Fettaugen-Mode

1 N. G. WILSON, Nicaean and Palaeologan Hands: Introduction to a Discussion, in: La paléographie grecque et byzantine, 1977, 263–267, bes. 264–265 2 G. PRATO, I manoscritti greci dei secoli XIII e XIV: note paleografiche, in: Paleografia e codicologia greca, 1991, 131–149, bes. 132.

G. D. G.

Beth Shearim. Ort in Untergalilaea. Mit der Umsiedlung des Patriarchen Jehuda ha-Nasi (ab ca. 175–217 n. Chr.) wurde B. als Sitz des Sanhedrin und der rabbinischen Schule für kurze Zeit Zentrum des palästin. Judentums, verlor allerdings nach der Verlegung des Patriarchats und seiner Institutionen nach Tiberias um die Mitte des 3. Jh. allmählich an Bedeutung. In Nachfolge des Rabbi Jehuda entwickelte sich B. im 3. und 4. Jh. zur wichtigsten jüd. Begräbnisstätte Palaestinas, wovon die prachtvollen unterirdischen Grabanlagen zeugen. Mitte des 4. Jh. wurde der Ort entweder im Zusammenhang mit einer Revolte gegen Gallus, den Caesar des Ostens, oder durch ein Erdbeben zerstört. → Galilaea

N. Avigad, Beth She'arim 3, 1971 · M. Goodman, State and Society in Roman Galilee, A. D. 132–212, 1983 · B. Mazar, Beth She'arim 1, ²1957 · M. Schwabe, B. Lifshitz, Beth She'arim 2, 1967 · G. Stemberger, Juden und Christen im Hl. Land, 1987. J. P.

Beth Shemesh. Die hebr. (1 Sam 6; 2 Kg 14,11) Bezeichnung (»Haus der Sonne«) ist wahrscheinlich eine Anspielung auf die Verehrung des Sonnengottes (Jos 19,41). Erhalten hat sich der Name in dem arab. Dorf ʿĒn Šems (»Quelle der Sonne«), das früher östl. des Tell er-Rumēle (»der sandige Boden«) lag, mit dem das ant. B. S. zu identifizieren ist. 20 km westl. von Jerusalem, hatte B. S. eine verkehrsgeogr. bevorzugte Lage. Nach einer mittelbronzezeitlichen Besiedlung erlebte der Ort in der Spätbronzezeit mit der Kupferverarbeitung einen ersten interkulturellen Aufschwung durch Industrie und Handel, den die Funde unterschiedlicher Schriftsysteme widerspiegeln. Reste eines byz. Klosters sind die letzten Besiedlungsspuren des ant. B. S.

O. Keel, M. Küchler, Orte und Landschaften der Bibel 2, 1982, 805–817 · E. Lipínski, VT 23, 1973, 443–445. R. L.

Bethania
[1] (Βηθανία; ʿAnānyā, Neh 11,32, oder Bēt ʿAniyyā, »Armenhausen«). Dorf am SO-Abhang des Ölberges, 15 Stadien (Joh 11,18) oder 2 Meilen (Eus. On. 58) von Jerusalem (Siedlungsreste 5. Jh. v. – 14. Jh. n. Chr.). Ort der Salbung Jesu durch die Sünderin (Mk 14,3; Mt 26,6; Jo 12,1), Heimat von Maria und Marta und Ort der Auferweckung des Lazarus (Jo 11,1), daher spätant. Lazarion, h. al-ʿāzarīya, »Lazarus(dorf)«. Ein ihm zugeschriebenes Felskammergrab südöstl. des ant. Ortes ist schon vor 331 n. Chr. erwähnt (Eus. On. 58). Grabungen (1949–1953) führten südöstl. des Grabes auf eine dreischiffige Basilika [1] (erstmals belegt um 390 bei Hier. On. 59), die nach einem Erdbeben im 6. Jh. 13 m östl. der vorigen wiedererrichtet, im 12. Jh. renoviert und durch eine weitere Basilika über dem Grab ergänzt wurde. 1138–1187 bedeutende Benediktinerinnen-Abtei der niederlothringischen Dynastie.

1 J. S. Saller, Excavations at Bethany, 1957.

W. F. Albright, Excavations and Results at Tell el-Fûl, AASO 4, 1922/23 [1924], 158–160 · G. Kroll, Auf den Spuren Jesu, ¹⁰1988, 278–287 · D. Pringle, The Churches of the Crusader Kingdom of Jerusalem 1, 1993, 122–137. K. B.

[2] B. oder Bethabara (»Haus des Übergangs«) war Taufort des Johannes östl. des Jordan (Jo 1,28; 3,26), bisher nicht identifiziert.

F. M. Abel, Géographie de la Palestine I–II, 1933–38, Bd. 2, 264 f. K. Sa.

Bethel (hebr. bēt-ʾēl »Haus Els«).
[1] Ort im Gebirge Ephraim, urspr. Name Lūz (Gn 28,19; 35,6; 48,3; Jos 18,3; Ri 1,23) und mit h. bētīn identifiziert; 17 km nördl. von Jerusalem (vgl. Eus. On. 40,20 f.) an der Kreuzung der Straßen von Hebron nach Sichem und von Jericho zum Mittelmeer; mit einem bedeutenden Heiligtum verbunden, das einige wegen der Unterscheidung von der Stadt mit dem früheren Namen Lūz (in Gn 28,19; Jos 16,2) östlich in burǧ bētīn (mit röm.-byz. Resten) suchen. Die durch die neuzeitliche Bebauung stark behinderten und überdies schlecht dokumentierten Grabungen (1927–1960) erweisen eine (nicht kontinuierliche) Besiedlung seit Anfang des 2. Jt. v. Chr. [1]. Ein Tempel wurde bislang nicht gefunden.

Aus dem Namen schließen einige auf eine alte kanaanäische Kultstätte (»Haus Els«), die durch die Heiligtumsätiologie (Gn 28[10], 11–13a*, 16–19) israelitisiert und als Jahwe-Heiligtum legitimiert werde. In jedem Fall verleiht diese »Gründung« durch Jakob, den Eponym des Volkes, der nach dem Zerfall des davidischen Reiches unter Jerobeam I. (1 Kg 12,26–33) zum konkurrierenden Reichsheiligtum des Nordreichs (Am 7,10–13) erhobenen alten Kultstätte mit ihrem vom König restaurierten Kult Dignität. Der in B. mit dem Exodusgott (vgl. 1 Kg 12,28 mit Ex 32,4) Jahwe verbundene Jungstier (Nm 23,22; 24,8; Gn 49,24) steht ganz im Dienste einer Präsenztheologie. Erst Hosea greift im 8. Jh. das Stierbild als Exponent des Staatskultes an (s. ›der Jungstier Samarias‹ [!], Hos 8,5a; 6b; 10,1–2; 5*6a) und bedroht B. als Beth-Awän (›Haus des Frevels/Unheils‹, 4,15; 5,8; 10,5), was auch in Jos 7,2, 18,12, 1 Sam 13,5 und 14,23 auf keinen anderen Ort als B. zu beziehen ist. Das Heiligtum überlebte offenbar den Untergang des Nordreiches 722 v. Chr. (2 Kg 17,28). Der Bericht von seiner Zerstörung im Zusammenhang der Kultreformen unter Josia von Juda um 622 v. Chr. in 2 Kg 23,15–20 beruht weniger auf histor. Erinnerung als auf deuteronomistischer Programmatik. In achämenid. Zeit gehörte B. zur Provinz Juda. Unter den Seleukiden wurde die Stadt zur Festung ausgebaut (1 Makk 9,50). Vespasian und Hadrian nutzten B. als Garnisonstadt. In byz. Zeit (die große Kirche dient heute als Moschee) dehnte sich B. nach Osten aus. Die arab. Invasion beendete die Stadtgeschichte von B.
[2] Gottesname, der wohl als Hypostasierung der Präsenz → Els am Heiligtum zu deuten ist, so daß sich in

ihm der Aspekt des Anwohnens Els zu einer eigenen Gottheit verdichtet hat. Eine unmittelbare Verbindung des GN B. mit den → Baitylia ist nicht gegeben (s. auch die unterschiedene Terminologie in Sfire (KAI Nr. 223 C 3, 7, 9 f.: bty'lhy, was sich hier auf die Vertragsstelen als »beseelte Steine« bezieht). Der Gott B. erscheint erstmals im Vertrag Asarhaddons mit Baal von Tyrus (TUAT 1, 158 IV 6; [2. 25]) 677 v. Chr. als Ba-ja-ti-iĺ neben A-na-ti-[Ba-ja-ti-iĺ] und anderen phöniz. u. assyr. Göttern. Philo Byblios erwähnt ihn unter den vier Söhnen von → Uranos und → Gea in der zweiten Göttergeneration als → Baitylos neben Elus (El), Dagon (→ Dagan) und → Atlas (Eus. Pr. Ev. 1,10,16). Seit dem 6. Jh. v. Chr. begegnet B. häufig als theophores Element in PN. Inschriftl. ist er vor allem in Nord-Syrien bis ins 3. Jh. n. Chr. bezeugt. Während im AT lediglich Jer 48,13 auf ihn (neben Kamosch) anspielt (Gn 31,13 und 35,7 ist B. deutlich ON und wahrscheinlich verkürzte Schreibweise für *bbyt 'L*), berichten die Papyri aus der jüd. Militärkolonie → Elephantine von einem »Tempel Bethels« (neben denen für die Himmelskönigin und für Jahu) und kennen zahlreiche PN, die mit B. gebildet sind, sowie weitere Hypostasierungen wie Eschembethel (»Name/Anrufung B.s«), Anatbethel (»Erscheinung B.s« [3. 160]) und vielleicht auch Herembethel (»Weihung B.s«; anders [4. 282–5]).

1 W. F. ALBRIGHT, J. L. KELSO The Excavation of B., 1968 2 S. PARPOLA, K. WATANABE, Neo-Assyrian Treaties, 1988 3 H. GESE, Die Religionen Altsyriens, 1970 4 K. v. D. TOORN, Herem-Bethel and Elephantine Oath Procedure, ZATW 98, 1986, 282–285.

ZU B. [1]: E. BLUM, Die Komposition der Vätergesch., 1984, 7–60 · Z. KALLAI, Beth-El-Luz and Beth-Aven, in: Prophetie und gesch. Wirklichkeit, FS S. Herrmann, 1991, 171–188 · N. NA'AMAN, Beth-Aven, Bethel and Early Israelite Sanctuaries, ZDPV 103, 1987, 13–21 · H. SPIECKERMANN, Juda unter Assur in der Sargonidenzeit, 1982, bes. 112–119 · W. I. TOEWS, Monarchy and Religious Institutions in Israel under Jerobeam I, 1993. ZU B. [2]: M. KÖCKERT, Vätergott und Väterverheißungen, 1988, 78 f. (mit Lit.) · J. T. MILIK, Les papyrus araméens d'Hermoupolis, Biblica 48, 1967. M. K.

Bethlehem A. FRÜHGESCHICHTE
B. CHRISTLICH-BYZANTINISCHE ZEIT

A. FRÜHGESCHICHTE
(arab. *bait-laḥm*; Βητλέεμ (NT); Βαιτλεεμ (LXX); Βητλέμα; Βηθλεέμη (Ios.); hebr. *bēt-leem* »Haus des Brotes«); 8 km südl. von Jerusalem an der wichtigen Verkehrsverbindung Jerusalem-Hebron auf fruchtbarem Boden am Rande der Wüste gelegener Ort. Die Deutung des ON auf eine Göttin Lachama ist unwahrscheinlich [1]. Arch. seit der Eisenzeit nachgewiesen. B. war Heimat der Sippe Ephrat (1 Sam 17,12; Rt 1,2), aus der auch David stammt (1 Sam 17,5; 20,6, 28; Ps 132,6). Als bedeutsam hat sich die prophetische Verheißung Mi 5,1–3 erwiesen, die einen künftigen Herrscher ankündigt, der wie einst David aus diesem judäischen Landstädtchen kommen wird. Der aram. Targum deutet diesen Herrscher aus B. als den Messias (vgl. Mt 2,2–6; Joh 7,40–44).

Iust. Mart. apol. erwähnt erstmals eine Höhle als Geburtsort Jesu (dial. 78,6; vgl. Protev. Jak.; Orig. contra Celsum 1,51). In dieser Höhle wurde – vielleicht im Zusammenhang mit der Christenverfolgung unter Decius – ein Adoniskult (→ Adonis) etabliert (Hier. epist. 58,3).

1 E. LIPIŃSKI, VT 23, 1973, 443–445.

G. KROLL, Auf den Spuren Jesu, [10]1988 · O. KEEL, M. KÜCHLER, Orte und Landschaften der Bibel, 2, 1982, 611–638. M. K.

B. CHRISTLICH-BYZANTINISCHE ZEIT
Inwieweit die Lokalisierung der Geburt Jesu in B. durch Mt 2,1–18 und Lk 2,1–20 nur der Erfüllung der messianischen Prophezeiung Michas (5,1) diente, ist nicht eindeutig zu klären. Erstmals um 150 n. Chr. wird eine Höhle bei B. als Geburtsort genannt. Mitte des 3. Jh. ist B. als Wallfahrtsort belegt. Die Profanierung der Höhle durch eine Adonis-Kultstätte ist umstritten. Mit der Errichtung der Geburtsbasilika durch Kaiser Constantin entwickelte sich B. zu einem der zentralen christl. Wallfahrtsorte in Palästina. Ende des 4. Jh. gründete neben vielen anderen Hieronymus in B. sein Kloster. Wohl in der 2. H. des 5. Jh. erhielt die Geburtsbasilika ihre im wesentlichen bis heute erhaltene Gestalt.
→ Constantinus (Kaiser); Helena (Mutter des Constantinus)

R. E. BROWN, The Birth of the Messiah, 1985 · O. KEEL, M. KÜCHLER, Orte und Landschaften der Bibel 2, 1982, 606–650. · G. KÜHNEL, Die Konzilsdarstellungen in der Geburtskirche in B., in: BZ 86/87, 1993/94, 86–107 · P. WELTEN, B. und die Klage um Adonis, in: ZDPV 99, 1983, 189–203. J. P.

Bethsaida (aram. *bēt ṣajdā*, »Haus des Fanges« oder »der Beute«). Ort in der Gaulanitis (→ Batanaia) am See Genezareth (in der h. Ebene *el-ibteḥa*) östl. der Einmündung des Jordan; vom Tetrarchen → Herodes Philippus 3 v. Chr. zur Stadt ausgebaut und nach Augustus' Tochter *Iulias* genannt (Ios. ant. 18,2,1; bell. 2,9,1; wohl nur das 2 km landeinwärts gelegene h. *et-tell*), doch in allen vier Evangelien weiter mit aram. Namen erwähnt (wohl nur die Fischersiedlung am See, h. *ḥirbet el-'araġ*). B./Iulias wurde aber wohl wenig später wieder umbenannt, da Augustus seine Tochter wegen ihres Lebenswandels verbannt hatte. Der Ort wurde von Nero dem Königreich → Herodes Agrippas II. zugeteilt (Ios. ant. 20,8,4; bell. 2,13,2), wohl im 7. Jh. zerstört, gelegentlich von Beduinen wiederbesiedelt.

H. W. HERTZBERG, s. v. B., RGG[3] 1, 1957, 1098 · M. S. ENSLIN, s. v. B., Biblisch-Histor. HWB 1, 1976, 234 · C. KOPP, Die heiligen Stätten der Evangelien, 1959, 230–243 · D. BALDI, Liber annus 10, 1959/60, 120–146 ·

J. O'Hara, Scripture 15, 1963, 24–27 · G. Kroll, Auf den Spuren Jesu, ¹⁰1988, 282–284.   C.C.

Betriacum. *Vicus* (»Dorfsiedlung«; Tac. hist. 2,23: *Bedriacum*; Iuv. 2,106: *Bebriacum*) in der Transpadana, etwas westl. vom Ollius, wo oberhalb der Clasis einmündet, an der *via Postumia* (zw. Cremona und Mantua), bei Calvatone (Prov. Cremona). 69 n. Chr. fanden hier zwei Schlachten statt, zw. Otho und Vitellius bzw. Vitellius und Antonius Primus (Vespasianus). Arch. Funde: Mz., Terra sigillata, sonstige Keramik, Amphoren.

G. M. Facchini, Calvatone romana, in: Acme 13, 1991 · A. M. Rossi Aldrovandi, Le operazioni militari lungo il Po nel 69 d. C., 1983 · P. L. Tozzi, Storia Padana antica, 1972.   G. SU.

Bett s. Kline

Bettelei, Bettler. Das Phänomen der Bettelei (πτωχεία, *ptōcheía*, lat. *mendicitas*, selten *mendicatio*) findet sich in der Ant. nur sporadisch dokumentiert und kaum ökonomisch oder gesellschaftlich analysiert. In der Regel verschwindet B. zudem hinter einer undifferenzierten Begrifflichkeit und Konzeption von → Armut. Nur selten läßt sich B. daher als bitterste und zudem sozial stigmatisierte Form der Armut klar fassen. Doch ist klar, daß Zeitgenossen das entscheidende Merkmal der B. bewußt war: das vollständige Ausgeliefertsein einer individuellen Person bzw. einer Familie vom Ermessen und der Unterstützung anderer angesichts eigener Mittellosigkeit und des Fehlens einer minimalen Lebensgrundlage in Form von meist kleinbäuerlicher oder handwerklicher Arbeit. B. bezeichnet also eine konkrete Existenz- und Erwerbsweise, der Begriff dient daneben aber auch oft zur Kennzeichnung extremer Armut.

Bereits Homer beschreibt im Rahmen der Erzählung der Rückkehr des Odysseus nach Ithaka das soziale Phänomen der B. und bietet den einschlägigen griech. Begriff, πτωχός, *ptōchós* (daneben auch δέκτης, *déktēs*, Od. 4,248, und προίκτης, *proíktēs*, 17,352; 449), der als Bittender und Bettler, zudem auch als Vagabundierender (ἀλήμων, *alḗmōn*, 19,74; 17,376; später: ἀλήτης, *alḗtēs*) gekennzeichnet wird. Ökonomische und soziale Differenzierung spiegeln sich im πτωχός, der auch Gelegenheitsarbeiten annimmt (18,7), als Seßhafter in der lokalen Gesellschaft integriert (18,1 ff.), in Stadt und Land aktiv ist (17,10 ff.) oder als Heimatloser und Fremder herumzieht. Heimat-, Wohnsitz- und Besitzlosigkeit galten zusammen mit Fremdheit, Hunger und Not als Kennzeichen des B.s.

Auf eine weite Verbreitung der B. in der archa. Welt verweisen Hesiod und Tyrtaios. Als zwangsläufiges Los des Arbeitsscheuen verkörpert sie für Hesiod das Abgleiten aus der hart erarbeiteten Subsistenz und Armut des Kleinbauern (erg. 299 ff.; 395 ff.; 496 f.), während Tyrtaios (10,3 West) sie als Konsequenz des Verlustes von Vaterland, Stadt und Landlos in Folge von Bürgerkrieg und Verbannung beklagt und B. mit völliger Zerstörung der eigenen sozialen und ökonomischen Existenz und Identität gleichsetzt. Bevölkerungswachstum, Agrarkrise und Schuldknechtschaft (vgl. Sol. 3,23–25) sowie → Staseis dürften in großem Maßstab B. verursacht haben. Die präzisen Zusammenhänge zwischen demographischen und wirtschaftlichen Prozessen und der Zunahme von B. lassen sich aber wie in anderen Epochen mangels Quellen kaum belegen.

Wenig zahlreich sind Belege für B. in der klass. Zeit, doch lassen Äußerungen von Aristoph. (Plut. 535 ff.) mit detailreicher Schilderung einer Bettlerexistenz eine gewisse Kanonisierung zugleich die allg. Wahrnehmung und Verbreitung von B. und ihrer äußeren Merkmale (spezielle Kopfbedeckung, Bettelstab etc.) selbst im prosperierenden Athen erkennen; eine Komödie *Ptochoi* des Chionides ist verloren (Athen. 3,119e u. ö.). Nicht zuletzt die Vertreter der freiwilligen B., die Kyniker (→ Kynische Schule), vermochten später auf diese Attribute zurückzugreifen und sie weiter zu popularisieren. Auch in der polit. Theorie Platons (rep. 550d–552e) spielt B. unter den sozial und polit. relevanten Folgen der Oligarchie eine markante Rolle. Platons Äußerungen spiegeln zugleich die allgemeingriech., moralisch konnotierte Verachtung von B. als eines selbstverantworteten, auf eigener Untätigkeit beruhenden Schicksals (Thuk. 2,40,1). Wachsende innenpolit. Spannungen und wirtschaftliche Probleme, die rapide Zunahme des Söldnerwesens machen einen generellen Anstieg der B. im 4. Jh. wahrscheinlich (Isokr. or. 7,83); für die folgenden Jh. fehlen Zeugnisse.

Das (einzige) lat. Wort für B., *mendicus*, bezeichnet (ähnlich *pauper*; vgl. Cic. fin. 5,84) oft nur den extrem Armen, während *mendicare* immer Betteln meint. Das Wortfeld ist in der republikanischen Lit. aber selten und erlaubt keine Rückschlüsse auf die histor. Realität. Verarmungsprozesse als Folge ständiger Kriegführung, das rapide Wachstum der Stadt Rom etc. legen bereits soziale Zustände nahe, wie sie Autoren des frühen Principats dokumentieren, die B. als alltägliche Erscheinung in Rom schildern (Hor. epist. 1,17,48 ff.; Sen. de vita beata 25,1; Mart. 4,53; 10,5; 12,32; Iuv. 3,13 ff.; 4,117; 5, 6 ff.; 14,299 ff.). So lassen sich Strukturen von B. ansatzweise fassen: etwa B.-Kolonien wie auf der Sulpicius-Brücke (Sen. de vita beata 25,1; vgl. Iuv. 5,6 ff.) oder bei Aricia an der Via Appia (Iuv. 4,117 f.) und generell das Auftreten von B. an belebten Orten und Wegen.

Erst die spätant. Quellen, vor allem die Kirchenväter, schenken Obdachlosen und B. und deren erbarmungswürdigen Lebensbedingungen mehr Aufmerksamkeit (Greg. Naz. or. 14,16 f.). Alte, Kranke, Behinderte, Witwen und Waisen werden als die Gruppen erkannt, die auf B. angewiesen sind. Erstmals wird Notleidenden nun nicht nur individuelle Wohltätigkeit (→ Almosen), sondern institutionell gewährt: Kirchen und Klöster widmen sich vor allem Witwen, Waisen, Armen und Bettlern, die registriert und regelmäßig unterstützt werden können. Kircheneingänge u. ä. werden neben Marktplätzen zu bevorzugten Aufenthaltsorten von B. Auch die Gesetzgebung nimmt sich der B. an: Iustinian verbot gesunden und arbeitsfähigen Männern das Betteln (Cod.Iust. 11,26,1) und bezeugt die Attraktivität (und Ordnungsbedürftigkeit) von B. in der Hauptstadt. Auf dem Land ziehen Klöster B., oft durch Mißernten und Hungersnöte entwurzelte Bauern, an. Trotz steter Propagierung christl. *caritas* bleibt die Verachtung der B. aber bestehen (Ioh. Chrys. hom. in Mt 48,6f.).

→ Almosen; Armut; Witwen; Waisen

1 H. BOLKESTEIN, Wohltätigkeit und Armenpflege im vorchristl. Alt., 1939, 202–210, 339f. 2 A.R. HANDS, Charities and Social Aid in Greece and Rome, 1968, 62–68, 78f. 3 H. KLOFT, Gedanken zum Ptochós, in: I. WEILER (Hrsg.), Soziale Randgruppen und Außenseiter im Alt., 1988, 81–106 4 J.-U. KRAUSE, Witwen und Waisen im röm. Reich II: Wirtschaftliche und gesellschaftliche Stellung von Witwen, 1994, 161–173 5 E. PATLAGEAN, Pauvreté économique et pauvreté sociale à Byzance 4ᵉ–7ᵉ siècles, 1977, 25–33. 55. 132. 191–193.   J.H.

Bevölkerung, Bevölkerungsgeschichte

A. FORSCHUNGSGEGENSTAND UND METHODE
B. ZEUGNISSE C. ANTIKE SICHT DER
BEVÖLKERUNGSENTWICKLUNG
D. BEVÖLKERUNGSSTATISTIK
E. DEMOGRAPHISCHE FAKTOREN
F. ALTER ORIENT

A. FORSCHUNGSGEGENSTAND UND METHODE

Gegenstand der B.s-Geschichte ist die Beschreibung und Erklärung von Strukturen und Entwicklungen von (ant.) B. in ihrem Verhältnis zum Lebensraum. Ausgehend von qualitativ und/oder quantitativ auswertbaren, aber nicht unproblematischen ant. Zeugnissen sowie unter Berücksichtigung moderner Modellsterbetafeln und ethnologischen Vergleichmaterials hat die B.s-Geschichte der Ant. bislang vor allem die ant. Sicht der B.s-Entwicklung, die zahlenmäßige Größe der ant. B. (zu einem bestimmten Zeitpunkt oder in einem bestimmten Zeitraum), die Alters- und Geschlechtsstrukturen ant. B. sowie bestimmte Determinanten der B.s-Entwicklung wie Lebenserwartung, Heiratsverhalten, Fertilität und Migration untersucht. Sie greift dabei auf die Erkenntnisse von Nachbarwissenschaften wie der histor. Demographie anderer Epochen, der Archäologie, Anthropologie, Kulturgeographie und von althistor. Teildisziplinen wie der Sozial-, Ernährungs-, Wirtschafts- und Medizingesch. sowie der Epigraphik und der Papyrologie zurück. Dabei wird bedacht, daß es natürliche, unbeeinflußbare sowie beeinflußbare Determinanten der B.s-Entwicklung gibt und daß die miteinander vernetzten Determinanten zugleich Ursache und Folge einer solchen Entwicklung sein können.

B. ZEUGNISSE

Die Auswertung der verschiedenen Arten bevölkerungsgesch. Zeugnisse steht vor grundsätzlichen wie auch für die Disziplin spezifischen Problemen: Überlieferungsausfall und -zufall stellen zunächst die Frage nach der Repräsentativität des vorhandenen Materials. Weiterhin ist zu beachten, daß die uns erhaltenen Zeugnisse nur selten zu primär bevölkerungsstatistischen, vielmehr in erster Linie zu fiskalischen juristischen, mil., administrativen und wirtschaftsorganisatorischen Zwecken erstellt wurden. Das überlieferte Zahlenmaterial ist zugleich auf seine Verläßlichkeit bzw. mögliche Toposhaftigkeit hin zu untersuchen. Dies gilt in bes. Maße für die lit. Überlieferung, die häufig genug in sich widersprüchlich, stereotyp oder zufällig und zugleich von der Erzähl- oder Überlieferungsabsicht des Autors abhängig ist. *Rechtsquellen* halten wenige Informationen (etwa zum Rechts- und Handlungsfähigkeitsalter von Personen) bereit, bilden als praeskriptive Zeugnisse jedoch nicht Wirklichkeit ab, sondern versuchen sie zu bestimmen oder zu beeinflussen. Forschungsgesch. bedeutsam wurde bes. ein Ulpian-Fragment (Dig. 35,2,68 pr.), das die ant. Berechnung von zu erwartender Erbschaftssteuer betrifft; dabei soll damals bei einem Lebensalter von 20–24 Jahren eine weitere Lebenserwartung von 28, bei einem Alter von 25–29 Jahren eine solche von 25 Jahren unterstellt worden sein. Die aufgrund der von Ulpian gegebenen Zahlen erstellte Sterbetafel [10;11] ist auf methodische Kritik gestoßen [26. 13–15], doch sind die Übereinstimmungen mit den ägypt. Haushaltsdeklarationen und modernen Modellsterbetafeln so weitreichend, daß ihre Worte der ant. Realität nahekommen dürften. Inschr. (vor allem Grabinschr.) liefern eine Fülle von bevökerungsgesch. interessanten Daten, bieten aber kein statistisch zuverlässiges »Sample«, da sie Informationen nur zu der von ihnen verfaßten, nicht jedoch zu den damals tatsächlich existierenden B. bereithalten. Auswertungsprobleme ergeben sich vor allem aufgrund alters-, schicht- und geschlechtsspezifischer sowie geogr. (regional, Stadt-Land) und zeitlicher Verzerrungen im Datenmaterial [26. 15–18; 14; 21. 5–19] sowie der Ungenauigkeit von Altersangaben (bedingt durch Auf- und Abrundung, Übertreibung, Unkenntnis und geringes Interesse an Exaktheit) [8. 79–93]. Arch.-topograph. Beobachtungen (Siedlungsareale und Territoriumsgrößen als Versorgungsbasis, Größe des Kanalisationsnetzes, Sitzkapazität von Theatern u. a. mehr) erlauben nur ganz bedingt Schlüsse auf B.s-Größen, weil nur selten flächendeckende Surveys möglich sind und die Wohnbebauung und die Zahl der Bewohner nicht befriedigend rekonstruiert werden können. Die Zuverlässigkeit des anthropologischen Materials (vor allem von Skelettbefunden) ist für die Ziele der B.s-Geschichte durch seinen geringen Umfang, die mangelnde alters- und geschlechtsspezifische Repräsentativität, den Erhaltungsgrad der Knochen und die aus ihm resultierende Variabilität der bestimmenden Alters- und Geschlechtsmerkmale eingeschränkt [26. 18–19; 21. 41–58]. Daten auf Papyrus aus Ägypten (etwa auf Steuerquittungen und vor allem in Haushaltsdeklarationen, eingereicht beim alle 14 Jahre stattfindenden Provinzialcensus [1] bieten, trotz ihrer regionalen Spezifität und des Umstandes, daß bestimmte Personengruppen über- bzw. unterrepräsentiert sind, wohl das beste ant. demographische Material, allerdings allein auch keine hinreichend zuverlässige Grundlage für die Erstellung etwa einer Alterspyramide [26. 19–20; 18. 16–17]. In den letzten Jahren sind zunehmend modellhafte Sterbetafeln bedeutsam geworden, die, ausgehend von modernen Vorbildern, auf der Basis demographisch-mathematischer Prämissen erstellt wurden [6]. Dabei wird gefordert, mit ihrer Hilfe den Aussagewert des ant. Materials zu bestimmen [21. 67–90].

C. Antike Sicht der Bevölkerungsentwicklung

Nur sehr begrenzt mit den modernen Überlegungen zur Regulation, Manipulation und Bewertung von B.s-Quantität und -Qualität vergleichbar ist das demographische Bewußtsein der Antike. Immerhin gab es schon damals sowohl gesetzliche Maßnahmen als auch Denkmodelle zur Regulation eines (z.T. nur schichtenspezifischen) B.s-Überschusses bzw. -Defizits. Auch der Zusammenhang von Populationsgröße und Geburtenkontrolle wurde klar erkannt. Die philos. Konzepte etwa von Platon oder Aristoteles und die bevölkerungsspolit. Maßnahmen von Gesetzgebern wie Augustus orientieren sich in erster Linie an der *utilitas publica*, d.h. sie haben die demographische, polit. und/oder »moralische« Stabilität, die wirtschaftliche Prosperität und die Stärkung der mil. Stärke eines Gemeinwesens zum Ziel.

D. Bevölkerungsstatistik

a) Amtliche Erhebungen zur Feststellung der Zahl der wehrfähigen Bürger und der Steuerkraft sowie zur Festlegung oder Abgrenzung der Bürgerschaft und des Kreises von Empfangsberechtigten öffentlicher oder privater Versorgungsleistungen und Geschenke gehörten auch in der Ant. zur politischen Praxis. So wurden etwa im Athen der klassischen Zeit von den → Phratrien eine Geburts- und Adoptionsmatrikel von Bürgerkindern, von den Demen die Bürgerliste des Demos und ein Verzeichnis der zur Volksversammlung zugelassenen Demenmitgliedern, von der Polis zentral der κατάλογος (*katálogos*) der Wehrpflichtigen geführt, aus dem hell. und röm. Ägypten besitzen wir zahlreiche Besitz- und Personenstandsanzeigen, wir kennen ferner aus Rom die Pflicht zur Deklarierung von Geburten und Sterbefällen (*acta urbis*), das Verfahren und auch Daten der → Censusqualifikation sowie des ägyptischen Provinzialcensus und der diokletianischen Steuerreform mit der Neuveranlagung im 15-jährigen Zyklus. Erhalten ist jedoch nur eine geringe Zahl solcher Aufstellungen, und jede für sich besitzt ihre eigenen überlieferungsspezifischen und histor. Probleme, wie etwa die Erklärungsversuche zum »Sprung« in den röm. Censuszahlen von 70/69 v. Chr. (letzter republikanischer Census) und 28 v. Chr. (Census unter Augustus) beweisen.

b) Es verwundert nach dem bisher Gesagten nicht mehr, daß moderne B.s-Berechnungen trotz des Zugriffs auf solche Verzeichnisse und auf ant. Angaben zur Größe von Siedlungsarealen, zum Ausmaß von Nahrungsmittelproduktion, -beschaffung und -konsum sowie zu Mannschaftsstärken und Frumentar- und Donativempfängerkreisen und trotz ihrer Koppelung mit epigraphischem, arch. und modernem statistischem Material nicht mehr als grobe Schätzungen und demographische Anhaltspunkte sein können. Nicht umsonst schwanken denn auch etwa Berechnungen der Zahl männlicher erwachsener Bürger im Athen des späten 4. Jh. v. Chr. zwischen 21000 und mindestens 30000 [13. 91–95], der Bewohner des augusteischen Rom zwischen 750000 und 2 Millionen ([16. 448–457]; weitere B.s-Schätzungen: [2; 23; 14.50–107; 5; 7. 259–287]).

c) B.s-Wachstum und -Verluste: Für Griechenland wird allg. ein deutlicher B.s-Zuwachs in archa. Zeit postuliert, und es hat den Anschein, als ob es insgesamt zumindest bis ins 4. Jh. v. Chr. immer noch als übervölkert zu gelten hat, wobei sich die B.s-Zunahme in den Gebieten des Westens und Nordens und die Stagnation und der B.s-Rückgang in den eigentlichen Polisgebieten einigermaßen kompensiert haben dürften. Durch die Censuslisten erweist sich, daß die Zahlen der röm. Bürger bis zum Ende der republikanischen Zeit deutlich anstiegen, wobei dieser Anstieg allerdings vor allem »künstlich«, durch die zunehmende Gewährung des Bürgerrechtes an Nicht-Römer und Freigelassene, erzielt wurde. – Es sind kaum mehr als allg. Überlegungen, die vermuten lassen, daß, bei allen regionalen Schwankungen, die B. des Imperium Romanum in den ersten beiden Jh. der Kaiserzeit in einem labilen Gleichgewicht von Geburten und Todesfällen, Einbürgerungen und Verlusten durch Kriege und Epidemien gestanden hat; einen geringen, aber dennoch erkennbaren B.s-Zuwachs hat man dabei für die vor der röm. Eroberung eher dünn besiedelten westl. Prov. postuliert [22. 49, 57], einen ebensolchen auch für Ägypten bis zur »Pest«- (Pocken?-)Epidemie von 165/66 n. Chr. [1. 173–178]). – Die These, B.s-Schwund und Menschenmangel aufgrund von Kriegsverlusten, Seuchen etc. seien für die Krise des 3. Jh. in entscheidendem Maße ursächlich gewesen [3], ist zu Recht zurückgewiesen worden, doch bleibt zu fragen, ob eine regressive B.s-Entwicklung (zumindest in Teilen des Reiches) nicht zumindest Kennzeichen (und Determinante) dieser »Krise« gewesen sein kann [30]. Weder Sklavenmangel noch ein allg. B.s-Rückgang können als Beleg für einen stetigen Niedergang der röm. Wirtschaft vom 3.–5. Jh. n. Chr. dienen, wie erst jüngst wieder betont worden ist: Sowohl die Schrumpfung der Städte als auch der Rückgang des bebauten Landes können ebensogut mit Strukturveränderungen im Siedlungs- und Landwirtschaftsbereich erklärt werden [19. 64, 182].

E. Demographische Faktoren

Befinden sich datengestützte Unt. für Griechenland noch in den Anfängen (vgl. aber [24; 12]), so gilt dies nicht für die röm. Welt. 1. Trotz der allen ant. Zeugnissen bzw. ihren modernen Bearbeitungen innewohnenden Unsicherheiten kann kein Zweifel daran bestehen, daß vor allem aufgrund hoher Säuglings- und Kindersterblichkeit die durchschnittliche Lebenserwartung ant. Menschen bei der Geburt nicht mehr als 20–30 Jahre betragen haben kann. Als Hauptursachen für die hohen Sterblichkeitsraten werden epidemische Krankheiten oder/sowie falsche und ungenügende Ernährung angesehen. – 2. Das Alter einer Person bei ihrer (ersten) Heirat bestimmt die Zeitspanne ehelicher, legitimer Fertilität (die die weit überwiegende Form ant. Fertilität gewesen ist), ist zugleich aber auch, zusammen mit Mortalität und Fertilität, bedeutsam für die Rekonstruktion von Familienzyklen und Haushaltszusammensetzungen. Fehlen im Bereich der griech. Geschichte demographisch zuverlässige Unt. bis heute, so hatten Auswertungen von (vorchristl.-) röm. Inschr., die das Heiratsalter errechnen lassen, ein durchschnittliches Heiratsalter bei Frauen von 15 und bei Männern von 23–24 Jahren nahegelegt [15]. Neuerdings hat man versucht, aus dem Wechsel von Inschriftendedikanten (von Eltern und älteren Verwandten auf Ehepartner und Kinder) Rückschlüsse auf das Heiratsalter zu ziehen: Auf der Basis der dadurch deutlich erweiterten und auch regional spezifizierten Zeugnismenge hat man für Nichtoberschichtangehörige ein etwas höheres Heiratsalter von Frau und Mann (»late teens« bzw. Ende 20) postuliert [25; 27]; allerdings sind gegen dieses Verfahren bzw. seine Ergebnisse methodische Bedenken erhoben worden ([18. 28–29; 20; 9. 205] vgl. aber [26. 25–41]). – 3. Eine größere Zahl von Ehen in der röm. Ant. wurde durch den Tod des Mannes als den der Frau beendet, oft zu einem Zeitpunkt, als die Ehefrau noch jung war und kleine Kinder hatte. Bei allen Hinweisen auf eine Wiederheirat sowohl von Witwern als auch von Witwen (die durch Gesetze, etwa zur Zeit des Augustus, ja zuweilen auch gefordert wurde), sprechen unsere Zeugnisse doch dafür, daß ältere (über 30–35 Jahre) und unvermögende Witwen sowie solche mit Kindern nur geringe Chancen auf Wiederheirat besaßen [8]. – 4. Demographische Berechnungen haben ergeben, daß in der Antike zur Sicherung eines B.s-Gleichgewichtes ohne Zuzug von außen bei einer durchschnittlichen Lebenserwartung von ca. 25 Jahren jede Frau im gebärfähigen Alter durchschnittlich fünf Kinder zur Welt hätte bringen müssen; ein nur geringfügiges Unterschreiten dieses Wertes hätte weitreichende Folgen für die Entwicklung einer B. gehabt [26. 27; 21. 86–88]. Ein frühes Heiratsalter von Frauen zog in der Ant. eine relativ hohe weibliche Fertilität zu einem frühen Zeitpunkt nach sich; das Fertilitätsniveau insgesamt wurde dagegen durch die »Beschränkung« der Wiederheirat gesenkt. Die geringe durchschnittliche Lebenserwartung ant. Menschen und das relativ hohe Heiratsalter

von Männern (bzw. der Altersunterschied von Mann und Frau bei ihrer Eheschließung) sind nicht nur bedeutsam für die Rekonstruktion von Familienzyklen und Haushaltszusammensetzungen, sondern auch für die Bewertung des Verhältnisses von Haushaltungsvorstand und den seiner »Gewalt« unterworfenen Personen. U. a. mit demographischen Modellen lassen sich etwa das ältere irreführende Bild vom Generationskonflikt zwischen dem autoritären und alles bestimmenden *pater familias* und seinen (erwachsenen) Kindern korrigieren und neue Einsichten in familiäre Beziehungsgeflechte und Vermögenssicherungsstrategien gewinnen [26]. – 5. Im Bereich der Forsch. zur Migration, dem neben Mortalität und Fertilität wichtigsten demographischen Faktor, steht die Althistorie erst am Anfang. Bei ant. zielgerichteten Wohnsitzveränderungen über Grenzen (einer Gemeinde, einer Region, einer Prov., eines Staates) hinweg stellen sich die Fragen nach a) den Motiven der Migranten sowie Ursachen und Anlässen ihrer Wanderung, b) dem Vorgang selbst und c) seinen Folgen (für die Migranten und die sie abgebenden bzw. aufnehmenden B.). »Klassische« Studien dieser Art sind zur »griech. Kolonisation«, zur ägypt. Binnenwanderung [4; 1. 160–169], zu den »Griechen in Persien«, zur Siedlungspolitik Alexanders und seiner Nachfolger, zur regionalen Mobilität im kaiserzeitlichen Gallien [31] oder etwa zu bestimmten Gruppen von Deportierten vorgelegt worden, allerdings häufig ohne Einordnung in demographische Zusammenhänge. Aufs ganze gesehen hatten Migrationen über kürzere Entfernungen Auswirkungen auf das demographische Profil ant. B., bedingt nicht zuletzt durch die ›relative Immobilität einer vornehmlich agrarisch tätigen Bevölkerung‹ [29. 33].

1 R. S. Bagnall, B. W. Frier, The Demography of Roman Egypt, 1994 2 J. Beloch, Die B. der griech.-röm. Welt, 1886 3 A. E. R. Boak, Manpower shortage and the Fail of the Roman Empire in the West, 1955 4 H. Braunert, Die Binnenwanderung, 1964 5 Brunt 6 A. J. Coale, P. Demeney, B. Vaughan, Regional model Life Tables and Stable Populations, ²1983 7 Duncan-Jones, Economy 8 Duncan-Jones, Structure 9 J. K. Evans, War, Women and Children in Ancient Rome, 1991 10 B. W. Frier, Roman Life Expectancy: Ulpian's Evidence, in: HSPh 86, 1982, 213–251 11 Ders., Statistics and Roman Society, in: JRA 5, 1992, 286–290 12 T. W. Gallant, Risk and Survival in Ancient Greece, 1991 13 M. H. Hansen, Die athenische Demokratie im Zeitalter des Demosthenes, 1995 14 K. Hopkins, Graveyards for Historians, in: F. Hinard (Hrsg.) La mort, les morts et l'au-delà dans le monde romain, 1987, 113–126 15 K. Hopkins, The Age of Roman Girls at Marriage, in: Population Studies 18, 1965, 309–327 16 F. Kolb, Rom. Die Gesch. der Stadt in der Ant., 1995 17 J. U. Krause, Die Familie und weitere anthropologische Grundlagen, 1992 (Bibliographie) 18 Ders., Witwen und Waisen im röm. Reich, I: Verwitwung und Wiederverheiratung, 1994 – 19 J. Martin, Spätant. und Völkerwanderung, ³1995 20 P. Morizo, L'age au mariage des jeunes Romaines à Rome et en Afrique, in: CRAI 1989, 656–668 21 T. G. Parkin, Demography and Roman

Society, 1992 **22** H. W. PLEKET, Wirtschaft, in:
F. VITTINGHOFF (Hrsg.), Europ. Wirtschafts- und Sozial-
gesch. in der röm. Kaiserzeit, 1990, 25–162
23 E. RUSCHENBUSCH, Unt. zu Staat und Politik in
Griechenland vom 7.–4. Jh. v. Chr., 1978 **24** R. SALLARES,
The Ecology of the Ancient Greek World, 1991 **25** R. P.
SALLER, Men's Age at Marriage and Its Consequences in the
Roman Family, in: CPh 82, 1987, 21–34 **26** Ders., Patri-
archy, Property and Death in the Roman Family, 1994
27 P. D. SHAW, The Age of Roman Girls at Marriage. Some
Reconsiderations, in: JRS 77, 1987, 30–46 **28** W. SUDER,
Census Populi. Bibliographie de la démographie de
l'Antiquité romaine, 1988 **29** F. VITTINGHOFF,
Demographische Rahmenbedingungen, in: Ders. (Hrsg.),
Europ. Wirtschafts- und Sozialgesch. in der röm. Kaiserzeit,
1990, 20–24 **30** L. WIERSCHOWSKI, Die histor.
Demographie – ein Schlüssel zur Gesch.?, in: Klio 76, 1994,
355–380 **31** Ders., Die regionale Mobilität in Gallien nach
den Inschr. des 1. bis 3. Jh. n. Chr., 1995.   J. W.

F. ALTER ORIENT

Auch in den altorient. Quellen finden sich Angaben über Bevölkerungszahlen in der Regel im Zusammenhang mit administrativen Zwecken (Abgaben,
Konskription usw.). Sie erfassen daher nur Teile der jeweiligen Bevölkerung. Für Mesopotamien sowie für
Ägypten hat man versucht, die Einwohnerzahl von
dörflichen und städtischen Siedlungen auf der Basis ihrer flächenmäßigen Ausdehnung und der Bebauungs-
bzw. Bewohnungsdichte (oft auf moderne ethnologi-
sche Daten gestützt) zu bestimmen. Das hat zu stark
divergierenden Ergebnissen geführt, die zw. 100, 200,
250 bis zu 1200 Einwohner/ha schwanken [1. 85f.;
2. 269; 3]. Wenn – und dies geschieht verschiedentlich –
diese Bevölkerungsdichte für die gesamte Siedlungsflä-
che einer städtischen Siedlung zugrunde gelegt wird,
ergeben sich Einwohnerzahlen, die weit über das hinausgehen, was das Einzugsgebiet einer solchen Siedlung
zu versorgen imstande war. Denn die Versorgung der
Bevölkerung beruhte grundsätzlich auf den Erträgen des
von ihr bewohnten Gebietes. Umfangreiche Getreidelieferungen aus anderen Gebieten – wie im Falle von
Athen, Rom und Byzanz – hat es nur in Ausnahmefällen
gegeben. Für das landwirtschaftlich intensiv bewirtschaftete südliche Mesopotamien lassen sich aufgrund
von Siedlungssurveys klar abgrenzbare regionale Einheiten bestimmen. Urkunden vom Ende des 3. und frühen 2. Jt. enthalten präzise Daten über Erträge (maximal
715 kg Gerste/ha) und dietarische Mindestbedürfnisse
(ca. 1 kg Gerste pro Tag für einen erwachsenen Mann).
Auf dieser Basis lassen sich – unter Außerachtlassen von
nicht nutzbaren Flächen – Maximaldaten für Ernteer-
träge eines bestimmten Gebietes und der damit ernähr-
baren Menschen (nach Abzug der für Saatgut und Viehfutter zurückbehaltenen Mengen) errechnen – ca.
25000 Menschen im ca. 310 km² großen Gebiet von
Uruk [4].

1 R. McC. ADAMS, Heartland of Cities, 1981, **2** B. KEMP,
Ancient Egypt, 1989 **3** N. POSTGATE, How Many
Sumerians per Hectar?, Cambridge Archaeological Journey

4, 1994, 47–65 **4** J. RENGER, Landwirtschaftliche
Nutzfläche, Einwohnerzahl und Herdengröße,
Mesopotamian History and Environment, Occas. Publ. 2,
1994, 251–254 (mit Lit.).   J. RE.

Bevölkerungsdichte s. Bevölkerung

Bevölkerungsstatistik s. Bevölkerung

Bewässerung I. VORDERER ORIENT UND ÄGYPTEN
II. GRIECHENLAND UND ROM

I. VORDERER ORIENT UND ÄGYPTEN

Bewässerung meint die künstliche Zufuhr von Wasser auf Feldflächen zur Ermöglichung bzw. Intensivierung des Pflanzenwuchses. Sie unterstützt den Anbau in
Gebieten des Regenfeldbaus (nachweislich bereits im 5.
Jt. v. Chr. in Westiran), hat ihre bes. Bed. jedoch dort,
wo sie Gebiete erst nutzbar macht, die nie von genügend Regen erreicht werden, wie das Niltal sowie die
mittleren bis unteren Bereiche von Euphrat und Tigris.
Bei der B. wird meist die ganze zu bewässernde Fläche
durch Überstauung unter Wasser gesetzt, so daß nicht
nur der Boden durchfeuchtet, sondern auch der Grund-
wasserspiegel erhöht wird. Grundlage der B. sind neben
den großen Flüssen auch Quellen und Bergbäche.
Wichtig ist die Abführung des überschüssigen Wassers,
um die Salze zu entfernen, die sich im Stauwasser durch
die Verdunstung anreichern und ohne Abführung auf
der Oberfläche verbleiben würden. Neben der Stau-B.
wird aus Rückhaltebecken und Brunnen sowie aus
Flüssen ganzjährig Wasser zur B. der Gartenflächen eingesetzt.

A. VORDERER ORIENT

Neben der Hang-B., bei der in bergigen Gebieten
Wasser der Bergbäche aus parallel zum Hang verlaufenden Kanäle die Hangflächen berieselt, ist für den Vorderen Orient die B. mit Hilfe weitreichender Kanalsy-
steme (→ Kanal) charakteristisch. Das dabei verwandte
»dendritische« Muster, bei dem das Wasser über immer
kleinere Kanäle auf die Felder geleitet wird, birgt die
Gefahr der Versalzung des Bodens, da es auf möglichst
vollständige Nutzung des Wassers angelegt ist. Eine Entwässerung wäre nur durch ein komplementäres System
von Kanälen erreichbar, worauf keine Hinweise existieren. Die Versalzung ist daher eines der größten Probleme im Vorderen Orient, insbesondere für Babylonien. Eine Besonderheit im anatolisch-iran. Raum stellt
die B. mit Hilfe sog. Qanate dar, die in einem Berghang
eine wasserführende Schicht anzapfen, das Wasser in
einem unterirdischen Kanal bis weit in die Ebene führen
und erst dort größere Feldflächen bewässern.

B. ÄGYPTEN

Abgesehen von den Oasen ist der → Nil die Hauptquelle der B. Die regelmäßigen, großflächigen Überschwemmungen bewirken nicht nur eine Düngung
durch Schlammablagerung und die Durchfeuchtung
des Bodens, sondern auch die Abführung der Salze nach

Rückgang der Hochflut.

→ Euphrates; Gartenbau; Kanal/Kanalanlagen; Nil; Tigris

M. Stol, H. J. Nissen, s. v. Kanal(isation), RLA 5, 1980, 355–368 · W. Schenkel, s. v. Be- und Entwässerung, LÄ 1, 1975, 775–782.   H. J. N.

II. Griechenland und Rom

Die beiden wichtigsten Gebiete der griech.-röm. Welt, in denen die Landwirtschaft durch künstliche B. mit Wasser aus einem oder mehreren Flüssen versorgt wurde, waren Mesopotamien (Babylonien) und Ägypten. Das tiefliegende Flachland Mesopotamiens wurde durch ein Kanalnetz bewässert, das das Frühjahrshochwasser des Euphrat und des Tigris aufnahm. Da das Hochwasser nicht genau mit dem Wachstumszyklus des Getreides übereinstimmte, mußte das Wasser oftmals gespeichert werden. Die koordinierte Instandhaltung der großen Dämme, die die Flüsse in ihrem natürlichen Verlauf fließen ließen und eine kontrollierte Nutzung des Wassers erlaubten, verlangte eine starke Zentralgewalt; die seleukidischen Könige übernahmen die Verantwortung für diese Anlagen. Die Instandhaltung einzelner Kanalnetze und die Wasserverteilung auf einzelne Felder wurde normalerweise auf lokaler Ebene organisiert. Die zweite lebenswichtige Aufgabe war die Sicherstellung der Entwässerung der Felder, denn wenn das Wasser zu lange stand, verursachte es Versalzung und machte so den Boden unfruchtbar.

Da der Nil ein nur geringes Gefälle aufweist und das Niltal südl. von Memphis sehr schmal ist, konnte das Kanalsystem in Ägypten auf lokaler Ebene und unabhängig von einer polit. Zentralgewalt organisiert werden. Die Rolle des Pharao, die von den Ptolemäern und in gewissem Umfang von den röm. Statthaltern übernommen wurde, bestand darin, die Gunst der Götter zu sichern und lokalen Amtsträgern Autorität zu verleihen. Die meisten Felder erhielten Wasser durch ein natürliches B.-System, ohne daß mechanische Instrumente eingesetzt wurden. Größere Kanäle leiteten das Nilwasser zu den Dörfern; es wurde dann auf immer kürzere und schmalere Zweigkanäle verteilt. Ein System größerer und kleinerer Dämme kontrollierte die Verteilung des Nilwassers. Durch eine Bresche im Damm ließ man das den Nilschlamm mit sich führende Wasser auf die ebenen, von einem ringförmigen Deich (περίχωμα, períchōma) eingeschlossenen Felder fließen. Nach etwa 40 Tagen wurde das stehende Wasser entweder zurück in den Kanal oder in ein tiefergelegenes Becken abgeleitet. Glücklicherweise erlaubte das ägypt. Klima die zeitliche Anpassung des Getreideanbaus an die Nilschwelle. Das Bewässerungssystem verlangte ständige Instandhaltungsarbeiten: Kanäle mußten von Pflanzen, Schwemmsand und eingestürzten Dämmen gesäubert, Dämme mußten verstärkt und repariert werden. Die Instandhaltung der großen Kanäle und Dämme war eine Gemeinschaftsaufgabe und wurde unter der Leitung lo-

kaler Amtsträger durchgeführt; für die kleineren Kanäle und Dämme trugen die Landbesitzer, deren Felder durch sie mit Wasser versorgt wurden, die Verantwortung.

Das Land, das von der Nilflut nicht erreicht wurde, mußte mit Hilfe von Hebevorrichtungen bewässert werden. Auf diese Weise war es möglich, Felder mehr als einmal im Jahr zu bewässern und so mehrere Ernten zu erzielen, solange genügend Wasser zur Verfügung stand. In griech. Papyri werden die Begriffe μηχανή (mēchanḗ) oder ὄργανον (órganon) undifferenziert für jegliche Wasserhebevorrichtung verwendet. Der mit einem Stab versehene Eimer (κηλώνειον, arabisch šadūf) war zu jeder Zeit das einfachste mechanische Instrument zum Wasserheben. In der pers. und hell. Epoche kam die von Menschen betriebene und weitaus effizientere Archimedische Schraube (κοχλίας, kochlías) sowie das von Tierkraft betriebene und mit einem Kranz aus Töpfen besetzte Rad (arabisch sākīya) auf, doch beides scheint selten benutzt worden zu sein. Mit der Expansion der großen Güter, die sich derartige Investitionen leisten konnten, erfuhr die sākīya jedoch eine weite Verbreitung in der röm. Epoche. Vor demselben Hintergrund ist auch das Aufkommen des wassergetriebenen Schöpfrades zu betrachten (τύμπανον, týmpanon; arabisch tābūt), das notwendigerweise auf die schnell fließenden Kanäle des Fayum beschränkt blieb. Die Bewässerung in Ägypten blieb jedoch von den jährlichen Überschwemmungen, nicht zuletzt auch wegen des nährstoffreichen Nilschlamms, abhängig. Das Steigen des Nil wurde sorgfältig an »Nilometern« überwacht; die wichtigsten befanden sich unterhalb des ersten Katarakts (Philae, Elephantine) und bei Memphis.

Aus den anderen halbtrockenen Zonen des Mittelmeerraumes hören wir gelegentlich von künstlich bewässerten Wiesen, Obst- und Gemüsegärten; doch war künstliche Bewässerung so arbeits- und kostenaufwendig, daß sie vornehmlich auf die Hortikultur beschränkt blieb. Für die meisten Regionen der mediterranen Welt bestand das größte Problem in den unregelmäßigen Niederschlägen; es war notwendig, das Regenwasser möglichst effizient zu nutzen, was man durch Terrassierung und Anlage großer Zisternen zu erreichen versuchte. Es gab in der griech.-röm. Welt auch einige Gebiete, so etwa die Ebene von Philippi oder die Poebene, wo Entwässerung Voraussetzung für die Landwirtschaft war.

1 D. Bonneau, Le fisc et le Nil, 1971 2 D. Bonneau, Le régime administratif de l'eau du Nil dans l'Egypte grecque, romaine et byzantine, 1993 3 K. W. Butzer, Early Hydraulic Civilization in Egypt, 1976 4 D. Hill, A History of Engineering in Classical and Medieval Times, 1984, 127–154 5 J. P. Oleson, Greek and Roman Mechanical Water-Lifting Devices, 1984 6 J. N. Postgate, Early Mesopotamia, 1992 7 T. Schiøler, Roman and Islamic Water-Lifting Wheels, 1973 8 M. Schnebel, Die Landwirtschaft im hell. Ägypten, 1925, Kap. 2.   D. R.

Bewaffnung I. Griechenland II. Rom

I. Griechenland

Die Bewaffnung griech. Heere in geom. Zeit ist lit. vor allem in der Ilias dokumentiert, arch. durch vornehmlich aus Gräbern stammenden Waffenfunde und Vasendarstellungen. Diese Quellengattungen sind nicht immer in Übereinstimmung zu bringen, da Homer einige seiner Helden Waffen aus myk. Zeit benutzen läßt, die arch. nicht mehr belegt sind (z. B. Eberzahnhelm, Il. 10,261–265; Lang- oder Turmschild, Il. 7,219–223; Streitwagen, die auf geom. Vasen oft dargestellt sind und bei Homer häufig vorkommen, aber fast ausschließlich als Transportmittel für seine Helden dienen, wurden nachmykenischer im Felde nicht mehr benutzt). Die Angriffswaffen der geometrischen Epoche waren Lanzen mit eisernen Spitzen und hölzernem Schaft, von denen der Kämpfer mehrere zum Wurf und zum Stoß mit sich führen konnte sowie Schwerter verschiedener Typen mit eiserner Klinge und einem Griff aus leichterem Metall. Zu den Verteidigungswaffen zählt primär ein kleiner Rundschild aus vergänglichen Stoffen wie Holz oder Leder und einem Bronzebuckel in der Mitte, der mittels eines Riemens auch auf dem Rücken getragen werden konnte. Der auf Abbildungen oft anzutreffende sog. Dipylonschild mit den charakteristischen beidseitigen tiefen Einbuchtungen scheint in Realität nie verwendet worden zu sein, sondern ist nach Snodgrass [8] vielleicht als ikonographische Erinnerung an den mykenischen achtförmigen Schild zu verstehen. Gekämpft wurde zu Fuß, über Pferde verfügten allenfalls adlige Krieger, um zum Schlachtfeld zu fahren.

In der archa. Zeit vollzog sich der allmähliche Übergang zur geschlossenen Hoplitenphalanx, die in der Mitte des 7. Jh. in vielen griech. Städten die normale Kampfformation wurde und in Ausrüstung sowie Taktik weitgehend standardisiert war. Charakteristisch für die Bewaffnung des Hopliten, die wir aus der Literatur und dank Waffenweihungen in Tempeln recht gut kennen, war das ὅπλον (hóplon), der große, meist leicht konvexe Rundschild, der aus Holz gefertigt und mit Bronze verstärkt war. Auf der Innenseite war er mit einem Schildband (πόρπαξ, pórpax) und am rechten Rand mit einem Handgriff (ἀντιλαβή, antilabé) versehen, so daß er leichter führbar war und der Krieger einem Schlag, Hieb oder Stich mit der Kraft des ganzen Armes entgegentreten konnte. Das hóplon mußte in der Schlachtreihe den linken Nachbarn mit decken und diente beim ersten Aufeinanderprallen der Phalangen auch als Stoßwaffe. Nicht von ungefähr galt der Schild daher als Symbol der Tapferkeit eines Hopliten und sein Verlust war deswegen beschämend (Lys. 10,1; 10,21–23).

Daneben dienten dem Schutz des Hopliten Beinschienen, Brustpanzer und Helme. Unter letzteren waren der korinthische Helm, der aus einem Stück Bronze getrieben wurde und neben der runden Kalotte über einen Nasen-, Wangen- und Nackenschutz verfügte und mit einem Helmbusch verziert war, zunächst am verbreitetsten. Im 6. und 5. Jh. traten leichtere Helme wie der chalkidische mit Ohren- und größerem Gesichtsausschnitt und der att., dessen Kennzeichen eine hohe Kalotte, Stirnkrempe und oft ausgeprägte Wangenklappen waren, an seine Stelle. Wichtigste Angriffswaffe der Hopliten war die übermannslange Stoßlanze. Für den Schaft bevorzugte man Eschenholz, für die Spitze, die schmal und blattförmig war, wurde im 6. und 5. Jh. neben Eisen auch wieder Bronze verwendet. Daneben dienten zunächst kurze, zweischneidige Schwerter aus Eisen dem Angriff, im 5. Jh. kamen auch solche aus Bronze auf, die einschneidig und leicht gekrümmt waren.

Im 5. Jh. änderte sich die Hoplitenrüstung nicht wesentlich. Der allmähliche Einsatz des herkömmlichen Glockenpanzers aus Bronze durch den Leinenbrustpanzer oder Muskelpanzer zeigt das Bestreben, die Hopliten leichter zu machen. Diese Tendenz setzte sich bis ins 4. Jh. fort, als der Panzer oft durch ein Stoffwams ersetzt wurde (Xen. an. 3,3,20; 4,1,18) und die Beinschienen rar wurden. Die Hopliten blieben bis in die Zeit Alexanders die wichtigste Truppengattung der meisten griech. Poleis, aber bes. seit dem Peloponnesischen Krieg wurden sie je nach Gelände und Schlachtverlauf wirksam durch Reiterei oder aber Leichtbewaffnete, Bogenschützen, die oft aus Kreta stammten und Peltasten unterstützt, deren Schutzwaffen auf ein Minimum reduziert waren, so daß sie viel beweglicher waren als die Hopliten. Schon unter Philipp II. und Alexander wurde der Kern der maked. → Phalanx, die Pezhetairen, mit der langen Sarissa ausgerüstet, die beidhändig getragen wurde. Wegen deren Gewicht mußte der Schild verkleinert werden; das Schwert wurde zu einer leichten Stechwaffe. Maked. Soldaten scheinen keine Brustpanzer mehr getragen zu haben, ein Brauch, den allerdings seleukid. und ägäische Armeen kaum übernahmen, weil sie es meistens mit Gegnern zu tun hatten, die mit wirkungsvollen Fernwaffen kämpften. Die Reiter wurden aufgewertet, sie wurden mit dem böotischen Helm, der sich durch ein offenes Gesichtsfeld und eine große Krempe auszeichnete, zwei Speeren und verstärkten Schutzwaffen versehen. Die maked. Phalanx blieb die wichtigste Truppe der hell. Heere, sie wurde ergänzt durch Übernahme lokaler Gattungen und Waffen wie den Kriegselephanten, die die Seleukiden bis 162 einsetzten.

→ Kriegskunst

1 B. Bar-Kochva, The Seleucid Army, 1976 2 P. Bol, Argivische Schilde, 1989 3 H.-G. Buchholz, J. Wiesner (Hrsg.), Archaeologia Homerica, E: Kriegswesen, 1, 1977; 2, 1980 4 P. Ducrey, Guèrre et guèrriers dans la Grèce antique, 1985 5 P. Greenhalgh, Early Greek Warfare, 1973 6 V. Hanson (Hrsg.), Hoplites, 1991 7 H. Pflug, Schutz und Zier, 1989 8 A. Snodgrass, Wehr und Waffen im ant. Griechenland, 1984.   Y. L. B.

II. ROM

Die Waffen der röm. Soldaten können in mehrere Kategorien unterteilt werden: 1. kollektive (Artillerie und Marine) oder individuelle Waffen sowie 2. Defensiv- oder Offensivwaffen; die Angriffs- oder Verteidigungswaffen werden entsprechend ihrer Funktion unterschieden, je nachdem ob sie zur Verteidigung des Kämpfenden oder zur Vernichtung des Feindes dienten. Die defensive Bewaffnung umfaßte Helm (*cassis, galea*), Harnisch (*lorica*), Schild (*scutum, clipeus, parma*) und Beinschienen (*ocrea*). Zu den Angriffswaffen zählten zunächst die Faustwaffen: Dolch (*pugio*), Kurzschwert (*gladius*) und Langschwert (*spatha*), Lanze (*hasta, lancea*) und Wurfspieß (ebenfalls *hasta, pilum*). Weiter sind die Schleuder und ihre Geschosse (*funda* und *glandes*) sowie Pfeil und Bogen (*sagittae* und *arcus*) zu nennen. Der Gebrauch dieser Waffen, die normaler Bestandteil der mil. Ausrüstung waren, ist in jüngster Zeit intensiv erforscht worden. Eine erneute kritische Lektüre der wichtigsten Texte (Pol. 6,19–42; Ios. bell. Iud. 3,70–109; Amm.; Veg. mil. 1,20; 2,15) wurde durch die Überprüfungen der Bildzeugnisse (Trajanssäule sowie Grabreliefs, die mit Vorsicht zu interpretieren sind) und durch zahlreiche Funde, die allerdings datiert werden müssen, ermöglicht. Die Zusammenstellung von Rüstung und Waffen variierte entsprechend ökonomischen, sozialen und vor allem mil. Bedingungen; sie wurde außerdem der jeweiligen Taktik angepaßt. Diese stand im Zusammenhang mit dem zu bekämpfenden Feind, dessen Errungenschaften zu imitieren Rom in der Lage war. Die Ausrüstung unterschied sich entsprechend dem Rang (Offizier oder Soldat) und richtete sich nach der Waffengattung (Infanterie oder Reiterei, Schwer- oder Leichtbewaffnete, Eliteeinheit oder reguläre Truppe).

A. FRÜHZEIT

Die Bewaffung der frühesten Zeit bleibt weithin unbekannt. Eines ist aber sicher: Die individuelle Heldentat und der Kampf Mann gegen Mann spielten eine bedeutende Rolle. Die ersten Kriege gegen die Italiker hatten keine großen Veränderungen zur Folge. Die röm. Soldaten mußten ihre Ausrüstung – darunter den runden oder länglichen Schild (*clipeus, scutum*), das Schwert und die Lanze (*hasta*) – selbst bezahlen.

B. MITTLERE REPUBLIK

Aufgrund der Beschreibung des röm. Heeres bei Polybios sind die röm. Waffen der Zeit seit dem 2. Punischen Krieg (218–201 v. Chr.) besser bekannt. Die röm. Soldaten dieser Zeit kämpften in kleinen Einheiten, den Manipeln (→ *manipulus*), die aus zwei Centurien bestanden. Jeder einzelne Soldat verfügte über einen Raum von 1,20 m², auf diese Weise waren die Einheiten in hügeligem Gelände sehr wendig, in flachem Gelände allerdings benachteiligt. An der Seite der röm. Soldaten standen die Verbündeten, die → *socii*, die entweder dieselben Waffen trugen oder gemäß ihren eigenen Traditionen kämpften. Der röm. Schlachtreihe gingen die leichtbewaffneten Soldaten (*velites;* vgl. Pol. 6,22) voran. Diese Fußsoldaten erhielten seit einem bestimmten Zeitpunkt einen runden Schild, die *parma* und eine Wurfwaffe, das *iaculum*. Gegen Ende der Republik wurden die Schleuderer auf den Balearen, die Bogenschützen auf Kreta rekrutiert. Die schwerbewaffneten Fußsoldaten der Legionen wurden durch Rüstung und Waffen nicht übermäßig belastet: Sie schützten sich zuerst mit einem Helm. Der Oberkörper wurde durch den Harnisch bedeckt; das älteste Modell bestand aus zwei dünnen, durch Schnürbänder verbundenen Metallplatten. Erstmals tauchte er bei den Samniten auf, vermutlich stammt er aus Griechenland. Der gleiche Ursprung wird dem Schuppenpanzer zugeschrieben, einer Lederweste, auf die kleine Metallstückchen genäht waren. Die Soldaten schützten sich zusätzlich durch einen großen Schild. Die archa. runde Form war durch eine ovale ersetzt worden; der zentrale runde Schildbuckel (*umbo*) wurde durch eine verlängerte *spina* ersetzt. Der Beinschutz, der davor den reichen Fußsoldaten und den Centurionen vorbehalten war, ist schließlich verschwunden.

Die Wahl der Angriffswaffen hing von dem Platz des Soldaten innerhalb der Schlachtreihe ab. Die Männer der ersten beiden Reihen, die *hastati* und die *principes*, benutzten die berühmte Kombination von Schwert und Wurfspieß, von *gladius* und *pilum*. Sie kämpften mit einem ungefähr 75 cm langen Kurzschwert, das in Spanien während des 2. Punischen Krieges erstmals benutzt wurde und zum Hieb und Stich geeignet war. Das *pilum*, ein furchtbares Wurfgeschoß mit Eisenspitze ital., wahrscheinlich samnitischen Ursprungs, bestand aus einer 60 cm langen, eisernen Spitze und einem 1,4 m langen Holzschaft. Die Soldaten der dritten Schlachtreihe, die *triarii*, trugen auch ein Schwert, hatten aber anstatt des *pilum* eine längere und schwerere *hasta*. Die Reiterei folgte lange Zeit dem griech. Vorbild und war mit der Kombination eines Helms und einer Lanze (*cassis, hasta*) ausgestattet. Zur Zeit des Polybios (2. H. 2. Jh. v. Chr.) war die Ausrüstung um einen kleinen runden Schild (*parma*), der den *clipeus* ablöste, ein Kettenhemd und ein Schwert vermehrt worden (6,25).

C. PRINZIPAT

Die Bewaffnung der Prinzipatszeit mußte sich an zwei neue Gegebenheiten anpassen: Einerseits gab es nun die Armee des → Princeps, die als wichtigste Gattung immer die schwerbewaffneten Fußsoldaten der Legionen (ungefähr 125000 Mann) einsetzte, die durch die weniger kampfstarken *auxilia-cohortes* (Fußsoldaten) und *alae* (Reiter) – verstärkt wurden (insgesamt machten sie nochmals 125000 Mann aus); hinzu kamen die Soldaten der Garnison in Rom und der Flotte. Andererseits sah Rom sich neuen Feinden gegenüber. Die → Parther hatten ihre Zerstörungskraft bewiesen, als sie die Armee des Crassus in Carrhae 53 v. Chr. vernichteten. Ihre Hauptstärke lag in der Reiterei, die aus Einheiten berittener Bogenschützen und Panzerreitern bestand. Die Germanen, die im Gegensatz dazu nur leichte Truppen zu Fuß oder zu Pferd einsetzten, fügten Augustus im Jahr 9 n. Chr. die empfindliche Niederlage im

Teutoburger Wald zu. Viele Zeugnisse lassen auf wichtige Entwicklungen in der röm. Bewaffnung schließen. Iosephus (bell. Iud. 3,70–109) beschreibt das röm. Heer während des jüd. Krieges, der 66 n.Chr. begonnen hatte; das aufgefundene Waffenlager von Corbridge in Britannien stammt vom Ende des 1.Jh. und die Trajanssäule stellt die Eroberung Dakiens zwischen 101 und 106 n.Chr. dar. Zahlreiche Ausgrabungen erlauben es, die Bewaffnung des 2. und 3.Jh. bis zum Fall von Dura-Europos zu beschreiben, einer röm. Garnison am oberen Euphrat, die 256 von den Sassaniden eingenommen wurde. Die Fußtruppen wurden wieder mit Beinschienen ausgerüstet, stets wurden Helme benutzt. Man unterscheidet zwei nach den wichtigsten Fundorten benannte Helmarten: den Typ Haguenau aus Bronze und den Typ Weisenau aus Eisen mit einem Nackenschutz und einem Wangenschutz. Die benutzten Harnische der Republik wurden weiter verwendet. Hinzu kam die *lorica segmentata*, die aus 14–16 Metallplatten bestand und geeignet war, den Schlägen der Parther zu widerstehen. Aus demselben Grund tauchte ein neuer, exakt rechteckiger und halbzylindrischer Schild für die Soldaten der Legionen auf, während die *auxilia* einen ovalen Schild bekamen. Als Angriffswaffen dienten ein Dolch von 35 cm Länge und das Schwert.

Die Arch. kann die bei Tacitus (ann. 12,35,3) getroffene Unterscheidung zwischen dem Kurzschwert der Legionssoldaten (*gladius*) und dem Langschwert der *auxilia* (*spatha*) nicht bestätigen. Zu Beginn des 3.Jh. war die *spatha* zwischen 75 und 90 cm lang. Die Reiter trugen einen Helm mit Wangenschutz, schützten sich hinter einem langen Schild, verfügten über ein langes Schwert, eine Lanze und drei Wurfspieße (Ios. bell.Iud. 3,96–97).

D. SPÄTE KAISERZEIT

Nach der Krise des 3.Jh. wurde ein neues Heer geschaffen, das größer war als zuvor und seine Waffen aus den großen Werkstattkomplexen des Imperium, den *fabricae*, bezog. Obgleich Vegetius davon spricht, daß nach der Regierungszeit des → Gratianus Rüstung und Helme aus Nachlässigkeit nicht mehr getragen wurden und die Fußsoldaten daher ungeschützt kämpften (mil.1,20), glaubt man heute nicht mehr an einen generellen Niedergang des Militärwesens. Arch. und lit. Zeugnisse belegen durchaus einzelne Verbesserungen der B. (zur Reiterei vgl. etwa Veg. mil.1,20). Unter den Verteidigungswaffen werden verschiedene Helme erwähnt, die nicht mehr aus einem Stück gefertigt sind, sondern zusammengefügt wurden. Der Schild (*scutum*) ist größer, oval, geradezu rund. Der Harnisch (*lorica*) wurde möglicherweise weniger verwendet als in der Zeit des Prinzipats; das Kettenhemd war weiterhin in Gebrauch und es tauchten die geharnischten Soldaten, (*clibanarii*) auf. Von den Angriffswaffen sind Lanzen und Wurfspieße arch. belegt; das lange Schwert (*spatha*) maß 70 bis 90 cm. Der Bogen wurde in dieser Zeit nur noch selten militärisch eingesetzt.

Die Überlegenheit Roms im Bereich der B. erklärt zum großen Teil seine militärischen Erfolge.

1 F.BECK, H.CHEW, Masques de fer, 1991. 2 M.C. BISHOP, J.C.N. COULSTON, Roman Military Equipment, 1993. 3 G.BRIZZI, L'armamento legionario dall'età giulio-claudia e le guerre partiche, Critica Storica 18, 2, 1981, 177–201. 4 M.FEUGÈRE, Casques antiques, 1994. 5 M.FEUGÈRE, Les armes des Romains, 1993. 6 J.KRIER und F.REINERT, Das Reitergrab von Hellingen, 1993. 7 Y. LE BOHEC, ²1990 8 DERS., Histoire militaire des guerres puniques, 1995. 9 H.RUSSELL ROBINSON, The Armour of Imperial Rome, 1975.   Y.L.B.

Bewegung (κίνησις, φορά/*kinēsis, phorá*; *motus, motio*). Die Ant. kennt einen engeren (Ortsveränderung, φορά/*forá*) und einen weiteren (Veränderung, μεταβολή/*metabolē*) Begriff von Bewegung. Das Problem, ob dem Seienden B. oder Ruhe zukommt, beschäftigte seit Anaximandros die vorsokratischen Philosophen. Die → Herakliteer sahen alles in beständiger B. und erklärten die Ruhe für Sinnenschein, die → Eleatische Schule leugneten dagegen die Realität der Bewegung. Zenon versuchte, diese These durch vier B.-Paradoxien zu untermauern [1]: 1. Das Argument der Dichotomie: B. ist unmöglich, weil ein bewegter Körper vor Durchlaufen der Gesamtstrecke erst deren Hälfte durchlaufen haben müßte, vor der Zurücklegung der Hälfte deren Hälfte usw. 2. Der »Achilleus«: Der schnelle Achilleus wird das langsamste Tier, die Schildkröte, niemals einholen, wenn sie einen Vorsprung hat. Erreicht er ihren Startpunkt, ist sie ein Stück weiter; ist er dort, ist sie wieder weiter usw. Trotz Verringerung der Distanz wird er sie – entgegen der Beobachtung – niemals einholen. 3. Der ruhende Pfeil: Ein fliegender Pfeil bewegt sich nur scheinbar: Er bewegt sich dort nicht, wo *er ist*; wo er aber nicht ist, bewegt er sich erst recht nicht. 4. Die sich bewegenden Reihen (das »Stadion«). Ergebnis: Die Zeit ist gleich der halben Zeit. Für den Atomisten → Demokritos ist B. eine Eigenschaft, die den Atomen innewohnt und mit ihnen unlöslich verbunden ist [2]. Die Atome sind immer in B., sie bewegen sich völlig unkoordiniert durch das Leere; prallen genügend viele zusammen, bildet sich eine gleichgerichtete B., ein Wirbel, und daraus eine Welt. → Epikuros sieht den Grund der B. der Atome in deren Schwere. Diese und der Zusammenprall bestimmen die Richtung; die Geschwindigkeit ist für alle Atome gleich, konstant und ›gedankenschnell‹. Eine Neuerung ist die Lehre von der Abweichung (παρέγκλισις/*parenklisis, clinamen*), mit der er den Determinismus aufhebt: Atome durchbrechen zuweilen die Gesetzmäßigkeit der B., indem sie zu unbestimmten Zeiten an unbestimmten Ort ohne Ursache ein wenig von ihrer Bahn abweichen (Lucr. 2,216–293).

Platon unterscheidet (Tht. 181 a 5; Parm. 138 b) zwei Arten von B.: Veränderung (ἀλλοίωσις) und Orts-B. (περιφορά). In einem »B.-Katalog« (leg. 10,893 b–895 b) gibt er eine Klassifikation von zehn Arten der B. (von der Kreis-B. über das Werden bis zur Fremd-/Selbst-B.)

[3], mit dem Ziel, darzulegen, daß die Selbst-B. der Seele Prinzip der B. sei. Prinzip aller kosmischen B.en ist die sich selbst bewegende Weltseele.

In der Naturphilosophie des Aristoteles spielt B. eine zentrale Rolle. Er definiert B. als den Übergang aus der Potentialität in die Aktualität, als die Verwirklichung des Möglichen als solchen (*energeia*; phys. 3,1,201 b 4: ἡ τοῦ δυνατοῦ, ᾗ δυνατὸν, ἐντελέχεια, vgl. ebd. 201 a 10f.) und unterscheidet vier Arten von B., abgeleitet aus den Kategorien: 1. Substanz (sie wird aber auch von der B. ausgeschlossen): Entstehen/Vergehen (γένεσις/φθορά) 2. Quantität: Zu-/Abnahme (αὔξησις/φθίσις) 3. Qualität: Veränderung (ἀλλοίωσις) 4. Ort: Orts-B. (φορά). Prinzip der B. ist die Natur. Da alles Bewegte von etwas bewegt wird, nimmt Aristoteles, um einen infiniten Regress zu vermeiden, einen selbst unbewegten ersten Beweger (τὸ πρῶτον κινοῦν ἀκίνητον), Gott, an, der durch das Streben der Dinge nach ihm (ἐρώμενος) bewegt. Daher kommt der Himmelssphäre die vollkommenste B., die Kreis-B., der sublunaren Welt dagegen die geradlinige B. zu. Gegen Zenon verweist Aristoteles auf die Kontinuität der B., gegen die Atomisten argumentiert er, daß B. keinen leeren Raum brauche; B. sei Ortsvertauschung im Vollen (ἀντιπερίστασις). Der Begriff B. fand auch – namentlich im → Neuplatonismus – im Bereich des Intelligiblen Anwendung.

1 G. KIRK, J. RAVEN, M. SCHOFIELD, Die vorsokratischen Philosophen, 1994, 296–305 2 R. LÖBL, Demokrits Atomphysik, 1987, 97–120 3 P. M. STEINER (Hrsg.), Platon, Nomoi X, 1992, 127–156.

S. GERSH, Κίνησις ἀκίνητος. A study of spiritual motion in the philosophy of Proclus, 1973 · M. KAPPES, D. Aristotelische Lehre über Begriff und Ursache der κίνησις, 1887 · F. KAULBACH, Der philos. Begriff der B., 1965 · G. KIRK, J. RAVEN, M. SCHOFIELD, Die vorsokratischen Philosophen, 1994, 296–305 · CHR. LAUERMANN, Platons Konzeption der B. des Geistes, 1985 · M. SCHRAMM, Die Bed. der B.s-Lehre des Aristoteles für seine beiden Lösungen der zenonischen Paradoxie, 1962 · H. SCHRÖDTER, Kinesis. Eine Unt. über Denkart und Erfahrungshorizont des Platonismus am Werk des Proklos, in: FS Hirschberger 1965, 219–237 · J. B. SKEMP, The theory of motion in Plato's later dialogues, ²1967 · F. SOLMSEN, Aristotle's system of the physical world. A comparison with his predecessors, 1960 · R. SORABJI, Matter, space and motion, 1988. S. M.-S.

Bezereos. *Castellum* am *limes Tripolitanus*, östl. des Chott el-Djerid, h. Sidi Mohammed ben Aïssa (bei Bir Rhezen), spätestens seit Commodus (180–192 n. Chr.) besetzt (Inscr. latines d'Afrique 26), nahm 201 eine *vexillatio* der *legio III Augusta* auf (Inscr. latines d' Afrique 27). Inschr. Belege: Inscr. latines d'Afrique 26–32; Inscr. latines de la Tunisie 56–59; Itin. Anton. 74,5; Not. dign. occ. 31,5; 31,20.

P. TROUSSET, s. v. B., EB, 1487f. W. HU.

Bia (Βία). Personifikation der Gewalt; Tochter des Pallas und der Styx, Schwester des Zelos, der Nike und des Kratos (Hes. theog. 385–388). In der Titanomachie geht Styx mit ihren Kindern zu Zeus über, den diese fortan begleiten. Als Schergen des Zeus spornen Kratos und B. Hephaistos an, → Prometheus an einen Felsen zu schmieden (Aischyl. Prom. 1–87, wobei B. eine stumme Rolle zukommt). Ein athenischer Skyphos zeigt, wie → Ixion von Hephaistos, Kratos und B. auf ein Rad gefesselt wird [1]. Themistokles sagt zu den Andriern, er komme in Begleitung von B. und Peitho (Plut. Themistocles 21,2; bei Hdt. 8,111 ist es Ananke, nicht B.). B. und Ananke hatten am Weg nach Akrokorinth ein gemeinsames Heiligtum (Paus. 2,4,6; vgl. auch CIG 43790).

1 E. SIMON, Kratos und B., WJA N. F. 1, 1975, 177–186.

H. A. SHAPIRO, Personifications in Greek Art, 1993, 166–167 · E. SIMON, B. et Kratos, LIMC 3.1, 114–115. R. B.

Biaion dike (βιαίων δίκη). Eine Privatklage, mit der man in Athen Raub, Notzucht an einer freien Person (männlichen oder weiblichen Geschlechts) sowie die Entführung einer freien Person zum Zwecke der Unzucht verfolgen konnte. Solon hatte im 6. Jh. v. Chr. hierfür eine Geldbuße festgesetzt, später trat zu der Buße an den Verletzten wegen öffentlichen Interesses noch eine Strafe in gleicher Höhe an den Staat.

D. COHEN, Law, violence, and community in classical Athens, 1995. G. T.

Biaiothanatoi s. Ahoroi

Bianor

[1] Sohn des Tiber und der Manto, der Tochter des Teiresias oder des Herakles. B., auch Ocnus (Aucnus) genannt (Verg. Aen. 10,198), soll die nach seiner Mutter benannte Stadt Mantua gegründet haben. Nach anderen (Serv. Aen.) gründete B. Felsina, das spätere Bononia (Bologna); Vergil (ecl. 9,60) erwähnt das Grab von B.

F. E. BRENK, War and the shepherd. The tomb of B. in Vergil's ninth Eclogue, in: AJPh 102, 1981, 427–430. R. B.

[2] Epigrammdichter des »Kranzes« des Philipp (Anth. Pal. 4,2,11), γραμματικός (*grammatikós*) aus Bithynien, lebte in der 1. H. des 1. Jh. n. Chr. (vgl. Anth. Pal. 9,423 über die Zerstörung von Sardeis durch das Erdbeben vom Jahre 17 n. Chr.). Seine 22 fast ausschließlich epideiktischen (→ epideiktische Dichtung) und sepulchralen Epigramme (Unsicherheiten bestehen jedoch weiterhin bzgl. 7,671; 9,252) reichen nicht über das Mittelmaß hinaus, sind in ihren Themen konventionell und ohne stilistische Besonderheiten (von gewissem Interesse ist 7,388 über den Tod eines unbekannten Tyrannenmörders).

GA II 1,184–197; 2,197–209. E. D./T. H.

Bias (Βίας).

[1] Mythischer Sohn des → Amythaon und der Eidomene oder der Aglaia, Bruder des Sehers → Melampus. Dieser steht B. bei der Werbung um Pero, der Tochter des Neleus und der Chloris, bei. Neleus verlangte als Brautpreis, daß man die von Phylakos seiner Frau Chloris geraubten Rinder herbeibringe. Melampus tut dies für seinen Bruder (Apollod. 1,96–103; Hom. Od. 11,287–297; 15,225–238). Urspr. aus Pylos stammend, gewinnt B. – wiederum mit Hilfe seines Bruders, der die vom Wahnsinn geschlagenen Töchter des Proitos heilt – die Herrschaft über ein Drittel von Argos und wird Stammvater der Biantiden (Hes. fr. 37 M.-W.; Hdt. 9,34; Diod.4,68,4; Paus. 2,18,4).

E. SIMON, s. v. Melampous, LIMC 6.1, 1992, 405–410.

R.B.

[2] Sohn des Teutames aus → Priene, der im frühen 6.Jh. v.Chr. lebte. B. genoß großes Ansehen wegen seiner Redegewandtheit und Überzeugungskraft im Rechtsstreit (Hipponax fr. 123 WEST; Heraklit fr. 22 B 39 DIELS; Demodokos fr. 6 WEST) und galt später mit → Thales, → Pittakos und → Solon regelmäßig als einer der → Sieben Weisen (Plat. Prot. 343a; Diog. Laert. 1,40–42; 82–88). Wie diese wurde B. mit den Königen Kroisos von Lydien und Amasis von Ägypten in Verbindung gebracht (Hdt. 1,27,2–5; Plut. mor. 151b-e); wie ihnen wurden ihm zahlreiche Sentenzen zugeschrieben, die ebensowenig authentisch sind wie sein Gedicht von 2000 Versen über Ionien (D.K. 10; Diog. Laert. 1,85).

Wahrscheinlich historisch ist dagegen B.' Rat an die in Panionion versammelten Ionier, vor den siegreichen Persern nach Sardinien auszuweichen und dort unter günstigen Bedingungen eine gemeinsame Polis zu gründen (Hdt. 1,170,1–3), sowie die Gesandtschaft, bei der B. die Beilegung des Konfliktes zwischen Samos und Priene erreichte (Aristot. fr. 576 ROSE; WELLES Nr. 7 Z. 46ff.). Einen authentischen Kern enthält vielleicht auch die Nachricht über die Kriegslist, durch die B. den Lyderkönig Alyattes zur Aufgabe der Belagerung von Priene veranlaßt haben soll, indem er ihn über die in der Stadt vorhandenen Vorräte täuschte (Diog. Laert. 1,83).

Um 550 war B. sicherlich eine führende Figur in Priene und ganz Ionien. Dafür spricht auch, daß er nach seinem Tod bes. geehrt wurde; ihm soll ein τέμενος (témenos) geweiht worden sein, das Τευτάμειον (teutámeion) genannt wurde (Diog. Laert. 1,85; 88). Die ihm zugeschriebene Rolle als Schiedsrichter und »Aisymnet« mit gesetzgeberischer Gewalt ist jedoch eine spätere Konstruktion.

O. CRUSIUS, s. v. B. 10, RE 3, 383–389 · P. v. DER MÜHLL, Was war B. von Priene?, in: MH 22, 1965, 178–180.

K.-J. H.

Bibel A. DEFINITION B. HEBRÄISCHE BIBEL C. NEUES TESTAMENT D. ZITATE BEI GRIECHISCHEN UND LATEINISCHEN AUTOREN

A. DEFINITION

Das Wort »Bibel« (lat. *biblia*, griech. τὰ βιβλία) bezeichnet die vielen Gattungen – darunter Erzählungen (Mythen, Legenden, Romane, Sagen oder Epen, volkstümliche Erzählungen, Evangelien), Gesetzescorpora, Psalmen, Gedichte, Reden, Ermahnungen, Weisheitssprüche und -lehren, Briefe und Apokalypsen – umfassende Sammlung hl. Schriften, die die Hebr. Bibel (Tenach), das Alte und Neue Testament der Christen (→ Christentum) bilden. Es gab ähnliche Sammlungen hl. Texte im Alten Orient und in der griech.-röm. Kultur: bestimmte Texte wurden über Generationen, ja Jahrhunderte lang bewahrt und tradiert. Dieser Prozeß der Sammlung und Aufbewahrung ging zeitweise über die Einrichtung von königlichen und Tempelarchiven bzw. -bibliotheken (→ Bibliothek) hinaus, wenn bestimmte Schriften einen autoritativen Status in Philosophenschulen und rel. Gemeinschaften erhielten. Texte wie die Lehre des Amenemope, das *Enuma eliš* und die Briefe → Epikurs wurden viele Jahre hindurch abgeschrieben, auswendig gelernt, studiert und rezitiert und trugen so dazu bei, Ethos, Moral und rel. Anschauungen von Gesellschaften und ihren Lehrern, von Philosophen, Priestern und Schülern zu formen. Christen stellten die Briefe des Paulus etwa im frühen 2.Jh. n.Chr. zu einem Buch zusammen, die vier Evangelien erst im 3.Jh. (pap.[45]).

B. HEBRÄISCHE BIBEL

Die Hebr. Bibel oder der masoretische Text, bestehend aus 24 hebr. (selten aram.) geschriebenen Büchern, wurde von der jüd. Gemeinde geschaffen und erhielt ihren autoritativen Status im 1.Jh. n.Chr. Der Entstehungsprozeß der Hebr. Bibel erstreckt sich über eine Periode von annähernd 1000 Jahren. Sie ist daher nicht nur ein Buch, sondern eine epitomierte Bibliothek, die viele alte lit. Texte enthält. Die traditionelle Hebr. Bibel besteht aus drei Teilen: Gesetz (*tora*), Propheten (*nebi'īm*) und Schriften (*ketūḇīm*), daher das Akrostichon »Tenach«.

Die Christen anerkannten die Hebr. Bibel als Autorität, aber sie unterteilten sie in 39 Bücher, die in etwas veränderter Reihenfolge angeordnet sind. Mehrere andere Bücher oder Zusätze zu Büchern zirkulierten unter griechischsprachigen Juden (→ Septuaginta); Hieronymus nahm sie in die lat. Bibel (Vulgata) auf.

Inhalt und lit. Gattungen der Hebr. Bibel variieren stark. Die Tora, eher die »Lehre« als »Gesetz« bedeutend, besteht hauptsächlich aus Erzählungen, vornehmlich in Form von Mythen, Heldensagen und Stammesepen. Schöpfungs- und Flutgeschichten finden sich in verschiedenen Versionen im ganzen Alten Orient (Sumer-Akkad: Enuma eliš, Gilgameš-Epos; → Atrahasis; Ägypten: die Schöpfung durch Atum und die Theologie von Memphis; Ugarit: die Gedichte von → Baal und

→ Anat); sie zeigen, daß die biblischen Stoffe in diese lang andauernde Tradition gehören. Gn 1–11 besteht haupsächlich aus zwei ineinander verwobenen Quellen (dem sog. Jahwisten, wohl einem Hofhistoriker im Jerusalem des 10. Jh., und der Priesterschrift, größtenteils 6. Jh. v. Chr., geschrieben von zadokitischen Priestern zur Feier des Ursprungs der Welt und der fortdauernden Schöpfung durch Rezitation und rituelle Handlung); diese 11 Kapitel sind Mythen von der Schöpfung des Kosmos, des Menschengeschlechtes und der Bildung der Völker. In Gn 6–9 finden sich zwei Versionen einer kosmischen Flut (vgl. die Fluterzählung im Gilgameš-Epos).

Die übrigen Erzählungen der Tora sind Versionen von Heldengeschichten oder -sagen (bes. über die Ahnen Israels), das Prosa-Epos von Israel (Jahwist; Elohist, auch dieser ein Hofhistoriker, jedoch in Samaria, 8. Jh.; die deuteronomistische Schule, eine levitisch-priesterliche Gruppe im 8.–4. Jh. in Samaria, Jerusalem und schließlich Babylon, und die Priester-Schule). In ihrer jetzigen Form erzählen diese ineinander verwobenen »Epen« die Gesch. Israels von der Zeit seiner eponymen Ahnen an über die Gefangenschaft in und die Befreiung aus Ägypten bis zum Empfang des Gesetzes am Sinai, der Wanderung durch die Sinai-Wüste und schließlich bis zu der Zeit kurz vor der Einwanderung nach Kanaan. Diese nationalen Ursprungsepen sind durch »Vätersegen« (Gn 48,15 f. 20; Dt 33), Testamentsreden und Homilien ergänzt (Gn 49,1–27; Dt) sowie von Hymnen, die an die Gesch. Israels erinnern (Ex 15; Dt 32).

Die zweitwichtigste lit. Form in der Tora ist das Gesetz, oft als Gesetzessammlung: Zehn Gebote (Ex 20,1–17 = Dt), Bundesgesetz (Ex 20,22–23,33), Heiligkeitsgesetz (Lv 17–26), Priestergesetz (der größte Teil von Lv) und deuteronomisches Gesetz (Dt 12–26). Vergleichbar sind altorient. Sammlungen aus Sumer-Akkad: Ur-Nammu-Codex, Gesetze des Ešnunnu, Gesetze des Lipit-Ištar, Codex Hammurapi, dazu zahlreiche hethit., assyr. und neubabylon. Gesetze und Rechtsfälle. Ägypten. und ugarit. Rechtspraxis und Gesetze aus Briefen, Verträgen und aram. Papyri von Elephantine liefern weitere Beispiele für das Rechtsdenken der altorient. Kulturen.

Die zwei Grundtypen at. Gesetze, apodiktisch und kasuistisch, finden sich auch in anderen altorient. Kulturen. Der Inhalt variiert nach Sozialstruktur und Verstehenshorizont der jeweiligen Gesellschaft. Der erste Typ, mit zahlreichen altorient. Parallelen (z. B. hethit. Vertragstexte, mesopotam. Königserlasse, Testamente, ägypt. Proskriptionen), ist ein kategorisches Verbot (*loʾ* mit Ind., ohne Begründung), Ausdruck der elementaren Normen des Gemeinschaftslebens. Der zweite Typ stammt aus dem Prozeßwesen: Der Hauptsatz stellt einen allg. Rechtsfall dar, eingeleitet durch »wenn« (*kī*), die untergeordneten Sätze, eingeleitet durch »falls« (*ʾim*), versuchen die Situation genauer zu beschreiben.

In der prophetischen Lit. des AT lassen sich zwei Teile unterscheiden: die älteren Propheten (Jos bis Kg) enthalten geschichtsähnliche Erzählungen und Legenden, bes. von vorklass. Propheten; die jüngeren Propheten (Jes, Jer, Ez und die zwölf kleinen Propheten) enthalten vor allem poetische, bisweilen auch prosaische, Reden und einige Sagen oder Legenden von Prophetengestalten. Die Texte der sogenannten älteren Propheten gehören zum deuteronomistischen Geschichtswerk, einer ausgedehnten Erzählung von Israels Anfängen von der Eroberung Kanaans bis zum babylon. Exil. Zu den Leitgedanken der Redaktion gehören allg. altorient. Vorstellungen wie das göttliche Handeln (Segen/Fluch) in der Gesch. gemäß der vergeltenden Gerechtigkeit und die göttliche Erwählung einer Bundesgemeinschaft und königlicher Dynastien. Propheten, die wie die altisraelitischen im Namen einer Gottheit sprechen, finden sich in einigen altorient. Kulturen: die ägypt. Ermahnungen von Ipu-wer und die Prophezeiung von Neferti, akkad. Prophezeiungen, vor allem die Propheten aus Mari.

Die Hauptgattungen prophetischer Lit. sind Legenden und Sprüche. Prophetenlegenden sind weitgehend fiktive Erzählungen vom Leben oder Handeln eines Propheten (z. B. die Elisa-Erzählungen in 2 Kg 2–7; die »Passions«-Gesch. Jeremias ebd. 37–44). Prophetensprüche sind in der Hebr. Bibel gewöhnlich als Botenreden gestaltet. Sie enthalten Ankündigungen des Gerichts, der Befreiung und Verheißung; darin ähneln sie den Orakelsprüchen der altorient. Propheten.

Psalmen und Gebete gehören ebenfalls zu den Gattungen altorient. Lit.: Hymnen zum Preis der Natur und/oder göttlichen Handelns, Klagen, in denen eine Person oder Gruppe zur Gottheit um Rettung aus vielerlei Bedrängnissen ruft, Danklieder für Befreiung aus der Not. Diese Psalmen oder Gebete sind höchstwahrscheinlich für Liturgien, im kultischen Zusammenhang etwa von Tempeln, verfaßt, weniger als Ausdruck persönlicher Frömmigkeit. Zu derartigen Sammlungen gehört der Psalter in der Hebr. Bibel ebenso wie ägypt., sumer., und sumer.-akkad. Hymnen und Gebete.

Weisheitssprüche, -lehren und -erzählungen bilden eine weitere Gattungsgruppe, vor allem in den biblischen Büchern Hiob, Spr, Prd, die Israel mit dem Alten Orient verbindet. Unter den Weisheitssprüchen finden sich Sprichwörter, Seligpreisungen, Listen, Vermächtnisse, die aus den Erfahrungen eines Weisen eine Lehre für das Leben ableiten, Belehrungen, in denen Lehrer aller Art Ratschläge aus Erfahrungswissen und Tradition aufgrund genauer Beobachtung von Natur, Gesellschaft, Göttern und menschlichem Verhalten vermitteln. In ägypt. Weisheitslit. finden sich vor allem zahlreiche Lehren (z. B. die Lehre des Wesirs Ptah-hotep), in sumer.-akkad. Weisheitstexten vornehmlich verschiedene Typen von Sprüchen. Ein berühmter aram. Text, möglicherweise noch aus dem 8. Jh. v. Chr. stammend, erzählt von einem hohen Beamten am assyr. Hof, dessen Rechtschaffenheit schließlich zu seiner Rechtfertigung führt; seine angefügten Lehren bieten Lebenshilfe. Einige Texte sprechen von leidenden Gerechten; diese erheben die Frage der Theodizee, bieten zuweilen auch Lösungen.

Die sog. Apokalypsen sind die jüngste Gattung in der Bibel und der oriental. Lit. Eine Apokalypse ist eine Erzählung, in der eine außerweltliche Gestalt einer oder mehreren Personen eine weltliche oder außerweltliche Realität offenbart, die mindestens teilweise existiert und in der Zukunft bevorsteht. Zu den Beispielen aus der israelitischen und jüd. Lit. gehören Elemente aus Ez, Sach 8, Dan 7–12. Spätere jüd. Apokalypsen sind 1 Hen, 4 Esr und 2 Bar (Beispiele aus Persien: Bahman Yast, Bundahišn, Hystaspes-Orakel, das Buch Ardā Wīrāz).

C. Neues Testament

Seine frühesten Dokumente sind die Briefe des Paulus (ca. 50–56 oder 61 n. Chr.). Das früher entstandene 1 Makk enthält zwölf offizielle Briefe und 2 Makk sieben, 1 Makk bietet einen authentischen jüd. Festbrief. Auf das Vorwort folgt eine Danksagung (2 Makk 1,2–6; vgl. 1,11), ähnlich den späteren paulinischen Danksagungen. Es gibt im NT 22 »Briefe« an Individuen (1 Tim), von einem Individuum an eine Gruppe (die meisten der paulinischen Briefe), Rundbriefe (Eph, 1 Petr) und eingelegte Briefe (Apg 15,23–26). Zwölf Schriften der Apostolischen Väter sind ebenfalls Briefe, sieben von Ignatius. Diese haben eine gewisse Ähnlichkeit mit Papyrus-Briefen aus Ägypten.

Paulus entfaltet 1) das Vorwort, indem er sich selbst als »Diener« und/oder »Apostel« darstellt; es folgt ein Gruß, z. B. in 1 Thess 1,1: ›Gnade euch und Friede‹ und die Danksagung; 2) der Hauptteil des Briefes schließt oft mit Reiseplänen und Ermahnung; 3) die Schlußteile bestehen in Lobpreis, Grüßen und einem Segenswunsch ›Gnade‹, dem oft ein Friedenswunsch vorausgeht und ein persönlicher Gruß folgt. Die Analyse des Mittelteils der Briefe bleibt problematisch, obwohl Paulus oft Gemeinplätze verwendet. Ob die von Paulus zit. »Christushymnen« (z. B. 1 Kor 15,3b–7; Phil 2,6–11; Rö 1,3–4) liturgischer Herkunft sind oder nur lit. Funktion haben, ist strittig [9. 1150, 1163]. Paulus benutzt den Midraš, apokalyptische Sprache und liturgische Formeln (1 Kor 11,24b–26; Gal 3,28). Die Briefe enden oft mit Ermahnungen sowie Tugend- und Lasterkatalogen, die mit zeitgenössischen stoischen Listen vergleichbar sind (Epikt. dissertationes 3,20,5–6). Nur deuteropaulinische (und deuteropetrinische) Briefe haben Haustafeln (Kol 3,18–4,1); die drei Paare haben Beziehungen zu dem aristotelischen Topos »über die Hauswirtschaft« (vgl. Aristot. pol. 1, 1253b 1–14). Rhet. sind die meisten frühen christl. Briefe deliberativ. Der Römerbrief ist geprägt vom Stil der Diatribe (Schulvortrag).

Die Ev. des Mt, Mk und Jo folgen den Konventionen der griech.-röm. → Biographie in Form und Funktion [10]: das chronologische Rahmenwerk des Lebens einer öffentlichen Person, ausgestaltet durch Gleichnisse, Wundergesch., Verkündigungsgesch., Midraš und apokalyptische Sprache. Mt und Lk fügen Kindheits-

gesch. hinzu von Jesu Geburt aus der Jungfrau (vgl. Plut. Romulus 2–4), Lk erzählt von Jesu Himmelfahrt (Lk 24,50–53; Apg 1,9–10: vgl. Dion. Hal. ant. 2,65: die Sonnenfinsternis bei Romulus' Tod und Himmelfahrt). Die Ev. haben histor., epideiktische und belehrende Funktion, sie rechtfertigen das Wertesystem der Kirchen und bieten Tugendparadigmen. Sie sind episodisch, anekdotisch und in parataktischem Stil geschrieben, eher volkstümliche Lit. als die meisten anderen Biographien.

Lukas-Ev. und Apg stehen formal der Geschichtsschreibung näher [8]. Sie sind mimetisch, dramatisieren und interpretieren gesch. Handlungen unter der Voraussetzung, daß der Ursprung der Schlüssel zum Verständnis menschlichen Handelns ist. Lk schreibt histor. Vorworte zu beiden Werken (Periodenstil in Lk 1,1–4), imitiert Septuaginta-Griech. (Lk 1–2; Apg 1–12), wie seine Zeitgenossen das Att. nachahmten, fügt Gastmähler (Kap. 7; 11; 14), Reiseberichte (Lk 9–19; Apg 12–21; 27 f.) und Reden (im auktorialen Stil) ein, um die Bed. der Gesch. zu erläutern, selbst wenn die Reden gelegentlich nicht zum Kontext passen (z. B. Apg 7,17; 27). Lk benutzt Briefe, dramatische Episoden (z. B. die programmatische Gesch. des Cornelius, Apg 10,1–11,18), Digressionen und Zusammenfassungen. Da die Kirchen nicht mehr mit ethnischen Gruppen zusammenfallen, versucht die Apg Identität zu stiften und durch Erzählung der Ursprünge zu legitimieren. Der Autor konzipiert die Kirche in Analogie zum röm. Reich, das fortgesetzt ›wächst‹ und ›alle Völker‹ einschließt.

Das Wort »Apokalypse« findet sich zuerst in Apk 1,1–2, bezogen auf ein Offenbarungserlebnis, nicht auf ein Buch. In der Neuzeit wird der Terminus – in Konkurrenz zu »Eschatologie« – für einen Komplex von Glaubensinhalten, Verhalten und lit. Formen gebraucht. Die frühesten Beispiele sind Teil von 1 Hen (1–36; 72–82) und Dan 7–12 (Mitte 2. Jh. v. Chr.). Die drei frühesten christl. Apokalypsen sind die des Johannes (um 95 n. Chr.), des Petrus (um 135) und der »Hirt des Hermas«. Apokalyptische. Lit. ist verwandt mit griech. → Divination und mit hebr. Prophetie.

D. Zitate bei griechischen und lateinischen Autoren

Hekataios (ca. 300 v. Chr.) hat wohl als erster griech. Schriftsteller auf die geschriebenen Gesetze des Mose verwiesen (Diod. 40,3,6; [15. Nr. 11]); ein möglicher Hinweis auf die Septuaginta-Version von Gn 1,28 findet sich bei Okellos Lukanos [15. Nr. 40]; Ps.-Longinus verweist auf Gn [15. Nr. 148]; Galenus kritisiert die Schöpfungsgesch. [15. Nr. 376; vgl. 14. Nr. 21–116]; Jeremia bei Alexander Polyhistor [15. Nr. 51a]; biblische Gesch. bei Nikolaos von Damaskus [15. Nr. 83–85, 93], in antijüd. Polemik bei Apion [15. Nr. 163b–165]; Satire auf das jüd. Gesetz bei Juvenal [15. Nr. 301]; allegorische Interpretation von Sprüchen Jesu und der Propheten durch Numenios von Apamea (bei Origines) [15. Nr. 364b]; der Philosoph Kelsos bekämpft die mosaische Geschichte und Jesus, zit. Mt [15. Nr. 375; vgl.

14. Nr. 299–604]; Porphyrios kritisiert Gn, Dan, Jona [14. Nr. 464a–466; vgl. 14. Nr. 241–280, 283–288], ebenso Mt, Gal und Rö [15. 459a-d; vgl. 14. 631–703].

Hebr. B.: **1** R. Albertz, Religionsgesch. Israels in atl. Zeit, 1992 **2** J. Ebach, R. Faber (Hrsg.), B. und Lit., 1995 **3** J. J. Collins, The Apocalyptic Imagination: An Introduction to the Jewish Matrix of Christianity, 1984 **4** K. Koch, Was ist Formgesch.?, 1964 **5** E. M. Meyers, Archaeology in the Near East, 1–5, 1997 **6** L. Perdue, Families in Ancient Israel, 1997 **7** J. B. Pritchard (Hrsg.), Ancient Near Eastern Texts Relating to the Old Testament, ³1969.
NT: **8** D. E. Aune, The New Testament in its Literary Environment, 1987 **9** K. Berger, Hell. Gattungen im Neuen Testament, in: ANRW II 25.2, 1034–1880 **10** R. A. Burridge, What are the Gospels? A Comparison with Graeco-Roman Biography, 1992 **11** H. Cancik (Hrsg.), Markus-Philologie. Histor., literargesch. und stilistische Unt. zum zweiten Evangelium, 1984 **12** A. J. Malherbe, Hellenistic Moralists and the New Testament, in: ANRW II 26.1, 267–333 **13** C. Osiek, D. Balch, Families in the NT World: Households and House Churches, 1997
Zitate: **14** G. Rinaldi, Biblia Gentium. Primo contributo per un indice delle citazioni, dei riferimenti e delle allusioni alla Bibbia negli autori pagani, greci e latini, di età imperiale (Libreria Sacre Scritture) 1989 **15** M. Stern, Greek and Latin Authors on Jews and Judaism 2 vol., 1974, 1980.

D. BA. u. L. P. / H. C.-L.

Bibeldichtung I. Griechisch II. Lateinisch

I. Griechisch

Die B. knüpfte an die frühkirchliche Hymnen- und Psalmendichtung an, die Bestandteil des Gottesdienstes war. Umfangreiche Bibelzitate oder poetische Paraphrasen markieren den Ursprung der B. Wie dort kann auch später zw. lit. und liturgischer Dichtung nicht getrennt werden. So ist z. B. der Heirmós (εἰρμός) Χριστὸς γεννᾶται dem Anfang einer → Homilie → Gregors von Nyssa (PG 36, 312 ff.) entnommen. Den Höhepunkt der B. stellt das → Kontakion dar, das sich um 500 in Konstantinopel entwickelte. Prägend für die Gattung ist → Romanos der Melode (6. Jh.; berühmtestes Werk: Ἡ παρθένος σήμερον). Der Ursprung des Kontakion liegt sowohl in der syr. B. (→ madrāša des Afrahat; → memrā des Ephraem), als auch in der griech. Homilie des 4. und 5. Jh. verankert. In der Folgezeit (bes. bei Kosmas von Maiuma, Iohannes Damaskenos und Ioseph Sikelos) wurde es durch den → Kanon, der aus dem monastischen Kreis des Sabas-Klosters stammt und von Andreas von Kreta (7./8. Jh.) (berühmtestes Werk: Ὁ μέγας κανών) entwickelt wurde, abgelöst.

N. B. Tomadakes, Βυζαντινὴ ὑμνογραφία καὶ ποίησις, 1965 · J. Grosdidier de Matons, Liturgie et hymnographie: kontakion et kanon, Dumbarton Oaks Papers 34/35, 1980/81, 31–43 S. P. Brock, Syriac and Greek hymnography (Studia patristica 16; Texte und Unt. 129), 1985. K. SA.

II. Lateinisch
A. Begriff B. Thema C. Sprachliche Form D. Wirkungsgeschichte

A. Begriff
Der Begriff der B. entzieht sich einer präzisen Definition. Christl. Dichtung weist wohl zum größten Teil einen Einfluß der Bibel auf Sprache, Inhalt und formale Eigenschaften auf. In der Spätant. durchzieht dieser Einfluß Hymnen (→ Hymnos), apologetische (→ Apologien) und → Lehrgedichte sowie in geringerem Maße → Epigramme. Doch gibt es in diesem weiten Spektrum biblisch beeinflußter Gedichte eine kleinere Gruppe von Bibelgedichten im engeren Sinne, die Bibelepen: ausschließlich in Hexametern und formal narrativ folgen sie der Anordnung der biblischen Ereignisse (→ Epos).

B. Thema
Hell.-jüd. Autoren hatten als erste die biblischen Themen in Formen klass. Dichtung gefaßt, doch sind ihre Werke nur fragmentarisch erhalten. Von den Christen schrieb ein spanischer Geistlicher, C. Vettius Aquilinus → Iuvencus, im 4. Jh. die ersten fortlaufenden erzählenden Bibelgedichte, die *Evangeliorum libri IV*, die weitgehend auf Mt zurückgingen, jedoch Stoff aus anderen Evangelien einbezogen. Später in diesem Jh. verfaßte → Proba, die Tochter einer vornehmen röm. Familie, ein vergilisches → Cento auf die ersten Kapitel der Gn und auf das Leben Christi. Das 5. Jh. sah mehrere solcher erzählender Bibelgedichte: am Anf. des Jh. den → Heptateuchdichter (Gn bis Ri, obgleich das Werk urspr. wohl alle Geschichtsbücher des AT enthielt; pseudonym Cyprian zugeschrieben), die *Alethia* eines Marseiller Rhetoren, Claudius → Marius Victor (Gn 1–19), und am Ende des Jh. *De spiritualis historiae gestis* des Alcimus Ecdicius → Avitus, des Bischofs von Vienna (Schöpfung, Sündenfall, Vertreibung aus dem Paradies, Sintflut, Auszug aus Ägypten). In der nt. Dichtung erzählt das *Carmen paschale* des ital. Dichters Caelius → Sedulius (2. Viertel des 5. Jh.) Leben und Wunder Christi (fünf B.; B. 1 enthält Episoden aus dem AT); der ligurische Dichter → Arator folgt mit seiner *Historia apostolica*, die auf der Apg beruht, etwa ein Jh. später nach (544). Neben diesen längeren Bibelepen gibt es einige kürzere anonyme oder pseudonyme Gedichte, die sich auf bestimmte Episoden oder Bücher konzentrieren: → *De Sodoma*, → *De Iona* und *De martyrio Maccabaeorum* (alle unsicher datiert, wahrscheinlich 5. Jh.). Das → *In Genesin ad Leonem papam* (Mitte 5. Jh.) befaßt sich mit der Schöpfung, eingebettet in den hymnischen Lobpreis Gottes. Das erste der drei Bücher *De laudibus Dei* des afrikanischen Dichters Blossius Aemilius → Dracontius (letztes Jahrzehnt des 5. Jh.) enthält eine weitschweifige Darstellung von Schöpfung und Sündenfall (115–561), die einem Vergleich mit unabhängigen Bibelepen standhält.

C. Sprachliche Form

Indem Iuvencus das oft unelegante Lat. der alten Bibelübers. in die angesehene Form des vergilischen Hexameters umschrieb, machte er die Bibel für eine kultivierte Leserschaft, die im veränderten rel. Klima des konstantinischen Reiches vom Christentum angezogen sein konnte, zugänglicher. Iuvencus spricht davon, das göttl. Gesetz mit irdischem Sprachschmuck zu umkleiden (4,804f.). Sein Dichtwerk ist als Gegenstück zu heidnischer Epik gedacht (Proöm 6–20). Bei der Umgestaltung der biblischen Erzählung wendet Iuvencus die Standardtechniken rhet. Paraphrase, Verkürzung, Ausführlichkeit und Umstellung an [1], bleibt aber meist nah am Bibeltext. Mit Ausnahme von Probas Cento, der als Form von Hieronymus (epist. 53,7) verurteilt wird, wurden bis zum 5. Jh. keine weiteren Bibelepen geschrieben.

Vom ersten Moment an zieht eine paraphrasierende Umformulierung eine gewisse Interpretation nach sich. Doch unter dem Einfluß christl. Exegese und Homiletik verbindet die nt. Epik zunehmend narrative Verkürzung mit interpretativer Ausführlichkeit. Sedulius schildert die Ereignisse des Lebens Christi in einer Reihe eigenständiger Erzählungen und läßt dabei den moralischen und geistlichen Inhalt jeder Episode plastisch hervortreten. Bei Arator bieten die typischerweise stark gekürzten Erzählabschnitte Gelegenheit zu ausgedehnter Exegese, die seinem Gedicht den Charakter eines Verskommentars (→ Kommentar) verleiht. Trotz des Rückgriffs auf das ant. Epos zur Inspiration im Formalen bilden die nt. Gedichte eine individuelle Untergattung mit eigener Tradition und Ausdrucksweisen.

Die at. Epen gehen einen anderen Weg. Der → Heptateuchdichter ist in seiner paraphrastischen Technik vergleichbar mit Iuvencus, obwohl ein Jh. später geschrieben. Verglichen mit der nt. Tradition machen die at. Dichter beschränkteren Gebrauch von homiletischen und rhet. Techniken der Überzeugung und der Protreptik. Nach dem Heptateuch weisen sie starken Einfluß christl. Exegese auf, jedoch mit einem bes. Interesse an der histor. Interpretationsebene (bes. Marius Victor) ähnlich der gramm. *enarratio poetarum*. Alle 3 Bücher der *Alethia* enden mit Reflexionen über den christl. Heilsplan. Alcimus Avitus übernimmt dann dieses Thema als Strukturprinzip seines Dichtwerks (5,706–714). Abschnitte mit detaillierter Beschreibung tauchen zwar auch bei den nt. Dichtern auf (z. B. der bethlehemitische Kindermord, Stürme auf See), sind aber in der at. Tradition viel auffallender, bes. in Form von Beschreibungen von Natur und Naturgewalten (z. B. Schöpfung, Paradies, Sintflut, Zerstörung von Sodom und Gomorrah; → Ekphrasis). Die Dichter fügen oft hymnische Abschweifungen ein, indem sie die Macht Gottes und die Schönheit der Schöpfung loben. Avitus weist in seinem Bericht über Sündenfall und Vertreibung aus dem Paradies ein bes. Interesse an der Psychologie der Beteiligten auf, das sich in einer Reihe direkter Reden ausdrückt und seinem Dichtwerk dramatischen Charakter verleiht.

D. Wirkungsgeschichte

Die lat. nt. Dichter wurden weiterhin durch das MA und bis in die Renaissance hinein gelesen, bewundert und nachgeahmt. Gemeinsam mit Alcimus Avitus, als einzigem at. Dichter, bildeten sie einen Kanon von Bibeldichtern, auf den man sich in ma. Texten oft berief [2. xix–xxxii]. Schon in der Spätant. bekam Sedulius mit seiner Betonung des Lebens und der Wunder Christi einen formenden Einfluß auf eine neue Untergattung, das hagiographische Epos, das von Paulinus von Périgueux und → Venantius Fortunatus gepflegt wurde. Die anglo-lat. Autoren Aldhelm, → Beda Venerabilis und Alkuin weisen alle eine tiefe Beeinflussung durch die nt. Gedichte auf, die sich eines bes. Ansehens in karolingischer Zeit erfreuten. Wahrscheinlich wurde wegen des hohen Ranges der spätröm. Klassiker keine umfangreiche B. in dieser Zeit geschrieben, obwohl es eine Fülle von sowohl quantitierenden als auch rhythmisierenden Gedichten über biblischen Themen gab. Außer der *Occupatio* des Odo von Cluny (ca. 900) tauchte erst wieder im 11. und 12. Jh. lat. erzählende B. auf, die sowohl über einzelne biblische Bücher (z. B. der *Tobias* des Matthias von Vendôme) als auch über breitere Themen geschrieben wurde und sowohl AT wie NT abdeckte (z. B. *De nuptiis Christi et ecclesiae* des Fulcoius Bellovacensis, Laurentius von Durhams *Hypognosticon* und am einflußreichsten Petrus Rigas *Aurora*). B. begann auch in den einheimischen Sprachen, mit lebendigen und lang andauernden Traditionen im Altengl., Mittelengl., Ahd. und Mhd.: Die Junius-Hs. bewahrt fünf altengl. Gedichte (*Genesis* A und B, *Exodus*, *Daniel* und *Christ and Satan*), während der *Heliand* und das *Liber Evangeliorum* Otfrids von Weißenburg (zwischen 863 und 871) – letzterer zitiert → Iuvencus, Prudentius und Arator als Vorgänger – die wichtigsten frühen dt. Werke sind [3. 125–224, 271–339]. Die lat. Bibeldichter des MA verarbeiteten in ihren Erzählungen wie ihre ant. Vorgänger vor allem allegorische Bibelexegese.

Die Renaissance erlebte eine zweite Blüte des Interesses an Lektüre und Abfassung von B. In den ersten Jahren des 16. Jhs. brachte ALDUS MANUTIUS eine einflußreiche Sammlung spätant. B. einschließlich der kanonischen nt. Autoren heraus. Gedichte wurden in großen Mengen im 16. und 17. Jh. in Lat. und in modernen Sprachen geschrieben. Manche folgten den spätröm. Vorbildern, doch zeitigten sie unter dem Einfluß neoklass. Dichtungen oft einen ausgeprägten Rückgang des kommentierenden Elements und eine Rückkehr zum klass. ep. Modell und traditionellen Bauelementen, die in früherer B. fehlten. Die *Christias* des Marcus Hieronymus Vida beginnt mitten im Geschehen und umfaßt Ratsversammlungen im Himmel und in der Hölle, Beschreibungen von Kunstgegenständen und allegorische Personifizierungen. John Miltons *Paradise Lost* (1667) und *Paradise Regained* (1671) stehen als Meisterstücke des Bibelepos am Ende der Tradition, als die Produktion von B. bereits abnahm. Die romantische Bewegung brachte die endgültige, entscheidende Abkehr nicht nur vom Bibelepos, sondern vom Epos insgesamt. Friedrich Klopstocks ›Der Messias‹ (abgeschlossen 1773) ist das letzte Echo einer langen Tradition.

1 M. ROBERTS, Biblical Epic and Rhetorical Paraphrase in Late Antiquity, 1985 2 R. HERZOG, Die Bibelepik der lat. Spätant., 1975 3 D. KARTSCHOKE, B., 1975 4 F. RAEDLE u. a., s. v. B., LMA 2, 75–82.   M. RO./M. MO.

Bibelepik s. Bibeldichtung

Bibelübersetzungen
I. ALLGEMEIN II. SYRISCH III. ARABISCH

I. ALLGEMEIN
A. EINLEITUNG B. ALTES TESTAMENT
C. NEUES TESTAMENT

A. EINLEITUNG

Die Begriffe → Bibel und Übersetzung sind nicht klar voneinander abgrenzbar, da sich der anerkannte Textbestand im Laufe der Gesch. änderte (→ Kanon) und auch Paraphrasen als B. galten. Neue Entdeckungen (→ Quamran, Papyri) haben gezeigt, daß sich auch die Texte der Quellsprache, der sog. Masora Text, und die der Zielsprache, die Septuaginta (LXX; Peschitta; Vetus Latina), histor. entwickelten und nur unter Bezugnahme auf kritische Apparate von Editoren gelesen werden sollten. Die Gewohnheiten des Übersetzers, der wie Janus rückwärts und vorwärts schaut [1] sollten ermittelt werden, bevor sein Zeugnis für Textkritik (im AT etwa 5000 strittige Stellen!) ausgewertet wird. Wörtliche B., die Hieronymus mit *verbum de verbo* charakterisierte (heute oft: »formal equivalence« [2]), können von freien B., *de sensu*: »dynamic equivalence«, mehr intuitiv als statistisch exakt unterschieden werden. Der Begriff Übers.technik ist nur mit Vorsicht zu verwenden [3]. Spätere Bearbeiter verfahren oft wortgetreuer (LXX; armen. B.). Der → Pentateuch wird wortgetreuer übersetzt als die übrigen Bücher; aber auch innerhalb der Corpora, ja sogar einzelner Schriften sind divergierende Tendenzen festzustellen. Die jüngere Forsch. vermeidet Generalisierungen.

B. ALTES TESTAMENT

1) Aramäisch: Der Begriff Targum (Tg.), Interpretation, ist abzuleiten vom semit. Stamm *trgm*. Er bezeichnet die zunächst mündliche Übertragung der in der Synagoge verlesenen at. Texte in die aram. Sprache, die seit der Perserzeit Hebr. verdrängte. In der → Mischna ist die Prozedur geregelt: Der Leser darf höchstens einen Vers der Tora (bzw. drei von Propheten) vortragen, und der *(mᵉ)tūrgᵉman* hat seine Deutung ohne schriftliche Hilfsmittel zu geben. Sekundär werden Tg. für den Haus- und Schulgebrauch schriftlich fixiert. Solche B. sind in der Regel frei, sogar paraphrasierend. Vorchristl. Tg. besitzen wir aus Qumran (längere Fragmente: Hiob 17–42 in 11 Q Tg Job, 2. Jh. v. Chr.). Datierungsfragen sind weitgehend unlösbar, da Tg. oft Konglomerate darstellen; Hss. sind meist viel

jünger. Wichtige Sammlungen für den Pentateuch sind Neofiti, Fragmenten-Tg. (auch: Jeruschalmi II), Geniza-Fragmente, Tg. Onkelos (evtl. von → Aquila); die Hs. des Ps.-Jonathan gelangte früh nach Babylonien und wurde dort bearbeitet. Für die Propheten sind Tg. Jonathan und Jeruschalmi zu nennen; weitere für die Hagiographen. Separat entwickelte sich das Tg. der Samaritaner, die nur den Pentateuch anerkennen.

2) Griechisch (LXX): Da sich Griech. als Weltsprache im Osten ausbreitet, werden B. des AT notwendig (ab 3. Jh. v. Chr. kennt man in Ägypt. kein Hebr. mehr). Die Ptolemäer haben das Bedürfnis, das Gesetz der starken jüd. Minderheit griech. zu besitzen. Die Ur-LXX ist kaum, wie noch R. KAHLE glaubte, ein griech. Targum. Der Brief des Ps. → Aristeas (korrekt: Aristaios), zw. 145 und 115 v. Chr. verfaßt, dient der Rechtfertigung, bestätigt die Exaktheit und verflucht Änderungen. Seit → Philon gilt die LXX als inspiriert. Die christl. Kirche übernimmt sie von Anfang an als »Hl. Schrift«. Ihr Charakter ist heterogen. Der älteste Teil (nach 250 v. Chr.), der Pentateuch (vor allem Genesis), wirkt als Vorbild für Spätere. Einige Schriften (evtl. die Psalmen) sind in Palästina übers. worden. Die jüngste Partie ist wohl 2 Esra, gegen 100 n. Chr. Gewisse exegetische Traditionen (rabbinische, aktualisierende) sind, in unterschiedlichem Ausmaß, spürbar. Die Sprache ist Koine-Griech., mit einigen Hebraismen und Aramaismen, aber kein eigentlicher jüd. Dialekt. Schon früh, bereits bei Paulus erkennbar [4; 5], setzen Revisionen (Rev.) ein, die eine größere Nähe zum hebr. Text anstreben: 1) Sog. *kaige*-Rev., auch Proto- oder Ur-Theodotion genannt, etwa faßbar in der Zwölf-Propheten-Rolle von Nahal-Hever; charakteristisch sind die Partikel καίγε für hebr. *gm*. 2) *Aquila* war, nach unzuverlässiger Tradition, ein Proselyt aus Pontos. Rev. um 125 n. Chr. in rabbinischem Geist [6]. Das Wort-für-Wort-Prinzip (z. B σύν für die hebr. Akk.-Partikel) wird schon von → Origenes als »Sklavendienst am Hebr.« getadelt; Aquila versucht oft, die Etym. der Quelle nachzuvollziehen [7]. 3) Symmachos: Wahrscheinlich weder ein Ebionit noch ein abgefallener Samaritaner, sondern ein palästinischer Jude, der gut Hebr. konnte und kurz vor Origenes in Kenntnis früherer Rev. arbeitet; auch er sucht größere Nähe zum hebr. Original [8]. Etwa um 230 n. Chr. verschafft sich Origenes durch seine Hexapla Klarheit über die verschiedenen Rev., um für Exegese und apologetische Diskussionen besser gerüstet zu sein [9]. In sechs Kolumnen bietet das gelehrte Werk den hebr. Text, eine griech. Umschrift, Aquila, Symmachos, LXX, Theodotion; einige Schriften kennen sogar eine Quinta und eine Sexta. Mit einem »Sternchen« (ἀστερίσκος) bezeichnet Origenes Lücken der LXX, die er mit Hilfe anderer B. ergänzen kann, mit einem »Spieß« (ὄβελος) Stellen, die im Vergleich mit dem Hebr. ein Plus aufweisen. Das *opus magnum*, an dem Origenes etwa 15 Jahre arbeitete, ist nur in zwei Palimpsesten, der Syrohexapla (s. u.) und Zitaten erh. Der Briefwechsel mit Iulius Africanus zeigt das wache philol. Bewußtsein der

Alexandriner (Zweifel an der Kanonizität der Daniel-Zusätze [10]). Spätere Rev. der LXX von Lukian und Hesych sind schwer faßbar und in der neueren Forsch. umstritten (zu Lukian [11]). Zu sekundären at. B., die auf der LXX beruhen, s.u. Abs. C.

3) Syrisch: Der aram. Dialekt von → Edessa wird zur liturgischen Sprache verschiedener Ostkirchen. Der histor. Rahmen ist anders als im Westen: exponierter, offener, weniger zentralistisch. Schreibzentren, die Jh. überdauern, fehlen. Die Entwicklung von B. ist deshalb heterogen [1]. Am wichtigsten ist die Peschitta, die »einfache«, unterschiedlich in Stil und Charakter, mit Verbindungen zu den Tg. (s.o.). Sie entstand in der 2. Hälfte des 2. Jh., wohl in jüd. oder juden-christl. Kreisen (gelegentliche Berührung mit LXX); aber die ältesten Hss. stammen erst aus dem 5. Jh. Die Edition des Leidener Peschitta-Instituts beruht auf dem Cod. Ambrosian. B 21 inf. (7a1) und gibt dazu – nicht immer einheitlich – die Varianten. Die hs. Überlieferung (bis ins 20. Jh.!) ist erstaunlich einförmig [12]. Ferner wurde die 5. Kolumne der Hexapla kurz nach 600 ins Syr. übersetzt: Syrohexapla. Genaue Arbeit macht sie zu einem unschätzbaren Zeugen des origenischen Werks. Es existieren nur Teil-Ausg.: Für den Pentateuch Faksimile der Hs., die A. Vööbus 1964 in Midyat entdeckte [13]. Eine eklektische Revision, mit Beizug der lukianischen LXX, erstellte etwa 705 → Jakob von Edessa (5 Hss. des 8. Jh.). Aus dem Kreis westaram. Melkiten stammt ferner eine Palästinisch-syr. B. [12].

4) Lateinisch (Vulgata). Nachdem sich die christl. Kirche des Westens etwa 250 Jahre mit einer Vielfalt von sekundären B. aus dem Griech. begnügte, greift → Hieronymus erstmals auf das hebr. Original zurück. Zw. 390 und 406 übersetzt er das gesamte AT (Tobit, Iudith aus dem Aram.). Den Zugang zur *Hebraica veritas* erleichtern ihm Aquila, Theodotion und besonders Symmachos; gelegentlich konsultiert er jüd. Kenner. Er arbeitet uneinheitlich, wirkt jedoch von den Anfängen mit den 4 Königsbüchern bis zum Oktateuch zunehmend souverän. Die sprachliche Leistung ist gewaltig. Viele Neuerungen stoßen aber auf Widerstand, da man aus der Liturgie an andere Formulierungen gewöhnt war. Der Briefwechsel mit → Augustin spiegelt diese Problematik. Die Vulgata kann sich nur allmählich durchsetzen. Entscheidend dafür war die karolingische Reform unter Alkuin; die Kanonisierung erfolgte 1546.

C. NEUES TESTAMENT

1) Syrisch: Wenn es zutrifft, daß → Tatian sein → Diatessaron in Syr. verfaßt hat, ist diese Evangelien-Harmonie die erste in besonderer Textform faßbare nt. Übers. (um 172 n. Chr.). Neben den vier kanonischen Evangelien ist noch eine weitere Quelle benützt (Diapente!). Der Text hat sich, in einer östl. und einer westl. Fassung, in zahlreichen Sprachen verbreitet: arab., pers., armen., georg.; griech. (Dura-Fr. 14 Z., vor 256 n. Chr.), lat. (cod. Fuldensis), ma. holländisch (Harmonie von Liège), dt. (St. Gallen, Zürich), franz., engl., it. (Venedig). Diese etwa 200 Harmonien und Leben-Jesu-

Darstellungen (Heliand!) sind in ein Stemma zu bringen [14]. Textformen, die in einem der westl. und einem der östl. Zeugen, daneben aber in keinem »fremden« Text zu belegen sind, können als diatessaronisch gelten. Von bes. Interesse sind das vorkanonische Material, die Beziehung zum westl. Text des NT und der Einfluß auf die altlat. B. Das populäre Diat. wird oft auch bekämpft (im 5. Jh. von → Rabbula und → Theodoret). Es entstehen a) eine altsyr. B. der vier Evangelien, die sog. Vetus Syra (sy^c = cod. Curetonianus; sy^s = Sinaiticus), b) eine Pešīttā für 22 Bücher des NT (ohne Kathol. Briefe und Apk), c) die von Philoxenos von Mabbug veranlaßte »Philoxeniana« von 507/8, d) deren sklavisch dem Griech. folgende Bearbeitung durch Thomas von Harkel (616) und e) eine westaram., von den Melkiten bevorzugte palästinisch-syr. Version.

2) Lateinisch (Vetus Latina: VL): Die Akten der Märtyrer von Scili bezeugen 180 n. Chr. eine lat. B., aber Zitate sind erst ab → Tertullian († nach 220) faßbar. Ob in den Regionen eigene B. geschaffen oder ein urspr. einheitlicher Text verschieden revidiert wurde, bleibt unklar; jedenfalls sind typische Formen faßbar: Afra (wohl die älteste), Itala (früher Terminus für VL) und Hispana. Die wichtigste Stütze zur Rekonstruktion sind die Zitate der Kirchenväter. Hss. sind oft nur fragmentarisch, später teilweise vulgatisiert. Die VL verfährt meist sehr wörtlich, bewahrt im AT einige Hebraismen (Parataxe mit *et*), zeigt gelegentlich jüd. oder Diatessaron-Elemente, ist aber für die frühe Westkirche sprachschöpferisch [15]. Die Evangelien, auf Geheiß des → Damasus 383 von Hieronymus überarbeitet, das (wohl von Rufin dem Syrer) revidierte Corpus Paulinum und die anonym und unterschiedlich bearbeiteten übrigen nt. Schriften gelangten in die Vulgata.

3) Gotisch: Im 4. Jh. entstand in der Werkstatt des → Ulfila eine got. B.; sie ist kaum von der VL beeinflußt und bezeugt, parallel zu Diatessaron und Afra, alte, westl. Varianten der Vorlage [16]. Durch sieben Hss. des 5.–7. Jh., darunter der Codex Argenteus von Uppsala sind die Evangelien, Fragmente der Briefe und 50 Verse des AT. erhalten.

4) Übrige: Die Mission in Randgebieten führte zu B. ins Kopt. (ab 3. Jh.), Armen. (aus Griech. oder Syr.; → Mesrop schuf zu Beginn des 5. Jh. ein Alphabet), Georg. (aus dem Armen., mit Revisionen nach dem Griech.), Äthiopische (5./6. Jh.; aus dem Griech. ins Ge'ez; syr. und kopt. Einflüsse), Aksl. (älteste Hss.: 10. Jh.) und Arab.

→ Christentum

1 D. J. LANE, Peshitta of Leviticus, 1994 2 E. A. NIDA, C. R. TABER, Theory and Practise of Translation, 1974 3 A. AEJEMELAEUS, On the Trail of the Septuagint Translators, 1993, 65–76 4 D.-A. KOCH 5 M. HENGEL, in: Septuaginta zw. Judentum und Christentum. Wiss. Unt. zum NT 72, 1994, 192–284 6 G. VELTRI, Der griech. Targum Aquilas, in: Septuaginta zw. Judentum und Christentum. Wiss. Unt. zum NT 72, 1994, 92–115 7 J. REIDER, N. TURNER, in: VTS 12, 1966 8 A. SALVESEN,

Symachus in the Pentateuch (JSS Monograph 15), 1991
9 R. HANHART, Textgesch. Probleme der LXX, in:
Septuaginta zw. Judentum und Christentum. Wiss. Unt.
zum NT 72, 1994, 13 f. **10** H. MARTI, Übersetzer der
Augustin-Zeit, 1974 **11** N. FERNANDEZ-MARCOS, The
Antiochian Text of the LXX, in: AAWG 190, 1990, 219–29
12 S. BROCK, TRE 6, 1980, 161 ff. **13** A. VÖÖBUS, CSCO
Sub. 45, 1975 **14** W. L. PETERSEN, Tatian's Diatesseron
(Vigiliae Christianae Suppl. 25), 1994 **15** C. MOHRMANN
16 R. GRYSON, Version gotique, in: RThL 21, 1990, 3–31.

ED.: Pentateuch: A. DIEZ MACHO, 5 Bde., 1968–78 ·
Targum der Samaritaner: A. TAL, 3 Bde., 1980–83 ·
Zwölf-Propheten-Rolle: E. TOV, (DJD 8), 1990 ·
Syrohexapla: F. FIELD, 1871–75 Ndr. 1964 · Vulgata: ed.
maior, 17 Bde., 1926–87 · ed. minor, R. WEBER, 2 Bde.,
1969, 1983³ · Vetus Latina: P. SABATIER, 3 Bde., 1743 ·
A. JÜLICHER, W. MATZKOW, K. ALAND, 10 Bde., 1963,
²1970–76 · B. FISCHER u. a., Gn, Weish, Sirach, Jes, Briefe
des NT: in Synopsen, 1949 ff.
LIT.: P. S. ALEXANDER, Mikra, Text, Translation and
Interpretation of the Hebrew Bible, in: M. J. MUIDER,
H. SYSLING (Hrsg.), 1988, 217–53 · J. ASSFALG, P. KRÜGER,
Wörterbuch des christl. Orients, 1975 · D. BARTHÉLEMY,
Devanciers d'Aquila (VT Suppl. 10), 1963 · P. B. DIRKSEN,
in: P. S. ALEXANDER, Mikra (s. o.), 255–97 · B. FISCHER,
Alkuin-Bibel (AGLB 1), 1957 · Ders., Lat. Bibelhss. im
frühen MA (AGLB 11), 1985 · A. FÜRST, Veritas Latina, in:
Rev. des Et. Augustiniennes 40, 1994, 105–26 · M. HARL,
M. DORIVAL, O. MUNNICH, Bible grecque des Septante,
1988 · K. HYVÄRINEN, Übers. von Aquila, in: OT Series 10,
1977 · S. JELLICOE, Septuagint and Modern Study, 1968,
1973 · A. KAMESAR, Jerome, Greek Scholarship, and the
Hebrew Bible, 1993 · B. KEDAR, in: P. S. ALEXANDER,
Mikra, (s. o.), 299–338 · R. LE DÉAUT, Targumim,
Cambridge History of Judaism 2, 1989, 563–90 ·
S. OLOFFSON, The LXX Version, in: OT Series 30, 1990 ·
I. SOISASALON-SOININEN · R. SOLLAMO · M. RÖSEL,
Übers. als Vollendung der Auslegung, in: ZATW Beih. 223,
1994 · P. SCHÄFER, TRE 6, 216–28 · R. A. TAYLOR, Peshitta
of Daniel, 1994 · E. TOV, ANRW II 20.1, 1987, 121–89 ·
A. WIFSTRAND. H. MA.

II. SYRISCH

1) AT: Die als Peschitta bekannte Standardübers. aus
dem Hebr. entstammt den frühen Jh. n. Chr.; der Pentateuch und einige andere Bücher (vor allem die Chroniken) wurden wahrscheinlich von Juden übersetzt,
spätere Bücher vermutlich von Christen. Die
→ Apokryphen wurden bis auf Jesus Sirach, der direkt
aus dem Hebr. übersetzt wurde, aus dem Griech. übertragen. Eine neuere Übers., die Syrohexapla, wurde in
→ Alexandreia [1] ca. 616 von Paulus von Tella auf der
Basis des von → Origines bearbeiteten Texts der Septuaginta angefertigt, unter Einbeziehung vieler Rand-
glossen von anderen Kolumnen der Hexapla. Teilweise
Überarbeitungen der Peschitta auf der Grundlage
griech. Hss. werden mit Philoxenos (gest. 523) und Jakob von Edessa (gest. 708) in Verbindung gebracht.

2) NT: Die älteste Version, das Syrische Diatessaron,
auch Evangelienharmonie genannt, ist bis auf einige
Zitate verloren. Die Alten Syrischen Evangelien (frühes
3. Jh. n. Chr.?) sind in zwei frühen Hss. erhalten. Die

Standardversion ist die Peschitta, eine ca. 400 heraus-
gegebene Bearbeitung, die noch immer in Gebrauch ist.
Von den späteren, genaueren Revisionen ist die des Philoxenos (507/8) verloren, die von Thomas von Ḥarqel
(Herakleia, angefertigt ca. 616 in Alexandria), erh.; beide gehören der westsyr. Tradition an.

Der frühe syr. Kanon enthielt nicht die vier kleineren
katholischen Briefe und die Apokalypse; Übers. dieser
Schriften wurden im 6. Jh. hergestellt und in die hera-
clensische Version aufgenommen. Die Peschitta ist in
den Pariser und Londoner mehrsprachigen Bibeln enthalten.

P. B. DIRKSEN, M. J. MOULDER (ed.), The Peshitta [AT]: its
Early Text and History, 1988 · P. B. DIRKSEN, Annotated
Bibliography of the Peshitta OT, 1989 · B. M. METZGER,
The Early Versions of the NT, 1977 · C. VAN PUYVELDE,
s. v. B., Dictionnaire de la Bible (Suppl.) 6, 1960, 834–884 ·
B. ALAND, S. P. BROCK, s. v. B., TRE 6, 181–196 · S. P.
BROCK, s. v. B., Anchor Dictionary of the Bible 6, 1992,
794–799. S. BR./S. Z.

III. ARABISCH

Die Existenz vorislamischer arab. Übers. von Bibeltexten ist umstritten. Zahlreiche Anklänge finden
sich im Koran (wörtliches Zit.: Sure 21,105 = Ps 37,29;
Paraphrasen bes. liturgisch relevanter Texte; Namen
biblischer Bücher: *tawrāt* »Tora«, *inǧīl* »Evangelien«,
zabūr »Psalter«) und in frühislamischer Literatur.

1) AT: Das wohl älteste hsl. erhaltene Fr. (aus Ps 77;
Arab. in griech. Schrift) stammt vom Ende des 8. Jh. aus
Damaskus. Für das 8./9. Jh. wird von mehreren Übers.
berichtet, darunter eine LXX-Übers. des Ḥunain ibn Isḥāq (gest. 873), die jedoch nicht erh. sind. Die erste
Übers. des Pentateuch auf hebr. Basis erfolgte durch den
jüd. Gelehrten Saadja Gaon (gest. 942). Zu großer Bed.
gelangte die auf der LXX basierende Psalmenübers. des
ʿAbdallāh ibn al-Faḍl (11. Jh.). Sie wurde u. a. in der
röm. Ausgabe 1671 abgedruckt.

2) NT: Übers. der Ev. und anderer Texte entstanden
auf griech., syr., kopt. und lat. Basis. Fr. sind vom 9. Jh.
an erhalten. Als Ev.-Übersetzer (auf griech. Basis) bekannt ist der melchitische Bischof von Kairo, Theo-
philus Ibn Taufīl (11. Jh.). Wichtig ist die sog. »ägypt.«
oder »alexandrinische Vulgata« auf kopt. Basis (erste
Spuren im 10. Jh., allg. Geltung ab 13. Jh.), die Grundlage der meisten Ev.-Drucke bis in moderne Zeit.

Vollständige arab. Bibeln sind, abgesehen von einer
Notiz bei Ibn an-Nadīm über eine Gesamtübers. durch
Aḥmad ibn ʿAbdallāh ibn Salām (um 800), erst im 16. Jh.
hergestellt worden.

G. GRAF, Gesch. der christl. arab. Lit. 1, 1944, 85–195 ·
S. H. GRIFFITH, The Gospel in Arabic …, in: Oriens
Christianus 69, 1985, 126–167 · R. G. KHOURY, Quelques
réflexions sur la première ou les premières bibles arabes, in:
T. FAHD (Hrsg.), L'arabie préislamique et son
environnement historique et culturel, 1987, 549–561 ·
B. M. METZGER, The Early Versions of the New Testament,
1977, 257–268 · G. MINK, S. BROCK, s. v.

Bibelübersetzungen I.9, TRE 6, 207–211 · S. KH. SAMIR, La version arabe des évangiles d'al-Asʿad Ibn al-ʿAssāl, in: Ders. (Hrsg.), Actes du 4ᵉ Congrès international d'études arabes chrétiennes, Tome II (Parole de l'Orient 19), 1994, 441–551 · H. SPEYER, Die biblischen Erzählungen im Qoran, 1931, 439–461.   C.O.

Biber (κάστωρ, *fiber*, altlat. *feber* und als Lehnwort *castor*). Der amphibische Sumpfbewohner ist etwas breiter als der Fischotter (ἔνυδρις), hat starke Zähne zum nächtlichen Abschneiden der Zitterpappeln (κερκίδαι) und ein hartes Fell. Er wurde, auch unter den Namen σαθέριον bzw. σατύριον und λάταξ, von Aristot. hist. an. 8,5,594b31–595a6 (= Plin. nat. 8,109; Ail. nat. 6,34) beschrieben. In der Ant. wurde er in It. und Griechenland wohl früh ausgerottet. In Gallien, Spanien, Mittel- und Osteuropa, bes. am Schwarzen Meer (daher »pontische Hunde« genannt), wurde er in Fallen erbeutet: Man verwendete sein Fell für die Herstellung von Kleidung, bei den »Skythen« für Schuhwerk (Hdt. 4,109); solche Fellschuhe gegen Fußgicht erwähnt auch Plin. nat. 32,110 (zur Herstellung von Wolle vgl. Ambros. dign. sacerd. 4 und Isid. orig. 19,27,4) [vgl. 1. 1.185–189]. Das B.-Geil (καστόριον, *castoreum*), bes. vom Pontos (Verg. georg. 1,58f. und Servius z. St., Quelle für Isid. orig. 12,2,21), das stark riechende, wachsähnliche und bitter schmeckende Sekret (vgl. Plin. nat. 32,27) einer Drüse neben den Genitalien, war seit dem 1.Jh. v.Chr. (Herakleides von Tarent) ein gesuchtes (und deshalb oft verfälschtes) innerlich und äußerlich angewandtes Universalmittel (Belege u.a. bei Plin. nat. 32,28–31 und Dioskurides 2,24 [2. 1.129f.] = 2,26 [3. 160f.]). Dessen Lage hatte bereits Sextius Niger richtig erkannt (Plin. nat. 32,26ff.), doch wurde die irrige Ansicht, es handle sich um dessen Genitalien, die er sich als Selbstschutz gegenüber Verfolgung bewußt selber abbeiße (Servius liefert die falsche Etym. *castor a castrando*), seit Cicero (Scaur. 2,7) und Iuvenal (12,34; beide Stellen von Servius und Isidor zitiert) bis ins MA z.B. durch den Physiologus [4. cap. 23], verbreitet. Der Geruch des Bibergeils soll Abort auslösen (Servius; Plin. nat. 32,133). Der Urin des B. wurde als Gegengift verwendet (Plin. nat. 32,31) und die Asche des Felles gegen Brandwunden (*adusta*; Plin. nat. 32,119) und Nasenbluten (Plin. nat. 32,124).

1 KELLER 2 M. WELLMANN (Hrsg.), Pedanii Dioscuridis de materia medica, Bd. 1, 1907, Ndr. 1958 3 J. BERENDES (Hrsg.), Des Pedanios Dioskurides Arzneimittellehre übers. und mit Erl. versehen, 1902, Ndr. 1970 4 F. SBORDONE (Hrsg.), Physiologi Graeci ... recensiones, 1936, Ndr. 1976.   C.HÜ.

Bibliophilie s. Bibliothek; Buch

Bibliothecarius s. Bibliothek

Bibliothek

I. BIBLIOTHEKSGEBÄUDE   II. BIBLIOTHEKSWESEN

I. BIBLIOTHEKSGEBÄUDE
A. DEFINITION   B. GRIECHENLAND   C. ROM

A. DEFINITION

B. ist Aufbewahrungsort oder Gebäude für Bücher aller Art. B. konnten Teil von Privathäusern, königlichen Palästen, öffentlichen und sakralen Gebäuden (→ Gymnasien, → Fora, → Thermen), Heiligtümern oder auch freistehende Gebäude sein. Nur wenige B. sind gesichert oder erh., da die meisten ihrer funktionsbestimmenden Elemente, einschließlich der Bücherschränke (*armaria*) und des Mobiliars, aus Holz bestanden.

B. GRIECHENLAND

Büchersammlungen sind im griech. Kulturraum seit dem 6.Jh. v.Chr. bekannt (s.u. II. B. 1.) Die Zugehörigkeit zu den Tyrannenpalästen mag eine Anleihe aus dem Orient gewesen sein. Auch noch in hell. Zeit bildeten die bekanntesten B. einen Annex der königlichen Paläste und blieben einem Fachpublikum vorbehalten. Am berühmtesten war die B. in Alexandreia (s.u. II. B. 1. c) gegründet wurde. Sie lag im Palast neben dem Museion, das einen Peripatos (Stoa) und eine → Exedra für Studienzwecke sowie einen großen Oikos als Speiseraum für die Gelehrten aufwies (Strab. 17,1,8). Eine Tochter.-B. im Serapeion (2. H. des 3.Jh. v.Chr.) lag wahrscheinlich hinter dem Südportikus gegenüber dem Hof. Auch die von Attalos I. in der 2. H. des 3.Jh. v.Chr. gegründete B. in Pergamon war Teil des Palastes (vgl. Abb. nächste Seite); sie lag im Obergeschoß der Portikus, die das Athena-Heiligtum umgab. Diese älteste erh. griech. B. bestand aus einer großen Halle (16 × 13,50 m), die innen an drei Seiten mit einem 0,50 m von den Wänden entfernten Podium versehen war, und drei kleineren, wahrscheinlich als Magazin genutzten Räumen (13,40 × 7,10 bzw. 13 m). Eine Kopie der Athena Parthenos (Berlin, PM) stand vor der Rückwand der Halle, die vielleicht die gleiche Funktion wie der Oikos in Alexandria erfüllte; auf dem Podium standen möglicherweise Statuen. Die Lage der B. der maked. Könige in Pella, deren Bücher Aemilius Paullus nach der Schlacht bei Pydna 168 v.Chr. nach Rom bringen ließ (Plut. Aemilius Paullus 28,6), ist nicht gesichert. Von der Spätklassik an waren Bücher auch in Gymnasien untergebracht; aufgrund des schlechten Erhaltungszustandes der Gymnasien konnten bisher allerdings keine Bibliotheksräume identifiziert werden. Aristoteles war der erste, der im Lykeion eine systematische B. aufbaute (Strab. 13,1,54); ein Teil der Bestände wurde später in Sullas Villa bei Cumae überführt.

C. ROM

Die ersten B. in It. befanden sich in Privatbesitz. Vollständig erh. ist die B. der Villa dei Papyri in → Herculaneum, die allerdings wieder verschüttet ist. Der kleine, am Peristyl gelegene Raum mit den hölzernen

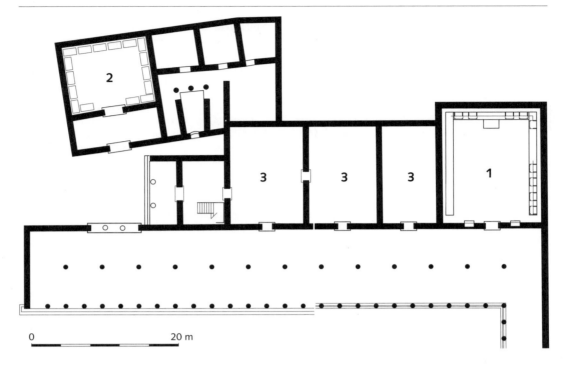

0   20 m

Pergamon, Bibliothek im Athena-Heiligtum (Grundriß),
Zustand 1. H. 2. Jh. v. Chr.
1. Bibliothekssaal mit Bücherschränken
2. Bankettsaal
3. Nebenräume, vermutlich Magazine

Bücherschränken (mit zahlreichen Papyrusrollen *in situ*)
war nur ein Magazin; wie in Griechenland üblich, war
das Peristyl der eigentliche Studienort. Zwei weitere Pri-
vatbibliotheken wurden in der Casa del Menandro
(Pompeji I 10,4) sowie in Pompeji VI 17,41 gefunden.
Ähnlich wie in Alexandreia bilden die Büchermagazine
mit einem Raum für Studienzwecke (*exedra* bzw. *cubi-
culum*) sowie einem Triclinium einen zusammenhängenden Komplex. In Palästina kann vielleicht eine private B. → Herodes d. Gr. im Nord-Palast von → Masada
(auf der zweiten Terrasse hinter der Rotunde) identifiziert werden. Das Gebäude bestand aus einer Exedra
(5,10 × 2,40 m) mit fünf Nischen in 0,60 m Höhe über
dem Fußboden. Auch die röm. Kaiser besaßen Privat-B.
in ihren Palästen. So wurden zwei Räume im Haus des
Augustus auf dem Palatin als B. gedeutet. Hadrian hat in
seiner Villa in Tivoli den quadratischen Raum PI 48 in
eine private B. (8,30 m × 8,20 m) umbauen lassen, indem Treppen und Nischen eingefügt wurden.

   Die erste öffentliche B. in Rom wurde von Caesar
geplant, aber erst von Asinius Pollio 39 v. Chr. im
Atrium Libertatis verwirklicht. Von dieser B. ist nichts
erh., aber wir wissen, daß sie die erste B. mit je einer
Abteilung für griech. und lat. Lit. war (s. u. II B. 2. b), ein
Charakteristikum öffentl. B. in Rom (andernorts aber

auch in Privat-B. nachzuweisen, vgl. Petron. 48,4). Augustus ließ 28 v. Chr. eine der Öffentlichkeit zugäng-
liche B. neben seinem Haus und dem Apollon-Tempel
(gegenüber der Portikus der Danaiden) auf dem Palatin
errichten. Ihre beiden langgestreckten Hallen (je 17,50
× 19,50 m) mit Apsiden spiegeln sich möglicherweise in
der erh. domitianischen Bauphase. In den Wänden fanden sich Aussparungen für Bücherschränke, eine große
Nische für eine Statue in der Rückwand und ein Podium mit Stufen, damit die Buchrollen zu erreichen
waren; dieses Ausstattungsschema sollte kanonisch für
die röm. B. werden. Die B. Vespasians auf seinem Forum Pacis ist vielleicht in einem Raum südl. des Tempels (in der heutigen Kirche SS. Cosma e Damiano) zu
lokalisieren, obwohl keine Nischen gefunden wurden.
Trajan ließ seinem Forum 113 n. Chr. die Bibliotheca
Ulpia, eine Doppel-B. hinzufügen. Von den beiden
langgestreckten Hallen, die den kleinen Platz mit der
berühmten Säule in Form einer Buchrolle flankierten,
ist die südl. teilweise erh. (27 × 17 m). Das Podium an
drei Wänden besaß Stufen zum Erreichen der Nischen.
Eine Nische nahm die Mitte der Rückwand ein; Säulen
trugen ein oder zwei weitere Stockwerke, die über
Treppen hinter der B. zugänglich waren. In trajanischer
Zeit wurde dieser langgestreckte Grundriß für ein Gebäude in Nîmes in Frankreich (14,52 × 9,55 m) verwendet, das häufig als B. bezeichnet worden ist; allerdings
gab es kein Podium, um die Nischen in 1,70 m Höhe zu
erreichen. Röm. B. dieser Zeit besaßen aber nicht nur
längsrechteckige Grundrisse; → Apollodoros [14] von
Damaskus integrierte halbkreisförmige B. in der Umfassungsmauer der monumentalen Trajansthermen auf

dem Mons Oppius (Dm 28,70 m; T 16,30 m). Eine große in der Mitte gelegene Nische wurde von Aussparungen für *armaria* gesäumt, die wiederum über ein gestuftes Podium zugänglich waren; außerdem gab es auch hier eine Galerie mit Nischen für *armaria*. In der trajanischen Kolonie Timgad wurde der gleiche Grundriß im 3. Jh.n.Chr. von Rogatianus für seine gut erh. B. benutzt (Dm 15 m; T 10 m); auch sie weist eine zentrale Nische für eine Statue, hier der Minerva, auf, deren Kopf in der Nähe gefunden worden ist, sowie Aussparungen für *armaria*. Die Halle wurde von zwei Magazinräumen flankiert. In die trajanische Zeit gehört auch die schlecht erh. Pantainos-B. auf der Agora von Athen (→ Athenai), bestehend aus einem Peristylhof mit einer großen Halle (9,80 × 9 m) und zwei kleineren, gegenüberliegenden Exedren. Aus dieser Zeit stammt auch die Celsus-B. in Ephesos, eine quer gelagertes Rechteck (16,72 × 10,20 m) mit einer reich gegliederten (wiedererrichteten) Fassade und einer großen Apsis, die zugleich als Grabmal des Celsus diente (vgl Abb. unten). Die Nischen lagen über einem gestuften Podium, außerdem gab es zwei Galerien.

Fast quadratisch ist die gut erh. hadrianische B. im Asklepieion von Pergamon (18,50 × 16,52 m), wo in einer zentralen Apsis die Basis und Fragmente einer Hadriansstatue gefunden wurden. Die Nischen für die *armaria* lagen 1,75 m über dem Fußboden. Allerdings ist kein Podium erh. (wahrscheinlich war es aus Holz). Die hadrianische B. in Athen, die der Kaiser in seiner be-

vorzugten Stadt als Mittelpunkt einer »Universität« bauen ließ, besaß die Form eines quergelagerten Rechtecks (32,20 × 15,75 m) gegenüber einer Portikus; der Innenraum enthielt ein Podium und Nischen in drei Stockwerken. Die gleiche Raumform wurde für die Doppel-B. in der Umfassungsmauer der Caracalla-Thermen in Rom verwendet; heute noch zu sehen ist die westl. Halle (36,30 × 21,90 m) mit der apsidialen Hauptnische und dem gestuften Podium. Die bescheidene B. an der röm. Agora in Philippi bestand aus einem Raum mit Podium (9 × 10 m) und drei weiteren Räumen gegenüber der Stoa; obwohl sie aus dem 2. Jh.n.Chr. stammt, ähnelt sie doch eher der B. in Pergamon als den röm. Beispielen.

Die röm. B. zeigt eine große Vielfalt in Form, Größe, Lage und Ausstattung; sie war normalerweise mit einem getreppten Podium, Nischen für Bücherschränke und einer zentralen Nische für eine Statue ausgestattet. Die Zahl der Nischen sowie ihre Größe konnten stark variieren, sie waren im Durchschnitt ca. 3,20 m hoch, 1,50 m breit und 60 cm tief; aufgrund der Höhe waren Leitern unabdingbar. Ausmaß, Material und Lage des Podiums waren durchaus variabel; eine Galerie oder mehrere Stockwerke konnten vorhanden sein, oder auch fehlen. Auch wenn es in der typisierten röm. Architektur keinen markanten »Bautypus Bibliothek« gegeben zu haben scheint (→ Architektur), bildete sich ein funktional begründetes Gebäudeinterieur heraus, das in der röm. Welt gültig blieb.

Ephesos, Celsusbibliothek,
1.H. 2.Jh.n.Chr.
(Aufriß)

C. E. Boyd, Public Libraries and Literature in Ancient
Rome, 1915 · Chr. Callmer, Ant. B., in: Opuscula
Atheniensia 3, 1944, 145–193 · M. de Franceschini, Villa
Adriana. Mosaici-Pavimenti-Edifici, 1991, 469–476 ·
W. Hoepfner, Zu griech. B. und Bücherschränken, in: AA
1996, 25–36 · L. L. Johnson, The Hellenistic and Roman
Library, 1991 · V. M. Strocka, Röm. B., in: Gymnasium
88, 1981, 298–329 · Ders., Pompeji VI 17,41: Ein Haus mit
Privat-B., in: MDAI (R) 100, 1993, 321–351 · J. Tønsberg,
Offentlige Biblioteker i Romerriget i det 2. århundrede e.
Chr., 1976 · H. Wolter-von dem Knesebeck, Zur
Ausstattung und Funktion des Hauptsaales der B. von
Pergamon, in: Boreas 18, 1995, 45–56 · F. Yegül, Baths and
Bathing in Classical Antiquity 1992, 178–179.   I. N./R. S.-H.

II. Bibliothekswesen
A. Ägypten und Mesopotamien
1. Ägypten   2. Mesopotamien
B. Griechenland, Rom, christliche Bibliotheken

A. Ägypten und Mesopotamien
1. Ägypten
Bibliotheken sind in Ägypten seit dem 3. Jt. v. Chr.
belegt. Man unterscheidet v. a.: 1. Das »Bücherhaus«,
eine Hand-B. für den Tempelkult, 2. die B. des dem
Tempel angegliederten »Lebenshauses«, die eigentliche
Universal-B. Dort wurden theologische, wiss. (z. B.
medizin.) und wohl auch lit. Texte verfaßt, kopiert und
archiviert. Ein »Bücherhaus« ist im Tempel von → Edfu
(116 v. Chr. vollendet) erhalten, »Lebenshäuser« sind
meist nur durch Pap.-Funde zu belegen (→ Elephantine, Tempelreste der griech.-röm. Zeit im Faijum). Die
B. von → Alexandreia war eine rein griech. Institution.

G. Burkard, B. im Alten Ägypten, in: Bibliothek 4, 1980,
79–115 · A. Gardiner, The House of Life, in: JEA 24, 1938,
157–179 · U. Jochum, Kleine B.-Gesch., 1993.   G. BU.

2. Mesopotamien
Seit der Erfindung der Schrift (ca. 3200 v. Chr.) sind
in Mesopotamien → Archive bekannt. Die ersten B.
waren wohl Tontafelsammlungen im Schulbetrieb. Von
Beginn des 2. Jt. v. Chr. an legte man B. an, in denen
Götterhymnen, Lieder, Gebete aber auch lit. (Epen,
Mythen) und lexikalische Texte abgeschrieben und archiviert wurden. In den mesopotamischen Zentren existierten im 1. Jt. v. Chr. B., die Beschwörer, Ärzte
(→ Medizin), → Astrologen, Eingeweideschauer, Zei-
chendeuter (→ Divination), Sänger und → Schreiber im
wesentlichen für ihren professionellen Gebrauch anlegten. Vergleichbare Sammlungen gab es wohl bereits im
2. Jt. B. wurden oft in den Tempeln des → Nabû, des
Gottes der Weisheit, eingerichtet und die Tontafeln
dem Gott für das Wohlergehen des Stifters geweiht. In
Tempeln der Heilgöttin Gula bewahrte man medizinische Texte auf. Bereits im 2. Jt. v. Chr. gab es königliche
Palast-B. König → Assurbanipal ließ in seiner Palast-B.
zu Ninive das gesamte Schrifttum seiner Zeit zusam-
mentragen (mehrere hundert Tafeln) und hierfür sogar

Tontafeln beschlagnahmen. Obwohl hochgebildet, veranlaßte ihn wohl weniger schöngeistiges Interesse, als
die Absicht, das Wissen zum Machterhalt zu nutzen.

In B. wurden Tontafeln in Holzregalen, in aus Ziegeln gemauerten Fächern oder in Gefäßen (Tonkrügen,
Körben) nach Sachgebieten geordnet aufbewahrt. Be-
standskataloge und Tonetiketten an Regalen oder Krügen gestatteten dem Benutzer, sich einen raschen
Überblick zu verschaffen. Auf B.-Tafeln wird in der
Regel der Name des Besitzers genannt (→ Kolophon)
und oft Diebstahl mit einem Fluch belegt. In neubabylon. B. war der »Ausleihbetrieb« für Fachgelehrte bekannt. Die Leihfristen lagen zwischen einem Tag und
mehreren Monaten.

1 S. J. Lieberman, in: FS Moran 1990, 305 ff. 2 S. M. Maul,
in: BaF 18, 159 ff. 3 S. Parpola, in: JNES 42, 1983, 1 ff.
4 O. Pedersén, Archives and Libraries in the City of Assur,
1986 5 K. R. Veenhof (Hrsg.), Cuneiform Archives and
Libraries, 86.   S. M.

B. Griechenland, Rom, christliche Bibliotheken
1. Begriff   2. Geschichte

1. Begriff
Mit dem Begriff B. wurde in der Ant. sowohl ein
größerer Buchbestand als auch die Räumlichkeit bezeichnet (Fest. p. 31). Auch Aktensammlungen (→ Archiv) und Bücherschränke (Dig. 30,41,9; 32,52,7) wurden so genannt. Βιβλιοθήκη ist att. (zu βύβλος, → Buch)
und hat sich gegen βυβλιοθήκη (ion.) erst in der Kaiserzeit durchgesetzt. Die sprachliche Form war einsichtig:
nam βιβλίων librorum θήκη repositio interpretatur (Isid. orig.
6,3,1).
2. Geschichte
a) Die griechische Welt
Privat-B.: Die ersten Nachrichten über griech. B.
beziehen sich auf das 6. Jh., auf Peisistratos in Athen und
Polykrates auf Samos [37. Nr. 1–27, 121]. Diese B. sind,
anders als die von hell. Herrschern (s. u.), wohl nicht
öffentlich zu nennen (trotz Gell. 7,17,1), sondern gehörten in die Privatsphäre. Seit dem späteren 5. Jh.
(Athen. 1,3a; Xen. mem. 4,2,8) sind dann auch immer
mehr B. von Privatleuten bezeugt.

B. in Philosophenschulen: Daß Platon seine »Schule«
mit einer B. ausstattete, ist wahrscheinlich. Sicher ist dies
bei Aristoteles, der wohl als erster eine B. mit dem Ziel
der Vollständigkeit zusammenstellte (Strab. 13,1,54;
Athen. 1,3a; 5,214d-e; Plut. Sulla 26); ihr Schicksal können wir über mehrere Jh. hinweg verfolgen [27. 109–33;
30. 165–74; 32.16–71]. Wenig ist bekannt über die
Athener B. Epikurs und Zenons (Diog. Laert. 10,21,
7,36). Entsprechend dem privaten Charakter ihrer
Schulen (→ Vereine) waren auch ihre B. organisiert
(vgl. Diog. Laert. 3,66).

Öffentliche B.: Den drei folgenden B.-Typen ist ein
(unterschiedlicher) Bezug auf die Öffentlichkeit gemeinsam.

α) B. in hell. Palästen: Die Nachfolger Alexanders waren schon aus Gründen der Legitimation bemüht, die griech. Kultur zu fördern. Ptolemaios I. (gest. 283/282 v. Chr.) griff auf das griech. Vorbild einer den Musen geweihten Gelehrtengemeinschaft und auf Aristoteles' B.s-Idee zurück (Vermittler war Demetrios v. Phaleron, s. Ps.-Aristeas 9), um in Alexandreia ein Musenheiligtum (→ Museion) mit B. zu schaffen [1; 2; 3; 27. 140–69]. Im Zuge dieser erstmaligen institutionellen Förderung einer wiss. Gemeinschaft wurden unter ihm und seinen Nachfolgern überall Bücher zusammengekauft mit dem Ziel, das griech. und wichtigste fremdsprachige Schrifttum zu sammeln und evtl. übersetzen zu lassen (Ps.-Aristeas 9 f.; Athen. 1,3a; Epiphanios, PG 43, Sp. 252; Plin. nat. 30,4). Einerseits sollte so die Forsch. am Museion gefördert, andererseits die Überlegenheit der griech. Kultur unter Beweis gestellt und in die des Königs transformiert werden. Unter Ptolemaios II. (gest. 246 v. Chr.) sollen auf diese Weise an die 500000 Rollen zusammengekommen sein (Ps.-Aristeas 10; Tzetzes, CGF p. 19; Gell. 7,17,3: 700000); auf Etiketten waren Autor, Werk und Herkunft der Rolle vermerkt. Die B. (kein eigenes Gebäude, sondern Magazine) befand sich im Palastbezirk und wurde in erster Linie von Mitgliedern des Museions benutzt. Ihre Vorsteher, die häufig auch Prinzenerzieher waren, sind durch P Oxy. 1241 und die Suda größtenteils bekannt; Kallimachos gehörte wohl nicht dazu (vgl. die Diskussion bei [27. 179–91; 38. 28–30; 40. 70–75]). Ob die B. wirklich 47 v. Chr. im Alexandrinischen Krieg verbrannte (so z. B. Plut. Caesar 49), ist fraglich, da Sen. dial. 9,9,5 in Verbindung mit Cass. Dio 42,38 mehr für einen Brand von Hafenmagazinen spricht und weder Zeitgenossen noch spätere Besucher von einer Beschädigung des Palastviertels wissen [30. 130–40]. Die röm. Kaiser übernahmen mit der Förderung des Museions auch die der B. und erweiterten sie (Suet. Claud. 42). Zerstört wurde sie erst 272 n. Chr. (Amm. 22,16,15); das Museion existierte aber weiter (Suda, s. v. Theon v. Alexandria), wohl mit Hilfe der B. im Serapeion. Diese [34. 62–7] war von Ptolemaios II. oder III. gegründet (Aphthonios, progymn. 12, p. 40 RABE) und laut Tzetzes (CGF p. 19) mit 42800 Rollen ausgestattet worden; als »Tochter-B.« bestand sie z. T. aus Dubletten der Museums-B. Laut Aphthonios war sie für die gelehrte Öffentlichkeit zugänglich. Die B. von Alexandreia war Ansporn für andere hell. Herrscher: In Pergamon [26. 146–149] gründete vielleicht schon Attalos I. (gest. 197 v. Chr.) eine B.; unter seinem Sohn entstand das z. T. erhaltene Gebäude. Es gab aber wohl keine dem Museion vergleichbare Institution, und der Benutzerkreis war offener (Vitr. 7 praef. 4). Schwerpunkte waren Philol. und Dichtung. Wie in Alexandreia wurden kritische Ausgaben und Kataloge erstellt (zur Buchproduktion → Pergament). Namentlich kennen wir als Leiter nur Athenodoros (Diog. Laert. 7,34). Die Rivalität zw. Alexandreia und Pergamon war berühmt [37. Nr. 144–48]. Wenig wissen wir über die B. der maked. Könige (in Pella; vgl. SH Nr.85) und die des

Mithridates (wohl in Sinope), die Aemilius Paullus bzw. Lucullus nach It. brachten [37. Nr. 98 f.]. Ein Raum im Palast des Eukratides in Aï Khanoun (Afghanistan) läßt sich, auch auf Grund von Papyrusfunden, als B. deuten [4]. Antiochos d. Gr. (gest. 188/187 v. Chr.) gründete eine Palast-B. in Antiocheia (Suda, s. v. Euphorion); sie wurde vielleicht in die etwa 100 Jahre später erbaute B. des »Museions« [37. Nr. 167] überführt; diese wurde von einem Privatmann gestiftet, und es ist möglich, daß sie auch Stadt-B. war (auch die B. von Antiochos wird als β. δημοσία (b. dēmosía) bezeichnet, ohne daß ihr genauer Status klar wäre). Öffentlich waren all diese B. (vielleicht mit Ausnahme der letztgenannten) nicht im Sinne von »frei zugänglich«, sondern vor allem auf Grund ihrer öffentlichen Wirkung. Diese bestand darin, daß im Namen des Königs die schriftliche Überlieferung gesammelt, korrigiert und vermehrt wurde. Seine Residenz sollte so als Zentrum der Paideia (→ Bildung) erscheinen.

β) B. in Gymnasien: Daß es in hell. Gymnasien B. gab, beweisen Inschr. des 2. und 1.Jh. v. Chr. aus dem sog. Ptolemaion in Athen [28. 82–87; 36.30–33]. Auch in Rhodos und Pergamon gibt es Inschr., die die Organisation und Ausstattung wohl einer Gymnasiums-B. betreffen [36. 34 f., 39 f.]. Bei den in Piräus, Korinth, Delphi, Prusa, Smyrna, Teos, Nysa, Mylasa, Kos, Halikarnassos, Tarsos und Tauromenion bezeugten B. bleibt die oft behauptete Verbindung mit Gymnasien dagegen hypothetisch [36]; man kann also nicht davon ausgehen, daß B. zur üblichen Ausstattung gehörten. Die Bestände gingen auf Stiftungen zurück (in Athen waren die ehemaligen Schüler dazu verpflichtet) und waren z.T. auf Inschr. festgehalten. Anders als die B. privater Vereine gehörten sie in die Sphäre der Öffentlichkeit und waren wohl auch für Publikum zugänglich.

γ) Städtische B.: Daß es schon im Hellenismus städtische B. gab, zeigt Pol. 12,27; die Mehrzahl der Zeugnisse stammt aber aus der Kaiserzeit. Zu den genannten angeblichen Gymnasial-B. kommen hinzu: die B. in Dyrrhachion (CIL III 607), Philippoi [34. 41–43], Patras (Gell. 18,9,5), Knosos (AA 1936, 161), Soli (IGRom 3, 930) und vielleicht Side [35. 69–74], ferner die von Pantainos und von Kaiser Hadrian gestifteten B. in Athen und die Celsus-B. in Ephesos (TRAVLOS, Athen 244–251, 432–438; [5. 370–377; 28. 313–334; 39. 322–329]). Öffentlichen Charakter hatten auch die B. in Heiligtümern: Asklepieia von Kos (AA 1903, 193 f.), Epidauros (IG IV² 1,456) und Pergamon [39. 320–322], Serapeion (s.o.) und Sebasteion in Alexandreia (Phil. Legatio 151) und Trajanstempel von Antiocheia (Suda, s. v. Iovianos). Meist waren es private Stifter (in den beiden zuletzt genannten Fällen allerdings Augustus bzw. Iulianus), die für das Gebäude und die Bestände, zuweilen auch für das Personal (zur Kopistentätigkeit s. SEG 2, 1925, 584) aufkamen. Ausleihen waren nicht vorgesehen, wie eine Inschr. aus der Pantainos-B. (s.o.) zeigt; durch sie erfahren wir auch etwas über die Öffnungszeiten: die ersten sechs Stunden nach Sonnenaufgang.

Wenn zeitgenössische Werke in eine öffentliche B. aufgenommen wurden, galt dies als große Ehre; es dominierten »die Alten« (MAMA VIII, 1962, 418)

b) DIE RÖMISCHE WELT

α) Privat-B.: Die ersten Privat-B. waren im Besitz von Literaten; für die Oberschicht wurden sie erst im Zuge der Hellenisierung des Lebensstils interessant. Zunächst waren sie Kriegsbeute: Aemilius Paullus schenkte 168 v. Chr. die B. des Perseus seinen Söhnen. Die (überwiegend pun.) Buchbestände Karthagos dagegen wurden 146 v. Chr. unter die *reguli* Afrikas (Plin. nat. 18,22) aufgeteilt [6. 653–68]. Sulla brachte 84 v. Chr. die (auf Aristoteles zurückgehende) B. des Apellikon in seine Villa in Cumae, Lucullus 70 v. Chr. die des Mithradates in sein Tusculanum; andere *nobiles* mußten sich B. (am meisten wissen wir über die Ciceros) zusammenkaufen [32. 16–190]. Seit Ciceros Zeit gehörten B. zur üblichen Ausstattung des vornehmen Haushalts, namentlich des Landsitzes (Dig. 33,7,12,34), ja wurden zum Statussymbol, unabhängig von der Bildung des Hausherrn (Sen. dial. 9,9,4–7; Petron. 48,4). Reste von Privat-B. fanden sich in Herculaneum [7; 8], in der kaiserlichen Villa in Antium (CIL X 6638), vielleicht auch in der in Centumcellae, in der Villa Tiburtina und in Pompeii [9. 341–351; 39. 313–315]. Für Ankauf und Katalogisierung der Bücher gab es Fachleute und Fachlit. (Athen. 12,515e; 15,694a-c; Suda s. v. Damophilos, Herennius Philon und Telephos; GRF Nr.53–54). Den Betrieb sicherten *servi litterati* oder Freigelassene: Sie erstellten Abschriften (als *librarii*), klebten und restaurierten die Rollen (als *glutinatores*) und waren zuständig für die Titelschildchen, die das Auffinden der in Schränken oder Regalen mit dem Schnitt nach vorn geschichteten Rollen [10. 203–5; 11; 41. 64–92] ermöglichten (dazu P. FEDELI in [31. 42–5]). Nur in Herculaneum (s.o.) sind Reste der Bestände erhalten: epikureische Schriften, bes. von Philodemos, der hier offenbar seine Arbeits-B. hatte. Diese »Villa dei Papiri« gehörte wohl L. Calpurnius Piso (Konsul 58 v. Chr.), seinem Freund und Gönner.

β) Öffentliche B. in Rom und Konstantinopel: Caesars Projekt, durch Varro eine möglichst vollständige, zweisprachige öffentliche B. in Rom einzurichten (Suet. Iul. 44,2), wurde zwar vom Vorbild hell. Herrscher beeinflußt, aber weder er noch seine Nachfolger planten große Palast-B.; Ort ihrer Stiftungen war immer ein öffentliches Gebäude. Dies gilt auch von der B., die Asinius Pollio (vielleicht Caesars Pläne aufnehmend) bald nach 39 v. Chr. im Atrium Libertatis einrichtete (Plin. nat. 7,115; Isid. orig. 6,5,2). Augustus gründete eine B. in der Porticus des Apollo-Tempels auf dem Palatin [33. 62–4]. Den griech. Beständen wurde (wie schon von Caesar geplant und dann in allen kaiserlichen B. Roms üblich) eine lat. Abteilung gegenübergestellt. Dabei ging es auch um kulturelle Selbstbehauptung [12]. Ein Schwerpunkt der lat. Abteilung war deshalb neben juristischer Lit. die augusteische Dichtung (Hor. epist. 2,1,214–218). Endgültig zerstört wurde die B. erst durch den Brand 363 n. Chr (Amm. 23,3,3). Unter Augustus wurde in der Porticus Octaviae eine weitere B. gegründet [33. 64f.]. Auf Tiberius geht eine B. beim Augustus-Tempel auf dem Palatin zurück; unklar ist ihre Beziehung zur sog. *b. domus Tiberianae* [33. 67f.]. Vespasian weihte 75 n. Chr. eine B. beim Templum Pacis ein (Gell. 5,21,9; 16,8,2; SHA trig. tyr. 31,10), und die Bibliotheca Ulpia auf dem Traiansforum [13. 60–74] wurde bald zur bedeutendsten B. Roms. Alexander Severus ließ durch den Christen Iulius Africanus eine B. beim Pantheon einrichten (P Oxy. 412), und auch auf dem Kapitol gab es eine B. (Hier. chron. 2204). Thermen-B. (Sen. dial. 9,9,7) fanden sich in den Traians- und Caracallathermen ([39.311, 315f.; 34.111–124]; zu den Diokletiansthermen s. SHA Probus 2,1). Daß in zwei Beschreibungen Roms aus dem 4. Jh. 28 bzw. 29 öffentliche B. erwähnt werden [14], scheint zwar übertrieben (vielleicht wurden Archive mitgezählt), beweist aber die Kontinuität. Daß diese schon um 380 n. Chr. abbrach, kann man Amm. 14,6,18 nicht entnehmen, da er sich wohl auf Privat-B. bezieht [15]. Die Bibliotheca Ulpia hat 455 n. Chr. noch existiert (Sidon. epist. 9,16,3,25–28). Den Umfang der Bestände, auf die der Kaiser mitunter Einfluß nahm [12. 60f.], können wir nur aus den Schrankflächen erschließen. Bei einem Rollendurchmesser von 8–11 cm [7. 14–16] entspricht 1 m² ca. 80 bis 150 Rollen. Die Bibliotheca Ulpia verfügte über 72 Schränke mit ca. 288 m² nutzbarer Fläche. Der Betrieb war durch die (seit Hadrian auch im Osten übernommene) Eigenart geprägt, daß die Bücher nicht in Magazinen aufgestellt waren, sondern in Nischen eines repräsentativ gestalteten Lesesaales, in dem auch kulturelle Veranstaltungen stattfanden (Apul. flor. 18,3; vgl. auch Suet. Aug. 29,3; CIL X 4760: Sitzungen). Ausleihen waren nicht üblich [16]. Zur Auffindung der Bücher dienten die Titel, ein Katalog (Quint. inst. 10,1,57) und die Numerierung der Schränke (SHA Tac. 8,1). Gell. 11,17,1 und 13,20,1 zeigt, daß die Bücher vom Personal herausgesucht wurden. Dieses, fast ausschließlich Sklaven, rekrutierte sich bei kaiserlichen B. aus der *familia Caesaris* (CIL VI 5188–5191; 5884 für die B. Apollinis), in der B. *in porticu Octaviae* waren es *servi publici* (CIL VI 2349; 5192 u. a.). Sie wurden *a bibliotheca* genannt, meist getrennt nach griech. und lat. Abteilung, und arbeiteten auch als Abschreiber und Restauratoren. Seit Claudius gab es eine zentrale Verwaltung der kaiserlichen B. unter einem (im 2. Jh. ritterständischen) *procurator bibliothecarum* (*a bybliothecis*) *Aug.* für die finanzielle Oberaufsicht und das Management; das Gehalt betrug im 2. Jh. 200000, später, vielleicht in Folge einer Aufteilung des Postens, 60000 HS [17]. Wiss. Leiter der einzelnen B. (*bibliothecarius*) war ein Sklave oder Freigelassener. Unklar bleibt die Stellung des *vilicus a bibliotheca* (z. B. CIL VI 2347). Zur Ergänzung der Bestände waren Geschenke und Stiftungen üblich. Generell griff man eher auf das Abschreiben als auf den Buchhandel zurück (vgl. Suet. Dom. 20). Über die spätant. B.s-Verwaltung Roms wissen wir nur, daß der *praefectus urbi* zuständig war (SHA Aurelian. 1,7). Wer die erste kaiserliche B. in Konstantinopel stiftete, ist umstritten [41. 46–63]. Constantius richtete hier jedenfalls 356 n. Chr. ein Skriptorium ein, in dem Schriften griech. Philosophen, Dichter, Redner und Grammatiker restauriert bzw. (wohl auf Pergament) abgeschrieben wurden (Them. or. 4,59b–60d). Spätestens seit dieser Zeit ist eine kaiserliche B. vorauszusetzen. Kaiser Iulian stiftete ihr 362 n. Chr. seine Privat-B. und Räume (Zos. 3,11,3; MÜLLER-WIENER 283). Valens wies 372 n. Chr. den Stadtpräfekten an, Wächter und sieben *antiquarii* zur Anfertigung bzw. Restaurierung von Codices zur Verfügung zu stellen, vier für griech., drei für lat. (Cod. Theod. 14,9,2). 475 n. Chr. umfaßte die B. 120000 Bände (Zon. 14,2).

Öffentliche B. in It. und den westl. Prov.: Anders als in Rom, wo meist der Kaiser die Verantwortung für öffentliche B. übernahm, lag die Initiative in It. und in den Prov. (auch im Osten, s.o.) bei Privatpersonen. Plinius schenkte seiner Heimatstadt Comum eine B. und 100000 Sesterzen *in tutelam* (Plin. epist. 1,8,2; CIL V 5262). Matidia, die Nichte Traians, stiftete eine B. in Suessa Aurunca (CIL X 4760). Auch in Volsinii ist eine Stiftung belegt (CIL XI 2704). Durch Gell. 9,14,3; 19,5,4 hören wir von der Stadt-B. in Tibur, in Pompeii ist ihre Existenz umstritten [18]. Daß man die *clarissimos scriptores* in *bibliothecis publicis* konsultieren konnte, zeigt Apul. apol. 91,1, und flor. 18,1–4 belegt eine solche in Karthago, die wohl am Forum lag [19. 181–83]. In Thamugadi (Algerien) gibt es Reste einer testamentarisch gestifteten (ILS 9362: 400000 HS) B. aus dem 3.Jh. [20; 34. 31–40]. In Spanien sind öffentliche B. nicht bezeugt, in Gallien nur in Nîmes [21; 29. 177f.]. Die Verbreitung der Stadt-B. hing ganz von privaten Euergeten ab und war, da entsprechende Traditionen – anders als im Osten – häufig fehlten, wohl eher gering. Auch wurde weder auf das breite Publikum abgezielt (der Zugang war zwar frei, faktisch aber auf die Gebildeten beschränkt; vgl. Tert. test. 1,6) noch auf die Bildung der Oberschicht; denn für die Schulen hatten B. keine Bedeutung. Auch für die schriftstellerische Arbeit spielten sie, anders als Privat-B., kaum eine Rolle [22]. Sie waren in erster Linie ein Kristallisationspunkt für das kulturelle Prestige der Städte und ein klass. Objekt der Euergesie.

c) CHRISTLICHE BIBLIOTHEKEN

Daß christl. Literaten mitunter über große Privat-B. verfügten, geht aus ihren Schriften hervor. In den einzelnen Gemeinden bildeten dagegen Bücher des AT und NT den Grundstock. Sie allein wurden hier mitunter B. genannt (vgl. Hier. vir. ill. 75; Isid. orig. 6,3,2). Hinzu kamen, zentriert beim jeweiligen Bischof, liturgische und katechetische Bücher, Bischofslisten, Märtyrerakten, Synodalbeschlüsse etc.; die Grenze zum → Archiv war also offen. Julius Africanus nennt die kirchliche B. in Jerusalem ἀρχεῖον (*archeíon*); sie war von Bischof Alexander um 212 n. Chr. angelegt worden und umfaßte auch profanes Schrifttum (P Oxy. 412; Eus. HE 6,20). Dies gilt auch für die kirchliche B. von Alexandreia, wo

eine christl. Schule existierte (→ Origenes), an der auch die weltliche Bildung eine Rolle spielte. Als Origenes 231/2 nach Caesarea vertrieben wurde, gründete er hier eine ähnliche Schule und B. [31. 65–78], die – seit dem Ende des 3.Jh. von Pamphilos betreut – schließlich 30000 Bücher umfaßte (Isid. orig. 6,6,1). Sie war berühmt wegen ihres Skriptoriums (Eus. Vita Constantini 4,36f.). Wie viele B. in der diokletianischen Verfolgung zerstört wurden (Eus. HE 8,2,4), wissen wir nicht. In Rom befand sich die Bischofs-B. wohl seit dem 4.Jh. im Lateran. In welchem Verhältnis hierzu die von Papst Hilarus (461–468 n. Chr.) bei S. Lorenzo fra le mura eingerichtete »doppelte« (griech.-lat.?) B. stand, ist umstritten [23; 24]. Die Bischofs-B., etwa die Augustins in Hippo Regius [25. 61–85], waren – anders als einfache Kirchen-B. (s. Paul. Nol. epist. 32,16, in Nola) – nicht frei zugänglich. Neben die Kirchen-B. traten im 4.Jh. die Kloster-B. [41. 184–92], aus denen Bücher für die *lectio divina* ausgegeben wurden. Zuweilen gab es auch, wie in Cassiodors Kloster in Vivarium, die Verpflichtung zum Abschreiben (Cassiod. inst. 1).

1 P. M. FRASER, Ptolemaic Alexandria I, 1972, 305–335
2 D. DELIA, From Romance to Rhetoric: ..., in: AHR 97, 1992, 1449–1467 3 A. ERSKINE, Culture and Power in Ptolemaic Egypt: ..., in: G&R 42, 1995, 38–48 4 C. RAPIN, Fouilles d'Aï Khanoum VIII, 1992, 115–130 5 T. L. SHEAR, Athens: ... in: Hesperia 50, 1981, 356–377 6 V. KRINGS, Les lettres grecques ...., Phoinikeia Grammata. Actes du Coll. de Liège, 1991, 649–668 7 G. CAVALLO, Libri, scritture, scribi a Ercolano, 1983 8 T. DORANDI, La »Villa dei Papiri« ..., in: CPh 90, 1995, 168–182 9 V. M. STROCKA, Pompeji VI 17,41: ..., in: MDAI(R) 100, 1993, 321–351
10 W. BINSFELD, Lesepulte aus Neumagner Reliefs, in: BJ 173, 1973, 201–206 11 M. SÈVE, Sur la taille des rayonnages ..., in: RPh 64, 1990, 173–179 12 N. HORSFALL, Empty Shelves on the Palatine, in: G&R 40, 1993, 58–67 13 S. SETTIS, La Colonna Traiana, 1988 14 A. NORDH, Libellus de Regionibus Vrbis Romae, 1949, 97 15 G. W. HOUSTON, A Revisionary Note on Amm. 14,6,18: ..., in: The Library Quaterly 58, 1988, 258–264 16 L. PIACENTE, Utenti e prestito di libri ..., in: Studi lat. e ital. 2, 1988, 49–64 17 L. D. BRUCE, The Procurator Bibliothecarum ..., in: Journal of Library Hist. 18, 1983, 143–162 18 R. LING, The Architecture of Pompeji, in: JRA 4, 1991, 250–253 19 K. VÖSSING, Die öffentlichen B. in Africa, in: Atti X convegno Africa Romana, 1994, 169–183 20 H. A. PFEIFFER, Thr Roman Library in Timgad, in: Mem. Americ. Acad. Rome 9, 1931, 157–165 21 C. A. HANSON, Were there Libraries in Roman Spain? in: Libraries and Culture 24, 1989, 198–216 22 A. J. MARSHALL, Library Resources ..., in: Phoenix 30, 1976, 352–364 23 G. SCALIA, Gli »archiva« di papa Damaso ..., in: Studi medievali 18, 1977, 39–63 24 C. CALLMER, Die ältesten christl. B. ..., in: Eranos 83, 1985, 48–60 25 J. SCHEELE, in: B. und Wiss. 12, 1978, 14–114 26 H. BLANCK, Das Buch in der Ant., 1992 27 R. BLUM, Kallimachos und die Lit.verzeichnung bei den Griechen, in: Archiv für Gesch. der Buchwiss. 18, 1977, 1–360 28 M. BURZACHECHI, Ricerche epigrafiche sulle antiche bibliotheche del mondo greco, in: RAL 18, 1963, 75–96; 39, 1984, 307–338 29 CHR. CALLMER, Ant. B., in: OA 3, 1944, 145–193 30 L. CANFORA, Die verschwundene

B., 1988 **31** G. Cavallo (Hrsg.), Le bibliotheche nel mondo antico e medievale, 1988 **32** Th.K. Dix, Private and Public Libraries at Rome in the First Century B.C., 1986 **33** K. Fehle, Das B.s-Wesen im alten Rom, 1986 **34** L.L. Johnson, The Hellenistic and Roman Library, 1984 **35** E. Makowiecka, The Origin and Evolution of Architectural Form of Roman Library, 1978 **36** R. Nicolai, Le bibliotheche dei ginnasi, in: Nuovi Annali di Scuola Spec. per Archivisti e Biblioth. 1, 1987, 17–48 **37** J. Platthy, Sources on the Earliest Greek Libraries with the Testimonia, 1968 **38** E. Pöhlmann, Einführung in die Überlieferungsgesch. und in die Textkritik der ant. Lit. I: Alt., 1994 **39** V.M. Strocka, Röm. B., in: Gymnasium 88, 1981, 298–329 **40** C. Wendel, W. Göber, Das griech.-röm. Alt., in: Hdb. der B.s-Wiss. III, ²1955, 51–145 **41** C. Wendel, KS zum ant. Buch- und B.s-Wesen, 1974.   K.V.

Biblische Unziale s. Unziale

Bibracte. *Oppidum* der Haedui in der Gallia Celtica, später Lugdunensis (h. Mont-Beuvray), auf einem vom restlichen Morvan-Massif durch Täler abgeschnittenen Berg. Hier siegte Caesar 58 v.Chr. über die Helvetii (Caes. Gall. 1,23; 7,55; 7,63). Ausgrabungen bes. seit 1984.

D. Bertin, J.-P. Guillaumet, B., Guides archéoliques de la France 13, 1987 · C. Goudineau, C. Peyre, B. et les Héduens, 1993 · M. Lejeune, Les premiers pas de la déesse B., in: Journ. Sav., 1990, 69–96.   Y.L.

Neuere Untersuchungen erschließen vor allem das (vor)caesarische B. mit kelt. Werkstätten und Wohnhäusern, den typischen Befestigungsanlagen (Mauern in *murus gallicus*-Technik, vorgelagerte Gräben, Zangentore, Vorwälle), einem kelt. Kultplatz (Viereckschanze) auf dem Gipfel sowie einer kleinen Brandgrabnekropole außerhalb.
→ Befestigungswesen; kelt. Archäologie

O. Büchsenschütz, Neue Ausgrabungen im Oppidum B., in: Germania 67, 1989, 541–550.   V.P.

Bibrax. *Oppidum* der Remi, h. Vieux-Laon oder Camp de Saint-Thomas (Départ Aisne). 57 v.Chr. von Caesar erobert (Caes. Gall. 2,6).

P. Leman, s.v. B., PE, 792.   Y.L.

Bichrome Ware. Moderner t.t. für Keramikgattungen mit zweifarbiger Bemalung, meist schwarz in Kombination mit rotem Überzug. Sie unterscheidet sich von der → Black-on-Red-Ware durch die Auftragung auf einer dritten, nicht intentionellen Farbe der tongrundigen Gefäßoberfläche. Mehrere Produktionsorte werden unterschieden. Auf Ostzypern wurden in der späten Bronzezeit bes. Kratere und Henkelkrüge als B.W. produziert. Sie wurden in großen Mengen zur Levanteküste exportiert und dort auch imitiert. Ab dem 11. Jh. v.Chr. wurde an der phöniz. Levanteküste B.W. hauptsächlich in Form von Kannen und Schalen hergestellt. Diese ostphöniz. B. findet sich ab dem 8. Jh.

v.Chr. auch in den phöniz. Kolonien im Westen. In Spanien führt diese Maltechnik unter phöniz. Einfluß ab dem 7. Jh. v. Chr. zu einer einheimischen, iberischen Vasenmalerei.

M. Artzy, F. Asaro, I. Perlman, The Origin of the 'Palestinian B.', in: Journ. of the Ancient Orient Soc. 93, 1974, 446–461 · P.M. Bikai, The Pottery of Tyre, 1978, 37–41 · C. Epstein, Palestinian B., 1966.   R.D.

Bidens. Bezeichnung für diejenigen Wiederkäuer, welche beim Zahnwechsel die beiden mittleren Schneidezähne des Unterkiefers im Alter von 1 1/4 bis 2 Jahren zuerst durch größere Zähne ersetzt hatten (Paul. Fest. 4,17). Bereits Servius bezeichnet so nur noch Schafe als bevorzugte Opfertiere (Serv. Aen. 6,39: *mactare praestiterit ... lectas ex more bidentes,* ›wäre es besser zu schlachten ... die nach der Sitte auserlesenen Zweizähner‹; danach Isid. orig. 12,1,9; vgl. Serv. Aen. 4,57).
→ Wiederkäuer

Nehring, Jb. für class. Philol., 1893, 64ff. · E. Norden, Vergils Aeneis, 6. Buch, 1903 (Ndr. 1957), 132.   C.HÜ.

Bidental. Name des von einem Blitz getroffenen Ortes, der deshalb Gegenstand der *procuratio prodigii* wurde. Ant. Etym. erklären B. aus der Opferung eines zweijährigen Schafes, eines *bidens* (Non. 53,22 M; Fest. p. 30; Ps.-Front. diff.; GL 7,523,30), oder zweimal (*bis*) vom Blitz getroffene Orte (Ps.-Acro und Porph. ad Hor. ars 471) oder zweigezackte Blitze (schol. ad Pers. 2,27). Letzteres, das die Bezeichnung als Übers. aus dem Etr. hinstellt [1. 137; 2], gilt heute als richtig [3; 4.96]. Der Ort galt wegen der »Bestattung« (Ps.-Acro und in Inschr.) des Blitzes als → *religiosus* (Fest. p. 82; vgl auch p. 30), durfte nicht betreten werden (anders schol. Pers. 2,27; Amm. 23,5,12) und war abgesperrt (Sidon. carm. 9,193). Das Opferritual wurde meist von den → *haruspices* (Pers. 2,26 mit schol. 26f.; vgl. Apul. de deo Socr. 7 und Sidon. carm. 9,193), aber auch von *sacerdotes* (Ps.-Acro) durchgeführt; in der Kaiserzeit erschienen sogar *sacerdotes bidentales* [5; 4. 92–107; 1. 135–7].

1 Pfiffig 2 G. Breyer, Etr. Sprachgut im Lat., 1993, 503–4 Anm. 34 3 H. Usener, in: RhM 60, 1905, 22 4 C.O. Thulin, Die etr. Disziplin I, 1905 5 G. Wissowa, RE 3, 429–31.   D.BR.

Bidos (Beidos). Kastell bei Syrakusai (Steph. Byz. s.v.; Cic. Verr. 2,53ff.; Liv. 25,27). Eine Stadt Bidios lag auf dem Territorium von Tauromenion (Steph. Byz. s.v.).

BTCGI, 4, 45f. · Chiron 25, 1995, n. 35.   GI.MA.

Biene
A. Zoologie B. Metaphorische Bedeutung

A. Zoologie
In der Ant. haben nach unseren Quellen zur Verwendung des Honigs zuerst Griechen und Römer Bienen gezüchtet (→ Bienenzucht). Sie bezeichneten die

Honig- oder Arbeitsbiene als δάρδα, μέλισσα, *apis*, die männliche Drohne als ἀνθρήνη, κηφήν, θρώναξ, *fucus* und die Königin als βασιλεύς, ἡγεμών, *rex*, *dux* oder *imperator*. In Griechenland galt dies für die dunkelbraun einfarbige *Apis cecropia*, in Italien hauptsächlich für die *A. ligustica* mit zwei gelbroten Hinterleibsringen. Zoologische Angaben über sie sind oft falsch. Nach Plinius (nat. 11,1 und 5) hätten sie kein Blut, nach Aristoteles (hist. an. 1,1,487a32) atmeten sie nicht, saugten mit der Zunge Blütensaft auf (5,22,554a14), sammelten ihre Brut von Blüten auf (5,21,553a19–21), und Theophrast (c. plant. 2,17,9) hielt sie für geschlechtslos (Verg. georg. 4,197f.) und ließ sie aufgrund einer Verwechslung mit bienenähnlichen Fliegen aus verwesenden Rindern (Varro rust. 3,16,4) oder Pferden entstehen (Serv. Aen. 1,435) – eine Ansicht, die durch Isid. orig. 12, 8,2 und Plin. nat. 11,70 im MA weit verbreitet war, z.B. bei THOMAS VON CANTIMPRÉ, 9,2 [1. 297].

B. METAPHORISCHE BEDEUTUNG

In der ant. Folklore, Religion und Myth. galten die B. als vorbildlich. Den sozial und arbeitsteilig in einem Staat (Cic. off. 1,157; Varro rust. 3,16,4; Plin. nat. 11,11) mit einer »Verfassung« (Verg. georg. 4,158: *foedere pacto*; Plot. 3,4,2) lebenden B. wurden positive menschliche Eigenschaften wie Fleiß, Tapferkeit, Keuschheit, Eintracht, Reinlichkeit, Verstand und Kunstsinn beigelegt (Ail. nat. 5,11; Varro rust. 3,16,7; Sen. epist. 121,22; Plin. nat. 11,25). Sie brachten dem jungen Zeus auf Kreta Nahrung (Verg. georg. 4,152); sie gaben wegen ihrer Keuschheit und Reinheit Göttinnen und Priesterinnen ihren Namen (Pind. fr. 123; für Artemis Aristoph. Ran. 1273; für Demeter Kall. h. 110; für die Pythia: Pind. P. 4,60). Wegen ihres angeblichen Kunstsinns beim Anfertigen der sechseckigen Bienenwabenzellen galten sie Dichtern, berühmten Rednern und Philosophen (so Sophokles: Hesychios, FHG 4,175 und Pindar: Pind. fr. 117) als Vögel der Musen (Aristoph. Eccl. 974; Varro rust. 3,16,7). Bei den Ägyptern dienten sie als Bild für den König. Nach Philostr. 2,8,5 hätten sie die Ionier zur Ansiedlung nach Griechenland geführt. Im MA knüpfte THOMAS VON CANTIMPRÉ an diese positiven Darstellungen des Verhaltens der B. an und entwarf nach 1258 nach dem B.-Kapitel (9,2) seines *Liber de natura rerum* sein moralisierendes *Bonum universale de apibus* [3] als Sinnbild für die menschliche Gesellschaft.

In Prodigien galten B.-Schwärme allerdings selten als glückliches Vorzeichen (Cic. div. 1,73; Plin. nat. 11,55; Iust. 23,4,7), z.B. für das Erscheinen guter Freunde (Verg. Aen. 7,64ff.). Vielmehr sah man die wehrhaften Schwärme der B. wie diejenigen der Wespen (Liv. 35,9,4) als Unglückszeichen an (Liv. 21,46,2 u.ö.; Cic. har. resp. 25; Val. Max. 1,6,13; Lucan. 7,161; Plut. Dion. 24; Tac. ann. 12,64; Cass. Dio 41,61; 42,26 u.ö.; Amm. 18,3,1). Sie wurden auch als Waffe gegen Feinde verwendet (App. Mithr. 78).

→ Insekten

1 THOMAS CAMTIMPRATENSIS, Liber de natura rerum, ed. H.BOESE, 1973 2 R.J. FORBES, Studies in Ancient Technology, 1966, 90–99 3 THOMAS CANTIMPRATENSIS, Bonum universale de apibus, ed. G.COLVENERIUS, 1597 u.ö. 4 J.KLEK, Bienenkunde des Alt., 1919–21 5 KELLER II, 421–431. C.HÜ.

Bienenfresser. Von den Böotiern μέροψ, *mérops* genannt (Aristot. hist. an. 6,1,559a3 ff.); ein wärmeliebender bunter Rakenvogel *Merops apiaster* L., der seine Eltern bald nach dem Ausschlüpfen füttern soll (Plin. nat. 10,99; nach Ps.-Aristot. hist. an. 9,13,615b24–32 und Ail. nat. 11,30 [2]). Er soll in 6 Fuß tiefen Erdhöhlen brüten. Er wurde verfolgt, da er sich von Bienen ernährte (Ps.-Aristot. hist. an. 9,40,626a13). Servius leitet seinen lat. Namen *apiastra* von dieser Nahrung ab (Serv. georg. 4,14). In dt. Glossen des MA wird er oft wegen der ähnlichen Gefiederfarbe als Grünspecht interpretiert [1. 358].

→ Vögel

1 L.DIEFENBACH, Glossarium Latino-Germanicum mediae et infimae aetatis, 1857, Ndr. 1973 2 D'ARCY, W. THOMPSON, A glossary of Greek birds, 1936, Ndr. 1966. C.HÜ.

Bienenzucht. Bienen und B. wurden in der Ant. in zahlreichen Werken zur Naturkunde und in den Schriften der Agronomen eingehend beschrieben. Eine umfassende Schilderung der → Biene und ihres Lebens im Bienenstock findet sich bei Aristoteles (hist. an. 623b–627b), Plinius (nat. 11,11–70) und Ailianos (nat. 5,10–13); bei Varro (rust. 3,16,4–38), Vergil (georg. 4,1–314), Columella (9,2–15) und Palladius (agric. 1,37–38) wird die Bienenhaltung als Teil der Landwirtschaft vor allem unter dem Aspekt der Gewinnung von Honig gesehen. Neben vielen richtigen Beobachtungen über die Lebensweise der Bienen finden sich auch zahlreiche Irrtümer etwa zur Fortpflanzung oder zum Geschlecht der Königin. Schon früh wurde auf die Bienen verwiesen, um bestimmte Tatbestände des menschlichen Lebens zu verdeutlichen (vgl. zur Beziehung zwischen Frau und Mann: Hes. theog. 594–602; Bienen als Beispiel einer Gemeinschaft: Cic. off. 1,157). Die Bienen dienten auch als Vorbild für ein erwünschtes soziales Verhalten (Xen. oik. 7,32–34); ihnen galt die uneingeschränkte Bewunderung des Plinius, der ihnen sogar eine *res publica, consilia* und *mores* zuschreibt (nat. 11,11). Der Sage nach wurde die B. von Aristaios in Arkadien oder Thessalien eingeführt (Apoll. rhod. 4,1132; Iust. 13,7,10). Derartige Spekulationen über die Herkunft der B. sind nach Columella (9,2,4) für einen Landwirt allerdings belanglos.

Die Honigbiene, Apis mellifica, heißt griech. μέλισσα, bzw. μέλιττα, und lat. *apis*. Zwei Arten wurden unterschieden: die einfarbig schwarze, längliche Biene und die kleinere, gelb-rötlich quergestreifte, die für die bessere gehalten wurde. Der Zweck der B. bestand in der Gewinnung von Honig und Wachs. Der Honig wurde als Nahrungsmittel, insbesondere als der einzige bei Griechen und Römern bekannte Süßstoff für Speisen und Getränke sowie als Heilmittel für die unterschiedlichsten Krankheiten (Plin. nat. 11,37 f.; 20,24; 20,26; 20,85; 20,87; 21,79; 22,108 f.; 22,152) verwendet. Auch der Götterkult erforderte eine große Menge Honig (Herodian. 8,41; Ov. fast. 1,186; 3,735 f.); in der Magie spielte der Honig ebenfalls eine Rolle. Ferner wurde Honig als Konservierungsmittel benutzt (Colum. 12,10,5; 12,47,2 f.). Das Wachs fand hauptsächlich Verwendung in Küche und Hauswirtschaft, in der Landwirtschaft, im Bauhandwerk, in der Kunst, als Schreibmaterial und in der Medizin.

Man unterschied drei Erntezeiten und damit drei Arten von Honig (Varro rust. 3,16,34; Plin. nat. 11,34–42): den Frühlings- oder Blumenhonig, der im Mai geerntet wurde, den »reifen« Sommerhonig, dessen Ernte Anfang September erfolgte, und den am wenigsten geschätzten Herbst-, Wald- oder Heidehonig, dessen Ernte in den Anfang des Novembers fiel. Als bester Honig galt in der Ant. der att. (Hymettos) und der sizilische (Hybla, Varro rust. 3,16,14; Plin. nat. 11,32), wobei sich bes. der Thymian hervorragend auf die Qualität des Honigs auswirkte (Colum. 9,4,2; 9,4,6; 9,14,19).

In der B. ist zunächst der Standort, dann der Stock zu berücksichtigen (Colum. 9,6,1; Verg. georg. 4,8.33). Der Bienenstand sollte möglichst nahe der Villa und für den Imker (häufigste Bezeichnung griech. μελιττουργός, lat. *apiarius*, *mellarius*) leicht zugänglich sein (Varro rust. 3,16,15; Colum. 9,5,2; vgl. 9,9,1; Pall. Laus. 1,37,1), da die Stöcke ständig beaufsichtigt werden mußten (Colum. 9,9,1), vor allem auch, um sie vor Beschädigung und Diebstahl zu schützen. Bienen verabscheuen üble Gerüche, Lärm und Echo. Sie sollten in der Nähe ihres Stockes klares Trinkwasser zur Verfügung haben, eine wichtige Voraussetzung für die Herstellung guten Honigs. Der Bienenstand durfte nicht Winden oder starken Temperaturschwankungen ausgesetzt sein, auch sollte in der Nähe kein Vieh gehalten werden, das die Blumen zertreten könnte. Die für den Honiggewinn bes. günstigen Pflanzen und Bäume sollten in der Nähe des Bienenstandes angepflanzt werden. Bienenstöcke aus Korkeichenrinde wurden für die besten gehalten, weil sie sowohl die Winterkälte als auch Sommerhitze am besten abhielten; es waren aber auch Holz- und Flechtkörbe in Gebrauch; Stöcke aus Ton wurden für die schlechtesten erklärt, weil sie im Sommer zu heiß und im Winter zu kalt waren. Es wurde empfohlen, die Stöcke von innen gegen Ungeziefer, Hitze, Kälte und Regen mit Tonerde oder Rindermist zu verstreichen und sie im Winter mit Stroh oder Laub zu belegen.

Vor der Honigernte hatte der Imker strenge Hygienemaßnahmen zu beachten. Er mußte sich stark duftender Speisen und Salben enthalten, durfte sich keinen Rausch antrinken und hatte sich gründlich zu reinigen. Um ungehindert die Waben herausschneiden zu können, sollte er qualmendes Rauchwerk (*galbanum*) vor sich hertragen. Um das Überleben der Bienenvölker zu sichern, wurde bei der Ernte ein Teil der Waben im Stock belassen. Unter solchen Umständen konnte ein Bienenvolk ein Alter bis zu zehn Jahren erreichen.

B. wurde z.T. auch als Wander-B. betrieben (Colum. 9,14,19 f.). Die Versendung von Stöcken von einem Landgut zum anderen geschah meist bei Nacht und mußte vorsichtig, am besten im Frühling, durchgeführt werden. Der neue Standort war sorgfältig auszuwählen, und bes. Maßnahmen waren zu ergreifen, um die Bienen an der Flucht zu hindern. Bestimmte Krankheiten, z. B. die Ruhr und Freßsucht (Faulbrut) sowie natürliche Feinde der Bienen, z. B. einige Vogelarten, Spinnen und Motten, konnten die B. gefährden. Gemäßigtes Räuchern zur Pflege der Bienen und Stöcke, vor allem zum Schutz gegen Ungeziefer, war daher ein bedeutsamer Bestandteil der B.

Die B. war in der Ant. ein wichtiger Bereich der Landwirtschaft und ein einträgliches Geschäft; nach Varro sollen die Besitzer eines kleinen Hofes durch den Verkauf von Honig jährlich etwa 10000 HS eingenommen haben (rust. 3,16,10 f.). Der Honig war eine begehrte Handelsware und erzielte teilweise hohe Preise.

1 H. CHOULIARA-RAIOS, L'abeille et le miel en Égypte d'après les papyrus grecs, 1989 2 H. M. FRASER, Beekeeping in Antiquity, ²1951 3 J. E. JONES, Hives and honey of Hymettus. Beekeeping in ancient Greece, in: Archaeology 29, 1976, 80–91 4 J. KLEK, s. v. B., RE Suppl. 4, 211–213 5 L. KOEP, s. v. Biene, RLA 2, 1954, 274–282 6 F. OLCK, s. v. Biene, B., RE 3, 431–450, 450–457. J. S. T.

Bier

I. ALTER ORIENT   II. GRIECHENLAND UND ROM

I. ALTER ORIENT

B. war im Alten Orient ein weithin bekanntes und beliebtes Getränk, das in Mesopotamien und Ägypten spätestens seit Ende des 4. Jt. v. Chr. gebraut wurde. Grundstoff der Herstellung war vor allem Gerstenmalz [1. 322–329], daneben auch Emmer und Sesam. Im 1. Jt. v. Chr. gewann in Babylonien eine Art Dattel-B. an Bedeutung [2. 155–183]. In Ägypten erwähnen die Texte aus älterer Zeit neben Dattel-B. auch Johannisbrotbaum-B. und Mohn-B. Während des Brauprozesses wurden weitere Ingredienzien wie Honig oder Dattelschrot sowie ein aus Teig und Gewürzkräutern bestehendes B.-Brot zugesetzt. Über die Mischungsverhältnisse geben sog. B.-Rezepte Auskunft, wie sie z. B. in Mesopotamien aus dem 3. Jt. v. Chr. überliefert sind. Die Verwendung von Hopfen läßt sich nicht nachweisen. Aus der Textüberlieferung sind verschiedene B.-Sorten bekannt, ohne daß allerdings immer etwas über den Charakter des jeweiligen B. ausgesagt werden kann. Als Getränk mit berauschender Wirkung wurde B. sowohl in privaten Haushalten getrunken als auch in → Wirtshäusern ausgeschenkt. Darüber hinaus diente B. dem Opfer, in der Medizin und als Teil der Arbeitsentlohnung [2. 321–331].

1 M. STOL, s. v. Malz, RLA 7, 322–329 2 L. MILANO (Hrsg.), Drinking in Ancient Societies, 1994.

W. HELCK, s. v. Bier, LÄ 1, 790–791 · W. RÖLLIG, Das B. im Alten Mesopotamien, 1970.   H. N.

II. GRIECHENLAND UND ROM

Durch Gärung gewonnenes alkoholisches Getränk aus Wasser, Hefe und Malz von Gerste (in geringerem Maß auch von Weizen, Hirse oder anderen stärkehaltigen Rohstoffen). B. (ζῦθος, *zýthos*), das die Griechen um 700 v. Chr. kennenlernten, war in der ganzen ant. Welt, insbes. aber in Hispanien, Gallien, Britannien, Germanien, auf dem Balkan und in Ägypt. verbreitet; nur in ausgesprochenen Weinbauländern wie It. und Griechenland setzte es sich nicht durch. B. wurde in Brauereien (insbes. aus Ägypt. bekannt), aber auch in Heimarbeit hergestellt; es existierte in vielen lokalen Sorten und unter verschiedenen Namen. Da Hopfen unbekannt war, verdarb B. schnell; beliebte Zusätze des in der Ant. säuerlich schmeckenden Getränkes waren Honig und Gewürze. B. war ein Volksgetränk, das Anfang des 4. Jh. n. Chr. deutlich weniger als Wein kostete (Edicta imperatoris Diocletiani 2,11–12). Die Oberschicht hingegen verschmähte B. und zog ihm Wein vor. Im Kult spielte B. eine Rolle nur bei den Ägyptern, Thrakern und Kelten. Es wurde auch zu kosmetischen Zwecken verwendet; über seine heilsamen Eigenschaften waren ant. Mediziner geteilter Meinung.

→ Getränke

J. ANDRÉ, L'alimentation et la cuisine à Rome, ²1981 · V. CHAPOT, s. v. Zythum, DS 5, 1074–1077 · F. OLCK, s. v. B., RE 3, 457–464 · E. M. RUPRECHTSBERGER (Hrsg.), B. im Alt., 1992.   A. G.

Bigae. Kurzform aus lat. *biiugae* (griech.: δίζυξ; συνωρίς); eigentlich zwei unter einem Joch gehende Tiere (Pferd, Rind, Maulesel), vornehmlich für Pferdegespanne verwandt. Neben den bereits aus der min.-myk. Kultur erh. Darstellungen auf Fresken, Sigelringen u. ä. bzw. den Modellen aus Ton oder Br., ist vor allem die lebendige Schilderung bei Homer (Il. 23,392f., Leichenspiele für → Patroklos) eines Pferderennens im Zweigespann für die griech. Frühzeit zu erwähnen. Diese leichten Gespanne wurden ferner im Kampf – als schnelles Mittel der Fortbewegung – und bei der Jagd verwandt (→ Quadriga, auch einspännige Wagen [1]; Dreispänner [2]). In den realen hippischen Agonen dienten Zweispänner für die Maulesel- (70. Ol.), Pferde- (93. Ol.) und Fohlenrennen (128. Ol.) der Olympischen Spiele bzw. für Pferderennen der → Panathenäen (vgl. das delische Mosaik [3]). Im etr.-ital. Bereich sind B. ebenso in Fragmenten und Modellen überliefert; die Kunstdarstellungen (z. B. Tomba delle Bighe und Tomba delle Olimpiadi, Tarquinia, bzw. Tomba del Colle, Chiusi, mit Schilderung von Wagenunfällen) zeigen sie als Sport-, Streit- und Jagdwagen. Als Kampfwagen kamen B. bald aus der Mode, so daß die spätere Schilderung kelt. Kampfweisen (z. B. Diod. 5,29f.) von B. aus als Anachronismus erscheint; entsprechendes gilt für die kyrenäischen Griechen und seleukidischen Heere mit ihren Kampfwagen im 4. bzw. 3. Jh. v. Chr. (→ Streitwagen). In der Kunst der Zeit werden verschiedene Wesen zu Gespann-Tieren (Cervide, Eros, Kentaur, Löwe, Pan, Panther, Satyr usw., auf einem apulischen Kantharos sogar Schildkröte und Hase [2]), wobei funktional auf den Vasenbildern kaum Unterschiede zu Trigen oder Quadrigen auszumachen sind. Im Röm. dagegen waren Quadrigen dem Gott Sol, B. den astralen Gottheiten Luna, Aurora, dazu Venus, Trigen den Unterweltsgöttern vorbehalten (Tert. spec. 9; Isid. orig. 18,36,1, Cassiod. var. 3,51,6 u.ö.). Als Rennwagen hatten die B. jedoch ihre Bedeutung, auch wenn die Rennen mit Quadrigen größeren Anklang fanden. Bei der Eröffnung der *ludi circenses* fuhr der für die Austragung der Spiele verantwortliche → Praetor auf einer prachtvollen B. in den Circus (Plin. nat. 34,19f.; vgl. Iuv. 10,36f.; 9,195, s. hierzu Marmor-B. in Rom, VM, Helbig, 1 Nr. 507). Die Erfindung der B. wie die der anderen Gespanne erfolgte wohl im Zuge der Verbreitung des Pferdes bzw. der Nutzung von Tieren als Zugtiere; ob Plin. nat. 7,207 recht hat, daß *bigas primas iunxit Phrygum natio, quadrigas Ericthonius*, ist angesichts der frühen Denkmäler wenig wahrscheinlich.

→ Wagen, Praetor, Circus II

1 K. KILIAN, Zur Darstellung eines Wagenrennens aus spätmyk. Zeit, in: MDAI(A) 95, 1980, 21–31 Abb. 1f. Taf. 9f. 2 E. RYSTEDT, Die Wagenfriese der att. geom. Keramik, in: OpAth. 18, 1990, 177–183 Abb. 1–4. 3 Délos XIX, 1972, 264 Nr. 234 Abb. 16 Taf. B 3 mit Panathen. Preisamphora. 4 K. SCHAUENBURG, Eros und Reh auf einem Kantharos der Kieler Antiken-Slg., in: JDAI 108, 1993, 241 Abb. 40f.

J. WIESNER, Fahren und Reiten, ArchHom I F, 1968 · E. WOYTOWITSCH, Die Wagen der Bronze- und frühen Eisenzeit in It., 1978 · I. WEILER, Der Sport bei den Völkern der alten Welt, 1981 · F. BOITANI, La B. etrusca di Castro, in: Antiqua 12, 1987, Nr.5–6, 84–91 · A. DONATI, La B. di Mondaino, in: AnnMacerata 21, 1988, 63–68 · K. TANCKE, Wagenrennen, in: MDAI 105, 1990, 95–127.   R. H.

Bigatus. Antike Bezeichnung (Plin. nat. 33,46; Fest. p. 98 u. 347B; Tac. Germ. 5; Liv. 23,15,15; 34,10,4. 7) für den Denar mit der rv. Darstellung eines Zweigespannes, das eine Gottheit (Diana, Herkules, Luna, Victoria u. a.) trägt. Bei Livius (33,23,7. 9; 34,46,12; 36,21,11) Syn. für Denar (*argentum bigatum*). Die ersten B. wurden nach neuester Meinung ab 189/180, die letzten etwa 42 v. Chr. geprägt.

→ Denar

R. THOMSEN, Early Roman Coinage. A Study of the Chronology, 1–3, 1957–61, s. v. B. · RRC², 613f., 630.   A. M.

Bigerriones. Volk im nördl. Vorland der Pyrenäen (Caes. Gall. 3,27), Prov. Aquitania, später Novempopulana; *Begerri* bei Plin. nat. 4,108, später *Bigerri*. Bedeutendstes Zentrum war Bigorra bzw. Begorra (Notitia Galliarum 14,11), evtl. h. Cieutat. Daher der h. Name Bigorre. Inschr. Belege: CIL XIII, 383–396, 11014–11017.

DESJARDINS, 2, 363, 368.   E. FR.

Bilbilis. Keltiberische Siedlung auf dem Cerro de Bámbola nahe Calatayd (Prov. Zaragoza); der Name leitet sich evtl. vom Birbilis (Iust. 44,38), einer anderen Bezeichnung des Salo, oder einem Nebenfluß desselben ab. In röm. Zeit führte die Straße von Augusta [2] Emerita nach Caesaraugusta durch B. Ob B. → *colonia* oder → *municipium* war, ist umstritten. Martialis, der den Reichtum seiner Heimat besungen hat, wurde hier geboren. Die Stadt zerfiel in spätröm. Zeit (Paul. Nol. epist. 2,221–238).

M. MARTIN BUENO, B., in: W. TRILLMICH, P. ZANKER (Hrsg.), Die Monumentalisierung hispanischer Städte zw. Republik und Kaiserzeit, 1990, 219–239 · TOVAR 3, 383 f.

P. B.

Bild, Bildbegriff. Das Konzept des in der westl. Gedankenwelt geläufigen B.-Begriffs hat seinen Ursprung in Griechenland, bes. in den Schriften → Platons und des → Aristoteles, doch scheinen moderne und ant. Sichtweisen erheblich voneinander abzuweichen (vgl. auch → Kunstinteresse; → Kunsttheorie). Weder zum B.-Begriff noch zu der in der Ant. auf B. angewandten Terminologie liegt eine umfassende Unt. vor, obwohl Versuche unternommen worden sind, eine griech. Grundidee des B. herauszuarbeiten [1]. Dabei wurden einzelne Begriffe wie εἴδωλον (*eídōlon)*, εἰκών (*eikṓn*) [2; 3], κολοσσός (*kolossós*) [4; 5], → ξόανον (*xóanon*) [6]; σῆμα (*sḗma*) [21] analysiert. Zwar hat es den Anschein, als umgreife seit der Zeit des → Simonides der B.-Begriff sowohl das Visuelle als auch das Verbale (ὁ λόγος τῶν πραγμάτων εἰκών ἐστιν: fr. 190 B BERGK⁴), doch erhielt die visuelle Komponente bes. Bed. aufgrund der engen Beziehung im griech. Denken zwischen ἰδεῖν (*ideín*, »sehen«) und εἰδέναι (*eidénai*, »wissen«) [7. 27].

Die Debatte um den visuellen Aspekt des B.-Begriffs wurde durch die von Platon und Aristoteles geknüpfte Verbindung zur → Mimesis und durch die v. a. bei Platon begegnende Ablehnung der Bildenden Künste beherrscht [8. 31–58]. Der Begriff der Mimesis, der lange als »Nachahmung« verstanden wurde, erfuhr durch die Analyse der vorplatonischen Bed. eine signifikante Neubewertung [9–12]. Die Assoziationen, die im 5. Jh. mit verwandten Begriffen verbunden waren, scheinen auf das Agieren der Schauspieler bezogen zu sein, doch vielleicht schon bei Aischylos (TrGF 3, fr. 78a, 364) [10. 78], sicher zur Zeit Xenophons (mem. 3,10,1–8) [1. 134] erstreckte sich das Verständnis der Mimesis auch auf bildliche Darstellungen. Platon zählte Dichtung, Schauspiel, Musik, Malerei und Plastik zu den mimetischen Künsten; er verurteilte die Mimesis als von der Wahrheit abweichend, irreführend und verderblich für die Gesellschaft. Der *locus classicus* ist der Vergleich der drei Betten (rep. 596e–598d): dasjenige in der »Natur«, das von einem Tischler hergestellte und die Abbildung durch einen Maler, der, nur die äußere Erscheinung des zweiten nachahmend, noch einen Schritt weiter von der »Natur« entfernt ist. Das B. steht damit zwischen Sein und Nichtsein; seine Plausibilität ist abhängig von der

Ähnlichkeit zum Vorbild (soph. 240a-b). Platons Ablehnung der Bildenden Künste wurde oft als ein zentraler Bestandteil seiner Gedankenwelt angesehen. Seine Auffassung ist in diesem Punkt aber nicht konsistent, denn seine Haltung zur Malerei ändert sich von gradueller Akzeptanz zu radikaler Ablehnung [13; 14]. Der Grund für diesen Wandel bleibt undeutlich. Platons Äußerungen können nicht überzeugend auf die zeitgenössische Kunstpraxis bezogen werden. Seine widersprüchlichen Schlußfolgerungen spiegeln demnach weniger den Verlust relevanter Kunstwerke. Sie lassen es vielmehr als möglich erscheinen, daß seine Auffassungen über die visuellen Künste als ein Reflex epistemologischer Standpunkte [14] und bestimmter polemischer Kontexte aufzufassen sind.

Aristoteles (poet. 1447a–1448b) scheint die Bildenden Künste in die Kategorie der Mimesis einzubeziehen; demnach wäre ein B. durch die Methode seiner Herstellung, den Gegenstand, der nachgeahmt wird, und wohl auch durch die Art der Nachahmung definiert. Auch Aristoteles betrachtet das B. außerdem als Auslöser moralischer Effekte: Junge Leute sollten Werke von → Polygnot betrachten, der Menschen besser dargestellt habe, als sie seien, und nicht B. von → Pauson, der sie schlechter zeige (pol. 1340a 33–40; poet. 1448a 5–6). Es hat dabei den Anschein, als hätte die bloße Vorstellungskraft [1. 160] erst ab dem 2. Jh. v. Chr. die mimetische Bindung zwischen einem Vorbild und einem Abbild überlagert, und zwar im Gefolge einer Weiterentwicklung der hell. Lehre von der φαντασία (*phantasía*) [8. 52–55; 15].

Der B.-Begriff ist darüber hinaus explizites Thema in ant. Texten, die sich mit Gebrauch, Ursprung und Entwicklung von B. im Kultbetrieb befassen [6; 16]. Von alters her betrachteten die Griechen ihre Götterbilder als ein spezifisches Merkmal ihrer Kultur. Deren Eigenart und die ihnen zugemessene Darstellungskraft wurden erst im Hell. in Frage gestellt, als intensivere Kontakte mit dem jüdisch-ikonoklastischen Denken Debatten über die tradierte griech. Bilderwelt auslösten. Frühchristl. Widerstand gegen pagane Bräuche führte in bemerkenswertem Umfang zu ikonoklastischer Polemik und B.-Rechtfertigung, wobei die Geschichte der Entstehung und Herstellung der Bilder ein bedeutendes Argument war. Anikonische Darstellungen wurden dabei entweder als ein der figuralen Vorstellung vorausgehendes, von ihr prinzipiell zu trennendes Stadium aufgefaßt, oder aber als ein Prozeß, in dessen Verlauf sich nach und nach die konzeptionelle und künstlerische Fähigkeit zu ikonischer Darstellung herausbildete. Dieser spätklass. Diskurs, in dem die jüd.-christl. Wahrnehmung der griech. Kulturpraxis und griech. Theorien über die Entwicklung der zur Zivilisation gehörenden Kunstfertigkeiten sich wechselseitig beeinflußten, spricht ausdrücklich die Ziele wie auch die Möglichkeiten bildlicher Darstellungen an. Obwohl es weder einen arch. noch einen anderweitigen Beleg gibt, die Gesch. der bildlichen Darstellung, wie sie in den ant.

Texten geschildert wird, zu erhärten, wurde die moderne Forsch. hiervon stark beeinflußt, indem Theorien über den Ursprung der Rundplastik aus der Darstellung von Göttern sich auf diese Texte beriefen. Dies verengte die allg. Frage nach der Rolle von Bildern in der griech. Religion auf die Kategorie der »Kultstatue«, der man eine Sonderstellung im Verhältnis zu anderen Bildgattungen zuschrieb.

Zeugnisse über Kulthandlungen mit B. geben einen weiteren Hinweis auf den ant. B.-Begriff. Tätigkeiten wie das Ankleiden, Baden oder das öffentliche Präsentieren von B., aber auch die vielfach überlieferten feindlichen Handlungen gegen B. stützen die Annahme einer an Identität grenzenden Beziehung zwischen Vorbild und Abbild [6; 17; 18; 19].

Quellen zum röm. B.-Begriff sind selten. Deutlich ist aber der erhebliche Einfluß der griech. Bildvorstellung, wie z. B. Varros Aussagen über anikonische Bildverehrung im frühen Rom (vgl. Aug. civ. 4,31) zeigen [20]. Die röm. Bildkunst ist, aufs Ganze gesehen, stark von der griech. Tradition geprägt. Hierdurch bedingt, scheint sich spezifisch Röm. vor allem in der Ausübung und der Terminologie der Porträtkunst (→ Porträt) geltend zu machen, z. B. bei der Herstellung von Ahnenbildern [21].

→ Abbild; Ideenlehre; Ikonoklasmus; Mimesis; Wahrnehmungstheorien; ÄSTHETIK

1 J.-P. VERNANT, Image et apparence dans la théorie platonicienne de la mimêsis, in: Journal de Psychologie 72, 1975, 133–160 2 S. SAÏD, Deux noms de l'image en grec ancien: idole et icône, in: CRAI, 1987, 309–330 3 J.-P. VERNANT, Figuration et image, in: Métis 5, 1990, 225–238 4 E. BENVENISTE, Le sens du mot κολοσσός et les noms grecs de la statue, in: RPh 6, 1932, 118–135 5 J. DUCAT, Fonctions de la statue dans la Grèce archaïque: kouros et kolossos, in: BCH 100, 1976, 239–251 6 A. A. DONOHUE, Xoana and the Origins of Greek Sculpture, 1988 7 B. SNELL, Die Entdeckung des Geistes, ⁵1980 8 J. J. POLLITT, The Ancient View of Greek Art, 1974 9 H. KOLLER, Die Mimesis in der Ant., 1954 10 G. F. ELSE, »Imitation« in the Fifth Century, in: CPh 53, 1958, 73–90 11 G. SÖRBOM, Mimesis and Art, 1966 12 E. C. KEULS, Plato and Greek Painting, 1978 13 B. SCHWEITZER, Platon und die bildende Kunst der Griechen, 1953 14 N. DEMAND, Plato and the Painters, in: Phoenix 29, 1975, 1–20 15 G. WATSON, The Concept of 'Phantasia' from the Late Hellenistic Period to Early Neoplatonism, ANRW II 36.7, 4765–4810 16 C. CLERC, Les théories relatives au culte des images chez les auteurs grecs du IIᵉ siècle après J.-C., 1915 17 D. METZLER, Bilderstürme und Bilderfeindlichkeit in der Ant., in: M. WARNKE (Hrsg.), Bildersturm, 1973, 14–29, 142–150 18 A. SCHNAPP, Why did the Greeks need Images?, in: J. CHRISTIANSEN, T. MELANDER (Hrsg.), Ancient Greek and Related Pottery, 1988, 568–574 19 H. HOFFMANN, Why did the Greeks need Imagery?, in: Hephaistos 9, 1988, 143–162 20 P. BOYANCÉ, Les pénates et l'ancienne religion romaine, in: REA 54, 1952, 109–115 21 J. D. BRECKENRIDGE, Origins of Roman Republican Portraiture, ANRW I 4, 826–854 22 H. G. NIEMEYER, Sémata. Über den Sinn griech. Standbilder, 1996, 12–31.   A. A. D. / V. S.

Bildhauer. In der griech.-röm. Kultur war der B. weniger → Künstler als vielmehr Techniker, in der Frühzeit auch → Architekt und Erfinder. Die ant. Benennungen beziehen sich auf die verwendeten Werkmaterialien wie etwa *lithourgós/sculptor* (für Stein), *chalkourgós/aerarius* (in Br.), *plástes* oder *koropláthos/fictor* (in Ton), *ceroplastes* (in Wachs), aber auch auf die gesellschaftliche Bewertung des Produktes, etwa bei *lapidarius* (Steinmetz), *agalmatopoiós* und *andriantopoiós* (Künstler des Menschen- und Götterbildes) und *toreutḗs* (Hersteller von Klein-Br.). Über soziale und ökonomische Stellung geben bisweilen die Signaturen Aufschluß; mit *epoíēsen* beziehen sie sich meist auf die Herstellung. Hinzufügung des Ethnikons bei Arbeiten fern der Heimat und Anbringung von Signaturen an der Statue selbst mit Beginn des Kunsthandels im späten Hell. (→ Kunstinteresse) bezeugen den Geschäftssinn der Werkstätten. Anhand von Signaturen und Doppelsignaturen – die meisten ohne zugehörige Werke – wurden von der arch. Forsch. Stammbäume rekonstruiert, die in Zentren wie Rhodos und → Aphrodisias Bildhauerfamilien und deren Bed. als lokale Wirtschaftsgruppe erkennen lassen. Die spätere ant. Kunstlit. hat auch für archa. und klass. B. Genealogien ausgearbeitet, die wegen der zahlreichen Homonyme aber nur mit Vorsicht zu verwenden sind.

Die interne Struktur der Steinmetzwerkstätten ist unbekannt, sie wird wie bei Bronzegießereien aber wohl der technischen Differenzierung entsprochen haben. Die soziale Stellung der B. war von ihrer im Vergleich zum → Maler eher handwerklichen Tätigkeit geprägt. Freie Bürger, Metöken oder – in röm. Zeit – Freigelassene sind daher die Regel. Da aber z. B. die B. röm. Sarkophage anonym bleiben, lassen sich hier unselbständige Betriebsformen mit Sklaven vermuten. Im griech. Raum, aus dem die überwiegende Zahl der B. stammt, wird vereinzelt ein durch kommunale Ämter erhöhter sozialer Rang erkennbar, der durch erworbenes Vermögen begründet war. Über Honorare unterrichten Abrechnungen (wie im klass. Athen), inschr. Kostenangaben (z. B. für die Tempelgiebel von → Epidauros) und lit. Nachrichten (z. T. über exorbitante Beträge). Da die Zahl der Mitarbeiter, Arbeitszeiten, Transport- und Materialkosten meist unbekannt bleiben, lassen sich weitgehende ökonomische Rückschlüsse hieraus kaum ziehen. Bei offiziellen Aufträgen wurde das Material separat geliefert und überwacht, auch im röm. Recht war es vom Werk getrennt. Nur wenige Werkstätten werden auf Vorrat gearbeitet haben, etwa diejenigen, die auf Kopistentätigkeit spezialisiert waren. Daß diese dann zugleich als Kunstagenturen und Restaurationsbetriebe tätig waren, zeigt u. a. Ciceros Briefwechsel.

→ Architekt; Bildhauertechnik; Künstler.

P. C. BOL, Ant. Bronzetechnik, 1985 • A. BURFORD, Künstler und Handwerker in Griechenland und Rom, 1985 • I. CALABI LIMENTANI, Studi sulla società romana. Il lavoro artistico, 1958 • FUCHS/FLOREN, 6 • H. LAUTER, Zur gesellschaftlichen Stellung des bildenden Künstlers in der griech. Klassik, 1974 • Ders., Zur wirtschaftlichen Position der Praxiteles-Familie im spätklass. Athen, in: AA, 1980, 525–531 • H. PHILIPP, Tektonon Daidala, 1968 • Ders., Handwerker und bildende Künstler in der Gesellschaft, in: H. BECK, P. C. BOL u. a. (Hrsg.), Polyklet. Ausstellungs-Kat. Frankfurt/Main, 1990, 79–110 • A. STEWART, Attika. Studies in Athenian Sculpture of the Hellenistic Age, 1979 • J. M. C. TOYNBEE, Some Notes on Artists in the Roman World, 1951. R. N.

Bildhauertechnik I. VORDERER ORIENT II. GRIECHENLAND UND ROM

I. VORDERER ORIENT

Älteste Beispiele einer entwickelten B. in Stein kennt der Alte Orient aus dem späteren 4. Jt. v. Chr. (→ Uruk). Die wichtigsten Denkmälergattungen sind Rundplastik und → Relief (→ Stelen, Felsreliefs, → Orthostaten, → Obelisken). Zur Bearbeitung wurden Werkzeuge aus Metall, wahrscheinlich auch aus Hartgestein benutzt. Werkzeugspuren sind wegen der Glättung und Polierung der Oberfläche mit Schleifmitteln nur selten erhalten. Die Oberflächen konnten durch Einritzungen von Details, durch → Inkrustationen und farbige Bemalung gestaltet werden, letzteres insbesondere nachgewiesen bei den neuassyrische Palastreliefs (→ Bauplastik). Neuassyr. Texte belegen die Plattierung von Rundplastik aus Stein mit Goldblech. Zwar sind »Bildhauermodelle« und bestimmte Formen der Arbeitsorganisation (Rasterverfahren, Proportionskanon) bis zur achämenidischen Zeit nicht sicher nachgewiesen, doch vorauszusetzen.

Bei der B. in Metall sind vor allem Schmiede-, Treibsowie Gußtechniken zu unterscheiden, die vom 4. Jt. v. Chr. an bekannt sind. Frühe Reliefs und Rundplastiken wurden in Kupferblech über einem Holzkern gearbeitet. Die Darstellungen auf Bronzereliefs wurden von der Rückseite getrieben (repoussé), die Details von vorne ziseliert (→ Balawat). Metallgußverfahren waren bereits in der 2. H. des 3. Jt. v. Chr. weitgehend ausgereift: Guß in offenen Formen, Voll- und Hohlguß in verlorenen Formen oder Wachs-Ausschmelz-Technik (cire perdue), wobei die Größe der Gußstücke eine große Materialbeherrschung und technische Erfahrungen (z. B. Kernstützen, -halterungen und -entlüftung) voraussetzten.

→ Bronze; Stein

A. SPYCKET, La statuaire du Proche-Orient Ancien, 1982 • J. BÖRKER-KLÄHN, Altvorderasiatische Bildstelen und vergleichbare Felsreliefs, BaF 4, 1982 • E. BRAUN-HOLZINGER, Figürliche Bronzen aus Mesopotamien, Prähistor. Bronzefunde, Abteilung I, Bd. 4, 1984. R. W.

II. GRIECHENLAND UND ROM A. GRUNDLAGEN B. MATERIALIEN C. MISCHTECHNIKEN, KONSERVIERUNG

A. GRUNDLAGEN

In der griech-röm. → Plastik stehen die Suche nach neuen Techniken und deren gestalterische Möglichkeiten in wechselndem Ursache-Wirkung-Verhältnis. Die Erforschung der B. ist daher für die Erkenntnis von Stilentwicklung und für das Verständnis des Einzelwerkes grundlegend. Schriftliche Zeugnisse sind gering, bildliche Darstellungen von Werkzeug und Werkstätten zu wenig technisch. Es bleibt die Unt. am Objekt mit naturwiss. Methoden und durch Modellversuche; Fortschritte machte vor allem die Erforschung von Br.-Gießereien.

B. MATERIALIEN

I. METALL

Nach ersten Versuchen mit Kupfer beginnt im 9. Jh. v. Chr. durch zehnprozentige Beigabe von härtendem Zinn der Br.-Guß geom. Statuetten. Er erfolgt im Wachsausschmelzverfahren mit »verlorener Form«, wobei um das Wachsmodell ein Tonmantel gelegt wird, der nach dem Ausschmelzen des Wachses und Einfüllen der Br. zerschlagen wird. Größere Werke werden als *sphyrélata* gearbeitet, indem Br.-Blech über Holzformen von Einzelteilen gehämmert und dann vernietet wird. In der 1. H. des 7. Jh. v. Chr. erreichen massiv gegossen Figuren eine Höhe bis zu 50 cm, gleichzeitig wird in Samos der ägypt. Hohlguß eingeführt. Anfangs nur für Statuetten und Protome tauglich, wird er von → Rhoikos und → Theodoros in der 1. H. des 6. Jh. v. Chr. für größere Werke entwickelt und im späteren 6. Jh. v. Chr. auch auf dem Festland üblich. An Stelle der späteren Br.-Wand des Werkes wird eine Wachsschicht auf eine tönerne Rohform aufgetragen und mit Ton ummantelt. Außer den Gußkanälen für Wachs, Br. und Luftröhren kommen zw. Kern und Mantel Abstandhalter, damit nach dem Ausschmelzen des Wachses der Hohlraum der künftigen Wandung bestehen bleibt. In die noch heiße Form, die in eine Bodengrube eingetieft ist, wird mit Tiegeln die Br. eingefüllt; Guß direkt aus dem Schachtofen ist nicht nachgewiesen. Wiederum muß der Außenmantel zerschlagen werden, geht die Form verloren. Ab etwa 500 v. Chr. wird der Guß wiederholbar. Dazu werden von einem vollkommenen Tonmodell zuerst Teilmatrizen genommen, diese mit Wachs ausgestrichen und zugleich mit dem inneren Tonkern aufgebaut. Nach Abnahme der Matrizen wird die Wachshaut retuschiert und dann wie bei der »verlorenen Form« weitergearbeitet. Lebensgroße Br. werden in Teilgüssen hergestellt, die in Hartlötung verbunden werden. Anschließend erfolgt wie bei jedem ant. Br.-Guß eine langwierige Kaltarbeit (Beseitigung von Gußkanälen, Kernhalterung, kleinen Bläschen und Fehlstellen; Details werden mit Meißel und Stichel ausgearbeitet, zuletzt die Br.-Haut mit Raspel und Schaber geglättet und bis zu goldgelbem Glanz poliert). Gesockelt wird

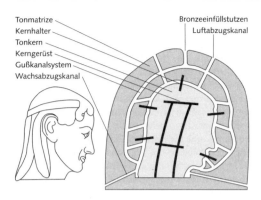

Tonmatrize
Kernhalter
Tonkern
Kerngerüst
Gußkanalsystem
Wachsabzugskanal

Bronzeeinfüllstutzen
Luftabzugskanal

Schematische Darstellung eines Bronzehohlgusses.
Tonmodell und tönerner Gußmantel.

durch Bleiverguß in den Fußsohlen. Gold und Silber werden fast nur für → Appliken verwendet und selten gegossen, sondern getrieben. Ab der 2. H. des 6. Jh. v. Chr. verkleidet man hölzerne → *xóana* mit Goldblech. In der → Goldelfenbeintechnik wird dabei für nackte Körperteile → Elfenbein verwendet. Ab der Klassik entstehen aus der Verbindung von Metallteilen mit anderen Materialien kolossale Statuen (→ Akrolithe).

2. STEIN

Die Monumentalisierung der griech. Plastik findet um die Mitte des 7. Jh. v. Chr. in Marmor statt, ausgehend von den Lagerstätten auf → Naxos. Noch im Steinbruch wird in schichtenweisem Abtragen ein Rohling geschaffen, dieser am künftigen Aufstellungsort oder im Atelier auf einer stehengelassenen Basis (Plinthe) aufgerichtet und mit steil gerichtetem Spitzmeißel ausgearbeitet. Faltenrillen und Unterschneidungen werden als Lochreihen gebohrt, die mit dem Schlageisen verbunden werden. Aus einem Block herausragende Teile werden mittels Zapfen angestückt. Geglättet wird mit dem schräg geführten Schlag- und Zahneisen und mit Schmirgelstein. Der Marmor wird z. T. reich bemalt. Die Plinthe wird in eine Basis gesetzt und mit Blei vergossen. Die → Bauplastik wird gleich nach der Bossierung der Rohform eingesetzt und am Gerüst ausgearbeitet, Giebelfiguren hingegen erst vor der letzten Arbeitsphase aufgestellt.

3. TON

Als einer der ältesten Werkstoffe der Plastik wird Ton in geom. Zeit noch aus der Hand zu Statuetten geformt (→ Terrakotta). Um 700 v. Chr. wird aus dem Orient die Matrizentechnik eingeführt. Mit Hilfe des Modellierholzes wird eine Patrize hergestellt und gebrannt, durch Auflegen eines Tonmantels von ihr eine Matrize abgeformt, die nach Retusche gebrannt wird. In der Archaik gibt sie meist nur die Vorderseite wieder, später durch Halbierung des Mantels beide Seiten. Zur Statuetten-Produktion wird die Matrize bei sehr klei-

nen Stücken ganz mit Ton gefüllt, bei größeren wegen der Gefahr von Rissen nicht vollständig, wobei zum Entweichen von Wasserdampf aus dem so in der Statuette gebildeten Hohlraum Löcher vorgesehen sind. Nach Abnahme der Matrizen werden Details eingeritzt. Farbgebung erfolgt durch Auftragen von Tonschlicker vor dem Brennen oder durch spätere Bemalung.

4. HOLZ, ELFENBEIN

Diese Materialien sind uralte Werkstoffe, die mit Schnitztechniken bearbeitet wurden. Als älteste, oft noch wenig aus der Brettform entwickelte Kultbilder galten *xoána* aus Edelhölzern. Holzstatuetten sind in frühen Votivdepots (Samos) erhalten. Noch im 6. Jh. v. Chr. waren die olympischen → Siegerstatuen vorwiegend aus Holz. Ab der klass. Zeit treten Holz und Elfenbein meist nur in Mischtechniken auf, ansonsten durchgängig in der Kleinkunst, an figürlich geschmückten Geräten und Möbeln. Elfenbein setzt dazu eine Stückungstechnik mit Verleimen kleinerer Plättchen voraus. Bemalung und Vergoldung sind üblich.

C. MISCHTECHNIKEN, KONSERVIERUNG

An fast jeder Plastik sind mehrere B. angewendet. Attribute und Gewandteile werden gesondert und aus anderem Material gearbeitet. Farbeffekte werden durch andere Werkstoffe erzielt, so an Bronzen die Brustwarzen, Lippen und Körperverletzungen als Kupfereinlagen, Zähne und Gewandornamente in Silber. Augen sind aus Glas, Elfenbein und Halbedelstein zusammengefügt, an Marmorstatuen die Haare in Stuck oder Br. aufgelegt, Schmuckstücke in Edelmetall. Ant. B. setzt Modelle voraus, bes. bei Gruppen und Giebelskulpturen, aber auch zur Entwurfsvorlage beim Auftraggeber. Die Klassik kennt *paradeígmata* und *proplásmata*, im Hell. kursierten *týpoi* und Tonmodelle von Werken gesuchter Künstler. Zur B. gehörten auch die Bereiche der Konservierung und Restaurierung. Marmor wurde durch *gánōsis*, einen Überzug aus Wachs und Öl, geschützt, Br. durch Einfetten und Harzüberzug. Im Freien aufgestellte Werke wurden durch *mēnískoi* vor Vogelkot bewahrt. Holz und Elfenbein erfordern kontrollierte Raumfeuchtigkeit, die durch Becken mit Wasser oder Öl hergestellt wurde. Reparaturen an Marmorwerken sind häufig. Abgebrochenes wird mit Schwalbenschwanzklammern oder nach Glättung der Bruchstellen mit Dübeln und Stiften verbunden, Beschädigungen der Oberfläche überarbeitet. Bei absichtlicher Veränderung, so an umgearbeiteten Kaiserporträts, wurde die Oberfläche bis zu mehreren Millimetern zurückgenommen und bisweilen Haarpartien angestückt.

→ Akrolithe; Elfenbeinschnitzerei; Goldelfenbeintechnik; Holz; Kopienwesen, Korinthisches Erz, Marmor, Polychromie, Sphyrelaton; Terrakotten

S. ADAM, The Technique of Greek Sculpture, 1966 · J. C. BESSAC, L'outillage traditionnel du tailleur de pierre, 1986 · C. BLÜMEL, Griech. Bildhauer an der Arbeit, 1940 · BLÜMNER, Techn. 3–4, passim · G. M. E. C. VAN BOEKEL, Roman Terracotta Figurines and Masks from the Netherlands, 1987 · P. C. BOL, Ant. Bronzetechnik, 1985 ·

FUCHS/FLOREN, 5–24 • D. HAYNES, The Technique of Greek Bronze Statuary, 1992 • C. C. MATTAUSCH, Greek Bronze Statuary from the Beginnings through the Fifth Century B. C., 1988 • C. C. MATTAUSCH, Classical Bronzes, 1996 • G. ZIMMER, Griech. Bronzegußwerkstätten, 1990. • G. ZIMMER, N. HACKLÄNDER (Hrsg.), Der betende Knabe – Original und Experiment, 1997. R. N.

Bildung A. BEGRIFF B. GESCHICHTE: GRIECHENLAND C. ROM D. SPÄTANTIKE UND CHRISTENTUM E. REZEPTION

A. BEGRIFF

Der griech. Begriff → παιδεία (paideía) bezeichnet einerseits wie παίδευσις (Aristot. Nub. 986,1043) die zugleich intellektuelle und ethische → Erziehung und B. als Vorgang (Aristot. Nub. 961; Thuk. 2,39,1), andererseits die B. als Besitz und Ergebnis des Erziehungsprozesses (Demokr. 180; Plat. Prot. 327d; Gorg. 470e; rep. 378e; Aristot. pol. 1338a30). Heute unterscheidet man üblicherweise zw. B. = Lernen mittels theoretischer Einsicht und Erziehung = Formung von Charakter und Verhalten durch Zucht und Übung. Die ant. B. dagegen will immer auch Erziehung sein. Mit der heute üblichen Unterscheidung besteht jedoch Übereinstimmung insofern, als es auch in der Ant. Erziehung ohne B. gab und B. ohne Ansprache des Intellekts (durch musische und/oder lit. B.-Elemente) nicht vorstellbar war. Hinzu kommt, daß Erziehung mit der Eingliederung des Individuums in die Gesellschaft ihren Abschluß findet, während B. ein das ganze Leben lang fortschreitender Prozeß sein kann. Mit dem jeweiligen Menschenbild der einzelnen Epochen wandeln sich die B.-Inhalte und das B.-Ideal.

B. GESCHICHTE: GRIECHENLAND

1. BILDUNGSIDEALE UND -KONZEPTIONEN

a) Das B.-Ideal der homer. Zeit: Die Helden der Ilias und Odyssee spiegeln das B.-Ideal ihres Publikums aus dem 8. Jh. wider [1]: Im Zentrum dieses aristokratischen Menschenbildes einer höfischen Kultur steht die immer neu zu beweisende Leistungskraft (ἀρετή, areté). Sie verhilft zur Verwirklichung der Ziele »Besitz«, »Ehre« und »Ruhm«. Zur B. des homer. Helden gehört gleichermaßen die Fähigkeit, die Lanze zu führen, wie die Fertigkeit kundiger Rede im Rat und in der Versammlung (Hom. Il. 9,442). Ritterliches Verhalten, feinfühliger Takt, höfliches, aber auch weltläufiges Benehmen kennzeichnen sein Auftreten [2. 37–40], musisches Tun (Leierspiel, Hom. Il. 9,186) ist ihm nicht fremd.

b) Das B.-Ideal der Poliszeit: Im Laufe des 7. Jh. wurde der ritterliche Einzelkämpfer von der Hopliten-phalanx abgelöst. Bes. ausgeprägt in Sparta, im Grund- satz aber ganz ähnlich in allen griech. Adelsgesellschaf- ten [2. 89], war die Polis zum neuen Mittelpunkt menschlichen Lebens geworden. Propagandisten der Poliskultur sind die Lyriker: Sie singen von der Unter- ordnung unter die polit. Gemeinschaft, dem Gehorsam gegenüber den Gesetzen, der Hingabe des Lebens für die Polis

(Tyrtaios fr. 6,1–3; 9,1–18; Kall. fr. 1,6–11; 18— 19). Ihr B.-Ideal ist der καλὸς κἀγαθός (kalós kagathós), der äußerlich ansehnliche und in Erfüllung seiner ge- sellschaftlichen Rolle tüchtige, zugleich ethisch gute Mensch. Als staatserhaltende Tugenden zählt Aischylos (Sept. 610; ähnlich Aristoph. Ran. 727–729) die Tugenden der Besonnenheit, Gerechtigkeit, Tüchtigkeit und Frömmigkeit auf. Für die ἀρχαία παιδεία (archaía paideía, alte B.) etwa der ersten Hälfte des 5. Jh. bricht noch Aristophanes eine Lanze [3. 36]. Thukydides stellt im perikleischen Epitaphios (2,39–40, vgl. die von scharfsichtigem Haß geprägte Rede der Korinther 1,70) die neue Dynamik dar, die aus der Verbindung demokratischen Denkens mit adligen B.-Traditionen emporwuchs.

c) Das B.-Ideal des Hellenismus: Für das mit dem Ende der Poliswelt im Laufe des 4. Jh. sich entwickelnde Menschenbild wurde die freie personale Entfaltung charakteristisch. Die musische Erziehung wurde von der lit. Erziehung, dem B.-Gang durch Gramm., Dialektik und Rhet. im Rahmen der → enkýklios paideía, überflügelt. Bereits beim Übergang zu dieser Epoche hatte Demokrit (ca. 430–370 v. Chr.) paideía als unverlierbares B.-Gut des Menschen begriffen (68 B 180 DK). Überall, wo Griechen lebten, trugen sie mit kommunalen B.-Einrichtungen Sorge für ihre Vermittlung, definierten sie ihre Identität durch den Besitz dieses Kulturguts.

d) B.-Konzeptionen: Bei den → Sieben Weisen tritt uns der Anspruch einer selbsterworbenen σοφία (sophía) entgegen (eines sowohl ethischen Wissens als auch überlegene Klugheit in gesellschaftlichen und polit. Fragen, vgl. Cic. de orat. 3,137), weswegen Anhänger des theoretisch-wiss. wie des praktisch-polit. Lebensideals sie gleichermaßen als Vorgänger ansehen konnten [6].

Für die Philos. des → Pythagoras und seines ›Ordens‹ war die Lehre von den Zahlen von zentraler Bedeutung. Arithmetik, Geom., Musik und Astronomie waren deshalb feste Bestandteile des B.-Programms [4. 115f.].

Die Entwicklung der Demokratie im Laufe des 5. Jh. machte den Nutzen von B. für polit. Betätigung offenbar. Dies rief die → Sophisten als professionelle B.-Vermittler auf den Plan [4. 42–50]. Die Konzeption einer möglichst umfassenden Polymathie (→ Hippias von Elis, vgl. Plat. Hipp. min. 368b-d) wurde von → Heraklit (DIELS, 22 B 40 DK) und → Demokrit (68 B 65 DK) als Vielwisserei kritisiert. Eine Auswahl dessen, was der Bewältigung der Aufgaben in Haus und Polis (Plat. Prot. 318c-d) dienlich sei, schien geboten und führte der Sache nach zur Ausbildung des Fächerkanons der enkýklios paideía [4. 42–50]. → Gorgias von Leontinoi glaubte allerdings mit der Vermittlung rhet. Technik bereits alles Nötige gelehrt zu haben (Plat. Gorg. 449a-b; d-e). Die meisten Sophisten legten jedoch auf Wissensvermittlung Wert; einige behandelten auch Fragen der Theologie, der Ethik und der Politik. Die Überzeugung, daß Begabung und Intellekt über den Erfolg der B.-Bemühung entscheiden [3. 36], machte B. – anders als beim Adelsideal der kalokagathía – prinzipiell für jedermann verfügbar. Dennoch blieb sie ein Privileg des Adels und der Vermögenden.

Die Lehren der Sophisten trugen, so die antike Kritik, Keime in sich – ›der Mensch das Maß aller Dinge‹ (Protagoras, 80 B 1 DK), am Erfolg orientierte Formalisierung und Technisierung der B. (Gorgias) –, die in der praktischen Anwendung zur Relativierung der Normen führten (s. bei Platons Thrasymachos, rep. 327–354, und Kallikles im *Gorgias* zum Werteverfall, durch den Peloponnesischen Krieg beschleunigt, Thuk. 3,82–83). Hier suchte → Sokrates gegenzusteuern. Er wandte sich der menschlichen Seele und den Fragen der richtigen Lebensführung zu. Das von den Sophisten vermittelte B.-Wissen suchte er als Schein zu entlarven.

Sein Schüler → Platon hat nach eigenem Bekenntnis (Plat. epist. 7) immer wieder den Weg in die Politik gesucht. Er machte die korrupte Politik dafür verantwortlich, daß sein Ideal des Philosophen-Königs (rep. 473c-e) nicht als Konzeption einer neuen polit. Elite akzeptiert wurde. Seine *paideía* steht in unlösbarem Zusammenhang mit seinem Staatsentwurf. Sie leitet sich aus seinen von pythagoreischen Lehren beeinflußten philos. Grundüberzeugungen her [2. 129–159; 4. 112–117; 7. Bd. 3,337–344] und hat zum Ziel, die menschliche Seele zur erkennenden Schau des Guten emporzuführen. Der beschwerliche Weg ist nur für philos. Naturen gangbar und führt über die Stufen der musisch-gymnastischen Erziehung – Erbe der altadligen B. –, der allgemeinbildenden Propädeutik der mathematischen Wiss. – Einfluß des Pythagoreismus auf die platonische Pädagogik (doch vgl. auch Hippias von Elis) – zur Krönung durch die Dialektik, die den Verstand für die geistige Schau der Idee des Guten schult. Sein Ideal ist der philos. Gebildete, der im Wissen um das wahre Sein die irdische – und, wenn man ihn denn ließe, auch die polit. – Wirklichkeit zu gestalten weiß.

Durchschlagender Erfolg war aber nicht Platon, sondern → Isokrates beschieden [4. 118–121; 8]. Er erkannte zwar den formalen B.-Wert der mathematischen Disziplinen an, sah aber auch den Beitrag der Dialektik darauf beschränkt. Rhet. B., die er φιλοσοφία (*philosophía*) nannte (Isokr. or. 15,261–271; 12,26–29), krönte den von ihm vertretenen B.-Gang (zu dem zu seiner Zeit durchaus korrekten Gebrauch des Begriffes Philos. [7. Bd. 3. 108–109]). Seine B.-Konzeption beinhaltete ›breite Lit.kenntnis, durch mathematische Schulung erzielte Klarheit des Denkens sowie gewandte Ausdrucksweise‹ [5. 347]. In der Folgezeit klafften jedoch Ideal und Realität im allg. auseinander, die mathematischen Disziplinen wurden in der B.-Praxis vernachlässigt. Daraus wurde jüngst wohl zu Unrecht geschlossen, es habe ein die mathematischen Disziplinen umgreifendes Konzept der *enkýklios paideía* überhaupt nicht, eines der → *artes liberales* erst in der Spätant. gegeben [9]: Die Anerkennung des formalen B.-Wertes der mathematischen Disziplinen sicherte ihren Platz in der B.-Konzeption isokrateischer Prägung; da aber dieser B.-Wert bei rhet. B. nicht so zwingend einleuchtete wie bei philos. B., kam es zu ihrer Vernachlässigung in der Praxis.

Wie bei Isokrates findet sich auch bei → Aristoteles das komplette Programm der *enkýklios paideía* [4. 121–126]. In den mathematischen Fächern und in der Dialektik sah auch er Fächer des Jugendunterrichts, die der Verstandesschulung dienten. Überdies bejahte er den Nutzen von Gramm. und Rhet. für das praktische Leben.

2. ALLGEMEINBILDUNG UND FACHBILDUNG

Der Kanon allg.bildender Disziplinen hatte zwar ihre nicht-fachmännische Aneignung zur Voraussetzung, nichtsdestoweniger führte die Hervorhebung einzelner Fächer als Krönung eines B.-Konzepts zu ihrem Fachstudium [4. 71–99, 112–128]. Das galt für die Rhet. in der isokrateischen B.-Konzeption und für die Dialektik bzw. Philos. in philos. B.-Programmen, in der platonischen Akademie überdies für die mathematischen Disziplinen. Nicht von ungefähr standen die bedeutendsten Mathematiker mit ihr in Kontakt oder zählten zu ihren Mitgliedern [4. 73]. Die Einzelforschung des Peripatos führte zur Emanzipation auch der Lit.- und Naturwiss. – eine Entwicklung, die im → Museion von Alexandreia ihre Fortsetzung fand. Fortan galt die von Aristoteles (part. an. 639a 1–13; pol. 1282a 1–7; eth. Nic. 1094b 23–27) getroffene Unterscheidung zw. dem Gebildeten und dem Fachmann [4. 126–128]. Zugleich war jetzt auch das Verhältnis zw. Allgemein-B. und Fach-B. zu bestimmen [2. 408–422; 4. 74–99, 128–146]. Der Nutzen der Allgemein-B. wurde in der Verstandesschulung vorab aller Spezialisierung sowie in der Entfaltung der personalen Anlagen (›nicht festgelegte Vielfalt‹: [2. 419f.]), aber auch – eine dem Grundanliegen der Allgemein-B. fremde Sicht – in der Bereitstellung nützlicher Fachkenntnisse für den späteren Beruf gesehen. Verständlicherweise betonten die Philosophen mehr den formalen, Anhänger einer vor allem rhet. B. sowie Fachwissenschaftler (z.B. der Architekt → Vitruvius, der Geograph → Strabon, → Ps.-Soranus für die Medizin) mehr den materialen Aspekt. Aber auch die Ablehnung einer für nutzlos und darum überflüssig gehaltenen Allgemein.-B. ist zu verzeichnen [4. 99–111].

3. BILDUNGSSTREBEN UND FACHGELEHRTENTUM

Galt urspr. nur die nicht-fachmännische Beschäftigung mit den B.-Fächern als standesgemäß, so konzediert Aristoteles (pol. 1337b 15–21), daß auch der fachmännische Umgang als ἐλευθέριον (*eleuthérion*, eines Freien würdig) gelten kann, vorausgesetzt, er geschieht nicht aus professionellem Erwerbsstreben [10. 42–44]. Das praktisch-polit. Lebensideal hatte seine Verbindlichkeit eingebüßt und geistiges Potential freigesetzt, das sich den Wiss. zuwandte und deren Aufblühen erst erklärte. Gestalten wie → Archimedes (Plut. Marcellus 14,17) und → Nikolaos von Damaskus (FGrH 90 fr. 132) sind idealtypisch für die Hingabe an eine Wiss. bzw. an ein universelles B.-Streben als Inhalt edler Muße [10. 110–116]. Sogar von B.-Religion hat man reden können: Der Glaube war verbreitet, daß der Umgang mit den B.-Gütern die Seele läutere und das Anrecht auf Glückseligkeit begründe, weshalb man es liebte, sich auf

seiner Grabstele oder seinem Sarkophag als Intellektuellen (Professor, Musiker, Schriftsteller) abbilden zu lassen [2. 195–197; 5. 348].

4. Banausia

Zu Unrecht werden die τέχναι ἐλευθέριοι (*téchnai
eleuthérioi*) mit den τ. λογικαί (*t. logikaí*), die τ. βάναυσοι
(*t. bánausoi*) mit den τ. χειρωνακτικαί (*t. cheironaktikaí*)
gleichgesetzt [10. 71–86]. *Eleuthérioi téchnai* (eines Freien
würdige Fertigkeiten) waren auch Kriegskunst und
Landwirtschaft (Xen. oik. 4,2–11; Dion. Hal. ant. 2,28),
die eine als unentgeltlicher Dienst am Staate, die andere
als materielle Existenzgrundlage; umgekehrt galt zunächst auch jedes geistige Tun, wenn es von den eigentlichen Aufgaben aus der Sicht des herrschenden Lebensideals abhielt oder erwerbsmäßig ausgeübt wurde,
als unstandesgemäß und banausisch ([10. 86–129, s.
auch 25–70]; zur Etym. von *bánausos* [10. 79–81]). An
der Schwelle zum Zeitalter des Hellenismus erkannte
Aristoteles (s.o.) die Standesgemäßheit auch von
Fach-B. an. Zur *enkýklios paideía* waren damit die
ἐλευθέριοι ἐπιστῆμαι (*eleuthérioi epistḗmai*) getreten, nur
ihre professionelle Ausübung blieb unstandesgemäß.
Dieser Standpunkt der besseren Gesellschaft mußte aber
seine Allg.verbindlichkeit verlieren. Die berufstätige
Intelligenz profitierte mehr und mehr von der Wertschätzung der von ihnen vermittelten B.-Güter und
entwickelte ein eigenes Berufsethos. Die von ihnen getroffene Unterscheidung zwischen *t. logikaí* und *t. cheironaktikaí* zielte somit nicht auf die Standesgemäßheit,
sondern auf das höhere Prestige der geistigen Berufe
innerhalb der Arbeitswelt.

C. Rom

1. Altrömische Verhältnisse

Von B. kann man in Rom zunächst nicht sprechen;
denn mit dem B.-Medium der Lit. und einem Pendant
zur musischen Erziehung der griech. Poliswelt fehlt
weitgehend das intellektuelle Element. Stattdessen dominieren ethische Erziehungspostulate; s. daher → Erziehung.

2. Griechische Bildung in Rom

a) Entwicklung: Die Hellenisierung Roms setzte mit
der Eroberung Unterit. und Siziliens im 3.Jh. ein und
erreichte im 2.Jh. ihren Höhepunkt. Cato steht für den
z. T. überspannten, letztlich erfolglosen Widerstand gegen Scipio Aemilianus und seine Umgebung für den
Umgang mit dem fremden Geistesgut unter Wahrung
der röm. Identität [2. 445–453; 5. 348; 10. 152–166].
Cicero und Varro verbanden aktive Teilnahme am öffentlichen Leben mit schriftstellerischer Tätigkeit,
durch die sie Entscheidendes für die Propagierung der
griech. B.-Güter leisteten [2. 464–465; 10. 166–189; 11;
12. 387–389].

b) Gegenstände der B.: Von gelegentlichem Überschwang abgesehen (Plut. Aemilius Paulus 6,9), pen-
delte sich die Auswahl der B.-Fächer bald auf die sog.
→ *artes liberales*, d. h. die Fächer der griech. *enkýklios paideía* ein. Wie im griech. Bereich spielten Arithmetik,
Geom., Astronomie und Musik eine geringe Rolle

(Cic. Tusc. 1,5; Hor. ars 323–332). Der unleugbare Nutzen der Rhet. bahnte der rhet. B. in der Tradition des
Isokrates den Weg. Die Herkunft der B. brachte es mit
sich, daß ihre Aneignung, vom Unterricht beim *grammaticus Graecus* und *grammaticus Latinus* angefangen,
Zweisprachigkeit voraussetzte. Philos. hatte in der B.
des Durchschnittsrömers nur einen geringen, Rhet. den
höchsten Stellenwert [2. 505–530].

c) Utilitarismus und B.-Streben: Röm. B.-Streben ist
in republikanischer Zeit vom Nutzen der B. für die Praxis, von *utilitas* und *usus* bestimmt [9. 169–180; 13]. Das
gilt nicht nur für die skizzierte rhet. B. An der Wiss.
interessiert nur ihre praktische Verwendbarkeit als Mechanik, Architektur und Vermessungskunst [2. 466].
Aus Praxisbezogenheit erklärt sich auch die Entstehung
der Rechtswiss. [2. 530–533]. Bezeichnenderweise ist
die Enzyklopädie eine spezifisch röm. Literaturgattung
[4. 50— 70; 10. 171–173]. Auch Cicero begründet sein
B.-Ideal des vollkommenen Redners, für den er ein
Studium der Geschichte, Rechtswissenschaft und Philosophie fordert, wesentlich utilitaristisch [11]. Sein nie
erlahmendes B.-Streben und seine Empfänglichkeit für
die Philos. befähigten ihn gleichwohl, zum wichtigsten
Vermittler griech. B.-Güter an die lat. Welt zu werden.

3. Entwicklungen in der Kaiserzeit

Die veränderten polit. und gesellschaftlichen Rahmenbedingungen verändern auch die Rolle der B. [10.
228–241]. Philos. und Rhet. rivalisieren weiterhin im
B.-Anspruch [2. 396–400]. Rhet. B. dient einerseits der
eleganten Muße der besseren Gesellschaft, andererseits
aber auch – bei zunehmender Professionalisierung und
Spezialisierung – der Karriere etwa des → *causidicus* oder
in kaiserlichen Diensten. Vollends eröffnet jetzt juristische Fach-B. attraktive berufliche Perspektiven. Andererseits gewinnt philos. B. zusehends an Bed. für die
Sinngebung menschlichen Lebens [13. 37]. Die stoische
Philos. rüstet Mitglieder des Senatorenstandes, auch unter unwürdigen Bedingungen ihre persönliche Würde
zu wahren (z. B. Thrasea Paetus, Helvidius Priscus, Annaeus Seneca bei Tac. ann. 14–16).

Auf griech. Seite pflegen die Vertreter der sog.
→ Zweiten Sophistik die epideiktische Beredsamkeit.
Ihrer attizistischen Einstellung entspricht auf röm. Seite
die klassizistische Rückwendung des ersten öffentlich
bestallten Redelehrers → Quintilian zu Cicero. Die
Zweisprachigkeit der hell.-röm. B. war einem zunächst
unmerklichen, gleichwohl stetigen und seit dem 3.Jh.
deutlich erkennbaren Erosionsprozeß ausgesetzt
[14. 34–41; 2. 475–489], da es nunmehr gleichrangige
röm. Lit. (z. B. Vergil und Cicero) und einen eigenständigen röm. Rhet.-Unterricht gab. In der Spätant. ›gibt
es zwei Mittelmeerkulturen, einen lat. Westen und einen griech. Osten‹ [2. 479].

D. Spätantike und Christentum

1. Fortbestand antiker Bildungsvorstel-
lungen

B. hieß für die Spätant. Pflege der bewunderten
klass. Lit. Auf den Landdomänen der *clarissimi*, bes. in

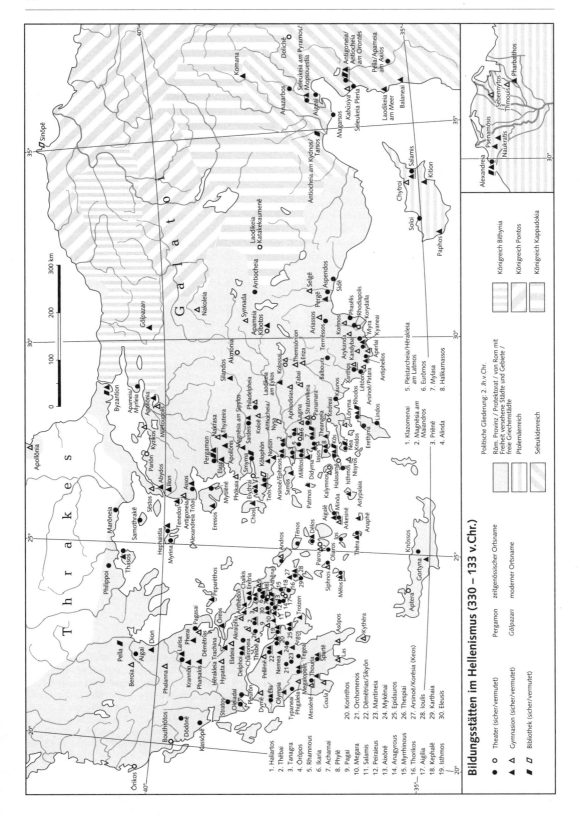

Bildungsstätten im Hellenismus (330 – 133 v.Chr.)

● ○ Theater (sicher/vermutet)
▲ △ Gymnasion (sicher/vermutet)
◣ ◻ Bibliothek (sicher/vermutet)

Pergamon zeitgenössischer Ortsname
Gölpazarı moderner Ortsname

Politische Gliederung: 2. Jh. v. Chr.

Röm. Provinz / Protektorat / von Rom mit Freiheit versehene Städte und Gebiete / freie Griechenstädte
Ptolemäerreich
Seleukidenreich

Königreich Bithynia
Königreich Pontos
Königreich Kappadokia

1. Haliartos
2. Thébai
3. Tanagra
4. Oröpos
5. Rhamnous
6. Ikaria
7. Acharnai
8. Phyle
9. Pagai
10. Megara
11. Salamis
12. Peiraieus
13. Aixônê
14. Anagyrous
15. Myrrhinous
16. Thorikos
17. Aigilia
18. Kephalê
19. Isthmos
20. Korinthos
21. Orchomenos
22. Démétrias/Sikyôn
23. Mantineia
24. Mykênai
25. Epidauros
26. Thespiai
27. Arsinoê/Korêsia (Keos)
28. Ioulis
29. Karthaia
30. Eleusis

1. Klazomenai
2. Magnêsia am Maiandros
3. Priênê
4. Alinda
5. Pleistarcheia/Hérakleia am Latmos
6. Eurômos
7. Mylasa
8. Halikarnassos

Gallien (→ Apollinaris Sidonius) und in Afrika (→ Martianus Capella), entfaltete sich ein reiches lit. Leben. Aber auch in Rom blieb klass. B. lebendig (→ Symmachus und sein Kreis). Den Honoratioren überall im Reich bot sie ein Gerüst privilegierender Verhaltensweisen im Umgang mit der kaiserlichen Macht [15]. Martianus Capella läßt die Philos. als Braut Merkurs und als Mystin zu den Göttern emporsteigen [9. 142–146] – sie stemmte sich als letzter Damm gegen die andringende Flut des Christentums [2. 564–570; 5. 349–350].

2. CHRISTENTUM UND ANTIKE BILDUNG

Jesus und seine Jünger standen der ant. B. fern. Die »Fischersprache« der Bibel und *rusticitas* und *simplicitas* der Christen – überwiegend einfacher Leute – blieben lange geschmäht. Erst im Verlauf des 2. Jh. traten vermehrt Personen mit höherer B. dem Christentum bei. Die Aufwertungsversuche der frühesten Apologeten vermochten niemanden zu beeindrucken. Die starre Opposition eines → Tatian im Osten, eines → Tertullian im Westen drohte in zunehmende Isolation zu führen. In Alexandria jedoch stellten vermögende und gebildete Griechen einen hohen Anteil an den christl. Gemeinden. In Reaktion auf ihre Bedürfnisse erkannte → Clemens den Wert der ant. Philos. und ihre Verein- barkeit mit der christl., ihrerseits als Philos. aufgefaßten Religion an. Andererseits konzedierte er den schlich- teren Gläubigen einen Glaubensweg nur nach der *regula fidei*. Erst → Origenes gelang es, die sozialen Spannun- gen abzubauen: Er teilte die Ansichten des Clemens über den Wert der ant. B. und betonte darüber hinaus den christl. Gedanken der Brüderlichkeit. Origenes kommt auch das Verdienst zu, die Methoden der ale- xandrinischen Philol. auf den Bibeltext übertragen zu haben. Im Westen wandte → Hieronymus seine an der ant. B. erworbene Schulung auf Text und Exegese der Bibel an. Aber sein berühmtes Traumgesicht (Hier. epist. 22,30) ist symptomatisch für die im westl. Bereich größeren Gewissensnöte gebildeter Christen. Dazu stel- len sich der Wandel des → Augustinus von schwär- merischer Bewunderung der ant. B. zu skeptischer Zu- rückhaltung sowie die ablehnenden Äußerungen → Isidors, der gleichwohl mit seinen *Etymologiae* – ebenso → Cassiodor mit seinen *Institutiones divinarum et saecularium litterarum* – eine Bestandsaufnahme des Wis- senswerten aus christl. Sicht unternahm [9. 191–214; 5. 350–359;].

3. CHRISTLICHE BILDUNGSVORSTELLUNGEN

Der Primat rel. Erziehung blieb auch dort unangetastet, wo der Wert lit. und philos. B. anerkannt wurde. Die ant. B. konnte aus christl. Sicht nur dienende und propädeutische Funktion haben. Origenes baute in sei- ner Katechetenschule, die er erst in Alexandreia (215–230), dann im palästinischen Caesarea (230–250) ein- richtete [2. 595–597; 16. 92–100], das zu einem zusam- menhängenden Schulprogramm aus, was Clemens in freiem Unterricht praktiziert hatte: ›beginnend mit den *enkýklia mathēmata*, vorweg der Dialektik ..., gefolgt von Physiologie und Mathematik, Geom. und Astro-

nomie, und weiterführend über die Grundsätze des ethischen Handelns bis hin zur Theologie‹ [16. 92].

Im Osten wurde die ant. Schul-B. in byz. Zeit bruchlos weiter gepflegt. Im Westen aber unterlag der Beitrag der lit. und philos. B. zur christl. B., die sich nahezu ausschließlich als Bibelerklärung und Theologie begriff, ständiger Auszehrung [2. 597–616]. Der klö- sterlichen Pflege der alten Texte (Cassiodor; Benedik- tiner) ist es zu verdanken, daß abendländisches B.-Erbe überdauerte.

E. REZEPTION

Ant. B. kam immer wieder in humanistischen Be- strebungen zur Wirkung: in der Karolingischen und in der Ital. Renaissance sowie im Neuhumanismus (über den sog. → Dritten Humanismus s. Paideia). Allen huma- nistischen Bewegungen ist die ant. B.-Konzeption der personalen Entfaltung des Menschen gemeinsam. Sie lebt im B.-Auftrag der Gymnasien und seiner Verwirk- lichung durch ein Curriculum von B.-Fächern bei aller Uneinigkeit über ihre Auswahl und Ponderierung bis heute weiter.

→ Ephebia; Gymnasion; Schule; ARTES LIBERALES; BILDUNG

1 J. LATACZ, Das Menschenbild Homers, in: Gymnasium 91, 1984, 15–39 2 MARROU 3 D. BREMER, s. v. Paideia, HWdPh 7, 35–39 4 F. KÜHNERT, Allg.b. und Fachb. in der Ant., 1961 5 H. FUCHS, s. v. B., RAC 2, 346–362 6 W. JAEGER, Über Urspr. und Kreislauf des philos. Lebensideals. SB Berlin, 1928, 25 7 Ders., Paideia 1 (1933) ⁵1973; 2 (1944) ⁴1973; 3 (1947) ⁴1973 8 F. KÜHNERT, Die B.skonzeption des Isokrates, in: B. und Redekunst in der Ant., KS hrsg. von V. RIEDEL, 1994, 42–56 9 I. HADOT, Arts libéraux et philosophie dans la pensée antique, 1984 10 J. CHRISTES, B. und Gesellschaft, 1975 11 R. MÜLLER, Die Wertung der B.sdisziplinen bei Cicero, in: Klio 43–45, 1965, 77–173 12 H. FUCHS, s. v. Enkyklios Paideia, RAC 5, 365–398 13 U. SCHOLZ, Von der B. eines röm. Politikers, in: Humanistische B. 16, 1992, 25–39 14 H. I. MARROU, Augustin und das Ende der ant. B., (frz. 1938, ⁴1958) 1982 15 P. BROWN, Macht und Rhet. in der Spätant., 1995 16 R. KLEIN, Christl. Glaube und heidnische B., in: Laverna 1, 1990, 50–100.

M. L. CLARKE, Higher education in the ancient world, 1971 · R. HARDER, Die Einbürgerung der Philos. in Rom, in: Antike 5, 1929, 291–316 (= KS 330–353 = Das neue Cicerobild, Wege der Forschung 27, hrsg. von K. BÜCHNER, 1971, 10–37) · H.-TH. JOHANN (Hrsg.), Erziehung und B. in der heidnischen und christl. Ant., 1976 · M. LECHNER, Erziehung und B. in der griech.-röm. Ant., 1933 · H. I. MARROU, Μουσικὸς ἀνήρ, 1938 · W. STEIDLE, Redekunst und B. bei Isokrates, in: Hermes 80, 1952, 258–296 · H. FUCHS, Die frühe christl. Kirche und die ant. B., in: Antike 5, 1929, 107–119 (= Das frühe Christentum im röm. Staat, Wege der Forschung 267, hrsg. von R. KLEIN, 1971, 33–46) · F.-P. HAGER, Zur Bed. der griech. Philos. für die christl. Wahrheit und B. bei Tertullian und bei Augustin, in: A&A 24, 1978, 76–84 · W. JAEGER, Das frühe Christentum und die griech. B., 1963 · F. KLINGNER, Vom Geistesleben im Rom des ausgehenden Alt. (1941), in: Ders., Röm. Geisteswelt, ⁴1961, 514–564 · A. WIFSTRAND, Die alte Kirche und die griech. B., 1967 · CURTIUS ·

E. HOFFMANN, Pädagogischer Humanismus, 1955 ·
U. HÖLSCHER, Selbstgespräch über den Humanismus, in:
Ders., Die Chance des Unbehagens, 1965, 53–86 ·
E. LEFÈVRE, Die Gesch. der humanistischen B., in:
Humanistische B. 2,1979, 97–154 · H. OPPERMANN
(Hrsg.), Humanismus, 1970 · H. RÜDIGER, Wesen und
Wandlung des Humanismus, 1937.   J. C.

KARTEN-LIT.: H. WALDMANN, Die hell. Staatenwelt im
2. Jh. v. Chr., TAVO B V 4, 1985 · Ders., Östl. Mittelmeerraum und Mesopotamien. Wirtschaft, Kulte, Bildung im
Hellenismus (330–133 v. Chr.), TAVO B V 5, 1987 ·
H. BLANCK, Das Buch in der Antike, 1992.

Bildungsreisen s. Reisen

Bilingualismus s. Zweisprachigkeit

Bilingualität s. Mehrsprachigkeit

Bilingue A. DEFINITION B. ALTER ORIENT
C. MITTELMEERWELT UND FRÜHKLASSISCHES
KLEINASIEN

A. DEFINITION

B. (oder Bilinguis) heißen Inschr., die den gleichen
Text in zwei Sprachen bieten, um für unterschiedliche
Adressaten verständlich zu sein. Dabei unterscheidet
man B., die Texte mit genauer Entsprechung bieten,
von solchen, bei denen der eine Text nur knapper informiert. – »Quasi-B.« unterscheiden sich zwar in ihrer
Textgestalt, handeln aber vom selben Thema oder denselben Personen. B. sind nur solche Texte, die zeitgleich
aus gleichem Anlaß und zum gleichen Zweck verfaßt
und (in der Regel) auf demselben Schriftträger niedergeschrieben sind. Das schließt spätere Übers. aus. In
mehreren Fällen haben zwei- und dreisprachige Inschr.
die moderne → Entzifferung von Schriften und Erschließung ihrer Sprachen ermöglicht, so in *B.b,d,h,k;
C.a-i;* andere, z. B. die hierogl.-luw.-phönik. von
→ Karatepe oder die lyk.-griech.-aram. → Trilingue
vom Letoon) haben eine schon gelungene Entzifferung
bestätigt und gefördert.

B. ALTER ORIENT (VORDERASIEN UND ÄGYPTEN)
Im Alten Orient existieren neben B. auf öffentlich
sichtbaren Monumenten mit ostentativen Funktionen
B. auf Tontafeln, die meist gelehrten und kult. Zwecken
dienten.

1. Mesopotamien: Aus Mesopotamien sind nur sumer.-akkad. B. bekannt, die ältesten aus dem 24. Jh.
v. Chr., bezeugt in Abschriften aus dem 18. Jh. (u. a.
Königsinschr. mit einer sumer. bzw. einer akkad. Version auf unterschiedlichen Schriftträgern), die meisten –
vor allem magische Rituale, Kultlyrik und in geringerem Umfang myth. Texte – aus dem 1. Jt., viele davon
aus der Bibliothek des → Assurbanipal bzw. aus → Uruk
(7. bis 4./3. Jh. v. Chr.) [15. Anm. 1]. Bemerkenswert ist
eine sumer.-akkad. B. in griech. Schrift [15. Anm. 2]
(1. Jh. v. Chr., → Graeco-Babyloniaca). Die beiden
Versionen sind generell interlinear angeordnet, die

akkad. folgt der sumerischen. Der akkad. Text ist meist
eingerückt; gelegentlich – oft in kleinerer Schrift – direkt in den fortlaufenden sumer. Text eingeschoben.
Die Übers. sind häufig idiomatisch, in einer Reihe von
Fällen eher Komm. zum sumer. Text [15]. Das Nebeneinander von Sprachen, bes. von Sumer. und Akkad.,
drückte man mit *lišān mithurti* ›korrespondierende Spra-
che(n)‹ aus. – Inwieweit die sehr zahlreichen sumer.-
akkad. Vokabulare, bezeugt vom 18.–5. Jh. v. Chr., als
B. zu betrachten sind, ist eine Definitionsfrage (→ Glos-
sographie).

2. Kleinasien im 2. Jt. v. Chr.: Die in der Hethiter-
hauptstadt → Hattuša gefundenen B. sind als Typ wohl
aus Mesopotamien entlehnt. Das legen sumer.-akkad.
Importstücke nahe (u. a. Kultlyrik, Beschwörungen)
[13. 792–819]. Die akkad. und hethitischen Versionen
der Annalen Hattušilis I. [13. 4] und einer babylon.
Ištarhymne [13. 312] sind jeweils auf verschiedenen
Tontafeln überliefert. Ansonsten sind B. aus Hattuša
nicht interlinear wie in Mesopotamien, sondern parallel
in Kolumnen angeordnet, so hattisch-hethitische
(→ Kleinasien, Sprachen) Baurituale, eine myth. Erzählung [13. 727–31] und hurritisch-hethit. Rituale [8. Nr.
40–45] sowie eine Erzählung mit histor. Hintergrund
[17]. Bei letzterer wird der Text auf einer Tafel zunächst
in parallelen Kolumnen, dann aber abschnittsweise über
die ganze Tafelbreite hin geboten, eine Schreiberpraxis,
die auch in einer akkad.-hurritischen B. aus → Ugarit
bezeugt ist ([7. 163–171] dort auch zur Übersetzungs-
technik).

Aus den Archiven von Hattuša stammen zahlreiche
→ Staatsverträge mit Vasallen und benachbarten Staaten
jeweils in akkad. bzw. hethit. Ausfertigung, ebenso die
akkad. Version des Vertrages zw. Hattušili III. und
→ Ramses II. (1270 v. Chr.), während sich die ägypt. auf
einer Stele im Tempel von Karnak (→ Thebai) findet
[TUAT 1. 143–153]. Die Originale waren meist auf Sil-
ber- oder Bronzetafeln geschrieben.

3. Urartu: Bei zwei akkad.-urartäischen Königs-
inschr. auf Stelen (noch h. *in situ* südwestl. des Urmia-
sees) handelt es sich um Weihinschr. der urartäischen
Herrscher Išpuini und Menua (ca. 815–807 v. Chr.) [11.
Nr. 9] sog. Kelišin-Stele an einer Paßstraße in 2860 m
Höhe, bzw. Rusa I.(ca. 732–714 v. Chr.) [11. Nr. 122]
(→ Urartu).

4. Syrien und Arabien. Aus Nordsyrien (→ Ebla, 3.
Jt.; → Ugarit, 2. Jt.) stammen zahlreiche zwei- und dreisprachige Vokabulare, die in mesopotamischer Tradition stehen. Aus dem 1. Jt. sind aram.-akkad. Königsinschr. auf Stelen aus Feḫerije [1] und → Arslantaš
[21. 87 Nr. 3] (9./8. Jh.) sowie auch auf Orthostaten aus
→ Karatepe (hieroglyphen-luw. und phönik., 8. Jh.)
[14. 365 f.] bekannt. Das Nebeneinander von Bevölke-
rungen mit regional differenzierten Formen des Aram.,
Arab. und Altsüdarab. in Syrien und Arabien sowie der
zunehmende Einfluß des Griech. als offizieller Sprache
im Oström. Reich hat zu einer Vielzahl von B. unterschiedlicher Genres und Funktionen geführt. Vom

Atargatis-Hadad-Tempel in Dura Europos stammt eine griech.-aram. Weihinschr. (KAI Nr. 257), aus → Palmyra griech.-palmyrenische Statuen-, Weih- und Grabinschr. [4] (1.–3. Jh. n. Chr.). Unter den griech.- nabatäischen Stelen-, Bau- und Weihinschr. [5. 13 f.; 25; 46] ist eine Dedikationsinschr. (ca. 165 n. Chr.) für die Kaiser Marcus Aurelius und L. Aurelius Verus aus Nordwestarabien (süswestl. von Tabuk) zu erwähnen [16]. Nabatäisch-nordarab. (safaitisch bzw. thamudisch) B. aus dem 1./2. Jh. n. Chr. fanden sich in Jordanien ([12. 111 f.] zu weiteren safaitisch-palmyr. und griech. B.) bzw. bei Hegrā (Madā'in Ṣāliḥ) 100 km westl. von → Thema (267 n. Chr.) [5. 38 f.]; für zwei ḥasaitisch-aram. B. s. [19. 117] (→ Arabisch) und für eine altarab.-griech. Bauinschr. aus Ḥarrān (568 n. Chr.) s. [4. 50 f.]. Aus Südarabien ist eine Hebräisch-sabäische Weihinschr. (→ Sabaioi) bekannt (ca. 380/400 n. Chr.) [6]. Im äthiopischen Axum fand sich eine Stele des Königs Ezana (4. Jh. n. Chr.), mit einer B. in Griech. und Geʿez (→ Äthiopisch), letztere einmal in sabäischer und einmal in altäthiopischer Schrift [2. 190f., 270].

Zahlreiche griech.-syr. B., oft auf Mosaiken, finden sich in Klöstern Syriens, siehe u. a. [18] (228/9 n. Chr.).

5. Iran und Indien. Die Inschr. der Achämeniden sind ihrer Intention nach → Trilinguen (altpers.-elamisch-akkad.; → Bisutun); daneben einige altpers.-elam. B. Dareios I. [10. DM, DSi], sowie altpers.-akkad. B. Dareios I., Xerxes I. und Dareios II. [10. DSo, XPf, D2b]. Die Inschr. der Sasaniden sind ein-, zwei – (mpers.-parthisch) oder dreisprachig (mpers.-parth.-griech.) (→ Sasaniden); beachtenswert ist eine parth.-griech. B. aus Seleukeia auf einer Herakles-Statue, die die Rückeroberung der → Charakene 151 n. Chr. feiert [3]. Zu den Felsinschr. des ind. Königs → Aśoka (Mitte 3. Jh. v. Chr. [20. 168 ff.] gehört eine griech.-aramäo-iranische B. aus der Nähe von Kandahar (Afghanistan) mit einer rel. Proklamation. Beide Versionen übersetzen einen indoarischen Urtext, wobei die aram., die für die iranischen Kambojas bestimmt ist, diesem genauer folgt. Ihre Verwendung setzt den Usus der achämenidischen Kanzleien fort. Ebenfalls aus Kandahar stammt eine aramäoiran.-indoarische B. Aśokas.

6. Ägypten: Im Ägypten der Spätzeit finden sich innerägypt. B. (neo-mittelägypt. – in Hieroglyphen-Schrift – und → demotische B. – in demot. Schrift). Es ist zu fragen, ob man Texte in unterschiedlichen ägypt. Sprach- und Schreibformen bzw. Sprachstufen zusammen mit einer griech. Version (ptolemäisch bzw. Kaiserzeit) als Trilingue (→ Rosettastein; Kanopusdekret) oder nicht eher als B. bezeichnen sollte [9].

1 A. ABOU-ASSAF, et al., La statue de Tell Fekherye, 1981 2 E. BERNAND et al., Recueil des inscr. de l'Étiopie des périodes pré-axoumite et axoumite, 1991 · 3 P. BERNARD, Journ. des Savants, 1990 4 J. CANTINEAU, Inscr. palmyréniennes, 1930 5 J. CANTINEAU, Le Nabatéen, 1932 6 R. DEGEN, W. W. MÜLLER, Neue Ephemeris f. semit. Epigr. 2, 1974, 118–123 7 X. DIJKTRA, Ugarit-Forsch. 25, 1995, 16–171 8 V. HAAS, I. WEGNER, Corpus d. hurrit.

Sprachdenkmäler I/5, 1988 9 J. HORN, s. v. B., in LÄ 7, 1992, 1–8 10 R. KENT, Old Persian, 1953 11 F. W. KÖNIG, Hdb. der chaldäischen Inschr., 1955 12 F. KHRAYSHEH, Eine safait.-nabatä. B. Inschr. aus Jordanien, in: Arabia felix (= FS W. W. Müller), 1994, 109–114 13 E. LAROCHE, Catalogue des textes hittites, 1971 14 M. MARAZZI, Il geroglifico anatolico, 1990 15 S. M. MAUL, Küchensumer. oder hohe Kunst der Exegese? Überlegungen zur Bewertung akkad. Intelinearübers. von Emesal-Texten, AOAT 247, 1997 (im Druck, mit Lit.) 16 J. T. MILIK, in: Bull. of the Instit. of Arch., 10, 1972, 54–57 17 E. NEU, Stud. zu den Boghazköy-Texten, 32, 1996 18 K. PARLASCA, Damaszener Mitt. 1, 1983, 263–267 14 D. POTTS, in: J.-F. SALLES (Hrsg.), Arabie Orientale, Mésopotamie et Iran méridional, 1984 20 R. SCHMITT, Indogermanica et Caucasica (FS K. H. Schmidt), 1994, 168ff. 21 F. THUREAU-DANGIN et al., Arslan-Tash, 1931.

J. RE.

C. MITTELMEERWELT UND FRÜHKLASSISCHES KLEINASIEN

In Idalion (Zypern) ist eine phönik.-griech. B. (Anf. 4. Jh. v. Chr.), mit der Weihung einer Statue an den Gott Rešef Mikal (griech. Apollon) gefunden worden (MASSON Nr. 220). Der griech. Text ist im kyprischen Syllabar abgefaßt. Der Stifter, ein phönik. Fürst, ließ den Text in seiner Sprache voranstellen (zu zwei weiteren phönik.-griech. B.: MASSON Nr. 215 und 216). Bei der lydisch-aram. bilinguen Grabinschr. aus Sardeis (Mitte 4. Jh. v. Chr.; KAI Nr. 260) ist der in Reichsaram. abgefaßte Text gewiß der sekundäre (zu aram.-griech. B. aus Kleinasien und Grusinien s. KAI Nr. 262, 265 und 276).

Im Lykien des 4. Jh. v. Chr. finden sich mehrere lykisch-griech. B. auf Gräbern [5]. In [5. Nr. 6, Nr. 25] vielleicht auch [5. Nr. 45] liegen recht genaue Entsprechungen vor, dagegen nennt in [5. Nr. 143] der griech. Text nur den Grabherrn, während der lykische ausführliche Angaben macht. Auf der Stele von Xanthos [5. Nr. 44] greift ein zwölfzeiliges griech. Epigramm einiges aus dem in Lykisch A verfaßten Tatenbericht heraus. In → Side (Pamphylien) haben sich zwei kurze sidetisch-griech. B. aus hell. Zeit gefunden [7], eine weitere in Seleukeia [2]. Die epichorischen Texte sind jeweils kürzer, der von Seleukeia vielleicht erst nachträglich angefügt. Aus mehreren karischen Städten, Kaunos und Athen sind Fragmente griech.-karischer B. bekannt [1]. Auf einigen Gräbern im ägypt. Saqqara stehen sowohl ägypt.-hieroglyphische wie karische Texte; manche erwähnen dieselben Personen [1]. In Thessalien fanden sich bei Demetrias drei griech.-phönikische Grabstelen (4./3. Jh. v. Chr.) [7. 1–5]. Bemerkenswert ist eine mináisch-griech. B. aus Delos (ca. 200 v. Chr.; → Altsüdarabisch). Im etr. → Pyrgi sind drei Goldstreifen aus dem 5. Jh. v. Chr. gefunden worden, einer enthält einen phönikischen, die beiden anderen etr. Texte (ET II 40, CR 4.4 4.5). Dabei entspricht der längere etr. inhaltlich, aber nicht wortgenau dem phönikischen. Ein Herrscher von Caere stiftet der Astarte (etr. *Uni*) eine Kultstätte samt Votivbild. Hier wirkt der kulturelle Einfluß Karthagos. Mehrfach finden sich karge lat.-etr. B.; daneben in Sardinien eine lat.-pun. (CIL X 7513 in Sulci), im südl. Frankreich lat.-gallische (CIL XII 3044 im Ager Lemo vicum; CIL XIII 1452 in Nîmes, usw.). Numidisch (altberber.)-pun. Bauinschr. (2. Jh. v. Chr.) stammen u. a. aus → Thugga (Kleinafrika) [3. Nr. 1–3] (→ Berberisch). Die numidisch-lat. B. [3; 4; 8] reichen nicht aus, den numidischen Text zu entziffern. Lat.-griech. B. sind im gräkophonen Osten des Imperium Romanum häufig, z. B. auf Delos. Das umfangreiche → Monumentum Ancyranum bietet am Index *rerum gestarum* des Augustus in lat. Originaltext und genauer griech. Version. Andere Kopien geben entweder nur den lat. oder nur den griech. Text.

1 I.-J. ADIEGO-LARAJA, Stud. Carica, 1993 2 C. BRIXHE, G. NEUMANN, Die griech.-sidetische B. von Seleukeia, in: Kadmos 27, 1988, 35–43 3 J.-B. CHABOT, Recueil des Inscr. libyques, 1940 4 L. GALAND, Inscr. libyques, 1966 5 E. KALINKA, Tituli Lyciae lingua Lycia conscripti, 1901 6 G. NEUMANN, Die sidetische Schrift, in: ASNP, Ser. III Bd. 8, 1978, 869–886 7 W. RÖLLIG, Neue Ephemeris für semitische Epigr. 1, 1972 8 J. N. ZAVADOVSKIJ, in: VDI 146, 1978, 3–25

ILS II 2, 874 f. ・ W. LARFELD, Griech. Epigraphik, ³1914, 123.   G.N.

Bilingue Vasen. Attische Vasen aus der Übergangszeit von der sf. zur rf. Malweise (letztes Viertel 6. Jh. v. Chr.), auf denen Bilder in beiden Malweisen einander gegenübergestellt sind. Als B. V. bemalt wurden fast ausschließlich Bauchamphoren des Typus A und Augenschalen (→ Gefäßformen). Bei den Bauchamphoren zeigen beide Bilder gelegentlich das gleiche Thema (z. B. Bauchamphora des → Andokidesmalers in München [SA 2301] mit gelagertem Herakles). Die Augenschalen haben meist ein sf. Innenbild und rf. Außenbilder. Eine Ausnahme ist die Schale des Andokidesmalers in Palermo (Mus. Arch. Reg. V 650), deren Außenseite je zur Hälfte sf. und rf. bemalt ist. Die wichtigsten Maler von B. V. waren neben dem Andokidesmaler → Psiax (Bauchamphoren), → Epiktetos und → Oltos (Augenschalen). In der Regel haben die Maler sowohl die rf. als auch die sf. Bilder gemalt; im Fall des Andokidesmalers ist dies jedoch umstritten.

B. COHEN, Attic Bilingual Vases and Their Painters, 1978 ・ M. ROBERTSON, The Art of Vase-Painting in Classical Athens, 1992, 9–18.   I.W.

Bilistiche (Βιλιστίχη). Tochter des Philon, aus maked. Familie, die sich von Argos ableitete; siegte 268 v. Chr. und 264 mit jungen Pferden in Olympia, 251/50 Kanephore der → Arsinoe II 3 Philadelphos, (vergöttl.?) Geliebte Ptolemaios' II. Mutter des Ptolemaios Andromachou (?).

A. CAMERON, Two Mistresses of Ptolemy Philadelphus, in: GRBS 31, 1990, 287–311 ・ HM 3, 589 ・ O. MASSON, Onomastica Graeca Selecta 2, 1990, 467 ff.   W. A.

Billaios (Βιλλαῖος). Einer der längsten Flüsse Kleinasiens (ca. 330 km), entspringt in den Köroğlu Dağları in Ostbithynien. Sein Lauf nach Osten, h. Gerede Çay, führt in die Nähe des hohen Olgassys in Paphlagonia. Hier biegt er nach Nordwesten und fließt (h. Soğanlı Suyu) durch ein enges Tal mit zahlreichen paphlagonischen Felsgräbern, bis er bei Karabük in ein Becken (wohl die Landschaft Potamia: Strab. 12,3,41) austritt und den Zufluß des Araç Çay erhält. Dann gräbt er eine tiefe Schlucht durch das Bergkette bei Yenice (hier Yenice Irmak) und strömt als Grenzfluß zw. Paphlagonia und Bithynia in ein grünes Hügelland hinab nach Tios (h. Hisarönü), wo er in den Pontos Euxeinos mündet. Nur der letzte Abschnitt bewahrt heute offiziell den ant. Namen, Filyos, den allerdings die Dorfbewohner auch flußaufwärts gebrauchen. Flußgott und Nymphe → Sardo sind auf Münzen der Stadt Tios seit den Antoninen abgebildet.

L. ROBERT, A travers l'Asie Mineure, 1980, 176–183 ・ CH. MAREK, Stadt, Ära und Territorium in Pontus-Bithynia und Nord-Galatia, 1993, Taf. 5, 8, 12.   C. MA.

Billon. Silberlegierung, die einen Zusatz von mehr als 50 % Kupfer u. a. unedlen Metallen besitzt, während Kupfer mit sehr geringen Silberanteilen Weißkupfer heißt [1. 36]. Das Strecken des Silbers mit Kupfer ist ein bes. in der Spätant. verwendetes Verfahren, um den erhöhten Geldbedarf zu decken [2. 401 ff.]. → Antoninianus; Inflation; Münzreform; Münzverschlechterung

1 GÖBL 2 F. DE MARTINO, Wirtschaftsgesch. des alten Rom, 1985.   A. M.

Bilsenkraut. Kenntnis der Solanaceen-Gattung *Hyoscyamus* L. (ὑοσκύαμος, Name von den angeblich nach Genuß des giftigen Krautes bei Schweinen auftretenden Krämpfen) ist bei Dioskurides 4,68 [1. 224 ff.; 2. 402 f.] nachweisbar. Nach Plin. nat. 25,35 hat Herkules die Pflanze entdeckt. Von den in Griechenland vorkommenden Arten sind nach Dioskurides die beiden ersten *Hyascyamus niger* (ὑοσκύαμος μέλας) und *aureus* (ὑοσκύαμος λευκός) wegen ihrer Giftigkeit unbrauchbar. Von der dritten, *Hyoscyamus albus*, einer Ruderalpflanze, verwendete man bei der Zubereitung von schmerzstillenden Medikamenten u. a. einen Preßsaft aus Sproß oder Samen, äußerlich auch – wegen des Gehalts an Alkaloiden – die Blätter. Außerdem kam *Hyascyamus reticulatus* L. vor. Pall. agric. 1,35,5 verwendet den Saft zusammen mit Essig gegen »Flöhe« auf Kohl. Im MA wurde *iusquiamus* seit dem »Lorscher Arzneibuch« [3] häufig verwendet. → Giftkräuter

1 M. WELLMANN (Hrsg.), Pedanii Dioscuridis de materia medica, 2, 1906, Ndr. 1958 2 J. BERENDES (Hrsg.), Des

Pedanios Dioskurides Arzneimittellehre übers. und mit Erl. versehen, 1902, Ndr. 1970 **3** U. STOLL (Hrsg.), Das »Lorscher Arzneibuch«, 1992.   C. HÜ.

Bimater s. Dionysos

Bimsstein (κίσ(σ)ηρις, *pumex*). Das weichere Eruptivgestein vulkanischer Ausbrüche bzw. poröser Tropfstein. Er wurde als Baustoff verwendet. In der Kosmetik diente er als Schabemittel zur Glättung der Haut (vgl. Plin. nat. 36, 154–156). Ein Pulver aus dreifach gebranntem B. half bei Augengeschwüren, wurde zur Zahnpflege und zum Abstoppen gärenden Weins (vgl. Dioskurides 5,108 [1. 78 f.] = 5,124 [2. 534 f.]) benutzt.

> **1** M. WELLMANN (Hrsg.), Pedanii Dioscurides de materia med., Bd. 3, 1914, Ndr. 1958 **2** J. BERENDES (Hrsg.), Des Pedanios Dioskurides Arzneimittellehre übers. und mit Erl. versehen, 1902, Ndr. 1970.   C. HÜ.

Bingium (Vingo), h. Bingen/Bingerbrück. Siedlung am Rhein-Knie. Geogr. bedeutsamer Ort im Gebiet der → Vangiones (CIL XVII 2,675) an der Brücke der Rheintalstraße über die Nahe, wo die Route Trier – Mainz abzweigt. → Iulius Tutor wurde hier 70 n. Chr. besiegt, der von ihm abgebrochene Übergang (Tac. hist. 4,70,4) um 77 n. Chr. als Pfahlrostbrücke erneuert (dendrochronologisch nachgewiesen, abermals um 305); im frühen 1. Jh. Garnison mehrerer Kohorten, später von Legionsteilen. 359 neu ummauert (Amm. 18,2,4; Auson. Mos. 1–4), war der jetzt auch Ving(i)o/Vinco genannte Ort von *milites Bingenses* bewacht (Not. dign. occ. 41,22).

> G. NEUMANN, s. v. B., RGA 3, 5–7 · G. RUPPRECHT, Bingen, in: H. CÜPPERS (Hrsg.), Die Römer in Rheinland-Pfalz, 1990, 333–336.   K. DI.

Binio. Ein ab etwa 210 n. Chr. ausgeprägter zweifacher Aureus im Gewicht von etwa 10–15 g, der nach der konstantinischen Münzreform (um 310 n. Chr.) durch den zweifachen Solidus abgelöst wird.
→ Aureus; Medaillon; Münzreformen; Solidus

> F. KENNER, Der röm. Medaillon, in: NZ 19, 1887, 1–173 bes. 13–27 · F. GNECCHI, I medaglioni romani, 1912 · K. MENADIER, Die Münze und das Münzwesen bei den *Scriptores Historiae Augustae*, in: ZfN 31, 1914, 1–144 bes. 9–12 · SCHRÖTTER, s. v. B., 75 · J. M. C. TOYNBEE, W. E. METCALF, Roman Medaillons, 1986, bes. 22–24.   A. M.

Binnenschiffahrt. Unter B. wird hier der regionale und überregionale Transport von Menschen und Gütern auf Flüssen und Seen verstanden; unbeachtet bleibt die lokale Verwendung von Booten etwa zum Fischfang oder von Fähren. Die Bed. der B. in der Ant. resultiert aus der Tatsache, daß der Transport von Gütern mit dem Schiff wesentlich kostengünstiger war als der Landtransport mit Tragtieren oder Wagen. Für die Spätant. ist eine

für den Landtransport extrem ungünstige Kostenrelation zwischen Landtransport, B. und Überseeschiffahrt durch die Tarife des Preisediktes von → Diocletianus belegt. Ferner ist zu berücksichtigen, daß der Landtransport auf ein schwer zu erstellendes Wege- oder Straßennetz angewiesen war, während die B. Flüsse oder Seen als natürliche Infrastruktur nutzen konnte. Die Möglichkeiten der B. waren in der Ant. allerdings begrenzt, weil es im mediterranen Raum nur wenige schiffbare Flüsse gab und viele Flüsse überdies im Sommer nur sehr wenig Wasser führten.

Schon in der Prähistorie wurden Schiffe eingesetzt. Während des Endpaläolithikums wurden auf Binnengewässern Fellboote benutzt. Als nach der Würm-Eiszeit der Wald einzog, lernte man den Bau von Einbäumen, die dann, vom Mesolithikum an, den wichtigsten Bootstyp darstellten. Er liegt noch (kelt.?) Binnenschiffstypen der Principatszeit zugrunde. Für die Hochkulturen in Mesopotamien und Ägypten waren Flüsse die wichtigsten Verkehrswege, die sowohl für die Beherrschung des Landes als auch für den Güteraustausch von eminenter Bed. waren. Die Schiffstypen richteten sich nach örtlichen Bedingungen (Schilfboote an Euphrat/Tigris und in der Frühzeit am Nil). Zahlreiche Schriftquellen und bildliche Darstellungen bezeugen die Schiffahrt auf dem Nil; eine Beschreibung der Schiffe, die im 5. Jh. v. Chr. auf dem Euphrat und dem Nil eingesetzt wurden, bietet Herodot (1,194; 2,96).

In Griechenland beschränkte sich die B. im wesentlichen wohl auf den Kopais-See und auf die Flüsse Ioniens sowie Makedoniens. Im 5. Jh. v. Chr. befuhren griech. Frachter (ὀλκάδες) die untere Donau. In It. wurden mindestens Tiber und Po von vorgesch. Zeit an befahren. Für die Großstadt Rom, die schon während der Republik Getreide importierte, war der Tiber die Hauptverbindung mit dem Seehafen Ostia (Portus). Im 6. Jh. n. Chr. wurden die Kornkähne (*caudicariae*) tiberaufwärts getreidelt und trieben leer mit der Strömung zum Seehafen zurück (Prok. BG 1,26,10). Gleichzeitig besaß der Tiber aber auch eine wichtige Funktion für den Transport von landwirtschaftlichen Erzeugnissen von Etrurien nach Rom (Plin. epist. 5,6,11 f.; vgl. außerdem Cato agr. 1,3); B. ist in It. ferner für die Gegend der Pomptinischen Sümpfe belegt (Hor. sat. 1,5,13–23; Strab. 5,3,6).

In den Prov. war B. auf dem Rhein, der Mosel, Maas, auf den Flüssen Galliens, den Alpenseen und der Donau sowie auf dem Nil hoch entwickelt. Die Rheinschiffahrt reichte bis zum Nehalennia-Heiligtum bei Collijnsplaat (Weihesteine für eine gute Reise); dort erfolgte der Umschlag auf Seeschiffe. Für die Erschließung Galliens durch die Römer war entscheidend, daß das Land gute B.-Wege aufwies, was Strabon mehrfach betont (4,1,2; 4,1,11; 4,1,14); in der Prov. Baetica hat die B. auf dem Baetis den Transport landwirtschaftlicher Erzeugnisse begünstigt (Strab. 3,2,3 f.). Die spätant. Schiffahrt auf der Mosel wird bei Ausonius (mos. 39–47) erwähnt. Stromaufwärts wurden die Schiffe getreidelt, wobei meistens die Schiffer selbst die Boote zogen, wie einige Grabreliefs zeigen. Schiffe in den nordwestl. Provinz besaßen oft ein mit dem Achtersteven fest verbundenes Steuerruder und unterschieden sich damit signifikant von den Schiffen des Mittelmeerraumes. Einzelne Binnenschiffer sind durch ihre Grabsteine bekannt, so etwa Blussus aus Mainz (CIL XIII 7067). Die Schiffer einzelner Flüsse oder Flußsysteme bildeten Zusammenschlüsse (*corpora*), die mit der *annona* zusammenwirken konnten; so ist etwa das *corpus n(autarum) Rhodanicor(um) et Arar(icorum)* epigraphisch belegt (CIL XIII 1695). Die B. diente dem Transport von Lebensmitteln (Korn, Salz, Wein), Baustoffen (Ziegel, Stein; Holz wurde wohl geflößt), Metallen, Textilien, Ton- und Glasgefäßen sowie dem Reiseverkehr. Häfen erhielten Kais und Kornspeicher (*horrea*). In der Lit. wird eine Reihe von Plänen, Kanäle zu bauen, um den Gütertransport zu vereinfachen, erwähnt (Saône- Mosel: Tac. ann. 13,53; Puteoli-Rom: Tac. ann. 15,42). Die Argumente für einen solchen Kanalbau werden ausführlich von Plinius (epist. 10,41; 10,61) erörtert.

Seit augusteischer Zeit gab es an den Grenzen des Imperium Romanum auch Kriegsflotten, die an den großen Strömen und an den Seen der Voralpenregion stationiert waren. Diese Flottenverbände sicherten die Rhein- und Donaugrenze; sie bestanden auch weiter, als der Limes jenseits der Ströme verlief; sie wurden dann vor allem zum Transport von Baumaterial und zur Heeresversorgung eingesetzt. Im 3.Jh. n.Chr. gewannen diese Kampfflotten neue Bed.; sie dienten vor allem dem schnellen Transport der Truppen (zur Rheinflotte vgl. Amm. 17,1,4; 18,2,12). Auch die Donauflotte bestand in der Spätant. weiter (Cod. Theod. 7,17). An Rhein, Donau, Save sind Kriegshäfen durch Funde bekannt. Die mil. B. endete im Westen mit der german. Eroberung, im Osten, an der Donau, mit der bulgarisch-slawischen Okkupation.

→ Landtransport

1 Actes du Colloque »Du Léman à l'Océan«, Caesarodunum 10, 1975 2 L. CASSON, Harbour and River Boats of Ancient Rome, in: JRS 55, 1965, 31–39 3 G. CHIC GARCÍA, La navegación por el Guadalquivir entre Córdoba y Sevilla, 1990 4 A. DEMAN, Réflexions sur la navigation fluviale dans l'antiquité romaine, in: T. HACKENS, P. MARCHETTI (Hrsg.), Histoire économique de l'antiquité, 1987, 79–106 5 H. G. FRENZ, Bildliche Darstellungen zur Schiffahrt röm. Zeit an Rhein und Tiber, in: G. RUPPRECHT (Hrsg.), Die Mainzer Römerschiffe, ²1982, 78–95 6 O. HÖCKMANN, Röm. Schiffsverbände und die Verteidigung der Rheingrenze in der Spätant., in: JRGZ 33, 1986, 369–416 7 JONES, LRE, 841–844 8 I. PEKÁRY, Vorarbeiten zum Corpus der hell.-röm. Schiffsdarstellungen II: Die Schiffstypen der Römer, Teil B: Die Flußschiffe, in: Boreas 8, 1985, 11–126 9 WHITE, Technology, 227–229.   O.H.

Binnenzölle s. Zölle

Binsen. Unter den ant. Begriff σχοῖνος (*schoínos*), lat. *iuncus* werden h. Schein- oder Sauergräser der Familien Juncaceae (bes. *Juncus*) und Cyperaceae (u. a. *Schoenus* und *Scirpus*) als B. und Simsen sowie Seggen zusammengefaßt. B. wurden im Alt. vielfach als Matten und im Falle des Papyrus *Cyperus papyrus* (→ Buch, → Papyrus) als Beschreibstoff verwendet. Die mediterrane Art *C. esculentus* lieferte aus ihrer Knollenwurzel ein Speiseöl [1. 18]. Süß schmeckende Blätter wurden in Bier gekocht verzehrt (μαλιναθάλλη bei Theophr. h. plant. 4,8,12; vgl. *anthalium* Plin. nat. 21,88).

1 J. BILLERBECK (Hrsg.), Flora classica, 1824, Ndr. 1972.
         C. HÜ.

Biographie I. GRIECHISCH II. RÖMISCH III. SPÄTANTIKE IV. NACHWIRKUNG

I. GRIECHISCH
A. DEFINITION UND VORGESCHICHTE
B. HELLENISMUS C. RÖMISCHE ZEIT

A. DEFINITION UND VORGESCHICHTE

B. als lit. Gattung ist die Darstellung der Lebensschicksale eines einzelnen Menschen; darin drückt sich die Tendenz aus, Lebensleistung und persönliche Eigenart als sinnvolle Einheit zu würdigen. In dieser Ausprägung existiert die B. in der griech. Lit. seit dem Hellenismus; der Terminus dafür ist *bíos* (βίος; βιογραφία, *biographía* erst bei Damaskios, Vita Isidori = Phot. Bibl. Cod. 242, § 8, als Nomen actionis: ›das Schreiben von B.‹, dann Phot. Bibl. Cod. 181 von der Schrift selbst).

Die Suche nach den Ursprüngen führt weit zurück [9; 12; 15]. Vorformen und Vorläufer der B. treten innerhalb anderer lit. Formen auf und münden dann über Gattungsexperimente (wie Xenophons ›Kyropädie‹) in die hell. B. ein. Geistesgesch. geht man davon aus, daß die Entstehung der B. mit der Entfaltung des Individualismus zusammenhängen müsse.

Die wichtigsten Elemente dieser Vorgeschichte sind folgende: 1. Anekdotisches Interesse an berühmten Menschen. Die »Volksbücher« über Homer und Hesiod (so das *Certamen Homeri et Hesiodi*, → Wettkampf Homers und Hesiods), → Aisopos, die → Sieben Weisen und → Archilochos reichen in den Ursprüngen bis ins 5. oder 6.Jh. zurück; → Sapphos Leben war von Legenden umrankt. → Skylax von Karyanda schrieb über Herakleides, den Tyrann von Mylasa (Suda s. v. Skylax), und → Xanthos von Lydien über Empedokles (Diog. Laert. 8,63). → Ion von Chios berichtete selbsterlebte Anekdoten über berühmte Männer und → Stesimbrotos von Thasos verfaßte eine polemische Schrift über Themistokles, Thukydides und Perikles. 2. Zusammenfassende Würdigungen bedeutender Personen in Geschichtswerken: so bei Thukydides über Perikles (2,65), bei Xenophon über Kyros und die von den Persern ermordeten Feldherren (an. 1,9; 2,6). 3. → Enkomien: Als Prosagattung von → Isokrates eingeführt (Euagoras), von → Xenophon fortgesetzt (Agesilaos). Hier werden allg. Wertbegriffe auf einen Menschen angewandt, um zu zeigen, daß er sie in ausgezeichneter Weise erfüllt. 4. Die sokratische Literatur [6. 13–34]: Die Schüler des → Sokrates sahen sein Philosophieren in engstem Zusammenhang mit seiner Persönlichkeit; ihre Schriften verbinden philos. Erörterungen mit der Schilderung von Schicksal und Charakter des Sokrates. Die oben genannten Ansätze (Anekdote, Würdigung, Enkomion) gehen hier, vorwiegend in dialogischen Formen, neue Verbindungen ein.

B. HELLENISMUS

Die Gesch. der B. seit dem Hellenismus ist von F. LEO [13] durch zwei Thesen grundlegend strukturiert worden. 1. Es lassen sich zwei Typen unterscheiden, für die als Vertreter → Suetonius und → Plutarchos stehen: eine registrierende, nach Sachkategorien gegliederte und eine erzählende, im wesentlichen chronologisch aufgebaute Form. Erstere wäre urspr. für lit. Persönlichkeiten entwickelt worden (z.B. für Kurz-B. in gesammelten Werken), erst Sueton habe sie in die Politik übertragen (Kaiser-B.). 2. Beide Formen seien von peripatetischem Einfluß bestimmt: erstere von der Methode der empirischen Materialsammlung, die im Wissenschaftsverständnis der alexandrinischen → Philologie weitergelebt habe, letztere vom aristotelischen éthos-Begriff (ἦθος) [6. 57–87], nach welchem die ἀρεταί (aretaí) in Handlungen, also konkreten Lebenssituationen, ausgebildet und verwirklicht werden. So konnte die Charakterdarstellung zum Sinnzentrum der B. werden und gleichzeitig der Verlauf des Lebens (einschließlich Jugend und Anekdotischem) detailreich dargestellt werden. Die Thesen LEOS sind vielfach eingeschränkt worden. Ihre Hauptschwäche liegt darin, daß eine geradlinige Entwicklung der Typen postuliert wird. Dafür sind die Formen zu vielfältig. Die 1911 entdeckte Euripides-Vita des → Satyros zeigte, daß lit B. nicht immer dem suetonischen Typ angehörten.

Jedenfalls gibt es seit dem 3.Jh. v. Chr. eine kohärente, wenn auch variable Gattung des *bíos* [10]. Ihre Existenz wird bewiesen durch → Dikaiarchos' kühne Übertragung des Begriffs: sein Βίος Ἑλλάδος (*Bíos Helládos*) stellte die Wesensart des Griechentums in ihrem kulturgesch. Werden dar, offenbar in Analogie zur Charakteristik eines Individuums durch seine Entwicklung von Kindheit an. Von der Geschichtsschreibung blieb die B. zumindest theoretisch getrennt (Pol. 10,24; Plut. Alexander 1,2; Nepos, Pelopidas 1,1; s. jedoch [9. 61–68]). Von der B. wurde keine ausführliche Darstellung der histor. Ereignisse und Hintergründe erwartet. Auch der Anspruch an kritische Prüfung der Überlieferung scheint geringer gewesen zu sein (s. etwa Plut. Solon 27,1); so konnte Legendäres leicht Platz finden. Eine gewisse Nähe zum Enkomion blieb erh., so daß sich Übergangsformen einstellen konnten (z.B. ›das Leben des Pelopidas‹ von → Polybios).

Aus dem Hellenismus ist freilich keine vollständige B. erh., und bei den überlieferten Titeln und Textfragmenten bleibt oft unsicher, ob es sich nicht um eine der benachbarten Textarten handelt: → Enkomion, ethische Lit. περὶ βίων, philos. und lit. Monographie (wie → Didymos, Περὶ Δημοσθένους), Anekdoten- und Apophthegmensammlung (→ Apophthegma). Auf festem Boden steht man bei vier Autoren, die → Hieronymus (vir. ill., Praefatio) nennt. 1. → Hermippos, der B. in Reihen verfaßte (Gesetzgeber, die Sieben Weisen, Pythagoras u. a.). 2. → Antigonos [7] aus Karystos (Philosophen). 3. → Satyros (Staatmänner, Philosophen und Dichter; das Fragment POxy. 1176 aus einer Euripides-B. in Dialogform). 4. → Aristoxenos [1] von Tarent, Aristoteles-Schüler (Pythagoras, Archytas, Sokrates, Platon). Da er der früheste der genannten ist, gilt er als Begründer der hell. B. Auffallend ist, daß er öfters Nachteiliges berichtete (man hat ihm Bosheit vorgeworfen). Die B. ist immer offen geblieben für Kritik, allerdings auch für sensationelle Skandalgesch. ohne haltbare Grundlage. Eine wichtige Tendenz ist die Reihenbildung. Außer den Genannten sei → Neanthes von Kyzikos angeführt, dessen Titel Περὶ ἐνδόξων ἀνδρῶν Vorbild für spätere Werke *De viris illustribus* wurde. → Sotion schuf mit den Διαδοχαὶ τῶν φιλοσόφων die biographische Gesch. der Philosophenschulen. In diese Tradition gehört auch → Philodemos' Σύνταξις τῶν φιλοσόφων; Teile davon, Akademie und Stoa betreffend, sind auf Papyrus erhalten. → Herakleides Lembos exzerpierte Satyros und Sotion und vermittelte dieses Material an Diogenes Laertios. Eine Reihe von Königs-B. der Ptolemäer aus PHaun. 6 greifbar geworden.

Was die Themen betrifft, so wäre im Hellenismus als einem Zeitalter der Monarchie eine Blüte der Königs-B. zu erwarten. Das ist aber nicht der Fall; es dominieren lit., philos. und histor. Figuren. B.-Sammlungen werden eine Quelle von kompendiarischem Bildungswissen (z.B. POxy. 1800). Auf der anderen Seite stehen gelehrte und materialreiche Werke; solche liegen vielen anon. B. zugrunde, die zu klass. Autoren erh. sind. Herausragende Beispiele: ›Vita des Sophokles‹, ›Vita Marciana‹ des Aristoteles, die ›Markellinos-Vita‹ des Thukydides, die *Vitae X oratorum* von Ps.-Plutarch.

C. RÖMISCHE ZEIT

In röm. Zeit wird das erh. Material breiter. Einige Gruppen im Überblick. 1. Politische B.: Eine Augustus-B. von → Nikolaos von Damaskos ist in großen Teilen erhalten; sie hat enkomiastische Tendenz, aber bedeutenden histor. Sachgehalt. Die Kategorien für die Beurteilung der Persönlichkeit sind aristotelisch. → Plutarchos' Parallel-B. sind der Höhepunkt der Gattung. Das Nebeneinander von Griechen und Römern geht wohl auf röm. Modelle zurück (→ Varro, *Imagines*; Cornelius → Nepos); es steht jetzt im Kontext einer Rückgewinnung griech. Selbstbewußtseins im Rahmen der akzeptierten röm. Herrschaft. Das Formprinzip des Vergleichs hat rhet. Ursprung. Plutarch sucht einheitliche Charaktere herauszuarbeiten; seine eindrucksvolle Verwendung des erzählerischen Materials – histor. und private Handlungen, Anekdoten, Kindheitsgeschichte –

lassen das aristotelische *éthos*-Konzept als Hintergrund erkennen. Eine Charakterentwicklung kennt er nur begrenzt [6. 81–87]. Seine biographische Kunst liegt vor allem in der Verlebendigung; in der Phantasie kommunizierte er mit seinen Personen (Plut. Aemilius 1) und vermochte diesen Eindruck an die Leser weiterzugeben. Sein Ziel war die erzieherische Wirkung durch *paradeígmata*; gegebenenfalls auch eine Warnung (Demetrius 1; Sertorius 10). 2. In der Rhetorik wurden B.-Reihen in der Art der philos. geschrieben: → Philostratos und → Eunapios, *Vitae sophistarum*. Sie waren weniger der Vergangenheit zugewandt, sondern hielten prominente Persönlichkeiten der Gegenwart fest. 3. Über die gelehrten Viten und die entsprechenden Kurzfassungen s.o.; eine enzyklopädische Sammlung veranstaltete → Hesychios von Milet; aus ihr ist reiches Material in das → Suda-Lexikon aufgenommen worden. 4. Philosophen-B.: Der histor.-gelehrte Typus hat in → Diogenes Laertios einen Vertreter, der die Tradition in großer Breite verarbeitete und B. mit → Doxographie vereinigte. Philosophen-B. stehen im allg. unter der Forderung, daß Leben und Lehre sich entsprechen sollen. Dies führt bes. bei Pythagoras-B. (Aristoxenos, Apollonios von Tyana, erh.: Porphyrios, Iamblichos) zu erbaulich lehrhaften Werken. Bei den Neuplatonikern wird die dreifache Stufung der Tugenden zum leitenden Motiv (→ Porphyrios: Plotin; → Damaskios: Isidoros; → Marinos: Proklos). An die Pythagoras-B. konnte auch eine primär rel. B. wie die des Apollonios von Tyana von → Philostratos anknüpfen. Verwandt sind andere B. von θεῖοι ἄνδρες (*theîoi ándres*) wie die von → Philon (Abraham, Josef, Mose) und → Gregor von Nyssa (Mose). Hierher gehört auch die B. des → Mani (Kölner Mani-Kodex). 5. Christentum: Daß die → Evangelien zur Gattung B. gehören, wurde von R. BULTMANN bestritten, wird jetzt aber zunehmend anerkannt [4]. Frühchristl. Martyriumsberichte dagegen entsprechen kaum dem Gattungstypus. Die B. des Origenes im 6. Buch von → Eusebios' Kirchengesch. hat Züge der gelehrten, aber auch rel. gefärbten Philosophen-B. [5. 69–101]. Eusebios' *Vita Constantini* ist dagegen, trotz reichen histor. Gehalts, zur Gattung des → Panegyrikos zu rechnen. → Athanasios schrieb eine B. des Mönchsvaters Antonios; im Westen wurde sie in lat. Übersetzungen verbreitet. Der Typus des θεῖος ἀνήρ (*theíos anḗr*) ist darin noch erkennbar: Aufstieg und Entfaltung seiner Eigenschaften, Wirken (mit Wundererzählungen und lehrhaften Abschnitten), Vollendung und Bestätigung im Tod [11]. Allerdings sind Versuche, diese B. an ein bestimmtes formales Modell anzuschließen (plutarchische B., Pythagoras-B., Aretalogie) nicht erfolgreich gewesen. Sie hat vielmehr ein neues, zeitgemäßes Modell geschaffen, welches in Darstellungs- und Denkweise viele Heiligenviten der folgenden Zeit, vor allem eine große Zahl von Mönchsviten, bestimmte. Eine bekannte Sammlung von Mönchsviten ist die *Historia Lausiaca* des → Palladios.   H.GÖ.

II. RÖMISCH

Die vorlit. → *laudatio funebris* sowie die *tituli* der Ahnen haben vermutlich die Art der Römer, das Leben einer Person zu sehen, tief beeinflußt: die Betonung von Abstammung, *honores* und *dignitas, res gestae* und *mores*. Aber Schriften, die ganz dem ehrenden Gedenken gewidmet sind, sind als Laudatio (entsprechend dem griech. Enkomion) von der B. zu scheiden. Dahin gehören etwa die Werke des Arulenus Rusticus und des Herennius Senecio, die ihren Autoren unter Domitian das Leben kosteten (Tac. Agr. 2,1). Als älteste röm. B. gelten einige Schriften des 1.Jh. v.Chr., die das Leben von gerade Verstorbenen darstellten und offenbar Teil der polit. Polemik der Caesar-Zeit waren; die Autoren sind L. Voltacilius Pitholaus (Pompeius), L. Cornelius Balbus (Caesar), C. Oppius (Caesar, Cassius, eine histor. B. des älteren Scipio), Varro (Pompeius), Tiro (Cicero). Eine klare Zuordnung zu Laudatio oder B. ist hier kaum möglich. Die ersten Verf. von B.-Reihen in der Art von *De viris illustribus* waren (nach Hier., vir. ill., praef.) → Varro (mit den originellen *Imagines*), Santra, Nepos und Hyginus. Erh. sind Teile des großen Werks von Cornelius → Nepos, welcher (wie Varro) sowohl Griechen als auch Römer behandelte und ganz in der griech. Gattungstradition stand. Darunter ist die B. seines Freundes Atticus, dem das Werk gewidmet war; sie wurde in erster Fassung noch zu dessen Lebzeiten geschrieben.

In der kaiserzeitlichen B. ist → Suetonius die führende Gestalt. Auch hier sind aus einem großen Werk *De viris illustribus* nur Teile erh.: *De grammaticis et rhetoribus* und, als wirkungsvollster Block, *De vita Caesarum*. Die Kaiserviten sind das konsequenteste Beispiel von B., die das Material nicht chronologisch, sondern nach Sachgesichtspunkten organisieren. (Chronologisch bleibt freilich der Rahmen: Herkunft und Geburt, Leben bis zum Amtsantritt, dann der rubrizierende Teil, am Ende der Tod.) Welche Formtraditionen dabei bestimmend waren, wird seit LEO [13] lebhaft diskutiert. Sueton berichtet betont nüchtern, verwertet reichhaltige Quellen, nimmt auch Nachteiliges bis zur Klatschgesch. auf. Die Charakterzeichnung tritt zurück. Die ungeschönte Detailfülle macht den Reiz der Lektüre aus. In der Rezeption Suetons wird eine gattungsgesch. Verschiebung erkennbar: sein Werk wurde, obwohl eindeutig eine B.-Reihe, als zeitgemäße Form der Geschichtsschreibung empfunden. In diesem Sinne fand es Nachahmung bei → Marius Maximus, → Aelius Iunius Cordus, → Aurelius Victor (und seinen Ergänzern) und in der → *Historia Augusta*. Zwischenformen von B. und Historiographie [7] gab es schon früher: → Sallustius' ›Catilina‹ und ›Iugurtha‹ sind histor. Monographien mit starkem biographischen Interesse, → Tacitus' *Agricola* eine enkomiastische B. mit historiographischem Einschlag. Eine B. in Versform: Phocas (5.Jh.), *Vita Vergilii*.

1 G.J.M. BARTELINK, De vroeg-christelijke biografie en haar grieks-romeinse voorgangers, Annalen van het Thijm-genootschap 45,3, 1957, 272–293 2 W. BERSCHIN,

B. und Epochenstil im lat. Mittelalter, Bd. I, 1986
3 I. BRUNS, Das lit. Porträt der Griechen, 1896 **4** R. A.
BURRIDGE, What Are the Gospels? A Comparison with
Graeco-Roman Biography, 1992 **5** P. COX, Biography in
Late Antiquity. A Quest for the Holy Man, 1983
6 A. DIHLE, Studien zur griech. B., ²1970, AAWG III 37
7 Ders., Die Entstehung der histor. B., 1987, SHAW 1986,3
8 T. A. DOREY (Hrsg.), Latin Biography, 1967 **9** B. GENTILI,
G. CERRI, History and Biography in Ancient Thought, 1988
10 I. GALLO (Hrsg.), Frammenti biografici da papiri. vol. I,
1975; vol. II, 1980 **11** K. HOLL, Die schriftliche Form des
griech. Heiligenlebens, Neue Jbb. für Klass. Alt. 15, 1912,
406–427 (Ndr.: Gesammelte Aufsätze zur Kirchengesch. II,
³1928, 249–269) **12** T. KRISCHER, Die Stellung der B. in der
griech. Lit., in: Hermes 110, 1982, 51–64 **13** F. LEO, Die
griech.-röm. B. nach ihrer lit. Form, 1901, Ndr. 1990
14 R. G. LEWIS, Suetonius' »Caesares« and their Literary
Antecedents, ANRW II 33.5, 1991, 3623–3674
15 A. MOMIGLIANO, The Development of Greek
Biography, 1971 (mit guter Bibliogr.) **16** D. R. STUART,
Epochs of Greek and Roman Biography, 1928 **17** M. VAN
UYTFANGHE, Hagiographie, RAC 14, 150–183 (mit
umfangreicher Bibliogr.) **18** A. WESTERMANN (Hrsg.),
Vitarum scriptores Graeci minores, 1845.   H. GÖ.

III. SPÄTANTIKE

Die vier Evangelien, die sich in der Spätant. als »kanonisch« durchsetzten, sind Biographien nur in eingeschränktem Sinn. Alle sind zweiteilig; der erste Teil umfaßt die Lehre, der zweite die Leidensgesch. (*passio*). Nur Lukas gibt dem ersten Teil durch die Geburtsgesch. eine biographische Abrundung. Die Apg zeigt Ansätze einer Doppelbiographie Petrus-Paulus. Insgesamt ist das frühe Christentum zurückhaltend gegenüber biographische Darstellungen; charakteristischerweise werden die z.T. schon im 2. Jh. n. Chr. entstandenen Apostel.-B. (*Passiones Apostolorum*) und Kindheit-Jesu-Evangelien als apokryph eingestuft.

Die → *Passio* ist der Ansatzpunkt christl. Biographik, sie weist verschiedenste Formen (Gerichtsprotokoll, Dramatisierung) auf.

Mit der aus dem Griech. übers. → Antoniusvita (365 bzw. 370) beginnt die Mönchs-B. Alsbald setzt die Biographik des → Hieronymus ein. Seine im Jahr 376 verf. *Vita S. Pauli primi eremitae*, die sensationelle und märchenhaft-phantastische Motive kombiniert, will zeigen, daß nicht Antonius, sondern Paulus von Theben ›der erste Einsiedler‹ war. Um 390 schreibt Hieronymus zwei weitere Mönchsviten. Die *Vita S. Hilarionis* steht noch unter dem Eindruck der Antoniusvita. Neben den Vater des ägypt. Mönchstums plaziert Hieronymus nunmehr den des palästinensischen. Es gab schon einen griech. → Panegyricus auf Hilarius in Briefform von → Epiphanius von Salamis (*tamen aliud est locis communibus laudare defunctum, aliud defuncti proprias narrare virtutes*, c. 1). Diese *virtutes* sind, obwohl z.T. »weiße Magie«, für die spätant. Gesellschaftsgesch. nicht uninteressant (Wagenrennen, Liebeszauber). Von großer b.-gesch. Bedeutung ist die *Vita Malchi monachi captivi* des Hieronymus [1,1. 140–143]. Sie zeigt, daß die spä-

tant. *vita* keineswegs mit der Geburt des Helden beginnen und mit Tod bzw. Nachleben enden muß. *Vita* ist für Hieronymus auch die novellistische Darstellung einer Lebensepisode. Ferner muß die Hauptfigur der christl. B. nicht unbedingt ein Heiliger sein. Schließlich kann eine *vita* durchaus schon zu Lebzeiten des Helden geschrieben werden, ja ihm als Ich-Erzählung in den Mund gelegt werden.

Von den Briefen des Hieronymus sind b.-gesch. beachtlich epist. 1 als »profane Märtyrerakte« und die Reihe der Frauenporträts, vor allem epist. 108 (*Epitaphium S. Paulae*) und 127 (*De vita S. Marcellae*). Daneben hat Hieronymus auch in *De viris illustribus* [2] B. geschrieben.

Im Rahmen der monastischen B. spielen auch Frauen eine Rolle. Durch die *Vita S. Melaniae senatricis* (von Gerontius?) fällt Licht auf die lat. Kulturprov. Palästina im 5. Jh. Aus dem Griech. werden früh die Viten heiliger Büßerinnen (Maria Aegyptiaca, Maria meretrix, Pelagia, Thais) übersetzt. Sie bilden einen Bestandteil der urspr. fast restlos griech. *vitae patrum*, in denen B. in einer auf denkwürdige Worte konzentrierten Zuspitzung (Apophthegmata) geschrieben wird [1,1. 188–191]. Die heutzutage am meisten beachtete Mönchsvita des 6. Jh. ist das *Commemoratorium vitae S. Severini* von → Eugippius.

Erst nach der Märtyrerpassio und der Mönchsvita erscheint die Bischofs-B. Sulpicius Severus († 411) publiziert noch zu Lebzeiten des Bischofs Martin von Tours die *Vita S. Martini*, deren Widmungsbrief als *ars poetica* christl. Schriftstellerei und c. 1 als eine solche der B. interpretiert werden kann [3. 359]. Die anekdotisch geschriebene [1 Bd. 1. 212–224] *Vita S. Ambrosii* des *notarius* Paulinus von Mailand (412/413 oder 422) enthält einen ersten Kanon christl. B.; in der an Augustinus gerichteten Vorrede nennt Paulinus als Autoritäten: Athanasius (Evagrius), Hieronymus und Sulpicius Severus. Die *Vita S. Augustini* des → Possidius (um 435) ist die einzige lat. B. der Kirchenväterepoche, die in ihrem Aufbau klass. Vorbilder reflektiert; wie Sueton [5] scheidet Possidius das öffentliche Leben seines Helden (c. 8–21) vom eher privaten Bereich (c. 22–27), der eine eindringliche, an Nepos' *Atticus* erinnernde Beschreibung all dessen enthält, was Augustinus *nicht* tat. Erst die neuere Forsch. [1 Bd. 1. 231–232] ist wieder darauf aufmerksam geworden, daß der *Indiculum* genannte Kat. der Werke Augustins zur *vita* gehört und ihren Charakter als Schriftsteller-B. unterstreicht. Weitere formgesch. bedeutende Bischofs-B. der Spätant. schrieben Hilarius von Arles (um 430), → Constantius von Lyon (um 475) und Cyprianus von Toulon mit seinen Co-Autoren (um 545).

Neben Passionslit., Mönchs- und Bischofs-B. spielt die Kaiser.-B. in der Spätant. noch eine gewisse Rolle. Von Suetons Fortsetzern sind die bekanntesten die → *Scriptores Historiae Augustae*; sie schreiben Kaiser-B. von Hadrian bis zu Carus und seinen Söhnen (117–284 n. Chr.). → Aurelius Victor gibt im *Liber de Caesaribus* eine Kaisergesch. von Augustus bis zum Jahr 360 in Form von Kurz-B.; eine ihm fälschlich zugeschriebene → *Epitome de Caesaribus* führt von Augustus bis zum Tod Theodosius d.Gr. (395). Literaturgesch. beachtlich ist die durchgehende Tendenz der Kaiser-B. zur biographischen Reihe.

Die Serie prägt das Bild der christl. B. im 6. Jh.; die Autoren des → *Liber pontificalis*, → Gregor von Tours und → Gregor d.Gr. haben B. reihenweise geschrieben. → Venantius Fortunatus († um 600) ist der erste lat. Biograph, der als Auftragnehmer in großem Stil Bischofs-B. verfaßt; seine beste Prosaarbeit, die *Vita S. Radegundis*, hat er allerdings aus eigenem Antrieb und aus Liebe zu einer Frau geschrieben.

1 W. Berschin, B. und Epochenstil im lat. MA, 3 Bde., 1986–1991 2 A. Ceresa-Gastaldo (Hrsg.), Gerolamo, Gli uomini illustri. De viris illustribus, 1988 3 J. Fontaine, Sulpice Sévère, Vie de Saint Martin, 3 Bde., 1967–1969 4 H. A. Gärtner, Die Acta Scillitanorum in lit. Interpretation, in: WS 102, 1989, 149–167 5 G. Luck, Die Form der suetonischen B. und die frühen Heiligenviten, in: Mullus (FS Theodor Klauser), 1964, 230–241.   W. B.

IV. Nachwirkung

Im MA wurden im Osten wie im Westen die Arten der B., die sich in der Spätant. entwickelt hatten, weiter gepflegt und entwickelt, sowohl die weltlich-polit. B. als auch die Hagiographie. Als Sonderfall ist die *Vita Caroli Magni* von Einhard hervorzuheben, die eine genaue Kenntnis Suetons voraussetzt und den fränkischen Kaiser lit. unter die Caesares einreiht. Im Spät-MA knüpft Walter Burley mit *De vita ac moribus philosophorum* an Diogenes Laertios an. Die Renaissance erfaßte die. Persönlichkeitsidee neu und entwickelte sie weiter [3. 1–19]. Petrarca verfaßte *De viris illustribus* (wie Cornelius Nepos, Sueton und Hieronymus). Die wachsende Wertschätzung ausgeprägter Individualität und der Sinn für den Zusammenhang von Charakter und Lebensweg drückt sich auch in zahlreichen B. von Zeitgenossen aus. Anfangs dominiert das Vorbild Suetons, später das Plutarchs [3. 35–43]. Shakespeares Charaktere sind aus den biographischen Darstellungen von Plutarch und Holinshed (der seinerseits von der humanistischen B. beeinflußt ist [2. 175, 188]) entwickelt.

→ Biographie

1 W. Berschin, B. und Epochenstil im lat. MA, Bd. 2, 1986, Bd. 3, 1988 2 Ders. (Hrsg.), B. zwischen Renaissance und Barock, 1993 3 A. Buck (Hrsg.), B. und Autobiographie in der Renaissance, 1983.   H. Gö.

Biographischer Roman s. Roman

Bion (Βίων).
[1] Von Borysthenes. Eklektischer Wander-Philosoph (ca. 335–ca. 245 v. Chr.), geboren in der nahe der Mündung des Flusses Borysthenes am Schwarzen Meer gelegenen Stadt Olbia. Einzelheiten aus seinem Leben sind vor allem aus Diog. Laert. 4,46–58 bekannt: Der Sohn eines freigelassenen Salzfischhändlers und einer Hetäre wurde in sehr jungen Jahren mit seiner Familie in die Sklaverei verkauft, als sein Vater Steuerbetrug beging. Er wurde von einem Rhetor gekauft und erhielt eine rhet. Ausbildung; später begab er sich nach Athen und beschäftigte sich dort mit Philos., zunächst an der Akademie, wo Xenokrates und Krates von Athen lehrten (4,10; 4,51), dann bei den Kynikern, den Kyrenaikern (der Atheist Theodoros wurde sein Lehrer) und schließlich bei den Peripatetikern, darunter vor allem bei Theophrast (4,52). Er zog von Stadt zu Stadt und wurde von seinen Schülern bezahlt; auch in Rhodos hielt er sich auf und am Hof des Königs Antigonos Gonatas in Pella, wo es zu Auseinandersetzungen mit den beiden stoischen Hofphilosophen Persaios und Philonides kam (4,47). Er starb in Chalkis auf Euboia. B. hat viele Schüler gehabt, aber keinen wirklichen Nachfolger gefunden (4,53); nur ein einziger Name ist uns überliefert, nämlich der des ›Peripatetikers‹ Ariston (vielleicht ist der Stoiker Ariston [7] von Chios gemeint: [1 T 24]). Die Schriften des B. beeinflußten → Teles, Horaz, Seneca, Epiktet und Plutarch.

B. ist kein Sophist, sondern ein Eklektiker, den vor allem die → kynische Schule beeinflußt hat. Er verurteilt allen Dogmatismus in der Philos., lehnt theoretische Spekulationen im Bereich der Naturphilos., der Logik oder der Metaphysik strikt ab und zeigt allein an der Ethik Interesse, wobei er für Freiheit und Autarkie eintritt. Seiner Auffassung nach hat das Glück seinen Ursprung in der Fähigkeit, sich an die Umstände anzupassen und sich mit den Gaben des Schicksals zufriedenzugeben. Seine Philos. erscheint als ein gemilderter *kynismós*, der von einer realistischeren und stärker am praktischen Leben orientierten Einstellung gekennzeichnet ist, als das bei den ersten Kynikern der Fall gewesen war, ja sogar von einem gewissen Opportunismus. Auf religiöser Ebene macht sich B. die Kritik der Kyniker am Anthropomorphismus, am Beten zu den Göttern, an Amuletten, an der Weissagung und den Mysterien zu eigen und sucht zu zeigen, wie absurd die Vorstellung der Unfrömmigkeit sei. Man hat in B. einen Atheisten gesehen, und zwar vor allem aufgrund des von Diogenes Laertios verfaßten Gedichtes (4,54), das sich seinerseits auf das Gerücht stützt, er habe vor seinem Tod den Göttern geopfert und sich bereiterklärt, Amulette um den Hals zu tragen, und habe so allem Frevel abgeschworen, den er sein Leben lang der Gottheit angetan habe. Dieser → Atheismus ist aber Reflex einer B.-feindlichen Tradition, die das ganze Kapitel des Diogenes Laertios prägt. Zwei Werktitel des B. sind uns überliefert: ›Über die Sklaverei‹ (Περὶ δουλείας; [1] T 9) und ›Über den Zorn‹ (Περὶ τῆς ὀργῆς; [1] T 10). Er hat außerdem ›eine sehr große Zahl von »Memoranden« (ὑπομνήματα) hinterlassen, aber auch Apophtegmen nützlichen Inhalts‹ (Diog. Laert. 4,47 = [1 T 7]); auch von διατριβαί (*diatribai*) spricht Diogenes Laertios ([1 T 8]) – beide Begriffe können dieselbe Art von

Werken meinen. Die erh. bionischen Fragmente sind von Witz und geistreicher Satire durchdrungen. Sie bieten einen äußerst lebhaften Stil, den Eratosthenes mit dem Gewand der Hetäre vergleicht: ›B. hat als erster die Philos. in Blüten gekleidet‹ (Diog. Laert. 4,52).
→ Kynische Schule; Teles

1 J. F. KINDSTRAND, B. of Borysthenes. A Collection of the Fragments with Introduction and Commentary, 1976

L. PAQUET, Les Cyniques grecs. Fragments et témoignages, ²1988, 121–133.   M. G.-C. / A. WI.

[2] Bukolischer Dichter. Aus ant. Quellen ist nichts über Datierung und Leben des B. bekannt; nach seinem Herkunftsort, der, wie die Suda θ 166 präzisiert, Phlossa bei Smyrna ist, wird er »Smyrnaios« (Stob. 3,29,52; 4,20,57; Schol. Anth. Pal. 9,440) genannt. Der anon. Schüler oder Bewunderer, der für B. das (im bukolischen Corpus überlieferten) hexametrische Epitaph schrieb, bezeichnet ihn als βουκόλος (bukólos) und βούτης (bútēs). Außerdem erwähnen ihn Schol. Anth. Pal. und Suda als Teil einer Trias von bukolischen Dichtern (Theokrit, Moschos und B.), die in byz. Zeit offensichtlich verbreitet war (dieser Kanon ist jedoch im 5. Jh. n. Chr. noch nicht fixiert: vgl. Serv. prooem. in Verg. ecl. 3,7,2,15 THILO-HAGEN). Βουκολικά (Bukoliká) war auch der Titel der Sammlung von B.s Gedichten, woraus Stobaios und Orion, Anthologion, die Texte des B. von eher unumstrittener Authentizität wiedergaben. Diese 17 hexametrischen ἀποσπάσματα (apospásmata) von unterschiedlicher Länge (1–18 Verse: einige – wie 10 und 13 – sind wahrscheinlich kurze, in sich geschlossene Gedichte) zeigen jedenfalls eine umfassendere Inspiration, als es dieser Titel verspricht, weil sie zwei verschiedene Themenbereiche behandeln – nicht nur die bukolisch-theokriteische (vorherrschend in 5 und 16; große Sensibilität für das ländliche Umfeld auch in 2 und 13), sondern auch noch die erotische. In einigen Fällen (vgl. 9,10: Lykidas; 11,4: ›mir, der ich mein Hirtenständchen singe‹) scheint die erotische Thematik dem bukolischen Kontext untergeordnet zu sein, wie man es gewöhnlich bei dem Bukoliker Theokrit findet. In Gedicht 10, einer Art poetischer Autobiographie bzw. Dichtungsprogramm, erklärt B. aber, er habe die bukolische Dichtung »vergessen« zu haben, um Liebesdichtung zu schreiben, und zeigt so ein deutliches Bewußtsein für die Unterscheidung der beiden Themenbereiche (die einem solchen Wechsel folgenden Gedichte sind mit dem sprechenden Begriff ἐρωτύλα, brotýla bezeichnet): Hauptthema der Gedichte 3, 10, 13 und 14 ist ein non-bukolischer Eros, der eher an [Theokr.] 19, Anth. Pal. 5,176–180, und Anacr. 6,11,13 erinnert. Bezeichnend ist auch die Konzeption der Liebesdichtung als exklusive und »physisch« unvermeidliche Wahl, die B. in 9 ausdrückt (die Zunge weigert sich, andere Götter und Menschen zu besingen, da sie nur Eros und den geliebten Lykidas besingen kann): Das Motiv, das typisch für die lat. Liebesdichtung des 1. Jh.

v. Chr. ist, bleibt mit Ausnahme der Anakreontika außerordentlich selten in den uns bekannten Texten der griech.-hell. Literatur. Am wahrscheinlichsten ist B. gerade ins 1. Jh. v. Chr. (floruit in der 1. Hälfte?) zeitlich einzuordnen, wie es erst im Jahre 1875 von BÜCHELER postuliert wurde (davor hatten die Codices den Epitaph für B. fälschlicherweise dem Moschos zugeschrieben, was dazu führte, B. vor Moschos zu datieren). Der Epitaph für Adonis (98 Hexameter) ist ein Gedicht mit stark mimetischem Charakter; die Codices überliefern es anonym (Ambros. 104, B 75 Sup. schreibt es Theokrit zu). MEETKERCKE (1565) wies es B. zu. Der Autor fordert Aphrodite auf, aus dem Schlaf zu erwachen und zum Leichnam des Adonis zu laufen, der von einem Wildschwein getötet worden ist. Er beschreibt dann die Trauer Aphrodites und der Natur und die Begräbnisfeier für Adonis. Es handelt sich offensichtlich um eine Wiederaufnahme der mimetischen Hymnen des Kallimachos (2, 5, 6), wobei er allerdings die Verbindung zur archa. Tradition vernachlässigt: der essentielle Kern wurde variiert und das Ritual (die Adonien in diesem Fall) durch die »Inszenierung« des Mythos auf dessen Grundlage ersetzt. Für eine Zuweisung des Epitaphs für Adonis zu B. sprechen stark – aber nicht definitiv – die verschiedenen expliziten Anspielungen des Epitaphs für B. auf das für Adonis, durch die der Autor vielleicht mit dem gleichartigen Gedicht dem Meister Ehre erweisen wollte; ebenso die Affinität zwischen dem hexametrischen Versbau und den ἀποσπάσματα des B. (deutliche Tendenz zu reinen Daktylen und folglich eine sehr niedrige Anzahl an verwendeten metrischen Schemata). Es gibt keine sicheren Indizien, um das Epithalamion des Achilles und der Deidameia (anonym im Corpus Theocriteum) sowie P. Vind. Rainer 29801 dem B. zuzuschreiben.

ED.: A. S. F. GOW, Bucolici Graeci 1952 · H. BECKBY, Die griech. Bukoliker, 1975 (mit Übers. und Anm.) · M. FANTUZZI, B. Smyrnaei Adonidis Epitaphium, 1985 (Komm.) · C. GALLAVOTTI, Theocritus quique feruntur Bucolici Graeci, ³1993 (Bionis Epitaphium, komm. Ausg.: V. MUMPRECHT, Diss. Bern 1974) · M. CAMPBELL, Index verb. in Moschum et B.em, 1987.
LIT.: W. ARLAND, Nachtheokritische Bukolik, Diss. Leipzig 1937 · M. FANTUZZI, in: Materiali e discussioni per l' analisi dei testi classici 4, 1980, 183–186 (dt. Übers. in: B. EFFE (Hrsg.), Theokrit und die griech. Bukolik, 1986) (B. ἀποσπάσματα 9) · F. BÜCHELER, in: Jb. für class. Philol. 9, 1863, 106–113 (Epitaph für Adonis) · V. A. ESTEVEZ, in: Maia 33, 1981, 35–42 · R. J. H. MATTHEWS, in: Antichthon 24, 1990, 32–52 · R. HUNTER, in: Materiali e discussioni per l' analisi dei testi classici 32, 1994, 165–168 · F. MANAKIDOU, in: Prometheus 20, 1994, 104–118.
                                                      M. FA. / M.-A. S.

Biotos (Βίοτος). Tragiker, aus dessen Medeia ein Fragment erh. ist. Evtl. ist er mit dem Komiker → Biottos, der 167 und 155 v. Chr. in den Didaskalíai erwähnt wird, identisch [1. 80].

1 U. v. Wilamowitz-Moellendorff, KS 4, 1962
2 TrGF 205.   F. P.

Biottos. Nur inschr. bezeugter Komödiendichter, der
einmal an den att. Lenäen im Komödienagon den ersten
Preis errang [1. test. 3] und in den Jahren 167 und 154
v. Chr. an den Großen Dionysien jeweils Dritter wurde
[1. test. 1, 2]. Aus beiden Agonen ist auch noch der Titel
von B.' Stück bekannt (›Der Unwissende‹, ›Der Dichter‹).

1 PCG IV, 1983, 36.   H.-G. NE.

Biremis
[1] Schiff mit 2 Rudern (δίκωπος, Eur. Alk. 252; Pol.
34,3,2; Lucan. 8,565; 10,56).
[2] Schiff mit zwei unterschiedlich langen seitlich herausragenden Ruderreihen (διήρης/ *diéres*) und dementsprechend zwei synchronen Schlagreihen (δίκροτος/
díkrotos). Jeder Riemen wurde von einem Ga-
leerensträfling bedient (Caes. civ. 3,40,4). Solche Zwei-
reihenschiffe kannten die Phönizier bereits um 700
v. Chr.
→ Schiffe

A. Neuburger, Die Technik des Alt., 1919, 503 ff. ·
A. Köster, Das ant. Seewesen, 1923, 98 ·
Kromayer/Veith, 179.   C. HÜ.

Biriciana, h. Weißenburg in Bayern. 5,1 ha großes Kastell der *ala I Hispanorum Auriana*; daneben das Kastell
»Breitung« (3,05 ha) evtl. der *cohors IX Batavorum*. Zivilsiedlung über 30 ha mit restaurierten Thermen;
prächtiger Schatzfund des 3. Jh.

H.-J. Kellner, in: W. Czysz, K. Dietz, Th. Fischer, ders.
(Hrsg.), Die Römer in Bayern, 1995, 534–536.   K. DI.

Birke. Diese nord- und mitteleuropäische Baumgat-
tung, von der es auch Zwergformen gibt (*betulla* oder
betulus, spätlat. *betula*) ist in It. nur in drei Arten vertreten, darunter die auf dem Ätna endemische *B. aetnensis*.
Nur die Hängebirke (*B. pendula = verrucosa*) besiedelte
die Berge Griechenlands und der Krim. In Gallien (Plin.
nat. 16,75) wurden die biegsamen Zweige als Flecht-
material verwendet (vgl. Plin. nat. 16,176).   C. HÜ.

Birkhahn s. Auerhahn

Birnbaum. Die Kernobstgattung *Pyrus L.* (Birnen, lat.
pirus, pirum) besteht aus etwa 20 Wildarten (ἀχράς,
ἄχερδος), die im Bereich des Schwarzen Meeres und des
Mittelmeeres vorkommen, und vielen Kultursorten
(ὄγχνη, bei Homer ἄπιος), die aus Kreuzungen seit dem
Neolithikum hervorgegangen sind. Meist aus Vorderasien nach Griechenland importiert, wurden sie bes. auf
der deswegen Ἀπία benannten Peloponnes (Athen.
14,63,650bc) zur Herstellung von Most angebaut. Birnen waren der Hera, Aphrodite, Venus und Pomona
geweiht, daher waren z. B. die Herabilder von Tiryns
und Mykene aus B.-Holz geschnitzt (Paus. 2,17). Die

Kultur vieler Arten wird von Plinius erwähnt (vor allem
Plin. nat. 16 und 17; u. a. nach Cato und Columella).
Ausführliche Kulturanweisungen und Pfropfmetho-
den, die zu vielen neuen Züchtungen führten, kennen
wir im lat. MA seit dem 14. Jh.
→ Obst und Obstanbau

S. Kiewisch, Obstbau und Kellerei in lat. Fachprosa-
schriften des 14. und 15. Jh., Diss. Hamburg, 1995.
C. HÜ.

Birs Nimrud s. Borsippa

Biruta s. Berytos

Bisaltai (Βισάλται). Thrak. Stamm westl. des Strymon
und der Krestones, südl. der Maidoi und Derrones. Silberminen und polit. Selbständigkeit ermöglichten E.
des 6./Anf. des 5. Jh. v. Chr. eine eigene Münzprägung.
Damals beherrschten die B. die Krestones (Thuk. 4,109)
und bekämpften die Perser (Hdt. 8,116). Einen mil.
Führer Naris, der Kardia erobert haben soll, erwähnt
Charon (FGrH 262 F 9). Die Macht Athens und später
der Makedonen setzten dem polit. Einfluß der B. ein
Ende.

A. Fol, Političeskata istorija na trakite, 1972, 100 ff.   I. v. B.

Bisaltes (Βισάλτης).
[1] Sohn des Helios und der Ge, nach dem die maked.
Stadt und Landschaft Bisaltia benannt ist (Steph. Byz.
s. v. Βισαλτία 170 f.; Favorinos FHG 3,583 f. [fr. 44]).
[2] Vater der von vielen Freiern begehrten → Theo-
phane (Ov. met. 6,117: *Bisaltis*). Aus ihrer Verbindung
mit Poseidon geht der Widder mit dem Goldenen Vlies
hervor, der Phrixos nach Kolchis trägt (Hyg. fab. 188).
R. B.

Bisanthe (Βισάνθη). Stadt an der Propontis, nachmals
Resisthon (beide Namen bei Plin. nat. 4,43; 48; vgl. Itin.
Anton. 176,1), h. Rodosto; evtl. Gründung von Samos
(Mela 2,24). Hdt. 7,137 erwähnt B. für 484 v. Chr., als
B. zum Reich des Sitalkes gehörte. Später evtl. im Besitz
des Alkibiades (Nep. Alk. 7,4), dann im Reich Seuthes'
II., der B. zusammen mit Ganos und Neon Teichos dem
Xenophon anbot (Xen. an. 7,2,38). Von Iustinian befe-
stigt (Prok. aed. 4,9; 17: *Rhaidestos*); 812 von Krum zer-
stört. Auf einer protobulgarischen Inschr. erwähnt [1].

1 V. Beševliev, Pärvobălgarski nadpisi, 1992, 22 2 Chr.
Danov, Altthrakien, s. v. B., 1976, 200.   I. v. B.

Bischapur. »Die schöne (Stadt) des Schapur«, rechtek-
kige Residenzstadt Schapurs I. (241–272, → Sapor),
Südwestiran. Erbaut durch röm. Kriegsgefangene aus
Schapurs Siegen über Gordianus, Philippus Arabs und
Valerianus, daher Anwendung röm. Steinmetztech-
niken (Verklammerung von Steinquadern mit eisernen
»Schwalbenschwänzen«).

Ausgegraben wurden u. a. ein Tempel der → Anahita, ein Quadratsaal mit umlaufendem Korridor. Den zentralen Kuppelsaal (22 × 22 m, ca. 25 m hoch) des aus Bruchsteinen erbauten Palastes erweiterten kreuzförmig vier Seitenhallen. Die Königsbauten nehmen ca. ¼ der ummauerten Fläche ein. Zwei Hauptstraßen kreuzten sich im Stadtzentrum an einem Schapurdenkmal mit Statue, zwei Feueraltären (→ Altar) und zwei monolithischen Säulen. Im Palast fanden sich → Mosaiken syr.-röm. Stils mit Genien, Kurtisanen, Tänzern, »Porträtköpfen« in polychromer Ausführung. Felsreliefs nahe der Stadt zeigen Schapurs Triumph über die drei röm. Caesaren. Eine der wenigen sasanidischen Kameen (→ Steinschneidekunst) stellt die Gefangennahme Valerians durch Schapur dar. Eine Felshöhle in der Nähe enthält eine 8 m hohe Statue des Königs; vielleicht war er hier beigesetzt worden.

H. VON GALL, Die Mosaiken von Bishapur, Arch. Mitt. aus Iran, NF 4, 1971, 193–205 · R. GHIRSHMAN, Bîchâpur, Vol. I.2, 1956–71. B.B.

Bischof s. Episkopos

Bisenzio s. Visentium

Bison s. Wisent

Bistones (Βίστονες). Thrakischer Stamm am Aigaion Pelagos um die Βιστονὶς λίμνη (Bistonís límnē) bis zum Unterlauf des Nestos; Nachbarn der Kikones und Sapaioi. In ihrem Gebiet wurden → Abdera, → Dikaia und Stryme gegründet. Nur als Durchgangsstation des persischen Heeres genannt (Hdt. 7,110). Vielfach in myth. Erzählungen und Genealogien gen. (Strab. 7 fr. (43) 44 nennt von Diomedes beherrschte B. auf Thasos; Val. Fl. 3,159: Heimatland des Orpheus).

A. FOL, T. SPIRIDONOV, Istoričeska geografija, 1983, 24, 78. I. v. B.

Bistua Nova. Röm. *municipium* der Prov. Dalmatia (Tab. Peut. 6,1) im Gebiet der → Daesitiates entlang des Urpanus (Vrabas) im Bergbaugebiet (Gold, Eisen) entlang der Flüsse Rama, Vrbas, Bistrica, Lašva beim h. Bugojno (wohl nicht Zenica, wie PATSCH glaubt oder Vitez wie WILKES meint) in Bosnien-Herzegowina. Gegr. an der Stelle einer bed. einheimischen eisenzeitlichen Siedlung evtl. durch die flavischen Kaiser (zahlreiche Flavii auch unter den Stadtmagistraten, teils Kolonisten aus den Küstengebieten, angezogen durch die Minen), während die ältere Stadt *B. vetus* (Tab. Peut. 5,5) bei Duvno angesetzt werden sollte (nicht bei Vavara, so PATSCH u. a.). Auf das *municipium B.* bezügliche epigraphische Zeugnisse wurden in Fazliči, Zenica und Varvara gefunden und bezeugen ein sehr großes Territorium von B., bestätigt durch das Ersuchen des Andreas, *episcopus ecclesiae Bestoensis* (533 n. Chr.), den Distrikt seiner Gerichtsbarkeit zu verkleinern.

I. BOJANOVSKI, Bosna i Hercegovina u antičko doba (Bosnien und Herzegowina in der Ant.), Djela Akademija nauka i umjetnosti Bosne Hercegovine 66, Cent. balk. ispit. 6, 1988, 155–168, und passim. M.Š.K.

Bisutun (altpers. *bagastāna* »Götterplatz«, Βαγίστανα, Βαγίστανον ὄρος, Behistun). Felswand 30 km östl. von Kermanschah an der Straße von Babylon nach Ekbatana am → Choaspes (→ Seidenstraße [3. 11]), an der → Dareios I. seine Taten seit ca. 520 v. Chr. bildlich und inschr. – ca. 70 m über dem Straßenniveau – in mehreren Phasen festhalten ließ. Wegen ihrer dreisprachigen Form (elam., babylon., altpers.) bildete die Inschr. [1] die Grundlage für die Entzifferung der → Keilschrift (→ Trilingue). Das Relief (s.u.) zeigt Dareios, den Fuß auf den besiegten → Gaumata gesetzt, und vor ihm stehend neun gefesselte Gegner. Im Text beschreibt Dareios u. a. seine Herkunft (→ Achaimenidai) und das Ende Gaumatas.

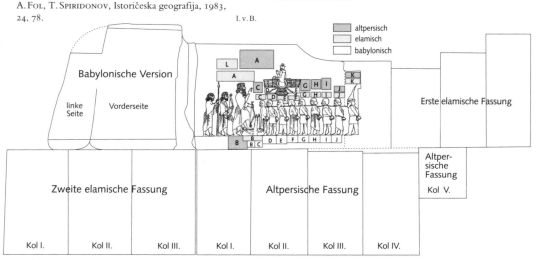

A+L = Dareios (den Fuß auf Gaumata gesetzt);
B = Gaumata (liegende Gestalt)

Relief und Inschr. sollten symbolhaft die Legitimität der Herrschaft Dareios' I., begründet durch Abstammung, Erfolg und gerechtes Handeln, verkünden. Die Inschr. ist stilistisch und inhaltlich von neuassyr., neubabylon. und urartäischen königlichen Kommemorativinschr. beeinflußt. Die altpers. Version ist in der hier erstmals bezeugten → Altpers. Keilschrift geschrieben, die Dareios möglicherweise hat »kreieren« lassen, als er die B.-Inschr. in Auftrag gab [7. 333; 6]. Eine aram. Übers. fand sich in → Elephantine [2], der babylonische Text sowie Teile des Reliefs auf dem Fragment einer in Babylon ausgegrabenen Stele. In seleukidischer (→ Herakles-Relief 149/8 v.Chr. [3. 59]), parthischer (→ Mithradates II. [3. 67]) und sasanidischer (→ Chosrau II. [3. 88 f.]) Zeit wurden weitere Reliefs in B. angebracht. In unmittelbarer Umgebung existieren Funde, die von kontinuierlicher Bed. des Ortes vom 8.Jh. v.Chr. bis in frühosmanische Zeit zeugen. Diod. 2,13 berichtet, die assyr. Königin → Semiramis (um 800 v.Chr.) habe in B. Gärten anlegen und ihr Bild anbringen lassen. Kurz vor seinem Tode soll Alexander d.Gr. B. besucht haben (Diod. 17,110,5; hier Βαγιστάνη θεοπρεπεστάτη χώρα genannt; vgl. auch 3,57).

1 R.BORGER, W. HINZ, TUAT 1, 1982–1985, 419–450 (Übers. der elam., babylon., altpers. Versionen; mit Lit.) 2 J.C. GREENFIELD, B. PORTEN, The Bisitun Inscriptions of Darius the Great. Aramaic Version, 1982 3 W. KLEISS, P. CALMEYER (Hrsg.), Bisutun, 1996 4 H. LUSCHEY, R. SCHMITT, EncIr 4, 289–305 5 F.MALBRAN-LABAT, La version akkad. de l'inscription trilingue de Darius, 1994 6 R.SCHMITT, SAWW 561, 1990 7 J.WIESEHÖFER, Das ant. Persien, 1993 (mit Lit.). A.KU.

Bīt Ḫilāni. Der Begriff *B. Ḫ.* taucht in neuassyr. Königsinschr. seit → Tiglatpilesar III. (744–727 v.Chr.) zur Bezeichnung eines Gebäudes oder Gebäudeteils nach nordsyr. Vorbild (*ekal māt Ḫatti*) auf. Die wichtigsten Merkmale sind → Säulen auf löwenförmigen Basen im Eingangsbereich. *B. Ḫ.* wird meist in Verbindung mit Palästen erwähnt (Ausnahme: Assurtempel in → Assur) und dient königlicher Muße. Eine Identifizierung des *B. Ḫ.* innerhalb der ergrabenen und dargestellten assyr. Architektur ist noch nicht überzeugend gelungen [1–3].

Für ein Zeichen der luwischen Hieroglyphenschrift (→ Schrift; → Luwier), das einen Torbau darstellt und Torbauten (King's Gate in → Karkemisch und Burgtor in → Karatepe) bezeichnet, ist die Lesung *ḫilana* vorgeschlagen worden [4].

R. KOLDEWEY [5] hat, gestützt auf erste Rekonstruktionsversuche des assyr. *B. Ḫ.* [1] den Begriff zur Bezeichnung eines nordsyr. Palasttyps in die Baugesch. eingeführt. Dieser *B. Ḫ.* besteht aus einem quer gelagerten Hauptraum mit seitlichen und rückwärtigen Nebenräumen, vor dem ein Portikus und ein Treppenhaus gelegen sind. Dieser *(B.) Ḫ.* ist seit dem 15.Jh. v.Chr. in Nordsyrien/Südostanatolien bezeugt [6]; einheimische Bezeichnungen (außer allg. Palast u.ä.) sind nicht bekannt.

1 O. PUCHSTEIN, Die Säule in der assyr. Architectur, Jahrbuch des Dt. Arch. Instituts (Berlin) 7, 1892, 1–24 2 J. RENGER, Ḫilāni, bīt. A. Nach neuassyr. Zeugnissen, RLA 4, 1975, 405f. 3 B. HROUDA, Ḫilāni, bīt. B. Arch., ebd., 406–409 4 I. SINGER, Hittite *ḫilamnar* and Hieroglyphic Luwian *ḫilana*, in: ZA 65, 1975, 99–103 5 R. KOLDEWEY, Ausgrabungen in Sendschirli II (1898), 136f. 6 V. FRITZ, Die syr. Bauform des Hilani und die Frage seiner Verbreitung, Damaszener Mitteilungen 1, 1983, 43–58. U.SE.

Bithynia (Βιθυνία).

A. GEOGRAPHISCHE LAGE
B. GESCHICHTLICHE ENTWICKLUNG

A. GEOGRAPHISCHE LAGE

Landschaft und Königreich mit thrakischer Bevölkerung im nordwestl. Kleinasien. Das Kerngebiet (Strab. 12,3,2f.; 12,3,7; 4,1–10; [2; 3. 190ff.]) liegt zw. → Bosporos [1] und dem Gebiet des unteren → Sangarios, von der Schwarzmeerküste zum Golf von Kios, dem Askanischen See und den Kapıorman Dağları. Die nördl. Küstenregion bis zum Kales bildete urspr. die Landschaft → Thyni(a)s, die von den stammverwandten → Thynoi bewohnt war und in wechselndem Umfange von → Herakleia Pontike beherrscht wurde (Hdt. 1,18; Plin. nat. 5,150 [3. 193 f.]). Wirtschaftliche Grundlagen: Landwirtschaft, Waldbestände, günstige Verkehrslage.

B. GESCHICHTLICHE ENTWICKLUNG

Die polit. Einigung von B. erfolgte ca. 430 v.Chr. unter → Doidalses, der die Herrschaft des Dynastengeschlechts (Liste bei Memnon, FGrH 434 fr. 12) begründete. Wiederholt kam es zu Konflikten mit → Kalchedon und → Astakos. Gegen die pers. Satrapen konnte man die Unabhängigkeit behaupten. Bas (377/76–328) besiegte 333/28 Kalas, den Satrapen Alexandros' [4] d.Gr. Sein Sohn Zipoites (328–280 [3. 190ff.]) wurde 315 zur Aufgabe der Belagerung von Kalchedon und Astakos und zum Bündnis mit → Antigonos [1] gezwungen, 302/01 aber konnte Astakos erworben und Kalchedon besiegt werden. Nach 301 bis ca. 297/96 waren Kämpfe gegen Lysimachos erfolgreich; dessen Niederlage führte 297/96 zur Annahme des Königstitels (Beginn der bithynischen Ära im Herbst 297 [1. 178ff.]). 282 war B. mit Seleukos I. gegen Lysimachos verbündet; Anf. 281 bithynische Beteiligung am Sieg von Kurupedion. Zipoites besetzte 282/81 Nikaia, stieß nach Mysia und in das Gebiet des Lysimachos im Osten (früheres Reich von Herakleia Pontike) vor, was 281/80 zum Krieg gegen Herakleia führte; Gewinn der Thyni(a)s östl. des Hypios, des Gebietes der Mariandynoi im Hinterland mit deren Vorort (h. Bolu), von Kieros und schließlich Tios. Das Expansionsstreben führt zum Bruch mit → Antiochos I. [2], dessen Feldherr 280 von Zipoites geschlagen wurde. Dessen Sohn Nikomedes I. (280–255/53) setzte den Krieg gegen Antiochos I. fort und schloß sich der antiseleukidischen »Nördl. Liga« durch ein Bündnis mit Herakleia an, wobei er Kieros, Tios und die östl. Thyni(a)s abtrat. Dagegen erhob sich Zipoites d.J., der 280/79–277 gegen

Nikomedes I. und Herakleia Krieg führte. 280/78 war Nikomedes I. mit Antigonos [2] Gonatas verbündet; 280/79 trat er Teile der Halbinsel Yalova an Ptolemaios II. ab, der sie Byzantion schenkte [3. 256]. 278/77 holte Nikomedes I. Tolistobogioi, Trokmoi und schließlich Tektosages als Söldner nach Kleinasien, mit deren Unterstützung er 277 Zipoites d. J. vernichtete und bis ca. 275/74 große Gebiete der nördl. Phrygia eroberte, deren östl. Teil er den Galatai gab [3. 212 ff., 236 ff.]. Von der bithynischen Expansion verblieben bis 268/67 nur Nikaia, der Südrand des Askanischen Sees und ein Gebiet zw. Akçakoca und Bolu Dağları bis zum mittleren Ladon [2. 29 ff., 41 ff.; 3. 262 f.; 4. 155, 160].

264 wurde die Hauptstadt → Nikomedeia errichtet. 255/53 erfolgte der Tod des Königs mit dem Testament zugunsten der unmündigen Söhne aus zweiter Ehe. Ziaelas, sein Sohn aus erster Ehe, setzte sich im bithynischen Erbfolgekrieg (bis ca. 250) mit Hilfe der Tolistobogioi durch. Er verheiratete seine Tochter mit Antiochos Hierax, den er gegen Attalos I. unterstützte. Beim Versuch, die Führer der sich von Antiochos Hierax lösenden Galatai zu ermorden, fand Zipoites wohl 230/29 selbst den Tod. Sein Sohn Prusias I. (ca. 229–182) trat 220 in den Krieg der Rhodier gegen Byzantion ein, mußte jedoch beim Friedensschluß seine Gewinne herausgeben. 217/16 und 208/04 waren Teile von Mysia in seiner Hand [2. 29 ff.]. 216 unternahm er einen Feldzug zum Hellespont; die Vernichtung der kelt. Aigosages wurde propagandistisch hochstilisiert (Pol. 5,111 [3. 43]). Im 1. Maked. Krieg (215–205) griff Prusias I. 208 Pergamon an. 202 übergab ihm Philippos V. die eroberten Städte Kios (als Prusias, Προυσιὰς ἡ ἐπιθαλάσσιος, wiederaufgebaut) und Myrleia. Um 188/87 erfolgte die Gründung von → Prusa, zw. 196/90 der Krieg gegen Herakleia Pontike und die Eroberung von Kieros (als Προυσιὰς πρὸς τῷ Ὑπίῳ neu gegr.) und Tios. Im 2. Maked. Krieg und im Antiochos-Krieg neutral, erhob er 188 Anspruch auf Nordphrygia, den er 188/87(?)–183 im Krieg gegen → Eumenes II. im Bund mit den Galatai und Pharnakes von Pontos durchzusetzen versuchte [2. 29 ff.]; im Frieden wurde das Gebiet als Phrygia Epiktetos endgültig pergamenisch. → Prusias II. (182–149) trat 181 in den Krieg gegen Pharnakes ein, der ihm Tios wegnahm. 179 erhielt er Tios zurück, ferner das galatische Gebiet von Salon mit Bolu, das er als Bithynion neu gründete [2. 41 ff.]. 179/77 Heirat mit Apame, der Schwester des → Perseus; dennoch trat er 169 in den 3. Maked. Krieg ein. Adulatorisches Auftreten kennzeichnete sein Verhalten vor dem Senat 167 (Pol. 30,18); in der Folge agitierte er gegen Pergamon. 156–154 führte er Krieg gegen Attalos II., den Rom zu Ungunsten Prusias' II. beendete. 149 beseitigte Nikomedes II. (149–128/27), sein Sohn aus 1. Ehe, mit pergamenischer Unterstützung den beim Volk verhaßten König. Nikomedes II. kämpfte als röm. Bundesgenosse gegen → Aristonikos.

Sein Sohn Nikomedes III. (127–94) und → Mithradates VI. teilten sich Paphlagonia 108/7 [4. 169 ff.]. Dies führte 105/04 zu Spannungen mit Rom. Nikomedes III. stellte einen seiner Söhne als angeblich legitimen König → Pylaimenes vor. Die offene Feindschaft mit Mithradates VI., der seine Versuche, 103 und 100 Kappadokia unter bithynische Kontrolle zu bringen, zurückschlug, begann. 96 erzwang Rom die Räumung von Paphlagonia. Der Tod Nikomedes' III. (wohl 94) führte zum Erbfolgekonflikt [4. 171 ff.]; Nikomedes IV. wurde ca. 92 vom Senat bestätigt. Sein Halbbruder Sokrates Chrestos gewann B. 91/90 mit pontischer Unterstützung. Die röm. Gesandtschaft unter M.' → Aquillius führte 90/89 Nikomedes IV. zurück und setzte zugleich seinen Halbbruder Pylaimenes in Paphlagonia ein [4. 173 ff.]. Die röm. Seite veranlaßte Nikomedes IV. erst zu einem Plünderungszug und 89 zur Invasion in Pontos, die im Tal des Amnias mit einer Katastrophe endete; Mithradates VI. eroberte B. im Herbst 89 [4. 176 ff.]. Nach dem Frieden von Dardanos Mitte 85 kehrte Nikomedes IV. zurück. Er starb im J. 74 [1. 179 ff.; 5]; B. wurde testamentarisch für den Fall, daß ein legitimer Nachfolger fehle, dem röm. Volk vermacht. Der Senat verwarf den Anspruch eines Prätendenten und zog das Reich ein.

1 W. LESCHHORN, Ant. Ären, 1993, 178 ff., 484 f.
2 K. STROBEL, Galatien und seine Grenzregionen, in: Forsch. in Galatien. Asia Minor Stud. 12, 1994, 29–65
3 Ders., Die Galater 1, 1996 4 Ders., Mithradates VI., in: Orbis Terrarum 2, 1996, 145–190 5 Ders., Mithradates VI., in: Ktema 18. Hommages Ed. Frézouls 2, 1997.

J. D. GAUGER, B., in: Kleines Wörterbuch des Hellenismus, 1988, 101–106 · F. GEYER, s. v. Nikomedes 3)–6), RE 17, 493–499 · C. HABICHT, s. v. Prusias, RE 23, 1086–1127 · Ders., s. v. Ziaelas/Zipoites, RE 10 A, 387–397, 448–460 · B. F. HARRIS, B., ANRW II 7.2, 1980, 857–901 · J. HOPP, Unt. zur Gesch. der letzten Attaliden, 1977 · JONES, Cities, 147 ff. · MAGIE, 302 ff. · E. MEYER, W. RUGE, s. v. B., RE 3, 507–524 · G. PERL, Zur Chronologie der Königreiche B., Pontos und Bosporus, in: Stud. zur Gesch. und Philos. des Alt., 1968, 299–330 · A. M. SCHNEIDER, s. v. B., RAC 2, 415–422 · S. ŞAHIN, Stud. über die Probleme der histor. Geogr. des nordwestl. Kleinasiens, in: EA 7, 1986, 125–166 · G. VITUCCI, Il regno di B., 1953.   K. ST.

Bithynia et Pontus

A. RÖMISCHE ZEIT   B. BYZANTINISCHE ZEIT

A. RÖMISCHE ZEIT

Röm. Doppelprovinz (seit Diokletian, 284–305, nur mehr Bithynia) mit der Hauptstadt → Nikomedeia. 74 v. Chr. Tod Nikomedes' IV. [2; 7]; M. Iunius Iuncus, *proconsul Asiae*, wird mit der Übernahme des Königreiches als röm. Prov. beauftragt, im Herbst 74 wird die Prov. Bithynia dem amtierenden *consul* M. → Aurelius Cotta übertragen und für Asia und B. ein vereinigter Zollbezirk (SEG 39, 1180 = AE 1989, 681 [1; 4]) eingerichtet [7]. Im Frühjahr 73 begann der 3. Mithradatische Krieg [2; 4; 7; 8]; Mithradates VI. besetzte B., wo ihn → Lucullus im Winter 73/72 zur Flucht nach Pontos zwang, von wo er 71 fliehen mußte. 72 wurde Amisos eingenommen, 70 Herakleia Pontike, Tios, Amastris und Sinope. Mithradates VI. kehrte im Herbst 68 zurück. 67 war die Senatskommission zur Einrichtung der Prov. Pontus erfolglos; diese wurde Anfang 66 Pompeius übertragen (*lex Manilia*), der Mithradates VI. zur Flucht zwang. Im Winter 65/64 teilte Pompeius das mithradat. Reich in Amisos; die Organisation der Prov. Pontus erfolgte aus den 11 städtischen Territorien von → Amastris [4], Sinope, Amisos, Pompeiopolis, Neapolis/Phazemon, Diospolis/Kabeira, Magnopolis/Eupatoria, Megalopolis, Zela sowie den seit 73 dem Mithradates VI. gehörenden Städten Herakleia und Tios und der Vereinigung mit Bithynia (Strab. 12,3,1 f.; 3,6; 3,9; [8]; etwas anders [3. 26 ff., 33 ff.], der Herakleia und Tios zu Pontus, aber nicht zu den 11 *politeíai* rechnet; Nikopolis gehörte zu Armenia Minor; die Gazelonitis fiel an → Deioraros I.). Im Winter 63/62 wurde die innere Ordnung durch die *lex Pompeia* für B. et P. geregelt [3. 42 ff.]: Einrichtung zweier Provinziallandtage für B. und P. (nach 40/30 Herakleia, Tios, Amastris, → Abonuteichos, Sinope, Amisos [3. 73 ff.]). Freie Stadtgemeinden: Amastris, Amisos (durch Caesar), Kalchedon, Prusias ad Mare. Wohl beim Verlust der Freiheit von Kyzikos (20–15 v. Chr.) fielen dessen Gebiete östl. des Rhyndakos einschließlich Daskyleion ad Mare und das byz. Trigl(e)ia (Strab. 12,8,11; 13,1,3; IK 32,47 ff.) an B.; der Rhyndakos wurde Grenze zu Asia (Plin. nat. 5,142).

46/45 wurden röm. *coloniae* in Apameia, Herakleia und Sinope gegr., 40/36 Prusias ad Mare, Herakleia, Amisos, Zela, Megalopolis von Antonius in dynastische Herrschaft gegeben, Pompeiopolis und Neapolis an das Königreich → Paphlagonia. Nach 31 wurde die Prov. wiederhergestellt: P. als Küstenregion von Herakleia bis Amisos, in B. 12 städtische Territorien (Plin. nat. 5,143), von Vespasianus Hinzufügung → Byzantion. 29 wurde der Kult der Roma und des Divus Iulius für röm. Bürger in Nikaia, der des Augustus für das bithynische Koinon in Nikomedeia eingerichtet (Cass. Dio 57,20,6 f.). Bald nach 25/24 kam der mittlere Sangarios-Bereich mit Iuliopolis bis zum Uludağ zu B. (Grenze zu Asia/Galatia nun auf dem Kamm der *Sündiken Dağları* bzw. am unteren Siberis), das Territorium von Krateia/Flaviopolis und die Timonitis wohl im J. 6/5 bei der Annexion von Paphlagonia [6].

B. et P. stand zeitweise unter kaiserlicher Verwaltung: 109–111 n. Chr. war → Plinius d. J. *legatus pro praetore consulari potestate*, 111–114/15(?) C. Iulius Cornutus Tertullus; 134/135 war C. Iulius Severus prätorischer Legat *ad corrigendum statum provinciae* (Cass. Dio 69,14,4). Unter Antoninus Pius besaß *B. et P.* den Status einer kaiserlichen Prov.; für 159 ist L. Hedius Rufus Lollianus Avitus, *cos. ord.* 144, als erster [3. 85 ff.], 269 Velleius Macrinus als letzter konsularischer Legat bezeugt. Zu Beginn der Regierung des Kaisers → Marcus Aurelius gehörten → Abonuteichos/Ionopolis, Sinope und Amisos als paphlagonischer Küstenbezirk zu Galatia (Ptol. 5,6,1–3 [3. 84 ff.]). Wohl 230?/235 kamen Amisos und

Sinope zur neuen Provinz Pontus (→ Cappadocia; [5. 158 f.; 8], anders [3. 88]). Tios, Amastris, Ionopolis und Krateia mit westl. Binnenpaphlagonien kommen zu der vor 305/06 errichteten Prov. Paphlagonia (Iust. Nov. 29 pr. 1; Laterculus Veronensis mit Zusatz der Teilung Paphlagonia/Honorias), Iuliopolis zur diokletianischen Prov. Galatia, 384/87 Prusias ad Hypium, Herakleia und Klaudiupolis zur neuen Prov. Honorias.

1 M. HEIL, Einige Bemerkungen zum Zollgesetz aus Ephesos, in: EA 17, 1991, 9–18 2 W. LESCHHORN, Ant. Ären, 1993, 178 ff. 3 C. MAREK, Stadt, Ära und Territorium in P.-B. und Nordgalatia, 1993 4 B. McGING, The Ephesian Customs Law and the Third Mithradatic War, in: ZPE 109, 1995, 283–288 5 MITCHELL 2, 151–163 6 K. STROBEL, Galatien und seine Grenzregionen, in: Forsch. in Galatien, Asia Minor Stud. 12, 1994, 29–65 7 Ders., Mithradates VI., in: Ktema 18. Hommages Ed. Frézouls 2, 1997 8 Ders., Die Galater. Unt. zur Gesch. und histor. Geogr. Kleinasiens 2, 1997.

C. BOSCH, Die kleinasiat. Mz. der röm. Kaiserzeit II 1, 1935 • C. G. BRANDIS, s. v. B., RE 3, 524–539 • T. R. S. BROUGHTON, Roman Asia Minor, in: T. FRANK, An Economic Survey of Ancient Rome 4, 1938, 499 ff. • B. F. HARRIS, B., ANRW II 7.2, 1980, 857–901 • JONES, Cities 147 ff. • MAGIE, 351 ff. • M. LEWIS, A History of Bithynia under Roman Rule 74 BC.–14 AD., Diss. Univ. of Minnesota 1973 • E. OLSHAUSEN, s. v. Pontos, RE Suppl. 15, 396–442 • A. PAPADAKIS, s. v. B., ODB 1, 1991, 292 • B. RÉMY, L'évolution administrative de l'Anatolie aux trois premiers siècles, 1986 • Ders., Les carrières sénatoriales dans les provinces romaines d'Anatolie au Haut-Empire, 1989, 17–96 (vgl. Rez. W. AMELING, in: Gnomon 67, 1995, 605 f.) • A. M. SCHNEIDER, s. v. B., RAC 2, 1954, 417–422 • G. R. STUMPF, Numismatische Stud. zur Chronologie der röm. Statthalter in Kleinasien, 1991 • W. WEISER, Röm. Städtemünzen aus B. et P., in: SNR 68, 1989, 47–73 • D. R. WILSON, The Historical Geography of B., Paphlagonia and Pontus, Diss. Oxford 1960.   K. ST.

B. BYZANTINISCHE ZEIT

Im byz. Reich keine administrative Einheit mehr, wurde die Region B. im 7. Jh. dem Thema Opsikion zugeschlagen, später zw. diesem und dem Thema Optimatoi aufgeteilt. Im 8. Jh. wurden Slaven aus dem Balkan angesiedelt. Als Kirchenprov., bestehend aus den Metropolien Nikomedeia, Nikaia und Chalkedon, verdankte B. seine Bed. den dort abgehaltenen drei ökumenischen Konzilien (I. Nicaenum 325, Chalkedon 451, II. Nicaenum 787) und den drei Mönchsbergen, Olympos, Auxentios und Kyminas.

R. JANIN, Les églises et les monastères des grands centres byzantins, 1975, 1–191.   G. MA.

Bithynicus. Röm. Cognomen in der Familie der Pomponii und bei M. → Insteius B. (cos. suff. 162 n. Chr.); sonst bei Sklaven und Freigelassenen (ThlL 2,2018 f.).
     K.-L. E.

Bitia. Von Ptol. 3,3,3 unter dem Namen Biqia erwähnte, im 7. Jh. v. Chr. gegründete phöniz. Niederlassung an der Südküste Sardiniens mit Akropolis und Hafen. Neben der am Meer gelegenen Nekropole mit Brandgräbern des 7./6. Jh. und Körpergräbern des 6.–2. Jh. v. Chr. Reste eines Heiligtums mit Tempel, vielleicht des Ešmun. Aus einem Votivdepot stammen viele Terrakotten eines von Ibiza und Karthago bekannten Typs.

DCPP, s. v. B., 73 f. · M. L. UBERTI, Le figurine fittili di Bithia, 1973.   H. G. N.

Bitias.

[1] B. und Pandarus, Gefährten des Aeneas, sind Söhne des Alcanor, die von Iaera erzogen wurden. Gegen das Gebot des Aeneas öffnen sie ein Tor des troianischen Lagers; beide werden in der Folge von Turnus getötet (Verg. Aen. 9,672ff; 722 ff.).

[2] Mann im Gefolge Didos (Verg. Aen. 1,738). Nach Serv. (Komm. zur Stelle), der sich auf Livius beruft, war er Kommandant der karthagischen Flotte.

PH. HARDIE, Virgil Aeneid Book IX, 1994, 213 f.   R. B.

Biton. Bei Athenaios (14,634) genannter Verf. einer kurzen Schrift über Katapulte und Belagerungsgeräte; die Schrift ist einem König Attalos gewidmet, wurde also zwischen etwa 230 v. Chr. (Annahme des Königstitels durch Attalos I.) und 133 v. Chr. (Tod Attalos' III.) verfaßt. Da B. ältere Typen von Katapulten, nicht aber das seit Ende des 4. Jh. v. Chr. sonst gut bezeugte Torsionskatapult erwähnt, gehört die Schrift wohl in die frühen Regierungsjahre von Attalos I. B. beschreibt zwei Katapulte, die Steine mit einem Gewicht von ca. 2 kg bzw. 18 kg zu schleudern vermochten, einen fahrbaren Belagerungsturm (*helépolis*), eine *sambýkē* (eine fahrbare, in der Höhe verstellbare Leiter) sowie zwei Bogenkatapulte. Die einzelnen Kapitel waren mit Zeichnungen versehen, die jedoch verloren sind, so daß der Text teilweise schwer verständlich ist. Alle Geräte und Katapulte werden einzelnen Mechanikern zugeschrieben, die aber mit Ausnahme von Zopyros aus Tarent (Iambl. v. P. 267) sonst in der ant. Lit. nicht genannt werden. Der Belagerungsturm, der für Alexander d. Gr. konstruiert worden sein soll, ist ein beeindruckendes Zeugnis für den Einsatz neuester Belagerungstechnik im maked. Heer. Technisch bemerkenswert ist im Kapitel über die *sambýkē* die Verwendung einer senkrechten Schraube, durch deren Drehung die Leiter so angehoben werden konnte, daß ihr der belagerten Stadt zugewandtes Ende die Höhe der Befestigungsmauer erreichte.

→ Katapult; Poliorketik

ED. UND ÜBERS.: **1** C. WESCHER, Poliorcétique des Grecs, 1867, 43–68 **2** E. W. MARSDEN, Greek and Roman Artillery-Technical Treatises, 1971, 61–103.

LIT.: O. LENDLE, Texte und Unt. zum technischen Bereich der ant. Poliorketik, 1983, 38 ff., 107 ff. · E. W. MARSDEN, Greek and Roman Artillery – Historical Development, 1969.   H. SCH.

Bitte und Dank s. Gebärden

Bitterklee. Ein im Alt. unbekanntes Enziangewächs (*Menanthes trifoliata L.*), das von den Kräuterbüchern des 16. und 17. Jh. irrtümlich als Bitter- oder Fieberklee (*Trifolium fibrinum*) bezeichnet wird. Es ist auf Sumpfwiesen weitverbreitet und wird heute wegen seiner Bitterstoffe u. a. als Fiber- und Wurmmittel gebraucht. In der Ant. bezeichnete μινυανθές bei Dioskurides 3,109 [1. 119f.] = 3,113 [2. 336f.] und Plin. nat. 21,54 (zum Kranzbinden verwendet) ebenso wie ἀσφάλτιον aber die Leguminose Harz- oder Asphaltklee (*Psoralea bituminosa L.*).

→ Kleearten

1 M. Wellmann (Hrsg.), Pedanii Dioscuridis de materia medica, Bd. 2, 1906, Ndr. 1958 **2** J. Berendes (Hrsg.), Des Pedanios Dioskurides Arzneimittellehre übers. und mit Erl. versehen, 1902, Ndr. 1970.   C. HÜ.

Bittersüß. Diese Pflanze, *Solanum dulcamara L.* (γλυκύπικρον, *dulcamara* oder *amaradulcis*), eine der wenigen in Europa heimischen Nachtschattengewächse, ist nach dem Geschmack ihrer roten, leicht giftigen Beeren so genannt. Es werden weniger die Beeren, die durch ihre Süß- und Bitterstoffe leicht narkotisch wirken, als vielmehr die Abkochungen der Zweige zum Schwitzen verwendet, bei Dioskurides 4,72 (1. 230f.) = 4,73 [2. 406f.] aber als στρύχνον ὑπνωτικόν (*strýchnon hypnotikón*) gegen Schmerzen.

→ Nachtschattengewächse

1 M. WELLMANN (Hrsg.), Pedanii Dioscuridis de materia medica, Bd. 2, 1906, Ndr. 1958 **2** J. BERENDES (Hrsg.), Des Pedanios Dioskurides Arzneimittellehre übers. und mit Erl. versehen, 1902, Ndr. 1970.   C. HÜ.

Bituitus. Kelt. Namenskompositum aus *bitu-* »Welt« [1.149]. König der Arverner, vom Konsul Q. → Fabius Maximus 121 v. Chr. im Mündungsgebiet der Isère in die Rhône besiegt, als er den → Allobroges zur Hilfe kam. B. wurde danach vom Senat nach Alba verbannt (Liv. per. 61; Eutr. 4,22; Flor. epit. 1,37; Oros. 5,14,1 u. a.; Fasti triumphales, CIL I² 634, p. 49 *Betulto*). Sein Sohn, Congonnetiacus (Contoniatus), kam zunächst als Geisel nach Rom und wurde später vielleicht als Klientelkönig eingesetzt (Diod. 34,36).

1 SCHMIDT.

HOLDER, I, 432–433 · E. KLEBS, s. v. B., RE 3, 546–548.
                                                    W. SP.

Bitumen s. Pech

Bituriges. Keltisches Volk, einst das bedeutendste in Gallien (Liv. 5,34); der Name bedeutet »ewige Herrscher«. Nachbarn der Haedui und Carnutes, von Caesar unterworfen (Caes. Gall. 7,12–28: Eroberung von Noviodunum und → Avaricum, Brandschatzung von mehr als 20 Städten). Man unterscheidet zw. den B. Cubi (Strab. 4,2,1; Plin. nat. 4,109; Ptol. 2,7,10; CIL XIII

1316–88; 1159–83; [1. 160–172]), siedelnd zw. Loire und Vienne, der Sologne und den Monts du Forez mit dem Hauptort Avaricum, bekannt für Metallbearbeitung (Caes. Gall. 7,22; Strab. 4,2,2; Plin. nat. 34,162), und den B. Vivisci um → Burdigala (Strab. 4,2,1; Ptol. 2,7,7; Plin. nat. 4,108; Auson. Mos. 438; CIL XIII 909–912; 11036; [1. 145]), deren Weine von Columella (3,2,19) und Plinius (nat. 14,27) erwähnt werden. Bei den B. Cubi sternförmige Straßen um Avaricum (fünf Meilensteine). Man hat Kenntnis von einer *cohors I (Aquitanorum) Biturigum* und einer *cohors II Biturigum* sowie von mehreren Soldaten biturig. Herkunft.

1 Inscriptions latines des trois Gaules, 1963.

E. DESJARDINS, Géographie historique et administrative de la Gaule romaine, 1878, 414ff., 426 · A. LONGNON, Géographie de la Gaule au VIᵉ siècle, 1887, 462ff. · F. DUMASY, in: D. SCHAAD, M. VIDAL (Hrsg.), Villes et agglomérations urbaines antiques du Sud-Ouest de la Gaule, 1992, 439–460 · F. JACQUES, Gallia, 1973, 297–312; 1974, 255–285.   E. FR.

Biviae (Bibiae) gehören mit den Triviae und Quadruviae zu den Göttinnen der Wegegabelungen und -kreuzungen. Daß sie als weibliche Gottheiten aufgefaßt wurden, wird aus bildlichen Darstellungen erhellt [1. Nr. 12, 31], die klass. gewandete Göttinnen zeigen. Den B. wurde immer gemeinsam mit den Triviae und Quadruviae geweiht, während die letzteren ohne B. und auch einzeln genannt werden konnten. Die Zeugnisse für die Quadruviae überwiegen. Die Göttinnen wurden den (männlichen) *Lares compitales* gleichgestellt [1. Nr. 15], sind aber trotz der lat. Namen nicht röm. Ob sie kelt. oder german. Vorstellungen entstammen, ist nicht geklärt. Die meisten Weihungen finden sich jedenfalls in den beiden Germanien, was der von HEICHELHEIM vorgeschlagenen illyr. Herkunft sicher widerspricht.

1 F. HEICHELHEIM, s. v. Quadruviae, RE 24, 714ff. (bes. Nr. 1–3, 6, 9f., 12, 14, 28–30) 2 H. ANKERSDORFER, Studien zur Religion des röm. Heeres von Augustus bis Diokletian, 1973, 164ff.   M. E.

Bizone (Βιζώνη). Antike Siedlung auf den zum Hochplateau der Dobruža führenden Terrassen, Čirakman an der westl. Schwarzmeerküste. Siedlungsspuren seit dem Äneolithikum; urspr. thrak. Siedlung, wohl kaum Apoikie von Mesambria (Ps.-Skymn. 758f.). Wohl schon im 4. Jh. v. Chr. *pólis*; für das angehende 2. Jh. v. Chr. ist die *chóra* inschr. bezeugt (Inscriptiones Scythiae Minoris 1,15,26f.). B. wurde 72/71 v. Chr. von Lucullus erobert (Eutr. 6,10); bald danach von Erdbeben vernichtet (Plin. nat. 4,44; Strab. 7,6,1), weshalb ihre *chóra* zw. Dionysopolis und Kallatis aufgeteilt wurde (IGBulg 5, 5011). Später neu errichtet (IGBulg 1, 6ff.; Arr. per. p. E. 4,3 f.); in frühbyz. Zeit befestigt, nach arch. Befund im 7. Jh. endgültig zerstört.

B. ISAAC, Greek Settlements, 259ff.   I. v. B.

Bizye (Βιζύη). Stadt an den SW-Hängen des Strandža, h. Vize/Türkei; Residenz der odrysisch-sapäischen Könige wohl seit dem 3. Jh. v. Chr., evtl. seit der Zerstörung von → Seuthopolis (Strab. 7 fr. 48). In traianischer Zeit als peregrine Stadt der Strategie Astike gegründet. Das Gebiet von B. umfaßte u. a. die Bergwerke um Malko Tarnovo und grenzte an das von → Deultum. FO von autonomen und kaiserzeitl. Mz.; oft in Verbindung mit Märtyrern erwähnt (Acta Sanctorum Febr. 1,40,41).

B. GEROV, Zemlevladenie, 1983, 31ff., 45.   I. v. B.

Blabes dike (βλάβης δίκη). Im griech. Recht eine Privatklage wegen Vermögensschädigung. Bei absichtlicher Schädigung hatte der Verurteilte den vom Kläger in der Klageschrift geschätzten Schaden doppelt zu ersetzen. Die *b. d.* dürfte urspr. auf Grund des Gesetzes nur bei Verletzung des Nachbarrechts zuständig gewesen sein. Erst die Rechtssprechung mag den engen Tatbestand auch auf andere Fälle der Vermögensschädigung ausgedehnt haben. In dieser Deliktsklage ist nach vorherrschender Meinung der Ursprung des griech. Vertragsrechts zu erblicken: Nicht bloße Vereinbarung schaffe eine Leistungspflicht des »Schuldners«, vielmehr habe der »Gläubiger« einen Deliktsanspruch wegen »Schädigung« durch abredewidriges Vorenthalten eines Vermögenswertes, das er vom Schuldner im voraus empfangen hat.

H. J. WOLFF, Grundlagen des griech. Vertragsrechts, in: ZRG 74, 1957, 50, 67.   G. T.

Black-on-Red-Ware. Moderner t. t. für eine phöniz. und zypriotische Keramikgattung mit schwarzer Bemalung auf rotem, meist poliertem Überzugsgrund. B. wurde zunächst auf Zypern definiert, wo sie am Ende der Periode Zypro-Geometrisch II (vor 850 v. Chr.) produziert wurde. Sie leitet sich aber von einem ostphöniz. Prototyp ab, der zur Unterscheidung als *Local Black-on-Red* bezeichnet wird. Die archetypische Form dieser Ware ist auf Zypern das kleine einhenkelige Kännchen mit Halsrippe, das als Ölfläschchen oder Votivkännchen diente und auf eine phöniz. Form zurückgeht. Lokal-zypriotische Formen wie der Amphoriskos, die Oinochoe und die Schale (→ Gefäßformen) kommen auch in dieser Ware vor. B. wurde im ganzen östl. Mittelmeerraum verhandelt, findet sich im Westen hingegen nur vereinzelt.
→ Bichrome Ware

F. DE CRÉE, The Black-on-Red or Cypro-Phoenician Ware, in: E. LIPIŃSKI (Hrsg.), Phoenicia and the Bible, 1991, 95–102 · E. GJERSTAD (Hrsg.), The Swedish Cyprus Expedition IV 2, 1948, 60–68.   R. D.

Blaesus. Häufiges Cognomen (»der Lispelnde«), z. B. in der Gens Gellia, Naevia, Iunia, Pedia, Sallustia, Sentia, Sempronia.

[1] Freund des Atedius Melior, wohl Senator; gest. vor
90 n. Chr. (Stat. 2,1,189 ff.). Der Zusammenhang mit P.
Sallustius Lucullus bleibt unsicher, vgl. [1. 12 f., 334 ff.].

1 SCHEID, Collège. W. E.

[2] Jurist, wohl mit → Labeo Schüler des Trebatius (vgl.
Dig. 33,2,31). Die Identifikation mit Q. Iunius B. (cos.
suff. 10 n. Chr.) ist fraglich. W. ED.

Blandus (Rubellius?, s. Tac. ann. 6,27). Nach Seneca
d. Ä., der ihn mehrfach zitiert (contr. 1,7,10; 1,7,13;
2,5,13 ff.; B. 7 passim; ausführlich: suas. 2,8) war B.
Ende des 1. Jh. v. Chr., wohl zwischen 15 und 9 v. Chr.,
der erste Rhet.-Lehrer in Rom aus dem Stand der *equites*
(contr. 2, pr. 5). Trotz asianischer Anklänge – er ahmte
eine Sentenz des Asianers Adaeus nach (contr. 10,4,20) –
wandte sich etwa Flavianus, der die Schule des Asianers
→ Arellius Fuscus verlassen hatte, an B., um sich dessen
mehr philos. Deklamationen zu widmen.

J. BRZOSKA, s. v. B. 2, RE 3, 557 f. · BARDON, 2,85 f. ·
J. FAIRWEATHER, Seneca the Elder, 1981, 92 f., 157, 209, 297.
G. C.

Blaute s. Sandalen

Blei. Metall von einer geringen Härte, einem hohen
spezifischen Gewicht (11,34) und einem niedrigen
Schmelzpunkt (327°C); das wichtigste in der Natur vor-
kommende B.-Erz ist der B.-Glanz (Galenit; PbS), der
in der Ant. wegen eines Silbergehaltes von bis zu 1% vor
allem für die Gewinnung von Silber größere wirtschaftliche Bed. besaß. So wurde etwa das Silber von → Laureion durch den Abbau und die Verhüttung von B.-
Glanz gewonnen. Wichtige Lagerstätten befanden sich
außer in Attika vor allem in Spanien, Sardinien und Britannien. In der Ant. hielt man B. und Zinn für zwei
Arten eines Metalls; lat. wurde B. als *plumbum nigrum*,
Zinn als *plumbum candidum* bezeichnet; aufgrund dieser
ungenauen Begrifflichkeit ist oft unklar, ob mit dem
Wort *plumbum* B. oder Zinn gemeint ist. Der B.-Glanz
wurde *galena* genannt. Plinius widmet dem B. längere
Ausführungen (nat. 34,156–178); in dem Abschnitt über
Silber wird auch auf die Gewinnung des Edelmetalls
durch Schmelzen von B.-Glanz eingegangen (nat.
33,95).

Während im klass. Griechenland der Abbau von B.-
Glanz vor allem die Gewinnung von Silber zum Ziel
hatte und B. im Wirtschaftsleben nur eine geringe Rolle
spielte (vgl. aber Aristot. oec. 1353a 15 ff. zum Antrag
des Pythokles), wurde das Metall in röm. Zeit ein für
viele Zwecke verwendeter Werkstoff. Die Produktion
von B. wird bei Plinius (nat. 34,159) kurz und wenig
klar beschrieben: Nach Plinius floß beim Schmelzen des
Erzes zunächst *stagnum*, dann *argentum* aus den Öfen; die
im Ofen zurückgebliebene *galena* wurde wiederum ge-
schmolzen und ergab bei einem Verlust von zwei Neun-
tel *nigrum plumbum*. Wahrscheinlich ist hier mit *stagnum*
Werk-B. (B. mit Verunreinigungen, u. a. Silber) und mit

argentum siberhaltiges B. gemeint; unter *galena* ist dann
Roh-B. zu verstehen, aus dem schließlich das reine B.
gewonnen wurde. In röm. Zeit wurden die teilweise
über 80 kg schweren Bleibarren hergestellt, indem man
das flüssige B. kontinuierlich in große Formen goß. Die
Barren, die in verschiedenen Prov. gefunden wurden
und die man oft über große Entfernungen transportiert
hat, weisen Inschr. auf, die eine Datierung und die Bestimmung der Herkunft des Metalls ermöglichen; so ist
deutlich geworden, daß die Bleigewinnung in Britannien unmittelbar nach der Eroberung durch Claudius
(43 n. Chr.) eingesetzt hat (vgl. Plin. nat. 34,164). Die
B.-Gruben befanden sich in der Prinzipatszeit in öffentlichem Besitz oder waren Eigentum des Princeps und
wurden durch Pächter betrieben. Als Preis für ein Pfund
(327 g) B. wird ein Betrag von 7 Denaren angegeben
(Plin. nat. 34,161).

Der Bedarf an B. war im Imperium Romanum außerordentlich hoch. Im Bauwesen wurde B. für die
Verklammerung von Quadersteinen verwendet; für einen Bau wie die Porta Nigra in Trier sollen etwa 7 t B.
gebraucht worden sein. Im Schiffbau diente B. als Material für die Verkleidung des Rumpfes; auf diese Weise
sollten die Holzplanken vor Schädlingen geschützt werden, eine Technik, die bereits im Hellenismus bekannt
war (Athen. 207b). Von eminenter Bed. war B. für die
Wasserversorgung, denn Rohrleitungen wurden in
röm. Zeit vornehmlich aus B.-Blechen hergestellt. Die
großen Wasserleitungen waren zwar gemauerte Frei-
spiegelkanäle, aber das innerstädtische Verteilungsnetz
bestand wie etwa in Pompeji vornehmlich aus B.-Roh-
ren; außerdem wurden für Druckleitungen, die tiefere
Täler überquerten, B.-Rohre verwendet, wobei bis zu
zwölf Rohre parallel geführt wurden (Plin. nat. 31,57).
Für derartige Druckleitungsstrecken wurden im Fall der
Wasserleitungen von Lugdunum (Lyon) nach neueren
Schätzungen insgesamt etwa 35000–40000 Tonnen B.
benötigt. Im Alltagsleben fand B. ferner Verwendung als
Beschreibstoff (B.-Tafeln) oder als Material für *tesserae*,
die Berechtigungsmarken etwa für die Getreidevertei-
lung. In Britannien finden sich zahlreiche Gefäße aus
einer Zinn-B.-Legierung. In der Medizin wurde B.
vielfach eingesetzt; so diente es nach Plinius zur Therapie etwa von Geschwüren; durch Auflegen von B.-
Plättchen auf Lenden und Nieren versuchte man nächtliche Pollutionen zu unterbinden.

Vitruv. 8,6,11 hat (ebenso wie später Plin. nat.
34,167) die bei dem Schmelzen und Gießen von B. entstehenden Dämpfe für gesundheitsschädlich gehalten.
Die ältere These, daß aufgrund der Verwendung von
B.-Rohren die röm. Bevölkerung in hohem Ausmaß
unter → B.-Vergiftungen gelitten habe, ist wenig stich-
haltig und wird heute allg. abgelehnt.

1 BLÜMNER, Techn. 4, 88–91 2 BRUUN, 116–139
3 O. DAVIES, Roman Mines in Europe, 1935 4 DEMANDT,
365 f. 5 J. F. HEALY, Mining and Metallurgy in the Greek
and Roman World, 1978 6 HODGE, 307–315 7 A. T.
HODGE, Vitruvius, Lead Pipes and Lead Poisoning, in: AJA

85, 1981, 486–491 **8** Projektgruppe Plinius (Hrsg.), Plinius der Ältere über Blei und Zinn, 1989 **9** J. RIEDERER, B. und Chemie, 1987, 131–138 **10** G. C. WHITTICK, The Casting Techniques of Romano-British Lead Ingots, in: JRS 51, 1961, 105–111.   H. SCH.

Bleitafeln s. Defixio

Bleivergiftung. Aus Skelettanalysen geht zwar hervor, daß Blei in klass. Zeit eine größere Rolle spielte als in prähistor. Zeit, doch sind die gemessenen Werte geringer, als man angesichts der erheblichen Produktionssteigerung von Blei zwischen 600 v. Chr. und 500 n. Chr. sowie der Verwendung von Blei zur Herstellung von Haushaltsgegenständen und Wasserrohren annehmen mochte [1; 2; 3]. Da die B. symptomatologisch viele andere Krankheiten nachahmt, finden sich kaum Beschreibungen, die sich eindeutig auf die B. beziehen lassen. Die früheste Schilderung, die den Verdacht auf eine B. nahelegt, stammt aus dem 2. Jh. v. Chr. von Nicander (Alexipharmaka 1, 600). Auf eine weite Verbreitung dieses Leidens läßt lediglich Paulos von Aegina (3,43; ca. 620 n. Chr.) schließen.

Sämtliche Minen galten wegen ihrer schädlichen Dämpfe als lebensgefährlich, doch lag die eigentliche Gefahr nicht im Bergbau an sich, sondern in der Verhüttung. Vitruv (8,3) warnte vor dem Genuß von Wasser aus dem Umkreis eines Bleibergwerks und verurteilte die Verwendung von Blei bei der Herstellung von Wasserleitungen (8,6,10–11), eine Ächtung, die Augustus zwar unterstützte, jedoch kaum durchzusetzen verstand. Es ist allerdings wenig wahrscheinlich, daß offene Wasserläufe – Wasserleitungen gab es selten – bleiverseucht gewesen sein sollen. Auch dürften Ablagerungen, etwa von Kalk, die von Bleirohren ausgehende Gefahr gemindert haben.

Wesentlich gesundheitsschädlicher mag das Aufkochen von Fruchtsaft in bleibeschichteten Töpfen zur Zubereitung von *sapa* gewesen sein. Diese Zubereitungsart wurde in vielen Kochbüchern bzw. Schriften über das Leben auf dem Lande zur Geschmacksverbesserung empfohlen. Moderne Messungen an *sapa*, die nach Columellas Rezept zubereitet worden war, ergaben einen Bleigehalt von 800 mg/l, womit dieser Wert den heutzutage für Trinkwasser zulässigen Höchstwert um das 16000fache übersteigt. Auch wenn Verbrauchern der Oberschicht eine Vergiftung durch *sapa* verstärkt drohte, sind doch Behauptungen, die B. sei eine plausible Erklärung für das Verhalten mancher Kaiser sowie für den Bevölkerungsrückgang im Röm. Reich, maßlos übertrieben.

1 H. A. WALDRON, C. WELLS, Exposure to Lead in Ancient Populations, in: Transactions and Studies of the College of Physicians of Philadelphia, 1979, 102–115 **2** K. F. KIPLE, The Cambridge World History of Human Disease, 1993, 820–827 **3** J. NRIAGU, Lead and lead poisoning in Antiquity, 1983.   V. N./L. v. R.-B.

Blem(m)yes (ägypt. *brhm*, kopt. *belehmue* [*Balnemowi*]). Unternubisches Nomadenvolk, dessen Identifizierung mit Bevölkerungsgruppen der pharaon. Zeit bislang nicht gelungen ist. Vermutet wurde ein Zusammenhang mit den heutigen Bedja [1; 2]. Ihre erste Erwähnung findet sich bei Theokrit (7,114). Nach Strab. 17,1,2 bewohnten sie das rechte Nilufer, die Nubai das linke. Strab. 17,1,53 teilt mit, daß sie weder zahlreich noch kriegerisch waren, obwohl sonst oft von räuberischen Einfällen in Ägypten und plündernden Streifzügen durch die Wüste berichtet wird. Kriegerische Auseinandersetzungen erfolgten unter → Decius und → Probus. Diocletian trat ihnen 296 die → Dodekaschoinos ab und erlaubte ihnen die Beteiligung am Isiskult auf → Philae.

Seit Anfang des 4. Jh. unternahmen sie häufige Überfälle auf → Syene, 431 auch auf die Oase el-Chargeh. 451/2 gelang eine längere Befriedung unter Marcian. Noch in der 2. H. des 6. Jh. waren die B. Heiden.

1 L. STERN, in: ZÄS 19, 1881 **2** R. HERZOG, in: Paideuma 13, 1967, 55.

M. KRAUSE, s. v. B., LÄ 1, 827f.   R. GR.

Blera, Bieda. Etr. Stadt nahe Tarquinii auf Tuffsteinhügeln zw. dem Ricanale (Norden) und dem Biedano (Süden), h. Blera (im MA Bieda; Prov. Viterbo). Röm. *Municipium* der *tribus Arnensis, Augustales* (CIL XI p. 507). Station an der Via Clodia mit den Brücken della Rocca und del Diavolo. Tumulus-Nekropole und Hügelgräber ab dem 7. Jh. v. Chr.

Å. ÅKERSTRÖM, Studien 1934, 76–84 · Ders., NSA 1969, 51–71 · S. QUILICI GIGLI, B., 1976.   G. U.

Blütezeit im 6. und 5. Jh. v. Chr. Das ant. Bieda ist auf schmalem, an den Rändern steil abfallendem Hochplateau gelegen, dessen einziger Zugang durch Graben und Mauer befestigt war. Hier sind wenige ant. Reste (Drainagekanäle und → Brunnen) sichtbar. In die Felswände gegenüber der Stadt wurden seit archa. Zeit Gräber eingehauen. Neben fassadenlosen Felsgräbern begegnen archa. Würfel- oder Halbwürfelgräber; anders als in hell. Nekropolen von Norchia und → Castel d'Asso liegt die Grabkammer im Würfel selbst. Ferner verschiedene einzeln gelegene Tumuli; auf den Würfeln oder Tumuli findet sich oft ein Kultplatz.

H. KOCH u. a., Bieda, in: MDAI(R) 30, 1915, 161–310 · S. QUILICI GIGLI, Blera. Topografia antica della città e del territorio, 1976.   M. M.

Blitz, Blitzschau s. Abaton; Bidental; Fulgurales libri

Blossius. Ital.-osk. Gentilname (SCHULZE 423; ThlL 2,2054f.). Cicero erwähnt eine angesehene Familie B. aus Campanien (leg. agr. 2,93), deren Angehörige in Capua 216 und 210 v. Chr. als Gegner Roms bezeugt sind (Liv. 23,7,8f.; 27,3,4f.).
[1] s. Dracontius.   K.-L. E.

[2] von Cumae. Eine italische polit. Figur (gest. 128 v. Chr.), von Plutarch als Philosoph bezeichnet, da der Stoiker Antipatros [10] von Tarsos sein Freund war und ihm während seiner Zeit in Rom Bücher widmete. Da er auch ein Freund des Ti. Gracchus war, wurde er (zusammen mit vielen anderen) verdächtigt, dessen Politik anzuregen. Nach dem Sturz des Ti. Gracchus wurde B. vor Gericht gestellt und trotz seiner offen gezeigten Loyalität gegenüber Tiberius freigesprochen (132 v. Chr.). Er schloß sich dann der Rebellion des → Aristonikos [4] in Kleinasien an und beging, als sie scheiterte, Selbstmord (Plut. Ti. Gracchus 8; 17; 20; Cic. Lael. 37; Val. Max. 4,7,1).

→ Tiberius Gracchus; Aristonikos [4]; Antipatros [10] von Tarsos B. I. / M. MO.

Blukion (Βλούκιον, *Blucium*). Residenzburg Deiotaros' I. (Strab. 12,5,2; Cic. Deiot. 17). Arch. Funde: Nekropole, Siedlungen bei Karalar [1; 2].

1 R. O. ARIK, Karalar Hafriyatı, in: TTAD 2, 1934, 103–167 2 T. SAATÇI, in: Anadolu Medeniyetleri Müzesi 1986 Yıllığı, 30–33; 1987 Yıllığı, 19–22.

S. MITCHELL, Blucium and Peium, in: AS 24, 1974, 61–75 · K. STROBEL, Die Galater, 2, 1997. K. ST.

Blutrache

A. GRIECHISCHES RECHT

Nach den ältesten Vorstellungen der Griechen hatten die Verwandten eines Erschlagenen die religiöse Pflicht, diesen durch das Blut des Täters zu rächen. Mit dem Erstarken der Polis, in Athen jedenfalls seit → Drakon (7.Jh. v. Chr.), waren die Verwandten auf die gerichtliche Verfolgung des Täters durch eine δίκη φόνου (*díkē phónou*: Blutklage) beschränkt. Diese blieb auch in klass. Zeit Privatklage. Noch zur Zeit Drakons war die B. durch Geldbuße (ποινή, *poinē*: Wergeld) ablösbar, wenn die Rächer einen Sühnepakt (*aídesis*) mit dem Täter schlossen. Wergeld und Sühnepakt wichen bei vorsätzlichem Mord in klass. Zeit der staatlichen Todesstrafe.

G. THÜR, Die Todesstrafe im Blutprozeß Athens, in: The Journal of Juristic Papyrology 20, 1990, 143 ff. G. T.

B. RÖMISCHES RECHT

Die Überwindung der B. in Rom dürfte weitgehend dem griech. Muster entsprechen: In den XII Tafeln (5. Jh. v. Chr.) sind sowohl die private Rache als auch die Geldbuße (das griech. Lehnwort *poena*) greifbar. Die Rache ist gleichsam kanalisiert: Einigen sich Täter und Opfer auf eine freiwillige Buße, findet entweder das Talion (→ *talio*), also eine Milderung der Rache, statt, oder der Staat zwingt das Opfer, die angebotene Buße entgegenzunehmen. Nur ausnahmsweise darf das Opfer (oder seine Familie) auf den Täter selbst zugreifen (→ *manus iniectio*). Bei schweren Verbrechen wird der Täter in einem privaten Strafverfahren nach Einschaltung von Geschworenen verfolgt (so überzeugend [1]).

Nach fahrlässiger Tötung hat der Täter den Hinterbliebenen in einer Versammlung feierlich einen Schafbock zur Sühne anstelle der B. zu überreichen.

1 W. KUNKEL, Unt. zur Entwicklung des röm. Kriminalverfahrens in vorsullanischer Zeit, 1961, 39 ff., 97 ff. G. S.

Boagrios (Βοάγριος). Fluß in der östl. Lokris (auch Manes genannt), zeitweise ein reißender Sturzbach, mündet bei Thronion ins Meer (Strab. 9,4,4; Plin. nat. 4,27; Ptol. 3,15,10–11; vgl. Hom. Il. 2,533; Lykophr. Alex. 1146). Das Erdbeben von 426 v. Chr. veränderte seinen Lauf erheblich (Strab. 1,3,20).

J. M. FOSSEY, The Ancient Topography of Opountian Lokris, 1990, 167–179. G. D. R.

Bocchus

[1] B. I., mauretanischer König ca. 110–181 v. Chr.; im Iugurthinischen Krieg zunächst Bemühung um *foedus* und *amicitia* mit Rom, dann Bündnis mit seinem Schwiegervater → Iugurtha (Sall. Iug. 80,3–6). Nach Übernahme des Kommandos gegen Iugurtha 107 nahm → Marius Kontakt mit B. auf, der gleichzeitig mit Iugurtha verhandelte; B. verriet diesen 105 (Sall. Iug. 105,1–108,2; 112,1–113,7) [1. 178], rechtfertigte seine Parteinahme (Sall. Iug. 102,1–15), blieb fortan σύμμαχος (*sýmmachos*) Roms (Plut. Marius 32,4) und erhielt Westnumidien bis zum Fluß Mulucha [2. 60–63, 67]. Vor 81 v. Chr. von seinem Sohn Bogudes [1] als Nachfolger abgelöst [2. 67; 3. 267].

→ Mauretania; Numidia; Africa

1 H. BENGTSON, Grundriß der röm Gesch., ²1982 2 M.-R. ALFÖLDI, Die Gesch. des numidischen Königreiches und seiner Nachfolger, in: H. G. HORN, C. B. RÜGER (Hrsg.), Die Numider, 1979, 43–74 3 S. GSELL, Histoire ancienne de l'Afrique du Nord VII, 1928 (Ndr. 1972). B. M.

[2] B. II., König in Mauretanien ca. 50–33 v. Chr. Mit Bogudes [3] und P. Sittius unterstützte er Caesar, griff 47 Iuba und die Pompeianer an. Er vergrößerte sein Territorium nach Iubas Selbstmord [1. 68] und nochmals 38, nachdem Bogudes nach Caesars Tod für M. → Antonius [I 9] Partei genommen hatte und die Tingitaner gegen ihn rebellierten (Cass. Dio 48,45,1–3), und vermachte die Herrschaft nach dem Tod 33 v. Chr. wahrscheinlich Octavianus (→ Augustus) (Cass. Dio 49,43,7) [1. 69].

→ Africa; Pompeius

1 M.-R. ALFÖLDI, Die Gesch. des numidischen Königreiches und seiner Nachfolger, in: H. G. HORN, C. B. RÜGER (Hrsg.), Die Numider, 1979, 43–74. B. M.

Bockshornklee. Es handelt sich bei *Trigonella foenumgraecum L.* (βούκερας, αἰγόκερας, τῆλις) um eine einjährige, herb duftende und sowohl offizinell als auch als Viehfutter genutzte Kulturrasse nicht der mittelmeerischen *Trigonella gladiata*, sondern der mesopotamischen Unterart *Tr. Haussknechtii*. Der B. wurde im alten Babylonien und Ägypten kultiviert (ägypt. *šbt*, arab. *ḥulba*), und von dort exportiert, wie Samenfunde von ca. 3000 v. Chr. bei Kairo bezeugen. Dioskurides 2,102 ([1. 176 f.] = 2,124 [2. 206 f.]) empfiehlt das aus Samen gewonnene Mehl als erweichend und reinigend sowie dessen Abkochung gegen Frauenleiden. Plin. nat. 24,184–188 bietet für die *silicia* zahlreiche ähnliche Rezepturen, z. T. unter Berufung auf Diokles von Karystos. B. wurde auch im MA viel verwendet.

1 M. WELLMANN (Hrsg.), Pedanii Dioscuridis de materia medica 1, 1908, Ndr. 1958 2 J. BERENDES (Hrsg.), Des Pedanios Dioskurides Arzneimittellehre übers. und mit Erl. versehen, 1902, Ndr. 1970. C. HÜ.

Bodenschätze

I. GEOGRAPHIE
II. WIRTSCHAFT UND POLITIK

I. GEOGRAPHIE

Die Festländer und Inseln des Mittelmeerraumes sind im Vergleich zu Gesamteuropa und zu anderen Kontinenten arm an wertvollen B.; außerdem sind die Lagerstätten von Edelmetallen oder von Marmor auf wenige Regionen begrenzt. Viele Lagerstätten sind schon während der Ant. und im Mittelalter ausgebeutet worden, vor allem dort, wo sie nahe der Küsten leicht erreichbar waren. So kam es schon in der Bronzezeit zu den Fahrten der Phönizier, um Zinnerz aus Iberien zu beschaffen; die Griechen brachten dieses für die ant. Zivilisation so wichtige Erz von Cornwall über Gallien nach Massilia.

Die Verbreitung der B. ist durch die geologische Entwicklung der Räume, die Art der Gesteinsbildung und die Vorgänge der Erzanreicherung zu erklären. Im Bereich der Sedimente des Miozän- und Pliozänmeeres wurden seit jeher Kalk- und Sandsteine, Tone, Gips (Alabaster) und Schwefel, in Vulkangebieten Tuffe, Basalt und Obsidian, in Karstgebieten Kalktuffe und Kalksinter (Travertin) gewonnen. Ältere Gesteine wurden im Tertiär oder in früheren Phasen der Gebirgsbildung umgelagert oder auch völlig umgeformt (Metamorphose). Kalkstein wurde in größeren Tiefen unter hohem Druck und hohen Temperaturen verfestigt und zu kristallinem Marmor umgestaltet, z. B. derjenige von Carrara im Hinterland der apenninischen Faltungsfront, die Marmore vom Pentelikon, die der Kykladeninseln Paros und Naxos, der westl. Türkei, der Alpen (Kärnten) und der Marmor von Chemtou (Tunesien). Mehrfach übereinandergeschoben wurde der Bändermarmor von Thasos vor der thrak. Küste. Die Kettengebirgsgürtel mit aufgefalteten und/oder herausgehobenen marinen Sedimenten des Tertiärs, der Jura- und Kreidezeit, enthalten meist nur dort Erze, wo ältere Massen in der Tiefe in die Gebirgsbildung einbezogen wurden. Beispiele sind die Eisenerze des Iberischen Randgebirges der Sierra del Moncayo (Mons Caius), die Eisen- und Kupfererze der Zentralzone der Ostalpen (Hütten-

berg, Mitterberg), das Tauerngold und die Erze der Atlasketten. In Gängen und Klüften konnten heiße Wasser aufdringen und dort die gelösten Minerale als Erze hinterlassen (hydrothermale Lagerstätten). Die wertvollsten Bodenschätze (Metallerze von Kupfer, Zinn, Gold, Silber, Blei und Zink) befinden sich im tektonisch bes. gestörten Randbereich von Gebirgskörpern, die zu den alten Massen gerechnet werden. Dazu gehören Granitmassive, z. B. in Nordwestspanien, Nordportugal, Marokko (Oulmés) und Sardinien mit Zinnerz, und metamorphe Gesteine des Paläozoikums, wie in der Sierra Morena Südwestspaniens und in Südportugal, wo Kupfer, Blei, Zink und Silber an Pyrite gebunden sind. Im Osten des Gebirges liegen die Quecksilbererze (Zinnober) von Almaden (Sisapo). Verschiedene Erze kommen oft dicht benachbart vor, so auch Blei und Zink im Iglesiente Südwestsardiniens, Kupfer- und Eisenerze neben Granit auf Elba und im Toskanischen Erzgebirge. Das Erzbergland von → Laureion hat silberhaltige Bleierze, Zink- und Eisenerze. Auch die einst bedeutenden Blei-Silber-Erze der Kykladeninsel Siphnos sind auf Gängen im Kalkstein mit Eisenerzen verbunden.

Lagerstätten wertvoller Erze liegen im Bereich schmaler Zonen, die sich an den Rändern alter Festländer hinziehen und auf ehemalige Meeresräume, hier des Tethys-Ozeans, zurückzuführen sind. Sie enthalten vorwiegend ultrabasische Gesteine (z. B. Serpentine, Gabbro, Peridotit), die als Teile der ozeanischen Kruste gelten. Bei der Wanderung der Kontinente und einzelner Platten wurden deren Ränder von Krustenmaterial bedeckt (Obduktion), während sonst die ozeanische Kruste unter die Kontinente abgetaucht ist (Subduktion). Zu einer Serpentin- oder Ophiolitzone gehört das Eisen- und Kupfer-Bergbaugebiet der Toskana, eine weitere durchzieht das zentrale Albanien mit Chromnickel-, Kupfer- und Eisenerzen. Wir finden sie im weiteren Verlauf auch auf der Chalkidike-Halbinsel (Chrom, Magnesit, Blei, Zink, Kupfer, Gold). Ophiolitzonen umziehen das Anatolische Massiv (Chromit, Blei, Silber, Kupfer, Gold, Eisen) und schließen im Süden Zypern ein. Das Troodos-Massiv mit seinem ultrabasischen Kern lieferte seit 3000 v. Chr. reiche Kupfererze, auch Gold und Eisen. In der Ophiolitzone Ägyptens zwischen Nil und Rotem Meer wurde Goldbergbau betrieben, dazu kommen Kupfer-, Blei- und Zinnerze. Kupfer lieferte auch der Semail-Ophiolit des Omangebirges. Im Mittelmeerraum konnte seit Beginn der Metallzeit Kupfer gewonnen werden, dann Gold, Silber, Blei und Eisen. Das für die Bronzeherstellung notwendige Zinnerz mußte vorwiegend importiert werden, in frühen Zeiten wohl auch aus dem Erzgebirge. Das kleine Vorkommen nahe etr. Kupferschmelzhütten bei Campiglia marittima könnte ebenso genutzt worden sein wie einige von Sardinien. Hethiter konnten wohl in Anatolien etwas Zinn gewinnen (Bereich von Eskisehir), oder sie importierten es aus Afghanistan, wo Zinnerze von Qandahar und südl. Harat bekannt sind. Sie gelangten auf Handelswegen vermutlich bis an

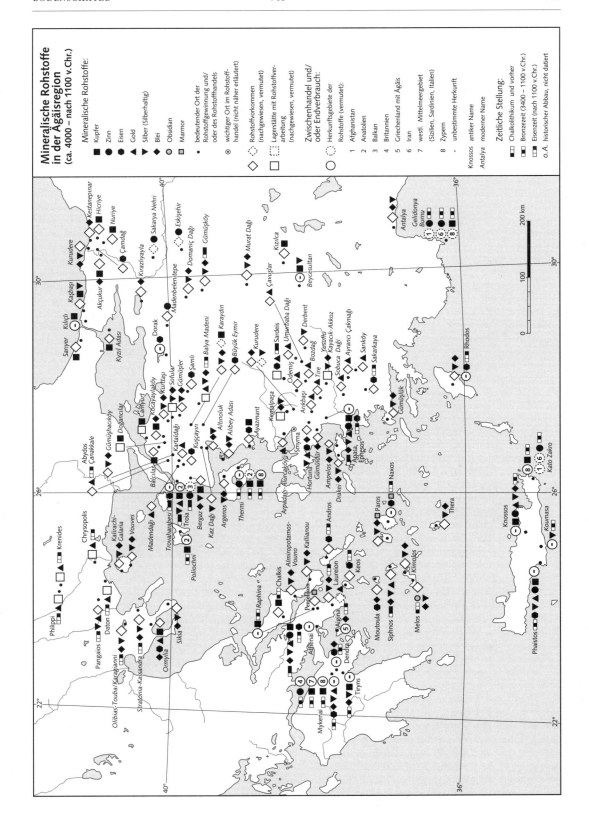

Mineralische Rohstoffe in der Ägäisregion
(ca. 4000 – nach 1100 v.Chr.)

Mineralische Rohstoffe:

■	Kupfer
●	Zinn
⬢	Eisen
▲	Gold
▼	Silber (Silberhaltig)
◆	Blei
○	Obsidian
◻	Marmor

- • bedeutender Ort der Rohstoffgewinnung und/ oder des Rohstoffhandels
- ⊙ wichtiger Ort im Rohstoffhandel (nicht näher erläutert)
- ◌ Rohstoffvorkommen (nachgewiesen, vermutet)
- ◻⃝ Lagerstätte mit Rohstoffverarbeitung (nachgewiesen, vermutet)
- ◇ ◻ Rohstoffvorkommen / Lagerstätte

Zwischenhandel und/ oder Endverbrauch:

- ◯ Herkunftsgebiete der Rohstoffe (vermutet):
  1 Afghanistan
  2 Anatolien
  3 Balkan
  4 Britannien
  5 Iran
  6 westl. Mittelmeergebiet (Sizilien, Sardinien, Italien)
  7 Griechenland mit Ägäis
  8 Zypern
  - unbestimmte Herkunft

Knossos antiker Name
Antalya moderner Name

Zeitliche Stellung:

- ■ Chalkolithikum und vorher
- ◼ Bronzezeit (3400 – 1100 v.Chr.)
- ◻ Eisenzeit (nach 1100 v.Chr.)
- o.A. historischer Abbau, nicht datiert

die Levanteküste, nach Kreta und Ägypten. Die Zinn-vorkommen Europas sind an spätvariskische Granite gebunden und liegen vor allem in Galizien, in der westl. Bretagne und in Cornwall. In der Kontaktzone wurde Zinnstein (Kassiterit = Zinnoxid) in Quarzgängen pneumatolytisch-hydrothermal gebildet. Es wurden vorwiegend Seifenlagerstätten genutzt, so auf den »Kassiteriden«, den Zinninseln der ant. Berichte, vermutlich die in den Rias von Arosa, Pontevedra und Vigo, und ebenso an den Küsten der Bretagne und von Cornwall. Die drei Zinngebiete Europas bildeten wohl einen zusammenhängenden Komplex, dessen Teile durch das Auseinanderdriften der Platten und eine Drehung der Iberischen Masse nach links in die heutige Lage geraten sind.

1 E. Bederke, H. G. Wunderlich, Atlas zur Geologie, 1968
2 C. De Palma, Le vie dei metalli. Le rotte commerciali nel Mediteraneo antico, L'Universo 65, 1985, 578–593
3 A. Dworakowska, Quarries in Ancient Greece, 1975
4 Ders., Quarries in Roman Provinces, 1983 5 J. Healy, Mining and metallurgy in the Greek and Roman World, 1978 6 R. D. Penhallurick, Tin in Antiquity: its mining and trade throughout the ancient world with particular reference to Cornwall, 1986 7 S. Schöler, Mineralische Rohstoffe in vorgesch. und gesch. Zeit. TAVO A II 2, 1990 8 R. Shepherd, Prehistoric mining and allied industries, 1980 9 R. F. Tylecote, The early history of metallurgy in Europe, 1987 10 Vittinghoff.   F. TI.

II. Wirtschaft und Politik

Der Zugang zu den wichtigsten Bodenschätzen, die Ausbeutung der relativ wenigen Lagerstätten von Gold-, Silber-, Kupfer-, Zinn- und Eisenerzen hatte einen entscheidenden Einfluß auf die polit. und wirtschaftlichen Entwicklungen in der Ant.; bereits ant. Autoren haben gesehen, welche Relevanz die Verfügung über Edelmetallressourcen für den Gewinn und die Festigung polit. Macht besaß, und Städte sowie Herrscher waren bestrebt, die Kontrolle über Bergwerksdistrikte zu erlangen und den Erzabbau zu organisieren. Seit dem Aufstieg der Geldwirtschaft in den Zentren der ant. Welt war die Förderung von Gold- und Silbererzen zudem zu einer grundlegenden Voraussetzung der Münzprägung geworden und bestimmte damit in einem gewissen Umfang die Finanzkraft einer Polis oder eines Herrschers.

Bereits Herodot hat den Reichtum einzelner Inseln wie Siphnos und Thasos (Hdt. 3,57; 6,46f.) mit dem Gold- und Silberbergbau erklärt und hervorgehoben, daß die Finanzierung des athenischen Flottenbaus nur mit Hilfe der Erträge der Bergwerke von Laureion möglich war (Hdt. 7,144; vgl. Aischyl. Pers. 238). Die polit. Stellung Athens im 5.Jh. v. Chr. und die Dominanz der att. Silberwährung in der griech. Welt sind ohne Zweifel auch auf die Silbergewinnung im Bergwerksdistrikt von Laureion zurückzuführen. Die herausragende Rolle des Silberbergbaus für die polit. und soziale Struktur Athens kommt auch in den *Póroi* Xenophons zum Ausdruck; Kern der Vorschläge, die Xe-

nophon für eine Lösung der sozialen Probleme Athens im 4.Jh. v. Chr. unterbreitet, ist eine Intensivierung des Silberbergbaus und die dafür erforderliche Stellung von unfreien Arbeitskräften durch die Polis selbst. Im Zuge der maked. Expansion im Nordägäisraum konnte Philipp II. die Goldbergwerke des Pangaiongebirges in Thrakien seinem Machtbereich eingliedern und zugleich durch Verbesserungsmaßnahmen die Erträge der Minen erheblich steigern; sie sollen sich auf 1000 Talente im Jahr belaufen und in hohem Umfang zur Finanzierung der offensiven Politik des Königs beigetragen haben (Diod. 16,8,6–7).

Auch die Römer haben nach der Eroberung und Annexion von Gebieten mit Edelmetallvorkommen den Abbau der Erze oder von Alluvialgold schnell organisiert. So hat M. Porcius Cato in Spanien bereits 195 v. Chr. die Verwaltung der Eisen- und Silberbergwerke geregelt und hohe Abgaben festgesetzt (Liv. 34,21,7); der Abbau der Goldlagerstätten in Nordwestspanien setzte ebenfalls unmittelbar nach der Eroberung dieser Region unter Augustus ein, und in der Prinzipatszeit begann die Ausbeutung der Bleivorkommen in Britannien noch unter Claudius. Wie der Anstieg der im Umlauf befindlichen Menge an Silbergeld von 35 Mio. Denaren in der Mitte des 2.Jh. v. Chr. auf über 400 Mio. Denare in der Mitte des 1.Jh. v. Chr. zeigt, war die Entwicklung der röm. Geldwirtschaft in hohem Maße von der Ausbeutung der spanischen Silbervorkommen abhängig. Ohne Zweifel gehörten Metalle zu den wichtigen Handelsgütern, und Handelsbeziehungen wie die zwischen Griechenland und Etrurien sind auch mit dem Bestreben der Griechen, hochwertiges Eisen zu erhalten, zu erklären.

Marmor, der in der archa. Zeit, aber auch in der Prinzipatszeit ein gesuchtes Material für Skulpturen war, und in der griech. sowie röm. Architektur als Stein für die Errichtung repräsentativer Bauten bevorzugt wurde, findet sich ebenfalls nur in relativ wenigen Gebieten. Athen stand der Marmor des → Pentelikon für die Prestigebauten des 5.Jh. zur Verfügung, und für den Ausbau Roms unter Augustus wurde in großem Umfang Carrara-Marmor verwendet. Insgesamt gilt, daß Marmor seit dem 6.Jh. v. Chr. über große Entfernungen zu den Baustellen oder aber zu den Plätzen, an denen Skulpturen aufgestellt werden sollten, transportiert werden mußte.

In der historiographischen und geogr. Lit. wurde seit dem 2.Jh. v. Chr. den B. und insbes. dem Abbau von Edelmetallen große Beachtung zuteil. Schon Polybios beschrieb die für die Römer sehr lukrative Gewinnung von Silber bei Carthago Nova (Strab. 3,2,10), und Poseidonios hat in den landeskundlichen Exkursen diesem Themenbereich längere Ausführungen gewidmet; bei Diodoros, Strabon und Plinius findet dieses Interesse an den B. einen deutlichen Niederschlag (vgl. etwa Diod. 3,12–14; 5,13; 5,27; 5,35–38; Strab. 3,2,8–10; 9,1,23; Plin. nat. 33; 34).

→ Bergbau; Marmor

1 CARY 2 A.M. SNODGRASS, Heavy Freight in Archaic Greece, in: GARNSEY/HOPKINS/WHITTAKER, 16–26.

H.SCH.

Bodobrica, h. Boppard. Etwa 1 km östl. eines *vicus* des 1.–3.Jh. n.Chr. entstand Mitte des 4.Jh. das spätröm. Kastell B. der *milites balistarii* (Not. dign. occ. 41,23) mit 28 Rundtürmen; die Mauern teilweise noch bis 9 m Höhe erhalten. Frühchristl. Kirche.

> H.-H. WEGNER, in: H. CÜPPERS (Hrsg.), Die Römer in Rheinland-Pfalz, 1990, 344–346 · E. DASSMANN, Die Anf. der Kirche in Deutschland, 1993, 62–65. K.DI.

Boduognatus. Kelt. Namenskompositum aus *boduo* und *-gnatus* »Der von der Schlachtkrähe geborene« [1.461; 2.60; 3.152]. Oberfeldherr der Nervier im Kampf der belgischen Stämme gegen Caesar 57 v.Chr. (Caes. Gall. 2,23,4).

1 HOLDER, 1 2 EVANS 3 SCHMIDT.

E. KLEBS, s.v. B., RE 3, 594 · WHATMOUGH, 214. W.SP.

Böotische Vasenmalerei s. Geometrische V.; s. Orientalische V.; s. Rotfigurige V.; s. Schwarzfigurige Vasenmalerei

Boëthius, Anicius Manlius Severinus
A. LEBEN B. WERKE
C. WIRKUNGSGESCHICHTE

A. LEBEN
B. wurde als Sohn des Konsuls von 487 um 480 geboren. Nach dem frühen Tod seines Vaters wurde er im Hause des → Symmachus aufgenommen und heiratete dessen Tochter Rusticiana. Hervorragend gebildet und mit den Schriften Platons, des Aristoteles und der Neuplatoniker, bes. des Porphyrios und der athenischen Schule, ebenso vertraut wie mit Augustinus, erwirbt er sich bald einen Ruf als Gelehrter. 510 wird er *consul sine collega*, 522 erhalten seine beiden noch nicht erwachsenen Söhne das Konsulat. Vermutlich im gleichen Jahr wird er *magister officiorum*, fand aber offensichtlich am Hofe nur wenig Rückhalt. So konnte er in den Hochverratsprozeß gegen Albinus mit hineingezogen werden, in dem die Spannungen zwischen einer probyz., auf eine Kirchenunion bedachten Senatspartei und dem ostgotischen Hof in Ravenna nach dem plötzlichen Tod des designierten Thronfolgers → Eutharich gipfelten. Das Eintreten für Albinus und den Senat führte zur Inhaftierung in Pavia; die Anklage lautete auf die *crimina maiestatis*, *perduellionis* und *sacrilegii*. Er wurde zum Tode und zur Konfiskation seiner Güter verurteilt und wohl im Herbst 524 mit dem Schwert hingerichtet. Seine Gebeine ruhen in der Kirche San Pietro in Ciel d'Oro in Pavia, wo er auch seit dem 13.Jh. als Lokalheiliger und Märtyrer verehrt wird.

B. WERKE
Von den als Jugendwerke erwähnten Carmina (cons. 1 carm. 1,1) ist nichts erh. Die Publikationen des Frühreifen setzen mit Darstellungen der *Artes* ein. Noch vor 510 sind erste Übers. und Komm. zur Logik verfaßt. In die Zeit des Konsulats fällt die Arbeit an der Kategorienschrift. Aristoteles beherrscht seine Tätigkeit der nächsten Jahre, mit der B. wenigstens einen Teil seines wiss. Plans erfüllt, alle ihm erreichbaren Werke → Platons und des → Aristoteles zu übersetzen und zu kommentieren und die Übereinstimmung beider Philosophen zu beweisen (herm. sec. 2,2 p. 79,9 ff.). Dazu kommen eigene Werke zur Logik und die theologischen Schriften sowie der umfangreiche Komm. zu → Ciceros *Topica*. Letztes Werk ist die *Consolatio*. Damit liegt ein Werkplan vor, der von einer in sich geschlossenen, systematischen und enzyklopädischen Absicht der Wissensvermittlung bestimmt ist; dagegen sind die theologischen Schriften eher von außen angeregt.

1. SCHRIFTEN ZU DEN ARTES
Die *Institutio arithmetica* [1] nach → Nikomachos von Gerasa steht am Anfang, da aus dem Studium der Zahlen, ihrer Relationen, Proportionen und Harmonie sich die Erkenntnisse ergeben, welche die Beziehungen der einzelnen Fächer zueinander offenlegen. Von den drei Teilen der Musik, der *musica mundana* als Sphärenharmonie, der *musica humana* als der harmonischen Vereinigung von Leib und Seele, und der in den Instrumenten angelegten *musica* behandelt die unvollständig überlieferte *Institutio musicae* nach Nikomachos und → Ptolemaios nur letztere. Sie dient nicht praktischer Musikausübung, sondern der Erkenntnis mathematischer Gesetzmäßigkeiten.

Schriften zur Logik: 1. Nach → Porphyrios: Das Aristotelische *Organon* hat B. als die Grundlage einer jeden Beschäftigung mit Logik verstanden, die sowohl stoisch als Teil wie peripatetisch als Instrument der Philos. gesehen wird. Er beginnt daher mit einem an die Übers. des → Marius Victorinus anschließenden Komm. der → *Isagoge*, der, wie auch die auf eigener Übers. beruhende zweite Fassung, als Unterweisung für Anfänger gedacht war [3]. 2. Nach Aristoteles: Übers. (2 Fassungen) und Komm. der Kategorienschrift [4] behandeln neben sprachlogischen Phänomenen die Kategorien als Verbindung zwischen dem Sprachgebrauch und den Universalien. Übers. und Komm. (2 Fassungen) der Hermeneutika [5] diskutieren Entstehung, Struktur und Wesen der Rede, dabei das viel erörterte Problem der *contingentia futura* (herm. 3,9) [6]. Dazu kommen Übers. (2 Fassungen) der *Analytica priora* [7], der *Topica* [8] und der *Sophistici elenchi* [9]. – Von den 7 B. des Komm. zu Cic. top. ist der Text bis § 76 der Vorlage erh. [10]. Eigene logische Arbeiten sind die beiden Abhandlungen zu den kategorischen Schlüssen (*De syllogismis categoricis*, *Introductio ad syllogismos categoricos*) [11] sowie die wichtige Schrift *De hypotheticis syllogismis* [12]. Die dialektischen und rhet. Topoi nach Cicero und → Themistios erörtert *De topicis differentiis* [13]; *De divisione* [14] handelt von den verschiedenen Arten der Einteilung. In der Bewertung der logisch-rhet. Schriften war deren verbindende Funktion zwischen der griech. und der ma. Logik zwar schon immer anerkannt, aber sie werden h. nicht mehr als die eines Epigonen verstanden, der mit seinen Kompilationen schließlich das Ende der griech. Logik herbeiführte, sondern seine Leistungen in der Entwicklung der formalen Logik, insbes. bei den hypothetischen Schlüssen wie in der Erweiterung der lat. philos. Terminologie, sind unbestritten. Die Aristotelische Logik integriert er in sein auf Platon beruhendes Verständnis von Philos., das in der *Consolatio* seinen sublimsten Ausdruck fand.

2. THEOLOGISCHE SCHRIFTEN

[15] Eine Einheit bilden der 1. und 2. Traktat zum Problem der Trinität in Anschluß an Augustinus, der 3. (*Liber de hebdomadibus*) diskutiert das Verhältnis der Dinge zum ersten Guten, d. h. Gott, der 4., im Stil deutlich von den anderen unterschieden und damit immer wieder für unecht gehalten, gibt eine katholische Darstellung der Heilsgeschichte; *Contra Eutychen et Nestorium* diskutiert das Verhältnis von *persona* und *natura* in Hinblick auf die Christologie.

3. VERLORENES

Die unter seinem Namen überl. ›Geometrie‹ ist unecht [16], eine letzte Spur findet sich, ebenso wie von der ›Astronomie‹, bei Gerbert von Aurillac (epist. 8 p. 99) i. J. 983. Eine Nachricht über eine ›Physik‹ liegt herm. comm. sec. 3,9 p. 190,13 vor; sie ist ebenso verloren wie ein zweiter Komm. zu den Kategorien, der Komm. zu den *Analytica priora* und eine Übers. der *Analytica posteriora*.

In der *Consolatio philosophiae* [17] versucht B., ausgehend von der Reflexion über sein polit. Scheitern, existenzielle Grundfragen wie »Welche Werte gibt es?«, »Was ist das höchste Gut?«, »Wie verhalten sich Vorsehung und Willensfreiheit zueinander?« im philos. Diskurs zu lösen. Im regelmäßigen Wechsel zwischen Prosa und Poesie vollzieht sich ein Dialog mit der Philos., die dem Verurteilten im Gefängnis erscheint. Die Schrift ist in 5 B. gegliedert und durch B. 3, carm. 9 in zwei Hälften geteilt, von denen die erste dem Zustand des Patienten und der Rechtfertigung seines polit. Handelns (B. 1), der Relativierung der Glücksgüter (B. 2) gegenüber der nur in Gott zu findenden wahren Glückseligkeit (B. 3), die zweite der Frage nach der Theodizee (B. 4) und der Willensfreiheit (B. 5) gewidmet ist. Auch die einzelnen Bücher zeigen klare Proportionen, unterstützt durch die eingefügten Gedichte, die neben gliedernder auch überleitende oder vertiefende Funktion haben können. Die Geschlossenheit der Komposition widerspricht der Annahme eines Verlustes des Werkschlusses oder eines weiteren Buchs. In der Tradition der → Konsolationsliteratur und des Protreptikos stehend, vereinigt die *Consolatio* verschiedene lit. Möglichkeiten wie philos. → Dialog, → Diatribe, Lehrvortrag mit lyrischen und hymnischen Gedichten zur Form des → Prosimetrums [18] und wurde so inhaltlich wie for-

mal zu einem mustergültigen Werk für das MA. Nicht zuletzt aufgrund seines Stils, der frei ist von den bei den Zeitgenossen dominierenden rhet.-gekünstelten Übertreibungen, kann B. als der bedeutendste lat. Autor der Völkerwanderungszeit gelten.

C. WIRKUNGSGESCHICHTE

B. ist der wichtigste Vermittler griech. Philos. an die lat. Welt seit Cicero und an das MA vor den Arabern. Die Rezeption setzt in karolingischer Zeit zunächst mit der *Consolatio* und den theologischen Schriften ein. Die *Opuscula sacra* bekommen durch ihre Art der rationalen Dogmendiskussion, die mit Hilfe einer an Aristoteles orientierten Terminologie geführt wird, Vorbildcharakter für die Theologie der Scholastik. Schon Alkuin († 804) zitiert *De trinitate*, Remigius von Auxerre († 908) kommentiert sie. Zahlreiche Hss. zeigen das anhaltende Interesse, bes. in der Schule von Chartres. Wichtig werden die Komm. des Gilbert von Poitiers († 1154), des Clarembaldus von Arras († um 1172), die Vorlesungen des Thierry von Chartres († um 1155) und schließlich der Komm. des Thomas von Aquino († 1274) zu *De trinitate*. Auch Alkuin kennt die *Consolatio*, die im 9. Jh. Schulbuch wird und zu der seit dem späten 9. Jh. zahlreiche Komm. entstehen, bes. auch zu dem berühmtesten Gedicht B. 3 carm. 9 (Komm. des Bovo II., 900–916 Abt von Corvey, und des Adalbold von Utrecht, † 1026). Lupus von Ferrières († nach 862) schreibt einen Traktat über die Metra der *Consolatio* wie später N. Perotti († 1480). Die ganze Schrift kommentieren Remigius von Auxerre, Wilhelm von Conches († um 1154), Nikolaus Treveth († um 1334), Regnier von Saint-Trond (1381), Wilhelm von Aragón (1385), Petrus v. Ailly († 1420), Wilhelm von Contumella (1446) u. a. Eine Übers. der *Consolatio* ins Ahd. stammt von Notker dem Deutschen († 1022), der auch die Kategorien und *De interpretatione* übertrug, ins Englische von König Alfred v. England (848–899), Geoffrey Chaucer (um 1380), John Walton (1410) und Königin Elizabeth I. (1593), ins Frz. von Jean de Meun (um 1305), ins Griech. von Maximos Planudes († 1310). Mit seinen Arbeiten zu den *Artes* und zum *Organon*, die nicht nur als hervorragende Übersetzungsleistungen, sondern in der Regel als selbständige Durchdringung der Gegenstände zu bewerten sind, hat B. die Grundlagen für den ma. Unterricht geschaffen. So vermittelte allein die *Institutio arithmetica* Kenntnisse der griech. Mathematik, die *Institutio musica* (ca. 140 Hss.) wurde Ausgangspunkt der ma. Musiktheorie; auf dem 2. Komm. zur *Isagoge* gründet der ma. Universalienstreit. Die Übers. und Komm. der logischen Schriften, die seit dem 10. Jh. bekannt sind und deren Überlieferung jeweils auf mehreren hundert Hss. beruht, haben der Scholastik das logische Rüstzeug zur Verfügung gestellt und wurden grundlegende Handbücher bis zur Wiederentdeckung der griech. Texte.

ED.: **1** G. FRIEDLEIN, 1867 · J.-Y. GUILLAUMIN, 1995 (mit frz. Übers.) · M. MASI, 1983 (engl. Übers.) ·
2 G. FRIEDLEIN, 1867 · O. PAUL, 1872 (dt. Übers.) ·

C. M. Bower, 1989 (engl. Übers.) **3** L. Minio-Paluello, B. G. Dod, Aristoteles Latinus 1, 6–7, 1966 (Übers.) · G. Schepss, S. Brandt, CSEL 48 (Komm.) **4** L. Minio-Paluello, Aristoteles Latinus 1, 1, 1961 (Übers.) · PL 64, 159–294 **5** L. Minio-Paluello, Aristoteles Latinus 2,1, 1965 (Übers.) · K. Meiser, 1877/80 (Komm.) **6** M. Mignucci, Boezio e il problema dei futuri contingenti, in: Medioevo 13, 1987, 1–50 **7** L. Minio-Paluello, Aristoteles Latinus 3,1, 1962 **8** Ders., B. G. Dod, Aristoteles Latinus 5,1, 1969 **9** B. G. Dod, Aristoteles Latinus 6,1, 1975 **10** J. C. Orelli, J. G. Baiter, Ciceronis opera 5,1, 1833, 270–388 **11** PL 64, 761–832 **12** L. Obertello, 1969 (mit it. Übers. und Komm.) **13** PL 64, 1173–1216 · E. Stump, 1978 (engl. Übers.) **14** PL 64, 875–892 · L. Pozzi, 1969 (ital. Übers., Komm.) **15** M. Elsässer, 1988 (mit dt. Übers.) **16** M. Folkerts, »Boethius« Geometrie II, 1970 **17** L. Bieler, ²1984 · J. Gruber, 1978 (Komm.) **18** B. Pabst, Prosimetrum, 1994.

J. Gruber u. a., s. v. B., LMA 2, 1983, 308–315 · HLL § 711 · J. Gruber, Lustrum (in Vorbereitung). J. GR.

D. Musiktheorie

De institutione musica libri V, das größte und bedeutendste Werk zu diesem Thema in lat. Sprache, ist im wesentlichen eine Übertragung und Bearbeitung griech. Quellen, u. a. der verlorenen großen Harmonik des → Nikomachos, von Teilen der *Sectio canonis* des → Eukleides und der Anfangskapitel aus der Harmonik des Ptolemaios (vom 5. B. sind nur Kap. 1–19 überliefert, die mit Überschriften angekündigten Kap. 20–30 fehlen). Beiläufig sind auch röm. Autoren wie Cicero und Statius zitiert.

Das Werk schließt an *De institutione arithmetica* von B. an (vgl. dort 2,54, *De maxima et perfecta symphonia*), deren pythagoreische Zahlenlehre in zwei verkürzten Fassungen wiedergegeben ist (De inst. musica 1,4 und 2,3 ff.). B. teilt die alte Überzeugung der Pythagoreer vom Vorrang der *ratio* vor den leicht zu täuschenden Sinnen (1,9 f., vgl. 1,28). Er erkennt nur die durch einfachste Zahlenverhältnisse legitimierten Konsonanzen an, erwähnt aber (2,27), daß Ptolemaios bei der Undezime (8:3) eine Ausnahme machte (Zugeständnis an Aristoxenos). Nun aber ist die *musica* als einzige mathematische Disziplin nicht allein der *speculatio* (dem rationalen Denken), sondern auch der *moralitas* verbunden (1,1), denn in der Tonwelt spielen Gefallen und Mißfallen eine wichtige Rolle. Es bedarf daher eines Kenners, der über das nötige Wissen und Urteilsvermögen verfügt: des *musicus*. Ihn stuft B. am höchsten ein, den Komponisten (*poeta*) tiefer und den manuell tätigen Musikanten am tiefsten (1,34). Im übrigen behandelt das Werk das Gebiet der Harmonik in seltener Breite (Elementarlehre, Monochord, Tonsystem, Tonarten, Notation u. a.), untermischt mit z. T. wertvollen histor. Nachrichten (Hippasos, Philolaos, Archytas [1] aus Tarent, Aristoxenos [1]). Obwohl keine originale Schöpfung, war dem Werk, das bis zum 9. Jh. völlig unbekannt blieb, vom frühen MA bis zur Renaissance eine einzigartige Wirkungsgesch. beschieden. Davon zeugen noch heute zahlreiche Abschriften, Glossen, Komm. und Zitate. Bes. Anklang fand z. B. die Dreiteilung der *musica* in *mundana*, *humana* und in *instrumentis* (kosmische, menschliche und in Instrumenten; 1,2).

Ed.: G. Friedlein, 1867, Ndr. 1966 · G. Marzi, 1990 · O. Paul, A. M. S. Boetius [sic], Fünf B. über die Musik, 1872, Ndr. 1973 (dt. Übers. und Komm.) · C. M. Bower, Fundamentals of Music. A. M. S. Boethius, 1989 (engl. Übers. und Komm.) · M. Bernhard, C. M. Bower, Glossa maior in institutionem musicam Boethii, 3 Bde., 1993, 1994, 1996 (Bayerische Akad. der Wiss., Veröffentlichungen der Musikhistor. Kommission, Bd. 9–11).
Lit.: H. Potiron, Boèce. Théoricien de la musique greque, 1961 · U. Pizzani, Studi sulle fonti del »De institutione musica« di Boezio, in: Sacris erudiri 16, 1965, 5–163 · G. Wille, Musica Romana, 1967, 656–700 · M. Bernhard, Wortkonkordanz zu A. M. S. Boethius De institutione musica, 1979 (Bayerische Akad. der Wiss. Veröffentlichungen der Musikhistor. Kommission, Bd. 4) · J. Caldwell, The De Institutione Arithmetica and the De Institutione Musica, in: M. Gibson (Hrsg.), B., 1981, 135–154 · A. White, B. in the Medieval Quadrivium, ebd., 162–205 · C. M. Bower, B.' »De institutione musica«. A Handlist of Manuscripts, in: Scriptorium 42, 1988, 205–251 · M. Bernhard, Überlieferung und Fortleben der ant. lat. Musiktheorie im MA., in: GMth 3, 1990, 24–31. F. Z.

Boëthos (Βόηθος).

I. Politische Persönlichkeiten

[1] Sohn des Nikostratos aus Karien; bereits vor 149 v. Chr. in ptolemäischen Diensten durchlief, er verschiedene Verwaltungsämter, bevor er 136/5 Epistratege der Thebais wurde. Gründete zwei Städte in Unternubien.

K. Vandorpe, Der früheste Beleg eines Strategen der Thebais als Epistrategen, in: ZPE 73, 1988, 47–50. W. A.

II. Philosophen und Schriftsteller

[2] Von Sidon. Stoischer Philosoph des 2. Jh. v. Chr.; er schrieb ›Über das Schicksal‹, ›Über Askese‹ und eine Erklärung von → Aratos' [4] ›Phainomena‹. Im Anschluß an die Zweifel seines Lehrers → Diogenes von Babylon leugnete er die Weltverbrennungslehre und trat für die Ewigkeit des Kosmos ein. Er bestritt, daß der Kosmos lebendig sei, blieb jedoch dabei, daß die Sphäre des himmlischen Aithers Gott sei. Er vertrat orthodoxe stoische Ansichten über das Schicksal und behauptete, daß → Divination möglich sei durch Untersuchung der Gründe für Naturphänomene, daß die Seele aus Luft und Feuer bestehe und daß Kometen aus der Entzündung von Luft entstehen. In der Epistemologie weist ihm Diogenes Laertios (7,54) eine rätselhafte Lehre von vier Kriterien zu: *Nous*, Wahrnehmung, Verlangen und Wissen.

SVF 3, VI fr. 1–11 · E. Maass, Aratea, 1892, 153. B. I./M. MO.

[3] Aus Marathon. Akademischer Philosoph, Zeit-genosse des Karneades, Schüler der Ephesier Ariston und Eubulos, gest. – offenbar in hohem Alter – 120/119 v. Chr. Über ihn informiert – ausgesprochen detailreich – einzig Apollod. Chronik 45–57 (= FGrHist 244 F 53), daher Philod., Acad. ind. 28,38 – 29,17 DORANDI (vgl. auch 26,32–44). Danach soll er auch eine Schule geleitet haben; über seine philos. Bedeutung geben die Quellen keine Auskunft. K.-H.S.

[4] Von Sidon. Peripatetiker, Schüler und Nachfolger des Andronikos [4] aus Rhodos und Studiengenosse Strabons (Strab. 757c). Sein Hauptwerk war ein groß angelegter Komm. zu Aristoteles' Kategorienschrift, aber sein Interesse umspannte alle Gebiete der Philosophie. Aristoteles' Lehre entwickelte er in einer »naturalistischen« Richtung: Er betonte den Vorrang des konkreten Einzeldings vor dem Allgemeinbegriff (auch die platonischen Ideen identifizierte er mit den Gattungsbegriffen) und scheint die Seele als die Summe der im Organismus wirkenden immanenten Kräfte aufgefaßt zu haben; seine Zeit- und Wurftheorien weisen in dieselbe Richtung. In der Ethik schrieb er dem Aristoteles eine → Oikeiosis-Lehre zu. In der Syllogistik hob er den Vorrang der ersten vor den übrigen Figuren auf. Beeinflußt war er dabei von Theophrast, Straton, Andronikos und wohl auch von der Stoa, blieb aber trotzdem ein echter Aristoteliker und Mitbegründer der Peripatetischen Scholastik.

→ Aristoteles-Kommentatoren; Aristotelismus; Peripatos

MORAUX I, 1973, 143–79 • H. B. GOTTSCHALK, ANRW II 36.2, 1987, 1107–10, 1116–9. H. G.

[5] Verfasser eines interessanten, gut gebauten Epigramms aus dem »Kranz« des Philippos zu Ehren von Pylades, dem berühmten Pantomimen aus augusteischer Zeit (Anth. Pal. 9,248). Der Lemmatist nennt B. einen ἐλεγειογράφος und identifiziert ihn mit B. von Tarsos, der den Sieg des M. Antonius bei Philippi in einem schmeichlerischen Gedicht feierte (SH 230), eine durchaus plausible Gleichsetzung. Strabon nennt ihn zwar einen κακὸς πολίτης und κακὸς ποιητής, (einen »schlechten Bürger« und »schlechten Dichter«; 14,5,14), eine Inschrift aus Telmessos bedenkt ihn jedoch mit dem Epitheton μουσόρρυτος (»dichterisch begabt«) GVI 455).

GA II 1,198; 2,209f. E. D./T. H.

[6] (Βοηθός). Griech. Grammatiker, Autor von Sammlungen platonischer λέξεις, die bei Photios zitiert sind: λέξεων πλατωνικῶν συναγωγὴ κατὰ στοιχεῖον (›Sammlung platonischer Wörter, alphabetisch sortiert‹, Phot. 154; einem unbekannten Melantas gewidmet: [1]) und περὶ τῶν παρὰ Πλάτωνι ἀπορουμένων λέξεων (Phot. 155; einem Athenagoras gewidmet, dessen Identifizierung mit dem christl. Apologeten Schwierigkeiten bereitet, vgl. [2]). Sein Werk scheint das Lex. des Pamphilos (1. Jh. n. Chr.) vorauszusetzen und vielleicht auch Kom-

mentare; es ist erwiesen, daß es von Diogenianos (2. Jh. n. Chr.) benutzt wurde. Erh. sind nur fünf sichere, mit Namen zit. Fragmente. Es ist problematisch, seine (mittelbare) Präsenz in der attizistischen lexikographischen Tradition, in den Scholien zu Platon und im Lex. des Photios, finden zu wollen. Unwahrscheinlich erscheint eine Identifizierung mit dem stoischen Philosophen B. von Sidon (2. Jh. n. Chr.).

→ Platon; Photios

1 K. PRAECHTER, s. v. B., RE 15, 425, Z.56 2 K. ALPERS, K. TSANTSANOGLU, Tὸ Λεξικὸ τοῦ Φωτίου, in: ByzZ 64, 1971, 80–81.

A. R. DYCK, Notes on Platonic Lexicography in Antiquity, in: HSPh 89, 1985, 75–84 • L. COHN, Unt. über die Quellen der Platoscholien, in: Jb. für Class. Philol., Suppl. 13, 1884, 783–786, 794–813, 836–852 • L. COHN, s. v. B., RE Suppl. I, 253f. • H. DÖRRIE, M. BALTES, Der Platonismus im 2. und 3. Jh. n. Chr., 1993, 54–7, 226–31 • F. GIESING, De scholiis platonicis quaestiones selectae, Diss. 1883, 31–40 • T. METTAUER, De Platonis scholiorum fontibus, 1880 • S. A. NABER, Photii Lexicon, 1864–65, Prolegomena 54–71 • C. THEODORIDIS, Photii Lexicon, I, 1982, lxxiii-lxxiv. F. M./M.-A. S.

III. KÜNSTLER

Name mehrerer hell. Künstler, die in Inschr. und lit. Quellen überliefert sind.

[7] Sohn des Apollodoros aus Karthago; wird als Künstler auf einer Basis in Ephesos genannt, zu der vielleicht eine Marmorkopie des Typus »Knäblein mit der Fuchsgans« gehört. Dessen Original könnte eine von Paus. 5,17,4 beschriebene, vergoldete, sitzende Knabenstatue im Heraion von Olympia gewesen sein. Es ist nicht sicher, ob derselbe B. das bei Plin. nat. 34,84 überlieferte Werk *infans amplexando anserem strangulat*, das meist mit dem Typus des »Ganswürgers« identifiziert wird, geschaffen hat. Sowohl der »Ganswürger« als auch das »Knäblein mit der Fuchsgans« werden in hell. Zeit datiert, die genaue Schaffenszeit des B. ist jedoch unbekannt. Von vielen wird B. mit einem Toreuten gleichgesetzt, von dem Werke bei Plinius (nat. 33,155) und eine Hydria bei Cicero (Verr. 14,32) genannt werden.

[8] Br.-Bildner aus Kalchedon. Er signierte eine Br.-Herme des Priapos aus dem Schiffsfund von Mahdia, eine Kopie aus späthell. Zeit. Falls es nicht eine Kopistensignatur ist, kann es sich um den von Plinius gen. Bildhauer des »Ganswürgers« handeln.

[9] Sohn des Athenaios, Bildhauer aus Kalchedon. Durch Inschr. ist ein Weihgeschenk in Lindos bekannt (184 v. Chr.) und ein Porträt des Antiochos IV. in Delos (166–163 v. Chr.). Auch er könnte der Schöpfer des »Ganswürgers« sein.

[10] Sohn des Diodotos, signierte den sog. »Elgin-Thron«, auf dem im Relief die Tyrannenmördergruppe wiedergegeben ist; möglicherweise mit B. [8] identisch.

[11] Vater von Menodotos und Diodotos aus Nikomedeia, von dem Ligorio zwei verschollene Inschr. aufzeichnete. Möglicherweise mit B. [10] verwandt.

[12] Bildhauer, der laut erh. Basissignatur im Jahr 126/125 v. Chr. in Delos tätig war. Wenn B. [8] als Kopist signierte, ist er möglicherweise mit diesem identisch.

L. KNÖRLE, Der Knabe mit der Fuchsgans, 1973 · A. LINFERT, Boethoi, in: Das Wrack, Ausstellung Bonn 1994, 831–847 · J. MARCADÉ, Recueil des signatures de sculpteurs grecs, 2, 1957, Nr. 28–36 Abb. · A. STEWART, Greek Sculpture, 1990, 229, 305–306. R. N.

[13] Steinschneider des 2. Jh. v. Chr., signierte den »Philoktet-Kameo«, auf dem sich der Held mit einem Vogelflügel fächelnd über seine Beinwunde beugt (Sardonyx, ehem. Slg. Beverley).
→ Philoktetes

ZAZOFF, AG, 207f.[90] (Lit.), Taf. 54,7. S. MI.

Boğazkale s. Ḫattuša

Boğazköy s. Ḫattuša

Boëthusäer s. Sadduzäer

Bogen s. Pfeil

Bogenkonstruktion
s. Gewölbe- und Bogenkonstruktion

Bogenschießen. Im Gegensatz zum Alten Orient [1] und Alten Ägypten [2. 42–54; 3. 1,139–189, 2, Taf. 68–83, 446–450, Falttaf. A], wo Wettkämpfe bzw. königl. Demonstrationen der Kunst des B. auf Zielscheiben in eindrucksvollen Berichten und Darstellungen (bes. von Amenophis II., 1438–1412 v. Chr.) erh. sind, spielt es in der späteren griech. Agonistik kaum noch eine Rolle [4. 365–371; 5. 155–158]. Allerdings tritt es sowohl in der Ilias (23,850–883; danach Verg. Aen. 485–544) als auch in der Odyssee noch stark in Erscheinung [6. 62–68]. Innerhalb der Leichenspiele zu Ehren des Patroklos kommt es zw. Teukros und Meriones als siebente Disziplin zur Austragung [7. 241–243]. In der Odyssee hat der Wettkampf im B. (davon handelt das gesamte 21. Buch; schon 19,572–579 angekündigt), dessen Sieger, der heimgekehrte Odysseus, seine Herrschaft neu in Besitz und Rache an den Freiern nimmt, eine wichtige Funktion [8. 512–523]. Die von Homer geschilderte Bogenprobe, bei der es darauf ankam, die Stiellöcher von Äxten zu durchschießen, ist ballistisch völlig unmöglich [6. 66]. Der Motivkern ist aus Ägypt. entlehnt, wo in der 18. Dyn. die Könige kupferne Barren durchschossen, die in ihrer Gestalt einer griech. πέλεκυς (*pélekys*) nicht unähnlich waren. [9; 10]. Im Laufe der über Jh. gehenden mündlichen Überlieferung wurde das Vorbild verwässert und gründlich mißverstanden. Interessant ist eine Inschr. über einen Wettkampf im B. aus Olbia (4. Jh. v. Chr., am Rande der griech. Welt gelegen), bei dem es auf das Erzielen von Weite ankam [11. Nr. 32].

1 V. HAAS, Kompositbogen und B. als Wettkampf im Alten Orient, in: Nikephoros 2, 1989, 26–41 2 W. DECKER, Sport und Spiel im Alten Ägypt., 1987 3 Ders., M. HERB, Bildatlas zum Sport im Alten Ägypt., 1994 4 R. PATRUCCO, Lo sport nella Grecia antica, 1972 5 B. SCHRÖDER, Der Sport im Alt., 1927 6 S. LASER, ArchHom T 7 I. WEILER, Der Agon im Mythos, 1974 8 CH. AUFFAHRT, Der drohende Untergang, 1991 9 W. BURKERT, Von Amenophis II. zur Bogenprobe des Odysseus, in: Grazer Beiträge 1, 1973, 69–78 10 W. DECKER, Zur Bogenprobe des Odysseus, in: Kölner Beiträge zur Sportwissenschaft 6, 1977, 149–153 11 L. MORETTI, Iscrizioni agonistiche greche, 1953. W. D.

Boges. Vornehmer Perser, der 476/5 v. Chr. Eïon am Strymon gegen → Kimon verteidigte (Hdt. 7,107). Kimons Angebot eines freien Abzugs nahm er nicht an. Als sich die Festung ergeben mußte, beging B. zusammen mit den Angehörigen seines Haushaltes Selbstmord.

P. BRIANT, Histoire de l'empire perse, 1996, 364.
A. KU. U. H. S.-W.

Boghazki s. Ḫattuša

Bogomilen. Anhänger einer vom halblegendären Priester Bogumil (griech. »Theophilos«, dt. »Gottlieb« [1]) im 10. Jh. in Bulgarien verbreiteten Lehre, die später den gesamten Balkan erfaßte. Sie lehnten Kulthandlungen und die Amtskirche überhaupt ab und suchten das Heil in Demut, fortwährendem Gebet, Abstinenz und zivilem Ungehorsam gegen Besitz und Herrschaft. Dualistische Schöpfungsmythen und Ansichten scheinen sie sich erst allmählich angeeignet zu haben. Kaiser Alexios I. (1081–1118) soll den Theologen Euthymios Zigabenos mit der Widerlegung ihrer Lehre beauftragt haben (*Panoplía dogmatikḗ*, titulus 27, PG 130, 1289–1332). Die Gemeinsamkeiten zu den Katharern Norditaliens und Südfrankreichs waren zunächst die üblichen zw. dualistischen Lehren; erst E. des 12. Jh. wird anhand der apokryphen bogomilischen Schrift *Interrogatio Johannis* ein eigener Einfluß nachweisbar [2].

1 E. WERNER, Θεόφιλος Bogumil, in: Balkan Studies 7, 1966, 49–60 2 E. BOZÓKY (Ed.), Le livre secret des Cathares: Interrogatio Joannis, 1980.

D. ANGELOV, Bogomilstvoto v Bălgarija- [= Der Bogomilismus in Bulgarien,] ³1980 · H. G. BECK, Vom Umgang mit Ketzern, 1993, 76–86 · G. FICKER, Die Fundagiagiten, 1908 · M. LOOS, Dualist Heresy in the Middle Ages, 1974 · R. MANSELLI, L'eresia del male, ²1980 · D. OBOLENSKY, The Bogomils. A Study in Balkan Neomanichaeism, 1948 · ST. RUNCIMAN, The Medieval Manichee, ²1982 · A. SCHMAUS, Der Neumanichäismus auf dem Balkan, in: Saeculum 3, 1951, 271–299. G. MA.

Bogudes
[1] Sohn und Nachfolger → Bocchus' I., Herrscher Ostmauretaniens bis zum Mulucha. Der Seefahrer → Eudoxos von Kyzikos suchte ihn auf (Poseidonios bei Strab. 2,3,4). 81 v. Chr. nahm B. Partei gegen → Hiarbas von Numidien zugunsten des → Pompeius,

der in Sullas Auftrag die Marianer in Afrika bekämpfte (Oros. 5,21,14; Plut. Pomp. 12) [1. 67–68; 2. 266–274].
→ Hiempsal

1 M.-R. ALFÖLDI, Die Gesch. des numidischen Königreiches und seiner Nachfolger, in: H.G. HORN, C.B. RÜGER (Hrsg.), Die Numider, 1979, 43–74 2 S. GSELL, Histoire ancienne de l'Afrique du Nord 7, 1928.   B.M.

[2] Mitte des 1.Jh. v. Chr. zusammen mit → Bocchus II. Herrscher von Mauretanien (Strab. 17,3,7; Plin. nat. 5,19). Ende 49 wurden beide als Feinde des von → Pompeius hofierten → Iuba von → Caesar und den Senatoren in Rom als Könige anerkannt (Cass. Dio 41,42,7). B. kämpfte im afrikanischen Krieg (46) gegen Cn. Pompeius (Bell. Afr. 23) und unterstützte Caesar im März 45 in der Schlacht von Munda (Cass. Dio 43,36; 38). Nach Caesars Tod schloß B. sich M. → Antonius [I 9] an, während sein Herrschaftsgebiet durch Bocchus (mit späterer Anerkennung durch Octavian [→ Augustus]) annektiert wurde (Cass. Dio 48,45,3). 31 wurde B. bei der Eroberung Methones von → Agrippa [1] getötet (Cass. Dio 50,11,3).   W.W.

Bohnen. Hülsenfrüchte (*legumina*) wie Erbsen (πίσον, *pisum*), Kichererbse (ἐρέβινθος, *cicer*) und Linsen (φακός, *lens*) wurden im Mittelmeerraum mindestens genauso lange schon als Kulturpflanzen vorderasiatischer Herkunft angebaut wie Getreide, d. h. seit ungefähr 6000 Jahren. Von ihnen wurden Spottnamen angesehener röm. Familien abgeleitet (Fabius, Lentulus, Cicero). Die urspr. kleinsamigen B.-Sorten (κύαμος, πύανος, *faba*, slav. *bob*), die schon vor über 4000 J. angebaut wurden, stammten von *Vicia faba* L., aus denen die großsamigen Sau- oder Pferde-B. (Varietät *equina*) und die Groß- oder Puffbohnen (Varietät *maior*, in Pompeii nachgewiesen) gezüchtet waren. Ihre blähende und aphrodisische Wirkung führte zur Ablehnung durch ägypt. Priester, aber auch durch Pythagoreer. Sie dienten dennoch der Ernährung und wurden dem Mehl zugesetzt (Plin. nat. 18,117). Auch erkannte man ihre (auf der Anreicherung von Luftstickstoff basierende) Düngewirkung (Plin. nat. 18, 120 und Theophr. h. plant. 8,7,2). Dioskurides 4,105 [1. 179f.] = 4,127 [2. 208f.] empfiehlt die ›griech. Bohne‹ als entzündungshemmend. Als B. wurden auch die aus Südasien eingeführten Faselbohnen (*Dolichos lablab*) und andere Früchte von Leguminosen und anderen Familien wie vom ägypt. Lotos (κύαμος αἰγύπτιος) bezeichnet. Die Phaseolus-Arten wurden aber erst im 16.Jh. aus Amerika eingeführt.

1 M. WELLMANN (Hrsg.), Pedanii Dioscuridis de materia medica 2, 1906, Ndr. 1958 2 J. BERENDES (Hrsg.), Des Pedanios Dioskurides Arzneimittellehre übers. und mit Erl. versehen, 1902, Ndr. 1970.   C.HÜ.

Boiai (Βοιαί). Eine der blühendsten Städte der → Eleutherolakones an der Westküste der Parnonhalbinsel an der Bucht von Vatika. Unbed. arch. Resten (bes. aus röm. Zeit) beim h. Neapolis. Pol. 5,19; Strab. 8,5,2; Paus. 3,22,11–13.

J. CHRISTIEN, Promenades en Laconie, in: DHA 15,1, 1989, 89–93 • D. MUSTI, M. TORELLI, Pausania Guida della Grecia. III. La Laconia, 1991, 270f.   Y.L.

Boibe (Βοιβή, Βοιβηὶς λίμην). Stadt am südl. Steilufer des gleichnamigen Sees, der sich von Nordwesten nach Südosten entlang des Pelion erstreckte, schon im Schiffskatalog der Ilias genannt (Hom. Il. 2,711f.). B. gehörte zu Magnesia, wurde 293 v.Chr. nach → Demetrias eingemeindet. In byz. Zeit war B. ans Seeufer verlegt. Von diesem Ort (ma. Karla) existiert noch eine Kirche, Hagios Nikolaos zw. Glafira und Kanalia, auf den Resten eines ant. Tempels. Schon das Alt. sah im B.-See den Rest des Binnenmeeres, das urspr. ganz Thessalia bedeckte. Er war zu Anf. dieses Jh. noch mit bis 6 m Tiefe vorhanden, wurde nach 1945 durch einen Abflußkanal völlig entwässert. Am ehemaligen Westufer zahlreiche frühgesch. Plätze (→ Armenion).

M. DI SALVATORE, Ricerche sul territorio di Pherai, in: La Thessalie, quinze années de recherches archéologiques, 1975–1990. Actes du colloque international, Lyon 1990, 1994, 115f. • F. STÄHLIN, Das hellenische Thessalien, 1924, 60f. (lit. Quellen) • TIB 1, 1976, 136, 181.   HE.KR.

Boidas (auch Boedas). Bildhauer, Sohn und Schüler des → Lysippos. Er arbeitete um 300 v.Chr. in Byzantion. Plinius kennt sein Lob, nennt aber nur die Statue eines Adoranten in Rom. Für diesen hielt man lange Zeit fälschlich den sog. »Betenden Knaben« aus Rhodos in Berlin (PM).

R. KABUS-PREISSHOFEN, Der »Betende Knabe« in Berlin, in: AA 1988, 679–699 • OVERBECK, Nr.1516. 1521 (Quellen) • B.S. RIDGWAY, Hellenistic Sculpture, 1, 1990, 227–228.   R.N.

Boii (Boi). Kelt. Stamm, der seit der großen Wanderung E. 4.Jh. v.Chr. im Norden Italiens siedelte. Die B. stammten wohl aus Zentraleuropa (vgl. den Namen Böhmen; Vell. 2,109; Strab. 7,1,3). Bei ihrer Wanderung durchquerten sie Gebiete, die seit dem 6.Jh. von verwandten, kelt. sprechenden, transpadanischen Stämmen besiedelt waren (Golasecca-Kultur). Sie ließen sich in der h. zentralöstl. Emilia und in der Romagna nieder (bis zum *Utens*, wo der *ager Senonum* begann: Liv. 5,35,3), nachdem sie die Umbri und Etrusci vertrieben hatten (Felsina, nachmals Bononia: Pol. 2,17,7; Strab. 4,4,1; 5,1,9; Liv. 33,37; 37,57; Plin. nat. 3,115); 112 *civitates* (Cato ap. Plin. nat. 3,116). Nekropolen in Bologna und Monte Bibele. Kriege gegen die Römer 283/2 v.Chr. (Liv. per. 20; Pol. 2,20–21,1) und 238/224 (Appell an die transalpinen Gaesati: Pol. 2,21,4–6; 27–31; Liv. per. 20; Zon. 8,18; 20; Diod. 25,13; Flor. epit. 1,20; Eutr. 3,5–6; Oros. 4,13,7–9). Sie baten 218 v.Chr. Hannibal um Unterstützung (Liv. 21,29,6; Pol. 3,34,2–6; 40,6; 44,5f.; 48,13f.), führten den Krieg mit den Römern fort (Liv. 31,2) und eroberten Placentia (Liv. 31,10). Schließlich aber besiegt (193 v.Chr.: Liv. 32,29–31; 33,22f.; 36f.; 34,22; 46f.; 35,4; 5; 40; 36,38–42), wurden sie gezwungen, einen Teil ihres Gebiets abzutreten (Liv. 36,39). Die Annahme, sie seien, aus It. ausgewiesen, nach Böhmen zurückgekehrt (Strab. 5,1,6; 5,1,9), ist nicht haltbar. Dort verblieb nur der Kernstamm bis zur 1.H. 1.Jh. v.Chr., als er dem Druck german. Stämme weichen mußte. Ein Teil dieser B. zog mit den Helvetii nach Westen und ließ sich vornehmlich im Gebiet der Haedui nieder (Caes. Gall. 1,5; 25; 28; 29). Ein anderer Teil, von den Dakoi unter Burebista geschlagen (Strab. 7,3,11; 7,5,2; 7,5,6), ließ sich im Norden von *Pannonia Superior* nieder (Ptol. 2,14,2; CIL III 4595 = 11311; p. 869 Nr. 24; Nr. 26; VI 3308; IX 5364). Zuerst einem *praefectus ripae Danuvii* unterstellt (CIL IX 5363), der gleichzeitig auch *praefectus* der *civitas Boiorum et Azaliorum* war, bewahrten sie eine begrenzte Autonomie in Abhängigkeit von Carnuntum.

NISSEN, I, 477 · C. PEYRE, La Cisalpina gauloise du IIIe au Ier siècle av. J.-C., 1979, 32–33, 46–53, 132 · G. S. SUSINI, Aspects de la romanisation de la Gaule Cipadane, in: CRAI 1965, 143–163 · R. CHEVALLIER, La romanisation de la Celtique du Pô, 1980, 14 ff. · V. KRUTA, Les Boïens de Cispadane, in: Études Celtiques 17, 1980, 7–32 · Ders., I Celti, in: G. PUGLIESE CARRATELLI (Hrsg.), Italia omnium terrarum alumna, 1988, 261–311, bes. 292, 301, 310 · D. VITALI, Monte Bibele, in: S. MOSCATI, M. ANDREOSE (Hrsg.), La formazione della città preromana in Emilia-Romana, 1988, 105–142 · Ders., I Celti in Italia, in: I Celti, 1991, 220–236 · I. WERNICKE, Die Kelten in Italien, 1991, 73–163.   G.BR.

Boio (Βοιώ). Paus. 10,5,8 zitiert vier Verse aus einem Hymnus der Delpherin Boio, in dem sie die Hyperboreer als die Begründer des Orakels nennt und Olen als Apollons ersten Propheten, der seine Sprüche in Hexametern verfaßte, preist.   C.S.

Boiohaemum. »Bojerheimat«, h. Böhmen (Quellen: Strab. 7,1,3; Vell. 2,109,5; Tac. Germ. 28,2). Von den kelt. → Boii um 60 v.Chr. weitgehend verlassen (Caes. Gall. 1,5,4; vgl. Strab. 7,1,5; Plin. nat. 3,146 *deserta Boiorum*) und kurz vor der Zeitenwende von den → Marcomanni besetzt, behielt die Region ihren Namen. Daß sie namengebend für die → Baiovarii wurde, ist umstritten, aber wahrscheinlich.

TIR M 33,27.   K.DI.

Boion (Βοιόν, Βοῖον). Stadt in der Doris, neben Erineos, Kytenion und Akyphas als eine der angeblich von Doros gegr. Städte der dor. Tetrapolis genannt (Diod. 4,67,1; schol. Pind. P. 121; Plin. nat. 4,28; Ptol. 3,14,14; Skyl. 62; Skymn. 592 ff.; Steph. Byz. s. v. B.; Strab. 9,4,10; 10,4,6). B. wird noch im 6.Jh. n. Chr. bei Hierokles, Synekdemos 643,9 erwähnt. Als einziges histor. Ereignis ist ein Überfall der Phoker auf B. 458/7 v. Chr.

bezeugt (Thuk. 1,107,2; Diod. 11,79,4). Wohl eher mit den Resten der ant. Festung südl. von Gravia [2] identisch als mit der Lage nordöstl. von Mariolata [1; 3].

1 E. OBERHUMMER, s. v. B., RE 3, 635 2 D. ROUSSET, Les Doriens de la Métropole, in: BCH 113, 1989, 199–239 3 J. KODER, B., TIB 1, 137.

D. ROUSSET, Les Doriens de la Métropole, in: BCH 114, 1990, 445–472.   P. F.

Boiorix. Kelt./illyr. Namenskompositum »König über die Boii« [1.497; 2.153].
[1] Funktionsname eines Boierfürsten in It., der 194 v. Chr. mit seinen beiden Brüdern Krieg gegen die Römer führte (Liv. 34,46,4).
[2] König der → Cimbri, wohl identisch mit dem *ferox iuvenis*, der 105 v. Chr. den gefangenen Legaten M. → Aurelius [I 18] Scaurus tötete. B. fiel zusammen mit seinem Mitkönig Lugius bei Vercellae, nachdem er zuvor mit → Marius über Ort und Zeit der Schlacht verhandelt hatte (Plut. Marius 24,4–27; Flor. 1,38; Oros. 5,16,14–20). Ob der Name des Kimbernkönigs auf Kontakte zu den → Boii zurückgeht, ist umstritten.

1 H. BIRKHAN, Germanen und Kelten bis zum Ausgang der Römerzeit, SAWW 1970 2 SCHMIDT.

HOLDER I, 474–475 · E. KOESTERMANN, Der Zug der Cimbern, in: Gymnasium 76, 1969, 310–329.   W. SP.

Boios (Βοιός), den Verf. einer Ὀρνιθογονία (*Ornithogonía*), eines Lehrgedichtes in wenigstens zwei Büchern aus dem 3.Jh. v. Chr., das die Verwandlung von Menschen in Vögel erwähnte, erwähnen Athen. 9,393e und Antoninus Liberalis. Das Werk wurde von Ovid benutzt und von seinem älteren Zeitgenossen Aemilius Macer nachgeahmt bzw. ins Lat. übertragen (zwei Bücher).

A. S. HOLLIS (Hrsg.), Ovid, Metamorphoses Book VIII, 1970, xvii, 33 · G. LAFAYE, Les Métamorphoses d'Ovide et leurs modèles Grecs, 1904, 51–53 · CollAlex 23–25.   C. S.

Boiotarchen. Wichtigstes Amt im Boiotischen Bund. Das Kollegium der von den Bundesbezirken auf ein Jahr gewählten B. bestand vor 386 v. Chr. aus elf, nach 364 aus sieben und 338 zeitweise aus acht Personen. Größere Städte stellten zwei, Theben nach der Einnahme Plataias (427 und 373) vier B. Zu den weitreichenden Amtsvollmachten gehörten u. a. probuleutische Funktionen gegenüber der Bundesversammlung und Gesandtschaftsdienste, vor allem aber das mil. Kommando über die Truppen des Bundes. Der Oberbefehl lag bei den thebanischen B.; über Taktik und Strategie wurde nach Mehrheit entschieden. Die von den B. ausgehandelten Bündnis- und Friedensverträge mußten von Bundesrat bzw. -versammlung bestätigt werden. Nach 338 verloren die B. gegenüber den → Archonten des Bundes an Bedeutung. Das Amt existierte mit Unterbrechungen

mindestens bis ins 3. Jh. n. Chr.
→ Boiotischer Bund

J. BUCKLER, The Theban Hegemony, 371–362 BC, 1980,
23–30 • P. SALMON, Étude sur la confédération béotienne
(447/6–386), 1978, 129–143.   W. S.

Boiotia, Boiotoi (Βοιωτία, Βοιωτοί).

A. TOPOGRAPHIE   B. HISTORISCHE ENTWICKLUNG
VON DEN ANFÄNGEN BIS ZUM 4. JH. V. CHR.
C. HELLENISMUS UND RÖMISCHE ZEIT
D. BYZANTINISCHE ZEIT

A. TOPOGRAPHIE

Landschaft bzw. Volk im südöstl. Mittelgriechenland; mit ca. 2500km² fast gleich groß wie → Attika. Im
Südwesten vom korinthischen und im Nordosten und
Osten vom euboiischen Golf begrenzt, ist B. die einzige
Landbrücke zw. Nord- und Süd-Griechenland und
wurde daher immer wieder zum Kriegsschauplatz
(→ Chaironeia, → Koroneia, → Plataiai). Im Süden
bildeten der → Parnes und der → Kithairon eine natürliche Grenze zu Attika und zur Megaris, während im
Westen der → Helikon und der von einem östl. Ausläufer des → Parnassos und dem → Hadylion im unteren
Tal des → Kephisos gebildete Engpaß westl. von Chaironeia B. gegen → Phokis abgrenzte. Im Nordwesten
und Norden trennte das h. Chlomongebirge B. von
Ost-Lokris; allerdings kamen die urspr. ostlokrischen
Hafenplätze → Larymna und → Halai und deren Gebiet
in klass. bzw. hell. Zeit zu B.; ständig zw. B. und Attika
umstritten war das im äußersten SO gelegene Gebiet
von → Oropos; im SW konnte Athen seinen Einfluß im
6. und 5. Jh. v. Chr. zeitweilig über den Kithairon bis
nach Plataiai ausdehnen. Ein östl. des → Messapion unmittelbar am → Euripos gelegener Landstreifen gehörte
als → Peraia zum euboiischen → Chalkis [1] und war in
hell. Zeit durch eine große Festungsmauer gegen das
übrige B. abgegrenzt [1. 91 ff.].

Die Ausläufer der B. umgebenden Gebirge haben das
Binnenland zu einer vielgliedrigen, fruchtbaren Bek-
kenlandschaft geformt: Im Westen bilden das untere
Kephisos-Tal und die westl. Uferrandzonen der in myk.
Zeit und dann wieder seit dem ausgehenden 19. Jh.
trockengelegten → Kopais ein Becken mit → Orchomenos als bedeutendster Stadt; im Osten erstreckt sich
von → Thebai aus nach Norden bis zum Hylike- und
Trapheia-See das größte Becken, das im Westteil »te-
nerische« und im Ostteil »aonische« Ebene gen. wurde;
im SO beherrschte Tanagra ein in sich geschlossenes
Becken am Unterlauf des → Asopos; im SW verfügten
auch Plataiai und Thespiai über kleinere Ebenen mit
guten Ackerflächen. Die am korinth. Golf gelegenen
Hafenplätze → Kreusis, → Siphai und → Chorsiai waren vom Binnenland aus nur schwer zugänglich und
daher im Gegensatz zu den am euboiischen Golf gelegenen Hafenstädten → Aulis, → Anthedon und → Larymna von geringerer Bedeutung. Trotz der ausgedehnten Küsten blieb B. ein binnenländisches Agrarland, das
nicht nur für ausgezeichneten Weizen (Theophr. h.
plant. 8,4,5; Plin. nat. 18,63) [8. 8 f.], sondern auch für
Pferdezucht (Dikaiarchos, GGM 1,13) und für Aale aus
der Kopais (Aristoph. Ach. 880ff.; Paus. 9,24,2; Athen.
7,297d) bekannt war. Obgleich B. die Heimat u. a. des
Hesiodos, Pindaros, der Korinna und des Plutarchos
war, galten seine Bewohner in der Ant. gemeinhin als
plump, stumpfsinnig und gefräßig [4. 646].

B. HISTORISCHE ENTWICKLUNG VON
DEN ANFÄNGEN BIS ZUM 4. JH. V. CHR.

Die Anf. der Siedlungsgesch. von B. reichen bis in
das Paläolithikum zurück; spätestens seit dem Neolithikum waren die fruchtbaren Binnenebenen dicht besiedelt. In myk. Zeit erlebte B. eine erste große Blütezeit; in Orchomenos und Thebai entstanden mächtige
Palastzentren, deren konkurrierendes Verhältnis sich in
der reichen myth. Tradition widerzuspiegeln scheint
[5]. Von Orchomenos aus wurde durch aufwendige
Meliorationsmaßnahmen die Kopais trockengelegt, so
daß große Anbauflächen hinzugewonnen wurden, die
aber nach dem Niedergang der myk. Palastkultur erneut
überflutet wurden [6].

Im Zuge der Wanderungsbewegungen in den
→ »Dunklen Jahrhunderten« sind die B. wohl von NW
her (nach ant. Tradition von Thessalia aus) in die später
nach ihnen ben. Landschaft (erste Erwähnung: Hes. cat.
fr. 181) zugewandert [2; 4. 642]. Die Namensform
Βοιωτοί (erstmals bei Hom. Il. 2,494, aber noch ohne
Orchomenos und → Aspledon) ist wohl von einem
nw-griech. Toponym (Boion-Gebirge in Epeiros?) abgeleitet; nach NW-Griechenland und bes. Thessalia
weist auch der eigenständige, auf aiol. Basis beruhende
und westgriech. beeinflußte Dialekt [3].

Zunächst als amphiktyonischer Stammesverband
(→ Amphiktyonia) mit den zentralen Heiligtümern des
Poseidon in → Onchestos und der Athena Itonia bei
Koroneia (Fest der *Pamboiotia*) organisiert, schlossen sich
die boiot. Städte, von denen schon der homer. Schiffskatalog 29 Städte nennt (Hom. Il. 2,494ff.), im ausge-
henden 6. Jh. v. Chr. unter der Führung von Thebai zu
einem ersten Bund mit gemeinsamer Mz.-Prägung zusammen, jedoch ohne Plataiai, das sich an → Athenai [1]
anschloß [7]. Nach den Perserkriegen wurde dieser
Bund wegen der perserfreundlichen Haltung vieler
Mitglieder möglicherweise aufgelöst; zumindest verlor
Thebai seine Vorrangstellung. Von 457 bis 447 geriet der
wiederhergestellte (?) Bund unter die Kontrolle von
Athenai; nach der att. Niederlage bei Koroneia wurde
B. zum Bundesstaat umgestaltet: Die Städte wurden in
11 gleich große Distrikte zusammengefaßt und nach
dem Prinzip der Proportionalität an Steuerzahlungen
und allen Führungsämtern (vgl. das Amt des → boiōtárchēs) und Bundesorganen (Bundesversammlung und
-rat, Heeresorganisation) beteiligt (Hell. Oxyrh. 19,2–4,
374–404). Im Peloponnesischen Krieg noch auf spartanischer Seite, kämpften die B. im Korinth. Krieg (395–
387 v. Chr.) als Verbündete Athens gegen Sparta. Die im

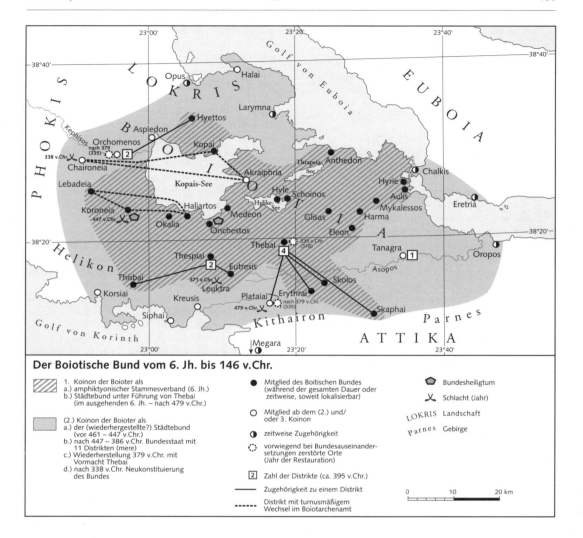

Der Boiotische Bund vom 6. Jh. bis 146 v.Chr.

1. Koinon der Boioter als
   a.) amphiktyonischer Stammesverband (6. Jh.)
   b.) Städtebund unter Führung von Thebai
      (im ausgehenden 6. Jh. – nach 479 v.Chr.)

(2.) Koinon der Boioter als
   a.) der (wiederhergestellte?) Städtebund
      (vor 461 – 447 v.Chr.)
   b.) nach 447 – 386 v.Chr. Bundesstaat mit
      11 Distrikten (mere)
   c.) Wiederherstellung 379 v.Chr. mit
      Vormacht Thebai
   d.) nach 338 v.Chr. Neukonstituierung
      des Bundes

● Mitglied des Boitischen Bundes
   (während der gesamten Dauer oder
   zeitweise, soweit lokalisierbar)

○ Mitglied ab dem (2.) und/
   oder 3. Koinon

◑ zeitweise Zugehörigkeit

⌗ vorwiegend bei Bundesauseinander-
   setzungen zerstörte Orte
   (Jahr der Restauration)

② Zahl der Distrikte (ca. 395 v.Chr.)

— Zugehörigkeit zu einem Distrikt

--- Distrikt mit turnusmäßigem
   Wechsel im Boiotarchenamt

⬠ Bundesheiligtum

⚔ Schlacht (Jahr)

LOKRIS Landschaft

Parnes Gebirge

0   10   20 km

»Königsfrieden« 386 v.Chr. erzwungene Auflösung des Bundes wurde nach dem Sturz des 382 von Sparta eingesetzten Regimes ab 379 unter → Pelopidas und → Epameinondas rückgängig gemacht und die Vormachtstellung von Thebai innerhalb des Bundes entscheidend gestärkt; Plataiai und Orchomenos wurden von Thebai zerstört. Anfangs Mitglied im 2. → Attischen Seebund, geriet B. wegen seines wachsenden Vormachtstrebens in Gegensatz zu Athen; nach dem Sieg über Sparta bei → Leuktra 371 war B. bis zur Schlacht bei → Mantineia 362 Führungsmacht in Griechenland, verlor dann aber an Einfluß. Nach einem Aufstand zerstörte Alexandros [4] d. Gr. 335 Thebai und ließ gleichzeitig Plataiai und Orchomenos wiederaufbauen; Thebai wurde nach seinem Wiederaufbau durch Kassandros 316 erneut Mitglied des nach 338 neukonstituierten Bundes, ohne aber die alte Vormachtstellung wiederzuerlangen.

C. HELLENISMUS UND RÖMISCHE ZEIT

In hell. Zeit konnte sich B. behaupten und zeitweilig sogar u. a. → Chalkis [1], → Eretria, → Megara und Teile von Ost-Lokris in seinen Bund integrieren. Die Auseinandersetzungen mit Rom im 3. und 2.Jh. v.Chr. führten in B. zu schweren Erschütterungen und 146 schließlich zur Auflösung des Bundes, der, bald darauf wiederbegründet, bis in die späte Kaiserzeit bestand, allerdings vornehmlich kult. Funktionen erfüllte. In röm. Zeit wurde B. zu einer randständigen Region und im 3. und 4.Jh. n. Chr. vollendeten die Einfälle der Goten den Niedergang von B. Antike Beschreibungen: bes. bei Strab. 9,2; Paus. 9; Dikaiarchos, GGM 1,100–106 (6–30); FGrH Nr. 376–388.

1 S. C. BAKHUIZEN, Studies in the Topography of Chalkis on Euboea, 1985 **2** Ders., The Ethnos of the Boeotians, in: H. BEISTER, J. BUCKLER (Hrsg.), Boiotika, 1989, 65–72
3 W. BLÜMEL, Charakterisierung des boiot. Dialekts, in: P. ROESCH, G. ARGOUD (Hrsg.), La Béotie antique, 1985,

385–393 **4** F. CAUER, s. v. B., RE 3, 640–663 **5** S. HILLER,
Die Stellung Böotiens im myk. Staatenverband, in:
H. BEISTER, J. BUCKLER (Hrsg.), Boiotika, 1989, 51–64
6 J. KNAUSS, B. HEINRICH, H. KALCYK, Die Wasserbauten
der Minyer in der Kopais, 1984 **7** A. SCHACHTER, B. in the
Sixth Century B. C., in: H. BEISTER, J. BUCKLER (Hrsg.),
Boiotika, 1989, 73–86 **8** P. W. WALLACE, Strabo's
Description of B., 1979.

S. C. BAKHUIZEN, Thebes and Boeotia in the Fourth
Century B. C., in: Phoenix 48, 1994, 307–330 · R. J. BUCK,
A History of Boeotia, 1979 · Ders., B. and the Boiotian
League, 432–371 B. C., 1994 · J. BUCKLER, The Theban
Hegemony 371–362, 1980 · C. BURSIAN, Geogr. von
Griechenland 1, 1862, 194–251 · FOSSEY · B. GULLATH,
Unt. zur Gesch. B.s in der Zeit Alexanders d. Gr. und der
Diadochen, 1982 · PAPACHATZIS, Παυσανίου Ελλάδος
Περιήγησις, 5, ²1981, 13–266 · PHILIPPSON/KIRSTEN I,2,
430–548 · P. ROESCH. Thespies
et la confédération béotienne, 1965 · Ders., Études
béotienne, 1982 · P. SALMON, Étude sur la confédération
béotienne (447/6–386), 1976 · SCHACHTER · Teiresias 1 ff.,
1971 ff.   P. F.

KARTEN-LIT.: J. DUCAT, La confédération béotienne et
l'expansion thébaine à l'époque archaique, in: BCH 97,
1973, 59–73 · J. M. FOSSEY, The cities of the Kopais in the
Roman period, ANRW II 7,1, 1979, 549–591 ·
B. GULLATH, Unt. zur Gesch. Boiotiens in der Zeit
Alexanders und der Diadochen, 1982 · J. M. FOSSEY,
Topography and Population of Ancient Boiotia 2 Bde.,
1988 · Ders., Papers in Boiotian Topography and History,
1990 · H. VAN EFFENTERRE, Les Béotiens aux frontières de
l'Athènes antique, 1989 · R. J. BUCK, Boiotia and the
Boiotian League, 1994, 432–371.

D. BYZANTINISCHE ZEIT

551 n. Chr. wurde die Region von einem Erdbeben
heimgesucht, das acht Städte zerstörte (Prok. BG 4,25).
Im 7. Jh. slawische Einwanderung, an Ortsnamen ables-
bar; im 8. und 9. Jh. Blüte, vor allem Thebens, das
Hauptstadt des Themas Hellas und Sitz des Metropoliten war.

J. M. FOSSEY, Topography and Population of Ancient
Boiotia, 2 Bde., 1988.   K. SA.

Boiotisch. Das B. ist durch Inschr. aus Lebadeia, Orchomenos, Tanagra, Thebai, Thespiai u. a. (Einheitsal-
phabet seit der 1. H. des 4. Jh.) wie auch durch → Korinna belegt, deren Text die Orthographie der Inschr.
von Tanagra widerspiegelt (→ Griech. Literatursprachen).

Trotz des Einflusses des Att. bzw. der *Koiné* lebt das
B. in Inschr. bis in die 1. H. des 2. Jh. v. Chr. fort. Charakteristisch ist bes. die Entwicklung des Vokalsystems
(Monophthongierung von Diphthongen, Hebung von
ē und von *e, o*), die seit dem 5. Jh. durch Schreibungen
wie I für *ei* (neben EI, ⱶ) bzw. AE, OE für *ai, oi*
(Πιθαρχος, ταε, τοε = Πειθ-, τῇ, τῷ) oder EI für *e* vor *a, o*
(εθειαν, θειοις = ἔθεσαν, θεοῖς) spürbar ist und zu einem
System geführt hat [1. 77 ff.], das in der letzten Phase mit
demjenigen der *Koiné* z. T. übereinstimmt. Einige auf-
fallende gemeinsame Erscheinungen Mitte des 3. Jh.
sind: H, Y, I für /ē/, /ū/, /ī/ (aus *ai, *oi, *ei), EI, Ω, OY
für /ē/ (bzw. /ī/), /ō/, /ū/ aus *ē, *ō, *ū (auch aus Ersatzdehnungen und Kontraktionen: ē, ō urspr. nicht geschlossen), z. B. φηνειτη, τυς, εχι, μει, ειμεν, βωλα, χρου-
σιω = φαίνηται, τοῖς, ἔχει, μή, εἶναι, βουλή, χρυσοῦ; auch
OY vorherrschend für /u/ (Πουθιω = Πυθίου). Dazu
weitere Entwicklungen, z. B. in Lebadeia (3./2. Jh.): I für
*ē, EI für *oi, vgl. *κυδις, αγιρεμεν, αυτεις = *κύδης, ἀγεί-
ρειν, αὐτοῖς) oder in Thebai (2. H. des 3. Jh.: EI für *ai,
vgl. Θειβειυ = Θηβαῖοι). Das B. zeigt, neben Übereinstimmungen (a) mit den aiol. Dial. (→ Aiolisch) und
bes. (b) mit dem → Thessalischen, (c) eine starke westgriech. Komponente und (d) eine Reihe eigener Merkmale. Zu (a): *r > ro, *kᵘe > pe; athemat. Dat. Pl. auf
-εσσι, Perf. Ptz. mit -nt-; Gebrauch des Patron., auch
Gen. des Vaternamens, je nach Epochen [2], vielleicht
ἴα, 'ι'. Zu (b): 3. Pl. mit -νθ- (-νθι, -νθο, usw.), themat.
Inf. auf -έ-μεν, γίνυμαι. Zu (c): bewahrtes -ti(-), Nom.
Pl. τυ, τη (= οἱ, αἱ), athemat. Inf. auf -μεν, ἡ (für αἱ = εἰ),
*gᵘel- (βείλομαι), die zur westgriech. Komponente des
Aiol. gehören. Spezifisch westgriech.: ὄκα, κα (= ὅτε,
ἄν), ἱαρός, πρᾶτος, Fίκατι, '20'; dem Einfluß der nordwestgriech. *Koiná* sind ΣΤ für *stʰ und Aor. auf -ξα- für
*-t-sa- zuzuschreiben. Zu (d): später Gleitlauteinschub
vor *o, u* (τιουχα = τύχη), *t⁽ʰ⁾i, *k⁽ʰ⁾i, *tu, *ts > -tt-
(τόττος, Aor. auf -ττα-, auch Präs. auf -ττω), *di, *gi,
*i > (d)d- (Präs. auf -δδω), erhaltenes u; Dat. Sg. auf -οι,
-αι (-υ, -η), οὑτο-/ᾱ- im ganzen Paradigma, Iptv. 3. Pl.
auf -νθω, -σθω, 3. Pl. auf -αν (Typ *ἔθεαν; auch sporadisch 3. Sg. ανεθη, Aor. auf -σσα- nach kurzer Silbe
(καλε-σσα-); ποτ(ί), ἐν + Akk., ἐς/ἑος, πεδά (= πρός, εἰς,
ἐξ, μετά), häufige PN auf -ει (Gen. -ιος). Wegen (a) und
(b), z. T. auch (c) erweist sich das B. als aiol. Dial., der
mehrere Isoglossen mit den nordwestgriech. Dial. teilt;
er wurde in Boiotien erst in nachmyk. Zeit von aus
Thessalien stammenden Einwanderern eingeführt
[3. 79 f., 96]; im myk. Thebai ist ein ostgriech. Dial.
belegt (*i-je-ro*).

Probe (Lebadeia, 3. Jh.): Δωιλος Ιρανηω αντιθειτι τον
Fιδιον θεραποντα Ανδρικον τυ Δι τυ Βασιλει ... ιαρον
ειμεν ... · μει εσσειμεν δε καταδουλιτταση Α. μειθενι · Α.
δε λειτωργιμεν εν της θοσιης των θιω[ν] ουτων.

Entsprechend: Ζωίλος Εἰρηναίου ἀνατίθησι τὸν ἴδιον
θεράποντα Ἀνδρικὸν τῷ Διὶ τῷ Βασιλεῖ ... ἱερὸν εἶναι ... ·
μὴ ἐξεῖναι δὲ καταδουλίσασθαι Ἀ. μηδενί · Ἀ. δὲ λῃτουρ-
γεῖν ἐν ταῖς θυσίαις τῶν θεῶν τούτων.

→ Griechische Dialekte; Griechische Literatursprachen

1 M. S. RUIPÉREZ, Esquisse d'une histoire du vocalisme grec,
in: Word 12, 1956, 67–81 (= Opera selecta 63–77)
2 G. VOTTÉRO, L'expression de la filiation en béotien, in:
Verbum 10, 1987, 211–231 **3** J. L. GARCÍA-RAMÓN, Les
origines postmycéniennes du groupe dialectal éolien, 1975.

QUELLEN: IG VII, 1892 · Teiresias Epigraphica, 1975–1985.
LIT.: BECHTEL, Dial. I, 1921, 213–311 · W. BLÜMEL, Die
aiol. Dial., 1982 · C. BRIXHE et al., Le béotien, in: REG 98,
1985, 298–303 (Forschungsbericht) · THUMB/SCHERER,
5–48.   J. G.-R.

Boiotos (Βοιωτός). Stammvater der Boiotoi, ist schwer zu erfassen. Nur zwei Genealogien verbinden ihn mit dem Land, das seinen Namen trug. Nach Hellanikos (FGrH 4F51) und anderen [1] war er der Sohn von Poseidon und Arne (Namensgeberin der urspr. Heimat der Boiotoi). Bei Paus. (9,1,1) ist B. der Sohn von Itonos und Melanippe. Einer der beiden ist vermutlich Vater von Onchestos (Hes. fr. 219 M-W). Der uns überlieferte Mythos scheint nicht weiter als auf zwei verlorene Stücke von Euripides zurückzugehen (TGF 480–514). In Μελανίππη ἡ Δεσμῶτις gebiert → Melanippe, die Tochter des älteren Aiolos, dem Poseidon zwei Söhne, B. und den jüngeren Aiolos. Ihr Vater blendet sie, schließt sie ein und setzt die Kinder aus. Diese werden von einer Kuh gesäugt und von Hirten aufgezogen. Theano, die Frau des Königs Metapontos von Ikaria, gibt die Knaben als ihre eigenen aus, will sie aber loswerden, nachdem sie zwei eigene Söhne geboren hat. Die Knaben entkommen und erfahren, wer sie sind; darauf töten sie den älteren Aiolos, befreien ihre Mutter und bringen sie zu Metapontos, der sie heiratet, nachdem sich Theano umgebracht hat, und die Knaben adoptiert. Später gründet B. Boiotia in Propontis und Aiolos Aiolis.

Die Handlung der Μελανίππη ἡ σοφή ist im Palast des älteren Aiolos angelegt, der Cheirons Tochter Hippo zur zweiten Frau nimmt. Sie gebiert Melanippe, die ihrerseits dem Poseidon die Zwillinge gebiert. Sie übergibt die beiden einer Amme, die sie von Rinderhirten aufziehen läßt. Auch sie werden von einer Kuh gesäugt und vor Aiolos gebracht. Sie sollen auf Anraten von Aiolos' Vater Hellenos geopfert werden, als sie von Melanippe erkannt und vermutlich im letzten Augenblick gerettet werden.

Euripides' »italische« Version könnte echtes boiot. Interesse an der Gegend zeigen, wofür es noch weitere Anzeichen gibt.

1 M. L. WEST, The Hesiodic Catalogue of Women, 1985, 102, Anm. 158.　　　　　　　　　A. S.

Boïskos (Βοΐσκος) aus Kyzikos. Von ihm überliefern Mar. Victorin. 2,4,30 (VI 82 KEIL) und Rufin. 1,28 (VI 564 KEIL) einen ungewöhnlichen katalektischen iambischen Oktometer (= SH 233); B., der sich καινοῦ γραφεὺς ποιήματος (›Schreiber neuer Dichtung‹) nennt, erklärt sich voller Stolz zum Erfinder dieses Verses. Vielleicht kann B. mit dem gleichnamigen ποιητὴς καινῆς κωμῳδίας (›Dichter der neuen Komödie‹), der um 100 v. Chr. in Thespiai einen Sieg errang (IG VII 1761), gleichgesetzt werden; vgl. [1; 2].

1 KROLL, s. v. B. (5), RE Suppl. 3, 211 2 U. v. WILAMOWITZ-MOELLENDORFF, Griech. Verskunst, 1921, 71¹.　　　　　　　　　M. D. MA./T. H.

Bokchoris. König in Unterägypten (ca. 720–715 v. Chr.), ägypt. *B3k-n-rn.f*, zweiter und letzter Herrscher der 24. Dynastie. Er wird von dem nubischen König Schabako entthront, der um 715 v. Chr. ganz Ägypten

erobert und → Manethon zufolge B. lebendig verbrennen läßt. Zeitgenössisch ist die Regierung des B. nur sehr schwach bezeugt. Um so größer ist sein Nachruhm in späterer ägypt. und ant. Tradition, wo er als Weiser und großer Gesetzgeber galt.

TH. SCHNEIDER, Lex. der Pharaonen, 1994, 93 f. ·
LÄ 1, 846 · RE 3, 66 f.　　　　　　　　　K. J.-W.

Bolbe (Βόλβη). Sumpfiger See in der mygdonischen Senke (Makedonia) an der west-östl. Landroute von Thessaloniki bis Amphipolis, die auch von der Via Egnatia südl. davon benutzt wurde. Größere Städte am See-Ufer waren → Apollonia [3] und Arethusa [8]. Steph. Byz. (s. v. B.) erwähnt eine Stadt B., eine Burg Bolbos wurde unter Iustinian restauriert (Prok. aed. 4,4,43).　　　　　　　　　MA. ER.

Bolbos (βολβός, *bulbus*). Name für unterirdische Speicherwurzeln wie Zwiebeln und Knollen verschiedener Pflanzen, vor allem der Allium-Arten (vgl. Dioskurides 2,214 ff. = 2,178–182 [2. 232–235]) (Lauch, πράσον), nämlich *Allium cepa* (Küchenzwiebel, κρόμμυον), *Allium scorodoprasum* (Knoblauch, σκόροδον) und *Allium schoenoprasum* (Schnittlauch, σχοινόπρασον). Das Zauberkraut μῶλυ der Odyssee, dessen Blätter Theophr. h. plant. 9,15,7 mit der σκίλλα (Meerzwiebel, *Urginea maritima*) vergleicht, gehört zu den breitblättrigen Allium-Arten, ebenso wie die gleichfalls magisch verwendete Siegwurz (*Allium victorialis*). Zu den ältesten Kulturpflanzen Eurasiens werden das Knollengemüse der Aracee *Colocasia antiquorum* (arab. *qolqas*, ind. *taro* → Aron) und das in Ägypten seit mindestens 6000 J. angebaute eßbare Zypergras *Cyperus esculentus* (→ Binsen), μαλιναθάλλη bei Theophr. h. plant. 4,8,12 gerechnet. Hieraus wird das in Spanien geschätzte Getränk Chufa hergestellt. In der gleichnamigen maked. Stadt soll eine Bolbe dem Herakles den Olynthos geboren haben; ein Krommos, Gründer der Stadt → Krommyon, soll ein Sohn des Poseidon gewesen sein.

→ Gewürze

1 M. WELLMANN (Hrsg.), Pedanii Dioscuridis de materia medica 1, 1908, Ndr. 1958 2 J. BERENDES (Hrsg.), Des Pedanios Dioskurides Arzneimittellehre übers. und mit Erl. versehen, 1902, Ndr. 1970.　　　　　　　C. HÜ.

Boletum. Stadt, nur inschr. (CIL II 5843; 5845) bezeugt, wohl bei Barbastro/Hispania Tarraconensis gelegen. Der ON Boletania überdauerte das MA; arab. Geographen schrieben Bortana, was sich im h. Boltaña erh. hat.

TOVAR 3, 384 f.　　　　　　　　　P. B.

Bolis (Βῶλις). Hoher Offizier Ptolemaios' IV. aus Kreta. 213 v. Chr. von Sosibios beauftragt, Achaios aus dem belagerten Sardes zu befreien, wechselte er die Seiten und sorgte für die Auslieferung des Achaios an Antiochos III. (Pol. 8,15–20). PP 6, 14750.　　　W. A.

Bomarzo. In der Umgebung der heutigen Stadt B. lagen mehrere kleine etr. Siedlungen, z. B. auf dem Hügel Pianmiano 2 km im NO, Piano della Colonna 3 km im NW und auf Monte Casoli; möglicherweise das ant. Maeonia oder Pneonia. Die Besiedlung der Gegend ist auf den Zeitraum von archa. bis frühhell. Zeit begrenzt; nur Pianmiano war noch bis ins 6.Jh. n.Chr. besiedelt. Die Nekropolen wurden im 19.Jh. geplündert. Der in der Renaissance angelegte *Parco dei Mostri* mit Felsstatuen weist vielfach ant. Einflüsse auf.

> M. P. BAGLIONE, Ricognizioni archeologiche in Etruria 2. Il territorio di Bomarzo, 1976 · H. BREDEKAMP, Bomarzos »Koloss von Rhodos«. Orlando oder: Die Begattung Südamerikas, in: Hephaistos 4, 1982, 79–98.   M.M.

Bombyx s. Seide

Bombyzin s. Papier

Bomies (Βωμιεῖς). Nordöstl. Gau der aitolischen → Ophieis am Oberlauf des → Euenos: Thuk. 3,96; Strab. 10,2,5.

> W. WOODHOUSE, Aetolia, 1897, 70f. · C. ANTONETTI, Problemi di geografia storica del territorio etolo-acarnano, in: P. JANNI (Hrsg.), Γεωγραφία, 1985, 11–24.   D.S.

Bomilkar (*Bdmlqrt?*; Βορμίλκας u. a.).
[1] Karthagischer Strategos 310–308 v.Chr., Neffe des → Hamilkar; erhielt gemeinsam mit Hanno gegen → Agathokles den erstmals geteilten Oberbefehl (Diod. 20,10; 12); nach einem Putschversuch (?) hingerichtet (Diod. 20,44; Iust. 22,7 [1. 16–18]).
[2] Karthagischer Gesandter in Athen ca. 330/300 v.Chr. (IG II/III² 1, 1418), wohl identisch mit B. [1] [2. 194¹²³].
[3] Karthagischer Sufet (Pol. 3,42); verschwägert mit dem → Barkiden [1. 18; 94–95; 121]; 215–211 glückloser Nauarchos mit Nachschubaufgaben für It. und Sizilien (Pol. 9,9; Liv. 23,41; 24,36; 25,25; 27; 26,20) [2. 368–369].
[4] Enger Vertrauter des → Iugurtha, in Rom 110 v.Chr. wegen des Attentats auf → Massiva angeklagt; im Krieg gegen Rom exponierter Befehlshaber, u.a. am Muthul, 108 wegen des mit → Nabdalsa geplanten Königsmordes hingerichtet (Sall. Iug. 35; 49; 52; 61; 72).

> 1 GEUS   2 HUSS.   L.-M.G.

Bona. Das Vermögen einer Person; die genaue Bedeutung hängt vom Zusammenhang ab B. meint zum einen die Gesamtheit der Güter, die einer Person zugeordnet sind, wobei die rechtliche Natur der Zuordnung aber unterschiedlich sein kann: Offen ist die Zuordnung bei der für die honorarrechtliche *missio in b.* und *venditio bonorum* maßgeblichen *naturalis appellatio bonorum*, welche die Etymologie zurückführt auf das Wort *beare* = glücklich machen (Ulp. Dig. 50,16,49). Näher eingegrenzt und bestimmt ist die Zuordnung dagegen bei der *civilis appellatio bonorum*; diese meint nur die Zuordnung

als → *dominium* (Ulp. l.c.). Als *divisio* (analytisch, nicht bloß aufzählende Unterscheidung im Sinne von Cic. top. 5,28) zu *dominium* begegnet, neben *dominium ex iure Quiritium*, bei Gai. inst. 2,40 der Ausdruck *in bonis habere.* Hier meint *b.* die Gesamtheit derjenigen Güter, die einer Person absolut, d. h. mit Prävalenz gegenüber jedermann, auch dem quiritischen Eigentümer, zugeordnet sind (sog. bonitarisches Eigentum, nach Theophilos paraphrasis 1,5,4 FERRINI δεσπότης βονιτάριος, in dieser Bedeutung auch Dig. 44,4,4,32). Bei Mod. Dig. 41,1,52 bezeichnet *b.* die Gesamtheit der Güter, hinsichtlich deren jemand durch eine *exceptio* oder *actio* geschützt ist. Weiter geht der in der Formel der *actio Serviana* (→ *pignus*) verwendete Begriff des *in b. esse*: *b.* meint hier nicht nur quiritisches Eigentum (wenn auch mit Einschränkungen: Africanus Dig. 20,4,9,3, → *pignus*) und *dominium* im Sinne von Gai. inst. 2,40, sondern auch nur relativ prävalente Rechtspositionen, die eine *actio Publiciana* begründen (Paul. Dig. 20,1,18). Bloß tatsächliche Innehabung ist gemeint bei Cic. fam. 13,30,1 (...*et est hodie in b.*...) und S. Rosc. 107 (*Qui sunt igitur in istis b.*...), Labeo Dig. 36,4,14 (*Quae*...*in b. est*) und Cels. Dig. 50,17,190 (*Quod evincitur, in b. non est*).

Teilweise meint das Wort *b.* den »Saldo aus der Verrechnung der Aktiva und Passiva« (Paul. Dig. 50,16,39,2), so im Recht der *l. Falcidia* (z.B. Papin. Dig. 35,2,11,3; → Erbrecht); ferner bei der Ausgleichung unter Abkömmlingen im Erbfall, der *collatio bonorum* (Paul. Dig. 37,6,2,1). Den nach Befriedigung der Gläubiger verbliebenen Rest der Vermögensaktiva meint dagegen *b.* im Zusammenhang des Verfalls an den *fiscus* (Iav. Dig. 49,14,11).

Im Zusammenhang mit der prätor. Erbfolge (→ *bonorum possessio*) meint *b.* schließlich die Gesamtheit der Aktiva und Passiva (Dig. 50,16,208; 37,1,3 pr.).

Auf der Linie des zuletzt wiedergegebenen Begriffes verstand SAVIGNY unter Vermögen die ›Totalität‹ von ›Eigenthum‹ und ›Obligationen‹ einer Person unter Einschluß ihrer Schulden [2. 367–386]. Dieselbe Bedeutung hat noch der Vermögensbegriff des geltenden Erbrechts (§ 1922 BGB, bestritten). Demgegenüber beziehen sich etwa die §§ 311, 1365 BGB sowie das Vollstreckungs- und Insolvenzrecht auf das Vermögen als Gesamtheit der geldwerten Rechte einer Person, die Bestimmungen des Zugewinnausgleichs (§§ 1372ff. BGB) auf das Vermögen als Saldo der Aktiva und Passiva.

> 1 Theophilos paraphrasis, ed. C. FERRINI, Institutionum graeca paraphrasis, 1884/97 (Ndr. 1967)   2 F. C. v. SAVIGNY, System des heutigen röm. Rechts I, 1840.
>
> H. ANKUM, M. VON GESSEL-DE RO, E. POOL, Die verschiedenen Bedeutungen des Ausdrucks in bonis..., in: ZRG 104, 1987, 238–436; 105, 1988, 334–435; 107, 1990, 155–215 · H. ANKUM, E. POOL, New Perspectives in the Roman Law of Property, Essays for Barry Nicholas, 1989, 5–41 · M. KASER, In bonis esse, in: ZRG 78, 1961, 173–220 · Ders., Röm. Rechtsquellen und angewandte Juristenmethode, 1986, 321–372 · E. POOL, Lat. Syntax und juristische Begriffsbildung..., in: ZRG 102, 1985, 470–481.   D.SCH.

Bona Dea. Die »Gute Göttin«, eine Frauengottheit, von deren Kult und Tempel Männer ausgeschlossen waren (andere Namen: *Fauna, Fatua, Fenta Fauna*). Ihre nächtlichen Geheimfeiern fanden Anfang Dezember unter Beteiligung der Vestalinnen bei der Frau eines Beamten *cum imperio* statt, der selbst außer Haus zu sein hatte (vgl. den bekannten Clodiusskandal des J.62 v.Chr., Cic. har. resp. 37; Plut. Caesar 9). Es war eine staatliche Feier *pro populo*. Einige Einzelheiten dieser Feier sind bekannt: Geopfert wurde eine *porca* (Macr. sat. 1,12,23); der Raum war mit Zweigen von Weinlaub und anderen Pflanzen geschmückt, Myrte aber war verboten (Plut. qu. Rom. 20,268D). Musik und Tanz spielten eine Rolle; auch Wein wurde getrunken – er wurde allerdings »Milch« genannt und in einem zugedeckten, »Honigtopf« genannten Gefäß aufbewahrt (Macr. sat. 1,12,25; Plut. qu. Rom. 20,268). Die übliche Deutung versteht dies als Überrest der alten Schicht der röm. Religion, die auf menschliche und agrarische Fruchtbarkeit abzielte. In jener Urzeit spendete man nicht Wein, sondern Milch und Honig. In jüngster Zeit hat man dagegen auf die typischen Inversionssignale in diesem Frauenfest aufmerksam gemacht [1; 2]: Wie das eng verwandte griech. Demeterfest, die → Thesmophoria, wurde es im polit. Zentrum der Stadt abgehalten, verbot dabei aber Männern den Zutritt, feierte die weibliche Fortpflanzungsfähigkeit, ließ dabei jedoch durch das Verbot der Myrte Sexualität nicht zu, und es gab den Frauen typisch männliche Rechte – Weingenuß und Vollzug des blutigen Opfers. In dieser Sicht weisen Milch und Honig sowie der Bau von Laubhütten auf den Primitivismus hin, der den Ausnahmecharakter des Festes unterstreicht. Die zugehörigen Mythen bestätigen dies. B.D. ist die Frau des → Faunus. Sie war so keusch, daß sie nie ihr Zimmer verließ und ihr Name nie genannt wurde; als sie sich heimlich betrank, prügelte ihr Mann sie zu Tode, erhob sie dann aber aus Reue zur Göttin (Plut. qu. Rom. 29,268DE). Oder sie ist die Tochter des Faunus, der ihr nachstellt; sie aber widersteht ihm, so daß er sie mit Myrtenzweigen schlägt. Erst als er sich in eine Schlange verwandelt, erreicht er sein Ziel (Macr. sat. 1,12,24). Außerdem erzählte man, dem durch It. ziehenden → Herkules sei von den das Fest der B.D. feiernden Frauen ein Trunk verwehrt worden; deswegen habe er die Frauen von seinem Opfer an der Ara Maxima ausgeschlossen.

Die Inschr. zeigen ein von diesem aristokratischen Geheimritus ganz verschiedenes Bild: Nichts weist auf Geheimhaltung, die Verehrer sind oft Sklaven oder Freigelassene, Dedikationen stammen oft von Männern. Manches weist auf einen Heilkult hin. Im Tempel am Aventin wurden Schlangen gehalten und Heilkräuter aufbewahrt; in Votivinschr. wird für Heilung von Krankheit gedankt. Der Ursprung der Göttin ist unklar. Einige Gelehrte halten sie für eine im 3.Jh. v.Chr. eingewanderte griech. Göttin [3. 228f.], andere verteidigen ›das echt ital. Wesen‹ (PETER [4. 795]). Wahrscheinlich aber handelt es sich um eine Mischung von zwei Gottheiten und mehreren Kulten, einer ital. und einer griech.; das Griech. hätte dann das Ital. so überlagert, daß eine saubere Scheidung nicht mehr möglich ist. In Mittel-It. finden sich zahlreiche Kultstätten; wieweit altital. oder griech. Import vorliegt, läßt sich nicht einmal mehr vermuten. Gelegentlich ist B.D. nur lokale Schutzgottheit.

1 H.S. VERSNEL, The festival for B.D. and the Thesmophoria, G&R 39, 1992, 31–55 **2** Ders., Transition and Reversal in Myth and Ritual, 1993, 228–288 **3** LATTE **4** ROSCHER I.

G. PICCALUGA, B.D. Due contributi all'interpretazione del suo culto, in: SMSR 35, 1964, 202–223 · H.H.J. BROUWER, B.D. The Sources and a Description of the Cult, 1989.

H.V.

Bona Fides s. Fides

Bonifatius
[1] B. tat sich 413 n.Chr. bei der Verteidigung von Marseille gegen Athaulf (→ Ataulfus) hervor, seit 416/7 n.Chr. in Africa als Tribun bezeugt, vielleicht *praepositus limitis*; seit etwa 423 *comes Africae*. Da er unabhängig agierte, stand er immer wieder im Verdacht, gegenüber → Valentinianus III. illoyal zu sein, was 427–429 zu mil. Auseinandersetzungen führte; offenbar 429 vom Kaiser als *comes* bestätigt. B. wurde dabei nachgesagt, die Vandalen ins Land gerufen zu haben, um seine eigene Position zu stützen; spätestens seit 430 bekämpfte er sie, wenn auch erfolglos. B. war Anhänger der Galla Placidia, die ihn 432 zum *magister militum* und dann auch zum *patricius* ernannte. Gegen → Aëtius konnte er sich 432 durchsetzen, doch starb er kurz darauf. Zunächst unter dem Einfluß seiner katholischen Frau wurde er Briefpartner des Augustinus (insbes. epist. 185; 189), der ihm nach deren Tod abriet, Mönch zu werden. B. gelobte Keuschheit und blieb in seinem Amt, heiratete aber später zum Verdruß des Augustinus (epist. 220) eine Frau mit arianischen Sympathien (PLRE 2, 237–240; Prosopographie de l'Afrique chrétienne 303–533, 1, 1982, 152–155).

A. DEMANDT, s.v. B., RE Suppl. 13, 655–57 · H.J. DIESNER, Die Laufbahn des comes Africae B. und seine Beziehungen zu Augustin, in: H.J. DIESNER, Kirche und Staat im spätröm. Reich, 1964, 100–126 · v. HAEHLING, 478f.

H.L.

[2] **B.I.**, Papst 418–422 n.Chr. Er konnte sich dank staatlicher Hilfe gegen den am Vortag von einer Minorität gewählten Eulalius durchsetzen, welcher daraufhin verbannt wurde. B. bemühte sich, den päpstlichen Primatsanspruch nach dem schwachen Pontifikat des Zosimos neu zu stärken (Briefwechsel: PL 20,745–792).
[3] **B.II.**, Papst 530–532, romanisierter Gote. Er wahrte den röm. Jurisdiktionsanspruch über Illyricum.

E. CASPAR, Gesch. des Papsttums, Bd. 1, 1930; Bd. 2, 1933 · M. WOJTOWYTSCH, s.v. B. episcopus Romanus, Augustinus-Lex., 1986, 655–658 · A. v. HARNACK, Der erste deutsche Papst, SPrAW 1924.

R.B.

Bonna. Die h. Stadt Bonn. Seit 30/20 v. Chr. Siedlung der → Ubii mit einheimischem Namen; eine gemischte röm. Garnison zw. 16 und 12 v. Chr. und seit 1 v. Chr. wurde unter Kaiser Claudius durch eine Legion ersetzt; Wiederaufbau des 70 n. Chr. zerstörten Legionslagers (*legio I Minervia*: → Domitianus – 4. Jh.) und der *canabae* als Fachwerk; Blüte der mehrfach umgebauten Lagervorstadt bis zu erneuten Verwüstungen (und folgenden Neubauten) 275 und 353/4. Seit E. des 3. Jh. (bis ins 10. Jh.) war das Lagerareal bewohnt, gab es Bestattungen in den ehemaligen *canabae*; german. Elemente nahmen zu; rechtsrheinischer Brückenkopf. Unter dem Münster dicht belegter Friedhof mit einer aus Spolien eines Matronenheiligtums [1] erbauten Märtyrer-Memoria des 4. Jh., aus der um 400 n. Chr. eine kleine Saalkirche entstand.

1 F. S. KLEINER, The sanctuary of the Matronae Aufaniae in Bonn, BJ 191, 1991, 199–224.

L. BAKKER, R. KAISER, s. v. Bonn, LMA 2, 426–428 · W. DAHLHEIM, s. v. B., RGA 3, 224–232 · M. GECHTER et al., Bonn, in: H. G. HORN (Hrsg.), Die Römer in Nordrhein-Westfalen, 1987, 364–388 · E. DASSMANN, Die Anf. der Kirche in Deutschland, 1993, 140–148. K. DI.

Bononia

[1] Heute Bologna. Siedlung der Villanova-Kultur am Renus auf einer spätbrz. Vorgängersiedlung, dann etr. Stadt (myth. Gründer Ocnus: Serv. Aen. 10,198; Sil. 8,600), Felsina gen. (Plin. nat. 3,115); Nekropolen, reiche Stelenproduktion. Wichtiges kelt. Zentrum, von den Römern kurz vor Beginn des 2. Pun. Krieges besetzt (Liv. 33,37,4); *colonia Latina* 189 v. Chr. (Liv. 37,57,7; Vell. 1,15,2) mit *tresviri* (*aediles*?). Regelmäßige Stadtanlage, seit 187 v. Chr. von der *via Aemilia* durchquert, im gleichen Jahr durch eine andere Straße mit → Arretium verbunden (Verlauf unsicher; Liv. 39,2,6); Hauptort des Centuriationsgebietes [1; 2]; dann *municipium* der *tribus Lemonia*; *colonia* (des Antonius: Cass. Dio 50,6), in augusteischer Zeit erneuert (CIL XI 720; [4]). Bed. Wirtschaftszentrum der *regio VIII*. 53 n. Chr. Schadensfeuer, Hilfeleistung durch Nero (Tac. ann. 12,58; Suet. Nero 7). Arch. Funde: Inschr. [5], v. a. Nekropolen im Westen [3]; orientalische Kulte sind belegt. Die Ortschaft schrumpft E. 4. Jh. n. Chr.; neue Stadtmauer.

1 Carta Archeologica, 1938 2 L. CASINI, Il territorio bolognese nell' età romana, 1909, 201–294 3 G. DALL'OLIO, Inscrizioni sepolcrali romane scoperte nell' alveo del Reno presso Bologna, 1922 4 A. DONATI, Sulla colonia augustea a Bologna, in: ArchCl 18, 1966, 248–250 5 G. C. SUSINI, Il lapidario greco e romano di Bologna, 1960. G. SU.

[2] Röm. Kastell mit Zivilsiedlung an der unteren Donau (Moesia Superior bzw. Dacia Ripensis) an der Straße von Singidunum nach Ratiaria und Oescus, h. Vidin/Bulgarien (Itin. Anton. 219,2; Amm. 31,11,6; Not. dign. or. 42,4,13; CIL III 6292, 6294; Prok. aed. 4,6,24). Dank strategisch bed. Lage Blüte im 2. und 3. Jh. n. Chr.

In der Spätant. war in B. ein *cuneus* (Abteilung) *equitum Dalmatarum Fortensium* stationiert (Not. dign. or. 42,12 f.). Kelt. und thrak. Zivilbevölkerung. Im 5. Jh. wurde B. von den Hunni zerstört. Unter Iustinianus I. neue Befestigung. Reiche arch. Funde (Mauerreste, Turmanlagen, Keramik, Nekropole, Inschr.) bezeugen die Bed. von B. als lokalem Zentrum.

TIR K 34 Sofia, 1976, 28. J. BU.

Bonorum possessio. Im röm. Erbrecht der vom Prätor zugewiesene Besitz an einem Nachlaß. *Der bonorum possessor* war nicht Erbe nach *ius civile* (*heres*), konnte aber in gewissen Fällen dessen Erbschaftsklage abwehren (Gai. inst. 3,35 ff.). Je nachdem, ob der Prätor auf Grund gesetzlicher, testamentarischer oder Not-Erbfolge einwies, unterschied man *b. p. intestati, secundum tabulas* und *contra tabulas*.
→ Bona; Erbrecht

1 H. HONSELL, TH. MAYER-MALY, W. SELB, Röm. Recht, ⁴1987, 438 f., 443, 450 f., 464 2 KASER, RPR I, 697 ff., 680, 707 ff. U. M.

Bonosus

[1] In Köln zusammen mit Proculus im J. 280 n. Chr. zum Kaiser erhoben, bald danach von → Probus besiegt (Eutr. 9,17,1; Aur. Vict. Caes. 37,3; [Aur. Vict.] epit. Caes. 37,2). Seine *vita* in der → Historia Augusta (Probus), ist weitgehend fiktiv, keine echten Münzen von ihm sind bekannt. PIR² B 146; PLRE 1, 163 Nr. 1.

A. B.

[2] Flavius B. war im Jahre 344 n. Chr. Konsul, wurde aber nur im Westen anerkannt und ist hier auch nur bis April/Mai bezeugt. Nach [1] ist er jedoch identisch mit dem erst für 347 erwähnten Konsul Sallustius. Im selben Jahr war er wohl *mag. equitum* (Cod. Theod. 5,6,1). PLRE 1, 164 Nr. 4.

1 O. SEECK, Die Briefe des Libanius, 1906, 262 f. W. P.

[3] Nur aus Briefen des → Symmachus bekannter Hofbeamter in der 2. H. des 4. Jh. n. Chr., der zweimal Statthalterschaften übernahm. Er überprüfte 387 Bauarbeiten in Rom (Symm. epist. 4,70; 5,76). PLRE 1, 163 f. Nr. 3. W. P.

Bonus Eventus. Urspr. mit dem Ackerbau verbundene Gottheit; *evenire* und *eventus* bezeichnen das Aufgehen der Feldfrüchte. Varro (rust. 1,1,6) reiht B. E. in den ländlichen Zwölfgötterkreis ein. Später wird B. E. generell als Verleiher von Erfolg aufgefaßt (Apul. met. 4,2). Plinius (nat. 34,77; 36,23) erwähnt zwei B. E.-Statuen in Rom: eine des Euphranor und eine von → Praxiteles. Bei den Thermen des Agrippa hatte B. E. einen Tempel (Amm. 29,6,19). Auf Münzen und Gemmen ist er häufig als Jüngling dargestellt, der in der einen Hand eine Opferschale, in der anderen Ähren hält.

P. E. ARIAS, s. v. B., LIMC 3.1, 123–126. R. B.

Bootes (Βοώτης). »Ochsentreiber«) Einer der Namen eines Sternbilds beim Sternbild des großen Wagens, das seit Hom. Od. 5,272 bezeugt ist. Wenn dieses letztere als Bär verstanden wird, deutet man die begleitende Konstellation statt dessen als »Bärenhüter«, Arktophylax (Arat. 91–83; Ov. fast. 3,145; Manil. astr. 1,316–318 usw.). Sein hellster Stern ist Arcturus (Arkturos), der gelegentlich der ganzen Konstellation den Namen gibt (Eratosth. catast. 8).

Verschiedene Sternsagen geben eine myth. Identifikation der Deutung von B.

1. Gewöhnlich wird er als → Ikaros verstanden, Vater der → Erigone: Nachdem seine Mitbürger ihn, der ihnen als Gabe des Dionysos den Wein gebracht hatte, erschlagen hatten, setzte Dionysos ihn als B., Erigone als Sternbild der Virgo unter die Sterne (Hyg. fab. 130. astr. 2,4, nach der *Erigone* des → Erastosthenes).

2. Er ist Philomenos, einer der Söhne von → Demeter und → Iason, der Erfinder des Pflugs, den seine Mutter wegen seiner Hingabe an den Ackerbau verstirnte (Hermipp. ap. Hyg. astr. 2,4); dann trägt er keinen Stock, sondern einen Pflug.

3. Arctophylax seinerseits ist der verstirnte → Arkas, der Sohn der von Artemis zur Bärin gemachten → Kallisto (Eratosth. catast. 8; Ov. fast. 2,153–192: *custos ursae*; Hyg. astr. 2,4 *arctum servans*).

1 F. BOLL, Sphaera, 1903 2 S. FERABOLI, Astrologia in Nonno, Corol. Lond. 4, 1984, 43–55. F. G.

Boran. Sasanidische Königin, Tochter → Chosroes' II. und möglicherweise Schwestergemahlin → Cavades' II. Sie kam nach der Beseitigung des Usurpators Sharwaraz im Frühjahr 630 an die Macht und regierte bis Herbst 631 (PLRE 3A, 246).

M.-L. CHAUMONT, s. v. Bôrân, EncIr 4, 366. M. SCH.

Borbetomagus. Heute Worms. Als alter Verkehrsknoten am Übergang der Rheintalstraße (CIL XVII 2,675) hatte B. seit augusteischer Zeit wechselnde Truppen (Kastell im Stadtgebiet) bis E. des 1. Jh. Der zeitweise ummauerte (CIL XIII 6244) *vicus* blühte danach als Vorort der *civitas Vongionum*. Von *milites II Flaviae* geschützt (Not. dign. occ. 41,8;20), fiel er nach einer Belagerung vor 409 (Hier. epist. 123,15,3) an die → Burgundiones, → Hunni, → Alamanni und (seit 496) → Franci.

M. GRÜNEWALD, Worms, in: H. CÜPPERS (Hrsg.), Die Römer in Rheinland-Pfalz, 1990, 673–681. K. DI.

Bordelle (πορνεῖον, οἴκημα, χαμαιτυπεῖον, *lupanar, lupanarium, fornix*). B. sind arch. nur in Ausnahmefällen nachweisbar, werden aber relativ oft in der griech. und lat. Lit. erwähnt. Prostitution und Prostituierte sind überdies Thema vieler bildlicher Darstellungen, insbes. in der rotfigurigen Vasenmalerei. Solon soll als erster ein B. errichtet haben (Athen. 13,569d). Wohl spätestens

seit klass. Zeit waren B. in Griechenland weit verbreitet; dasselbe gilt auch für röm. Städte: In Pompeji (8000–10000 Einwohner) wurden bisher 22 B. gefunden. In Athen standen die Prostituierten in durchsichtigen Gewändern vor den B. und boten sich öffentlich an (Athen. 13,568e–569d). Als typische Besucher von B. hat man sich Angehörige der Unterschichten und Händler vorzustellen, da vermögende Männer sich eine Hetäre leisten konnten oder Sklavinnen als Konkubinen hatten. B. lagen oft in verrufenen Stadtvierteln, etwa am Hafen, in der Nähe des Circus oder an den Ausfallstraßen. Doch wurde Prostitution nicht nur in ausgesprochenen B. praktiziert, sondern auch in Gastwirtschaften oder Läden (CIL IX 2689=ILS 7478; Dig. 23,2,43 pr.). Die in Pompeji identifizierten B. waren einfach ausgestattet: Ein gemauertes, mit einer Matratze versehenes Podest diente als Bett. Bisweilen schmückten Wandgemälde mit erotischen Motiven die dunklen, schlecht belüfteten und verrußten Räume (für Rom vgl. Iuv. 6,116ff.). Über den oft nur verhängten Türen waren Name und Preis der Prostituierten angegeben (Mart. 1,34; 11,45; Sen. contr. 1,2,1; 1,2,5; 1,2,7). Der durchschnittliche Preis betrug 2 *as*, ebensoviel wie 2 Krüge gewöhnlicher Wein kosteten, doch findet man auch wesentlich höhere Preise. Prostituierte hatten seit Caligula (Suet. Cal. 40) Steuern zu zahlen. B. hatten meist nur wenige Räume; so besaß das größte *lupanar* in Pompeji nur 10 Kammern. Die meisten Prostituierten waren Sklavinnen; bei Apuleius soll eine von Räubern entführte Frau in ein B. verkauft werden (Apul. met. 7,9f.). Aus der Zeit der Christenverfolgungen ist überliefert, daß Christinnen zur Prostitution im B. verurteilt wurden (z. B. Tert. apol. 50,12).

→ Hetairai; Prostitution; Sexualität

1 H. HERTER, Die Soziologie der ant. Prostitution im Lichte des heidnischen und christl. Schrifttums, JbAC 3, 1960, 70–111 2 TH. A. J. MCGINN, The Taxation of Roman Prostitutes, in: Helios 16, 1989, 79–110 3 V. VANOYEKE, La Prostitution en Grèce et à Rome, 1990 4 J. K. EVANS, War, Women and Children in Ancient Rome, 1991, 133–142 5 C. REINSBERG, Ehe, Hetärentum und Knabenliebe im ant. Griechenland, ²1993, 125–135 7 K. W. WEBER, s. v. Bordell, Alltag im alten Rom, 1995. I. ST.

Boreaden-Maler s. Lakonische Vasenmalerei

Boreas

A. METEOROLOGIE

Die aus dem Norden nach Griechenland wehenden Winde hießen nach Ps.-Aristot. de mundo 4,394b20 Βορέαι οἱ ἀπὸ ἄρκτου [1]. Als im 5. Jh. die Windrose entwickelt wurde, benannte man so im Gegensatz zum reinen Nordwind (→ Aparktias) die östl. Nachbarn NNO und NO, besonders auf Denkmälern, wo auch der röm. Name *Aquilo* auftaucht. Der B. ist der stürmische ›König der Winde‹ (Pind. P. 4,181), welcher Finsternis, Kälte und Schnee bringt. Er wird oft mit den Etesien (βορέαι συνεχεῖς, Aristot. meteor. 2,5,362a11) gleichgesetzt und als wellenzerstäubend, den Aither aufheiternd und Gesundheit fördernd beschrieben [2]. Man sah Thrakien, Skythien und sogar den Kaukasus als Ursprungsland an. Zahlreiche Lokalnamen führt Ps.-Aristot. de ventis, 973a1 ff. an.

B. MYTHOLOGIE

Sein Kult als Personifikation wurde von Ionien nach Attika übertragen. Wie er Hom. Il. 20,223 f. als Roß erscheint, so auch die weiblichen Winddämonen wie die von ihm geraubte »Nereide« Oreithyia, die Mutter der Nordstürme Zetes und Kalais (Pind. P. 4,181), eine Personifikation des auf Firnfeldern aufgewirbelten Schnees, die »Windsbraut«, oder die von ihm befruchteten Poseidon-Töchter, die Wogenrosse. Auf dem Turm der Winde in Athen trägt er als geflügelter Mann mit wildem Haar und Bart eine Muscheltrompete. Seine Brüder sind die Winde der Himmelsgegenden → Zephyros, → Euros und → Notos (vgl. Ps.-Aristot. de mundo 4,394b19–21 und Aristot. meteor. 2,6,364a19–21). → Chione, Tochter des Arkturos, Mutter dreier Riesensöhne, wird nach einer Sage von B. geraubt.

1 W. BÖKER, s. v. Winde. RE 8 A, 2332 ff. (Fig. 7,15 und 23) 2 PHILIPPSON/KIRSTEN.   C. HÜ.

Bormiskos (Βορμίσκος). Stadt in → Mygdonia östl. der Bolbe (Thuk. 4,103,1). Euripides soll dort von Hunden zerrissen worden sein (Steph. Byz. s. v.). B. ging in → Arethusa [8] auf; doch noch zur röm. Kaiserzeit erinnerte die *mutatio Euripides* an der → Via Egnatia an B.

M. ZAHRNT, Olynth und die Chalkidier, 1971, 170.   MA. ER.

Bormos (Βῶρμος). Schöner junger Mariandyner (Südküste des Schwarzen Meeres), der plötzlich verschwand, als er für Schnitter Wasser holen wollte. Nach Hesych (s. v. B. 356) wurde er von Nymphen geraubt. Eine andere Überlieferung berichtet, daß er, Sohn des Titias, Bruder des Priolas und Mariandynos, auf der Jagd umkam (Nymphis von Herakleia FGrH 432 F5; Domitios Kallistratos FGrH 433 F3; Poll. 4,54 f.). Die Mariandyner riefen im Hochsommer in Klagegesängen nach ihm. Hierfür findet sich die älteste Anspielung bei Aischyl. (Pers. 937).

NILSSON, Feste 430.   R. B.

Borsippa. Bedeutende babylon. Stadt, bezeugt vom ausgehenden 3. Jt. v. Chr. (3. Dynastie von Ur) bis in frühharabische Zeit. Die Überreste befinden sich ca. 17 km südwestl. von → Babylon in den Ruinenstätten Birs Nimrud und Ibrahim el-Chalil. Nach sporadischen Untersuchungen im 19. Jh. erfolgten systematische Ausgrabungen 1902 und in den 80er Jahren des 20. Jh. Freigelegt wurden vor allem Teile des Heiligtums des Stadtgottes → Nabû, das bes. unter den neubabyl. Königen große Bedeutung besaß (aber nach dem sog. Antiochos-Zylinder [1] auch um 268 v. Chr. nochmals erneuert). Die Ruine des einstigen Tempelturmes (→ Ziqqurrat) steht im Birs Nimrud noch 47 m hoch und wurde bis in die

Neuzeit für den »Turm von Babylon« gehalten. Zahlreiche Keilschrifttafeln, überwiegend aus dem 1. Jt. v. Chr., zeigen, daß zw. B. und dem benachbarten Babylon enge Beziehungen bestanden. Bei Plin. nat. 6,123 ist von einer Astronomenschule der Borsippäer die Rede.

1 F. H. WEISSBACH, Die Keilschriften der Achämeniden, 1911, 132–135.   J. OE.

Borysthenes (Βορυσθένης). Nach dem Istros gößter Fluß im nördl. Schwarzmeergebiet (Hdt. 4,53), h. Dnjepr. Mündet zusammen mit dem Hypanis westl. davon in dieselbe Lagune. Der B. war 600 Stadien stromaufwärts schiffbar (Strab. 7,3,17). Am fruchtbaren Unterlauf siedelten die *Skythai georgoi*. Über den weiteren Verlauf des B. hatte man im Alt. keine klaren Vorstellungen (Hdt. 4,18; Strab. 7,2,4; Prok. BG 4,5). Seit dem 4. Jh. n. Chr. Danapris oder Danaper genannt; von den Hunni iranisch als Var bezeichnet (Iord. Get. 51). Auch die Siedlungen auf → Berezan' und Olbia wurden von einigen Autoren B. genannt.   I. v. B.

Bosa. Fundort von zwei hocharch. phöniz. Inschr. (8. Jh. v. Chr.) an der Mündung des Temo an der Westküste Sardiniens. Anscheinend von Ptol. 3,3,7 und im Itin. Anton. 83,8 erwähnt.

DCPP, s. v. B., 77.   H. G. N.

Boscoreale. Ortschaft an den Hängen des Vesuv im Norden von Pompeii (wohl der *pagus Augustus Felix Suburbanus*) mit bed. arch. Fundlage. Gräber der Fossakultur; wiederbesiedelt nach dem Ausbruch des Vulkans 79 n. Chr. (Thermen von Via Casone Grotta, 2./3. Jh. n. Chr.). Zahlreiche arch. Funde aus verschiedenen *villae*; arch. Belege für kaiserzeitlichen Wein-, Oliven- und Getreideanbau.

A. HERON DE VILLEFOSSE, Le trésor de B., in: Monuments Piot 5, 1899, 1–290 • F. BARATTE, Le trésor d'orfèvrerie romaine de B., 1986.   U. PA.

Boscotrecase. Ortschaft im Norden von Pompeii an den südl. Hängen des Vesuv mit zahlreichen *villae*. Bildete wohl gemeinsam mit Boscoreale den inschr. bezeugten *pagus Augustus Felix Suburbanus*.

T. ASAKA, Note on the plan of the villae rusticae in the vicinity of Pompeii, in: Opuscula Pompeiana 3, 1993, 25–54 • B. H. VON BLANKENHAGEN, C. ALEXANDER, The Augustan Villa at B., 1990 • E. R. KNAUER, Roman Wall-Paintings from B., in: Metropolitan Museum Journal 28, 1993, 13–46.   U. PA.

Bosporos (Βόσπορος).

[1] Türkisch İstanbul Bogazi bzw. Bogaziçi. Diskutiert wird die geologische Genese des B.: Mangel an marinen Fossilien spricht für die Entstehung des B. aus einem Flußtal, meeresbiologische Hinweise für eine frühe Verbindung zw. Schwarzem Meer und Mittelmeer (Izmit – Sapanca Gölü – Sakarya), von der durch Ablagerungen die Wassermassen auf die Senke des B. abgedrängt wurden.

Der B. versorgt das Schwarze Meer mit Salzwasser (Zuflußmenge im J. durchschnittl. 193 km³); 31,7 km lang, die engste Stelle (ca. 550 m) bei Rumeli Hisarı, die breiteste Stelle (ca. 3300 m) bei Büyükdere. Der Meeresboden weist Tiefen zw. 37 und 120 m und ein bewegtes Strömungsbild mit Spitzengeschwindigkeiten bis 2,57 m/sek. auf. Unter einer schnellen, kalten, salzarmen Oberflächenströmung nach SW (im J. durchschnittl. ca. 193 km³ Wasser) zieht eine langsamere, wärmere, salzreiche Grundflächenströmung nach Nordosten. Windungen und Buchten beiderseits des B. verursachen bes. Strömungsverhältnisse, die der ant. Nautik die Fahrt in den Pontos Euxeinos gegen den fast ganzjährig wehenden Nordwind erleichterten. Am Südausgang des B. treffen Wassermassen unterschiedlichen Salzgehalts und Wärmegrades aufeinander, weshalb hier die Voraussetzungen für exzeptionellen Fischreichtum (Thunfischfang) gegeben sind [1. 67–70].

Hauptquellen für den B. in ant. Zeit: Hdt. 4,85–87 (Griechenland-Feldzug des Dareios 492 v. Chr., Schiffsbrücke); Pol. 4,38–44 (rhodisch-byz. Krieg 220 v. Chr.); Strab. 7,6,1 f.; B.-Anaplus des → Dionysios von Byzantion. Die Entstehung des B. erklärte man sich mit dem Durchbruch des von mächtigen Zuflüssen überfüllten Pontos Euxeinos (so Straton von Lampsakos F 91).

Den Namen B. führte man auf den Mythos von der Flucht der in eine Kuh verwandelten Io vor der Bremse bzw. dem Schreckbild des getöteten → Argos zurück; er wurde auch für den Kimmerischen → Bosporos [2] (Aischyl. Prom. 733), den → Ionios Kolpos (Aischyl. Prom. 839 f.) und den Meeresbereich zw. Syrien und Ägypten (Eust. in Dion. Per. 92) gebraucht. Man sprach vom thrak. (Hdt. 4,83) oder mysischen B. (FGrH 156 Arr. F 20b).

Größere Städte im Süden des B.: → Byzantion mit dem schon in ant. Zeit als »Horn« bekannten (Pol. 4,43,7) Naturhafen am westl. und → Chalkedon am östl. Ufer. Nordwärts begleiteten den Seefahrer auf der gefährlichen Passage neben kleineren Siedlungen beiderseits viele Heiligtümer (s. Karte Bosporos), ehe er bei den → Kyaneai (Symplegaden der → Argonautai) in den Pontos Euxeinos einfuhr. Der B. trennte Ost und West (vgl. seine Rolle im Zusammenhang mit Kriegen), verband Nord und Süd (vgl. die Handelsschiffahrt aus dem Pontos Euxeinos, bes. von südrussischen Getreidefeldern in die ägäische Welt) und hat daher immer wieder bes. polit. Bedeutung erlangt (vgl. die Verlegung der kaiserlichen Residenz an den B.).

1 W.-D. HÜTTEROTH, Türkei, 1982 2 E. OBERHUMMER, S. V. B. 1), RE III.1, 1897, 742–757 3 J. TIXERONT, Le bilan hydrologique de la Mer Noire et de la Mer Méditerranée: Cahiers Océanographiques 22, 1970, 227–237 4 F. VIAN, Légendes et stations Argonautiques du Bosphore (Caesarodunum IXbis), Paris 1974, 91–104.

KARTEN-LIT.: R. GÜNGERICH (Hrsg.), Dionysios von Byzantion nach P. Gilles, Anaplus Bosporu, ²1958 · R. J. A. TALBERT (Hrsg.), Atlas of the Greek and Roman World, erscheint 1999 (freundl. Vorabinformation: C. FOSS, Bosporus. Karte Nr. 53). E. O.

[2] Wasserstraße zw. Maiotis und Pontos Euxeinos, 20 Stadien breit, Mündung des Tanais, nach ant. Vorstellung Grenze zw. Asia und Europa, h. Straße von Kerč. Das Achilleion am östl. Ufer wurde als westlichster Punkt von Asia angesehen (peripl. m. Eux. 69). Im Winter konnte man ihn auf seiner Eisdecke überqueren (Hdt. 4,28). Östl. davon liegt die Halbinsel Taman, in ant. Zeit eine Insel bzw. Inselgruppe, westl. die Krim. Ausgangspunkt wichtiger Handelsstraßen zum Kaukasus und nach Norden. Nach irriger ant. Tradition (seit Hdt. 4,12) siedelten hier vor den Skythai die Kimmerioi, was zur Benennung als »kimmerischer« B. führte. Der ganze B. wurde ab Mitte des 6. Jh. v. Chr. von griech. Kolonien eingesäumt.

V. F. GAIDUKEVIČ, Das Bosporanische Reich, 1971 · S. R. TOKHTAS'EV et al., Kimmericy, 1993. I. V. B. U. S. R. T.

Bosra s. Bostra

Bosse. Roh behauene, unfertige Außenfläche eines steinernen Werkstückes (→ Plastik oder → Architektur). Die endgültige Gestaltung der Oberflächen erfolgte sowohl im Bauwesen als auch in der Bildhauerei als letzter Arbeitsschritt; bis dahin bildete die B. einen Schutz vor Beschädigung (→ Bautechnik; → Bildhauertechnik). Das Stehenlassen der Bossen an Bauten kann Indiz für Unfertigkeit sein, bisweilen wurde ein »Bossenstil« in der Baukunst auch als eigenes ästhetisches Element begriffen und absichtlich erzeugt. Ein funktionaler Sonderfall sind die Hebe- oder Versatzbossen, um die die Seile zum Verlegen der Bauglieder geführt wurden (→ Bautechnik).

H. LAUTER, Künstliche Unfertigkeit, in: JDAI 98, 1983, 287–310 · T. E. KALPAXIS, Hemiteles. Akzidentelle Unfertigkeit und »Bossen-Stil« in der griech. Baukunst, 1986 · M. A. ZAGDOUN, Le ronde-bosse hellénistique, in: REG 104, 1991, 140–197. C. HÖ.

Bostar (Bdʿstart; Βώσταρ u. a.).

[1] Karthagischer Stratege im 1. Pun. Krieg, erhielt 256 v. Chr. gemeinsam mit → Hasdrubal und Hamilkar den Oberbefehl gegen M. → Atilius Regulus, geriet in der Schlacht bei Adyn in röm. Gefangenschaft und starb in Rom (Pol. 1,30; Diod. 24,12) [1. 20].

[2] Karthagischer Unterfeldherr im zweiten Pun. Krieg in Spanien; wich 217 vor den Römern nach Sagunt zurück, wo er sich übertölpeln ließ und die spanischen Geiseln freigab (Pol. 3,98–99; Liv. 22,22) [1. 21–22].

[3] Mitglied einer Gesandtschaft des → Hannibal zu → Philippos V. von Makedonien 215, die angeblich von den Römern abgefangen wurde (Liv. 23,34; 38) [2. 244–246].

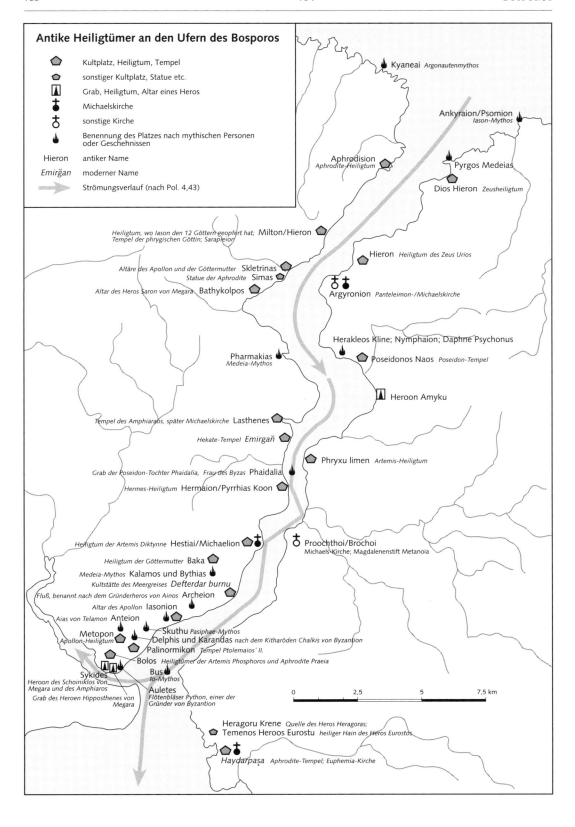

Antike Heiligtümer an den Ufern des Bosporos

⬠ Kultplatz, Heiligtum, Tempel

⬠ sonstiger Kultplatz, Statue etc.

🄰 Grab, Heiligtum, Altar eines Heros

✝ Michaelskirche

✝ sonstige Kirche

♨ Benennung des Platzes nach mythischen Personen
   oder Geschehnissen

Hieron   antiker Name

Emirğan   moderner Name

➜ Strömungsverlauf (nach Pol. 4,43)

Kyaneai *Argonautenmythos*

Ankyraion/Psomion *Iason-Mythos*

Aphrodision *Aphrodite-Heiligtum*

Pyrgos Medeias

Dios Hieron *Zeusheiligtum*

Heiligtum, wo Iason den 12 Göttern geopfert hat; Milton/Hieron
Tempel der phrygischen Göttin; Sarapeion

Hieron *Heiligtum des Zeus Urios*

Altäre des Apollon und der Göttermutter Skletrinas
Statue der Aphrodite Simas

Altar des Heros Saron von Megara Bathykolpos

Argyronion *Panteleimon-/Michaelskirche*

Herakleos Kline; Nymphaion; Daphne Psychonus

Pharmakias *Medeia-Mythos*

Poseidonos Naos *Poseidon-Tempel*

Heroon Amyku

Tempel des Amphiaraos, später Michaelskirche Lasthenes

Hekate-Tempel *Emirğan*

Phryxu limen *Artemis-Heiligtum*

Grab der Poseidon-Tochter Phaidalia, Frau des Byzas Phaidalia

Hermes-Heiligtum Hermaion/Pyrrhias Koon

Heiligtum der Artemis Diktynne Hestiai/Michaelion

Proochthoi/Brochoi
Michaels-Kirche; Magdalenenstift Metanoia

Heiligtum der Göttermutter Baka

Medeia-Mythos Kalamos und Bythias

Kultstätte des Meergreises *Defterdar burnu*

Fluß, benannt nach dem Gründerheros von Ainos Archeion

Altar des Apollon Iasonion

Aias von Telamon Anteion

Metopon
Apollon-Heiligtum

Skuthu *Pasiphae-Mythos*
Delphis und Karandas *nach dem Kitharöden Chalkis von Byzantion*
Palinormikon *Tempel Ptolemaios´ II.*

Bolos *Heiligtümer der Artemis Phosphoros und Aphrodite Praeia*

Sykides
*Heroon des Schoiniklos von
Megara und des Amphiaros*
*Grab des Heroen Hipposthenes von
Megara*

Bus *Io-Mythos*

Auletes
*Flötenbläser Python, einer der
Gründer von Byzantion*

0   2,5   5   7,5 km

Heragoru Krene *Quelle des Heros Heragoras;*
Temenos Heroos Eurostu *heiliger Hain des Heros Eurostos*

Haydarpaşa *Aphrodite-Tempel; Euphemia-Kirche*

[4] aus Nora, Mordopfer (?) des M. → Aemilius Scaurus, des Propraetors in Sardinien 55/4 (Cic. Scaur. fr. 1,8).

1 GEUS 2 J. SEIBERT, Hannibal, 1993. L.-M. G.

Bostra. Kleinstadt am Südrand der syr. Basaltwüste (Ḥaurān). Der h. Name Buṣrā korrespondiert mit der nabatäischen und palmyrenischen Form BṢR' (»Festung«). B. war seit der Früh-Brz. besiedelt und pflegte als Karawanenstadt und Durchgangsort nach Nordsyrien und zum Roten Meer im 2. Jt. regen Kontakt mit Ägypten (inschr. Erwähnungen seit der 12. Dynastie in Saqqara, Karnak, Amarna). Seit Beginn des 1. Jh. v. Chr. nabatäisch, wurde B. unter Rabēl II. (70–105 n. Chr.) nach Petra zweite Hauptstadt des Nabatäerreiches. Unter Traian und Septimius Severus stieg B. zur röm. Kolonie, zum Hauptort der *provincia Arabia* und Standort der *legio III Cyrenaica* auf; die Stadt besaß in dieser Zeit Stadtmauern, vier Hauptstraßen, Thermen, Hippodrom und Amphitheater. Wichtigster byz. Bau ist ein oktogonaler Zentralbau (4.–5. Jh.). Unter dem Protektorat der christl. Ġassaniden wurde B. zum Umschlagsplatz der aus Arabien kommenden Karawanen. B. ist Schauplatz der islam. Bahira-Legende, nach der die Muḥammad von einem Mönch als der kommende Prophet identifiziert wurde. Von den Muslimen als erste syrobyz. Stadt 634 eingenommen, blühte B. noch im 14. Jh. Die Kolonnaden der Nord-Süd-Straße wurden unter den Umayyaden (8. Jh.) zu einer Marktstraße, das Theater im 11. Jh. zur Festung umgewandelt.

F. AALUND et al., Islamic Boṣrā, 1990 · R. BRÜNNOW, A. v. DOMASZEWSKI, Provincia Arabia, 1909, Bd. 3, 1–84 · K. FREYBERGER, Zur Datier. des Theaters in Boṣrā, in: Damaszener Mitt. 3, 1988, 17–26 · M. MEINECKE, Der Ḥammām Manǧak und die islamische Architektur von Buṣrā, in: Berytus 32, 1984, 181–190 · M. SARTRE, B.: Nr. 9001–9472, Inscriptions Grecques et Latines de la Syrie, vol. 13.1, 1982 · Ders., B. des origines à l'Islam, 1985. T. L.

Botanik s. Pflanzenkunde

Boten s. Nachrichtenwesen

Botenszenen. Längere Rhesis im Drama, in der den anderen Personen oder dem Chor hinter- oder außerszenische, vor oder während der dramatischen Handlung geschehene Ereignisse, die nach den Möglichkeiten oder Konventionen des att. Theaters nicht darstellbar sind, mitgeteilt werden. Diese nach allen Mitteln der Rhet. ausgestatteten Berichte werden entweder von einer Haupt- oder Nebenfigur (Eur. Heraclid. 389ff; Soph. El. 680ff.), sehr häufig jedoch von eigens zu diesem Zweck eingeführten, namenlosen Boten gegeben (ἄγγελοι bzw. ἔξαγγελοι, wenn die Mitteilung aus dem Inneren des Hauses erfolgt; seltener findet sich κῆρυξ [Aischyl. Ag. 503ff, in rituellem Zusammenhang Aristoph. Av. 1271ff]).

In den Trag. des Aischylos stehen B. im Handlungszusammenhang vorwiegend an den Stellen, an denen auf eine langsam aufgebaute bange Erwartung die Gewißheit folgt: Pers. 302ff. (Niederlage des persischen Heeres), Sept. 375ff. (Bericht des Spähers, sieben Redenpaare), Suppl. 605ff. (Bericht des Danaos über argiv. Volksversammlung), Ag. 503ff. (Bericht des Herolds). *Sophokles* setzt B. vor allem in den Schlußszenen ein, um die hinter der Szene stattgefundene Katastrophe zu schildern: Trach. 749ff. (Tod des Herakles), 899ff. (Selbstmord Deianeiras), Ant. 1192ff. (Tod Antigones und Haimons), Oid. T. 1237ff. (Selbstmord Iokastes und Oidipus' Selbstblendung), Oid. K. 1586ff. (Oidipus' Entrückung). Bes. Fälle sind der Trugbericht des Pädagogen in El. 680ff. und die Vorwegnahme der kriegerischen Ereignisse in einer Vision des Chores in Oid. K. 1044ff. In den Trag. des *Euripides* findet sich ebenfalls der Typ des Katastrophenberichts: Alc. 152ff. (Alkestis' bevorstehender Tod), Med. 1135ff. (Tod Kreons und seiner Tochter), Hipp. 1173ff. (Tod des Hippolytos), Hec. 518ff. (Opfertod Polyxenas), Herc. 921ff. (Tat des Herakles), Bacch. 1043ff. (Tod des Pentheus). Der Ausgang einer Intrige kann in einer B. mitgeteilt werden: Ion 1122ff., Hel. 1526ff., El. 774ff., Iph. T. 1327ff. Schlachtenschilderungen in B. finden sich in Suppl. 650ff., Phoen. 1090ff. (vgl. Aischyl. Sept. 375ff.); der Ausgang der argiv. Volksversammlung wird in Or. 866ff. in einer B. mitgeteilt. Vgl. ferner Iph. T. 260ff. (Gefangennahme von Orest und Pylades), Bacch. 677ff. (Treiben der Bakchantinnen). Or. 1369ff. ist eine lyrische Umsetzung einer B. (»Phrygerarie«). In den Komödien des *Aristophanes* finden sich B. in paratragodischem Zusammenhang (Katastrophenbericht: Ach. 1174ff., Intrige: Thesm. 574ff) und wie in der Trag. zur Schilderung hinter- und außerszenischer Ereignisse (Equ. 624ff., Vesp. 1292ff. 1474ff., Av. 1122ff. 1168ff. 1271ff., Lys. 980ff., Eccl. 834ff. 1112ff., Plut. 627ff. 802ff., ebenso in *Menander*: Dysk. 666ff., Epitr. 249ff.).

→ Komödie; Tragödie

I. J. F. DE JONG, Narrative in drama: The art of the Euripidean messenger-speech, 1991 · M. HOSE, Studien zum Chor bei Euripides I, 1990, 196–215 · B. MANNSPERGER, Die Rhesis, in: W. JENS (Hrsg.), Die Bauformen der griech. Trag., 1971, 143–181 · M. PFISTER, Das Drama, 1977, 122148 · P. RAU, Paratragodia. Unt. einer komischen Form des Aristophanes, 1967, 162–168 · G. A. SEECK, Dramatische Strukturen der griech. Trag.: Unt. zu Aischylos, 1984. B. Z.

Botres (Βότρης). Sohn des Thebaners Eumelos. Als dieser in Anwesenheit von B. dem Apollon ein Schaf opfern will, verzehrt B. das Hirn des Opfertiers, bevor es auf den Altar gelegt worden ist. Sein Vater schlägt ihn daraufhin mit einem Feuerbrand. Apollon jedoch erbarmt sich seiner und verwandelt ihn in den Vogel Aëropos (Bienenfresser), der in einem unterirdischen Nest brütet und fortwährend zu fliegen versucht (Ant. Lib. 18). R. B.

Botrys. Griech. Name einer Küstenstadt südwestl. von Tripoli (Libanon), h. Baṭrun, als Batruna mehrfach in den → Amarna-Briefen (Mitte 14. Jh. v. Chr.) erwähnt, stand unter starkem wirtschaftlichen und polit. Einfluß Ägyptens; eine top. Liste → Ramses' II. nennt ON des Gebietes von B., Pol. 5,68 erwähnt B. als in Kämpfe des → Antiochos III. mit Ägypten verwickelt (218 v. Chr.). B. erscheint auch noch in der weiteren ant. Überlieferung, wobei Strab. 16,2,18 darauf hinweist, daß B. ein Stützpunkt von Bergbewohnern des Libanon war. Als Ort mit Anschluß an das röm. Straßennetz wird B. als Botrus erwähnt.   H. KL.

Bottiaia s. Bottike

Bottike (Βοττική). Landschaft an der Westküste der Chalkidischen Halbinsel, nach den um 600 v. Chr. aus der maked. Bottiaia vertriebenen Bewohnern benannt, mit mehreren Städten, von denen nur Olynthos (479 v. Chr. an die Chalkider verloren) sicher lokalisiert ist. Im Att. Seebund vertrat Spartolos als bedeutendste Stadt der B. den Stammesverband, ab 434/3 sind weitere bottiaiische Städte in den ATL verzeichnet. 432 fielen alle Bottiaier von Athen ab und wurden teilweise in die südl. Mygdonia evakuiert (→ Kalindoia). Den Krieg gegen Athen führten die Bottiaier anfangs als Stammeseinheit (Hauptort Spartolos, gemeinsame Mz.-Prägung), doch konnten die Athener in den ersten Kriegsjahren einstige Bündner zurückgewinnen und 422 mit einigen bottiaiischen Städten einen Vertrag schließen, der gegen Spartolos gerichtet war (mit dem Nikias-Frieden autonom, aber Athen tributpflichtig). In der 1. H. des 4. Jh. bestand der Staat der Bottiaier unabhängig neben dem der Chalkider. 349 fiel die B. in die Hand Philipps II. und wurde unter maked. Adlige aufgeteilt; nach 315 gehörte sie zum Stadtgebiet der Neugründung Kassandreia.

M. B. HATZOPOULOS, Une donation du roi Lysimaque, 1988 · F. PAPAZOGLOU, Les villes de Macédoine à l'époque romaine, 1988, 417–426 · M. ZAHRNT, Olynth und die Chalkidier, 1971, 171–178.   M. Z.

Bou Kornein. Das ca. 550 m hohe Bergmassiv über dem Ostufer der Bucht von Tunis trägt zw. seinen beiden charakteristischen Gipfeln (Verg. Aen. 1,162 f. *vastae rupes geminique minantur* [1]) ein bed. Heiligtum aus der röm. Kaiserzeit, jedoch von pun. Tradition, für *Saturnus Balcaranensis* (pun. *Baʾal Qarnēm*, »Baʾal der zwei Hörner«). Geweiht wurden Bildstelen (ca. 600 erhalten), die hauptsächlich zwei stilistisch unterschiedlichen Gruppen angehören: volkstümlich-»neo-punisch« mit Symbolbildern bzw. konventionell-röm. mit Opferszenen.

1 H. G. NIEMEYER, in: AU, 1993/2, 41 ff.

M. LEGLAY, Saturne Africain. Monuments I, 1961, 32 ff. · DCPP, s. v. Bou Qournein, 79 f.   H. G. N.

Boudicca. Britannische Fürstin, Witwe des → Prasutagus, des Klientelkönigs der → Iceni. B. führte 60 n. Chr. [1. 56] einen blutigen Aufstand (Tac. ann. 14,31 ff.; Agr. 15 f.; Cass. Dio epit. 62,1 ff.) gegen Rom an, verwüstete die Colonia Camulodunum und die Städte Verulamium und Londinium. Der Legat der IX. Legion, Q. → Petillius Cerialis, erlitt eine schwere Niederlage. Auslöser des Aufstandes war das rücksichtslose Verhalten des Prokurators Decianus Catus, der nach Prasutagus' Tod den Besitz, dessen Miterbe Nero sein sollte, rigoros einziehen ließ. Hinzu trat eine unvermittelte Rückforderung von Krediten, u. a. durch Seneca. Übergriffe und körperliche Mißhandlungen der königlichen Familie provozierten den Aufstand, dem sich die Trinovantes anschlossen, die unter der neu errichteten Colonia wie den Abgaben für den Claudiustempel litten. Der Statthalter C. → Suetonius Paulinus schlug B.s Aufgebot nach der Rückkehr von der walisischen Küste vernichtend. Drakonische Strafaktionen drohten die Prov. in weiteres Chaos zu stürzen, bis Nero sich entschloß, Paulinus abzulösen.

1 BIRLEY.

G. WEBSTER, Boudica, 1978.   C. KU.

Bouletée. Manieristische Stilrichtung der griech. Minuskelschrift (von den Haupttexten her auch als »Kirchenlehrerstil« bezeichnet [1]) des 10. Jh. (913/4–983/4 nach den datierten Beispielen), die sich bes. durch knopfloch- und knotenförmige Verdickungen an den Oberlängen und in vielen Kleinbuchstaben auszeichnet. Die normalerweise senkrecht und breit ausgeführte Schrift zeigt eine starke Neigung zum Bilinearismus mit reduzierten Ober- und Unterlängen; die runden Buchstaben erhalten eine viereckige Form. Charakteristisch sind außerdem das gleichgerichtete Minuskel-Delta, das zweigeteilte Majuskel-Kappa sowie das häufige Majuskel-Ny. Abkürzungen sind ziemlich selten. Die B. wurde überwiegend, aber nicht ausschließlich in Konstantinopel verwendet, hauptsächlich für Prunkhss. meistens biblischen und patristischen Inhalts.

1 H. HUNGER, Minuskel und Auszeichnungsschriften im 10.–12. Jh., in: La paléographie grecque et byzantine, 1977, 203–204.

J. IRIGOIN, Une écriture du Xe siècle la minuscule bouletée, in: La paléographie grecque et byzantine, 1977, 191–198 · M. L. AGATI, La minuscola »b.«, 1992.   P. E.

Bovianum. Unter Berufung auf Plin. nat. 3,107 (*colonia Bovianum vetus et alterum cognomine Undecumanorum*), hat man auf die Existenz von zwei B. in Samnium (→ Samnites) geschlossen: *B. Vetus* (h. La Piana in Pietrabbondante, vgl. [1]), eine *colonia* der *III viri lege Iulia* seit 43 v. Chr.; *B. Undecumanorum* (h. Bojano), flavische *colonia* seit 73/75 n. Chr. (Veteranen der *legio Claudia*, also der *undecumani*). Gedacht wurde auch an eine einzige Stadt mit geändertem Namen [2–5]. Der Ort war samnitisches *sanctuarium*. Man hat auch eine z.Z. Caesars vorgenommene Ansiedlung von Veteranen der *legio XI* anstelle der *legio XI Flavia* erwogen [6], also den Bestand von zwei Siedlungsgemeinschaften: der *veteres*, d. h. der Bewohner des *municipium*, das für 48–46 v. Chr. nachgewiesen ist, und der *undecumani*.

1 R. RUTA, M. CARROCCIA, Vie ed insediamenti del sannio nella tabula Peutigeriania, in: Rendiconti della Pontificia Accademia di Archeologia 60, 1987/88, 254–266 **2** A. LA REGINA, Le iscrizioni osche di Pietrabbondante e la questione di Bovianum Vetus, in: RhM 109, 1966, 260–286 **3** Ders., Sannio. Pentri e Frentani dal VI al I sec. a. C., 1980 **4** Ders., in: G. PUGLIESE CARRATELLI (Hrsg.), Italia omnium terrarum parens, 1989, 363–365 **5** Ders., Il Molise, 1991, 32–37 **6** L. KEPPIE, Colonisation and Veterans' Settlements in Italy 47–14 BC., 1983, 55, 161–163.

G. DE BENEDITTIS, Repertorio delle iscrizioni latine del Molise. I. Bovianum, 1995.   M. BU.

Bovillae. Stadt in Latium, Kolonie von Alba Longa, Stammort der *gens Iulia*, 11 Meilen südöstl. von Rom an den Frattocchie nahe der Via Appia, die 294 v. Chr. bis nach B. ausgebaut wurde. *Municipium* unter Sulla. 52 v. Chr. fand dort die Auseinandersetzung zw. Clodius und Milo statt. Hier errichtete Tiberius, zur Erinnerung an die Trauerfeierlichkeiten für Augustus, eine Gedenkstätte für die *gens Iulia* (Tac. ann. 2,41). Monumente: Reste quadratisch angelegter Stadtmauern aus Tuffstein (*lapis peperinus*) bei Due Santi und der Arkaden eines Circus und eines Theaters. *Villa* des Domitianus. Aquädukte und drei Zisternen. Gräber nahe der Via Appia.

A. DOBOSI, B., in: Eph. Dacor. 6, 1935, 240–366 · G. M. DE ROSSI, B., 1979, 298–323 · M. G. GRANINO CECERE, Nuovi documenti epigrafici da B., in: Miscellanea graeci e romani 16, 1991, 239–60.   G. U.

Brabeion s. Agonothetes

Bracata. Das südöstl. Gallien, später »Togata« oder »Narbonensis«, nach der barbarischen Hosentracht genannt (Mela 2,74; Plin. nat. 3,31). Dagegen hieß das übrige Gallien *comata* (»behaart«, vgl. Cic. Phil. 8,27).

M. PY, Les Gaulois du midi, 1993.   Y. L.

Brachmanes (Βραχμᾶνες, auch Βραχμᾶναι, Βραχμῆνες). Kollektivname der indischen Priesterkaste. Sanskrit *brāhmaṇa* »Beter, Priester«, erbliche Mitglieder der höchsten Kaste, mit den *samanaioi* (sanskrit *śramaṇa*) Gelehrte, Geistliche und Hochangesehene in der alt-indischen Gesellschaft (Strab. 15,1,39). Vor dem Feldzug Alexanders in der griech. Welt völlig unbekannt (Arr. an. 6,16,5; Strab. 15,1,61), als vorbildliche Asketen umgehend als Lehrer des → Pythagoras und später des → Apollonios [14] von Tyana (Philostr. Ap. 3,10–5) bezeichnet. Dennoch gelangte z.T. genaue Auskunft nach Westen (Apul. flor. 15,11–13; Hippol. haer. 1,24). → Gymnosophisten

J. ANDRÉ, J. FILLIOZAT, L'Inde vue de Rome, 1986 · P. OLIVELLE, The Asrama System, 1993 · J. W. SEDLAR, India and the Greek World, 1980, 68–74 · B. K. SMITH, Classifying the Universe, 1993.   R. G.

Brachylles (Βραχύλλης). Aus Theben, Sohn des → Neon, Exponent der promaked. Partei in Boiotien; 222 v. Chr. königlicher Kommissar des → Antigonos Doson in Sparta, im zweiten Maked. Krieg Verbündeter und Vertrauter Philipps V. (Pol. 18,1,2; 20,5,12) [1. 50–51]; von → Flamininus aus der Kriegsgefangenschaft entlassen, wurde B. 197/6 zum → Boiotarchen gewählt, was die Römerfreunde um → Zeuxippos so verunsicherte, daß sie B. mit Zustimmung des Flamininus und Hilfe des → Alexamenos ermorden ließen (Pol. 18,43; Liv. 33,27,8–28,3) [1. 54–57].

1 J. DEININGER, Der polit. Widerstand gegen Rom in Griechenland, 1971.   L.-M. G.

Brachylogie s. Figuren

Braetius. Röm. Eigenname (ThlL 2,2163).
[1] B. Sura, Q., war Legat (*pro quaestore*) des C. → Sentius Saturninus in Makedonien und kämpfte 87 v. Chr. erfolgreich gegen die Truppen Mithradates' VI. in Boiotien (H. GAEBLER, Die ant. Münzen v. Makedonia und Paionia 1, 1906, Nr. 225; Name: IG IX 2,613; Plut. Sull. 11,6–8; App. Mithr. 113–115).   K.-L. E.

Branchidai. Seit ihrer Entdeckung 1765 so bezeichnete Statuen aus dem Orakelheiligtum des Apollon-Branchos in → Didyma. Die 15 erh., um 590–540 v. Chr. entstandenen männlichen Sitzstatuen geben Stifter wieder und waren an der Heiligen Straße aufgestellt, die → Milet mit dem Heiligtum verband. Sie sind bed. Beispiele für den ion. Skulpturenstil und den oriental. Einfluß auf die griech. Ikonographie.

FUCHS/FLOREN, 374–375 · K. TUCHELT, Die archa. Skulpturen von Didyma, IstForsch 27, 1970.   R. N.

Brasidas (Βρασίδας). Sohn des angesehenen Spartiaten Tellis, der 421 v. Chr. den Nikiasfrieden mitbeschwor (Thuk. 2,25; 5,19; 24). B. bewährte sich bereits zu Beginn des Peloponnesischen Krieges, als er die von Athenern eingeschlossene messenische Küstenstadt Methone befreite. Wohl deshalb wurde er relativ jung 431/30 eponymer Ephor (Diod. 12,43,2) und mil. »Berater«.

429 beriet er den Nauarchos → Knemos bei der sog. zweiten Seeschlacht bei Naupaktos und einem Überfall auf Salamis (Thuk. 2,85–94), 427 den Nauarchos → Alkidas während der erfolglosen Intervention in Kerkyra (Thuk. 3,69; 76–81). Als Trierarch zeichnete sich B. 425 im Kampf gegen den neuen athenischen Stützpunkt in Pylos aus (Thuk. 4,11f.; Diod. 12,62). Als 424 die Chalkidier und der Makedone → Perdikkas II. die Hilfe Spartas erbaten, plädierte er für ausgreifende Operationen im thrakischen Raum, weil nur dort vom Lande aus athenische Positionen erfolgreich bedroht werden

könnten. Er wurde mit einer entsprechenden Expedition beauftragt, erhielt aber zunächst nur 700 als Hopliten bewaffnete Heloten und sollte weitere Truppen anwerben. Während er das Unternehmen im Raum von Sikyon und Korinth vorbereitete, stießen die athenischen Strategen → Demosthenes und → Hippokrates überraschend nach Megara vor (Thuk. 4,70–74). B. vereitelte den Anschluß dieser Polis an Athen [1. 44 f.], verstärkte seine Helotentruppe durch 1000 Söldner, zog in Eilmärschen nach Thrakien und verband sich zunächst mit Perdikkas II., mit dem er aber bald bei einem kurzen Feldzug gegen den Lynkestenfürsten → Arrabaios (Thuk. 4,78–83) in einen Interessenkonflikt geriet. Wenig später veranlaßte B. die Seebundstadt Akanthos, von Athen abzufallen (Thuk. 4,84–87). Hierbei kombinierte er geschickt antiathenische Freiheitspropaganda mit versteckten Drohungen. Nach dem Gewinn von Stageira gelang ihm sein größter Erfolg mit der Kapitulation der strategisch wichtigen Stadt Amphipolis vor dem Eintreffen des athenischen Strategos, des Historikers → Thukydides. Nur der Hafenplatz Eion blieb in athenischer Hand (Thuk. 4,103–107). Die für weitere Erfolge nötigen Verstärkungen wurden B. in Sparta nicht bewilligt, da dort einflußreiche Kreise eine Verständigung mit Athen anstrebten, um die Freilassung der auf Sphakteria in Gefangenschaft geratenen Spartiaten zu erreichen (Thuk. 4,108,7; 117,1 f.). Als etwa April 423 ein einjähriger Waffenstillstand in Kraft trat, weigerte sich B., das eben gewonnene Skione zu räumen; kurz darauf öffnete ihm auch Mende die Tore (Thuk. 4,120–123). Während eines weiteren Feldzuges gemeinsam mit Perdikkas gegen Arrabaios verfeindete er sich mit dem Makedonen, der sich jetzt mit den Athenern verband, die inzwischen Mende zurückeroberte hatten und Skione belagerten. Im Sommer 422 traf → Kleon mit athenischen Verstärkungen in Thrakien ein, wurde etwa Ende Oktober von B. bei Amphipolis zum Kampf gestellt und geschlagen, wobei beide Befehlshaber fielen (Thuk. 5,2 f.; 6–11).

B., der als Vorbild spartanischer Tapferkeit galt und in Amphipolis die heroischen Ehren eines »Stadtgründers« (oikistḗs) erhielt, war ein konsequenter Vertreter spartanischer Macht- und Interessenpolitik. Durch seine Aktivitäten weit außerhalb Spartas weckte er freilich das Mißtrauen einflußreicher Mitbürger, die in seinen ausgreifenden polit.-strategischen Plänen eine Gefahr für ihre traditionelle Polisordnung sahen.

1 J. ROISMAN, The General Demosthenes and his Use of Military Surprise, 1993.

H. D. WESTLAKE, Individuals in Thucydides, 1968, 148–165.
K.-W. W.

Brattea (πέταλον). In der arch. Terminologie ungebräuchlicher ant. Begriff; im Griech. urspr. nur als »Blatt, Laub eines Baumes« (Hom. Il. 2,312; Od. 19,520), bei Bakchyl. 5,186 »Kranz des Ölbaums von Olympia«, spätestens im 2. Jh. v. Chr. als artifizielles Er-

zeugnis für die Blätter des Goldkranzes (→ Kranz) verstanden. In röm. Quellen bezeichnet b. eine auf einen Gegenstand aufgelegte dünne Folie aus Metall, meist Silber oder Gold, auch Furniere aus kostbarem Holz (Plin. nat. 16,232) oder Schildpatt (Mart. 9,59,9), doch ist meist Blattgold oder Goldblech gemeint. Zu unterschiedlicher Stärke der Folien: Plin. nat. 33,61 f.; die dickeren Plättchen hießen auch lam(i)nae (Plin. nat. 16,232 f.). Mit diesen Folien versah man Wände und Decken (Plin. nat. 33,54; 57; 36,114), ferner Statuen (Arnob. 6,21; bei Iuv. 13,152 als bratteola bezeichnet), Möbel (vgl. zu Klinen: Mart. 8,33,5 f.; 9,22,6 [2. 174–176 zu Nr. 284 ff., bes. 287–300]). Auch konnten Gefäße mit b. versehen sein und ebenso nannte man b. die Blätter von (Gold-)Kränzen (Ail. var. 5,16), -ornamenten, sogar die vergoldeten Hörner der Opfertiere. Der Goldschläger hieß aurifex brattearius, auch ist eine brattearia (CIL VI 9211) überliefert. Einen Goldschläger bei seiner Arbeit zeigt ein Relief in Rom (VM, [3. Nr. 214]). CIL VI 95 erwähnt ein collegium brattiatiorum inauratorum.

→ Einlegearbeiten; Intarsien

1 L. BREGLIA, s. v. B., in: EAA 2, 1959, 164–165 2 J. W. HAYES, Greek, Roman and Related Metalware in the Royal Ontario Museum, 1984 3 G. ZIMMER, Röm. Berufsdarstellungen, 1982. R. H.

Brattia (Βραττία). Liburnische Insel, auch Brettia (Steph. Byz. s. v. B.), Krateia (Skyl. 23), h. Bra (Kroatien), von → Salona (12 km nördl.) abhängig, bekannt für Ziegen, Wein und Steinbrüche.

→ Liburni

J. J. WILKES, Dalmatia, 1969 · Ders., The Illyrians, 1992.
D. S.

Bratuspantium. Von Caes. Gall. 2,13 erwähntes, nicht zweifelsfrei lokalisierbares oppidum der → Bellovaci. Ob es sich um eine Vorgängersiedlung des später an gleicher Stelle entstandenen Hauptortes der civitas → Caesaromagus handelt oder um eine kelt. Anlage an einem ganz anderen Ort (Bailleul sur Thérain, Breteuil sur Noye), ist umstritten. F. SCH.

Brauron (Βραυρών), h. Vraona. Prähistor. Siedlung und Artemisheiligtum an der Ostküste von Attika an der infolge Landsenkung versumpften Mündung des Erasinos. Nach Philochoros bei Strab. 9,1,22 (FGrH III B Nr. 328 fr. 94) eine der 12 Städte der att. Dodekapolis. Heimat des Peisistratos, wohl deshalb in der kleisthenischen Demenordnung kein selbständiger Demos, sondern Teil von Philaidai. Ausgrabungen 1948–1963 durch I. PAPADIMITRIOU ergaben auf dem halbmondförmigen Akropolisfelsen im Süden der Bucht Spuren einer (befestigten?) endneolithischen Siedlung, geringe FH-, aber bedeutende MH- bis SH-Reste. Eine mächtige Geländekante in der Nordflanke der Akropolis birgt offenbar eine (mittel?–)brz. Wehrmauer, wie sie auch an einer nicht mehr lokalisierbaren Stelle [1; vgl.

3. 59 Abb. 56]) angeschnitten wurde. Die Absorption lokaler Fürstensitze durch Athenai führte (am Ende von SH IIIA? [2]) auch in B. zur Absiedelung von der Akropolis. Parallel dazu entsteht unmittelbar östl. in Lapoutsi (Chamolia) eine myk. Kammergrabnekropole der Stufe SH II/IIIA.B [4].

Unterhalb der Akropolis wurde das Heiligtum der Artemis Brauronia teilweise freigelegt. Seine gute Erhaltung und die reichen Funde sind offenbar seiner frühzeitigen Auflassung (3.Jh. v.Chr.?) zu verdanken. Für Mela 2,46 ist B. nur noch ein Name; Paus. 1,33,1 (vgl. 1,23,7; 3,16,7; 8,46,8) erwähnt das uralte Holzbild der Artemis, wohl nicht nach Autopsie. Am Fuß des Akropolisfelsens erhob sich auf einer partiell künstlichen Terrasse ein dor. Antentempel des frühen 5.Jh. v.Chr. mit dreischiffiger Cella und Adyton (? [5]) über einem Vorgängerbau des 6.Jh. Den ältesten Kultplatz und das »Grab« der Iphigenie (Eur. Iph. T. 1462ff.) vermutet man in einer Höhle südöstl. des Tempels, einen weiteren ant. Kultplatz unter der Kapelle des Hl. Georg (15.Jh.). Um 420 v.Chr. wurde im Norden des Tempels ein großes Bankettgebäude mit Peristyl und 10 Klinenräumen für je 11 Klinen errichtet [6], eine im Norden angebaute Stoa bewahrte Weihgeschenke. Dieses Gebäude ist nicht mit dem Amphipoleion (vgl. IG IV 39) einer Bauinschr. des 3.Jh. identisch, das ein Obergeschoß besaß und die kindlichen Kultdienerinnen der Artemis, die Arktoi (»Bärinnen«), aufnahm. Die Inschr. erwähnt ferner Tempel, Parthenon, oikoi, ein Gymnasium, Palaistra und Ställe [3. 56; 5].

Im Heiligtum der prähistor. Jagdgöttin Artemis, das als Sühne für die Tötung eines Bären gegr. worden sein soll, feierte man das penteterische Fest der Brauronia [7], bei dem die Arktoi in safrangelben Gewändern Tänze aufführten; nach Aristoph. Pax 874 (mit schol.) auch ein Dionysosfest. Die att. Artemiskulte ähnelten sich: Im Peiraieus wurden die gleichen Kelche gefunden wie in B. [8; 9; 10], während Funktion und Alter des Brauronion auf der Akropolis von Athen (peisistratisch oder 4.Jh.?) strittig sind [11]. Die dortigen Inventare gelten jetzt als Kopien der Inventare in B. [12].

Aus dem 6.Jh. stammt eine große christl. Basilika.
→ Artemis; Attika; Kleisthenes; Peisistratos

1 I.PAPADIMITRIOU, Ἀνασκαφαί ἐν Βραυρῶνι, in: Praktika 1956, 79 Taf. 23a 2 Ders., The Sanctuary of Artemis at B., in: Scientific American 208, 1963, 111ff. 3 TRAVLOS, Attika, 55ff. Abb. 53–91 (mit Bibliogr.) 4 M.BENZI, L'Attica in età micenea, in: P.E. ARIAS, G. PUGLIESE CARRATELLI (Hrsg.), Un decennio di ricerche archeologiche I, 1978, 139ff. 5 M.B. HOLLINSHEAD, Against Iphigenia's adyton in three mainland temples, in: AJA 89, 1985, 419ff. bes. 432ff. 6 CHR. BÖRKER, Festbankett und griech. Architektur, in: Xenia 4, 1983, 17f. Abb. 19 7 DEUBNER 207f. 8 L. GHALI KAHIL, Autour de l'Artémis attique, in: AK 8, 1965, 25ff. 9 Dies., L'Artémis de Brauron. Rites et mystère, in: AK 20, 1977, 86ff. 10 Dies., Le cratérisque d'Artémis et le Brauronion de l'Acropole, in: Hesperia 50, 1981, 253ff. 11 C.N.EDMONSON, Brauronian Artemis in Athens, in: AJA 72, 1968, 164f. 12 T. LINDERS, Studies in the Treasure Records of Artemis Brauronia found in Athens, 1972. H.LO.

Bremenium. Einer der röm. Vorposten nördl. des Hadrianswalls beim h. High Rochester. Von Agricola eingerichtet (77–84 n.Chr.), wurde das Lager von Lollius Urbicus (139–142 n.Chr.) erneuert und unter Septimius Severus und Diokletian erneut instandgesetzt [1. 242–244]. CIL VII p. 178f.
→ Limes

1 E.B. BIRLEY, Research on Hadrian's Wall, 1961.

D.J. BREEZE, The Northern Frontiers of Roman Britain, 1961, 138f. M.TO.

Bremse (οἶστρος, tabanus bovinus, welches Verg. georg. 3,147 durch asilus ersetzt, das Seneca epist. 58,2 später als veraltet galt). In älterer Zeit wird sie meist mit der Blindfliege μύωψ (myops) in Eins gesetzt (vgl. Aisch. Suppl. 511 und 308; Prom. 567 und 675), Aristoteles dagegen unterscheidet sie (hist. an. 1,5,490a20 und 8,11,596b14, ohne Beschreibung). Wie bei Aristot. hist. an. 5,19,552a30 der μύωψ entstehen bei Plin. nat. 11,113 der tabanus und der cossus aus Holz. Offenbar hat erst Sostratos in augusteischer Zeit eine Bestimmung vorgenommen [1. 344]. Die B. verfolgt die Kühe bis zur Raserei (Hom. Od. 22,300; Verg. georg. 3,147; Varro rust. 2,5,14), wie auf Befehl der Hera die in eine Kuh verwandelte Io. Die Tragiker verwendeten den Namen daher metaphorisch für jede quälende Leidenschaft (z.B. Eur. Herc. 862; Iph. T. 1456; vgl. Soph. Trach. 1254) und deren Qual (Hdt. 2,93; Eur. Hipp. 1300), weshalb sie in der bildenden Kunst personifiziert wurde (Münchener Medeavase, [2. 163ff. und Taf. 90], vgl. [3]).
→ Insekten

1 WELLMANN, Sostratos. Ein Beitrag zur Quellenanalyse des Aelian, in: Hermes 26, 1891, 321–350 2 FURTWÄNGLER/REICHHOLD Bd. 2 3 J.SCHMIDT, s.v. B., RE 17, 2286f. C.HÜ.

Brennstoffe. A. DEFINITION B. VERWENDUNG C. MATERIALIEN UND GEWINNUNG

A. DEFINITION

Brennstoffe sind wegen ihres Wasserstoffanteils leicht entzündbare organische Substanzen, die ihre in der Kohlenstoffverbindung gespeicherte chemische Energie bei der Verbrennung als Wärme abgeben. Die Beherrschung des Feuers und die Erzeugung von Wärme wurde von den Griechen als eine der wichtigsten Kulturtechniken bewertet. Der Mythos von → Prometheus stellt die Verfügbarkeit des Feuers als grundlegende Voraussetzung für das menschliche Leben dar; steht bei Hesiodos noch die Sicherung der Ernährung im Zentrum des Mythos (Hes. theog. 535ff.; erg. 42ff.), gilt in der Tragödie des Aischylos das Feuer als διδάσκαλος τέχνης πάσης (›Lehrer jeder Techne‹; Aischyl.

Prom. 110 f.; vgl.254); die Bed. des Feuers für die Metallurgie sowie für die Glas- und Ziegelherstellung hat auch Plinius (nat. 36,200 f.) hervorgehoben.

B. Verwendung

In der Ant. wurden B. zunächst von den Haushalten für die Zubereitung der Nahrung sowie für die Heizung und Beleuchtung von Wohnräumen benötigt; daneben hat man aber auch in der gewerblichen Produktion große Mengen an B. gebraucht. Für die Verhüttung von Erzen, die Verarbeitung von Edelmetallen und Bronze (Bronzeguß), das Schmieden von Eisen sowie für die Keramik- und Glasherstellung waren hohe Temperaturen und entsprechend große Mengen von B. notwendig. Auch andere Zweige des Handwerks waren auf B. angewiesen, so etwa Kalkbrennereien, Tuchfärbereien oder Bäckereien. Der Brennstoffbedarf war bes. in der Metallverarbeitung und in der Keramikproduktion außerordentlich hoch; so ergaben Versuche mit röm. Brennöfen, daß für die Produktion von 8 kg Eisen 40 kg Holzkohle benötigt wurden, die man wiederum aus ca. 150 kg Holz gewann. In röm. Zeit wurden große → Thermenanlagen mit einem Holzfeuer geheizt; die Holzversorgung wurde durch die öffentliche Verwaltung organisiert.

C. Materialien und Gewinnung

Als B. wurden hauptsächlich Holz und Holzkohle verwendet; Holz hat man vor allem in den Wäldern geschlagen, aber auch die großen Güter verkauften Brennholz auf den städtischen Märkten. Der athenische Großgrundbesitzer Phainippos ließ im 4. Jh. v. Chr. täglich Holz im Wert von 12 Drachmen nach Athen bringen (Demosth. 42,7), in röm. Zeit wird der Verkauf von Holz bei Cato erwähnt (Cato agr. 7,1; 38,4). Holzkohle wurde schon im 5. Jh. v. Chr. in den Wäldern des Parnes von Köhlern aus dem Demos Acharnai hergestellt (Aristoph. Ach. 321 ff.). Eine präzise Beschreibung der großen Holzkohlenmeiler bietet Theophrastos (h. plant. 9,3; vgl. 5,9,4). Die Holzkohlenmeiler wurden auf ebenem Boden aus glatten Holzscheiten aufgeschichtet, die dann mit festen Erdballen bedeckt wurden, so daß das Feuer nicht sichtbar war. Wenn das Holz langsam schwelte, entwichen Feuchtigkeit, Rauch und Gase wie Kohlensäure, Kohlenmonoxid und Methan. Das Pech floß aus und wurde als Dichtungsmaterial aufgefangen. Nach Theophrastos (h. plant. 5,9,1–3) wurde in den verschiedenen Gewerbezweigen jeweils eine Holzkohle bevorzugt, die bes. Eigenschaften besaß und aus einem bestimmten Holz gewonnen worden war. Als bes. geeignet für die Produktion von Holzkohle galt generell das Holz junger Bäume sowie von Bäumen, die an einem sonnigen, trockenen Standort gewachsen waren. Holzkohle ist ein schwarzer, poröser, leichter Stoff und verbrennt mit einer kurzen, bläulichen Flamme rauchlos, da die Gase bereits bei der Verkohlung entwichen sind. Sie ist frei von Schwefel, besitzt einen hohen Heizwert und ermöglicht damit sehr hohe Temperaturen. Allerdings konnte mit Holzkohle die für das Schmelzen von Eisen notwendige Temperatur von 1535 Grad Celsius in den ant. Brennöfen selbst mit Hilfe von Blasebälgen nicht erreicht werden.

Kohle wurde nur in solchen Regionen verwendet, in denen oberflächennahe Lagerstätten vorhanden waren; vor allem in Britannia ist der Gebrauch von Kohle an vielen Fundorten belegt. In dieser Provinz hat man Kohle auch über größere Entfernungen zu den Siedlungen transportiert. Olivenöl, das in Lampen aus Ton, teilweise auch aus Bronze, gefüllt wurde, diente der Beleuchtung von Wohnräumen.

Bis zur Spätant. wurden keine neuen B. erschlossen. In der Ant. beschränkte man sich auf die Erzeugung thermischer Energie; man setzte sie nicht unmittelbar in mechanische Arbeit um, nutzte die B. also nicht als Kraftstoffe. Eine Ausnahme bildeten die in Alexandria konstruierten → Automaten, die für Schaueffekte Wärmeenergie in Bewegung verwandelten.

Für die Gewinnung von B. wurden Wälder in der Nähe größerer Städte oder der Zentren der Metall- und Keramikproduktion abgeholzt. Teilweise herrschte in solchen Gebieten B.-Mangel; im 4. Jh. v. Chr. brachte etwa Meidias Holz für die Silberbergwerke von Euboia nach Laureion (Demosth. 21,167). Es liegen Berechnungen vor, daß für die in der röm. Metallproduktion benötigten B. jährlich 5000 Hektar Wald gerodet werden mußten.

→ Energie; Glas; Heizung; Holz; Holzkohle; Keramik; Metallurgie; Öl; Ölhandel; Pech; Prometheus

1 Blümner, Techn. 2, 347–356 2 M. J. Dearne, K. Branigan, The Use of Coal in Roman Britain, in: Antiquaries Journal 75, 1995, 71–105 3 J. F. Healy, Mining and Metallurgy in the Greek and Roman World, 1978, 148–152 4 Meiggs, 185, 192, 203 ff., 237, 258 5 A. Neschke-Hentschke, Gesch. und Geschichten. Zum Beispiel Prometheus bei Hesiod und Aischylos, in: Hermes 111, 1983, 385–402 6 Peacock, 25 7 D. W. Reece, The Technological Weakness of the Ancient World, in: Greece and Rome 16, 1969, 32–47, bes. 43 ff.   AS. S.

Brennus (Βρέννος). Keltischer Funktionsname von bretonisch *brennin* »König« [1. 105–108].

[1] Nach röm. annalistischer Überlieferung Fürst der gallischen → Senones, die 390 v. Chr. die Römer an der Allia entscheidend schlugen, Rom besetzten und plünderten. Als die auf dem Capitol belagerten Römer den Abzug der Gallier gegen Zahlung von 1000 Pfund Goldes aushandelten, warf B. mit den Worten *vae victis* noch sein Schwert auf die Waage (Liv. 5,38–49; Plut. Camillus 18–30). Die Zerstörung Roms bestimmte in den folgenden Jh. das röm. Feindbild von den »barbarischen Kelten«. Der Name des B. ist wahrscheinlich unhistor. und eine Entlehnung von B. [2], da er sich nicht bei Polybios und Diodor findet.

1 H. Rankin, Celts and the Classical World, 1987 2 Holder 1, 517–520 3 B. Kremer, Das Bild der Kelten bis in augusteische Zeit, 1994 4 I. Wernicke, Die Kelten in It., 1991, 128.   W. SP.

[2] Heereskönig der galatischen → Tolistobogii, der 279 v. Chr. in Griechenland einfiel, zunächst plündernd unter Kämpfen durch Makedonien nach Mittelgriechenland zog und große Verluste gegen ein griech. Aufgebot bei den Thermopylen erlitt. Beim Versuch, das Apollonheiligtum von Delphi zu plündern, wurden die Kelten im Winter 279/278, endgültig besiegt. Der verwundete B. beging Selbstmord und machte Akichorius zu seinem Nachfolger, der sich mit dem verbleibenden Heer hinter die Donau bzw. nach Thrakien zurückzog (Paus. 10,19–23; Iust. 24, 6–8; Diod. fr. 22,9; Pol. 4,46,1).

HOLDER 1, 520–524 · H. RANKIN, Celts and the Classical World, 1987, 87–96.   W. SP.

Brettspiele
A. ALTER ORIENT   B. GRIECHENLAND UND ROM

A. ALTER ORIENT
Nachgewiesen seit der 2. H. des 4. Jt. dienten B. dem Zeitvertreib, aber auch divinatorischen Praktiken (→ Divination; Kombination mit Lebermodellen [3]). Die Spielbretter mit 5 × 4 Feldern bestanden aus Holz (mit bunten Einlagen oder geschnitzt), Stein (bemalt oder mit Einlagen) oder gebranntem Ton, die Spielfiguren und Würfel aus Elfenbein oder Knochen; zum Spielverlauf sind keine Angaben möglich. Mit dem ägypt. 30–Felder Spiel (bereits prädynastisch) besteht vermutlich kein Zusammenhang [1. 4 Typ AII Anm. 41]. Aus den Königsgräbern von Ur [1. Anm. 35] sowie einem Grab in Shar-i Sokhta [1. Anm. 16] stammen verzierte Bretter mit 12 × 8 Feldern, die nach Ausweis der Spielsteine von zwei Gegnern mit je sieben Steinen bespielt wurden. Im 2. Jt. findet sich dieser Typ auch in Fußbodenziegel eingeritzt. Steckspiele verbreiteten sich seit Beginn des 2. Jt. von Kleinasien und Palästina nach Assyrien und im 1. Jt. nach Babylonien. Die häufig aus kostbaren Materialien hergestellten Bretter mit 61 bzw. 59 Löchern wurden mit kleinen Stäbchen bespielt. Das bis h. populäre *Mingala* oder *Mancala*, bei dem zwei Gegner kleine Steinchen oder Muscheln in Vertiefungen des Spielbrettes ablegen, ist schon im 3. Jt. in → Hama nachzuweisen.

1 W. W. HALLO, Games in the Biblical World, in: Eretz-Israel 24 (Avraham Malamat Volume), 1993, 83–88 (mit ausführlicher Lit.).   AN. BE.

B. GRIECHENLAND UND ROM
(πεσσεῖαι von πεσσός, »Spielstein«). Die Spielbretter hatten verschiedene Namen: τηλία (*tēlía*), ἄβαξ (*ábax*) oder πλινθίον (*plinthíon*). Nach Plat. Phaidr. 274d erfand der ägypt. Gott Thot die B., nach anderer Überlieferung Palamedes vor Troia (Soph. fr. 479; Eur. Iph. A. 195–198; [1]; dazu die lit. Schilderung der B. bei Hom. Od. 1,106–108 17,530–531). Mythische Erwähnungen des B. bei Athen. 1,17a-b und Hdt. 2,121–123. Frühe Funde aus Perati, Mykene und Tiryns zeigen, daß u. a. Steine,

Nüsse oder mit Blei ausgegossene Muscheln als Spielsteine dienten; Spielbretter bzw. deren Reste sind aus Knosos [2] und Enkomi bekannt. Das Motiv der »brettspielenden Helden« ist in der Vasenmalerei und Glyptik häufig und wird gewöhnlich als Partie des Aiax mit Achill gedeutet, doch sind auch Szenen anonymer Spieler überliefert. Eine archa. Weihung von der Akropolis, Athen [3], zeigt ebenso wie ein hell. Grabstein aus Euböa mit Brettspielern oder die zahlreichen Ritzungen auf Säulenkapitellen, Tonplatten die Beliebtheit der B. Ungewiß das wohl kult. B. im Heiligtum der Athena Skiras.

Bei den Griechen war ein beliebtes B. das πόλις/πόλεις (*pólis/póleis*) oder πλινθίον genannte B., das sich mit dem Schachspiel vergleichen läßt; dabei wurden 60 Steine, »Hunde« genannt, auf dem wohl in quadratische Felder unterteilten Spielbrett verschoben. Es galt, die Steine des Gegners zu nehmen. Ungewiß aber ist, ob man bei diesem B. Würfel benutzte oder nicht (Poll. 9,98). Beim Fünflinienspiel (ἐπὶ πέντε γραμμῶν) wurde die mittlere Linie »Hl. Linie« (ἱερὰ γραμμή) genannt; die beiden Kontrahenten spielten mit jeweils fünf πεσσοί, die sie nach dem Zählwert der Würfel zur Hl. Linie bewegten.

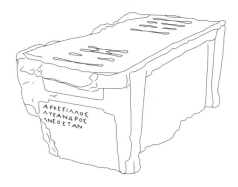

Steinerner Spieltisch aus Epidauros für das »Fünf-Linien-Spiel« (Epidauros, Museum, 4./3. Jh. v. Chr.).

In seinem Spielverlauf nahezu unbekannt ist das διαγραμμισμός-B. (oder γράμμα), von dem nur überliefert ist, daß es dem πόλις-Spiel ähnlich sei und mit 2 × 30 Steinen gespielt wird (Poll. 9,99; Eust. 6,169).

Auch in Rom waren B. beliebt und waren »gesell-
schaftsfähiger« als die → Würfelspiele. Zum B. dienten
die → abacus oder alveus genannten Spielbretter oder
-tafeln (allg.: tabula lusoria, Plin. nat. 37,13), und die calculi (Spielsteine), die aus verschiedenen Materialien
(Glas, Elfenbein, Stein) gefertigt waren (Mart. 12,40,3,
14,20; Juv. 11,120–123); sie waren verschieden gefärbt,
meist schwarz und weiß, auch sind rote bekannt. Zu den
beliebtesten Spielen zählten → duodecim scripta und
→ latrunculorum ludus. Auf ein dem »Mühle« ähnliches
Spiel mit zwölf Feldern bezieht sich Ov. ars 3,363–365
und trist. 2,481, ohne jedoch den Namen des B. zu nennen. Ungewiß ist ein 36–Felder-Spiel, das H. Lamer [4]
aus den in 36 Feldern bestehenden Spielbrettern des
duodecim scripta rekonstruiert, für das es keine ant. Nachricht gibt (vgl. [5]). Die Spielleidenschaft der Römer
brachte es mit sich, daß vielerorts Ritzungen der
Spieltafeln angebracht wurden (Forum von Timgad,
Grabdenkmäler, Ostseite des Parthenon in Athen,
Nordstufen der Basilika Julia in Rom, vgl. die Loculi-
platten in den röm. Katakomben), wie sich auch originale Spieltafeln aus verschiedenen Materialien erhalten
haben. Daneben gibt es bes. aus der Spätant. Darstellungen von Spielszenen. Zu den Spielgeräten zählten neben
den Spielsteinen die Würfelbecher (→ fritillus) und
Spieltürme.

1 S. Karouzou, Der Erfinder des Würfels, in: MDAI(A) 88,
1973, 55–65 2 J. Evans, The Palace of Minos at Knossos 1,
1921, 472–473, Abb. 338–339, Taf.5 3 Fuchs/Floren, 277
4 H. Lamer, s. v. Lusoria Tabula, RE 13, 2008–2012 5 H. G.
Horn, Si per me misit, nil nisi vota feret. Ein röm.
Spielturm aus Froitzheim, in: BJ 189, 1989, 139–160.

H. R. Immerwahr, Aegina. Aphaia-Tempel, in: AA 1986,
195–204 • H. Lamer, s. v. Lusoria Tabula, RE 13,
1900–2029 • S. Laser, H. G. Buchholz, Sport und Spiel,
ArchHom T, 1987, 117–184 • Th. M. Schmidt,
G. Fiedler, Ein Sarkophag als Spielbrett, in: Forsch. und
Ber. 29, 1990, 169–188 • J. Väterlein, Roma ludens, 1976.
　　　　　　　　　　　　　　　　　　　　　　　　　　R. H.

Breuci (Plin. nat. 3,147; Suet. Tib. 9,2; Strab. 7,5,3;
Ptol. 2,15,3: Βρεῦκοι). Ein in Pannonia Inferior längs
der unteren Save siedelnder illyr. Stamm, 12–10 v. Chr.
von den Römern unterworfen, nahm am pannonischen
Aufstand 6–9 n. Chr. teil. Seither wurden die B. für
röm. Hilfstruppen rekrutiert – in der Kaiserzeit sind acht
cohortes Breucorum bezeugt.

A. Graf, Übersicht der ant. Geogr. Pannoniens, 1938, 15 •
TIR L 34 Budapest, 1968, 40.　　　　　　　　　J. Bu.

Breuni (Breones). Von Drusus 15 v. Chr. unterwor-
fener Stamm der inneren Alpes in → Raetia; oft mit den
Genauni genannt (etwa Hor. carm. 4,14,11: veloces; Plin.
nat. 3,137), wurden sie fälschlich mit dem Brenner verbunden. Als Breones noch in der Spätant. eine handelnde
Gruppe (Cassiod. var. 1,11,2; Venetius Fortunatus, vita
Martini 4,645; carm. praef. 4), gaben sie einem Bistum
den Namen (Acta Conc. Oec. IV 2,135 § 18 v. 591).

TIR L 32,39 • H. Wolfram, Tiroler Randgruppen, in: FS A.
Betz, 1985, 673–677 • H. Wolff, Die Kontinuität der
Kirchenorganisation in Raetien und Noricum, in:
E. Boshof, H. Wolff (Hrsg.), Das Christentum im
bairischen Raum, 1994, 1–27, bes. 8–10.　　　　　K. Di.

Breviarium. Narrative Kurzform der → Geschichtsschreibung und als solche von der primär nicht-narra-
tiven → Chronik unterschieden. Wie ausführliche Hi-
storie wollen B. unterhalten (→ Velleius Paterculus),
doch steht Belehrung, die zur Verkürzung als didakti-
schem Mittel führt, im Vordergrund: Zielgruppe sind
vor allem aufsteigende Schichten, die Bildungswissen
benötigen – das bedingt den großen Aufschwung des
Texttyps im 4. Jh.; Vermittlungs- und Entstehungsort ist
oft der (Rhet.-)Unterricht. Genetisch und funktional
besteht eine große Nähe zur → Epitome-Lit. und
Sammlungen von Kurzbiographien (De viris illustribus,
→ Biographie). Die Überlieferung ist zumeist spärlich
(oft nur in Sammelhss.); eine Ausnahme bildet das Breviarium des → Eutropius, das selbst ma. und frühneu-
zeitliches Schulbuch wurde.

A. Momigliano, Pagan and Christian Historiography, in:
Ders. (Hrsg.), The Conflict Between Paganism and
Christianity in the 4th Century, 1963, 79–99 • P. L.
Schmidt, HLL § 529–539.　　　　　　　　　　　J. R.

Brevitas. Die erste systematisch reflektierte Form der
B. im Ausdruck ist die Lakonik (Plat. Prot. 342bc). Sie
bestand nach Platons Ansicht nicht nur aus kurzem Ausdruck und Sentenzen, die als Pfeile das Ziel trafen, sondern vielmehr aus der Philos. und Weltanschauung der
Spartaner. Demetrios (elocutiones 7; 242f.) erklärt lakonische B.: ›Befehle sind knapp und kurz‹. Dies entspricht der b. imperatoria von Tac. hist. 1,18. Auch das
erste philos. Streben nach B. bietet Platon. Prot. 329b;
335a–c und Gorg. 449bc verspottet Sokrates die Makro-
logie der Sophisten und stellt sich als unfähig dar, andere
als kurze Reden zu verstehen. Die βραχυλογία (brachy-
logía) und συντομία (syntomía) wurde dann von den Stoikern schon ab Zenon (SVF 1, fr. 4, 302, 310) als eigentliche Tugend der Sprache betrachtet. Rhet. Her. 4,54,68
kommt die B. als Redefigur wie bei Rutilius (Quint.
inst. 9,3,99) vor, während sie von Quintilian (ebd.) abgelehnt wird. So wird sie in den ornatus eingeschaltet,
und zwar vor allem (Rhet. Her. 4,68), wenn die Sache
selbst keiner langen Rede bedarf und ohnehin nicht viel
Zeit zur Verfügung steht. B. findet sich auch in den
sententiae (Gnomik) und geht mit dem acutum dicendi
genus zusammen.

B. wird auch in einzelnen Teilen der rhet. organisierten Rede verwandt, namentlich in der elocutio und in der
narratio. Nach Quint. inst. 4,2,31 nannten schon Isokrates' Schüler drei Tugenden für die narratio: σαφήνεια
(saphḗneia), συντομία (syntomía), πιθανότης (pithanótēs).
Gegen die übermäßige B. nicht nur hier nimmt Cicero
(de orat. 2,326) Stellung; Horaz (ars 25 f.) spricht dasselbe ohne Beschränkung auf die narratio aus. Quint. inst.

4,2,44; 8,3,82 und Plin. epist. 1,20 setzen diese Polemik fort.

C. O. Brink, Horace on Poetry, 1971 · G. Calboli, Cornifici Ars Rhetorica, ²1993 · L. Calboli Montefusco, Exordium, Narratio, Epilogus, 1988 · P. V. Cova, La critica letteraria di Plinio il Giovane, 1966 · M. S. Celentano, La laconicità, in: A. Pennacini (Hrsg.), Studi di retorica oggi in Italia, 1987, 109–115 · Dies., L'epistola laconica, in: A. Pennacini (Hrsg.), Retorica della comunicazione nelle letterature classiche, 1990, 109–129 · G. Moretti, Acutum Dicendi Genus, 1995 · G. Picone, L'eloquenza di Plinio, 1978 · L. Voit, ΔΕΙΝΟΤΗΣ, 1934 · B. R. Voss, Der pointierte Stil des Tacitus, ²1963.   G. C.

Brief A. Arten des Briefes B. Brief als Mittel der Kommunikation C. Material und Formales D. Geschichte des Briefeschreibens

A. Arten des Briefes

Bei der ant. Gattung »B.« geht es – neben den wenigen Texten zur Brieftheorie und den Briefstellern (→ Epistolographie) – um 1. Gesetzen vergleichbare, offizielle B. (Erlasse), 2. amtliche Schreiben des Alltags, 3. der Rede verwandte »offene« B. a) mit einem oder mehreren Absendern und einer Pluralität von Adressaten (etwa christl. Gemeinde-B.) oder b) einem über einen direkten Adressaten hinausgehenden, potentiell weiteren Publikum, schließlich 4. Schreiben von Individuen untereinander in privater Absicht. Prinzipiell zu trennen davon sind a priori für eine lit. Veröffentlichung bestimmte B. wie 5. Lehrb., 6. Kunstb. in Prosa (Plinius und die Folgen) oder Poesie (Horaz, Ovids Exildichtung) sowie 7. a) als sog. Pseudepigrapha erh. Rollenb. (rhet. Prosopopoiien, bes. b) wenn ihr Verf. mit dem Absender nicht identisch ist (Ovids *Heroides*); einen Sonderfall stellen 8. einleitende Widmungsb. dar. Die Kategorie 6 ist mit der vierten auf der Ebene des gebildet stilisierten Privatb. verwandt, bei dem wiederum seit den Vorbildern Cicero und Plinius [1. 391–395] mit Abfassung für spätere, in der Regel postume Publikation – etwa als Stilvorbild – gerechnet werden muß. Gleichwohl bleibt der ant. Kunstb. als (bezogen auf den Adressaten) indiskret und (bezogen auf den Absender) unbescheiden in der Ant. eine prekäre Gattung [2. 34, 44 f.]. Dem Vorrang des »echten« Privatb. entspricht, daß der B. in der ant. Gattungssystematik nicht figuriert. Fernzuhalten ist jedenfalls die noch immer verbreitete Vorstellung einer Dichotomie von (echtem) B. und (künstlicher) Epistula, die das unterschiedliche Niveau von Ausdrucksvermögen und Stilisierung, gegebenenfalls auch die potentielle Publikationsabsicht im Bereich von Nr. 4 als kategoriale Differenzierung übertreibt (wichtig: [3. 1–10]).

B. Brief als Mittel der Kommunikation

a) Der B. zählt, in der Formulierung der modernen Soziologie, zu den »kommunikativen Gattungen des Alltags«, ›Handlungen, in denen sich der Handelnde schon im Entwurf an einem Gesamtmuster orientiert . . .

Gesamtmuster . . ., (die) zu Bestandteilen des gesellschaftlichen Wissensvorrats geworden sind‹ [5. 201 f., vgl. 203]. Der B. pflanzt sich als geschriebenes Wort nicht nur in der Imitation von alltäglichen Mustern fort, sondern scheint etwa seit dem 1. Jh. v. Chr. auf den verschiedenen Unterrichtsstufen gelehrt worden zu sein [6. 6 f.], auf elementarem Niveau am Leitfaden von B.stellern [vgl. 7], auf einem höheren, was die »philophronetische« Stilisierung angeht (vgl. Demetrios, de elocutione 231). Die funktionale Ausdifferenzierung der Typen als weder ganz geschlossene noch unendliche Reihe – der B.-Steller des Ps.-Demetrios zählt 21 Nummern – ergibt sich aus der *condicio humana* wie aus der gesellschaftlichen Entwicklung [vgl. 8. 1327–1329; 9; 1. 395–400; 10. 1, 9–15]: Den »Briefsorten« [4. 68–75, 95–102] nach 1. Darstellungs- oder besser Informationsintention, 2. Wertungs-, 3. Aufforderungs- und 4. Kontaktintention lassen sich zuordnen 1. die Funktion von *narrare* bzw. *absentes certiores facere* (zu Ciceros *genera usitata epistularum* vgl. etwa [3. 27–38]), Geschäftsb., Eingangsbestätigung etc., 2. Lob und Tadel, Gratulation, Anklage, Verteidigung und Rechtfertigung, 3. Anträge und Aufträge (*mandare*), Mahnung, Rat und Einladung, schließlich Empfehlungsb. (*litterae commendaticiae*), 4. Freundschafts- und Familienb.

b) Entspricht das Formular (Anrede, Eingangs- und Schlußgruß) in der Entwicklung von einfachen zu komplizierteren, auch christianisierten Formen [11; 12. 28–74], von der Kommunikation unter Gleichen bis zum Zeremoniell der Spätant. der sozialen und geistesgesch. Entwicklung, so bilden sich für den eigentlichen B.-Text bestimmte des thematischen Einsatzes [1. 400–405] sowie Formeln, Topoi und stilistische Regeln heraus [8. 1328–1332; 10. 1, 20–25; zu spezifisch christl. 12. 77–125], zumal für den lit. Privatb. (a. 4.), der, dezidiert von dem öffentlichen abgesetzt, prägnant als Gespräch unter Abwesenden verstanden wird, insofern er Ausdruck der Persönlichkeit des Absenders ist und sich zugleich der Situation, insbes. dem Adressaten anpaßt; auf ihn zielen die Exkurse zum Briefstil bei Ps.-Demetrios und → Iulius Victor, vgl. auch [2. 27–41, 43–72; 9. 186; 6. 12–14; 1. 383–390, 417 f.]. Gefordert werden Kürze und Klarheit, der Stil soll die Mitte zw. gehobener Rede und alltäglichem Plauderton halten. Lange Perioden, gekünstelte Figuren, entlegene Wörter und unpassende Gelehrsamkeit sind zu meiden, empfohlen wird z. B. das Einflechten von Sprichwörtern und Zitaten, zu erstreben ist eine unaufdringliche Eleganz.

C. Material und Formales

Korrespondiert wurde in der Regel auf Holztäfelchen (→ Schreibtafel, δέλτος, *tabellae*), die mit der Antwort zurückkehren konnten (Prop. 3,23), später auf Papyrus (βιβλίον, *charta*), auch auf Tonscherben (→ Ostrakon), vgl. [10. 1, 69–74]. Das Datum stand am Schluß, d. h. auf der Innenseite der Rolle, die Adresse auf der Außenseite. Bei Verf. wie Cicero, die Wert auf die Aufbewahrung legten, wurde das Konzept, zur Sicherheit auch mehrfach, durch Schreibsklaven in die Reinschrift umgesetzt; eigenhändige Kopierung bedeutete bes. Wertschätzung. In der Kaiserzeit trat daneben zunehmend die Abfassung durch Diktat. Die Beförderung der Privatb. wurde B.-Boten oder zufällig weiter reisenden Bekannten anvertraut; die Risiken der Zustellung waren entsprechend, und wichtige Nachrichten wurden deshalb dem Boten in der Regel mündlich anvertraut. Zur kaiserzeitlichen Staatspost (→ *cursus publicus*, Post) vgl. [14], zur Aufbewahrung der Originale als Dokumente oder zur späteren Publikation etwa [2. 139–145]. → BRIEF; EPISTEL

ANM. UND LIT.: s. D.2   P.L.S.

D. GESCHICHTE DES BRIEFESCHREIBENS
1. VORDERER ORIENT UND ÄGYPTEN
2. GRIECHENLAND UND ROM

1. VORDERER ORIENT UND ÄGYPTEN

Der B. als Mittel der Kommunikation ist in der keilschriftlichen Überlieferung des alten Vorderasien seit Mitte des 3. Jt. v. Chr. bis ins 6./5. Jh. v. Chr. bezeugt. Die in Form von Tontafeln zumeist von Boten beförderten B. weisen für die jeweilige Zeit und Region typische und mehr oder weniger variierende Anrede- und Grußformeln auf [1]. Bei diesen B. handelt es sich 1. um (kurze) Anweisungen aus dem Bereich staatlicher Verwaltungs- und Wirtschaftsorganisation [7. 393 xxx; 3], 2. um offizielle Korrespondenz polit. bzw. ökonomisch-administrativen Inhalts sowie 3. um private Schreiben, häufig geschäftliche Vorgänge betreffend. Zwischenstaatliche Korrespondenz wird z. B. durch die altbabylon. B. aus → Mari, die hethitische B.-Überlieferung aus → Hattuša und die → Amarna-B. bezeugt (14. Jh. v. Chr.) [7. Anm. 5, 6]. B. aus Niniveh (8./7. Jh. v. Chr.) betreffen Probleme des assyr. Hofes sowie innen- und außenpolit. Vorgänge [7. Anm. 5]. Das Verfassen von B. gehörte zum Curriculum schulischer Ausbildung [5]. Lit. überliefert sind Königskorrespondenzen des ausgehenden 3. und frühen 2. Jt. v. Chr. [7. Anm. 10], die Gattung der sumerischen und akkadischen Gottes-B. [7. Anm. 7] und andere fiktive B. In Ägypten sind B. offiziellen, privaten und lit. Charakters mit entsprechendem Grußformular seit etwa 2300 v. Chr. bezeugt (auf Papyri und Ostraka). Aus dem Bereich der Schulausbildung stammen Sammlungen von Muster-B. Insbes. auf Tongefäßen in Gräbern sind B. an Tote überliefert [3]. Beispiele für die Kanzleikorrespondenz der Achämeniden liefert das AT (Buch → Esra). Die zwischen 410 und 407 v. Chr. aus Babylonien bzw. Susa nach Ägypt. gesandten aram. B. des Satrapen → Arsames betreffen die Verwaltung von dessen Gütern in Ägypt. [4. 297–327; 10].

1 R. A. CAMINOS, s. v. B., LÄ 1, 855–864 2 J. MACGINNIS, Letter Orders from Sippar and the Administration of the Ebabbara in the Late-Babylonian Period, 1995
3 R. GRIESHAMMER, s. v. B. an Tote, LÄ 1, 864–870
4 P. GRILLOT, Documents araméens d'Egypte, 1972 5 F. R.

KRAUS, B.-Schreibübungen im altbabylon. Schulunterricht, in: Jahresbericht Ex Oriente Lux 16, 1964, 16–39 6 A. L. OPPENHEIM, Letters from Mesopotamia, 1967
7 W. SALLABERGER, Zur frühen mesopotamischen B.-Lit., in: OLZ 91, 1996, 389–407 8 E. SALONEN, Die Gruß- und Höflichkeitsformeln in babylon.-assyr. B., 1967
9 O. SCHROEDER, s. v. B., RLA 2, 62–68 10 H. Z. SZUBIN, B. PORTEN, in: JNES 46, 1987, 39–48 11 K. R. VEENHOF, Brieven uit het oude Mesopotamië, in: Phoenix 39, 1993, 168–184.   H. N.

2. GRIECHENLAND UND ROM

Das klass. Griechenland bis zum 4. Jh. v. Chr. wird durch polit., offene B. sowie durch griech. Brieferlasse der Perserkönige repräsentiert. Als erste publizierte Privatkorrespondenz wird die des Aristoteles häufiger zitiert. Die Epoche von Hellenismus und röm. Republik tritt uns im Osten in hell. Herrscherbriefen, aber seit dem 2. Jh. v. Chr. auch in B. röm. Magistrate, dazu in ägypt. Papyrus-B., im Westen seit den Gracchen in den offenen B. der innenpolit. Auseinandersetzung, andererseits in Ciceros durchweg postum edierter Privatkorrespondenz entgegen, die (so die B. an Atticus) als Geschichten oder als typologische Exempla gelesen werden. In der Kaiserzeit bilden die meist inschr., auch griech. erhaltenen Herrscherb. und Reskripte – als solche mögen auch die Antworten Traians an den jüngeren Plinius gelten – zu dem weiterhin fließenden Strom der Papyrus-B. einen erkennbaren Kontrast, bildet die um Prinzenerziehung und Stiltheorie zentrierte Korrespondenz Frontos sozusagen eine mittlere Ebene [vgl. 2. 187–284]. In der Tradition der echten oder zugeschriebenen Gemeinde-B. des Paulus und anderer Apostelb. gewinnt das junge Christentum ein tragfähiges und gattungsprägendes Instrument für die Homogenisierung der Ökumene in Verkündigung und Lehre, Erbauung und kirchlicher Disziplin: Seit Cyprian werden auch die christl. und gleichwohl stilistisch anspruchsvollen Privat-B. (die Autoren bei [14. 847–853]) von Autoritäten wie der Kappadokier, von Ambrosius, Augustinus oder Hieronymus überwiegend als offene B. verstanden oder auf spätere Publikation in Sammlungen hin angelegt. Auf paganer Seite sind die B. des Kaisers Iulian und des Libanios, als amtliche B. Cassiodors *Variae* hervorzuheben. Dabei zeichnet sich im spätant. Gesellschafts-B. (Symmachus) eine Tendenz zur inhaltlichen Entleerung [16. 141–143] – wobei freilich die mündlich mitgegebene Nachricht regelmäßig mitzudenken ist – als gesellschaftliche Konventionalisierung ab. Die Papst-B. schließlich entwickeln sich – parallel zu der Entwicklung von Amts- und Staatskirche – vom brüderlich erbaulichen Privatb. zum Dekretale (in der Form kaiserlicher Konstitutionen) seit Siricus und zu kirchenrechtlichen Responsa seit Innozenz I.
→ Libellus; Nachrichtenwesen; Schreibmaterial

1 P. CUGUSI, L'epistolografia, in: G. CAVALLO u. a. (Hrsg.), Lo spazio letterario di Roma antica, Bd. 2, 1989, 379–419 2 P. CUGUSI, Evoluzione e forme dell' epistolografia latina, 1983 3 K. THRAEDE, Grundzüge griech.-röm. B.-Topik,

1970 **4** K. ERMERT, B.-Sorten, 1979 **5** T. LUCKMANN, Grundformen der ges. Vermittlung des Wissens: Kommunikative Gattungen, in: Kultur und Ges. Kölner Zschr. für Soziologie, Sonderh. 27, 1986, 191–211 **6** A. J. MALHERBE (Hrsg.), Ancient Epistolary Theorists, 1988 **7** W. D. LEBEK, Neues über Epistolographie und Grammatikunterricht, in: ZPE 60, 1985, 53–61 **8** K. BERGER, Hell. Gattungen im NT, ANRW II 25.2, 1984, 1326–1363 **9** S. K. STOWERS, Letter and Writing in Greco-Roman Antiquity, 1986 **10** P. CUGUSI, Corpus epistularum Latinarum, Bd. 1/2, 1992 **11** A. DIHLE, Ant. Höflichkeit und christl. Demut, in: SIFC 26, 1952, 169–190 **12** G. TIBILETTI, Le lettere private nei papiri greci del III e IV s. d. C., 1979 **13** P. STOFFEL, Über die Staatspost, 1994 **14** P. CUGUSI, Epistolografi, in: Diz. degli scrittori greci e latini 2, 1987, 821–853 **15** A. GARZYA, L'epistolografia letteraria tardoantica, in: Ders., Il mandarino e il quotidiano, 1983, 113–148.

R. BUZÓN, Die B. der Ptolemäerzeit, 1984 · H. M. COTTON, Greek and Latin Epistolary Formulae, in: AJPh 105, 1984, 409–425 · P. CUGUSI, Aspetti letterari della tarda epistolografia greco-latina, in: Annali della Facoltà di Lettere e Filosofia dell'Università di Cagliari, N. S. 6, 1985, 115–139 · Ders., Epistolographi Latini minores 1, 1/2; 2, 1/2, 1970/1979; dazu Index in: Annali della Facoltà di Magistero dell'Università di Cagliari, N. S., 1977/78, 37–63 · Ders., Studi sull'epistolografia latina 1/2, Annali della Facoltà di Lettere e Filosofia dell'Università di Cagliari 33,1, 1970, 5–112; 35, 1972, 5–167 · W. G. DOTY, Letters in Primitive Christianity, 1973 · F. X. J. EXLER, The Form of the Ancient Greek Letter, 1923 · M. V. D. HOUT, Studies in Early Greek Letter-Writing, in: Mnemosyne 4, Bd. 2, 1949, 19–41 · C.-H. KIM, Form and Structure of the Familiar Greek Letter of Recommendation, 1972 · H. KOSKENNIEMI, Studien zur Idee und Phraseologie des griech. B., 1956 · C. D. LANHAM, Salutatio Formulas in Latin Letters to 1200, 1975 · OLIVER · H. PETER, Der B. in der röm. Lit., 1901 · J. SCHNEIDER, s. v. B., RAC 2, 1954, 564–585 · F. SCHNIDER, W. STENGER, Studien zum nt. B.-Formular, 1987 · SHERK, 185–364 · H. A. STEEN, Les clichés épistolaires dans les lettres sur papyrus grecques, in: CeM 1, 1938, 119–176 · J. SYKUTRIS, s. v. Epistolographie, RE Suppl. 5, 185–220 · WELLES · J. L. WHITE, Light from Ancient Letters, 1986 · Ders., NT Epistolary Literature in the Framework of Ancient Epistolography, ANRW II 25.2, 1984, 1730–1756 · Ders., The Form and Function of the Body of the Greek Letter, 1972 · Ders., The Form and Structure of the Official Petition, 1972 · H. ZILLIACUS, s. v. Anredeformen, RAC Suppl. 3/4, 474–497.   P. L. S.

Briefroman. Die lit. Untergattung des B., die fast ausschließlich durch die zahlreichen modernen Beispiele aus dem 18. und 19. Jh. bekannt ist (RICHARDSON, ROUSSEAU, LACLOS, GOETHE usw.), existierte in Wirklichkeit schon in der klass. Antike. Die ant. Beispiele sind jedoch nur echtheits- und quellenkritisch untersucht worden und nie unter lit. Gesichtspunkten; das war wenigstens bis zum Erscheinen der jüngsten Arbeiten der Fall. Folgende Texte können zu dieser Gattung gezählt werden: Die Briefe des → Platon (1. Jh. n. Chr.), des → Euripides (1. Jh. n. Chr.), des → Hippokrates (1. Jh. n. Chr.), des → Aischines (2. Jh. n. Chr.), des → Chion (Ende des 1. Jh. n. Chr.), des → Themistokles (Ende des 1. Jh. n. Chr.) sowie des → Sokrates und der Sokratiker (2. Jh. n. Chr.); darüber hinaus ist an die Briefe des Phalaris, der Sieben Weisen und des Xenophon zu erinnern, die in einer Form überliefert sind, die sich von der urspr. wahrscheinlich erheblich unterscheidet, sowie an die Papyrusfragmente der Briefe Alexanders des Gr. Im Mittelpunkt all dieser Werke stehen histor. Persönlichkeiten – im allg. aus dem mythischen 5. Jh., das auch im histor. Roman der → Chariton als Hintergrund dient –, und ihr Verhältnis zur Macht; angewandt wird die chronologische Erzählung (eine Ausnahme bilden die Briefe des Themistokles), die sich ganz auf die innere Dynamik konzentrieren und manchmal komisch-satirische Elemente heranzieht (so die Hippokrates- und Aischines-Romane). Der ant. Briefroman macht sich, wie der moderne, alle dramatischen Möglichkeiten dieser »Erzählform ohne Erzähler« zunutze und legt es zuweilen auf multiperspektivische Effekte an; ins Auge fällt auch sein subjektiver Charakter (gemäß dem Topos vom Brief als »Spiegel der Seele«), der den Leser zur affektiven Identifikation auffordert.

→ Chione-Roman; Epistolographie; Roman

R. HERCHER (Hrsg.), Epistolographi Graeci, 1873 (1965) · N. HOLZBERG (Hrsg.), Der Griech. B., 1994 · W. G. MÜLLER, Der Brief als Spiegel der Seele, in: A&A 26, 1980, 138–157 · P. A. ROSENMEYER, The Epistolary Novel, in: J. R. MORGAN, R. STONEMAN (Hrsg.), Greek Fiction, 1994, 144–165.   M. FU./ T. H.

Brigantes. Die B. siedelten in Nordengland von der Landenge Tyne-Solway bis Derbyshire. In der Eisenzeit lebten die B. verstreut; *hill-forts* und große Ansiedlungen gab es wenige. Ihre Königin Cartimandua ging vor 50 n. Chr. Vertragsbeziehungen mit Rom ein, verlor aber die Unterstützung ihrer Adligen und mußte röm. Hilfe anfordern, bevor ihr ca. 69 n. Chr. die Herrschaft entzogen wurde (Tac. hist. 3,45). Die B. wurden von Q. Petilius Cerealis (71–74 n. Chr.) und Cn. Iulius Agricola (77–78 n. Chr.) besiegt und als *civitas* mit Zentrum Isurium Brigantum (h. Aldborough) organisiert. Andere Zentren der B. waren Cataractonium und Condate.

B. HARTLEY, L. FITTS, The Brigantes, 1988.   M. TO.

Brigantia. Göttin des britannischen Stammes der Brigantes, in zwei Inschr. Epitheton zu Victoria, auf der Stele von Birrens (CIL VII 1062) als Minerva, aber mit den Flügeln der Victoria dargestellt. Diese ikonographische Verknüpfung ist zeitgenössischer Ausdruck synkretistischer Interpretation der lokalen Göttin. Die Nennung als Dea Nympha B. (CIL VII 875) sowie die als Caelestia B. (ILS 9318) scheint auf heilkräftigen Aspekt zu deuten.

N. JOLLIFFE, in: Arch. Journal 98, 1941, 36ff. · M. A. MARWOOD, in: Latomus 43, 1984, 316ff · M. HENIG, s. v. B., LIMC 3.1, 156.   M. E.

Brigantium (h. Bregenz). Zu kelt. *brigant – »hoch«. Am Schnittpunkt wichtiger, sich verengender Ost-West und Nord-Süd-Verbindungen in der Nordost-Bucht des Bodensees gelegener Vorort der Brigantii (Strab. 4,6,8) in → Raetia. Neben postuliertem vorröm. *oppidum* in der Oberstadt sind Spätlatènefunde (Stufe D 2) auf dem Ölrain, einem 50 ha großen Plateau (34 m über dem Bodensee) belegt. Arch. scheint ein Militärposten zw. 15 und 8 v. Chr. möglich, erwiesen ist ein Kastell unter Kaiser Tiberius, das wohl unter Claudius wieder aufgegeben wurde, aber eine über die Terrasse des Ölrains nach Westen anwachsende, blühende Zivilsiedlung hervorrief. Neben Heiligtümern (AE 1986, 530), Markthallen, Thermen und einem Gräberfeld fanden sich südl. der röm. Hauptstraße ausgedehnte Handwerkerquartiere (Metallverarbeitung) [1] mit Streifenhäusern. Von den Bürgerkriegen 69/70 n. Chr. stark betroffen, überstand B. auch die Stürme der → Alamanni, jedoch verlagerte sich E. des 3. Jh. das Siedlungsschwergewicht auf die besser geschützte Oberstadt. Im spätröm. Kriegshafen Bracantia (Hafenmauern am Leutbühel) war ein *numerus Barcariorum* stationiert (Not. dig. occ. 35,32 [2. 206]).

→ Lacus Brigantinus

1 M. KONRAD, Ein Fibel-Depotfund aus Bregenz (B.), in: Germania 72, 1994, 217–229 2 R. ROLLINGER, Eine spätröm. Straßenstation auf dem Boden des heutigen Vorarlberg?, in: Montford 48, 1996, 187–242.

B. OVERBECK, Das Alpenrheintal in röm. Zeit I, 1982, 20–34, 191 f., 203 f. • E. VORBANK, H. SWOZILEK (Hrsg.), Das röm. B., 1985 • H. SWOZILEK, B. und Vorarlberg zur Römerzeit-kleine Bibliographie, in: Jb. Vorarlberger Landesmuseumsverein 1986, 3–58 • G. GRABHER, B., in: Österreichischer Arch. Anzeiger 5/1, 1994, 59–66.   K. DI.

Brigetio. Bedeutende röm. Siedlung (1.–4. Jh. n. Chr.; *municipium*, später *colonia*); Legionslager am rechten Donauufer in Pannonia Inferior, h. Szöny/Komárom (Ungarn). In B. war die *legio I adiutrix* stationiert. Wie die Gegenfestung Celamantia (h. Iža/Komárne in der Slowakei) am linken Donauufer war B. starker mil. Stützpunkt im Abwehrkampf gegen die jenseits der Donau siedelnden Stämme. In B. starb Kaiser Valentinianus I. 375 während Verhandlungen mit den Quadi (Amm. 30,6,1–6). Reiche arch. Funde (Inschr., Militärdiplome, Meilensteine, Mz.).

TIR L 34 Budapest, 1968, 40 f., 45 • KL. SZ. PÓCZY, Städte in Pannonien, 1976, 56 ff. • J. FITZ (Hrsg.), Der röm. Limes in Ungarn, 1976, 32 ff.   J. BU.

Brikinniai. Kastell von Leontinoi (Ost-Sizilien), Schauplatz von Auseinandersetzungen zw. Oligarchen und Demokraten von Leontinoi 422 v. Chr. (Thuk. 5,4,4), vermutlich bei Colle S. Basilio (Scordia), wo Mauerreste (5. Jh. v. Chr.), große in den Fels gehaue Silos und eine Grabinschr. gefunden wurden. Die spät-byz. Zeit ist durch Gräber und eine Bleiklinge mit griech. Exorziergebet dokumentiert.

BTCGI s. v. B., • G. MANGANARO, in: Scritti classici e cristiani offerti a Francesco Corsaro, Università Catania 1994, 461 f.   GI. MA.

Brisai (Βρῖσαι).
[1] Nymphen auf Keos; lehrten die ländliche Gottheit → Aristaios den Umgang mit Olivenöl und Honig (Hesych s. v. B. 348; schol. Theokr. 5,53). Schon in der Ant. brachte man sie mit dem lesbischen Dionysos → Brisaios in Verbindung, den eine Nymphe Brisa genährt haben soll (schol. Pers. 1,76).   R. B.
[2] Thrakischer Teilstamm oberhalb des unteren Nestos, Nachbarn der Sintoi und Mygdones; nur einmal lit. belegt (Plin. nat. 4,40), häufig zu Brigas konjiziert (Brison bei Arr. an. 3,12,2?). Eine Inschr. aus → Diana Veteranorum erwähnt den *proconsul* von Moesia Inferior Valerius in Verbindung mit der Befriedung der B. im Grenzgebiet zw. Thracia und Macedonia.   I. v. B.

Brisaios (Βρισαῖος). Epiklese des Dionysos, unter der er auf dem lesbischen Vorgebirge Brisai verehrt wurde (Steph. Byz. s. v. Βρίσα). Außerdem wurde der Tragiker → Accius *Brisaeus* bei Persius (1,76 mit schol.) genannt.   R. B.

Briseis (Βρισηΐς). Kriegsgefangene und Geliebte des → Achilleus, der sie in Lyrnessos (Mysien) erbeutete, nachdem er ihren Mann und drei Brüder erschlagen hatte (Hom. Il. 2,688–693; 19,291–297). Nach Il. 9,128–134; 270–276 (mit schol. Il. 1,366) gehörte B. zu sieben Mädchen, die Achilleus auf Lesbos gefangen genommen hatte. In schol. Il. 1,392 heißt B. Hippodameia. Den *Kyprien* zufolge stammte B. aus Pedasos in der Troas, einer weiteren Stadt, die von Achilleus erobert wurde (schol. Il. 16,57). Als Agamemnon nach dem Spruch des Kalchas → Chryseis herausgeben muß, fordert er als Ersatz B. Ihre Wegnahme ist der Grund für Achilleus' Groll und sein Fernbleiben von weiteren Kämpfen. Als Agamemnon B. zurückgibt, schwört er, sie nicht berührt zu haben (Hom. Il. 19,258–265). Die röm. Dichtung (Ov. epist. 3) sowie die bildende Kunst (Polygnotos in Delphi: Paus. 10,25,4) macht sie häufig zum Thema.

A. KOSSATZ-DEISSMANN, s. v. B., LIMC 3.1, 157–167.   R. B.

Briseus, Brises (Βρισεύς, Βρίσης).
[1] Vater der → Briseis (Hom. Il. 1,392; 9,132).
[2] Epiklese des → Dionysos in Smyrna (CIG 3160 f.; 3190).

NILSSON, GGR 2, 344, 361, 379.   R. B.

Britanni s. Britannia

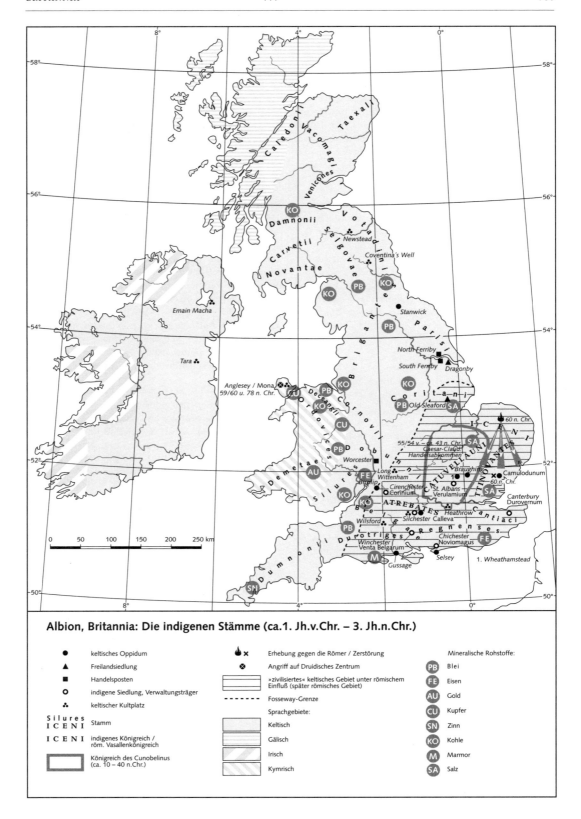

Albion, Britannia: Die indigenen Stämme (ca.1. Jh.v.Chr. – 3. Jh.n.Chr.)

●	keltisches Oppidum		Erhebung gegen die Römer / Zerstörung
▲	Freilandsiedlung	⊗	Angriff auf Druidisches Zentrum
■	Handelsposten		
○	indigene Siedlung, Verwaltungsträger		»zivilisiertes« keltisches Gebiet unter römischem Einfluß (später römisches Gebiet)
⁂	keltischer Kultplatz	- - - -	Fosseway-Grenze

Silures / ICENI Stamm

ICENI indigenes Königreich / röm. Vasallenkönigreich

Königreich des Cunobelinus (ca. 10 – 40 n.Chr.)

Sprachgebiete:

Keltisch

Gälisch

Irisch

Kymrisch

Mineralische Rohstoffe:

(PB) Blei
(FE) Eisen
(AU) Gold
(CU) Kupfer
(SN) Zinn
(KO) Kohle
(M) Marmor
(SA) Salz

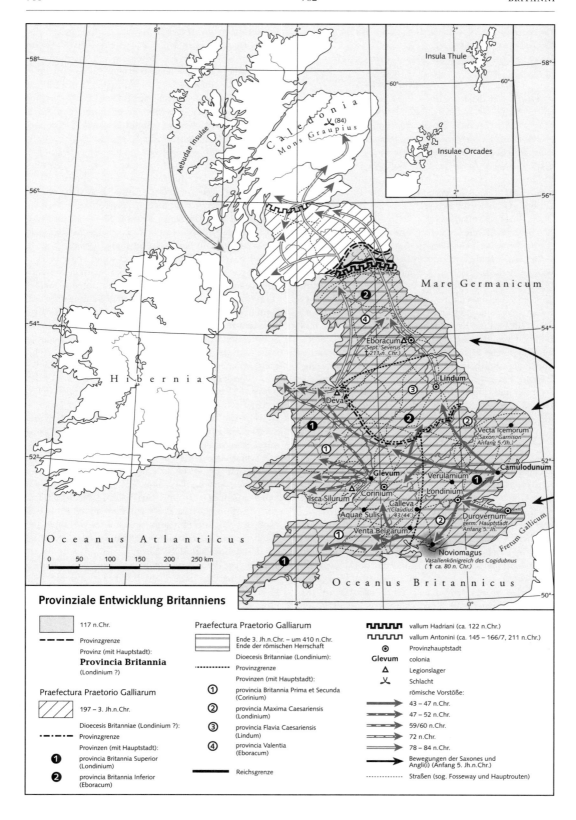

Provinziale Entwicklung Britanniens

	117 n.Chr.
– – –	Provinzgrenze

Provinz (mit Hauptstadt):
Provincia Britannia
(Londinium ?)

Praefectura Praetorio Galliarum

⧅	197 – 3. Jh.n.Chr.

Dioecesis Britanniae (Londinium ?):

– · – · –	Provinzgrenze

Provinzen (mit Hauptstadt):

❶ provincia Britannia Superior (Londinium)

❷ provincia Britannia Inferior (Eboracum)

Praefectura Praetorio Galliarum

▨	Ende 3. Jh.n.Chr. – um 410 n.Chr. Ende der römischen Herrschaft

Dioecesis Britanniae (Londinium):

··········	Provinzgrenze

Provinzen (mit Hauptstadt):

① provincia Britannia Prima et Secunda (Corinium)

② provincia Maxima Caesariensis (Londinium)

③ provincia Flavia Caesariensis (Lindum)

④ provincia Valentia (Eboracum)

▬▬	Reichsgrenze

ﬧﬧﬧ	vallum Hadriani (ca. 122 n.Chr.)
ﬧﬧﬧ	vallum Antonini (ca. 145 – 166/7, 211 n.Chr.)
⊙	Provinzhauptstadt
Glevum	colonia
△	Legionslager
⚔	Schlacht

römische Vorstöße:

⟶	43 – 47 n.Chr.
⟶	47 – 52 n.Chr.
⟶	59/60 n.Chr.
⟶	72 n.Chr.
⟶	78 – 84 n.Chr.
⟶	Bewegungen der Saxones und Angli(i) (Anfang 5. Jh.n.Chr.)
··········	Straßen (sog. Fosseway und Hauptrouten)

Britannia. A. Name B. Rom und Britannia
C. Sozialstruktur
D. Das Ende der römischen Herrschaft

A. Name

Urspr. war die Insel unter dem Namen Albion geläufig (Avien. ora maritima 108 f. geht wohl auf Pytheas, ca. 325 v. Chr. zurück). In den ältesten griech. Quellen erscheint B. als Βρεταννικαὶ νῆσοι (*Bretannikaí nḗsoi*), die Einwohner als Βρεττανοί (*Brettanoí*, Strab. 2,1,18; 2,5,12). Bei lat. Autoren ist die Form *B.* seit dem 1. Jh. v. Chr. üblich (Caes. Gall. 2,4,7 ff.; 4,20 ff.; 5,2 ff.; Cic. fam. 7,6 ff.). Der Oberbegriff für die Insel ist eine Schöpfung klass. Autoren [1].

B. Rom und Britannia

Die ersten Kontakte zw. B. und der Mittelmeerwelt waren wirtschaftlicher Art (s. Karten). Grund für die Fahrt des → Pytheas rund um B. (spätes 4. Jh. v. Chr.) war die Suche nach Erzen und anderen Rohstoffen. Das Landesinnere war vor den Invasionen Caesars zum größten Teil unbekannt. Caesars Unternehmung 55 v. Chr. diente der Aufklärung, 54 v. Chr. beabsichtigte er die Eroberung. Er erreichte nichts von Bestand, und B. blieb im folgenden Jh. außerhalb des röm. Herrschaftsbereichs. Handelsbeziehungen wurden mit Gallia und Italia unterhalten (Strab. 2,5,8; 4,5,1–3), einzelne Fürsten standen mit Rom in diplomatischem Kontakt, zwei Könige kamen als Flüchtlinge ins röm. Reich (R. Gest. div. Aug. 6,32). Von Bed. waren die Königreiche der Trinovantes, → Catuvellauni und → Atrebates [2]. Aus den Auseinandersetzungen der Trinovantes und der Catuvellauni um die Vormacht in B. ging das Königreich des → Cunobellinus gestärkt hervor (ca. 10–40 n. Chr.). Die röm. Eroberung von B. wurde durch Feldzüge und Diplomatie betrieben [2]. Der Süden war bis 47 n. Chr. schnell erobert; im Westen jedoch dauerten die Kämpfe bis in flavische Zeit. Nord-B. bereitete wegen seines Berglands und der Opposition der einheimischen Bevölkerung größere Probleme. Statthalter der flavischen Zeit (Petilius Cerealis, Iulius Frontinus und Iulius Agricola) schlossen die Eroberung des Westens ab; röm. Heere drangen bis nach NO-Schottland vor (röm. Sieg am → Mons Graupius 84 n. Chr.: Tac. Agr. 29–38). Die röm. Kontrolle des Nordens war von kurzer Dauer. Die Bemühungen um eine stabile Nordgrenze dauerten an, bis Hadrian ca. 122 n. Chr. den Bau des Grenzwalls quer durch die Landenge Tyne-Solway veranlaßte [3]. Antoninus Pius errichtete zw. Firth of Forth und Firth of Clyde in Zentral-Schottland einen Grenzwall, der kaum 20 J. hielt und ca. 165 n. Chr. aufgegeben wurde. Seither bildete der Hadrianswall die röm. Grenze bis zum Ende der röm. Herrschaft [4].

C. Sozialstruktur

Die Stadtentwicklung in B. beruhte auf der Kombination von Koloniegründungen und einheimischen Gemeinden. Die erste *colonia* war → Camulodunum (49 n. Chr. innerhalb eines eisenzeitlichen *oppidum*). → Lindum und → Glevum wurden nach dem Abschluß der Eroberungen im Norden (spätes 1. Jh.) gegründet. → Eboracum erhielt den Status einer *colonia* wohl im Zusammenhang mit der Erhebung zur Prov.-Hauptstadt (frühes 3. Jh.). Anderswo trugen gößtenteils die *civitates* der einheimischen Bevölkerung Entwicklung und Verwaltung des städtischen Lebens. Im Süden entwickelten sich Städte wie → Verulamium, → Calleva, Chichester, Winchester, Canterbury und Cirencester bes. gut [5]. Dagegen war die Romanisierung im Norden und Westen weniger erfolgreich. In ganz B. blieb die kelt. Sprache dominant, die kelt. Sozialstruktur behielt ihre Bed., kelt. Kulte waren weit verbreitet [6].

D. Das Ende der römischen Herrschaft

Nach einem neuerlichen erfolglosen Versuch, Schottland zu erobern, (Septimius Severus und Caracalla 208–212) begann für B. eine lange Friedenszeit. Obwohl im 3. Jh. Saxones und Franci vereinzelt in B. einfielen, blieben die Städte sicher, die Landwirtschaft blühte wie nie zuvor. An der Küste wurden Verteidigungsanlagen von The Wash bis zum Solent errichtet (Litus Saxonicum mit Burgh Castle, Richborough und Portchester) [7]. Von 286 bis 296 bildete sich unter → Carausius und seinem Nachfolger → Allectus ein Sonderreich, das von Constantius Chlorus beseitigt wurde. In der ersten H. des 4. Jh. blieb der allg. Wohlstand erhalten; in diese Zeit gehören die großen *villae* von Woodchester, Bignor, North Leigh und Chedworth. Die ersten Spuren ernsthafter Störungen gehören in die 360er Jahre (Amm. 18,2,3; 20,1,1–3; 27,8,1–10; 28,3,1–9; 29,4,7). 360 und 364 fielen die Picti und Scotti in die röm. Prov. ein. 367 verbündeten sich diese mit den Saxones und richteten große Verwüstungen an. 368 konnte der *comes* Theodosius die Verhältnisse wieder ordnen. 383 erhob sich gegen Kaiser Gratianus der Usurpator Magnus Maximus, der, um seine Position halten zu können, Truppen aus B. abzog. Nach dem Fall des Maximus dürften die wenigsten dieser Einheiten nach B. zurückgekehrt sein. Stilicho hat wohl um 400 n. Chr. versucht, in B. noch einmal die röm. Autorität wiederherzustellen. Der Usurpator Constantinus III. griff 407 auf den Kontinent über und zog dazu die noch verbliebenen Streitkräfte aus B. ab. 410 war die röm. Herrschaft in B. definitiv beendet, noch bevor Kaiser Honorius die *civitates* in B. dazu aufforderte, selbst für ihre Sicherheit zu sorgen (Zos. 6,10,2). Seither banden nur noch kirchliche Beziehungen B. an das röm. Reich (vgl. Germanus, Bischof von Autessiodurum, 429 und nach 445) [8].
→ Limes

1 A. L. F. Rivet, C. Smith, The Place-names of Roman Britain, 1979, 282 2 S. S. Frere, B., ³1987, 48–69 3 D. J. Breeze, The Nothern Frontiers of Roman Britain, 1982, 73–92 4 S. S. Frere, B., ³1987, 332–48 5 J. S. Wacher, The Towns of Roman Britain, 1975 6 M. Henig, Rel. in Roman Britain, 1984 7 S. Johnson, The Roman Forts of the Saxon Shore, 1976 8 E. A. Thompson, St. Germanus and the End of Roman Britain, 1984.

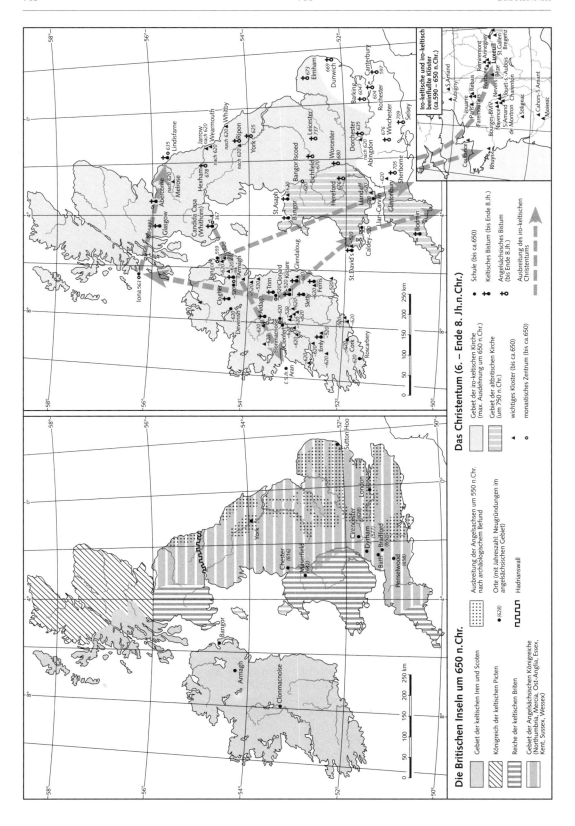

Das Christentum (6. – Ende 8. Jh.n.Chr.)

iro-keltische und iro-keltisch beeinflußte Klöster (ca.590 – 650 n.Chr.)

- Gebiet der iro-keltischen Kirche (max. Ausdehnung um 650 n.Chr.)
- Gebiet der altbritischen Kirche (um 750 n.Chr.)
- ▲ wichtiges Kloster (bis ca.650)
- ○ monastisches Zentrum (bis ca.650)
- • Schule (bis ca. 650)
- ☩ Keltisches Bistum (bis Ende 8.Jh.)
- ☩○ Angelsächsisches Bistum (bis Ende 8.Jh.)
- Ausbreitung des iro-keltischen Christentums

Die Britischen Inseln um 650 n.Chr.

- Gebiet der keltischen Iren und Scoten
- Königreich der keltischen Picten
- Reiche der keltischen Briten
- Gebiet der Angelsächsischen Königreiche (Northumbria, Mercia, Ost-Anglia, Essex, Kent, Sussex, Wessex)
- Ausbreitung der Angelsachsen um 550 n.Chr. nach archäologischem Befund
- •(628) Orte (mit Jahreszahl: Neugründungen im angelsächsischen Gebiet)
- Hadrianswall

P. SALWAY, Roman Britain, 1981 · M. TODD, Research on Roman Britain 1960–89, 1989 · A. BIRLEY, The Fasti of Roman Britain, 1981 · Ders., The People of Roman Britain, 1979 · R. G. COLLINGWOOD, R. P. WRIGHT, The Roman Inscriptions of Britain, 1965 · S. ESMONDE-CLEARY, The Ending of Roman Britain, 1989. M. TO.
KARTEN-LIT.: S. S. FRERE, Verulamium and the Towns of Britannia, ANRW II 3, 1975, 290–327 · A. L. F. RIVET, The Rural Economy of Roman Britain, ANRW II 3, 1975, 358–363 · A. S. ROBERTSON, The Romans in North Britain: The Coin Evidence, ANRW II 3, 1975, 364–426 · A. L. F. RIVET, C. SMITH, The Place-Names of Roman Britain, 1979 · I. HODDER, Pre-Roman and Romano-British tribal Economies, in: Invasion and Response. The case of Roman Britain. Conference 1979, 1979, 189–196 · S. S. FRERE, Britannia, ³1987 · H. JEDIN, K. S. LATOURETTE (Hrsg.), Atlas zur Kirchengeschichte, 1970, Neuausgabe 1987 · C. THOMAS, The Early Christian Archaeology of North Britain, FS M. Wheeler, 1971 · Ders., Christianity in Roman Britain to A. D. 500, 1981 · M. HENIG, Religion in Roman Britain, 1984 · Roman Britain Ordonance Survey. Historical Map and Guide, ⁵1991.

Britannicus. Sohn des Kaisers Claudius und der Valeria Messalina, *12. Februar 41, 20 Tage nach Claudius' Herrschaftsübernahme. Sein Name war zuerst Ti. Claudius Caesar Germanicus, nach dem Britannientriumph des Vaters im J. 43 Ti. Claudius Caesar Britannicus (Suet. Claud. 27,1). Erzogen wurde er von dem Freigelassenen Sosibius gemeinsam mit Titus, dem späteren Kaiser (Suet. Tit. 2). Bei den Saecularspielen 47 nahm er am Troiaspiel teil. Angeblich wollte C. Silius, der Geliebte seiner Mutter, B. adoptieren (Tac. ann. 11,26,2). Als nach der Ermordung Messalinas Claudius seine Nichte → Agrippina [3] heiratete, geriet B. in eine schwierige Situation: Nero, der Sohn Agrippinas, wurde von Claudius adoptiert, dadurch war B. der jüngere Sohn des Princeps. Nero erhielt die *toga virilis* sowie ein *imperium proconsulare*, B. aber galt noch als Kind. Bei Spielen im J. 51 nahm B. in der Knabentoga teil, Nero im Triumphalgewand (Tac. ann. 12,41,2). Nero erschien häufig auf Reichsmünzen, B. nur vereinzelt auf einer Bronzeprägung. Die vertrauten Freigelassenen um ihn wurden beseitigt, andere, angeblich von Agrippina bestellt, überwachten ihn. Als B. im J. 54 das Alter zur Annahme der *toga virilis* erreichte, soll Claudius entschlossen gewesen sein, B. gegenüber Nero stärker heranzuziehen. Dem kam Agrippina durch Ermordung des Claudius zuvor. B. wurde bei der Nachfolge übergangen, seine Einsetzung als Erbe der Hälfte des väterlichen Vermögens unterschlagen. Als Ende 54, Anf. 55 Agrippina drohte, B. gegen Nero auszuspielen, ließ Nero den Bruder vergiften; die Asche wurde im Mausoleum Augusti beigesetzt (Tac. ann. 13,15–17; Suet. Nero 33,2f.). Sein Porträt erscheint auf Provinzialprägungen öfter (RPC 1, passim; zu Statuen und Porträts des B. zuletzt [1. 373–395; 2. 95–109]). PIR² C 820. [3. 55f., 72–79].

1 R. AMEDICK, Die Kinder des Kaisers Claudius: zu den Porträts des Tiberius Claudius B. und der Octavia Claudia, in: MDAI(R) 98, 1991 2 S. KÜNZL, Die Kinder des Claudius: Porträts von Antonia, B., Octavia und Drusus, in: Arch. Korrespondenzblatt 23, 1993 3 B. LEVICK, Claudius, 1990.
W. E.

Brittomaris. Führer der → Senones, ließ angeblich röm. Gesandte ermorden (App. Samn. 6 und Celt. 11). Die Senones wurden zusammen mit den Etruskern 283 v. Chr. am Vadimonischen See vom Konsul P. → Cornelius Dolabella besiegt und aus It. vertrieben. Die Person des B. ist vielleicht eine Erfindung der jüngeren → Annalistik.

E. KLEBS, s. v. B., RE 3, 882. W. SP.

Brixellum. Keltische Siedlung am rechten Ufer des Padus, an der Mündung der Incia, h. Brescello. Röm. *colonia* (Plin. nat. 3,115), *tribus Arnensis*; bed. Umschlagsplatz für die Flußschiffahrt (Sidon. epist. 1,5,5); hier verübte Otho 69 Selbstmord (Tac. hist. 2,54; Plut. Otho 18; Suet. Otho 9). Kult des Fulgur. Arch. Funde: Nekropole.

A. DONATI, Aemilia tributim descripta, 1967, 107–110 · A. MORI, Brescello e il suo sottosuolo romano, 1927 · A. SOLARI, B., in: Athenaeum 9, 1931, 420–425 · G. C. SUSINI, Colonia Concordia B., in: Rivista di Storia della Antichità 1, 1971, 119–125. G. SU.

Brixia. Hauptort der → Cenoman(n)i an der Garza, einem Zufluß der Mella (Catull. 67,33; Liv. 5,35,1; 32,30,6; Iust. 20,5,8; Strab. 5,1,6), *regio* X (Plin. nat. 3,130), an der Straße Comum – Aquileia (Itin. Anton. 127,11; Itin. Burdig. 558,8), h. Brescia. Die Cenomani (Liv. 21,25,14: *Brixiani Galli*) erhielten 89 v. Chr. das *ius Latii*; 49 v. Chr. *municipium* (CIL V 4131; 4412; 4427) der *tribus Fabia* [1. 108], *colonia* zw. 27 und 8 v. Chr. (*civica Iulia Augusta*: CIL V 4212). Von Attila geplündert (452 n. Chr.: Paulus Diaconus, historia Rom. 14,11). Arch. Monumente: Heiligtum (2.–1. Jh. v. Chr., unter Vespasian wiederaufgebaut), Stadtmauern, *forum*, *capitolium*, Theater, ein großes Gebäude (*curia*), *insulae*, Aquädukt (CIL V 4307).

1 W. KUBITSCHEK, Imperium Romanum tributim descriptum, 1889.

NISSEN 2, 196 · RUGGIERO 1, 1044–1046 · M. DENTI, I Romani a nord del Po, 1991, 165–177. G. BR.

Brizo (Βριζώ). Im Schlaf zukunftverkündende Gottheit. Von delischen Frauen wurde sie als Schutzgöttin der Schiffe verehrt. Sie brachten ihr in kleinen Nachen Weihgaben, die keine Fische enthalten durften. Den Namen B. leitete man von βρίζειν (»schlummern«) ab (Semos von Delos bei Athen. 8,335A = FHG 4,493 fr. 5). Von [1] als Göttin, die Wind und Wellen einschläfert, erklärt.

1 H. USENER, Götternamen, 1896, 147. R. B.

Brogitarus (Βρογίταρος). Keltisches Namenskompositum aus *brogi* »Land« und *taros* »Stier« [1. 276f.; 2. 159]. Tetrarch der galatischen → Trokmer (OGIS 349), Gatte der Adobogiona II., Tochter des → Deiotaros I. P. → Clodius [I 4] Pulcher verkaufte ihm als Volkstribun für viel Geld 58 v. Chr. das Priesteramt der Magna Mater von → Pessinus und den Königstitel, den er per Plebiszit durchsetzte (Cic. Sest. 26,56; har. resp. 28–29; dom. 50,129; ad. Q. fr. 2,7 (9); Strab. 12,5,2). Der Titel ist auf Münzen belegt [2. 621]. Von dort wurde er durch seinen Schwiegervater Deiotarus vertrieben und wahrscheinlich um 52 v. Chr. zusammen mit seiner Frau ermordet.

1 H. BIRKHAN, Germanen und Kelten bis zum Ausgang der Römerzeit, SAWW 1970 2 EVANS 3 HOLDER 1.

K. STROBEL, Galater im hell. Kleinasien, in: J. SEIBERT (Hrsg.), Hell. Studien, GS H. Bengtson, 1991, 101–131.
W. SP.

Brombeerstrauch. Von der artenreichen und zur Bastardierung neigenden Gattung *Rubus* (Brombeere, βάτος, vgl. Dioskurides 4,37 [1. 196f.; 2. 384f.], μόρον, μορέα) sind im Mittelmeergebiet *Rubus ulmifolius* und *tomentosus* am häufigsten. Die Himbeere *Rubus idaeus* ist nur bis zu den Bergen Makedoniens und Thessaliens verbreitet; sie wächst nicht auf dem Ida. Die Früchte ähneln den Maulbeeren, vor allem der um 400 v. Chr. aus dem Kaukasus nach Griechenland eingeführten *Morus nigra* (μορέα, μορέη), deren Farbe nach Ovid (met. 4,126f.) von dem Blut des Pyramus herrühren soll. Diese Ähnlichkeit führte zu einer Übertragung des Namens μόρον bzw. *morus* sowohl auf den B. als auch auf die zur gleichen Familie gehörige Sykomore (*Ficus sycomorus* L., συκόμορος, συκάμινος, ägypt. *neh*), die das z. B. für Mumiensärge verwendete Nutzholz Ägyptens, Arabiens und Syriens liefert.

1 M. WELLMANN (Hrsg.), Pedanii Dioscuridis de materia medica 2, 1906, Ndr. 1958 2 J. BERENDES (Hrsg.), Des Pedanios Dioskurides Arzneimittellehre übers. und mit Erl. versehen, 1902, Ndr. 1970.
C. HÜ.

Bromios s. Dionysos

Brongos (Βρόγγος, Βάργος, Μάργος). Fluß in Moesia Superior, der am Osthang des Skardosgebirges (Stara Planina) entspringt und oberhalb von Viminacium in die Donau mündet, h. Morava (Hdt. 4,49; Strab. 7,5,12; Ptol. 3,9,3; Eutr. 9,13).

D. DEČEV, Die thrak. Sprachreste, 1957, 90 · VL. GEORGIEV, La toponymie ancienne de la péninsule Balcanique, 1961, 33.
J. BU./C. D.

Bronteion (βροντεῖον). Vorrichtung zur Erzeugung von Theaterdonner. Man ließ hinterszenisch einen kieselgefüllten Ledersack gegen ein Bronzeblech prallen oder schüttelte Steine in ehernen Gefäßen (Poll. 4,130; schol. Aristoph. Nub. 292), doch die späten Zeugen berichten kaum aus lebendiger Anschauung. In der Tragödie wurden Göttererscheinungen oder gottgesandte Katastrophen von Donner untermalt, wobei die Dichter nicht zw. Grollen am Himmel und in der Erdtiefe unterschieden [1. 384f.]. Meist wurde das *b.* zu erregtem Chorgesang am Dramenende eingesetzt (Aischyl. Prom. 1062, 1082–1085; Soph. Oid. K. 1456–1479). In der aristophanischen Komödie signalisierte es Paratragodie (Nub. 292, Av. 1745–1754).

1 W. S. BARRETT, Euripides' Hippolytos, 1964.

P. ARNOTT, Greek Scenic Conventions, 1962, 89f. · E. REISCH, s. v. B., RE 3, 890.
H. BL.

Brontes (Βρόντης). Von ἡ βροντή, »der Donner«. Einer der drei von Uranos und Gaia stammenden → Kyklopen, die Zeus Blitz und Donner lieferten (Hes. theog. 140; Apollod. 1,1; Serv. Aen. 8,425; Pherekydes bei schol. Eur. Alc. 1). B. schwängerte → Metis, die von Zeus verschlungen wurde und woraufhin Zeus' Haupt Pallas → Athene entsprang (schol. Il. 8,39).

O. TOUCHEFEU-MEYNIER, s. v. Kyklops, LIMC 6.1, 154–159.
R. B.

Bronze(n) A. DEFINITION B. 1. ÜBERBLICK 2. GRIECHENLAND 3. ETRURIEN 4. ROM 5. MITTELEUROPA C. WIRTSCHAFTSGESCHICHTE

A. DEFINITION

B. ist ein Werkstoffbegriff für Legierungen des Kupfers mit anderen Metallen. Zur Kennzeichnung der verschiedenen B.-Arten werden die Legierungselemente des Kupfers dem Wort B. vorangestellt, wie Zinn-B., Zinn-Blei-B. oder Arsen-B. Wenn die Zusammensetzung einer B. durch eine chemische Analyse quantitativ bestimmt wurde, ist es üblich, einen Hinweis über die Mengenanteile der einzelnen Legierungselemente anzufügen, z. B. Zinn-B. mit hohem Zinngehalt, Zinn-Blei-Bronze mit geringem Zinn- und sehr hohen Bleigehalt, wobei die mit den Begriffen gering, mittel, hoch und sehr hoch beschriebenen Mengenangaben in der Fachlit. definiert sind. Die Zusammensetzung von Bronzen wird mit Hilfe der chemischen Analyse, vor allem der Atomabsorptionsanalyse an entnommenen Proben von 5–10 mg bestimmt. Oberflächenanalysen, z. B. die Röntgenfluoreszenzanalyse ergeben, da die Zusammensetzung der Oberfläche durch die Lagerung im Boden verändert oder von einer Patina bedeckt ist, unzuverlässige Meßwerte. Bei der chemischen Analyse von B. ist die Analyse der Spurenelemente, vor allem von Eisen, Nickel, Kobalt, Wismut, Antimon, Arsen, Silber, Gold und Zink wichtig, da diese Rückschlüsse auf die Herkunft der Erze zulassen, wenn ein ausreichendes Vergleichsmaterial vorliegt. Metallographische Unt. können Aufschluß über die Herstellung von B.-Objekten geben.

1. Überblick

Die frühesten, sehr vereinzelten und teilweise nicht gesicherten Beispiele der Verhüttung von Kupfer, die eine Voraussetzung der Bronzeherstellung durch einen Schmelzprozeß ist, stammen aus dem 5. Jt. v. Chr. aus dem östl. Anatolien. Im 4. Jt. v. Chr. ist die Kupferverhüttung im Vorderen Orient üblich und durch zahlreiche Funde von Schlacken und Schmelztiegeln belegt. Aus dieser Zeit stammen auch die frühesten Objekte aus Zinn-B., vor allem Nadeln, Dolch- und Messerklingen, Äxte und Armreifen. Die Zinngehalte liegen in der Regel unter 5%. Da Kupfer und Zinn in der Regel nicht in gemeinsamen Lagerstätten vorkommen, kann davon ausgegangen werden, daß zu dieser Zeit Kupfer bewußt mit Zinn legiert wurde. Im 3. Jt. v. Chr. ist die B. im gesamten Vorderen Orient und seinen Randgebieten weit verbreitete Legierung, die neben dem Kupfer zur Herstellung von Geräten, Werkzeugen, Gefäßen und Statuetten verwendet wird. Gegen Ende des 2. Jt. v. Chr. werden Zinn-B. mit erhöhten Bleigehalten verarbeitet. Zink erscheint als Bestandteil von Kupferlegierungen am Ende des 1. Jt. In der röm. Kaiserzeit werden bereits sehr zinkreiche Messinge hergestellt. Gegen Ende der Ant. stehen dem Metallhandwerker neben dem reinen Kupfer somit mehrere B.-Sorten zur Verfügung, die sich in der Zusammensetzung und damit auch in den Eigenschaften und der Art der Verwendung deutlich unterscheiden.

Neben Eisen, Ton, Holz und Glas gehörte B. zu den wichtigsten Werkstoffen der Ant.; sie spielte nicht nur eine wichtige Rolle im mil. Bereich und wurde als Material für die Herstellung von Helmen oder Rüstungen verwendet, sondern besaß auch einer große Bed. für verschiedene Bereiche des zivilen Lebens; in den ant. Währungen bestanden die kleinen Nominale, die gerade für die alltäglichen Austauschaktionen so wichtig waren, normalerweise aus Kupferlegierungen, darunter auch B. Ferner wurden so unterschiedliche Gegenstände wie Schlüssel, Lampen, Möbelteile oder Kochgeschirr aus B. verfertigt. Ebenso diente B. als Material für die Herstellung von medizinischen Instrumenten. Seit der spätarcha. Zeit wurden Großplastiken zunehmend aus B. gegossen. Einen Überblick über die verschiedenen Kupferlegierungen bietet Plinius (nat. 34,6ff.; 34,94ff.), der außerdem auch ausführlich auf die B.-Skulptur eingeht.   JO. R.

2. Griechenland

Im griech. Raum vollzieht sich die gleiche Entwicklung wie im Vorderen Orient. Im 3. Jt. erscheinen die ersten Objekte aus Zinn-B. mit noch geringen Zinngehalten neben den vorherrschenden Kupferobjekten. Im 2. Jt. v. Chr. nimmt der Zinngehalt der Zinn-B. zu und das B./Kupfer-Verhältnis verschiebt sich immer mehr zugunsten der B., bis im 1. Jt. v. Chr. Zinn-B. und Zinn-Blei-B. das Kupfer weitgehend verdrängen.

3. Etrurien

Bei den Etruskern war die B.-Technologie voll entwickelt. Die ganze Breite der möglichen Herstellungs- und Verarbeitungstechniken wurde beherrscht, wobei, wie auch früher ansatzweise schon in den östl. Nachbargebieten, zur Herstellung bestimmter Objektgruppen, die spezifische Eigenschaften aufweisen sollten, definierte Legierungen verwendet wurden.

4. Rom

Auch die Römer waren mit der Vielfalt der Typen von Kupferlegierungen und ihren spezifischen Eigenschaften vertraut, wobei in den ersten Jh. v. Chr. das Zink als Legierungsbestandteil des Kupfers erscheint. Dies führt zu Beginn der Kaiserzeit zur Herstellung und breiten Verwendung von Messing bzw. von zinn-, blei- und zinkhaltigen Messinglegierungen.

5. Mitteleuropa

Nördl. der Alpen setzt die Gewinnung und die Verwendung von Kupfer regional unterschiedlich um 2400–2200 v. Chr. ein, ehe um 2000–1800 v. Chr. Zinn-B. hergestellt wurden, die bis zur Entdeckung der Eisengewinnung das wichtigste Ausgangsmaterial zur Herstellung von Geräten, Waffen und Gefäßen blieben.

C. Wirtschaftsgeschichte

Die Herstellung von B. erfolgt durch einen Legierungsprozeß bei hohen Temperaturen, bei denen die Ausgangsmetalle entweder neue chemische Verbindungen bilden, wie es bei Kupfer und Zinn der Fall ist, oder ein Metall mehr oder weniger fein verteilt im anderen vorkommt, wie etwa das Blei im Kupfer bei den reinen Blei-B. Als Ausgangsmaterial für den Legierungsprozeß wurden anfangs die unverhütteten Erze verwendet. Die Reduktion der Kupfer- und Zinnerze und die Gewinnung der reinen Metalle war jedoch bereits zur Zeit der frühesten Herstellung von Zinn-B. im Alten Orient bekannt, so daß davon ausgegangen werden kann, daß auch die frühen B. des Alten Orients durch Legieren von metallischem Kupfer mit metallischem Zinn hergestellt wurden. Die Schmelztechnologie zum Legieren von Kupfer und Zinn, also zur Bereitung der B.-Schmelze war die gleiche, die zur Verhüttung von Erzen eingesetzt wurde und somit mindestens zwei Jt. vor der Herstellung von B. im Alten Orient bekannt. Rohstoff zur Herstellung von B.-Objekten war anfangs die direkt durch das Verschmelzen von Kupfer- und Zinnerzen, bzw. von Kupfer und Zinn hergestellte Legierung. Schriftliche Quellen belegen jedoch, daß bereits im Alten Orient B. als Handelsware zum B.-Gießer kam. Als Rohmaterial kommt weiter Altmetall in Frage. Der Nachweis der Verwendung definierter Legierungen für bestimmte Objektgruppen, die Gefahr von Fehlgüssen bei der Verwendung von Legierungen mit zufälligen Zusammensetzungen und der im Vergleich zur Produktion relativ geringe Anteil an verfügbarem Altmetall läßt vermuten, daß Altmetall nur in geringem Umfang zur Herstellung kleinerer Objekte verwendet wurde. Die Materialeigenschaften der B. hängen stark von den Anteilen der Legierungselemente ab. Der Schmelzpunkt von Bronzen liegt im Bereich von 1083°C für reines Kupfer und 700°C für Blei-B. Gießbarkeit, Bearbeitbarkeit und die Gebrauchseigenschaften der B. werden somit von der Zusammensetzung bestimmt. Der Zusammenhang zwischen der Zusammensetzung einer B. und ihren Werkstoffeigenschaften wurde offensichtlich relativ früh erkannt, da Objekte, die bes. Eigenschaften aufweisen sollen, aus definierten Legierungen hergestellt wurden. So bestehen etr. Spiegel fast ausnahmslos aus reinen Zinn-B. mit hohen Zinngehalten im Bereich von 10–15 %, die hart und gut polierbar sind. Zum Guß röm. Groß-B. wurden vor allem Zinn-Blei-B. mit geringen Zinn-, aber hohen bis sehr hohen Bleigehalten verwendet, die sich durch einen niederen Schmelzpunkt auszeichnen. Dünnwandige Gefäße wurden aus reinen Zinn-B. mit ca. 10% Zinn getrieben, während die gegossenen Standringe aus bleireichem B. hergestellt wurden. Auch → Fibeln bestehen aus speziellen Legierungstypen, vor allem aus goldfarbenen zinkhaltigen B., deren Zusammensetzung nur in engen Grenzen schwankt. Bei Münzen war die Art der Legierung durch den Münzwert bestimmt, wie Serienanalysen an Sesterzen zeigen.

Die Herstellung der B.-Objekte erfolgte entweder direkt durch den Guß oder durch die Weiterbearbeitung von Gußkörpern durch Schmieden, Treiben oder Prägen. In röm. Zeit waren das Formen von Zierteilen und das Ausdünnen von Gefäßen durch Bearbeiten auf der Drehbank üblich. Zum B.-Guß wurden anfangs offene Formen sowie zwei- und mehrschalige Formen, vor allem aus Stein und Keramik, seltener aus Metall und Holz verwendet. Aus dem Wachsausschmelzverfahren im Vollguß entwickelte sich der Hohlguß in verlorener Form und der Guß in Teilformen. Zum Verbinden von Metallteilen, etwa der einzeln gegossenen Teile von Statuen oder der einzelnen Teile von Gefäßen waren vielfältige Techniken bekannt. Bei Statuen findet sich die mechanische Verbindung durch Aufschieben, Einstecken oder die Anwendung von Klammern, oft verbunden mit Löt- oder Schweißverfahren. Bei Gefäßen war das Vernieten üblich. Nach der Herstellung durch Gießen oder eine mechanische Formung konnten die Objekte in unterschiedlicher Weise nachbearbeitet werden. Üblich waren Dekortechniken in der Art des Ziselierens, Gravierens und Punzierens, des Metallfärbens, des Aufbringens von Metallüberzügen in der Art der Vergoldens, Versilberns, Verzinnens, das Einlegen von Metalldrähten, Niello, Glasflüssen oder Halbedelsteinen.

1 BLÜMNER, Techn. 4, 1–378 2 P. C. BOL, Ant. B.-Technik, 1985 3 D. BROWN, B. and Pewter, in: STRONG/BROWN, 25–41 4 Los Bronces Romanos en España, 1990 5 J. RIEDERER, Arch. und Chemie, 1987 6 C. ROLLEY, Les Bronzes Grecs, 1983 7 G. ZIMMER, Griech. B.-Gußwerkstätten, 1990.   JO. R.

Bronzegießer s. Künstler

Bronzeguß s. Bildhauertechnik

Brot
A. ALTER ORIENT   B. GRIECHENLAND UND ROM

A. ALTER ORIENT
B. war im Alten Orient Grundlage der → Ernährung. Soweit inschr. und arch. Zeugnisse erkennen lassen, war in Mesopotamien seit der Mitte des 3. Jt. → Gerste das hauptsächliche B.-Getreide, → Emmer und → Weizen von geringerer Bedeutung. In Kleinasien, Syrien/Palästina sowie in Ägypten scheint Weizen neben der Gerste eine größere Rolle gespielt zu haben. Institutionelle Haushalte versorgten ihre Angehörigen und die ihnen verpflichteten Arbeitskräfte mit regelmäßigen Rationen, bestehend aus B.-Getreide (z. B. Mesopotamien, Syrien), weniger häufig mit fertigem B. sowie → Bier. Dies bezeugen u. a. Rationenlisten aus Mesopotamien (frühes 3. Jt. bis 5. Jh. v. Chr.). Die täglichen Rationen (ca. 1,6 l Gerste/Tag/erwachsener Mann; Frauen, Kinder, Greise ca. 0,8 l/Tag) orientierten sich an diätarischen Mindesterfordernissen. Das zugeteilte Getreide wurde in individuellen Haushalten zu → Mehl und B. verarbeitet. Innerhalb institutioneller Haushalte waren professionelle Bäcker-Köche für das Backen von B., Gebäck und das Zubereiten von Speisen zuständig. B. war in der Regel ungesäuert. Im urbanen Bereich wurde B. meist in Öfen gebacken; Nomaden und Pastoralisten buken es in heißer Asche. Für Feingebäck (u. a. unter Zusatz von Fett, Honig/Sirup, Früchten) benutzte man auch tönerne Formen.

M. CHAZAN, M. LEHNER, An Ancient Analogy: Pot Baked Bread in Ancient Egypt and Mesopotamia, in: Paléo-Orient 16/2, 1990, 21–35 • R. DOLCE, C. ZACCAGNINI, Il pane del re. Accumulo e distribuzione dei cereali nell'Oriente Antico, 1989 • H. A. HOFFNER, Alimenta Hethaeorum, 1974, 129–220.   MA. S.

B. GRIECHENLAND UND ROM
Backware (ἄρτος, σῖτος; panis) aus Getreidemehl (vor allem Weizen, seltener Gerste, Hirse, Spelt; in Notzeiten auch Eicheln oder Bohnen), Wasser und Salz; als Triebmittel verwendete man Sauerteig, nur in Gallien und Hispanien war Bierhefe üblich. B., seit homer. Zeit in Griechenland bekannt, galt dort bis ins 5. Jh. v. Chr. als Luxus und wurde überwiegend in der Oberschicht konsumiert; das einfache Volk aß stattdessen Vorstufen des B., insbes. den Gerstenfladen (μᾶζα). In Rom dauerte es bis zum 2. Jh. v. Chr., ehe das B. sich gegen den damals vor allem in den Unterschichten üblichen Brei aus Spelt (puls) durchsetzte, ohne ihn aber vollends zu verdrängen. Mit der Etablierung des B. als eines in der gesamten ant. Welt verbreiteten Grundnahrungsmittels ging ein Wandel in seiner Herstellung einher. Das B. wurde zunächst im eigenen Haushalt gebacken, seit der klass. Zeit in den Städten aber zunehmend von Berufsbäckern bezogen. Im Laufe der Zeit verfeinerte sich die Technik der B.-Herstellung; in hell. und röm. Zeit gab es eine reiche, heute verlorene Lit. über die B.-Backkunst (z. B. Chrysippos von Tyana). Unterschiedliche

Sorten und Qualitäten von Mehl, Herstellungsverfahren, Verwendungszwecke und Zusätze (Milch, Wein, Ei, Fett, Öl, Gewürze, Kräuter) sorgten für ein großes, regional auch verschiedenes Angebot an B.-Arten, so z. B. Austern-B., Kuchen-B., Schnell-B., Ofen-B., Pfannen-B. oder Wasser-B. (Plin. nat. 18,72–106; Athen. 3,108–116a). Arch. Quellen (z. B. aus Pompeii) zufolge war das B. zumeist von flacher, runder oder vierkantiger Form, schwerer und kompakter als heutiges B. Es besaß einen hohen Nährwert, den die ant. Medizin eingehend untersuchte. B. begleitete alle Mahlzeiten. Bes. beliebt war Weizen-B.; das als minderwertiger, aber nahrhafter angesehene Gersten-B. wurde vor allem von den Unterschichten gegessen. In den Metropolen hatte die Versorgung der Bevölkerung mit B. große polit. Bed.; sein Preis wurde kontrolliert und gestützt; in Rom und später in Konstantinopel erhielten viele Bürger kostenlose B.-Rationen. B. bildete zusammen mit Wein eine zentrale Kategorie in der Abgrenzung ant. zu »barbarischer« Lebensweise. Im heidnischen Kult und Brauchtum spielte es eine große Rolle als Opfergabe an Gedenktagen und rel. Festen. B. war auch zentraler Bestandteil des christl. Abendmahls.

M.-C. AMOURETTI, Le pain et l'huile dans la Grèce antique, 1986 · J. ANDRÉ, L'alimentation et la cuisine à Rome, ²1981 · BLÜMNER, Techn. · J. HAUSSLEITER, TH. KLAUSER, A. STUIBER, s. v. B., RAC 2, 611–620 · A. MAU, s. v. Bäckerei, RE 2, 2734–2743 · B. J. B. MAYESKE, Bakeries, Bakers, and Bread at Pompeii, 1972 · M. WÄHREN, B. und Gebäck im alten Griechenland, 1974 · J. WILKINS, D. HARVEY, M. DOBSON (Hrsg.), Food in Antiquity, 1995.
A. G.

Broteas (Βροτέας).

[1] Sohn des Tantalos und der Euryanassa, Bruder des Pelops und der Niobe, Vater des jüngeren Tantalos, der vor Agamemnon mit Klytaimestra verheiratet war (schol. Eur. Or. 5; Paus. 2,22,3). Die Magneten glaubten, er hätte die älteste Felsskulptur der Göttermutter bei Magnesia am Sipylos geschaffen (Paus. 3,22,4). Nach anderer Überlieferung war er als Jäger ein Verächter der → Artemis, der, nachdem er zuvor behauptet hatte, das Feuer könne ihm nichts anhaben, sich im Wahn ins Feuer stürzte und starb (Apollod. epit. 2,2).

[2] Sohn des Zeus (oder des Hephaistos), der, von Zeus wegen seiner Nichtsnutzigkeit geblendet, sich wegen seiner Häßlichkeit und aus Lebensüberdruß ins Feuer stürzte (Ov. Ib. 517 mit schol.).
R. B.

Bructeri.

Germanisches Volk; etym. unklar, geteilt in »kleine« und »große« B. (Strab. 7,1,3 f.; Ptol. 2,11,6f.; 9) zw. IJssel, Lippe und oberer Ems bzw. oberer Ems und Weser. Von → Drusus 12 v. Chr. besiegt, am Kampf gegen → Varus und mit ihrer Seherin → Veleda am → Bataveraufstand beteiligt, wurden sie um 98 n. Chr. durch die Chamavi und Angrivarii dezimiert und vertrieben (Tac. Germ. 33,1). Später erscheinen *Bructuri* zw. Köln und Koblenz am rechten Rheinufer (Tab. Peut. 3,1; Laterculus Veronensis 13), wo Constantin d. Gr. sie 310

besiegte. Bedeutsam im fränkischen Stammesverband, gaben sie dem *pagus Borahtra* zw. Lippe und Ruhr den Namen.

G. NEUMANN et al., s. v. Brukterer, RGA 3, 581–586 · W. WILL, Roms »Klientel-Randstaaten« am Rhein? Eine Bestandsaufnahme, in: BJ 187, 1987, 1–61, bes. 38–44 · D. TIMPE, Romano-Germanica, 1995, 203–228.
K. DI.

Brücke, Brückenbau s. Straßen- und Brückenbau

Brundisium

(Βρενδέσιον, Βρεντήσιον, h. Brindisi). Bedeutende iapygisch-messapische Hafenstadt (Hdt. 4,99) *in agro Sallentino* (Liv. per. 19), östl. Endstation der *via Appia* (vgl. Hor. sat. 1,5).

A. GRIECHISCHE UND RÖMISCHE ZEIT

Ant. Historiker vermuteten einen Zusammenhang zw. dem Stadtnamen und dem messapischen βρένδον, (»Hirsch«) oder βρέντιον (»Hirschkopf«), in der Annahme, daß das Toponym von der Form des Hafens (zusammen mit dem Stadtzentrum) herrühre [5. 39f.; 6. 396–401]. Funde aus Punta Le Terrare und in Torre S. Sabina stammen aus myk. Zeit [3. 22]. Der Ort soll von Kretern aus Knossos unter Theseus, von Sikulern unter Iapyx oder von Aitolern unter Diomedes gegr. worden sein [2. 838]. Funde aus der Nekropole von Tor Pisana bezeugen eine kleine griech. Siedlung des 7.Jh. v. Chr. [2. 837f.; 3. 30]. Messap. und griech. Inschr. sowie Inschr. aus republikanischer und Kaiserzeit [4. 152] sind vorhanden. Eine Inschr. auf brn. *caduceus* (IG XIV 672) deutet auf enge Allianz zw. → Thurioi und B. [1. 167f. mit Bibliogr.]. 266 v. Chr. erfolgte Besetzung durch die Römer, 244 v. Chr. wurde die Stadt *colonia* mit *ius Latii*, nach 89 v. Chr. *municipium* der *tribus Maecia*. Wirtschaft: Wolle, Honig, metallverarbeitendes Gewerbe; brn. Statuenteile weisen auf den Einsatz von Schmelztechnik hin [2. 840f.]. Wegen moderner Bebauung gibt es jedoch nur wenige arch. Spuren.

1 L. BRACCESI, Grecità adriatica, ²1977 2 G. CAMASSA, πόλις Χαλκῖτις ἐν Μεσσαπίᾳ, in: ASNP 14, 1984, 829–843 3 Ders., Una possibile traccia della presenza euboica nella Penisola salentina durante l'età arcaica, in: Serta Historica Antiqua, 1986, 21–32 4 S. CATALDI, E. M. DE JULIIS, s. v. Brindisi, in: BTCGI 4, 150–190 5 H. KRAHE, Die Sprache der Illyrier 1, 1955 6 O. PARLANGÈLI, Studi Messapici, 1960.
G. CA.

B. BYZANTINISCHE ZEIT

Während der Gotenkriege 546 von Johannes, dem Schwager des → Germanus, eingenommen. In der 2. H. des 7.Jh. von den Langobarden erobert, 838 von den Sarazenen zerstört, Ende des 10.Jh. durch den byz. Protospatharios Lupos wieder aufgebaut und zum Erzbistum erhoben. Zuerst 1060 und definitiv 1071 von den Normannen erobert.

P. DE LEO, s. v. Brindisi, LMA 2, 1983, 693–694.
G. MA.

Brunnen A. Definition B. Brunnen ohne
architektonische Gestaltung
C. Architektonisch gestaltete Brunnen
und Brunnentypen D. Bedeutung
von Brunnen E. Brunnengesetze
F. Bildliche Darstellungen

A. Definition

Brunnen stellen bauliche Maßnahmen dar, um natürlich austretende Quellen vor Verunreinigung zu
schützen und die Wasserentnahme für einen größeren
Personenkreis zu erleichtern. Quellfassungen dienten
dazu, um mittels Leitungen das Trinkwasser zu entfern-
teren B. in Siedlungen zu führen (→ Wasserversorgung). B. hatten auch die Aufgabe, Grundwasser zu
erschließen, während die → Zisterne Regenwasser sammelte.

B. Brunnen ohne architektonische Gestaltung

Schacht-B. mit eckigem oder rundem Querschnitt
entstanden zu allen Zeiten und hatten entscheidenden
Anteil an der Deckung des Wasserbedarfs. Trichterför-
mige Baugruben ermöglichten die Herstellung der
Schächte aus Bruchsteinen oder Quadern bzw. Ring-
segmenten. Daneben erfolgte seit dem 4. Jh. v. Chr. das
Versetzen von gebrannten Tonringen (Dm 70 – 100
cm), welche jeweils (wie heute) von innen her untergraben wurden. Die für den Bau notwendigen Steiglö-
cher in Schachtwänden dienten auch der Wartung.
Steinerne B.-Kränze zeigen Seilspuren von B.-Galgen;
bei tönernen B.-Mündungen ist mit entsprechenden
Galgen mit Rolle und Seil zu rechnen.

C. Architektonisch gestaltete Brunnen und Brunnentypen

Maßgeblich für die Bauweise der B.-Häuser war die
Speicherung von Wasser und demzufolge der Schutz
vor Erwärmung und Verschmutzung sowie die benut-
zerfreundliche Gestaltung. Die B.-Häuser wurden in
der Regel in Quadertechnik ausgeführt. Bei entsprechenden geologischen Voraussetzungen arbeitete man
die Anlagen aus dem Felsen. Bei Stufen-B. kommt auch
die Verwendung von Bruchsteinmauerwerk (ohne
Mörtel) vor. Durch die notwendige Anlage von großen
Speichern (Reservoirs) und durch den Wasserleitungs-
anschluß ergab sich in der Gestaltung eine Betonung der
Front der B.-Häuser. Technische und geologische Gegebenheiten bedingten neben ästhetischen Gesichtspunkten die jeweilige individuelle Gestaltung der B.-
Anlagen, so daß eine Gliederung nach Typen nur zur
Erfassung des Bestandes dienen kann.

1. Stufen-B.: Eine Treppe führte hinab zum überdachten Quell- und Schöpfbecken; am häufigsten in
Heiligtümern belegt. In → Aulis läßt sich in Analogie
zum Relief des archa. Olivenbaumgiebels (Athen, AM)
die geringe Bauhöhe erschließen.

2. Langrechteckige Schacht-B. waren nach gleichem
Prinzip wie Stufen-B. angelegt, aber ohne Treppe und
mit breiter, offener Front.

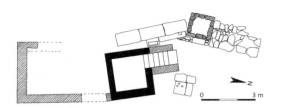

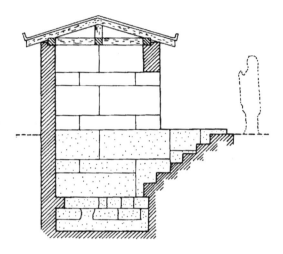

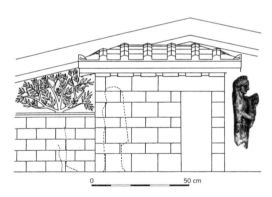

Aulis, Stufenbrunnen, Grundriß und Schnitt.
Athen, Ölbaumgiebel, Ansicht des Brunnenhauses
(Rekonstruktion).

3. Schöpfbrunnenhaus mit Speiern: Wasserentnahme war nur entlang der Brüstung des Schöpfbeckens
möglich. Häufig kommt eine Säulen- oder Pfeilerstel-
lung an der Brüstung vor. Die große Speicherkapazität
des Schöpfbeckens und eine tiefe Vorhalle bedingten
Walm- oder Satteldächer; bei niedrigen, breiten B.-
Hausfronten waren Pultdächer naheliegend, ebenso bei
kleineren Anlagen in einer Terrasse. Giebelfronten dagegen finden sich z. B. in → Epidauros und → Phigaleia

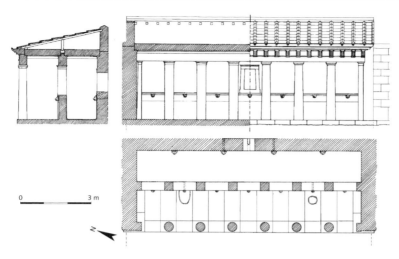

0   3 m

Ialysos, Brunnenhaus: rekonstruierter Querschnitt (links); rekonstruierter Schnitt (Mitte) und Ansicht (rechts); Grundriß (unten)

4. Schöpfbrunnenhaus mit angeschlossenem Reservoir: Zu geringe Wasserzufuhr oder zeitweiliger Betrieb von Schöpfwerken machte die Anlage großer Reservoirs nötig. Im »B.-Haus des Theagenes« war es dank der Verschlußvorrichtungen an der Verbindungsöffnung möglich, wechselweise eine Reservoir- und Schöpfbeckenhälfte zu reinigen; fünf Säulenreihen im Reservoir; die Pfeiler auf der halbhohen Trennwand zwischen Reservoir und Becken sowie die Frontsäulen trugen das Dach. Während in → Megara ein Satteldach wahrscheinlich ist, gab es in → Perachora als Abschluß der Reservoirfront vor dem Felsen eine ion. Halle mit Pultdach. 5. Nischen-B. sind Schöpfbecken mit Speier, eingebaut in Säulenhallen oder Terrassenmauern. 6. Hof-B.: Speier befanden sich an einer Wand, mit nur einer Ableitungsrinne davor; bislang nur in → Delphi belegt. 7. Einfache Lauf-B.: Die Wasserspeier waren an einer halbhohen oder mannshohen B.-Säule (B.-Stock), am Pfeiler eines Torbogens, am Sockel eines Monuments usw. angebracht. Davor lag ein trog- oder schalenförmiges Becken. Der Benutzer erreichte den Speier: Löwenskulpturen sind als Speier in archa. Zeit belegt. Bei menschlichen B.-Figuren fand man seit der klass. Zeit oft ein auf Wasser bezogenes Darstellungsmotiv.

D. BEDEUTUNG VON BRUNNEN

Die B. spielten für die Infrastruktur von Städten und Heiligtümern eine wichtige Rolle (→ Wasserversorgung). In Heiligtümern ist zudem die kult. Bedeutung der B. an der örtlichen Wasserquelle von Belang. Das Anwachsen der Städte in der griech. Welt in der zweiten H. des 6.Jh. v.Chr. führte von Anfang an zu einem Wasserleitungsnetz mit hohem technischen Standard. Die B.-Häuser entstehen gleichzeitig mit der monumentalen → Architektur der Griechen. Kostspielige Wasserleitungsprojekte oder der Bau großartiger B.-Häuser an ihren Endpunkten sind in der ant. Lit. manchmal mit den Namen von Tyrannen verbunden (B. in → Athen: → Peisistratos; Wasserleitung des → Eupalinos auf Samos: → Polykrates). Frequentierte

Plätze an den Toren der Stadt oder an der → Agora waren geeignete Standorte. Abgeleitetes Überlaufwasser kam in Trögen neben den B.-Häusern den Tieren zugute oder es diente zur Bewässerung von Hainen. In Athen standen im Bereich der Agora ein B.-Haus des 6.Jh. und eines des beginnenden 4.Jh. fast 100 Schacht-B. aus dem 6.–4.Jh. gegenüber; die bekannten athenischen Schöpfbrunnenhäuser waren um ein Vielfaches größer als alle anderen (hauptsächlich hell.) des gleichen Typus.

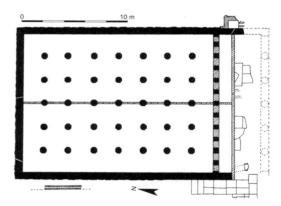

0   10 m

Megara, »Brunnenhaus des Theagenes« (Grundriß).

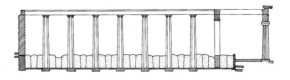

Megara, »Brunnenhaus des Theagenes« (Längsschnitt).

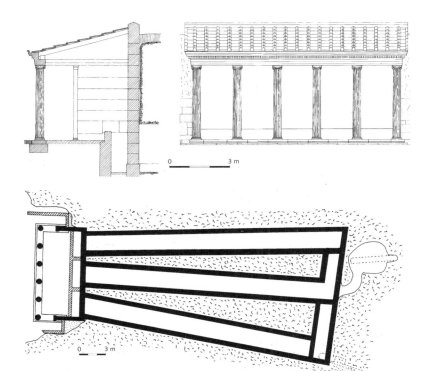

Perachora
rekonstruierter Querschnitt
(oben links);
rekonstruierte Ansicht
(oben rechts);
Grundriß (unten).

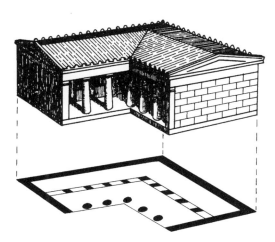

Athen, Agora, Brunnenhaus an der SW-Ecke,
Rekonstruktion.

Für → Priene wird vermutet, daß es seit der Mitte des
4. Jh. an jeder Südwestecke einer Insula einen einfachen
Lauf-B. gab, so daß sich von keinem Haus ein Weg von
mehr als 40 m ergeben hätte. Ein dichtes Netz von B.
überzog auch die Stadt Rom; → Agrippa ließ hier als
Ädil 500 Lauf-B. errichten. In → Pompeji versorgte ein
einfacher Lauf-B. im Umkreis von 50 m ca. 160 Einwohner. Die Verbindung von Symbolgehalten und Ef-
fekten des Wassers mit einem Siegesdenkmal (z. B. Nike
von → Samothrake) oder mit Statuen des ptolemäischen
Herrscherhauses führte zu einer B.-Gestaltung, die für
das röm. → Nymphaeum vorbildlich wird; den auch
funktional engen Zusammenhang zw. B. und Nymphäum belegt der Monopteros-B. des 1. Jh. n. Chr. in
Argos, der inschr. als *nymphaíon* bezeichnet ist.

E. BRUNNEN-GESETZE

Gemäß den solonischen Gesetzen diente ein öffentlicher Schacht-B. für die Bewohner im Umkreis von ca.
720 m; weiter entfernte Bürger mußten einen eigenen
B. graben. Auf dem Lande sind die ἀγρονόμοι/*agro-
nómoi* die zuständige Behörde; B.-Gesetze in Städten
und Heiligtümern richten sich an die ἀγορανόμοι oder
an die ἀστυνόμοι (→ *agoranómoi*; → *astynómoi*). Ausdrücklich verboten und bestraft wurden absichtliche
Verunreinigungen sowie das Waschen am B. Zu den für
B.-Anlagen zuständigen Ämtern, Verwaltungsbehörden und Organisationsformen der Wasserverteilung in
der röm. Ant. → Wasserversorgung.

F. BILDLICHE DARSTELLUNGEN

B.-Häuser finden sich vereinzelt in der griech. Reliefkunst (archa. Ölbaumgiebel, Athen, AM), häufiger in
der Vasenmalerei. Die griech. Vasenmaler verwenden
für die Darstellung von B.-Häusern drei vereinfachte
Grundschemata, die beliebig miteinander kombiniert
und vervielfacht wurden. Die gleichen Schemata wurden auch für die Darstellung des Badehauses benutzt
(→ Bäder).

FRONTINUS-GESELLSCHAFT (Hrsg.), Die Wasserversorgung ant. Städte, 1/2, 1987/88 · F. GLASER, Ant. B.-Bauten (KPHNAI) in Griechenland, 1983 · Ders., Ein Vergleich des B.-Hauses in Aulis mit der Darstellung im Ölbaumgiebel, in: JÖAI 51, 1976/77 Beiblatt 1–10 · T. HODGE, Roman Aqueducts and Water Supply, 1992 · W. LETZNER, Röm. B. und Nymphäen in der westl. Reichshälfte, 1990 · E. MANAKIDOU, Athenerinnen in sf. B.-Hausszenen, in: Hephaistos 11/12, 1992/93, 51–91 · D. MARCHETTI, K. KOLOKOTSAS, Le nymphée d'Argos, 1995 · N. NEUERBURG, L'architettura delle fontane e dei ninfei nell'Italia antica, 1965 · R. TÖLLE-KASTENBEIN, Ant. Wasserkultur, 1990. F. GL.

Bruttedius Niger. Rhetor und Geschichtsschreiber der frühen Kaiserzeit. Als Rhetor war er Schüler des Apollodoros von Pergamon (Sen. contr. 2,1,35–36). Ädil im Jahre 22 n. Chr., war er ein Denunziant und Mitankläger des Silanus, der wegen *maiestas* (Tac. ann. 3,66) angeklagt wurde. B. N.s würdeloses Verhalten wurde nach dem Sturz Seians gegeißelt; er wurde als Anhänger Seians verurteilt (Iuv. 10,82ff.). B. N. war ehrgeizig, hatte Talent und betätigte sich als Historiker (Sen. suas. 6,20f.); er schrieb auch über die Ermordung Ciceros (ebd.).

ED.: HRR 2, 90f.
LIT.: PIR ²B 158 · BARDON 2, 84, 160, 162 · SYME, Tacitus, 326f., 368. J. M. A.-N.

Bruttia. B. Crispina = Crispina Augusta, Tochter von Bruttius [II 5], Frau des Commodus seit 178 n. Chr.; wegen angeblichen Ehebruchs nach Capri verbannt, später getötet (Cass. Dio 72,4,6) [1. Nr. 149]. PIR² B 170.

1 RAEPSAET-CHARLIER. W. E.

Bruttiani. Als B. werden die Amtsdiener röm. Magistrate bezeichnet. Die südit. → Bruttii mußten sich wegen ihres Abfalls an Hannibal und ihrer Treue zu ihm bis zum Ende des 2. Pun. Kriegs neben der Abgabe großer Gebietsteile an Rom auch bereiterklären, künftig als Amtsdiener in »sklavischen« Diensten, jedoch als Freie, tätig zu sein. Obwohl diese Strafmaßnahme spätestens mit dem Bundesgenossenkrieg ihre Bed. verlor, blieb B. ein Synonym für → *apparitores*, da die Bruttii weiterhin traditionsgemäß oft als → *lictores*, → *praecones* und → *viatores* dienten (Gell. 10,3,17; Liv. 22,61,11; 34,53,2; Fest. 31,12; App. Hann. 61).

W. EDER, Servitus publica, 1980, 62f. · MOMMSEN, Staatsrecht, 1, 333f. C. G.

Bruttii, Bruttium (Βρέττιοι). Italischer Stamm lukanischer Abstammung (Strab. 5,3,1; Iust. 23,1; Diod. 16,15; Name evtl. vorlukanischen Ursprungs; Gleichsetzung mit Βρέντιοι unmöglich) südl. der Linie Laus – Thurioi (Strab. 6,1,4), sein Siedlungsgebiet wird Bruttium gen.; B. soll in lukan. Sprache »Sklaven« oder »Rebellen« (δραπέται, ἀποστάται) bedeutet haben: Diod. 16,15; Strab. 6,1,4 [8. 29–53]. Vor 357 v. Chr. leb-

ten B. im Silawald als Hirten und Köhler (πίσσα βρεττία bei Aristoph. 638; vgl. Dion. Hal. ant. 20,15; Plin. nat. 14,127) in Diensten der Lucani (Strab. 6,1,4; Iust. 23,1). 357/56 erhoben sie sich – auf die räuberischen Progrome des Aufstandes spielt evtl. Plat. leg. 777c [5; 6] an –, eroberten Terina, Hipponion u. a. Städte und gründeten einen Bund der B. (Diod. 16,15; vgl. Iust. 23,1; Strab. 6,1,4f.) mit → Consentia als Hauptort. 333–331 wehrten sie sich trotz einiger Niederlagen erfolgreich gegen den von Tarentum gerufenen → Alexandros [6] von Epeiros (Iust. 12,2; 23,1; Liv. 8,24), wie später gegen → Agathokles [1] (Iust. 23,1,3; vgl. Diod. 21,3 und 8). Kämpfe gegen Thurioi (Plut. Timoleon 16,4), Lokroi und Kroton (vor einem Friedensvertrag um 320: Diod. 19,3; 19,10) sowie zusammen mit Pyrrhos gegen die Römer, die 278–272 sechsmal über sie triumphierten und ihnen Land abnahmen (Dion. Hal. ant. 20,15). 216 fielen sie zu Hannibal ab (Liv. 22,61,12; mit Ausnahme der Petelini: Liv. 23,20,4; App. Hann. 29), dessen letzte Zuflucht sie waren (Liv. 28,12,6). Gold-, Silber- und Bronze-Mz. mit der Legende Βρεττίων und griech. Typen stammen aus dieser Zeit [7. 187–196; 8. 225–244]. Hart geschlagen durch Zerstörungen und röm. Strafmaßnahmen (Gell. 10,3,19; Fest. 28,19; Entsendung von Kolonien nach Tempsa, Kroton, Copia, Vibo 194/192 v. Chr.: Liv. 34,45; 35,9; 35,40; Unterdrükkung eines Aufruhrs um 186: Liv. 29,29; CIL I² 581), löste sich der Bund der B. auf. Sie nahmen nicht am Bundesgenossenkrieg teil. Das Land, erschlossen durch Straßen des T. Annius und Popilius bis Columna (CIL I² 638), gehörte zur 3. Region (Plin. nat. 3,71) [9. 243–362, 439–669]. Inschr.: vom 4.–3. Jh. v. Chr. in griech. Alphabet und osk. Sprache [1; 8. 89–158, 9. 228–240]. Arch. Überreste, Siedlungen (mit Mauerringen und Bauten griech. Types), Heiligtümern, Kammergräbern und Nekropolen aus dem 4./3. Jh. finden sich bei Cosenza, Castiglione di Paludi, Pietrapaola, Cariati, Cirò, Strongoli, Tiriolo, Oppido Mamertina, Vibo u. a. [3; 4; 7. 61–91; 9. 195–218].

1 A. DE FRANCISCIS, O. PARLANGELI, Gli Italici nel Bruzio nei documenti epigrafici, 1960 2 G. DE SENSI SESTITO, M. INTRIERI, A. ZUMBO (Hrsg.), I Brettii, I–II, 1995 3 P. G. GUZZO, I Brettii, 1989 4 Ders., S. LUPPINO, Per l'archeologia dei Brezi, in: MEFRA 42,2, 1980, 821–914 5 M. LOMBARDO, I Peridinoi di Platone e l'etnogenesi brettia, in: ASNP, 17, 1987, 641–688 6 Ders., I Brettii, in: G. PUGLIESE CARRATELLI (Hrsg.), Italia omnium terrarum parens, 1989, 249–297 7 A. MELE (Hrsg.), Crotone e la sua storia tra IV e III sec. a.C., 1993 8 P. POCCETTI (Hrsg.), Per un'identità culturale dei Brettii, 1988 9 S. SETTIS (Hrsg.), Storia della Calabria antica, 1994. M. L.

Bruttius. Italischer Eigenname, mit Bruttium zusammenhängend, griech. Βρύττιος, in variierender Form auch Brittius, Brettius u. ä. In Südit. weitverbreitet ([1]; ThlL 2,2214).

1 SCHULZE 423; 524. K.-L. E.

I. Republik

[I 1] B. Sura, Q. → Braetius

II. Kaiserzeit

[II 1] B. Crispinus, L., Sohn von B. [II 8], *cos. ord.* 224
n. Chr. [1. Nr. 969].

> 1 G. Barbieri, L'albo senatorio da Settimio Severo a Carino
> (193–285), 1952.

[II 2] B. Maximus, L., *procos. Cypri* im J. 80 (AE 1950,
122); wohl Vater von B. [II 4].

[II 3] B. Praesens, Senator, *pontifex maior* (CIL VI
2153); Anf. 4. Jh. *corrector* von Lucania/Bruttium (CIL X
468). PLRE 1, 721.

[II 4] B. Praesens L. Fulvius Rusticus, L., Sohn von
B. [II 2], (nach Plin. epist. 7,3) aus Lukanien. Nach anfänglich langsamer senatorischer Laufbahn wohl durch
→ Hadrianus gefördert. Er war *triumvir capitalis, tribunus
laticlavius leg. I Minervae, quaestor provinciae*, um 114 als
legatus leg. VI Ferratae. im Partherkrieg ausgezeichnet,
beim Herrschaftswechsel zu Hadrian Statthalter von Cilicia, *cos. suff.* wohl 119, konsularer Statthalter von Cappadocia ca. 121–124, von Moesia inferior ca. 124–128
(für 125 bezeugt, s. [3]). Nach dem Prokonsulat in Afrika, wo ihm zwei Reiterstatuen errichtet wurden (AE
1950, 66; IRT 545), erhielt er noch eine Sonderaufgabe
in Syrien (AE 1938, 137) [1. 148ff.]. *Cos. II ord.* 139
[1. 774ff.; 2. 1309f.]. Seine Frau war Laberia Crispina
(AE 1964, 106).

> 1 W. Eck, Jahres- und Provinzialfasten, in: Chiron 13, 1983
> 2 Syme, RP 3 3 M.M. Roxan/W. Eck, in: ZPE 1997 (im
> Druck).

[II 5] B. Praesens, C., Polyonymus (CIL X 408 = ILS
1117 = InscrIt 3,3,18) [1. 162, 379ff.]. Patrizier, *quaestor
Augusti, cos. ord.* 153; hatte mehrere Priesterämter inne,
procos. Africae (IRT 91=AE 1976, 695); *comes* von Marcus
Aurelius und Commodus im Sarmatenfeldzug, *cos. II
ord.* 180. Seine Tochter Bruttia Crispina war mit Commodus verheiratet. (PIR² B 165).

> 1 Alföldy, Konsulat.

[II 6] B. Praesens, C., *salius Palatinus* seit 199, *cos. ord.*
217, Patron von Canusium, Sohn von B. [II 8] PIR² B
166).

[II 7] B. Praesens, C., *cos. ord.* 246 n. Chr. mit C. Allius
Albinus (unpubl. *dipl. milit.*), Sohn von B. [II 6].

[II 8] B. Quintius Crispinus, L., *cos. ord.* 187 n. Chr.,
Schwager des Commodus, Sohn von B. [II 5]. (PIR² B
169).   W. E.

Brutus. Röm. Cognomen (»der Dummkopf«) in der
Familie der Iunii. Die wichtigsten Träger sind der (fiktive) Begründer der Republik und erste Konsul 509
v. Chr. L. Iunius B. (zur Rolle des Beinamens vgl. Liv.
1,56,8), der dreimalige Konsul C. Iunius Brutus (317,
313, 311), D. Iunius B. Callaicus (*cos.* 138) sowie die
beiden Mörder Caesars im J. 44 D. Iunius B. Albinus
und M. → Iunius B.   K.-L. E.

Bryaxis. Bildhauer karischer Herkunft. Die überlieferte Werkliste ergibt eine so lange Schaffenszeit, daß sie
bereits in der Ant. auf zwei homonyme Künstler aufgeteilt wurde. Eine signierte Reliefbasis in Athen (NM)
wird um 350 v. Chr. datiert. In dies. Zeit weist die Mitarbeit des B. am Maussolleion von → Halikarnassos (351
v. Chr.: Tod des Maussollos), die aber mit guten Gründen auch erst nach 333 v. Chr. angesetzt wurde. Die
Zuweisung von allesamt nicht in situ gefundenen
Skulpturenresten (heute London, BM) an die von B.
gearbeitete Nordseite des Maussolleion ist umstritten,
nur beim Amazonenfries allg. akzeptiert. Neben kolossalen Götterfiguren in Griechenland und Kleinasien
sind ein Akrolith des Apollon in Daphne bei Antiocheia
(nach 317 v. Chr.) und ein Porträt des Seleukos Nikator
(312–280 v. Chr.) lit. bezeugt, allerdings nicht sicher in
Kopien identifiziert. Als Hauptwerk des B. gilt das Kultbild des → Sarapis in einer kostbaren Mischtechnik, das
Ptolemaios Soter 285 v. Chr. in Alexandria aufstellen
ließ. Der weit verbreitete Serapis-Typus als Sitzstatue
wird fast einhellig darauf bezogen, doch waren die Umstände seiner Entstehung bereits in der Ant. legendär
verunklärt; als Geschenk einer kleinasiatischen Stadt bezeichnet, ist eine Entstehung bereits vor 285 v. Chr.
denkbar. Die Identifizierung weiterer Werke des B.
wird zunehmend kritisch beurteilt, von Adriani sogar
jede Möglichkeit dazu verworfen.

> A. Adriani, Alla ricerca di Briasside, Memorie della
> Accademia Nazionale dei Lincei, 1, 1948, 435–473 ·
> W. Hornbostel, Sarapis, 1973 · K. K. Jeppesen, *Tot operum
> opus*, in: JDAI 107, 1992, 59–102 · Lippold, 255–260 ·
> Overbeck, Nr. 807. 1176–1178. 1227. 1316–1327
> (Quellen) · F. F. Schwarz, *Nigra maiestas*, in: FS E. Diez,
> 1978, 189–210 · J. E. Stambaugh, Sarapis under the Early
> Ptolemies, 1972, 14–26 · A. Stewart, Greek Sculpture,
> 1990, 300–301. 202–203 · L. Todisco, Scultura greca
> del IV secolo, 1993, 88–91.   R. N.

Bryges (Βρύγες, Βρῦγαι, Βρύγοι, Βρίγες). Thrakischer
Stamm in Westmakedonien. Fügte 492/91 v. Chr. dem
Perserheer unter Mardonios großen Schaden zu (Hdt.
6,45), stellte Xerxes Truppen für seine Infanterie (Hdt.
7,185). Oft irrtümlich mit den Phryges gleichgesetzt.

> Chr. Danov, Altthrakien, 1976, 271 ff.   I. v. B.

Brygos-Maler. Attischer Vasenmaler, um 495–475
v. Chr. tätig. Der Mitbegründer einer der wichtigen
Schalenwerkstätten Athens entstammte dem Umfeld
des → Euphronios und hinterließ eine große Schüler-
schaft unterschiedlicher Malrichtungen (→ Erzgießerei-
Maler, → Dokimasia-Maler). Neben den etwa 200
Schalen bemalte er auch andere Vasenformen für das
Symposion, unter denen Skyphoi, Rhyta und Kantharoi
(→ Gefäßtypen/-formen) hervorragen. Sie alle sind
prall mit Gestalten, Tieren, Gegenständen, Architektur-
und Naturdeutungen gefüllt. Die Auswahl seiner
Bildthemen, der krasse Realismus und die gewagten

Verkürzungen, gepaart mit Direktheit, Tempo und Witz, machen ihn zu einem der großen Vasenmaler seiner Zeit. In Symposiondarstellungen wackeln die Klinen, riecht es nach Erbrochenem, sind die Schläge, die einer Hetäre gelten, fast physisch zu spüren, während man beim Komos die Grölerei zu verstimmter Musik zu hören glaubt. Die myth. Erzählungen sind nicht anders: Die Art, wie Baby Hermes, im Korb unter Apollons Rindern, die Vorhaltungen seiner Mutter über sich ergehen läßt (Rom, VM) erheitert ebenso wie der Anblick der von Satyrn erschreckten Hera, die dem »polizistisch« verkleideten Herakles in die Arme läuft (London, BM), ein Bild, das sicherlich auf ein Satyrspiel zurückgeht. Von großem Ernst und von Wucht geprägt sind die Darstellungen von Trojas Untergang (Paris, LV), wie der B.-M. auch sonst trojanische Themen in ihrer ganzen Breite abdeckt. Friese zu einer Gigantomachie sind im Innenbild mit der in den Wellen versinkenden Selene gekrönt, einer der großartigsten Tondokompositionen überhaupt (Berlin, SM). Thiasosbilder fehlen ebensowenig wie Waffenübergabe- und Athletenszenen. Die überwiegende Mehrzahl seiner Schalen hat Brygos getöpfert, nach dem der Maler seinen Namen trägt. Von einer sparsameren Seite zeigt sich der B.-M. auf Lekythen mit einer oder zwei majestätischen Gestalten, mit Vorliebe Hera. Lekythen und Schalen sind durch einige Beispiele in wgr. Technik verbunden, die dank anderer »Farbgebung« die stilistischen Eigenheiten noch deutlicher hervorheben: in den dünnen Frauengewändern unterscheidet der B.-M. mit Linierhaar und Pinsel zwischen innen und außen, oben und unten. Fast unfehlbar gehört der gepunktete Mantel mit der dunklen Borte dazu, eines seiner Erkennungsmerkmale.

BEAZLEY, ARV² 368–385; 398–399; 1649–1650 · Ders., Paralipomena, 365–368 · Ders., Addenda², 224–229 · M. WEGNER, Der B., 1973 · M. ROBERTSON, The Art of Vase-Painting, 1992, 93–100 · D. WILLIAMS, in: JbBerlMus 24, 1982, 17–40 · Ders., CVA London, 9, 1993, 53 f. (mit älterer Lit.). A.L.-H.

Bryson (βρύσων). Sohn des Mythographen → Herodoros aus Herakleia am Pontos, → Megariker (Beziehung zu → Eukleides unklar), Lehrer → Pyrrhons; * um 400 v.Chr., gest. nach 340. B. vertrat die These, niemand gebrauche häßliche, d. h. ordinäre oder unanständige Ausdrücke; könne man eine und dieselbe Sache mit verschiedenen Ausdrücken bezeichnen, dann seien diese bedeutungsgleich und es könne mithin nicht einer ordinärer bzw. dezenter als der andere sein. Aristoteles weist diese These als falsch zurück (rhet. 3,2,1405b8–12). Die einzige weitere Lehre B.s, von der wir Kenntnis haben, betrifft das Problem der Quadratur des Kreises. B.s Lösung des Problems soll folgende Annahme zugrunde gelegen haben: Größen, die größer und kleiner sind als dieselben Größen, sind einander gleich. Wie die Lösung im einzelnen aussah, ist unsicher (vgl. [1] und [2]).

1 K.v. FRITZ, Rez. Döring, Die Megariker, in: Gnomon 47, 1975, 132–133 2 I. MUELLER, Aristotle and the quadrature of the circle, in: N. KRETZMANN (Hrsg.), Infinity and continuity in ancient and medieval thought, 1982, 146–164

ED.: K. DÖRING, Die Megariker, 1972, 5.1 · SSR II S. LIT.: K. DÖRING, in: GGPh² 2.1, 1997, § 17 C (mit Lit.). K.D.

Bubastis (ägypt. *Pr-Bꜣstt*, arab. *Tell Basta*). Stadt im südöstl. Delta am tanitischen Nilarm. Hauptgottheit ist Bastet, ursprünglich eine Löwengöttin, später bes. als Katze verehrt. Ihr Fest wird bei Hdt. 2,60 beschrieben. Schon seit dem AR sind Tempelanlagen nachweisbar, bedeutend wird B. aber erst mit der 22. Dynastie, als es neben Tanis Residenz der libyschen Könige ist. In der Spätzeit wird B. auch Hauptstadt des 18. unterägypt. Gaus.

L. HABACHI, Tell Basta, 1957 · LÄ 1, 873–874; 7, 49. K.J.-W.

Bubulcus. Röm. Cognomen (»der Ochsentreiber«) in der Familie der Iunii (ThlL 2,2223). Dem ersten Namensträger nach Plin. nat. 18,10 wegen seines erfolgreichen Umgangs mit Ochsen (*bubus*) beigelegt.

K.-L.E.

Bucchero ist die typisch etr., schwarzglänzende Keramik des 7. und 6. Jh. v. Chr; die Bezeichnung B. ist dem spanischen *bucaro* entliehen, einer präkolumbianischen Keramikgattung, die im 19. Jh., z.Z. der ersten B.-Funde in Etrurien, von den Portugiesen imitiert wurde. B. wird als t.t. auch für die grau-schwarze Keramik anderer Kulturen, wie ionischer, lesbischer und äolischer B., benutzt. Etr. B. wurde um 660 v.Chr. zum ersten Mal, wahrscheinlich in → Caere, hergestellt, etwa zehn Jahre später in anderen etr. Städten und um 600 v.Chr. schließlich auch im etr. Norden. B. entwickelt sich aus dem buccheroiden → Impasto des späten 8. und der ersten H. des 7. Jh. v.Chr. Der früheste B. ist sehr dünnwandig und wird deshalb B. *sottile* genannt. Manche der in dieser Art gefertigten Gefäße imitieren Oinochoen und Kotylen aus Metall [1]. Die silbrig glänzende Oberfläche der Vasen ist eine Caeretaner Spezialität, die entweder durch Aufbringung eines Silberüberzugs mit Hilfe von Quecksilber oder bei einem reduzierenden Brand durch Niederschlagung von elementarem Kohlenstoff auf die nach dem Trocknen geglättete Oberfläche entsteht. Ab der zweiten H. des 7. Jh. v. Chr. wird der B. dickwandiger und gröber (sog. B. *pesante*). B. wurde anfangs durch Einritzen und durch Eindrücken mit einem Kamm verziert; bes. im 6. Jh. v.Chr. wird gestempelte und applizierte Reliefverzierung häufig (→ Reliefkeramik). B. wurde von Beginn an exportiert. Dabei können unterschiedliche Handelswege rekonstruiert werden. An der südfrz. Küste kommen fast ausschließlich Trinkgefäße, meist Kantharoi, in einer festen Kombination mit etr. Weinamphoren vor; sie wurden wahrscheinlich von Etruskern verhandelt. In Karthago dagegen wurde ein größeres Formenrepertoire, aber kaum gleichzeitige etr. Amphoren gefunden; der Handel ging hier wohl von den Karthagern aus.

1 G. E. MARKOE, In Pursuit of Silver: Phoenicians in Central Italy, in: Hamburger Beitr. zur Arch. 19/20, 1992/1993, 1–31.

J. GRAN-AYMERICH, Le bucchero et les vases métalliques, in: Revue des Études Anciennes 97, 1995, 45–76 · M. BONGHI JOVINO (Hrsg.), Produzione artiginale ed esplorazione nel mondo antico. Il b. etrusco. Atti del Colloquio Internazionale Milano 10–11 maggio 1990, 1994 · F. W. VON HASE, Der etr. B. aus Karthago, in: JRGZ 36, 1989, 327–410 · N. HIRSCHLAND RAMAGE, Studies in Early Etr. B., in: PBSR 38, 1970, 1–61 · T. B. RASMUSSEN, B. Pottery from Southern Etruria, 1979.   R. D.

Schema einer offenen und geschlossenen Buchrolle.

Bucellarii. In der Spätant. bezeichneten *b.* Gruppen barbarischer Soldaten, die angesehenen Kriegern dienten und von diesen bisweilen im Interesse Roms eingesetzt wurden. Schließlich bekam der Begriff *b.* eine spezielle Bedeutung: bewaffnete Gefolgsleute, die reichen Großgrundbesitzern als Leibwache dienten, eine Praxis, die trotz des Verbots durch Leo häufig anzutreffen war. Auch findet man *b.* in der Umgebung von hohen Beamten, zumeist Offizieren; sie schworen ihrem Herrn und dem Kaiser einen Treueid, was auf eine offizielle Billigung hinzuweisen scheint. Einige hochrangige Offiziere hatten eine beträchtliche Leibwache, so soll etwa → Belisarios 7000 *b.* gehabt haben, die zusammen mit regulären Truppen eingesetzt werden konnten. Die *b.*, die unter Römern und Barbaren rekrutiert wurden, hatten ihre eigenen Offiziere, die auch auf Stellen in der regulären Armee befördert werden konnten. So begann Belisarios seine Karriere als *bucellarius* unter Iustinianus.

1 J. GASCOU, L'Institution des Bucellaires, in: BIFAO 76, 1976, 143–56 2 JONES, LRE 665–667.   J. CA.

Buch A. ÄLTESTE FORM DES BUCHES
B. ROLLE UND CODEX   C. BUCHPRODUKTION
UND BUCHVERBREITUNG (BUCHHANDEL)
D. LESEN UND VORLESEN

A. ÄLTESTE FORM DES BUCHES

In der Ant. war das B. ein aus bestimmten Materialien und mit üblichen handwerklichen Techniken hergestellter Schriftträger, auf den der Text von Hand geschrieben wurde. Die Grundformen des B. im griech.-röm. Kulturkreis waren die → Rolle (*volumen*) und der → Codex; letzterem entspricht die heutige Form des B. Bei beiden Formen finden sich verschiedene Typen des Formats, des Umfangs, der Verarbeitung und der Qualität.

Im Griechenland der archa. Zeit, beherrscht von einer Kultur der mündlichen Kommunikation, diente das B. zur Fixierung und Bewahrung der Texte, aber auch als Gedächtnisstütze bei der Rezitation. Aus welchem Material und auf welche Weise die ältesten B. hergestellt waren, läßt sich schwer sagen. Die lit. und ikonogra-

phischen Quellen etwa seit dem 5. Jh. v. Chr. und die ersten Funde, die sich erh. haben und auf das 4. Jh. v. Chr. zurückgehen, belegen, daß das B. die Form einer Papyrusrolle hat. Es läßt sich aber nicht ausschließen, daß in archa. Zeit harte und schwere Materialien benutzt wurden, in die die Schrift gekratzt wurde und die so bearbeitet waren, daß sie einen einheitlichen Schriftträger, ein »Buch«, bildeten: Tafeln mit und ohne Wachsüberzug, Bleche aus Blei, Schieferplatten oder auch biegsamere Materialien wie z. B. Leder. Die Verwendung von harten Materialien ist in einer Gesellschaft mit hauptsächlich mündlicher Kultur vollkommen ausreichend für ein primitives B., das als Instrument für die Bewahrung eines Textes, nicht aber zu seiner Verbreitung gedacht war, da es schwer zu handhaben und für die Lektüre ungeeignet war.

Bei den frühen Römern, Italikern und bes. bei Etruskern sind *libri lintei* mit sakraler Funktion belegt. Es handelt sich hier um Binden aus Leinengewebe wie der erhaltene, etr. beschriebene *liber linteus* von Zagreb. Die Binde ist ziehharmonikaartig gefaltet, die Falten befinden sich in der Mitte der Zwischenräume zw. den von vertikalen roten Linien begrenzten Schriftspalten, so daß die Spalten umgeblättert werden konnten wie Doppelseiten, fast wie bei einem Codex oder einem modernen B. Die gleiche Struktur müssen die *libri lintei* im alten Rom gehabt haben: die *libri Sibyllini*; die Bücher der Priester, in denen das *absconditum ius pontificium* aufgeschrieben war; die Bücher mit den *commentarii augurum*.

Einige der zahlreichen mit Tinte lateinisch beschriebenen Tafeln aus dünnem Holz (Birke oder Erle), die in Vindolanda (Chesterholm) in Britannien gefunden wurden, sind gefaltet und an beiden Enden mit Löchern für eine Schnur versehen, so daß sie wohl urspr. ziehharmonikaartig verbunden waren. Es handelt sich um späteres Material vor allem dokumentarischen Inhalts, doch läßt sich nicht ausschließen, daß es in alter Zeit in manchen Gebieten des Westens B. aus Holz gab, die einem solchen Typus angehörten.

B. Rolle und Codex

Mit dem Aufkommen des Papyrus (der nach Griechenland schon in archa. Zeit aus dem pharaonischen Ägypten importiert wurde, aber nicht vor dem 6.–5. Jh. v. Chr. verbreitet war, in Rom nicht vor dem 3.–2. Jh. v. Chr.) nahm das B. dank des weichen Schreibmaterials und einer flüssigeren Schrift die Form der Rolle an. Die Rolle hatte als normale Buchform bis ungefähr zum 2. Jh. n. Chr. Bestand, existierte aber neben dem Codex noch weiter, durch den sie seit dem 4.–5. Jh. n. Chr., von Sonderfällen abgesehen, endgültig verdrängt wurde.

Zur Herstellung des griech. und lat. B. wurden normalerweise Papyrus und Pergament verwendet, die allerdings nicht ausschließlich an die Form des B., Rolle oder Codex, gebunden waren. Man kennt jedoch nur seltene Fälle von Pergamentrollen, während der Papyrus-Codex mdst. bis zum 6.–7. Jh. n. Chr. häufig vorkommt (fast nur in Ägypten, in sehr seltenen Fällen auch anderswo). Allg. kann man sagen, daß, von einigen Ausnahmen abgesehen, in der Spätant. die Verdrängung der Rolle durch den Codex und den Papyrus durch das Pergament Hand in Hand gingen.

Die differenzierten Typen des ant. B. innerhalb der Hauptformen von Rolle und Codex, müssen in Beziehung zu den kulturellen Gegebenheiten einer bestimmten Epoche und zu dem Zweck, zu dem das B. bei seiner Herstellung bestimmt war, gesehen werden. Die Illustrierung von B. scheint urspr. auf B. wiss. Inhalts beschränkt gewesen zu sein. Spätestens seit der Kaiserzeit wurden aber auch viele B. mit lit. Texten mit Illustrationen versehen, die bei der Rolle meistens in die Schriftspalte eingefügt wurden, während sie im Codex häufig eine ganze Seite einnahmen.

Bei der endgültigen Durchsetzung des Codex gegenüber der Rolle kamen ideologische, ökonomische und praktische Faktoren ins Spiel: ideologische, da dieser Buchtyp im Gegensatz zu jenem der rhet. Tradition stand und daher nicht zufällig von den Christen angenommen und verbreitet wurde; ökonomische, da das Pergament nicht anderswoher (Ägypten) importiert werden mußte; außerdem wurde bei gleichem Textumfang Schreibmaterial eingespart, weil beim Codex beide Seiten beschrieben wurden (bei der Rolle war einseitige Beschriftung die Regel); praktische, da die Form sich als geeigneter für die Lektüre und zum Nachschlagen erwies. Die ältere klass. und juristische Lit., die in der Rolle ihr Medium der Veröffentlichung, Verbreitung und Bewahrung gefunden hatte, wurde auf Codices übertragen, während seit dem Ende des 4. Jh. n. Chr. verfaßte Werke sofort auf Codices geschrieben wurden.

Die Verdrängung der Rolle durch den Codex führte zu einer Reihe von Konsequenzen, die hauptsächlich die Anordnung des Textes, das Verhältnis von Haupt- und zugefügtem Text und die Praxis des Lesens betrafen. Die Rolle konnte gewisse übliche Maße nicht überschreiten und daher nur eine begrenzte Menge Text aufnehmen, so daß Texte größeren Umfangs auf mehrere Buchrollen verteilt werden mußten. Der Codex mit seiner großen Kapazität dagegen erlaubte es, ein Werk, das bis dahin auf mehrere Rollen verteilt war, in einem B. zusammenzufassen bzw. verschiedene Schriften eines Autors oder Texte verschiedener Autoren mit verschiedenartigem Inhalt. Zum Zweck der klaren Unterscheidung der Texte in einem B. wurden eine Reihe von Strukturelementen eingeführt: ein System von *incipit/explicit* am Anfang und Ende jeden Textes (auch zw. einem B. und dem nächsten des gleichen Werkes), verschiedene Schriftarten, Zierleisten und verzierte Initialien. Da der Codex mit sehr breiten Rändern ausgestattet werden konnte, eignete er sich besser für das Zufügen von Anmerkungen und Textvarianten. Ferner wurden dank dieser breiten Ränder Komm. zu den Texten, die bis dahin in Extrarollen mit Verweisen enthalten waren, als Scholien zu den entsprechenden Texten in dasselbe B. übertragen.

Die Rolle mußte zum Lesen mit beiden Händen gehalten werden, während der Codex nur eine Hand erforderte und die andere zum Blättern und Schreiben frei blieb. Die geordnete Unterteilung des Textes in gekennzeichnete Seiten statt einer ununterbrochenen Folge von Spalten, machte es leichter, bestimmte Textstellen wiederzufinden und nachzulesen, was Einfluß auf die Lesegewohnheiten selbst hatte.

C. Buchproduktion und Buchverbreitung (Buchhandel)

Die Produktion des B. ist in der Ant. Handarbeit; es kann also *opus servile* oder Produkt eines Handwerkbetriebes sein. Es muß allerdings auch andere Produktionsformen gegeben haben, die uns mangels geeigneter Zeugnisse nicht hinreichend bekannt sind. Im frühen MA wurde im Westen die Zubereitung und Beschriftung des B. in eine fromme Bußübung an Bischofssitzen und in Klöstern verwandelt, während sich im byz. Osten auch Produktionsformen aus der Ant. hielten.

Die Nachfrage nach B. im Athen des 5.–4. Jh. v. Chr. ist gut belegt durch einen Buchhandel, der ein gewisses Lesebedürfnis befriedigen und die ersten privaten B.-Sammlungen versorgen mußte (bekannt sind → Bibliotheken wie die des Euripides oder des Aristoteles). Andererseits muß man für andere B.-Sammlungen dieser Zeit, die für Gelehrte und Studierende an medizinischen oder philos. Schulen reserviert waren, annehmen, daß die Lehrbücher und neu geschriebene Werke in den Schulen selbst hergestellt wurden.

Das hell. Zeitalter kann man als eine »Epoche des B.« ansehen, nicht so sehr wegen der gewachsenen Zahl von Lesern (die immer beschränkt blieb) sondern eher wegen einer neuen, ganz auf Philol., d. h. auf Kenntnis und Vergleich von Texten, gegründeten Auffassung der Lit. und wegen der Schaffung großer Bibliotheken, die eine B.-Produktion großen Ausmaßes erforderten. Es fehlen Belege über die Mechanismen, die der Belieferung der hell. Bibliotheken (z. B. in Alexandreia oder Pergamon) zugrunde lagen, aber da man im Zusammenhang mit der dort geleisteten philol. Arbeit die Edition von Texten garantieren mußte, ist anzunehmen, daß diese selbst über eine Kopierwerkstatt verfügten. Auf lange Sicht ist es diese Art der B.-Produktion, die sehr viel später von den christl. Schulen übernommen wird (das ›Didaskalaion von Alexandreia‹: Athan. ad Const. 4; Schule des Origenes in Caesarea: Eus. HE 6,23,1f.; Hier. vir. ill. 113: Schulen in Gaza und Nisibis) und in Constantinopolis anzutreffen war, als Constantius II. dort im Jahre 357 n. Chr. die kaiserliche Bibliothek gründete.

In hell. Zeit muß jedoch auch eine B.-Produktion außerhalb der großen Bibliotheken angenommen werden. Ein echter Handel in Rom ist gut bezeugt, allerdings nicht vor dem 1.Jh. v. Chr. Von dieser Zeit an häufen sich die Zeugnisse lat. Autoren für Herausgeber-B.-Händler, Inhaber von B.-Läden, und erreichen einen Höhepunkt zwischen dem 1. und 2.Jh. n. Chr.: In Rom waren es die Gebrüder → Sosius, ferner → Tryphon, Atrectus, Dorus (Sen. benef. 7,6) mit ihren innen mit Regalen, außen mit Reklameaufschriften für die *volumina* versehenen Buchhandlungen. Aber auch in Brindisi gab es einige Verkaufsstände am Hafen, an denen B. mit phantastischen Geschichten angeboten wurden. In mehr oder weniger entfernten Provinzstädten konnte man *tabernae librariae* finden, so in Vienne oder Lyon in Gallien und in Britannien. In der enthusiastischen Sicht der Autoren jener Zeit konnten sich ihre Werke durch B. bis an das Ende der Welt verbreiten. Die Unternehmer, die diese Werkstätten betrieben, in denen in der Regel alle Arbeitsvorgänge von der Ausstattung der Ausgabe bis zum Verkauf vonstatten gingen, waren meistens Freigelassene. In der Tat wurde das B. von alters her in Rom von Sklaven und Freigelassenen in privaten patrizischen Haushalten hergestellt und kopiert, was manchmal Teil eines echten Produktionssystems war, wie im Falle des Atticus, des »Verlegers« der Werke Ciceros und anderer (auch griech.) Texte. Manche *librarii*-Sklaven im Dienste der Reichen wurden nach ihrer Freilassung selbst Unternehmer und eröffneten einen »Verlag«, bes. im 1.–3.Jh. n. Chr., einer Zeit, in der viele Leute lesen konnten und eine große Nachfrage nach Lesestoff bestand.

Für Käufer unterschiedlicher → Bildung gab es auch verschiedene Arten von B. und unterschiedliche Preise. Für den Handel produzierte B. hatten einen hohen Preis; so kostete z. B. das 1. Buch der *Epigrammata* des Martial in einer Luxusausgabe 5 Denare, also damals mehr als das Doppelte des Soldes eines Legionärs für 10 Tage. Der Preis stieg in schwindelerregende Höhe für antiquarische, Jahrhunderte alte Bücher und für echte oder gefälschte Mss. bekannter Autoren. Wenn man Glück hatte, konnte man auch verbilligte B. finden, weil sie abgenutzt oder durch das lange Ausliegen vergilbt waren. Es gab auch weniger teure Exemplare von schlechterer Qualität (Materialverarbeitung oder Schrift), ferner B. aus zweiter Hand oder auf wiederverwendetem Material (nach Beseitigung früherer Beschriftung: → Palimpseste) oder auf der Rs. von ausge-

musterten B.- und Dokumentenrollen. Die Ausgaben für Bibliophile (wenn diese auch manchmal wenig gebildet waren) und für öffentliche Bibliotheken muß man sich von höherer technischer Qualität vorstellen. Während im Osten weitgehend die Tradition der an Bibliotheken angeschlossenen Produktionsstätten für B. bestehen blieb, muß man annehmen, daß sich die öffentliche Bibliothek im röm. Westen von außen versorgte. B. wurden von den Autoren gestiftet, die daran interessiert waren, daß ihre Werke in eine öffentliche Bibliothek Eingang fanden, sie wurden von den B.-Werkstätten nach bestimmten Auswahlkriterien oder nach Kriterien der Kulturpolitik direkt gekauft und vielleicht in manchen Fällen auf Bestellung kopiert.

Dies alles beweist nicht, daß die Zahl der Leser sehr hoch gewesen wäre. Es handelte sich um eine Minderheit, zudem beschränkt auf städtische Gebiete. Allerdings war diese Minderheit in den ersten Jh. der Kaiserzeit größer und vielschichtiger als in anderen Epochen der Ant.

Der Umstand, daß in der Spätant. das gebildete, ja sogar das nur des Lesens und Schreibens kundige Publikum seltener wurde, die daraus folgende Abnahme des Lesens im öffentlichen und privaten Bereich, die Veränderungen in den Produktionstechniken des B., die höheren Produktionskosten des B. selbst, die man im Vergleich zu den ökonomischen Verhältnissen der Epoche aus den Tarifen ablesen kann, die von Diokletian in einem entsprechenden Edikt (Edicta Diocletiani 7,38–40) festgesetzt wurden (40 Denare für die Bearbeitung eines Postens von vier Pergamenten, 25 für hundert Zeilen Buchschrift der besten Qualität, 20 für ebenso viele Zeilen Schrift zweiter Qualität): dies alles verursachte die Krise der B.-Werkstätten. Die wenigen aktiven, die es in It., vor allem in Rom und Ravenna, zwischen dem 4. und 6.Jh. noch gab, scheinen solche gewesen zu sein, die Aufträge für Luxusausgaben ausführen konnten.

Während desselben Zeitabschnitts blieb das System der B.-Produktion in privaten Haushalten ohne Unterbrechung lebendig. *Subscriptiones* spätant. Codices, die sich direkt oder in ma. Abschriften erhalten haben, wie auch lit. Quellen (Symm. epist. 1,24; 9,13) belegen die Herausgabe von »Klassikern« auf Initiative und in den Häusern der letzten Angehörigen der gebildeten Aristokratie: So z. B. die Edition des Livius-Gesamtwerkes durch die Familien der Symmachi und Nicomachi. Die gleichen Mechanismen liegen auch der Produktion und Verbreitung der christl. B. zugrunde, sobald die neue Religion institutionalisiert war. Wenn auch manche B. gehobener Qualität vor allem mit biblischen Texten in B.-Werkstätten gleichrangig mit einigen Klassikern produziert wurden, so wurde doch der größte Teil der patristischen Werke, etwa des Hieronymus und Augustinus, im Umkreis der Autoren selbst herausgegeben und verbreitete sich über ein Netz von Freundschaften und Beziehungen, innerhalb dessen → Abschriften privat angefertigt wurden.

D. Lesen und Vorlesen

In der Ant. war die üblichste Art, ein B. zu lesen, das Lesen mit lauter Stimme, was vor allem bei Lesungen vor Publikum Tonfall und Modulierung der Stimme erforderte, die zum spezifischen Charakter des Textes und seinem Rhythmus paßten. Eine gute Lesung war fast wie die Interpretation einer musikalischen Partitur. Abgesehen von sehr erfahrenen oder professionellen Vorlesern war die Lektüre eines B. ein langwieriger Vorgang: Der Text präsentierte sich in *scriptio continua*, nur selten und unregelmäßig durch Interpunktionszeichen strukturiert, so daß das Auge die Grenzen eines Wortes oder den Sinn eines ganzen Satzes nur mit Schwierigkeiten erkennen konnte. Zum Verständnis eines Zusammenhangs war daher die mündliche Artikulation des geschriebenen Textes hilfreich, weil das Gehör besser als der Gesichtssinn die Folge der Wörter, ihre Bed., die Trennung der Sätze erfassen konnte.

Vasen- und Wandmalereien, Mosaiken und Skulpturen zeigen die verschiedenen Situationen und Haltungen bei der Lektüre eines B. Man sieht den Leser dargestellt allein mit seinem B. oder beim Vorlesen in Gegenwart von Zuhörern; den Lehrer beim Lesen in der Schule; den Redner, der seinen Vortrag mit einem B. vor Augen deklamiert; den Reisenden, der im Wagen sitzt und liest; den beim Bankett Liegenden, der den Blick zum aufgeschlagenen B. wendet; die Frau, die im Stehen oder im Sitzen unter einer Arkade aufmerksam liest. Es sind aber keine Leseszenen in einer Bibliothek bezeugt, ein Zeichen dafür, daß diese, ob öffentlich oder privat, jedenfalls hauptsächlich für die Speicherung von B. bestimmt war.

Vor allem bei den Römern war das Lesen eines B. an einem öffentlichen Ort weit verbreitet. Der Literaturbetrieb kannte *recitationes* vor größerem Publikum, manchmal mit dem Zweck, neue Werke vorzustellen; sie fanden in eigens dazu hergerichteten *auditoria, stationes* und *theatra* statt. Im privaten Bereich war außer der Praxis der eigenen Lektüre auch das Vorlesen durch einen Bediensteten, einen Sklaven oder Freigelassenen, verbreitet, der bei der Gelegenheit von Empfängen, insbesondere Gastmählern, sich in der Rezitation von B. verschiedener Art versuchte. Weniger üblich als lautes Lesen war stumme Lektüre oder Lesen im Flüsterton: Beides ist in der Ant. bezeugt, bekam aber zumindest im Westen nicht vor dem MA das Übergewicht.

→ Buchmalerei

G. Binder, Öffentliche Autorenlesungen, 1995 · A. Blanchard, Les papyrus littéraires grecs extraits de cartonnages: études de bibliogie, in: M. Maniaci, P. Munafò (Hrsg.) Ancient and Medieval Book Materials and Techniques, 1993, 15–40 · H. Blanck, Das B. in der Ant., 1992 · G. Cavallo, Libri, scritture, scribi a Ercolano, 1983 · Ders. (Hrsg.), Libro e pubblico alla fine del mondo antico, in: Ders. (Hrsg.), Libri, editori e pubblico nel mondo antico, ²1992, 83–132 (Anm.teil 149–162) · Ders., Tra »volumen« e »codex«. La lettura nel mondo romano, in: Ders., R. Chartier (Hrsg.), Storia della lettura, 1995, 37–69 ·

P. Fedeli, I sistemi di produzione e diffusione, in: G. Cavallo, P. Fedeli, A. Giardina (Hrsg.), Lo spazio letterario di Roma antica II, La circolazione del testo, 1989, 343–378 · A. Geyer, Die Genese narrativer Buchillustration, 1989 · T. Kleberg, Buchhandel und Verlagswesen in der Ant., 1967 · H.-I. Marrou, Μουσικὸς ἀνήρ. Étude sur les scènes de la vie intellectuelle figurant sur les monuments funéraires romains, 1938 · E. Pöhlmann, Einführung in die Überlieferungsgesch. und in die Textkritik der ant. Lit., Bd. 1: Alt., 1994 · E. Rawson, Intellectual Life in the Late Roman Republic, 1985 · C. H. Roberts, T. C. Skeat, The Birth of the Codex, 1983 · W. Schubart, Das B. bei den Griechen und Römern, ³1962 · T. C. Skeat, The Length of the Standard Papyrus Roll and the Cost-Advantage of the Codex, in: ZPE 37, 1980, 121–136 · E. G. Turner, Athenian Books in the Fifth and Fourth Centuries B. C., ²1977 · J. van Sickle, The Book-Roll and Some Conventions of the Poetic Book, in: Arethousa 13, 1980, 5–42, 115–127. G. CA./F. H.

Buch der Briefe. Armenische Sammlung wichtiger theolog. Briefe, die die Gesch. der armen. Kirche und ihre Beziehungen zu den Nachbarkirchen (Syrien, Georgien, Byzanz) dokumentieren, so die Trennung der georg. Kirche von der armen. um 600. Das B. ist in drei chronologische Phasen gegliedert: 5.–7., 8.–11. und 11.–13. Jh.

→ Byzanz; Georgien; Syrien

Girk̇ T̀`g̀toc̀, 1901 · E. Ter-Minassiantz, Die armen. Kirche in ihren Beziehungen zu den syr. Kirchen. Bis zum Ende des 13. Jh. Nach den armen. und syr. Quellen bearbeitet (Texte und Unt. 4), 1904 · N. Akinean, Kiwrion kat̀`ogikos Vrac̀, 1910, 37–45 · M. Tallon, Livre des Lettres I, 1955, 9–28. K. SA.

Buchara. Mittelalterliche Hauptstadt der Buchara-Oase, war seit der Kuschanazeit (2. Jh. n. Chr.) besiedelt, Nachfolgerin von Varachsa.

G. A. Pugacenkova, Samarkand – Buchara, 1975. B. B.

Buche. Im Mittelmeergebiet wachsen die eigentlichen Buchen wie *Fagus silvatica* und *orientalis* (φηγός) nur auf höheren Bergen, werden aber oft mit Hainbuchen (*Carpinus*) oder sogar Eichen (δρῦς), hauptsächlich mit *Quercus aegilops* und der Speiseeiche *Quercus ilex* var. *ballota* (*aesculus*), der angeblichen Nahrungspflanze der Vorzeit, verwechselt.

→ Bäume

K. Koch, Die Bäume und Sträucher des Alten Griechenlands, ²1884, 55 ff. C. HÜ.

Bucheinteilung s. Codex, s. Rolle

Buchhandel s. Buch

Buchmalerei. Handgemalte Illustrationen in Handschriften kultischen, lexikalischen, geo- und kartographischen oder lit. Inhalts, die den Text figural erläutern bzw. ergänzen oder ornamentieren. Die Maltechnik reicht von skizzenhaften Feder- oder Pinselzeichnungen mit Tusche und/oder Wasserfarben bis zu aufwendig kolorierten Bildern in Decktempera. Die Bezeichnung »Miniatur« für B. kommt von der zinnoberroten Mennige (lat. *minium*), womit im MA Seitenrahmen und Initialen (Anfangsbuchstaben) betont waren. Als Malgrund diente Bast, → Papyrus, → Pergament. Seit Ende des 1. Jh. n. Chr., spätestens ab dem 2. Jh. wurde die seit dem AR in Ägypt., später im gesamten Mittelmeerraum gebräuchliche Buchrolle (→ Buch) zunehmend durch den → Codex ersetzt. Dieser Gestaltwandel beeinflußte die Lesart und veränderte auch Form, Format und Plazierung der Abb. im Text.

Älteste Zeugnisse ant. B. finden sich in den »Totenbüchern« des ägypt. NR, die im Grabkult verwendet wurden [6]. Die Bildfriese, eng auf Hieroglyphen bezogen, stehen teils gestaffelt und umrahmt, teils frei vereinzelt im Text, ähnlich wie in der → Wandmalerei (z. B. Hunefer-Papyrus, pap. 9901, London, um 1300 v. Chr.). Für die griech.-röm. Ant. ist originale B. schlecht überliefert. Man kombiniert daher die ebenfalls spärlichen, teilweise indirekten lit. Angaben mit der Kenntnis von Gestaltungsprinzipien anderer Gattungen sowie mit byz. oder karolingischen Kopien oder Nachbildungen. Am Beginn stehen einfache didaktische Bildanleitungen in wiss. Abhandlungen, wie z. B. in griech. Papyri zur Mathematik (5. Jh. v. Chr.). Seit dem 4. Jh. werden solche Skizzen auch in medizinischen, technischen und naturkundlichen Traktaten verwendet [4]; Tiervignetten zieren zoologische Lehrgedichte des → Nikandros (2. Jh. v. Chr.). Eine Pharmakologie des → Dioskurides aus dem 1. Jh. n. Chr., zu Beginn des 6. Jh. n. Chr. in Konstantinopel kopiert (Wien, Cod. Med. Gr. 1) [4], zeigt qualitätvolle Pflanzen- und Tierbilder.

Dagegen war Bildschmuck für Drama, Epos oder Roman lange eher ungebräuchlich. Im Hell. wurden solche Hss. mit Autorenporträts und Maskentondi versehen, wie in spätant. Plautus- und Terenz-Hss. überliefert [10. 31,95]. Daneben wurden wiederholt eigenständige Rollenbilderbücher erzählenden Charakters ep. und dramatischer Werke angenommen [9–11]; erh. ist hiervon jedoch nichts. Erschlossen wurde dies aus den Bilderfolgen erh. spät- röm. Hss. wie z. B. der *Ilias Ambrosiana* (Mailand, Cod. F 205 P inf.), des *Vergilius Vaticanus* (Rom, Cod. Vat. lat. 3225, beide um 400 n. Chr.), des etwas jüngeren *Vergilius Romanus* (Rom, Cod. Vat. lat. 3867), und der *Quedlinburger Itala* (Berlin, Cod. theol. lat. fol. 485, E. 4. Jh.). Umgekehrt dient die Annahme solcher Rollenbilderbücher zur Erklärung späthell. Bilderfriese mit kontinuierender Darstellungsabfolge sowie analoger Strukturen in anderen, v. a. röm. Gattungen [7]. So sollen z. B. Reliefkeramik und toreutische Gefäße [8.349], Wandmalereizyklen und verschiedene myth. Sarkophagreliefs auf illustrierte Klassikerausgaben zurückgehen; die Reliefabfolge röm. Ehrensäulen soll dabei dieses Kompositionsprinzip demonstrieren. Unter anderem mit Hinweis auf die Tradierungsproblematik (Musterbücher?) wurde die An-

nahme solcher Rollenillustrationen als Vorbilder jedoch jüngst begründet in Zweifel gezogen [3]. Spätant. B. beeinflußte stilistisch und kompositorisch sowohl zeitgenössische Wandfresken (→ Dura Europos [12. 6–9]) als auch spätere ma. Bilderzyklen.

1 H. BLANCK, Das Buch in der Ant., 1992, 102–112 2 G. CAVALLO, Libro e cultura scritta, in: Storia di Roma, 4, 1989, 693–734 3 A. GEYER, Die Genese narrativer Buchillustration, 1989 4 H. GRAPE-ALBERS, Spätant. Bilder aus der Welt des Arztes, 1977 5 M. HAFFNER, Die Bildereinleitung eines karolingischen Agrimensorenkodex, in: JbAC 34, 1991, 129–138 6 N. HORSFALL, The Origins of the Illustrated Book, in: Aegyptus 63, 1983, 199–216 7 P. MEYBOOM, Some Observations on Narration in Greek Art, in: Meded Rom 40, 1978, 55–82 8 C. W. MÜLLER, Das Bildprogramm der Silberbecher von Hoby, in: JDAI 109, 1994, 321–352 9 K. WEITZMANN, Ancient Book Illumination, 1959 10 Ders., Illustration in Roll and Codex, ²1970 11 Ders., Spätant. und frühchristl. B., 1977 12 Ders., H. KESSLER, The Frescoes of the Dura Synagogue and Christian Art, 1989 13 D. H. WRIGTH, Vergilius Vaticanus, 1993.

M. CRAMER, Koptische B., 1964 • H. GERSTINGER, H. E. KILLY, s. v. B., RAC 2, 734–77 • F. UNTERKIRCHER, Die B. Entwicklung, Technik, Eigenart, 1974 • T. B. STEVENSON, Miniature Decoration in the Vatican Virgil, 1983 • C. JACOBI, Buchmalerei, 1991 • M. L. KESSLER, Studies in Pictorial Narrative, 1994. N. H.

Buchpreise s. Buch

Buchsbaum. Mehrere immergrüne Sträucher bilden die Gattung *Buxus* (πύξος), darunter zählt der in den Macchien Südeuropas (am Olymp bis 2200 m) verbreitete *Buxus sempervirens* (vgl. Theophr. h. plant. 1,5,4 u.ö.). Er ist, wie auch die → Zypresse (*Cupressus sempervirens*) und Eibe (*Taxus*) eine seit der Ant. beliebte Friedhofspflanze. Das harte Holz diente zu Schnitzereien: hieraus wurden z. B. die danach benannten Büchsen (πυξίς), etwa für Medikamente (Dioskurides praef. 9 [1. I.5; = 2. 21] hergestellt, sowie das Apollonbild von Olympia, Käseformen (*buxeae formae* bei Colum. 7,8,7), Flöten (Verg. Aen. 9,619; Ov. met. 4,30 und 12,158), Kreisel (Verg. Aen. 7,382: *volubile buxum*), aber auch → Schreibtafeln (z. B. Prop. 3,23,8).
→ Holz

1 M. WELLMANN (Hrsg.), Pedanii Dioscuridis de materia medica 1, 1908, Ndr. 1958 2 J. BERENDES (Hrsg.), Des Pedanios Dioskurides Arzneimittellehre übers. und mit Erl. versehen, 1902, Ndr. 1970. C. HÜ.

Buchschrift s. Schriftstile

Bucilianus. Teilnehmer an der Verschwörung gegen Caesar (App. civ. 2,474; 493). Kurze Erwähnung bei Cicero (Att. 16,4,4; 15,17,2) im Zusammenhang mit Fluchtplänen im Sommer 44 v. Chr. W. W.

Bucinatores. Die *b.* waren neben den *tubicines* und *cornicines* Musiker im röm. Heer; die *bucina* war ein Blasinstrument aus Bronze (Veg. mil. 2,11; 3,5), dessen genaue Form strittig ist. Signale der *bucina* regelten in der Zeit der Republik den Wachdienst bei Nacht (Pol. 6,35; Liv. 7,36; Frontin. strat. 1,5,17). Während des Principats wurde im Lager das *convivium* durch das Signal der *bucina* beendet (Tac. ann. 15,30,1), in der Spätant. gaben die *b.* bei der Hinrichtung von Soldaten das Signal.
→ aeneatores

1 R. MEUCCI, Riflessioni di archeologia musicale, in: Nuova Riv. Musicale Italiana 19, 1985, 383–394 2 M. P. SPEIDEL, in: BJ 176, 1976, 147–153 3 A. v. DOMASZEWSKI, s. v. BUCINATOR, RE 3, 986–987. Y. L. B.

Budeia (Βούδεια). »Stieranspannerin« (Tzetz. zu Lykophr. 359). Frau des Klymenos und Mutter des Erginos (schol. Il. 16,572 ERBSE). Sie hieß auch Buzyge, Tochter des Lykos (schol. Apoll. Rhod. 1,185). Ferner ist B. auch Beiname der Athene in Thessalien (Lykophr. 359; Steph. Byz. s. v. B.). R. B.

Budinoi (Βουδῖνοι). Wohl iranischer Volksstamm östl. des Tanais, nördl. der Sauromates, westl. der Thyssagetai (Hdt. 4,21 f.). Hauptort Gelonos: budinisch-griech. Mischbevölkerung, Tempel griech. Götter, regelmäßiges Dionysosfest (Hdt. 4,108). Mitglieder der skythischen Koalition gegen die Perser (Hdt. 4,102; 120; 122; 136). I. v. B. u. S. R. T.

Budoron (Βούδορον). Ort auf → Salamis, während des Peloponnesischen Krieges ein wichtiger Stützpunkt Athens. Die Festung wurde 429 v. Chr. von → Knemos vergeblich belagert. Von B. aus eroberte → Nikias 427 v. Chr. die megarische Festung Minoa und Nisaia. Mauerreste fanden sich südwestl. beim 1661 gegr. Kloster Phaneromeni.

P. W. HAIDER, s. v. Salamis, in: LAUFFER, Griechenland, 596. H. KAL.

Büchervernichtung s. Zensur

Büffel (βοῦς ἄγριος, *bubalus*; βούβαλος dagegen ist die Gazelle!). In Südasien beheimatet und daher urspr. den Mittelmeerländern fremd. Hiob 39,9 ff. bezeichnet mit diesem Namen vermutlich den assyr. Wildochsen, der auch auf dortigen Reliefs dargestellt ist (Luther übersetzt falsch mit »Einhorn«). Die kurze Beschreibung des Aristot. hist. an. 2,1,499a4 ff. (vgl. Plin. nat. 8,38: *Africa vituli potius cervique quadam similitudine*, ›da Afrika jenes Tier eher mit einer gewissen Ähnlichkeit mit einem Kalb und einem Hirsch hervorbringt‹) bezieht sich auf Beobachtungen auf dem Alexanderzug in Arachosien (Afghanistan). Der B. wurde erst 596 n. Chr. unter Agilulf in It. eingeführt (Paulus Diaconus, hist. Langobardorum 4,11). Die *silvestres uri* in Verg. georg. 2,374 (mit Serv. z. St.) sind keine B.

KELLER, Thiere des class. Alt., 1883, 63 f. C. HÜ.

Bühnenmalerei (griech. σκηνογραφία, lat. *scaenographia*). Entstehung und Erscheiungsweise der nur in der ant. Lit. und in bildlichen Sekundärquellen überlieferten Gattung (vgl. auch → Malerei) werden kontrovers beurteilt und sind, trotz verschiedener Synopsen der Ergebnisse aus unterschiedlichen Forschungszweigen zu Form und Entwicklung des griech. → Theaters und seiner Spielstätten, weiterhin ungeklärt. Der Wandel von Architektur und Inszenierungsform hat auch den Charakter der B. geprägt. Der Begriff σκηνογραφία wird im zeitgenössischen philosophischen Diskurs zum Synonym für Illusionismus überhaupt, seit dem Hell. in → Optik und → Architekturtheorie auch für → Perspektive.

Im späten 6./frühen 5. Jh. v. Chr. spielte man in Athen auf einer unverbauten »Natur-Bühne« mit einfachen situativen Requisiten [5. 104 ff.]; als »Kulissen« dienten vereinzelt rote, aufrollbare Tierhäute auf transportablen Holzrahmen (CGF 148,3). Bisweilen lassen sich aus den Texten, schon vor der Orestie des → Aischylos (458 v. Chr.), eine Paraskenien-Bühne mit königszeltartigem Spielhintergrund erschließen. [6. 57 ff.]. Vitruv (7 praef. 11) nennt → Agatharchos als Urheber der B., der für eine Aischylos-Tragödie eine Bühne gestaltet und darüber auch eine Schrift hinterlassen haben soll; hierbei wird es sich wohl um die illusionistisch bemalte Rückwand des hölzernen Bühnengebäudes gehandelt haben wird, die im Schauspiel erwähnte Orte (Haus, Tempel, Palast) visualisierte. Vitruv (1,2,2) definiert *scaenographia* im technischen Sinne als perspektivische Zeichnung von Fassade und Nebenseiten eines Bauwerks im architektonischen Entwurf. Die – wohl falsche – Angabe bei Aristoteles (poet. 1449a 18), nach der → Sophokles die B. eingeführt habe [anders 2], läßt dennoch Rückschlüsse auf die Relevanz zu, die Fortschritte in der Entwicklung der → Perspektive für die B. und damit für die Theaterpraxis des 5. Jh. v. Chr. bedeuteten.

Die technische Anleitung des Agatharchos zur malerischen Umsetzung wirkte auf → Anaxagoras und → Demokritos in ihren Theorien zur Optik. Ein Frg. eines rf. Kraters in Würzburg (Mitte 4. Jh.) mit einem perspektivisch wiedergegebenen Säulenbau zeigt wohl echte oder gemalte Theaterarchitektur [4. 71 ff.]. Nach Vitruv (5,6,8 f.) war bei Tragödien Palastarchitektur, bei Komödien Straßenszenarien und bei Satyrspielen Landschaft als gemalte Kulisse notwendig, eine wohl in hell. Zeit erfolgte Typisierung. B. gab es neben der bemalten Holzbühne auch in Form von auswechselbaren Bildtafeln an drehbaren Ständern (Periakten) oder als bemalte Vorhänge zwischen den Türen oder Säulen der nun erhöhten, steinernen Bühnenwand. Das spätrepublikan.-röm. Holztheater übernimmt das griech. System; die ersten auswechselbaren Pinax-Prospekte ließ 99 v. Chr. Claudius Pulcher anfertigen (Plin. nat. 35,23). Ein Nachklang der griech., illusionistischen Architekturdekorationen findet sich in der röm.-campanischen → Wandmalerei des 2. Stils; die Art der Abhängigkeit ist jedoch umstritten [10].

1 H. BLUME, Einführung in das ant. Theaterwesen, 1991,
60–66 2 A. BROWN, Three and Scene-Painting Sophocles,
in: PCPhS 210, 1984, 1–17 3 L. GIGANTE, A Study of
Perspective from the Representations of Architectural
Forms in Greek Classical and Hellenistic Painting, 1987,
1–52 4 S. GOGOS, Bühnenarchitektur und ant. B., in: JÖAI
54, 1983, 59–86 5 H. KENNER, Zur Arch. des
Dionysostheaters in Athen, in: JÖAI 57, 1986/87, 55–91
6 S. MELCHINGER, Das Theater der Tragödie, 1974, 31–36,
162–164 7 A. POSCH, Skenographie und Parthenon, in: AK
37, 1994, 21–30 8 A. ROUVERET, Histoire et imaginaire de la
peinture ancienne, 1989, 65–123 9 I. SCHEIBLER, Griech.
Malerei der Ant., 1994, 149–152 10 R. TYBOUT,
Aedificiorum Figurae, 1989, 189–198.   N. H.

Bühnenmaschine s. Ekkyklema, s. Mechane

Bünde s. Staatenbünde

Bürgerrecht. Die in der griech.-röm. Ant. mit dem
modernen Begriff B. vergleichbaren Begriffe → *politeía*
(πολιτεία) und → *civitas* bezeichnen urspr. nicht ein in-
dividuelles Recht, sondern die Gesamtheit der Bürger,
die polit. Organisation der Bürgerschaft im Sinne einer
Verfassung oder eine autonome Gemeinde. Zum B. gelangte man in der Regel durch Geburt von Eltern mit B.
(→ *conubium*) oder Verleihung durch Beschluß der Gemeinde oder dazu autorisierter Personen, in Rom auch
durch privaten Freilassungsakt aus dem Sklavenstand
(→ *manumissio*). Die Zulassung zum B. wurde in Griechenland äußerst restriktiv, in Rom relativ freizügig behandelt. Die Zugehörigkeit zur Bürgerschaft sicherte
zwar den allg. Rechtsschutz, führte aber nicht zu den
gleichen polit. Rechten aller Bürger. Die volle Nutzung
des B. war nur den erwachsenen männlichen Personen
möglich, aber auch hier durch Alter und Vermögen,
Beruf und Herkunft eingeschränkt. Das ant. B. stellt
eine notwendige, aber keine ausreichende Bedingung
für eine gleichartige polit. Beteiligung aller Inhaber des
B. dar. Das B. ging verloren durch Tod, Aberkennung
aufgrund polit. oder krimineller Delikte (→ *capitis deminutio*) oder durch Annahme eines weiteren B., sofern
keine Vereinbarung zwischen den jeweiligen Gemeinden bestand (→ *isopoliteia*; *sympoliteia*).

Zu den Inhalten des B. und seiner histor. Entwicklung s. auch: Civis, Coloniae, Latinisches Recht, Origo,
Quirites, Polis, Polites.

→ BÜRGER

W. EDER, Who Rules? Power and Participation in Athens
and Rom, in: A. MOLHO, K. RAAFLAUB, J. EMLEN (Hrsg.),
City States in Classical Antiquity, 1991, 169–196 ·
D. WHITEHEAD, Norms of Citizenship in Ancient Greece,
ebd., 135–154.   W. ED.

Bürgle. Spätröm. Befestigung (0,16 ha) auf einer Ge-
ländekuppe am Fuß der Hochterrasse bei Gundrem-
mingen, evtl. Pinianis, Kastell der *cohors V Valeria Frygum*
(Not. dig. occ. 35,29) oder (nach Namensverlagerung
Febian(i)s) eines Teils der *equites stablesiani iuniores* (ebd.
35,15).

W. CZYSZ, B., in: Ders., K. DIETZ, TH. FISCHER, H.-J.
KELLNER (Hrsg.), Die Römer in Bayern, 1995, 430 f.

K. DI.

Bürgschaft A. ALTER ORIENT
B. GRIECHENLAND C. ROM

A. ALTER ORIENT

Als Mittel der Vertragssicherung ist die persönliche
(leibliche) Haftung durch einen Bürgen (vor allem
Fremd-B., seltener Selbst-B.) in den mesopotam. Keilschrifttexten von der Mitte des 3. Jt. v. Chr. [3. 253] bis
in hell. Zeit [4. 64–69] in unterschiedlicher Terminologie und in verschiedenen Formen bezeugt. Gängig
war die Gestellungs-B. (Versprechen des Bürgen zur
Gestellung des Schuldners an den Gläubiger zur Voll-
streckung). Bei der spätbabylon. (6.–4. Jh. v. Chr.) Still-
lesitz-B. haftete der Bürge für das Verbleiben des
Schuldners am Erfüllungsort. Von diesen Formen getrennt bzw. an sie anknüpfend gab es auch die Zah-
lungsgarantie. Bei Schuldnermehrheit hafteten die
Schuldner wechselseitig als Bürgen für die Gesamt-
schuld. Im Falle der Inanspruchnahme des Bürgen
konnte sich dieser im Regreß an den Schuldner halten
[5. 73–86; 4. 25–57]. Im 6. Jh. v. Chr. ist die Form der
Nach-B. bezeugt [6]. In Ägypten ist die B. erst E. des
3. Jh. v. Chr. in Texten nachzuweisen [9. 51 f.; 10. 160–
162].

→ Darlehen

1 P. KOSCHAKER, Babylon.-assyr. B.-Recht, 1911
2 J. KRECHER, in: ZA 63, 1973 3 U. LEWENTON, Stud. zur
keilschriftlichen Rechtspraxis Babyloniens in hell. Zeit,
1970 4 H. PETSCHOW, Ein neubabylon. B.-Regreß gegen
einen Nachlaß, in: Rev. d'histoire du droit 19, 1951
5 G. RIES, Zu Haftung und Rückgriff des Bürgen in
altbabylon. Zeit, in: ZA 71, 1981 6 M. SAN NICOLÒ, in:
SBAW, 1937/6 7 Ders., s. v. B., RLA 2, 77–80 8 H. SAUREN,
Zum B.-Recht in neusumer. Zeit, in: ZA 60, 1970, 70–87
9 E. SEIDL, Einführung in die ägypt. Rechtsgesch. bis zum
Ende des NR, 1957 10 Ders., Ptolemäische Rechtsgesch.,
²1962.   H. N.

B. GRIECHENLAND

Im griech. Recht war die B. (zu allen Einzelheiten
→ *engýē*) seit frühen Zeiten weit verbreitet, und zwar
ebenfalls sowohl zur Sicherung für vertragliche Ansprüche als auch in Gestalt der Gestellungsb., also im
Prozeß, und der Sicherheitsleistung für die Vollstrek-
kung.   G. S.

C. ROM

Auch hinsichtlich der B. bietet das röm. Recht das
differenzierteste Regelungsmuster aller ant. Rechte.
Die Prozeßbürgen (*vades* und *praedes*, dazu → *vadimo-
nium*) gewähren ursprünglich nicht für die Leistung des
Hauptschuldners Sicherheit, sondern dafür, daß sich die
Prozeßpartei zu einer bestimmten Zeit dem Gericht
stellt oder daß eine Sache dem Gericht vorgelegt wird
(Gestellungsb.). Später leistet die Partei selbst durch

→ *stipulatio* Sicherheit, und soweit hierfür Bürgen eintreten, richtet sich dies nach dem Modell der klass. B. für eine fremde Leistung. Das röm. Recht kennt drei rechtsgeschäftliche Formen der B. → *sponsio, fidepromissio* sowie die *fideiussio*. Der Bürge verspricht dabei jeweils dem Gläubiger in Stipulationsform, für die Verbindlichkeit eines Dritten (= des Hauptschuldners) einzustehen.

Gai. inst. 3,118 ff. hebt die Ähnlichkeit von *sponsio* und *fidepromissio* hervor: Beide dienen nur zur Sicherung von Verbalobligationen (→ *contractus*) und sind unvererblich. Während die *sponsio* lediglich röm. Bürgern zugänglich ist, steht die *fidepromissio* auch Peregrinen offen. Die *fideiussio* hingegen kann jede Art von Vertragsobligation sowie Naturalobligationen (→ *obligatio*, Gai. inst. 3,119a) sichern und ist vererblich. Sie ist die zeitlich jüngste, aber bereits im Prinzipat dominierende Form und wurde im justinianischen Recht als einzige anerkannt.

Im allg. besteht (zumindest bei der *fideiussio*) Akzessorietät, d. h. die Bürgenverpflichtung ist vom Bestehen einer gültigen Hauptschuld abhängig. So hat der Bürge die Einreden des Hauptschuldners (Marcian. Dig. 44,1,19) außer bestimmten personenbezogenen Einreden (vgl. Paul. Dig. 44,1,7 pr.).

Republikanische *leges* regeln den Fall, daß mehrere *sponsores* oder *fidepromissores* für dieselbe Schuld haften (Gai. inst. 3,121 ff.): Nach der *l. Apuleia* hat ein in Anspruch genommener Bürge einen anteiligen Rückgriffsanspruch gegen die Mitbürgen; nach der (etwas späteren und auf Italien beschränkten) *l. Furia de sponsu* darf der Gläubiger von mehreren Mitbürgen überhaupt nur jeweils anteilig fordern; eine *l. Cicereia* verpflichtet den Gläubiger, öffentlich bekanntzugeben, für welche Forderung er Bürgen aufnehme und wieviele. Für *fideiussores* hingegen sieht erst eine *epistula Hadriani* vor, daß sie im Außenverhältnis bloß anteilig haften.

Im Prinzipat steht es dem Gläubiger frei, entweder den Hauptschuldner oder den Bürgen in Anspruch zu nehmen; mit der Klageerhebung gegen einen von beiden kommt es aber zum Ausschluß der anderen. Justinian (Iust. Nov. 4,1) gibt dem Bürgen das Recht, den Gläubiger zuerst auf die Klage gegen den Hauptschuldner zu verweisen (*beneficium excussionis*); erst anschließend kann er den Bürgen verklagen (Solutionskonkurrenz).

Der in Anspruch genommene Bürge kann bei der *sponsio* mit einer *actio depensi* das *duplum* vom Hauptschuldner verlangen. Im übrigen hängt der Bürgenregreß vom jeweiligen Innenverhältnis zum Hauptschuldner ab: In Betracht kommen vor allem die *actio mandati contraria* (→ *mandatum*) und die *actio negotiorum gestorum contraria* (→ *gestio*) als Aufwandersatz. Eine weitere Regreßmöglichkeit besteht in der Abtretung der Klage (→ *cessio*) des Gläubigers an den Bürgen mittels Prozeßmandats. Ein allg. Recht des Bürgen, die Klageabtretung zu fordern (unröm. *beneficium cedendarum actionum*), findet sich bei Justinian (Iust. Nov. 4,1).

Bürgschaftsähnliche Geschäfte sind der Kreditauftrag (vgl. Ulp. Dig. 17,1,6,4) und das *constitutum debiti alieni*.

→ Intercessio (privatrechtlich); Mandatum; stipulatio; vadimonium; beneficium; exceptio

KASER, RPR I, 660–666; II, 457–461 · H. HONSELL, TH. MAYER-MALY, W. SELB, Röm. Recht, ⁴1987, 286–292 · W. FLUME, Rechtsakt und Rechtsverhältnis, 1990, 29–38 · R. ZIMMERMANN, The Law of Obligations, 1990, 114–145.
                                                      F.ME.

Bürokratie I. ALLGEMEIN
II. GRIECHENLAND III. ROM

I. ALLGEMEIN

Der Begriff B. entstammt nicht der ant. polit. Terminologie, sondern ist eine neuzeitliche frz.-griech. Hybridbildung (altfrz. »bure«, »burrel« aus lat. *burra*). B. meint, auch kritisch, spezifische Organisationsformen des modernen Staates [1]. Als »Idealtypus« im Sinne MAX WEBERS kann B. generell eine Sonderform legaler Herrschaft bezeichnen, deren Inhaber in der Verwaltung Funktionäre verwenden, die hauptberuflich, laufbahnartig und besoldet bestimmte sachliche, von der Privatsphäre getrennte Amtspflichten nach fester Kompetenzordnung, Amtshierarchie und Amtsdisziplin ausüben [2]. In der Ant. findet man gelegentlich Strukturen, die sich diesem Typus annähern, in der »modernen« B. sind einige Elemente aus ant. Verwaltungssystemen, vor allem des röm. Reichs, erhalten. Der Begriff weist in histor. Perspektive generell auf großräumige »Rationalisierungs- und Verrechtlichungsprozesse« in der Organisation von Staaten, aber auch von noch weit entwickelten Institutionen des Wirtschafts- und Gesellschaftslebens hin und deutet zugleich die eher »irrationalen« Phänomene von B. an, wie »informelle« Gruppenbildung und interne Verselbständigung von Interessen [2].

In der Ant. kann man dementsprechend zunächst dort Ansätze einer B. vermuten, wo Verwaltungs- und Herrschaftsaufgaben (bes. bei der Steuereintreibung, Rechtsprechung, Wirtschaftsorganisation) an stark spezialisierte Funktionäre (»Beamte«) delegiert werden. So weisen die vielfältigen Funktionen der »Schreiber« in Alt-Mesopotamien und Ägypten auf Ansätze von B. hin, die »legale Versachlichung« ihrer administrativen Arbeit fehlt jedoch hier ebenso wie bei den Wahlbeamten der griech. Polis und der röm. Republik oder bei der organisatorischen Zuarbeit für Amtsträger durch eigene Sklaven, Klienten oder privatvertraglich Verpflichtete.
                                                      C.G.

II. GRIECHENLAND

Da die griech. Welt aus eigenständigen kleinen Gemeinden bestand, die ihre Verwaltung so weit wie möglich einzelnen Bürgern oder Gremien von Bürgern – oft für die Dauer eines Jahres – anvertrauten, entstand in der griech. Welt kein Bedarf an einer entwickelten B. Doch mußte die Verwaltung (kontinuierlich) in Gang bleiben, Dokumente mußten entworfen und veröffentlicht, Listen geführt und Akten bereitgestellt werden, so daß sich gewisse spezialisierte Tätigkeiten entwickeln konnten.

Athen ist, wie meist, die Gemeinde, über die wir am besten informiert sind. Hier wurden Inventare der Tempelschätze und Werften erstellt, Verträge über Steuereinziehung und die Verpachtung von Grundstükken und Minen entworfen und Verzeichnisse von Verordnungen und Gerichtsurteilen geführt. Einige öffentliche Sklaven (→ dēmósioi) wurden bei der Aktenführung verwendet und als Gehilfen bei der Durchführung der umständlichen Gerichtsverfahren eingesetzt (Ps.-Aristot. Ath. pol. 47, 5–48,1; 63–65; 69,1). In einer Inschr. (IG II² 120) wird ein namentlich genannter Sklave beauftragt, ein Verzeichnis der Bestände der Arsenale anzufertigen, die öffentlichen Sekretäre sollen dieses Verzeichnis bestätigen. Athen verfügte über eine Anzahl von Sekretären in höheren und niederen Rängen (→ grammateís); diese Tätigkeiten entwickelten sich im Laufe der Zeit weniger zu Magistraturen, die jeder polit. interessierte Bürger wahrnehmen konnte, sondern eher zu speziellen Posten für Leute mit entsprechenden Interessen und Fähigkeiten. Die meisten dieser Positionen wurden nur für ein Jahr besetzt; da es aber mehrere Posten dieser Art gab, bot sich für Einzelne die Möglichkeit, verschiedene über Jahre hinweg zu bekleiden.

A. BOECKH, Die Staatshaushaltung der Athener, 2 Bde., ³1886   P. J. R.

III. ROM

In der röm. Republik enthält der Typus des »Unterbeamten« Elemente der B. Unterbeamte sind kraft Gesetzes oder Rechtsherkommens zum einen die gesetzlich einem Magistrat mit *imperium* zugeordneten *potestates minores* (→ *quaestores*; → *aediles*), zum anderen die »Subalternbeamten« (→ *apparitores*) wie etwa die → *lictores* der röm. Magistrate. Ihre »dienenden« Aufgaben sind rechtlich festgelegt und vom Magistrat zu berücksichtigen. Der Typus ist nicht immer klar von der persönlichen Dienerschaft des Magistrats abgrenzbar. Aber anders als der δοῦλος/*servus* eines Amtsinhabers kommt der »Unterbeamte« mit seinem rechtlich vorgesehenen, amtlich sachlichen Rahmen und seiner »hauptberuflichen«, besoldeten Arbeit innerhalb eines Kompetenzrahmens einzelnen Elementen der B. am nächsten.

In der röm. Kaiserzeit bilden sich Verwaltungsstäbe am kaiserlichen Hof und bei Zivil- und Militärverwaltern heraus, die darüber hinausgehen und dabei dem administrativen Vorbild hell. Monarchien, etwa Ägyptens, folgen. Aufgrund der genauen Kompetenzverteilungen, der Karriere-, Matrikel- und Besoldungsordnungen dürfen sie als ant. B.-Typus gelten. Die Bezeichnung *militia* läßt auf mil. Muster schließen. Diese B. zeigt mit ihren zum Teil legalen Formen des Ämterkaufs, der Ämterpacht und -patronage auch patrimoniale Aspekte und verbindet sich mit einer ausgeprägten »strukturellen Korruption«. Doch weist deren Rechts-

widrigkeit zugleich auf ein bewußtes und auch gegenläufig praktiziertes Prinzip ant. rechtsstaatlicher Staatsrationalität hin. In der Kaiserzeit wird diese Tendenz nicht nur im *militia*-System der »Offizialen« sondern auch bei hohen kaiserlichen Verwaltungs-Mandataren (Legaten, Praefekten und Prokuratoren) deutlich. Damit wandelt sich ein »republikanisches«, aber stark aristokratisch-dynastisch geprägtes Wahlbeamtentum in ein hohes Reichsbeamtentum, das weisungsgebunden, besoldet, in seiner Karriere auf kaiserliche »Berufung« (nicht auf Konkurrenz im *cursus honorum*) eingestellt und z.T. auch fachlich (nicht nur ständisch) qualifiziert ist. Eidesformeln und Pflichtenkataloge lassen neben persönlicher Loyalität gegenüber dem Kaiserhaus – vor allem die Verpflichtung auf Staatswohl, Recht und Gerechtigkeit und die exakte Erledigung der Amtsaufgaben erkennen (leg. nov. 17 De mandatis principum; leg. nov. 8, app. iusiurandum). Das in den spätant. Rechtskodifikationen gut erhellte System des hohen Reichsbeamtentums wie des kaiserlichen »Subalternbeamtentums« ist der Beitrag des ant. Beamtenwesen zu einer modernen B.

→ Amt, Magistratus

1 M. WEBER, Wirtschaft und Ges., ⁵1972, 126ff.
2 K. MARX, Zur Kritik der Hegelschen Rechtsphilosophie, in: MARX-ENGELS, Gesamtausgabe 1,2, 1982, 18ff.
3 R. KÖNIG, s. v. Bürokratisierung, Fischer-Lex. Soziologie, 46ff.

CARNEY, 1ff. · V. EHRENBERG, The Greek State, 1960, 69, 188ff. · HÖLBL, 57ff. · A. H. M. JONES, How did the Athenian Democracy work, in: F. GSCHNITZER (Hrsg.), Zur Griech. Staatskunde, 1969, 219ff. · MOMMSEN, Staatsrecht 1, 221ff., 320ff. · NOETHLICHS, 3–55 · W. v. SODEN, Einführung in die Altorientalistik, 1985, 65ff.   C. G.

Büste, Büstenformen. Seit der Renaissance bezeichnet B. (von it. *busto*) ein rundplastisches Menschenbild, das sich auf Kopf und Brust beschränkt (→ Porträt). Ein ant. t.t. liegt nicht vor, da es sich überwiegend um Porträts (*imagines*) handelte. → Bustum heißt hingegen der Grabplatz, zu dessen Markierung in ital. Kulturen ein → Cippus oder eine Stele mit angedeuteter Kopfform dient, woraus vereinzelt schon im 6., häufiger im 4.–3. Jh. v. Chr. ein rudimentäres Porträt auf Pfeiler entwickelt wird. Daneben sind von Etrurien bis Sizilien einfache und Schulter-B. aus Terrakotta ab dem 7. Jh. v. Chr. als Grabdenkmäler und Votive in großer Zahl erh., die z.T. als Reduktionen der Halbfigur zu gelten haben, wie sie auch aus verschiedenen Nachbarkulturen bekannt sind.

In Rom wurde die B. ab der späten Republik als Nachfolger der *imagines maiorum* entwickelt und beschränkt sich zunächst auf den Halsausschnitt mit Standfläche. Fortan durchläuft die röm. Porträt-B. eine Formentwicklung, die sie als Datierungshilfe in der Porträtforschung unentbehrlich macht. Während am Übergang zur Kaiserzeit die B. nur knapp unter die Schlüsselbeine reicht, wird in iulisch-claudischer Zeit der Ausschnitt nach unten in weiterem Bogen oder Lyra-Form geführt. Die flavische B. umfaßt bereits die Schulterkugeln, führt in ausgezogener Spitze nach unten und wird mit flacher Gewand- oder Panzerwiedergabe bedeckt. Ab Traian nimmt sie im Umriß auf die Körperformen Rücksicht und gibt schließlich den plastisch gebildeten Oberkörper mit Brustmuskeln und Oberarmansätzen wieder. Dazu treten jetzt als Accessoires das schräge Schwertband und Gewandfibeln. Die zunehmende Größe erfordert die Ausformung einer Basis, im 1. Jh. n. Chr. noch als einfache Trommel. Unter Hadrian lösen sich die Oberarmansätze vom Körper und die häufigste Form wird die Panzerbüste mit → *paludamentum*. Antoninische B. erreichen in der Körperwiedergabe die Bauchpartie und in der berühmten B. des Commodus als Herakles (Rom, KM) den ganzen Oberkörper mit vollständigen Armen. Als Sockel wird die att. Basis üblich, dazwischen wird ein Indextäfelchen eingefügt. Anstelle von nackten B. überwiegen nun reich ausgestaltete Gewanddrapierungen und Panzer. Anfang des 3. Jh. n. Chr. erscheint auch an B. die modische *toga contabulata* (→ Toga). Die Formate der Ausschnitte gehen im 3. Jh. n. Chr. wieder etwas zurück; auch ältere Typen werden wieder aufgegriffen.

Schon ab antoninischer Zeit wurden für Gewänder Buntmarmore verwendet, in welche Porträtköpfe eingesetzt wurden. Als Träger der B. kann auch ein Blätterkelch fungieren. Die B. aus Br. oder Edelmetall ist meist klein und trägt Porträts griech. Denker. Als Gewichte werden Miniatur-B. verwendet. Sonderformen sind auf Medaillons applizierte B. der Kleinkunst und der auf Rundschilden angebrachte → *clipeus*. In diesen Formen war die B. bereits im hell. Griechenland bekannt, selten aber für Porträts benutzt worden. In der Kaiserzeit wird die freistehende Marmor-B. nur ausnahmsweise für Götterbilder eingesetzt, meist für → Sarapis. Zu B. reduzierte Kopien von Meisterwerken sind ansonsten neuzeitlich zugeschnitten. Die B. eignet sich zur Aufreihung in Galerien und findet sich daher bereits an den Kastengrabsteinen des 1. Jh. v. Chr. als Reproduktion realer Familiengruppen im → *atrium* und an Grabbauten (Haterier-Reliefs).

B. BARR-SHARRAR, The Hellenistic and Early Imperial Decorative Bust, 1987 · FITTSCHEN/ZANKER, *passim* · H. JUCKER, Das Bildnis im Blätterkelch, 1961 · M. F. KILMER, The Shoulder Bust in Sicily and South and Central Italy, 1977 · G. LIPPOLD, Kopien und Umbildungen griech. Statuen, 1923, 162–163 · V. SCRINARI, s. v. busto, EAA 2, 227–232. R. N.

Bugenes (Βουγενής). Unter diesem Namen, der auf die Vorstellung von → Dionysos als einem »Kuhgeborenen« hinweist, wurde der Gott von den Argivern unter Trompetenstößen vom Alkyonischen See bei Lerna (Paus. 2,37,5 f.) ausgerufen. Dabei versenkten sie ein Lamm für den Türhüter Pylaochos. Plutarchs Bericht (Is. 35 p. 364 f.) stützt sich auf Sokrates von Argos.

G. CASADIO, Storia del culto di Dioniso in Argolide, 1994, 223–251. R. B.

Bukephala (Ἀλεξάνδρεια Βουκέφαλα). Stadt am rechten Ufer des Hydaspes (h. Jhelum), von Alexander [4] d. Gr. an der Stelle der Porosschlacht (→ Poros) gegr. und nach seinem Streitroß → Bukephalos benannt (Arr. an. 5,19,4; Curt.). Noch in der frühen Kaiserzeit bekannt (Plin. nat.; peripl. m. r.; Ptol.). Nach LAMOTTE als Bhadāśva in der buddhistischen Lit. erwähnt [1]. Die genaue Lage ist umstritten.

1 É. LAMOTTE, Alexandre et le bouddhisme, in: Bull. de l'École Française d'Extrême-Orient 44, 1947–50, 147–162. K. K.

Bukephalos, Bukephalas (Βουκεφάλας). Thessalisches Streitroß, das → Alexandros [4] als Knabe zum Geschenk bekam und angeblich als einziger zuzureiten vermochte. Er ritt nie ein anderes und es ist mit ihm auf dem → Alexandermosaik und am → Alexandersarkophag heroisch dargestellt. B. starb in hohem Alter nach der Schlacht am Hydaspes und Alexandros gründete ihm zu Ehren eine Stadt, → Bukephala. In der »Vulgata« (→ Alexanderhistoriker) und im → Alexanderroman werden das Leben und der Tod von B. reichlich ausgeschmückt.

A. R. ANDERSON, Bucephalas and his Legend, in: AJPh 51, 1930, 1–21 (mit allen Quellen, auch für den Roman, in engl. Übers.). E. B.

Bukolik I. GRIECHISCH II. LATEINISCH

I. GRIECHISCH

A. GATTUNG B. DIE AMOENITAS DER LÄNDLICHEN UMGEBUNG C. DAS LEBEN DES HIRTEN D. DER VOLKSTÜMLICHE URSPRUNG DER BUKOLIK E. DIE BEDEUTUNG DES BEGRIFFES BUKOLIKÁ F. NACHWIRKUNG DER GRIECHISCHEN BUKOLIK

A. GATTUNG

Die eigentliche griech. bukolische Dichtung (»eigentliche« verglichen mit ihrer späteren Entwicklung im Lat., s. u., und bei → Longos, 2. Jh. n. Chr.) besteht aus den Eidyllien (=Eid.) 1, 3 bis 7 und 11 von → Theokritos, 3. Jh. v. Chr. (Eid. 10 ist ähnlich, jedoch eher landwirtschaftlich-hesiodeisch als pastoral), und aus einigen anderen Gedichten des *Corpus Theocriteum* (Eid. 8; 9; 20; 27). Letztere sind wahrscheinlich Pseudepigraphen und können der Epoche zwischem dem Ende des 3. und des 2. Jh. zugeschrieben werden. Alle bis auf Eid. [8],33–60 (elegische Disticha) sind in Hexametern mit einer mehr oder weniger markierten dor. Sprachfärbung verfaßt, die meisten in Dialogform (monologisch sind 3 und 11). Sowohl die Hirtengedichte Theokrits als auch die erwähnten Pseudoepigraphe, die in ländlicher Umgebung angesiedelt werden und (Kuh-) Hirten als Protagonisten haben, sind nur eine bestimmte Variation der »Mimen« des Corpus, die sonst auch in städtischer (Eid. 15) oder in unbestimmter Umgebung (Eid. 2;14) spielen oder Fischer als Protagonisten haben (Eid. [21]). Die Hirtengedichte unterliegen also dem weiter gefaßten Vorhaben, das Leben der niederen Bevölkerung zur Dichtung zu erheben (→ Leonidas von Tarent); aus der Tradition des sizilianischen Volksmimos jedoch schöpfte das Vorhaben wahrscheinlich zusätzlich »Echtheit«. Die Merkmale, die die pastoralen von den anderen theokriteischen Mimoi unterscheiden, können auf die lit. Stilisierung einiger vorher schon existierender, tendenziell primitivistischer kultureller *patterns* zurückgeführt werden.

B. DIE AMOENITAS DER LÄNDLICHEN UMGEBUNG
Bereits ein großer Teil der homer. Gleichnisse konzentrierte sich auf die bukolische Welt, und auch die Epigramme der → Anyte weisen schon eine sehr starke Vorliebe für die Landschaftsbeschreibung auf. Bei Theokrit findet sich der einzige große *locus amoenus* in Eid. 7,131–146 (eine Parallele dazu ist Plat. Phaidr. 230b–d; die geheimnisvolle Übereinstimmung von Natur und Ereignissen in der menschlichen Welt behandeln z.B. Ibykos PMGF 286 und Soph. Phil. 1453–68). Die Hirtendichtung institutionalisiert die Landschaft als Szenerie (auch wenn meist nur in Andeutung: z.B. Eid. 1,12–14; 5,31–34), deren Friedlichkeit frei von Elementen wie wilden Tieren und unwegsamen Orten ist, die das Bild ins Wanken bringen könnten. Lediglich in Eid. 1 und 11 hebt die Mischung von Haustieren und wilden Tieren die myth. Außergewöhnlichkeit und die Dramatik der Daphnisgeschichte (Eid. 1) bzw. die parodistische Umkehrung des »guten Hirten« in der Figur des verliebten Polyphem (Eid. 11) hervor. Die Landschaft fungiert also als Voraussetzung und gleichzeitig Garantie der ἀσυχία (*asychía*) der Hirten, damit implizit auch für ihre Offenheit für Gefühle und für den Liebesgesang (vgl. Theophr. fr. 114 WIMMER), und zwar nach demselben Analogieprinzip, aufgrund dessen sich Realität und Aktivität der Hirtenwelt in der Naturwelt widerspiegeln (vgl. z.B. Theokr. Eid. 1,1–3; [9],31f.). Eine idealisierte, utopische Lokalisierung wie das Arkadien Vergils oder die Insel Lesbos des Longos gibt es jedoch noch nicht: Eid. 1 spielt in der Umgebung des Ätna (im Widerspruch hierzu jedoch 5,147), 11 in Sizilien, 4 in der Umgebung von Kroton (5,31 ist jedoch hierzu im Widerspruch), 5 in der Umgebung von Sybaris, 7 auf Kos. Den Extremfall von Einklang zw. Hirten und Landschaft stellt die *pathetic fallacy* dar, die der Natur menschliche Reaktionen und Gefühle zuschreibt. Theokrit verwendet sie ein einziges Mal in 1,132–136, um auf extreme, fast paradoxe Weise die Traurigkeit des Daphnisschicksals anzuzeigen. In der vorangehenden griech. Dichtung ist ihre Verwendung nicht sicher, vgl. jedoch Aischyl. Sept. 900f., Soph. Oid. T. 420ff., Eur. Tro. 825f.; vielleicht ist sie von Verhaltensmustern des oriental. Trauerkultes abzuleiten. Die Daphnisgesch. enthält weiterhin Parallelen zum Tod von *páredroi* mitteloriental. weiblicher Gottheiten, und → Bion [3]

(Epitaphios Adonidos 31–36) greift die *pathetic fallacy* in der gleichen Funktion für den Tod des Adonis, einer weiteren bekannten *páredros*-Figur, wieder auf. In Theokr. Eid. [8],37–52 wird sie hingegen zur banalen Geste in einem völlig friedlichen Gesang (obwohl immer noch Daphnis spricht!).

C. DAS LEBEN DES HIRTEN
Die Arbeit des Hirten, die eher eine beständige Anwesenheit als einen ermüdenden Einsatz forderte (die Gegenüberstellung von Hirte und verrohtem Fischer ist deutlich in Theokr. 1,39–54, vgl. auch [12]), soll viel Zeit für Vergnügungen gelassen haben: seit Homer hat die Dichtung darunter den Gesang und das Spiel der σῦριγξ (*sýrinx*) hervorgehoben (Hom. Il. 18,525f.; dann z.B. Soph. Phil. 212f.). Außerdem brachte eine solche Arbeit eine länger andauernde Isolation der Hirten an unbewohnten Orten mit sich, die nach städtischer Vorstellung mit der Möglichkeit verbunden waren, göttl. Wesen zu begegnen (vgl. Theokr. 1,15–18) und in Dichtung und Wissen göttl. inspiriert zu werden (Beispiele: Hesiod und Epimenides). Die Hirten selbst wurden in dieser Vorstellung mit einer Natürlichkeit und Ehrlichkeit ausgestattet, die das Spektrum ihrer Perspektiven (vgl. besonders [Eur.] Rhes. 266ff.) auf einige Primärinteressen beschränkt, unter denen in der Dichtung – wie vorherzusehen – die Liebe bevorzugt wird. Die lit. Stilisierung dieser kulturellen *patterns* ist bes. offensichtlich, wenn die Hirtendichtung auf sich selbst verweist: βουκολιάσδομαι (5,44 und 60; 7,36; [9],1 und 5) bedeutet nicht, wie wir erwarten würden, »ich bin Hirte«, sondern »ich singe bukolische Lieder«. Ebenso βουκολιαστάς in 5,68; auch βουκολικός ist immer ἀοιδά, »Gesang«, 7,49, oder Μοῖσα »Muse«, 1,20 etc., zugeordnet. Reste der »Effekte« des Realen werden vor allem in den echten Gedichten von Theokrit bewahrt: Vor oder nach dem Gesang verrichten die Hirten auch ihre Aufgaben als solche, vgl. Eid. 1,14 und 151f.; 3,3–5; 5,141–150 (hier erinnert die Erwähnung des Melanthios jedoch an die lit. Dimension); 11,12f.; außerdem Eid. [9],3–5.

D. DER VOLKSTÜMLICHE URSPRUNG DER BUKOLIK
Zahlreiche weitere Merkmale verraten einen volkstümlichen Ursprung oder täuschen ihn zumindest vor, wie die Verweise auf den improvisierten Gesang, die echt wirkendenden Realien des pastoralen Lebens, Refrains, Sprichwörter, vor allem aber der βουκολιασμός (*buikoliasmós*). Diese volkspoetische Gattung der »Herausforderung« zum Gesang auf Rede und Gegenrede ist in verschiedenen Hirtenkulturen belegt. Sie wurde von einem Schiedsrichter geregelt und mit einem Siegespreis beschlossen. Nach diesem Muster scheinen Eid. 5 und Eid. [8] gebildet zu sein, doch die Gegenüberstellung der beiden Gesänge ist, wenn auch nicht in Form von Rede/Gegenrede und ohne Schiedsrichter und Sieger, das Schema, das auch Eid. 6, 7 und Eid. [9] sowie dem landwirtschaftlichen *mímos* 10 zugrunde liegt. In Eid. [26] findet diese Gegenüberstellung

eine Variante ebenfalls folkloristischen Ursprungs: der »Wettstreit« zwischen zwei verliebten Hirten ist Vorläufer der mittelalterlichen Pastourelles in *langue d'oil*, der kastilianischen *Serranillas* und der italienischen *Pastorelle*. Der solistische, aber mit einem Siegespreis belohnte Gesang nimmt zwei Drittel von 1 ein (ohne Preis ist er gleichfalls Thema in 11 und 3), die *syrinx* des Aigon und der Gesang des Komatas bilden den Kern von 4. Der lit. Eingriff Theokrits besteht damit nicht so sehr darin, die vorhandenen Strukturen eindeutig zu bearbeiten, sondern vielmehr darin, wie er die Themen auswählt und welche Bedeutung er der Liebe beimißt: In den Mimoi, die realistischen Details einen größeren Raum zugestehen (4; 5; [9]; 10), ist die Liebe nur eines von vielen Dialogthemen; im Gegensatz dazu ist sie in 1, 3, 6, 7, 11, [20], [27], in denen auch die Umgebung idealisierter erscheint, mehr oder weniger ausschließliches Thema. Weiterhin waren auch schon die Hirten als Protagonisten der früheren Dichtung oft Liebesdichter: Stesichoros (PMGF 279); Alexandros Aitolos (TrGF I, 101 F2); Sositheos (TrGF I, 99 F1a–3) → Daphnis; Hermesianax (fr. 2f. CollAlex)→ Eriphanides und Menalkas; vgl. auch Lykophronides (PMG 844).

E. DIE BEDEUTUNG DES BEGRIFFS BUKOLIKÁ

In der Ant. suchten viele den Ursprung der Hirtendichtung weniger bei diesen einzelnen lit. Vorläufern (nur Ail. var. 10,18 erklärt Stesichoros zum Erfinder der bukolischen Dichtung, vielleicht von Daphnis, dem ersten bukolischen Thema, abgeleitet, vgl. Diod. 4,84) als vielmehr in den ländlichen Kulten der Artemis Karyatis oder Phakelitis (diese Theorie ist evtl. peripatetischen Ursprungs, entstanden in Analogie zur Theorie über den Ursprung von Tragödie und Komödie). Das Unbehagen, das der Theorie entgegengebracht wurde, die einer ästhetisch raffinierten Dichtung einen Volksursprung zuweist, und die doppelte Lektüreebene, zu der sich Eid. 7 zweifellos anbietet, führten zu den modernen Theorien der »bukolischen Maskerade«. Nach einer Theorie von R. REITZENSTEIN soll die pastorale Umgebung eine symbolische Bedeutung gehabt haben. Ihre Protagonisten seien Pseudonyme (wie sicherlich Sikelidas für Asklepiades steht, Eid. 7,40) für die Mitglieder eines poetischen, der Artemis oder Dionysos geweihten θίασος (*thíasos*) gewesen, der sich um Philetas von Kos scharte (vgl. Eid. 7,40f.; Philetas ist auch der Name des alten Hirten, des Liebeslehrers bei Longos – der Dionysoskult spielt bei Longos sicherlich eine sehr wichtige Rolle).

Die Unschärfe des ant. Begriffs »bukolisch« dagegen – der späte Bukolikerkanon zählte zu Theokrit noch Moschos und Bion dazu, die vor allem in der Tradition der theokriteischen Epylliendichtung stehen und eine nicht mehr als vage Vorliebe für die Landschaftsbeschreibung haben – führte in moderner Zeit bei vielen zu der Behauptung, daß die bukolischen *mimoi* Theokrits keiner autonomen und beabsichtigten Poetik entsprächen: βουκολικά (*Bukoliká*) sei der Titel, den Theokrit selbst seinen Gedichten (sowohl den *mimoi* als

auch den Epyllien) als gemeinsamer Unterart der hexametrischen Dichtung gegeben habe, und zwar vor allem als scharfe Gegenüberstellung zur hom. Epik (D. M. HALPERIN [10]). Einerseits habe er von der Warte einer »distanzierten Ironie« herab sowohl von den Heroen des Mythos als auch dem Leben der einfachen Bevölkerung erzählen wollen; eine solche Art von Ironie sei von den Lesern der folgenden Generationen nicht mehr verstanden worden und habe somit Raum für die idealisierte B. im Lat. und bei Longos (B. EFFE) geschaffen. Andererseits kann man natürlich annehmen, daß diese begriffliche Unschärfe eher auf die Überlieferung zurückgeht und *Bukoliká* der Titel ist, den einer der ersten Editoren nach dem Titel des ersten Gedichtes für alle Werke Theokrits geprägt hat. In den Papyri und in zweien der drei Zweige der Hss.-Überlieferung erscheinen die jetzigen Gedichte Eid. 1 und 3–13 nämlich trotz variabler innerer Anordnung immer am Anfang; nur in der vatikanischen Codexfamilie ist Eid. 2 an seinem aktuellen Platz.

F. NACHWIRKUNG DER GRIECHISCHEN BUKOLIK

Der Erfolg der Hirtendichtung in Humanismus und Renaissance gründet sich auf der arkadischen Version von Vergil und Longos. Auch die folgende theoretische Reflexion (beginnend mit J. C. SCALIGER, R. RAPIN) sieht in Theokrit vor allem den Prototyp der vergilianischen B., das treue Zeugnis seines primitiven Ursprungs, das wegen seiner Natürlichkeit gewürdigt wird.

→ BUKOLIK; IDYLLE

1 B. EFFE (Hrsg.), Theokrit und die griech. B., 1986 (mit ausführlicher Bibliogr.) 2 Ders., G. BINDER, Die ant. B., 1989 3 J. GRIFFIN, Theocritus, the Iliad and the East, in: AJPh 113, 1992, 188–211 4 K. J. GUTZWILLER, Theocritus' Pastoral Analogies, 1991 5 R. MERKELBACH, Die Hirten des Dionysos, 1988 6 R. R. NAUTA, Gattungsgesch. als Rezeptionsgesch. am Beispiel der Entstehung der B., in: A&A 36, 1990, 116–137 7 R. PRETAGOSTINI, Tracce di poesia orale nei carmi di Teocrito, in: Aevum Antiquum 5, 1992, 67–87 8 TH. REINHARDT, Darstellung der Bereiche Stadt und Land bei Theokrit, 1988 9 E. A. SCHMIDT, Bukolische Leidenschaft, 1987. 10 D. M. HALPERIN, Before Pastoral. Theocritus and the Ancient Tradition of Bucolic Poetry.

1 B. EFFE (Hrsg.), Theokrit und die griech. B., 1986 (mit ausführlicher Bibliogr.) 2 B. EFFE, G. BINDER, Die ant. B., 1989 3 J. GRIFFIN, Theocritus, the Iliad and the East, in: AJPh 113, 1992, 188–211 4 K. J. GUTZWILLER, Theocritus' Pastoral Analogies, 1991 5 R. MERKELBACH, Die Hirten des Dionysos, 1988 6 R. R. NAUTA, Gattungsgesch. als Rezeptionsgesch. am Beispiel der Entstehung der B., in: A&A 36, 1990, 116–137 7 R. PRETAGOSTINI, Tracce di poesia orale nei carmi di Teocrito, in: Aevum Antiquum 5, 1992, 67–87 8 TH. REINHARDT, Darstellung der Bereiche Stadt und Land bei Theokrit, 1988 9 E. A. SCHMIDT, Bukolische Leidenschaft, 1987. 10 D. M. HALPERIN, Before Pastoral. Theocritus and the Ancient Tradition of Bucolic Poetry. M. FA. / M.-A. S.

II. Lateinisch
A. Vergil B. Nachvergilische lateinische
Bukolik C. Christliche Bukolik
D. Schäferdichtung

A. Vergil

Das erste Werk der lat. B. sind die 10 Eklogen des P. Vergilius Maro (V.), die im wesentlichen 42–39 v. Chr. entstanden sind (zur Spätdatierung einiger Gedichte [1. 197–243]). Mit dieser Sammlung knüpft V. über die Zahl der Gedichte hinaus vielleicht auch in ihrer Anordnung [vgl. 2] an die ihm vorliegende Sammlung der Hirtengedichte → Theokrits an, die die Leistung → Artemidors sein dürfte (vgl. sein Epigramm Anth. Pal. 9,205). An die βουκολικαὶ Μοῖσαι (Bukolikaì Moísai) (ebd. 1) klingt der wohl auf V. selbst zurückgehende Titel Bucolica an (zum Titel [3. 136⁸⁸; 4. XX]). Programmatisch beruft sich V. auf die sizilischen Musen Theokrits (ecl. 4,1; vgl. 6,1 f.), unverkennbar ist aber über die im Corpus Theocriteum enthaltenen unechten Gedichte 8 und 9 hinaus der Einfluß nicht nur der nachtheokritischen griech. B., sondern auch der hell. Dichtung insgesamt [5].

Als gattungsbestimmende Kennzeichen der B. V.' können gelten: 1. Ihr Versmaß ist der daktylische Hexameter, für V. in einem noch strikteren Sinn als für die griech. B. (vgl. ecl. 7 gegenüber [Theokr.] 8). 2. Wie Theokrit ist auch V., in der Tradition der Neoteriker, dem kallimacheischen Stilideal, seiner λεπτότης (leptótēs), verpflichtet, seine Dichtung ist ludus, »Spiel« (ecl. 7,17, vgl. 1,10, 6,1), sie ist tenuis oder ein deductum carmen (ecl. 1,2. 10; 6,1. 8; 6,4 f.; vgl. auch 3,84; 4,2). Damit hängt auch die relative Kürze der Gedichte zusammen, die ein bestimmtes Maß nicht übersteigt (vgl. das Sättigungsmotiv ecl. 3,111; 10,77). 3. Gegenstand und Thema der vergilischen B. sind singende Hirten und ihre Lieder. Die Hirten werden entweder im Dialog, und hier besonders im musischen Agon, oder als einsam Klagende in unglücklicher Liebe dargestellt (ecl. 2, vgl. 10, und das agonale Element aufnehmend in 8). Wesentlich ist die Erfahrung unglücklicher Liebe und der Versuch, diese zu bewältigen; die Möglichkeit erfüllter Liebe scheint allenfalls am Ende von 8 auf. Die Auseinandersetzung mit Theokrit bleibt für die gesamte Sammlung bestimmend: Theokritnahe Gedichte stehen neben solchen, die sich vom Vorbild sehr weit entfernen, ohne daß hier eine lineare Entwicklung zu beobachten wäre. In gattungsgesch. Hinsicht interessant ist vor allem ecl. 8, da V. mit Theokr. 2 einen städtischen Mimus als Lied eines Hirten in die B. integriert. V. setzt andere Akzente: Im Vergleich zu den mimisch-realistisch gezeichneten, genrehaft wirkenden Figuren Theokrits sind seine Hirten in höherem Maße idealisiert, andererseits ist die Hirtenwelt V.' auch von der lit. Gegenwart (der Elegiker Cornelius Gallus in ecl. 6; 10) wie auch vor allem von der histor.-polit. Gegenwartserfahrung des Dichters bestimmt, eine Dimension, die bei Theokrit völlig fehlt: ecl. 9: Landenteignungen in Oberitalien im Jahr

40; ecl. 4: Erwartung eines Heilsbringers (zu diesem Gedicht [6. 328–341]). Wenngleich V. die sizilischen Musen Theokrits anruft, sind seine Gedichte in Oberitalien oder später auch Arkadien angesiedelt (ecl. 4, 7, 8 und 10), das Land der Hirten in der späteren Schäferdichtung. Das Arkadien-Problem, insbes. die Frage nach der Bedeutung Arkadiens für V. [7], beherrscht weiterhin die Diskussion (kritisch zu [7]: [8. 172–185; 1. 239–264]).

B. Nachvergilische lateinische Bukolik

V. hat mit seinen Eklogen durch die eigentümliche Einbeziehung der polit. Gegenwart in die Welt der Dichtung ein Gebilde geschaffen, auf das sich nicht nur die gesamte nachvergil. lat. B., sondern auch die Schäferdichtung späterer Zeit stets bezog. Eine erste Blüte erlebte die B. offenbar in Neronischer Zeit: Das kunstvoll arrangierte Eklogenbuch des Calpurnius Siculus (Datierung in die Zeit des Alexander Severus bei [10; 11]) enthält neben vier traditionellen b. Gedichten, in denen auch das Bemühen um die Erschließung neuer Bereiche für die B. erkennbar wird (z. B. Figur des dominus horti im Agon in ecl. 2, erotischer Brief in 3), an zentraler Stelle drei Gedichte (1, 4 und 7), in denen der Dichter in Anknüpfung an Verg. ecl. 4 die B. in den Dienst der Herrscherpanegyrik (→ Panegyrik) stellt. Wie fragwürdig die poetische Konstruktion damit wird, zeigt sich vor allem in ecl. 7. Auch in den beiden derselben Zeit angehörenden → Einsiedlergedichten mündet der Hirtendialog in einen Preis der Herrschaft Neros und der unter ihm angebrochenen Goldenen Zeit. Eine Wiederbelebung der B. erfolgt um 300 (auffällig b. Motive auch in den Sarkophagkunst): M. Aurelius Nemesianus aus Karthago steht wieder in einer größeren Nähe zu V. Hymnische Gedichte (auf den verstorbenen Hirten Meliboeus [ecl. 1] und – neu in der B. – auf Dionysos [ecl. 3]) alternieren mit Liebesgedichten, in denen an die Stelle der Einsamkeit des Liebenden die das Leid lindernde Gemeinschaft der unglücklich Verliebten gesetzt wird. Panegyrisch präsentiert sich die B. wiederum in der Eklogensammlung des Modoinus in karolingischer Zeit (mit einem an Karl d. Gr. gerichteten Prolog und Epilog).

C. Christliche Bukolik

Eine Christianisierung der B. läßt sich um 400 beobachten: → Endelechius läßt in seinem in Asklepiadeen verfaßten Gedicht De mortibus boum in Anlehnung an die Pestbeschreibung in Verg. georg. 3 und vor allem an Verg. ecl. 1 einen Tityrus Christianus seinen Hirtenkollegen die Heil bringende christl. Botschaft verkünden. Fast einen Vergil → Cento stellt das Gedicht eines Pomponius dar, in dem Tityrus über Fragen des christl. Glaubens Auskunft gibt (Anth. Lat. 719a). B. Motive finden sich auch in den Natalicia des → Paulinus von Nola.

D. Schäferdichtung

Eine neue Tradition lateinischer B. setzt 1320 mit den Eklogen Dantes im Briefwechsel mit Giovanni del Virgilio ein und wird von Petrarca aufgegriffen [vgl. 12].

Danach weitet sich die Hirtendichtung zu Großformen wie dem Schäferroman (erstmals SANNAZARO *Arcadia*) und Schäferdrama (TASSO *Aminta*) und breitet sich in dieser Form in den verschiedenen europäischen Nationallit. aus.

→ Vergil; Calpurnius Siculus; Nemesianus

ED.: D. KORZENIEWSKI, Hirtengedichte aus neronischer Zeit, 1971 • Ders., Hirtengedichte aus spätröm. und karolingischer Zeit, 1976.
LIT.: B. EFFE, G. BINDER, Die ant. Bukolik, 1989 • TH. G. ROSENMEYER, The Green Cabinet. Theocritus and the European Pastoral Lyric, 1969.
LIT.: 1 E. A. SCHMIDT, B. Leidenschaft oder über ant. Hirtenpoesie, 1987 2 K.-H. STANZEL, Theokrits Bukolika und V., in: WJA 20, 1994/95, 151–166 3 R. R. NAUTA, Gattungsgesch. als Rezeptionsgesch. am Beispiel der B., in: A&A 36, 1990, 116–137 4 W. CLAUSEN, A Commentary on Virgil: Eclogues, 1994 5 E. PFEIFFER, V.' Bukolika, 1933 6 C. BECKER, V.' Eklogenbuch, in: Hermes 83, 1955, 314–349 7 B. SNELL, Arkadien – Die Entdeckung einer geistigen Landschaft, in: Die Entdeckung des Geistes, 1975, 257–274 (= Nr. 17, 14–43) 8 E. A. SCHMIDT, Poetische Reflexion, 1972 9 W. BERG, Early Virgil, 1974 10 E. CHAMPLIN, History and the Date of Calpurnius Siculus, in: Philologus 130, 1986, 104–112 11 D. ARMSTRONG, Stylistics and the Date of Calpurnius Siculus, ebd., 113–136 12 K. KRAUTTER, Die Renaissance der B. in der lat. Lit. des 14. Jh., 1983 13 W. SCHMID, Tityrus Christianus, in: RhM 96, 1953, 101–165 14 Ders., s. v. B., RAC 2, 786–800 15 A. V. ETTIN, Literature and the Pastoral, 1984 16 K. GARBER, Der locus amoenus und der locus terribilis, 1974 17 Ders. (Hrsg.), Europ. B. und Georgik, 1976 18 A. PATTERSON, Pastoral and Ideology, 1988 19 R. POGGIOLI, The Oaten Flute, 1974 20 W. SCHETTER, Nemesians Bucolica und die Anfänge der spätlat. Dichtung, in: Ders., Studien zur Lit. der Spätant., 1975, 73–97.
K.-H. S.

Bukolisches Relief s. Relief

Bukoloi (Βουκόλοι). Männliche Mitglieder dionysischer Gemeinden mit unterschiedlichen Aufgaben, u. a. Tanz (Lukian. de saltatione 79; schol. Lykophr. 212). Der Terminus bezieht sich auf 1. Hirten in mythischen Erzählungen, die durch die Bezeugung eines Wunders zu Dienern des Gottes bekehrt wurden (Eur. Bacch. 660–774); 2. die Verwandlung des Dionysos von menschlicher zu tierischer Gestalt, bes. als Stier (ebenda 616–22; Plut. qu. Gr. 299b) [1]. Der mit myth. Hirten assoziierte Ort sind die Berge: Die Konnotationen dieser Landschaft verweisen auf die Ambivalenzen des Gottes. Der Ausdruck βουκολεῖς Σαβάζιον (›Du hütest den Sabazios‹) in Aristoph. Vesp. 10 läßt vermuten, daß die Institution in irgendeiner Form schon im 5. Jh. existierte (vgl. den Komödientitel ›Boukoloi‹ von Kratinos, und Eur. Antiope, fr. 203 TGF).

Trotz einiger hell. Inschr. (z. B. IG 12,9,262, Eretria) stammen die meisten Hinweise aus der Kaiserzeit (Kleinasien, Thrakien [3.61 Anm. 7]). In einigen Fällen scheint B. ein Terminus für eine privilegierte Gruppe zu sein, und der *archibukólos* der Führer der gesamten Ge-

meinde (z. B. IPergam. 2,485). In anderen Fällen finden wir einzelne B. neben verschiedenen Beamten aufgeführt (z. B. IGBulg. 1² 401). Von den ca. 500 Mitgliedern des *thiasos* von Agrippinilla (IGUR 1.160) finden sich drei *archibukolóloi* und sieben *b. hieroi* in der ersten Spalte, 20 *b.* in der zweiten. *Bukólos* auch von (O)sarapis [4] und von anderen Göttern: Orph. h. 1.10; 31.7.

1 C. BÉRARD, Mélanges P. Collart, 1976, 61–75 2 R. G. A. BUXTON, Imaginary Greece, 1994, 81–96 3 R. MERKELBACH, Die Hirten des Dionysos, 1989 4 Urkunden der Ptolemäerzeit I, 1923, 57.7.

A. HENRICHS, Studies for K. K. Hulley, 1984, 69–91 • NILSSON, GGR 1, 539; 2, 358–63.
R. G.

Bulbus. Röm. Cognomen (»die Zwiebel«) bei den Atilii (ThlL 2,2239).
K.-L. E.

Bule (Βουλή). A. ALLGEMEIN B. ATHEN C. FUNKTIONEN

A. ALLGEMEIN

In griech. Gemeinden war die B. eine Ratsversammlung, und zwar meist die für die laufenden öffentlichen Geschäfte zuständige, die auch die Arbeit der Volksversammlung (→ *ekklēsía*) vorzubereiten hatte. Zusammensetzung und Kompetenzen konnten sich entsprechend der jeweiligen Verfassungsform ändern: In homer. Zeit bestand der Rat aus den Adeligen, die der König als Berater zusammenrief; in oligarchisch organisierten Gemeinden konnte die B. durch Einschränkung der Wählbarkeit und Ausdehnung der Mitgliedschaft auf lange Zeiträume zu einem relativ mächtigen Organ neben einer verhältnismäßig schwachen Volksversammlung werden (so etwa die → *gerusía*, der Ältestenrat in Sparta; s. auch → *apélla*); in demokratisch strukturierten Gemeinden war gewöhnlich ein größerer Teil der Bürger in den Rat wählbar, eine beschränkte Amtszeit sicherte eine breite Beteiligung und verhinderte die Bildung einer die Volksversammlung überschattenden privilegierten Schicht von Ratsherren. Der Rat konnte an polit. Entscheidungen, Verwaltung und Rechtssprechung beteiligt sein und somit ein ansonsten stark zergliedertes Verwaltungssystem organisatorisch verbinden. Die meisten Gemeinden, ausgenommen vielleicht einige der kleinsten, verfügten über eine B. dieser Art, die Untergliederungen der Bürgerschaft besaßen jedoch, abgesehen von Rhodos, keine eigenen Räte. In den Gemeinden Boiotiens gliederte sich in klass. Zeit die Gemeinschaft der Vollbürger in Abteilungen, die jeweils abwechselnd als Rat fungierten. Auch Bundesstaaten und Staatenbünde bildeten in der Regel einen Rat, der zuweilen B., manchmal aber auch anders, etwa → *synédrion* (»Zusammenkunft«), genannt wurde. Ein solcher Rat bestand gewöhnlich aus Abgeordneten der Mitgliedsstaaten; daneben gab es in einigen dieser Organisationen, jedoch nicht in allen, eine Versammlung, die allen Bürgern der Mitgliedsstaaten offen stand.

B. Athen

In Athen war die älteste Ratsversammlung, die zu einem Gremium ehemaliger Archonten werden sollte, der Areopag (→ Areios Pagos). → Solon hielt im Jahr 594/3 v. Chr. an ihm fest, doch wird ihm ein zweiter Rat aus je hundert Mitgliedern der vier Phylen zugeschrieben, der die Arbeit der Volksversammlung vorzubereiten hatte ([Aristot.] Ath. pol. 8,4; Plut. Solon 19,1–2). Die Zweifel an diesem Rat sind nicht gerechtfertigt; denn ein in Chios für das 6. Jh. v. Chr. nachweisbarer und ausdrücklich als Rat des Volkes (*B. hē dēmosíē*) bezeichneter Rat (ML 8) deutet darauf hin, daß neben oder anstelle eines eher aristokratischen Rates ein weiterer Rat bestehen konnte.

Im Jahr 508/7 ersetzte → Kleisthenes den Rat Solons durch einen Rat der Fünfhundert mit je 50 Mitgliedern der neu geschaffenen zehn Phylen, wobei jede Phyle die Ratsmitglieder (*buleutaí*) aus den einzelnen Demen im Verhältnis zu deren Größe bestimmte. Wählbar waren alle Bürger über 30 Jahre mit Ausnahme der niedrigsten Zensusklasse; spätestens seit der zweiten Hälfte des 5. Jh. wurde man durch das Los für ein Jahr Mitglied der B., spätestens im 4. Jh. war der Ratsdienst auf höchstens zwei Jahre im Leben eines Bürgers beschränkt. Außer an Festtagen trat der Rat täglich zusammen. Obwohl im späten 5. Jh. oder noch davor der Dienst als Ratsherr entlohnt wurde (→ *misthós*), erforderte eine gewissenhafte Ausübung doch so viel Zeit, daß die Reichen wahrscheinlich besser im Rat vertreten waren als die mäßig Begüterten. In der hell. Zeit wurden zusätzliche Phylen geschaffen (und wieder aufgelöst), um die jeweilige loyale Bindung Athens zu demonstrieren; die Zahl von 50 Ratsherren (*buleutaí*) pro Phyle blieb bis 127 n. Chr. bestehen, als der Rat nominell auf 500, faktisch auf etwa 520 Mitglieder reduziert wurde.

Nicht später als seit der Mitte des 5. Jh. waren die 50 Mitglieder einer Phyle in einer durch Los bestimmten Reihenfolge für einen Teil des Jahres als → *prytaneís* (»Vorsteher«) tätig. Sie handelten als geschäftsführender Ausschuß der B. unter der täglich wechselnden Leitung eines *epistátēs* (»Vorsitzender«), der zusammen mit den *prytaneís* aus einer der drei → Trittyes der Phyle volle 24 Stunden amtierte. Die *prytaneís* riefen die B. und die Volksversammlung zusammen, in der anfangs vielleicht die Archonten, von der Mitte des 5. bis ins frühe 4. Jh. jedenfalls die *prytaneís* den Vorsitz führten. Seit dem frühen 4. Jh. übernahm ein neuer Ausschuß für je einen Tag den Vorsitz, die → *próhedroi*, gebildet aus je einem Ratsherrn jeder Phyle ohne die jeweils amtierende Prytanie.

Die urspr. Aufgabe des solonischen wie auch des kleisthenischen Rats war die *probúleusis*, die Vorbereitung der Arbeit der Volksversammlung. Diese Praxis war in Griechenland weit verbreitet. In Athen verstand man es, die darin liegende Einschränkung der Volksversammlung auf ein Minimum zu reduzieren: Die Volksversammlung konnte zwar nur in Angelegenheiten entscheiden, die ihr vom Rat vorgelegt wurden, doch enthielt das *probúleuma* (»Vorentscheidung«) nicht immer eine spezielle Empfehlung, obwohl dies in der Kompetenz der B. lag, und zudem konnte jeder Bürger in der Volksversammlung Veränderungen vorschlagen oder alternative Anträge einbringen. Weiterhin konnte zwar nur ein Ratsmitglied ein *probúleuma* vorschlagen, aber jeder beliebige Bürger konnte sich formell über die *prytaneís* an den Rat wenden oder informell einen Ratsherrn dazu bewegen, in seinem Interesse tätig zu werden. Zudem konnte die Volksversammlung, falls ein Gegenstand dort zum ersten Mal zur Sprache kam, den Rat beauftragen, bis zur nächsten Versammlung ein *probúleuma* in dieser Sache vorzulegen.

Vermutlich begann die B. in Athen mit den Reformen des → Ephialtes von 462/61, administrative und gerichtliche Kompetenzen an sich zu ziehen. Sie wurde zur allg. Aufsichtsbehörde der Verwaltung, indem sie die Arbeit zahlreicher Ausschüsse mit bes. Aufgaben überwachte und auch die Mitglieder in einigen dieser Gremien stellte. In die Verantwortung der B. fielen die Finanzen der Gemeinde und der Heiligtümer, die Kriegsflotte und ganz allg. die Ausrüstung der Schiffe, die Kavallerie und ihre Pferde, die Preise in den → Panathenaia, die öffentlichen Bauten und die Versorgung der Invaliden, die staatlichen Unterhalt erhielten.

C. Funktionen

In griech. Gemeinden waren die Befugnisse der Verwaltungsbehörden gering (→ Bürokratie), und da man der Ansicht war, man dürfe nicht die Gerichtshöfe unabhängig von der Verwaltung agieren lassen, sondern müsse die Verwaltung durch richterliche Befugnisse verstärken, übte die B. in Athen auch die Funktion eines Gerichtshofs aus, und zwar bes. in Fällen, die Beamte oder öffentliche Aufgaben privater Bürger betrafen. Der Rat war beteiligt an der → *dokimasía* (Prüfung der Amtstauglichkeit) der Archonten und der Ratsherren des folgenden Jahres; aus seinen Reihen kamen die → *logístai* (»Rechner«), die in jeder Prytanie die öffentlichen Abrechnungen prüften, sowie die → *euthýnoi* (»Berichtiger«) für allgemeine Angelegenheiten, nicht jedoch die *logístai*, die als Rechnungsbeamte für die Prüfung der Beamten nach Amtsablauf verantwortlich waren. Der Rat war ebenfalls an der Einleitung der → *eisangelía* bei bedeutenden Vergehen gegen den Staat beteiligt. Ein Bericht über Mitgliedschaft und Aufgaben der athenischen B. findet sich in [Aristot.] Ath. pol. 43–9.

In den Umstürzen von 411 wurde der demokratische Rat zuerst durch einen Rat der Vierhundert (→ *tetrakósioi*), der über ein Machtmonopol verfügte, und dann unter der Regierung der Fünftausend vermutlich durch einen gewählten Rat der Fünfhundert ersetzt, der aber nicht die Machtfülle des Rates der Vierhundert besaß. In den Jahren 404–403 hielten sich die Dreißig (→ *triákonta*) einen willfährigen Rat der Fünfhundert.

Im römischen Athen existierte der demokratische Rat weiter, doch wurde der Areopag daneben erneut zu einer wichtigen Institution. In einigen anderen Gemeinden wurde der Rat nach röm. Vorbild umgestaltet, mit lebenslanger Mitgliedschaft, so daß die Ratsmitglieder zu einer privilegierten Gruppe innerhalb der Bürgerschaft wurden.

→ Athenai

ALLG. ÜBERBLICK: J. BLEICKEN, Die Athenische Demokratie, ²1994, 102–128, 184–190, 351–52 (allg. Überblick) · BUSOLT/SWOBODA · V. EHRENBERG, The Greek State, ²1969 · J. A. O. LARSEN, Representative Government in Greek and Roman History, 1955 · Ders., Greek Federal States, 1968 · K.-W. WELWEI, Die griech. Polis, 1983, 66–68, 206–209, Register s. v. Rat. ATHEN: M. H. HANSEN, The Athenian Democracy in the Age of Demosthenes, Kap. 10, 1991 · P. J. RHODES, The Athenian Boule, 1972 · R. K. SINCLAIR, Democracy and Participation in Athens, Kap. 3–5, 1988.   P. J. R.

Buleutai (βουλευταί). Mitglieder von griech. Ratsversammlungen (→ Bule).

Buleuterion. Versammlungsgebäude der → Bule. Seit archa. Zeit nachweisbar, gehört das B. seit dem 4. Jh. v. Chr. regelmäßig zu den öffentlichen Gebäuden an oder in der Nähe der → Agora. Zu Funktion und Bauform → Versammlungsbauten.   W. ED.

Bulgarisches Reich. Bezeichnung für zwei verschiedene histor. Gebilde.

A. DAS SOG. »ALTBULGARISCHE REICH«

Um 635 gelang es Khan Kobratos, die ogurisch-türkischen → Bulgaroi von der Vorherrschaft der → Avares zu befreien und ein Reich zu errichten, das sich am Nordufer des Schwarzen Meeres östl. und westl. des Asovschen Meeres erstreckte. Die Byzantiner sahen in diesem Reich einen Stabilitätsfaktor im Norden gegen die Avares und → Antai; Kaiser → Herakleios verbündete sich mit Kobratos und verlieh ihm den Titel eines *patríkios*. Nach dem Tode des Kobratos wurde sein Reich auf die Söhne aufgeteilt; die → Chazaren erlangten die Vorherrschaft.

B. DAS SOG. »ERSTE BULGARISCHE REICH«

Unter Führung von Kobratos' Sohn Asparuch wichen Teile der Bulgaren dem Chazarenjoch durch Westwanderung aus. Es gelang Kaiser Constantinus IV. nicht, die byz. Grenze an der Donau zu verteidigen; 680 überschritten die Bulgaroi den Fluß und nahmen das Gebiet zw. der Donau und dem Balkangebirge in Besitz, das seit dem Beginn des 7. Jh. von nur locker organisierten Slaven (»sieben Stämme«) besiedelt war, die nominell dem byz. Reich unterstanden, aber sich *de facto* seiner Macht entzogen. Das von inneren Krisen geschüttelte → Byzanz hatte der Etablierung dieses »Ersten Bulgarischen Reiches« nichts entgegenzusetzen: Einige Feldzüge (688/89) mißlangen, die Einrichtung des Themas Thrakien bewirkte wenig, und dem Bulgarenkhan Terbelos, der 705 bei der Wiedereinsetzung von Iustinianos II. in die Kaiserwürde geholfen hatte, wurde sogar der Titel eines *Caesar* verliehen. 716 schloß Theodosios einen Friedens- und Handelsvertrag, der den

Bulgaroi einen Teil Thrakiens überantwortete und der ihnen sogar eine jährliche Tributzahlung der Byzantiner zusicherte. Im Laufe des 8. Jh. vollzogen sich Entwicklungen, die von einem ethnischen und polit. Dualismus zwischen der zahlenmäßig geringen bulgarischen Herrscherschicht und der absoluten Mehrheit der Slaven wegführten; ›der slavischen Bevölkerung ... gaben die Bulgaren nicht nur den Namen, sondern auch die ihr fehlende milit. und polit. Organisation‹ [1. 82]. Den Gipfelpunkt der Machtausübung des B. R. bildet die Vernichtung der byz. Armee durch Khan Krum am 26.7.811. Die 864/65 erfolgte Christianisierung des Landes schuf die Voraussetzungen dafür, daß die Bulgaren zu den wichtigsten Vermittlern griech. Kultur an die slavische Welt wurden. 971–1014 wurde das bulgarische Territorium vorübergehend in das Byz. Reich wiedereingegliedert, 1188 erfolgte die Etablierung des »Zweiten Bulgarischen Reiches«.

→ BULGARIEN

1 G. OSTROGORSKY, Gesch. des byz. Staates, 1940, 81–85, 180–189, 206–213 2 R. BROWNING, Byzantium and Bulgaria, 1975 3 J. V. A. FINE, The Early Medieval Balkans, 1983.   J. KR.

Bulgaroi (Βούλγαροι, seltener Bulgares, Βούλγαρες, lat. meist Bulgares oder Vulgares, seltener Bulgari). Name einer zum Stammesverband der Hunnen gehörenden Völkerschaft; am wahrscheinlichsten ist eine etym. Verbindung zu alttürk. *bulγamak*, »verwirren«, »mischen« (vgl. türk. *bulgur* »Weizengrütze«), so daß der Name als »Mischvolk« zu deuten wäre. In der Tat scheinen die B. im 2. Jh. n. Chr. ein lockeres Konglomerat verschiedener in Sibirien ansässiger Stämme gewesen zu sein, wobei das ogurisch-türkische Element im Vordergrund stand. Im Zuge der Westbewegung zentralasiatischer Völker tauchen die B. im 5. Jh. im Gebiet zw. Donau und Wolga auf. 481 nahm Kaiser → Zenon die Hilfe der B. gegen die Ostgoten in Anspruch. In der Folgezeit waren ständige Raubzüge der B. in die Donauprovinzen an der Tagesordnung, wobei freilich die zeitgenössischen Autoren zw. den verschiedenen Völkerschaften keineswegs klar differenzieren (Iord. Rom. 388 schreibt von der *instantia cottidiana Bulgarum, Antium et Sclavinorum*, andere Schriftsteller bemühen klass. Namen wie → Skythes, Mysoi oder → Getai). Am Nordufer des Schwarzen Meeres bildeten sich im Laufe des 6. Jh. durch den Zusammenschluß verschiedener Stämme staatsähnliche Formen (Utiguroi, Kutriguroi, Hunnuguroi, Onogunduroi); spätere Historiker sprachen von Βουλγαρία (*Bulgaría*) (Nikephoros, vol. I, p. 26, 16). In der 2. H. des 6. Jh. gerieten die B. unter die – streckenweise nur nominelle – Herrschaft der → Avares, bis sie mit byz. Hilfe unter dem Onogunduroi-Khan Kubrat/Kobratos 635 ihre Unabhängigkeit zurückgewinnen konnten. Unter Asparuch, einem Sohn Kubrats/Kobratos', überschritten die B. die Donau und eroberten 679 das Gebiet, das im Norden von der Donau, im Westen vom Isker, im Osten vom Schwarzen Meer und im Süden vom Balkanhauptkamm begrenzt wurde. Ein beachtlicher Teil des Heeres der B. wurde von Slaven gebildet, die mit anderen Slaven, die sich schon zuvor in den Gebieten südl. der Donau angesiedelt hatten, verschmolzen; spätestens im Laufe des 9.Jh. gaben die zahlenmäßig weit unterlegenen B. ihre türkische Sprache zugunsten der regionalen Variante des Slav. auf, für die seither die Benennung »bulgarisch« gilt. Um Verwechselungen zu vermeiden, bezeichnet man die türk. B. auch als »Protobulgaren« im Unterschied zu den »Slavobulgaren«.

→ BULGARIEN

J. BENZING, Das Hunnische, Donaubulgarische und Wolgabulgarische, Philologiae Turcicae Fundamenta I, 1959, 685–695 · O. PRITSAK, Die bulgarische Fürstenliste und die Sprache der Protobulgaren, 1955.   J. KR.

Bulla s. Lebensalter

Bulla Felix. Zu Beginn des 3.Jh. n.Chr. Anführer einer Räuberbande von 600 Mann, die zwischen Rom und Brundisium operierte. Zwei Jahre lang konnte B. sich gegen röm. Truppen (zunächst unter einem Centurio, dann einem Tribunen der kaiserlichen Leibgarde) behaupten. Er verfügte über ein gut funktionierendes Informationsnetz und fand bei Teilen der Landbevölkerung Unterstützung. Die Bande dürfte sich zum großen Teil aus flüchtigen Sklaven und aus kaiserlichen Freigelassenen rekrutiert haben. Einen gefangengenommenen Centurio forderte B. auf, den Herren zu sagen, sie sollten ihre Sklaven anständig ernähren, damit diese sich nicht der Räuberei zuwenden müßten. B. wurde schließlich durch Verrat gefaßt und zum Tode verurteilt, seine Räuberbande zerschlagen. Ein Bericht über B. findet sich bei Cass. Dio 76 (77), 10.

1 G. E. M. DE STE. CROIX, The Class Struggle in the Ancient Greek World, 1981, 318; 477 **2** B. D. SHAW, Bandits in the Roman Empire, in: Past & Present 105, 1984, 3–52, bes. 46ff. **3** E. A. THOMPSON, Peasant Revolts in Late Roman Gaul and Spain, in: Past & Present 2, 1952, 11–23 (Ndr. in: M. I. FINLEY (Hrsg.), Studies in Ancient Society, 1974, 304–320).   J. K.

Bulla Regia (pun. *Bbʿl?*). Stadt der Africa proconsularis im Tal des Bagradas, h. *Hammam Daradji*, urspr. eine libysche Siedlung, kam in karthagischen Besitz, mußte gegen E. der 50er J. des 2.Jh. v.Chr. → Massinissa überlassen werden, der die *regia* wahrscheinlich zu einer Residenzstadt machte (App. Lib. 309). Sie wurde 46 v.Chr. der Provinz Africa nova eingegliedert, im 1.Jh. v./n.Chr. *oppidum liberum* (Plin. nat. 5,22), wohl in vespasianischer Zeit *municipium* (Inscr. latines d'Afrique 458; AE 1964, 67 Nr. 177) und in hadrianischer *colonia* (CIL VIII Suppl. 4,25522).

Der rasche Aufstieg von B. hing wohl einerseits mit der Fruchtbarkeit des Umlands und der verkehrsgünsti-

gen Lage zusammen, andererseits mit der schnellen »Romanisierung« der Bevölkerung. Bedeutendster Gott in B. R. war Apollo. Neben ihm wurden Iuppiter bzw. Saturnus und Caelestis bzw. Diana verehrt, wohl als Nachfolger der pun. Gottheiten Baal Hamon und Tanit. Zahlreiche Bauten aus röm. und byz. Zeit sind gut erhalten. Inschr.: CIL VIII, 2,10577–10586; Suppl. 1,14467–14544; Suppl. 4,25510–25623; Inscr. latines d'Afrique 449–463; Inscr. latines de la Tunisie 1242–1252; AE 1989, 288 Nr. 887; 1991, 470f. Nr. 1682f.

A. BESCHAOUCH, R. HANOUNE, Y. THÉBERT, Les ruines de B. R., 1977 · C. LEPELLEY, Les cités de l'Afrique romaine 2, 1981, 87–90 · Y. THÉBERT, s. v. B. R., EB, 1647–1653.
W. HU.

Bundesgenossenkriege. Kriege innerhalb oder zwischen ant. Bündnissystemen (→ Socii; Symmachie; Symmachoi). Strafexpeditionen der Führungsmacht gegen einzelne Bundesmitglieder fallen nicht unter den Begriff B. Bereits in der Ant. wurden folgende Kriege als B. (πόλεμος συμμαχικός, *bellum sociale*) bezeichnet:

[1] Der Krieg Athens gegen abgefallene Bündner des Zweiten → Attischen Seebunds 357–355 v.Chr., der Athen in große mil. und finanzielle Schwierigkeiten brachte (→ Symmoria). Chios, Rhodos und Kos hatten sich wegen Mißachtung ihrer Autonomie durch die Hegemonialmacht Athen dem → Maussollos von Karien angeschlossen, der sie mit Schiffen und Söldnern unterstützte. Bald traten Byzanz und Perinthos den Aufständischen bei. Der athen. Trierarch → Chabrias fiel bei der Belagerung von Chios. Dem Strategen → Chares gelang der Entsatz von Samos, er unterlag jedoch bei Embata (356). Mit Unterstützung des aufständ. persischen Satrapen Artabazos konnte er Lampsakos und Sigeion gewinnen und ein pers. Heer schlagen [355]. Obwohl Athen nun vom Perserkönig gedrängt wurde, den Bündnern Autonomie zu gewähren, führte dies nicht zur Auflösung des Bundes. Neben Euböa scheinen nicht wenige Inseln und Städte bei Athen geblieben zu sein.

J. CARGILL, The Second Athenian League, 1981 · M. DREHER, Hegemon und Symmachoi, 1995, 287–292.
W. ED.

[2] Der Krieg des 223/22 v.Chr. von → Antigonos Doson mit Hilfe des → Aratos begründeten Hellenischen Bundes (Achaia, Makedonien, Böotien, Thessalien, Epirus, Phokis, Akarnanien, seit 222 auch Sparta) unter Führung des Makedonenkönigs Philipp V. gegen die → Aitoloi und deren Verbündete, Sparta und Elis (220–217 v.Chr.). Der mit großer Härte geführte B. berührte durch gegenseitige Überfälle, vor allem aber die Piraterie der Aitoloi, die eine Entscheidungsschlacht mieden, fast den gesamten griech. Raum, so daß Rhodos und Chios (vergeblich) zu vermitteln suchten. Erst das Interesse Philipps an einem Bündnis mit Hannibal führte 217 zum Frieden von Naupaktos, der die Stellung des

89 v. Chr.: latinisches Recht (lex Pompeia)

90 v. Chr.: lex Iulia
89 v. Chr.: lex Pompeia, röm. Bürgerrecht

Padus

Luca
Pisae
Arnus
Faesulae
Voláterrae
Arretium
Umbri
Clusium
Cosa
Falerii
Capena
Caere
Ostia
Aricia
Antium
Tarracina

Ariminum
Ancona
Picentes
Firmum
Carmerinum
Falerio
Spoletium
Asculum
Pinna
Amiternum
Vestini
Sabini
Alba Fucens
Praeneste
Roma
Arpinum
Fregellae
Fundi
Venafrum
Aesernia
Bovianum
Capua
Corfinium
»Italic(c)a«
Paeligni
Marrucini
Frentani
Marsi
Samnites
Larinum
Garganus mons
Luceria
Salapia
Cannae
Canusium
Barium
Auscultum
Poediculi
Aeclanum
Venusia
Bantia
Lucani
Salernum
Tarentum
Grumentum
Heraclea
Velia
Vesuvius
Stabiae
Surrentum
Paestum

s. Nebenkarte

mare Adriaticum
mare Tyrrhenicum

Nebenkarte

Formiae
Minturnae
Teanum
Sisicinum
Suessa
Cales
Casilinum
Capua
Beneventum
Caudium
Acerrae
Nola
Puteoli
Neapolis
Herculaneum
Nuceria
Pompeii
Vesuvius
Campania

Bundesgenossenkrieg (91 – 89/82 v.Chr.)
(bellum Marsicum, bellum Italicum, bellum sociale)

⊙	Hauptstadt
	Römisches Staatsgebiet (ager Romanus)
	Gebiete der italischen Bundesgenossen

keine Erhebung gegen Rom:

Etrusci — Völkerschaft

Garganus mons — Landschaft

Aufständische Bundesgenossen (91/91 v.Chr.)

später Beigetretene

Erhebung gegen Rom:

Sabini — Völkerschaft

Apulia — Landschaft

▣ Sieg der Römer

▼ Niederlage der Römer

—①— via Aemilia-Scauri
—②— via Aurelia
—③— via Clodia
—④— via Cassia
—⑤— via Flaminia
—⑥— via Salaria
—⑦— via Valeria
—⑧— via Latina
—⑨— via Appia
—⑩— via Annia

0 50 100 150 200 250 300 km

Makedonenkönigs als Führer der Griechen erheblich stärkte.

M. ERRINGTON, 164–171 • F. W. WALBANK, Philip V of Macedon, 1940, 24–67. W. ED.

[3] Der Krieg ital. → socii gegen Rom (bellum sociale, bellum Italicum, bellum Marsicum) mit dem Ziel, das röm. → Bürgerrecht zu erlangen. Der röm. B. begann Ende 91 v. Chr., war mil. im wesentlichen 89 und polit. mit der Zulassung der Neubürger zu allen Tribus 87 beendet. Die Kämpfe zwischen den Samniten und Sulla, die mit dem Sieg Sullas am Collinischen Tor vor Rom 82 (1. Nov.) endeten, sind nicht mehr Teil des B.

Die Ursachen des B. lagen einerseits in der wachsenden Dominanz Roms innerhalb des → Bundesgenossensystems, der starken mil. Belastung gegen Iugurtha und die Kelten und dem fehlenden Rechtsschutz ital. Händler in den Prov., andererseits in der schwankenden Bürgerrechtspolitik Roms, die allen Schichten der socii die inferiore Stellung bewußt werden ließ. Seit den Reformen der Gracchen war das Bürgerrecht für die socii zum Politikum geworden, obwohl diese vorerst kein bes. Interesse daran zeigten. Verschärft wurde die Situation, als durch die Aufnahme ital. mil. Verbände in die Bürgerschaft durch Marius, die Beteiligung von Italikern bei der Veteranenansiedlung durch L. → Appuleius Saturninus und die Aufnahme von Italikern in die Bürgerlisten durch die Censoren von 97/96 zwar Hoffnungen geweckt, aber 95 durch die lex Licinia Mucia enttäuscht wurden, da das Gesetz Überprüfung und Ausweisung unrechtmäßig zum Bürgerrecht gelangter Italiker vorsah. Als dann 91 der Volkstribun M. → Livius Drusus mit einem durchdachten und anfangs vielfach unterstützten Gesetzesbündel, das auch die Vergabe des Bürgerrechts an die ital. socii vorsah, scheiterte und schließlich ermordet wurde, brach nach der Ermordung eines röm. Prätors in Asculum der schon insgeheim vorbereitete Aufstand aus. Sein Schwerpunkt befand sich in Mittel- und Südit. bei den Marsi und ihren Nachbarn (Paeligni, Vestini, Marrucini), den Frentani, Hirpini, Lucani, Samnites und einzelnen Städten in Campanien und Apulien. Hilfe kam auch durch Truppen aus Gallia Cisalpina. Die führenden Köpfe waren der Marser → Poppaedius Silo und der Samnite C. → Papius Mutilus. Corfinium, programmatisch in Italia umbenannt, wurde zum polit. Zentrum mit einem Senat von 500 Mitgliedern, zwei Konsuln und 12 Prätoren, die an der Spitze eines Heeres von ca. 100000 Mann standen. Die latinischen → coloniae blieben bis auf Venusium Rom treu, Etrurien und Umbrien traten später den Aufständischen bei. Rom, das bis zu 14 Legionen einsetzte, konnte sich mil. kaum durchsetzen und entschärfte daher die Situation polit., indem es mit der lex Iulia (Ende 90) allen Latinern und Italikern das röm. Bürgerrecht zugestand, die treu geblieben oder bereit waren, die Waffen niederzulegen, was in Etrurien und Umbrien sofort genutzt wurde. Nun konzentrierten sich die Kämpfe auf den Süden. Ein Hilfegesuch der Aufstän-

dischen an → Mithridates VI. von Pontus blieb erfolglos; nach entscheidenden Siegen des Pompeius Strabo und Sulla bei Asculum, Corfinium, Aesernia und Bovianum endete der B. mit dem Fall von Asculum (Nov. 89), obgleich Samnites und Lucani weiterkämpften. Bereits im J. 89 waren mit der lex Plautia Papiria weitere Italiker zum Bürgerrecht zugelassen worden; die lex Pompeia hatte den Verbündeten südl. des Po das röm. Bürgerrecht und den socii nördl. des Po das latinische Recht als Vorstufe des röm. Bürgerrechts verschafft. Der Versuch, den mil. Erfolg der socii durch die Eingliederung der Neubürger in wenige (acht von 35) Tribus polit. zunichte zu machen, führte zu neuen Unruhen (→ Sulpicius Rufus), die mit der Aufnahme in alle Tribus endeten.

E. BADIAN, Roman Politics and the Italians, in: DialArch 4/5, 1970/71, 373–409 • E. GABBA, Rome and Italy: The Social War, in: CAH 9, ²1994, 104–128 • I. HAUG, Der röm. Bundesgenossenkrieg 91–88 v. Chr. bei Titus Livius, in: WJA 2, 1947, 100–139 • H. D. MEYER, Die Organisation der Italiker im Bundesgenossenkrieg, in: Historia 7, 1959, 74–79. W. ED.
KARTEN-LIT.: H. GALSTERER, Herrschaft und Verwaltung im republikanischen Italien, 1976 • E. GABBA, Rome and Italy. The Social War, in: CAH 9, ²1994, 104–128.

Bundesgenossensystem A. DEFINITION B. TEILNEHMER C. RECHTE UND PFLICHTEN D. GESCHICHTE

A. DEFINITION
Unter dem Ausdruck »B.« (HANTOS, der Ausdruck betont zu sehr den Systemcharakter!) oder »Italischer Bund« (BELOCH) versteht man die Art und Weise der röm. Herrschaft über It. in der Republik. Die Römer scheinen keinen eigenen Namen für dieses Gebilde besessen zu haben, in Dokumenten begegnet die Umschreibung socii nominisque (oder nominisve) Latini quibus ex formula milites in terra Italia imperare solent [1].

B. TEILNEHMER
Geographisch umfaßte das B. die Apenninhalbinsel ohne die Inseln. Anscheinend waren auch die ligurischen und gallischen Stämme Oberitaliens einbezogen, obwohl sie nördl. der Arno-Rubico-Linie lebten; spätestens nach dem → Bundesgenossenkrieg wurde aus diesem Gebiet die Prov. Gallia (Cisalpina) gebildet. Auch Messina in Sizilien wird vollberechtigtes Mitglied des Bundes.

C. RECHTE UND PFLICHTEN
Die oben zitierte Bezeichnung zeigt, daß die Verfügung über die mil. Ressourcen der Verbündeten und die Kontrolle über deren Außenpolitik für Rom der wichtigste Aspekt des B. war. Da es keine gemeinsamen Institutionen wie etwa eine Bundesversammlung oder Bundesmagistrate gab, war das gemeinital. Heer unter dem Befehl eines röm. Magistrats denn auch die einzige gemeinsame Institution. Die cohortes und alae bzw. die Schiffe der Bundesgenossen wurden von den Einzel-

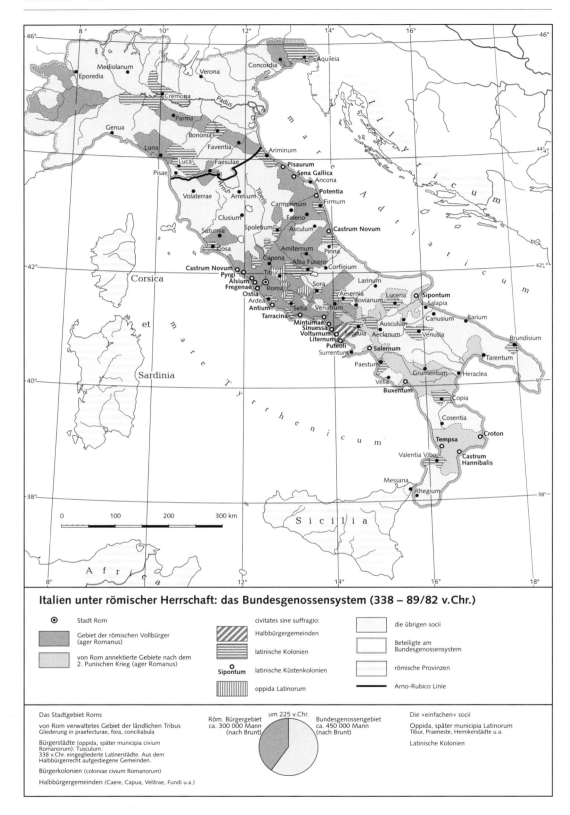

Italien unter römischer Herrschaft: das Bundesgenossensystem (338 – 89/82 v.Chr.)

⊙ Stadt Rom		civitates sine suffragio:	die übrigen socii
Gebiet der römischen Vollbürger (ager Romanus)		Halbbürgergemeinden	Beteiligte am Bundesgenossensystem
von Rom annektierte Gebiete nach dem 2. Punischen Krieg (ager Romanus)		latinische Kolonien	römische Provinzen
	Sipontum	latinische Küstenkolonien	Arno-Rubico Linie
		oppida Latinorum	

Das Stadtgebiet Roms

von Rom verwaltetes Gebiet der ländlichen Tribus
Gliederung in praefecturae, fora, conciliabula

Bürgerstädte (oppida, später municipia civium
Romanorum): Tusculum.
338 v.Chr. eingegliederte Latinerstädte. Aus dem
Halbbürgerrecht aufgestiegene Gemeinden.

Bürgerkolonien (coloniae civium Romanorum)

Halbbürgergemeinden (Caere, Capua, Velitrae, Fundi u.a.)

um 225 v.Chr.

Röm. Bürgergebiet
ca. 300 000 Mann
(nach Brunt)

Bundesgenossengebiet
ca. 450 000 Mann
(nach Brunt)

Die »einfachen« socii

Oppida, später municipia Latinorum
Tibur, Praeneste, Hernikerstädte u.a.

Latinische Kolonien

staaten aufgestellt, bezahlt und von eigenen Offizieren befehligt [2]. Nach einem Schlüssel, der wohl auf Einzelheiten des jeweiligen → *foedus* beruhte, wurden die Einheiten von den Römern einberufen (*formula togatorum*) [3]. Die röm. Verfügung über die Truppen der *socii* führte sehr schnell zu deren polit. Mediatisierung, der teils sehr lange gemeinsame Dienst im Heer war einer der wichtigsten Romanisierungsfaktoren in Italien. Da die *socii* Truppen stellten, zahlten sie normalerweise keine Steuern. Sie waren auch an der Kriegsbeute beteiligt, wenngleich nach röm. Recht der Feldherr allein über die Verteilung der Beute zu entscheiden hatte und es deshalb öfters zu einer faktischen Benachteiligung der B. gekommen sein mag. Teil des Rechtes auf Beute war auch die Beteiligung der B. an Koloniegründungen auf gemeinsam erobertem Land, zuerst bei latinischen und später auch bei Bürgerkolonien (→ *coloniae*).

D. GESCHICHTE

Aus früheren, uns in den Einzelheiten kaum faßbaren Vorläufern entwickelte sich zwischen dem Ende der Latinerkriege 338 v. Chr. und dem *bellum sociale* das »klass.« B. Rom hatte seit seiner frühesten Zeit benachbarte Siedlungen annektiert, deren Bewohner und Land in »Rom« aufgingen. Mit (noch) nicht integrierbaren Gemeinden wurden Verträge (*foedera*) geschlossen oder sie wurden als autonome *municipes sine suffragio* integriert. Ab dem 4. Jh. wurden sprach- und kulturverwandte Gemeinden in die *civitas Romana* aufgenommen, die als Städte mit Selbstverwaltung bestehen blieben (*oppida*, später *municipia civium Romanorum*; → *municipia*). Dann verwandte Rom seit 338 v. Chr. die alte Institution der Kolonien des Latinerbundes, um polit. »röm.«, rechtlich aber unabhängige Festungen zu errichten. Schließlich gab es Städte mit fremder Sprache und Kultur, die in den Bürgerverband traten, aber weitgehende innere → Autonomie und Eigenverwaltung behielten (Caere, Capua). Ihre Bürger kämpften in den Legionen (Paul. Fest. s. v. *municeps* p. 117), hatten aber sonst mit den Römern wenig gemein.

Das B. erreichte den Gipfel seiner Effizienz, trotz einer weitverbreiteten Abfallbewegung, im Hannibalkrieg. Danach kam es zu einem immer lauter werdenden Wunsch nach Aufnahme in das röm. → Bürgerrecht, wegen der hiermit verbundenen größeren Chancen und dem größeren Schutz vor Übergriffen röm. Magistrate [4]. Ab den → Gracchen nehmen röm. Politiker, teils aus sehr selbstsüchtigen Motiven, dieses Anliegen auf. Am Scheitern des Livius Drusus 91 v. Chr. über einem Bürgerrechtsgesetz entzündet sich das *bellum sociale*, und als die Römer in den *leges Iulia* und *Plautia Papiria* von 90 und 89 v. Chr. den loyal gebliebenen oder gewordenen Gemeinden die *civitas* versprechen, wird der Druck übermächtig, dieses Angebot anzunehmen. Ab den 80er Jahren besteht It. bis zum Po (und ab 49 v. Chr. dann bis zu den Alpen) nur noch aus röm. Municipien und Kolonien: Das B. hatte sein Ende gefunden.

→ BUND

1 Lex agr. 21 und 50, Roman Statutes, 1996, Bd. 1, 115 bzw. οἵ τε πολῖται Ῥωμαίων οἵ τε σύμμαχοι ὀνόματος Λατίνου: lex de prov. praet., Roman Statutes 1, 231 ff.: Cnidos 2, Z. 7 f. und 3, Z. 31 f. 2 V. ILARI, Gli italici nelle strutture militari romane, 1974 3 E. LO CASCIO, I togati della »formula togatorum«, in: Ann. Ist. Ital. Stud. Stor. 12, 1991/94, 309–28 4 U. LAFFI, Il sistema di alleanze italico, in: A. MOMIGLIANO, A. SCHIAVONE (Hrsg.), Storia di Roma 1, 1988, 285–304.

BADIAN, Imperialism, ²1968 · J. BELOCH, Der ital. Bund unter Roms Hegemonie, 1880 · E. GABBA, Rome and Italy in the Second Century B. C., in: CAH 8, ²1989, 197–243 · H. GALSTERER, Herrschaft und Verwaltung im republikanischen It., 1976 · TH. HANTOS, Das röm. B. in It., 1983 · M. HUMBERT, Municipium und civitas sine suffragio, 1978 · A. N. SHERWIN-WHITE, The Roman Citizenship, 1973.
KARTEN-LIT.: A. J. TOYNBEE, Hannibal's Legacy, 1965 · H. GALSTERER, Herrschaft und Verwaltung im republikanischen Italien, 1976 · TH. HANTOS, Das röm. B. in It., 1983.   H. GA.

Buntschriftstellerei

A. GRIECHISCH B. LATEINISCH

A. GRIECHISCH

Der Begriff wurde von der dt. altphilol. Forschung geprägt (auf der Basis von → Ailianos' [2] Titel ποικίλη ἱστορία, *poikílē historía*), um Prosawerke zu klassifizieren, die ihren Stoff in einer bewußt unterschiedslosen Reihenfolge präsentieren. Wir haben keinen ant. Gattungsbegriff für derartige Werke (genausowenig eine ausführliche kritische Erörterung), können jedoch folgende Unterscheidung treffen: (a) Werke, deren Inhalte scheinbar wahllos aufeinanderfolgen und deren Themen unterschiedlich sind, und (b) Werke, deren Inhalte scheinbar wahllos aufeinanderfolgen, deren Themen aber auf ein bestimmtes Gebiet beschränkt sind, entweder (i) ausdrücklich oder (ii) versteckt. Sowohl (a) als auch (b) können einen Rahmen haben, der die Vielgestaltigkeit der Darstellung erklärt und zu ihr paßt, entweder das Gespräch bei einem Bankett oder Symposion (A/B) – erinnernd an Platons und → Xenophons *Symposia* – oder (α/β) persönliche Erinnerungen (ἀπομνημονεύματα) – was an die des Xenophon denken läßt. Schon seit dem ps.-aristotelischen πέπλος (»Gewand«) (vor (?) Diod. 5,79,4) gab man ausgefallene Titel, deren Bedeutung auf Vielfalt deutete (genauso wie die von Gellius, praef. 6–9 genannten: κηρία, λύχνοι, Ἑλικών, ἐγχειρίδιον, παραξιφίς, πραγματικά, πάρεργα, διδασκαλικά, πάγκαρπον, τόπων, *epistulae morales*, *epistolicae quaestiones*, *quaestiones confusae*). Zu (a) gehört unseres Wissens die παντοδαπὴ ἱστορία (*pantodapḗ historía*) des Favorinos (24 Bücher, eine Zahl, die auf eine Konkurrenz zu Homer weist, mit einigen Gruppierungen nach Themen, also vielleicht b.ii); die παντοδαπὴ ὕλη des → Alexandros [32] von Kotiaeion, des Lehrers des Ailios Aristeides, und die ποικίλη φιλομάθεια des Telephos von Pergamon; die ποικίλη ἱστορία des Ailianos

(14 B.). Zu (A) gehören Plutarchs προβλήματα συμποσιακά (9 B.) und → Athenaios' Δειπνοσοφισταί (15 B., urspr. 30), wie wahrscheinlich auch die *cena* des Granius Licinianus und die *quaestiones convivales* des → Apuleius. In Kategorie (b.i) (vielleicht B i) finden wir als frühes Beispiel → Aristoxenos' [1] σύμμικτα συμποτικά (frr. 122–7, hauptsächlich über Musik) und später → Didymos' σύμμικτα συμποσιακά (beide vielleicht B.ii); die *exempla* des Cornelius Nepos; und Ailianos' περὶ προνοίας (›Über die Vorsehung‹); erh. sind Clemens' τῶν κατὰ τὴν ἀληθῆ φιλοσοφίαν γνωστικῶν ὑπομνημάτων στρωματεῖς (›Teppiche‹, in sieben Büchern mit einem postum erschienenen Beginn eines 8. B.) und Ailianos' περὶ ζῴων ἰδιότητος (17 B.). Zu b ii (mit Anklängen aus β ii) gehören die *noctes Atticae* des Aulus Gellius; Sex. Iulius Africanus' κεστοί (›(Zauber-)Gürtel‹ in 24 Büchern, offensichtlich bes. Natur- und Militärgesch.); und wahrscheinlich Solinus' *collectanea rerum memorabilium*. Die ἀπομνημονεύματα des Favorinos gehören zu (β.ii). Es ist unklar, in welche Kategorie die *Musae* und der *pinax* des Aurelius Opillus einzuordnen sind, die *collecta* des Pomponius, Ciceros *limon*, die πανδέκται des Sotion, die ›Wiese‹ des Pamphilos (λειμών) und des Suetonius (*pratum*). Manche Werke können in ein Spektrum zw. (b.i) und eher systematisch angeordneten Enzyklopädien, wie die *naturalis historia* des Plinius (und vor ihm Soranus' ἐπόπτιδες, Plin. nat., praef. 33), und Sammlungen von Paradoxa und Anthologien fallen. Sie können (worauf uns Gellius' Aufzählung hinweist) als Briefsammlungen (Senecas *epistulae morales*, Ailianos' ἐπιστολαὶ ἀγροικικαὶ) oder Bildbeschreibungen (εἰκόνες) wie die der Philostratoi und des Kallistratos getarnt sein. Aber der paradigmatische Fall des »bunten Stoffes« in angeblich wahllos angeordneter Darstellung bleibt ein eigener Prosatyp. Pamphile, die behauptet, aus Epidauros zu stammen und unter Nero nach Rom gekommen zu sein, schreibt den gesamten Stoff ihrer 33 Bücher (von denen Phot. Bibl. 119b 16–120a 4 acht erwähnt) ihrer Belesenheit und den Unterhaltungen mit ihrem Ehemann und gebildeten Gästen während 13 Jahren Ehe zu. Sie behauptet, ihn in der Reihenfolge niedergeschrieben zu haben, wie er ihr einfiel, da sie einen größeren Reiz in der Vielfältigkeit sieht (χαριέστατον τὸ ἀναμεμιγμένον), und präsentiert das Werk als nützlich zum »Vielwissen« (εἰς πολυμάθειαν). Gellius beteuert, (nach [1] unglaubwürdig), daß die Reihenfolge seines Stoffes einfach die sei, in der er die Bücher, aus denen er exzerpierte, gelesen habe (praef. 2–3). Clemens (Stromateis 6,2,1 STÄHLIN-FRUECHTEL) und Solinus (praef. 4) rühmen in ähnlicher Weise Vielfalt. Obwohl der Musiker und Philosoph → Aristoxenos [1] als erster diese Form verwendet (und damit eine analoge poetische Bestrebung nach Vielfältigkeit durch die Αἴτια des → Kallimachos und hell. Epigrammsammlungen vorwegnimmt) und sie für die ersten Jahrhunderte vor und nach Chr. gut belegt ist, entsprach sie bes. der Kultur der zweiten Sophistik, als Gelehrsamkeit in hohem Ansehen stand, aber aus einer immer größer werdenden Menge

von Schriften zusammengetragen werden mußte, die oft technischer Art und zudem nicht überall verfügbar waren. Der Anspruch, sich gelegentlich mit einer scheinbar beiläufigen Lit. zu beschäftigen, war dem »Viel-Wissen«, der πολυμάθεια, in der Tat förderlich; eine zusammenhangslose Struktur kam den Lesegewohnheiten vielbeschäftigter und gesprächsfreudiger Männer entgegen. Dem beiläufigen Inhalt entsprach in einigen Fällen die Schlichtheit (ἀφέλεια) des Stils (bes. auffällig bei Ailianos; auch, nach Photios, bei Pamphile), doch war dies kaum ein Kennzeichen der Gattung. → Enkyklopaideia

1 L. HOLFORD-STREVENS, Aulus Gellius, 1988, 26 f.

H. FUCHS, s. v. Enzyklopädie, RAC 5, 504–15 · J. MARTIN, Symposion, 1931, 167–85 · SCHMID/STÄHLIN II, 2, 785–6.
E. BO./L. S.

B. LATEINISCH

Im röm. Bereich blüht die B. (namensgebend die Varia Historia des Aelian) als typisches Produkt der kaiserzeitlichen Bildungskultur vor allem im 1. und 2. Jh. n. Chr. Treffend charakterisiert die Gattung A. Gellius als *varia et miscella et quasi confusanea doctrina* (praef. 5). Es handelt sich also um die buntgemischte Wiedergabe von Wissenswertem und Lesefrüchten aus unterschiedlichsten Bereichen. Angesichts dieses feuilletonistischen Zuschnitts, läßt sich ein klares Gattungsprofil nur sehr schwer herausarbeiten. Die B. berührt sich mit so unterschiedlichen Gattungen wie der Anekdote, der → Paradoxographie und der → Enzyklopädie, deren röm. Hauptvertreter → Varro, → Celsus und → Sueton wichtige Quellen der Miszellanschriftstellerei sind. Parallelen bestehen auch zu epistolographischen Werken (→ Epistel) wie etwa den Briefen des jüngeren → Plinius, in denen ebenfalls eine Vielzahl von Themen essayistisch abgehandelt werden. Die inhaltliche und formale Bandbreite des Genres spiegelt sich auch in den erh. Titelkatalogen bei → Plinius d. Ä. (nat. praef. 24–25 – als Quelle für B. nur eingeschränkt verwendbar, da Plinius keine Gattungsübersicht, sondern eine Sammlung kurioser Titel vor allem aus dem griech. Bereich gibt) und Gellius (praef. 5–9). Die Zahl der dort genannten Titel dokumentiert eindrucksvoll die Beliebtheit des Genres beim zeitgenössischen Publikum. Mit Ausnahme der *Naturalis Historia* des Plinius, den *Noctes Atticae* des → Gellius und den aus dem 5. Jh. n. Chr. stammenden *Saturnalia* des → Macrobius sind jedoch alle anderen Werke lat. Sprache, die in das Umfeld der Gattung gehören, verloren gegangen (z. B. die *Musae* des Aurelius Opilius, die *Silvae* des Valerius Probus, die *Cena* des Granius Licianus, die *Quaestiones Convivales* des Apuleius).

Den erh. Werken ist die didaktische Zielsetzung und ihr Selbstverständnis als Dienstleistung für den Leser gemeinsam. Während Plinius bei allen Exkursen und Abschweifungen ein einheitliches Generalthema verfolgt, gibt Gellius neben Anekdoten und Mirabilien Wissensstoff aus allen Bildungsbereichen und bietet anders als Plinius oder → Ailianos [2] nicht nur die blanke Information, sondern präsentiert sein Material in narrativer Einkleidung (häufig als inszeniertes Gespräch). Narrative Einkleidung findet sich auch bei Macrobius, der in Form eines Saturnaliengesprächs (Anschluß an die ebenfalls zur B. zu rechnenden → Symposiumlit. wie Plutarch und Athenaios) Vergilexegese betreibt.

L. HOLFORD-STREVENS, Aulus Gellius, 1988, 22 ff. ·
P. STEIMETZ, Unt. zur röm. Lit. des 2. Jh. n. Chr. Geburt, 1982, 275 f.   H. KR.

Buntweberei s. Textilkunst

Bupalos. Bildhauer und Architekt aus Chios, Sohn des → Archermos. Die Anekdote über ein depravierendes Porträt des Dichters → Hipponax datiert ihn um 550–525 v. Chr. Mit seinem Bruder Athenis schuf er Statuen der → Artemis in Iasos, Delos, Athen, in Chios eine Artemis-Maske mit »wechselndem Gesichtsausdruck«. Von den Chariten, die später bei König Attalos in Pergamon aufgestellt waren, ist die Basissignatur vielleicht erhalten. Die Tyche in Smyrna sei von B. erstmals mit Götterkrone und Füllhorn dargestellt worden, weshalb eine Verwechslung mit einem späteren, archaistisch arbeitenden B. vermutet wird, dem auch die von Augustus hochgeschätzten und in Rom aufgestellten Bildwerke zugeschrieben werden können. Erhalten oder bildlich überliefert ist keines der Werke.

G. A. CELLINI, Tyche e Nemesi nelle monete di Smirne, in: Miscellanea greca e romana 18, 1994, 89–103 ·
FUCHS/FLOREN, 335–337 · OVERBECK, 314–319; 1506 (Quellen) · A. STEWART, Greek Sculpture, 1990, 243–244 ·
P. ZANKER, Augustus und die Macht der Bilder, ²1990, 243.   R. N.

Buphagos (Βουφάγος). Rechter Nebenfluß des Alpheios [1], im Norden von Buphagion (Stadtmauer und andere Reste bei Paliokastro) entspringend; seine Quelle markierte die Grenze zw. Heraia und Megalopolis. Der eponyme Heros B., Sohn des Titanen → Iapetos, wurde von Artemis im Pholoe-Gebiet getötet (Paus. 5,7,1; 8,26,8; 8,27,17). In derselben Bed. wie B. erscheint Buthoinas als Indigitation des Herakles in Lindos (vgl. Anth. Plan. 123).

E. MEYER, Peloponnesische Wanderungen, 1939, 103 ff.   E. O.

Buphonia (βουφόνια). An den athenischen Dipolieia wird derjenige Ochse geopfert, der zuerst das Getreideopfer frißt, sich also an der Gabe für Gott vergreift (Porphyr. abst. 2,28–30, wohl auf Theophrast zurückgehend [5]; Paus 1,24,4). Der Schlächter – ein in der Familie des Thaulon erbliches Amt [3. 161] – tötet dafür das Tier und flieht denn. Im Mythos befiehlt das delph. Orakel, den flüchtigen Totschläger, den Bauern Sopatros, zurückzuholen und das Töten des Ochsen zu wiederholen. In einem Gerichtsverfahren am Prytaneion schiebt einer die Schuld zum nächsten, bis schließlich das Beil verurteilt und im Meer versenkt

wird [1; 2. 153–161]. Fest- (auch βουκάτια) und Monatsnamen sind auch außerhalb Athens belegt [4]. Für W. BURKERT sind die B. als Verbindungsglied von der »Unschuldskomödie« (K. MEULI) der prähistor. Jägerzeit zur sakral gerechtfertigten Tiertötung »Opfer« [2. 159]. Doch ist das Gerichtsverfahren eher komödiantisch denn als Schuldbewußtsein über den »Ochsenmord« zu verstehen, das bei jedem Opfer mitzudenken sei [6; 7].

1 K. MEULI, Gesammelte Schriften 2, 1976, 1005 f.
2 W. BURKERT, Homo necans, 1972 3 DEUBNER, 158–174
4 C. TRÜMPY, in: ZPE 100, 1994, 407, Anm. 7, Anm. 9
5 D. OBBINK, The Origins of Greek Sacrifice, in:
W. W. FORTENBAUGH, R. W. SHARPLES (Hrsg.),
Theophrastean Studies, 1988, 272–295 6 B. GLADIGOW,
Ovids Rechtfertigung des blutigen Opfers, in: AU 14/3,
1971, 5–23 7 A. HENRICHS, Gott, Mensch, Tier. Ant.
Daseinsstruktur und rel. Verhalten im Denken Karl Meulis,
in: F. GRAF (Hrsg.), Klass. Ant. und neue Wege der
Kulturwiss., 1992, 129–167, bes. 157 f.

J. L. DURAND, Sacrifice et labour en grèce ancienne, 1986.   C. A.

Bura (Βοῦρα). Eine der 12 Städte Achaias. Höhensiedlung (Hdt. 1,145; Pol. 2,41), 40 Stadien vom Meer entfernt (Strab. 8,7,5). Im J. 373 v. Chr. durch Erdbeben zerstört, bestand B. aber weiter und hatte z. Z. des Paus. (7,25,8 f.) Tempel und Heiligtümer. Zwei Lokalisierungen werden diskutiert: die Dörfer Kastro [1; 2; 3] und Mamusia [4] auf beiden Seiten des Buraïkos.

1 E. MEYER, Peloponnesische Wanderungen, 1939, 133–140
2 Ders., Neue Peloponnesische Wanderungen, 1957, 81–86
3 Ders., s. v. B., RE Suppl. 9, 18 f. 4 N. D. PAPACHATZIS,
Παυσανίου Ἑλλάδος Περιήγησις 4, 1980, 155 f.   Y. L.

Burbuleius. L. B. Optatus Ligarianus, Senator. Eine lange Laufbahn führte ihn über die Praefektur des *aerarium Saturni* zum Suffektkonsulat (wohl 135 n. Chr., AE 1983, 517). Schließlich war er Legat von Cappadocia von ca. 137–140 [1. 182 ff.] und Syrien, wo er starb (CIL X 6006 = ILS 1066; vgl. AE 1983, 157 = [2. 121]).

1 W. ECK, Jahres- und Provinzialfasten, in: Chiron 13, 1983
2 H. SOLIN, Analecta Epigraphica, in: Arctos 18, 1984.   W. E.

Burdigala. Hauptort der → Bituriges Vivisci in → Aquitania auf einer Terrasse über der Devèze am linken Garonne-Ufer kurz vor der Einmündung der Dordogne (Strab. 4,2,1; Ptol. 2,7,7; Auson. Mos. 19,128–168; Sidon. epist. 7,6,7), gegr. wohl im 3. Jh. v. Chr., mit Spuren von Besiedlung seit dem 6. Jh. v. Chr., h. Bordeaux. *Municipium* unter den Flaviern, im 2. Jh. Hauptort der Aquitania, später Aquitania II (Notitia Galliarum 13,2). Hafen für den Atlantikhandel, bes. mit Britannien (Zinn), bedeutendes Handelszentrum, Kreuzung von Verkehrswegen (Itin. Anton. 453–461; Itin. Burdig. 549, 553, 571), frequentiert von zahlreichen Ausländern aus den german. und span. Prov. sowie dem griech.

Orient. Berühmt für seine Erzeugnisse Wein, Austern, Handwerksprodukte, und in der Zeit des Ausonius für seine Universität. B. umfaßte im ausgehenden 2. Jh. n. Chr. 150–170 ha. Monumente: Amphitheater (»Palais Gallien«), Thermen, *macellum*, *horrea*, *Mithraeum*, Mosaiken, Skulpturen. Nach dem Ansturm der → Alamanni 276 n. Chr. kleine, von einer Stadtmauer umgebene Stadt (ca. 32 ha); im 3. Jh. christianisiert; Ort eines Konzils 384, behielt die Stadt B. bis zum 6. Jh. ihren röm. Charakter und ihre Verbindungen nach Afrika und in den Orient. Inschr. Belege: CIL XIII, 566–908, 11302–335; Inscriptions latines des trois Gaules, 1963, 141–145.

D. Barraud, M.-A. Gaidon, in: D. Schaad, M. Vidal (Hrsg.), Villes et agglomérations urbaines antiques du Sud-Ouest de la Gaule, 1992, 43–48 • R. Etienne, Bordeaux antique, 1962 • C. Jullian, Histoire de Bordeaux, 1895. E. FR.

Burebista(s) (Βυρεβίστας, Βοιρεβίστας). König der Daker, gründete ca. 60 v. Chr. ein zusammenhängendes Reich, das sich zeitweise von der ungarischen Tiefebene bis zu den iulischen Alpen erstreckte. Er unterwarf dabei u. a. Skordisker, Taurisker und Boier; seine Überfälle auf thrakische Gebiete im westl. Pontosgebiet führten auch zu schweren Plünderungen griech. Kolonien (u. a. Apollonias). Pompeius verhandelte mit ihm 48 um mil. Unterstützung (SIG³ 762,22–42). Caesar plante 44 einen Feldzug gegen B. (Strab 7,3,5), doch fast zugleich mit seiner Ermordung wurde dieser durch eine Erhebung abgesetzt. Trotz eines tiefgreifenden Neuordnungsversuchs auf rel. und wirtschaftlichem Gebiet unter Mitwirkung des Priesters Dekaineos war das Reich des B. nur von kurzer Dauer; nach 44 zerfiel es in mehrere Teile (Strab. 7,3,11; Iord. Get. 11).

R. L. Dise, Cultural Change and Imperial Administration, 1991, 28 f. • A. Mócsy, Pannonia and Upper Moesia, 1974, 17 ff.
Mz.: C. Preda, Monedele Geto-Dacilor, 1973, S. 448; Taf. 76. M. MEI.

Burgas. Stadt an der Westküste des Schwarzen Meers. Im h. B. sind mehrere vorgesch. und ant. Siedlungen registriert (die älteste vom Chalkolithikum bis in die Spätbronzezeit). Eine thrak. Siedlung befand sich in Zlatkite kladenci; seit dem 6. Jh. v. Chr. bis ins 2. Jh. v. Chr. wohl ein *empórion* von → Apollonia [2]. Drei Nekropolen; auf der Anhöhe Siloto befand sich eine thrak. Festung; 6 km davon entfernt lagen Kupferbergwerke (h. Vărli brjag) im Besitz thrak. Fürsten. Eine thrak. Siedlung Tyrsis befand sich südwestl. von B. (Anf. 2. Jh. v. Chr. zerstört). Im Stadtzentrum von B. lassen sich röm. Spuren mit Mz.-Funden (1.–4. Jh. n. Chr.) ausmachen, südwestl. des Bahnhofs eine röm. *statio*.

P. Balabanov, Antični selišta na teritorijata na Burgas, in: Izvestija na muzeite ot juoiztočna Bălgarija 2, 1979,2 ff.
I. v. B.

Burgundiones. Ostgerman. Stamm (zuerst Plin. nat. 4,99; etym. zu *burgund* – »das hoch gelegene«), möglicherweise von einem Kern auf der Insel Bornholm ausgehend, seit dem 2. Jh. v. Chr. im westl. Hinterpommern, im 2. Jh. n. Chr. im mittleren Norddeutschland zw. Oder und Weichsel ansässig. Hypothetisch mit der Luboszyce-Kultur verbunden [1]. Im 3. Jh. Abwanderungen nach Südwesten, von Aurelius → Probus um 280 gemeinsam mit den Vandali (am Lech?) besiegt. Die B. verdrängten E. des 4. Jh. die → Alamanni aus dem Raum zw. Neckar und Taunus, stießen 406/7 über den Rhein vor und erhielten unter → Honorius 413 Teile des an den Rhein grenzenden gallischen Gebiets. Dieses mittelrheinische B.-Reich von Worms (Gräber bei Worms und Mainz) fand ein rasches Ende nach Ausweichen der B. vor den → Hunni in die Belgica und der darauf folgenden Niederlage König Gundehars gegen → Aëtius [2] (437; histor. Kern des Nibelungenlieds), der sie 443 als Föderaten in Sapaudia (Region um den untersten Genfersee bis Lausanne) ansiedelte. Das Burgunderreich vergrößerte sich nach Süden, Westen und Norden entlang der Rhône (Kernland die h. Bourgogne, seit 461 Hauptstadt Lyon). König → Gundobadus (ca. 480–516), kurzfristig als Nachfolger Ricimers weström. Heermeister, erließ die *Leges Burgundionum* [2] und betrieb eine ungünstige Schaukelpolitik zw. → Ostgoten und → Franci. Sein Sohn → Sigismundus trat vom Arianismus zum Katholizismus über. Nach langen Kämpfen gegen Alamanni und → Goti unterlagen die B. 532/34 den Franci, ihr Reich wurde aufgeteilt.

1 G. Domanski, Die Frage der sog. Burgundischen Kultur, in: Ethnogr.-arch. Zschr. 19, 1978, 413–444 2 D. Frye, Gundobad, the Leges Burgundionum and the Struggle for Sovereignty in Bugundy, in: CeM 41, 1990, 199–212.

TIR M 33,30 f. • J. Richard et al., s. v. Burgunder, LMA 2, 1092–1097 • J. Richard, s. v. Lex (Romana) Burgundionum, LMA 5, 1928–1930 • H. Behr et al., s. v. Burgunden, s. v. Burgundia, RGA 4, 224–274 • B. Saitta, I Burgundi (413–534), 1977. K. DI.

Burgus. Die Herkunft des Wortes *b.* ist in der Forsch. umstritten: Es wird sowohl ein german. (CIL XIII 6509) oder auch ein griech. Ursprung (πύργος; Ios. bell. Iud. 1,99–100) angenommen. Das Wort, das vor Mitte des 2. Jh. n. Chr. erscheint und noch unter Valentinianus I. nachgewiesen ist, bezeichnet einen kleinen befestigten Wachtturm (ILS 396) oder wird als Diminutiv für → *castellum* gebraucht (Veg. mil. 4,10).; der *b.* diente allg. der Überwachung (CIL VIII 2494–2495: *b. speculatorius*).

1 D. Baatz, Bauten, MAVORS XI, 1994, 83–85. Y. L. B.

Buri(i). Ostgerman. Volk, lebte als Teil der → Lugii, aber sprachlich und kulturell den → Suebi nahe, siedelten mit den Marsigni, Cotini und Osi nördl. der Marcomanni und Quadi bis zur Weichselquelle (Tac. Germ. 43,1; Ptol. 2,11,10). In den Kriegen gegen die Daker Feinde Roms (Darstellung von Kampfszenen auf dem Monument von Adamclisi), im Krieg gegen die Marcomanni auf der Seite Roms, fielen sie aufgrund des Commodusfriedens von Rom ab und wurden um 182 n.Chr. aufgerieben (CIL III 5937) bzw. evtl. in Spanien angesiedelt [1].

1 D.M. SILVA, Os Burios, in: Classica 5, 1979, 19–44.

TIR M 33,31 · K.DIETZ, Zum Ende der Markomannenkriege: die *expeditio Germanica tertia*, in: H.FRIESINGER, J.TEJRAL, A.STUPPNER (Hrsg.), Markomannenkriege, 1995, 7–15.   K.DI.

Burnum. Röm. Legionslager und *municipium* (h. Šupljaja/Šuplja crkva – Lager, und Ivoševci nahe Kistanje – *municipium* im breiteren Gebiet von Knin, Kroatien) am Titius (Krka), Zentrum der einheimischen liburnischen Burnistae, eine der 14 liburnischen *civitates*, die durch den *conventus* in → Scardona verwaltet wurden (Plin. nat. 3,139; 3,142; Ptol. 2,16,10; Tab. Peut. 5,1), bed. röm. Stützpunkt im Verlauf der Besetzung von → Illyricum, sicherlich während der Kriege des nachmaligen Augustus 35–33 v.Chr., als mit dem Bau eines dalmatischen *limes* begonnen wurde (B. evtl. mit Siscia verbunden → Promona – Kadijina Glavica – Magnum – → Andetrium – Tilurium – Bigeste), während des pannon.-dalmat. Aufstands 6–9 n.Chr. und der zeitweisen Stationierung der *legio XX* (9 n.Chr.) in B. Die einheimische Festung Puljani liegt dem röm. Lager gegenüber am linken Ufer des Titius. Später war B. Lager der *legio XI*, die sich nach der erfolglosen Revolte des Arruntius Scribonianus *C(laudia) p(ia) f(idelis)* nennen durfte. 70 n.Chr. wurde die Legion durch die reorganisierte *legio IV F(lavia) f(elix)* bis 86 ersetzt, als diese nach Singidunum (Moesia Superior) verlegt wurde. Ausgrabungen brachten frühere und spätere *principia* aus verschiedenen Zeiten zum Vorschein. Auch Auxiliareinheiten sind belegt: *cohors Montanorum, II Cyrrhestarum, I Belgarum*. B. wurde wohl unter Hadrianus *municipium* (entwickelt aus *canabae*); Aelii in Inschr. dokumentiert, vgl. CIL III 9890. Die frühere *prata legionis* wurde durch den Procurator der Prov. verwaltet. Ausgrabungen in der teils von Zuwanderern, teils von Einheimischen errichteten Zivilsiedlung: Amphitheater, *sanctuarium*, mehrerer Bögen, Wasserversorgungssystem. 537 befand sich B. unter Kontrolle der Ostgoten.

M.ZANINOVIĆ, B., castellum – municipium (B., from Castellum to Municipium), in: Diadora 4, 1968, 119–129 · S.ZABEHLICKY-SCHEFFENEGGER, M.KANDLER, B. I (Schriften der Balkankommission, Antiquarische Abt. 14), 1979 · B.ILAKOVAC, B. II (wie oben, 15), 1984.   M.Š.K.

Busiris (ägypt. *Pr-Wśjr*). Name mehrerer Orte, an denen sich ein Heiligtum des → Osiris befand.
[1] Stadt im mittleren Delta auf dem linken Ufer des Nilarms von Damiette südl. von Sebennytos. Hauptstadt des 9. unterägypt. Gaus, Alt-Djedu und Anedjeth, h. Abu Sir Bana (Abusir). Heimat des Gottes Anedjti, in dem vielleicht ein vergöttlichter Herrscher zu sehen ist, dessen Herrschaftssymbole, Krummstab und Geißel, bei

der Verschmelzung mit Osiris auf diesen übergegangen sind. Das heilige Symbol des Ortes, der Djed-Pfeiler, wird als Rückgrat des Osiris gedeutet. B. galt als bevorzugte Stätte mit einem Osirisgrab (Plut. Is. 21) und als Ort des Trauerfestes um den toten Osiris (Hdt. 2,59). Historisch trat B. erst in der Assyrerzeit als eigenes Fürstentum hervor. Die Stadt wurde 293 n.Chr. nach einem Aufruhr zerstört. Erh. sind Reste eines Tempels von Dareios I.
[2] Dorf in der Nähe der Sphinx von Giza (Plin. nat. 36,76) an der Stelle einer Kultstätte des Osiris.
[3] Name eines Königs der griech. Sage, der sich an einen Ort gleichen Namens bei Alexandreia anlehnt. B. soll Fremde dem Osiris geopfert haben und von → Herakles erschlagen worden sein.

J. v.BECKERATH, in: LÄ 1, 883–884.   R.GR.

Bustrophedon s. Schrift

Bustum. Der bereits im → Zwölftafelgesetz (Cic. leg. 2, 64) als »Grab« definierte Terminus war nach Paul. Fest. 6, 78; 25,3; 27,11 und Serv. Aen. 11,201 der Ort, an dem die Leiche verbrannt und die Reste bestattet wurden, während die Brandstätte allgemein → *ustrinum* heißt. Arch. ist diese Bestattungsform vielfach belegt. → Bestattung

T.BECHERT, Röm. Germanien zwischen Rhein und Maas, 1982, 244–246 · M.STRUCK (Hrsg.), Römerzeitliche Gräber als Quellen zu Rel., Bevölkerungsstruktur und Sozialgesch., 1993 (Arch. Schriften des Inst. für Vor- und Frühgesch. der Univ. Mainz, 3).   R.H.

Butadai (Βουτάδαι). Attischer → Asty-Demos der Phyle Oinieis, später der Ptolemais; ein Buleut. Lage unsicher, doch läßt die Verbindung der → Eteobutaden mit den Skirophorien und dem Stadtteil Skiron B. an der Hl. Straße nahe Lakiadai und dem Kephisos vermuten.

TRAILL, Attica 9, 48, 62, 69, 109 (Nr. 27), Tab. 6, 13.   H.LO.

Butades. Legendärer Koroplast aus Sikyon, dem in ant. Quellen die Erfindung figürlicher Antefixe (7.Jh. v.Chr.) und des Porträts zugeschrieben wurde. Bis 146 v.Chr. soll in Korinth eines seiner Werke, wohl eine Maske, zu sehen gewesen sein.

FUCHS/FLOREN, 196. 211 · OVERBECK, Nr. 259. 260 (Quellen).   R.N.

Butas (Βούτας). Vielleicht mit einem Freigelassenen des Cato Uticensis (Plut. Cato 70 = SH 236) gleichzusetzen; er verfaßte Αἴτια (›Ursachen‹) röm. Inhalts in elegischem Versmaß, in denen er unter anderem den Ursprung der *Lupercalia* (ein Distichon bei Plut. Romulus 21,8 = SH 234) und der *Bona Dea* (Arnob. 5,18 = SH 235) behandelte.   M.D.MA./T.H.

Buteo. Röm. Cognomen (»der Habicht«) bei den Fabii (ThlL 2,2259). Legende der Annahme bei Plin. nat. 10,21.   K.-L.E.

Butes (Βούτης).

[1] Att. Held, über den mehrere Überlieferungen existierten. Es gab einen Altar von B. im → Erechtheion, in der Nähe der Altäre von Poseidon, Erechtheus und Hephaistos (Paus. 1,26,5), und dies schafft eine klare Verbindung zu den Überlieferungen der → Eteobutaden, die das Priesteramt der Athena Polias und des Poseidon Erechtheus innehatten. B. könnte tatsächlich der Titel des Priesters von Poseidon Erechtheus gewesen sein [1]. In diesem Zusammenhang müssen die Genealogien betrachtet werden, die den Helden zum Sohn von Poseidon (Hes. fr. 223 M-W) oder von König Pandion (Apollod. 3,193) machen; im letzteren Fall ist er Bruder von Erechtheus, der Pandions weltliche Macht annahm und seine priesterlichen Funktionen B. überließ. Nicht ganz von dieser Figur zu trennen ist der att. Argonaut B. (Apoll. Rhod. 1,95 ff.), dessen Vater Teleon war, der jedoch die Mutter Zeuxippe mit der Figur bei Apollodor teilt. Dieser B. sprang vom Schiff, als er die Sirenen hörte, wurde jedoch von Aphrodite gerettet, die ihn in Lilybaion wohnen ließ und mit der er Vater von Eryx wurde (Apoll. Rhod. 4,912ff; Apollod. 1,135; vgl. Diod. 4,83, wo Eryx' Vater Butas ein Sizilier ist). Ein dritter B., Sohn von Boreas, könnte auch damit in Verbindung stehen; sein Bruder war Lykurgos, ein gebräuchlicher Name unter den Eteobutaden. Dieser B. wurde verbannt, nachdem der gegen seinen Bruder intrigiert hatte; er kam nach Thessalien, wo er Koronis, eine der Ammen des Dionysos, vergewaltigte und von den Göttern in Wahnsinn und Selbstmord getrieben wurde (Diod. 5,50). Ein weiterer B. erscheint als Sohn der att. → Pallas in Ov. met. 7,500.

1 DEUBNER, 162 2 KEARNS, 69 Anm. 23.

E. SIMON, s. v. Boutes, LIMC 3.1, 152–3.   E. K.

[2] Bildhauer des 4. Jh. v. Chr. (?) in Athen. Patronymikon und Ethnikon sind nicht überliefert und wurden von RUMPF grundlos ergänzt [1]. Er schuf eine Porträtstatue des → Isokrates.

1 A. RUMPF, s. v. B. 4, KlP 1, 975.

FGrH, 2B, 116 Nr. 59 (Philochoros)   R. N.

Buthoinas s. Buphagos

Buthroton (Βουθρωτόν).

A. GRIECHISCHE UND RÖMISCHE ZEIT

Hafenstadt in Epeiros gegenüber Korkyra (Strab. 7,7,5), h. Butrint/Albanien. Myth. Gründung durch Helenos bezeugt (FGrH 274 fr. 1), frühe Besiedlung arch. (prähistor. und korinth. Keramik des 7.–5. Jh. [1]) und durch Hekat. (FGrH 1 fr. 106) bezeugt. Koloniegründung von Caesar veranlaßt, in röm. Zeit Reisestation [2. 690–694]. B. blieb in Spätant. und MA bed. (Bistum im 5. Jh. [4]). Ruinen (Theater mit Freilassungsurkunden, Basiliken). Inschr.: [1; 5. 447–449]; SEG 32, 622–625; 35, 666; 36, 560–568; 37, 509; 38, 470–519; [5]. Mz.: HN 320.

1 L. M. UGOLINI, Albania Antica 3, 1942 2 N. G. L. HAMMOND, Epirus, 1967 3 SOUSTAL, Nikopolis, 132–134 4 P. CABANES, L' Epire, 1976 5 Ders., F. DRINI, Attoitas, théarodoque de Delphes, in: BCH 118, 1994, 113–130.

G. POLLO, Quelques aspects de la numismatique coloniale de Buthrote, in: P. CABANES (Hrsg.), L'Illyrie méridionale et l'Épire dans l'antiquité 2, 1993, 257–261.   D. S.

B. BYZANTINISCHE ZEIT

Erwähnt u. a. im Itin. Ant. 324,5; 488,7; 489,1, in der Tab. Peut. VI 3 WEBER (mit entstelltem Namen) sowie bei Hierokles, 652,4, ist B. in byz. Zeit zur Παλαιὰ Ἤπειρος gehörig. Eine christl. Gemeinde existierte vielleicht schon im 3. Jh.; ein Enkomion des 10. Jh. beschreibt das Martyrium eines Therinos unter Kaiser → Decius im Theater [1. 310f.]. Bischöfe sind nachweisbar in der Briefserie von 457/458 sowie 516 (CSEL 35, 527f.), dagegen wohl nicht beim Konzil von Chalkedon 451 [2. 132]. Bedeutende arch. Reste des 5./6. Jh., u. a. ein Trikonchos mit Narthex [3. 274f.; 4. 126, 129], Baptisterium mit vorzüglich erhaltenen Mosaiken [3. 275f. und Abb. 35, 37; 4. 129–132 und Abb. 81–84] sowie eine große, im MA umgebaute Basilika [3. 276f. und Abb. 36; 4. 124 und Abb. 75–78, 80] und Schriftzeugnisse [1. 132, 134 Anm. 3, 45] lassen eine Blüte im 5./6. und im 9/10. Jh. erkennen; im 10. Jh. unter bulgarischer Herrschaft, 1081 und 1084 in normannischer Hand, im 13. Jh. im Despotat von Epiros, nach wechselvoller Gesch. seit 1386 zusammen mit Korkyra venezianisch.

1 L. M. UGOLINI, Orientalia Christiana Periodica 2, 1936 2 SOUSTAL, Nikopolis 3 G. KOCH, Albanien, 1989 4 Ders., in: A. EGGEBRECHT (Hrsg.), Albanien, 1988.

P. BARTL, Albanien, 1995, 292 · H. FREIS, Spätant. Kirchen in Albanien, in: P. R. FRANKE, Albanien im Altertum, 1983 (Antike Welt, Sondernummer 1983), 65–73 (bes. 65–70) · G. KOCH, Albanien, 1989, 267–281 · PE 1976, 175f. · RBK 2, 1971, 207–334 (bes. 232–235) · R. SÖRRIES, Frühchristl. Denkmäler in Albanien, in: Antike Welt 14,4, 1983, 7–26 (bes. 12–14).   E. W.

Butilinus. Alemannischer Herzog in fränkischen Diensten. Er begleitete 539 n. Chr. König Theudebert I. auf einem Feldzug nach Italien. 552 nahm B. ein Hilfegesuch der Goten an und durchquerte auf eigene Faust mit seinem Bruder Leutharis und angeblich 75000 Mann It. bis zur Straße nach Messina. Nach anfänglichen großen Erfolgen endete das Unternehmen 554 bei Casilinum, wo B. gegen Narses Schlacht und Leben verlor. PLRE 3A, 253 f.   W. ED.

Buto. Stadt im West-Delta, nördl. von Sais, im 6. unterägypt. Gau, eigentlich eine Doppelstadt, die in den älteren Quellen nur mit den Namen ihrer Teile Pe und Dep erscheint. Der Name B. geht auf ägypt. *Prẜw dỵt* zurück, »Haus der *Wẜdỵ*« (»Uto«), der schlangengestaltigen Landes- und Krongöttin Unterägyptens, zusammen mit → Horus wichtigste Lokalgottheit. B. war schon in vorgesch. Zeit besiedelt und offenbar ein bedeutendes Zentrum. Arch. Funde und epigraphische Nachrichten über B. finden sich in größerer Zahl aber nur aus dem AR, der 19. Dynastie und bes. der 26. Dynastie, wo es Nachbarstadt der königlichen Residenz war. Die kultisch-ideologische Bed. von B. ist weit größer als seine histor.: B. ist die Heimat der Kron- und Schutzgöttin Unterägyptens und des entsprechenden Heiligtums (wie Hierakonpolis die der oberägypt.) und spielt von daher in Mythen und Festritualen eine herausragende Rolle. Nach Angaben griech. Historiker (Hdt. 2, 83; 111; 133; 152; 155; Strab. 17, 802; Ail. var. 2,49) hatte B. ein berühmtes Orakel; aus ägypt. Quellen ist es nicht belegt.

LÄ 1, 887–9 · D.B. REDFORD, in: Bulletin of the Egyptological Seminar 5, 1983, 67–101.   K.J.-W.

Butter (βούτυρον, *butyrum*). Überwiegend aus Kuhmilch, seltener aus Schaf- oder Ziegenmilch gewonnenes Fett, das im Unterschied zu heute meist in flüssiger Form verwandt wurde. Viele Völker am nördl. und südl. Rand der ant. Welt (vor allem Thraker und Skythen, aber auch Lusitanier, Gallier, Germanen und Araber) nutzten B. intensiv als Speisefett und Salbe (Plin. nat. 28,133f.). Im Mittelmeerraum bevorzugte man stattdessen das Olivenöl, dessen Preis Anfang des 4.Jh. n.Chr. deutlich über dem der B. lag (Edicta imperatoris Diocletiani 4,50; vgl. ebd. 3,1–4). Kultivierte Griechen und Römer sahen B. als »barbarisches« Produkt an, verwendeten sie gelegentlich aber in der Human- und Tiermedizin.

→ Fette; Olivenöl

J. ANDRÉ, L'alimentation et la cuisine à Rome, ²1981 · F. OLCK, s.v. B., RE 3, 1089–1092.   A.G.

Bututi. Stadt der Peucetii an der Kreuzung der Via Gellia mit der Via Traiana zw. Rubi und Barium (Itin. Anton. 117; Itin. Burdig. 609), wo die Kirche San Pietro sopra Minerva einen Minerva-Tempel überdeckt, h. Bitonto. *Municipium* der *regio II*: Plin. nat. 3,105; Mart. 2,48,7. Münzprägung im 3.Jh. v.Chr. [1].

1 HN 46 2 V. ACQUAFREDDA, Bitonto attraverso i secoli, 1937 3 F.P. PALMIERI, Manufatti di età preclassica, in: Studi Bitontini 18–19, 1975–76; 32f., 1980–81 53–82 4 M.R. DEPALO, 1984 5 BTCGI 4, 67–80.   G.U.

Buxentum. Stadt in Lucania, h. Policastro Bussentino (Prov. Salerno) am Golf von Policastro. Nachfolgesiedlung von Pyxus (Mz.-Prägung 2. H. des 6.Jh. v.Chr.: HN 83), Neugründung unter Mikythos von Messene 471 v.Chr. (Diod. 11,59,4; Strab. 6,1,1), anschließend den Lucani überlassen. Röm. *colonia* 194, erneuert 186 (Liv. 32,29,4; 34,45,2; 39,22,4), 89 v.Chr. *municipium* der *tribus Pomptina*. Bischofsitz 592 n.Chr. Den Namen B. führte auch der hier mündende Fluß (h. Bussento) und das Vorgebirge im Südwesten (h. Punta degli Infreschi).

NISSEN, 2, 897 · EAA 6, 222.   G.U.

Buzes. Anführer einer thrak. Reitertruppe unter → Belisarios gegen die Perser 530 n.Chr. Seit ca. 539 neben diesem *magister militum per Orientem*, unternahm er mit ihm die Perserfeldzüge 541 und 542. Gemäß Prokop, *Historia arcana* (glaubwürdige Quelle?) wurde er 542 wegen angeblichen Hochverrats abberufen und über zwei Jahre lang eingekerkert. 554 rettete er ein Heer unter General Bessas in Lazika (Kolchis) vor der Vernichtung durch die Perser. Seine Identität mit dem B., den → Iustinianus I. im J. 549 nebst anderen Heerführern mit Hilfstruppen für die Langobarden zum Kampf gegen die Gepiden entsandte, ist sehr wahrscheinlich (PLRE 3 A, 254–257).

B. RUBIN, Das Zeitalter Justinians, Bd. 1, 1960, 281, 322–326, 337–341, 361 f.; Bd. 2, 1995 (hrsg. von C. CAPIZZI), s. Index, 266 · E. STEIN, Histoire du Bas-Empire 2, 1949 (Ndr. 1968), Index, s.v. B.   F.T.

Buzygai (Βουζύγαι). Eines der vornehmsten athenischen Priestergeschlechter, das sich auf → Buzyges zurückführte. Ihm gehörten u.a. auch Xanthippos, der Sieger von Mykale, und dessen Sohn Perikles an (schol. Aristid. 473). Die B. besorgten die hl. Pflügung unterhalb der Akropolis (Plut. praecepta coniugalia 42 p. 144). Ferner oblag ihnen das erbliche Priestertum des Zeus Teleios (CIA 294) und des Zeus am Palladion (CIA 71; 273).

BURKERT, 159 · NILSSON GGR, 1,709.   R.B.

Buzyges (Βουζύγης).
[1] Athenischer Heros, Ahnherr des Geschlechts der → Buzygai; auch Titel des Priesters von Zeus Teleios oder ἐπὶ Παλλαδίῳ (*epí Palladíō*), der demnach ein Mitglied dieses Geschlechts gewesen wäre. Der Held, dessen Name »Ochsenunterjocher« bedeutet, war der erste, der fürs Pflügen Ochsen ins Joch spannte; sein Pflug ruhte auf der Akropolis als Weihgeschenk, und eine hl. Pflügung stand mit ihm im Zusammenhang (schol. Aischin. 2,78; Plut. mor. 144B). B. war auch Gesetzgeber (Lasos PMG 705), und die sprichwörtlichen Verfluchungen, βουζύγειοι ἀραί (*buzygeíoi araí*), die von den buzygischen Priestern gegen Missetäter ausgesprochen wurden, können mit Zeus Teleios und dem palladischen Gericht in Zusammenhang gebracht werden. Aristoteles soll den Helden mit Epimenides identifiziert haben (fr. 386 ROSE).
[2] Beiname des Herakles (Suda, s.v. Βουζύγης). Lact. inst. 1,21 erzählt das Aition eines Heraklesfestes in Lindos: *duo iuncti boves* (zwei zusammengespannte Rinder) werden an einem βούζυγον (*búzygon*) genannten Altar geopfert. Auch hier wurden Verfluchungen und Beschimpfungen ausgesprochen, diesmal jedoch seltsamerweise gegen Herakles selbst.

C. BÉRARD, s.v. Bouzyges, LIMC 3.1, 154–5 · W. BURKERT, Buzyge und Palladion, in: ZRGG 22, 1970, 359–68 · J.-L. DURAND, Sacrifice and labour en Grèce ancienne, 1986, 145–93.   E.K.

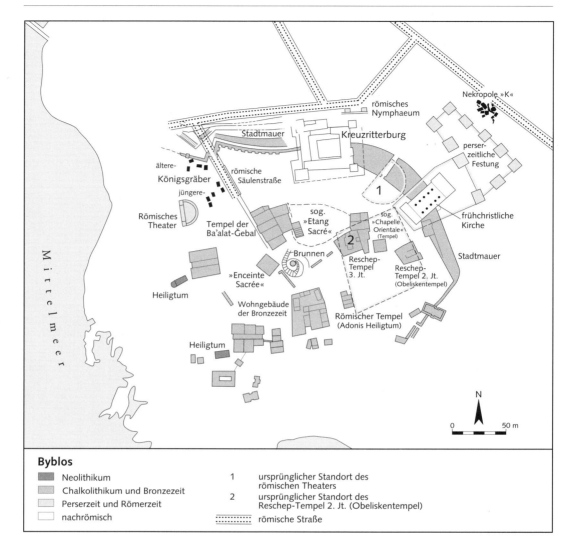

Byblos

	Neolithikum
	Chalkolithikum und Bronzezeit
	Perserzeit und Römerzeit
	nachrömisch

1   ursprünglicher Standort des römischen Theaters

2   ursprünglicher Standort des Reschep-Tempel 2. Jt. (Obeliskentempel)

⋯⋯⋯⋯   römische Straße

Byblis (Βυβλίς, Βιβλίς). Tochter des Miletos und der Eidothea, der Tochter des Eurytos, oder der Kyanee, der Tochter des Maiandros. Ihre leidenschaftliche Liebe zu ihrem Zwillingsbruder → Kaunos treibt diesen in die Fremde, sie selbst in den Tod. Bezüglich ihres Endes variiert die Überlieferung: Sie erhängt sich (Parthenios 11; Konon 2), stürzt sich von einem Felsen und wird dabei von Nymphen in eine Hamadryade verwandelt (Ant. Lib. 30 nach Nikander), oder aber sie löst sich von Tränen verzehrt in eine Quelle auf (Ov. met. 9,450–665). Nach Steph. Byz. (s. v. B.) ist B. Eponymin der phoinikischen Stadt Byblos.

F. BÖMER, P. Ovidius Naso, Metamorphosen (Komm. zur Stelle), 1977, 411–468 · C.J. CLASSEN, Eine Ovidinterpretation, in: A&A 1981, 163–178 · B.R. NAGLE, B. and Myrrha. Two incest narratives in the Metamorphoses, in: CJ 78, 1983, 301–315.   R.B.

Byblos (Βύβλος).

[1] B. (Gubla), h. Ǧubail, ca. 30 km nördl. von Beirut (→ Berytos), bereits im AR Ausfuhrhafen für Zedernholz [2; 7]. Kontakte von Gubla mit Mesopotamien und Gebrauch der Keilschrift sind für das Ende des 3. Jt. v. Chr. belegt [6]. Eine um 2000 v. Chr. entwickelte Bilderschrift, die sog. Byblos-Schrift, setzte sich nicht durch. Aus hieroglyphischen Inschr. bekannte Fürsten von B. des 19. und 18. Jh. v. Chr. sind vielleicht im → Mari-Archiv erwähnt [5]. Unter den → Amarna-Briefen sind 67 Tafeln des Rib-Adda, Königs von B. Eine kurz nach 1000 v. Chr. von → Ahiram begründete Dynastie regierte bis in die Zeit des neuassyr. Reiches (Tributzahlungen an Assyrien). Nach der Eroberung 332 v. Chr. durch Alexander [4] den Gr. wird der Ort als B. bei mehreren ant. Autoren genannt (Strab. 16,2,18; Mela 1,67; Plin. nat. 5,78; 6,213; Ptol. 5,14,3).

Seit 1920 wurden neolithische bis byz. Baureste freigelegt [1; 3; 4], darunter die Tempel der Baʾalat Ǧebal und des → Reschep (sog. Obelisken-Tempel) und die Stadtmauern der Bronzezeit, sowie das Heiligtum des → Adonis aus röm. Zeit. Die Wohnstadt liegt weitgehend unter dem h. Ort.

1 J. CAUVIN, Fouilles de B. IV, 1968 2 M. CHEHAB, Noms de Personalités égyptiennes découvertes au Liban, in: Bull. du Musée de Beyrouth 22, 1969, 1–47 3 M. DUNAND, Fouilles de B. I–II, 1939–1958, V, 1973 4 N. JIDÉJIAN, B. à travers les âges, 1977 5 H. KLENGEL, Syria 3000 to 300 BC, 1992, 79 6 E. SOLLBERGER, B. sous les rois d'Ur, in: AfO 19, 1959/60, 120–122 7 W. A. WARD, Egypt and the East Mediterranean, in: JESHO 6, 1963, 1–57.
KARTEN-LIT.: M. DUNAND, Fouilles de Byblos II, 1958 · N. JIDÉJIAN, Byblos à travers les âges, 1977.   U.F.

[2] Schreibmaterial s. Buch, Papyrus

Bylazora (Βυλάζωρα, Βυλάζωρ, -ωρος). Größte Stadt in → Paionia (Pol. 5,97), von Philippos V. als Bollwerk gegen die → Dardani eingenommen (vgl. Liv. 44,26,8 für 168 v. Chr.). Allg. im Tal des Axios bei Veles lokalisiert; doch sind bislang keine für eine sichere Identifizierung ausreichende Funde gemacht worden.

F. PAPAZOGLOU, Les villes de Macédoine, 1988, 308.
                             MA. ER.

Byllis (Βυλλίς). Ortschaft am rechten Ufer des Aoos in den Hügeln der Mallakastra beim h. Gradista de Hekal. Im 4. Jh. v. Chr. gegr., nach 230 bis zur Eroberung durch Rom unabhängig. Struktur der staatlichen Institutionen von Epeiros und Apollonia [1] entliehen; möglicherweise Koexistenz einer *polis* und eines *koinon* der Bylliones. Nahe bei B. die Stadt Klos. Späte Blüte von B. im 6. Jh. n. Chr.; vier frühchristl. Basiliken. (lit. Quellen: Skyl. 27; Strab. 7,5,8; 7,7; Ptol. 3,12,3; Plin. nat. 3,23; 4,10; Liv. 36,7; 44,30; Caes. civ. 3,12; 40; Cic. fam. 13,42; Phil. 11,11; Pis. 40; Plut. Brutus 26,2; IG V 1, 28 [1]; SEG 24, 449; CIL III 600).

1 L. ROBERT, in: BCH, 1928, 433 f.

C. PATSCH, Das Sandjschak Berat in Albanien, in: Schriften der Balkankomission 3, 1904, 119, Fig. 97 · B. LEONARDOS, in: AE, 1925–26, Nr. 140, 1.11 · A. PLASSARD, Liste delphique des théorodoques, in: BCH, 45, 1921, 22, col. IV 37 · N. CEKA, Mbishkrime Byline, in: Iliria, 1987, 2, 49–115 (frz. Resümé 116–121) · Ders., Le Koinon des Bylliones, in: L'Illyrie méridionale et l'Épire dans l'Antiquité, 1987, 135–149 · P. C. SESTIERI, B., in: Rivista d'Albania 4, 1943, 35–50 · Ders., Il nome antico di Klos in Albania, in: Atti di Acc. dei Lincei 1951, 411–418 · P. CABANES, L'Épire, 1976, 384.   M. Š. K.

Byrsa. Üblicher Name (lat., griech. *bursa*, »Rindshaut«) für die Akropolis von → Karthago, angeblich in Erinnerung an Didos legendären Landkauf (›soviel eine Rindshaut decken kann‹) für die Gründung der Stadt, oder ältester ON (Serv. Aen. 1,70: *Carthago ante B., post Tyros*

dicta est), unter Mißverständnis eines phöniz. Toponyms *biʾr-ša* (»Schafsbrunnen«).

E. LIPIŃSKI, B., in: Actes du IVᵉ colloque international sur l'histoire et archéologie de l'Afrique du Nord. Strassbourg 1988, 1990, 123–130. · Ders., in: DCPP, s. v. B., 83 f.
                             H. G. N.

Byssos (βύσσος). Pflanzliche und tierische Fasern, die zu weitgehend durchsichtigen Gewändern (βύσσινος, βύσσινον πέπλωμα) verarbeitet wurden. Dies sind vor allem wohl *linum* (λίνον, Lein, Flachs), später (offenbar schon bei Hdt. 2,86) Samenhaare der → Baumwolle, vielleicht der aus Afrika eingeführten Asclepiadacee *Gomphocarpus fruticosus*, aber auch Fasern von Pilzen und Flechten. Auch die heute noch als B. bezeichneten Haftfasern im Meeresboden festsitzender Muscheln wie der großen mittelmeerischen *Pinna nobilis* waren Lieferanten für 3–8 cm lange Fasern zur Anfertigung von Stricken, Strümpfen oder Handschuhen. Byssolith (*byssinum* Plin. nat. 19,21) ist das faserige Gestein.
→ Asbest; Textilien   C. HÜ.

Byzacium (Βυζάκις oder Βυσσᾶτις). Urspr. wohl Landstrich zw. Neapolis (Zeugitana) und Thapsos mit Hinterland, der Sahel von Sousse mit der Ebene von Kairouan. B. leitet sich wahrscheinlich von den Βύζαντες (*Býzantes*) ab (Steph. Byz. s. v.). Seit pun. Zeit war das B. berühmt wegen seiner reichen Getreide- und Olivenerträge (Ps.-Skyl. 110 [GGM 1, 88 f.]; Pol. 3,23,2; Varro rust. 1,44,2; Bell. Afr. 97,3; Plin. nat. 5,24; 17,41; 18,94; Sil. 9,204 f.; Plut. Caesar 55,1; App. Lib. 33,139). Das Gebiet zw. Thapsos und Thenai wurde wohl erst im 2. Jh. n. Chr. als zum B. gehörig betrachtet. Im 3. Jh. scheint ein kaiserlicher *procurator* einen *tractus Byzacenus* verwaltet zu haben (Inscr. latines de l'Algérie 1, 2035). Diocletian trennte (303?) die Byzacena (wie die Tripolitana) von der Proconsularis ab und wies ihr das Gebiet südl. der Linie Pupput – Mactaris – Ammaedara (zur neuen Proconsularis gehörig) und nördl. der Linie Tritonis Lacus – Tacape (zur Tripolitana gehörig) zu. Sitz zunächst der *praefecti*, dann der *consulares* war → Hadrumetum.

J. DESANGES, s. v. B., EB, 1674–1677.   W. HU.

Byzantinische Trias s. Aischylos, Aristophanes, Euripides, Sophokles

Byzantion, Byzanz (Βυζάντιον).
I. TOPOGRAPHIE UND GESCHICHTE
II. KULTUR   III. KUNST

I. TOPOGRAPHIE UND GESCHICHTE
Griech. Stadt am südl. Ufer des → Bosporos [1] auf einer nördl. an das Chrysokeras und südl. an die Propontis grenzenden Halbinsel, h. Istanbul; Spuren vorhistor. Besiedlung. Megarische Gründung (vgl. Namen, Phyleneinteilung, Institutionen, Kalender, Pantheon) des 7. Jh. v. Chr. (zusammen mit Kolonisten aus Argos,

Korinth und Boiotia: Dionysios von Byzantion fr. 10;
Eus. Chronikon 2,87). Nach den Perserkriegen oligarchisch, 478 v. Chr. von Pausanias eingenommen, seit
476 demokratisch und Mitglied im 1. → Attisch-Delischen Seebund mit sehr hohem Tribut. 411 v. Chr. fiel
B. nach einem Konflikt mit Samos zum Peloponnesischen Bund ab. Alkibiades eroberte B. 409 wieder zurück. Sechs Jahre später wütete der Spartaner Klearchos
in B., 390 wurde B. von Thrasybulos gezwungen, in den
2. → Attischen Seebund einzutreten; 356 trat B. wieder
aus. 340/339 belagerte Philippos II. B. ohne Erfolg. 220
v. Chr. führte B. einen Wirtschaftskrieg mit Rhodos um
die Schiffszölle. In den Kriegen Roms gegen Philippos V., Antiochos III. und Perseus stand B. auf seiten
der Römer, weshalb B. *civitas libera et foederata* wurde.
Unter Vespasian wurde sie in das röm. Reich eingegliedert. Von Septimius Severus wegen der Unterstützung
seines Rivalen Pescennius Niger bestraft (196 n. Chr.),
wurde B. unter Caracalla neu aufgebaut, aber z.Z. Claudius' II. von Goten zerstört. In der Zeit der Tetrarchie
stand B. im Schatten von Nikomedeia. 330 umbenannt
in → Konstantinopolis.

W. NEWSKAJA, B. in klass. und hell. Zeit, 1953 ·
N. FIRATLI, New Discoveries Concerning the First
Settlement of Ancient Istanbul-Byzantion, in: Proc. of the
10th Intern. Congr. of Class. Archaeology 1, 1978, 265–574.
I. v. B.

II. KULTUR
A. ALLGEMEINE EINFÜHRUNG   B. SPRACHE
C. IDENTITÄT   D. VERWALTUNG UND RECHT
E. RELIGIÖSE ENTWICKLUNG   F. WIRTSCHAFT UND
GESELLSCHAFT   G. WÜRDIGUNG

A. ALLGEMEINE EINFÜHRUNG
›Röm. Staatswesen, griech. Kultur und christl. Glaube sind die Hauptquellen der byz. Entwicklung‹ [1].
Dieser Satz OSTROGORSKIS, am Anfang seiner ›Geschichte des byz. Staates‹, hat auch heute noch Gültigkeit: Als sich im Laufe des 3. bis 8.Jh. jene Prozesse
abgespielt hatten, an deren Ende die spätant. Einheit des
Mittelmeerraumes einer Dreiheit wich (lat. Westen,
→ Kalifat, Ostrom), ist B. der Teil, der am stärksten den
Traditionen des *Imperium Romanum Christianum* verhaftet blieb. Lange wurde dieses Beharren als Erstarrung
gedeutet, während man heute zw. dem offiziellen Bild,
das B. von sich selber hatte, und der Realität zu unterscheiden gelernt hat [2]. So gewiß sich B. als alleiniger
Erbe der ant. Bildung, des wahren Glaubens und der
röm. Tradition weiß, so wußte man doch in Konstantinopel sehr wohl zu unterscheiden zw. offiziellem
Anspruch und polit. Realität, der man sich im Zweifels-
fall anzupassen wußte. Somit erweist sich auch die alte
Frage, wann denn eine zeitliche Grenze zw. der
spätröm. und der byz. Entwicklung zu ziehen sei, als
müßig: Sie geht an der spezifischen byz. Mentalität vorbei, ganz gleich, ob man das »eigentliche« B. mit der
Gründung → Konstantinopels, der theodosianischen

Ära, → Iustinians Restauration oder → Herakleios beginnen läßt. Ereignisgeschichtlich liegen hier tatsächlich
mehr oder weniger bed. Einschnitte vor, ohne daß jedoch auf dieser Ebene ein Bruch festzustellen wäre.
Vielmehr beginnt mit der Verlagerung des Schwerge-
wichts in die prosperierende Osthälfte des Reiches und
der Gründungstat → Constantinus' des Gr. ein Prozeß,
dessen langfristig entscheidende Etappen die Slavisierung des Balkans und von Teilen Griechenlands (ab dem
6. Jh.), die Gründung des Kalifats und der Verlust Syriens
und Ägyptens (7.–8. Jh.), sowie der Verlust Italiens sind
[3], von dem nur der Süden bei B. verbleibt. Am Ende,
d. h. zu Beginn des 9.Jh., ist Ostrom zu einem im Wesentlichen griech. Reich mit den Schwerpunkten
→ Balkanhalbinsel und Kleinasien geworden, das sich
freilich weiterhin als röm. bezeichnet. De facto ist jedoch durch den Frieden von Aachen (812) ein modus
vivendi mit dem Frankenreich gefunden.

B. SPRACHE
Die gewaltige Vereinheitlichung, die das *Imperium
Romanum* in sprachlicher Hinsicht bedeutete, bildet die
Bedingung für die Verkündigung des → Christentums
in griech. Sprache, der sich bald die in lat. für die alleinige Reichssprache des Westens hinzugesellt. Para-
doxerweise kehrt sich diese Entwicklung in der Spätant.,
deren Erbe auch hier B. antritt, wieder um: Getreu
dem Gebot des Evangeliums, wird die frohe Botschaft
bald auch den anderen Reichsvölkern in ihrer Sprache
nahegebracht, sei es, daß deren Sprache auf alte Schrift-
traditionen zurückblicken kann, oder nicht (wie die
german. Sprachen). Entscheidend erwies sich, daß sich
→ Bibelübersetzung, ethnische Neudefinition im Rahmen, wenn auch gegen den griech. Kulturraum, und
dogmatischer Dissens miteinander verbanden und die
sich herausbildende Orthodoxie mit ihrem Anspruch
auf Vereinheitlichung in Frage stellten: In der Spätant.
entstehen die oriental. Nationalkirchen der → Armenier, → Georgier, → Syrer (Nestorianer und Jakobi-
ten),→ Kopten und die der arianischen → Goten, jeweils in Verbindung mit einer eigenen Kirchensprache.
Ihre dogmatischen Differenzen und das Beharren auf
Eigenständigkeit entfalten eine starke Sprengkraft, die
die Reichseinheit bedroht, bis sie schließlich durch die
arab. Eroberungen unter muslimische Herrschaft geraten; damit hat B. an innerer Homogenität in Richtung
auf ein griech. Reich gewonnen. Dagegen konnte sich
ein dogmatischer Gegensatz mit der lat. Kirche erst viel
später entfalten. Der neuen Herausforderung durch die
Slavisierung des Balkans erwies sich B. besser gewachsen: Die Schaffung der altkirchenslavischen Sprache ist
der erfolgreiche Versuch einer Missionierung in der
Muttersprache im Rahmen der byz. Orthodoxie. Gemeinsam ist den beiden Reichssprachen Griech. und
Lat. in der Spätant. die Diglossie, der Gegensatz zw.
gesprochener und geschriebener Sprache [4], der sich
immer mehr verschärft. Während jedoch im Karolin-
gerreich seit dem Konzil von Tours (813) durch Verwendung der Volkssprache in der Predigt und kurze

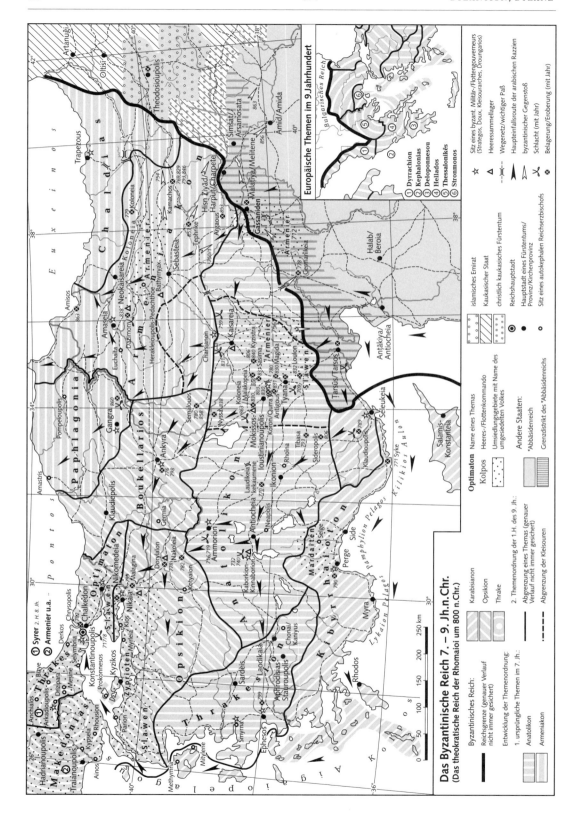

Das Byzantinische Reich 7.–9. Jh.n.Chr.
(Das theokratische Reich der Rhomaioi um 800 n.Chr.)

Europäische Themen im 9. Jahrhundert

① Dyrrachion
② Kephalonias
③ Delopennesou
④ Hellados
⑤ Thessalonikês
⑥ Stronmonos

Zeit später durch Aufzeichnung der Straßburger Eide Ansätze zu einer Überwindung erkennbar sind, bleibt in B. die spätant. Situation bis ins moderne Griechenland im wesentlichen erhalten. Nach der Aufgabe des Lat. als Verwaltungssprache, die sich in B. bis ins 7. Jh. hinzog, bleibt die ihrem Wesen nach altgriech. Sprache der *paideía* einzig repräsentatives Darstellungsmittel.

C. IDENTITÄT

Aufgegeben hat B. den Anspruch, das Röm. Reich zu sein, nie: Während man sich gegen die muslimischen Araber und die heterodoxen Ostkirchen rel. abgrenzte, waren die entstehenden ma. Staatengebilde der Goten, → Langobarden und Karolinger, später der christl. → Bulgaroi der Theorie nach Barbarenkönigreiche. Daran änderte auch das Verschwinden des Lat. nichts: Nach → Corippus findet sich keine lat. Lit. mehr im Osten, so daß seine Kenntnis auf die Juristen beschränkt blieb. Signifikant ist daher die Bedeutungsverschiebung des Wortes ῥωμαῖος (*rhomaíos*): Schon in den apokryphen *Acta Pilati* (B, prooem. p. 287) ist mit ῥωμαϊκὴ διάλεκτος eindeutig das Griech. gemeint; noch die Neugriechen bezeichneten sich bis ins 19. Jh. als ῥωμέοι. Dagegen wurde, jüd.-hell. Sprachgebrauch gemäß, ἕλλην (*héllēn*) zu »Heide« abgewertet, ein Sprachgebrauch, der sich ebenfalls bis vor kurzem hielt. So ist die byz. Identität ein komplexes Gebilde, das nicht auf eine der drei von OSTROGORSKI gen. Faktoren reduzierbar ist; seine Grundlage ist die konstantinische Synthese, die nicht nur das »Byzantinische Jahrtausend« [2], sondern auch die Osmanenzeit überdauerte.

D. VERWALTUNG UND RECHT

Bis in die Zeit Iustinians gilt im wesentlichen die Regelung der diocletianischen Verwaltungsreform mit ihrer strikten Trennung von mil. (Träger: *duces*) und ziviler (*praesides*) Gewalt, um Machtkonzentration lokaler Potentaten zu vermeiden (vgl. Nov. 24,1). Von den Reformen Iustinians sollte die Vereinigung der getrennten Gewalten in der Hand von *praetores* langfristig die größte Bed. haben, nachiustinianisch ist die Errichtung von Exarchaten (→ Ravenna 584; → Karthago 591), in denen die prekäre Grenzlage die alte Trennung aufheben ließ. Ins 7./8. Jh. fällt die im einzelnen umstrittene Einrichtung der Themenverwaltung (→ Thema) [5]: Ausgehend von den Heereseinheiten des durch die Araber bedrohten Kleinasien setzt sich diese Verwaltungsstruktur im gesamten byz. Reich bis ins 10. Jh. durch: An der Spitze steht der mil. und zivile Aufgaben vereinigende *stratēgós*. Die alte Theorie, die Entstehung der Themenverfassung sei ursächlich mit dem der Soldatengüter verknüpft, ist heute aufgegeben. Basis des byz. → Rechts [6] ist selbstverständlich die iustinianische Rechtskodifikation, deren Rezeption in Westeuropa erst im Hochmittelalter die röm. Rechtstradition neu begründet. Seine Paraphrasierung und Übers. ins Griech. prägt die späteren Kodifikationen wie die *epanagōgē̂*, das *prócheiron* und die *basiliká* (vollendet unter Leo VI., wohl 888). Neue Wege beschreiten die *ecloga* (8. Jh.) und die Novellen Leos VI. Groß war der Einfluß des byz. Rechts nicht nur via Italien auf die gesamteuropäische Rechtsentwicklung, sondern bes. auch auf die orthodoxen Slaven, die christl. Orientalen und, wie neuere Forsch. ergaben, über das Provinzial- und Vulgarrecht auf die entstehende islamische Rechtstradition [7].

E. RELIGIÖSE ENTWICKLUNG

Die rel. Entwicklung von B. steht bis ins 9. Jh. ganz unter dem Zeichen der Suche nach der Orthodoxie: So markieren die sieben ökumenischen Konzilien der Ostkirche, die auch von der katholischen anerkannt werden, den Weg zw. den als »häretisch« ausgegrenzten Dogmen der → Arianer, → Nestorianer, → Monophysiten, → Monotheleten, usw. Was jedoch als »orthodox« gilt, ist in B., dem die Entwicklung des ma. Papsttums fremd ist, häufig polit. bedingt: So ist auch das Phänomen des → Ikonoklasmus, das Ende der dogmatischen Krisen markierend (E. der ersten Phase 787; E. der zweiten Phase 843), nur vor dem Hintergrund der Spannung zw. Zentrale und Provinz zu verstehen [8]. Kaum zu überschätzen ist die Rolle von B. als Wiege des Mönchtums, sowohl des anachoretischen als auch des koinobitischen [2], doch ist die alte These der »Vermönchung von B.« abzulehnen.

F. WIRTSCHAFT UND GESELLSCHAFT

Grundlage des staatlichen Reichtums ist die Besteuerung; B. übernimmt die diocletianische Kombination von → *capitatio* und *iugatio*. Ab dem 9. Jh. sind dafür καπνικόν und δημόσιον belegt, ohne daß grundsätzliche Änderungen festzustellen wären. Stärker als im Westen bleiben in B. die spätant. Stadtstrukturen erhalten: Nicht nur, daß man → Alexandreia [1], → Antiocheia [1], → Damaskus und andere Zentren des Späthellenismus erbt, ein dem Westen vergleichbarer Verfall der Stadt als ökonomisches und kulturelles Zentrum fehlt bis in das späte 6. Jh. Doch führten auch hier die Slaweneinfälle auf der Balkanhalbinsel, die sasanidischen und später arab. Invasionen in Syrien und Kleinasien zu einem Bruch, dessen Ausmaß in letzter Zeit vermehrt diskutiert wird [9; 10]. Nach der Etablierung des Kalifats bleibt Konstantinopel als einzige Großstadt übrig, dem erst in mittelbyz. Zeit → Thessalonike zur Seite tritt. Spätröm. Erbe sind auch die vier Zirkusparteien, von denen nur zwei, die »Grünen« und die »Blauen«, in B. weiterleben. Trotz unzweifelhafter polit. und rel. Bindungen (Monophysitismus) hat sich eine eindeutige Zuordnung der Zirkusparteien zu sozialen Schichten nicht nachweisen lassen. Ihre zahlreichen Revolten gipfeln im gemeinsam angezettelten Nika-Aufstand (532). Durch den Rückgang der Städte sinkt ihre Bed. seit dem 7. Jh. Die Städte, bes. Konstantinopel, sind die Zentren des reich entwickelten byz. Handwerks, das für Jh. führend bleibt. Die Handwerker sind zu Korporationen (*collegia*) zusammengefaßt, die freilich nicht von der Starrheit der ma. Zünfte sind. Dank des ›Eparchenbuches‹ (→ *éparchos*: Stadtpräfekt von Konstantinopel) aus dem 10. Jh. wissen wir verhältnismäßig viel über sie. Beherrschend war der byz. Handel, auch wegen der

Bed. des Goldsolidus im internationalen Zahlungsverkehr und dem wirtschaftlichen Verfall des Westens. Allerdings führte die Seidenstraße durch das Sasanidenreich, und den Weihrauchhandel aus Südarabien kontrollierte dieses ebenfalls. Versuche Iustinians, durch
Bekehrung der Äthiopier und eine gezielte Süd-
arabienpolitik die → Sasaniden zu verdrängen, scheiterten; doch sicherte die erfolgreiche Einführung der Sei-
denraupenzucht einen Vorsprung der Byzantiner für
viele Jahrhunderte. Auch hier bedeutete die Entstehung
des Kalifats einen Bruch: Die Handelswege in den
Osten waren von nun an zwar nicht abgeschnitten, aber
in der Hand der Araber, die den gesamten Wirtschafts-
raum von Spanien bis Indien zusammenfaßten. Die Er-
holung des byz. Handels gelang durch eine verstärkte
Zuwendung nach Norden, an das Schwarze Meer und
die slavisierten Gebiete Nord- und Osteuropas; die erfolgreiche Mission der Russen (988) schließt die Entwicklung ab. Auf dem Land überdauert zunächst die
spätröm. Einrichtung des Colonats (→ Colonatus),
doch entsteht in den Wirren des 7. Jh. erneut ein freies
Kleinbauerntum, über das wir durch den νόμος γεωργι-
κός (*nómos geórgikós*) (um 700) verhältnismäßig gut informiert sind. Doch breitet sich bereits im 9. Jh. der
Großgrundbesitz wieder aus. Die These von der Beteiligung der Soldatengüter an der Entstehung der Themenverfassung wird neuerdings bestritten (s.o.).

G. WÜRDIGUNG

Trotz unzweifelhaft stärkerer Verhaftung mit der
Ant. als im Westen und trotz des Kalifats werden in
jüngerer Zeit verstärkt die originalen Leistungen von B.
hervorgehoben sowie Brüche unterstrichen. Als formative Periode gegenüber der spätröm. Periode bis
etwa Herakleios erweist sich in letzter Zeit das 7.–9. Jh.,
der Beginn der mittelbyz. Periode. Das setzt von Seiten
des Historikers das verstärkte Bemühen voraus, die an-
tikisierende Pose, den »distorting mirror« [11] der byz.
Historiker stärker zu durchschauen. Davon unbeein-
flußt ist die entscheidende Rolle, die B. bei der Über-
mittlung ant. Wissens an den Westen und an die Araber
gespielt hat – seine einzige Leistung ist dies freilich nicht
gewesen.

→ MÖNCHTUM

1 G. OSTROGORSKI, Gesch. des byz. Staates, ³1963 2 H.-G.
BECK, Das byz. Jahrtausend, 1973 3 P. CLASSEN, Italien zw.
Byzanz und dem Frankenreich, in: Ders., Ausgewählte
Aufsätze, 1983, 85–115 4 J. NIEHOFF-PANAGIOTIDIS, Koine
und Diglossie, 1994 5 P. SCHREINER, Byzanz, ²1994
6 P. PIELER, Rechtslit., in: H. HUNGER, Die hochsprachliche
Profanlit. der Byzantiner Bd. 2, 1978, 341–480 7 P. CRONE,
Roman, Provincial and Islamic Law. The origins of the
Islamic Patronate, 1987 8 P. BROWN, A Dark-Age
Crisis: Aspects of the Iconoclastic Controversy, in: The
English Historical Revue 88, 1973, 1–34 9 A. KAŽDAN,
G. CONSTABLE, People and Power in Byzantium.
An introduction to modern byzantine studies, 1982
10 R. HODGES, D. WHITEHOUSE, Mohammed,
Charlemagne and the Origins of Europe, 1983
11 C. MANGO, Byzantine Literature as a distorting Mirror,
1975.

A. DUCELLIER (Hrsg.), Byzance et le monde orthodoxe,
1986 (dt.: B. Das Reich und die Stadt, 1990) • H. HUNGER,
Das Reich der Neuen Mitte, 1965 • A. LAIOU,
H. MAGUIRRE (Hrsg.), Byzantium. A World Civilisation,
1992 • R.-J. LILIE, B. Kaiser und Reich, 1994 •
D. OBOLENSKY, The Byzantine Commonwealth, 1971 •
ST. RUNCIMAN, Byzantine civilisation, 1933 u.ö. (dt.:
Byzanz, 1969).   J. N.
KARTEN-LIT.: TH. RIPLINGER, Kleinasien. Das Byz. Reich
(7.–9. Jh. n. Chr.), TAVO B VI 8, 1988 • I. ROCHOW, B. im
8. Jh. in der Sicht des Theophanes. Quellenkrit.-hist.
Komm. zu den Jahren 715–813, 1991 • F. WINKELMANN
(Hrsg.), Volk u. Herrschaft im frühen B., 1991 •
H. DITTEN, Ethnische Verschiebungen zw. der
Balkanhalbinsel und Kleinasien vom E. des 6. bis zur
zweiten H. des 9. Jh., 1993.

III. KUNST
A. GEGENSTAND, ABGRENZUNG UND METHODIK
B. PROBLEME DER FORSCHUNG   C. CHRONO-
LOGISCHER ÜBERBLICK   1. FRÜHBYZANTINISCHE
EPOCHE   2. MITTELBYZANTINISCHE EPOCHE
3. SPÄTBYZANTINISCHE EPOCHE

A. GEGENSTAND, ABGRENZUNG UND METHODIK

Im angelsächsischen Sprachraum bilden byz. Kunst
und Arch. seit langem eine begriffliche Einheit [1]. In
der dt. wiss. Terminologie beginnt sich die Bezeichnung
B. Arch. als Entsprechung zu → Klass. Arch. und anderen Archäologien erst allmählich durchzusetzen, da die
Erforschung der byz. Denkmäler lange Zeit Gegenstand
der allg. Kunstgesch. war, was die überwiegend kunst-
wiss. orientierte Betrachtungsweise erklärt. Einzelne
Gattungen und Werkgruppen der byz. Kunst (→ Wand-
und → Buchmalerei, → Elfenbeinschnitzerei, Goldschmiedekunst) werden auch weiterhin unter traditionellen Aspekten (Stil, Ikonographie) zu erforschen sein.
Bislang fehlt eine systematische Einführung in Gegenstand und Methodik der B. Arch., deren Etablierung als
eigenständiges Fach bestenfalls im Rahmen der Gesch.
der byz. Studien berücksichtigt wurde.

Wie für die Klass. Arch. [2] bilden auch für die B.
Arch. Gewinnung und Sicherung monumentaler Quellen durch Feldforsch. und kontextuale Denkmälerinter-
pretation eine untrennbare Einheit. Die enge Verflechtung mit der → Spätant. (»Christl.«) Arch. ist durch die
zeitliche und räumliche Überlappung der spätröm.,
spätant.-christl. und frühbyz. Denkmäler (3.–7. Jh.) vorgegeben. Durch diese Verflechtung werden einerseits
Fragen der Definition und Abgrenzung aufgeworfen
[3. 7–13], und wird andererseits die arch. Forsch. gerade
auf den Gebieten der histor. Topographie, Architektur,
Skulptur, Mosaik- und Monumentalmalerei wesentlich
gefördert [4. 5]. An die Stelle der früher üblichen Vernachlässigung byz. und ma. Monumente an »klass.« Gra-
bungsplätzen (Olympia, Myra, Pergamon) ist eine
hochspezialisierte Arbeitsteilung zwischen Vertretern
der einzelnen Disziplinen getreten. Exemplarisch für
die Ausbildung einer dezidiert arch. Forschungsweise
sind die in den letzten drei Jahrzehnten bes. an Konstan-

tinopler Kirchen durchgeführten baugesch. Untersuchungen [6].

B. PROBLEME DER FORSCHUNG

Die Klass. Arch. kann auf eine reiche schriftliche Überlieferung zur ant. Kunst- und Künstlergesch. zurückgreifen, weshalb eines ihrer wichtigsten Forschungsziele darin besteht, innerhalb des überkommenen Denkmälerbestands (vor allem der Skulptur und Malerei) Zuschreibungen an »Meister« vorzunehmen und deren Oeuvres zu rekonstruieren. Im Unterschied dazu sind die byz. Denkmäler, von geringen Ausnahmen abgesehen, anonym geblieben, da die individuelle Künstlerpersönlichkeit dem byz. Denken gänzlich fremd war (→ Kunsttheorie). Gleichwohl steht der B. Arch. ein umfangreiches, von der Byzantinistik kritisch aufbereitetes Quellenmaterial aus den meisten lit. Gattungen (Historiographie, Topographie, Hagiographie, Dichtkunst, Urkunden, Typika, Reiseberichte) zur Verfügung, das wertvolle Nachrichten über erhaltene und verlorene Denkmäler, ihre Zweckbestimmung, Auftraggeber und Stifter enthält [7. 8] und in der Kombination mit den arch. Befunden das Gesamtbild der byz. Kunst wesentlich bestimmt. Die B. Arch. sieht sich jedoch mit einer disparaten monumentalen Überlieferung konfrontiert, zumal aus Konstantinopel als dem führenden Kunstzentrum nur ein Bruchteil der bezeugten Monumente (Kirchen, Profanbauten, öffentl. Denkmäler, Malereien und Mosaiken, Skulpturen und -ausstattungen) erhalten ist. Die Praxis, Fehlendes durch Erhaltenes in der »Provinz« zu ersetzen, gilt heute zu Recht als methodisch fragwürdig, obwohl hypothetische Rückschlüsse auf hauptstädtische Vorbilder und Anregungen als Erklärungsmuster unverzichtbar bleiben.

Auch für die B. Arch. spielt die Frage der Periodisierung und Epocheneinteilung eine wichtige Rolle, da die histor. Rahmenbedingungen entscheidenden Einfluß auf die künstlerischen Schaffensprozesse in der Hauptstadt Konstantinopel und in den wenigen, meist einem wechselvollen Geschick unterworfenen Zentren der Provinz ausgeübt haben. Die Trennung des Imperium Romanum in eine lat. geprägte Westhälfte und eine griech. dominierte Osthälfte hatte sich früh angekündigt (diokletianische Reichsreform 293). Mit der Gründung der neuen Hauptstadt Konstantinopel (324/330), der theodosianischen Reichsteilung (395) und – im Zeitalter Justinians (527–563) – mit dem Ausscheiden großer Teile des weström. Reiches als Folge der Vökerwanderungen war sie allmählich zum Abschluß gekommen. Nach dem Verlust weiterer Ostprovinzen (636 Syrien; 642 Ägyptens) in den Auseinandersetzungen mit Persern und Arabern – letztere dauerten das ganze 8. Jh. an – reduzierte sich der Umfang des byz. Reichs auf Kleinasien, Griechenland und Teile Unteritaliens. Insofern ist es durchaus zutreffend, die frühbyz. Epoche mit der definitiven Verlagerung des polit. Machtzentrums in den griech. Osten (324/330) beginnen und mit dem Ausgang des Bilderstreits (726–843) enden zu lassen und

das Forschungsgebiet der B. Arch. vornehmlich auf die oström. Denkmäler einzugrenzen. Dabei ist die spärliche monumentale Überlieferung aus den »dunklen« Jh. (ca. 580–850) als Folge katastrophaler Entvölkerung und anhaltender Deurbanisierung, aber auch der vorsätzlichen Vernichtung zahlreicher Kunstwerke während der ikonoklastischen Krise zu erklären. Die mittelbyz. Epoche (843–1204) wird gewöhnlich nach den beiden den Kunstbetrieb maßgeblich prägenden Dynastien der Makedonen (867–1056) und Komnenen (1081–1185) definiert und endet mit der Eroberung Konstantinopels durch die Teilnehmer des vierten Kreuzzugs (1204). In der mittelbyz. Epoche beschränkte sich das Reichsgebiet trotz wechselnder Grenzverläufe im wesentlichen nur noch auf Teile Griechenlands, Unteritaliens (bis zur normannischen Eroberung) und Kleinasiens. Letzteres war nach der Schlacht bei Manzikert (1071) an die selçukischen Türken gefallen und in seiner östl. Hälfte für immer verloren. Während der Lateinerherrschaft (1204–1261) überlebte B. polit. und kulturell unter den Laskariden im kleinasiatischen Kaiserreich von Nikaia und im »Despotat« von Epiros (→ Arta). Mit der allmählichen Konsolidierung des territorial stark eingeschränkten byz. Staates unter den Palaiologen (1261–1453) begann die spätbyz. Epoche, die in der 1. H. des 14. Jh. eine letzte Blüte des byz. Kunst hervorbrachte. Mit der osmanischen Eroberung von Konstantinopel (1453) endete das byz. Jahrtausend. Aus der Konkursmasse des einstigen Riesenreiches entwickelten sich auf der Grundlage des byz. Erbes die »postbyz.« Kulturen der Balkanländer.

C. CHRONOLOGISCHER ÜBERBLICK

I. FRÜHBYZANTINISCHE EPOCHE

Die Erforschung des frühbyz. Kirchenbaus stellt einen wesentlichen Schwerpunkt der B. Arch. für die Kernlande (Kleinasien, Griechenland) und die weström. Ausstrahlungszentren (Ravenna) dar [9]. Die für die Entwicklung der kirchlichen Architektur maßgebenden Stiftungen Konstantins des Großen in Rom, Konstantinopel (Apostelkirche) und im Heiligen Land (Grabeskirche Jerusalem) sind teils erh., teils nur hypothetisch faßbar. Sie belegen die Anwendung von basilikalem Längsbau (→ Basilika) und → Zentralbau in verschiedensten Spielarten sowie die Kombination beider Grundtypen. Obgleich für Konstantinopel im 4. Jh. ein riesiges Arsenal an verschleppten und wiederverwendeten Skulpturen vorausgesetzt werden kann, scheint die eigenständige Produktion figürlicher Plastik (Staatsdenkmäler, → Sarkophage) erst in theodosianischer Zeit eingesetzt zu haben. Die dürftige Überlieferung erlaubt keine ausreichenden Rückschlüsse auf die künstlerische Herkunft der hier tätigen Bildhauerwerkstätten [6. 694–716]. Unzweifelhaft ist jedoch die führende Rolle Konstantinopels in der Produktion und Verbreitung der in den prokonnesischen Steinbrüchen serienmäßig gefertigten → Bauplastik, die ganze Kirchenausstattungen umfassen konnte und weithin exportiert wurde [6. 717–723].

Eine neue Qualität erreichte die oström. Kunst unter Justinian I. mit der endgültigen Konstituierung der fortan bestimmenden Wesenszüge des byz. Stils, vor allem in der Architektur und Monumentalmalerei. Daher ist bes. die Architektur des »justinianischen Zeitalters« (518–578) eines der Hauptforschungsgebiete der B. Arch. Unübertroffener Höhepunkt einer in der Folge nur noch Variationen und Reduktionen zulassenden Aufbietung aller verfügbaren architektonischen Lösungen ist die → Hagia Sophia [6. 418–448]. Der mehrschiffige basilikale Längsbau ist hier durch ein kompliziertes System einander bedingender Bauteile mit dem Kuppelzentralbau (→ Kuppelbau; → Zentralbau) verschmolzen. Dadurch wird die grandiose, von allen konstruktiven Zwängen scheinbar befreite Raumwirkung erzeugt, die als vollendeter Ausdruck transzendentaler Ebenbildlichkeit, im Sinne der auf theokratischer Vorstellung fußenden byz. Staatsideologie, gedeutet werden kann. Stärker als Vorbild wirkte jedoch die Fünf-Kuppel-Basilika (justinianische Apostelkirche), die in Ephesos (Johanneskirche) und Venedig (San Marco) wiederholt ist. Für die »dunklen« Jh. ist die Entwicklung des Kirchenbaus nur schwer zu fassen (Erneuerungen an der Hagia Eirene).

2. MITTELBYZANTINISCHE EPOCHE

Nach dem Ende der ikonoklastischen Krise begann unter den Kaisern der maked. Dynastie ein neuer Aufschwung der byz. Kunst. Diese ist einerseits durch bewußtes Anknüpfen an spätant. Muster charakterisiert, bes. in der Malerei (→ Buchmalerei) und in den angewandten Künsten (→ Elfenbeinschnitzerei), was ihr Prädikate wie »Renovatio« bzw. »maked. Renaissance« eingetragen hat. Andererseits ist sie durch die schöpferische Ausbildung neuer Kunstformen gekennzeichnet, bes. im Kirchenbau, dessen Erforschung daher einen der Schwerpunkte der B. Arch. bildet. Leitform der mittelbyz. Architektur ist die »Kreuzkuppelkirche«, die gemäß ihrer überwiegenden Funktion als (privat oder kaiserlich gestiftete) Klosterkirche in der Regel relativ bescheidene Maße aufweist. Sie nimmt zwar traditionelle Raumelemente und Bauformen auf, verbindet diese jedoch zu einer neuartigen Synthese, die sich bislang allen typologischen Ableitungsversuchen widersetzt hat. Der Kreuzkuppeltypus wird gewöhnlich auf die nicht mehr erhaltene Nea Ekklesia Basileios I. (um 880) zurückgeführt: In die annähernd quadratische Grundform des Gebäudes ist ein Raum- und Gewölbesystem in Gestalt eines griech. Kreuzes eingestellt. Vier Stützen (Säulen, Pfeiler) mit Archivolten, von denen vier Arme nach den Seiten abzweigen, tragen, durch Ecktrompen vermittelt, eine zentrale Kuppel. Zwischen den überwölbten Kreuzarmen und den Gebäudeecken entstehen kleinere Raumkompartimente, die ebenfalls Kuppeln tragen können. Bei größeren Anlagen begegnen seitliche »Mantelräume« sowie Emporen. Der überhöhte kreuzförmige Zentralraum stellt sich außen an der Nord- und Südseite als betonte, durch Fensterreihen gegliederte und meist von einem »Thermenfenster« dominierte Fas-

sade dar. Die Ostseite ist durch das Bema und die → Apsis sowie durch zwei Nebenapsiden (Pastophorien) verlängert und tritt am Außenbau als markant gegliederte, oft durch die Apsiden der »Mantelräume« in der monumentalen Wirkung noch gesteigerte Chorpartie hervor. Im Westen ist ein → Narthex vorgelagert, der gelegentlich zweigeschossig ist und die Empore trägt. Das Außenmauerwerk ist in der Mischung von Haustein- und Ziegellagen bewußt dekorativ behandelt. In Konstantinopel ist dieser für die Folgezeit vorbildliche Bautypus trotz späterer Veränderungen am reinsten noch in der 907 errichteten Nordkirche des Lips-Klosters (Fenari Isa Camii) und in der Kirche des Myrelaion-Klosters (Bodrum Camii, um 920) bewahrt. Aus komnenischer Zeit lassen sich u. a. anschließen: Pantepoptes-Kloster (kurz vor 1087), Kilise Camii (um 1100), Pammakaristos-Kloster (Fethiye Camii, 1067–1118), die komnenischen Teile der Chora-Kirche (1077–1081; 1120), die Kirchengruppe des Pantokrator-Klosters (1118–1136) und die Gül Camii (1110–1120). In Griechenland wurde Anfang des 11. Jh. der »Achtstützentyp« ausgebildet, wobei die Kuppel nicht mehr auf vier Säulen oder Pfeilern, sondern über Kuppelsegmente und Ecktrompen vermittelt auf vier im rechten Winkel über Eck gestellten Stützbögen ruht (Katholikon von Hosios Lukas, Daphni). Neben der Architektur ist naturgemäß die Erforschung der zugehörigen oder gleichzeitigen Bauskulptur sowie der kirchlichen Monumentalmalerei ein wichtiges Arbeitsfeld der B. Arch., obgleich auf dem Gebiet der Skulpturenforsch. derzeit noch die meisten Probleme bestehen [6. 723–736].

3. SPÄTBYZANTINISCHE EPOCHE

Für die Zeit der Lateinerherrschaft ist davon auszugehen, daß sich auch die künstlerische Produktivität nach Kleinasien und Griechenland (Arta, Thessaloniki, Mistra) oder überhaupt in den Westen (Italien) verlagert hatte und dort in provinzieller Brechung überdauerte. Obgleich im selçukischen Herrschaftsgebiet liegend, hat Kilikien bis weit in das 13. Jh. eine reiche Kirchenarchitektur und Malerei hervorgebracht. Erst gegen Ende des 13. Jh. hatten sich die künstlerischen Kräfte in der Hauptstadt, wohl auch durch allmähliche Rückwanderung der Werkstätten aus den Exilgebieten, wieder soweit konsolidiert, daß von der Ausbildung eines typisch palaiologischen Stils in Architektur, Malerei und Skulptur gesprochen werden kann. Für die relativ kurze Blüte der spätbyz. Architektur, Mosaikmalerei und Bauskulptur steht vor allem der großartige Umbau der Chora-Kirche (Kariye Camii) durch Theodoros Metochites (1316–1321).

1 O. M. DALTON, Byzantine Art and Archaeology, 1911
2 H. G. NIEMEYER, Einführung in die Arch., ⁴1990 3 F. W. DEICHMANN, Einführung in die christl. Arch., 1983
4 U. PESCHLOW, Konstantinopel und Kleinasien. Forsch.- und Lit.-Bericht über die Ergebnisse arch. Arbeit auf dem Gebiet der Spätant., des frühen Christentums und der frühbyz. Zeit aus den vergangenen zehn Jahren, in: Actes du XI'Congrès international d'archéologie chrétienne, Lyon

u.a. (1986), 1989 **5** J.P. SODINI, La contribution de l'archéologie à la connaissance du monde byzantin (IVe-VIIe siècle), in: Dumberton Oaks Papers 47, 1993, 139–184 **6** M. RESTLE, Art. Konstantinopel, in: RBK 6 (1990) 366–737 **7** J.P. RICHTER, Quellen der byz. Kunstgesch., 1878 **8** C. MANGO, The Art of the Byzantine Empire 312–1453. Sources and Documents, 1972 **9** R. KRAUTHEIMER, Early Christian and Byzantine Architecture, ⁴1986 (revised by R.K. und Sl. Ćurčić).

ByzZ (jährl. mit Bibliogr. zur byz. Arch. und Kunstgesch.) · A. GRABAR, Sculptures byzantines de Constantinople (IVe-Xe siècle), 1963 · Ders., Sculptures byzantines du moyen âge, 2 (XIe-XIVe siècle), 1976 · W.E. KLEINBAUER, Early Christian and Byzantine Architecture: an Annotated Bibliography and Historiography, 1992 · C. MANGO, Byz. Architektur, 1975 · MÜLLER-WIENER · W.F.VOLBACH, J. LAFONTAINE-DOSOGNE, B. und der christl. Osten, 1968.

A.E.

Byzes. Architekt oder Bauhandwerker aus Naxos, um 600 v. Chr. tätig. Pausanias (5,10,3) schloß aus einem angeblichen Epigramm, daß B. als erster Dachziegel aus Marmor fertigte. Eine Aufschrift auf einem Marmordachziegel von der Athener Akropolis (CY = BY im naxischen → Alphabet) wurde als Hinweis auf B. gedeutet.

H. SVENSON-EVERS, Die griech. Architekten archa. und klass. Zeit, 1996, 374. C.HÖ.

C

C (sprachwissenschaftlich). Der dritte Buchstabe des griech. → Alphabets wurde nach semit. Vorbild für das stimmhafte /g/ (wie in nhd. *Gold*) verwendet, daneben für den Nasal [ŋ], z.B. in ἄγκος. Bei den Etruskern erhielt der Buchstabe jedoch den Lautwert [k]; entsprechend auch in Rom, wo später für stimmhaftes /g/ ein neuer Buchstabe erfunden wurde. Weiteres unter → G; K; Italien (Alphabetschriften).

LEUMANN, 9f. · R. WACHTER, Altlat. Inschr., 1987, 14–18. B.F.

C. Abkürzung des verbreiteten röm. Vornamens Gaius. Die Abkürzung muß bereits vor der Einführung des Buchstabens G in das röm. Alphabet durch den Censor Appius → Claudius Caecus (312 v. Chr.) erfolgt sein. Im röm. Zahlensystem bezeichnet C den Wert 100 (Centum), entwickelte sich aber wohl aus der griech. Aspirata Θ (über die Form), die im frühlat. Alphabet keine Verwendung als Buchstabe fand.
→ Italien (Alphabetschriften); Zahlensysteme W.ED.

C-Maler s. Siana-Schalen

Cabillo(n)num. Stadt am Arar in der Gallia Lugdunensis, h. Chalon-sur-Saône. Als Flußhafen der Haedui war C. von wirtschaftlicher Bed. bis zur Eroberung durch die Römer. Lit. Quellen: Caes. Gall. 7,42; 7,90; Strab. 4,3,2; Ptol. 2,8,12. In späterer Zeit Station der *classis Ararica*.

L. BONNAMOUR, s.v. C., PE, 179f. · GRENIER 2, 1934, 562–564. Y.L.

Cacus (Caca). In der Mythologie der augusteischen Autoren (Verg. Aen. 8,190–279; Liv. 1,7,3–15; Prop. 4,9; Ov. fast. 1,543–586) ist der Kampf des Hercules mit dem in einer Höhle am Palatin (wo die *scala Caci* liegt [1]) oder am Aventin (nach Verg.) hausenden Ungeheuer C. wichtig: Es hatte Hercules' Rinder gestohlen und wurde dafür bestraft. Der Mythos gibt die Aitiologie für den Kult des Hercules an der Ara Maxima am Forum Boarium, nimmt in seinem Grundthema der Überwindung des Ungeheuers auch Themen der augusteischen Ideologie auf [2]. Seine Vorgeschichte ist undurchsichtig: Von einem Kampf des Hercules gegen den (etr.) Heerführer C. berichtet schon der Annalist Cn. Gellius (fr. 9 PETER) ohne jeden monströsen Zug [3]. Das Grundthema des augusteischen Mythos – die Besiegung des viehraubenden Ungeheuers – verweist auf alte indoeurop. und it. Traditionen [4]. Der angeblich von den Vestalinnen besorgte Kult einer Caca, der Schwester des C., die ihn an Hercules verraten hat (Lact. inst. 1,20,36; Serv. Aen. 8,190), kann auf ein altes göttl. Paar weisen [5; 6]. Ein fast vergessener C. wäre dann in augusteischer Zeit unter dem Einfluß der griech. Etym. seines Namens (κακός »böse«) und des Herakles-Mythos zum viehraubenden Ungeheuer geworden. Die etr. Darstellungen eines Sehers Cacu können zeigen, wie eine solche Vorgeschichte ausgesehen haben könnte, in der aus einem göttl. etr. Seher ein Ungeheuer wurde [7].

1 E.M. STEINBY, Lexicon Topographicum Urbis Romae 1, 1993, 132f., 205f. 2 F. MÜNZER, C. der Rinderdieb, 1911 3 A. ALFÖDY, Early Rome and the Latins, 1965, 228–230 4 W. BURKERT, Structure and History in Greek Mythology and Ritual, 1979, 84–86 5 G. DUMÉZIL, La religion romaine archaïque, 1974, 60¹ 6 E.M. STEINBY, Lexicon Topographicum Urbis Romae 1, 1993, 204 7 J.P. SMALL, C. and Marsyas in Etrusco-Roman Legend, 1982. F.G.

Cadius. L.C. Rufus. Prokonsul von Bithynia et Pontus kurz vor dem J. 49 n. Chr., in dem er wegen → Repetunden vom Senat verurteilt wurde (Tac. ann. 12,22,3) [1. 159ff]. Von Otho wieder in den Senat aufgenommen (PIR² C 6).

1 G. STUMPF, Numismatische Unt., 1991. W.E.

Caducum. Die *lex Papia Poppaea* (9 n. Chr.) erzwang mittelbar Eheschließung und Kindererzeugung, indem sie Unverheirateten die ganze, verheirateten Kinderlosen die halbe Erwerbsfähigkeit (*capacitas*) für das ihnen erbrechtlich Zugewandte entzog; Ehegatten hatten untereinander nur für ein Zehntel *capacitas* (→ Decuma). Die Zuwendung fiel als *c.* (»verfallenes« Gut) an diejenigen im Testament genannten Männer, welche Kinder hatten, sonst (seit Caracalla stets) an die Staatskasse. Ebenfalls kaduzierten Zuwendungen, wenn ein Bedachter nach der Testamentserrichtung starb oder die Zuwendung ausschlug. → *Substitutio* verhinderte Kaduzität. Kaduzität betraf nur testamentarische Zuwendungen, nicht aber Intestaterbfolge; daher wurden die zivilen und prätor. Intestaterben (Vorfahren und Abkömmlinge sowie die cognati) ausgenommen. Justinian hob das Kadukarrecht auf (Cod. Iust. 6,51). → Ehe; Erbrecht

1 R. ASTOLFI, La lex Iulia et Papia, ²1986 2 KASER, RPR I, 723 ff. 3 H. L. W. NELSON, U. MANTHE, Gai Institutiones III 1–87, 1992, 162.   U. M.

Cadurci. Keltisches Volk der → Aquitania, Nachbarn der Ruteni und der Nitobriges, bekannt für ihr Leinen (Strab. 4,2,2; Plin. nat. 19,8) und ihre Kissen (*cadurcum*: Iuv. 6,537; 7,221; Plin. nat. 19,13). Die C. gaben dem h. Quercy den Namen. Verschiedene Orte der C.: Uxellodunum, Diolindum, Divona (Hauptort: Ptol. 2,7,9). Monumente: Aquädukt, Thermen, Theater. Inschr. Belege: CIL XIII, 1539–48.

E. DESJARDINS, Géographie historique et administrative de la Gaule romaine, 1878, 422 · G. GONSALVÈS, in: D. SCHAAD, M. VIDAL (Hrsg.), Villes et agglomérations urbaines antiques du Sud-Ouest de la Gaule, 1992, 62–66 · M. LABROUSSE, G. MERCADIER, Carte archéologique, 1990, 39–66.   E. FR.

Caecilia

[1] C. Gaia, Frau des → Tarquinius Priscus (Fest. p. 276); bei Plin. nat. 8,194 und Paul. Fest. s. v. G. C. p. 85 L. heißt sie → Tanaquil (dazu [1]). Ihr Name verbindet sie mit der Göttin Gaia und damit mit Hochzeitsriten. Zur Verbindung mit dem *ager Tarquiniorum* vgl. Liv. 2,5; Dion. Hal. ant. 5,13,2–4, mit dem Flußgott Tiber [2. 378–83]. Zum Namen Caecilia [2. 382].

1 R. THOMSEN, King Servius Tullius, 1980, Index s. v. Tanaquil 2 A. MOMIGLIANO, Roma Arcaica, 1989, 371–83 (mit allen Quellen).   ME. SCH.

[2] C. Attica. Tochter des T. → Pomponius Atticus und der Pilia, wurde 51 v. Chr. geboren und wird häufig in der Korrespondenz Ciceros mit seinem Freund Atticus erwähnt. Ihre Ausbildung nahm der *grammaticus* Q. → Caecilius Epirota (Suet. gramm. 16). Auf Vermittlung des Triumvirn M. → Antonius I 9 wurde sie wohl 37 mit M. Vipsanius → Agrippa verheiratet (Nep. Att. 12,1,f.; 19,4), dem sie die Tochter Vipsania → Agrippina [2] gebar, die erste Frau des späteren Kai-

sers Tiberius (Suet. Tib. 7,2). Da Agrippa im J. 28 erneut heiratete, war die Ehe zu diesem Zeitpunkt entweder geschieden oder A. bereits gestorben.

R. HANSLIK, s. v. Pomponius Nr. 28, RE 21, 2350f.   K.-L. E.

[3] (C.) Iunia, Tochter des Q. C. Metellus Creticus Silanus (Tac. ann. 2,43,2); vor 17 n. Chr. mit Nero Iulius Caesar, dem ältesten Sohn des → Germanicus, verlobt (CIL VI 914 = ILS 184).

RAEPSAET-CHARLIER 464 · R. SEAGER, Tiberius, 1972, 109, 118.   M. STR.

[4] C. Metella, Tochter des Q. Caecilius I 27 Macedonicus (Plin. nat. 7,59), vier Brüder (Cic. Brut. 212). Frau des C. Servilius Vatia und Mutter des P. Servilius Vatia Isauricus, *praetor* 90 v. Chr. (Cic. Verr. 3,211; dom. 123; p. red. in sen. 37; p. red. ad Quir. 6).

[5] C. Metella, Schwester von C. [4], Frau des P. Cornelius Scipio Nasica Serapio, *cos.* 111, und Mutter des P. Cor. Scipio Nasica, *praetor* 93 v. Chr. (?).

[6] Tochter des L. Caecilius I 20 und Schwester des Q. Caecilius I 30, verheiratet mit L. Licinius Lucullus (Cic. Verr. 4,147) und Mutter des berühmten → Lucullus.

[7] Tochter des L. Caecilius I 24 (Plut. Sull. 6,14–18), zuerst mit M. Aemilius I 37 Scaurus, seit 88 v. Chr. bis zu ihrem Tod 81 mit → Sulla verheiratet. Aus dieser Ehe die Zwillinge Faustus und Fausta und ein Sohn (Plut. Sull 34,5; 37,4).   ME. SCH.

[8] C. Metella, Tochter des Q. Caec. Metellus Balearicus und Schwester des Q. Caec. Metellus Nepos. Im Rahmen der in der Nobilität verbreiteten und von den Metelli genutzten Heiratspolitik wurde sie mit App. Claudius Pulcher vermählt. Aus der Ehe gingen App. Claudius und der Volkstribun P. → Clodius Pulcher hervor.

DRUMANN-GROEBE 2, 55.   H. S.

[9] C. Metella, Tochter des Q. → Caecilius Metellus Creticus, Gattin des M. → Licinius Crassus. Ihr Grabmal steht an der Via Appia (CIL VI 1247).

DRUMANN-GROEBE 2, 55.   H. S.

Caecilianus

[1] C. wurde 311/312 (nach [1] um 309/310) durch Felix von Aphthugni zum Bischof von Karthago geweiht. Ein Konzil von 70 Bischöfen unter Führung des numidischen Primas Secundus von Tigisi erklärte die Wahl des C. für ungültig und bezichtigte Felix der »*traditio*«. An seiner Stelle wurde zunächst Maiorinus gewählt, dem kurz darauf (313) → Donatus folgte. Kaiser Constantin ergriff die Partei des C. (vgl. bes. Constantins Brief bei Eus. HE 10,5,15–17; 10,6 f.). Der Streit mit Donatus wurde auf den Synoden von Rom 313 und Arelate (Arles) 314 zugunsten des C. und gegen die Donatisten entschieden. C. blieb bis 340 im Amt. Die Donatisten wurden mit Hilfe der Staatsgewalt verfolgt; dies konnte ihr Erstarken jedoch nicht verhindern.

1 B. KRIEGBAUM, s. v. C., Augustinus-Lex., 1986, 686–688.

W. H. C. FREND, The Donatist church: A movement of protest in Roman North Africa, ³1985. R. B.

[2] Angehöriger der spätant. Senatsaristokratie. Um 397 n. Chr. *praef. annonae*, um 404 *vicarius* mit unklarem Ressort. Anfang 409 versucht er vergeblich als Gesandter des Senats, Honorius zu einem Frieden mit → Alarich zu bewegen; im selben Jahr kurzzeitig Praetorianerpraefekt von It. und Illyricum; 414, nach der Usurpation des → Heraclianus mit außerordentlichen Vollmachten in Africa; dort bekämpft er auch Donatisten. Den Christ ermahnt Augustinus (epist. 151) nachdrücklich, die Taufe zu nehmen (PLRE 2, 244–6; Prosopographie de l'Afrique chrétienne 303–533, Bd. 1, 1982, 177–179).

v. HAEHLING, 313 f. H. L.

Caecilius. Name einer plebeischen *gens* (wohl abgeleitet von *Caeculus*, ältere Form *Caicilios*, griech. Καικίλιος, Κεκίλιος; ThlL, Onom. 12–14), die angeblich bereits seit dem 5. Jh. bezeugt ist (seit C. [I 1]), aber erst seit dem 2. Jh. Bedeutung erlangte; ihr berühmtester Zweig waren die C. Metelli (I 10–32). Eine späte Konstruktion führte den Namen auf Caeculus, den sagenhaften Gründer von Praeneste, oder Caecas, einen Gefährten des Aeneas, zurück (Fest. p. 38).

I. REPUBLIKANISCHE ZEIT   II. KAISERZEIT
III. LITERARISCH BEKANNTE PERSONEN

I. REPUBLIKANISCHE ZEIT

[I 1] C., Q., angeblich Volkstribun 439 v. Chr. und Anhänger des Sp. → Maelius (Liv. 4,16,5).

[I 2] C., Q., röm. Ritter, Ehemann der Schwester des Catilina, wurde von Sulla proskribiert und von seinem Schwager umgebracht (Q. Cic. com. pet. 9; Ascon. 84C).

[I 3] C., Q., röm. Ritter und berüchtigter Geldverleiher, der bei seinem Tod 58 v. Chr. seinen Neffen T. → Pomponius Atticus testamentarisch adoptierte und ihm sein Vermögen vermachte (Cic. Att. 3,20,1; Nep. Att. 5). Er war mit L. Licinius Lucullus befreundet (Val. Max. 7,8,5) und stand auch mit Cicero in geschäftlichem Verkehr. Sein Grab lag am fünften Meilenstein der Via Appia (Nep. Att. 22,4) [1].

[I 4] C. Atticus, Q. → Pomponius Atticus, T.

1 NICOLET, 2, 809 f. K.-L. E.

[I 5] C. Bassus, Q., röm. Ritter. Seine polit. Anfänge sind unklar. Appian (civ. 3,312–315) bietet zwei Versionen. Nach der ersten war C. im J. 47 v. Chr. Berater des jungen Proquaestors Sex. → Iulius Caesar in Syrien, nach der zweiten (3,315), die als glaubwürdiger gilt, rettete er sich nach der Niederlage des → Pompeius, auf dessen Seite er gekämpft hatte, nach Tyros und zettelte dort mit Falschmeldungen über den Ausgang des afrikanischen Krieges eine Meuterei gegen Sex. Caesar an.

Als dieser von seinen Soldaten ermordet wurde, übernahm C. das Kommando, bezog mit zwei Legionen Stellung in Apameia und wehrte erfolgreich alle mil. Versuche ab, ihn zu entmachten (C. → Antistius Vetus und L. → Staius Murcus), bis Ende 44 seine Truppen zu C. → Cassius I 5 überliefen, der als Propraetor nach Syrien gekommen war. C. blieb straflos (Cass. Dio 47,26,3–28,4). w. w.

[I 6] C. Cornutius, C., war Volkstribun 61 v. Chr., setze sich als Praetor 57 für die Rückberufung Ciceros ein (Cic. p. red. in sen. 23) und war 56 Promagistrat in Bithynia ([1]: Münzen).

[I 7] C. Cornutus, C., war als Praetorier Legat im Bundesgenossenkrieg (Cic. Font. 43) und entging als Anhänger Sullas 87 v. Chr. der Ermordung durch die Marianer nur durch eine List seiner Sklaven (App. civ. 1,336; Plut. Marius 43,10).

[I 8] C. Cornutus, C., vertrat als *praetor urbanus* 43 v. Chr. die Konsuln A. Hirtius und C. Pansa während deren Feldzug gegen M. Antonius und nach ihrem Tod. Als Octavian heranrückte, beging C. Selbstmord (MRR 2,338).

[I 9] C. Denter, L., Praetor 182 v. Chr. in Sicilia (MRR 1, 382).

CAECILII METELLI

Die Caecilii Metelli waren eine der bedeutendsten Familien der röm. Nobilität in der mittleren und späten Republik. Ihren größten Einfluß erlangten sie ab der zweiten H. des 2. Jh. mit C. M. [I 18] Macedonicus (*cos.* 143) und C. M. [I 20] Calvus (*cos.* 142), die wohl Brüder waren [2. 401], und deren Nachkommen, die zu den polit. führenden konservativen Häuptern der Senatsaristokratie gehörten. Das Cognomen Metellus bedeutet nach ant. Etym. »Söldner« (Fest. p. 132) [3. 81].

[I 10] C. Metellus, C., Senator vor 81 v. Chr., soll Sulla durch eine harmlose Bemerkung die Proskriptionen nahegelegt haben (Plut. Sull. 31,1 f.).

[I 11] C. Metellus, L., wohl Sohn von C. Metellus [I 25]. Als Konsul 251 v. Chr. besiegte er auf Sizilien Hasdrubal, der ihn in Panormus angegriffen hatte, und erbeutete die karthagischen Elephanten, die er 250 in Rom im Triumph zur Schau stellte (Pol. 1,39–40; Plin. nat. 7,139 u. a.; MRR 1,213); sie galten seitdem als »Wappentier« der Meteller (RRC 262 f.; 374). 249 *mag. equitum* des Dictators A. → Atilius Calatinus, 247 erneut als Konsul in Sizilien (Belagerung von Lilybaeum), 224 Dictator zur Abhaltung von Wahlen (MRR 1,215f; 231). Pontifex bzw. Pontifex Maximus bis zu seinem Tod 221 (Cic. Cato 30). 241 rettete er das → Palladium aus dem Vesta-Tempel und erblindete angeblich dabei (Cic. Scaur. 48 u. a.). Das Elogium erwähnt eine Statue auf dem Kapitol (Dion. Hal. ant. 2,66,4), der Inhalt der Leichenrede, die von seinem Sohn C. [I 9] gehalten wurde, ist bei Plinius (nat. 7,139–141) überliefert.

[I 12] C. Metellus, L., wohl Sohn von C. Metellus [I 11], wollte 216 v. Chr. nach der Schlacht von Cannae aus Italien fliehen (Liv. 22,53) und wurde deshalb als Quaestor 214 von den Censoriern unter die Aerarier

Die Caecilii Metelli

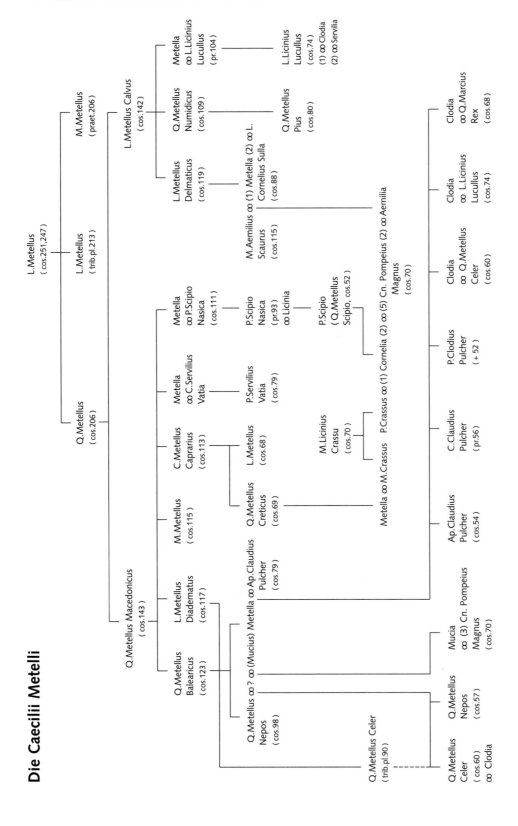

---- = Adoption

versetzt (Liv. 24,18,1–4; MRR 1,260). Als Volkstribun verklagte er deswegen erfolglos die Censoren (Liv. 24,43, 2–3).

[I 13] C. Metellus, L., Sohn von C. Metellus [I 21], Praetor 71 v. Chr., Propraetor 70 in Sicilia als Nachfolger des C. → Verres (MRR 2,128 f.). Er starb 68 als Konsul im Amt.

1 G. STUMPF, Numismatische Studien zur Chronologie der röm. Statthalter in Kleinasien, 1991, 69 f. 2 E. BADIAN, The Consuls, in: Chiron 20, 1990 3 WALDE/HOFMANN, 2.

J. VAN OOTHEGEM, Les Caecilii Metelli de la République, 1967.   K.-L. E.

[I 14] C. Metellus, L., um 52 v. Chr. Quaestor in Sizilien (MRR 2, 478). Als Volkstribun versuchte er im April 49, Caesar daran zu hindern, sich der im *aerarium Saturni* lagernden Gelder für seine Rüstungen zu bedienen (u. a. Plut. Pomp. 62; beschönigend Caes. civ. 1,33,3).   W. W.

[I 15] C. Metellus, M., wohl Sohn von C. Metellus [I 11], *praetor urbanus* und *peregrinus* 206 v. Chr. (MRR 1,298). 205 Mitglied einer Gesandtschaft nach Pessinus zur Überführung der → Mater Magna (MRR 1,304).

[I 16] C. Metellus, M., Sohn von C. Metellus [I 27], Münzmeister 127 v. Chr. (RRC 263), Praetor spätestens 118, Konsul 115 und Prokonsul 114–111 in Sardinia und Corsica (Triumph: InscrIt 13,1,85; MRR 2,538).

[I 17] C. Metellus, M., Sohn von C. Metellus [I 21], gehörte 70 zum Richterkollegium des C. → Verres und wurde 69 mit dessen finanzieller Unterstützung Praetor (Cic. Verr. 1,21 ff.).

[I 18] C. Metellus, Q., Sohn von C. Metellus [I 11] (Leichenrede auf den Vater bei Plin. nat. 7,139–141), bedeutendster Vertreter der Familie um 200 v. Chr. im J. 209 plebeischer Aedil, 208 curulischer Aedil, meldete 207 den Sieg am Metaurus in Rom (Liv. 27,51,3). Ende 207 Reiteroberst des Dictators M. → Livius Salinator, 206 Consul mit L. → Veturius Philo, mit dem er in Bruttium stand, wo er auch als Prokonsul 205 blieb, bis er E. 205 Dictator zur Abhaltung von Wahlen wurde. 204–202 unterstützte er den älteren Scipio im Senat, bes. in der Affäre um Q. → Pleminius (Liv. 29,16–22). 201 war er *Xvir* zur Ansiedlung der Veteranen Scipios. 186–184 leitete er eine Gesandtschaft, die Streitigkeiten mit Makedonien und auf der Peloponnes untersuchen sollte (MRR 1,373 [1. 234 f.; 485 f.]). Pontifex ab 216. Er ist wohl identisch mit dem Konsul Metellus, der angeblich den Dichter → Naevius wegen dessen Angriffen auf die Meteller verhaften ließ (Cic. Verr. 1,2,9 mit Ps.-Ascon. zur Stelle; Gell. 3,3,15).

[I 19] C. Metellus Baliaricus, Sohn von C. Metellus [I 27], wohl als Aedil um 130 v. Chr. zum Getreidekauf in Thessalien (SEG 34, 1984, 558; MRR 3,39), Praetor spätestens 126, Konsul 123 mit dem Auftrag, die Seeraub betreibenden Einwohner der Baliaren zu unterwerfen, über die er 121 triumphierte (Cognomen). Censor 120 (MRR 1,513 f; 532; 3,36 f.).

[I 20] C. Metellus Calvus, wohl Sohn von C. Metellus [I 18], war 142 v. Chr. Konsul und vielleicht Prokonsul 141 in Gallia Cisalpina (MRR 3,37). 140/139 Gesandter mit Scipio Aemilianus und Sp. Mummius in Ägypten und Griechenland (MRR 1,481).

[I 21] C. Metellus Caprarius, jüngster Sohn von C. Metellus [I 20], diente 133 v. Chr. unter Scipio Aemilianus vor Numantia (Cic. de orat. 2,267), war Praetor 117 (?), 113 Konsul, kämpfte als Prokonsul 112/111 in Thrakien und triumphierte 111 (InscrIt 13,1,85; MRR 1,535). 102 Censor mit seinem Vetter Numidicus [I 30] (Vell. 2,8,2). Elogium: InscrIt 13,3, Nr. 73.

1 GRUEN.   K.-L. E.

[I 22] C. Metellus Celer, Q., wohl Sohn von C. [I 26], Bruder von C. [I 28], verheiratet mit Clodia [I]. Seine frühe Karriere ist strittig: Das Militärtribunat von 78 läßt sich nur aus einem Sallustfragment (hist. 1,135 M.) erschließen, das Volkstribunat von 68 ist zweifelhaft, die Aedilität von 67 unwahrscheinlich (MRR 3, 37). 66 wirkte C. als Legat des Pompeius in Asia (Cass. Dio 36,54,2–4), 63 war er Stadtpraetor und sammelte Truppen zur Bekämpfung der Catilinarier; 62 ging er als Propraetor mit prokonsularischem Imperium in die Gallia Cisalpina und erhielt 60 das Konsulat (MRR 2, 166, 176, 182 f.). Polit. stand er auf Seiten der Optimaten und stellte sich gegen seinen Schwager → Clodius, opponierte gegen Pompeius und kämpfte 59 gegen Caesars Ackergesetze (Cass. Dio 38,7,1). Er starb im April des Jahres.   W. W.

[I 23] C. Metellus Creticus, Q., Sohn von C. Metellus [I 21], war Praetor zw. 74 und 72 v. Chr. (MRR 3,38) und unterstützte als designierter Konsul 70 mit anderen Metellern C. → Verres (Cic. Verr. 1,26). Als Konsul 69 mit Q. → Hortensius erhielt er das Kommando gegen die kret. Seeräuber, auf das sein Kollege verzichtet hatte, unterwarf als Prokonsul erfolgreich die Insel und organisierte sie als Provinz. Als Pompeius 67 im östl. Mittelmeer operierte, akzeptierte er das *imperium* des Metellus nicht und nahm die Unterwerfung einzelner Städte an, die auf seine Milde hofften, was zu einem schweren Zerwürfnis zw. beiden führte (Plut. Pompeius 29; Cass. Dio 36, 18 f.; 45,1). Pompeius verhinderte daher bis 62 den Triumph des Metellus (InscrIt 13, 1, 85; Cognomen), dieser die Bestätigung der Neuordnung des Ostens durch Pompeius im Senat bis 60 [1. 78 f.]. Im J. 60 war er Gesandter in Gallien zur Vorbereitung des Krieges gegen die Helvetier (Cic. Att. 1,19,2–3), Pontifex von 73 bis zu seinem Tod (wohl 54).

[I 24] C. Metellus Delmaticus, L., älterer Sohn von C. Metellus [I 20], war Konsul 119 (Gegner des C. → Marius, Plut. Mar. 4,4 f.), kämpfte gegen die Dalmater, über die er 117 triumphierte (InscrIt 13,1,83; MRR 3,38). Aus der Kriegsbeute erneuerte er den Castor-Tempel (Cic. Scaur. 48 mit Ascon. 28C; Verr. 2,1,154; Plut. Pompeius 2,8) und baute den Tempel der Ops Opifera (Plin. nat. 11,174). Evtl. Censor 115 (s. u.

C. Metellus [I 26]). Als Pontifex Maximus 114 führte er den Vorsitz im Prozeß gegen drei Vestalinnen wegen Inzest (Ascon. 45Cf.).

[I 25] C. Metellus Denter, L., Konsul 284 v. Chr., fiel als Prokonsul (?) 283 bei Arretium gegen die Senonen (Pol. 2,8,19 u. a.; MRR 3, 78 f.).

[I 26] C. Metellus Diadematus, L., zweiter Sohn von C. Metellus [I 27] (Beiname wegen des Verbandes einer Kopfwunde, Plut. Cor. 11, 4), wohl Gegner des C. → Gracchus (ORF I⁴ 194). Er förderte als Konsul den Landesausbau in It. und legte vielleicht die *via Caecilia* an [2]. Er oder C. Metellus [I 24] war Censor 115 mit Cn. Domitius Ahenobarbus (MRR 1,531 f.), stieß 32 Senatoren aus dem Senat und unterband anstößige Theateraufführungen (Cic. Cluent. 191; Liv. per. 62; Plut. Mar. 5, Cass. Chron. s.a.). 100 kämpfte er gegen L. → Appuleius I 11 Saturninus (Cic. Rab. perd. 21), 99 trat er mit C. Metellus [I 21] für die Rückberufung seines Vetters Numidicus ein (Cic. p. red. in sen. 37; p. ed. ad Quir. 6).

[I 27] C. Metellus Macedonicus, Q., wohl Sohn von C. Metellus [I 18] und Münzmeister um 150 v. Chr. (RRC 211). Kämpfte 168 in Makedonien und brachte die Siegesbotschaft von Pydna nach Rom. Als Praetor 148 erhielt er das Kommando in Makedonien, besiegte den Prätendenten → Andriskos und kämpfte gegen die Achaier bis zu seiner Ablösung 146 durch Sp. Mummius. Er feierte einen Triumph, nahm den Beinamen Macedonicus an und errichtete aus der Beute die Porticus Metelli, die er mit geraubten Kunstwerken ausschmückte (Vitr. 3,2,5; Vell. 1,11,3–7 u. a.). 138 verteidigte er in einem aufsehenerregenden Prozeß L. Aurelius Cotta gegen Scipio Aemilianus [3. 7]. Als Konsul 143 und Prokonsul 142 kämpfte er erfolgreich gegen die Keltiberer und eroberte Contrebia (MRR 1,475); 136 als Legat des P. → Furius Philo erneut in Spanien. 133 schlug er eine Sklavenrevolte in Minturnae nieder (Oros. 5,9,4). 131 Censor mit Q. Pompeius (Streit mit dem Volkstribunen C. Atinius Labeo; berühmte Rede gegen die Kinderlosigkeit des röm. Adels, ORF I⁴ 107 f.). Als konservativer Aristokrat war er ein Gegner der Gracchen (Cic. Brut. 89, Plut. Tiberius Gracchus 14,4), aber auch des Scipio Aemilianus (Cic. rep. 1,31; off. 1,87). Augur von 140 bis 115. Legendär durch seine vier Söhne, die alle das Konsulat erreichten; seine beiden Töchter (Caecilia Metella [4] und [5]) heirateten in die Familien der Servilii und Cornelii Scipiones ein.

[I 28] C. Metellus Nepos, Q., ältester Enkel von C. Metellus [I 27] (daher wohl Cognomen); erließ als Konsul 98 v. Chr. mit seinem Kollegen T. Didius ein Gesetz über die Veröffentlichungsfrist von Gesetzentwürfen (Cic. dom. 41; Sest. 135 u. a.; → *trinundinum*) und das Verbot von *leges saturae* (Cic. dom. 20).

[I 29] C. Metellus Nepos, Q., Sohn von C. Metellus [I 28], ging 67 v. Chr. als Legat des Pompeius nach Kleinasien und später nach Syrien, wo er bis 63 blieb. Als Volkstribun für 62 interzedierte er gegen Ciceros Rechenschaftsablegung am letzten Tag von dessen Kon-

sulat. Nach gewaltsamen Auseinandersetzungen mit seinem Kollegen M. Porcius Cato Uticensis ging er zu Pompeius nach Asia und wurde vom Senat suspendiert (Cass. Dio 37,43,1–4; Plut. Cat. 26–29). Praetor 60 (Gesetz über die Abschaffung der Zölle in It., Cass. Dio 37,51,3). Als Konsul 57 mit L. Cornelius Lentulus Spinther trat er trotz früherer Feindschaft für Ciceros Rückberufung ein (Cic. fam. 5,4). 56 nahm er an der Konferenz von Luca teil, ging dann als Prokonsul nach Spanien (Teilerfolge gegen die Vaccaer), kehrte 55 nach Rom zurück und starb bald. Zum Erben bestimmt er den C. → Carrinas I 2. In der Jugend mehrfach als Ankläger aktiv, war aber nach Cic. Brut. 247 nicht sehr bedeutend.

[I 30] C. Metellus Numidicus Q., Sohn von C. Metellus [I 20], vielleicht Münzmeister 117 oder 116 v. Chr. (RRC 284), Praetor spätestens 112 v. Chr., dann Propraetor (Cic. Verr 2,3,20; Balb. 11). Als Konsul 109 wurde er mit dem Krieg gegen Jugurtha beauftragt. Er reorganisierte die röm. Truppen in Africa, besetzte Vaga und siegte am Uthul. Eine Schlacht bei Zama blieb ohne Ergebnis (Sall. Iug. 47–60). Als Prokonsul 108 schlug er Jugurtha und eroberte Thala. Auf die Nachricht von der Wahl seines früheren Legaten C. Marius zum Konsul und Nachfolger stellte er die Operationen ein und übergab Marius das Heer durch einen Legaten (Sall. Iug. 61–83; Plut. Mar. 10,1) [4. 143–145]. 106 triumphierte er (InscrIt 13,185; Cognomen). Als Censor 102 mit seinem Vetter C. Metellus [I 21] versuchte er erfolglos, L. Appuleius Saturninus und C. Servilius Glaucia aus dem Senat auszustoßen. 100 beschwor er das Ackergesetz des Saturninus nicht, ging freiwillig nach Rhodos und wurde dann förmlich verbannt (MRR 1,375 f.). 99 durfte er zurückkehren, spielte aber polit. keine Rolle mehr. Er erneuerte wahrscheinlich den abgebrannten Mater Magna-Tempel (Ov. fast. 4,347). Cicero schätzte ihn als Redner (Brut. 135; Fragmente: ORF I⁴ 209–213). Elogium: InscrIt 13,3, Nr.16b.

[I 31] C. Metellus Pius, Q., Sohn von C. Metellus [I 30], unter dem er 108 v. Chr. in Africa diente, erhielt 99 wegen des Einsatzes für die Rückberufung seines Vaters das Cognomen Pius (Vell. 2,15,3). Er war Praetor 89 und kämpfte dann 88/87 als Prokonsul erfolgreich im Bundesgenossenkrieg. Als Anhänger Sullas konnte er nach dessen Abzug nach Griechenland Rom gegen die heranrückenden Marianer und verbündeten Samniten nicht verteidigen und ging nach Africa, dann nach Ligurien. Nach Sullas Rückkehr kämpfte er mit ihm 83 gegen die amtierenden Konsuln, dann 82 in Nord-It. (Münzen mit Imperatorentitel: RRC 374). 80 wurde er Konsul mit Sulla und übernahm 79–71 als Prokonsul den Krieg gegen Sertorius, den er lange ohne Erfolg führte, bis 77 Pompeius zu seiner Unterstützung gesandt wurde. Beide beendeten den Krieg erst 71 und triumphierten im selben Jahr (*imperator iterum*: ILLRP 366; Hauptquellen: Sall. hist.; Plut. Sert.; Pomp. 17–20). Seit ca. 97 Pontifex, war er seit 82 Pontifex Maximus bis zu seinem Tod; 63 wurde Caesar sein Nachfolger. Er besaß eine Villa in Tibur und gab einem *logistoricus* des Varro den Namen (Gell. 17,18).

1 GELZER, Pompeius **2** G. RADKE, RE Suppl. 13, 1649–1653 **3** ALEXANDER, Trials **4** R. SYME, Sallust, 1964.   K.-L. E.

[I 32] C. Metellus Pius Scipio, Q., geb. ca. 95 v. Chr., Sohn des P. → Cornelius Scipio Nasica, wechselte um 64 durch testamentarische Adoption (→ C. Metellus [I 31]) in die *gens* der C. Metelli (siehe Stammbaum). Seine erste Erwähnung als *adulescens summa nobilitate* (Ascon. 74 Z. 16 f. C) ist ins Jahr 78 zu datieren; 70 trat er im Prozeß gegen → Verres als Verteidiger auf (Cic. Verr. 2,4,79). Zusammen mit Crassus überbrachte er im Oktober 63 Cicero anonyme Briefe, die vor (Cicero vermutlich längst bekannten) Anschlägen Catilinas warnten (Plut. Cic. 15). Seine Ämterkarriere scheint in den 50er Jahren gradlinig verlaufen zu sein, ist aber im genauen Ablauf strittig: 59 Volkstribun oder Quaestor, 57 (?) curulischer Aedil (im selben Jahr zum ersten Mal als *pontifex* bezeichnet, Cic. dom. 123, übte er das Amt wohl seit 63 aus), Praetor 56 oder 55, *interrex* 53 (MRR 2, 189, 201, 215, 229). C. hielt sich zunächst verschiedene polit. Optionen offen. Bei seiner Kandidatur zum Konsulat von 52 ließ er sich von → Clodius unterstützen, wandte sich aber nach dessen Tod Pompeius zu, dessen Tochter er heiratete. Ein wegen Wahlbestechung drohendes Ambitus-Verfahren wurde von Pompeius als *consul sine collega* abgewendet, für die letzten 5 Monate von 52 wurde C. sogar Mitkonsul seines Schwiegervaters (MRR 2, 234 f.), für dessen Politik er sich in der Folgezeit entschieden einsetzte. Am 1.1.49 stellte C. den Antrag, der – zum Beschluß erhoben – den Bürgerkrieg auslöste (Caesar habe sein Heer binnen einer bestimmten Frist zu entlassen; s. Caes. civ. 1,2,6). Als Prokonsul ging er im gleichen Jahr nach Syrien, kämpfte gegen die Parther und sammelte Truppen gegen Caesar (MRR 2, 260 f.). Bei Pharsalos (9.08.48) befehligte er das Mitteltreffen und floh nach der Niederlage nach Africa (MRR 2, 275, 288). Dort unterlag er als Oberbefehlshaber der Pompeianer Caesar bei Thapsos (6.04.46). Beim Versuch, nach Spanien zu fliehen, wurde er bei Hippo Regius gestellt und beging Selbstmord (MRR 2, 297). Dem günstigen Urteil von Cicero (Phil. 13,29) steht die pragmatische Einschätzung Caesars (civ. 1,4,3) gegenüber.

M. GELZER, Caesar, ⁶1960 (Ndr. 1983).   W. W.

[I 33] C. Niger, Q., war gebürtiger Sizilier und beteiligte sich 72 v. Chr. als Quaestor des C. Verres in Sizilien an dessen Erpressungen. Er konkurrierte deshalb 70 in einem Vorverfahren erfolglos mit Cicero um die Anklage gegen Verres, um den Prozeß zu verhindern (Cic. div. in. Caec., passim).

NICOLET, 2, 807 f.   K.-L. E.

[I 34] C. Rufus, L., Halbbruder Sullas, vermutlich 66 v. Chr. Quaestor, 63 Volkstribun. In seinem Amtsjahr als Praetor (57) setzte er sich für Ciceros Rückberufung aus

dem Exil ein (Cic. p. red. in sen. 22). Im Juli 57 demonstrierte während der *ludi Apollinares*, die C. veranstaltete, eine große Menschenmenge vor seinem Haus gegen die herrschende Getreidenot. Die Aktion wurde offenbar von → Clodius Pulcher inszeniert, so daß sie Cicero später in einen Bandenkrawall umdeuten konnte (Mil. 38). Das Prokonsulat übte C. 56 vermutlich in Sizilien aus (MRR 2, 210). Im Bürgerkrieg trat er getreu seiner polit. Linie (für wenige Wochen) auf die Seite des Pompeius. Bei der Besetzung von Corfinium im Februar 49 fiel er an Caesar in die Hände, der ihn jedoch auf freien Fuß setzte. C. starb in augusteischer Zeit (Grabinschrift: CIL XIV 2464 = ILS 880).   W. W.

II. KAISERZEIT

[II 1] C. Aemilianus. Prokonsul der Baetica, von Caracalla wegen Befragen des Orakels des Hercules Gaditanus hingerichtet (Cass. Dio 77,20,4; PIR² C 16). Ob mit Sex. C. A. (aus Thibiuca in Africa) identisch (PIR² C 17), bleibt unsicher [1].

[II 2] C. Africanus, Sex. Röm. Jurist, Zeitgenosse und wohl Schüler von Salvius Iulianus → C. [III 1]

[II 3] C. Agricola. Anhänger Plautians; nach dessen Tod verurteilt, beging er Selbstmord (Cass. Dio 76,5,6; PIR² C 19).

[II 4] C. Aristo. *Curator operum publicorum* 214, konsularer Legat von Pontus-Bithynia 218 (Cass. Dio 78,39,5; PIR² C 22 [4. 252 f.])

[II 5] C. Avitus, Q. *Cos. suff.* 164 (CIL XVI 185); vielleicht aus Lusitania stammend [5. 91].

[II 6] C. Capella. Nach Tert. Scap. 3,4 Christenverfolger, der im J. 196 beim Kampf um Byzantion zu Tode kam (PIR² C 27); wohl ein Heerführer des Pescennius Niger [6. 79; 7. 247, Nr. 26].

[II 7] C. Celer. Nach Domitians Tod sollte er Aquilius Regulus mit Plinius d. J. versöhnen (epist. 1,5,8). Er stammte vielleicht aus Lusitanien (PIR² C 28 [3. Bd. 2, 772]).

[II 8] C. Classicus. Senator aus Africa, prätorischer Prokonsul der Baetica wohl 97/8. Vor Eröffnung eines → Repetundenprozesses verstorben, wurde er dennoch im Senat verurteilt (Plin. epist. 3,4; 9; PIR² C 32).

[II 9] C. Cornutus, M. Sohn des M. Cornutus [I 8], der sich 43 v. Chr. selbst tötete. *Frater Arvalis* 21/20 v. Chr. (CIL VI 32338; PIR² C 34). An ihn richtete Tibull sein Gedicht 2,2 [8. 34 ff.]

[II 10] C. Cornutus, M. Sohn von C. [II 9], als *frater Arvalis,* 14 und 20 n. Chr. bezeugt; Mitglied des *collegium* der *curatores locorum publicorum iudicandorum* unter Tiberius; 24 in den Prozeß gegen → Vibius Serenus verwickelt, tötete er sich selbst (Tac. ann. 4,28,2 f.; 30,1; PIR² C 359).

[II 11] C. Dentilianus, Q. *Cos. suff.* 167 (CIL XVI 123), wohl Sohn von C. [II 15].

[II 12] C. Faustinus, A. *Cos. suff.* 99, konsularer Legat von Moesia inferior ca. 103–105, konsularer Legat von Pannonia superior bis 111 oder Anf. 112 (unpubliziertes Militärdiplom vom 3. Mai 112). Prokonsul von Africa wohl 115/116 (PIR² C 43 [9. 339 ff., 359]).

[II 13] C. Fuscianus Crepereianus Floranus, M. Verwandt mit C. [II 19]. Prätorischer Legat von Arabia (PIR² C 47; EOS II 733 [1. 269f.]).

[II 14] C. Macrinus. Freund des jüngeren Plinius, vielleicht verwandt mit Caecilius [II 8] Classicus (Plin. epist. 3,4; PIR² C 54).

[II 15] C. Marcellus Dentilianus, Q. Wohl aus Africa stammend. Nach längerer Laufbahn prätorischer Statthalter von Aquitanien, wohl Vater von C. I 11 (PIR² C 56).

[II 16] C. Metellus Creticus Silanus, Q. Vermutlich von einem Iunius adoptiert. *Cos. ord.* 7 n. Chr., konsularer Legat von Syrien zwischen 12/13 und Ende 17 n. Chr. Vonones, der aus Armenien vertriebene König, wurde von ihm in Schutzhaft genommen. Als Germanicus nach dem Osten gesandt wurde, löste Tiberius Silanus ab, angeblich weil seine Tochter Iunia mit dem Germanicussohn Nero verlobt war (Tac. ann. 2,4; 43; PIR² C 64) [10. Bd. 1, 305]).

[II 17] C. Natalis. Heidnischer Gesprächspartner im Dialog ›Octavius‹ des → Minucius Felix (PIR² C 65).

[II 18] C. Novatillianus, M. Senator. Nach längerer senatorischer Laufbahn *adlectus inter consulares* und Legat von Moesia superior, wohl um die Mitte des 3. Jh. In CIL IX 1571/2 = ILS 2939 wird er *curator* von Beneventum und *orator et poeta* genannt; Beneventum muß nicht seine Heimat sein (PIR² C 66) [11. 112f.].

[II 19] C. Rufinus Crepereianus, Q. Senator, wohl aus Theveste stammend. Prätorischer Statthalter von Pannonia inferior und *cos. suff.* wohl zwischen 163/4 und 166/7 (AE 1976, 544; PIR² C 76) [1. 201; 12. 528f., Nr. 315]

[II 20] C. Secundus Servilianus, Q. Prätorischer Statthalter von Thracia unter Commodus, *cos. suff.* ca. 193, *curator operum publicorum* 196, *procos. Asiae* 208/09 (AE 1971, 28; PIR² C 82 [13. 11f.; 6. 79; 4. 242f.]).

[II 21] C. Simplex, Cn. Prätorischer Prokonsul von Sardinien 67/68 (CIL X 7852 = ILS 5947); *cos. suff.* wohl vom 1. Nov. 69 an (Tac. hist. 3,37,1. 68,2; PIR² C 84).

[II 22] C. Strabo, C. Als designierter Konsul klagte er 105 Corellia Hispulla an (Plin. epist. 4,17,1 ff.), Sept.-Dez. 105 *cos. suff.* Als *frater Arvalis* 101 und 105 bezeugt; im J. 117 gestorben (PIR² C 85) [14. 39, 352].

1 LEUNISSEN, Konsuln 2 KUNKEL 3 SYME, RP 4 A. KOLB, Die kaiserliche Bauverwaltung, 1993 5 CABALLOS Bd. 1 6 ECK, RE Suppl. Bd. 14 7 A. R. BIRLEY, Septimius Severus, 1982 8 SCHEID, Recrutement 9 W. ECK, in: Chiron 12, 1982 10 THOMASSON, Lat. 11 ALFÖLDY, FH 12 FITZ, Verwaltung, Bd. 2, 1993 13 J. NOLLÉ, Nundinas instituere ..., 1982 14 SCHEID, Collège.   W. E.

III. LITERARISCH BEKANNTE PERSONEN

[III 1] C. Africanus, Sex., Jurist unter Hadrian und den Antoninen, wohl mit dem Diskussionsgegner des Favorinus (Gell. 20,1) identischer, daher vor 175 n. Chr. verstorbener Schüler des → Iulianus (Dig. 25,3,3,4; EOS 2,735 [3; 4]), dessen Entscheidungen er in seinen *Quaestiones* (9 B.), manchmal mit eigener Kritik, überliefert

A. schrieb auch neben → Pomponius als letzter klass. Jurist *Epistulae* (mindestens 20 B., nur Dig. 30,39 pr. zitiert) und vielleicht einen Komm. *Ad legem Iuliam de adulteriis* [1]. PIR² C 18.

1 SCHULZ, 232 2 A. WACKE, Dig. 19,2,33: Africans Verhältnis zu Julian, ANRW II 15, 1976, 458 ff. 3 KUNKEL, 172f., 410 4 SYME RP, Bd. 6, 431f.   T. G.

[III 2] C. Balbus. Ein von Johannes von Salisbury, Policraticus 3,14 (507ab W.), als Dissimulation aus dem Namen → Plinius' d. J. erfundener Gesprächspartner des Augustus, nach dem dort 507c ff. Folgenden sekundär (vgl. [2] gegen [1]) eine spätant., ein griech. Original voraussetzende und 16 Spruchverse des Publilius Syrus hinzufügende Sentenzensammlung [3] übertragen, die seit der karolingischen Epoche der gnomischen Lit. des MA zufließt.

ED.: 1 E. WÖLFFLIN, 1855.
LIT.: 2 A. REIFFERSCHEID, Zwei lit.histor. Phantasmata, in: RhM 16, 1861, 12–26 3 REYNOLDS, 329 4 G. G. MEERSSEMAN, Seneca maestro di spiritualità nei suoi opuscoli aporifi dal XII al XV secolo, in: IMU 16, 1973, 59–69 und passim 5 R. QUADRI, I Collectanea di Eirico di Auxerre, 1966, 62–64. 134–138 · SCHANZ/HOSIUS 1, 262f.   P. L. S.

[III 3] C. Epirota, Q., war Grammaticus und Freigelassener des T. → Pomponius Atticus (nach Herbst 58 v. Chr., als Atticus von seinem Onkel Q. Caecilius adoptiert wurde; Cognomen vermutlich von den epirotischen Gütern des Atticus). Er war Lehrer der → Caecilia Attica, Atticus' Tochter, als sie Gattin des M. Agrippa war (nach 42, vor 28). Unter dem Verdacht des Ehebruchs mit ihr verließ er das Haus und wurde Vertrauter des → Cornelius Gallus. Nach dessen Tod (27 v. Chr.) eröffnete er eine exklusive Schule für ältere Schüler, wo er als erster *grammaticus* Stegreiferörterungen in Lat. und Vorlesungen über Vergil und andere zeitgenössische Dichter hielt (Suet. gramm. 16). Schriften sind nicht bekannt.

HLL § 320 · R. A. KASTER, Suetonius, De Grammaticis et Rhetoribus, 1995, 182–190.   R. A. K./M. MO.

[III 4] C. Iucundus, L. 1875 wurden in Pompeji 153 Wachstäfelchen gefunden; sie gehörten L. C. Iucundus, einem Freigelassenen, der im 1. Jh. n. Chr. in Pompeji als *argentarius* oder *coactor argentarius* tätig war (CIL IV Suppl. 1, 3340 K.). 16 Wachstäfelchen stellen Quittungen für Zahlungen an die Stadt dar; dabei handelt es sich um vier verschiedene Pachten, um die Erhebung einer Steuer für die Nutzung von Gemeindeland sowie einer Steuer für die Abhaltung lokaler Märkte, die Pacht einer Walkerei und schließlich die Pacht eines größeren Landgutes (des *fundus audianus*). Die übrigen Wachstäfelchen sind Quittungen, die bei *auctiones* von den Verkäufern dem *argentarius* ausgestellt wurden, wenn dieser den Rechnungsbetrag beglich. Unter den verkauften Gegenständen werden Maultiere, Leinen, Möbel und vor allem Sklaven genannt, die 44 bekannten Verkaufssummen liegen zwischen 520 und 38000 Sesterzen. Diese Wachstäfelchen zeigen, welchen begrenzten, aber aus wirtschaftlicher Sicht nicht unbedeutenden Geschäften die *argentarii* in der Principatszeit nachgingen.

→ Argentarius; Auctio; Coactor

1 J. ANDREAU, Les Affaires de Monsieur Jucundus, 1974
2 Ders., Remarques sur la société pompéienne, in: Dialoghi di Archeologia 7, 1973, 213–254 3 W. JONGMANN, The Economy and Society of Pompeii, 1988, 212–224. J.A.

[III 5] C. Aus Kale Akte. Neben seinem etwa zehn Jahre älteren Freund → Dionysios von Halikarnassos der bedeutendste griech. Rhetor und Grammatiker der Augusteischen Zeit, * etwa 50 v. Chr. in Kale Akte auf Sizilien. Vielleicht jüd. Herkunft, soll er urspr. Agatharchos geheißen haben (Suda), zum Lehrer hatte er wahrscheinlich Apollodoros von Pergamon (Quint. 9,1,12). Er gilt zusammen mit Dionysios als Begründer des lit. → Attizismus, doch ist sein tatsächlicher Einfluß auf Spätere kaum einzuschätzen, da von seinen zahlreichen Schriften nur spärliche Fragmente erhalten sind. Die bekannten Titel seiner Werke lassen sich grob drei Bereichen zuordnen: Historiographie (σύγγραμμα περὶ τῶν δουλικῶν πολέμων, περὶ ἱστορίας); rhet. Fachschriften (τέχνη ῥητορική, περὶ σχημάτων, περὶ ὕψους, κατὰ Φρυγῶν); Literarkritik im engeren Sinne (τίνι διαφέρει ὁ Ἀσιανὸς ζῆλος τοῦ Ἀττικοῦ, περὶ τοῦ χαρακτῆρος τῶν δέκα ῥητόρων, σύγκρισις Δημοσθένους καὶ Κικέρωνος). Außerdem verfaßte er ein attizistisches Lexikon.

Ein Urteil über C. ist aufgrund der Überlieferungslage schwierig: Glaubt man der Auctor *Perí hýpsous*, der die gleichnamige Schrift des C. heftig kritisiert, so war er ein zugleich oberflächlicher und pedantischer Tüftler (Ps.-Longin, de sublimitate 1,1–2; 1,8). Nicht zu bestreiten ist sein extremer Attizismus, der ihn bewog, Lysias über Platon zu stellen (fr. 150). Den Kanon der zehn Redner, als dessen Urheber er lange galt, hat C. wohl bereits vorgefunden.

ED.: E. OFENLOCH, 1907 (Ndr. 1967).
LIT.: W. AX, Quadripertita ratio, in: D. J. TAYLOR, The History of Linguistics in the Classical Period, 1986, 191–214 · J. J. BATEMAN, The critiques of Isocrates' style in Photius' Bibliotheca, in: Illinois Classical Studies 6, 1981, 182–196 · M. A. CAVALLARO, Dionisio, C. di K. A. e l'Ineditum Vaticanum, in: Helikon 13–14, 1973–74, 118–140 · J. A. COULTER, Περὶ ὕψους 3,3–4 and Aristotle's theory of the mean, in: GRBS 5, 1964, 197–213 · A. E. DOUGLAS, Cicero, Quintilian and the canon of ten Attic Orators, in: Mnemosyne Ser. 4,9, 1956, 30–40 · G. FANAN, Il lessico di P. Oxy. 1012, Studi Classici e Orientali 26, 1977, 187–248 · D. A. RUSSELL, in: Cambridge History of Literary Criticism Bd. 1, 1989, 307–309. M. W.

[III 6] C. Statius. Dichter der röm. Komödie (Palliata), ca. 230/220–168 v. Chr. (das Geburtsdatum wird aufgrund des Alters des Ambivius Turpio aus Ter. Hec. 10 geschätzt, GUARDÌ, ed. 9 ff.), wie – mit Ausnahme des Lucilius – alle röm. Dichter des 3. und 2. Jh. v. Chr.

Nicht-Latiner. Er war Kelte vom oberitalischen Stamm der Insubrer und stammte vielleicht aus Mediolanum (Hieron. chron. a. Abr. 1838 = 179 v. Chr.); infolge eines röm.-keltischen Krieges (Insubrer-Feldzug 223/2 oder 200–194, GUARDÌ, 1 f.) wurde er als Sklave nach Rom gebracht und dort durch einen Caecilius (M. Caecilius Denter/Teucer, Plin. nat. 7,101, vgl. [9]; oder M. Caecilius, Liv. 31,21,8, GUARDÌ 11 f.) freigelassen (Gell. 4,20,12 f.). Seinen Geburtsnamen Statius (der im osk. Sprachgebiet häufig ist) behielt er als Cognomen bei (Hier.; anon. de praenom. 4; Cic. de or. 2,257, Cato 24 nennt ihn nur Statius). Als *contubernalis* des Ennius (Hier.; [6. 281 f.]) wurde er mit lat. Dichtung bekannt, befaßte sich aber nur mit der Komödie.

Seine griech. Vorlagen suchte er bevorzugt in der Neuen Komödie, bes. bei Menander (18 Titel, davon 14 nur bei Men.; Philemon 4, davon 2 nur bei ihm; Diphilos, Poseidippos und Makon je 1, keiner ausschließlich), wenige aus der Mittleren Komödie (Antiphanes 4; Alexis 2, davon nur je 1 ausschließlich). Diese Bevorzugung Menanders und der Nea und die von [12. 99] aus der Nichterwähnung in Ter. Andr. 18 erschlossene Vermeidung der Kontamination mehrerer Vorlagen läßt auf größere Nähe zum künstlerischen Programm der Nea schließen und erklärt, warum C. sich nur mit der unbeirrbaren Hilfe des damals noch jungen Theaterdirektors und Schauspielers → Ambivius Turpio, des späteren Förderers des anfänglich ebenfalls erfolglosen Terenz, gegen seine Gegner beim Publikum durchsetzen konnte (Ter. Hec. prol. II 11 ff.). Ob er schon in Prologen wie Terenz seine Kunstauffassung vorgetragen und gegen seine Widersacher polemisiert hat, ist aus der Überlieferung nicht zu entnehmen. Seine Blüte setzt Hieronymus in das Jahr 179, also erst deutlich nach dem Tode des beim Publikum weitaus beliebteren Plautus (ca. 184). Er starb ein Jahr nach Ennius (169 oder 168 v. Chr.) und wurde angeblich auf dem Ianiculum beigesetzt (Hieronymus).

Von C.' Komödien sind 42 Titel und 177 Fragmente mit 294 V. (das längste mit 15 V. aus dem *Plocium*) erh., überwiegend durch Grammatikerzitate. Nur von drei Komödien, dem schon in der Ant. berühmten *Plocium* (Inhaltsangabe bei Gell. 2,23), dem *Hypobolimaeus/Subditivos Chaerestratus* oder *H. Rastraria* und den *Synephebi* ist der Umriß der Handlung zu rekonstruieren. – In der Auswahl der Themen und der größeren Treue gegenüber dem griech. Original scheint C. ein Vorläufer des Terenz zu sein, in Sprache und Stil dagegen steht er Plautus nahe: er liebt Sentenzen, Metaphern (Seefahrt, Militärisches; [5]) und neugebildete Abstrakta, scharfe Antithesen und Oxymora, Ironie, Häufungsfiguren, lebhaften Aussageklassenwechsel, reiche Alliterationen und Homoioteleuta, auch Lautmalerei, Archaismen ebenso wie Neologismen und griech. Wörter (*hapax legomena* bei [11]). Der Satzbau wechselt zwischen umgangssprachlicher Kürze und versfüllenden Konstruktionen im Stil der Trag. seiner Zeitgenossen Ennius und Pacuvius.

Die Komödien des C. wurden anfangs bewundert (Quint. 10,1,99); im Kanon des → Volcacius Sedigitus gilt er vor Plautus und weit vor dem an 6. Stelle stehenden Terenz als der beste Komödiendichter. Cicero schätzte den Gehalt seiner Komödien (Cato 24 f.), spielte gern auf sie an und empfahl daher seine Verse als Schmuck der öffentlichen Reden (Cic. de orat. 2, 257); er würdigte ihn als Übersetzer (opt. gen. or. 2, 18), bezeugt aber, daß die Leser schon die griech. Originale vorzogen (fin. 1,4). Varro lobt seine Handlungen (*argumenta*, Men. 399) und die Erweckung der πάθη, *páthē* (ling. fr. 60 GOETZ-SCHÖLL). Horaz belächelt die frühere Schätzung seiner *gravitas* (epist. 2,1,59), beruft sich aber wegen des Rechts, Wortneubildungen zu wagen, u. a. auf ihn (ars 53 ff.). Quintilian wertet wie die gesamte röm. Komödie auch C. im Vergleich mit den griech. Komödien ab, worin Gellius (2,23) folgte.

ED.: CRF³, 40–94 · Remains of Old Latin, ed. E. H. WARMINGTON, Bd. 1, 1935 · T. GUARDÌ, 1974.
LIT.: 1 ALBRECHT¹, 167–173 2 L. ALFONSI, Su un verso di C. S., in: Dioniso 40, 1966, 27–29 3 R. ARGENIO, Il *Plocium* di C. S., in: Mondo Classico 7, 1937, 359–368 4 BARDON, 1,39. 48 f. 5 S. BOSCHERINI, Linguaggio di marinai nelle commedie di Cecilio Stazio, in: Studi in onore di C. A. Mastrelli, 1994, 47–52 6 P. FAIDER, Le poète comique C., in: Musée Belge 12, 1908, 269–341; 13, 1909, 5–35 7 LEO, 217–266 8 CHR. RIEDWEG, Menander in Rom, in: Drama 2, 1993, 133–159 9 D. O. ROBSON, The nationality of the poet C. S., in: AJPh 59, 1938, 301–308 10 A. TRAINA, Sul vertere di Cecilio Stazio, in: Ders., Vortit barbare, 1970, 41–53 11 O. SKUTSCH, s. v. C. 25, RE 3, 1189–1192 12 F. LEO, Plautinische Forsch., 1913, 217–226 JÜ. BL.

Caecina. Röm. Gentilname etr. Herkunft (*Cecina*, SCHULZE, 75, 285, 567; ThlL, Onom. 15 f.), dessen Träger zum Stadtadel von Volaterrae gehörten (vgl. Cic. fam. 6,6,9), wo sie in mehreren Zweigen und durch z. T. reich ausgestattete Gräber nachweisbar sind (CIE 18–24; 36–42 u. a.). In Rom ist das Geschlecht seit dem 1. Jh. v. Chr. bekannt, hat jedoch seine Bindung an die Heimat nicht verloren (Cognomen Tuscus bei C. [II 9]); Villa des röm. Stadtpräfekten 414 n. Chr. Caecina Decius Atinatius Albinus (PLRE 1, 50) beim h. Volterra), wo sich der Name auch in Fluß (→ C. [III 1]) und Ort Cecina erhalten hat. K.-L. E.

I. REPUBLIKANISCHE ZEIT II. KAISERZEIT
III. GEOGRAPHIE

I. REPUBLIKANISCHE ZEIT
[I 1] C., A., im Bürgerkrieg Gegner Caesars. Von diesem nach der Schlacht von Thapsos im April 46 v. Chr. begnadigt (Bell. Afr. 89,5).
[I 2] Legat Octavians (MRR 2, 375 f.). Zusammen mit L. Cocceius Nerva reiste er 41 v. Chr. zu Verhandlungen mit M. → Antonius I 9 nach Phoinikien (App. civ. 5,251). Vermutlich identisch mit dem *C. quidam Volaterranus*, der als Vertrauter Octavians Ende 44 Cicero besuchte (Cic. Att. 16,8,2).

SYME RR, 131, 208. W. W.

[I 3] C., A., aus Volaterra gebürtig (Cic. Caec. 18), Vater des Folgenden [1. 68 f.]. Cicero vertrat ihn 69 (68) v. Chr. in einem ›privatrechtlichen Besitzstreit‹. Die Rede (Pro Caecina) ist erhalten [2].

1 W. V. HARRIS, Rez. P. Bruun u. a. (Hrsg.), Studies in the Romanization of Etruria, 1975, in: CPh 76, 1981, 67–70
2 H. BÖGLI, Über Ciceros Rede für A. C., 1906.

[I 4] C., A., Kenner und Lehrer der → Etrusca disciplina (Weissagekunst mittels Eingeweideschau und Blitzdeutung; vgl. Cic. fam. 6,6,3). Mit Cicero verband ihn eine lebenslange Freundschaft (Cic. fam. 6,7,1–2; 6,9,1). Im Bürgerkrieg veröffentlichte er ein Pamphlet gegen Caesar (Suet. Iul. 75,5), das diesen so kränkte, daß er trotz Ciceros Eintreten für C. (der Briefwechsel mit C. aus dem Okt./Dez. 46 v. Chr. ist fam. 5–9 erh.) schließlich eine Begnadigung verweigerte. Plinius benutzte C.s Werk für sein Kapitel über die Blitze (nat. 2 ind. auct.; 137 ff.). W. W.

II. KAISERZEIT
[II 1] C. Alienus, A. Aus Vicetia stammend, 67/68 Quästor in der Baetica. Von Galba zum Legaten wohl der *legio IV Macedonica* in Obergermanien ernannt; Übertritt zu Vitellius. Er führte einen Teil des vitellianischen Heeres nach It., bei Bedriacum zusammen mit Fabius Valens gegen die Othonianer siegreich; beide deshalb Suffektkonsuln Sept./Okt. 69. Führer der vitellianischen Truppen gegen die Flavier; sein Versuch, auf deren Seite überzutreten wurde von den Soldaten verhindert. Nach dem Sieg des Antonius Primus bei Cremona zu Vespasian gesandt, der ihn auszeichnete. Gegen Ende der Regierung Vespasians von Titus wegen einer angeblichen Verschwörung getötet (PIR² C 99; EOS 2, 339 f.) [1. 8 f.]
[II 2] C. Silius A. C. Largus. Cos. ord. 13 n. Chr., aus Volaterrae stammend; Sohn von C. II 3 (AE 1966, 16 [2. 168, 171 ff.]).
[II 3] C. Largus, C. Miterbauer des Theaters in Volaterrae, (CIL XI 6689, 54; AE 1957, 220); Vater von C. II 2, Bruder von C. II 8.
[II 4] C. Largus, C. Wohl Sohn von C. II 3, *frater Arvalis* [3. 218 ff.]; cos. ord. mit Claudius 42. Im J. 48 einer der engsten Helfer des Claudius bei der Hinrichtung Messalinas (Tac. ann. 11,33 f.). Vor dem J. 57 gestorben (PIR² C 101; Lex. urbis Romae II 26).
[II 5] C. Paetus, A. Cos. suff. 37. An der Verschwörung des Camillus Scribonianus im J. 42 beteiligt; nach der Verurteilung tötete er sich selbst nach dem Vorbild seiner Frau Arria (Plin. epist. 3,16; PIR² C 103; EOS 2, 290).
[II 6] C. Laecanius Bassus C. Paetus. Wohl Sohn von C. II 5, adoptiert von C. Laecanius Bassus, cos. ord. 64 [4. 114 f.]. Cos. suff. wohl 70, curator riparum 74, proconsul Asiae wohl 78/79 (PIR² C 104 [5. 233 ff.; 6. 239 f.]
[II 7] Caecina Primus, Q. Cos. suff. 53 (AE 1977, 18) [7. 43, 71 f.].
[II 8] C. Severus, A. Aus Volaterrae. Cos. suff. 1 v. Chr., 6/7 n. Chr. Militärführer in Mösien, anschlie-

ßend in Pannonien; 8/9 oder 9/10 Prokonsul von Africa (AE 1987, 992). Befehlshaber des niedergerman. Heeres mindestens 14–16 n.Chr. (PIR² C 106) [8. 107ff.; 9. 9ff.]

[II 9] C. Tuscus, C. Sohn der *nutrix Neronis*, Ritter (Suet. Nero 35,5). *Iuridicus Alexandreae et Aegypti* 51/52, *praef. Aegypti* unter Nero, von ihm verbannt (PIR² C 109; Lex. urbis Romae II 73).

> 1 TH. FRANKE, Legionslegaten, 1991 2 SYME, RP 4
> 3 SCHEID, Recrutement 4 SALOMIES, Nomenclature, 1992
> 5 M. DRAEGER, Die Städte der Prov. Asia in der Flavierzeit, 1993 6 BRUUN 7 FOst 8 ECK, Statthalter 9 DI VITA EVRARD, Lib. Ant. 15/16, 1978/79.   W.E.

III. GEOGRAPHIE

[III 1] (*Caecina fluvius*). Fluß in Etruria, der das Gebiet von Volaterrae durchquert, woher eine gleichnamige *gens* stammte (vgl. Cic. fam. 6,6,9), h. Cecina. *Statio* der via Aurelia. Überreste einer röm. *villa* (1.–6.Jh.) in San Vincenzino. Funde im Museo Civico Archeologico in Cecina (Prov. Livorno).

> G. BEJOR u.a., Lo scavo della villa romana di S. Vincenzino. Rapporto 1983, in: Studi Classici e Orientali 34, 1984, 197–243 • Ders. u.a., Lo scavo della villa romana di S. Vincenzino. Rapporto 1984, in: Rassegna di archeologia 5, 1985, 235–344 • M.C. PARRA, Il museo civico, in: ASNP 16, 1986, 91–103 • BTCGI 5, 204–209.   G.U.

Caeculus. Mythischer Gründer von → Praeneste (Cato orig. 59 PETER; Verg. Aen. 7,678–81; Serv. Aen. 7,678; Solin. 2,9, nach *libri Praenestini*; Festus s.v.). Gezeugt durch einen Funken vom Herd und deswegen Sohn des → Vulcanus (oder, in euhemeristischer Form, nach Cato in einem Herd gefunden), wird er ausgesetzt und von den Brüdern seiner Mutter aufgezogen. Er sammelt Hirten um sich und gründet mit ihnen die Stadt. Der Mythos verbindet geläufige Motive (Geburt aus dem Herd wie → Tarquinius Priscus, Aussetzung [1], Erziehung durch die Mutterbrüder und Stadtgründung mit einer Gruppe Marginaler wie → Romulus), die teilweise durch röm. Mythen beeinflußt sind, aber eine Tradition einheimisch latinischer Gründungsmythen ahnen läßt, die angesichts des etr. Namens aber nicht vor der etr. Eroberung denkbar sind [2; 3].
→ Aussetzungsmythen

> 1 G. BINDER, Die Aussetzung des Königskindes, 1965, 30f.
> 2 A. MOMIGLIANO, Quarto Contributo, 1969, 457–460
> 3 J.N. BREMMER, N.M. HORSFALL, C. and the foundation of Praeneste, in: Dies., Roman Myth and Mythography, 1987, 49–62.   F.G.

Caedicius. Name eines plebeischen Geschlechtes, das seit dem 5.Jh. v.Chr. nachweisbar ist (ThlL, Onom. 18f.).

[1] C., L., Volkstribun 475 v.Chr. (MRR 1, 28).

[2] C., M., hörte 391 v.Chr. angeblich am Vesta-Tempel eine göttl. Stimme, die vor dem Galliereinfall warnte. An dieser Stelle wurde später das Heiligtum des → Aius Locutius errichtet.

[3] C., Q., soll, nach späterer annalistischer Erfindung, als Centurio nach der Schlacht an der Allia von den nach Veii geflüchteten Römern zum Führer gewählt, einen etr. Angriff zurückgeschlagen haben (Liv. 5,46f.).

[4] C., Q. (so bei Cat. orig. 83PETER), rettete 258 v.Chr. als Kriegstribun auf Sizilien durch Selbstaufopferung seiner Truppe das röm. Heer vor dem Untergang. Der Name lautet in der Überlieferung sonst Q. → Calpurnius [I 6] Flamma oder → Laberius (MRR 1,207).

[5] C., Q., Konsul 256 v.Chr., starb im Amt (InscrIt 13,1,43).

[6] C. Nocuta, Q., wohl Vater von C. [5], Konsul 289 v.Chr. (InscrIt 13,1,41).   K.-L.E.

Caelemontium. Als *regio II* der augusteischen Einteilung Roms (CIL XV 7190; für die Zeit davor s. Varro, ling. lat. 5, 46) entspricht das C. weitgehend dem → Caelius Mons. Seine Ausdehnung fiel wohl mit den Abhängen des Hügels zusammen: im Westen grenzte es an den → Palatin, im Osten ist die Zugehörigkeit des Lateran fraglich. Im Süden bildete etwa die h. Via delle Terme di Caracalla die Grenze, im Norden folgte die *regio III* mit dem späteren Colosseum, etwa auf der Höhe der h. Via dei SS. Quattro Coronati.

> G. GIANELLI, LTUR 1, 208–209 • RICHARDSON, 61.   R.F.

Caeles Vibenna s. Mastarna

Caelestis. Lat. Name für das weibliche Pendant der höchsten pun.-berberischen Gottheit → Saturnus. Die früheste ikonographische Darstellung, auf den Denarien von Q. Caecilius Metellus 47–46 v.Chr., zeigt C. als löwenköpfige Gestalt, *genius terrae Africae* (RRC 1. 472, Nr. 460. 4. Taf. LIV). Lit. Quellen bezeichnen sie als Stadtgöttin von Karthago; C. war auch Schutzgöttin von Thuburbo maius, Oea und wahrscheinlich anderen Städten; Herrin der Sterne des Himmels, der Erde, ihrer Produkte und ihrer Bewohner, auch der Unterwelt; sie gibt Orakel [1]. Ihre Epitheta, wie *aeterna* und *domina* sind parallel zu Saturnus, jedoch *pollicatrix pluviarum* (Tert. apol. 23). Obwohl wie ihre pun. Vorgängerin Tanit-Pene-Ba'al Jungfrau, nimmt sie auch Züge von mütterlichen Gottheiten an, bes. → Atargatis und → Kybele: Sitz auf dem Löwen (Apul. met. 6,4), rituelles Bad (Aug. civ. 2,4) und die hl. Dramen von Karthago (ebd. 2,26).

Der Kult dehnte sich bes. unter den Severern in Afrika aus, ist aber kaum bei den führenden Schichten der Städte erwiesen [2]. In Rom wurde C., deren Tempel am Kapitol lag [3], erst durch den Kaiser → Elagabalus eingeführt (Cass. Dio 80 (79),12; Herodian. 5,6,4f.) [4].
→ Iuno (Caelestis); Evocatio; Atargatis; Kybele; Saturnus

1 G-C. PICARD, Pertinax et les prophètes de C., in: Revue de l'histoire et des religions, 1959, 41–62 **2** P-A. FÉVRIER, Religion et domination dans l'Afrique romaine, in: Dialoques d'histoire ancienne 2, 1976, 305–36 **3** M. GUARDUCCI, Nuovi documenti del culto di C. a Roma, in: BCAR 72, 1946–8, 11–25 **4** I. MUNDLE, Dea C. in der Religionspolitik des Septimius Severus, in: Historia 10, 1961, 228–37.

E. LA ROCCA, s. v. Iuno C., LIMC 5.1, 837 ff. · M. LEGLAY, Saturne africain, 1966, 3 Bde. R. G.

Caelia

[1] Stadt der Peucetii in Apulia an der Via Municia Tranana, h. Ceglie del Campo (Prov. Bari). Über 5 km von einer Stadtmauer umgeben. Im Innern Grabanlagen des 6./4. Jh. v. Chr.; Centuriations-Spuren. Münzprägung im 3. Jh. v. Chr. (HN 46: KAIΛINON). *Municipium* der *tribus Claudia* (Strab. 6,3,7; Ptol. 3,1,7).

V. ROPPO, C., 1921 · M. GERVASIO, in: Iapigia 1, 1930, 241–272 · F. BIANCOFIORE, La viabilità antica, in: ASPugl 15, 1962, 230–32 · I. ALBERGO FRUGIS, Atti XI Conv. Taranto 1971, 333–337 · Ceglie peuceta 1, 1982 · BTCGI 5, 221–28.

[2] Messapische Stadt in der Calabria Romana (Plin. nat. 3,101), h. Ceglie Messapico (Prov. Brindisi). Stadtmauer (ca. 5 km), im Innern Grabanlagen des 6./3. Jh. v. Chr.; Iapygische Keramik des 8./7. Jh. v. Chr. beim Gehöft San Pietro. Weihung an Aphrodite aus der Grotte des Monte Vicoli. Inschr. *kailomaidihi*.

P. COCO, Ceglie Messapica, 1937 · P. LOCOROTONDO, C. Messapica, 1963 · G. MAGNO, Storia di C. Messapica, 1967 · G. SANTORO, Nuovi studi messapici 2, 1983, 104–106 · G. UGGERI, La viabilità romana, 1983, 129–30 · BTCGI 5, 228–32. G. U.

Caelibatus. Die Ehelosigkeit (*c.*) war ein wichtiger Gegenstand gesellschaftlicher Bewertung und rechtlicher Regelung in Rom. In republikanischer Zeit hat sich, vielleicht nach frühen Vorläufern schon 403 v. Chr. (Val. Max. 2,9,1), der Zensor (102, nicht 131 v. Chr.) Q. Caecilius Metellus Numidicus in einer Rede vor dem Volk gegen die Ehe- und Kinderlosigkeit ausgesprochen (Gell. 1,6). Hieran knüpfte Augustus zur Begründung der *lex Iulia de maritandis ordinibus*, dem ersten Hauptstück seiner Ehegesetzgebung (18 v. Chr.), ausdrücklich an (Liv. 59). Durch dieses Gesetz wurde unverheirateten Männern zwischen 25 und 60, unverheirateten Frauen zwischen 20 und 50 Jahren die Pflicht zur Ehe auferlegt und bei *c.* die Erbfähigkeit aufgrund von Testamenten genommen (→ *caducum*). Wie sehr hierbei der bevölkerungspolit. Gesichtspunkt maßgeblich war, zeigt die Beschränkung des Erwerbs auch der kinderlos Verheirateten (*orbi*) auf die Hälfte des Zugewendeten. Die Ehepflicht wurde von Konstantin 320 (Cod. Iust. 8,57,1), die erbrechtliche Sanktion von Justinian 534 (Cod. Iust. 6,51,1) ausdrücklich aufgehoben. Darin mag sich christl. Kritik an den augusteischen Ge-

setzen ausgewirkt haben, vielleicht auch ein allg. Wandel von einer eher diesseitigen Betrachtung des Fortlebens nach dem Tode zu eschatologischen und spirituellen Haltungen und schließlich die geringe Effektivität dieser Art von Bevölkerungspolitik.

KASER, RPR I, 320 f. · S. TREGGIARI, Roman Marriage, 1991, 57–80, 205 f. G. S.

Caelius. Plebeischer Familienname (in den Hss. häufig mit → Coelius verwechselt), seit dem 2. Jh. v. Chr. bezeugt (ThlL, Onom. 24–26).

I. REPUBLIKANISCHE ZEIT

[I 1] **C., C.,** *praetor* oder *propraetor* in Gallia Cisalpina 90 v. Chr. (Liv. per. 73; MRR 2,25). K.-L. E.

[I 2] **C., C.,** s. C. → Coelius.

[I 3] **C., M.,** Volkstribun im 2. Jh. v. Chr, gegen den Cato vielleicht als Censor 184 v. Chr. eine Rede hielt (ORF I⁴ 46–48) [1. 86].

1 A. E. ASTIN, Cato the Censor, 1978.

J.-M. DAVID, Le patronate judiciaire au dernier siècle de la République romain, 1992, 856–858 · M. H. DETTENHOFER, Perdita Iuventus, 1992, 79–99, 136–164. K.-L. E.

[I 4] **C. Rufus, M.,** aus einer Familie des Ritterstandes in Picenum, geboren ca. 88 v. Chr. (MRR 3, 44). Während der polit. Anfänge Freundschaft mit Catilina (Cic. Cael. 10–14) und später Clodius, mit dessen Schwester → Clodia [1] C. nach deren Bruch mit dem Dichter Catull (dort Pseudonym Lesbia) liiert war. Im April 56 wurde C. wegen Aufruhrs (*de vi*) angeklagt. Cicero verteidigte C. erfolgreich (die Rede bei [1. 134 f.]). Die erh. Rede ist neben dem umfangreichen Briefwechsel aus den Jahren 51–49 (Cic. fam. 2,8–16; 8,1–17) wichtigstes Zeugnis für das Leben des C., doch besitzen viele Aussagen (z. B. über Clodia) wenig Glaubwürdigkeit. Als Volkstribun von 52 unterstützte C. auch → Annius Milo, den Mörder des Clodius (Cic. Mil. 91). 50 wurde C. *aedilis*, 48 *praetor*. C. hatte zunächst auf Caesar gesetzt, sah sich aber von diesem enttäuscht und versuchte nach der Suspendierung von seinem Amt in Verbindung mit Milo einen Aufstand in Campanien auszulösen. Dabei wurde er im März 48 getötet (MRR 2, 273).

1 ALEXANDER, Trials. W. W.

II. KAISERZEIT

[II 1] **C. Calvinus**; *cos. suff.* vor der Statthalterschaft in Cappadocia im J. 184 (CIL III 6052 = ILS 394; PIR² C 125). Vielleicht mit [II 9] verwandt.

[II 2] **C. (Calvinus) Balbinus, D.** = Imperator Caesar D. C. Calvinus Balbinus s. Balbinus.

[II 3] **C. Cursor.** Röm. Ritter, wegen falscher Anklage 21 vom Senat verurteilt (Tac. ann. 3,37,1).

[II 4] **C. Faustinus, M.** *Cos. suff.* 206 (RMD 3, 189).

[II 5] **C. Felix.** Konsular, der von Commodus getötet wurde (SHA Comm. 7,6).

[II 6] C. (= Coelius) Honoratus, C. Senator, der nach längerer prätorischer Laufbahn ca. 101/2 *procos. Cypri* und im J. 105 *cos. suff.* wurde (IGR 3, 970; AE 1975, 836. 836 bis) [1. 46; 2. 336].

[II 7] C. (Rufus), C. *Cos. suff.* 4 v. Chr. [3. 5].

[II 8] C. Rufus, C. *Praetor aerarii* im J. 13, *cos. ord.* 17 n. Chr. (PIR² C 141).

[II 9] C. Secundus, C. *Cos. suff.* 157 (RMD 3, 170; CIL XVI 106); 159 *curator operum publicorum* (CIL VI 857 [4. 457f.]). Vgl. C. [II 1].

> 1 FOst 2 W. ECK, in: Chiron 12, 1982 3 DEGRASSI, FC
> 4 W. ECK, in: Kölner Jb. 26, 1993.   W. E./A. T.

[II 10] C. Apicius. Von den Humanisten zugewiesener Name für den Autor des röm. Kochbuches aus dem 4. Jh., dessen Titel vielleicht *De opsoniis et condimentis sive de re culinaria libri decem*, ›Lebensmittel und Gewürze‹ oder ›Über die Kochkunst, zehn Bücher‹ lautete. Möglicherweise gingen in das Werk auch Rezepte des M. Gavius (Apicius) ein, eines reichen Feinschmeckers, der unter der Herrschaft des Tiberius lebte. Gavius betrieb großen Aufwand bei Tisch und erfand selbst zahlreiche Rezepte von Gerichten und Saucen; nach Seneca (dial. 12,10,9) soll er sich lieber vergiftet haben, als seinen Lebensstil einzuschränken. Die dem C. Apicius zugeschriebene Sammlung stellt eine Kompilation aus mehreren Quellen dar: einem Werk mit Rezepten und Gerichten, einem Teil der Schrift *De condituris* des Apicius, Vorschriften einer medizinischen Schrift, Rezepten aus dem Griechischen. Die griech. Titel der zehn Bücher – Epimeles, Sarcoptes, Cepuros, Pandecter, Ospreon, Trophetes, Politeles, Tetrapus, Thalassa, Halieus – zeugen wohl von den fortwährenden Veränderungen, denen das Buch durch die Integration neuer Rezepte unterworfen war.

> J. ANDRÉ, Apicius, L'art culinaire, texte, traduction et commentaire, 1974 · R. MAIER, M. Gavius Apicius, De re coquinaria, Über die Kochkunst, hrsg., übers. und komm., 1991.   P. S.-P.

[II 11] C. Aurelianus. Arzt aus Sicca Veneria. Über sein Leben einschließlich der Lebensdaten ist nichts bekannt, doch läßt ein Vergleich mit Cassius Felix vermuten, daß C. etwas früher, d. h. um 400 n. Chr., tätig war [1; 2]. Drei seiner Werke sind in lat. Sprache erhalten: zwei Fragmente der von diätetischen Fragen handelnden *Medicinalium Responsionum libri III*, ein großer Teil seiner *Gynaecia* und eine Schrift in 8 B. über akute und chronische Krankheiten, die die umfangreichste aus der Ant. überlieferte nosologische Schrift darstellt. Darüber hinaus verfaßte er in griech. Sprache Briefe an Praetextatus (morb. chron. 2,1,60), die jedoch verloren gingen. C. war Methodiker.

Ein Großteil seines Werkes lehnt sich inhaltlich wie strukturell stark an Soranos von Ephesos (wirkte um 100 n. Chr.) an, den er ausführlich zitiert, z. B. in morb. ac. 2,1,8, und dessen Autorität er für unantastbar hält. Dennoch ist C. kein unkritischer Übers. oder Kompilator.

So weist er auf mangelnden Informationsgehalt seiner Vorlage hin (z. B. morb. chron. ac. 2,31,163), rekurriert auf die allg. Grundüberzeugungen aller Methodiker und spricht in seinen Werken Themen an, die Soranos nicht erwähnt, z. B. eine chronische Form der Katalepsie (morb. chron. 2,5,86). Sein nosologischer Stoff ist sorgfältig gegliedert. Üblicherweise beginnen seine Krankheitsdarstellungen mit einer Definition (ein Vorgehen, das Soranos mißbilligte, morb. ac. 2,3,163, das in anderen Schriften über akute und chronische Krankheiten, etwa von → Aretaios und im → Anon. Parisinus, jedoch üblich war), wobei er gelegentlich auch abweichende Ansichten zur Diskussion stellt. Darauf folgt eine Auflistung der Krankheitssymptome, wobei er sorgfältig zwischen den Symptomen der in Frage stehenden Krankheit und denen verwandter Krankheiten unterscheidet, die für die Diagnose entscheidenden Symptome hervorhebt und Behandlungsvorschläge anschließt.

Als Physiologe und Pathologe ist C. überzeugter Methodiker, der auf der Doktrin eines aus Atomen und Poren variabler Porenweite aufgebauten menschlichen Körpers beharrt. Als Therapeut zeigt er sich jedoch aufgeschlossener und berücksichtigt auch viele von Hippokrates oder Empirikern wie Herakleides von Tarent verwendete Heilmittel. Galen erwähnt er mit keinem Wort. C.' Latein ist stilistisch anspruchsvoll und nicht immer leicht zu verstehen. Er benutzt häufig tautologische Wendungen, vor allem in seinen Übers. aus dem Griech., sowie Wortschöpfungen, die er in den Dienst höherer fachlicher Differenzierung stellt [3; 4]. Der Umfang von *de morb.* und sein schwieriger Sprachstil mögen dafür verantwortlich sein, daß die Schrift bald einfacheren und kürzeren Krankheitsratgebern weichen mußte.

→ Cassius Felix; Galenos; Gynäkologie; Herakleides von Tarentum; Methodiker; Soranos

> 1 M. WELLMANN, s. v. C., RE 3, 1256–1258 2 G. BENDZ, Studien zu C. A. und Cassius Felix, 1964 3 P. SCHMID, Contributions à la critique du texte de C. A., 1942
> 4 G. BENDZ, Caeliana, 1943.
>
> ED.: 1 J. SICHART, Morb. chr. (editio princeps), 1529
> 2 J. GUINTERIUS, Morb. ac., ed. pr., 1533 3 I. E. DRABKIN (Hrsg. und engl. Übers.), 1950 4 G. BENDZ, I. PAPE (Hrsg. und dt. Übers.), CML 6.1, 1990–1993 5 F. Z. ERMERINS, Gynaecia (editio princeps), 1869 6 M. F. und I. E. DRABKIN (Hrsg. und engl. Übers.), 1951 7 V. ROSE, Medicinales responsiones (editio princeps), Anecdota Graeca II, 1870, 161–240.
> LIT.: 8 T. MEYER-STEINEG, Das medizinische System der Methodiker, 1916 9 J. PIGEAUD, Pro Caelio Aureliano, in: MemPalerne 1982, 105–118 10 P. H. SCHRIJVERS, Eine medizinische Erklärung der männlichen Homosexualität aus der Ant., (C. A. De morb. chron. 4,9), 1985
> 11 A. ROSELLI, Le Responsiones medicinales di C. A., in: MemPalerne 1991, 75–86.   V. N./L. v. R.-B.

Caelius Mons

[1] Hügel in Rom, ca. 2 km lang, 400–500 m hoch. Obwohl der C. M. zu den ältesten Stadthügeln gerechnet wurde (Dion. Hal. 2,50,1; Tac. ann. 4,56; 11,24), lag er größtenteils außerhalb des → *pomerium*. Obwohl in republikanischer Zeit noch Gräber angelegt wurden, entwickelte sich das Gebiet später zu einer vornehmen Wohngegend (Cic. off. 3,16,66; Plin. nat. 36,48; Tac. ann. 4,64), die sich während der Kaiserzeit, als die Abhänge zum Esquilin und zum Kolosseum mit *insulae* zugebaut wurden, auf den oberen Teil des Hügels verlagerte. Die letzten Severer bauten am östl. Ausläufer, unter der h. Kirche S. Croce in Gerusalemme, eine neue kaiserliche Villa, das *sessorium*. Im 4. Jh. n. Chr. besaßen einige der wichtigsten adligen Familien Häuser an der *via Caelimontana* (Symm. epist. 3,12,2; 3,88,1; 7,18 1; CIL 6, 1699, 1782; SHA Tric. Tyr. 25,4). Die konstantinische Regionenbeschreibung überliefert 7 *vici*, 127 *domus* und 3600 *insulae*.

Beherrschende öffentliche Bauten der frühen Kaiserzeit waren der Tempel des Claudius auf der höchsten Erhebung im Westen des C. M. (Suet. Vesp. 9), das *macellum magnum* (CIL VI 9183; ILS 9432) sowie in späterer Zeit Kasernen: innerhalb der *villa Caelimontana* (Mattei) die *statio cohortis V vigilum* (CIL VI 221, 222, 1058), in traianischer Zeit die *castra peregrina* bei S. Stefano Rotondo, in frühseverischer Zeit die *castra equitum singularium*, denen die Häuser der *laterani* bei S. Giovanni in Laterano weichen mußten (SHA Marc. 1,7). Vier Wasserleitungen führten über den Caelio: unterirdisch die *aqua Appia*, die *aqua Marcia* und die *aqua Iulia*, auf Substruktionsbögen die *aqua Claudia*.

G. GIANELLI, LTUR 1, 208–211 · RICHARDSON, 61–63.

R. F.

[2] Heute Kellmünz. Spätröm. Kastell (0,86 ha) der *cohors III Herculea Pannoniorum*, etwa 35 m über der Iller topogr. günstig gelegen; unter Diocletianus frühestens 297 n. Chr. erbaut, bestand es wohl bis Mitte 5. Jh.

H.-J. KELLNER, Kellmünz, in: W. CZYSZ, K. DIETZ, TH. FISCHER, H.-J. KELLNER (Hrsg.), Die Römer in Bayern, 1995, 461 f. · M. MACKENSEN, Das spätröm. Grenzkastell Caelius Mons-Kellmünz, 1995.

K. DI.

Caelus, Caelum.

Übersetzung des griech. → Uranos (»Himmel«). Die Genealogie von C. (Cic. nat. deor. 2,63.3,44; Hyg. fab. praef. 2) entspricht mit Varianten derjenigen bei Hesiod. Varro (ling. 5,57) nennt C. und Terra als älteste Gottheiten. C. hatte in Rom keinen Kult; die Inschr., in denen er als *aeternus* verehrt wird (CIL VI 181–84; vgl. auch Vitr. 1,2,5), beziehen sich auf Fremdkulte [1]. Bildlich ist C. als bärtiger Mann dargestellt, der ein Gewand bogenförmig über seinem Kopf hält, so z. B. auf dem Panzer der Augustusstatue von Prima Porta [2].

1 G. WISSOWA, s. v. C., RE 3, 1277 2 TRAN TAM TINH, s. v. Ouranos, LIMC 7.2, 92 (Nr. 4).

R. B.

Caenina.

Stadt in Latium, wohl bei Antemnae, bewohnt von Siculi und Aborigines, der Legende nach unter König Acro von Romulus eingenommen und zerstört, der erstmals → *spolia opima* dem Iuppiter Feretrius opferte. Die *Caeninenses sacerdotes* sind im kaiserzeitlichen Rom belegt, die Stadt war jedoch spätestens seit Plinius d. Ä. (nat. 3,68) verschwunden.

NISSEN, 2, 560 · RUGGIERO, 2, 10.

G. U.

Caepio

[1] A. C. Crispinus. Quästor in Pontus-Bithynien unter dem Prokonsul Granius Marcellus, den er 15 im Senat des Maiestätsverbrechens anklagte (Tac. ann. 1,74). Seine Aschenurne wurde im sog. »Grab der Platorini« gefunden (CIL VI 31762) [1. 41 ff., 52].
[2] A. Caepio Crispinus. *Cos. suff.* in einem unbekannten Jahr (PIR² C 150).
[3] Ti. C. Hispo. *Cos. suff.* vielleicht im J. 101 oder 102; auch von Plin. epist. 4,9,16 erwähnt (PIR² C 151) [2. 482; 3. 136f.].
→ Galeo Tettienus Severus

1 F. SILVESTRINI, Sepulcrum Marci Artori Gemini, 1987, 41 ff. 2 SYME, RP 7 3 SALOMIES, Nomenclature, 1992.

W. E.

Caere

(Καιρέα, Ἄγυλλα, etr. Cisra). Stadt in Südetrurien (ca. 150 ha) auf Tuffsteinebene, in deren Nordosten das h. Cerveteri liegt. Von Pelasgern gegr. (Plin. nat. 3,51; Dion. Hal. ant. 1,20; 3,58; Strab. 5,2,3; Steph. Byz. s. v. C.), zeigt C. eine Entwicklung, die von den ältesten Nekropolen in Sorbo (von der Eisenzeit über eine ins orientalisierende Phase – vgl. Regolini Galassi – bis ins 5. Jh. v. Chr.) und der Cava della Pozzolana (späte Villanova-Kultur) bis zu denen der Banditaccia und des Monte Abatone (7.–3. Jh. v. Chr.) reicht, mit einer Wandlung der Grabarchitektur von mit *tumuli* bedeckten unterirdischen Grabkammern über würfelförmige Gräber, *palazzetto*-Gräber bis zu einer durch ein Straßensystem verbundenen Anlage und schließlich zu in Tuffstein gegrabenen Grabgängen. Der reichen künstlerischen Produktion zw. 700 und 550 (Schmiedekunst, Vasenherstellung, Goldschmiedekunst, Elfenbeinverarbeitung) entspricht die bes. Position, die C. damals im westl. Mittelmeerraum einnahm. 540 v. Chr. kämpfte C. bei Alalia zusammen mit den Karthagern gegen die Phokaier (Hdt. 1,167), in diesem Zusammenhang Befragung des Orakels in Delphoi, wo C. über einen *thesauros* verfügte (Strab. 5,2,3). 509 v. Chr. soll Tarquinius Superbus in C. Zuflucht gefunden haben (Liv. 1,60,2). Wegen der den Römern während des Galliersturms geleisteten Hilfe erhielt C. 386 v. Chr. das *hospitium publicum* und die *civitas sine suffragio* (Liv. 5,40,10; 50,3; 7,20,2; Plut. Camillus 21; Strab. 5,2,3; Val. Max. 1,1,10; Gell. 16,13; schol. Hor. epist. 1,6,62). Nach einem Krieg (357–353) gemeinsam mit Tarquinia und den Falisci gegen Rom (Liv. 7,19,6; 20,8) stellte C. wieder gute Beziehungen zu Rom her, bis sich C. erneut gegen Rom erhob und 293 oder 273 v. Chr. um die Hälfte des

Territoriums gebracht wurde (Liv. 7,19,6; Cass. Dio fr. 33). Eine kurze Blüte in augusteischer Zeit konnte den Abstieg von C. nicht verhindern. Ihre Einwohner, schließlich von Barbaren und Sarazenen bedroht, zogen landeinwärts nach Ceri.

M. SORDI, I rapporti romano-ceriti e l'origine della civitas sine suffragio, 1960 · M. CRISTOFANI, BTCGI 1987, 251–266 · M. BALDONI, Cerveteri, Atlante storico delle città italiane, 1989. S.B.

Caerellius

[1] **Q. C.** Ritter aus einer Provinzstadt, dem Censorinus im J. 238 n. Chr. *de die natali* widmete (PIR² C 156).
[2] **Q. C.** (= **Cerellius**) **Apollinaris**. Prätorianertribun, der nach zwei Prokuraturen als *praef. vigilum* im J. 212 bezeugt ist (CIL VI 1063 = ILS 2178). Aufnahme in den *ordo senatorius* (AE 1969/70, 193: Grabinschr.) [1. 59ff.; 2. 230].
[3] **C. C. Fufidius Annius Ravus Pollittianus**. Senator, *quaestor candidatus* unter Caracalla, *procos. Macedoniae* wohl unter Severus Alexander (PIR² C 157) [3. 303f.]
[4] **C. Priscus**. Senator unter Marc Aurel, gelangte bis zur konsularen Statthalterschaft von Britannien (fr. Vat. 244; CIL XIII 6806) [4. 409ff.].
[5] **C. C. Sabinus**. Legionslegat in Dakien zwischen 183–85, prätorischer Legat von Rätien, Vater von C. 3 (PIR² C 161; [5. 235ff.]).

1 PFLAUM 2 HALFMANN, in: Chiron 12, 1982 3 LEUNISSEN 4 DIETZ, in: Chiron 19, 1989 5 PISO. W. E.

Caeretaner Hydrien.

Um 530–510 v. Chr. entstandene Gruppe von z.Z. 40 nachweisbaren Hydrien einer in Caere, dem Hauptfundort, vermuteten Werkstatt, deren Bezeichnung auf C. HUMANN und O. PUCHSTEIN zurückgeht [1. 198]. Lange als etr. oder korinth. angesehen, gelten sie heute als Werke eingewanderter ostgriech. Meister, was durch ion. Namensbeischriften [1. 46f., Nr. 30] bestätigt wird. C. H. sind breite, maximal 45 cm hohe Gefäße mit konkavem Ringfuß, schwerem Körper, breitem, konkavem Hals und gewölbter Mündung. Sie sind häufig schlecht gebrannt. Der Fuß, das Mündungsinnere und die Ansatzstelle der seitl. Henkel sind stets mit farbigen Blattzungen bemalt, unterhalb des Vertikalhenkels sitzt eine Palmette. Am Hals finden sich Einzelornamente oder Ornamentfriese, vor allem Efeukette und Lotos-Palmetten-Fries; singulär bisher ein Bukranion [1. 37ff., Nr. 21]. Die Bemalung des Körpers gliedert sich stets in vier Zonen: auf der Schulter Blattzungen oder Efeufries, figürliche Bemalung, Ornamentzone (meist Lotos-Palmetten-Friese; eine Ausnahme der figürliche Fries der C. H. [1. 50ff., Nr. 34]) und Strahlenkranz. Die figürliche Bemalung ist auf der Vs. stets bewegt, auf der Rs. häufig heraldisch angelegt. Ornamente und Figurenbilder der C. H. sind von größter Buntheit und Fülle. Rot, Schwarz und Weiß werden reichlich verwendet. Wie HEMELRIJK erkannt hat, sind die Figurenbilder zwei Malern zuzu-

weisen; seine Töpfer- und Ornamentmalereinteilung hat sich zu Recht nicht durchgesetzt [2. 702]. Der führende Meister und wohl Werkstattgründer ist der Adler-Maler (benannt nach seinen Hasen jagenden Adlern) [1. 67], der 32 C. H. bemalt hat. Bemerkenswerter noch als seine Alltagsbilder (z. B. Jagd und Wagenrennen) und herald. Kompositionen (mit Pferden, Reitern, Sphingen) sind die reichen Mythenbilder: bekannte Heraklestaten, Europa auf dem Stier, aber auch so originelle Szenen wie Hermes als Rinderdieb [1. 10ff., Nr. 3] oder ein Ketos, das u. a. von einer Robbe begleitet wird [1. 45ff., Nr. 29; Slg. Niarchos]. Die Zeichenweise des Adler-Malers ist zugleich präzise und kraftvoll. Außer C. H. hat er auch ein Alabastron mit Herakles bei Pholos und einem Frauenreigen bemalt [1. 201]. Der Busiris-Maler (nach der C. H. [1. 46f., Nr. 30] mit Herakles und → Busiris) arbeitet großzügiger. Er bevorzugt Heraklestaten (vier seiner fünf Mythenbilder), sonst Jagd und Wagenrennen. Auf der C. H. [1. 46f. Nr. 30] scheinen beide Maler zusammen gearbeitet zu haben. An die originellen und erfreulichen C. H. lassen sich mit Streifen bemalte Halsamphoren anschließen.

1 J. M. HEMELRIJK, Caeretan Hydriae, 1984 2 H. P. ISLER, in: Gnomon 59, 1987, 721–731 (Rez.).

M. A. RIZZO, Una nuova hydria ceretana ed altri prodotti della ceramografia arcaica d'Etruria, in: BdA 56–57, 1989, 1–16 · E. SIMON, Die griech. Vasen, ²1981, Taf. XX, 41–43. M. ST.

Caesar I. HISTORISCH II. LITERARISCH III. WIRKUNGSGESCHICHTE

I. HISTORISCH

A. JUGEND UND FRÜHE KARRIERE B. VON DER QUAESTUR ZUM KONSULAT C. DER KRIEG IN GALLIEN D. DER BÜRGERKRIEG E. DIE LETZTEN MONATE

A. JUGEND UND FRÜHE KARRIERE

C. Iulius Caesar wurde 100 v. Chr. am 13. Quintilis (seit 44: Iulius/Juli) als Sohn der Aurelia, einer Tochter des L. Aurelius Cotta (*cos.* 119; [1. 327]) geboren. Sein Vater erreichte im Jahre 92 die Praetur und starb 85. Über C.s Kindheit und frühe Jugend ist nichts bekannt. Vermutlich verbrachte er, wie in Roms Aristokratie üblich, die ersten Jahre in der Obhut der Mutter, im Alter zwischen 7 und 15 folgten Elementar- und Grammatikunterricht (griech. und lat. Lit., rhet. Grundkenntnisse). Sein Hauslehrer war der in Alexandria in Rhetorik ausgebildete Freigelassene M. Antonius Gnipho. Im J. 84 war er für das Amt des *flamen Dialis* vorgesehen und wurde, Neffe des Marius, mit Cornelia, der Tochter Cinnas, vermählt. Seine Tochter Iulia, einziges Kind aus legitimer Ehe und spätere Frau des → Pompeius, kam 83 (oder 76 [2. 19]) zur Welt. Der Sieg des → Sulla im Nov. 82 gefährdete die Karriere, nicht aber das Leben des jungen C. Sulla forderte angeblich die Scheidung, C. weigerte sich und verließ Rom. Als Offizier trat er 80 in den Dienst des Statthalters von Asia, M.

Minucius Thermus, eines überzeugten Anhängers des Dictators. Er nahm an der Erstürmung Milets teil und erhielt für seinen Einsatz die *corona civica*. 78 wirkte er unter dem Kommando des Prokonsuls von Kilikien, P. Servilius Vatia, an einem Seezug gegen Piraten mit, doch beendete der Tod Sullas noch im gleichen Jahr seine mil. Bewährungszeit. In Rom versuchte er sich als Anwalt und Redner zu profilieren. Er erhob Anklage gegen zwei führende sullanische Politiker, scheiterte zwar, konnte aber als Gerichtsredner erste Aufmerksamkeit auf sich lenken. Auf einer Fahrt in den Osten, die neben rhet. Studien beim rhodischen Grammatiker und Redelehrer → Apollonios wohl auch Geldgeschäften in der gut vertrauten Provinz Asia dienen sollte, wurde er 75 von Seeräubern gefangengenommen. Die Episode zählt zu den bekanntesten in C.s Leben und ist daher anekdotenhaft ausgeschmückt. Nach mehrwöchiger Gefangenschaft wurde er gegen Lösegeld freigelassen, verfolgte die Piraten und ließ sie aus eigener Machtbefugnis kreuzigen. 74 nahm er am Krieg gegen Mithridates teil, 73 wurde er in Rom in das Kollegium der *pontifices* kooptiert. Für ungefähr die gleiche Zeit weist eine Inschrift (Syll.³ 748) seine Anwesenheit im spartanischen Hafen Gytheion nach (Vorgehen gegen Seeräuber?); ob er – als Militärtribun – auch am Kampf gegen → Spartacus (73–71) teilgenommen hat, ist unbekannt (Erwähnung des *servilis tumultus* Caes. Gall. 1,40,5). Quellen: [2. 17–23].

B. VON DER QUAESTUR ZUM KONSULAT

C.s polit. Aufstieg begann 69, im Todesjahr seiner Frau Cornelia und seiner Tante Iulia, der Witwe des → Marius. In diesem Jahr diente er als Feldquaestor des Propraetors Antistius [I 16] Vetus im südwestl. Spanien (MRR 2, 132). 67 heiratete er Pompeia, eine Enkelin Sullas. Im Senat trat er für die *lex Gabinia* und *lex Manilia* (66) ein, Gesetze, die Pompeius mit außergewöhnlichen Vollmachten für den Seeräuber- bzw. den Mithridatischen Krieg im Osten ausstatten sollten. Schon 67 war C. zum *curator* der Via Appia gewählt worden, 65 folgte die curulische Aedilität. In seinem neuen Amt finanzierte er Tierhetzen und aufwendige Gladiatorenspiele, die seine Beliebtheit im Volk steigerten, ihn aber auch auf den Weg zum größten Schuldner Roms brachten. In diese Zeit fiel auch ein mißglückter Putschversuch der für 65 zu Konsuln gewählten, dann aber wegen Wahlbestechung verurteilten P. Autronius und P. Cornelius Sulla. Der spätere Vorwurf, C. sei in das Komplott verwickelt gewesen, ist wohl nur üble Nachrede aus der Zeit seines Konsulats. Polit. scheint er aber tatsächlich dem ebenfalls der Mitwisserschaft verdächtigten → Crassus näher gekommen zu sein, an dessen Seite er sich auch in der sog. Catilinarischen Verschwörung (63) wiederfand. Mit großzügiger finanzieller Nachhilfe im J. 63 zum *praetor* und gegen weit einflußreichere Kandidaten zum *pontifex maximus* gewählt, setzte C. sein neues Ansehen durch seine undurchsichtige Haltung in der von Cicero aufgebauschten Staatsaffäre aufs Spiel. Wie genau die Verbindungen C.s zu → Catilina ausgesehen

haben, wissen wir nicht, doch niemand in Rom, am wenigsten Cicero, zweifelte ernstlich an ihnen. C. ergriff die Flucht nach vorn und plädierte in der Senatssitzung, in der über die inzwischen verhafteten Verschwörer entschieden wurde, als einziger gegen die Todesstrafe. Obwohl nur Aedilizier, gelang es ihm beinahe, die Versammlung umzustimmen. Erst nach einer großen Rede des jüngeren → Cato, der sein erbittertster Gegner werden sollte, beschloß der Senat die Hinrichtung. C. durfte sich damit trösten, sich als *popularis* profiliert zu haben, auf die weiteren Untersuchungen konnte er als einer der Praetoren von 62 Einfluß nehmen. Als sich die Wogen glätteten, wurde C. am Ende seiner Amtszeit neuerlich in einen Skandal verwickelt. P. → Clodius Pulcher hatte die den Frauen vorbehaltene Kultfeier der Bona Dea, die am 5.12.62 von Pompeia ausgerichtet wurde, durch seinen widerrechtlichen Besuch gestört. C. fühlte sich als Ehemann kompromittiert und ließ sich scheiden. Der anstehende Prozeß gegen Clodius wegen Religionsfrevels sowie die Klagen von Gläubigern hinderten den Propraetor aber 61 an einer schnellen Abreise in seine Provinz. Erst als Crassus für ihn bürgte, konnte C. nach Hispania Ulterior abreisen. Ein erfolgreicher Feldzug gegen die Lusitaner brachte ihm wichtige mil. Erfahrungen, Beute zur Begleichung seiner Schulden und die Bewilligung eines (später von Cato verhinderten) Triumphzuges. 60 nach Rom zurückgekehrt, setzte er sich zwar bei den Konsulatswahlen durch, doch führten ihn gemeinsame polit. Schwierigkeiten Ende des Jahres in ein geheimes Bündnis mit Pompeius und Crassus, das später als (1.) Triumvirat bezeichnet wurde. Der gemeinsame Nenner, auf den man sich einigte (im Staat dürfe nichts geschehen, was einem der drei nicht fromme), war jedoch denkbar klein und keine Basis längerfristiger Politik.

Mit Antritt des Konsulats am 1.1.59 setzte C. gegen den Widerstand der Mehrzahl der Optimaten und seines Amtskollegen Calpurnius Bibulus, der bald reine Obstruktionspolitik betrieb, in rascher Folge und mit zum Teil nicht ganz legalen Mitteln eine Reihe der geplanten Gesetze durch: Zwei *leges agrariae*, die die aktuelle Landnot lindern sollten; ein Gesetz zur Herabsetzung der Pachtsumme für die Prov. Asia, das Crassus' Klientel, den *publicani*, entgegenkam, und C. mit Hilfe von Anteilscheinen (*partes*) an der Steuerpacht in Asia große Spekulationsgewinne brachte; ein Gesetz bestätigte Pompeius' Anordnungen im Osten und eines anerkannte Ptolemaios XII. als König von Ägypten. Ein Gesetzesantrag seines Vertrauten Vatinius, *tribunus plebis* 59, bescherte C. schließlich die lukrativen Provinzen Gallia Cisalpina und Illyricum für sein Prokonsulat, der Senat fügte unter Druck schließlich noch die Gallia Transalpina hinzu. Später folgten noch ein Repetundengesetz und die *lex Vatinia de colonia Comum deducenda* (zu den Gesetzen s. [3. 387–393]). Auch das Konsulatsjahr ging nicht ohne weiteren Skandal vorüber. Vettius, ein berufsmäßiger Denunziant (*ille noster index*, Cic. Att. 2,24,2), beschuldigte verschiedene Optimaten der Teil-

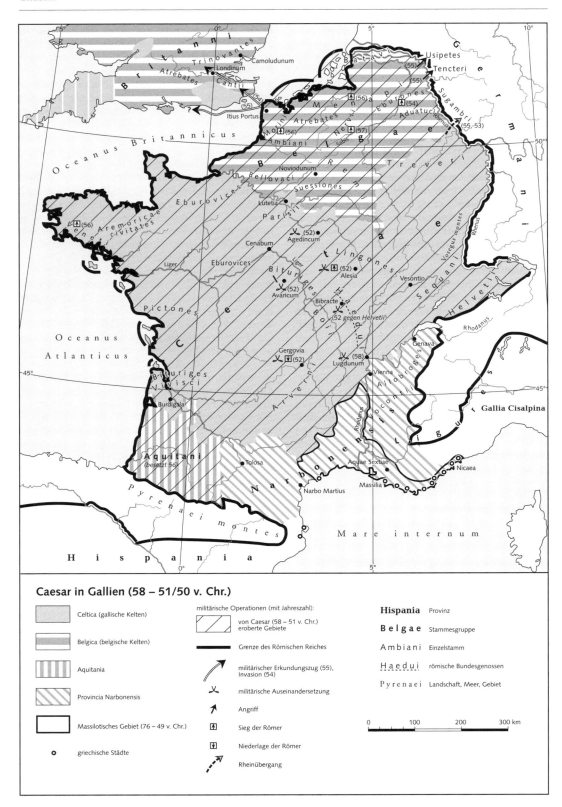

Caesar in Gallien (58 – 51/50 v. Chr.)

| | Celtica (gallische Kelten) |
| Belgica (belgische Kelten) |
| Aquitania |
| Provincia Narbonensis |
| Massilotisches Gebiet (76 – 49 v. Chr.) |
| o griechische Städte |

militärische Operationen (mit Jahreszahl):

von Caesar (58 – 51 v. Chr.) eroberte Gebiete

Grenze des Römischen Reiches

militärischer Erkundungszug (55), Invasion (54)

militärische Auseinandersetzung

Angriff

Sieg der Römer

Niederlage der Römer

Rheinübergang

Hispania Provinz

Belgae Stammesgruppe

Ambiani Einzelstamm

Haedui römische Bundesgenossen

Pyrenaei Landschaft, Meer, Gebiet

0   100   200   300 km

nahme an einer (von ihm fingierten) Verschwörung gegen Pompeius. Die Verdächtigungen waren durchsichtig: Es handelte sich um den plumpen Versuch, unliebsame Gegner der Triumvirn auszuschalten. Bevor er aber über seine Hintermänner aussagen konnte, wurde er im Gefängnis erdrosselt. Am Ende seines Konsulats hatte C. offenbar seine Absichten weitestgehend verwirklicht, sich jedoch viele Feinde geschaffen. Die Rechtmäßigkeit seiner Gesetze wurde angezweifelt; während er als Prokonsul in seinem Amtsbereich Immunität genoß, drohten ihm in Rom Anklagen. Der Bürgerkrieg, der 49 begann, hatte im Konsulatsjahr 59 seine Wurzeln. (Quellen: [2. 24–91]; MRR 2, 132, 136, 158, 173, 180, 184f., 187f.).

C. DER KRIEG IN GALLIEN

C. traf in der 2. Märzhälfte 58 vor Genava/Genf ein. Er hatte den Krieg, den er, um seine *dignitas* zu mehren und seine leeren Kassen zu füllen, in Gallien zu führen gedachte, bereits während seines Konsulats vorbereitet. Die *lex Vatinia* hatte ihm drei Legionen bewilligt, der Senat eine vierte hinzugefügt. Später erhöhte sich die Zahl sogar auf zehn. In Rom betrachteten C.s Feinde seine Politik mit Argwohn. Zu dem Eroberungskrieg, den er wünschte, war er nicht ermächtigt, und so bedurfte sein Eingreifen im freien Gallien einer bes. Begründung. Er glaubte, sie im Versuch der Helvetier finden zu können, an den Atlantik auszuwandern. Das 1. Buch des *Bellum Gallicum* enthält eine geniale Mischung von Rechtfertigung und Zurschaustellung seiner mil. Taten im Jahr 58. C. führte in einem Sommer (April-September) zwei Kriege, in denen es ihm gelang, die Helvetier in ihre früheren Wohnsitze zurückzuzwingen, den german. Heerkönig → Ariovist aus dem Oberelsaß zu verdrängen und sich im südöstl. Gallien festzusetzen. Die Begründung der Offensive war in beiden Fällen die gleiche: Verteidigung der Bundesgenossen (→ Haedui) und Abwehr akuter Gefahren von der Prov., ja von Rom selbst. Im Jahr 57 dehnte C. seine Eroberungen in den Norden und Nordwesten Galliens aus. Ende Juli besiegte er an der Sambre (Sabis) in einer verlustreichen Schlacht das Volk der → Nervii (großartige Selbstdarstellung: Gall. 2,16–28), seine Truppen stießen in die Bretagne und die Normandie vor. 56 wurde Aquitanien im Südwesten besetzt, die Seevölker der Veneter, Menapier und Moriner besiegt. Die Eroberung Galliens schien weitgehend abgeschlossen. Im Sommer 55 überquerte C. (bei Neuwied?) auf einer Pfahlbrücke den Rhein, um den Germanen röm. Präsenz zu demonstrieren (2. Rheinüberquerung 53), und unternahm eine Erkundungsfahrt an die britannische Südküste. 54 folgte die eigentliche Invasion. Mit großem, propagandistisch verbrämtem Aufwand unternommen, blieb sie in ihren Ergebnissen enttäuschend. Statt dessen gefährdeten ab Winter 54/53 neue Aufstände in Gallien alles bisher Erreichte. Jetzt erst begannen die blutigsten Jahre des Krieges. Gegen den Eburonenführer → Ambiorix, dessen Guerillataktik schwer zu begegnen war, erlitt C. seine empfindlichste Niederlage (→ Aurunculeius [3]). Als der Widerstand der Eburonen schließlich überwunden war, traf er in → Vercingetorix auf einen Gegner, der es verstand, fast alle Völker Galliens hinter sich zu vereinen. Vor der Bergfestung Gergovia geschlagen, gelang es C. jedoch in einer letzten großen Kraftanstrengung, die Gallier in Alesia einzuschließen und das heranrückende Entsatzheer abzuwehren. Als Alesia fiel, war der Krieg de facto zu Ende, auch wenn es 51 noch zu kleineren Gefechten kam. (Quellen und Chronologie [4. 66–114]).

D. DER BÜRGERKRIEG

Als C. im März 58 Rom verließ, bedeutete dies den fast endgültigen Abschied von der Stadt. Bis zu seinem Tod sollte er sich insgesamt weniger als ein Jahr in Rom aufhalten. Nach dem Sieg im Bürgerkrieg kehrte aber nicht mehr der Politiker, sondern der Militär C. zurück. Während seiner Abwesenheit von Rom war C. auf die Unterstützung anderer Politiker angewiesen, wobei er sich auf seine Kollegen im Triumvirat umso weniger verlassen konnte, je erfolgreicher er selbst war. Noch einmal glückte jedoch bei Verhandlungen in Ravenna und Luca 56 eine Einigung: Crassus und Pompeius übernahmen das Konsulat für das folgende Jahr und ließen sich Syrien bzw. die beiden Spanien als Prov. zusprechen, C.s *imperium* wurde erneuert. Der Tod Iulias 54 zerschnitt aber das letzte Band zw. C. und seinem Schwiegersohn, und als Crassus 53 im Kampf gegen die Parther gefallen war, spitzte sich alles auf einen Zweikampf zwischen Pompeius und C. um die erste Position in der Republik zu. Pompeius bot sich in Rom als Garant jener Ordnung an, die nicht zuletzt von ihm selbst am nachhaltigsten bedroht war. Als nach der Ermordung des Clodius am 18.1.52 in Rom Unruhen ausbrachen, in deren Gefolge auch die Curia niedergebrannt wurde, machte der Senat Pompeius zum *consul sine collega*. Dieser setzte von nun an, ohne dies offen zuzugeben, zusammen mit C.s optimatischen Gegnern alles daran, den *proconsul* aus Gallien abzuberufen. C. besaß in den Volkstribunen Scribonius Curio und M. Antonius geschickte Helfer, aber auch sie waren gegen den Senat machtlos. Die Kompromißbereitschaft C.s war vergebens. Am 7.1.49 ereilte ihn das Ultimatum des Senats, seine Legionen zu entlassen. C. entschloß sich zum Marsch auf Rom.

In der Nacht vom 10. auf den 11. Januar überschritt er bewaffnet den Rubico, den Grenzfluß zur Gallia Cisalpina; der Bürgerkrieg, der zunächst bis 45 dauerte, nach C.s Tod aber mit neuen Fronten bis Aktium (31 v. Chr.) weitergeführt wurde, war eröffnet. C. begann ihn um seiner *dignitas* willen, doch wurde er, da auch die reichen Prov. längst in ihren Ressourcen erschöpft waren, zu einem letzten großen Umverteilungskampf der republikanischen Aristokratie. C. ergriff mil. und propagandistisch (*clementia Corfiniensis*) die Initiative. Am 21.2. fiel Corfinium im Nordosten, das Gros der Senatoren verließ Rom, Pompeius am 17.3. Italien. C. verfolgte die Fliehenden nicht, sondern wandte sich nach Spanien, wo sieben Pompeius ergebene Legionen standen. Am 2.8. siegte er bei Ilerda und bannte damit die Gefahr einer mil. Einkreisung. Nach einem Umweg über Rom, wo er Wahlen durchführen ließ, setzte er am 5.1.48 nach Epirus über. Es begann ein langwieriger Stellungskrieg bei Dyrrhachion. Erst am 9.8. trafen die Gegner bei Pharsalos in Thessalien in einer offenen Schlacht aufeinander. Die Erfahrung der gallischen Feldzüge zahlte sich nun aus: C. behielt die Oberhand, Pompeius floh nach Ägypten, wo er wenige Tage vor C.s Ankunft (2.10.) ermordet wurde. Im ägypt. Thronstreit nahm C. Partei für → Kleopatra, in Alexandria kam es zu Straßenkämpfen, bei denen auch Teile der berühmten Bibliothek abbrannten. Erst nach der Ankunft frischer Truppen gewann C. die Kontrolle über die Situation. Anfang Juni brach er nach Rom auf, am 23. des Monats gebar ihm Kleopatra einen Sohn, Kaisarion. Beim Marsch durch Kleinasien stellte sich Pharnakes II. bei Zela C. entgegen (2.8.). Es wurde C.s schnellster Sieg (*veni, vidi, vici*: Plut. Caes. 50,3). Anfang Oktober erreichte er Rom, befand sich Ende Dezember aber schon wieder auf dem Weg nach Afrika, wo seine senatorischen Gegner neue Legionen rekrutiert hatten. Am 6.4.46 besiegte C. sie bei Thapsos, wenig später suchte sein entschiedenster Widersacher, der jüngere Cato, in Utica den Freitod. Nach Rom zurückgekehrt, feierte C. nicht weniger als vier Triumphe, bevor er Anfang November zur letzten Schlacht des Bürgerkrieges nach Spanien aufbrach. Er führte sie gegen die Pompeiussöhne und gewann sie am 17.3.45 bei Munda [5. 148–193]. (Quellen: [2. 179–251])

E. Die letzten Monate

Seit Corfinium hatte C. in der Hauptstadt keine Gegner mehr. Seine Anhänger füllten den Senat (seit 45: 900 Sitze) und teilten sich die freigewordenen Magistrate (seit 45 u.a. 16 Praetoren- und 40 Quaestorenstellen), er selbst wurde noch im Dezember 49 *dictator* für elf Tage. Es folgten das zweite Konsulat und nach Pharsalos die zweite Diktatur (für ein Jahr), 46–44 schließlich das dritte bis fünfte Konsulat. Seit April 46 war er *dictator* für zehn Jahre, seit Februar 44 auf Lebenszeit (*perpetuo*). Das Königsdiadem wies er zurück. Nach Munda begann C. eine im ganzen erfolgreiche Kolonisationspolitik. Ca. 80000 Bürger wurden in den Prov., in Spanien, in der Gallia Narbonensis, in Griechenland, Nordafrika oder Kleinasien angesiedelt. Die Transpadaner erhielten das röm. Bürgerrecht (bereits 49), sizilische und gallische Gemeinden latinisches Recht. C. versuchte das Städtewesen neu zu ordnen, plante eine Kodifikation des Rechts und reformierte den Kalender (ab 1.4.45: Sonnenjahr mit 365 1/4 Tagen). Größere Bauvorhaben (Tempel, Theater, Straßen und Kanäle) dienten u.a. der Schaffung von Arbeitsplätzen; zur Gewinnung von Ackerboden sollten Sümpfe entwässert und Seen trockengelegt werden. Allein, die Schwierigkeiten häuften sich. C. besaß nicht mehr die Kraft, das Gros seiner Reformprojekte auch umzusetzen. Statt dessen plante er einen längeren Feldzug gegen das Partherreich. Man geht nicht fehl, ihn auch als Flucht aus

Rom und vor dem hauptstädtischen Leben zu interpretieren. Ob er die *plebs urbana* für sich gewann, wissen wir nicht; die Aristokratie stand ihm in ihrer großen Mehrzahl jedenfalls feindselig gegenüber. Rund 60 Senatoren unter Führung des M. Iunius Brutus und des C. Cassius Longinus verbanden sich zu einer Verschwörung und stachen C. am 15.3. in der Curia des Pompeius nieder. Am 18.3. hatte C. zum Partherzug aufbrechen wollen. ›Mich freuen die Iden des März nicht‹, schrieb Cicero (Att. 15,4,3), ›er wäre (ohnedies) niemals zurückgekehrt‹. (zum letzten Jahr s. [6; 7; 8; 9 passim]). Das Urteil über C. unterliegt dem Zeitgeist, seine Person läßt sich verklären oder entmystifizieren. Man kann ihn zum großen Außenseiter stilisieren oder zum Konkursverwalter der republikanischen Aristokratie herabwürdigen, zum Geschäftsführer des Weltgeistes ernennen oder zum Großinquisitor degradieren, ein Verdienst wird man C. aber nicht absprechen können, auch wenn es kein beabsichtigtes ist: Er schleifte das Gebäude, auf dessen Trümmern sich der Neubau des augusteischen Principats erheben sollte.

1 Münzer[1] 2 M. Gelzer, C., [6]1960, Ndr. 1983 3 Rotondi 4 S. L. Uttschenko, C., 1982 5 W. Will, J. C., 1992 6 A. Alföldi, Studien über C.s Monarchie, 1953 7 H. Bruhns, C. und die röm. Oberschichten in den Jahren 49–44 v. Chr., 1978 8 M. Jehne, Der Staat des Dictators C., 1987 9 F. Vittinghoff, Röm. Kolonisation und Bürgerrechtspolitik unter C. und Augustus, 1952.

J. P. V. D. Balsdon, J. C. and Rome, 1967 · J. Carcopino, César, 1935 · K. Christ, C., Annäherungen an einen Diktator, 1994 · H. Gesche, C., 1976 · C. Goudineau, César et la Gaule, 1990 · Ch. Meier, C., 1982 · E. Meyer, C.s Monarchie und das Principat des Pompejus, [3]1922, Ndr. 1963 · H. Oppermann, C., 1958 · K. Raaflaub, Dignitatis contentio, 1974 · M. Rambaud, C., 1963 · H. Strasburger, C.s Eintritt in die Gesch., 1938, Ndr. 1965.   W. W.

II. Literarisch

C. zählte zu den ersten *Rednern* seiner Zeit (Quint. inst. 10,1,114). Die wenigen kleinen Fragmente stammen aus Gerichtsreden (die früheste 77 v. Chr. gegen Cn. → Cornelius Dolabella) und → *laudationes funebres* auf seine Tante (*amita*) Iulia und seine (2.) Gattin Cornelia (69/68); der Umfang erlaubt keine umfassende Bewertung. Wie Quintilian lobt Cic. Brut. 261 f. die Kraft der Rede und die sorgfältige Wortwahl (*elegantia, latinitas*). Die C.s Rhet. formende analogistische Position ist in 2 B. *de analogia*, 55 oder 54 v. Chr. [8], theoretisch begründet (31 Fragmente aus Gellius und Grammatikern [1]). Die ant. Stilurteile über die Reden wurden auf C.s *commentarii* (comm.) übertragen (Cic. Brut. 262; Hirt. Gall. 8, pr.) und finden in normiertem Vokabular und Syntax eine Bestätigung. C.s *poetisches Œuvre* wurde von Augustus unterdrückt (Suet. Iul. 56,7; Tac. dial. 21,10 f.); zeitlich einordnen läßt sich nur das Reisegedicht *Iter* (Ende 46). Die Prosaschriften sind ganz von der Politik geprägt: 7 B. *comm. rerum gestarum belli Gallici* (BG) Ende 52 oder 51 im beginnenden Streit

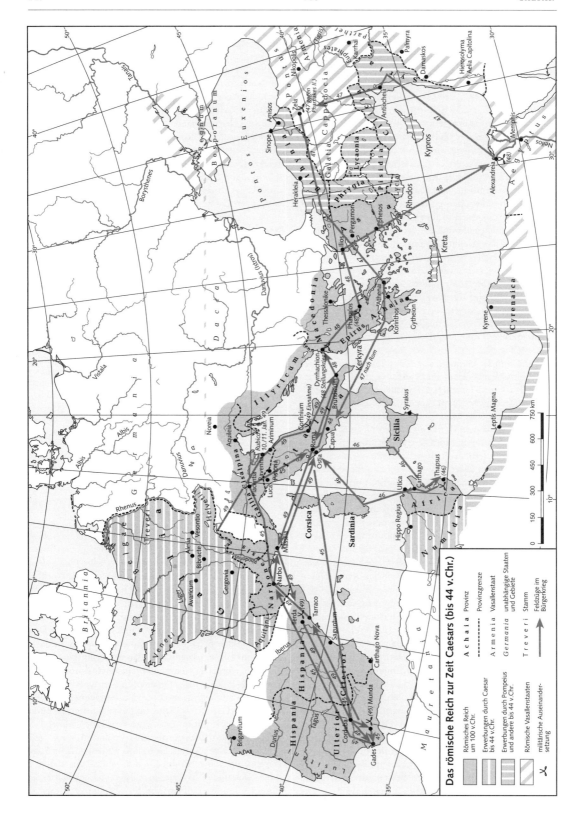

Das römische Reich zur Zeit Caesars (bis 44 v.Chr.)

A c h a i a   Provinz

Provinzgrenze

Armenia   Vasallenstaat

Germania   unabhängige Staaten und Gebiete

Treveri   Stamm

Feldzüge im Bürgerkrieg

Römisches Reich um 100 v.Chr.

Erwerbungen durch Caesar bis 44 v.Chr.

Erwerbungen durch Pompeius und andere bis 44 v.Chr.

Römische Vasallenstaaten

militärische Auseinandersetzung

um C.s Nachfolge in Gallien und seine Ansprüche auf ein 2. Konsulat. Fünf Briefe an C. → Oppius und → Cicero aus dem Jahr 49 (Cic. Att. 9,6a. 7c. 13a. 16; 10,8b). 3 B. *comm.* über den Krieg mit Pompeius, vielleicht noch 48/47 in Alexandria verfaßt, aber nicht mehr publiziert (BC); im Rahmen einer publizistischen Kontroverse nach dem Selbstmord → Catos 2 B. *Anticatones*, eine an Cicero gerichtete Invektive, den wenigen erh. Fragmenten und der Rezeption in Plutarchs Catovita nach weniger direkt schmähend als vielmehr die Mittelmäßigkeit der angeblichen Vorzüge Catos herausstellend [16]. Die für die Kalenderreform (46) publizierten Schriften kalendarischen und → parapegmatischen Inhalts scheinen nur unter C.s Namen umgelaufen zu sein, dürften aber vom Alexandriner Astronom → Sosigenes stammen.

C.s lit. Ruhm in der Neuzeit gründet sich allein auf die im → Corpus Caesarianum postum publizierten *comm.*, die in der Ant. nur selten gelesen und über eine (im BG korrigierte?) spätant. Hs. [6; 9] im MA vor allem in Frankreich in einigen wenigen Exemplaren tradiert wurden. Das in vielen C.-Legenden sichtbare lokalgesch. Interesse [10] hat in Fleury zu einer auf das BG beschränkten »Sonderausgabe« geführt, die 1213 in den *Fet des Romains* (also in einer Kaiserbiographie C.s) übersetzt wurde. Das ma., vor allem durch Plinius (nat. 7,91–94), Orosius (B. 6) und Sallust (Catil. 51–54) geprägte Bild C.s als erstem Kaiser, Kalenderreformer und Sieger in exotischen Feldzügen weicht erst im 16. Jh. dem aus Sueton und den *comm.* selbst gewonnenen Bild; erst jetzt beginnt man C. in der Schule und als Militär zu lesen: Die lit. Reduktion der Kriegführung auf das Operieren mit großen Truppenkörpern kann als Vorbild neuzeitlicher Heere dienen. Höhepunkt ist die C.-Lektüre in preußischen Kadettenanstalten und Schulen im 19. Jh. Die sprachliche Normierung und der weitgehende Verzicht auf technisches Vokabular hat neben nationalgesch. Interessen (Deutsche und Franzosen als Germanen und Galliern) die Kanonisierung gefördert.

Die 7 B. BG berichten über die sieben Feldzugsperioden der Jahre 58–52 v. Chr., vermeiden aber ein annalistisches Schema [15. 216]. Über den Krieg gegen Helvetier und Ariovists Germanen (1), Belger (2), Veneter und Aquitaner (3), 1. Rheinübergang und Britannienzug (4), 2. Britannienzug und Eburonenkatastrophe (5) sowie 2. Rheinübergang (6) ist das Werk auf den Höhepunkt des Vercingetorix-Aufstandes und seiner Niederschlagung in Alesia (7) hin konzipiert. Die sprachlichen Formen der kunstmäßigen → Geschichtsschreibung stehen zur Verfügung (z. B. geo-, ethnographische, technische Exkurse, Reden, Einzelszenen, Prodigien, Götter), werden aber sparsam verwandt und argumentationsstrategisch plaziert. Die Sprache bleibt neutral, unanschaulich [11] (außer bei Bewegungsabläufen), grausame Details fehlen: Krieg ist eine Sache von *labor, disciplina, ratio* [7]. Die Wahl eines Erzählers, der sich als röm. Kriegsteilnehmer, aber nie als C. identifiziert [13], erleichtert Identifikation; dem entspricht die

sachliche, C.s *comm.* als Fachlit. vorstellende Einleitung mit ihrer das Werk strukturierenden Dreigliederung des »Gegenstandes« Gallien [15]. Die (auch urspr.) 3 B. über das (so nicht genannte) *bellum civile* knüpfen an das BG an. Nach den letzten Senatsverhandlungen wird C.s ital. und spanischer Feldzug (1), Operationen seiner Feldherrn vor Massilia und in Africa (Curio, 2) und der Krieg in Griechenland bis zum Sieg bei Pharsalus (3) geschildert. Pompeius ist der in seiner *dignitas* gekränkte Herausforderer, den selbstsüchtige, z.T. satirisch gezeichnete Verbündete (1,5; 3,82 f.) zu mil. Fehlentscheidungen drängen. Diese personale Deutung wurde durch den Fortgang des Bürgerkrieges 47–45 hinfällig, weswegen C. die Publikation wohl aufgab.

C.s Darstellung ordnet sich seinen argumentativen Bedürfnissen unter, ist rhetorisch. Die Frage nach der Glaubwürdigkeit C.s [12] ist damit sachlich problematisch, für das BG angesichts weitgehend fehlender Parallelüberlieferung kaum zu entscheiden.

ED.: 1 A. KLOTZ, C. Iulius Caesar. Commentarii, 3 Bde., 1927–⁴1957 2 O. SEEL, BG, 1961 3 W. HERING, BG, 1987. KOMM.: 4 F. KRANER u. a., Caesar, Commentarii, 3 Bde., ²³1975. LIT.: 5 K. BARWICK, C.s BG, 1951 6 V. BROWN, The Textual Transmission of C.'s Civil War, 1972 7 H. CANCIK, Disciplin und Rationalität, in: Saeculum 37, 1986, 166–181 8 H. DAHLMANN, C.s Schrift über die Analogie, in: RhM 84, 1935, 258–275 9 W. HERING, Die Recensio der C.-Hss., 1963 10 J. LEEKER, Die Darstellung C.s in den romanischen Lit.en des MA, 1986 11 I. OPELT, »Töten« und »Sterben« in C.s Sprache, in: Glotta 58, 1980, 103–119 12 M. RAMBAUD, L'art de la déformation historique danz les commentaires de C., 1953 13 E. J. REIJGWART, Zur Erzählung in C.s Commentarii, in: Philologus 137, 1993, 18–37 14 W. RICHTER, C. als Darsteller seiner Taten, 1977 15 J. RÜPKE, Wer las Caesars *bella* als *commentarii*?, in: Gymnasium 99, 1992, 201–226 16 H. J. TSCHIEDEL, C.s »Anticato«, 1981.   J. R.

III. WIRKUNGSGESCHICHTE

Mit seiner Erhebung unter die Staatsgötter (offiziell: 39/38) beginnt C.s Nachleben bereits wenige Wochen vor den ›Iden des März‹ ([1. 513 f.] vgl. aber [2. 163 ff.]). Nur ca. zwei Wochen nach C.s Tod nahm dessen Erbe Octavian den Namen seines Großonkels an und bezeichnete sich als »Caesar, Caesars Sohn« (App. civ. 3,38); seit dem 16.1.27 wurde er als *Imperator Caesar Divi Filius Augustus* tituliert. Nach seinem Tod vererbte sich das alte Cognomen der Iulier an seine Adoptivsöhne. Als mit Caligula 41 n. Chr. die *gens Iulia* erlosch, machten die Nachfolger den Beinamen zum regulären Teil des Herrschernamens. Seit 69 war der Begriff C. Titel des designierten Nachfolgers, nur Thronerben erhielten später dieses Cognomen. Unter → Diocletianus bezeichnete man mit C. die den beiden Augusti beigeordneten Unterkaiser. In nach-konstantinischer Zeit verschwand der Terminus dann schließlich aus der Kaisertitulatur [3. 107 f.; 4. 24 f.; 5. 824 f.], lebte aber als eines der ältesten Lehnwörter des German. aus dem lat.

Sprachbereich seit dem 9. Jh. in dem Titel Kaiser (mhd. *keiser*, ahd. *keisur, keisar*) als allg. Bezeichnung für Herrscher wieder auf [6].

Das lit. Fortleben C.s setzt mit Sallust ein, einem Parteigänger des Diktators. In seiner 42 v. Chr. veröffentlichten *Coniuratio Catilinae* stellt er C., dessen damalige Rolle bewußt überzeichnend, mit einer großen Rede in den Mittelpunkt der Senatsdebatte um die Hinrichtung der Catilinarier (50–53,1). Als Antipode steht ihm freilich gleichberechtigt sein entschiedenster Widersacher Cato gegenüber. Beide werden in ihren unterschiedlichen Fähigkeiten und Leistungen anerkannt, beide zu bedeutenden Vertretern röm. *virtus* stilisiert (53,2–54,6) – ein Bemühen um Ausgleich, das sich vielleicht dem Umstand schuldet, daß die nach C.s Tod ausgebrochenen Kämpfe noch nicht endgültig entschieden waren. Während des frühen Prinzipats polarisierte der in seinen Schrecken nachwirkende Bürgerkrieg gegen Pompeius und den Senat die Autoren. Sofern man C. nicht bewußt ausblenden wollte, wie es etwa die augusteischen Dichter in auffallender Weise taten [7.334 ff.], war es bis in neronische Zeit schwer möglich, jenen Bürgerkrieg *sine ira* oder *sine studio* zu betrachten (C.s Krieg in Gallien als seine größte Leistung wird erst später vorrangiges Thema). Velleius Paterculus (19 v. Chr.-ca. 35 n. Chr.), loyaler Offizier des Augustus und des Tiberius, deren polit. Legitimation auf C. zurückging, betont in seinen *Historiae Romanae* (2,41–57) neben anderen Vorzügen C. explizit dessen *misericordia* und kontrastiert sie dem Starrsinn seiner Gegner (2,52). Zum ersten Mal findet sich hier der durch Plutarch kanonisch gewordene Vergleich mit Alexander d. Gr. (2,41,1). Umgekehrt schildert M. Annaeus Lucanus (39–65) in seinem unvollendeten Epos über den Bürgerkrieg zwischen C. und Pompeius (parodistisches Gegenstück Petron. 119–124) jenen als skrupellosen, ›vom thessal. Blutbad besudelten‹ (10,73 f.) Verbrecher. Die Sympathie des Dichters gehört Cato [3. 83–97]. Umstritten ist, wie weit die im Werk zunehmende Verdüsterung des C.-Bildes mit der wachsenden Spannung zw. Lucan und → Nero, dem letzten Vertreter des iulisch-claudischen Herrscherhauses, in Zusammenhang steht.

Nachdem sich unter dem Erlebnis des Vierkaiserjahres (69 n. Chr.) in flavischer Zeit ein stärkeres Bewußtsein für die zerstörerischen Auswirkungen von C.s Kriegen entwickelt hatte [3. 97 f.], zeichnete sich mit den Adoptivkaisern, besonders seit den Daker- und Partherkriegen des → Traianus, wieder eine Aufwertung des C. ab. Sueton (ca. 70–140) und Plutarch (ca. 45–125) verfaßten die Biographien, welche die Vorstellung der Neuzeit von C. entscheidend prägen sollten. In dem Maße, wie die Erinnerung an die Bürgerkriege verblaßte, eröffneten die beiden Biographen den Blick auf die Privatperson C. (Suet. Iul. 44,4 ff.). Die psychologische Persönlichkeitsbeschreibung verdichtete sich; auch die Eroberungen in Gallien nahmen breiteren Raum ein als in den bisherigen Darstellungen (Plut. Caes. 18–27; vgl. Flor. epit. 1,45,1–26). Die in Plutarchs Parallelbiogra-

phie fehlende *comparatio* zw. C. und Alexander holte Appianos (ca. 90–160) nach (civ. 2,619–649).

Seit der Mitte des 2. Jh. scheint das Interesse an C. gleichwohl nachzulassen; was Cassius Dio (ca. 155–235) über ihn schreibt (B. 37–55), verrät innere Distanz und ist inklusive der eingeschobenen fiktiven Reden kraftlos und gelegentlich oberflächlich. Iulian Apostata nahm 361 den Alexander-C.-Vergleich nochmals auf, bezeichnenderweise aber innerhalb einer Satire (Caes. 308D–335D). In Orosius' *Historiae adversus paganos* (417/18 n. Chr.) schließt C. die ›abschreckenden Beispiele‹ des Hochmuts ab, bevor Christus als »Lehrer der Demut« geboren wird (6,17,9–10). Für das Denken der christl. Ant. besaß C. kaum Bedeutung [3. 108–114; 8. 822–824].

Im westl. Mittelalter beruhten die Vorstellungen von C. insbes. auf Isidor von Sevilla, Eutropius, Orosius, gelegentlich Sueton und Lucan. C.s eigene Schriften waren weithin aus dem Blickfeld gerückt, was gleichwohl nicht hinderte, daß C. zum Archegeten ma. Königs- und Kaiserverständnisses avancierte. In der hochmittelalterlichen deutschsprachigen Lit. hatte dies zur Folge, daß C. Ende des 11. Jh. als Weltherrscher in das ›Annolied‹ (5,271 ff.) einging, von dort in die Kaiserchronik von ca. 1150 und schließlich in die *Weltchronik* des Jans Enikel (um 1280) gelangte. Die ma. Lit. Englands malte in verschiedenen Versionen vor allem C.s Britannieninvasion aus, so in Beda Venerabilis' *Historia ecclesiastica gentis Anglorum* (731) oder in den vielfältigen Fassungen der Artussage. In der romanischen Lit. hat sich Dantes positives Bild vom mil. Führer C. durchgesetzt (Paradiso 6,55–72), das zumal durch Petrarcas C.-Monographie im Rahmen seiner unvollendet gebliebenen Sammelbiographie *De viris illustribus* (nach 1353) auch historiographisch wegweisend wurde [8. 1352 f., 1355–59; 3. 116 f.; 9. 53 ff.]

Die neuzeitliche C.-Rezeption erreichte mit Shakespeares Drama J. C. (1598/99) einen ersten Höhepunkt. Vorausgegangen waren ihm allerdings bereits verschiedene andere Bearbeitungen des Stoffes (u. a. M. A. Muret, 1550; J. Grévin, 1561; R. Garnier, 1568, 1574, 1578); auch M. E. de Montaigne hatte in seinen Essays (1580–1595) nach dem Studium der → *commentarii* schon ausführlich die Person C. gewürdigt (ähnlich F. Bacon, Essays, 1597 ff.). Shakespeare fußt auf Plutarch (Brut.-, Caes.-, Ant.-Biogr.; engl. Übers. Th. North, 1579 nach der frz. Übertragung von J. Amyot von 1559), das bei diesem angelegte Charakterbild erhält allerdings neue Facetten, die Gestalt C. wird entheroisiert. Das Sujet blieb auch im 17. und 18. Jh. beliebt; mit unterschiedlichem Erfolg versuchten sich P. Corneille (La mort de Pompée, 1643), St. Évremond (Jugement sur César et sur Alexandre, 1663), Voltaire (Mort de César, 1736) und Bodmer (J. C., 1763) an dem Vorwurf, Händel komponierte eine Oper J. C. (1724). In seinen *Considérations sur les causes de la grandeur des Romains et de leur décadence* von 1734 hält C.-L. Montesquieu C. und Cato in ihrer politischen Rolle für austauschbar, den »Niedergang« der Republik für unausweichlich. Den Rubico-Übergang vergleicht er mit Hannibals Marsch auf Rom. In einer stark moralisierenden Sicht deutet Rousseau demgegenüber – aufklärungstypisch – den alten Gegensatz Cato (bzw. Brutus) und C. als den zwischen Freiheit und Tyrannei [3. 121 f.]. In seiner radikalen Kritik an C.s Eroberungen stellt J. G. Herder (analog zu der damals z. B. von J. C. Wezel in *Belphegor* 1776, am Alexanderzug geäußerten) die Leiden der Besiegten in den Vordergrund (›Ideen zur Philos. der Gesch. der Menschheit‹, 1784–1791). Seine Anklage gilt dabei aber weniger der Person C. als dem Kriegertum grundsätzlich. Wieland, als Übersetzer von Shakespeare und Cicero auf unterschiedliche Weise mit C. konfrontiert, hebt – zumindest in der Vorrede zur späten Edition der Cicero-Briefe (1808 ff.) – ebenfalls das kompromißlose Machtdenken C.s hervor (nach einem Gespräch mit Napoleon über C. [10. IV 422 f.]). Der Romantiker F. Schlegel attestiert C. ›imperatorische Kraft‹ und ebensolchen Verstand. Freilich habe C. das Eigentliche seiner Zeit verfehlt, nämlich Rom ›eine fest begründete Verfassung und organische Staatsgestaltung‹ (F. Schlegel, *C. und Alexander*, 1796) zu geben. Im Gegensatz zu Schlegel betraute G. W. F. Hegel wie schon Montesquieu C. wieder mit einer welthistor. Aufgabe, der gewaltsamen Abwicklung der zum Untergang verurteilten Republik (G. W. F. Hegel, *Berliner Vorlesungen*, 1822–1831). Was C. tat und wollte, ›hat die höhere Berechtigung des Weltgeistes für sich und muß den Sieg davontragen‹ [11. 377]. Mit dem Aufstieg Napoleons I. bestimmte nun dessen Wirken alle Betrachtungen über C. Es wurde unmöglich, über diesen oder Alexander zu schreiben, ohne sie mit Napoleon, der selbst ein Bewunderer C.s war, zu vergleichen. Aus dem ›gewaltigen Paar‹ C. und A. (Schlegel) wurde in der europ. Historiographie eine gewaltige Trias: A., C. und Napoleon [3. 117–133; 9. 164–265]. Damit beginnt die moderne Wissenschaftsgeschichte.

→ Caesarismus

1 E. Meyer, C.s Monarchie und das Principat des Pompejus, ³1922, Ndr. 1963 2 H. Gesche, C., 1976 3 K. Christ, C., 1994 (grundlegend mit der Lit.) 4 Kienast, ²1996 5 A. Heuss, RAC 2, 822–826 6 Kluge, s. v. C., Etym. WB, ²³1995 7 P. White, J. C. in Augustan Rome, in: Phoenix 42, 1988, 334–356 8 D. Briesemeister, F. Brunhölzl, s. v. C. im Mittelalter, LMA 2, 1352–1359 9 F. Gundolf, C., Gesch. seines Ruhms, 1924 10 J. G. Gruber, C. M. Wielands Leben, 1827/28 11 G. Hegel, Vorlesungen über die Philos. der Gesch., 12, 1986, 377.

R. Chevallier (Hrsg.), Présence de César, 1985 · B. Kytzler, Shakespeare, Julius C., 1963 · D. Poli (Hrsg.), La Cultura in Cesare, 2 Bde., 1993 · Z. Yavetz, C. in der öffentlichen Meinung, 1979. W. W.

Caesaraugusta.
Heute Zaragoza am Iberus. Urspr. dürfte hier die iberische Siedlung Saduia (Plin. nat. 3,24: Salduba) im Stammesgebiet der Edetani gelegen haben (Ptol. 2,6,62). Die unter Augustus gegr. röm. Kolonie

entwickelte sich zu einem der bedeutendsten urbanen Zentren Spaniens (vgl. Mela 2,88; Strab. 3,2,15; 4,10; 13). Wichtiger Straßenknotenpunkt. Evtl. war bis Nero die 10. Legion in C. stationiert. C. behielt seine Bed. bis in spätröm. Zeit (Paul. Nol. epist. 301; Prud. Peristephanon 4,54). Bischöfe von C. nahmen an den Synoden von Illiberis, Serdica und an den zahlreichen spanischen Konzilien teil. Franken und später Westgoten nahmen die Stadt ein. Im 8. Jh. eroberte der arab. Feldherr Muza C.

A. Beltrán Martínez, in: Numisma 6, 1953, 9–40 · L. Garcia Iglesias, Zaragoza ciudad visigoda, 1979 · Tovar 3, 386–390. P. B.

Caesarea
[1] (Καισάρεια, pun. Iol; h. Cherchel). 96 km westl. von Algier, war C. zunächst pun., wenn nicht gar phöniz. Handelsplatz (Ps.-Skyl. 111 [GGM I, 90]; Strab. 17,3,12; Ptol. 4,2,35). In der Zeit der berberischen Fürstenherrschaften gewann Iol zentrale Bedeutung (KAI 161; Sol. 25,16). Iuba II. gab der Stadt zu Ehren des Augustus den Namen C. (Strab. 17,3,12; Mela 1,30; Plin. nat. 5,20; Suet. Aug. 60; Eutr. 7,10,3). In dem halben Jh. seiner Herrschaft baute er Stadt und Hafen großartig aus und machte C. zu einem Mittelpunkt hell. Kultur. Claudius erhob C. zur Hauptstadt der neuen Provinz Mauretania Caesariensis (Cass. Dio 60,9,5). Außerdem wurde C. *colonia* (Plin. nat. 5,20). Mit ihrer gewaltigen Ausdehnung (Fläche der Stadt 370 ha, Länge der Stadtmauer 7 km) war C. eine der bedeutendsten Städte Nordafrikas. Der Größe entsprach die prächtige Ausstattung der Tempel, des Forums, des Theaters, des Amphitheaters, des Circus, der Thermen, des Leuchtturms der Insel Joinville und der Privathäuser. Das Christentum fand seit dem 2. Jh. Eingang in C. Der → Donatismus gewann hier zahlreiche Anhänger. Zw. 370 und 373 bemächtigte sich → Firmus der Stadt, ließ sie plündern und in Brand setzen (Symm. epist. 1,64; Amm. 29,5,18; 29,5,42; Oros. 7,33,5). 533 besetzten oström. Truppen C., im folgenden Jahr erhob Iustinian die Stadt zur Hauptstadt der Mauretania secunda (Cod. Iust. 1,27,2,1; Prok. BV 2,20,31).

N. Benseddik, S. Ferdi, Ph. Leveau, Cherchel, 1983 · S. Gsell, M. Leglay, E. S. Colosier, Cherchel, ²1952 · S. Lancel, E. Lipiński, s. v. Cherchel, DCPP, 104 f. · C. Lepelley, Les cités de l'Afrique romaine 2, 1981, 513–520, 547 f. · Ph. Leveau, C. de Maurétanie, 1984 · Ders., s. v. C. Mauretaniae, EB, 1698–1706 · T. W. Potter, Towns in Late Antiquity: Iol Caesarea and its Context, 1995. W. HU.

[2] C. Maritima. Ehemalige phönikische Hafenanlage (Migdal Šoršon, vgl. Tosefta, Šeri'it 4, 11), in hell. Zeit als »Turm des Straton« bekannt. Neugründung von Stadt (Kaisareia) und Hafen (*limén Sebastós*) durch Herodes d. Gr. (22–10/9 v. Chr.) zu Ehren des Augustus. Seit 6 n. Chr. Sitz der röm. Prokuratoren der Provinz Iudaea. Aufstieg zur *Colonia Prima Flavia Augusta* unter Vespasian, zur *Metropolis Provinciae Syriae Palestinae* unter Alexander Severus. In spätröm. und byz. Zeit war C. Zentrum jüd. und christl. Gelehrsamkeit. Niedergang nach der muslimischen Eroberung 640 n. Chr. Bisher erfolgte partielle Ausgrabungen im 500 ha großen Stadtgebiet ergaben Reste eines monumentalen Tempelpodiums für Augustus und die Stadt Rom im Zentrum. Der herodianische Hafen umfaßte drei Becken mit vorgelagerten Wellenbrechern (Ios. Ant. Iud. 15,331–339, Ios. bell. Iud. 1,408–15). Im röm. Theater Auffindung der bisher einzigen Pontius-Pilatus-Inschrift (ed. [1]).

1 A. FROVA, in: RIL 95, 1961, 419–434.

King Herod's Dream: C. on the Sea, 1988 · A. FROVA et al., Scavi di C. Maritima, 1965 · A. RABAN, The Harbours of C. Maritima, 1989 · A. REIFENBERG, C., A Study in the Decline of a City, in: IEJ 1, 1950f.   T. L.

Caesarius

[1] Aus Kilikien stammend, wurde C. in Antiochia ausgebildet (Lib. epist. 1399). Er war Bruder des → Alypios (Iul. epist. 9–10). 362–363 war er evtl. *vicarius Asiae* (Lib. epist. 764; 1384). Nach dem Tode des → Iulianus wurde er *comes rerum privatarum* (Cod. Theod. 10,1,8) und gewann großen Einfluß am Hof des Valens (Lib. epist. 1449; 1456). 365 wurde C. als *praef. urbis Constantinopolitanae* durch den Usurpator Prokop gefangen (Amm. 26,7,4; Zos. 4,6,2) und evtl. umgebracht (Them. or.7,92c). Er war Empfänger zahlreicher Briefe des → Libanios. PLRE 1,168f. Nr. 1.

[2] Aus Kappadokien, jüngerer Bruder → Gregors von Nazianz, der ihn später durch eine Leichenrede (or.7; PG 35,755) und Epitaphia (6–23, PG 38, 13 ff.) ehrte. C., der in Alexandria Geometrie, Astronomie und Medizin studiert hatte, wurde in Konstantinopel einer der führenden Ärzte und Freund des → Constantius II. (Greg. Naz. or. 7,9–10; epitaphia 7,14,16–18). Von Kaiser Iulianus nach einem vergeblichen Bekehrungsversuch entlassen (Greg. Naz. or. 7,11–13), erhielt er 368 n. Chr. ein Amt im Finanzwesen (*comes sacrarum largitionum* oder *comes thesaurorum*?). Vermutlich starb er noch im selben Jahr. PLRE 1,169f. Nr. 2.   W. P.

[3] *Mag. officiorum* 386/87 n. Chr.; *praef. praetorio Orientis* 395–397; *cos.* 397; *praef. praetorio Orientis* II 400–403 (bis 401 nach [1.150]); *patricius*. Seine Identifizierung mit dem üblen Typhos aus Synesios (de prov. 90c–91c) ist umstritten (dafür [2.175ff.], dagegen [3.261ff.; 4.115ff.]); falls identisch, ist er Bruder des → Aurelianus und wohl *comes sacrarum largitionum* (s. aber [2.178]). Gehörte 387 zur Untersuchungskommission des Steueraufstands von Antiochia. Nach dem Sturz des → Eutropius aus dem Amt entfernt, unter → Gainas wieder eingesetzt. Gegenüber → Stilicho auf Ausgleich bedacht [2.250]. Wird gerne als progerman. bezeichnet (vgl. aber [5.81ff.; 2.335f.]). Er war ein Christ, dem Sympathien für den Arianismus nachgesagt wurden [2.327f.] (PLRE 1, 171).

1 CLAUSS 2 AL. CAMERON, J. LONG, Barbarians and Politics at the Court of Arcadius, 1993 3 J. H. W. G. LIEBESCHUETZ, Barbarians and Bishops, 1990 4 DELMAIRE 5 G. ALBERT, Goten in Konstantinopel, 1984.

v. HAEHLING, 74–78.   H. L.

[4] Von Arelate (Arles), * um 470 in Cabillonum (Châlon-sur-Saône), † 27.8.542, lebte ca. 490–499 als Mönch auf Lérins, dann in Arles, wo er kurz Rhet. studierte und zum Priester geweiht wurde. 499–503 Abt; seit 503 Bischof und Metropolit von Arles. Wegen angeblicher Konspiration mit Burgund von Alarich II. nach Bordeaux verbannt, sorgte er durch Konzilien (529 in Arausio/Orange), Klostergründungen und Regeln für Mönche (CPL 1012) und Nonnen (CPL 1009–10), bes. durch Predigt und Predigtsammlungen sowie eine im Westen erstmalig (Land)priestern gegebene Erlaubnis zum Predigen für eine intensive Seelsorge. 513 Träger des *pallium*; 514 Vicarius für ganz Gallien und Spanien. C. verarbeitete vor allem Predigten von → Augustinus, → Ambrosius, → Faustus Reiensis und dem sog. → Eusebius Gallicanus. Von den 238 (MORIN) Predigten sind nur 67 ohne jede Vorlage verfaßt. Ihr Einfluß auf die Predigten des MA und ihre Kenntnis ant. Realia waren gewaltig. Die histor. wertvolle *Vita Caesarii* (CPL 1018) wurde schon vor 549 verfaßt.

ED.: (CPL 1008–1017): G. MORIN, S. Caesarii opera omnia 1–2, 1937–1942 (Ndr. Predigten (1953): CCL 103–104) · Sermo 1–10: M.-J. DELAGE, C. Sermons au peuple, 1–3 (SChr 175; 243; 330), 1971–1986 · A. DE VOGÜÉ, J. COURREAU, C. Œuvres monastiques 1–2 (SChr 345; 398), 1988–1994 · J. COURREAU, S. BOUQUET, L'Apocalypse expliquée par C., 1989.
LIT.: M. DORENKEMPER, The Trinitarian Doctrine and Sources of S. C., 1953 · A. BLAISE, Saint C., Sermons, 1962 · D. HARMENING, Superstitio, 1979 · R. ARBESMANN, The cervuli and anniculae in C., in: Traditio 35, 1979, 89–119 · W. E. KLINGSHIRN, Authority, consensus and dissent. C. and the making of a Christian community in late antique Gaul, 1985 · Ders., C. of Arles, 1993 · C. LAVARRA, Il sacro cristiano nella Gallia merovingia ..., in: Annali della Facoltà di Lettere e Filosofia di Bari 31, 1988, 149–204.   K. U.

Caesaromagus. *Civitas*-Hauptort der → Bellovaci an einer Schleife der Thérain, h. Beauvais (Oise). Für eine kelt. Vorgängersiedlung an dieser Stelle (→ Bratuspantium) fehlen arch. Beweise ebenso wie für die aus dem Namen C. abgeleitete Vermutung einer Gründung durch Caesar oder Augustus. Die Anf. des gallo-röm. Urbanismus liegen wohl im frühen 1. Jh. n. Chr., bedeutendere Spuren von Bauten weisen ins 2. Jh.; ein Forum ist nicht lokalisierbar. Als Folge von Zerstörungen im 3. Jh. wurde Anf. des 4. Jh. die besiedelte Fläche auf ein Zehntel reduziert und mit einer Befestigung umgeben. Als Bischofsitz überlebten die alten Verwaltungsstrukturen die röm. Herrschaft.

E. FRÉZOULS, Les villes antiques de la France I. Belgique 1. Amiens, Beauvais, Grand, Metz, 1982, 107–176 ·

Recherches archéologiques récentes à Beauvais (Oise), in: Revue archéologique de Picardie 3/4, 1991. F.SCH.

Caesellius Vindex, wohl etwas älter als → Terentius Scaurus und → Sulpicius Apollinaris, hat mit seiner alphabetischen Lexikalisierung des sprachlich-antiquarischen Materials unter linguistischen Aspekten ein in seiner archaisierenden Tendenz für die Hadrianische Epoche charakteristisches Werk (*Stromateis sive Commentaria lectionum antiquarum*, wohl 20 B.) geschaffen. Das Material war republikanischen Autoren bis Vergil entnommen und dürfte wesentlich auf → Probus zurückführen. Ebenso berühmt wie umstritten, bot es nach Gell. 2,16,5 ff.; 6,2,1 ff.; 11,15,2 ff.; 18,11,1 ff. auch Terentius und Sulpicius Angriffsfläche genug. Gleichwohl finden sich Spuren von C.' Einfluß, meist indirekt vermittelt, außerdem bei Charisius (über Iulius Romanus) und Priscian, bei Nonius und Papirian; noch Cassiodors Orthographie kann auf zwei Exzerptreihen zurückgreifen.

ED.: GL 7, 138–140. 202–207.
LIT.: P. L. SCHMIDT, HLL § 434. P.L.S.

Caesena. Umbr.-kelt. Ortschaft am Fuß des Garampo am Savio (Strab. 5,1,11; Cic. fam., 16,27,2; vgl. auch den Bach Cesuola, der in den Savio mündet), h. Cesena. Straßenknotenpunkt an der *via Aemilia*; *municipium*, evtl. *tribus Pollia*. Centuriatshauptort.

A. CALBI, La tradizione locale dell'antichità cesenate, in: Storia di Cesena 1, 1982, 223–231 · A. DONATI, Aemilia tributim discripta, 1967, 49 f. · Ders., Fonti cesenati romani, in: Studi Romagnoli 15, 1965, 11–67 · A. SOLARI, Curva Caesena, in: BCAR 56, 1928, 133–140 · Ders., La curva sotto il Garampo, in: Il Carrobbio 21, 1995, 5–11 · G. C. SUSINI, Storia di Cesena 1, 1982, 111–127. G.SU.

Caesennius
[1] L. C. Antoninus. *Cos. suff.* 128 n.Chr., vielleicht Sohn von C. 5 [1. 49, 118].
[2] A. C. Gallus. Als Legat der *legio* XII *Fulminata* kämpfte er 66 n.Chr. gegen die aufständischen Juden (Ios. bell. iud. 2,510ff.; 3,31). Nach dem Suffektkonsulat amtierte er von 80–82/3 als Statthalter von Cappadocia-Galatia (PIR² C 170) [2. 304ff.].
[3] L. Iunius C. Paetus. *Cos. ord.* im J. 61 n.Chr. (AE 1973, 141f.). Außerordentlicher Statthalter von Cappadocia 61–63; nach Niederlagen gegen die Parther Rückkehr nach Rom (Tac. ann. 15,6–8. 10–17. 24f.). Mit Vespasian verwandtschaftlich verbunden. Deshalb von ihm 70 zum Statthalter Syriens ernannt. Durch ihn wurde das Königreich Commagene eingezogen (Ios. bell. iud. 7,219ff.). Wohl Anf. 73 gestorben (PIR² C 173) [2. 287ff.; 3. 1043ff.].
[4] L. Iunius C. Paetus. *Cos. suff.* 79 n.Chr., *procos. Asiae* 93/94 (I. Smyrna 2, 826); Sohn von C. 3 (PIR² C 174).

[5] L. C. Sospes. Wohl jüngerer Sohn von C. 3. Nach längerer senatorischer Laufbahn prätorischer Legat in Galatien, vielleicht ca. 93/94 n.Chr. (CIL III 6818 = ILS 1017). Wohl identisch mit dem gleichnamigen *cos. suff.* des J. 114 (RMD 1, 14) [2. 321; 3. 1043ff.; 4. 256].

1 FOst 2 W. ECK, in: Chiron 12, 1982 3 SYME, RP 3 4 THOMASSON, 1. W.E.

Caesernius
[1] T. C. Statius Quinctius Macedo. Ritter aus Aquileia. Prokurator von Pannonia(?), Präsidialprokurator von Mauretania Caesariensis im J. 107 n.Chr. (PIR² C 181) [1. 158ff.].
[2] T. C. Statius Quinctius Macedo Quinctianus. Sohn von C. 1. Durchlief eine von Hadrian sehr geförderte senatorische Laufbahn, war u. a. *comes Hadriani per Orientem et Illyricum* und gelangte um 138 n.Chr. zu einem Suffektkonsulat (AE 1957, 135; CIL V 865 = ILS 1069) [2. 347].
[3] T. C. Statius Quinctius Statianus Memmius Macrinus. Sohn von C. 1. Durchlief wie sein Bruder (C. 2) eine von Hadrian sehr geförderte senatorische Laufbahn; *cos. suff.* wohl im J. 141, 150 konsularer Legat von Germania superior (CIL VIII 7036 = ILS 1068 = ILAlg 623; AE 1961, 239; PIR² C 183) [2. 347ff.; 3. 59f.].
[4] C. Veiento. Prokonsul von Creta-Cyrenae unter Claudius (AE 1951, 207).

1 PFLAUM 1 2 ALFÖLDY, Konsulat 3 ECK. W.E.

Caesia Silva s. Silva Caesia

Caesius. Röm. Gentilname, seit dem 3. Jh. v. Chr. belegt, seit dem 1. Jh. in Rom (SCHULZE, 135 ThlL, Onom. 49–51).

I. REPUBLIKANISCHE ZEIT
[I 1] C., L., Münzmeister 112 oder 111 v. Chr. (RRC 298), vielleicht identisch mit dem *praetor* oder *propraetor* von Hispania Ulterior 104 (AE 1984, 495).
[I 2] C., M., Praetor 75 v. Chr. (Cic. Verr. 2,1,130; MRR 3,44f.).

D. NÖRR, Aspekte des röm. Völkerrechtes, 1989, 24–27. K.-L.E.

II. KAISERZEIT
[II 1] C. Anthianus, T. Kaiserlicher Prokurator unter den Severern (ILS 9014) [1. 827f.].
[II 2] C. Aper, C. Ritter aus Sestinum, der kurz nach dem J. 60 in den Senat aufgenommen wurde (CIL XI 6009 = ILS 981). Vielleicht mit C. 7 verwandt.
[II 3] C. Cordus. *Procos. Cretae Cyrenarum*, im J. 21 wegen Repetundenvergehen angeklagt, 22 verurteilt (Tac. ann. 3,38,1. 70,1).
[II 4] Catius C. Fronto, Ti. *Cos. suff.* im J. 96; in den ersten Jahren Traians war er häufig an Prozessen im Senat beteiligt (PIR² C 194) [2. 95 f.].
[II 5] C. Martialis, L. *Cos. suff.* 57 zusammen mit Nero (PIR² C 200).

[II 6] C. Nasica. Legionslegat in Britannien unter Didius Gallus (52–57; Tac. ann. 12,40,4) [3. 231].

[II 7] C. Propertianus, Sex. Röm. Ritter, der nach mehreren mil. Stellungen unter Vitellius als erster üblicherweise von Freigelassenen ausgeübte Aufgaben übernahm: *procurator a patrimonio et hereditatibus et a libellis* (CIL XI 5028 = ILS 1447; vgl. Tac. hist. 1,58,1) [4. 610f.].

> 1 PFLAUM 2 2 SALOMIES, Nomenclature, 1992 3 BIRLEY 4 DEMOUGIN.　　　　　　　　　　W.E.

[II 8] C. Bassus. Lyrischer Dichter des 1.Jh. n. Chr., nach Quint. inst. 10,1,96 von den röm. Lyrikern neben → Horaz allein lesenswert; erh. ist nur 1 Vers. B. war mit → Persius befreundet, der ihm die 6. Satire widmete, und gab nach dessen Tod seine Gedichte heraus (vita Pers.). Wahrscheinlich identisch mit dem Verf. eines Werkes über Metr., das mehrmals von spätant. Grammatikern zitiert wird (Datierung in die Zeit Neros durch Rufinus, gramm. 6,555,22). Ein unter dem Namen des → Atilius Fortunatianus überliefertes Fragment einer Metr. stammt wohl aus dieser Schrift (Zuweisung mit guten Gründen durch KEIL, GL 6,245–254). Der Autor vertritt die sog. Derivationstheorie, die alle Metren aus iambischen Trimeter und daktylischen Hexameter herleitet.

→ Metrik, lat.

> ED.: FPL fr. 1–10 (fr. 2–9 sind Beispielv. aus der Metr.) · COURTNEY, 351 · GL 6,245–272 (Metrik) · GRF (add.) 1, 1955, 124–155.
> KONKORDANZ: P.R. DÍAZ Y DÍAZ, Scriptores Latini de re metrica 7, 1990.
> LIT.: O. SKUTSCH, s.v. C.B. 16, RE 3, 1312f. · F.J.M. CONSBRUCH, s.v. C.B. 17, ebd., 1313–1316 · W. KISSEL, Aulus Persius Flaccus, Satiren, 1990, 763f. · J. LEONHARDT, Die beiden metr. Systeme des Altertums, in: Hermes 117, 1989, 43–62.　　　　　　　　　　J.LE.

Caesonius. Röm. Gentilname, seit dem 1.Jh. belegt (SCHULZE 136f.; ThlL, Onom. 54f.).

I. REPUBLIKANISCHE ZEIT

[I 1] C., M., 74 v. Chr. Richter im ersten Prozeß gegen A. Cluentius Habitus, 70 Richter im → Verres-Prozeß, 69 curulischer Aedil zusammen mit Cicero (Cic. Verr. 1,29; MRR 2,132). Wohl 66 Praetor, da er als Kandidat für den Konsulat von 63 galt (Cic. Att. 1,1,1); wohl identisch mit dem von Cicero (Att. 12,11) erwähnten C.
　　　　　　　　　　K.-L.E.

II. KAISERZEIT

[II 1] L. C. Lucillus Macer Rufinianus. Seinen *cursus honorum* bietet CIL XIV 3902 = ILS 1186. Aufnahme in den Patriziat, *cos. suff.* um 225/230 [1. 184]. Im J. 238 einer der *XXviri*, die auf Senatsbeschluß It. gegen Maximinus schützen sollten, dann *procos. prov. Africae* und *praef. urbi* zw. 241/253 [2. 103ff.].

[II 2] C. Caesonius Macer Rufinianus. Nach langer senatorischer Laufbahn *cos. suff.* um 197/8, danach u. a. Legat von Germania superior, *procos. Africae* und *comes*

von Severus Alexander (CIL XIV 3900=ILS 11827) [3. 76f.]. Vater von C. [II 1].

[II 3] L. C. Ovinius Manlius Rufinianus Bassus. Sohn von C. [II 2]. Nach längerer senatorischer Laufbahn *cos. suff.* um 260, *procos. Africae* für drei Jahre, Stadtpräfekt und *cos. II* (AE 1964, 223) [4. 81f.; 5. 158ff.].

> 1 LEUNISSEN 2 DIETZ, Senatus 3 ECK, Statthalter 4 DERS., RE Suppl. 14 5 M. CHRISTOL, Essai sur l'évolution des carrières sénatoriales, 1986.　　　　　　　W.E.

Caesorix. Keltisierter Germanenname auf *–rix* »König« [1.160]. Kimbernfürst (→ Cimbri), 101 v. Chr. bei Vercellae gefangengenommen (Oros. 5,16,21).

> 1 SCHMIDT.　　　　　　　　　　W.SP.

Caestus s. Faustkampf

Caiatia. Stadt der → Caudini in Samnium an der Kreuzung der Verbindungsstraßen zw. Capua, Allifae und Telesia, h. Caiazzo. Evtl. *civitas sine suffragio* vor 306 v. Chr., war C. nach dem 2. Pun. Krieg *civitas foederata*, nach dem Bundesgenossenkrieg 89 v. Chr. *municipium*, *tribus Falerna*, mit *II viri*. Nachgewiesen ist ein Bischofssitz nach 967 n. Chr.

> G. CHOUQUER (Hrsg.), Structures agraires en Italie centro-méridionale, Collection de l'Ecole Française de Rome 100, 1987, 150–151 · H. SOLIN, Le iscrizioni antiche di Trebula, Caiatia e Cubulteria, 1993, 65–143.　　　M.BU.

Caieta. Hafen am gleichnamigen, von Westen her den *sinus Caietanus* oder *Formianus* abschließenden Vorgebirge am Tyrrhenischen Meer; h. Gaeta (Prov. Latina). Soll nach → Aietes, dem Vater der Medeia (Lykophr. 1274), oder nach der Amme des → Aineias [1], die hier begraben sein soll (Verg. Aen. 7,1–7), oder nach den Untiefen in der Bucht (lakonisch καιέτας, Strab. 5,3,6) benannt sein; Apollontempel (Liv. 40,2,4). In röm. Zeit Kurort wie Formiae (vier Meilen entfernt) mit Villen, die Mausoleen hatten. Hier entstanden auch die *villae* des Scipio, Laelius und Cicero (Cic. Att. 1,3,2; 1,4,3), der Kaiser Domitian und Antoninus Pius sowie der Kaiserin Faustina. Antoninus Pius baute den Hafen. Arch. Monumente: Reste eines Tempels und eines Aquäduktes, Spolien im Turm des Domes, im Kreuzgang und im Diözesanmuseum.

> S. AURIGEMMA, A. DE SANTIS, Gaeta, Formia, Minturno, 1955, 3–21 · R. FELLMANN, Das Grab des L. Munatius Plancus bei Gaeta, 1957 · Il Lazio nell'antichità romana, 1982, 561–580 · BTCGI 7, 529–532.　　　G.U.

Calabri, Calabria A. BEZEICHNUNG B. RÖMISCHE ZEIT C. BYZANTINISCHE ZEIT

A. BEZEICHNUNG

Südöstl. Ausläufer der ital. Halbinsel (Strab. 6,3,1: Name evtl. einheimischen Ursprungs; [1; 2. 32], anders [5]), h. Salento. Καλαβρία (*Kalabría*) ist erstmals für

Rhinto (Hesych. s. v. K.), ca. 300 v. Chr., bezeugt; laut Strab. 6,3,5 wird *Kalabría* bei den meisten Autoren synonym mit Ἰαπυγία (*Iapygía*), Μεσσαπία (*Messapía*) und Σαλεντίνη (*Salentínē*) für die Halbinsel südl. des Isthmus von Tarentum – Brundisium gebraucht. Der dort siedelnde Stamm wird zuerst bei Pol. 10,1 als Καλαβροί bezeichnet, in röm. Triumphen (280, 267, 266 v. Chr.: InscrIt 1,3,1,2,17; 20) nur Sallentini und Messapii, bei lat. Historikern besonders Sallentini (vgl. Liv. 9,42; 10,2; 25,1; 27,15; Flor. epit. 1,15). Verbindungen zu illyr. Γαλάβριοι (Strab. 7,5,7; [1]), griech. κόλαβρος (»Ferkel«) [5] und den bruttischen Flußnamen Καλαυρός bzw. Καλαβρός (Paus. 6,6,11) sind ungewiß. Καλαυρία bei Eust. Dion. Per. 378 stellt eine späte Umformung dar.

B. RÖMISCHE ZEIT

In röm. Zeit bezeichnet Calabria den südl. und südöstl. Teil (das ganze h. Mittel- und Südapulien und Teile von Ostlukanien) der 2. Region (Plin. nat. 3,99; später der 2. Prov.: liber coloniarum 2,261) – *Apulia et Calabria* [6]. In lit., bes. geogr. Quellen erscheinen die Grenzen zw. Calabri und Sallentini nach Süden hin ungewiß und wechselnd: Meistens halten die Calabri das Innere von Apulia und die adriatische Seite der salentinischen Halbinsel bis Hydruntum, die Sallentini die Südspitze und die ion. Seite der Halbinsel; ungewiß auch die Grenzen zw. Calabri und Peucetii bzw. Poediculi nach Norden (Strab. 6,3,1; Mela 2,66f.; Plin. nat. 3,102; 105 mit Liste der Gemeinden der *Calabri mediterranei*; Ptol. 3,1,12; 3,1,67f.; [1; 2. 31–50; 3; 5; 6; 7. 81 ff.]. Zu Strabons Zeit waren die wichtigsten Städte → Brundisium und Tarentum (Strab. 6,3,5). Das Land war wasserarm, aber durch sorgfältige Pflege reich an Weiden und Baumbestand (Strab. ebd.; Hor. epod. 1,27f.; [3]). Berühmt waren Wollproduktion und Bienenzucht (Strab. 6,3,6; Hor. carm. 3,16,33 mit Porphyr. ad loc.), Olivenwälder (Colum. 12,51,3), bes. *saltus* (Verg. georg. 3,425; Hor. epist. 2,2,177f.) und Viehzucht (Hor. carm. 1,31,5f.; Val. Fl. 3,729; Sil. 7,365). Ennius stammte aus Calabria (Hor. carm. 4,8,20; Ov. ars 3,409; Sil. 12,393–397). Röm. Straßen: via Appia, Traiana Calabra, Sallentina [7. 179ff.].

1 G. ALESSIO, Apulia et Calabria nel quadro della toponomastica mediterranea, in: Atti e memorie del VII Congr. Internazionale di scienze onomastiche, 1, 1962, 65–129 2 R. COMPATANGELO, Un cadastre de pierre, 1989 3 M. LOMBARDO, I Messapi e la Messapia nelle fonti letterarie greche e latine, 1992 4 G. NENCI, Κολαβρίζεσθαι (Vet. Test, Job. 5,4), in: ASNP 12, 1982, 1–6 5 NISSEN, 1, 539ff.; 2, 861ff. 6 R. THOMSEN, The Italic Regions, 1947, 52ff., 85ff. 7 G. UGGERI, La viabilità romana nel Salento, 1983.   M. L.

C. BYZANTINISCHE ZEIT

In byz. Zeit hieß ganz Süditalien *Calabria*. Nach den langobardischen Eroberungen (7.Jh.) bis h. ist *C.* beschränkt auf die Spitze des it. Stiefels. Seit dem 7.Jh. dem Exarchat von Ravenna unterstellt, von den Ara-

bern bedroht, seit dem 10.Jh. eigenes → Thema, blieb *C.* bis zur normannischen Eroberung (1061) byzantinisch. Die griech. Kultur, bes. die kirchliche, blühte bis zum Spätmittelalter und brachte Gestalten wie die hl. Neilos von Rossano, Elias Spelaiotes und Elias den Jüngeren sowie den Theologen Barlaam von *C.* (14.Jh.) hervor; das Griech. hält sich in entlegenen Dörfern bis heute.

C. Bizantina, I. Istituzioni civili e topografia storica, 1986; II. Testimonianze d'arte e strutture di territori, 1991 • D. MINUTO, Conversazione su territorio e architettura nella C. bizantina, 1994 • A. PERTUSI, Scritti sulla C. greca medievale, 1994 • G. ROHLFS, C. e Salento. Saggi di Storia linguistica, 1980.   G. MA.

Calagurris

[1] Fibularia. Siedlung der → Vascones, wohl das h. Loarre/Prov. Huesca in Spanien. Evtl. kam der Bischof Ianuarius, einer der Teilnehmer am Konzil von Illiberis, aus C.

TOVAR 3, 381–382.

[2] Nasica. Iberische Stadt am Iberus in der spanischen Prov. Zaragoza, h. Calahorra. Sie spielte eine Rolle in den keltiberischen Kriegen (181–133 v.Chr.) und im Aufstand des Sertorius (80–72 v.Chr.). Unter Augustus, der zeitweise eine Leibgarde aus Calagurritani besaß, wurde C. *municipium*. Zahlreiche röm. Überreste (Circus, Amphitheater) und Inschr. zeugen von der Bed. von C. in der Kaiserzeit. Hier wurde der Rhetor → Quintilianus geboren. Prudentius (Peristephanon 1) erwähnt die christl. Märtyrer Emeritus und Celedonius. C. entwickelte sich in westgot. Zeit zu einem wichtigen Bischofssitz.

TOVAR 3, 380–381.   P.B.

Calama. Wohl libyscher Ort der späteren Africa proconsularis, 74 km südwestl. von Hippo Regius, h. Guelma, stark von pun. Traditionen geprägt (Belege: KAI 165–169; Inscr. latines de l'Algérie 1, 233; 290). Seit Traianus (98–117 n.Chr.) → *municipium* (Inscr. latines de l'Algérie 1, 285) und vor 283 → *colonia* (Inscr. latines de l'Algérie 1, 247). Im Gebiet von C. lagen kaiserliche Domänen (CIL VIII 1, 5383–5494). Inschr.: CIL VIII 1, 5288–5494; Inscr. latines de l'Algérie 1, 176–444.

C. LEPELLEY, Les cités de l'Afrique romaine 2, 1981, 90–103 • G. SOUVILLE, s. v. C., EB, 1707–1709.   W.HU.

Calamus s. Feder

Calata comitia. Neben den → *comitia curiata* früheste Form der röm. Volksversammlung, von den → *pontifices* zweimal jährlich [1. 215] einberufen (etwa 6.–4.Jh. v. Chr.). Den Namen haben die *c.c.* von dem Wort *calare* (»rufen«; vgl. Fest. p. 251 s. v. *procalare*), das in der Priestersprache u. a. im Zusammenhang mit der Ankündigung, d. h. dem »Ausrufen« der *dies fasti* (→ Kalender) gebräuchlich war [2. 312].

Als Anlässe der Einberufung von *c.c.* überliefern die Quellen die → *inauguratio* des *rex* (später des *rex sacrorum*) und der sog. »großen Flamines« Roms (Gell. 15,27,1 ff.), die Bekanntgabe der *feriae statae sollemnes* (Varro ling. 6,28), die Errichtung von Testamenten (Gaius inst. 2,101; Ulpianus, reg. 20.2) sowie die *arrogatio* (Wechsel eines freien erwachsenen Bürgers in eine andere *gens*, verbunden mit der *detestatio sacrorum*, d. h. der Loslösung vom bisherigen Sakralverband der früheren *gens*).

Die Funktionen des vom *pontifex* versammelten Volkes während der *c.c.* scheinen eher passive gewesen zu sein. Aus diesem Grund sind die *c.c.* als »Informationsversammlungen« – Merkmal der meisten königszeitlichen und frührepublikanischen polit. Versammlungen der Römer – bezeichnet worden [1. 216, 614]. Während es bei der *detestatio sacrorum* formell eine Antragstellung und Beschlußfassung gab, nahmen die Bürger bei Mitteilungen bezüglich des Kalenders diese wohl nur zur Kenntnis. Bei Testamenten und Inaugurationen soll das Volk ›als Zeuge‹ fungiert haben [3. 512]. Die *c.c.* wurden noch in republikanischer Zeit durch andere Rechtsformen substituiert.

1 J. RÜPKE, Kalender und Öffentlichkeit, 1995
2 WIEACKER, RRG 3 G. WISSOWA, Religion und Kultus der Römer (1912, Ndr. 1971).

B. KÜBLER, s. v. C. c., RE 3, 1330–1334 · G. J. WOLF, Comitia quae pro collegio pontificum habentur, in: K. LUIG, D. LIEBS (Hrsg.), Das Profil des Juristen in der europ. Tradition (Symposion für F. Wieacker), 1980, 1–24.
                                               C. F.

Calatores. Von *calare* »rufen«. a) Sklaven, die Befehle übermitteln (Fest. p. 34; anders [1], der aufgrund von Plaut. merc. 852 *c.* mit *nomenclatores* gleichsetzt, Sklaven, die ihren Herren unterwegs die Namen der ihm Begegnenden angeben). b) Gehilfen der höheren Priester, fast ausschließlich Freigelassene. Sie sind bereits auf der Forumstele faßbar (CIL I² 1). Ihre Aufgabe besteht darin, durch Rufen dem Priester den Weg zu bahnen und zu verhindern, daß dieser mit kult. Unreinem oder vor Opfern mit ungünstigen Omina in Berührung kommt. Genaue Angaben über die *c.* liefern insbes. die Arvalinschriften (→ *Arvales fratres*).

P. ENK, Plauti Mercator II, 1932, 173.

LATTE, 408 f. · G. WISSOWA, Religion und Kultus der Römer, 1971², 497 · SCHEID, Collège, 476 f.   R. B.

Calavius. Campanischer Familienname, dessen Träger in Capua hoch angesehen waren und in republikanischer Zeit zu den führenden Gegnern Roms gehörten (ThlL, Onom. 71).
[1] Calavii wurden 210 v. Chr. als Brandstifter in Rom hingerichtet (Liv. 26,27).
[2] C., **Novius und Ovius,** waren 314 v. Chr. Führer einer Verschwörung gegen die Römer und begingen nach der Aufdeckung Selbstmord (Liv. 9,26,7). Ihr Vater war vielleicht der von Livius (9,7,2–5) genannte Ofilius C.

[3] C., **Pacuvius,** war – mit den Claudiern und Liviern verschwägert – 217 v. Chr. Führer der karthagerfreundlichen Partei in Capua und oberster Beamter (*meddix tuticus*). Sein Sohn blieb auch nach dem Fall Capuas ein überzeugter Anhänger Roms (Liv. 23,2–4; 8–9).   K.-L.E.

Calceus. Römischer Schuh oder Halbstiefel aus Leder, der wohl von den Etruskern übernommen wurde und zur Bekleidung (*vestis forensis*) des adeligen röm. Bürgers gehörte. Ein Auftreten in anderen Schuhen in der Öffentlichkeit wird gerügt (Suet. Tib. 13; eine Ausnahme bildet der Gang zum Gastmahl, bei dem man die *solla* trug; Hor. sat. 2,8,77; Mart. 3,50,3; Suet. Vit. 2). In der röm. Lit. und Kunst fand der *c.* vielfache Darstellung; es werden drei Varianten unterschieden, die zugleich zur Standesdifferenzierung dienten. Die erste Form ist der geschlossene, hohe *c.* mit den um die Knöchel gewundenen und über dem Fußspann verknoteten Riemen (*corrigiae*) und zwei weiteren geknoteten Riemen oberhalb des Fußes; die Enden der letzteren werden durch die unteren Riemen hindurchgezogen, damit sie nicht frei herunterhängen (*c. patricii*). Bei der zweiten Variante sind nur noch zwei Riemen oberhalb des Fußknöchels verknotet (*c. senatorii*). Die dritte Form ist ein gamaschenartiger Schuh ohne Riemen (*c. equester*). Die *c. patricii* unterscheiden sich von den *c. senatorii* durch die Anzahl der Riemen, ihre schwarze Farbe und die an den Knoten befestigten halbmondförmigen Agraffen (*lunulae*) aus Elfenbein, die auch von Nicht-Patriziern getragen werden konnten. Zu trennen von dem *c.* ist der aus der röm. Königstracht stammende → *mulleus* der röm. Triumphatoren. Auch Frauen trugen *c.* in roter, grüner, gelber und weißer Farbe (Ov. ars 3,271; Apul. met. 7,8).

H. R. GOETTE, Mulleus – Embas – Calceus, in: JDAI 103, 1988, 449–464 (Abb.).   R. H.

Calceus Herculis. Eine Oase westl. des Aurès-Gebirges, h. wohl El-Kantara (nördl. von Biskra). Durch C. führte die Straße von Lambaesis zum numidischen Limes (Tab. Peut. 3,5). An dem strategisch wichtigen Ort waren im 2. und 3. Jh. Bogenschützen und Dromedarreiter aus Emesa und Palmyra stationiert, die ihre heimischen Götter nach C. H. mitbrachten: CIL VIII 1, 2502, 2505, 2515; Suppl. 2, 18007 f. Weitere Inschr.: CIL VIII 1, 2496–2515; Suppl. 2, 18004–18012.   W. HU.

Calcidius (nicht Chalcidius). Christl. Philosoph. Umstritten ist seine Lebenszeit: entweder 2. Hälfte 3. bis 1. Hälfte 4. Jh. n. Chr. [1] oder 1. Hälfte bis Mitte 4. Jh. [2]. Die Entscheidung über die Schulzugehörigkeit seines Komm. zu Platons *Timaios* (zum Mittelplatonismus [1] oder Neuplatonismus [2; 3; 4; 5]) wird dadurch erschwert, daß wichtige Lehren wie diejenige über Vorsehung und *fatum* seit dem Mittelplatonismus bis zum Ende des Neuplatonismus in den Grundzügen dieselben geblieben sind [6].

1 J. DILLON, The Middle Platonists, 1977, 401–408
2 Timaeus a Calcidio translatus commentarioque instructus,
ed. J. H. WASZINK, 1962, IX–XVII 3 Ders., Studien zum
Timaioskomm. des C., 1964 4 J. C. M. VAN WINDEN, C. on
Matter, His Doctrine and Sources, ²1965 5 J. DEN BOEFT, C.
on Fate, His Doctrine and Sources, 1970 6 I. HADOT, Le
problème du néoplatonisme alexandrin, 1978, 117–142.

P. HA.

Der oben genannte Timaios-Komm. überliefert mit
den z. T. auf griech. Quellen fußenden Passagen zur
Harmonik erstmals im Lat. auch Zahlen-Diagramme in
Λ-Form (sog. Labdoma). Hierauf stützen sich Autoren
bis hin zum frühen MA.

J. HANDSCHIN, The »Timaeus« Scale, in: Musica Disciplina
4, 1950, 3–42 • M. HUGLO, La réception de C. et des Commentarii de Macrobe à l'époque carolinienne, in:
Scriptorium 44, 1990, 3–20 • Ders., Les diagrammes
d'harmonique interpolés dans les manuscrits hispaniques de
la Musica Isidori, Scriptorium 48, 1994, 171–186.   F. Z.

Calculi s. Abacus; s. Brettspiele

Caldarium s. Bäder; s. Thermen

Caldis. Auxiliarkastell, nordwestl. von → Cirta, westl.
des h. Mechta Nahar. Viele dem Saturnus geweihte Stelen. Inschr.: Inscr. latines de l'Algérie 2,1, 3442–3569.

AAAlg, Bl. 8, Nr. 173.   W. HU.

Caledonii. Der Name C. wird von ant. Autoren unterschiedlich angewandt: auf die Einwohner Schottlands
nördl. der Linie Forth-Clyde (Tac. Agr. 25), auf einen
Stamm in der Region des Great Glen (Ptol. 2,3,8) und
auf einen Stammesverband in Nord-Schottland (Cass.
Dio 76,12). Daß bei Tac. Agr. 27 von *Caledonia* und
Plin. nat. 4,102 von *silvae Caledoniae* die Rede ist, legt
die Annahme nahe, daß die C. in einem großen Gebiet
Ost-Schottlands siedelten. Wenig bekannt vor der röm.
Invasion, leisteten sie heftigen Widerstand, bevor sie 84
n. Chr. am → Mons Graupius von Agricola entscheidend geschlagen wurden (Tac. Agr. 10 f.; 25–31). Der
arch. Befund läßt die Existenz einer Mil.-Aristokratie
mit vielen örtlichen Machtzentren vermuten. Ein Königtum hat sich nicht herausgebildet; Calgacus, der Anführer der C. am Mons Graupius, war ein gewählter
Heerführer. Verschiedene Siedlungsformen, *hill-forts*,
umfriedete Höfe, *brochs* (Steintürme) und *crannogs* (see-
ufernahe Wohnhäuser). Töpferwaren und Metall-
gegenstände waren nicht bes. gebräuchlich.

I. A. RICHMOND (Hrsg.), Roman and Native in North
Britain, 1958 • G. und A. RITCHIE, Scotland, 1981 •
M. MACGREGOR, Early Celtic Art in North Britain, 1976.

M. TO.

Calener Vasen. Sammelbegriff für unterital. Schwarz-
firnisware (→ Reliefkeramik), geläufig von der 2. H.
des 4. Jh. bis ins 2. Jh. v. Chr. Die Bezeichnung C. V.
(Askoi, Schalen, Omphalosphialen, Gutti) hat sich für

diese Gefäßgruppe eingebürgert, doch ist sicher, daß sie
auch in anderen Regionen (Paestum, Sizilien, Tarent)
produziert wurde. Bekannt sind v. a. Schalen mit Medaillons in mittelhohem Relief (»Arethusa-Schalen«),
deren Herkunft durch Formschalen und Werkstattsig-
naturen aus Cales (Calenos) bzw. Kampanien (Gabinius, Atilius) gesichert ist. Gutti und Askoi mit Medaillons werden ebenfalls als »calenisch« bezeichnet, doch
sind an der Herstellung ebenso apulische und kampa-
nische Werkstätten beteiligt. Einige Medaillons (mit
Elephanten oder Galliern) beziehen sich auf zeitgenössische Ereignisse.

R. PAGENSTECHER, Die calenische Reliefkeramik, 8.
Erg.-Heft JDAI, 1909 • M. O. JENTEL, CVA Paris, Louvre
(15), 1968, 21 ff. • M. BENZ, CVA Göttingen (1), 1989, 63.

R. H.

Calenus. Röm. Cognomen (wohl zur Bezeichnung
der Herkunft aus Cales) in der Gens → Fufia im 1. Jh.
v. Chr., in der Kaiserzeit auch inschr. häufiger bezeugt
(ThlL, Onom. 79).   K.-L. E.

Cales. Hauptort der Ausoni in Campania (Καλησία:
Steph. Byz. s. v.; Calenum: Plin. nat. 3,63; Cale), auf
einer Hochebene, dreiseits vom Rio de' Lauzi und Rio
di Pezzasecca eingeschlossen, h. Calvi Risorta. Zur
Gründungssage vgl. Verg. Aen. 7,728 (Aurunca), Sil.
8,512; 12,525 (Calais), Dion. Hal. ant. 6,32,37 (Volsci).
Von den Römern 334 v. Chr. erobert (Liv. 8,16; Vell.
1,14,3), *municipium*, Sitz des Quaestors für Campania
(Tac. ann. 4,27).

C. war berühmt für seine Weintrauben (Strab. 5,4,3;
Hor. carm. 1,20,9; Plin. nat. 14,65) und Keramikher-
stellung (Varro Men. 114). Monumente: Nekropole
7./6. Jh. v. Chr., Amphitheater, Theater 2. Jh. v. Chr.,
Thermen, Sanctuarium (Sulla), Tempel (frühe Kaiserzeit), Grabmonumente im Westen von C., Spuren von
Befestigungsanlagen. Inschr.: CIL IX 1 4631–4716.

L. SANESI, Sulla firma di un ceramista caleno e sulla
questione dei vici, in: PdP 33, 1978, 74–77 • L. BURELLI,
s. v. Calvi Risorta, in: BTCGI 4, 1985, 281–286.   B. G.

Calestrius

[1] C. Tiro. Freund des jüngeren Plinius (epist. 7,16),
quaestor Caesaris, tribunus plebis, praetor 93, *procos. prov.
Baeticae* um 107 n. Chr. (Plin. epist. 6,22,7; 9,5; PIR² C
222) [1. 779 ff.].

[2] T. C. Tiro Iulius Maternus. Sohn von C. 3, Statthalter von Lycia-Pamphylia 132–135 (AE 1972, 651a;
IGR 3, 704, 1) [2. 83 f.; 3. 39, 43].

[3] T. C. Tiro Orbius Speratus. Senator, wohl jüngerer Bruder oder Cousin von C. 1; nach längerer senatorischer Laufbahn wurde er Prokonsul von Achaia
(?), prätorischer Legat von Cilicia ca. 113–116, und
schließlich *cos. suff.* 122 (AE 1965, 320 = 1966, 485; 1972,
651b) [1. 779 ff.; 4. 351 ff.].

1 SYME, RP 2 2 ECK, RE Suppl. 14 3 M. WÖRRLE, Stadt und Fest..., 1988 4 W. ECK, in: Chiron 12, 1982.   W.E.

Calgacus. Einer der caledonischen Anführer (*dux*) in der Schlacht am Mons Graupius (evtl. nördl. von Aberdeen) im Spätsommer 84 n. Chr., die Agricola die *triumphalia ornamenta* einbrachte (Tac. Agr. 29 ff.), aber keine dauerhafte Annexion Caledoniens einleitete.

W. S. HANSON, Agricola and the Conquest of the North, 1987.   C. KU.

Calidius. Plebeischer Gentilname, seit dem 1. Jh. v. Chr. in Rom belegt (SCHULZE, 138; ThlL, Onom. 81 f.).
[1] C., M., Münzmeister 117 od. 116 v. Chr. (RRC 284) und vielleicht später *praetor* oder *propraetor* (IG VII 18, Z. 14).   K.-L. E.
[2] C., M., *praetor* 57 v. Chr., trat als solcher für die Rückkehr Ciceros aus dem Exil ein (Cic. p. red. in sen. 22) und hielt bei dieser Gelegenheit wohl die Rede *de domo Ciceronis* (Quint. inst. 10,1,23). 52 setzte er sich für T. Annius [I 14] Milo, den Mörder des → Clodius Pulcher ein (Ascon. 34 Z. 17C). Bewerbungen um das Konsulat scheiterten 51 und 50 (Cic. Att. 5,19,3; 6,8,3). 49 schlug C. sich auf die Seite Caesars (Caes. civ. 1,2,3), der ihm im selben Jahr die Verwaltung der Gallia Cisalpina anvertraute. C. starb (vielleicht 47) in Placentia (MRR 2, 280). Zu seiner Bed. als Redner s. Cic. Brut. 274–278.   W. W.
[3] C., Q., setzte sich als Volkstribun 99 v. Chr. für die Rückberufung des Q. Caecilius [I 30] Metellus Numidicus ein (MRR 2,5). Im J. 82 vielleicht Senatsgesandter zu Murena (App. Mithr. 272); durch die Unterstützung des Caecilius [I 31] Metellus Pius 79 *praetor*, 78 *propraetor* in Hispania Citerior, nach seiner Rückkehr wegen Erpressung verurteilt (Cic. Verr. 1,38; 2,3,63).   K.-L. E.

Caliga s. Schuhe

Caligo. Personifikation der Finsternis, entspricht dem griech. → Erebos und Skotos. Sie ist Mutter des → Chaos, durch diesen auch Mutter von Nox, Dies, Erebos und Aether (Hyg. fab. praef. 1).   R. B.

Caligula. C. (Iulius) Caesar Augustus Germanicus. Röm. Kaiser 37–41. Geb. am 31. August 12 n. Chr. in Antium, Sohn von Germanicus und Agrippina d. Ä. Von Geburt Augustus' Großneffe und Großenkel des Triumvirn Marcus Antonius; nach Germanicus' Adoption durch Tiberius auch Großenkel des Augustus. Der Name C. (»Stiefelchen«) wurde ihm von den Soldaten an der Rheinfront, wohin ihn die Mutter gebracht hatte, im J. 14 gegeben. Am 26.5.17 Teilnahme am Triumph des Vaters über Germanien; anschließend Reise nach dem Osten, von wo er, nach dem Tod des Vaters am 10.10.19, mit der Mutter nach Rom zurückkehrte. Zunächst bei der Mutter erzogen, nach deren Verban-

nung bei der Großmutter Livia, dann bei Antonia, der Mutter des Vaters. Im J. 29 hielt er für Livia die Leichenrede. 31 holte ihn Tiberius nach Capri. Dort lernte er, sich im Intrigenkampf zu behaupten und sich zu verstellen. Vor → Seianus, der gegen die Familie des Germanicus vorging, konnte er sich schützen. 33 zum Quästor bestimmt; er erhielt das Recht, sich um alle Ämter fünf J. vor der Zeit zu bewerben und war damit neben dem Tiberiusenkel Gemellus zur »Nachfolge« prädestiniert; beide wurden von Tiberius im Testament zu gleichen Teilen eingesetzt. Am Tod des Tiberius am 16.3.37 war er angeblich aktiv beteiligt. Von den Soldaten in Misenum noch am 16.3. als *imperator* akklamiert; der Senat folgte am 18. März (CIL VI 2028c Z. 10). Am selben Tag übernahm er alle Einzelrechte seiner Vorgänger, lediglich den Titel → *pater patriae* lehnte er zunächst ab, übernahm ihn aber am 21.9.37. *Cos. suff.* vom 1.7–31.8.37, Konsul wieder in den J. 39, 40 (ohne Kollegen) und 41. Auf Betreiben des Prätorianerpräfekten Macro wurde Tiberius' Testament unterdrückt und Tiberius Gemellus von der Erbfolge ausgeschlossen (Cass. Dio 59,1,2; Suet. Cal. 14,1). Am 28.3.37 zog C. in Rom ein. Viele erwarteten jetzt eine bessere Herrschaftszeit; diese Erwartungen basierten auf dem Andenken an C.s Vater Germanicus. Die Familie C.s, vor allem Germanicus und Agrippina sowie seine drei Schwestern wurden auf Münzen der Öffentlichkeit präsentiert, seine Schwestern erhielten die Ehrenrechte von Vestalinnen. Die Majestätsprozesse hob er im J. 37 auf.

Bemerkenswerte und wichtige polit. Unternehmungen wurden von ihm kaum durchgeführt. Zumeist handelte es sich um sprunghafte Entscheidungen, die bald wieder aufgehoben wurden. 39 brach er zu einem Feldzug gegen die Germanen auf; nach Überwinterung in Lugdunum kam es am Rhein und an der Kanalküste zu »Manövern« der Legionen, ohne echte strategische Zielsetzung. Eine Invasion Britanniens war kaum geplant. Am 31.8.40 wurde der »Feldzug« mit einem kleinen Triumphzug in Rom abgeschlossen. Den König von Mauretanien, Ptolemaeus, ließ er im J. 40 in Rom ermorden. Die Folge war (unter Claudius) die Einrichtung der beiden mauretanischen Provinzen. Seine Beziehungen zu den Gemeinden und gesellschaftlichen Gruppen des Reiches ist aus Philo, *legatio ad Gaium*, der Schilderung einer Gesandtschaft von Juden und Griechen aus Alexandria, am besten zu erkennen. C. realisierte schnell, daß seine Macht faktisch unbeschränkt war und niemand ihn hindern konnte oder wollte, das zu tun, was ihm beliebte. Da sein Charakter labil, er vielleicht auch durch Krankheit zusätzlich psychisch gestört war, überschritt er alle Grenzen gegenüber Senat und Volk. Hinrichtungen waren zahlreich, Frauen, die ihm gefielen, nahm er ihren Männern weg. → Drusilla, seine Schwester, deren Name wie der der anderen Schwestern in den Treueid auf C. aufgenommen wurde, machte er für einige Zeit zu seiner Frau, dann vermählte er sie mit Aemilius Lepidus, den er bis zum Tod Drusillas im Juni 38 als seinen Nachfolger ansah. Er verlangte immer mehr und offener göttl. Verehrung, in Rom selbst und außerhalb; in Rom wurde ihm ein Tempel errichtet. Der Legat von Syrien, P. Petronius, sollte seine Kolossalstatue im Tempel zu Jerusalem aufstellen, was nur durch C.s Tod verhindert wurde. Es gab zahlreiche Verschwörungen gegen ihn, vor allem von → Cornelius Lentulus Gaetulicus und Aemilius Lepidus, mit dem auch C.s Schwester Agrippina verbunden war; die Verschwörer wurden hingerichtet, Agrippina daraufhin verbannt. Eine Verschwörung, an der Senatoren und Prätorianertribunen, darunter → Cassius Charea, beteiligt waren, führte am 24.1.41 zum Erfolg. C. wurde mit seiner Frau Milonia Caesonia und der gemeinsamen Tochter Iulia Drusilla (PIR² J 665) getötet. Alles, was an ihn erinnerte, vor allem Statuen und Inschr., wurde getilgt, seine Anordnungen aufgehoben (→ damnatio memoriae; rescissio actorum). Von König Agrippa wurde der Leichnam in den Lamischen Gärten eilig bestattet, später erhielt C. durch seine Schwestern ein ordentliches Begräbnis (PIR² J 217).

H. WILLRICH, C., in: Klio 3, 1903, 85–118 · P. V. D. BALSDON, The Emperor Gaius, 1934 · A. A. BARRETT, C., 1989 · A. FERRILL, C., Emperor of Rome, 1991 · Z. YAVETZ, C. Imperial Madness and Modern Historiography, in: Klio 78, 1996, 105–129 · W. TRILLMICH, Familienpropaganda der Kaiser C. und Claudius, 1978 · D. BOSCHUNG, Die Bildnisse des C., 1989.　　　　W. E.

Callaici. Kelt. Stamm im Nordwesten Hispaniens, von dem die h. Region Galicia ihren Namen hat. In Zusammenhang mit den keltiberischen Kriegen (181–133 v. Chr.) werden sie erstmalig erwähnt (App. Ib. 300). Der röm. Statthalter Iunius Brutus, der sie 138–136 v. Chr. niederwarf, erhielt den Beinamen Callaicus. Auch Caesar hatte während seiner Propraetur 60 v. Chr. mit ihnen zu tun. Zeitweise traten die C. auf die Seite der → Astures und → Cantabri, als Augustus diese bekriegte und 19 v. Chr. definitiv unterwarf. Im 5. Jh. kamen die Suebi ins Land und beherrschten es, bis die Westgoten es 585 n. Chr. ihrem Machtbereich eingliederten. Den Arabern gelang die Unterwerfung der C. ebenso wie die der Astures nie vollständig.

J. M. ALONSO-NÚÑEZ, Rez. SANTOS YANGUAS, El ejército y la romanización de Galicia, in: CR 2, 1990, 510 · TOVAR 3, 115–124, 129.　　　　P. B.

Calleva Atrebatum (h. Silchester). Das eisenzeitliche oppidum, Hauptort der Atrebates [2], entwickelte sich seit 100 v. Chr. zu einem bed. polit. Zentrum. Durch die Verbindungen des → Commius erlebte die Ansiedlung Mitte 1. Jh. v. Chr. einen Aufschwung. C. A. dürfte nach 43 n. Chr. in das Reich des Cogidubnus einbezogen worden sein. Die frühe röm. Stadt wurde innerhalb der eisenzeitlichen Verteidigungsanlagen errichtet [1]. Die Entwicklung von C. A. wurde von Anf. an stark von Rom beeinflußt (Thermen, Forum, Amphitheater, Tempel); in der Spätant. war C. A. bescheiden in Aus-

dehnung und Anspruch und wurde Ende 5. /Anf. 6. Jh. aufgegeben. CIL VII p. 16.

1 M. G. FULFORD, Silchester defences 1974–80, 1984.

G. C. BOON, Silchester, 1974.　　　　M. TO.

Callicula. Berg im Norden von Campania, der den ager Falernus bei Casilino begrenzte. Er entspricht wohl dem Massiv des Monte Maggiore (1037 m), der von einer großen Schleife des Volturnus umringt ist. Q. Fabius Maximus versuchte hier 217 v. Chr., Hannibal die Straße zu sperren (Liv. 22,15,3; 22,16,5). Bei Pol. 3,92 Ἐριβιανὸς λόφος, Eribianós lóphos (evtl. Τρεβιανὸς λόφος, von Trebula) genannt.

NISSEN 2, 688.　　　　G. U.

Callistratus. Ein Provinzialjurist des griech. Sprachraums [3], schrieb unter Septimius Severus und Caracalla (Anf. 3. Jh. n. Chr.) die in der klass. Jurisprudenz ersten Traktate des außerordentlichen Verfahrensrechts (De cognitionibus: 6 B.; dazu [2]) und des Finanzrechts (De iure fisci et populi: 4 B.), einen Ediktkomm. (Edicti monitorium: 6 B.; dazu [1]) sowie Institutiones (3 B.) und Quaestiones (2 B.). PIR² C 231.

1 SCHULZ, 238f. 2 R. BONINI, I »Libri de cognitionibus« di Callistrato, 1964 3 D. LIEBS, Röm. Provinzialjurisprudenz, ANRW II 15, 1976, 310ff.　　　　T. G.

Calocaerus. Magister camelorum (Aur. Vict. Caes. 41,11: vielleicht im Sinne von »führender Hirtensklave«) auf Zypern. Der 334 (?) n. Chr. von ihm unternommene Aufstand hatte nur lokale Bed. und wurde rasch niedergeschlagen, er selbst in Tarsos von → Dalmatius abgeurteilt (PLRE 1, 177).

KIENAST, ²1996, 308f.　　　　B. BL.

Calones s. Marschgepäck

Calpetanus
[1] Nach Plin. nat. 29,7 berühmter Arzt (PIR² C 234).
[2] **C. C. Rantius Sedatus Metronius (?)**. Curator tabulariorum publicorum im J. 45 (CIL VI 916 = 31201); cos. suff. im J. 47 [1]. Konsularer Legat von Dalmatien nach 47 (ILJug. 2064; PIR² C 235).
[3] **C. C. Statius Rufus**. Mitglied des collegium der curatores locorum publicorum iudicandorum und der curatores riparum et alvei Tiberis unter Tiberius. Wohl Adoptivvater von C. 2 (PIR² C 236).

1 G. CAMODECA, in: Ercolano 1738–1988, 1994, 525.　　　　W. E.

Calpurnia
[1] Tochter des L. Calpurnius Piso Caesoninus (Suet. Iul. 21). Sie bat Caesar, ihren Gatten, an den Iden des März 44 dringend, der Senatssitzung fernzubleiben (Suet. Iul. 81,3; Plut. Caes. 63,8–12; Cass. Dio 44,17,1; Val. Max. 1,7,2; Vell. 2,57,2). Aus polit. Gründen hatte Caesar in vierter Ehe die 18jährige 59 v. Chr. geheiratet

(Plut. Caes. 14,8; Pomp. 47,10; App. civ. 2,51; Cass. Dio 38,9,1, [1. 75 A.46]). Die Ehe blieb kinderlos [2. 466]. Nach dem Tod Caesars übergab C. dessen Vermögen an M. Antonius (Plut. Ant. 15; App. civ. 2,524).

> 1 R. A. BAUMAN, Women and Politics in ancient Rome, 1992 2 CAH 9, ²1994.   ME.SCH.

[2] Tochter eines L. Calpurnius Piso, Frau eines (Nonius) Asprenas und Mutter von drei Söhnen (CIL VI 1371 = ILS 927; zur Identifizierung RAEPSAET-CHARLIER Nr. 172; PIR² C 323) [1. 83 ff.].

[3] Tochter des L. Calpurnius Piso *augur, cos.* 1 v. Chr. (AE 1949, 199; 1964, 270).

[4] Frau senatorischen Ranges, von Agrippina ins Exil getrieben, weil Claudius sie wegen ihrer Schönheit hervorgehoben hatte; nach Agrippinas Tod kehrte sie nach Rom zurück (Tac. ann. 12,22,3; 14,12,2).

[5] Tochter des L. Calpurnius Piso, *cos.* 57, und der Licinnia Magna; Frau des Calpurnius Galerianus (Tac. hist. 4,49,2; RAEPSAET-CHARLIER Nr. 176).

[6] Wohl aus Comum stammend, dritte (?) Frau des jüngeren Plinius, den sie auch nach *Bithynia et Pontus* begleitete (PIR² C 326; RAEPSAET-CHARLIER Nr. 177).

[7] C. Hispulla. Tochter des L. Calpurnius Fabatus, Tante von C. [6] (PIR² C 329).

> 1 ECK, CABALLOS, FERNÁNDEZ, Das s.c. de Cn. Pisone patre, 1996.   W. E.

Calpurnius. Name einer plebeischen Gens wohl etr. Herkunft in Rom (ThlL, Onom. 101–104) [1. 138]; seit dem 3. Jh. v. Chr. bezeugt. Die wichtigste Familie war bis ins 1. Jh. n. Chr. die der Calpurnii Pisones (I 13 ff.). Familiäre Verbindungen und die Identifizierung einzelner Angehöriger in republikanischer Zeit sind nicht restlos geklärt. Spätrepublikanische Pseudogenealogie machte Calpus, einen der Söhne des Königs Numa, zum Ahnherrn der Gens (Hor. ars 292; Laus. Pis. 3 f.; 14 f.; Plut. Numa 21,2 u. a.).

> 1 SCHULZE.
>
> I. LÖBL-HOFMANN, Die Calpurnier. Polit. Wirken und familiäre Kontinuität, 1996 ·
> Mz.: RRC 446 · RIC I² 390–394.   K.-L. E.

I. REPUBLIKANISCHE ZEIT II. KAISERZEIT
III. LITERARISCH TÄTIGE PERSONEN

I. REPUBLIKANISCHE ZEIT

[I 1] C. Bestia, L., rief als Volkstribun 121 oder 120 v. Chr. (MRR 1,524) den Gracchengegner P. → Popilius Laenas aus dem Exil zurück und war dann Mitglied der (ehemals gracchischen) Ackerkommission (ILS 28). Als Konsul 111 übernahm er den Oberbefehl gegen Jugurtha in Numidien. Angeblich von ihm bestochen, gewährte er ihm einen milden Frieden und kehrte nach Rom zurück (Sall. Iug. 27–29). 109 wurde er deshalb mit anderen ehemaligen Konsuln vor einem auf Antrag des Volkstribunen C. → Mamilius Limentanus einge-

setzten Sondergerichtes wegen Hochverrat angeklagt (Cic. Brut. 128; Sall. Jug. 40,5). 90 ging er freiwillig ins Exil, als ihm eine Verurteilung wegen angeblicher Konspiration mit den aufständischen Bundesgenossen drohte (App. civ. 1,167).

[I 2] C. Bestia, L., sympathisierte als designierter Volkstribun 63 v. Chr. mit den Catilinariern (Sall. Cat. 17,3) und sollte nach seinem Amtsantritt durch Angriffe auf den Konsul Cicero in der Volksversammlung das Zeichen zum Aufstand geben (Cat. 43,1). Trotz der Aufdeckung der sog. Verschwörung konnte C. sein Amt ungehindert antreten und richtete zusammen mit dem Kollegen Q. Caecilius Metellus Nepos heftige Vorwürfe gegen Cicero wegen dessen Vorgehen gegen die Catilinarier (Cic. Sest. 11; Sull. 31). Vielleicht identisch mit C. [I 3].

[I 3] C. Bestia, L., vielleicht identisch mit C. [I 2] (MRR 3,46), Freund Ciceros, der ihn mehrmals verteidigte. Spätestens 57 v. Chr. plebeischer Aedil; 56 wurde er von M. Caelius Rufus wegen → *ambitus* angeklagt, zunächst erfolgreich von Cicero verteidigt, dann aber in einem zweiten Prozeß verurteilt (Cic. ad Q. frat. 2,3,6; Cael. 16; 26; Phil. 11,11; 13,26 u. a.).

> J. CRAWFORD, M. Tullius Cicero: The Lost and Unpublished Orations, 1984, 143–149.

[I 4] C. Bibulus, L., dritter Sohn des M. C. Bibulus und der Porcia; er wurde erfolglos vom Vater 50 zum Augur, vom Stiefvater M. Iunius Brutus 44 zum Pontifex vorgeschlagen. 45 studierte er in Athen, schloß sich 43 Brutus an, kämpfte 42 bei Philippi mit und trat dann zu Antonius über, bei dem er 36 *praef. classis* und designierter Praetor wurde. Als Gesandter versuchte er zwischen Antonius und Octavian zu vermitteln und unterstützte 36 Octavian im Kampf gegen Sextus Pompeius (MRR 2, 401 f., 404). Er war ca. 34–32 wohl als Statthalter in Syrien, wo er starb (PIR² C 253). Hor. sat. 1,10,86 nennt C. als seinen gelehrten Freund, nach Plut. Brutus 13 schrieb er ein Büchlein Ἀπομνημονήματα (*Apomnēmoneúmata*) des Brutus (wohl eine Sammlung von Apophthegmata).

[I 5] C. Bibulus, M., Kollege Caesars als Aedil 65 v. Chr., Praetor 62 und Konsul 59, Schwiegersohn des jüngeren Cato und Gegner Caesars im Konsulat. Nach erfolglosem Widerstand gegen Caesars Ackergesetz (Suet. Caes. 20 u. a.) ging er zur Obstruktion über: Er zog sich von den Amtsgeschäften zurück, erklärte, er werde an Comitialtagen eine Himmelsschau durchführen und erließ verschiedene Edikte, konnte aber auch dadurch nur bestätigen, daß Caesar 59 praktisch allein regierte. In den folgenden Jahren war er im Senat nicht ohne Bedeutung. 56 beantragte er, den König Ptolemaios Auletes durch Gesandte nach Ägypten zurückbringen zu lassen, 52 stimmte er – als erster befragt – für die Einsetzung des Pompeius als alleinigen Konsul. 51 war er Statthalter in Syrien und so Nachbar Ciceros. Nach seiner Rückkehr nach It. im März 49 ging er zu

Pompeius, wurde Oberbefehlshaber der Flotte (Caes. civ. 3,5,4 u.a.), wählte Korkyra zum Hauptquartier, konnte Caesars Übergang nach Epirus nicht verhindern, riegelte ihn aber dann weitgehend von It. ab. Er starb noch vor den Kämpfen bei Dyrrhachium (Caes. civ. 3,18, 1). Cic. Brut. 267 schildert ihn als Redner.

M. GELZER, Caesar, ⁶1960 (Quellen).

[I 6] C. Flamma, M., befreite als Kriegstribun 258 v. Chr. auf Sizilien das bei Camarina in einen Hinterhalt der Karthager geratene röm. Heer des Konsuls C. Atilius Calatinus durch Aufopferung seiner Truppe von 300 Mann; er selbst überlebte. Die später vielberichtete Tat (Liv. per. 17; Liv. 22,60,11; Plin. nat. 22,11 u.a.) wurde auch einem C. Caedicius und einem → Laberius zuge-schrieben (MRR 1,207).

[I 7] C. Lanarius, P., 81 v. Chr. Legat des C. Annius [I 3], schlug den Sertorius-Anhänger L. Livius Salinator, der die Pyrenäenpässe besetzt hielt (MRR 3, 46), und wurde in einem Prozeß von M. Porcus Cato erfolgreich verteidigt (Cic. off 3,68).

[I 8] C. Piso, C., *praetor urbanus* 211 v. Chr. Beim An-marsch Hannibals übernahm er die Verteidigung von Capitol und Arx und beantragte die Erneuerung der *ludi Apollinares* (Liv 26,20,2; 23, 3; daher der Apollon-Kopf auf den Münzen der Calpurnii Pisones, RRC 340, 408). Als Propraetor war er 210/09 in Etrurien.

[I 9] C. Piso, C., war Praetor 186 v. Chr. mit Hispania ulterior als Provinz. Dort siegte er 185 am Tajo und triumphierte 184. 181 Mitglied des Kollegiums zur Ko-lonie-Gründung von Graviscae. 180 Konsul, aber bald nach seinem Amtsantritt verstorben (Liv. 40,37,1).

[I 10] C. Piso, C., 71 v. Chr. (?) Praetor, 67 Konsul, war erbitterter Gegner der Übertragung von Sonder-vollmachten für den Krieg gegen die Seeräuber an Pom-peius und brachte ein Gesetz gegen Amtserschleichung durch (MRR 2,142f.). 66/65 war er Prokonsul beider gallischer Prov. und kämpfte gegen die Allobroger (MRR 3,46). 63 wurde er auf Veranlassung Caesars an-geklagt, aber erfolgreich von Cicero verteidigt, dessen Vorgehen gegen die Catilinarier er unterstützte. 59 suchte er zwischen Caesar und dessen Kollegen Bibulus zu vermitteln; wohl bald darauf gestorben.

[I 11] C. Piso, C., röm. Historiker, den Plut. Mar. 45,8 als Quelle für den Tod des Marius nennt (HRR I² 317).

[I 12] C. Piso, Cn., Konsul 139 v. Chr. (MRR 2,481).

[I 13] C. Piso, Cn., neben → Catilina Haupt der (wohl fiktiven) ersten Catilinarischen Verschwörung 66 v. Chr. (Cic. Sull. 67; Mur. 81 u.a.); *quaestor pro praetore* 65/64 des Pompeius in Hispania ulterior (ILS 875), wur-de von seinen spanischen Hilfstruppen erschlagen (MRR 2,159; 163).

[I 14] C. Piso, Cn., im Bürgerkrieg *proquaestor* des Pompeius in Hispania citerior (Münzen: RRC 446), kämpfte 46 v. Chr. gegen Caesar in Africa und schloß sich nach dessen Tod den Caesarmördern an. 23 wurde er auf Bitten des Augustus *cos. suff.* und sein Kollege im Amt (Tac. ann. 2,43). Möglicherweise ist er der Piso, an

den und dessen beiden Söhne Cn. (Konsul im J. 7) und L. (Konsul im J. 1) Horaz die *ars poetica* richtete. PIR² C 286.

[I 15] C. Piso, Q., kämpfte als Konsul 135 v. Chr. in Spanien (MRR 2,488f.).

[I 16] C. Piso Caesoninus, L., wohl Sohn von C. [I 9], daher nicht adoptiert aus der Familie der Caesonii [1. 400]; *praetor* 154 v. Chr. und Statthalter in Hispania ulterior, wo die Lusitanier ihn besiegten. Als Konsul 148 kommandierte er in Africa nicht ohne Verluste das Landheer (MRR 2, 450; 461).

[I 17] C. Piso Caesoninus, L., Sohn von C. [I 16], Konsul 112 v. Chr., später wegen Erpressung als Pro-konsul angeklagt; Legat 107 in Gallien, wo er im Kampf gegen die Tigurini fiel (MRR 2, 538; 552; 3, 46f.).

[I 18] C. Piso Caesoninus, Sohn von C. [I 17], *quaestor* 103 oder 100 v. Chr. (MRR 3,47); sorgte für Getrei-deankäufe (Münzen: RRC 330). Während des Bundes-genossenkrieges leitete er die Waffenproduktion (Cic. Pis. 87). Verheiratet war er mit der Tochter des Galliers Calventius.

1 E. BADIAN, The Consuls, in: Chiron 20, 1990.

[I 19] C. Piso Caesoninus, L., Sohn von C. [I 18], war 70 v. Chr. Quaestor, 64 Aedil, 61 Praetor und wurde nach seiner Propraetur 59 von P. → Clodius erfolglos wegen Erpressung angeklagt. Als Konsul 58 unterstütze er Clodius und verhinderte die Rückkehr Ciceros aus dem Exil, was ihm dessen langjährige Feindschaft ein-trug, die 55 in Ciceros Invektive *In Pisonem* gipfelte. Mit seinem Kollegen A. → Gabinius erließ er ein inschr. er-haltenes Gesetz zugunsten der Delier (Roman Statutes 1, Nr. 22). 57–55 war er auf Antrag des Clodius Pro-konsul von Syria. 50 stieß er als Censor den späteren Historiker C.→ Sallustius Cripsus aus dem Senat aus (Inv. in Sall. 16). Im Bürgerkrieg blieb er neutral. Als Schwiegersohn Caesars leitete er 44 dessen Begräbnis-feierlichkeiten; in den folgenden Kämpfen suchte er erneut zu vermitteln, dürfte aber bald nach 43 gestorben sein.

R. G. M. NISBET, M. Tulli Ciceronis in L. Calpurnium Pisonem oratio, 1961.

[I 20] C. Piso Frugi, C., Sohn von C. [I 23]. Münz-meister 67 v. Chr. (RRC 408), heiratete 63 v. Chr. Ci-ceros Tochter Tullia; er erreichte 58 die Quaestur, starb aber im folgenden Jahr.

[I 21] C. Piso Frugi, L., der Annalist und Konsul 133 v. Chr.; → Calpurnius [III 1].

[I 22] C. Piso Frugi, L., Sohn des Annalisten, kämpfte 133 v. Chr. unter seinem Vater im Sklavenkrieg; er fiel als *praetor* 112 in Hispania ulterior.

[I 23] C. Piso Frugi, L., Sohn von C. [I 22], Münz-meister 90 v. Chr. (RRC 340), brachte als Volkstribun 90 v. Chr. (? vgl. MRR 3,48, auch zur problematischen Identifikation) ein Gesetz zur Einrichtung zweier wei-terer → Tribus und zur → Bürgerrechtsverleihung für Soldaten ein (Sisenna fr. 17 PETER); Ankläger des P.

Gabinius, dann 74 *praetor* und damit Kollege des → Verres, gegen den er häufig opponierte. Wohl Vater des C. [I 20], des Schwiegersohnes von Cicero (Cic. Caecin. 35).   K.-L. E.

II. Kaiserzeit

[II 1] C. Agricola, Sex. *Cos. suff.* im J. 154 n. Chr. (RMD 1, 47; 3, 169). Statthalter von Germania superior [1. 65 f.] und von Britannien (im J. 163). Um 166/168 mil. Kommando gegen die Germanen an der mittleren Donau [2. 128; 3. 88]. Vielleicht aus Cirta stammend (EOS 2, 764).

[II 2] C. Atilianus, P. *Cos. ord.* 135; konsularer Statthalter von Syria Palaestina im J. 139 (CIL XVI 87; PIR² C 250).

[II 3] C. Aviola, C. *Cos. suff.* 24, *procos.* von Asia wohl 37/38 [4. 296 f.]. Vermutlich von einem Acilius adoptiert und identisch mit A. Aviola, dem Legaten der Lugdunensis im J. 21 [5. Bd. 3, 1228; Bd. 4, 368].

[II 4] C. Bibulus, C. Aedil im J. 22 (Tac. ann. 3,52,2) [5. Bd. 6, 203].

[II 5] C. Crassus Frugi Licinianus, C. *Cos. suff.* im J. 87 [6. 26]. Nachkomme des Triumvirn Crassus. Sohn von M. Licinius Crassus Frugi, *cos. ord.* 64 (vgl. [7. 270 ff., Stemma XVIII]). Unter Nerva wegen einer Verschwörung nach Tarent, unter Traian auf eine Insel verbannt. Als er unter Hadrian die Insel verließ, wurde er von einem Prokurator getötet. Sein Grabaltar mit eradiertem Namen ist erhalten (CIL VI 31724). PIR² C 259.

[II 6] C. Domitius Dexter, Ser. Patrizier, der bis zum Konsulat nur Ämter in It. übernahm. *Cos. ord.* 225, *procos. Asiae* (CIL VI 1368 = ILS 1175 = [8. 453 ff.]). PIR² C 261.

[II 7] C. Fabatus, C. Ritter aus Comum, der mil. Kommandos bei der *legio XXI Rapax* und bei Hilfstruppen übernahm (CIL V 5267 = ILS 2721). Im J. 65 wurde er wegen Inzests mit Iunia Lepida angeklagt, aber freigesprochen (Tac. ann. 16,8,3). Plinius heiratete seine Großnichte. Zahlreiche Briefe des jüngeren Plinius waren an ihn gerichtet. 110/111 gestorben [5. Bd. 7, 509 f.; 561]. PIR² C 263.

[II 8] C. Flaccus, C. *Procos.* von Cypern 122/123, später *cos. suff.* Auf ihn ist IGR 3, 991 zu beziehen (PIR² F 171; C 268) [9. 152; 157].

[II 9] Galerianus, C. Sohn von C. [II 13], wurde aber nicht in dessen Untergang im J. 65 hineingezogen. Erst Mucianus ließ ihn Ende 69 als möglichen polit. Konkurrenten töten (PIR² C 301) [15. 283].

[II 10] C. Longus, M. *Cos. suff.* im J. 148 (November-Dezember) [10. 235 ff.]. Mit ihm ist wohl L. Marcius Celer M. C. Longus von AE 1972, 620 f. = SEG 17, 570 f. identisch, der aus Attaleia in Pamphylia stammte, und auch C. Longus, *procos.* von Achaia (SEG 32, 466 = AE 1986, 635) wohl erst unter Antoninus Pius. Vielleicht Sohn von C. [II 27].

[II 11] C. Macer Caulius Rufus, P. *Cos. suff.* 103 [11. 46]; konsularer Statthalter von Moesia inferior ca. 110–112 [12. 349 ff.]. Plinius schrieb an ihn epist. 5,18; C. [II 2] ist vielleicht sein Sohn (PIR² C 273 f.).

[II 12] (C.) Piso. Ihm und seinen beiden Söhnen widmete Horaz seine *ars poetica* (Hor. ars 24. 235). Am ehesten identisch mit C. [II 17] (vgl. [5. Bd. 3, 1230 ff.; 7. 379 ff.]).

[II 13] C. Piso, C. Nach ihm war die »Pisonische Verschwörung« des J. 65 benannt. Seine Herkunft ist ungeklärt. Verheiratet mit Cornelia Orestilla, die ihm Caligula am Tag der Hochzeit entführte. *Frater Arvalis* seit 38. Im J. 40 verbannt, von Claudius zurückgerufen. Wohl in den ersten Jahren des Claudius Consul; möglicherweise Statthalter von Dalmatien. Er war reich durch das mütterliche Erbe und beschäftigte sich mit verschiedenen Künsten. Angeblich bereits 62 bei Nero wegen einer Verschwörung angeklagt, wurde er 65 zum nominellen Haupt einer Verschwörung gegen Nero, die er jedoch nicht selbst initiiert hatte. Als sie verraten wurde, öffnete er sich die Pulsadern. Sein Sohn C. [II 9] überlebte. An ihn ist die → *laus Pisonis* gerichtet (PIR² C 284) [7. 378; 13. 101 ff.; 14. 206 ff.; 15. 274 ff.].

[II 14] C. Piso, C. *Cos. ord.* 111; später Nachkomme der Calpurnii Pisones (PIR² C 285). Seine Nachkommen wohl C. [II 22] und [II 29]. Verheiratet mit einer Cornelia (RAEPSAET-CHARLIER Nr. 280).

[II 15] C. Piso, Cn. *Proquaestor* des Pompeius in Hispania citerior um 49 v. Chr., kämpfte auf Seiten der Pompeianer und Caesargegner in Africa und Macedonia. Als ihm von Octavian die Rückkehr erlaubt wurde, bewarb er sich nicht weiter um Ämter, bis ihm Augustus im Krisenjahr 23 v. Chr. das Konsulat anbot. Als Augustus erkrankte, erhielt Piso den Rechenschaftsbericht (Cass. Dio 53,32,2). Tacitus (ann. 2,43,2) spricht beim Sohn von der *insita ferocia a patre Pisone* (PIR² C 286) [15. 199 ff.].

[II 16] C. Piso, Cn., Sohn von C. [II 15]; geb. um 42 v. Chr. *tresvir monetalis* ca. 23/22, vielleicht Legionslegat im J. 15 (Oros. 6,21,22) [16. 207 ff.]. *Cos. ord.* 7 v. Chr. zusammen mit Tiberius; *procos.* von Africa, *pontifex* (IRT 520). Konsularer Statthalter von Hispania citerior 9/10 n. Chr. (Tac. ann. 3,13,1; CIL II 2703, vgl. [5. Bd. 2, 734 ff.]). *Amicus* des Augustus und Tiberius. 14 n. Chr. unter die *sodales Augustales* aufgenommen; freimütiger Redner im Senat 14–17 n. Chr. Konsularer Legat von Syrien 17–19. Er wurde von Tiberius im Einvernehmen mit dem Senat dem Germanicus, der ein Sonderkommando im Osten mit einem *maius imperium* hatte, als *adiutor* zugewiesen (Tac. ann. 2,55–71) [17. 71 ff., 123 ff.]. Zwischen beiden gab es scharfe Konflikte, was dazu führte, daß ihm von Germanicus die Freundschaft gekündigt wurde. Als Germanicus erkrankte und schließlich starb, wurden Piso und seine Frau Plancina des Giftmordes beschuldigt. Piso versuchte, Syrien mit Gewalt zurückzugewinnen, wurde aber besiegt. In Rom im Senat im Dezember 20 angeklagt, wurde er u. a. wegen der Erregung eines Bürgerkrieges, nicht aber wegen Giftmords verurteilt; dem Urteil hatte er sich durch Selbstmord, wohl am 8. Dezember, vorher entzogen. Das *s.c. de Cn. Pisone patre*, in sechs Exemplaren in der Baetica gefunden (Publikation durch Eck, Caballos, Fernández, s.u. [17]), wurde in allen Provinzhauptstädten und bei allen Legionen veröffentlicht (PIR² C 287).

[II 17] C. Piso Pontifex, L. Als Sohn von C. Caesoninus (*cos.* 58 v. Chr.) im J. 48 geboren. *Cos. ord.* 15 v. Chr., wohl kurz danach in Mediolanum mit der Amtsgewalt eines Prokonsuls tätig (Suet. de rhet. 6), Prov. unbekannt (Oros. 6,21 f. ist nicht auf ihn zu beziehen, s. C. II 16). Statthalter von Pamphylia 13–11 v. Chr., vielleicht unter Einschluß von Galatia. Als Legat des Augustus seit 11 v. Chr. in Thracia tätig, vom Senat mit den Triumphalinsignien geehrt (Cass. Dio 54,34,7; Tac. ann. 6,10,3). Ob er Prokonsul von Asia, sodann Legat von Syria wurde, ist umstritten und zum Teil abhängig von der Zuweisung von CIL XIV 3613 = ILS 918 (dazu [5. Bd. 3, 869; 18. 21 ff.; 19. 207 ff.]). Von 13–33 n. Chr. Stadtpräfekt, Vertrauter von Augustus und Tiberius. Er gehörte dem Pontifikalkollegium und den *fratres Arvales* an. Im J. 33 starb er und wurde mit einem Staatsbegräbnis geehrt (Tac. ann. 6,10,3). Seine Tätigkeit und Unabhängigkeit wurden hoch geschätzt. Ihm war wohl Horaz' *ars poetica* gewidmet (vgl. C. II 12). Antipatros von Thessalonike widmete ihm zahlreiche Epigramme (Anth. Pal. 6,241, 249, 335; 9,43, 428, 541, 552; 10,25). Seine Söhne sind nicht näher bekannt. Zu einer möglichen Tochter s. Calpurnia [1]. PIR² C 289 [7. 329 ff., 377 ff.; 14. 104 ff.; 15. 206 ff.].

[II 18] C. Piso Augur, L. Jüngerer Sohn von C. [II 15]. *Cos. ord.* im J. 1 v. Chr., Mitglied der *augures.* Prokonsul von Asia zw. 5 und 12 n. Chr. (IGR IV 94 = ILS 8814). Im J. 16 drohte er, wegen Verfallserscheinungen im Gerichtswesen die Stadt zu verlassen, wurde aber von Tiberius besänftigt; Urgulania, eine Freundin Livias, forderte er vor Gericht (Tac. ann. 2,34). Seinen Bruder (C. II 16) verteidigte er im J. 20 vor dem Senat (Tac. ann. 3,11,2). Er selbst wurde im Senat im J. 24 wegen *maiestas* angeklagt, starb aber vor Abschluß des Prozesses (ebd. 4,21,1 f.). Sein Charakter wird als *ferox* und *atrox* geschildert. PIR² C 290.

[II 19] (C.) Piso, L. Prätorischer Legat in der Hispania citerior, wohl anstelle von L. Arruntius, dem eigentlichen Statthalter, tätig; von einem Bewohner von Termes 25 n. Chr. ermordet (Tac. ann. 4,45; PIR² C 292 [7. 337 ff.]).

[II 20] C. Piso, L. Sohn von C. [II 16], änderte im J. 20 nach dem Prozeß gegen den Vater das Praenomen Cn. zu L. Seine Laufbahn wurde durch das Schicksal des Vaters nicht beeinflußt. *Quaestor Augusti* im J. 18, *cos. ord.* 27, 36–37 Stadtpräfekt, 38/39 oder 39/40 Prokonsul von Africa (PIR² C 293 [17. 77 ff.] s. C. II 16).

[II 21] C. Piso, L.. Sohn von C. [II 20]. *Cos. ord.* 57 mit Nero; *frater Arvalis, curator aquarum* 60–63. Im J. 62 Mitglied eines Dreierkollegiums zur Regelung der Zollerhebung; die *lex portorii Asiae* ist auf einer Inschr. aus

Ephesos erhalten [20]. Prokonsul von Africa 69/70; Mucianus sandte einen Centurio, der ihn töten sollte, den Piso aber hinrichten ließ; später wurde Piso auf Befehl des Valerius Festus (Legat der *legio III Augusta*) ermordet (PIR² C 294 [14. 260ff; 15. 284ff.]).

[II 22] C. Piso, L. *Cos. ord.* 175; Bruder von C. [II 29]. Sicher Patrizier (PIR² C 295).

[II 23] C. Piso, M. Jüngerer Sohn von C. [II 16]. In den J. 17–19 mit seinem Vater in Syria, riet er ihm von Gewaltanwendung ab. 20 im Senat angeklagt, aber nach Intervention des Tiberius freigesprochen (PIR² C 296 [17. 80ff.] s. C. II 16). Möglicherweise hat er keine senatorischen Ämter übernommen.

[II 24] C. Piso Frugi Licinianus, L. Sohn von M. Licinius Crassus Frugi, *cos. ord.* 27 n. Chr.; geb. im J. 38 (Tac. hist. 1,48,1). Lange Jahre in der Verbannung, bekleidete er keine Ämter; dennoch wurde er von Galba zurückgerufen, adoptiert und zum Nachfolger ernannt; die Adoption ist auch in den Arvalakten erwähnt (CIL VI 2051). Mit Galba am 15. Januar 69 ermordet. Sein Andenken wurde Anf. 70 nicht wiederhergestellt (Tac. hist. 4,40,1). Die Grabinschr. für ihn und seine Frau Verania ist in CIL VI 31723 = ILS 240 erhalten (PIR² C 300).

[II 25] C. Proculus, L.. Kam nach längerer Laufbahn bis zum Prokonsulat von Achaia und der Statthalterschaft in der Belgica. Vielleicht mit einem homonymen Prokonsul von Asia identisch, Sohn von C. [II 26] (PIR² C 302/3 [21. 141 f.]).

[II 26] Proculus Cornelianus, C. Prätorischer Statthalter von Dacia, wohl unter Marcus Aurelius und Verus (PIR² C 304/5 [3. 75 ff.]).

[II 27] C. Rufus. Prokonsul von Achaia unter Hadrian (Dig. 1,16,10); vielleicht Vater von C. [II 10] (PIR² C 311).

[II 28] C. Rufus, M. Senator, als Legat von Asia in Ephesos gestorben (CIL III 6072 = I. Eph. 3, 631; PIR² C 313) [22. 102 ff.].

[II 29] C. Scipio Orfitus, Ser. *Cos. ord.* 172. Älterer Bruder von C. [II 22].

1 Eck, Statth. 2 Birley 3 Piso 4 Vogel-Weidemann 5 Syme, RP 6 Degrassi, FC 7 Syme, AA 8 G. Camodeca, ANRW II 13.1 9 W. Eck, in: Chiron 13, 1983 10 G. Camodeca, in: ZPE 112, 1996 11 FOst 12 W. Eck, in: Chiron 12, 1982 13 Champlin, in: MH 46, 1989 14 Scheid, Recrutement 15 Hofmann-Löbl 16 W. Eck, in: ZPE 70, 1987 17 Eck, Caballos, Fernández, Das s.c. de Cn. Pisone patre, 1996 18 Kokkinos, in: ZPE 105, 1995 19 Eilers, in: ZPE 110, 1996 20 H. Engelmann, D. Knibbe, in: EA 14, 1989 21 Leunissen 22 W. Eck, in: ZPE 86, 1991

R. Syme, AA, Kapitel 24 und 26 · I. Hofmann-Löbl, Die Calpurnii, 1996. W.E.

III. Literarische Personen

[III 1] C. Piso Frugi, L., röm. Senator und Historiker. Konstituierte als *tribunus plebis* 149 v. Chr. durch seine *lex de repetundis* die erste ständige *quaestio* Roms (Cic.

Brut. 106; Verr. 2,3,195 [1]); kämpfte wahrscheinlich schon als *praet.* (Flor. epit. 2,7,7, Chronologie unklar), sicher als *cos.* im J. 133 mit wechselndem Erfolg gegen die aufständischen Sklaven in Sizilien (Liv. per. 58; Oros. 5,9,6; vergebliche Belagerung von Henna: ILLRP 1088); wahrscheinlich 120 censor (*Censorius* bei Plin. nat. 13,87; Cens. 17,11); engagierter Redner und Politiker, entschiedener Gegner des C. → Gracchus.

Schrieb (wohl kaum vor seinem Konsulat) mindestens sieben B. *annales* (acht B.: [2. 52 f.]), die von der Vorgesch. Roms (Origo 13,8) bis mindestens zum Jahr 146 reichten (fr. 39), vielleicht auch noch den sizilischen Sklavenkrieg umfaßten (so [2. 46 ff.]). Der streng annalistisch (→ Annalistik) gegliederte Bericht (fr. 36; vgl. fr. 26) enthielt viele antiquarische Hinweise auf Bauten und rel. Riten [3. 706 ff.], deutete alte Sagen rationalistisch um (fr. 6) und nutzte anscheinend jede Gelegenheit zu drastischer Zeitkritik (fr. 38; 40) und Verklärung der Vergangenheit (Romulus-Anekdote fr. 8; Tarpeia fr. 5). Die wörtlichen Zitate (bes. fr. 27) mit ihrem schlichten und altmodischen Stil bestätigen Ciceros Urteil (Brut. 106 *sane exiliter scriptos*). Benutzt von Varro, Livius, Dionysius von Halikarnassos, Plinius d. Ä. Gellius 11,14,1 rühmt seine *simplicissima suavitas*. Fragmente: HRR 1, 120–138 (Origo 10,2; 13,8; 18,3).

1 J. S. RICHARDSON, The purpose of the lex Calpurnia de repetundis, in: JRS 77, 1987, 1–12 2 L. CARDINALI, Quanti libri scrisse L. Calpurnio Pisone Frugi?, in: Maia 40, 1988, 45–55 3 E. RAWSON, The first Latin annalists, in: Latomus 35, 1976, 689–717 (= Roman Culture and Society, 1991, 245–271).

N. BERTI, La decadenza morale di Roma e i viri antiqui, in: Prometheus 15, 1989, 39–58; 145–159 · G. FORSYTHE, The historian L. C. Piso Frugi and the Roman annalistic tradition, 1994 · K. LATTE, Der Historiker L. C. Frugi, 1960, Nr. 7 (= KS, 1968, 837–847) · SCHANZ/HOSIUS, 1, 195 f. W. K.

[III 2] C. Flaccus. Lat. Rhetor um 100 n. Chr., vielleicht zum Kreis um → Plinius und → Quintilian gehörig [1. 6]; die unter seinem Namen erh. kleinste der vier Sammlungen von → *declamationes* bietet zu Schulzwecken Glanzstücke aus 53 → *controversiae*. Die Themen zeigen trotz der für Deklamationen üblichen Phantastik (Tyrannen, Giftmord) enge Anbindung an die röm. Rechtsprechung. Selbst die Exzerpte lassen sprachliche Gewandtheit und Wortwitz erkennen, der Duktus der Argumentation kann hingegen nur erahnt werden. → Intertextualität ist bes. zu Vergil, Ovid und der röm. Komödie faßbar. Wie bei allen Werken der lat. Rhet. wird C. im europ. Erziehungssystem bis ins frühe 19. Jh. rezipiert [2].

ED.: 1 L. HAKANSON, BT 1978.
LIT.: 2 H. SILVESTRE, Note sur la survie de C., in: CeM 21, 1960, 218–223 3 L. A. SUSSMAN, The Declamations of C., 1994. C. W.

[III 3] C. Siculus, T., bukolischer Dichter. Seine sieben Eklogen sind in den Hss. zusammen mit vier weiteren überliefert, die HAUPT [4] → Nemesian zugewiesen hat. Die Eklogen des C. ergeben ein vollständiges, wohlgeordnetes Gedichtbuch: Anfang, Mitte und Schluß bilden → panegyrische Gedichte (1; 4; 7); zwischen diesen sind bukolische Gedichte im eigentlichen Sinne (2; 3; 5; 6) symmetrisch eingefügt. Monologische Gedichte (1; 3; 5; 7) wechseln mit dialogischen (2; 4; 6); je drei kürzere Gedichte umrahmen die lange 4. Ekl. Die Datierung des C. in Neronische Zeit beruht auf zeitgesch. Anspielungen in den panegyrischen Ekl. ([5; 6]; anders [7]). Die 1. Ekl. dürfte kurz nach Neros Regierungsantritt, Ende 54 oder Anfang 55, entstanden sein, die 4. wenig später, um 55, die 7. kurz nach 57. C. betrachtet sich in der → Bukolik als Nachfolger → Vergils (4,62–72); mit der Verherrlichung der Regierung Neros als neuem Goldenem Zeitalter (bes. 1,42–45; 4,5–8) knüpft er an Vergils 4. Ekl. an (4,73–77). Daneben finden sich Einflüsse → Theokrits und anderer augusteischer Dichter sowie Übereinstimmungen mit der *Apocolocyntosis* Senecas. Die Eigenleistung des C. liegt in der Umformung traditioneller bukolischer Motive und in der verstärkten Einführung gattungsfremder Elemente in die Bukolik ([8]; gründliche Analyse aller Ekl. bei [9], der 4. bei [10]).

Die Biographie des C. wird gemeinhin aus der des Hirten Corydon hergeleitet. Der Gönner Meliboeus, der die Gedichte dem Kaiser übermitteln soll (1,94; 4,157–159), wird mit C. → Calpurnius Piso, Haupt der sog. Pisonischen Verschwörung, Seneca und anderen identifiziert – ein Zeichen für die mangelhaften Ergebnisse der C.-Allegorese. Ob das Cognomen Siculus auf die Heimat des C. oder das Ursprungsland theokritischer Dichtung weist, läßt sich nicht entscheiden. C. ist kaum der Verf. der → *Laus Pisonis*, sicher nicht Verf. der → Einsiedler Gedichte.

ED.: 1 C. GIARRATANO, ³1943 (Ndr. 1973)
2 D. KORZENIEWSKI, Hirtengedichte aus neronischer Zeit, ²1987 3 J. AMAT, 1991.
LIT.: 4 M. HAUPT, De carminibus bucolicis C. et Nemesiani, 1854 = Opuscula Bd. 1, 1875, 358–406 5 G. B. TOWNEND, C. and the murus Neronis, in: JRS 70, 1980, 166–174 6 T. P. WISEMAN, C. and the Claudian civil war, in: JRS 72, 1982, 57–67 7 E. CHAMPLIN, History and the date of C., in: Philologus 130, 1986, 104–112 8 B. EFFE, G. BINDER, Die ant. Bukolik, 1989, 115–130 9 W. FRIEDRICH, Nachahmung und eigene Gestaltung in der bukolischen Dichtung des T. C. S., 1976 10 B. SCHRÖDER, Carmina non quae nemorale resultent, 1991. B. F.-W.

Calumnia. Im klass. röm. Recht die wissentlich grundlose und schikanöse Erhebung von Klagen und Anklagen. Im Formularverfahren für Streitigkeiten unter Privatleuten gewährt der Prätor ein bes. *iudicium calumniae decimae partis*, also eine Prozeßstrafe von 1/10 des Wertes der Klageforderung (Gai. inst. 4,175). Für den Freiheitsprozeß betrug die Sanktion gegen den treuhänderischen Kläger (→ *adsertor in libertatem*) sogar 1/3 des Wertes des

Sklaven. Den vierfachen Wert (*quadruplum*) konnte der Betroffene innerhalb eines Jahres vom *calumniator* verlangen, wenn dieser für Geld gehandelt hatte (Dig. 3,6,1 pr.). Nach Gai. inst. 4,172 und 4,176 konnten die Prozeßparteien statt dieses Verfahrens verlangen, daß der Gegner einen Kalumnieneid leistete.

Im Strafverfahren machte sich der private Ankläger (→ *delator*), der eine *c.* beging, selbst strafbar. Nach der spätrepublikanischen *lex Remnia* führte die Verurteilung wegen *c.* zum Verlust der bürgerlichen Rechte (→ *infamia*). In der Kaiserzeit wurden die Sanktionen erheblich verschärft bis zur Todesstrafe in bes. schweren Fällen (Cass. Dio 68,1). Wohl seit der Severerzeit tritt der Talionsgedanke in den Vordergrund: Wer eine *c.* begangen hat, erleidet die Strafe, die auf dem zu Unrecht angeklagten Delikt stünde (insbes. Konstantin 319, Cod. Theod. 9,10,3). Dies stimmt mit einer schon im alten Orient verbreiteten Rechtslage überein.

→ accusatio; praevaricatio; talio; tergiversatio

MOMMSEN, Strafrecht, 491–498 · KASER, RZ, 214 · E. LEVY, Von den röm. Anklägervergehen, in: Gesammelte Schriften II, 1963, 379–395 · H. PETSCHOW, Altoriental. Parallelen zur spätröm. c., in: ZRG 90, 1973, 14–35 · M. BRUTTI, La problematica del dolo processuale nell' esperienza Romana, 1973, 758–768. G.S.

Calventius. L. C. Vetus Carminius. Prätorischer Statthalter von Lusitanien im J. 44/45 (AE 1950, 217); *cos. suff.* im J. 51 [1. 265]. Auf ihn ist vielleicht CIL VI 1544 zu beziehen, ein vollständiger senatorischer *cursus*, der mit dem Prokonsulat von Africa endete (PIR² C 338) [2. 137].

1 G. CAMODECA, L'archivio Puteolano dei Sulpicii, 1992
2 ALFÖLDY, GFH. W. E.

Calvia Crispinilla. Frau senatorischen Ranges, enge Vertraute Neros, die nach dessen Tod Clodius Macer zur Rebellion zu treiben suchte. Noch im J. 69 nach Rom zurückgekehrt, wurde sie von allen Herrschern geschützt, auch wegen ihrer Heirat mit einem konsularen Senator (Tac. hist. 1,73; RAEPSAET-CHARLIER Nr. 184; PIR² C 363). Zu Ziegelstempeln aus Tergeste mit ihrem Namen [1. 168], zu Grundbesitz Suppl. It. 8,38, Nr. 6; AE 1972, 102.

1 C. ZACCARIA, M. ŽUPANČIČ in C. ZACCARIA (Hrsg.): I laterizi di età romana nell' area nordadriatica, 1993. W. E.

Calvinus s. Domitius

Calvinus. Röm. Cognomen, in republikanischer Zeit bes. in der Familie der → Domitii verbreitet, sonst auch bei den Sextii und Veturii (ThlL, Onom. 108).

KAJANTO, Cognomina, 235. K.-L. E.

Calvisius. Röm. Gentilname, dessen Träger seit dem 1. Jh. v. Chr. im öffentlichen Leben hervortreten (ThlL, Onom. 108 f.).

[1] C., Klient von Iunia Silana, klagte Agrippina im J. 55 an und wurde deshalb verbannt. Er wurde nach dem Tod Agrippinas zurückgerufen (Tac. ann. 13,19,3; 21,2; 22,2; 14,12,4; PIR² C 343).

[2] C. Ruso, P. *Cos. suff.* im J. 53 [1. 43; 72]; Vater von C. [3] und [4].

[3] C. Ruso, P. *Cos. suff.* 79, *procos. Asiae* 92/93 (PIR² C 350) [2. 218; 3. Bd. 4, 397].

[4] C. Ruso Iulius Frontinus, P. Sein → *cursus honorum* aus Antiochia/Pisidien ist durch AE 1914, 267 bekannt (vgl. JRS 15, 1925, Taf. XXXV). Üblicherweise mit C. [3] identifiziert (vgl. PIR² C 350), nach [3. Bd. 4, 397–417] eher dessen Bruder (nach [4. 281 ff.] sein Sohn, vgl. [5. 135]; doch ist eine Aufnahme unter die Patrizier durch Vespasian und ein Konsulat erst ca. 102 kaum vereinbar). Durch Vespasian unter die Patrizier aufgenommen, *cos. suff.* ca. 84, *procos. Asiae* ca. 98/99, Statthalter von Cappadocia 105/106 [2. 268]. Verheiratet mit einer Dasumia und einer [Eggia] Am[ibula] (RAEPSAET-CHARLIER Nr. 337); Vater von C. [II 10].

[5] C. Sabinus. Von Seneca wegen seiner Unwissenheit verspottet (Sen. epist. 27,5 ff.; PIR² C 351).

[6] C. Sabinus, C. Aus Spoletium. Anhänger Caesars; eroberte 48 Anatolien. Nach der Prätur war er *procos. Africae* 45/44. Als Caesar ermordet wurde, versuchte er fast als einziger, ihn zu schützen. Zunächst mit Antonius verbunden; auf die Prov. Africa mußte er schließlich verzichten. 39 *cos. suff.* Als Flottenpräfekt Octavians kämpfte er gegen Sex. Pompeius. Prokonsul in Spanien. Dort gewann er den Titel *imperator*; Triumph am 26. Mai 28. Aus der Beute stellte er die → Via Latina wieder her (PIR² C 352); auf ihn ist die Inschr. CIL XI 4772 = ILS 925 zu beziehen [6. 33].

[7] C. Sabinus, C. *Cos. ord.* 4 v. Chr., Sohn von C. [6] (PIR² C 353).

[8] C. Sabinus, C.. Sohn von C. [7]. *Cos. ord.* 26. Im J. 32 wegen Maiestätsverbrechen angeklagt, durch einen Tribunen der Stadtkohorten jedoch von der Anklage befreit (Tac. ann. 6,9,3). Konsularer Legat von Pannonia; 39 zusammen mit seiner Frau Cornelia angeklagt; nach der Rückkehr nach Rom töteten sie sich selbst (Cass. Dio 59,18,4; PIR² C 354).

[9] C. Statianus, C. Ritter aus Verona (CIL V 3336 = ILS 1453). *Ab epistulis Latinis* unter Marcus Aurelius und Verus; mit Cornelius Fronto vertraut. Von 169–175 *praef. Aegypti.* C. schloß sich dem Aufstand des → Avidius Cassius an; von Marcus Aurelius nur verbannt (Cass. Dio 71,28,3 f.; PIR² C 356) [7. 406 ff.; 8. 186, 193].

[10] P. C. Tullus Ruso. Wohl Sohn von C. [4]. *Cos. ord.* 109. Verheiratet mit Domitia Lucilla, der Tochter des Domitius Tullus, dessen Cognomen er annahm [3. Bd.4, 397 ff.]; ihre Tochter Domitia Lucilla war die Mutter Marc Aurels (PIR² C 357) [3. Bd. 1, 246 und Bd. 5, 521 ff.; 8. 245].

1 FO² 2 THOMASSON 1 3 SYME, RP 4 DI VITA EVRARD, in: MEFRA 99, 1987 5 SALOMIES, Nomenclature, 1992 6 SYME, AA 7 PFLAUM 1 8 BIRLEY, Marcus Aurelius, ²1988. W. E.

Calvius. Röm. Gentilname (ThlL, Onom. 110).

C. Cicero, C., Volkstribun 454 v. Chr, klagte den gewesenen Konsul Romilius an (Liv. 3,31,5); wohl spätannalistische Erfindung [1. 448].

> 1 R. M. OGILVIE, A commentary on Livy books 1–5, 1965.
> K.-L. E.

Calvus, Licinius s. Licinius Calvus, C.

Calvus. Röm. Cognomen (»Glatzkopf«) bei den Caecilii Metelli, Cornelii Scipiones, Licinii u.a. (ThlL, Onom. 111 f.).

> KAJANTO, Cognomina, 235.
> K.-L. E.

Calx s. Circus

Camara (καμάρα), richtige Lesart für *camera*, verwandt mit *camurus* (»gekrümmt«). Bezeichnung für die Wölbung eines Zimmers oder einer Barke bzw. das Schiff selbst. Dieser Typ von Barken mit einwärts geneigten Seitenwänden und mit einem runden Bauch, mit dem man im Kreis und in beide Richtungen fahren konnte, wurde an der NO-Küste des Schwarzen Meeres vor allem für Piraterie verwendet (Strab. 11,2,12, 495 f.; Tac. hist. 3,47,3). Die Seitenwände konnten bei hohem Seegang so erhöht werden, daß sie ein geschlossenes Verdeck bildeten. Sie waren für 25–30 Personen geeignet und konnten über Land getragen werden (Strab. ebd.). → Schiffe

> A. KÖSTER, Das ant. Seewesen, 1923 · KROMAYER/VEITH.
> C. HÜ.

Cambodunum

[1] Heute Kempten im Allgäu. Vorort der Estiones (Strab. 4,6,7); rechts der Iller tiberianische Holzhäuser, seit Kaiser Claudius Steinbauten in rechtwinkligem Straßensystem um einen hl. Bezirk mit »Forum«, Basilika, Thermen. Evtl. erster Sitz des Statthalters in → Raetia, wohl *splendidissma colonia* (Tac. Germ. 41,1). Durch Augsburg verdrängt, wurde C. bei den Einfällen der → Alamanni im 3. Jh. zerstört. Links der Iller auf dem Plateau der Burghalde spätröm. Befestigung eines *praefectus* der *legio III Italica* (Not. dign. occ. 35,19).

> W. CZYSZ, G. WEBER, Kempten, in: W. CZYSZ, K. DIETZ, TH. FISCHER, H.-J. KELLNER (Hrsg.), Die Römer in Bayern, 1995, 200–206, 463–468 · A. FABER, Zur Bevölkerung von C.-Kempten im 1. Jh., in: FS G. Ulbert, 1995, 13–23 · G. WEBER, Im Land der Estionen, ebd. 261–272. K. DI.

[2] Nicht lokalisierbares röm. Lager in der Gegend von Leeds (Yorkshire): Itin. Anton. 468,6 [1. 292 f.].

> 1 A. L. F. RIVET, C. SMITH, The Place-names of Roman Britain, 1979. M. TO.

Camboricum. ›Furt an der Flußbiegung‹ (Itin. Anton. 474,7), vermutlich h. Icklingham (Suffolk) [1. 294].

> 1 A. L. F. RIVET, C. SMITH, The Place-names of Roman Britain, 1979. M. TO.

Cameria, Camerium. Stadt der Aborigines und Prisci Latini, Kolonie von Alba Longa; von Tarquinius Priscus eingenommen; 502 v. Chr. vom Konsul Opiter Verginius Tricostus zerstört. Von Plin. nat. 3,68 unter den seinerzeit verschwundenen Städten von Latium genannt. Von C. stammte die *gens Coruncania* (Tac. ann. 11,24,2). Lage unbekannt.

> NISSEN 2, 563. G. U.

Camerinum. Stadt in Umbria (*regio VI*) auf dem Appenninus zw. den Flüssen Potenza und Chienti an der Grenze zum Picenum, h. Camerino. Verbündet mit Rom *aequo foedere* seit 309 v. Chr. (Liv. 9,36), unterstützte Scipio 205 v. Chr. im Kampf gegen Hannibal (Liv. 28,45); zwei Cohorten aus C. erhielten das röm. Bürgerrecht von Marius im Krieg gegen die Cimbri. *Municipium* der *tribus Cornelia*. Septimius Severus bestätigte die Rechte der *municipes Camertes* (CIL XI 5631). Mosaik auf der Piazza Garibaldi, Funde in S. Giorgio, Aquädukte auf dem Paradisohügel in Le Mosse, gallische Begräbnisstätte in Vallicelli, *villae* mit Mosaiken in Mergnano. Inschr.: CIL XI 5628–41.

> G. RADKE, Ricerche su C., 1964 · G. ANNIBALDI, L'architettura dell'antiquità nelle Marche, in: Atti del XI Congresso di storia dell'architettura, 1965, 45–86 · C. e il suo territorio, Atti XVIII Conv. Studi Macerata (C. 1982), 1983. G. U.

Camilla. Eine amazonenhafte volskische Heerführerin, deren Mythos allein Verg. Aen. 11,539–828 (vgl. [1. 803]) erzählt. Auf der Flucht mit der kleinen C. band ihr Vater, der Volskerkönig → Metabus, sie an einen Eschenspeer, weihte sie Diana und warf sie über den Fluß Amisenus; sie wuchs als Jägerin in der Wildnis auf. Im Krieg gegen die Aeneaden stand sie auf der Seite des → Turnus und fiel durch den Etrusker Arruns. Von Hier. adversus Iovinum 41,306 BD zur idealen *virgo virilis* gemacht, wird sie seit Dante (Inferno 1,107; 4,124) zur it. heroischen Jungfrau, welcher Renaissance und Barock in Dichtung und bildender Kunst einige Aufmerksamkeit schenken, so in Boccaccios *De claris mulieribus*; für die Clorinda in Tassos *Gerusalemme Liberata* ist sie lit. Modell [1. 127–160].

Inwieweit der Mythos vor Vergil existiert hat, ist, wie in anderen Fällen, umstritten; während ein Teil der Forschung in ihr altit. Myth. sieht [1], verfechten andere Arbeiten freie vergilianische Erfindung anhand bestehender Modelle [2; 3]. Eine eindeutige Entscheidung kann, wie bei den meisten anderen, erst augusteisch belegten it. Mythen, angesichts der Quellenlage nicht getroffen werden.

> 1 G. ARRIGONI, C. Amazzone e sacerdotessa di Diana, 1982
> 2 N. M. HORSFALL, C. o i limiti dell' invenzione, in: Athenaeum 66, 1988, 31–51 3 G. CAPDEVILLE, La jeunesse de C., in: MEFRA 104, 1992, 303–338. F. G.

Camillus. Röm. Cognomen vermutlich etr. Herkunft (SCHULZE, 290, 322; ThlL, Onom. 120–122) wohl mit *camillus* zusammenhängend in der Bed. »edelgeborener unerwachsener Knabe«, dann »Opferdiener« (Fest. 38; 82L; Varro ling. 7,34 u.a.). In republikanischer Zeit ist C. Familienbeiname der Furii; berühmtester Träger ist M. → Furius C., Eroberer von Veii 396 v. Chr. und Retter Roms nach der Gallierkatastrophe.

WALDE/HOFMANN I, 147.   K.-L.E.

Campana-Reliefs s. Relief

Campania A. LANDSCHAFT
B. VORRÖMISCHE ZEIT   C. RÖMISCHE ZEIT

A. LANDSCHAFT

Name der Landschaft (Skyl. 10; Varro rust. 1,10,1; 1,20,4; 2,6,5) wohl abzuleiten von → Capua, der bedeutendsten Stadt von C. zw. *mons Massicus* und Sinuessa im Norden, *mons Lactarius* und Surrentum im Süden und dem Hügelland am Fuß der Samnitischen Berge im Osten. In augusteischer Zeit umfaßte C. in der *regio I* auch den *ager Picentinus* (Strab. 5,4,13; Plin. nat. 3,60 ff.; Schol. Iuv. 3,219, *Latium et Campania*; 226; Serv. Aen. 8,9,564). Die einzelnen Gebiete von Norden nach Süden: der *ager Falernus* zw. Sinuessa und dem Savo, die → *campi Phlegraei*, die Campanische Ebene zw. dem Unterlauf des Volturnus mit dem *mons Tifata* und dem Vesuv im Norden; das Tal des Sarnus mit der Halbinsel von Sorrentum und dem *ager Picentinus* zw. Sarnus und Silaris (Pol. 3,91; Strab. 5,4,3 ff.; Mela 2,70; Plin. nat. 3,60 ff.; Ptol. 3,1,6 ff.; 68 ff.). Wirtschaftszweige: Landwirtschaft, Parfum, Fabrikation von Bronze- (Capua) und Glaswaren (Puteoli), Marmorskulpturen (Baiae), Töpferware (Pithekussai). Der Vulkanismus ist Ursache für die bes. Fruchtbarkeit von C. (Pol. 3,91,2; Strab. 5,4,3; Plin. nat. 3,36; Flor. 1,11).

B. VORRÖMISCHE ZEIT

Anf. der Eisenzeit entwickelte sich zw. Kyme und dem Tal des Sarnus die Fossakultur, vom 8. Jh. v. Chr. an auf Pithekussai und bei Kyme (757/56) die griech. Kolonisation (vgl. die griech. Einflüsse in den Nekropolen von Calatia/Maddaloni, Suessula, Saticula, Caudium). Im 6. Jh. drangen die Etrusker bis nach Pontecagnano und Fratte di Salerno nach C. ein und unterwarfen die Osci. Damals gewann Capua bes. Bedeutung. Auf Initiative der Etrusker und Griechen entstanden zahlreiche Siedlungszentren (Pompeii, Stabiae, Nola, Nuceria, Vico Equense, Fratte di Salerno); der griech. Einfluß dominierte am Golf von Capua mit der Gründung von Dikaiarchia (Puteoli; 531 v. Chr.), von Neapolis (um 470 v. Chr.) und mit der Niederlassung auf Pithekussai und → Capreae, während der etr. Einfluß mit der Niederlage bei Kyme 474 zurückging. Das 5. Jh. ist charakterisiert durch samnitische Dominanz (bemalte Gräber von Capua, Nola, Sarno und samnitische Waffen als Grabbeigaben); Neapolis wird das wirtschaftliche Zentrum der Region. Bevölkerungswachstum führt zu Neugründungen wie Herculaneum und Surrentum.

C. RÖMISCHE ZEIT

Im Zusammenhang der Samnitenkriege setzte die Romanisierung von C. ein: *civitas sine suffragio* für Capua 338, *foedus Neapolitanum* 326, Bau der *via Appia* 312, eine direkte Verbindung Rom – Capua, verlängert 291 nach Beneventum, 268 nach Venusia und wohl 246–243 nach Brundisium; *coloniae Latinae* in Cales 334, Suessa Aurunca 313, Teanum, Sinuessa 296, Paestum 273, Picentia und Beneventum 268 v. Chr. Im 2. Jh. wurde die Bed. des Hafens von Neapolis reduziert durch die Gründung der röm. *colonia* Puteoli 194; gleichzeitig entstanden Volturnum und Liternum. Salernum wurde als mil. Stützpunkt gegen die Picentini, die sich mit Hannibal verbündet hatten, eingerichtet. 182 entstand die *via Popilia* über Nuceria, Nola und das Diano-Tal, um Vibo Valentia mit Rhegium zu verbinden. Unter Augustus sank die Bed. von Neapolis samt dem benachbarten Gebiet zur Sommerfrische herab. Errichtung des *portus Iulius* 37 v. Chr. und der Flottenbasis von Misenum 12 v. Chr. In der frühen Kaiserzeit entstanden neben den großen Zentren und den durch den Ausbruch des Vesuv 79 n. Chr. verschütteten Städten (Pompeii, Herculaneum, Stabiae) zahlreiche *villae rusticae*, bes. im Casertano und an den Hängen des Vesuv sowie Sommerhäuser die ganze Küste entlang von Baiae bis Surrentum und Capreae; 91 n. Chr. Bau der *via Domitiana*. In spätant. Zeit beschränkte sich die Bed. von C. hauptsächlich auf Getreidelieferungen für die Stadt Rom. 476 n. Chr. Invasion der Goten, Konflikt mit byz. Truppen unter Narses und Belisarius (am Sarnus 553 n. Chr.: Prok. BG). 570 drangen die Langobarden in C. ein.

B. D'AGOSTINO, Le genti della C. antica, in: G. PUGLIESE CARRATELLI (Hrsg.), Italia, omnium terrarum alumna, 1988, 531–589 · C. ALBORE LIVADIE (Hrsg.), Tremblements de terre, éruptions volcaniques et vie des hommes dans la Campanie antique, 1986 · P. AMALFITANO, G. CAMODECA, M. MEDRI (Hrsg.), I Campi Flegrei, 1990 · J. H. D'ARMS, Romans on the Bay of Naples, 1970 · P. ARTHUR, Territories, Wine and Wealth. Suessa Aurunca, Sinuessa, Minturnae and the Ager Falernus, in: G. BARKER, J. LLOYD (Hrsg.), Roman Landscapes, 1991, 153–159 · J. BELOCH, Campanien, ²1890 · G. CAMODECA, Puteoli porto annoario e il commercio del grano in età imperiale, in: Le ravitellement en blé, 1994, 103–125 · R. CANTILENA, Monete della C. antica, 1988 · L. CERCHIAI, I Campani, 1995 · M. CONTA HALLER, Ricerche su alcuni centri fortificati in opera poligonale in area campano-sannitica, 1978 · M. FREDERIKSEN, C., 1984 · E. GRECO, s.v. Latium et C., EAA Suppl. 2, 291–297 · G. GUADAGNO (Hrsg.), Storia, economia e architettura nell'Ager Falernus, 1987, 59–68 · J. HEURGON, Recherches sur l'histoire, la religion et la civilisation de Capoue préromaine, 1942 · W. JOHANNOWSKY, La situation in C., in: P. ZANKER, K. FITTSCHEN (Hrsg.), Hellenismus in Mittelitalien, 1976, 267–299 · W. JOHANNOWSKY, Materiali arcaici dalla C., 1983 · E. LEPORE, Origini e strutture della C. antica, 1989 · P. M. MARTIN, La Campanie antique, 1984 · J. P. MOREL, La produzione della ceramica campana, in: A. MOMIGLIANO, A. SCHIAVONE (Hrsg.), Società romana e produzione schiavistica 2, 1981, 81–97 · J. P. MOREL, Céramiques

campaniennes, 1981 · A. PONTRANDOLFO, A. ROUVERET,
Pittura funeraria in Lucania e C., Dialoghi d'Archeologia
1,2, 1983, 91 ff. · G. PUGLIESE CARRATELLI (Hrsg.), Storia e
Civiltà della C. 1, 1991 · E. RENNA, Vesuvius Mons, 1992 ·
A. STAZIO, La Via Appia, 1987 · J. P. VALLAT, Cadastration
et contrôle de la terre en Campanie, in: MEFRA 92, 1980,
387–444.   U. PA.

Campestris

Campestris (-ter, -trius, -τριος). Röm. Astrologe wohl
des 3. Jh. n. Chr. (anders [1]), belebte, so Lyd. de ostentis
p. 24,5 WACHSMUTH, die prophetische → Astrologie
und Magie des → Petosiris, vielleicht als Alternative zur
mittelplatonischen → Dämonologie. Er schrieb *De co-
metis* (Lyd. ost. p. 35,8, Referat c. 11–16; Adnotationes
super Lucan. 1,529) und über Unterweltsmächte wie
→ Typhon (Serv. Aen. 10,272), der Titel (nach Fulg.
exp. Verg. p. 86 HELM) *Catabolica infernalia* ist zweifelhaft.
→ Astrologie

1 E. RIESS, s. v. C., RE 3, 1443 f. 2 K. SALLMANN, HLL
§ 409.2.   KL. SA.

Campi Catalauni

Campi Catalauni. Siedlungsgebiet der → Catalauni in
der h. Champagne, wiederholt Schauplatz bed.
Schlachten. 273 n. Chr. besiegte hier der Kaiser Au-
relianus den gallischen Usurpator → Esuvius Tatricus
(SHA Aurelian. 23,3; Eutr. 9,13; Hier. chron. 273
n. Chr.), 366 schlug der Feldherr Iovinus ein german.
Heer (Amm. 27,2,4). Bes. Berühmtheit erlangten die
C. C. durch die »Völkerschlacht« von 451 (südl. von
Châlon), als es einer von Avitus zw. Rom und den
Westgoten unter Theoderich gebildeten Koalition ge-
lang, die Hunni und ihre german. Verbündeten am wei-
teren Vordringen zu hindern (Iord. Get. 194–218) [1].
Mit diesem von Aetius mühsam errungenen, im we-
sentlichen den Westgoten zu verdankenden mil. Erfolg
Roms verlor → Attila den Nimbus der Unbesiegbarkeit.

1 F. ALTHEIM, Gesch. der Hunnen 4, ²1979, 319–329.
                                                      F. SCH.

Campi Phlegraei

Campi Phlegraei (griech. Φλέγρα, Φλεγραῖον πεδίον,
Φλεγραῖα πεδία). Bezeichnung eines Küstenstreifens im
Norden von → Campania (zw. Capua, Nola und Vesuvius: FGrH 566 Timaios fr. 89; Pol. 2,17,1; von Cuma
bis Puzzuoli: Strab. 5,4,4; Plin. nat. 3,61; 18,111); der
Name wurde von Chalkidern geprägt, die → Kyme
gegr. haben; auf Phlegra (→ Pallene, → Chalkidike), die
vulkanische Heimat der Giganten, führt man den ON
zurück, der evtl. aufgrund der ebenfalls vulkanischen
Natur hierher übertragen wurde.

BTCGI 4, s. v. Campi Flegrei, 322–327 · I Campi Flegrei,
1987 · P. AMALFITANO, G. CAMODECA, M. MEDRI, I Campi
Flegrei. Un itinerario archeologico, 1990 · F. CECI, s. v.
Campi Flegrei, EAA Suppl. 2,2, 674–678.   M. G. / S. W.

Campus Agrippae

Campus Agrippae. Teil des → *campus Martius* in Rom;
laut konstantinischer Regionenbeschreibung in der *regio
VII* auf der rechten Seite der *via Flaminia* und nördl. der
aqua Virgo gelegen; aus dem Besitz des Agrippa 7 v. Chr.

von Augustus dem röm. Volk geschenkt (Cass. Dio
55,8). Nach einem Fr. der *acta fratrum Arvalium* aus dem
Jahr 38 n. Chr. befand sich hier auch die tiberische *ara
Providentiae.*

F. COARELLI, in: LTUR 1, 217 · RICHARDSON, 64.   R. F.

Campus Martius

Campus Martius (Marsfeld). Gelände in Form eines
unregelmäßigen Vierecks zw. Palazzo Venezia, S. Carlo
al Corso, Ponte Vittorio Emanuele und Piazza Cairoli in
Rom. Der Sage nach ist der *c. M.* aus dem Besitz der
Tarquinier (Dion. Hal. 5,13,2) bei der Gründung der
Republik in öffentliches Eigentum übergegangen (Liv.
2,5,2; Plut. Poblicola 8,1). Das ebene, nicht durch private Grundstücke zersplitterte Terrain war prädestiniert
für eindrucksvolle Staats- und Repräsentationsarchitek-
tur, wie sie in augusteischer Zeit bei Strabo (5,3,8) geschildert wird. Die wichtigsten Baukomplexe sind ihrer
Funktion nach bekannt, weniger jedoch in ihrer Bau-
geschichte. Der Mars-Altar (Varro apud Fest. 204 L; Liv.
40,45,8) für das censorische *lustrum* (Dion. Hal. ant.
4,22,1) hat seit frühester Zeit die Bezeichnung dieses
Gebiets als *c. M.* geprägt. Das zugehörige Heiligtum
bildete eine Einheit (Varro rust. 3,2,1) mit der *saepta* und
der *villa publica* mit dem Amtsgebäude der → Censoren,
die *extremo Campo Martio* lag (Varro rust. 3,2 5; Val. Max.
9,2,1) und mit der *porta Fontinalis* seit 193 v. Chr. durch
eine *porticus* verbunden (Liv. 35,10,12) war. Größe und
Ausrichtung der *saepta*, eines 310 × 44 m messenden,
von Säulenhallen gerahmten Platzes, bestimmten die
übrige Bebauung diese Gebietes.

Vier Gestaltungsphasen lassen sich trennen. Die mit-
telrepublikanische Phase bezeugen nur noch Reste später umgestalteter Heiligtümer (Apolloheiligtum beim
Marcellustheater, gegründet 431 v. Chr.; Bellonatem-
pel, frühes 3. Jh.; *area sacra di Largo Argentina* mit Tempeln des späten 4. Jh. v. Chr. bis zum frühen 1. Jh.
v. Chr.). Die zweite Phase (ca. 200–40 v. Chr.) war von
hell. Repräsentationsmustern geprägt: Tempel des Hercules und der Musen (187 v. Chr.), Portiken des Octavius (168 v. Chr.) und des Metellus (146 v. Chr.), das
Pompeiustheater (Plin. nat. 34,40; Plut. Pomp. 40,5;
44,3) sowie die Pläne Caesars, den Tiber umzuleiten
und das Marsfeld mit dem → *ager Vaticanus* zu vereinigen
(Cic. Att. 13,33,4).

Die dritte Phase umfaßt die städtebauliche Neugestaltung durch Augustus, Agrippa und andere Mitglieder und Freunde der *gens Iulia.* Der Komplex um den
circus Flaminius mit dem Theater des Marcellus und dem
des Balbus wurde neu errichtet; letzteres besetzte einen
Teil der *villa publica*, die nach der Abschaffung des traditionellen *census* im Jahre 22 (Cass. Dio 54,1) ihrer alten
Funktion beraubt war. Evtl. wurde auch zu dieser Zeit
die *porticus Minucia frumentaria* auf dem Boden der *villa
publica* gebaut. In die augusteische Zeit gehören ferner
das → Amphitheater des Statilius Taurus, die Thermen
des Agrippa, das Pantheon, die Vollendung der *saepta
Iulia* sowie der Komplex um die → Ara Pacis Augustae
mit der Sonnenuhr und dem Mausoleum (Suet. Aug.

100,3). Außer den Nero-Thermen wurde bis zum Brand von 80 n. Chr. (Cass. Dio 66,24,2) auf dem *c. M.* wenig gebaut; zusammen mit der domitianischen Restaurierung der beschädigten Gebäude entstand im Westen das domitianische Stadion, im Osten das Odeion sowie das Heiligtum der vergöttlichten Kaiser und der Tempel der Minerva Chalcidica. Von Hadrian und den Antoninen stammen die Tempel der Matidia und des vergöttlichten Hadrian sowie nördl. davon die beiden berühmten → Säulenmonumente für Antoninus Pius und Marcus Aurelius.

T. WISEMAN, in: LTUR 1, 220–224 · RICHARDSON, 65–67.
R. F.

Camulodunum. Das größte eisenzeitliche *oppidum* in Britannia lag am unteren Colne in Essex; dort entwickelte sich C., h. Colchester, unter den Königen Dubnovellaunus und → Cunobelinus [1]. In seiner Blütezeit (ca. 10–40 n. Chr.) umfaßte das *oppidum* 30 km² inmitten eines Systems von Schutzgräben (*dykes*). Als bed. Machtzentrum zog C. Luxusgüterimporte aus Gallia und Italia an. Ein reich ausgestattetes Königsgrab befindet sich bei Lexden (ca. 1 n. Chr.). C. wurde 43 n. Chr. von der röm. Armee erobert; hier wurde ein Legionsstützpunkt eingerichtet [2. 31–35], aber noch vor 49 n. Chr. aufgegeben, als die Colonia Victricensis gegr. wurde. Städtische Gebäude wurden schnell errichtet, so ein Tempel für Divus Claudius (ca. 55 n. Chr.; Tac. ann. 14,31); deshalb schien sich die Trinovantes veranlaßt, sich 60 n. Chr. der Revolte der → Iceni anzuschließen. C. wurde völlig zerstört, anschließend aber wieder aufgebaut. Große Töpfereien im 2. Jh. n. Chr. [3]. Inschr.: CIL VII 33–36.

1 C. F. C. HAWKES, M. R. HULL, C., 1947 2 R. DUNNET, The Trinovantes, 1975 3 M. R. HULL, The Roman Potters' Kilns of Colchester, 1963. M. TO.

Camulogenus. Kelt. Namenskompositum, »Abkömmling des (Gottes) Camulus« [1.60–61; 2.160]. Aulercer, der 52 v. Chr. die → Parisii und deren Nachbarstämme gegen T. → Labienus führte, aber in einer Schlacht an der Seine fiel (Caes. Gall. 7,57–62). Vielleicht ist ihm eine Goldmünze der → Arverni gewidmet [3.419, Fig. 454; 4.726–727].

1 EVANS 2 SCHMIDT 3 A. BLANCHET, Traité monn. gaul., 1905 4 HOLDER, 1. W. SP.

Camulos. Keltischer Gott, durch *interpretatio Romana* Mars zugeordnet. Unter den lediglich sechs Weihungen bezeugt die Inschr. aus Rindern einen Tempel für C. Die vielfach für C. in Anspruch genommene Inschr. in Rom (CIL VI 46) erwähnt den Gott nicht [1. 87 ff.].

1 J. TERRISSE, in: Bull. Soc. Arch. Champenoise 1991, Nr. 2.

CH. B. RÜGER, in: BJ 172, 1972, 643 ff. · F. LEFÈVRE, in: Bull. Soc. Arch. Champenoise 1983, Nr. 4, 51 ff. · G. BAUCHHENSS, s. v. Mars Camulus, LIMC 2.1, 568. M. E.

Camunni. Bewohner des oberen Oglio-Tals (Val Camonica), von einigen Quellen als Raeti (Strab. 4,6,7) bzw. Euganei (Plin. nat. 3,134) in den Zentralalpen beschrieben. Über 1000 J. kulturelle Kontinuität, bezeugt durch zahlreiche Felsmalereien vom Stil I–III (Neolithikum-Bronzezeit) bis zum Stil IV (ab dem 8. Jh.) und IV 4 (3.–1. Jh.), sozio-sakrale Ausdrucksformen von Kriegs- und Jägervölkern [1. 131 ff.]. Unter den von Augustus im J. 16 v. Chr. *gentes Alpinae devictae* (CIL V 7817) aufgeführt, evtl. Brixia unterstellt (Plin. nat. 3,133 f.) Um die *civitas Camunnorum* (h. Cividate Camuno) [2. 25 f.] organisiert, genossen die C. weitgehende Autonomie.

1 R. DE MARINIS, in: G. PUGLIESE CARRATELLI (Hrsg.), Italia omnium terrarum alumna, 1989, 131–155 2 La valle Camonica in età romana, 1986. A. SA.

Canabae s. Heeresversorgung

Cancellarius (von *cancelli*, »Schranke, Gitter«) meint allg. den Subalternbeamten bei Verwaltung und Gericht, der dem Publikum gegenübertritt, etwa bei der Einlaßkontrolle, erhält aber im Laufe der Kaiserzeit den speziellen Sinn ›leitender Beamter eines Verwaltungsstabes‹ (Lyd. mag. 3,37). In der Spätant. kann ein *c.* einem Kammerherrn für Audienzen gleichstehen (Not. dign. occ. 9,15) und sogar senatorischem Rang besitzen (Cassiod. var. 11,6; 10). Die *c.* beim *praef. praet. Africae* erhalten als den *consiliarii* nächststehende leitende Unterbeamte ein Gehalt von sieben Pfund Gold im Jahr, d. h. ein Drittel des Gehalts eines *consiliarius*, das Vierfache eines Büroleiters oder das Sieben- bis Zehnfache der *grammatici, sophisti* und *oratores* im Verwaltungsdienst (Cod. Iust. 1,27,21). Dies weist auf bes. Aufgaben (Cod. Iust. 1,51,3), hohen Rang und Einfluß hin. Zahlreiche andere Militär- und Zivilbeamte in den Prov. haben *c.*, bes. zum Gerichtsdienst. Anders als die *consiliarii* eines *iudex*, bleiben sie nach dessen Amtszeit prinzipiell in ihrer → *militia*, aus der sie als *c.* ausgewählt wurden, und werden nach ihrer Emeritierung auch nicht mit Steuerfreiheit belohnt (Cod. Iust. 1,51,8 und 11).

JONES, LRE, 582, 598, 602 f. C. G.

Cancho Roano. Die bei Zalamea de la Serena (Prov. Badajoz) gelegene, fast quadratische Anlage besteht aus einem Gebäude mit umlaufender Flucht kleiner Kammern über einer angeschütteten Terrasse und einem Graben; im Osten liegt ein befestigtes Tor mit Zugang zum Innenhof. Das um 400 v. Chr. durch Brand zerstörte Monument hat zwei Vorgänger (Beginn im 6. Jh. v. Chr.), mit denen zwei unter dem Pfeiler des zentralen Raums liegende Altäre korrespondieren. Funde verweisen auf die Funktion als → Palast (Residenz, Heiligtum, Handwerksbetriebe, Depot). Anlage und Aufgaben lassen an oriental. Vorbilder denken.

J. MALUQUER DE MOTES et al., El santuario protohistórico de Zalamea de la Serena, Badajoz, Bd. 1–7, 1981–1996 · M. ALMAGRO-GORBEA et al., C. R.: Un palacio

orientalizante, in: MDAI (Madr.) 31, 1990, 251–308 ·
S. CELESTINO, El periodo orientalizante en Extremadura, in:
Extremadura Arqueológica 4, 1995, 67–89.   M. BL.

Candela s. Beleuchtung

Candelabrum s. Beleuchtung

Candidatus. Allgemein eine weiß gekleidete Person;
die Farbe Weiß kann Makellosigkeit, Festfreude und
Wohlgestimmtheit ausdrücken (Quint. 2,5,19; Hor. sat.
1,5,41; Plin. epist. 6,11,3). Wohl schon im 5. Jh. v. Chr.
wird es in Rom üblich, als Amtsbewerber weiße Kleidung zu tragen (Liv. 4,25,13; 39,39,2; Pers. 5,177; Isid.
orig. 19,24). C. bezeichnet danach speziell einen Amtsbewerber.

In republikanischer Zeit hat sich der Bewerber um
ein durch Volkswahl zu besetzendes Amt bei dem zuständigen wahlleitenden Beamten (Konsul, Praetor
oder Volkstribun) als *c.* zu erklären (*professio*). Gibt es
keine rechtlichen Einwände (z. B. zeitliche Abstände
zwischen Magistraturen, fehlende Entlastung von einem früheren Amt, schwerer Verstoß gegen Strafgeset-
ze oder Sitte), wird er als *c.* zugelassen und kann für sich
werben. Doch sind durch die → *ambitus*-Gesetze, vor
allem der späten Republik, unfair-exzessive Werbe-
methoden (z. B. übermäßige Wahlgeschenke) verboten.
Eine öffentliche Diskussion über die Person ist prinzipiell nicht vorgesehen. Doch ermöglicht die Popularklage gegen den *c.* im anschließenden Verfahren indirekt eine Personaldiskussion, so etwa in Ciceros Reden
gegen Verres. Bei mehreren Bewerbern entscheiden die
Wähler durch Namensnennung eines oder mehrerer *c.*,
bei Einzelbewerbern durch Ja bzw. Nein.

In der Kaiserzeit nutzt der Kaiser bei polit. sensiblen
Amtsbesetzungen seine → *auctoritas*, um geeignete Personen auszuwählen und dem Senat zur »Designation« zu
empfehlen (→ *commendatio*). Seit Tiberius ersetzt eine
derartige Designation Bewerbung und Volkswahl (*sine
repulsa et ambitu designandos*, Tac. ann. 1,15). Die *lex de
imperio Vespasiani* (FIRA 1, 154–156) bestätigt diese Ver-
fassungspraxis als Recht, trotz prinzipiell fortbestehen-
der Wahltätigkeit der → *comitia*. Mit dem 2. Jh. n. Chr.
wird die Volkswahl für höhere Reichsbeamte unüblich.
In der Spätant. heißen alle Anwärter auf ein Amt *c.*
(Cod. Theod. 6,4,21).

C. principis sind im 2./3. Jh. n. Chr. die mit der Verlesung der kaiserlichen Reden im Senat beauftragten
quaestores; *c.* bezeichnet nun eine Amtsfunktion (Symm.
epist. 2,80 f.; Dig. 1,13,4).

C. heißen auch die Kultdiener des Iupiter Doliche-
nus und der Venus Victrix in Rom und anderorts (CIL
VI 406; 409; 413). *C.* ist ferner der Name für 40 weiß-
uniformierte Leibgardisten des Kaisers in der Spätant.
(Amm. 15,5,16).

F. F. ABBOTT, A History and Description of Roman Political
Institutions, ³1963, 416 · JONES, LRE 613, 622 ·
MOMMSEN, Staatsrecht 2, 917 ff.   C. G.

Candidiana. Spätantikes röm. Kastell an der Donau-
Uferstraße in Moesia Inferior westl. von Durostorum,
beim h. Malăk Preslavec in NO-Bulgarien (Itin. Anton.
223,2; Not. dign. or. 40,24; Prok. aed. 4,7,9). Es wurde
wohl unter Diocletianus erbaut, um die Mitte des 3. Jh.
von den Carpi (?) zerstörte Festung Nigrinianis (Tab.
Peut. 8,2; Geogr. Rav. 4,7) als bed. Glied im Donau-
Limes zu ersetzen. Es war Standort der *cohors I Lusita-
norum Maximiana*. Gebäudereste, arch. Funde, Schatz
mit 2638 Mz. (238–275 n. Chr.); spätant. Mauerziegel
bezeugen die Präsenz der *legio XI Claudia Candidiana*.
Die spätant. Festung bestand bis zur Eroberung durch
die Slawen im 6. Jh.

V. VELKOV, Zur Geschichte eines Donaukastells in
Bulgarien, in: Klio 39, 1961, 215–221 · TIR L 35 Bukarest,
1969, 53 (s. v. Nigrinianis).   J. Bu./R. B.

Candidus. In der Kaiserzeit verbreitetes Cognomen,
sicher belegt seit dem 1. Jh. n. Chr. (ThlL, Onom.
2,133 ff.).

[1] Christ um 200 n. Chr., Verf. mehrerer verlorener
Traktate zum Hexaemeron (Eus. HE 5,27; Hier. vir. ill.
48).

[2] Anhänger des Gnostikers Valentinianus; disputierte
um 230 n. Chr. öffentlich mit → Origenes, der ihm eine
nachträgliche Fälschung des Protokolls vorwarf (Rufin.
apol. Orig. epil. = PG 17,625; Hier. adv. Rufin. 2,19 =
PL 23,462 f.). [1. 701] vermutet seine Identität mit dem
bei Eus. HE 5,27 genannten Verf. einer Schrift über den
Schöpfungsbericht zur Zeit des Septimius Severus.

[3] Arianer um 350 n. Chr. Befreundet mit → Marius
Victorinus, dem er ein arianisch geprägtes *Liber de ge-
neratione divina* widmet (PL 10,1013–1020).

1 A. V. HARNACK, Gesch. der altchristl. Lit. I², 1958.

BARDENHEWER, GAL 1, 395–397; 2, 166.   M. MEI.

[4] Aus Isaurien, spätes 5. Jh. n. Chr. Behandelte in drei
Büchern Ἱστορία (*Historíai*) die Zeit der oström. Kaiser
Leo I. (457–471) und Zeno (471–491). Er ist nur durch
ein Resümee in der Bibliothek des Photios (Cod. 79)
bekannt (PLRE 2, 258 Nr. 1).

HUNGER, Literatur 1, 285.   F. T.

Canicula s. Sternbilder

Canidia. Von Horaz öfter wegen ihrer Zauberkünste
und Giftmischereien erwähnt (epod. 3,8; 5,15; 17,6; sat.
1,8,24; 2,1,48; 8,95). Tatsächlich soll sie eine Salben-
händlerin Gratidia aus Neapel gewesen sein (Porphyrio).   W. E.

Canidius. C. Crassus, P., unbekannter Herkunft. 43
v. Chr. als Legat des → Lepidus in Gallien (Cic. fam.
10,21,4). Wahrscheinlich Inhaber eines Kommandos
unter → Antonius I 9 im Perusinischen Krieg (App. civ.
5,50; MRR 2,373). Ende 40 *cos. suff.*, kämpfte er seit 36
erfolgreich in Armenien und im Kaukasus und nahm an

den Partherfeldzügen des Antonius teil. Im Winter 33/32 kehrte er von einem Kommando in Armenien zurück zu Antonius, befehligte bei Actium das Landheer und floh nach der Niederlage zu Antonius nach Ägypten, wo er 30 von Octavian (→ Augustus) hingerichtet wurde (Vell. 2,85,2; 87,3).

SYME, RR, Index s. v. C. M. MEI.

Caninius. Plebeischer Gentilname, bezeugt seit dem 2. Jh. v. Chr. (SCHULZE, 144; ThlL, Onom. 137 f.).
[1] C. Gallus, L., Volkstribun 56 v. Chr., wollte erfolglos die Wiedereinsetzung des Ptolemaios Auletes in Ägypten durchführen lassen (MRR 2,209). 56 wurde er von Cicero verteidigt (fam. 7,1,4), war 51 in Athen häufig mit ihm zusammen und besuchte ihn 46 in Rom. Er starb 44.
[2] C. Gallus, L., Sohn von C. 1, Konsul 37 v. Chr. mit M. Vipsanius → Agrippa (MRR 2,395; PIR 2² C 389).
[3] C. Rebilus, C., 171 v. Chr. *praetor* in Sicilia (MRR 1, 416). K.-L. E.

[4] C. Rebilus, M., wohl Bruder von C. [3], wurde 170 v. Chr. als Gesandter nach Makedonien (MRR 1, 421) und 167 nach Thrakien zu König Kotys zur Rückführung seiner Söhne geschickt (Liv. 45,42,11). K.-L. E.

[5] C. Rebilus, C., kämpfte als Legat Caesars im Gallischen Krieg 51 v. Chr. gegen Vercingetorix und 50 bei Uxellodunum (Caes. Gall. 7,83,3; 90,6; 8 passim). Im März 49, kurz nach Beginn des Bürgerkrieges, versuchte Caesar über ihn zu einer Verständigung mit Pompeius zu gelangen (Caes. civ. 1,26,3–5). Anschließend diente C. unter Scribonius Curio in Africa und konnte sich nach dessen Niederlage im August retten. 46 war er *procos.* in Africa (die Praetur von 48 ist ungewiß) und eroberte Thapsos (Bell. Afr. 86,3; 93,3). Am spanischen Feldzug Caesars von 45 nahm er als Legat teil (Bell. Hisp. 35,1). Bekannt wurde C. als der Konsul mit der kürzesten Amtszeit in der Gesch. Roms. Als am letzten Tag des Jahres 45 der amtierende Konsul Q. Fabius Maximus starb, bestimmte Caesar C. zu dessen Nachfolger für den Rest des Jahres. Cicero (fam. 7,30,1) kommentierte, unter dem Konsulat des C. habe niemand gefrühstückt. Vielleicht ist C. identisch mit dem Senator Rebilus, den → Menodoros im J. 37 gefangennahm (App. civ. 5,422; MRR 3, 49). W. W.

[6] C. Celer, griech. Rhetor und Lehrer der späteren Kaiser M. Aurelius und L. Verus (SHA Marc. 2,4; Ver. 2,5). K.-L. E.

Canis s. Sternbilder

Canistrum (griech. κανοῦν). Flacher, aus Weide geflochtener Korb; er diente als Obstkorb (Ov. met. 8,675) und fand in der Landwirtschaft (Verg. georg. 4,280) Verwendung. Canistra aus festem Material (Ton, Silber, Gold) dienten der Aufnahme flüssiger Stoffe,

z. B. Honig und Öl. Das *c.* war ferner ein Opfergerät (Tib. 1,10,27; Ov. met. 2,713 u. a.); in der röm. Kunst in dieser Funktion oft dargestellt, enthält das *c.* Weihrauch, Früchte und Opferkuchen. *C. siccaria* nannte man die silbernen Untersätze für Trinkgefäße (Serv. Aen. 1,706). → Kanun

G. HILGERS, Lat. Gefäßnamen, BJ 1969, 31. Beih., 135–136 ·
F. FLESS, Opferdiener und Kultmusiker auf stadtröm. histor. Reliefs, 1995, 20–22. R. H.

Canius Rufus, nur aus → Martial bekannt. Er stammte aus Gades (1,61), war verheiratet mit der philos. gebildeten Theophila (7,69) und Freund der Domitier Lucanus und Tullus, des Kitharoeden Pollio (3,20) und des Martial (7,87; 10,48). Nach 3,20 könnte er histor. Werke zu Claudius und Nero sowie Fabeln in Prosa, dazu Elegien, Epen, Trag. und nach 7,69 eine *Pantaenis* zu → Sappho und ihren lesbischen Mädchen verf. haben. Martial rühmt C.s Erzähltalent und Humor (1,69; 3,20. 64). Im Anschluß an 1,61 nennt ihn Ps.-Hier. epist. 36 (PL 30) *poeta facundiae lenis et iucundae.*

A. ELTER, C. a Gadibus, in: RhM 63, 1908, 472–475, 640 ·
G. THIELE, Martial III.20, in: Philologus 70, 1911, 539–548. O. A.

Cannae. Ortschaft zw. Barletta und Canosa auf dem Monte di Canne (Cic. Tusc. 1,89; Liv. 22,43; 49; Plin. nat. 3,105; Sil. 8,624; Flor. epit. 2,6), Κανναί (Pol. 3,107; App. Hann. 17). Ungeschützter *vicus* und *ignobilis* nach Liv. 22,43,10; 22,49,13; Flor. epit. 2,6,15; κώμη (*kṓmē* »Dorf«, App. Hann. 3,17) oder durch eine ἄκρα (*ákra* »Burg«) gesicherte πόλις (*pólis*, »Stadt«) nach Polybios. Bekannt durch die Niederlage, die Hannibal den Römern hier 216 v. Chr. zufügte (Pol. 3,113–117; Nep. Hann. 4,9; Liv. 22,45–50; Val. Max. 3,2,10; 5,6,4; Plut. Fab. 15f.; App. Hann. 19–25; Flor. epit. 22,15–18). Arch. Funde: neolithische Keramik, Reste der apulischen Ortschaft des 4./3. Jh. v. Chr.

E. M. DE JULIIS, s. v. C., BTCGI, 4, 1985, 359–363 ·
F. GRELLE, La Daunia fra le guerre sannitiche e la guerra annibalica, in: G. UGGERI (Hrsg.), L' età annibalica e la Puglia, Atti del II Convegno sulla Puglia Romana (Mesagne 24.–26. März 1986), 1992, 29–42, 40ff. B. G.

Cannenefates. German. Volk, auch Can(n)anefates, nach ›Abstammung, Dialekt und Tapferkeit den Batavi gleich‹ (Tac. hist. 4,15,1; vgl. Plin. nat. 4,101), im Westteil der *insula Batavorum*, zw. Oude Rijn und Mosa (Helinium); vgl. Kennemerland. Evtl. von Tiberius unterworfen (Vell. 2,105,1), stellten sie wenigstens je eine *ala* und *cohors* (Tac. ann. 4,73,2; hist. 4,19,1). Ihr Vorort Voorburg-Arentsburg wurde Forum Hadriani und *municipium.*

TIR M 31, 59 · B. H. STOLTE, s. v. Cananefaten, RGA 4, 329f. · W. WILL, Roms »Klientel-Randstaaten« am Rhein? Eine Bestandsaufnahme, in: BJ 187, 1987, 1–61, bes. 20–24. K. DI.

Cannita, Pizzo. Phöniz.-pun. Niederlassung ca. 10 km östl. von Palermo, durch den Zufallsfund (1695 bzw. 1725) von zwei anthropoïden Sarkophagen und Oberflächenfunde bekannt.

DCPP, s. v. C., 88.   H. G. N.

Cannophori (*cannofori*, κανvηφόροι). Jüngeres der zwei Kollegien in Verbindung mit dem Kult der Magna Mater; als Teil der Reorganisation des Kultes durch Antoninus Pius' (2. Jh. n. Chr.) gegründet. Ihre rituelle Funktion in Rom war es, am 15. März bei der Freudenprozession zur Erinnerung an die Entdeckung des jungen Attis durch die Magna Mater am → Gallosufer (Iul. or. 5,165b) [1] ein Reetbündel zum Tempel am Palatin zu tragen (*canna intrat*, Kalender von Philocalus, CIL I² p. 260). Am selben Tag Stieropfer des Archigallos und der C., um die Fruchtbarkeit der Felder in den Bergen sicherzustellen (Lyd. mens. 4,49; CIL XIV 40).
→ Dendrophori; Gallos; Magna Mater

1 M. J. VERMASEREN, The Legend of Attis in Greek and Roman Art, 1966, 3–12.

D. FISHWICK, The C. and the March Festival of the Magna Mater, in: TAPHA 97, 1966, 193–202.   R. G.

Cannutia Crescentina. Vestalin. Von Caracalla wegen Inzests verurteilt, tötete sie sich selbst (Cass. Dio 77,16,1; 3; PIR² C 400).   W. E.

Cannutius
[1] P., wird von Cic. Brut. 205 als Kopist (Hrsg.?) der Reden des P. Sulpicius und als äußerst beredter Redner (positiv Cic. Cluent. 29, 50, 73 f.) erwähnt, während ihn Aper bei Tac. dial. 21,1 für zu alt hält. Er war kein Senator, trat aber im Prozeß gegen Oppianicus (Cluent. 58) auf. Aus der pass. Verwendung von *admirari* im einzigen Zitat bei Prisc. gramm. 2,381,12 f. läßt sich schließen, daß C. Analogist war.
→ Histrio

ED.: ORF⁴, 371 f.
LIT.: MÜNZER, s. v. C. 2, RE 3, 1485 · A. E. DOUGLAS, Comm. in Cicero's Brutus, 1966, 148 · P. FLOBERT, Les verbes déponents latins des origines à Charlemagne, 1975.
    G. C.

[2] C., Tib., *tribunus plebis* 44 v. Chr., Gegner des → Antonius I 9, nach dem sog. zweiten Triumvirat 43 auch des Octavian (→ Augustus), als dessen Feind er im Perusinischen Krieg hingerichtet wurde.

SYME, RR, Index s. v. C.   M. MEI.

Canosiner Vasen. Gattung der → apulischen Vasen, zwischen ca. 350 und 300 v. Chr. wohl ausschließlich für den Grabgebrauch hergestellt. Als ihr besonderes Kennzeichen kann die in wasserlöslichen, verschiedenen Farben (blau, rot/rosa, gelb, hellviolett, braun) ausgeführte Bemalung auf weißem Grund gelten. Bevorzugte → Gefäßformen sind Volutenkrater, Kantharos,

Oinochoe und Askos, deren Gefäßkörper häufig mit auf kleinen Podesten stehenden Frauenfiguren und plastischem Dekor (geflügelte Köpfe, Gorgoneia u. a.) versehen sind. Überwiegend sind Niken, Wagengespanne, Kampf- und Naiskosszenen sowie Protome weiblicher Flügelgestalten dargestellt. Hauptfundorte sind Canosa, Arpi und Ordona.

E. VAN WIELEN-VAN OMMEREN, La céramique hellénistique de Canosa, in: Proc. of the 3rd Symposium on Ancient Greek and Related Pottery, Kopenhagen 1987, 665–673.
    R. H.

Cantabri. Neben den → Astures sind die C. der wichtigste Stamm in der Region an der spanischen Atlantikküste. Dieser in Gruppen aufgesplitterte Stamm lebte von den Erträgen der Viehzucht in den Gebirgsregionen der h. Gebiete Asturia und Santander; Ackerbau spielte hier eine untergeordnete Rolle. Der Nahrungsmittelmangel im Gebirge dürfte der Anlaß für ihre Überfälle auf die im fruchtbaren Duerotal siedelnden → Vaccaei gewesen sein. Von den großen kriegerischen Auseinandersetzungen, die ab Ende des 3. Jh. v. Chr. fast die ganze iberische Halbinsel erschütterten, blieben die C. verschont. Erst unter Augustus wurden sie von den Römern nach mühseligem Kampf 19 v. Chr. unterworfen.

TOVAR 3, 64–71 · N. SANTOS YANGUAS, Astures y Cántabros, in: M. ALMAGRO-GORBEA, G. RUIZ ZAPATERO (Hrsg.), Paleoetnologia de la Península Ibérica, 1992, 431–447.   P. B.

Cantharides s. Kanthariden

Cantiaci. Volksstamm im Gebiet von Kent und East Sussex. Sein Name leitet sich von der Region Cantium ab. Caes. Gall. 5,22,1 berichtet von vier einheimischen Königen, woraus man auf verschiedene Teilstämme schließen kann. Stammeszentrum war → Durovernum, bed. auch Durobrivae (h. Rochester). Zahlreiche *villae* wurden hier in der frühen Kaiserzeit errichtet, bes. in Ost- und Süd-Kent. Im 3. Jh. waren → Rutupiae, → Dubrae, Regulbium (h. Reculver) und → Portus Lemanae (h. Lympne) Stützpunkte der Classis Britannica.

A. DETSICAS, The C., 1984 · S. JOHNSON, The Roman Forts of Saxon Shore, 1975.   M. TO.

Canticum. Mit C. sind in Plautus-Hss. alle Szenen überschrieben, die in einem anderen Metrum als dem iambischen Senar stehen (zu Ausnahmen s. [3. 220, Anm.]), d. h. alle durch Musik begleiteten Teile (vgl. Plaut. Stich. 758–768: während der Flötenspieler eine Trinkpause macht, wechselt das Metrum in den Senar). C. umfaßt also auch Partien, die aus aneinandergereihten trochäischen und iambischen Septenaren und Oktonaren bestehen und im allg. als Rezitative aufgefaßt werden (vgl. aber [3]); als C. im engeren Sinn (von Don. comm. Adelph. pr. 1,7 mit *MMC = Mutatis Modis Cantica* bezeichnet; vgl. Don. de com. 8,9) versteht man polymetrische, lyrisch-monodische Verspartien, die vor allem bei Plautus zu finden sind; Terenz verwendet nur Rezitativ-Versmaße. Liv. 7,2,9f. (vgl. Val. Max. 2,4,4) berichtet, seit Livius Andronicus seien die C. von professionellen Sängern vorgetragen worden: diese hätten beim begleitenden Flötenspieler gestanden, während die Schauspieler ihren Part gleichzeitig stumm agierten. Eine solche Inszenierungsweise ist jedoch kaum vorstellbar und beruht vielleicht auf Verwechslung mit der Aufführungspraxis der seit der frühen Kaiserzeit aufblühenden Pantomime [1. 363 f.; 2]. Umstritten ist bis heute der Ursprung der C. im engeren Sinne im röm. Drama, da hier oftmals Partien in monodische Lyrik umgesetzt sind, die in ihren Vorlagen im Sprechvers standen. Mögliche Anregungen für eine solche Lyrisierung liegen 1) in zeitgenössischer hell. monodischer Lyrik (fr. Grenfellianum, [4. 304f.]), 2) in den (letztlich auf den späten Euripides zurückgehenden) Monodien der frühen röm. Tragödie [1. 377f.]) und 3) in indigen-ital. vorlit. Formen von Tanz und Gesang (etwa der von Liv. 7,2,7 erwähnten *impletae modis saturae*, vgl. [1. 379]). Bei Plautus scheinen die lyrischen C. gerade in den späteren Stücken zuzunehmen, während sie in den älteren nicht oder kaum vorhanden sind [1. 389f.]; er scheint mithin bei der Ausprägung dieser Lyrik nicht unbedingt auf frühere zurückgegriffen, sondern selbst eine wichtige Rolle gespielt zu haben. Schon in der Aufführungspraxis hell. Theatergruppen wurden ursprüngliche Sprechverspartien gelegentlich »musikalisiert« [5. 128–139], so daß auch die zeitgenössische griech. (südital.) Theaterpraxis wichtige Anregungen für die Aus- und Umgestaltung einstiger Sprechverspartien zu C. im röm. Drama gegeben haben könnte.

→ Drama; Diverbium; Lyrik

1 G. E. Duckworth, The Nature of Roman Comedy, 1952 (²1994), 362–364, 375–380 2 W. Beare, The delivery of C. on the Roman stage, in: CR 54, 1940, 70–72 3 Ders., The Roman Stage, ³1964, 219–232 4 M. Gigante, Il papiro di Grenfell e i »C.« plautini, in: PP 2, 1947, 300–308 5 B. Gentili, Il teatro ellenistico e il teatro Romano arcaico, in: GB 8, 1979, 119–139.   H.-G.NE.

Canuleia. Nach Plutarch (Numa 10,1) eine der ersten von König Numa eingesetzten röm. Vestalinnen.

                                     K.-L.E.

Canuleius. Name einer plebeischen Gens, seit dem 5. Jh. v. Chr. belegt (Nebenform Canoleius; griech. Κανουλήϊος); ab dem 1. Jh. n. Chr. wird der Name selten (ThlL, Onom. 2,148f.).

[1] C., C., *tribunus plebis* 445 v. Chr., der ein *plebiscitum Canuleium de conubio* eingebracht haben soll, wodurch das Eheverbot zwischen Patriziern und Plebeiern aufgehoben wurde (Cic. rep. 2,63; Liv. 4,1,1–6). Da ein so gravierender Eingriff eines Volkstribuns des 5. Jh. v. Chr. in die Gesetzgebung schwer vorstellbar ist, ist die Glaubwürdigkeit des Berichtes des Livius problematisch

[1]; die Interpretation des Gesetzes und seine Bed. für die »Ständekämpfe« in Rom ist umstritten [2; 3].

1 D. Flach, Die Gesetze der frühen Republik, 1994, 230f. 2 J. Linderski, The Auspices and the Struggle of the Orders, in: W. Eder, Staat, 34–48 3 R. M. Ogilvie, A Commentary on Livy, Books 1–5, 1978, 527ff.   M.MEI.

[2] C., C., aus Capua, Legionär Caesars. Nur bekannt aus der erh. Grabinschrift (CIL X 3886).   W.W.

[3] C., L., schrieb 72 v. Chr. Briefe aus Syrakus, die → Cicero als Zeugnisse gegen → Verres dienten (Cic. Verr. 2,171; 176; 182f.).

[4] C., M., *tribunus plebis* 420 v. Chr.; nach Liv. 4,44,6f. Mitankläger des C. Sempronius Atratinus (MRR 1,70).

[5] C. Dives, L., 174 v. Chr. nach Aetolien gesandt, um dort Parteikämpfe zu schlichten (Liv. 41,25,5f.). Als *praetor* der spanischen Prov. leitete er 171 die Untersuchung gegen seine Vorgänger wegen Amtsmißbrauchs, brach sie aber abrupt ab und reiste in seine Prov., was ihn selbst verdächtig machte (Liv. 43,2,1–12). Gründer der Kolonie Carteia (Liv. 43,3,1–4).   M.MEI.

Canus. Röm. Aulet, wurde als erster Virtuose seiner Zeit gefeiert, tätig u. a. am Hofe Galbas (Mart. 10, 3; 4, 5 und Plut. Galba 16, 1; mor. 10, 786c). Philostr. (Ap. 5, 21) läßt ihn mit Apollonius von Tyana in einem Gespräch über die Spielkunst auftreten.

G. Wille, Musica Romana, 1967.   L.Z.

Canusium. Daunische Stadt in Apulia am rechten Ufer des Aufidus, an der Grenze zu den Peucetii (Cic. Att. passim; Caes. civ. 1,24,1; Hor. sat. 1,5,91f.; 2,3,168; Liv. 22 passim; 23,5,1; 27,12,7; 42,16; Mela 2,66; Plin. nat. 3,104; 8,190f.; Κανύσιον: App. civ. 1,52; 84; App. Hann. 24; 26; Cass. Dio 57; Plut. Marc. 25,3; Steph. Byz. s.v.; Κανούσιον: Plut. Marc. 9,2; Ptol. 3,1; Prok. BG 3,18,18; Canusio: Hil. 2,15; Itin. Anton. 116,3), h. Canosa (Prov. Bari). Verband ihre Entstehung mit dem Mythos des Heros → Diomedes, der hier seine Hunde zur Jagd geführt haben soll (Strab. 6,3,9; Hor. sat. a.O.; Plin. nat. 3,102; 104; Serv. Aen. 11,246). Griech. Ursprungs, bewahrte C. die Zweisprachigkeit (Hor. sat. 1,10,30). Wollverarbeitung (Plin. nat. 8,190), Stoffherstellung (Athen. 3,97e). Stadtmauer (Strab. ebd.; Val. Max. 4,8,2) und Aquädukt stiftete → Herodes Atticus (Philostr. soph. 2,1,551). Wenige griech., viele lat. Inschriften [1. 368f.]. Münzprägung seit E. des 4.Jh. v. Chr. (318) mit Silberobolen, im 3.Jh. Bronzesextanten. Eisenzeitliche Hütten, Gräber 6.–4.Jh. v. Chr., Tempel, *domus* mit Fresken aus augusteischer Zeit.

1 M. Paoletti, s. v. Canosa, BTCGI 4, 1985, 367–386 2 M. Chelotti et al. (Hrsg.), Le epigrafi romane di Canosa 1, 1985; 2, 1990 3 E. M. De Juliis, M. Falla Castelfranchi, s. v. Canosa di Puglia, EAA Suppl. 2.1, 1994, 845–848.   B.G.

Cap Bon. Die den Golf von Tunis nach Osten abschließende Halbinsel, weithin von fruchtbarem Gartenland bedeckt (Diod. 10,8,3–4; Pol. 1,29,7), war wohl bereits im 5.Jh. v.Chr. Teil der karthag. Chora und von Küstenfestungen (Aspis/→ Clupea, h. Kélibia, Ras ed-Drek [Hermaia? Strab. 17,3,16], Ras el-Fortass) geschützt. Die fast völlig ausgegrabene pun. Kleinstadt Kerkouane an der Ostküste ist beispielhaft für die Prosperität des C. B. unter karthag. Herrschaft. Hierfür waren auch die Steinbrüche bei *El Haouaria* im Norden von Bedeutung. Die Halbinsel, Schauplatz der Expeditionen des → Agathokles (310–307 v. Chr.) und des C. → Atilius Regulus (265/64 v.Chr.), trug schon in der frühen Kaiserzeit wieder mehrere Kolonien: Curubis, Clupea, Neapolis (Nabeul) und Carpis.

> M. FANTAR, L'archéologie punique au C.B.: découvertes récentes, in: RivStFen 13, 1985, 211–221 · F. RAKOB, in: MDAI(R) 91, 1984, 15 ff. · DCPP, s. v. C. B., 88 f. H.G.N.

Capellianus. Als praetorischer Statthalter Numidiens im J. 238 n.Chr. (vielleicht identisch mit dem inschr. belegten *legatus Augusti pro praetore* L. Ovinius Pudens Capella, PIR² O 189) beseitigte er mit der *legio III Augusta* den Aufstand der Gordiane (Herodian. 7,9,11; SHA Maximin. 19,20, Gord. 15–16; ILS 8499). PIR² C 404.

> K.-H. DIETZ, Senatus contra principem, 1980, 109 ff. A.B.

Capena. Stadt auf der Höhe von Civitucola, 3 km vom h. Capena entfernt, überlagert vom ma. Leprignano; Cato zufolge (fr. 48 P 2; Prisc. 4,21; 7,60) vom Gesandten des veiischen Königs Propertius gegründet. Die guten Beziehungen von C. zu Veii und Falerii, Verbündete im Krieg gegen Rom, könnten diese Gründungsgesch. stützen (Liv. 5,8,10–14; 16–19; 24). 295 v.Chr. wurde der Ort zur Kapitulation gezwungen und der *tribus Stellatina* (Liv. 6,5,8) zugeteilt; *municipium foederatum*, von Praetoren verwaltet (Plin. nat. 3,52). Material aus Nekropolen (Gräber seit 8.Jh.) belegt Kontakte mit Etruria, Latium, Umbria, Picenum und Sabinum. Kult der Feronia (Varro ling. 5,74; Strab. 5,2,9; Dion. Hal. ant. 3,32; Liv. 1,30,5). Inschr. in capenischem Dialekt: CIE II 2,1, 8449–8547. Lat. Inschr.: CIL XI 1, 3858–4080 und Add. XI 2,2, 7761–7791.

> D. B. JONES, Capenas and the Ager Capenas, in: PBSR 30, 1962, 116–207; 31, 1963, 100–158 · G. COLONNA, Studi Etrusci 44, 1976, 251 · G. GIACOMELLI, il falisco, in: AA.VV. Popoli e civiltà dell'Italia antica 6, 1978, 507–542 · S. STOPPONI, BTCGI 1985, 393–399. S.B.

Capidava. Röm. Kastell an der Donau-Uferstraße von Axiopolis nach Carsium, Moesia Inferior, h. Topalu/Constanţa in Rumänien (Tab. Peut. 7,3; Itin. Anton. 244; Geogr. Rav. 179,3; Not. dign. or. 39,4,13). Unter Traian erbaut, Mitte 3.Jh. von Goten zerstört. Im 4.Jh. wiedererrichtet, Ende 6.Jh. erneut befestigt. Spätant.

Standort der *beneficiarii consulares* und eines *cuneus* (Abteilung) *equitum Solensium*.

> GR. FLORESCU, C. I, 1958, passim · TIR L 35 Bukarest, 1969, 29 f. J.BU.

Capitale. Das Wort *c.* verwendeten die Römer, wann immer es um die → Todesstrafe (auch *poena capitis*) ging: für das Verbrechen selbst, das Strafverfahren und den Ausspruch und Vollzug der Strafe, aber auch bei Verlust der persönlichen Freiheit oder des Bürgerrechts (→ *deminutio capitis*) und insbes. beim Exil (→ *exilium*), seitdem diese in spätrepublikanischer Zeit tatsächlich an die Stelle der Todesstrafe für röm. Bürger getreten war.

> E. CANTARELLA, I supplizi capitali in Grecia e a Roma, 1991. G.S.

Capitalis quadrata s. Kapitale

Capitalis rustica s. Kapitale

Capitatio. Die Kopfsteuer der späten röm. Kaiserzeit seit Diokletian (297). Als *c. plebeia* wurde sie wohl von der städtischen Bevölkerung erhoben. Hinsichtlich der Besteuerung der Landbevölkerung ist umstritten, ob die *c.* selbständig erhoben wurde oder nur eine als Ertragsmaßstab wichtige Berechnungsgröße für die Grundsteuer (*iugatio*) war. Witwen und Waisen, Soldaten und Veteranen waren von der *c.* ganz oder teilweise befreit. → Annona; Iugum

> W. GOFFART, Caput and Colonate: Towards a History of Late Roman Taxation, 1974 · A. CÉRATI, Caractère annonaire et assiette de l'impot foncier au Bas-Empire, Diss. 1968 · MARTINO, WG, 466–478. G.S.

Capitatio-iugatio. Moderner Begriff zur Bezeichnung des Verfahrens, das im Rahmen der Steuerordnung des Diocletianus dazu diente, die auf dem landwirtschaftlich produktiven Boden und auf der ländlichen Bevölkerung sowie dem Tierbestand ruhende Steuerlast zu ermitteln. Es ließ ein relativ einheitliches Abschöpfungsverfahren an die Stelle früherer, stark differenzierter Boden- und Kopfsteuern treten. Der Begriff *c.-i.* ist aus den Begriffen *capitatio* bzw. *iugatio* abgeleitet, die ihrerseits auf die verwendeten Maßeinheiten, das *caput* bzw. *iugum* zurückzuführen sind. Diese Einheiten entsprachen allerdings nicht einer bestimmten Fläche oder Zahl von Personen, sondern bezeichneten fiktive Größen, in denen die unterschiedliche Belastbarkeit von Boden, Menschen und Tieren erfaßt wurde.

Dem abstrakten Berechnungsprinzip entspricht es wohl auch, daß in manchen Steuerbezirken zu bestimmten Zeiten eine aus Boden- und Personalelementen vereinheitlichte Steuerpflicht begegnet. In einigen Gegenden des Reiches wurden weiterhin ältere Landmessungstermini angewandt; so blieb in Ägypten das übliche Maß die Arure (*aruratio*), in Italien die *millena* und in Afrika die *centuria*; in einzelnen Regionen ist nur einer der beiden Begriffe belegt, so etwa in Gallien eine vom Bodenbesitz ausgehende *capitatio*, in Syrien die *iugatio*. Aufgrund des Syr.-Röm. Rechtsbuchs (FIRA II 795 f., §121) kann als gesichert gelten, daß der fiskalische Wert eines Gutes durch *censitores* ermittelt wurde; dabei wurden die Bodenqualität (in Syrien in drei Stufen) und die Art der Nutzung berücksichtigt. Ebenso scheint sicher, daß der fiskalischen Einheit *caput* urspr. ein Mensch (Mann oder Frau) im steuerpflichtigen Alter von 14/12–65 Jahren entsprach, während später zwei oder drei Männer bzw. vier Frauen als ein *caput* eingeschätzt wurden (Cod. Theod. 13,11,2 = Cod. Iust. 11,48,10 vom J. 386). Im Osten wurde 311 bzw. 313 (Cod. Theod. 13,10,2; vgl. 33,12) eigens statuiert, daß die nicht agrarisch produktive *plebs urbana* der *capitatio* nicht unterliegt.

Die Einziehung der Steuern erfolgte unter Verantwortung der lokalen Kurien durch *exactores* oder *susceptores* in viermonatlichem Fälligkeitsrhythmus, doch kamen gelegentlich auch *officiales* der Zentralverwaltung zum Einsatz (Cod. Theod. 12,6,5), bis schließlich für einzelne Dörfer oder Güter in Besitz von Oberschichtsangehörigen die direkte Steuerzahlung erlaubt wurde.

1 Armées et fiscalité dans le monde antique (Colloques nationaux du CNRS 936), 1977 **2** R. S. Bagnall, Egypt in Late Antiquity, 1993 **3** A. Cérati, Caractère annonaire et assiette de l'impôt foncier au Bas-Empire, 1975 **4** Duncan-Jones, Structure **5** R. Duncan-Jones, Money and Government in the Roman Empire, 1994 **6** J. Durliat, Les finances publiques de Dioclétien aux Carolingiens (284–889), 1990 **7** Ders., Les rentiers de l'impôt, 1993 **8** W. Goffart, Caput and Colonate, 1974 **9** Jones, LRE 63–65, 453–455, 820 **10** Jones, Economy, 280–292, 228–256 **11** J. Karayannopulos, Das Finanzwesen des frühbyz. Staates, 1958, 28–43 **12** J. Martin, Spätant. und Völkerwanderung, ³1995 **13** L. Neesen, Unt. zu den direkten Staatsabgaben der röm. Kaiserzeit, 1980 **14** O. Seeck s. v., Capitatio, RE 3, 1513–1521 **15** F. Tinnefeld, Die frühbyz. Ges., 1977. E. P.

Capite censi. Wörtlich übersetzt »die nach ihren Köpfen Geschätzten«, meint aber »die *nur* nach Köpfen Geschätzten«, also die von der Steuer Befreiten, weil sie unterhalb des Minimalcensus liegen. Die alternative Bezeichnung für sie ist *proletarii* (Cic. rep. 2,22,40). Diese Gruppe ist zu unterscheiden von der niedrigsten, die *c.c.* einschließende, Schätzklasse *infra classem* (in älterer republikanischer Zeit unter zwei *iugera* Landbesitz oder 11000 *asses*, wohl seit Ende des 2. Jh. v. Chr. 4000 *asses*), der die Beschaffung einer Rüstung für den Militärdienst nicht zugemutet wurde und die in den → *comitia centuriata* an letzter Stelle abstimmen sollte (Dion. Hal. ant. 4,17 ff.).

→ Centuria; Census

F. F. Abbott, A History and Description of Roman Political Institutions, ³1963, 20 f., 54 f., 74 f. · Mommsen, Staatsrecht 3, 237. C. G.

Capitis deminutio s. Deminutio capitis

Capitium. Ortschaft in den Monti Nebrodi auf Sizilien, 1139 m hoch gelegen, h. Capizzi (Cic. Verr. 3,4,103; Ptol. 3,4,7: *Capitina civitas*). Evtl. einzufügen in die delphische Theorodokenliste (4,112); CIL X 2, 7462.

R. C. Wilson, Sicily under the Roman Empire, 1990, 149 · s. v. Capizzi, BTCGI 4, 1985, 400–402 · G. Manganaro, Alla ricerca di poleis mikrai della Sicilia centro-orientale, in: Orbis Terrarum 2, 1996, 136 Anm. 47. GI. MA.

Capito. Röm. *cognomen*; s. auch Ateius, Fonteius.
[1] Rhetor der augusteischen Zeit, von → Seneca d. Ä. dafür gelobt, daß er die Anforderungen von Deklamationen und von Gerichtsreden im Gegensatz zu → Cassius [III 2] Severus hinsichtlich Ton und Ausführung genau zu trennen wußte. Nach Senecas Urteil war er mit seinen besten Reden der Tetrade der großen Deklamatoren → Latro, → Fuscus, → Albucius, → Gallio keineswegs unterlegen (contr. 10, pr. 12, vgl. 7,2,5; 9,2,9). Vielleicht identisch mit Q. Hostius Capito (CIL XIV 4201). C. W.
[2] Angeblich als Praetorianerpraefekt Adressat des ersten, wohl von den Scriptores der → Historia Augusta erfundenen Briefes des neuen Kaisers Probus im J. 276 (SHA Prob. 10,6–7). PLRE 1, 180. A. B.

Capitolinus. Röm. Cognomen, wohl urspr. zur Bezeichnung des Wohnsitzes des Trägers bzw. seiner Familie. Für die frührepublikanische Zeit ist es überliefert für die Familien der Maelii, Quinctii und Tarpei, prominent bei den Manlii; in der Kaiserzeit weit verbreitet.

ThLL, Onom. 166 f. · Kajanto, Cognomina, 183 · H. Gundel, s. v. Quinctii Capitolini, RE 24, 1010. K.-L. E.

Capitolium (Kapitol). Hügel in Rom, bestehend aus C. genannter Kuppe im Süden (46 m) und der Arx im Norden (49 m), verbunden durch die Senke des *asylum*. Bis zur Errichtung des Trajansforums war das C. der SW-Ausläufer des Quirinals und mit diesem durch einen Sattel verbunden. Seit archa. Zeit mußten hier wegen ungünstiger geologischer Verhältnisse Bauten sehr tief fundamentiert werden; hinzu kamen seit der Ant. Erdrutsche, die Terrassierungen des 15. und 16. Jh. sowie erhebliche Eingriffe, die bis in den Straßenbau der Neuzeit reichen. Im gesamten Bereich ist deshalb mit gestörten ant. Fundschichten zu rechnen; eine Stratigraphie ist nur bis ins 8. Jh. n. Chr. zurückverfolgbar.

Als ältester Tempel galt der des Jupiter Feretrius, den → Romulus bei Darbringung der *spolia opima* gegründet hatte (Liv. 1,10,7). Auf der südl. Kuppe stand der bedeutendste Tempel der röm. Staatsreligion, der der kapitolinischen Trias → Jupiter, → Iuno und → Minerva, Vorbild für viele Kapitolstempel im röm. Reich. Er wurde 509 v. Chr. geweiht, im angeblich ersten Jahr der Republik (Liv. 1,38,7; 2,8,6; Tac. hist. 3,72,2), und ersetzte das Heiligtum des latinischen Bundes auf dem *mons Albanus*, was Rom zum sakralen Mittelpunkt des

Bündnisses werden ließ. Der Tempel war Zentrum pol.-rel. Zeremonien: Hier traten die neuen Konsuln ihr Amt an und hielten ihre erste Senatssitzung ab, hier opferten die Feldherrn vor ihrem Auszug und legten Gelübde ab; hier endete der Triumph, bei dem der Triumphator die Tracht des Jupiterbildes getragen haben soll. Erh. sind Mauerreste der Substruktionen, teilweise im Unterbau des Museo Nuovo Capitolino (Piazzale Caffarelli; Via del Tempio di Giove). Mit 63 × 53 m war er der größte bislang bekannte Tempel tuskanischer Ordnung; den First schmückte ein Viergespann aus Terrakotta, das 296 v. Chr. durch eine Bronzequadriga ersetzt wurde. Seit 193 v. Chr. hingen am Giebel vergoldete → clipei (Liv. 35,10,12). Die Cella zierte seit dem 3. Pun. Krieg ein Marmorboden (Plin. nat. 36,185), die Kassettendecke seit 142 v. Chr. eine Vergoldung (Plin. nat. 33,57). Der Tempel wurde in den Bränden 83 v. Chr., 69 n. Chr. und 80 n. Chr. (Cic. Catil. 3,4,9; Sall. Catil. 47,2; Tac. hist. 3,72) jeweils zerstört und danach wieder neu aufgebaut. Sulla verwendete dabei Säulen vom Olympieion in Athen (Plin. nat. 36,6); die neue Kultstatue schuf der griech. Bildhauer Apollonios.

Die vielen Tempel, Heiligtümer, Siegeszeichen und Statuen, die der Überlieferung nach hier neben dem Kapitolstempel gestanden haben (darunter die Tempel für Fides, Mars Ultor und Jupiter Tonans, ferner wohl auch das Haus des Romulus, vgl. Liv. 1,21,4; Dion. Hal. ant. 2,75,3), sind lit. oder durch Münzbilder bezeugt, wegen der Geländerutsche aber nicht erhalten. Am Eingang der Area Capitolina auf dem → Clivus Capitolinus ließ Scipio Africanus 190 v. Chr. einen der frühesten Bögen errichten (→ Triumphbogen; vgl. Liv. 33,27).

In der Senke zwischen Capitolium und Arx stehen die am besten erh. Gebäude. Das Tabularium, in dem das Staatsarchiv untergebracht war, beherrscht mit seiner Fassade noch heute das Forum (83 v. Chr. von Q. Lutatius Catulus wieder aufgebaut). Die Fassade der Substruktionen ist neuartig als Arkadenreihe (dorische Halbsäulen mit Metopen-Triglyphenfries darüber) gegliedert. Im SW des Tabularium stand der Tempel des Veiovis (192 v. Chr. geweiht, um 150 v. Chr. erstmals restauriert); zusammen mit dem Tabularium wurde er nach dem Brand 83 v. Chr. neu errichtet (78 v. Chr.). Reparaturen stammen wahrscheinlich aus domitianischer Zeit nach dem Brand von 80 n. Chr.

Zentrum der Arx war der Tempel der Iuno Moneta, heute von S. Maria in Aracoeli überlagert. Nahebei entstand später die röm. Münzprägestelle. Außer dem auguraculum (Liv. 1,18,6) soll hier in myth. Frühzeit das Haus des Titus Taius (Plut. Romulus 20,5) gelegen haben. Dies hat insoweit reale Entsprechungen, als hier neben den offiziellen Bauten immer wieder auch Reste von privaten Wohnstätten gefunden wurden. Unterhalb der Treppe zur Piazza di Campidoglio ist seit der Sanierung des Kapitols 1931–1942 eine mindestens vierstökkige insula nachgewiesen.

G. Tagliamonte, C. Reusser, in: LTUR 1, 226–233 • Richardson, 68–70.   R. F.

Capitulum s. Säule

Cappadocia. Röm. Prov. im mittleren und östl. Kleinasien mit der Hauptstadt Kaisareia [3]. Nach dem Tod → Archealos' [7] I. erfolgte 17 n. Chr. die Annexion des Königreichs → Kappadokia, die Q. Veranius, Legat des Germanicus, 18/19 n. Chr. durchführte (Tac. ann. 2,42,4). Die Prov. mit Auxiliargarnison wurde von einem *procurator* verwaltet (Tac. ann. 12,49; Cass. Dio 57,17,7); unter Cn. Domitius Corbulo (55–61 und 63–65/66) und L. Iunius Caesennius Paetus (61–63) wurde sie mit → Galatia vereinigt. 70/71 wurde die *Legio XII Fulminata* nach Melitene verlegt (Ios. bell. Iud. 7,18). 71/72 erfolgte die Annexion von Armenia Minor [4. 144 ff.]. Für das J. 76 ist Cn. Pompeius Collega, der als Prätorier 69–70 Syria verwaltet hatte, als erster konsularischer (anders [1]) Legat des vereinigten Prov.-Komplexes C.-Galatia bezeugt. Eine Vereinigung von C.-Galatia schon 70/71, welche die Eingliederung von Armenia Minor bedingt hätte, ist denkbar, zumal für die J. 70–75 rege Truppenbewegungen anzunehmen sind. 75/76 erhielt M. Hirrius Fronto Neratius Pansa in → Armenia und Iberia ein Sonderkommando gegen die → Alanoi ([1], abzulehnen [2]), die *Legio XVI Flavia Firma* wurde in Satala stationiert.

113 wurde eine Teilung des Prov.-Komplexes unter M. Iunius Homullus vorgenommen (111/12–113/14); Pontus Galaticus und Polemoniacus wurden als Prov. organisiert [8]. 114–117 war L. Catilius Severus Legat von C., Armenia und Armenia Minor. 117/18 erfolgte die Reorganisation der Prov. C. mit Armenia Minor und beiden pontischen Distrikten. 161 Niederlage des Legaten M. Sedatius Severianus bei Elegeia. Das östl. Galatia mit Tavium wurde vor 226/229 bis 250 an C. angeschlossen. Pontus Galaticus, erweitert um Sinope, Amisos und Neoclaudiopolis (→ Bithynia et Pontus), ca. 230?/235 als Prov. Pontus (auch Pontus et Paphlagonia, nach 305/06 Diospontus, 328 Helenopontus) unter ritterlichen *praesides*, wurde von C. getrennt. Ca. 256 kam es zu einem pers. Vorstoß nach Satala, 260 zur Invasion und Einnahme von Kaisareia, Tyana, Komana, Kybistra und Sebasteia [4; 7. 229]. 275/76 Goteneinfall. Vermutlich im späten 3. Jh. erfolgte die Abtrennung von Pontus Polemoniacus sowie Armenia Minor mit Sebasteia (298?), jeweils als Provinz. 386 wurde der östl. Teil von C. als Armenia II (Melitene, → Arabissos, → Ariaratheia, → Arka, Komana) eingerichtet. 371/72 erfolgte eine Teilung der Prov. in C. I (Kaisareia) und C. II (Tyana). 404/06 Einfälle der Isauroi. 325 nahmen der Metropolit von Kaisareia, die Bischöfe von Tyana, Koloneia/Archelais, Kybistra, Komana, Parnassos und vier Chorepiskopoi am Konzil von Nikaia teil. Im 4. Jh. war C. ein Kerngebiet des Christentums (Basil., Greg. Naz., Greg. Nyss.). Kaisareia war 288–374 Mutterkirche Armeniens.

→ Kappadokia

1 H. HALFMANN, Die Alanen und die röm. Ostpolitik unter
Vespasian, in: AE 8, 1986, 39–51 (jetzt in: Stud. zum ant.
Kleinasien, Asia Minor Stud. 3, 1991, 41–43) 2 M. HEIL, M.
Hirrius Fronto Neratius Pansa legatus exercitus Africae, in:
Chiron 19, 1989, 165–184 3 HILD/RESTLE
4 E. KETTENHOFEN, Die röm.-pers. Kriege des 3. Jh., 1982
5 W. LESCHHORN, Ant. Ären, 1993 6 K. STROBEL, Die
Donaukriege Domitians, 1989, 128–130 7 Ders., Das
Imperium Romanum im »3. Jh.«, 1993 8 Ders., Die Galater.
Unt. zur Gesch. und Geogr. Kleinasiens II, 1997.

B. GAIN, L'église de C. au IVᵉ siècle, 1981 • B. LE
GUEN-POLLET, O. PELON, La C. méridionale jusqu'à la fin
de l'époque romaine, 1991 • G. DE JERPHANION, Les églises
rupestres de Cappadoce, 1925–42 • JONES, Cities,
174–190 • E. KIRSTEN, s. v. C., RAC 2, 866–891 •
MITCHELL I 118 ff.; II 38, 63 ff., 151–163 • A. J. WHARTIN,
s. v. C., ODB 1, 378–380 • B. RÉMY, L'évolution
administrative de l'Anatolie aux trois premiers siècles, 1986
(vgl. Rez. S. MITCHELL, in: CR 38, 1988, 437 f.) • Ders., Les
carrières sénatoriales dans les provinces romaines d'Anatolie
au Haut-Empire, 1989, 177–276 (vgl. Rez. W. AMELING, in:
Gnomon 67, 1995, 697) • R. TEJA, Die röm. Prov.
Kappadokia in der Prinzipatszeit, ANRW II 7.2, 1980,
1083–1124.   K. ST.

Capra s. Sternbilder

Caprasia.
Etr. Insel zw. Populonia und → Corsica
(Capraria, Αἰγίλιον, Plin. nat. 3,81), h. Capraia, Prov.
Livorno. Grandiose röm. *villa* bei Assunta, im 5. Jh. von
Mönchen bewohnt (Rut. Nam. 1,439; Oros. 7,36,5;
Aug. epist. 48).

A. RIPARBELLI, Aegilon, 1973 • BTCGI 4, 443–445.   G. U.

Capratina s. Caprotina

Capratinae (Nonae).
Stadtröm. Fest vom 7. Juli (*No-
nae*), das durch ein Opfer der Frauen (Varro ling. 6,18),
ein Festmahl unter einem wilden Feigenbaum und
durch Hervortreten der Sklavinnen in Heischeumzügen
und Scheinkämpfen als saturnalienartiges Fest der rituellen Verkehrung gekennzeichnet war (Plut. Camillus
33; Romulus 29,9; Macr. Sat. 1,11,36–40) [1]. Die Ai-
tien bei Plutarch und Macrobius verbinden das Fest mit
einem Angriff der Latinerstädte unmittelbar nach Abzug der Gallier, bei dem sie die Frauen und Töchter der
Römer gefordert hätten oder mit Romulus' Verschwinden am »Ziegensumpf«; auch die → Poplifugia
vom 5. Juli werden in die Aitiologie eingebunden (Plut.
Camillus 33,7) [2. 104 f.]. Der Name C. ist inschr. gesichert (*Caprotinae* wohl Varros Etymologisierung, vgl.
[1. 77]) und wird in den lit. Quellen mit dem im Ritual
wichtigen *caprificus* (»wilder Feigenbaum«) verbunden,
dessen Milch und Zweige rituell benutzt werden (oder
mit *capra*, »Ziege«). Nur bei Varro mit Iuno Caprotina
verbunden, die mit dem Fest sonst nichts zu tun hat.
→ Saturnailia

1 J. N. BREMMER, Myth and ritual in ancient Rome. The
Nonae C., in: Ders., N. HORSFALL (Hrsg.), Roman Myth
and Mythography 1987, 76–88 2 J. VON UNGERN-
STERNBERG, Romulus-Bilder: Die Begründung der
Republik im Mythos, in: F. GRAF (Hrsg.), Mythos in
mythenloser Gesellschaft. Das Paradigma Roms, 1993,
88–108.   F. G.

Capreae.
Insel vor der Küste von Campania im Süden
des Golfs von Neapel (h. Capri). Frühe griech. Besiedlung bei Verg. Aen. 7,735 legendär verknüpft mit
→ Telon und den → Teleboai: Serv. Aen. 7,735; Tac.
ann. 4,67. Die beiden Siedlungszentren (h. Capri, Ana-
capri) wurden von den Griechen durch eine z. T. noch
begehbare Treppe (Scala Fenicia) verbunden. 29 v. Chr.
erwarb Augustus C. von Neapolis im Tausch gegen Ae-
naria (→ Pithekusa; Suet. Aug. 92; Cass. Dio 52,43).
26–37 n. Chr. Regierungssitz und Refugium des Kaisers
Tiberius (Suet. Tib. 40; Tac. ann. 4,67). Eine der von
Tiberius erbauten 12 Villen (Tac. ebd.) ist evtl. zu identifizieren mit der aufgrund Suet. Tib. 65 als Villa Iovis
bezeichneten Anlage an der Ost-Spitze von C. Reste
weiterer frühkaiserzeitlicher Anlagen an der NW-Spitze
(Villa Damecuta) und westl. des Hafens Marina Grande
(Bagni di Tiberio); zahlreiche, von den Römern als
Nymphäen verwendete Grotten (Grotta di Matroma-
nia, Grotta Azzurra). Wenige Nachrichten aus nachti-
berianischer Zeit (C. als Verbannungsort: Cass. Dio
73,4,6).

A. MAIURI, Capri in prehistoric times and in classical
antiquity, 1959.   H. SO.

Capricornus s. Sternbilder

Capsa.
Oasenstadt im Süden Tunesiens, h. Gafsa. Sicher war C. (trotz Oros. 5,15,8; vgl. Sall. Iug. 89,4) nie
phönizisch. Fraglich, ob sie je karthagisch war. Spätestens seit numidischer Zeit war sie ein wichtiger Straßenknotenpunkt – sie lag u. a. an der Straße, die von
Theveste nach Takape führte (Sall. Iug. 89,4 f.) Marius
hat C. im Iugurthinischen Krieg 106 v. Chr. erobert und
zerstört (Sall. Iug. 91,3; Strab. 17,3,12). In der Kaiserzeit
wurde C. wieder aufgebaut und erhielt eine sufetale (!)
Verfassung: CIL VIII Suppl. 4, 22796. Wohl noch unter
Traianus (98–117 n. Chr.) wurde C. → *municipium* (CIL
VIII 1, 98), schließlich *colonia* (Tab. Peut. 5,1). Inschr.:
CIL VIII 1, 97–150; Suppl. 1, 11228–11246; Suppl. 4,
23169–23172; Inscr. latines de la Tunisie 290–298.
→ Sufeten

C. LEPELLEY, Les cités de l'Afrique romaine 2, 1981, 281 f. •
P. TROUSSET, s. v. C., EB, 1757–1760.   W. HU.

Captatio benevolentiae.
Unter den rhet. Mitteln, de-
ren Einsatz notwendig ist, um zu überreden und zu
überzeugen, ist die *c. b.* eines der wirksamsten. Cicero
sieht sie für eine der Säulen an, auf denen das gesamte
Gebäude der Redekunst ruht (de orat. 2,115). Es geht
um eine maßvolle Hervorrufung von Gefühlen, die vor
allem auf die ethischen Qualitäten des Redners und seines *cliens* abhebt (ebd. 182 ff.; orat. 128) und auf eine
lenitas orationis zurückgreift (Cic. de orat. 2,128 f.), die

sich sowohl in der *elocutio* wie in der *actio* zeigt und somit die gesamte Tätigkeit des Redners prägt (ebd. 184). Vor allem der Einleitung einer Rede kommt die bes. Aufgabe zu, den Zuhörer nicht nur zu informieren und seine Aufmerksamkeit zu erregen, sondern ihn auch wohlwollend zu stimmen (Rhet. Her. 1,6; 11; Cic. inv. 1,20; de orat. 2,322; Quint. inst. 4,1,5). Dieses Wohlwollen ist das notwendige Gegenstück zu dem Bemühen des Redners, negative Gefühle in Hinblick auf den Gegner hervorzurufen (Aristot. rhet. 1415a 34f.; Cic. inv. 1,22). Je nach Art der verschiedenen *genera causarum* erfolgt die *c. b.* in der Einleitung entweder in ausdrücklicher Form oder durch *insinuatio* (Cic. inv. 1,21); im Epilog tritt sie zumeist in Form der *miseratio* (ἔλεος) auf, d. h. mit einer energisch betriebenen Hervorrufung von Gefühlen, die der Redner durch den Einsatz besonderer *loci communes* zu erregen suchte (Cic. inv. 1,100ff.).

L. CALBOLI MONTEFUSCO, Exordium, Narratio, Epilogus, 1988 · Dies., Aristotle and Cicero on the officia oratoris, in: W. W. FORTENBAUGH, D. MIRHADY (Hrsg.), Peripatetic Rhetoric after Aristotle, 1994, 65–94 · E. FANTHAM, Ciceronian conciliare and Aristotelian Ethos, in: Phoenix 27, 1973, 262–275 · W. W. FORTENBAUGH, Benevolentiam conciliare and animos permovere, in: Rhetorica 6, 1988, 259–273 · DERS., Aristotle on Persuasion through Character, ebd., 10, 1992, 207–244 · J. WISSE, Ethos and Pathos from Aristotle to Cicero, 1989.   L. C. M./ A. WI.

Captivitas s. Kriegsgefangene

Capua A. GRÜNDUNGSPHASE
B. SAMNITISCHE PHASE UND RÖMISCHE REPUBLIK
C. RÖMISCHE KAISERZEIT   D. BAUBESTAND
E. DIANA TIFATINA   F. WIRTSCHAFT

A. GRÜNDUNGSPHASE

Binnenstadt in Campania, h. Santa Maria Capua Vetere; die h. Stadt Capua entspricht → Casilinum. Nach der lit. Überlieferung gegr. zusammen mit Nola 800 v. Chr. (Vell. 1,7,3f. gegen Cato mit dem Gründungsdatum 471 v. Chr.); nach Liv. 4,37,1 wurde C. 424 von Etruskern gegründet. Der arch. Befund: Die urspr. osk. Siedlung wurde von den Etruskern in der 2. H. des 6. Jh. umgestaltet in eine Stadt mit regelmäßiger Struktur, gegliedert in zwei Quartiere (Albana und Seplasia für Osker bzw. Etrusker). Die etr. Hegemonie endete mit der Vereinigung der campanischen Bevölkerung 438 v. Chr. (Diod. 12,31).

B. SAMNITISCHE PHASE UND RÖMISCHE REPUBLIK

Die Samniten eroberten C. 424 v. Chr. (Liv. 4,37,1). In den röm. Einflußbereich trat C. mit der Erlangung der *civitas sine suffragio* 338 v. Chr. (Liv. 8,14,10; Vell. 1,14,3). 314 Niederschlagung einer Revolte gegen Rom. 312 Bau der *via Appia* (Roma – Capua). Im 2. Pun. Krieg nach Cannae (216) war C. mit Hannibal verbündet (Liv. 23,7), dessen Truppen im Winterlager von C. demoralisiert wurden (Liv. 23,18; Strab. 5,4,12;

Diod. 26,14). Zurückerobert von den Römern 211 (Liv. 26,11; App. Hann. 43), wurde C. mit Auflösung des Gemeinwesens, Hinrichtung der Senatoren, Verteilung der Bevölkerung auf *pagi* (CIL X p. 367) bestraft, einem *praefectus Capuam Cumas* unterstellt (Liv. 26,16; Cic. leg. agr. 1,19; 2,88; Vell. 2,44), der *ager Campanus* als *ager publicus* enteignet. Röm. *colonia* wurde C. zeitweise 83 und 59/58 v. Chr., endgültig unter Caesar (Vell. 2,44; Suet. Caes. 20; App. civ. 2,10), erneut 43 unter Antonius (Cic. Phil. 2,39f.) und 36 unter dem nachmaligen Augustus (Vell. 2,81; Cass. Dio 49,14).

C. RÖMISCHE KAISERZEIT

Mit dem Bau der *via Domitia* 91 n. Chr. wurde C. von den großen Handelsrouten abgeschnitten, da diese bei Sinuessa von der *via Appia* abzweigte und direkt nach Cumae und Puteoli führte. Das Christentum verbreitete sich in C. auf Initiative des Paulus schnell. Noch im 4. Jh. rechnete Ausonius (urb. 8) C. als die achte Stadt im Reich. Constantin d.Gr. erhob C. zum Amtssitz des *consularis Campaniae* und ließ eine *basilica apostolorum* erbauen (nachgewiesen in der Chiesa di San Pietro). 456 von den Vandalen unter Geiserich zerstört (Paulus Diaconus, hist. Romana 14,17), stand C. im 6. Jh. n. Chr. wieder in Blüte (vgl. Prok. BG 1,14). Von den Sarazenen 841 zerstört, wurde C. 856 vom Bischof Landulf an der Stelle von Casilinum am Fuß des Volturnus beim h. Triflisco wiedererbaut (Kostantinos Porphyrogennetos, de administrando imperii 27).

D. BAUBESTAND

C. war nach arch. Befund seit dem 9. Jh. v. Chr. bis ins 9. Jh. n. Chr. besiedelt. Aus der samnitischen Phase der Stadtentwicklung lassen sich nur wenige Siedlungsspuren nachweisen, z. B. bemalte Grabanlagen aus der 2. H. 4., Anf. 3. Jh. v. Chr. oder das Heiligtum von Fondo Patturrelli im Osten vor der Stadt; osk. Inschr., Keramik wie z. B. die *matres Matutae*. Capitolium mit Iuppiter-Tempel, unter Tiberius errichtet (Suet. Tib. 40; Tac. ann. 4,57, nachgewiesen zw. Theater und Chiesa di Sant'Erasmo), Amphitheater (2. Jh. n. Chr.), nach dem Colosseum in Rom das zweitgrößte im Reich; ein Amphitheater aus dem 2./1. Jh. v. Chr. nachgewiesen bei der Gladiatorenschule (vgl. Strab. 5,4,12), Theater (2. Jh. v. Chr.), Mithraeum (mit Wandmalereien, 2. Jh. n. Chr.), Cryptoporticus, Nekropolen jeder Epoche, röm. Mausoleen (an der *via Appia*), *catabulum* für die Circus-Tiere (aus frühchristl. Zeit), Stadtmauer (um ein Areal von ca. 2 km²) z.T. erkennbar. Das orthogonale Straßensystem entspricht nur teilweise dem h. Straßennetz; die *via Appia* verlief wie einer der *decumani* (Überreste eines Ehrenbogens, »Porta di Adriano«).

E. DIANA TIFATINA

3,5 Meilen nordöstl. von C. am Fuß des Tifata befindet sich das Heiligtum des Diana Tifatina (unter der Chiesa di Sant'Angelo in Formis); der Kult war mit dem troianischen Helden Kapys verbunden, dem legendären eponymen Gründer von C. (Hekat. FGrH 1 F 63; Dion. Hal. ant. 1,73; Serv. Aen. 10,145; Sil. 13,115–137). Man zeigte dort einen Becher des Nestor (Athen. 11,466e;

489b) und den Schädel eines Elephanten vom Feldzug des Hannibal (Paus. 5,12,3). Sulla hat nach seinem Sieg am Tifata über Norbanus 83 v. Chr. dem Heiligtum viel Land mit zahlreichen Heilquellen geschenkt (Vell. 2,25,4). Auf einer in der Cella verwahrten Bronzetafel war der Umfang des neuen Landbesitzes verzeichnet; vgl. dazu Grenzsteine mit der Aufschrift *fines agrorum dicatorum Dianae Tifat(inae) a Cornelio Sulla ex forma Divi Augusti*. Das Heiligtum wurde von *magistri fani Dianae* (CIL X 3918; 3924) verwaltet; bezeugt sind auch *pr(aefecti)* oder *pr(aetores) iure dicundo montis Dianae Tifatinae* (CIL X 4564). In der Kaiserzeit verbreitete sich der Kult in den Prov. (vgl. CIL XII 1705; aus La Pègne im Gebiet der gallischen Vocontii und [1. 443 nr. 140] aus Intercisa in Pannonia).

F. Wirtschaft

Die wirtschaftliche Blüte von C. (vgl. Flor. 1,11: *caput mundi*) war Grundlage für eine reiche kunstgewerbliche Produktion: Keramik, Architekturterrakotta, Tonvasen seit dem 7. Jh. v. Chr. (*bucchero campano*) bis in röm. Zeit (schwarzer Firnis, Schablonen-Dekoration). Schon in ant. Zeit berühmt war die Br.-Fabrikation aus C. (vgl. Cato agr. 135,2), Raubgut in Gräbern der caesarischen Kolonen (Suet. Caes. 81). Bed. war die Parfumindustrie, die Seplasia, den Namen des Forums von C., berühmt gemacht hat (Plin. nat. 18,111).

1 A. Adriani, Cataloghi illustrati del Museo Campano 1, 1939.

C. Albore Livadie, s. v. C., EAA Suppl. 2, 875–879 · F. Alvino, L' Anfiteatro campano ristaurato e illustrato, 1833 · M. Bedello, C. preromana, 1975 · K. J. Beloch, Campanien, ²1890, 295–360 · M. Bonghi Jovino, Capua preromana. Catalogo del Museo Provinciale Campano 1, 1965 · Dies., La coroplastica capuana dalla guerra latina alla guerra annibalica, in: Artigiani e botteghe nell'Italia preromana, 1990, 65–96 · Dies., Capua preromana 2, 1971 · Dies., s. v. C., BTCGI 4, 455–476 · F. Castagnoli, Ippodamo di Mileto e l'urbanistica a pianta ortogonale, 1956, 44 ff. · L. Cerchiai, I Campani, 1995 · O. Della Torre, S. Ciaghi, Terrecotte figurate ed architettoniche nel Museo Nazionale di Napoli 1, 1980 · G. Devoto, Antichi Italici, ³1967 · A. de Franciscis, Nuove chiavi d'arco dell'Anfiteatro Campano, in: BA 35, 1950, 153–155 · Ders., Osservazioni sul disegno d'arco dell'Anfiteatro Campano in S. Maria Capua Vetere, in: RAL 14, 1959, 399–402 · Ders., s. v. C., EAA 2, 335–336 · Ders., Abbozzi per la decorazione dell'Anfiteatro Campano di S. Maria Capua Vetere, in: Numismatica e Antichità Classiche 12, 1983, 171–176 · Ders., C. nova e C. antiqua per i viaggiatori del' 600, in: Capys 10, 1976/77, 53–55 · Ders., R. Pane, Mausolei romani in Campania, 1957 · Ders., Templum Dianae Tifatinae, 1989 · J. Heurgon, Recherches sur l'histoire, la religion et la civilisation de Capoue préromaine, 1942 · W. Johannowsky, s. v. C., EAA Suppl. 1, 180–182 · Ders., C. antica, 1989 · Ders., Materiali arcaici dalla Campania, 1983, 7–208 · H. Koch, Hell. Architekturstücke in C., in: MDAI(R) 22, 1907, 381 ff. · Ders., Studien zu den kampanischen Dachterrakotten, in: MDAI(R) 30, 1915, 1 ff. · E. Lepore, Origini e strutture della Campania antica, 1989 · F. Parise

Badoni, C. preromana, 1968 · J. Vermaseren, The Mithraeum at S. Maria Capua Vetere, 1971 · F. Weege, Osk. Grabmalerei, in: JDAI 24, 1909, 99 ff.   U. PA.

Caput Oli. Nach röm. Tradition Kopf (*caput*) des etr. Heros Aulus Vibenna (*olus*), anläßlich der Grundsteinlegung des röm. Jupitertempels im 6. Jh. v. Chr. entdeckt und dabei die Größe Roms voraussagend (Liv. 1,55,5; 5,54,7; Arnob. 6,7; Serv. Aen. 8,345). Die Historizität des Aulus Vibenna aus Vulci durch etr. und lat. Inschr. und Grabmalerei belegt.

A. Alföldi, Das frühe Rom und die Latiner, 1977, 200–204 mit Anm. 162 · M. Pallottino, in: F. Buranelli (Hrsg.), La Tomba François di Vulci, 1987, 225–233.   F. PR.

Caracalla (Spitzname nach seinem kelt. Gewand; urspr. hieß er Bassianus, Cass. Dio 78,9,3) = M. Aurelius Antoninus Caesar (seit 195, ILS 8805; RIU 3,840) = M. Aurelius Severus Antoninus Augustus (seit 198, vgl. [1]). Geb. am 4. April 188 als erster Sohn des Septimius Severus und der Iulia Domna in Lyon (Cass. Dio 78,6,5; vgl. 77,10,2; [Aur. Vict.] epit. Caes. 21,1; SHA Sept. Sev. 3,9; abweichende Angaben in anderen Stellen). Ab Mitte 193 bis 196 mit dem Vater im Osten, im J. 195 erhielt er unter dem Namen M. Aurelius Antoninus die Caesarwürde. 196 kehrte er über Pannonien (ILS 1143) nach Rom zurück, wo er die *insignia imperatoria* vom Senat erhielt (SHA Sept. Sev. 14,3). Im Sommer 197 begleitete er seinen Vater auf dessen zweitem Partherfeldzug und wurde nach der Einnahme Ctesiphons zum Augustus erhoben (28. Januar 198 [1]) und bald Parthicus maximus [2. 119]. Angeblich siegte er über die aufständischen Juden (SHA Sept. Sev. 16,7, wohl erfunden). Nach dem kaiserlichen Besuch in Ägypten 199–200 [3. 135 ff.] amtierte er als *cos. I ord.* 202 mit seinem Vater in Antiochia (SHA Sept. Sev. 16,8), wo er dieser Stadt die Wiederherstellung ihrer alten Rechte vermittelte (SHA Carac. 1,7). Er mußte nach der Rückkehr in Rom gegen seinen Willen Plautianus' Tochter Fulvia Plautilla heiraten (Cass. Dio 76,1 f.; Herodian. 3,10,8). Den Plautianus ließ C. Anfang 205 ermorden (Cass. Dio 76,2–5,2), die Plautilla nach Lipara verbannen (76,6,3). *Cos. II* 205 mit seinem Bruder Geta (*cos. I*), auf den der Haß des C. sich immer mehr verschärfte (Cass. Dio 76,7,1 f.; Herodian. 3,10,3 f.); *cos. III* 208, wieder mit Geta (*cos. II*) als Kollegen, begleitete er den Vater nach Britannien (Cass. Dio 76,11,1 ff.; Herodian. 3,14,1 ff.), wo er vergeblich versuchte, Severus umzubringen (Cass. Dio 76,14,1–7). Anfang 210 nahm er den Titel Britannicus Maximus an, gleichzeitig mit Severus und Geta; dieser wurde Ende 209 in den Augustusrang erhoben (RMD 3, 191). Nach dem Tod des Severus am 4. Februar 211 in Eburacum trat C. die Samtherrschaft mit Geta an. Sie schlossen mit den Caledoniern und Maeaten Frieden und zogen sich aus Schottland zurück (Cass. Dio 77,1,1). C. tötete Plautilla und andere am 26. Dezember 211 (Cass. Dio 76,6,3; Herodian. 4,6,3; vgl. [4]), seinen Bruder Geta Ende des J. 212. (Cass. Dio 77,2,

2–6). Mit Geta sollen 20000 Anhänger getötet worden sein (77,4,1), darunter C.s Vetter, ferner der Sohn des Pertinax, eine Schwester des Commodus (Herodian. 4,6,3) und der Praetorianerpraefekt und Jurist → Papinianus (Cass. Dio 77,4,1 f.).

Die → *Constitutio Antoniniana* vom J. 212 erteilte fast allen Reichsangehörigen das röm. → Bürgerrecht. C. erhielt dadurch reiche Einnahmen aus der Erbschaftssteuer (Cass. Dio 77,9,5) s. [5]. Ende 212 oder Anf. 213 brach C. zum Alemannenkrieg auf (Cass. Dio 77,13,4 ff.; Herodian. 4,7,1–2; [6]). Der Feldzug wurde Mitte August 213 eröffnet (ILS 451: *per limitem Raetiae ad hostes extirpandos*), die *victoria Germanica* wurde Ende September gefeiert und C. nannte sich Germanicus Maximus [2. 121 ff.]. Am raetischen Limes wurde die Palisade durch eine Steinmauer ersetzt. Immer stärker wurde seine Vorstellung, ein zweiter → Alexandros [4] zu sein (Cass. Dio 77,7,1–9,1; Herodian. 4,8,1–3), dessen Reich er wieder in ganzem Umfang errichten wollte. Dazu war die Unterwerfung Osrhoenes und Armeniens notwendig, deren Könige nach Rom eingeladen und dort gefangengesetzt wurden (Cass. Dio 77,12,1 f.). In Rom ließ er zur Finanzierung des geplanten Partherkrieges eine wertlosere Silbermünze prägen [7]. Im Frühjahr 214 reiste C. die Donau entlang (Cass. Dio 78,27,5; SHA Carac. 5,4), besuchte Dakien und ging über Thrakien nach Asien (Cass Dio 77,16,7; Herodian. 7,8,1; SHA Carac. 5,8). Er überwinterte in Nicomedia (Cass. Dio 77,18,1).

215 ging er über Antiochia nach Alexandrien, wo Unruhen blutig unterdrückt wurden (Herodian. 4,8,6 ff.). Zurückgekehrt nach Antiochia, verhandelte C. mit Artabanus, einem der beiden rivalisierenden Partherkönige, um dessen Tochter zur Frau zu bekommen und so das »maked. Großreich« verwirklichen zu können (Herodian. 4,10,1 ff.). Sein Antrag wurde abgelehnt (Cass. Dio 78,1,1; romanhafte Version bei Herodian. 4,10–11); daraufhin eröffnete C. seinen Partherfeldzug (Cass. Dio 78,1–3). Er zog 216 durch Adiabene und überwinterte in Edessa (SHA Carac. 6,6). Am 8. April 217 wurde er bei seinem Vormarsch nach Carrhae auf Veranlassung des Gardepräfekten Opellius Macrinus getötet (Cass. Dio 78,4–5; SHA Carac. 6,6–7,1). C. begünstigte nun die Soldaten, deren Sold er erhöhte (Cass. Dio 77,3,1 f.; 9,1 ff.; 10,1,4; 78,28,2; vgl. 76,15,2; Herodian. 4,4,7). Gegen die Senatoren ging er scharf vor und suchte die unteren Schichten für sich zu gewinnen; für sie baute er seine Thermen in Rom (SHA Carac. 9,4. PIR¹ S 321.

1 P. HERZ, Unt. zum Festkalender der röm. Kaiserzeit, 1975, 37, 135 2 A. MASTINO, Le titolature di C. e Geta attraverso le iscrizioni, 1981 3 A. R. BIRLEY, The African Emperor Septimius Severus, ²1988 4 T. D. BARNES, Pre-Decian Acta Martyrum, in: JThS 1968, 509–531 5 H. WOLF, Die Constitutio Antoniniana, 197 6 H. HALFMANN, Itinera Principum, 1986, 223 ff. 7 TH. PEKARY, Studien zur röm. Währungs- und Finanzgesch. von 161–235 n. Chr., in: Historia 8, 1959, 443–489, 479 ff.

RIC 4,1, 84–88, 212–308; 4,2, 128 · KIENAST, ²1996, 162–165.   A. B.

Carales (Caralis, Karalis). Hafenstadt (Schiffswerften: Liv. 27,6,14) in Südsardinien an einer Bucht (Καραλιτανὸς κόλπος: Ptol. 3,3,4) auf einem kleinen Hügel (*tenuis collis*: Claud. De bello Gildonis 15,521 f.) nahe einem Vorgebirge (*Caralitanum promunturium*: Plin. nat. 3,85), h. Cagliari. Der alte phönizisch/pun. Hafen von Karaly (Krly) lag nordwestl. an der Lagune von Santa Gilla bei einer einheimischen Siedlung des 7. Jh. v. Chr. (bei Sant' Avendrace; dort auch die Nekropole von Tuvixeddu). Nach der röm. Eroberung der Insel (237 v. Chr.) erhielt der *munitus vicus Caralis* (Varro, carm. fr. 18), seit 227 Provinzhauptstadt, eine neue Anlegestelle innerhalb des Hafenbeckens. Im 2. Pun. Krieg unterstützte C. 215 v. Chr. den Feldzug des T. Manlius Torquatus gegen Ampsicora. Das Gebiet von C. (bis fast zu den Aquae Neapolitanae, h. Sardara) wurde von Hamilkar 210 verwüstet. Die *civitas stipendaria* (noch von *sufetes* verwaltet) wurde *municipium* (verwaltet von *IV viri*), als Caesar am Vortag der Schlacht von Thapsos (April 46 v. Chr.) C. besuchte. Die Caralitani wurden als *cives Romani* in die *tribus Quirina* eingeschrieben. 40 v. Chr. wurde C. auf Befehl des Sex. Pompeius von Menas belagert, fiel 38 an den nachmaligen Augustus. E. des 1. Jh. v. Chr. ließ der Prokonsul Q. Caecilius Metellus den *campus* für mil. Übungen einrichten. *Ambulationes* wurden 83 auf Veranlassung des Präfekten S. Laecanius Labeo gepflastert. In augusteischer Zeit ließ der Caralitaner L. Alfitenus Marktgebäude auf dem Forum am Fuße eines Hügels mit Theater und Aphrodite-Tempel errichten. Ein Tempel für Aesculapius Augustus befand sich im *vicus Martis et Aesculapi*. In severischer Zeit wurden Thermen sowie *horrea* von den Präfekten M. Domitius Tertius und L. Caeionius Alienus restauriert.

Monumente: *Villa* des Tigellinus, Forum, Capitolium, *praetorium*, *tabularium*, *templum Urbis Romae et Augusti* (an der Piazza del Carmine?). Akropolis auf dem Colle del Castello, aus dem in augusteischer Zeit das Amphitheater mit 10000 Plätzen herausgearbeitet wurde. Nekropolen bei Tuvixeddu entlang der Straße nach Turris Libisonis nahe dem Hafen der *classis Misenensis*. Viele Gräber von Adligen, die Grabkapelle der Atilia Pomptilla aus der Zeit Neros mit zahlreichen metrischen Inschr.; Friedhof von Bonaria späte Kaiserzeit. Aquädukt (2. Jh. n. Chr.) mit Ausgangspunkt in Villamassargia. Bischofssitz für 314 dokumentiert (Konzil von Arelate), *ecclesia cathedralis*, *basilica martyris Saturnini* in der Vorstadt. Von den Vandali Mitte des 5. Jh. besetzt, beherbergte C. im J. 507 die von Fulgenzio di Ruspe geführten, von Trasamondo ins Exil geschickten afrikanischen Bischöfe. 533 von den Byzantinern zurückerobert, verwahrte C. Ende des 7. Jh. für einige Zeit die Gebeine von Aurelius → Augustinus von Hippo, die aus Furcht vor den Arabern nach C. in Sicherheit gebracht worden waren.

→ Sardinia

M. A. Mongiu, Note per una integrazione-revisione della Forma Karalis, in: S. Igia capitale giudicale, 1986, 127–154 • Ders., Cagliari e la sua conurbazione tra tardo antico e altomedioevo, in: Atti del III Convegno di studio sull' archeologia tardoromana e altomedievale in Sardegna 1986, 1989, 89–124 • C. Tronchetti, Cagliari fenicia e punica, 1990 • P. Meloni, La Sardegna romana, 1991, 237–253 • R. Zucca, Il decoro urbano delle civitates Sardiniae et Corsicae, in: L'Africa Romana 10, 1994, 858–871.   A. Ma.

Carambolo, El. Auf dem C., einem Hügel im Westen von Sevilla über der Guadalquivir-Ebene, lag einst eine endbrz. bis früheisenzeitliche Siedlung, bekannt als FO eines orientalisierenden Goldschatzes.
→ Tartessos

J. d. M. Carriazo, Tartesos y el Carambolo, 1973 • G. Nicolini, Techniques des ors antigues, 1990 • M. E. Aubet-Semmler, Maluquer y el Carambolo, in: Tabona 8, 1993/94, 329–349.   M. BL.

Caratacus. Britannischer König und Heerführer, Sohn des → Cunobellinus, organisierte 43–51 n. Chr., anfangs mit seinem Bruder Togodumnus, den Widerstand gegen die claudischen Invasionstruppen. Nach der Besetzung des Südostens verlagerte C. seine Operationsbasis nach Wales zu den → Silures und → Ordovices. 51 nach einer Niederlage Flucht zu → Cartimandua, die ihn an Rom auslieferte. 52 zusammen mit Frau, Kindern und Brüdern Teilnahme am Triumphzug des Claudius, der C. begnadigte (Tac. ann. 12,33 ff.).

G. Webster, Rome against C., 1981.   C. KU.

Carausius. M. Aurelius Maus(aeus?) C. (286–293 n. Chr.), Menapier, ehemaliger Steuermann, zeichnete sich im Bagaudenkrieg unter → Maximianus aus. Anschließend wurde er als Befehlshaber einer Flotte beauftragt, den seeräuberischen Franken und Sachsen von Bononia (Boulogne-sur-Mer) aus zu wehren; wegen des Verdachts, Kriegsbeute unterschlagen zu haben, erging Befehl, C. zu töten, woraufhin sich C. 286 zum Kaiser ausrufen ließ und die Macht über Britannien übernahm. Er konnte auch Bononia und Teile Galliens bis Rouen unter seine Kontrolle bringen (Paneg. Lat. 10,12,1–2; 8,12,1–2; Aur. Vict. Caes. 39,19–21; Eutr. 9,21; 44,1). Eine Strafexpedition 289 wurde durch Sturm vereitelt und führte zu einem Abkommen (Aur. Vict. Caes. 39,39). C. prägte Münzen mit der Legende *Carausius et fratres sui* (sc. Diocletianus und Maximianus). Auf dem Meilenstein RIB 1, 2291, die einzige Inschr., die ihn nennt, heißt er M. Aurelius Maus. C. Er wurde 293 vom eigenen Finanzminister → Allectus gestürzt (Aur. Vict. Caes. 39,40–2; Eutr. 9,22,2; Paneg. 8,12,2). PLRE 1, 180–181.

RIC 5,2, 420–425 • Kienast, ²1996, 272–276 • Birley, 309 ff. • P. J. Casey, C. and Allectus, 1994.   A. B.

Carbasus (κάρπασος, καρπήσιον). Phönizischer bzw. ehemals indischer Name für → Baumwolle, wie das aus Tarraco (heute Tarragona) in Spanien (Plin. nat. 19,10).

Aber auch als Gegengift (→ Alexipharmaka) verwendete Pflanzen wie Helleborus- und Valeriana-Arten führten diese Bezeichnungen (vgl. Colum. 10,17).
          C. HÜ.

Carbo. Röm. Cognomen (»das Geschwür«) des wichtigsten plebeischen Zweiges der → Papirii im 2. und 1. Jh. v. Chr. (Cic. fam. 9,21,3).

ThlL, Onom. 183 f. • Kajanto, Cognomina, 341 • Schulze, 314.   K.-L. E.

Carcer. Der Ort der persönlichen Haft im röm. Recht wird von Varro ling. 5,151 von *coercere* abgeleitet, steht also in Zusammenhang mit der Befugnis des Magistrats zu unmittelbarer Gewaltanwendung (→ *coercitio*), nicht mit Sanktionen gegen strafbares Verhalten. ›Der c. muß zur Verwahrung, nicht zur Bestrafung von Menschen unterhalten werden‹: *carcer enim ad continendos homines, non ad puniendos haberi debet* (Ulp. Dig. 48,19,8,7). Für Privatdelikte wie für andere Obligationen, die zur Haftung des Schuldners mit seiner eigenen Person führten, regeln die XII-Tafeln (3,3–5) kasuistisch genau das private Vollstreckungsverfahren, insbes. die Fesselung mit einer Eisenkette (→ *nervus*) oder Fußfesseln (*compedes*), aber gerade nicht die Einschließung in private Haft.

Die Befugnis zur Einweisung in den öffentlichen c. hatten während der Republik die → *tresviri capitales* als Teil ihrer Polizeigewalt (Plaut. Amph. 155). Im übrigen gehört es zum → *imperium* der Magistrate, die Haft im c. anzuordnen (Ulp. Dig. 2,4,2). Ihre Funktion kann der modernen Untersuchungshaft entsprechen, die aber erst in der Spätant. eine selbständige Einrichtung (*custodia reorum*) wird. Der c. war zudem Vollstreckungsort nicht nur für die andere Koerzitionsmaßnahme, die Auspeitschung, sondern auch für die → Todesstrafe durch den → *carnifex* (vgl. Liv. 29,19).

Unklar ist eine unter dem Namen des Callistratus überlieferte Äußerung über die Abstufung verschiedener Strafen (Dig. 48,19,28,14). Demnach soll schon Hadrian eine Regelung zu zeitiger und lebenslanger Freiheitsstrafe getroffen haben (*damnatio in tempus – in perpetuum*). Aber dies dürfte sich entweder nur auf Sklaven und/oder *humiliores* (→ *honestiores*) bezogen haben oder auf eine andere Strafe (z. B. → *relegatio*), wofür immerhin die ungenaue Verwendung der *custodia* (u. a. im Hinblick auf die *damnatio in metallum*) spricht.

B. Santalucia, Studi di diritto penale romano, 1994, 132–143.   G. S.

Carceres s. Circus

Cardo, kardo. Der Punkt, um den sich etwas dreht; t.t. der röm. Landvermessung (→ Limitation), bezeichnet im rechtwinklig angelegten Vermessungssystem die waagrecht verlaufenden Linien (*limites*). Urspr. Bezeichnung der Kosmologie für den Drehpunkt des Universums, später für die Nord-Süd-Achse im Gegensatz zum → *decumanus* als Ost-West-Achse, die die Welt in

eine Sonnenauf- und Sonnenuntergangshälfte bzw. Tag-
und Nachthälfte teilen [1. 147]. In der gromatischen
Theorie (→ Feldmesser) ist die Landvermessung entsprechend als Reflexion der kosmischen Ordnung auf
die Erde zu verstehen, wobei c. die Erdachse in der von
rel. Widerständen gereinigten Ackerflur symbolisiert
[2. 227]. In der Praxis wurden die Orientierungsachsen
unabhängig von den Haupthimmelsrichtungen nach
top. Gegebenheiten, vor allem im Blick auf eine funk-
tionsfähige Wasserversorgung sowie bereits bestehende
Straßengrundlinien, gelegt. In dem aufzuteilenden
Gelände wurde mit einem Vermessungsinstrument
(→ Groma) ein Koordinatensystem eingerichtet, wobei
die waagrecht orientierte Hauptachse (x-Achse) als c.
maximus (KM), die zentrale senkrechte Achse (y-Achse)
als *decumanus maximus (DM)* bezeichnet wurde, die sich
im Vermessungszentrum rechtwinklig schnitten. Parallel dazu wurden weitere Linien *(limites)* für eine Unterteilung in regelmäßige Flächeneinheiten gezogen, die
von den Hauptachsen fortlaufend gezählt wurden. Vom
zentralen Meßpunkt betrachtet, ergab sich daraus eine
Gliederung des Geländes in Quadranten rechts und links
des *decumanus (dextra/sinistra decumanum, DD, SD)*, bzw.
diesseits und jenseits des c. *(kitra/ultra kardinem, KK, VK)*.
Mit diesen Siglen sowie der fortlaufenden Zählung
konnte die Lage jeder Parzelle exakt angegeben werden.
Die Ausbaubreite des c. *maximus* lag seit augusteischer
Zeit durchschnittlich bei 20 Fuß (ca. 6 m).

1 W. HÜBNER, Himmel- und Erdvermessung,
Feldmeßkunst, 1992 2 O. BEHRENDS, Bodenhoheit und
privates Bodeneigentum im Grenzwesen Roms,
Feldmeßkunst, 1992.

O. BEHRENDS, L. CAPOGROSSI COLOGNESI (Hrsg.), Die röm.
Feldmeßkunst, 1992 • O. DILKE, Archaeological and
Epigraphic Evidence of Roman Land Survey, ANRW II 1,
564–592 • E. FABRICIUS, s. v. Limitatio, RE 13, 672–701 •
U. HEIMBERG, Röm. Landvermessung, 1977 •
A. SCHULTEN, s. v. Cardo, RE 3, 1587 f.   H.-J. S.

Carfulenus. Sehr seltener Familienname. C. befehligte
unter → Caesar im Alexandrinischen Krieg mehrere
Kohorten (Bell. Alex. 31,1–3); schloß sich nach den
Iden des März 44 dem Octavianus (→ Augustus) an,
wurde am 28. November 44 aus dem Senat ausgewiesen
(Cic. Phil. 3,23), vielleicht weil er Volkstribun war
(MRR 2,324), und im April 43 nach Mutina geschickt,
wo er zusammen mit dem Konsul Pansa von M. → Antonius überfallen wurde und nach siegreichem Kampf
seines Flügels wahrscheinlich gefallen ist (Cic. fam.
10,33,4; App. civ. 3,272 ff.).   D. K.

Carinae. Zwei durch den *murus terreus Carinarum*, einen
noch zu Varros Zeit erh. Teil der vorservianischen
Mauer (Varro ling. 5,48) getrennte Gebiete zwischen
Esquilin und Palatin in Rom. Beide Gebiete wurden
gemeinsam in der augusteischen Neugliederung der
Regio IV, dem Templum Pacis, zugewiesen; die Herkunft der Namensgebung ist umstritten (Serv. Aen.

8,351; Hor. epist. 1,7,48). Die Gegend gehörte zum be-
gehrtesten Wohngebiet der röm. Nobilität; so soll schon
in archa. Zeit → Tullius Hostilius hier gewohnt haben
(Cic. rep. 2,31,53), ferner die Valerier und → Spurius
Cassius, dessen Haus angeblich um 485 v. Chr. dem Bau
des Tempels der Tellus zum Opfer fiel (Liv. 2,41,12;
Cic. dom. 38). Die Porticus Catuli mag in der Nähe
dieses Tempels gelegen haben (Cic. ad Q. fr. 3,1,4),
ebenso das Haus von Ciceros Bruder Quintus (Cic. ad
Q. fr. 2,3,7). In den C. lag auch das berühmte Haus des
Pompeius (Vell. 2,77; Suet. Tib. 15), das später auf M.
Antonius und schließlich die Kaiser überging, ebenso
gab es hier ein Haus seines Todfeindes Clodius (Cic. har.
resp. 49). Ein aufwendiges Haus aus der Kaiserzeit wurde beim Bau der U-Bahn unter der Via Cavour gefunden.

A. RODRIGUEZ-ALMEIDA, in: LTUR 1, 239–240 •
RICHARDSON, 71–72.   R. F.

Carinus. Imperator Caesar M. A. Carinus Augustus, ältester Sohn von → Carus, Bruder von → Numerianus,
etwa November 282 n. Chr. vom Vater zum Caesar und
princeps iuventutis ernannt, im Frühjahr 283, als sein Vater
gegen die Perser zog, wurde Carinus zum Augustus erhoben. Nach einem Feldzug gegen die Quaden
(F. GNECCHI, I Medaglioni Romani 2, 1912, Taf. 123,
Nr. 8) nannte er sich Germanicus maximus; nach dem
Sieg des Carus im Osten auch Persicus maximus, wie
auch, aus unbekannten Gründen, Britannicus maximus
(CIL XIV 126 = ILS 608). Nach dem Tod des Carus nahm
M. A. Iulianus den Purpur, wurde aber von Carinus bei
Verona besiegt und getötet (Zos. 1,73). Nach dem Tod
des Numerianus im November 284 erhoben die Solda-
ten in Nikomedien den → Diocletianus zum Augustus.
Bei der Margus-Mündung in Mösien trat C. ihm ent-
gegen (Eutr. 9,20,2); obwohl er siegte, wurde er vom
eigenen Heer verraten und von einem Tribunen getötet
(Aur. Vict. epit. Caes. 38,8). Er war *cos. I* 283, *cos. II* 284,
cos. III 285. Seine Frau war Magnia Urbica, sein Sohn
Nigrinianus, gest. 284/85 und konsekriert; die >neun
Ehefrauen< (SHA Carin. 16,7) sind eine Fiktion der Historia Augusta (PIR² A 1473; PLRE 1, 181).

RIC 5,2, 156–181 • KIENAST, ²1996, 261–62.   A. B.

Carisius. Seltener Familienname.
[1] C., P., *legatus Augusti pro praetore* in Spanien, besiegte 25 v. Chr. die Asturer, eroberte die Festung Lancia
und siedelte Veteranen in der *colonia* Emerita an (Flor.
epit. 2,33,54–58; Cass. Dio 53,25,8–26,1). 22 schlug er
einen Aufstand der Asturer nieder (Cass. Dio 54,5,1 f.).

RIC 1¹, Augustus, Nr. 277–303 • P. LE ROUX, L'armée
Romaine et l'organisation des provinces Ibériques, 1982,
64 ff.   D. K.

[2] C., T., Münzmeister um 46 v. Chr. (RRC 475 f. Nr.
464). Wohl identisch mit dem C., der 36 v. Chr. den

ersten Flügel der Flotte Octavians (→ Augustus) in der sizilischen Meerenge kommandierte (App. civ. 5,463).

T. P. WISEMAN, New Men in the Roman Senate, 1971, 221 Nr. 103. D. K.

Caristanius

[1] C. C. Fronto. Senator aus Caesarea in Pisidien. Von Vespasian *inter tribunicios adlectus*. Er war prätorischer Statthalter von Lycia-Pamphylia von 81– ca. 83/84; *cos. suff.* 90 (AE 1949, 23); verheiratet mit einer Sergia Paulla (PIR² C 423) [1. 109].

[2] C. C. Iulianus. Verwandt mit C. [1]; nach ritterlichem Militärdienst Aufnahme in den Senat; *proconsul Achaiae* wohl 100/101 (PIR² C 426) [1. 129; 2. 334].

1 HALFMANN 2 W. ECK, in: Chiron 12, 1982. W. E.

Carmen ad Flavium Felicem.

Um 500 n. Chr. schrieb ein christl. Anonymus, wahrscheinlich in Afrika, das 406 Hexameter lange, epyllienartige C., das den Beweis der Auferstehung der Toten (102–136) und das göttl. Endgericht über gute (186–268) und schlechte (269–355) Menschen zum Thema hat. Stilistisch häufig sind Imitationen → Vergils, aber auch von christl. Dichtern [1; 2. 118 ff.] sowie reimartige Versschlüsse.

1 J. H. WASZINK, Florilegium Patristicum Suppl. 1, 1937, 47–116 2 S. ISETTA, C., in: Vetera Christianorum 20, 1983, 111–140. K. P.

Carmen ad quendam senatorem.

Im C. (Ende 4. Jh. n. Chr. [3. 124–130]) wendet sich ein christl. Anonymus in 85 Hexametern gegen die Widersinnigkeit der paganen Kulte der → Mater Magna (6–20) und der → Isis (21–34). Als Anlaß dient die Apostasie (1–5; 35–50) des vormals christl. Konsulars (27). Das Pamphlet übernimmt z. T. satirische Elemente aus → Horaz und bes. → Iuvenal [2. 156 f.].

ED.: 1 R. PEIPER, CSEL 23, 1891, 227–230.
LIT.: 2 R. B. BEGLEY, The C., Diss. Ann Arbor 1984
3 L. CRACCO RUGGINI, Il paganesimo romano tra religione e politica, 1979. K. P.

Carmen adversus Marcionitas

(früher Marcionem). Hexametrisches christl. → Lehrgedicht in 5 B. (Zusammenfassung 5,1–18), richtet sich gegen häretische Positionen der Marcioniten (→ Marcion) (1,141–144). Der Verf. ist nicht → Tertullian, sondern ein Anonymus, dessen Heimat sich schwer lokalisieren läßt [2. 15–22, 29 f.]. Die Abfassungszeit des Gedichtes ist auf 420–450 einzugrenzen [2. 28–33]. B. 3 greift die Vorstellung der *ecclesia ab Abel* aus Aug. civ. 15 auf. Für den Nachweis der Einheit von AT und NT bedient sich der Autor zahlreicher, z. T. komplexer → Typologien, bes. in Verbindung mit Hebr und Apk.

1 M. MÜLLER, Unt. zum C., 1936 2 K. POLLMANN, Das C., Einl., Text, Übers., Komm., 1991. K. P.

Carmen Arvale.

Hymnus, mit dem die → *Arvales fratres* den Tanz (*tripudium*) für → Dea Dia und → Mars begleiteten (CLE 1). Zwar erst in einer Inschr. von 218 n. Chr. fehlerhaft überliefert [1. 644–64], bewahrt der Text doch frühe sprachliche Einzelheiten (Lases ohne den Wandel des intervokalischen *-s-* > *-r-*). Er muß in seiner Substanz beträchtlich vor die frühaugusteische Reform des Kultes zurückgehen, wenn er auch vielleicht unter griech. Einfluß entstand [2]; er ist jedenfalls kaum eine archaistische Schöpfung der mittleren Kaiserzeit [3]. Trotz der Unsicherheiten ist er in seinen Hauptlinien verständlich [1. 616–623]: In je dreimal wiederholten Zeilen ruft er die → Laren um Hilfe an, bittet Mars (Marmar) um Schutz vor Zerstörung und Seuche und um Wache an den Grenzen, ruft die → Semones (Saatgöttinnen) herbei und endet mit fünffachem Triumphruf – Mars' Schutz hat die Bedingungen für eine erfolgreiche Aussaat und Ernte geschaffen. Das C. A. ist ein eindrückliches Zeugnis für frühröm. Kultpoesie, aber auch für das Festhalten des Staatskultes noch der mittleren Kaiserzeit an diesen Traditionen.

1 SCHEID, Collège 2 E. NORDEN, Aus altröm. Priesterbüchern, 1939 3 R. PIVA, Neue Wege zur Interpretation des C. A. Ein Zeugnis fingierter Mündlichkeit?, in: G. VOGT-SPIRA (Hrsg.), Beiträge zur mündlichen Kultur der Römer, 1993, 59–86. F. G.

Carmen contra paganos.

Der Pariser Prudentius-Cod. Lat. 8084 überliefert fol. 156ʳ–158ᵛ 122 V. eines anon. Schmähgedichtes (CPL 1431), das sich gegen einen *praefectus* (*urbis* oder *praetorio orientis*), vermutlich V. → Nicomachus Flavianus d. Ä., vielleicht aber auch → Vettius Agorius Praetextatus richtet. Der Text ist nicht nur eine christl. Reaktion auf die pagane röm. Renaissance unter → Symmachus, sondern auch Zeugnis christl. Vergilrezeption. Das C. gehört zur Gattung apologetischer Dichtungen und gibt interessante Hinweise auf die pagane röm. Religiosität der Spätant.

Anth. Lat. 1,17–23 · SHACKLETON-BAILEY · CH. MARKSCHIES, Leben wir nicht alle unter dem selben Sternenzelt?, in: R. FELDMEIER, U. HECKEL (Hrsg.), Die Heiden, 1994, 325–377 (Übers., Komm. und Lit.). C. M.

Carmen de aegritudo Perdicae

s. Aegritudo Perdicae

Carmen de bello Actiaco

s. carmen de bello Aegyptiaco

Carmen de bello Aegyptiaco

(oder *Actiaco*) ist der moderne Titel für 52 Hexameter in acht Sp. und einige Fr. auf P Hercul. 817. Sie stammen kaum von → Rabirius und könnten eher Teil der *Res Romanae* des → Cornelius Severus sein. Das Gedicht handelt von Octavians Ägyptenfeldzug nach Actium und Kleopatras Vorbereitungen zum Selbstmord.

G. FERRARA, Poematis latini reliquiae, 1908 · G. GARUTI, Bellum Actiacum, 1958 · COURTNEY, 334 · R. SEIDER, Paläographie der lat. Papyri, Bd. 2.1, 1978, 4 (zum Papyrus) · M. GIGANTE, Catalogo dei Papiri ercolanesi,

1979, 186 · E. O. WINGO, Latin Punctuation, 1972, 54.
ED. C. / M. MO.

Carmen de figuris. Sachgedicht in 185 lat. Hexametern über die Wortfiguren (→ Figuren) in alphabetischer Reihenfolge, konzipiert als Gedankenhilfe für den Rhetorikunterricht. → Rutilius Lupus und → Alexandros [25], Sohn des Numenios, sind als Quelle nachweisbar. Pro Figur werden in der Regel drei Z. (griech. Bezeichnung, eine Z. lat. Definition, zwei Z. Beispiele aus griech. und lat. Klassikern) geboten. Der Verf. ist nicht bekannt (der Adressat Messius ist vielleicht Arusianus Messius); auf Entstehung im 4. oder 5. Jh. läßt der (gleichwohl exquisite) spätlat. Wortschatz schließen. Die Beherrschung des Metrums ist für diese Zeit ungewöhnlich korrekt.

M. SQUILLANTE, Un inventario di figure retoriche della tarda latinità, in: Vichiana 3,1, 1990, 255–261 · V. VIPARELLA, Tra prosodia e metrica, 1991.   C. W.

Carmen de ligno crucis (de pascha), auch unter dem Titel *De pascha* oder *De cruce Domini nostri* überliefertes und → Cyprian, seltener → Victorinus von Pettau fälschlich zugeschriebenes Gedicht aus 69 Hexametern. Entstehung wohl kaum vor 400 n. Chr., vielleicht in Oberit. Als streng durchgeführte → Allegorie, die Christus und sein Kreuz, die Wurzel Jesse, den Lebensbaum des Paradieses und die Himmelsleiter im Bild eines Baumes vereint, beschreibt das Gedicht in anschaulicher Breite die Entwicklungsgesch. des Christentums und den Weg des einzelnen Menschen zum Heil.
→ Allegorische Dichtung

ED.: W. v. HARTEL, CSEL 3,3,305–308.
LIT.: A. RONCORONI, Ps.-Cipriano, De l. c., in: Rivista Storia e Letteratura relig. 12, 1976, 380–390 · J. SCHWIND, Das pseudocyprianische C. de P. seu de l. C., in: H.-W. STORK (Hrsg.): Ars et Ecclesia. FS F. J. Ronig, 1989, 379–402 (Ed.: 390–394).   J. SCH.

Carmen de martyrio Maccabaeorum. Das C. (394 Hexameter), das in den Mss. → Hilarius von Poitiers oder → Marius Victorinus zugewiesen wird, stammt von einem unbekannten Autor und aus unbekannter Zeit, am ehesten aus dem 5. Jh. n. Chr. Es erzählt vom Tod einer Mutter und ihrer sieben Söhne durch die Hand des Antiochus, König von Syrien (2 Makk 7; 4 Makk 8–18). Das Gedicht feiert den unbezwingbaren Willen der Mutter in einer Reihe von Reden, die die Masse des Textes ausmachen.
→ Bibeldichtung

ED.: R. PEIPER, CSEL 23,240–254.
LIT.: D. KARTSCHOKE, Bibeldichtung, 1975, 38 f., 105–111.
M. RO. / U. R.

Carmen de ponderibus et mensuris. Anonymes lat., zwischen Ende des 4. und Anfang des 6. Jh. datiertes und einem Symmachus, vielleicht dem Schwiegervater des → Boethius gewidmetes, formgewandtes und klar gegliedertes → Lehrgedicht in 208 Hexametern über Gewichte und Maße sowie über Verfahren zur Ermittlung des spezifischen Gewichts von Flüssigkeiten und des Mischungsverhältnisses von Metallen, bes. von Gold-Silber-Legierungen.

ED.: **1** F. HULTSCH, Metrologicorum scriptorum reliquiae 2, 1866, 88–98 **2** PLM 5, 71–82.
LIT.: **3** HLL § 619.2 **4** S. GRIMAUDO, Metrologia e poesia nel tardoantico: struttura e cronologia del C., in: Pan 10, 1990, 87–110 **5** D. K. RAÏOS, Recherches sur le C., 1983.
J. GR.

Carmen de spe. Das anon. Gedicht (Anth. Lat. 415) ist einzig im Cod. Vossianus Leidensis Q 86 (um 850) überliefert, war also dem MA so gut wie unbekannt. Seit dem Erstdruck durch J. J. SCALIGER (1573) wurden die 33 Distichen jedoch viel beachtet. J. G. HERDER hat die Verse 1–16 übers. [2]. Die wohl ma. Überschrift *De spe queritur per exempla* trifft den Inhalt genau: Über die Hoffnung als Illusion und Verführerin wird nach der → Chrie Beschwerde geführt und am topischen Beispiel der Lebenssituationen ihr trügerisches Tun beschrieben. Die Datierung ins 1. Jh. n. Chr. (Produkt der Rhetorenschule?) ist unbestritten, die Zuweisung an → Seneca [3] oder an → Pentadius [4] ist zu bezweifeln.

1 TH. BIRT, Elpides, 1881, 72–77 **2** J. G. Herders Sämtl. Werke 29, 1889, 652 **3** C. PRATO, Gli epigrammi attribuiti a L. Anneo Seneca, ²1964, 59–64 **4** K. BARTH, Advers. Comment. libri LX, 1624.   W. SI.

Carmen famosum. Das *c. f.* (nach Paul. sent. 5,4,6) oder *malum carmen* (Schmähgedicht) steht neben der → *occentatio* in den Straftatbeständen der XII Tafeln (8,1). Dieser Tatbestand war möglicherweise schon den ant. Schriftstellern (z. B. Cic. rep. 4,12) nur schwer verständlich, insbes. wegen der für eine bloße Beleidigung überaus schweren Sanktion: wahrscheinlich die → Todesstrafe. Freilich handelte es sich um eine Privatstrafe, also um kaum mehr als eine rechtlich zugelassene Form privater Rache. Im Vergleich mit der Duellpraxis im 19. Jh. ist es nicht ganz so erstaunlich, im 5. Jh. v. Chr. ein Tötungsrecht als Folge erlittener Beleidigungen zu finden. Wohl die Mehrheit moderner Interpreten versteht jedoch das *c. f.* als magische Formel, womöglich selbst mit dem Tod als Inhalt der Verwünschung.

D. FLACH, Die Gesetze der frühen röm. Republik, 1994, 165 mit Bibliogr. Anm. 235 · V. GIUFFRÉ, La »repressione criminale« nell' esperienza romana, ³1993, 35 · B. BISCOTTI, »Malum carmen incantare« e »occentare« nelle XII tavole, in: Testimonium amicitiae, 1992, 21–51.   G. S.

Carmen s. Lied

Carmen Saliare. → Hymnus der → Salier. Das in 35 Fragmenten unbekannter Reihenfolge, z. T. in Saturniern, nur bei Antiquaren (→ Antiquar) erh. Kultlied (→ C. Arvale, → C. Saeculare) kommentierte im 1. Jh. v. Chr. → Aelius Stilo. Es galt als älteste röm. Dichtung

(Varro ling. 7,3). Das Alter ist unsicher, Nachträge reichen wohl bis ins 2.Jh. n. Chr. (SHA Aur. 21). Am Anfang steht eine allg. *invocatio*, die → *axamenta* (Paul. Fest. 3,12–15 L). Von den erh. Götteranrufungen ist nur Iupiter sicher zu identifizieren (FPL, fr. 2). *Cerus duonus* und *Mamuri Veturi* (3; 15) bezeichnen wohl Ianus und Mars. Auch Kultvorschriften (11) und Kultorte (Rom; 9) werden erwähnt. Das Lied war mit Tanz verbunden (Liv. 1,20,4).

ED.: B. MAURENBRECHER, C. reliquiae, in: Jb. Philol. Suppl. 21, 1894, 313–352 • FPL Nr. 1–21. HE.K.

Carmentis (griech. immer, lat. ganz selten Carmenta). Röm. Göttin der Geburt und von ›allem Zukünftigem‹ (Fast. Praenestini zum 11. Januar). Auch wenn sie in histor. Zeit gegenüber verwandten Frauengottheiten (bes. → Iuno Lucina) zurücktrat, ist ihre alte Bed. durch die Existenz eines Flamen Carmentalis sicher. Ihr Heiligtum lag zw. Kapitol und Tiber bei der Porta Carmentalis [1] und galt als Stiftung der Matronen nach Wiedereinsetzen der Geburten nach einem Geburtsstreik (Ov. fast. 1,617–628; Plut. qu. R. 56,278b); Lederwaren (Ov. fast. 1,629), und was sonst mit dem Tod zu tun hat, sind verboten, da sie als ihrer Natur zuwider gelten (*omen morticinum*: Fast. Praenestini zum 11. Januar). Sie wurde in ihren Doppelaspekten Prorsa bzw. Porrima (Normalgeburt) und Postverta (Steißgeburt) verehrt (Varr. antiquitates rerum divinarum 103; Ov. fast. 1,633). Ihr Hauptfest, die Carmentalia, werden am 11. und 15. Januar gefeiert. Der Mythos stellt sie als Nymphe (Göttin nach Liv. 1,7,8; Ov. fast. 1,618) und von → Mercurius Mutter des Arkaders → Euandros und als ekstatische Prophetin dar, was die → volksetym. – Ableitung des Namens von *carmen* (Ov. fast. 1,467) voraussetzt, aber auch von *carens mente*, d. h. ekstatisch, hergeleitet wird (Plut. qu. R. 56,278c) [2]; sie oder Euander lehrten den Aborigines die Schrift (Hyg. fab. 277,2; Tac. ann. 11,14).

1 LTUR 1, 240f. 2 WALDE/HOFMANN I, 170
3 G. WISSOWA, Rel. und Kultus der Römer, ²1912, 219f.
F.G.

Carmina Einsidlensia s. Einsiedler Gedichte

Carmina figurata s. Figurengedichte

Carmina Priapea s. Priapea

Carmina triumphalia. Lieder der Soldaten, deren Parade im Triumphzug den Abschluß bildete. Als Inhalt sind zumal Preis (Liv. 4,20,2) und Verspottung des Feldherren bezeugt. Vor allem auf letztere dürften sich die Nachrichten beziehen, die von Wechselgesängen berichten (Liv. 4,53,11). Obszöner Spott und Satire werden in diesem Zusammenhang allg. mit den Spottversen bei der Hochzeit (Feszenninen) verglichen und als apotropäisch verstanden bzw. dem *hominem te esse memento* des Trägers der *corona triumphalis* an die Seite gestellt. Die Bezeugung ist vorwiegend livianisch; Texte (in troch Sept. = *Versus quadrati*) werden hauptsächlich im Zusammenhang mit Caesars Siegesfeiern zitiert, wobei eine polit. Verschärfung des früher rituell Gängigen nicht auszuschließen ist [7].

ED.: 1 J. G. KEMPF, Romanorum sermonis castrensis reliquiae, in: NJPh Suppl. 26, 1901, 357ff. 2 COURTNEY, 483ff. 3 FPL BLÄNSDORF, 192ff.
LIT.: 4 E. STAMPINI, Studi di lette filol. lat., 1917, 173–230 5 SCHANZ/HOSIUS 1, 21f. 6 W. EHLERS, RE 7A, 1, 509f. 7 G. CUPAIUOLO, Tra poesia e politica, 1993, 38ff. P.L.S.

Carminius
[1] (M. Ulpius) C. Athenagoras. Prokonsul von Lycia-Pamphylia, *cos. suff.* vielleicht unter Commodus [1. 151]. Die Familie stammt aus Attuda (zu seinen Verwandten: EOS 2, 633).
[2] L. C. Lusitanicus. *Cos. suff.* im J. 81 [2. 24].
[3] Sex. C. Vetus. Wohl Bruder von C. 2. *Cos. suff.* im J. 81 [2. 24]; *procos. Asiae* 96/7 oder 97/8 (I. Eph. 2, 264).
[4] Sex. C. Vetus. Sohn von C. 3. *Cos. ord.* 116 (PIR² C 437) [3. 48].
[5] Sex. C. Vetus. Sohn von C. 4. *Cos. ord.* 150 (PIR² C 438).

1 LEUNISSEN 2 DEGRASSI, FC 3 FOst. W.E.

[6] Lat. Grammatiker etwa aus der Mitte des 4.Jh. n. Chr. Seine Phraseologie (*De elocutionibus*, vgl. Serv. Aen. 5,233) behandelte den syntaktisch wie stilistisch korrekten Sprachgebrauch. Die besprochenen Wendungen waren nach Wortarten selektiert und durch Belege zumal aus Klassikern (Vergil, Terenz, Cicero, Sallust) dokumentiert; als gramm. Quellen wurden Varro und Probus benutzt, beide vielleicht durch Donats Vergil-Kommentar vermittelt. Die Aufbereitung von Klassikerzitaten hat – neben Donat und Diomedes – noch bis Nonius und Priscian gewirkt. Aus einer geographisch-antiquarischen Schrift (*De Italia*, Macr. Sat. 5,19,13) in mindestens 2 B. ist – wohl über Donat zu Aen. 4,513 – nur ein Fragment erhalten.

P.L. SCHMIDT, HLL § 523.3. P.L.S.

Carmo. Siedlung der → Turdetani, h. Carmona (Prov. Sevilla in Spanien). C. erlangte in den röm.-karthagischen Auseinandersetzungen Bed. (3./2.Jh.; App. Ib. 25; Liv. 33,21,6ff.). Caes. civ. 2,19,4 und Strab. 3,2,2 bezeichnen C. als eine der wichtigsten Städte der Baetica. Aus der Mz.-Prägung [1. 199] und den Inschr. (CIL II 1378ff.; 5120) kennen wir eine Reihe von Amtsträgern dieses → *municipium civium Romanorum* bzw. *Latinorum*.

1 E. HÜBNER, Monumenta Linguae Ibericae 1.

TOVAR 1, 155–157. P.B.

Carna. Röm. Göttin, deren Tempel auf dem Caelius mons vom ersten → Brutus gleich nach Vertreibung der → Tarquinii gelobt und gestiftet worden sein soll (Macr.

Sat. 1,12,31). Stiftungstag ist der 1. Juni, Festtag der *Carnaria* (CIL III 3893). C. erhält Opfer von Speck und Bohnenbrei (Macr. Sat. 1,12,32; vgl. Ov. fast. 6,169–182: *Kalendae fabariae*), das an eine einfach-altertümliche Lebensweise erinnern (Ovid) oder C. als Schützerin der Körperkräfte bezeichnen soll (Macr.). Als ihre Funktionen geben die Autoren den Schutz der inneren Organe (Macr.) oder der Türangel an (*cardo*, Ov. fast. 6,101) [1]. Wichtiger ist, daß sie die Neugeborenen vor den kindertötenden → Striges beschützt (Ov. ebd., im wohl ad hoc geschaffenen Mythos von der Liebe des Ianus zur nymphenhaften Göttin) [2]. C. schützte also Durch- und Übergänge in Raum und Zeit und hatte deswegen mit dem Schutz des Hausinnern vor dämonischen Übergriffen, dem Beginn der Republik und dem Kult der *dei adventicii* zu tun (Varro, rer. div. ant. fr. 34 CARDAUNS).

1 W.F. OTTO, in: RhM 64, 1909, 463ff. 2 J. LOEHR, Ovids Mehrfacherklärungen in der Tradition aitiologischen Dichtens, 1996, 345f.   F.G.

Carni. Kelt. Volk (vgl. den Triumph des M. Aemilius Scaurus *de Galleis Karneis*: CIL I 12,49), das Ende des 3.Jh. v.Chr. die Küste der Adria erreicht haben dürfte. C. werden zuerst für 181 v.Chr. als Bewohner der Gegend des späteren → Aquileia erwähnt: Liv. 39,22,6f.; 40,34,2; 45,6; 54,2ff. Nach Strab. 4,6,9 besetzten sie zusammen mit einigen Norici (→ Noricum) und den → Veneti (5,1,9) das Hinterland von Aquileia; ihre Beziehung zu diesen ist nicht klar, denn nach Strab. 7,5,3 grenzten die C. auch an die Istri. Der Paß über den Berg Ocra (wohl der h. Nanos in Slowenien, Verbindung der Apennin- und der Balkan-Halbinsel) war zw. C., → Iapodes und Taurisci umstritten. Sie wurden 171 v.Chr. vom Konsul C. Cassius Longinus angegriffen (Liv. 43,1,4–7; 43,5,1ff.). Laut Plin. nat. 3,131 waren Segesta und Ocra seinerzeit untergegangen, während die Zentren damals wohl → Iulium Carnicum und Forum Iulii waren. → Tergeste, früher ein histrischer *castellum*, wird von Strab. 7,5,2 als carnischer Ort bezeichnet; die C. und die benachbarten Catali wurden durch Augustus (ILS 6680) der Kolonie Tergeste angegliedert.

V. VEDALDI IASBEZ, La Venetia orientale e l'Histria (Studi e ricerche sulla Gallia cisalpina 5), 1994, 229–239.   M.Š.K.

Carnifex. Der Henker, der in der röm. Gesellschaft – wie nahezu überall und immer – eine verachtete, außerhalb des bürgerlichen Lebens zu verrichtende Aufgabe erfüllte. Der Vollzug der → Todesstrafe durch die *carnifices* stand in der röm. Republik unter der Aufsicht der → *tresviri capitales*. Ob sie – wie früher allg. angenommen – Staatssklaven waren, ist durchaus ungewiß. So mußten in Cumae und Puteoli die selbständigen Bestattungsunternehmer, in der Kaiserzeit auch Soldaten, die Aufgaben des *c.* erfüllen.

W. KUNKEL, Staatsordnung und Staatspraxis der röm. Republik, 1995, 133 mit Anm. 130 · MOMMSEN, Strafrecht, 915.   G.S.

Carnuntum. Bedeutender röm. Siedlungskomplex an der Donau am Schnittpunkt der von Aquileia kommenden, durch das Marchtal zur Ostsee führenden Bernsteinstraße und der Donautalstraße, h. Petronell und Bad Deutsch-Altenburg. Der mit den benachbarten Carni zu verbindende kelt. Name (z.B. altiran. *carn*- »Steinhügel«) weist auf eine bis h. nicht gesicherte vorröm. Siedlung.

Der *locus Norici regni* C., von dem aus Tiberius gegen Marbod zog (Vell. 2,109,5), mag bei Bratislava-Devín zu suchen sein, woher augusteisch-tiberische Funde stammen, während das erste, evtl. schon bald in Stein ausgebaute (CIL III 4591; 53/54 n.Chr.) Holz-Erde-Lager in C. erst um 40 n.Chr. beginnt. Das unregelmäßig vieleckige, mehrfach umgebaute, 490 × 334–391 m große Legionslager zw. Petronell und Bad Deutsch-Altenburg gehörte zu Pannonia und war im 1.Jh. n.Chr. mit kurzer Unterbrechung (62–71) durch die 14 n.Chr. aus Emona vorgerückten *legio XV Apollinaris* besetzt, die 118/119 [1] der bis zum Ende der Römerherrschaft verbleibenden *legio XIV Gemina Martia victrix* wich.

In C. waren ferner die Donauflotte (*classis Flavia Pannonica*) und verschiedene Hilfstruppen stationiert, für die es seit Mitte des 1.Jh. am Ostrand von Petronell ein zweiphasiges, unter Traianus in Stein ausgebautes, reduziert bis ins 4.Jh. bestehendes Auxiliarkastell gab (Ziegel der *ala I Thracum*). Um das Legionslager entstanden der mehr als 130 ha dicht bebaute *canabae* mit Amphitheater, Forum und Tempelbezirk der capitolinischen Trias und des Kaiserkultes auf dem Pfaffenberg im Osten (von dort umstrittene Weihungen an *Iupiter optimus maximus* K. teilweise vom 11. Juni); evtl. ein rechtlicher Sonderbereich *intra leugam* [2]. Eine westl., im 3.Jh. im Kern ummauerte Zivilstadt bei Petronell bot in einem (2.) Amphitheater ca. 13000 Personen Platz; bemerkenswert hier eine große, um 300 n.Chr. zu einem Repräsentationsbau veränderte Thermenanlage (letzte Umbauten der »Palastruine« E. des 4./5.Jh.), ein spätant. zweigeschossiger Vierpfeilerbau (»Heidentor«) unklarer Funktion [3], Heiligtümer (u.a. ein christl. Baptisterium); die Gräberfelder waren um die Stadt verteilt (das größte, »Johannesbreite«, südl. des westl. Amphitheaters).

Seit der Provinzteilung 106 n.Chr. war C. Hauptstadt von Pannonia superior, *municipium Aelium Carnuntum* (CIL III 4554) der *tribus Sergia* (CIL III 4495).Es wurde nach seiner bedeutenden Rolle als kaiserliches Hauptquartier in den Markomannenkriegen [4] durch den hier 193 usurpierenden Septimius Severus zur *colonia* erhoben. Um 260 im Zentrum der Revolte des Regalianus stehend, war C. 308 Schauplatz eines wichtigen Kaisertreffens (CIL III 4413) [5], verfiel aber – als Ursache wird auch ein Erdbeben diskutiert – in der 2. H. des 4.Jh. zusehends (Amm. 30,5,2; 11). C. geriet nach dem german. Einfall 395 – trotz primitiver Lebensspuren im 5./6.Jh. – in Vergessenheit (zuletzt erwähnt bei Einhard).

1 K. STROBEL, Unt. zu den Dakerkriegen Trajans, 1984, 96 f.
2 I. PISO, Die Inschr. vom Pfaffenberg und der Bereich der
Canabae legionis, in: Tyche 6, 1991, 131–169 3 W. KLEISS,
Bemerkungen zum sog. Heidentor in C., in: Germania 60,
1982, 222–228 4 H. FRIESINGER, J. TEJRAL, A. STUPPNER
(Hrsg.), Markomannenkriege, 1995 5 H. CHANTRAINE, Die
Erhebung des Licinius zum Augustus, in: Hermes 110, 1982,
477–487.

TIR M 33,32 f. • H. STIGLITZ et al., C., ANRW II 1.6,
583–730 • G. NEUMANN et al., s. v. C., in: RGA 4, 343–345 •
W. JOBST, Provinzhauptstadt C., 1983 • M. KANDLER et al.,
in: Ders., H. VETTERS (Hrsg.), Der röm. Limes in Österreich,
1986, 202–230 • K. GENSER, Der österreichische
Donaulimes in der Römerzeit, 1986, 574–684 • Laufend
Berichte in C.-Jb. und JÖAI Grabungen.   K. DI.

Carnutes. Volk der Gallia Lugdunensis, den Senones
benachbart, zw. Seine und Loire (Strab. 4,2,3; 4,3,4;
Tib. 1,7,12; Ptol. 2,8,10). Nach heftigem Widerstand
von Caesar unterworfen (Caes. Gall. 2–8 passim; Plin.
nat. 4,107; *Carnuti foederati*). Ihre bedeutensten Städte
waren Cenabum und Autricum. Bei den C. hielten die
→ Druiden alljährlich an geheiligter Stelle Gericht.

M. PROVOST, Le Val de Loire dans l'Antiquité, 1993.   Y. L.

Carpetani. Die C. werden im Zusammenhang mit
dem Ausgreifen → Hannibals nach Zentralspanien von
Pol. 3,14,2 als die mächtigste Völkerschaft in dieser Gegend erwähnt. Hannibal stieß mit ihnen zusammen, als
er 221 v. Chr. gegen die Olkades und 220 gegen die
Vaccaei zog. Als er dann den Tagus überschreiten wollte,
stellten sich ihm die C. entgegen (Pol. 3,14,5–9). Abermals griff sie Hannibal 219 v. Chr. während der Belagerung von → Saguntum an, ebenso wie die → Oretani
(Liv. 21,11,13). Sie dienten, wie die meisten spanischen
Stämme, in Hannibals Heer. 3000 C. verließen Hannibal beim Pyrenäenübergang, er aber tat so, als ob dies
mit seinem Einverständnis geschehen sei. Er ließ sogar
weitere 7000, deren Treue er nicht sicher sein konnte,
abziehen (Liv. 21,23, 4 ff.; Frontin. strat. 2,7,7). Als der
2. Pun. Krieg in Spanien wütete, war Carpetanien
Schauplatz blutiger Kämpfe. Die Karthager stationierten 210 v. Chr. eine Armee im Gebiet der C. und belagerten ihre Städte (Pol. 10,7,4 f.).

TOVAR 3, 96–98.   P. B.

Carpi (Κάρποι). Großer dakischer Volksstamm; sein
urspr. Siedlungsgebiet befand sich zwischen Olbia und
Donaumündung. Im 3. Jh. n. Chr. siedelten die C. im
Bereich der unteren Donau. Seither verlustreiche Auseinandersetzungen mit Rom in Dacia, später auch in
Moesia und Thrakia, die auch anderen Stämmen, v. a.
den Goten, den Weg ins röm. Reich öffneten. Seit Kaiser Aurelianus siedelten die Römer einzelne Gruppen
der C. auf röm. Gebiet an und unterstellten sie ihrer
Kontrolle. Unter Kaiser Galerius ließ sich eine Gruppe
von C. in der Gegend von Sopianae (Pannonia Inferior)
nieder.

TIR L 34 Budapest, 1968, 44 • A. ALFÖLDI, Studien zur
Gesch. der Weltkrise des 3. Jh. n. Chr., 1967, 312 ff.   J. BU.

Carpis (Κάρπις). Pun. Ort, an der westl. Basis der
Halbinsel Bon (wohl bei Mraïssa). Quellen: Plin. nat.
5,24; Ptol. 4,3,7; Geogr. Rav. 37,49; 88,39; Guido
132,60. Um Christi Geburt wurde C. zur *colonia* erhoben (CIL VIII Suppl. 4, 25417). Inschr.: CIL VIII 1, 993–
998; Suppl. 1, 12454 f.; Suppl. 4, 24106 f.

C. LEPELLEY, Les cités de l'Afrique romaine 2, 1981, 281 f. •
P. TROUSSET, s. v. C., EB, 1779 f.   W. HU.

Carricini. Mittelital. Volk zw. den Frentani und den
→ Samnites, in dessen Bereich die *municipia* Cluviae und
Iuvanum der *regio IV* lagen (*Caraceni* ist zwar überliefert,
vgl. Ptol. 3,1,66 ff., aber inkorrekt). Erwähnt im Zusammenhang mit dem 2. Samnitenkrieg 311 v. Chr. (Diod.
20,26,3 f.; Liv. 9,31,2–5) und mit der Revolte des Samniten Lollius gegen Rom, der 269 v. Chr. bei den C.
Zuflucht fand (Zon. 8,7,1).

A. LA REGINA, Cluvienses Carricini, in: ArchCl 25/26,
1973/74, 331–340 • G. FIRPO, in: G. FIRPO, M. BUONOCORE
(Hrsg.), Fonti latine e greche per la storia dell'Abruzzo
antico, 1991, 429–439.   M. BU.

Carrinas. Röm. Gentilname, vermutlich etr. Herkunft (griech. auch Καρείνας, Καρρείνας), seit dem
1. Jh. v. Chr. sicher belegt (ThlL, Onom. 2,209 f.).

I. REPUBLIKANISCHE ZEIT

[I 1] **C., C.**, Marianer, im Bürgerkrieg 83 v. Chr. gegen
→ Pompeius nach Picenum gesandt (Plut. Pompeius 7);
als *praetor* 82 wurde er in Ober- und Mittel-It. mehrfach
geschlagen. Nach der Flucht des Konsuls Cn. → Papirius Carbo nach Afrika vereinigten die verbliebenen
Heerführer der Marianer ihre Truppen mit den Samniten, zogen gegen Rom und wurden an der Porta Col-
lina geschlagen. C. entkam zunächst, wurde aber er-
griffen und auf Befehl → Sullas hingerichtet (App. civ.
1,87–93).   M. MEI.

[I 2] **C., C.**, Sohn des Vorigen, möglicherweise *praet.* 46
v. Chr. [1. 267]. Er wurde 45 von Caesar nach Spanien
entsandt, um Sex. Pompeius zu bekämpfen (App. civ.
4,351 f.). Nach Abschluß des (zweiten) Triumvirats bekleidete er Ende 43 das Konsulat. 41 kehrte er als Statthalter Octavians nach Spanien zurück (App. civ. 5,103)
und führte 36 im Kampf gegen Sex. Pompeius drei Legionen (App. civ. 5,469). Als *procos.* von Gallien kämpfte
er 30 siegreich gegen Moriner bzw. Sueben und erhielt
dafür 28 einen Triumph bewilligt (Cass. Dio 51,21,6).

1 G. V. SUMNER, The Lex Annalis under Caesar, in: Phoenix
25, 1971, 246–271 und 357–371.   W. W.

II. KAISERZEIT

[II 1] **C. Celer.** Röm. Senator; 54 n. Chr. vergeblich
von einem Sklaven angeklagt (Tac. ann. 13,10,2), sonst
unbekannt (PIR² C 448).

[II 2] C. Secundus, Rhetor; 39 n. Chr. von → Caligula verbannt, weil er gegen Tyrannen deklamiert hatte (Cass. Dio 59,20,6). Er ging nach Athen, wo er mittellos durch Selbstmord endete (Iuv. 7,203 ff. mit Schol.) (PIR² C 449).

[II 3] C. Secundus, wohl Sohn von C. 2; von Nero 64 n. Chr. zur Plünderung von Tempeln nach Asia und Achaia gesandt (Tac. ann. 15,45,2; vgl. Dion Chrys. 31,148 f.). Er ist wahrscheinlich identisch mit einem IG IV² 1,83 und 84; IG II/III² 3.1, 4188 belegten athenischen Archon und Priester des Drusus (PIR² C 450).   M. MEI.

Carsidius Sacerdos. Wurde 23 n. Chr. von der Anklage, → Tacfarinas in Africa mit Getreide unterstützt zu haben, freigesprochen, (Tac. ann. 4,13,3). *Praetor urbanus* 27 (InscrIt 13,1 p. 299). 37 wegen Umganges mit → Albucilla auf eine Insel verbannt (Tac. ann. 6,48,4). PIR² C 451.   D. K.

Carsioli, Carseoli. Stadt der → Aequi am Oberlauf des Turano zw. Arsoli und Carsòli. *Colonia latina* (302–298 v. Chr.) an der via Valeria, 42 Meilen von Rom entfernt. 168 v. Chr. Exil des thrak. Königssohns Bithys. Seit 89 v. Chr. *municipium* der *tribus Aniensis*. Aufenthaltsort des Ovidius (Ov. fast. 4,681 ff.). Geringe vorröm. Spuren, regelmäßige Stadtanlage mit Tuffstein-Mauern in *opus quadratum* und polygonalen Kalkstein-Terrassierungen. Tempelanlage; 3 km östl. Votivlager aus dem 6.–2. Jh. v. Chr. mit Bronzefiguren des Herkules, Mz., örtlicher Terrakotta und Keramik; Aquädukt.

B. J. PFEIFFER, TH. ASHBY, C., in: Supplementary Papers of the American School of Classical Studies, Rome 1, 1905, 108–40 • A. CEDERNA, C., in: NSA Ser. 8ª V, 1951, 169–224 • Ders., Teste votive di C., in: ArchCl 5, 1953, 186–209 • D. VAN MOERBEKE, C., 1971 • A. MARINUCCI, Stipe votiva di C., 1976 • M. BUONOCORE, L'epigrafia latina de territorio di Carsòli . . ., in: Bull. Dep. Abr. 73, 1983, 267–286 • Ders., Il ›Magister Iunius‹ ed il culto di ›Mens‹ a Carsioli, in: PdP 40, 1985, 384–386 • Ders., in: Miscellanea greca e romana 11, 1987, 211–227 • S. GATTI, M. T. ONORATI, Per una definizione dell'assetto urbano di C., in: Xenia 20, 1990, 41–64.   G. U.

Carsium. Unter Traian errichtetes röm. Kastell an der Donau-Uferstraße, h. Hîrşova/Constanţa in Rumänien (Tab. Peut. 7,3 *Carsio*; Itin. Anton. 224; Not. dign. or. 39,22 *Carso*; Geogr. Rav. 4,7,2 *Carsion*; Ptol. 3,10,5 Κάρσους; Prok. aed. 4,11,20 Καρσῶ). Straßenknotenpunkt, Furt über die Donau. Von den Hunnen zerstört, wiedererrichtet, bis ins 6. Jh. Standort mil. Einheiten, u. a. der *legio I Italica, ala II Hispanorum et Aravacorum, milites Scythici*.

R. VULPE, Histoire ancienne de la Dobroudja, 1938 • TIR L 35 Bukarest, 1969, 30.   J. BU.

Carsulae. Kaiserzeitliche Stadt (Tac. hist. 3,60; Plin. epist. 1,4) an der Via Flaminia zw. Narnia und Mevania in Umbria, auf einer Hochebene, etwas nördl. von San Gemini. *Municipium* der *tribus Clustumina*. Ausgrabungen: Via Flaminia innerhalb der Stadt, Forum (säumt die Via Flaminia im Osten mit zwei kleinen vierseitigen Bögen, trapezförmig, im Süden abgeschlossen durch einen Tempel mit zwei *cellae*), Theater, Amphitheater (86 × 62 m), Zisternen. Auf dem Grundriß eines röm. Gebäudes im Osten der Straße steht die Kirche S. Damiano. Am nördl. Rand befindet sich ein Tor mit monumentalem Bogen (S. Damiano); außerhalb ein rundes Mausoleum; ferner Fragmente einer Kolossalstatue des Claudius.

G. BECATTI, Tuder-C., 1938 • U. CIOTTI, A. CIOTTI, San Gemini e C., 1976 • P. FONTAINE, Cités et enceintes de l'Ombrie antique, 1990, 353–356 • P. BRUSCHETTI, C., 1995.   G. U.

Carteia. Nahe der Mündung des Guadarranque bei Algeciras in Spanien gelegen (bei Cieza, Prov. Murcia), spielte C. aufgrund der phöniz. Akkulturation eine bed. Rolle. Im 2. Pun. Krieg schlugen die Römer 206 v. Chr. bei C. die Flotte des Karthagers → Adherbal [3]. Der röm. Feldherr → Laelius begann von C. aus die Verhandlungen, die zur Übergabe von → Gades führen sollten (Liv. 28,30,3). 171 v. Chr. wurde C. *colonia Latina libertorum*, die erste außerhalb Italiens. Die Stadt verhielt sich stets treu zu Rom, so etwa im Viriatus-Krieg (147 v. Chr.). Den Fischverarbeitungsbetrieben und der Purpurschneckenfischerei verdankte C. ihre wirtschaftl. Prosperität (Strab. 3,2,7; Plin. nat. 9,92).

TOVAR 1, 70–72.   P. B.

Cartennae (Καρτέννα[ι]; Κάρτιν[ν]α). Wohl pun. Stadt in der späteren Mauretania Caesariensis, h. Ténès (Quellen: Mela 1,31; Plin. nat. 5,20; Ptol. 4,2,4; Itin. Anton. 14,2; Aug. epist. 93,20–22; Iulius Honorius, cosmographia 47; Geogr. Rav. 40,46; 88,9). Um 30 v. Chr. nahm C. eine *colonia* von Veteranen auf. C. war wichtig als Hafenstadt, nicht zuletzt als Landeplatz für die *vexillationes*, die in den Kämpfen gegen die Mauren zum Einsatz kamen. Inschr.: CIL VIII 2, 9649–9695; Suppl. 3, 21502–21513.   W. HU.

Carthago Nova wurde von → Hasdrubal um 225 v. Chr. als Herrschaftszentrum anstelle von Mastia (mit dem besten Hafen der gesamten spanischen Mittelmeerküste) gegr. (h. Cartagena). Die karthagische Stadt erhielt viele Repräsentationsbauten: Tempel der pun. Gottheiten → Baal und → Eshmun, Paläste, Hafenanlagen und eine mächtige Mauer (Pol. 10,10,1–12). Von hier aus brach → Hannibal 218 v. Chr. nach It. auf. C. bildete die Basis der karthagischen Kriegsführung in Spanien. 209 v. Chr. gelang es P. C. → Scipio Africanus, die Festung überraschend zu erobern. Von diesem Zeitpunkt an nahm der 2. Pun. Krieg in Spanien eine Wende zugunsten Roms. Wie in → Gades konnte die pun. Bevölkerung auch in C. lange überdauern. Ihre Spuren lassen sich anhand der Inschr. bis in die röm. Kaiserzeit verfolgen. C. wurde z. Z. C. Iulius Caesars [II 12] röm. Kolonie. In städtebaulicher Hinsicht entwickelte sich C.

vor allem im 1.Jh. Die planmäßige Ausbeutung der Ressourcen ihrer Umgebung (Bergwerke, Spartgrasfelder, Fischerei) und eine ausgedehnte Handelstätigkeit machten aus C. eines der wichtigsten urbanen Zentren des röm. Spanien. In der Spätant. erlebte C. eine dichte Abfolge verschiedener Eroberungswellen: 425 wurde C. von den → Vandali geplündert, die → Goti folgten, und zwischendurch vermochten sich die Byzantiner (um 555) zu behaupten. Sisebut (um 620) stellte die westgot. Herrschaft wieder her, die bis zur arab. Eroberung (711 n.Chr.) währte.

S. RAMALLO ASENSIO, La ciudad romana de C. Nova, 1989 · A. GONZÁLEZ BLANCO, La historia del Sud-Este peninsular entre lo siglos III-VIII d. C., in: Antigüedad y Cristianismo 3, 1985, 53–80 · M. KOCH, Die röm. Gesellschaft von C. Nova nach den epigraphischen Quellen, in: F. HEIDERMANNS, H. RIX, E. SEEBOLD (Hrsg.), Sprachen und Schriften des ant. Mittelmeerraumes, 1993, 191–242 · TOVAR 3, 190–197.
P.B.

Cartima, h. Cártama, Prov. Málaga. Iberische, nach [1. 1126] keltiberische Stadt; hauptsächlich inschr. bezeugt (CIL II 1949–1962; identisch mit Certima bei Liv. 40,47,2?). 53/54 n.Chr. *civitas libera* (CIL II 1953: *decemviri*), unter Vespasian *municipium civium Latinorum* (CIL II 1956 und Suppl. 5488). Nach den Inschr. und den erh. Resten (CIL II p. 248; Suppl. p. 876) scheint C. auch später wohlhabend gewesen zu sein.

1 Holder 3.

TOVAR 1, 132.
P.B.

Cartimandua. Britannische Klientelkönigin der → Brigantes, einer Stammeskonföderation im Norden der Provinz. 51 n.Chr. bewies C. Loyalität durch Auslieferung des → Caratacus an Rom (Tac. ann. 12,36; hist. 3,45). Angewiesen auf eine stabile Nordgrenze, griffen die Statthalter zu C.s Gunsten in innerbrigantische Konflikte ein: Im J. 48 P. Ostorius Scapula (Tac. ann. 12,32,2), A. Didius Gallus zw. 52–57 [1. 48f., 231] (ann. 12,40) durch Entsendung von Auxiliarkohorten und die IX. Legion unter Caesius Nasica (evtl. 54, s. Sen. apocol. 12,29–30). 69 scheiterte C., als sie nach der Scheidung von → Venutius ihren Mann → Vellocatus zum Mitherrscher erhob (Tac. hist. 3,45). Obwohl Rom den Aufstand niederschlug, fiel Brigantia bis zur flavischen Offensive an → Venutius.

1 BIRLEY.

W. S. HANSON, G. WEBSTER, The Brigantes, in: Britannia 17, 1986, 73–89.
C.KU.

Carus

[1] Dichterfreund → Ovids (Pont. 4,13 ist an ihn adressiert; in den Tristien, die die jeweiligen Adressaten verschweigen, ist 3,5 wegen der Ersetzung des Adressatennamens durch das Adjektiv *carus* in V. 17f. gerade nicht an ihn gerichtet), der ein → Epos über Herakles schrieb (Ov. Pont. 4,13,11f.; 4,16,7f.). C. war Lehrer der Kinder des Germanicus (4,13,47f.), und Ovid wünscht, daß C. mit seinem Einfluß auf die Rückholung aus der Verbannung drängen soll. Von seinem Werk ist nichts erhalten.
ED.C./M.MO.

[2] Siegte 94 beim Agon der *Quinquatrus* auf dem *Albanum* Domitians (Mart. 9,23.24). In welchem Teil des Agons C. antrat, ist unklar. Mart. 9,23 zielt auf einen erhofften künftigen Sieg im *agon Capitolinus* (*pia quercus*); vielleicht war C. Dichter von Epen [1]. Fraglich ist, ob Mart. 7,74 (Gatte der Norbana; *coniuge Caro* varia lectio *Carpo*) und 9,54 (Adressat: *Care,* v.l.: *cara . . . cognatio*) C. ansprechen.

1 BARDON 2,229 2 PIR ²C 456 3 O. SKUTSCH, s. v. C. 2), RE 3, 1632.
C.R.

[3] Carus Augustus Imperator Caesar M. A., aus Narbo (Eutr. 9,18,1; Aur. Vict. Caes. 39,12; Aur. Vict. epit. Caes. 38,1), nicht aus Illyricum, Mailand oder Rom (so SHA Car. 5,5); wird zum ersten Mal als *praef. praetorio* des → Probus bekannt (Aur. Vict. Caes. 38,1). Vom Heer in Raetien und Noricum zum Kaiser ausgerufen (Zos. 1,71), wurde er im September 282 n.Chr. anerkannt. Er ernannte bald seine Söhne → Carinus und → Numerianus zu Caesaren. Im Frühjahr führte er Krieg gegen die Sarmaten (Eutr. 9,18), anschließend zog er mit Numerian gegen die Perser. Nach einem beträchtlichen Erfolg (Einnahme Ktesiphons) starb er im Juli oder August 283 am Tigris (infolge Krankheit oder Blitzschlag, Aur. Vict. Caes. 38,4–6; Aur. Vict. epit. Caes. 38,2). PIR² A 1475; PLRE 1, 183.

RIC 5,2, 133–153 · KIENAST, ²1996, 258f.
A.B.

Carventum. Stadt in Latium bei Praeneste; Mitglied im Latinischen Bund (Dion. Hal. ant. 5,61). Die *arx Carventana* wird im Zusammenhang mit den Auseinandersetzungen zw. Rom und den → Aequi bis 409 v.Chr. (Liv. 4,53,55) erwähnt. Keine Spuren aus späterer Zeit; Identifikation mit Roccamassima unbegründet.

BTCGI 5, 20–28.
G.U.

Carvilius. Name einer (wohl zugewanderten) plebeischen Familie, im 3./2.Jh. v.Chr. bezeugt und später wieder verschwunden (ThlL, Onom. 219f.; SCHULZE, 139, A.8; 403; 454). Der Quaestor und Zeuge im Camillusprozeß 391, Sp. Carvilius (MRR 1,93), dürfte später erfunden sein; auch ein Britenhäuptling hieß C. (Caes. Gall. 5,22,1).

[1] C., L. Volkstribun 212 v.Chr. zusammen mit Sp. C., vielleicht sein Bruder.

[2] C., Sp., Freigelassener des Sp. C. Maximus Ruga, leitete um 240 v.Chr. (bzw. 254–234) in Rom eine Schreibschule, in der die Verwendung der gutturalen Media (G) zumindest erfolgreich gelehrt wurde (Plut. mor. 278e) [1].

[3] C. Maximus, Sp., *cos. I* 293 v. Chr. zusammen mit L. Papirius Cursor; er kämpfte erfolgreich gegen die Samniten (Erstürmung von Amiternum, Cominium und anderer Städte), Etrusker und Falisker und triumphierte im selben Jahr. Die reiche Beute wurde u. a. für einen Tempel der Fors Fortuna und für eine kolossale Bronzestatue des Jupiter auf dem Kapitol verwendet (MRR 1, 180). 289 (?) Zensor, 272 erneut mit Papirius Konsul. Er unterwarf die ital. Bundesgenossen Tarents und triumphierte mit seinem Kollegen (MRR 1, 197).

[4] C. Maximus (Ruga), Sp., *cos. I* 234 v. Chr., zog gegen Korsen und Sarden und feierte einen Triumph, *cos. II* 228 mit Q. Fabius Maximus Verrocosus (dem späteren Cunctator). Nach Cannae 216 stieß sein Vorschlag einer Senatsergänzung durch Latiner auf entschiedene Ablehnung (Liv. 23,22,4–9.). Er starb als Augur (Liv. 26,23,6–8). Mit ihm ist der erste Fall einer Ehescheidung in Rom (235 oder 231) verbunden, für die die Kinderlosigkeit der Ehefrau als Grund angeführt wird (Gell. 4,3,2; 17,21,44; Plut. mor. 278e).

1 Schanz/Hosius 1, 42. K.-L. E.

Casae. Stadt in der Prov. → Numidia, nordöstl. von Lambaesis, h. El Mahder. Die kleine Siedlung entwickelte sich zur Stadt und wurde – wohl unter den Severern – *municipium* (CIL VIII 1, 4327). Hier lag eine Abteilung der *legio III Augusta*: CIL VIII Suppl. 2, 18532. Inschr.: CIL VIII 1, 4322–4353; Suppl. 2, 18527–18539.

AAAlg, Bl. 27, Nr. 141 · C. LEPELLEY, Les cités de l'Afrique romaine 2, 1981, 400 f. W. HU.

Casae Calbenti. Straßenstation in der Mauretania Caesariensis, 15 Meilen von Tipasa, 32 Meilen von Icosium entfernt (Itin. Anton. 15,3–5), h. wohl Castiglione.

AAAlg, Bl. 4, Nr. 50. W. HU.

Cascellius (C. Aulus Cascellius). Jurist, Schüler des von Q. → Mucius Pontifex unterrichteten Volcatius (Dig. 1,2,2,45; Plin. nat. 8,144), 73 v. Chr. als Senator belegt, bekleidete nach der Quästur keine weiteren Ämter, sondern widmete sich der praktischen Jurisprudenz [2]. Das von ihm entworfene *iudicium Cascellianum* (Gai. inst. 4,166a) erlaubt dem Sieger des Sponsionsverfahrens im Rahmen der prohibitorischen Besitzinterdikte (einer Art einstweiliger Verfügung zum Besitzschutz), auf Sachrestitution zu klagen [1] (→ *restitutio*). Die Schriften des C. waren, bis auf ein Buch der Bonmots *Bene dicta*, der hochklass. Jurisprudenz im 2. Jh. unzugänglich (Dig. 1,2,2,45).

1 H. HONSELL, TH. MAYER-MALY, W. SELB, Röm. Recht, [4]1987, 552 f. 2 WIEACKER, RRG, 611 f. T. G.

Casia (*cassia*, κασ⟨σ⟩ία) bezeichnete urspr. Cinnamomum-Arten, bes. *C. zeylanicum* (→ Zimt, κιννάμωμον bei Hdt. 3,107) und *C. cassia* (aus Südchina, vgl. Theophr. h. plant. 9,5,1 und 3; Dioskurides 1,13 [1. 1,17 f.] = 2.1,12 [2. 35 ff.]), aber auch schon im Alt. Arten der Leguminosengattung *Cassia*, bes. die schwarzen über Alexandreia eingeführten Hülsen von *C. fistula* (*C. solutiva*, κασσία μέλαινα, γλυκοκάλαμος). Deren eßbares, abführend wirkendes Mark (genannt *Sennesmus*) wurde auch im MA häufig verwendet.

1 M. WELLMANN (Hrsg.), Pedanii Dioscuridis de materia medica, Bd. 1, 1908, Ndr. 1958 2 J. BERENDES (Hrsg.), Des Pedanios Dioskurides Arzneimittellehre übers. und mit Erl. versehen, 1902, Ndr. 1970. C. HÜ.

Casilinum. Stadt im Grenzbereich zw. *ager Falernus* und *ager Campanus*, 3 Meilen nördl. von → Capua (Tab. Peut. 6,3; bei Strab. 5,3,9 statt 24 irrtüml. 19 Meilen; vgl. Dion. Hal. ant. 15,4), wo die *via Appia* den Volturnus auf einer strategisch bed. Brücke überquert; deshalb auch 216 v. Chr. im Krieg gegen Hannibal wichtig (Liv. 23,17 ff.). Nach der Rückeroberung durch die Römer 214 (Liv. 24,19) *praefectura* (Fest. 262,10), verlor C. schnell an Bed. (Plin. nat. 3,70). 856 entschied sich Bischof Landulf für C. als Stätte für die Neugründung von Capua (Konstantinos Porphyrogennetos, de administrando imperii 27). In einer Inschr. von 387 n. Chr. wird C. im Zusammenhang mit mehreren religiösen Festen, die große Teile von → Campania einbezogen, erwähnt (ILS 4918).

NISSEN, 2, 711–712 · K. J. BELOCH, Campanien, [2]1890, 367–369 · G. GUADAGNO, L'Ager Falernus in età preromana, in: Atti delle Giornate di Studio dell'Archeoclub d'Italia. Falciano del Massico Febbr.-Marzo 1986, Minturno 1987, 1–15, Taf. 1 f. · Ders., Pagi e vici della Campania, in: L'epigrafia del villaggio 1992, 407–444 · RUGGIERO, s. v. C., 2, 127 f. U. PA.

Casinum. Oskische, später volskische und samnitische Stadt im Tal des Liris; strategisch bed. Rolle an der *via Latina* in den samnit. Kriegen; wurde wohl *colonia Romana* 312 v. Chr. Die Akropolis befand sich in Montecassino, ein Mauerring (*opus polygonale*) umschloß C. am Abhang im Süden des h. Cassino (Prov. Frosinone). Arch. Monumente: Amphitheater, Forum (auf Terrasse mit Tempel), Theater; *villa* mit Thermen am Rapido, die Varro zugeschrieben wird; Aquädukt von Valleluce (22 km). Das Kloster S. Benedetto geht auf das J. 529 zurück.

G. CARETTONI, C., 1940 · G. LENA, Scoperte archeologiche nel Cassinate, 1980 · A. PANTONI, L'acropoli di Montecassino, 1980 · M. VALENTI, L'acquedotto romano, in: Journal of Ancient Topography 2, 1992, 125–154 · H. SOLIN, in: A. CALBI (Hrsg.), L'epigrafia del villaggio, 1993, 363–406 · E. PISTILLI, Cassino, 1994 · G. GHINI, M. VALENTI, Cassino, 1995. G. U.

Casperius

[1] C. *Centurio.* Im J. 51 versuchte er, im Kastell Gorneae in Armenien zwischen Pharasmanes und Mithridates zu vermitteln (Tac. ann. 12,45 f.). Von Corbulo 62 zum Partherkönig Vologaeses gesandt (Tac. ann. 15,5,2 ff.; PIR[2] C 461).

[2] C. Aelianus. Militärtribun, der Vespasian im J. 69 nach Ägypten begleitete (Philostr. Ap. 7,18). Prätorianerpräfekt unter Domitian; von Nerva erneut in diese Stellung gebracht, schloß er sich einer oppositionellen Gruppe um Cornelius Nigrinus an. C. wurde von Traian nach Germanien gerufen und hingerichtet (Cass. Dio 68,3,3. 5,4; PIR² C 462) [1. 139ff.].

[3] C. Aemilianus. Senator, der ebenso wie C. Agrippinus von Septimius Severus hingerichtet wurde (SHA Sept. Sev. 13,3f.; PIR² C 463).

[4] C. Niger. *Vir militaris* auf Seiten des Flavius Sabinus, im Dez. 69 beim Sturm auf das Kapitol durch die Vitellianer getötet (Tac. hist. 3,73,2; PIR² C 465).

1 SCHWARTE, in: BJ 179, 1979.   W.E.

Caspii montes. Κάσπιον ὄρος ist nach Eratosthenes (bei Strab. 11,2,15) einheimischer Name des Kaukasus, nach Ptol. 5,13,4 die Armenia von der parth. Provinz Media trennende Bergkette (h. Talyš-Kette, Grenze zw. Azerbaiğān und Iran). Bei Mela 1,109 und Plin. nat. 5,99 sind die C. m. neben dem Kaukasus ein selbständiges Gebirge, wohl das Elburs-Gebirge mit dem Demavend (5670 m). Nach Amm. 23,6,74 bildeten sie die nördl. Grenze des Perserreichs.

R. H. HEWSEN (Hrsg.), The Geography of Ananias of Sirak, 1991, 65A, 253.   A.P.-L.

Cassi. Einer von fünf Stämmen in Britannia, die sich 54 v. Chr. Caesar unterwarfen (Caes. Gall. 5,21). Sein nicht genau lokalisierbares Siedlungsgebiet lag im SO der Insel.

A. L. F. RIVET, C. SMITH, The Place-names of Roman Britain, 1979, 302.   M.TO.

Cassia

[1] C. Frau des Avidius Heliodorus, Mutter des Avidius Cassius [1. 217].

[2] C. Marciana. Senatorenfrau, verwandt mit Cassius Apronianus (I. Eph. 3, 710B; RAEPSAET-CHARLIER Nr. 197).

[3] C. Paterna. Frau des Iulius Asper, *cos. II* 212 (PIR² C 529).

1 SYME, SHA-Coll., 1987.   W.E.

Cassiani s. Rechtsschulen

Cassianus s. Iohannes Cassianus

Cassianus, Johannes A. BIOGRAPHIE B. WERK

A. BIOGRAPHIE
Altkirchlicher Schriftsteller, * 360, † 430/35 Marseille. Seine Herkunft bleibt umstritten: Scythia minor (Dobrudscha) oder eher Südgallien [1; 2; 3]. In seiner Jugend tritt er in ein Kloster in Bethlehem ein (de inst. 4,31; Conl. 17,5); längerer Aufenthalt bei den ägypt. Mönchen. Im frühen 5.Jh. war C. sicher in Konstantinopel, wo er von Johannes Chrysostomos zum Diakon

geweiht wurde (de inst. 11,13; de incarnatione 7,31). 404 in Rom, um bei Innozenz I. zugunsten des abgesetzten Johannes Chrysostomos zu intervenieren. Hier wurde er vielleicht auch zum Priester geweiht; möglicherweise längerer Romaufenthalt. Nach 410 (415?) lebte C. in Marseille, wo er zwei Klöster gründete (Gennadius vir. ill. 62) und sein lit. Œuvre verfaßte. Das Werk zeigt einen Schriftsteller in der lat. lit. Tradition, der auch mit der griech. Theologie vertraut war.

B. WERK
De institutis coenobiorum et de octo principalium vitiorum remediis, geschrieben 419–426. Buch 1–4 beschreibt Ordnung und Lebensform der ägypt. und östl. Mönche; Buch 5–12 ist eine asketische Lehrschrift über die acht Hauptlaster und ihre Überwindung. 24 *Conlationes Patrum*, in drei Lieferungen veröffentlicht, zw. 425–429. In 24 fiktiven Unterredungen mit 15 ägypt. Mönchsvätern wird die asketisch-monastische Doktrin dargelegt. In Conlationes 13 über göttl. Gnade und menschliche Freiheit greift C., auf östl. Tradition fußend, die Gnadenlehre des → Augustinus an und wurde damit zum Urheber des (später so genannten) »Semipelagianismus«. Adressaten beider Werke sind die südgallischen Mönche, denen die Erfahrung und Weisheit der östl. Mönche als Norm und Wegweisung gegeben wird. Dank dieser Werke wurde C. zu einem einflußreichen Lehrer des abendländischen Mönchtums; er wird durch griech. Übers. seiner Werke auch im Osten geschätzt. Durch *De incarnatione Domini contra Nestorium*, 430 auf Bitten des späteren Papstes Leo geschrieben, greift er in die christologischen Streitigkeiten der Zeit ein; er widerlegt darin Nestorius mit Hilfe der Hl. Schrift, des kirchlichen Glaubensbekenntnisses und der großen Lehrer der Kirche.

1 O. CHADWICK, John Cassian, ²1968 2 H. O. WEBER, Die Stellung des Johannes Cassian zur außerpadomianischen Mönchstradition, 1960 3 K. ZELZER, C. natione Scytha, ein Südgallier, in: WS 104, 1991, 161–168.

ED.: M. PETSCHENIG, 2 Bde. (CSEL 13; 17), 1886–88 · De institutis: J. C. GUY, (SChr 109), 1965 · Conlationes Patrum: E. PICHERY, 3 Bde. (SChr 42; 54; 64), 1955–59 · De incarnatione: Neuausgabe in Vorbereitung.   K.-S.F.

Cassignatus. Kelt. Namenskompositum ungeklärter Herkunft [1. 167–171; 2. 165]. Galaterfürst, 180 v. Chr. von → Eumenes II. zunächst abgewiesen, dann aber Führer von zwei Alen galatischer Reiterei auf der Seite Pergamons und Roms gegen → Perseus. C. fiel 171 v. Chr. in der Schlacht am Kallinikos (Pol. 24,8; Liv. 42,57,7–9).

1 EVANS 2 SCHMIDT.   W.SP.

Cassiodorus A. LEBEN B. SCHRIFTEN C. WIRKUNG D. MUSIKTHEORIE

A. LEBEN
Flavius Magnus Aurelius C., Senator, geb. ca. 490 n. Chr., aus einer Familie der senatorischen Aristokratie,

die, wohl syr. Ursprungs (der Name deutet auf den syr. Zeus Kasios), seit Generationen in Scylacium (Squillace in Kalabrien) ansässig war, über großen Einfluß in Bruttium und Sizilien verfügte (*primatus*: Cassiod. var 1,4,14) und wichtige polit. Aufgaben erfüllte (PLRE 2, 263 f., C. 1 und 2). Sein Vater (PLRE 2, 264 f.) war als *comes sacr. larg.* des Odoaker rechtzeitig (490) zu Theoderich umgeschwenkt, hatte ihm kampflos Sizilien übergeben, die Position eines *praef. praetorio* und *patricius* erreicht und so seinem Sohn, der ihm als Privatsekretär (*consiliarius*) diente, den Weg geebnet. Ein Panegyricus des C. auf Theoderich brachte ihm das Amt eines *quaestor* (507–511) mit der Funktion ein, Schreiben des Gotenkönigs stilistisch auszufeilen. 514 wurde er *cos. ord.*, 523 Nachfolger des → Boethius als *mag. officiorum* (bis 527) und 533 unter → Athalarich (526–536) *praef. praetorio*, was er über den Tod seiner Gönnerin → Amalasunta (535) und ihres Mörders → Theodahad († 536) hinaus bis mindestens 537 unter → Vitigis blieb, der ihn zum *patricius* erhob. In diese Zeit (535/36) fällt der wohl durch Papst → Agapetos angeregte, aber nicht ausgeführte Plan einer christl. Hochschule. Nach der Kapitulation der Goten in Ravenna 540 kam C. wohl als Gefangener des Belisar mit Vitigis und → Matasunta nach Konstantinopel. Dort drängte er um 550 im Auftrag des Papstes → Vigilius und im Interesse der senatorischen Aristokratie Justinian zum Angriff auf Italien. Nach dem Sieg über die Goten 552 kehrte C. zurück und gründete nach dem Vorbild östl. theologischer Schulen (Nisibis, Alexandreia) in Scylacium die Mönchsgemeinschaft Vivarium. Ohne selbst Mönch zu werden, leitete er sie bis zu seinem Tode (ca. 590). PLRE 2, 265–269.

B. SCHRIFTEN

C.' Werk umfaßt histor., theologisch-philos. und gramm. Schriften sowie Panegyrici auf Theoderich, Eutharich (519), Vitigis und Matasunta anläßlich ihrer Hochzeit (536), die jedoch nur in Fragmenten erhalten sind. Von seinen gramm. Schriften ist nur *De orthographia* (um 580) erhalten, eine Anleitung der Mönche zum Kopieren von Manuskripten. Zeitlich nicht einzuordnen sind Fragmente der Genealogie seiner Familie, *Ordo generis Cassiodorum*, gewidmet dem Konsul von 504 → Cethegus, mit Nachrichten über Boethius und Symmachus. Seine histor. und theologisch-philos. Schriften lassen sich zeitlich gliedern, wobei der Niedergang der Gotenherrschaft zwischen 538 und 540 die Grenze bildet: Vorher entstehen 519 die *Chronica*, ein Abriß der röm. Gesch. im Kontext der Weltgeschichte (seit Adam), der hauptsächlich auf den Chroniken des Hieronymus, Victorinus Aquitanus und Prosper sowie Konsullisten fußt und bis zum Konsulatsjahr des (Auftraggebers?) Eutharich (519 n. Chr.) reicht. Die ›Geschichte der Goten‹ in 12 B., im Auftrag des Theoderich begonnen und vor 533 in einer ersten Fassung vollendet, ist nur im Auszug des → Iordanes erhalten. Weit stärker als in den *Chronica* verfolgt C. hier das Ziel, zwischen Römern und Goten zu vermitteln, vor allem aber die Berechtigung der Herrschaft der got. → Amali zu erweisen. Das Werk enthält gute Nachrichten über Goten und Hunnen, leidet aber unter der betont gotenfreundlichen Tendenz. Die *Variae (epistulae)*, eine um 538 in 12 B. erfaßte Sammlung der wichtigsten von C. redigierten Edikte und Briefe der Gotenkönige (B. 1–5 und 8–10), von Urkundenformularen (B. 6–7) und eigener Verfügungen als *praef. praet.* (B. 11–12), bilden eine wichtige Quelle zur spätant. Verwaltung. Die Schrift *De anima* (zw. 538 und 540, als 13. B. der *Variae* geplant), in der vorchristl. (Platon) und christl. Wissen über die Seele (vor allem Tertullian, Augustinus) zusammenfließen, markiert die Wende zu den theologisch-philos. Schriften, obwohl C. weiterhin polit. tätig blieb und vermutlich auch die Gotengeschichte in eine zweite Fassung brachte, die noch nicht beendet war, als sie Iordanes 551 als Grundlage für seine *Getica* diente. Weitere theologische Arbeiten sind wohl erst nach seiner Rückkehr aus Konstantinopel in Vivarium entstanden: Ein Psalmenkommentar (*Expositio psalmorum*) mit der Absicht, den Ursprung der profanen Rhet. in der Bibel zu finden und die Ausrichtung der Psalmen auf Christus zu erweisen; eine Anweisung (in 2 B.) zur richtigen Lektüre der Hl. Schrift mit Hilfe von Komm. und mit einer Einführung in die Sieben Freien Künste (*Institutiones divinarum [et saecularium] litterarum*), um die geistliche und profane Bildung der Mönche zu fördern; knappe Erklärungen ausgewählter Stellen des NT, vor allem paulinischer Schriften (*Complexiones*) und die *Historia tripartita*, eine von C. angeregte und eingeleitete Kirchengeschichte, in der Auszüge aus Theodoret, Sokrates und Sozomenos in lat. Übers. locker nebeneinander stehen. Auf seine Anregung entstanden auch Übers. etwa des Flavius Iosephus (ant. Iud., c. Ap.).

C. WIRKUNG

Die Bed. C.' auf rel. Gebiet wurde schon im MA durch seinen Einfluß auf Hinkmar von Reims, Alkuin, Hrabanus Maurus oder Beda deutlich. Vor allem die Verbindung weltlicher Wiss. mit theologischem Heilswissen und die damit verbundene Förderung der intellektuellen Fähigkeiten der Mönche gilt als Leistung, die wichtige Impulse zur Pflege und Weitergabe ant. Texte und zur monastischen Lebensform des Benediktinerordens gab. Seine polit. Bed. dagegen schwankt beträchtlich im Urteil. Seine bruchlose Karriere läßt ihn teil als Opportunisten ohne jede polit. Überzeugung, teils als Vertrauten der Mächtigen mit erheblichem politischen Einfluß erscheinen. Kaum bezweifelt werden seine stetigen, über den Tod Theoderichs hinausgehenden Versuche, das altröm. Kulturerbe mit der neuen got. Herrschaft zum Wohle It. (und seiner eigenen sozialen Schicht) zu verschmelzen. Unter diesem Aspekt ist seine Karriere auch ein Indiz für eine echte Loyalität zur Dynastie der Amali.

ED.: Alle Schriften in MPL 59–70 · Panegyrici: L. TRAUBE, MGH AA 12, 457–484 · De orthographia: GL 7, 1880, 143–210 · Ordo generis: H. USENER, Anecdoton Holderi, 1877 · Chronica: TH. MOMMSEN, MGH AA 11, 2, 109–161 · Variae: TH. MOMMSEN, MGH AA 12, 1–385 · De anima:

J. W. Halporn, in: Traditio 16, 1960, 39–109 · Expositio psalmorum: M. Adriaen, CCL 97/98, 1958 · Institutiones: R. A. B. Mynors, 1937, ²1961 · Complexiones: MPL 68, 415–506 · Historia tripartita: W. Jacob, R. Hanslik, CSEL 71, 1952 · Iosephus Ant. Iud.: F. Blatt, The Latin Josephus I. Intr. and Text, The Antiquities (Books I–V), 1958 (weiteres bei J. Froben, 1524) · Iosephus c. Ap.: K. Boysen, CSEL 37, 1898.
Lit.: J. M. Alonso-Nùñez, J. Gruber, s. v. C., LMA 2, 1551–1554 · S. J. B. Barnish, C. Variae, 1992 · J. J. van den Besselaar, C. Senator, 1950 · R. Helm, s. v. C., RAC 2, 915–926 · S. Krautschick, C. und die Politik seiner Zeit, 1983 · B. Meyer-Flügel, Das Bild der ostgot.-röm. Ges. bei C., 1992 · A. Momigliano, C. and the Italian Culture of His Time, in: Proc. Brit. Acad. 41, 1955, 207ff (= Secondo Contributo, 1960) · J. J. O'Donnell, C., 1979 · R. Scharf, Amalergenealogie des C., in: Klio 73, 1991, 612–632 · K. Zelzer, C., Benedikt und die monastische Tradition, in: WS 19, 1985, 215–237.   W. ED.

D. Musiktheorie

Die *musica* hat es, als mathematische Disziplin, mit Zahlenverhältnissen zu tun (*de numeris, qui ad aliquid sunt*). Doch behandelt das Kap. *De musica* (Inst. 2, 142–150 Mynors), den z. T. angegebenen Quellen folgend, andere Themen (Musen, Bedeutung und Wirkung der Musik, Einteilung in *armonica, ritmica, metrica*, Einteilung der Instrumente in Schlag-, Saiten- und Blasinstrumente, Elementarlehre, 15 Tonarten. Das Musikkap. wurde im MA viel gelesen.

Ed. Institutiones: R. A. B. Mynors, 1937 (1963). Lit.: H. Abert, Zu C., in: Sammelbde. der Internationalen Musikges. 3, 1902, 439–453 · G. Wille, Musica Romana, 1967, 700–708 · M. Bernhard, Überlieferung und Fortleben der ant. lat. Musiktheorie im MA, in: GMth 3, 1990, 31–33.   F. Z.

Cassius. Name einer plebeischen *gens* (vgl. Tac. ann. 6,15,1), deren Träger seit der Mitte des 3. Jh. v. Chr. histor. faßbar sind. Wichtigste Familie sind, bes. im 1. Jh. v. Chr., die Cassii Longini. Ein patrizischer C. (um 500 v. Chr., C. I 19) ist singulär.

I. Republikanische Zeit   II. Kaiserzeit
III. Literaten und Ärzte

I. Republikanische Zeit

[I 1] C. C., Praetor 90 v. Chr. (?), 89–88 Statthalter der Prov. Asia, wobei er mit M'. Aquillius [I 4] den Nikomedes von Bithynien zum Angriff auf → Mithradates veranlaßte (MRR 2,34). Er mußte sodann vor dem siegreichen Mithradates nach Phrygien, Apameia, schließlich nach Rhodos zurückgehen (Syll.³ 741; App. Mithr. 17; 19; 24). Ob er von Mithradates gefangen und erst nach Kriegsende freigelassen wurde (App. Mithr. 112), ist zweifelhaft.
[I 2] L. C., trieb als Volkstribun 89 v. Chr. Gläubiger zur Ermordung des Praetors A. Sempronius Asellio, als dieser im Bundesgenossenkrieg Schulden ermäßigen wollte (Val. Max. 9,7,4; MRR 2, 34).

[I 3] M. C., Senator 73 v. Chr. und *praetor* vor 73 (Sherk, 23), gehörte wohl nicht zu dem bekannten Geschlecht.
[I 4] Q. C., der älteste bekannte Namensträger, 252 v. Chr. Kriegstribun unter dem Konsul C. Aurelius Cotta. Da er entgegen dem ihm erteilten Auftrag die Stadt Lipara bestürmte und verlustreich abgewiesen wurde, wurde er vom Konsul degradiert (Zon. 8,14).
[I 5] Q. C., *legatus* in Spanien 48 (MRR 2,280), war als *praetor* 44 von Antonius zur Übernahme einer spanischen Prov. bestimmt (Cic. Phil. 3,26).
[I 6] C. C. Longinus, der erste bekannte Träger dieses Cognomens und zugleich die bedeutendste Persönlichkeit der Familie im 2. Jh. v. Chr. Militärtribun 178 v. Chr., *praetor urbanus* 174, *Xvir agris dandis assignandis* 173; als Konsul mit P. Licinius Crassus 171 erhielt er den Amtsbereich It. und nicht den Auftrag, Krieg gegen Perseus zu führen; daraufhin versuchte er eigenmächtig, durch Illyrien nach Makedonien zu ziehen, was ihm der Senat untersagt (MRR 1,416). Da er 170–168 Kriegstribun in Makedonien war, konnte er später dafür nicht belangt werden. Als Censor mit M. Valerius Messala 154 trat er für den Bau eines festen Theaters ein, was jedoch P. Scipio Nasica durch Senatsbeschluß verhindern ließ (Vell. 1,15,3; Val. Max 2,4,2 u. a.).
[I 7] C. C. Longinus, Konsul 124 v. Chr. (MRR 1,511).
[I 8] C. C. Longinus, Münzmeister um 126 v. Chr. (RRC 266), bewarb sich dann erfolglos um das Volkstribunat. War Praetor spätestens 99, Konsul 96 mit Cn. Domitius Ahenobarbus und sollte 87 vertretungsweise ein (prokonsularisches?) Kommando gegen die Marianer erhalten.
[I 9] C. C. Longinus, Münzmeister 84 v. Chr. (RRC 355), Praetor spätestens 76, erließ als Konsul 73 mit Terentius Varro Lucullus ein Getreidegesetz (Cic. Verr. 2,3,163; 5,52); 72 erlitt er als Prokonsul in Gallia Cisalpina bei Mutina gegen Spartacus eine Niederlage. 70 war er Zeuge gegen Verres, 66 unterstützte er den Antrag des Manilius (Cic. Manil. 68).
[I 10] C. Cassius Longinus, wohl Sohn von C. [I 9], der Caesarmörder. Er war Quaestor vor 53 v. Chr. und nahm als Proquaestor 53 am Partherfeldzug des Konsuls M. Licinius Crassus teil. Nach der katastrophalen Niederlage des Crassus bei Carrhae rettete er den Rest des Heeres und führte es nach Syrien, wo er bis 51 blieb und die Prov. erfolgreich gegen parthische Angriffe verteidigte (51 Sieg über Osaces; Plut. Crass. 18–29; Cass. Dio 40,25–29; Ios. ant. Iud. 14,119–120; Cic. Att. 5,20 u. a.). Dies trug ihm den Ruf eines hervorragenden Militärs ein und gab ihm gleichzeitig durch die Ausbeutung der Prov. die finanziellen Mittel für seine weitere Karriere. 49 trat er als Volkstribun beim Ausbruch des Bürgerkrieges auf die Seite des Pompeius, verließ im Januar 49 Rom mit Aufträgen des Pompeius an die Konsuln und diente 49–48 als *praef.* in dessen Flotte (Caes. civ. 3,5). Er kämpfte erfolgreich bei Sizilien, entging vor Messana allerdings nur mit knapper Not der Gefangennahme

(Caes. civ. 3,101). Nach Pharsalos wollte er mit Caesar Kontakt aufnehmen und wurde schließlich 47 von ihm wegen seiner mil. Begabung begnadigt und als *legatus* (47–46) aufgenommen, ohne in den Kriegen Verwendung zu finden. Die Jahre der Untätigkeit und intensiver Diskussionen um das angemessene Verhalten gegenüber dem Diktator, die sich in seiner Korrespondenz mit Cicero spiegeln (Cic. fam.), führten zu einer Abkehr von Caesar. Er wurde von Caesar für 44 als Praetor (*inter peregrinos?*) bestimmt und sollte 43 Syrien als Prov. erhalten. Ein späteres Konsulat wurde ihm von Caesar zunächst verweigert (Vell. 2,56,3).

Er gilt in den Quellen als Anstifter der Verschwörung (Plut. Brut. 8–10; App. civ. 2,113; Suet. Caes. 80,3 u. a.), verlor jedoch bald die führende Rolle unter den Verschwörern an M. Brutus. Die Verschwörer waren an den Iden des März 44 in seinem Hause zusammengekommen; dann nahmen sie zunächst an einer Amtshandlung des C. und des Brutus als Praetoren teil und führten anschließend in der Senatssitzung das Attentat auf Caesar durch, bei dem C. den Caesar im Gesicht verwundet haben soll (Nikolaos Damasc. 24–25; App. civ. 2,117). Eine von C. erwogene Ermordung des Antonius unterblieb infolge des Widerspruchs des Brutus (*consilio puerili* nach der Beurteilung des Cic. Att. 14,21,3). Am Tag der Amnestierung der Attentäter (18. März) sprach C. sich gegen eine Leichenfeier für Caesar und die Verlesung seines Testamentes aus (Plut. Brutus 20,1), konnte sich aber erneut mit seiner harten Haltung nicht durchsetzen. Mitte April verließ er Rom und hielt sich in Latium und Campanien auf, die für ihn vorgesehene Prov. wurde ihm entzogen; im Juni erhielt er den Auftrag, in Sizilien Getreide aufzukaufen, im Spätsommer wurde ihm die Cyrenaica als Prov. zugesprochen. Im September begab er sich nicht in die ihm zugewiesene Prov., sondern nach Syrien (das der Konsul Dolabella übernehmen sollte), um dort aus eigener Initiative den mil. Widerstand gegen die Nachfolger Caesars zu organisieren. Nach dem Sieg über Antonius bei Mutina im Frühjahr 43 erhielt er vom Senat die Bestätigung seiner Prov. und zugleich den Auftrag zum Krieg gegen Dolabella, den er im Sommer besiegte.

Nach dem Abschluß des Triumvirats zwischen Octavian und Antonius vereinigte er sich etwa im November 43 mit Brutus in Smyrna, um nach seinem Vorschlag anschließend Rhodos zu nehmen und die Prov. Asia von Gegnern zu säubern. Anfang 42 traf er mit Brutus in Sardes zusammen, wo beide die imperatorische Akklamation vom Heer erhielten. Gemeinsam ging man über den Hellespont, musterte die Truppen am Meerbusen Melas und marschierte in den Raum von Philippi, wo man in günstiger Stellung den Antonius erwartete. Antonius trat nach umfangreichen Vorbereitungen zum Sturm auf das Lager des C. an und eroberte es; C. entkam auf einen Hügel bei Philippi, völlig im unklaren über den Kampfverlauf auf den anderen Flügel, von dem aus Brutus inzwischen das Lager des Octavian erobert hatte. Überstürzt gab er am Abend seinem Frei-

gelassenen Pindarus den Befehl, ihn zu töten (Plut. Brutus 38–44; Anton. 22; App. civ. 4,453–477; Cass. Dio 47,46. Vell. 2,76; Val. Max. 6,8,4 mit z.T. abweichenden Versionen). Brutus soll den toten C. »den letzten Römer genannt« und seine Beisetzung auf Thasos veranlaßt haben.

DRUMAN/GROEBE 2, 99–121 (Quellen) · M.H. DETTENHOFER, Perdita Iuventus, 1992 · E.RAWSON, Roman Culture and society, 1991, 488–507.   K.-L.E.

[I 11] L.C.Longinus, Praetor 111 v.Chr., holte Iugurtha als Zeugen gegen röm. Offiziere nach Rom (Sall. Iug. 32f.). Konsul 107 mit C. Marius; er erhielt Gallia Narbonensis zur Prov., erzielte zunächst gewisse Erfolge gegen die Volcae, wurde dann aber von den Tigurinern (im Raum des Genfer Sees?) vernichtend geschlagen und fiel (Caes. Gall 1,7,4; 12,7; Tac. Germ. 37,4 u.a.).

[I 12] L.C.Longinus, brachte als Volkstribun 104 v.Chr. im Zusammenhang mit der Niederlage des Q. Servilius Caepio 105 gegen Kimbern und Teutonen ein Gesetz durch, daß Magistrate, denen das *imperium* vom Volk entzogen worden war, aus dem Senat ausgestoßen werden sollten (Ascon. 78C u.a.).

[I 13] L.C.Longinus, Münzmeister 78 v.Chr. (RRC 386), Militärtribun 69, verhinderte als Praetor 66 nach Ascon. 59–60C widerrechtlich die Verhandlung im Prozeß des C. Cornelius. 64 bewarb er sich (mit Cicero) erfolglos um das Konsulat, schloß sich dann dem Catilina an, verhandelte 63 mit den Allobrogern (Cic. Cat. 3,9), verließ jedoch noch vor diesen Rom; später wurde er in Abwesenheit zum Tode verurteilt (Sall. Catil. 50,4).

[I 14] L.C.Longinus, Bruder des Caesarmörders C. [I 10]. Münzmeister 63 v. Chr (RRC 413), 54 einer der Ankläger des Cn. Plancius (Cic. Planc. 58ff.). Im Bürgerkrieg stand er – anders als sein Bruder – auf der Seite Caesars, wurde 48 mit prokonsularischem Imperium an der Spitze einer neu aufgestellten Legion nach Thessalien geschickt, von wo er das westl. Mittelgriechenland unterwarf (Caes. civ. 3,36,2–8,55,1). 44 war er Volkstribun, stand der Verschwörung fern, wurde jedoch an den Apollinarspielen 44 als Bruder des C. beifällig begrüßt und damit dem M. Antonius verdächtig, der ihm den Besuch der Senatssitzung am 28. November verbot. Erst als die Verwandten der Caesarmörder verfolgt wurden, ging er Ende 43 nach Asien, nahm allerdings an keinen Kampfhandlungen teil und wurde deshalb 41 von Antonius in Ephesos begnadigt. Zweifelhaft ist, ob ihm auch die *lex Cassia* zuzuweisen ist, die Caesar die Patriziatsverleihung ermöglichte (Tac. ann. 11,25,2) [1. 136f.].

1 M.JEHNE, Der Staat des Dictators Caesar, 1987.   K.-L.E.

[I 15] Q.C.Longinus, brachte 167 v.Chr. als *praetor urbanus* den König Perseus nach Alba, Konsul 164, starb im Amt (MRR 1,432; 439).

[I 16] Q. C. Longinus, Sohn eines C. damit wohl Bruder des Caesarmörders C. [I 10]. Augur um 57–47 v. Chr, Münzmeister 55 v. Chr. (RRC 428), Quaestor unter Pompeius in Spanien um 52 (MRR 3,52), wo er sich durch Härte und Raubsucht verhaßt machte. Er setzte sich 49 als Volkstribun mit dem Kollegen M. Antonius erfolglos für die Interessen Caesars ein und verließ Rom am 7. Januar. 49–47 war er mit propraetorischem *imperium* in Spanien (AE 1986, 369: Filiation; bell. Alex. 48–64 u. a.), wo er durch durch maßlose Ausbeutung der Prov. den Pompeianern den Boden bereitete. Er fand 47 den Tod durch Schiffbruch in der Ebromündung.

[I 17] L. C. Longinus Ravilla (so genannt nach der grauen Farbe seiner Augen). brachte als Volkstribun 137 v. Chr. eine *l. tabellaria* ein, durch die die schriftliche Stimmabgabe bei Prozessen vorgeschrieben wurde (Cic. Brut. 97; 106; Leg. 3,35 –37 u. a.), Konsul 127, Censor 125 (mit Cn. Servilius Caepio), führte die aqua Tepula nach Rom (MRR 2,510). Bekannt als strenger Richter (stete Frage: *cui bono*, Cic. Rosc. 84 u. a.) und außerordentlicher Richter im Vestalinnenprozeß 113 (MRR 1,537). Auf die *lex tabellaria* und den Vestalinnenprozeß wurde in der späteren Münzprägung der Cassier wiederholt angespielt.

[I 18] C. C. Parmensis, einer der Caesarmörder, anschließend auf der Seite des Brutus und C. [I 10]. Quaestor 43 v. Chr. (?), Proquästor 42, sammelte nach Philippi die restlichen Truppen, ging zu Sex. Pompeius und 36 zu Antonius über, focht bei Actium mit und wurde dann hingerichtet. Er war auch Dichter (Hor. epist. 1,4,3) von Satiren, Elegien und Epigrammen.

SCHANZ/HOSIUS 1, 315.   K.-L. E.

[I 19] C. Vecellinus, Sp., nach den → Fasti Consul in den Jahren 502, 493 und 486 v. Chr. (MRR I 8, 14, 20). Zugeschrieben werden ihm für 502 ein Triumph über die Sabiner, für 493 die Einweihung des Ceres-Tempels und der Abschluß eines Vertrags mit den Latinern (→ *foedus Cassianum*), für 486 ein Triumph über die Herniker (verbunden mit einem Vertrag), der gescheiterte Versuch, ein Ackergesetz und weitere Maßnahmen für die Plebs durchzusetzen, und schließlich das Streben nach der Königsherrschaft (*adfectatio regni*), das 495 zu seiner Verurteilung und Hinrichtung führte.

Obwohl der Patrizier C. den Namen einer plebejischen Gens trägt, ist die Historizität der Person ebensowenig zu bezweifeln wie der Vertrag mit den Latinern als gegenseitiges mil. Defensivbündnis. Über das Ackergesetz herrschte schon in der Ant. Unklarheit; der Griff nach der Herrschaft fügt sich jedoch in die Berichte über ähnliche Versuche in der formativen Phase der Republik ein (→ Maelius, Sp.; Manlius Capitolinus).

T. J. CORNELL, The Latin League, in: CAH 7.2, ²1989, 264–281 · P. M. MARTIN, Des tentatives de tyrannies à Rome, in: EDER, Staat, 49–72.   W. ED.

II. KAISERZEIT

[II 1] C. Soldat von großer Körperkraft; während der → pisonischen Verschwörung fesselte er auf Befehl Neros den Prätorianerpräfekten Faenius Rufus (Tac. ann. 15,66; PIR² C 473).

[II 2] C. Prokonsul, an den Antoninus Pius ein Schreiben richtete (Dig. 42,1,31; PIR² C 475).

[II 3] Q. C. Agrianus Aelianus. Senator, wohl aus Africa, Mitte des 3. Jh. Er gelangte bis zum Suffektkonsulat (PIR² C 480; CORBIER EOS II 712. 717).

[II 4] [Ca]ssius Agri[ppa]. *Cos. suff.* im J. 130 (PIR² C 481; zu AE 1950, 251 = ŞAHIN Inschr. Nikaia I Nr. 57, vgl. [1. 190f. Anm. 501].

[II 5] M. C. Apollinaris. *Cos. suff.* 150; Statthalter von Cappadocia ca. 153, von Syria ca. 156 (PIR² C 484) [2. I 270].

[II 6] (M.?) C. Apronianus. Senator aus Nikaia, Vater von → Cassius [III 1] Dio. Prokonsul von Lycia-Pamphylia, prätorischer Legat von Cilicia, *cos. suff.* unter Commodus, konsularer Legat von Dalmatien (PIR² C 485) [3. 194].

[II 7] C. Asclepiodotus. Reicher Bürger aus Nikaia, vielleicht Vorfahre von [II 6]. Freund des Barea Soranus. Von Nero verbannt, von Galba zurückberufen (PIR² C 486) [4. 8f.]

[II 8] C. Chaerea. Centurio im Heer in Niedergermanien im J. 14; unter Caligula Prätorianertribun; von diesem öfter beleidigt, beteiligte er sich an der Verschwörung im J. 41 und tötete Caligula; auch dessen Frau und Tochter ließ er töten. Da er sich der Erhebung des Claudius widersetzte, wurde er hingerichtet (PIR² C 488) [5. 177].

[II 9] C. Clemens. Senator; als Anhänger des Pescennius Niger von Septimius Severus dennoch freigesprochen (Cass. Dio 74,9; PIR² C 489).

[II 10] P. C. Dexter . . . Polyonymus. Sohn von [II 20]. Auf ihn ist wohl CIL III 12116 = IGR III 409 = ILS 1050 zu beziehen. Quästor im J. 138, prätor. Statthalter von Cilicia, *cos. suff.* ca. 151 (PIR² C 490) [6. 160]. Verheiratet mit → Annia Rufina, RAEPSAET-CHARLIER Nr. 67.

[II 11] C. Dion. Nachkomme des Historikers C. [III 1]; *cos. ord.* 291 (PIR² C 491) [7. 121 f.].

[II 12] Q. C. Gratus. Prokonsul von Creta-Cyrenae unter Claudius (AE 1968, 549; IRT 338).

[II 13] L. C. Iuvenalis. *Cos. suff.* wohl im J. 159 (CIL XVI 112. 113; vgl. ROXAN RMD III p. 247).

1 W. ECK, in: Chiron 13, 1983 2 THOMASSON, Lat. 3 HALFMANN, Senatoren 4 F. MILLAR, A Study of Cass. Dio, 1964 5 DOBSON, Primipilares, 1978 6 ALFÖLDY, Konsulat 7 M. CHRISTOL, Essai sur l'évolution des carrières sénatoriales, 1986.   W. E.

[II 14] C. C. Longinus. Sohn von C. [II 15]. *Cos. suff.* im J. 30; *procos. Asiae* 40/41. Wegen einer Orakelbefragung von → Caligula zurückgerufen; entging aber der Hinrichtung, da Caligula inzwischen tot war. Statthalter von Syrien zumindest 45–49. Im J. 58 mit der Schlichtung von Streitigkeiten in → Puteoli beauftragt, trat aber bald zurück. Nach der Ermordung des Pedanius Secundus setzte er durch, daß dessen Sklaven ausnahmslos hingerichtet wurden (Tac. ann. 14,42–45). Verheiratet mit Iunia Lepida, einer Ururenkelin des Augustus. Deshalb angeblich in eine Verschwörung im J. 65 verwickelt und nach Sardinien verbannt; von Vespasian zurückgerufen (Dig. 29,2,99). PIR² C 501; VOGEL-WEIDEMANN 317ff. [1. 2957ff.; 2. 449ff.; 3; 4. 317ff.].

> 1 D. NÖRR, in: Sodalitas. Scritti in onore di A. Guarino, 1984 2 H. BELLEN, in: Gymnasium 89, 1982, 449ff. 3 J. G. WOLF, Das Senatus consultum Silanianum... SB Heidelberg 2, 1988 4 VOGEL-WEIDEMANN.   W. E.

C. galt als der größte *iuris consultus* seiner Zeit, war Schüler des → Sabinus (Dig. 4,8,19,2), von dem er die Führung der mitunter auch *Cassiani* genannten [2] Rechtsschule der Sabinianer übernahm (Dig. 1,2,2,51f.). Als praktisch orientierter Jurist (seine Prätur erwähnt noch → Ulpianus, Dig. 4,6,26,7; [3]) schrieb er in Nachfolge seines Lehrers ein einziges Werk *Ius civile* (mindestens zehn B.), das von der frühklass. Jurisprudenz im 1. Jh. intensiv verwendet (*Notae* des → Aristo und *Ex Cassio* des → Iavolenus), im späten 2. Jh. aber wohl durch den Komm. *Ad Sabinum* des → Pomponius vom Markt verdrängt wurde (143 indirekte Zitate in Justinians Digesten [4]). Daß C. ebenso wie Sabinus *Ad Vitellium* schrieb, ist trotz Dig. 33,7,12,27 unwahrscheinlich; eher annotierte er nur das gleichnamige Werk seines Lehrers [1]. PIR² C 501.

> 1 D. LIEBS, Rechtsschulen und Rechtsunterricht im Prinzipat, ANRW II 15, 1976, 210 2 J. W. TELLEGEN, Gaius C. and the Schola Cassiana, in: ZRG 105, 1988, 263–311 3 R. A. BAUMAN, Lawyers and Politics in the Early Roman Empire, 1989, 77ff. 4 O. LENEL, Palingenesia iuris civilis, Bd. 1, 1889 (Ndr. 1960), 109ff.   T. G.

[II 15] L. C. Longinus. Vater von C. [II 14] und C. [II 16]. *Cos. suff.* 11 n. Chr. (PIR² C 502).

[II 16] L. C. Longinus. Sohn von [II 15]. Statthalter des Tiberius in einer unbekannten Prov., *cos. ord.* 30, Mitglied der *XVviri sacris faciundis* (AE 1930, 70: Ehrung durch die Sextani Arelatenses in Rom). Angeblich im Senat gegen Drusus, den Sohn des Germanicus, aufgetreten, (Cass. Dio 58,3,8; vgl. aber [1. 320f.]). Im J. 33 mit der Germanicustochter Drusilla verheiratet, die ihm Caligula im J. 38 wegnahm, Suet. Cal. 24,1. Einflußreich im Senat (PIR² C 503).

[II 17] L. C. Marcellinus. Statthalter von Pannonia inferior und designierter Konsul, wohl unter Septimius Severus (CIL III 10470 = ILS 3925); C. [II 19] war vermutlich sein Sohn [2. 161f.]

[II 18] C. Maximus. *Procos. Achaiae* 116/7 (IG IX 1,61; PIR² C 508) [3. 361].

[II 19] L. C. Pius Marcellinus. Tribun der *legio II Adiutrix*; *quaestor designatus* im J. 204 und *XVvir sacris faciundis* (PIR² C 516; AE 1990, 815). Wohl Sohn von [II 17].

[II 20] P. C. Secundus. Prätorischer Legat der *legio III Augusta* in Numidien, *cos. suff.* 138 (PIR² C 521) [4. Bd. 1, 397]. Zur Herkunft vgl. [5. 334ff.].

[II 21] L. C. Severus. Ritter, Prokurator von Macedonia und Thracia, Präfekt der *classis Ravennas* (SEG 35, 829).

> 1 VOGEL-WEIDEMANN 2 LEUNISSEN 3 W. ECK, in: Chiron 12, 1982 4 THOMASSON, Lat. 5 ŠAŠEL, in: Arh. Vest. 28, 1977.   W. E.

III. LITERATEN UND ÄRZTE

[III 1] L. Cl(audius) C. Dio Cocceianus, der Historiker.

A. LEBEN B. WERKE

A. LEBEN

Er hatte offenbar ein zusätzliches Gentiliz (Cl., AE 1971, 430); erst durch das Diplom des J. 229 (RMD 2, 133) wurde sein Praenomen L(ucius) bekannt. Das zweite Cognomen Cocceianus ist nur durch byz. Quellen belegt (vielleicht durch Verwechslung mit Dion von Prusa). C. gibt über sein Leben die wichtigsten Daten selbst. Seine Familie stammte aus Nikaia in Bithynia (Cass. Dio 75,15,3); er bekleidete wie schon sein Vater Apronianus hohe Staatsämter. Geb. um 164 n. Chr., trat er unter → Commodus in den Senat ein (72,16,3 u.ö.), wurde von → Pertinax zum Praetor designiert, 73,12,2 und unter → Septimius Severus *cos. suff.* (76,16,4, vgl. 60,2,3). Als Comes von → Caracalla überwinterte er mit ihm 214/15 in Nicomedia (77,12,2; 3; 18,4; 78,8,4; 5), von Macrinus wurde er 217/18 zum Curator von Pergamon und Smyrna ernannt. Anfang der Regierung des Severus Alexander wurde er Statthalter (*procos.*) von Africa, anschließend leitete er die Prov. Dalmatien und Oberpannonien (49,36,4. 80,1,2–3), doch machte ihn seine Strenge gegen die Soldaten den Praetorianern verhaßt, so daß er sein zweites Konsulat als Kollege des Kaisers (229) nur außerhalb Roms führen durfte; er ging danach in seine Heimat Bithynien zurück (80,4,2–5,3).

B. WERKE

Seine lit. Tätigkeit begann er unter Septimius Severus mit einer Schrift über die Träume und Vorzeichen, die dessen Herrschaft ankündigten. Dann behandelte er die Kriege von Commodus' Tod (wohl bis 198): beide Werke wurden von Severus mit Wohlwollen rezipiert. Nach dem Tode des Kaisers (211) erweiterte C. endlich den Plan zu einer Gesamtgeschichte Roms, der er die früheren Schriften auszugsweise einfügte. Der Sammlung des Stoffes widmete er 10 Jahre, die Verfassung des Werkes dauerte weitere 12 Jahre (72,23; 74,3). Über den Zeitraum, in dem C. die ›Römische Geschichte‹ schrieb, gehen die Meinungen sehr auseinander. Das späteste Ereignis, das C. erwähnt, ist sein eigenes zweites Konsulat im J. 229 n. Chr. (80,5). Außerdem schrieb C. eine Biographie des Arrianus (Suda, s.v.; weitere Titel sind unsicher bzw. falsch). Von dem Werk Ῥωμαϊκὴ ἱστορία (*Rōmaikḗ historía*), urspr. 80 B., sind erhalten

(Anfang und Schluß verstümmelt) B. 36–60 mit der Schilderung der Ereignisse 68 v. Chr. bis 47 n. Chr., dazu größere Reste aus B. 78–79 über die J. 216–18. Für die verlorenen Teile treten die Auszüge des Ioannes Xiphilinos und Zonaras, ferner vor allem die konstantinischen Exzerpte ein.

Als Quelle zumal für die Kaiserzeit ist C.' Geschichtswerk unschätzbar, obwohl sein lit. Anliegen oft diesen Wert mindert. So ist der Aufbau zwar annalistisch (→ Annalistik), doch wirken daneben – was zu chronologischen Unklarheiten führt – sachliche Ordnungsprinzipien ein, die auf griech. historiographische Theorie zurückweisen. Bes. die eingefügten Reden sind für C.' Stilanliegen bezeichnend. Sie enthalten eigene Gedanken, so vor allem läßt er 52,14 ff. Maecenas ein Regierungsprogramm entwickeln, das Züge der späteren Monarchie trägt, jedoch die unter Caracalla, Macrinus und Elagabalus gefährdete Stellung des Senats stärken sollte. Das ganze Werk war in Dekaden gegliedert: B. 1–40 behandeln die Zeit von Aeneas bis zu Caesars Übergang über den Rubicon, in B. 41–50 folgen die Bürgerkriege. B. 51 beginnt mit Octavianus' Sieg bei Aktium ausdrücklich die Monarchie; B. 60 schloß offenbar mit Claudius' Tod, das Werk endet mit C.' zweitem Konsulat, mit dem er aus dem polit. Leben schied.

Die Quellenfrage ist zumal für den 1. Teil schwierig. C. hat sicherlich → Polybios für das 2. Jh. v. Chr. verwendet. Inwieweit → Livius seine Vorlage für die spätere Republik und das Triumvirat war, ist unklar. Für die frühe Kaiserzeit scheint C. z. B. sein Tiberiusbild nicht Tacitus, sondern früheren Autoren zu verdanken (Diskussion bei [1. 271 ff., 688 ff.]). Am wertvollsten ist die Darstellung der selbst miterlebten Zeit nach Marcus Aurelius, für deren Ausführlichkeit sich C. einmal (72,18,3 f.) formell entschuldigt.

1 Syme, Tacitus.

Ed.: U. Ph. Boissevain, 5 Bde., 1895–1931 (Bd. 1–4, ohne Wortindex, in Ndr. 1955) · H. B. Foster, E. Cary, 9 Bde. (mit von Boissevain abweichender Numerierung ab B. 71/72 im Bd. 9), 1914–1927.
Übers.: O. Veh, 5 Bde., mit Einleitung von G. Wirth, 1985–1992.
Lit.: E. Schwartz, Griech. Geschichtsschreiber, 1957, 394 ff. · F. Millar, A Study of C. Dio, 1964 (Rez. G. W. Bowersock, in: Gnomon 37, 1965, 469–474) · C. Letta, Ricerche di storiografia grece e romana, 1979, 117 ff. · T. D. Barnes, The Composition of C. Dio's Roman History, in: Phoenix 38, 1984, 240–255 · B. Manuwald, C. Dio und Augustus, 1979. A. B.

[III 2] C. Dionysius, aus Utica, übersetzte das 28 B. umfassende Werk des → Mago über die punische Plantagenwirtschaft ins Griech. (Varro rust. 1,1,10). Die 20 B., welche den Stoff von etwa acht B. des Mago behandelten, wurden 88 v. Chr. dem Praetor Sextilius gewidmet. Aus dieser Vorlage veranstaltete Diophanes von Nikaia, ein Zeitgenosse Ciceros, eine dem König Deiotaros gewidmete Kurzausgabe in 6 Büchern. Pli-

nius benutzte neben diesen beiden (in Buch 8,10,14–15,17–18, in 11 nur Cassius) außerdem offenbar dessen ›Kräuterbuch‹ (Ῥιζοτομικά). C. Hü.

[III 3] C. Etruscus. Schnell- und Vieldichter, der lediglich durch seine Erwähnung im Kontext der Horazischen Lucilius-Kritik (sat. 1,10,61–64) bekannt ist. Vom Horazkommentator Porphyrio wird er fälschlicherweise mit C. Parmensis identifiziert. H. Kr.

[III 4] C. Felix. Arzt aus Cirta, Übers. griech.-sprachiger medizinischer Schriften, verfaßte oder übers. 447 n. Chr. für seinen Sohn eine Schrift mit dem Titel De medicina, auf die später Isidor (Orig. 4,8,4) zurückgriff. Möglicherweise sind C. und ein gewisser Felix, der von 426 bis 427 Archiatros von Karthago war (Mirac. S. Stephani 41, 845) identisch, doch war der Name an sich recht geläufig. Als Mitglied der »logica secta« (De medicina, subscriptio) beschreibt er 84 Leiden und deren angemessene Therapien a capite ad calcem. Von allen lat. Autoren medizinischer Schriften greift er am häufigsten auf Galen und Schriften aus hippokratischer Tradition zurück. So bezieht er sich auf mindestens fünf verschiedene Werke Galens, aus hippokratischer Tradition zitiert er zwei Stellen (29; 76) aus dem Aphorismen-Komm., der im 4. Jh. n. Chr. von dem alexandrinischen Medizinprofessor Magnus von Nisibis verfaßt wurde, sowie drei Stellen aus dem nahezu zeitgleich entstandenen Werk des Afrikaners Vindician. Seine weitgehende Abhängigkeit von griech. Vorlagen wird auch durch zahlreiche, lediglich transliterierte griech. Wörter unterstrichen. Seine Darstellung ist klar gegliedert und gut zu verstehen: Einer Definition des Leidens folgt eine kurze Aufzählung der Symptome und der Krankheitsursachen sowie abschließend eine ausführliche Besprechung der Therapiemöglichkeiten, wobei Arzneimittelbehandlung im Vordergrund steht. Strukturierung und Sprachstil ähneln denen eines weiteren afrikanischen Zeitgenossen, Caelius Aurelianus, auch wenn C. humoralpathologische Erklärungen anbietet und bes. Augenmerk auf einen individuell ausgewogenen Säftehaushalt des Patienten richtet.

→ Caelius Aurelianus; Galenos; Hippokrates; Magnus; Vindicianus

1 V. Rose (editio princeps), 1879 2 M. Wellmann, s. v. C. 44), RE 3, 1723 3 O. Probst, Biographisches zu C. Felix, in: Philologus 1908, 319–320 5 G. Sabbah, Observations préliminaires, in: I. Mazzini, I testi di medicina »latini antichi«, 1985, 285–312. V. N./L. v. R.-B.

[III 5] C. Hemina, L., frühester Vertreter der sog. »älteren« → Annalistik. Über seine Lebensumstände ist nichts bekannt. Verfaßte um die Mitte des 2. Jh. v. Chr. eine Gesch. Roms von der (breit behandelten) Frühzeit (Gründung Roms erst B. 2) bis wenigstens 146 v. Chr. (fr. 39), wahrscheinlich in fünf Büchern ([1. 329 f.]; sieben B. vermutet [2. 172]), deren viertes den Sondertitel Bellum Punicum posterior trug (fr. 31), aber noch weit ins 2. Jh. reichte. Bei strengster Kürze in der polit. Gesch.

(fr. 34) blieb dem antiquarisch interessierten Verf. Raum für kultur- und religionsgesch. Nachrichten. Anlehnung an Catos *Origines* verraten Ktisis-Angaben ital. Städte (fr. 2; 3) und sprachlicher Anklang (fr. 29; Cato fr. 57 P.). Kein gesicherter Einfluß auf → Livius (vgl. aber [3. 344]) oder → Dionysios Halikarnassos, aber seit → Plinius d. Ä. und Aulus → Gellius als Fundgrube kulturgesch. Details und sprachlicher Besonderheiten genutzt. (Fragmente: HRR 1, 98–111).

1 LEO   2 U. W. SCHOLZ, Zu L. C. Hemina, in: Hermes 117, 1989, 167–181   3 G. FORSYTHE, Some notes on the History of C. Hemina, in: Phoenix 44, 1990, 326–344.

E. RAWSON, The first Latin annalists, in: Latomus 35, 1976, 689–717 (=Roman Culture and Society, 1991, 245–171) · C. SANTINI, I frammenti di L. Cassio Emina, 1995.   W. K.

[III 6] C. Iatrosophistes. Griech. Autor einer Sammlung medizinischer und naturkundlicher *Problḗmata*, deren Datierung schwankt (4.–7. Jh). Sein Beiname läßt vermuten, daß er Medizinlehrer war, auch wenn dieser Beiname auf einen vom Text auf den Verf. schlußfolgernden Schreiber zurückgehen mag. Seine 84 *Problḗmata* decken sich partiell mit denen von → Alexandros [26] von Aphrodisias und → Adamantios und wurden häufig gemeinsam mit den aristotelischen *Problḗmata* überliefert. Was seine Schulzugehörigkeit betrifft, vertritt C. in seinem Werk sowohl Deutungsmuster der Methodiker (probl. 8,40), wie auch der Humoralpathologen und Pneumatiker (probl. 56). Sein Stil ist dabei einfach und ähnelt dem der ps.-galen. *Definitiones*. Für die Verwertung älterer Doxographien könnte seine Erwähnung der Herophileer (probl. 1) und des Andreas (ebd. 58) sprechen.

ED.: J. L. IDELER, Physici et medici graeci, 1, 1841 · A. GARZYA (in Vorbereitung).   V. N./L. v. R.-B.

[III 7] C. Longinus, Homer-Kritiker und Platoniker, s. Longinus.

[III 8] C. Severus, ca. 40 v. – 32 n. Chr., bed. Redner in Rom. Trotz niederer Abstammung, lasterhaftem Lebenswandel (Tac. ann. 4,21,3) und fast sprichwörtlicher Erfolglosigkeit (Macr. Sat. 2,4,9) erlangte er Ruhm als Prozeßredner. Seine große Belesenheit, Gabe zum Extemporieren und mitreißende Vortragskunst hatten ihre Kehrseite in unkontrollierter Aggressivität und Zynismus. So trat C. außer in eigener Sache (Sen. contr. 3, pr. 3) nie als Verteidiger auf. Quintilian (inst. 11,1,57) moniert die offensichtliche Schadenfreude bei Anklagen. Obwohl Augustus ihn vorher noch gegen eine Anklage *de moribus* in Schutz genommen hatte (Cass. Dio 55,4,3), wurde er auf Senatsbeschluß wegen Angriffen auf hochstehende Personen nach Kreta relegiert, seine Schriften verboten; weil C. nicht von den Schmähungen abließ, wurde er unter Tiberius nach Seriphos deportiert, wo er im Elend starb (Tac. ann. 1,72,3; 4,21,3); Rehabilitation unter Caligula durch Wiederveröffentlichung seiner Werke (Suet. Cal. 16,1). Die

von Quint. inst. 10,1,116 als Pflichtlektüre empfohlenen Gerichtsreden sind nicht überliefert, C.' Deklamationskunst charakterisiert Sen. contr. 3, pr. Als Verehrer Ciceros verurteilte C. zwar die Phantasiewelt der Deklamationen in seinen Gerichtsreden, übernahm aber deren Stilelemente wie Sentenzenhaftigkeit und ungenaue, aber effektheischende Argumentation (→ *argumentatio*; vgl. Tac. dial. 19 ff. [1; 2. 163–198]).

ED.: → Seneca Maior.
LIT.: 1 M. WINTERBOTTOM, Quintilian and the »Vir bonus«, in: JRS 54, 1964, 90–97   2 K. HELDMANN, Ant. Theorien über Entwicklung und Verfall der Redekunst, 1982.   C. W.

Cassivellaunus. Britannischer König nördlich der Themse. 54 v. Chr. Oberbefehlshaber der britannischen Truppen gegen Caesar, dem C.' Guerillataktik schwere Verluste zufügte. Nach Abfall der → Trinovantes und vier weiterer Stämme gelingt es Caesar, zu C.' *oppidum* vorzudringen. Unter Vermittlung des Atrebaten → Commius kommt ein Friedensvertrag zustande, der die Trinovantes Roms Schutz unterstellt, Geiselstellung und einen Tribut (*vectigal*) vereinbart (Caes. Gall. 5,11,8; 18,1 ff.; Cic. Att. 4,18,5).   C. KU.

Castel d'Asso. Mittelalterliche Burg westl. von Viterbo am Ort des röm. Castellum Axia (Cic. Caecin. 7,20), auf einem Tuffplateau gelegen, das nach Westen, Norden und Süden steil zu Wasserläufen abfällt. Der Tuffsporn ist durch drei Gräben gegen das Hinterland geschützt. Die Siedlung reichte in archa. Zeit bis zum östl. Graben, lag in hell. Zeit aber nur noch auf dem westl. Teil des Sporns. An den Steilhängen nördl. gegenüber der ma. Burg befindet sich eine Felsgräbernekropole des 4.–2. Jh. v. Chr. Der ältere Grabtyp (4./3. Jh. v. Chr.) besteht aus einem einfachen Kubus mit reliefierter Scheintür und flacher oberer Plattform, der jüngere (3./2. Jh. v. Chr.) weist eine kleinere untere Fassade mit Scheintür auf, die durch ein vorspringendes Dach von der Hauptfassade getrennt ist. Anders als bei den archa. Felsgräbern in → Bieda/Blera und → San Giuliano befinden sich unter den Würfeln eher schlichte Grabkammern.

E. COLONNA DI PAOLO, G. COLONNA, Castel d'Asso, 1970.   M. M.

Castel di Decima. Mittelalterliche Burg bei km 18 der Via Laurentina südl. von Rom. Auf der Anhöhe des Kastells findet sich eine Ansiedlung des 8.–6. Jh. v. Chr. mit großer Nekropole, von der seit 1971 ca. 350 Gräber systematisch untersucht wurden. Die Siedlung war durch zwei Wasserläufe geschützt, die dritte Seite wurde im 8. Jh. v. Chr. durch einen Erdwall befestigt, dem Ende des 7. Jh. eine Mauer aus großen unregelmäßigen Tuffblöcken vorgeblendet wurde. Im 6. Jh. v. Chr. umgab eine große Befestigungsmauer aus regelmäßigen Tuffquadern im Binder-Läufer-System die nach Süden erweiterte Siedlung, möglicherweise das ant. Tellenae oder Politorium. Die große Nekropole besteht meist aus Fossagräbern des 8. und 7. Jh. v. Chr. und dokumentiert den Übergang von früher Eisenzeit (Latiale Kultur) über die orientalisierende Phase zur archa. Zeit; darin einzeln stehender Tumulus mit reichen Beigaben (Wagen, Bronzegefäße) des 8. Jh. v. Chr.

A. BEDINI, s. v. C. di D., EAA Suppl. 2, 35–36.　　M.M.

Castellina del Marangone. Kleine, küstennahe Siedlung auf einem Hügel oberhalb der Mündung des Flusses Marangone zw. → Tarquinia und → Caere mit Siedlungskontinuität von der späten Bronzezeit bis ins 1. Jh. v. Chr. Siedlung ummauert. Geringe Reste der Bebauung ausgegraben bzw. im Gelände sichtbar. Weitläufige Nekropolen bis zur Küste; extraurbane Heiligtümer an der Küste bei Punta della Vipera und an der Marangonemündung. Seit dem 6. Jh. v. Chr. zum Territorium von Caere zugehörig, war der Ort offenbar für den Metallhandel aus den Tolfa-Bergen von Bedeutung. Die etr. Siedlung wurde nach Gründung der röm. Kolonie → Castrum [2] Novum aufgelassen. Seit 1996 dt.-frz. Ausgrabungen in der Siedlung.

S. BASTIANELLI, Contributi per la carta archeologica dell'Etruria. Territorio dei Castronovani, in: Studi Etruschi 15, 1941, 283–294 · O. TOTI, S. MARINELLA, Saggio di scavo eseguito nell'abitato protostorico de »La Castellina«, in: Notizie degli Scavi di antichità, 1967, 55–86.　　M.M.

Castellina-in-Chianti. Am nördl. Ortsausgang liegt ein großer etr. Grabtumulus (sog. Monte Calvario; Dm 53 m; H 40 m) mit in die vier Himmelsrichtungen orientierten Kammergräbern. Süd- und West-Grab bestehen aus rechteckiger Grabkammer, Dromos und zwei Dromoszellen, beim Ost-Grab fehlt die zentrale Grabkammer, beim Nord-Grab fehlen die Dromoszellen. Alle Gräber sind aus Kalksteinplatten gebaut, die zur Decke hin vorkragen; sie entstammen dem späten 7. Jh. v. Chr. Der Entwurf eines Renaissance-Mausoleums im Louvre, Leonardo da Vinci zugeschrieben, bezieht sich möglicherweise auf den Monte Calvario.

M. MARTELLI, Un disegno attribuito a Leonardo e una scoperta archeologica degli inizi del Cinquecento, in: Prospettiva 10, 1977, 58–61 · F. NICOSIA, Schedario topografico dell'agro fiorentino a zone limitrofe (II), in: Studi Etruschi 35, 1967, 280–283.　　M.M.

Castellum I. RÖMISCH II. KELTISCH

I. RÖMISCH

[I 1] Nach Veg. mil. 3,8 (*Nam a castris diminutivo vocabulo sunt nuncupata castella*) handelt es sich bei den *c.* um kleinere Lager, die wohl von den permanenten Auxiliarlagern zu unterscheiden sind und eher ad hoc zur Sicherung der Versorgung oder als Teil einer größeren Befestigung angelegt wurden (Veg. mil. ebd.). *C.* sind in Größe und Besatzungszahl wohl mit den »Kleinkastellen« des Limes oder den *burgi* zu vergleichen (Veg. mil. 4,10: *castellum parvulum, quem burgum vocant*).

[I 2] Rechtlich nicht selbständiger ländlicher Teil einer größeren Gemeinde mit einer gewissen lokalen Selbstverwaltung durch *magistri* oder *seniores. C.* sind vor allem als Wohnorte der einheimischen Bevölkerung in Gebieten im Anfangsstadium der Romanisation nachzuweisen, so in Oberit. (CIL V 7749=FIRA III Nr. 163) und Nordafrika (CIL X 6104). Die rechtliche Abgrenzung des *c.* vom *vicus* und *pagus* ist nicht eindeutig (vgl. *lex Rubria* 22 f.).

[I 3] Im Wasserbau Bezeichnung für Bauwerk am Ende eines *aquaeductus* oder einer Hauptleitung, das zur Klärung des Wassers von Unrat und Geröll, zum Druckabbau innerhalb des Leitungssystems und zur Weiterverteilung des Wassers in die lokalen Leitungen (Paul. Fest. 70: *ex quibus a rivo communi aquam quisque in suum fundum ducit*), aber auch zum Zusammenführen verschiedener Wasserleitungen diente.

→ Castra

C. [I 1]: **1** D. BAATZ, Der röm. Limes. Arch. Ausflüge zwischen Rhein und Donau, 1993 **2** A. JOHNSON, Roman Forts of the 1st and 2nd Centuries AD in Britain and the German Provinces, 1983.
C. [I 2]: **3** F. J. BRUNA, Lex Rubria, Caesars Regelung für die richterlichen Kompetenzen der Munizipalmagistrate in Gallia Cisalpina, 1972, 261–265 **4** C. LEPELLEY, Les cités de l'Afrique romain au Bas-Empire I, 1979, 132–134.
C. [I 3]: **5** BRUUN **6** H. B. EVANS, Water Distribution in Ancient Rome. The Evidence of Frontinus, 1994 **7** HODGE, 279–303.　　P.H.

[I 4] Tingitanum. Ort in der Mauretania Caesariensis im Tal des Chélif (Itin. Anton. 37,7: C. T.; Amm. 29,5,25: Tigavitanum C.; Anonymus Ravennas 42,3: Tingit), h. El-Asnam (früher Orléansville). Überreste eines Bades (mit bekanntem Mosaik), einer Kirche des Bischofs Reparatus (324 n. Chr.) und anderer sakraler Bauten. Inschr.: CIL VIII 2, 9704–24; Suppl. 3, 21518 f.

AAAlg, Bl. 12, Nr. 174 · F. WINDBERG, s. v. T. C., RE 6 A, 1384–87.　　WE.H.

II. KELTISCH

[II 1] Bei Caes. Gall. 2,29 und 3,1 für die belgischen → Aduatuci bzw. die Alpenvölker zusammen mit *oppida* genannte, befestigte(?) Siedlungsform. Es wird versucht, vor allem im Treverergebiet, C. mit dortigen kleineren spätkelt. Höhenbefestigungen gleichzusetzen. Das bestuntersuchte Beispiel, die Altburg bei Bundenbach zeigt, daß es sich weniger um Fluchtburgen, als um mit Holz-Stein-Erde-Mauern (u. a. *murus duplex*) befestigte, organisiert und dicht besiedelte Plätze handelt.

→ Befestigungswesen; Treverer

W. DEHN, Die gallischen »Oppida« bei Caesar, in: Saalburg Jb. 10, 1951, 36–49 · R. SCHINDLER, Die Altburg von Bundenbach, 1977 · H. NORTMANN, Eisenzeitliche Burgwälle des Trierer Landes, in: Studien zur Eisenzeit im Hunsrück-Nahe-Raum, hrsg. von A. HAFFNER, A. MIRON, 1991, 121–140.　　V.P.

Casticus. Keltisches Namenskompositum aus *-ico-* [1. 330–331]. Sohn des Sequanerkönigs Catamantaloedes »der den Feind in der Schlacht schlägt« [1. 66–69; 2. 166–167]. C. wurde 59 v. Chr. von → Orgetorix überredet, in seinem Stamm die Königsmacht an sich zu reißen, da sein Vater offenbar gestorben war. Der Dreibund zwischen C., Orgetorix und → Dumnorix scheiterte am Tode des Orgetorix (Caes. Gall 1,3,4).

1 EVANS   2 SCHMIDT.

H. BANNERT, s. v. C., RE Suppl. 15, 84–87.   W. SP.

Castigatio. Ausdruck für eine Erziehungsmaßnahme, wie bereits dem Wortsinn (*castum agere*, »zum Reinen bringen«) zu entnehmen ist. Vielfach ist die Haftung des Züchtigenden gegenüber dem Gezüchtigten für die Folgen der *c.* ausgeschlossen, so beim Lehrherren gegenüber dem gemaßregelten Lehrling (z. B. Dig. 9,2,5,3). Dasselbe gilt für den Hausvater gegenüber den Kindern und für den Herrn gegenüber den Sklaven (Dig. 7,1,23,1; 48,19,16,2). Die *c.* als polizeiliche oder richterliche Maßnahme knüpft teilweise an solche private Herrschaftsverhältnisse an, so gegenüber dem Freigelassenen auf Antrag seines Patrons (z. B. Dig. 1,12,1,10, dort unter Angabe der *fustigatio* – Prügelstrafe – als Züchtigungsmittel, vgl. → *verbera*) oder gegenüber Kindern und Jugendlichen. Der mil. Disziplin dient die *c.* gegenüber Soldaten. Als Polizeistrafe verhängten die → *tresviri capitales* die *c.* Den Charakter einer Kriminalstrafe wird man der *c.* gegen zahlungsunfähige Schuldner und fahrlässige Täter zusprechen müssen, erst recht der *c.* als Nebenstrafe zur Todesstrafe.

M. FUHRMANN, s. v. Verbera, RE Suppl. 9, 1589–1597 · B. SANTALUCIA, Studi di diritto penale romano, 1994, 130–134.   G. S.

Castillo Doña Blanca. Vorgeschichtlich-tartessische, befestigte proto-urbane Siedlung mit Hafen an der ant. Einmündung des Río Guadalete in die Bahía de Cádiz, h. Hügel im Schwemmland östl. der Hafenstadt Puerto de S. Maria, seit dem 8. Jh. v. Chr. offensichtlich mit starkem Anteil an phöniz. Siedlern und entsprechend deutlich oriental. geprägtem Kulturprofil. Aus der zugehörigen Nekropole (*de las Cumbres*) stammen typisch orientalisierende Grabinventare.

D. RUIZ MATA, in: Madrider Mitteil. 27, 1986, 87 ff. · Ders., C. J. PÉREZ, El poblado fenicio del Castillo de Doña Blanca, 1995.   H. G. N.

Castinus. Flavius C., 420/21 als *comes domesticus* in Gallien tätig; kämpft 422 als *mag. militum* des → Honorius in der Baetica erfolglos gegen Vandalen, überwirft sich mit → Bonifatius, der nach Africa ausweicht. 423 unterstützt C. wohl die Usurpation des → Johannes und verbleibt in seinem Amt, wird 424 *cos.*, findet aber im Osten keine Anerkennung [1. 383]. Später flieht C. angeblich nach Africa (PLRE 2, 269 f.).

1 BAGNALL.   H. L.

Castorius. Röm. Geograph des 4. Jh. n. Chr.; sein Werk war die Hauptvorlage des → Geographus Ravennas. C. wird zu Unrecht auch als Verf. der → Tabula Peutingeriana bezeichnet (so [1]).

1 MILLER, XIII.   K. BRO.

Castra A. MILITÄRLAGER   B. ORTSCHAFTEN

A. MILITÄRLAGER

[I 1] Allgemein. Die röm. Soldaten sorgten immer dafür, durch Befestigungsanlagen geschützt zu sein. Dies galt auch, wenn sie auf Feldzügen nur für eine Nacht Halt machten. Abends bei der Ankunft mußte das Marschlager errichtet und morgens beim Aufbruch wieder zerstört werden. Der Plural *c.* bezeichnete jegliche Art von Militärlager, der Singular *castrum* existierte zwar, wurde im mil. Vokabular jedoch nicht benutzt. *Castellum*, das auch eine zivile Bed. hatte, ist Diminutiv zu *c.* (Veg. mil. 3,8).

Der Ursprung der röm. Lager liegt im Ungewissen; aufgrund einer Notiz von Frontinus (strat. 4,1,14) wurde angenommen, daß die Errichtung eines geordneten Militärlagers auf Pyrrhos zurückgeht. Aber die Bewunderung röm. Militärlager durch Pyrrhos selbst oder durch Philipp V. (Plut. Pyrrhos 16; Liv. 31,34,8) entkräftet diese Auffassung; wahrscheinlich haben aber etr. und hell. Einflüsse auf die Entwicklung röm. *c.* eingewirkt. Die republikanischen Lager sind aufgrund der genauen Beschreibung von Polybios (6,26 ff.) und der Ausgrabungen in Numantia und Alesia gut bekannt. Der griech. Historiker stellt ein ideales, auf ebenem Terrain errichtetes Lager dar: es besaß einen quadratischen Grundriß mit einem rechtwinkligen Straßennetz und war von einem Befestigungswall umgeben; auf einer Erdaufschüttung (*agger*) stand eine Palisade (*vallum*), davor wurde ein Graben (*fossa*) ausgehoben. Der freie Raum zwischen der Befestigung und den Zelten, das *intervallum*, erleichterte den Verkehr innerhalb des Lagers und bot im Falle eines Angriffs den feindlichen Wurfgeschossen eine leere Fläche. Die Unterkunft des Generals, das *praetorium*, nahm eine zentrale Stellung zwischen der Unterkunft des Quaestors, dem *quaestorium*, und dem Versammlungsplatz, dem *forum*, ein. Die Offiziere, die Präfekten der *socii* und die Tribunen der Legionen waren in der Nähe des Generals untergebracht. Ihre Zelte wurden gegenüber denen der röm. Soldaten aufgestellt, die wiederum von den Zelten der *socii* flankiert wurden. Die *extraordinarii* waren zwischen dem *praetorium* und dem Schutzwall untergebracht. Die Ausgrabungen in Numantia und Alesia haben gezeigt, daß dieses Grundmuster aufgrund der Zahl der Soldaten und der top. Gegebenheiten modifiziert werden konnte. Mit der Expansion Roms wurde das Heer zwangsläufig zu einer permanenten Institution. Für den Winter errichteten die Soldaten komfortablere Lager (*hiberna* oder *stativa*), ohne daß die während der Sommerfeldzüge errichteten und zeitlich begrenzt genutzten Lager (*aestiva*) vernachlässigt wurden.

In der Principatszeit hatten die Lager einen rechtekkigen Grundriß, wobei die Seiten sich im Idealfall wie 1:1,5 verhielten und die Ecken abgerundet waren; sie nahmen eine Fläche von 20 bis 22 Hektar pro Legion ein. Der Befestigungswall, der stets von mehreren Gräben umgeben war, wurde früher aus Holz oder aus Rasenplatten aufgeschichtet. Nach und nach wurden diese Materialien durch Stein ersetzt (hauptsächlich in der Zeit der Flavier). Die vier Tore wurden mit großer Sorgfalt befestigt; sie waren flankiert von Türmen und Bastionen für die Katapulte. Das Innere des Lagers war durch Straßen in mehrere Rechtecke eingeteilt. Die *via principalis* und die *via quintana* verliefen von Osten nach Westen und unterteilten das Lager in drei Bereiche, die *praetentura*, die wiederum durch die *via praetoria* geteilt wurde, hinter der *via principalis*, dann die *latera praetorii* im Zentrum und schließlich die *retentura* vor der *via quintana*. Das *intervallum* blieb bestehen. Der zentrale Teil des Lagers, sein Herzstück, nannte sich *principia* (oft zu Unrecht als *praetorium* bezeichnet). Er bestand aus zwei Höfen, dem Gebäude für die Feldzeichen (*aedes signorum*), dem Waffenlager (*armamentorium*), den Verwaltungsgebäuden und seit Septimius Severus den *scholae*. Hier gab es auch eine Rednerbühne für die Ansprachen. Die Unterkünfte der Offiziere waren richtige *domus*; das Haus des Befehlshabers war das *praetorium*. Die Soldaten lebten in Räumen auf beiden Seiten eines langgestreckten Hofes; für die Angehörigen der unteren Dienstgrade und die Centurionen gab es gesonderte Räumlichkeiten. Um eine Legion, ungefähr 5000 Mann, einzuquartieren, benötigte man eine richtige Stadt. Die Soldaten bauten ein Krankenhaus (*valetudinarium*), Thermen und Latrinen, Lagerräume (*horrea*), hauptsächlich für Weizen, einen Weinkeller, eine Werkstatt (*fabrica*) und außerdem einen Übungsraum (*basilica exercitatoria*). Luftaufnahmen und zahlreiche Grabungen erlaubten es, Hunderte von Lagern aller Größen kennenzulernen. Da die Armee der Spätant. sich wandelte, veränderten sich auch die Lager. Die kleineren und unregelmäßigen Bauten waren zahlreicher und genauso effektiv wie diejenigen der Principatszeit. Meistens bildete ein unregelmäßiges Viereck mit Ecktürmen den Grundriß. Der Befestigungswall war weiterhin aus Stein und durch einen Graben geschützt; in der Regel besaßen die spätant. Lager nur ein einziges Tor, weil die Einheiten nur noch eine geringere Stärke aufwiesen; es war von viereckigen, vorspringenden Türmen flankiert. Jüngste Forsch. haben ergeben, daß derartige Lager bereits gegen Anfang, spätestens gegen Mitte des 3. Jh. n. Chr. errichtet wurden. Bei der Planung ließ man den Offizieren eine gewisse Freiheit. Das *intervallum* wurde durch Bebauung mit hohen Gebäuden geschmälert.
→ Befestigungswesen

1 A. JOHNSON, Roman Forts of the 1st and 2nd Centuries AD in Britain and the German Provinces, 1983 2 M. J. JONES, Roman Fort Defenses to AD 117, BAR 21, 1975 3 J. LANDER, Roman Stone Fortifications, 1984 4 LE BOHEC 5 H. V. PETRIKOVITS, Die Innenbauten röm. Legionslager während der Prinzipatszeit, 1975 6 M. REDDÉ, S. V. SCHNURBEIN, Fouilles et recherches nouvelles sur les travaux du siège d'Alésia, in: CRAI, 281–312 7 A. SCHULTEN, Numantia, 4 Bde., 1914–1931.   Y. L. B.

[I 2] C. Equitum Singularium. Kasernenanlage in Rom (→ C. [I 1]), in der die *equites singulares*, eine wohl von Trajan gegründete Reitertruppe zum Schutz des Kaisers, bis zur Auflösung 250 n. Chr. stationiert waren; ein altes und ein später daneben existierendes neues Castrum sind zu unterscheiden (*castra priora* und *castra nova*; beide in zahlreichen Inschr. zwischen 118 und 250 n. Chr. genannt (CIL VI, 3183, 3191, 3196, 3236, 3241, 3279, 3288, 3293, 3300, 327998 bzw. CIL VI, 3195, 3198, 3207, 3217, 3254, 3266, 3289, 3297; IX 795). Topographische Identifizierung ist durch Weihinschr. möglich: das ältere Lager auf dem Caelio, nördl. der neronischen Erweiterung der Aqua Claudia bzw. der modernen Via Tasso (CIL VI 31138–31187), das jüngere nahe der Lateransbasilika (→ Caelius Mons). Von den *castra priora* ist eine Nischenmauer des Lagerheiligtums erh., vor der Basen und Altäre mit Weihinschr. an mehr als 35 Gottheiten standen. In den *castra nova*, errichtet zwischen 193 und 197 n. Chr., wurden u. a. Reste des *praetorium* gefunden.

C. BUZZETTI, in: LTUR I, 246–248 · RICHARDSON, 77.

[I 3] C. Misenatium. Kaserne in Rom (→ C. [I 1]), die eine Abordnung der in Misenum stationierten Flotte barg, die angeblich das *velarium* im → Kolosseum bediente (SHA Comm. 15,6), vielleicht auch bei den → Naumachien mitwirkte. Die Lokalisierung des auf dem Fr. 6a der FUR genannten Gebäudekomplexes ist unsicher; durch Kombination mit einem anderen Fr. ergibt sich vielleicht eine Lage an den nördl. Ausläufern des Oppius, zwischen den Trajansthermen und der Via Labicana.

D. PALOMBI, in: LTUR I, 248–249 · RICHARDSON, 77–78.

[I 4] C. Peregrina. Kaserne in der Regio II von Rom (→ C. [I 1]; Amm. 16,12,66), die zu besonderen Aufgaben (*frumentarii*: CIL VI 36853, 36748, 36776, 3326, 428; *speculatores*: CIL VI 36775) anwesende Soldaten der Provinzheere aufnahm; nach Grabungen von 1904–09 im Osten von S. Stefano Rotondo zu lokalisieren. Innerhalb des Lagers stand ein Tempel des Iuppiter Redux (CIL VI 428) sowie ein *balneum* (CIL VI 354); zahlreiche Kulte sind nachgewiesen (CIL VI 36788, 36853, 354, 3004, 36821, 36825), u. a. auch der des *genius castrorum*. Grabungen unter S. Stefano Rotondo haben einen → Brunnen, einen Turm und zwei Kasernenräume freigelegt.

E. LISSI CARONNA, in: LTUR I, 249–251 · RICHARDSON, 78.

[I 5] C. Praetoria. Praetorianerkaserne in Rom, errichtet unter Tiberius auf Anraten des Seianus (→ C. [I 1]; Cass. Dio 57,19,6), um die bis dahin auf mehrere Standorte verteilte, von Augustus eingeführte Garde zusammenzulegen (Tac. ann. 4,2; Suet. Tib. 37,1). Ein solcher Komplex widersprach der Tradition einer demilitarisierten Hauptstadt und machte die schon seit den Bürgerkriegen übliche, verdeckte Unterbringung von Truppen innerhalb der Stadtmauern zu einem unkaschierten Faktum.

Darstellungen der C. P. auf Münzen oder Reliefs stehen meist im Zusammenhang mit kaiserlichen Handlungen, sind jedoch für ihre Bauform wenig aussagefähig (RIC I2 Taf. 15 Nr. 20, Taf. 19 Nr. 130, Taf. 21 Nr. 491). Vom Grundriß erh. sind die Nord- und Ostseite sowie Teile der Südseite. Das Lager bildete ein Rechteck von 440 × 380 m mit abgerundeten Ecken und geknicktem Verlauf im Süden; an die Innenseite der Umfassungsmauer war eine Zeile von Räumen angelehnt, über denen der Umgang verlief. Ost- und Nordtor sind erh., gehören aber späteren Phasen an. Teile der tiberischen Tore wurden 1960 freigelegt. Die aurelianische Stadtmauer band ab 271 n. Chr. auch die C. P. ein, wobei die Befestigung um 5 m erhöht und das Nord- und Osttor zugemauert wurden.

Nachgewiesene Gebäude im Innern sind ein Mars-Tempel (CIL VI 2256), ein *tribunal* (CIL VI 3558), *schola et aedicula* (CIL VI 215) sowie das *armamentarium* (Tac. hist. 1, 38, 2). Wie in allen Militärlagern Roms war der Kultbetrieb sehr vielfältig (CIL VI 20, 16, 30871, 30876, 30715, 212, 213, 30881, 30716, 29822, 30718, 30889, 30912, 30947, 32635, 30940, 31013, 728, 738). Auskunft über Innenbauten gibt auch das Fr. 11 der Forma Urbis (drei langgestreckte Kasernen im Verlauf der modernen Viale Castro Pretorio); Grabungen von 1960–66 brachten im SO-Sektor weitere Kasernen zutage, östl. davon ähnliche, aber schlechter erh. Gebäude. Hinzu kam ein teilweise versenkter Vorratsbau. Drei weitere Strukturen sind seit dem U-Bahnbau 1983–85 bekannt geworden, darunter ein sehr großer Raum, 14,70 × 7,70 m, der einen apsidenförmigen Bereich abschloß.

E. LISSI CARONNA, s. v. P., LTUR 1, 251–254 · RICHARDSON, 78–79.   R. F.

B. ORTSCHAFTEN

[II 1] Verschiedene Orte in Dalmatia, so 1. an der Straße Salona-Servitium: Tab. Peut. 5,1; h. Banja Luka. 2. Station und spätröm. Festung an der Straße Aquileia-Emona; h. Ajdovčina (Slowenien); an der Westseite der illyro-ital. Pforte am Fuße der Alpen (Itin. Burdig. 560,2), in Tab. Peut. 3,5 und Itin. Anton. 128,7 Fluvius Frigidus genannt, Schauplatz der Schlacht zw. Theodosius und Eugenius am 5. und 6.9.394 n. Chr.   M. Š. K.

[II 2] C. Minervae. Stadt der → Sallentini bei Castro (südl. Otranto): Tab. Peut. 7,2 (Hügel mit kleinem Mauerring hell. Zeit [2; 3]). Soll von Idomeneus gegr. worden sein (Varro bei Prob.; Verg. ecl. 6,31; [1]), mit altem Minervatempel; erster Landungsplatz des → Aineias [1] in Italien (Prob. ebd.; Verg. Aen. 3,530–536; Dion. Hal. 1,51,3; vgl. Strab. 6,3,5 und Lykophr. 852–855).

1 L. BRACCESI, Idomeneo, Dionigi il Giovane e il Salento, in: Hesperia 3, 1993, 155–160 2 E. LIPPOLIS, N. MAZZARIO, Castro, in: Taras 1, 1981, 43–52 3 F. D'ANDRIA, s. v. Castro, BTCGI 5, 141 f.   M. L.

[II 3] C. Pinnata. Römisches Kastell. Ptol. 2,3,13 (Πτερωτὸν στρατόπεδον) lokalisiert C. P. wohl in Ostschottland. Es handelt sich wahrscheinlich um die Legionsbasis von Inchtuthil (Perthshire), erbaut von Agricola ca. 84 n. Chr. nach Abschluß seiner nördl. Eroberungen (Tac. Agr. 25–39). C. P. war für eine Legion, evtl. die *legio XX*, konzipiert, aber nie vollendet; das *praetorium* und Unterkünfte für Tribunen fehlen. C. P. wurde 87 n. Chr. aufgegeben und nicht wieder besetzt [1]. → Britannia

1 L. F. PITTS, J. K. S. ST. JOSEPH, Inchtuthil, 1985 2 G. MAXWELL, The Romans in Scotland, 1989.   M. TO.

[II 4] C. Ulcisia. Röm. Lager an der Straße Sova-Aquincum auf dem westl. Donau-Ufer in Pannonia Inferior, h. Sentendre/Pest in Ungarn (Itin. Anton. 266,10). Das Steinlager entstand zu Ende der Regierungszeit Traians. Nach den Markomannen-Kriegen wiedererrichtet. Die endgültige Form erhielt das Lager unter Constantin dem Gr. Umbenennung in *castra Constantia* (Not. dign. oc. 33,34). Letzte Bauarbeiten in valentinianischer Zeit. Die Garnison bildete bis zu den Markomannen-Kriegen die *cohors IV civium Romanorum*, dann die *cohors I milliaria Aurelia Antonina Surorum*, in der Severerzeit die *cohors milliaria nova Surorum sagittariorum Antiochensium*, im 4. Jh. *equites Dalmatae*. Gebäudereste, Inschr., Meilensteine, Gräberfeld, *villae*. Westl. vom Lager befand sich eine Zivilsiedlung.

TIR L 34, 1968, 114 f. · J. FITZ (Hrsg.), Der röm. Limes in Ungarn, 1976, 76 f.   J. BU.

Castratio. Die Kastration ist in vielen ant. Hochkulturen verbreitet. Zur freiwilligen *c.* kommt es u. a. aus rel. Motiven (z. B. Kybelepriester, christl. Asketen) oder zu therapeutischen Zwecken (z. B. bei Bruchleiden). Kastrierte Sklaven sind in Griechenland seit dem Ende des 5. Jh. v. Chr., in Rom ab der Mitte des 2. Jh. v. Chr. nachweisbar; sie werden meist zur persönlichen Bedienung oder als Lustknaben verwendet. An hell. Höfen dienen Kastraten u. a. als Erzieher oder mil. Befehlshaber. Auch am röm. Kaiserhof üben sie oft großen Einfluß aus; in der Spätant. wird das Amt des → *praepositus sacri cubiculi* regelmäßig mit Eunuchen besetzt.

Die *c.* wird mehrfach, wenn auch erfolglos, verboten: Zuerst untersagt Domitian die *c.* gegen den Willen des Betroffenen (Dig. 48,8,3,4); ab Hadrian werden bei einer freiwilligen *c.* der Kastrierte selbst und auch der beteiligte Arzt mit dem Tode bestraft (Dig. 48,8,4,2).

(Das Verbot erfaßt auch die Beschneidung; diese wird den Juden durch Antoninus Pius jedoch wieder gestattet; Dig. 48,8,11 pr.) Spätere Kaiser erneuern das Verbot der *c.* (Cod. Iust. 4,42; Nov. 142). Der Handel mit kastrierten Sklaven von außerhalb des röm. Reiches bleibt gestattet. Konzilsbeschlüsse untersagen Klerikern die *c.*
→ spado

> D. DALLA, L'incapacità sessuale in diritto romano, 1978 ·
> P. GUYOT, Eunuchen als Sklaven und Freigelassene in der griech.-röm. Antike, 1980. R. GA.

Castricius

[1] C., Ti. Lehrer der lat. Rhetorik und Deklamator z.Z. der Antoninen, den auch → Gellius (13,22) hörte; → Fronto in Freundschaft verbunden (ep. ad am. 2,2), geschätzt von → Hadrian wegen seiner großen Bildung und moralischen Grundeinstellung. C.' bevorzugte Lektüre republikanischer Autoren (Sallust, Metellus Numidicus, C. Gracchus: Gell. 2,27; 1,6; 11,13) ist mit der Belebung altröm. Tugenden verbunden: Stilistische und moralische Beurteilung gehen im Sinne des Catonischen *vir bonus, peritus dicendi* Hand in Hand; C. reflektiert über die Rolle des Redners im Verhältnis zum Politiker ebenso wie über die einem Senator angemessene Kleidung (Gell.). C. W.

[2] C. Firmus (3. Jh. n. Chr.). In Rom zusammen mit Porphyrios Schüler des Plotin, der ihn hochschätzte (Porph. Vita Plotini 2,20; 7,24–29). Porphyrios widmete ihm seine Schrift *De abstinentia*, da C. sich vom Vegetarismus, wahrscheinlich unter gnostischem Einfluß, abgekehrt hatte (De abstinentia 1,1–2; 2,2; 42,1–2 BOUFFARTIGUE, mit den S. XXIIIf., 35–37 und 101).

> L. BRISSON et al., Porphyre, La vie de Plotin, I, 1982, 89; II, 1992, 233–234. P. HA.

Castrum

[1] C. Inui. Ortschaft der Rutuli (Sil. 8,359) im Zentrum von Latium, gegr. von den Königen von Alba Longa (Verg. Aen. 6,775). In archa. Zeit aufgegeben, oft verwechselt mit C. Novum in Etruria (Rut. Nam. 1,227).

> A. NIBBY, Analisi storico-topografica-antiquaria della Carta de' Dintorni di Roma 1, 1848, 440 · NISSEN 2, 579 · O. TOTI, 1984. G. U.

[2] C. Novum. Röm. Gründung an der Südküste von Etruria (Mela 2,72) in der *regio VII* (Plin. nat. 3,51), h. Chiaruccia. Station der *via Aurelia* (Itin. Anton. 291; 301). 191 v. Chr. lehnte der röm. Senat den Antrag auf Befreiung vom Flottendienst ab (Liv. 36,3,6); wohl durch Caesar Neudeduzierung (Colonia Iulia Castrum Novum bzw. Castro Novo, CIL XI 3576–78); Anf. des 5. Jh. halbverfallen (Rut. Nam. 1,227: *semirutum*).

> NISSEN 2, 334 · TH. LORENZ, Röm. Städte, 1987, 94, 97. H. SO.

[3] C. Novum. Röm. *colonia* an der Küste von Picenum (Strab. 5,4,2), h. Giulianova. Nach Liv. per. 11 gleichzeitig mit Sena und Hadria gegr. (zw. 290 und 286 v. Chr.), nach Vell. 1,14,8 erst Anf. des 1. Pun. Krieges. C. gehörte zur *regio V* (Plin. nat. 3,110).

> NISSEN 2, 430. H. SO.

[4] C. Truentinum s. Truentum

Castulo. Iberische Siedlung 7 km südl. von Linares (h. evtl. Cazlona, Prov. Jaén) über dem rechten Ufer des Guadalimar. Blei- und Silberminen, Verbindungen zur iberischen Ostküste und zum Atlantik (*via Augusta* und Guadalquivir) und ein fruchtbares Umland bestimmen die Geschichte von C. Die erste Siedlung (La Muela) belegt u. a. eine metallurgische Werkstatt (8. Jh. v. Chr.) und ein später darüber angelegtes Heiligtum. Nekropolen, aber auch die weite Verbreitung seiner Münzen – erst mit meridionalen iberischen, dann mit lat. Legenden (3.–1. Jh. v. Chr.) – bezeugen die Bed. C.s als der größten Stadt der Oretania (Strab. 3, 3, 2 C 152), die zu Ende des 3. Jh. v. Chr. eine der Säulen der karthagisch-barkidischen Macht in Südspanien war.

> J. M. BLÁZQUEZ u. a., Cástulo I–V, 1975–1985 · J. M. BLÁZQUEZ, M. P. GARCÍA-GELABERT, Cástulo, ciudad ibero-romano, 1994. M. BL.

Hannibal war mit einer Adligen aus C. verheiratet (Liv. 24,41,7). 214 v. Chr. fiel C. zu Rom ab, geriet 211 v. Chr. wieder unter karthagische Kontrolle, um 206 endgültig Rom zuzufallen (Liv. 28,19,2; 20,8–12). Die Stadt wurde wohl in augusteischer Zeit privilegiert; der Wohlstand des *municipium Latii veteris* (Plin. nat. 3,25) gründete auf den benachbarten Bergwerken. Bischofssitz seit Anf. des 4. Jh. n. Chr. bis ins 7. Jh. n. Chr., in got. Zeit Prägestätte.

→ Bergbau; Bodenschätze; Münzwesen; Oretania

> J. M. BLÁZQUEZ, Die Stadt C. (Hispanien) in der röm. Kaiserzeit, in: G. WIRTH (Hrsg.), Romanitas-Christianitas, 1982, 727–746 · M. P. GARCÍA-BELLIDO, Las monedas de Castulo con escritura ibérica, 1982 · TOVAR 3, 173–177. P. B.

Casuentus. Fluß in Lukanien (Plin. 3,97; Kasas bei Bakchyl. 10,115; Basintos, Basentius bei Guido 29), fließt bei Potentia vom Appenninus herab und mündet bei Metapontum, h. Basento.

> NISSEN 1, 336, 343; 2, 908. G. U.

Catalauni. Eine wohl urspr. im Gebiet der Remi siedelnde Völkerschaft der Gallia Belgica in der h. Champagne. Name und gleichlautender Vorort, h. Châlon-sur-Marne, werden erst bei späteren Autoren erwähnt (Amm. 15,11,10; 27,2,4; Eutr. 9,13; Hier. chron. 274 n. Chr.; Not. Gall. 6,4; *Durocatalauni*: Itin. Anton. 361). Die in den Süden von Britannia eingewanderten → Catuvellauni sind vermutlich ein Teil desselben Volkes.

→ Campi Catalauni F. SCH.

Catalepton. Unter diesem Namen bietet die hsl. Überlieferung (→ Appendix Vergiliana) 19 Kurzgedichte: 3 Priapeen und 16 vermischte, offenbar Ergebnis einer Verwirrung in früheren Sammlungen (*C. et Priapea et Epigrammata*: Don. vita Verg. 56; *Priapeia C. Epigrammata*: Servius, vita Verg. 15). Die Überschrift (κατὰ λεπτόν; *katá leptón*) ist alexandrinisch und bedeutet »Kleinigkeiten« oder »kleinere Gedichte«. Die Sammlung ist metrisch sehr abwechslungsreich. Ein Einfluß Catulls und Parallelen zu Vergil lassen sich in diesen Priapeen, die den → Priapea der größeren Sammlung entsprechen, sowie in den anderen 16 Gedichten beobachten. Letztere könnten aus einem Kern von sechs Paaren (1−7, 2−10, 3−16, 4−11, 5−8, 6−12) und vier später hinzugefügten Gedichten bestehen. Einige Stücke sind sehr geschickt, andere banal. Vergils Verfasserschaft ist umstritten. Datier. schwanken zwischen 43 und 19 v. Chr. (oder noch später).

ED.: → Appendix Vergiliana.
KOMM.: R. E. H. WESTENDORP BOERMA, P. Vergili Maronis Catalepton, 2 Bde., 1949−1963.   J. A. R./M. MO.

Catenae. Im 6. Jh. n. Chr. aufkommende, im MA. häufig vertretene Gattung von Bibelkommentaren. Bei der Erklärung von Bibeltexten wurden Exzerpte vorhandener Kirchenväterkommentare zu »Kettenkommentaren«, *c.*, verarbeitet. Die Existenz einiger Schriften der Kirchenväter ist nur durch *c.* bekannt geworden. Wenn die Exzerpte auf die Ränder des Manuskripts um den Bibeltext herum geschrieben sind, spricht man von Rand-*c.*, wenn der Kommentar sich an den Text anschließt, von Breit-*c.*

ALTANER, 21−24 (Lit.), 460 f.; 514−518 · H. CHADWICK, s. v. Florilegium, RAC 7, 1151 · R. DEVREESSE, Chaines exégétiques grecques: DictBibl Suppl. 1, 1928, 1084−1233 · G. DORIVAL, Les chaines exégétiques grecques sur les Psaumes: contribution à l'étude d'une forme littéraire, 1986−1992.   R. B.

Catilina. L. Sergius C. stammte aus einer patrizischen, polit. seit längerem erfolglosen Gens. Spätestens 108 geb., erscheint er am 17. Nov. 89 v. Chr. im *consilium* des Konsuls Pompeius Strabo als L. Sergi(us) L. f. Tro(mentina) [1. 160 ff.]. Ende der 80er Jahre war er Legat Sullas (Sall. hist. 1,46) [2. 110 ff.]. Seinen Bruder hat er wohl nicht ermordet [3. 1688], eher den M. Marius Gratidianus (Q. Cic. comm. pet. 10; Ascon. 84; 90C), den Bruder seiner Frau Gratidia (Schol. Bern. in Lucan. 2,173; Sall. hist. 1,45) [2. 105 f.], ebenfalls Q. Caecilius, den Gatten seiner Schwester (Q. Cic. comm. pet. 9). Im J. 73 wurde er von Clodius erfolglos der Unzucht mit der Vestalin Fabia angeklagt (Ascon. 91C) [4. 60 f.]. Nach der Praetur 68 übernahm er die Prov. Africa. Wegen des drohenden Repetundenprozesses (Ascon. 85; 89 C) oder mangels rechtzeitiger Bewerbung (Sall. Catil. 18,3) wurde seine Kandidatur für das Konsulat 65 zurückgewiesen; unklar bleibt, ob für die ordentlichen Wahlen [5. 44 ff.] oder die Neuwahlen nach der Verurteilung der zuerst Gewählten [6. 226 ff.]. Die sog. »Erste Catilinarische Verschwörung« Ende 66 wird meist in Zweifel gezogen [7. 88 ff.; 8. 338 ff.]; Gerüchte über ein Mordkomplott gegen die Konsuln 65 gab es jedenfalls (Ascon. 92 C; Cic. Sull. 81) [9. 289 ff.]. Obwohl von der Schuld C.s überzeugt (Att. 1,10,1), erwog Cicero seine Verteidigung bei dem Repetundenprozeß Mitte 65 (Att. 1,2,1), verzichtete dann jedoch darauf (Ascon. 85 C) [anders [10. 50 f.]]. Die laxe Prozeßführung des Anklägers Clodius (Ascon. 87 C), das Zeugnis der Konsulare (Cic. Sull. 81) und der Freispruch zeigen, daß C. noch zum Establishment gehörte.

Als Konsuln zogen die Optimaten aber den *homo novus* Cicero vor, der beim Wahlkampf im J. 64 C. und den C. Antonius heftig angriff. Cicero und Antonius wurden gewählt. Erneut wurde C. wegen seiner Teilnahme an den sullanischen Proskriptionen angeklagt, aber unter dem Vorsitz Caesars freigesprochen (Ascon. 90/91C; Cass. Dio 37,10,3). Selbst in seinem letzten Wahlkampf für das Konsulat 62 entwickelte C. noch keine revolutionären Pläne. Sein Vorschlag der *tabulae novae* lief nur in Ciceros polemischer Deutung auf eine allg. Schuldentilgung hinaus (Catil. 2,18); tatsächlich forderte C. nur eine Reduktion der Zinsen und Rückzahlungserleichterungen in einer Liquiditätskrise [11. 15 ff.]. Ein erhebliches soziales Unruhepotential in der Bevölkerung gab es jedenfalls (Cic. Catil. 2,17−24; Sall. Catil. 36−39), dem sich C. nach seiner erneuten Wahlniederlage annäherte. Ob ihn sein eigener Wille [12. 221 ff.] oder Ciceros Taktieren [13. 195 ff.; 14. 240 ff.] vorantrieb, ist kaum zu entscheiden, da die Überlieferung durch Ciceros Perspektive geformt ist. Ungeachtet des *senatusconsultum ultimum* vom 21. Oktober (Sall. Catil. 29,2) und des *decretum tumultus* als Reaktion auf den Aufstand des C. Manlius in Etrurien am 27. Oktober (Sall. Catil. 59,5; Cass. Dio 37,31,1), ungeachtet auch einer Klage des Aemilius Paullus aufgrund der *lex Plautia de vi* (Sall. Catil. 31,4) blieb C. in Rom [15. 87 ff.]. Die erste Catilinarische Rede Ciceros am 7. [16. 85 f.] oder 8. November [17. 141 ff.] veranlaßte ihn schließlich, die Führung des Aufstandes zu übernehmen (Sall. Catil. 35) [18. 47 ff.; 19. 211 ff.]. Mitte November wurde er zum *hostis* erklärt (Sall. Catil. 36,2). Das ungeschickte Taktieren der in Rom zurückgebliebenen Verschwörer führte Anfang Dezember zu ihrem Untergang [20; 21]. C. unterlag mit dem Rest seines Heeres Anfang 62 dem Legaten Petreius (Sall. Catil. 59/60).

C. erscheint bei Cicero wie bei Sallust als skrupelloser Verbrecher, bei Bedarf gelegentlich mit helleren Zügen (Cic. Cael. 12−14; Sall. Catil. 60,7). Beide erkennen aber seine Energie und Ausdauer an (Cic. Catil. 2,9; Sall. Catil. 5).

1 N. CRINITI, L'epigrafe di Asculum di Gn. Pompeo Strabone, 1970 2 P. MCGUSHIN, Sallust, The Histories, 1, 1992 3 F. MÜNZER, s. v. Sergius 1, RE 2 A 4 E. S. GRUEN, Some Criminal Trials of the Late Republic, in: Athenaeum 49, 1971, 54−69 5 F. X. RYAN, The Consular Candidacy of Catiline in 66, in: MH 52, 1995, 45−48 6 F. V. SUMNER,

The Consular Elections of 66 B.C., in: Phoenix 19, 1965, 226–231 **7** R. SYME, Sallust, 1964 **8** R. SEAGER, The First Catilinarian Conspiracy, in: Historia 13, 1964, 338–347 **9** K. VRETSKA, C. Sallustius Crispus. De Catilinae Coniuratione, 2 Bde., 1976 **10** W. WILL, Der röm. Mob, 1991 **11** A. GIOVANNINI, C. et le problème des dettes, in: Leaders and Masses in the Roman World, Studies in Honour of Zvi Yavetz, 1995, 15–32 **12** H. SCHNEIDER, Wirtschaft und Politik, 1974 **13** K. H. WATERS, Cicero, Sallust and Catiline, in: Historia 19, 1970, 195–216 **14** R. SEAGER, Justa Catilinae, in: Historia 22, 1973, 240–248 **15** J. v. UNGERN-STERNBERG, Unt. zum spätrepublikanischen Notstandsrecht, 1970 **16** M. GELZER, Cicero. Ein biographischer Versuch, 1969 **17** H. DREXLER, Die Catilinarische Verschwörung, 1976 **18** J. v. UNGERN-STERNBERG, Ciceros erste Catilinarische Rede und Diodor XL 5a, in: Gymnasium 78, 1971, 47–54 **19** W. W. BATSTONE, Cicero's Construction of Consular Ethos in the First Catilinarian, in: TAPhA 124, 1994, 211–266 **20** A. DRUMMOND, Law, Politics and Power. Sallust and the Execution of the Catilinarian Conspirators, 1995 **21** J. v. UNGERN-STERNBERG, Das Verfahren gegen die Catilinarier oder: Der vermiedene Prozeß, in: U. MANTHE, J. v. UNGERN-STERNBERG (Hrsg.), Polit. Prozesse in Rom, 1997.

L. A. BURCKHARDT, Polit. Strategien der Optimaten in der späten röm. Republik, 1988 · M. GELZER, s. v. Sergius 23, RE 2 A, 1693–1711 · CH. MEIER, Der Ernstfall im alten Rom, in: R. ALTMANN, (Hrsg.), Der Ernstfall, 1979, 40–73 · W. NIPPEL, Public Order in Ancient Rome, 1995 · Z. YAVETZ, The Fallure of Catiline's Conspiracy, in: Historia 12, 1963, 485–489.   J. v. U.-S.

Catilius
[1] [Ca]tilius Longus. Ritter aus Apameia in Bithynien, der von Vespasian in den Senat aufgenommen wurde (CIL III 335 = ECK, ZPE 42, 1981, 242 ff. = AE 1982, 860).
[2] L. C. Severus. Nachkomme von C. [3]. *Frater Arvalis*, 213 und 218 bezeugt; wohl *procos. Asiae* (IGR IV 1281) [1. 112 f., 418 f.].
[3] L. C. Severus Iulianus Claudius Reginus. Aus Bithynien stammender Senator, siehe C. [1] [2. 133 ff.; 3. 127 ff.]. Prätorische Laufbahn mit vielen Ämtern, *cos. suff.* 110, konsularer Statthalter von Armenia und Cappadocia während des Partherkrieges des Traian. 117 Legat von Syrien, *cos. ord. II* 120, *procos. Africae* ca. 124/125, *praef. urbi* bis 138. Da er sich gegen die Adoption des Antonius Pius aussprach, wurde er von Hadrian abgesetzt (SHA Hadr. 24,6–8). Gehörte zu den Vorfahren Marc Aurels (SHA Aur. 1,3 f.; PIR² C 558) [4. 232 ff.].

1 SCHEID, Collège 2 HALFMANN, Senatoren 3 CORSTEN, in: EA 6, 1985 4 BIRLEY, Marcus Aurelius, ²1988.   W. E.

Catillus. Mythischer Gründer von Tibur (Hor. carm. 1,18,2; Sil. 4,225; Stat. silv. 1,3,100). Nach Cato (orig. fr. 56 bei Solin. 2,7) Arkader und Flottenbefehlshaber des Euander. Einem gewissen Sextius galt er als Argiver (Solin. 2,7). Er war Sohn des argivischen Sehers → Amphiaraos und zog als → *ver sacrum* auf Geheiß seines Großvaters nach Italien. Seine drei Söhne Tiburtus (Ti-

bur/Tiburnus), Coras und C. vertrieben die Sikaner aus ihrer Stadt und nannten sie daraufhin Tibur (Solin. ebd.; Verg. Aen. 7,670 mit Serv.; Hor. carm. 2,6,5; Plin. nat. 16,237).   R. B.

Catinus
[1] Schüssel aus Ton oder Metall für Speisen (Fisch, Fleisch, Mehlspeisen). Küchen- und Kochgefäß, für Opfergaben und zum Metallschmelzen; wohl identifiziert durch Graffiti mit den Gefäßformen Dragendorff 31 und 32 (→ Tongefäße). Auch Näpfe (→ *acetabulum*) nannte man *c*.
→ Terra sigillata; Tongefäße

G. HILGERS, Lat. Gefäßnamen, BJ 31. Beih. 1969, 48 f., 142–144 · F. FLESS, Opferdiener und Kultmusiker auf stadtröm. histor. Reliefs, 1995, 19 f.   R. H.

[2] *Catinus* (-*um*) oder *catillus* (-*um*). Der aus der tonähnlichen Erde *tasconium* hergestellte Schmelztiegel zur Aufnahme des geschmolzenen Goldes bei der Verhüttung nach Plin. nat. 33,69.
[3] Ein »Windkessel« [1. 495] im Innern der Bronze-Pumpe des → Ktesibios aus Alexandreia (Vitr. 10,7,1–3).

1 W. SCHMIDT (Hrsg.), Heronis Alexandrini opera omnia, vol. 1, 1899.   C. HÜ.

Catius. Plebeischer Familienname (ThlL, Onom. 264 f.).

I. REPUBLIKANISCHE ZEIT
[I 1] C., Q., 210 v. Chr. plebeischer Aedil, 207 Legat des Konsuls C. Claudius Nero. 205 Gesandter nach Delphi zur Überbringung der Beute von Hasdrubal (Liv. 28,45,12).
[I 2] C. Vestinus, C., Militärtribun unter Antonius 43 v. Chr. bei Mutina, wurde von Plancus gefangengenommen (Cic. fam. 10,23,5).   K.-L. E.

II. KAISERZEIT
[II 1] C. s. Caesius [II 4].
[II 2] L. C. Celer. Prätorischer Statthalter von Thrakien, *cos. suff.* ca. 241, konsularer Legat von Moesia superior 242 (AE 1952, 191) [1. 87 f.]. Ob mit dem *praetor urbanus* von AE 1955, 166 identisch, ist unsicher [1. 88, Nr. 6a; 2. 120 ff.].
[II 3] C. Clemens. Nach CIL III 6924 war vermutlich er und nicht sein Bruder C. [II 4] Statthalter von Cappadocia im J. 238 [3. 93, Anm. 4; 4. 199].
[II 4] Sex. C. Clementinus Priscillianus. Sohn des Suffektkonsuls [Catius? Lepi]dus; als Knabe Teilnahme an den Säkularspielen des J. 204. *Cos. ord.* 230, bereits 231 als Statthalter von Obergermanien bezeugt (PIR² C 564) [3. 92 f.].
[II 5] C. C. Marcellus. *Cos. suff.* im J. 153 (PIR² C 569) [2. 121 f.].
[II 6] P. C. Sabinus. Tribun bei der *legio XIII Gemina* (AE 1956, 204); *praetor urbanus*. Er war wohl prätorischer Statthalter in Noricum um 206/208 (Cass. Dio 76,9,2;

CIL III 5727); *cos. suff.* zwischen 208 und 210; *curator aedium sacrarum et operum publicorum* 210; *cos. II* 216 (PIR² C 571) [5. 250]. Wegen des äußerst kurzen Intervalls zwischen 1. und 2. Konsulat [4. 113] muß er zu den engsten Anhängern Caracallas gehört haben. C. [II 2] und [II 3] waren vielleicht seine Söhne.

1 W. Eck, RE Suppl. 14 2 Dietz 3 Eck, Statth.
4 Leunissen 5 A. Kolb, Die kaiserliche Bauverwaltung, 1993.   W. E.

Cato. Römisches Cognomen vielleicht etr. Herkunft [1. 310, 315, 418], in Verbindung mit *catus* (»scharfsinnig«, »gewitzt« [2; 3. 250]. In republikanischer Zeit verbreitet in den Familien der Hostilii und Valerii, prominent bei den Porcii, nach deren Vorbild C. gelegentlich synonym für einen konservativen Römer gebraucht wird; ganz vereinzelt auch als Gentiliz [1. 303].
→ Porcius

1 Schulze 2 Walde/Hofmann, 1,183 3 Kajanto, Cognomina.   K.-L. E.

[1] Porcius Cato, M. (234–149 v. Chr.), »Cato der Ältere«, »Censorius«, energischer Politiker und Begründer der röm. Prosa-Lit., ist der am besten bekannte Römer der vorciceronischen Zeit. Neben zahlreichen Selbstzeugnissen (in Reden) und Berichten des Livius liegen Biographien von Cornelius → Nepos und → Plutarchos vor; kenntnisreich, aber idealisiert ist das Bild in Ciceros *Cato maior*.
A. Leben   B. Schriftstellerei

A. Leben
Geb. 234 in Tusculum aus einer Familie des Ritterstandes, kämpfte C. seit 217/6 im Krieg gegen Hannibal, war 214 *tribunus militum* in Sizilien, nahm 207 an der Schlacht bei → Sena Gallica teil. Mit Unterstützung des Patriziers L. → Valerius Flaccus bewarb er sich um die stadtröm. Ämter, war 204 *quaestor* (unter P. Cornelius Scipio), 199 plebeischer Aedil, 198 *praet.* in Sardinien (Vorgehen gegen Wucherer: Liv. 32,27,3–4), erreichte 195 (zusammen mit seinem Gönner Flaccus) das Konsulat, übernahm das Kommando in Spanien, wo er große mil. Erfolge nördl. des Ebro errang und sich um die Organisation der röm. Verwaltung verdient machte (Liv. 34,8–21, nach catonischer Vorlage [1. 302–7]); feierte darum 194 einen Triumph (Fast. triumph.; Liv. 34,46,2). Er beteiligte sich 191 (als *tribunus militum*: Pol. 20,10,10) am Krieg gegen → Antiochos [5] III. In Griechenland, wo er sich als röm. Gesandter (u. a. in Athen: Liv. 35,50,4), aber auch in der Schlacht an den Thermopylen hervortat; 189 wurde er als Senatsgesandter an M. → Fulvius Nobilior in Ätolien geschickt (orig. fr. 130 M.). Als *censor* 184 zeichnete er sich durch Strenge bei der *lectio senatus* und Musterung der Ritter, durch luxusfeindliche Maßnahmen bei der Feststellung des Census (Liv. 39,44,2–3), Förderung der Staatseinkünfte und Errichtung von Zweckbauten (Ausbau des Abwas-

ser-Systems; → Basilica Porcia) aus; so erwarb er sich den Beinamen »Censorius« (vgl. Sen. epist. 87,9; Plin. nat., praef. 30 u.ö.; Tac. ann. 3,66,1). Bis zu seinem Tod (Herbst 149) beteiligte sich der rastlose und eigenwillige Mann unentwegt an allen polit. Fehden und Streitfragen, bes. als Redner in Volksversammlung und Senat, häufig auch vor Gericht (44 mal angeklagt in polit. motivierten Prozessen, aber stets freigesprochen: Plin. nat. 7,100). Er kämpfte für den → *mos maiorum*, für faire Behandlung abhängiger Gemeinden und Völker, gegen Auswüchse der Nobilitätsherrschaft, Luxuserscheinungen und übermäßigen Einfluß griech. Kultur; z. B. sorgte er im Jahr 155 für rasche Abreise der athenischen Philosophen-Gesandtschaft. In den letzten Lebensjahren betrieb er vor allem den dritten Pun. Krieg und die völlige Vernichtung Karthagos.
Aus erster Ehe mit einer Licinia war C. Vater des M. → Porcius C. Licinianus (gest. 152), aus zweiter Ehe (in hohem Alter) Vater des M. Porcius C. Salonianus (MRR 1, 354).
B. Schriftstellerei
C. betätigte sich über Jahrzehnte als Schriftsteller in verschiedenen Bereichen. Verbindende Elemente sind C.s erzieherische Absichten, der ausgeprägte Hang zur Selbstdarstellung und die natürliche Begabung zu wirkungsvollem sprachlichem Ausdruck (*Romani generis disertissimus*, Sall. hist. 1,4 M.).
a) Reden: C. publizierte viele der von ihm gehaltenen Reden, offenbar aufgrund der aufbewahrten Konzepte (orig. fr. 173 M.); wenigstens zwei (*Pro Rhodiensibus*; *In S. Sulpicium Galbam*) waren in sein Geschichtswerk eingefügt. Cicero kannte mehr als 150 dieser Texte; uns sind Reste von ca. 80 Reden erhalten, die zeitlich vom Konsulat 195 bis zum Todesjahr 149 reichen. Die Veröffentlichung hatte dokumentarischen Charakter, diente nicht ästhetischen Zielen, sondern der Selbstdarstellung und der Fortsetzung der Politik über den Tag hinaus. In den Reden nimmt er auch zu Fragen der Gesetzgebungspolitik Stellung [8].
b) Belehrende Schriften: In relativ frühe Zeit gehören die *Libri ad filium*, die das für den jungen Römer wichtige Bildungsgut umfaßten, eher eine lockere Sammlung von Dicta und Praecepta [1. 332–340] als eine frühe Enzyklopädie zu den Themen Landwirtschaft, Medizin und Rhet. (so u. a. [2. 104]). Daneben gab es sicher eine Monographie *De re militari* (Zeugnisse p. 80–82 J.; weitergehende Vermutungen bei [3. 79–87]), vielleicht eine weitere über Fragen des *ius civile* (Cic. Cato 38; einziges fr. bei Fest. 144,18 L.). Eine Sammlung belehrender Aussagen (in Prosa) war auch das *Carmen de moribus* (Zitate in Gell. 11,2). Hs. überliefert ist nur das Buch *De agricultura*, eine Anleitung für den städtischen Grundbesitzer zur rentablen Bewirtschaftung eines Landgutes, die griech. Vorbilder benutzt, sich aber vor allem auf eigene praktische Erfahrung stützt (→ Agrarschriftsteller). Rechtshistorisch sehr bedeutsam ist die Überlieferung von Kauf- und Pachtformularen [9]. Die Komposition der Schrift ist unbe-

friedigend, nicht nur weil dem Verf. die Erfahrung in der Gestaltung größerer Zusammenhänge fehlte, sondern weil im Lauf der Benutzung Einschübe und Zusätze vorgenommen wurden (auffällig Kap. 124; 133; 156/7: weitere Vorschläge, manchmal zu weitgehend [4; 5]).

c) Historische Schriften: Zw. 170 und 149 verfaßte C. die *Origines* in 7 Büchern, eine Darstellung der röm. Gesch. von der Frühzeit bis 149, erstmals in lat. Sprache. Entgegen verbreiteter Auffassung gab C. einen Abriß der gesamten röm. Gesch. [6], kompensierte aber die Materialarmut der älteren Zeit (B. 1–3) durch starke Berücksichtigung der ital. Landeskunde, von Lokaltraditionen und bes. Gründungslegenden. B. 4 und 5 behandelten in geraffter Form die Pun. Kriege und die Expansion im Osten bis Pydna, die letzten 2 B. (anscheinend viel breiter) die Ereignisse der jüngsten Vergangenheit. Die Darstellung wechselte zw. knappem Referat (z.B. fr. 84; 91 P.) und detaillierter Erzählung von Anekdote (fr. 86/7) und exemplarischen Einzelszenen (fr. 83: dazu [7. 38–50]). Ab B. 5 legte C. eigene Reden ein. Magistrate und Feldherren wurden nicht namentlich, sondern mit ihren Funktionsbezeichnungen erwähnt (Nep. 3,4; Plin. nat. 8,11; Cato fr. 83; 86/87). Der Stil verbindet in kraftvoller Eigenwilligkeit poetische und volkssprachliche Elemente, ist realitätsnah, sprachschöpferisch und expressiv (anerkannt Cic. Brut. 66).

1 A. E. ASTIN, C. the Censor, 1978 2 D. KIENAST, C. der Zensor, 1954 (Ndr. 1979) 3 J. M. NAP, Ad Catonis librum de re militari, in: Mnemosyne 55, 1927, 79–87 4 A. MAZZARINO, Introduzione al De agri cultura di Catone, 1952 5 W. RICHTER, Gegenständliches Denken – arch. Ordnen, 1978 6 W. KIERDORF, C.s »Origines« und die Anfänge der röm. Geschichtsschreibung, in: Chiron 10, 1980, 205–224 7 M. VON ALBRECHT, Meister röm. Prosa, ²1983 8 BAUMAN, LRRP, 170ff. 9 WIEACKER, RRG, 538f.

TEXTE: Fragmente der Reden in ORF⁴, 12–97, mit philol. Komm. von M. T. SBLENDORIO CUGUSI, 1982 · De agricultura, hrsg. von A. MAZZARINO, 1962 (²1982), mit Erl. von P. THIELSCHER, 1963, bzw. R. GOUJARD, 1975 · Origines, in: HRR 1, 55–97, mit Erl. von M. CHASSIGNET, 1986; ausführlich kommentiert nur B.1 (W. A. SCHRÖDER, 1971) und die Rhodier-Rede (G. CALBOLI, 1978) · H. JORDAN, M. Catonis praeter librum de re rustica quae exstant, 1860 (Ndr. 1967) · Gesamtausgabe lat.-dt. von O. SCHÖNBERGER, 1980.
LIT.: S. BOSCHERINI, Lingua e scienza greca nel De agri cultura di Catone, 1970 · M. CHASSIGNET, Caton et l'impérialisme romain au IIᵉ siècle av. J.-C. d'après les Origines, in: Latomus 46, 1987, 285–300 · F. DELLA ORTE, Catone Censore, ²1969 · H. DOHR, Die ital. Gutshöfe nach den Schriften C.s und Varros, Diss. 1965 · FLACH · PL. FRACCARO, in: Opuscula 1, 1956, 115–256; 417–508 · R. HELM, s.v. Cato (9), RE 22, 108–165 · C. LETTA, L'›Italia del mores Romani‹ nelle »Origines« di Catone, in: Athenaeum 62, 1984, 3–30; 416–439 · R. TILL, Die Sprache C.s, 1935 (überarbeitet von C. DE MEO, 1968).

W.K.

[2] Poricus Cato, M. (gest. 152 v. Chr.), »Cato der Jüngere« s. Porcius.

Catualda. Markomannischer Adeliger, der vor → Marbod zu den gotischen Gutonen geflohen war. Auf Betreiben des Drusus fiel er ca. 18 n. Chr. mit Hilfe der Gutonen, die sich aus der markomannischen Abhängigkeit befreien wollten, in das Reich Marbods ein und trieb ihn ins Exil nach Ravenna. Kurz darauf wurde er selbst von dem Hermunduren Vibilius vertrieben und wich nach Forum Iulii (Fréjus) aus (Tac. Ann. 2, 62–63).

W.ED.

Catugnatus (Κατούγνατος). Kelt. Namenskompositum »kampfgeboren, mit Kampf vertraut« [1. 168]. Führer der → Allobroges, die 61 v. Chr. die Gallia Narbonensis plünderten. C. konnte sich lange mit Erfolg gegen die Römer behaupten und sich auch retten, als diese die von ihm verteidigte Stadt Solonum einnahmen (Cass. Dio 47,1–48,2; Liv. per. 103).

1 SCHMIDT. W.SP.

Catullus

[1] Valerius C., C. Röm. Dichter des 1.Jh. v.Chr., geb. in Verona (*scriptor lyricus Veronae nascitur*, Hier. chron. a. Abr. 1930). Das *praenomen* wird durch Apul. apol. 10, das *nomen gentile* durch Suet. 73 und Porph. ad Hor. Sat. 1,10,18 bestätigt. Die Valerii Catulli sind von der Zeit des Augustus an als senatorische Familie bekannt. In der späten Republik bildeten sie wahrscheinlich ritterliche *domus nobiles* in der transpadanischen »latinischen Kolonie« Verona [1. 335–348]. C. selbst nennt sich einen *Transpadanus* (39,13) und beschreibt Sirmio im Gebiet Veronas als seine Heimat (31,9; vgl. 67,34). Sein Vater beherbergte Caesar regelmäßig während dessen Prokonsulat in Gallien (Suet. Iul. 73). C.' lit. und gesellschaftliche Karriere erfolgte jedoch in Rom (68,34f.). *Urbanus* war einer seiner Ausdrücke höchsten Lobes (22,2; 39,8).

Hieronymus (chron. a. Abr. 1930, 1959) verzeichnet seine Geburt im Jahr 87/86 v. Chr. und seinen Tod in seinem 30. Lebensjahr 58/57 v. Chr. (Olympiade 173,2 und 180,3). Das Todesalter stammt aus Sueton, *De poetis* und ist wahrscheinlich richtig, die Daten dagegen nicht. Alle extern datierbaren Bezüge in C.' Gedichten (11,9–12; 29,11f.; 45,22; 49,7; 52,2f.; 53,2f.; 55,5; 84,7; 113,2) gehören in die Jahre 55–54 v. Chr. Wenn die Reise des Dichters nach Bithynien in der *cohors* des Prokonsuls Memmius (4; 10; 28; 31; 46: vermutlich C. Memmius *pr.* 58) stattfand, als er Anfang 20 war, sind 81–52, 80–51 oder 79–50 plausible, aber notwendig hypothetische Lebensdaten.

Trotz der Späße über Spinnweben in seiner Geldbörse (13,8) war C. gewiß nicht arm. Er brauchte keinen Patron und war gesellschaftlich gesichert genug, um satirisch über röm. Politiker (28; 47; 52; 54; 108) und aristokratische Damen (27) zu schreiben, um Cicero mit unverhohlener Ironie anzureden (49) und bes., um Caesar und Pompeius (29; 93) und ihren Anhänger Mamurra anzugreifen (29; 57; 94; 105; 114f). Caesar gab zu, daß die Gedichte auf Mamurra *perpetua stigmata* seien, akzeptierte aber C.' Entschuldigung und lud ihn zum Essen ein (Suet. Iul. 73). Schmähdichtung war eine der am meisten mit C. verknüpften Gattungen (Quint. inst. 10,1,96; Tac. ann. 4,34,5; Diom. gramm. 1,485; Porph. Hor. comm. 1,16,24). Er konnte aber auch glänzende → Gelegenheitsdichtung wie das *hymenaion* (Hochzeitsgedicht) für Manlius Torquatus (61) oder die Kallimachos-Übers. für Hortensius Hortalus schreiben (65; 66).

Seine engsten Freunde waren Schriftsteller: der Redner und Dichter C. → Licinius Calvus, Q. → Cornificius, → Veranius [2. 266–269], C. → Asinius Pollio, Cornelius → Nepos und C. → Helvius Cinna.

→ Parthenius übte als lebendes Beispiel der »alexandrinischen« Tradition des Kallimachos und Euphorion einen wichtigen Einfluß auf die röm. Dichter aus [3]. C. und seine Freunde bewunderten die Gelehrtheit und den Schliff der Alexandriner und pflegten bes. die Kunst des → Epyllions; Cinnas *Zmyrna* wurde von C. als Meisterstück begrüßt (95), und sein eigenes Gedicht auf die Hochzeit des Peleus und der Thetis (64) ist mit selbstbewußter literarischer Meisterschaft verfaßt [4. 85–150]. C. griff traditionelle Gattungen als geschwollen und naiv an (15; 22; 36; 95); er und seine Freunde gehörten wahrscheinlich zu den »neuen Dichtern« (→ Neoteriker), zu »Euphorions Sängern«, die Cicero wegen ihrer Zurückweisung des Ennius verurteilte (Cic. orat. 161; Tusc. 3,45; vgl. Att. 7,2,1).

Ein weiteres gemeinsames Interesse war Liebesdichtung (Ov. trist. 2,427–436, auf C., Calvus, Cinna, Cornificius usw.). C.' Liebesgedichte für Lesbia machten sowohl ihn als auch sie unsterblich (Prop. 2,34,88). *Lesbia* war ein Pseudonym, das auf Sappho anspielte, deren Metrum C. für zwei der wirkungsmächtigsten Gedichte über sie verwandte (11; 51). Der wahre Name der Frau war Clodia (Apul. apol. 10), und C.' Anspielung auf ihren Bruder (79,1: *Lesbius est pulcher*) deutet an, daß sie eine Schwester des P. → Clodius Pulcher (Volkstribun 58 v. Chr.) war. Sie war verheiratet, und die beiden mußten sich im Verborgenen treffen (68,67–69. 145f.; vgl. 83,1); wichtiger ist, daß sie andere Liebhaber hatte und C. um ihre Aufmerksamkeit kämpfen mußte (37,13; 68,135–37). Die Gedichte schaffen ein bewegendes Drama von Liebe und Eifersucht, Begehren und Verrat, in dem Generationen von Lesern eine Unmittelbarkeit und Authentizität der Erfahrung wiederfanden, die keiner von C.' vielen Nachfolgern und Nachahmern je erreichte.

Der *Liber Catulli Veronensis* [5] wurde wahrscheinlich spät im Jahr 54 oder 53 v. Chr. publ. Es gibt überhaupt keinen Grund, ihn als postume Sammlung aufzufassen. Die Anordnung der Gedichte ist sorgsam und überlegt [6. 1–31]. Nach der Widmung wird ein Zyklus von Liebesgedichten von dem *passer* (›Sperling‹) eingeführt, der der Slg. ihren Namen gab (Mart. 1,7,3; 4,14,13f.).

Carm. 14b weist auf einen zweiten, diesmal homosexuellen Zyklus hin. Carm. 27 führt Satire und (bes. iambische) Invektive ein (36,5; 54,6). Eine komplexe Abwechslung von Themen und Metren machen den 1. Teil der Sammlung (1–60) zu einem zusammenhängenden Ganzen. Eine kallimacheische Anspielung auf die Muse Urania (61,2) leitet den zweiten Teil ein, der aus zwei Hochzeitsgedichten, einem eindringlichen galliambischen Hymnus an Kybele und dem Epos über Peleus und Thetis besteht (61–64). Diese größeren Werke haben in jeder Hinsicht zentrale Bedeutung für das Œuvre. Carm. 65 leitet mit der Trauer über den Tod von C.' Bruder die Distichen der Sammlung (65,12: *carmina maesta*) ein; wieder bezeichnen Kallimachos und die Musen den Übergang. Vier lange elegische Gedichte gipfeln in einer kunstvollen myth. Meditation über die eigene Erfahrung des Dichters, sowohl in der Liebe zu seiner Freundin als in der Klage über seinen Bruder (68b). Die dann folgenden kurzen Distichen und Epigramme (69–116) nehmen die thematische Komplexität des ersten Teils wieder auf. Die Sammlung hört im Futur (116,7f.) mit einer scheinbaren Abwendung weg von kallimacheischer Dichtung auf. Es wurde der kontrovers diskutierte Vorschlag gemacht [2. 183–189], daß C. sich dann der Bühnenkunst zuwandte, und daß die einem gewissen → Catullus Mimographus (Mart. 5,30,3; Iuv. 8,186; 13,111; Tert. adversus Valentinianos 14) zugeschriebenen Mimen das Werk seiner letzten Lebensjahre darstellen. Sicherlich schrieb er aber weiter: Fragmente von Gedichten, die nicht im *liber* enthalten sind (z.B. Non. 193M), und auch von Prosawerken (Varro ling. 6,6; schol. Bern. comment. Lucan. 1,544) sind erhalten.

C. starb jung und berühmt (Ov. am. 3,9,61). Er übte enormen Einfluß auf → Vergil und die → Elegiker aus, wurde von Martial und Plinius als Schreiber leichter Verse geschätzt und noch in der Zeit des Gellius und Apuleius (2.Jh. n. Chr.) gelesen. Gelehrte von → Festus bis → Isidor weisen einige Kenntnis von seinem Werk auf, vielleicht aus zweiter Hand, aber er wurde nie ein Klassiker der Schullektüre. Im MA verschwand er fast ganz. Nur eine einzige Hs. des *liber* entkam der Zerstörung, als sie ›aus fernen Landen‹ um 1300 nach Verona gebracht wurde. Sie ist der Archetyp aller erhalten Hss. [7. 1–23]. Die *editio princeps* wurde 1472 in Venedig gedruckt. Seitdem hat über C.' Rang als einer der größten Dichter der Ant. nie ein Zweifel bestanden.

1 T. P. WISEMAN, Roman Studies, 1987 **2** Ders., C. and his World, 1985 **3** W. CLAUSEN, Callimachus and Latin Poetry, in: GRBS 5, 1964, 181–196 **4** R. JENKYNS, Three Classical Poets, 1982 **5** J. D. MINYARD, The source of the C. Veronensis liber, in: CW 81, 1988, 343–353 **6** T. P. WISEMAN, Catullan Questions, 1969 **7** J. H. GAISSER, C. and his Renaissance Readers, 1993.

ED.: R. A. B. MYNORS, 1958 · H. BARDON, 1973 · D. F. S. THOMSON, 1978 · W. EISENHUT, [8]1979. KOMM.: E. BAEHRENS, 1885 · R. ELLIS, [2]1889 · G. FRIEDRICH, 1908 · M. LENCHANTIN DE GUBERNATIS,

[2]1947 · W.KROLL, [3]1958 · C.J. FORDYCE, 1961 ·
K. QUINN, 1970 · H.-P. SYNDIKUS, 4 Bde., 1984–90.
BIBL.: H. HARRAUER, 1979 · J.P. HOLOKA, 1985.
LIT.: A.L. WHEELER, C. and the Traditions of Ancient
Poetry, 1934 · M.SCHUSTER, s. v. Valerius Catullus 123), RE
7 A, 2353–2410 · L. FERRERO, Interpretazione di C., 1955 ·
K. QUINN, The Catullan Revolution, 1959 · E. SCHÄFER,
Das Verhältnis von Erlebnis und Kunstgestalt bei C., 1966 ·
J. GRANAROLO, L'œuvre de C., 1967 · K. QUINN, C.,
1973 · J. GRANAROLO, C., ce vivant, 1982 · E. A. SCHMIDT,
C., 1985 · P. FEDELI, Introduzione a C., 1990.
Sammelbände: K. QUINN, Approaches to C., 1972 ·
R. HEINE (Hrsg.), C., 1975.   T. W./ M. MO.

[2] C. Mimographus. Lebensdaten und -umstände
sind unbekannt. Berühmtheit erlangte C. durch den
kurz vor der Ermordung Caligulas aufgeführten Mimus
Laureolus, in dem Flucht, Gefangennahme und Kreuzi-
gung des Räubers Laureolus dargestellt wurden und die
Bühne in künstlichem Blut schwamm (Suet. Cal. 57,4);
echtes Blut floß 80 n. Chr., als ein verurteilter Verbrecher den Laureolus im Amphitheater spielen mußte
(Mart. spect. 7). Auch der Mimus *Phasma* gehörte C.
(Iuv. 8,186), offenbar ein tumultuöses Gespensterstück
(der Zusatz *clamosus* reiht es in die Gruppe der mimi-
schen Lärmstücke). Martial nennt C. *facundus* (5,30,3),
Iuvenal *urbanus* (13,111). Noch Tertullian erwähnt C.
(adversus Valentianum 14).

M. BONARIA, Romani mimi, 1965, 80, 133–135 ·
SCHANZ-HOSIUS II[4], 564–565, 823 · D. F. SUTTON, Seneca
on the Stage, 1986, 63–67.   L. BE.

Catulus. Röm. Cognomen (»der junge Hund«) in der
Familie der Lutatii (→ Lutatius).

KAJANTO, Cognomina 326.   K.-L. E.

[1] Epigrammatiker s. Lutatius Catulus, Q.

Catumelus (Catmelus). Kelt. Namenskompositum
»ruhelos im Kampf« [1. 168]. Gallischer Fürst, der 178
v. Chr. auf röm. Seite im Feldzug gegen die Histrier am
Timavus-See ein Hilfstruppenlager kommandierte (Liv.
41,1,8).

1 SCHMIDT.   W. SP.

Catumerus (Actumerus). Unterschiedlich tradierter
kelt. Name eines Chattenfürsten, Großvater des → Italicus (Tac. ann. 11,16,1; 11,17,1). Strabo (7,1,4) nennt
ihn Οὐκρόμηρος (*Ukrómēros*).

E. KOESTERMANN, Cornelius Tacitus Annalen, 11–13 und
57–58, 1967 · A. SCHERER, Die kelt.-german.
Namengleichungen, in: Corolla Linguistica 1955, 199–210.
                                                    W. SP.

Caturiges. Gallisches Volk in den → Alpes Cottiae am
Oberlauf der Durance, von Ptol. 3,1,35 fälschlich in den
Alpes Graiae, von Strab. 4,6,6 in den Bergen oberhalb
der Salassi angesetzt. Von Caes. Gall. 1,10,4 als rom-
feindlicher Stamm genannt. Plin. nat. 3,125 sieht in den

C. vertriebene → Insubres. Unterwerfung unter Augustus (CIL V 7231; 7817 = Plin. nat. 3,137). Vororte
waren Caturigomagus (h. Chorges) und Eburodunum
(h. Embrun). Seit Diocletianus (284–305 n. Chr.) in der
Prov. Alpes Maritimae.

G. BARRUOL, Les peuples préromains du sud-est de la Gaule,
1975, 340–344 · J. PRIEUR, La province romaine des Alpes
Cottiennes, 1968, 77 f.   H. GR.

Catuvellauni. Mächtiger Stamm in Britannia nördl.
der unteren Themse, der mit den gallischen Catualauni
in Verbindung gestanden haben dürfte. Seine einflußreichsten Fürsten waren Tasciovanus und sein Sohn
→ Cunobelinus [1]. Nach der Eroberung von Britannia
durch Claudius (Cass. Dio 60,20,2) wurden die C. als
eine *civitas* mit dem Zentrum → Verulamium organisiert
(Tac. ann. 14,33).

1 S. S. FRERE, Britannia, [3]1987, 44 f.

S. S. FRERE, Verulamium Excavations I, 1972 · R. E. M. und
T. V. WHEELER, Verulamium, 1936 · K. BRANIGAN, The C.,
1985.   M. TO.

Cauca. Keltiberische Stadt, h. Coca (Prov. Segovia).
Erstmals erwähnt anläßlich der grausamen Kriegsführung des → Lucullus 151 v. Chr. (App. Ib. 51 f.). Auch
Scipio verwüstete das Stadtgebiet im Kampf gegen Numantia (App. Ib. 89). In der Kaiserzeit gehörte die Stadt
zum *conventus* von → Clunia (Plin. nat. 3,26) und wurde
als Geburtsort des Kaisers → Theodosius I. (Zos. 4,24,4)
bekannt.

TOVAR 3, 334 · F. WATTEMBERG, La región vaccea, 1959.
                                                    P. B.

Caudex. Cognomen (»die Schiffsplanke«) des Ap.
Claudius C., *cos.* 264 v. Chr.; die Enstehungslegende ist
bei Seneca (dial. 10,13,4) überliefert.   K.-L. E.

Caudini. Samnit. Volk, Hauptort → Caudium (Liv.
23,41,13; Plin. nat. 3,105). Erobert 275 v. Chr. durch L.
Cornelius Lentulus, dessen Familie seither das Cognomen »Caudinus« führte.   M. BU.

Caudium. Hauptstadt der samnit. → Caudini, h.
Montesarchio; *mansio* an der *via Appia* zw. → Capua und
→ Beneventum, evtl. *municipium*. Grabbeigaben der
Nekropole bei Montesarchio lassen auf eine Nutzung
vom 8. bis 3. Jh. v. Chr. schließen. Zweimal mit einem
Mauerring umgeben, erfolgte der Bau des späteren Rin-
ges, der im SO von C. nachgewiesen ist, evtl. im Zusam-
menhang mit der nach 31 v. Chr. von Augustus für die
Veteranen der *legio XXX* vorgenommenen *renormatio*.

G. D'HENRY, EAA Suppl., 193–195 · Structures agraires
(Coll. Éc. Fr. Rom., 100), 1987, 164–167.   M. BU.

Caupona s. Wirtshaus

Caurus (Χῶρος, Plin. nat. 2,119). Der böig aus 30° von West nach Nord wehende Nordwestwind. Wird manchmal (wie Vitr. 1,6,10) vom *Corus* unterschieden.
→ Winde

R. BÖKER, s. v. Winde, RE 8 A, 2294,45ff., 2352 (Fig. 14), 2356,16 (*corus*!), 2373 (Fig. 26: Windstern des Vitruv) und 2375 (Fig. 27: Windrose des Plinius).   C. HÜ.

Causa. Oft wird *c.* (Ursache, Motiv, Zweck, Rechtsgrund) derjenige Umstand genannt, der eine Situation erklärt oder rechtfertigt. So geht Cicero der Frage nach, ob jedes Ereignis auf eine *c.* zurückgeführt werden könne (fat., bes. 34), beschäftigt sich mit der *c.* einer Tötung (S. Rosc. 61) und der *c.* für den Empfang von Geld (Q. Rosc. 40). Typische Verwendungen in der Rechtssprache [1] sind:

Der Rechtsfall als solcher wird als *c.* bezeichnet, z. B. die berühmte *c. Curiana*, Q. Mucius → Scaevola (Cic. de orat. 1,180) [4]. Der Streit um Geld ist eine *c. pecuniaria*. Das *causas dicere*, den Vortrag der Partei im Prozeß, besorgt z. B. ein → *causidicus*. Der Prätor läßt keinen zweiten Prozeß über denselben Streitgegenstand, *de eadem c.*, zu. Prüft er selbst (und ausnahmsweise nicht der *iudex*) die tatsächlichen Umstände, spricht man von einer *causae cognitio.*

Die rechtliche Position an einer Sache bestimmt sich u. a. nach der *c.* des Erwerbs (*c. possessionis*). Ein Erwerb vom Eigentümer aus einer *iusta c.* (*traditionis*), einem den Eigentumsübergang rechtfertigenden Grund (z. B. Kauf: *c. emptionis*), führt mit der Übergabe zum Eigentumserwerb. Hat der Erwerber die Sache vom Nichteigentümer erhalten, kann er durch → *usucapio* (Ersitzung) Eigentümer werden, wenn u. a. eine *c. usucapionis* gegeben ist. Die Durchsetzbarkeit einer → *stipulatio* kann vom Nachweis der *c. stipulationis* [5] (Verpflichtungsgrund) abhängen. Von dieser Verwendung des Wortes *c.* kommt die Bezeichnung »kausal« für ein Geschäft, dessen Wirksamkeit von einem anerkannten Grund abhängt. »Abstrakt« werden hingegen Geschäfte genannt, die auch ohne eine *c.* schon wegen der Einhaltung einer Form wirksam sind, z. B. die → *mancipatio.* Aber auch bei der *traditio* ersetzt für Julian schon die Einigung über den Eigentumsübergang die *c.* (Dig. 41,1,36 gegen die herrschende Lehre, z. B. Ulp. Dig. 12,1,18). Bei der *usucapio* lassen manche Juristen (z. B. Neratius Dig. 41,10,5) für den Rechtserwerb den entschuldbaren Glauben an das Vorliegen einer *c.* genügen (»Putativtitel«) [2].

Selbst nach wirksamem Erwerb bleibt die *c.* dafür bedeutsam, ob der Erwerber den Wert behalten darf. Mittels → *condictio* können Leistungen zurückgefordert werden, die irrtümlich ohne *c.* erbracht worden sind (*condictio indebiti, condictio sine causa*), deren *c.* wider Erwarten nicht eingetreten ist (*condictio causa data causa non secuta*, z. B. Mitgift ohne nachfolgende Eheschließung), oder deren *c.* von der Rechtsordnung nicht gebilligt wird (*condictio ob turpem vel iniustam causam*, z. B. Erpressung).

Im → Erbrecht gibt *c.* den Grund für den Anspruch auf einen Wert aus dem Nachlaß an: *c. testamenti, c. fideicommissi* etc.

Mit *causam mortis praestare* (*praebere*) [3] wird bei der Auslegung der → *lex Aquilia* ein Verhalten umschrieben, das zwar den Tod eines Sklaven oder vierfüßigen Herdentieres herbeigeführt hat, aber nicht dem Wortsinn des Wortes *occidere* im 1. Kapitel der *lex* entspricht: Dem Geschädigten steht dann nur ein Anspruch aus einer analogen Klage (→ *actio in factum*) zu.

1 V. A. GEORGESCU, Le mot causa dans le Latin juridique, in: Études de philologie juridique et de droit romain, 1940, 129–239 2 TH. MAYER-MALY, Das Putativtitelproblem bei der usucapio, 1962 3 D. NÖRR, Causa mortis, 1986 4 J. W. TELLEGEN, Oratores, Iurisprudentes and the »Causa Curiana«, in: RIDA 30, 1983, 293–311 5 J. G. WOLF, Causa stipulationis, 1970.   R. WI.

Causidicus. Ein Gerichtsredner, der als Sachwalter einer Partei vor Gericht auftritt. Während Cic. de or. 1,202 ihn deutlich abschätzig dem wahren Redner entgegenstellt, und eine ähnliche Einschätzung bei Gai. Dig. 1,2,1 (*causas dicentibus*) durchscheint, wird *c.* später in Inschriften (CIL 5,5894) und Constitutionen als neutrale Berufsbezeichnung neben (Cod. Iust. 2,6,6) oder identisch (Cod. Theod. 2,10,5) mit → *advocatus* verwendet. Als solcher war er in die staatlich kontrollierte Standesorganisation (Cod. Iust. 2,7,11, 1) der vor Gericht auftretenden Redner eingebunden. Seine urspr. Geringschätzung resultierte aus den dem *c.* zumindest nachgesagten mangelnden Rednerfähigkeiten (Cic. or. 30) sowie dem Fehlen von Rechtskenntnissen (Sen. apocol. 12). Seine Hauptaufgabe bestand im Plädieren, für das er seinerseits des öfteren juristischen Beistand benötigte (Quint. inst. 12,3,2). Nach dem Verschwinden des *ius respondendi* unter Diocletian steigt das Ansehen und die soziale Stellung des *c.*, was mit einer verstärkten juristischen Ausbildung – zumindest im Osten – einhergeht.
→ Defensor

KASER, RZ, 454 · F. WIEACKER, Recht und Ges. in der Spätant., 1964, 83ff.   C. PA.

Cautio (von *cavere*). Ein bedingtes Leistungsversprechen in Form einer → *stipulatio* zur Sicherung eines Rechtes. Wird dieses Versprechen mit einem Pfand (→ *pignus*) oder einer → Bürgschaft verbunden, spricht man auch von einer → *satisdatio. Cautiones* waren für die röm. Rechtspraxis ein probates Mittel, künftige Probleme vorausschauend zu regeln.

Nach röm. Prozeßrecht konnten Vertreter Prozesse nur als selbständige Prozeßparteien führen, so daß das Urteil für bzw. gegen sie gefällt wurde (Gai. inst. 4,86). Deshalb sicherte sich der Kläger, wenn der Beklagte vertreten war, durch eine *c. iudicatum solvi* (Dig. 46,7) die Verwirklichung des für ihn günstigen Urteils, der Beklagte wiederum hatte, wenn der Kläger vertreten war, Anspruch auf eine *c. ratam rem* (*dominum*) *habiturum* (Dig.

46,8), um nicht einer weiteren Klage ausgesetzt zu sein. Mit der *c. pro praede litis et vindiciarum* sollte beim sog. Sponsionsverfahren (→ *rei vindicatio*) erreicht werden, daß die umstrittene Sache dem Sieger herausgegeben wird. Hatte eine Klage auf Herausgabe einer Sache keinen Erfolg, weil der Beklagte sie schuldlos verloren hatte, war aber damit zu rechnen, daß sie wieder an ihn gelangen würde, konnte von ihm das Versprechen, sie dann an den Kläger herauszugeben, verlangt werden (*c. de restituendo*: Dig. 4,2,14,5). In justinianischer Zeit mußte der Beklagte durch *c. iudicio sisti* (Inst.4,11,2) versprechen, während des gesamten Verfahrens anwesend zu sein.

Wer durch → *emancipatio* aus dem Hausverband ausschied, aber dennoch zusammen mit den → *sui heredes* am Nachlaß beteiligt werden wollte, mußte durch *c.* sicherstellen, daß er sein Vermögen in die Teilung einbringen werde. Ein Erbe konnte von einem Legatar verlangen, daß dieser sich durch *c.* zu einer Ausgleichszahlung verpflichtete, wenn sonst dem Erben nicht zumindest ein Viertel des Nachlasses verblieb (→ *beneficium legis Falcidiae*). Umgekehrt konnten aufschiebend bedingte oder befristete Legatare vom Erben eine *c. legatorum servandorum causa* verlangen. Wurde jemandem letztwillig ein Wert für den Fall zugesprochen, daß er etwas *nicht* tue (z.B. Wiederverheiratungsklausel), so stand vielfach erst mit seinem Tod fest, ob er den Anspruch hatte. Dem half die *c. Muciana* (nach Q. → Mucius Scaevola, Dig. 35,1,7 pr.) ab: Der Bedachte hatte sofort einen Anspruch, mußte aber die Rückgabe des Wertes an den Erben versprechen, falls er zuwiderhandeln sollte.

Der Ehemann versprach mit *c. rei uxoriae* (Dig. 24,3,56) die Rückgabe der Mitgift (→ *dos*) für den Fall der Auflösung der Ehe. Ein Vormund sicherte durch *c. rem pupilli salvam fore* (Dig. 46,6) Schadloshaltung des Mündels zu. Gesellschafter verpflichteten sich durch *c.* zum internen Ausgleich von Aufwendungen (Dig. 17,2,67 pr.).

Ging von einem Grundstück, z.B. durch ein einsturzgefährdetes Gebäude, eine Gefahr aus, konnte der gefährdete Nachbar eine *c. damni infecti* verlangen, aus der er beim Eintritt eines Schadens Ersatz verlangen konnte, ohne ein Verschulden des Eigentümers nachweisen zu müssen. Der Nießbraucher (→ *usus fructus*) mußte dem Eigentümer die unversehrte Rückgabe der Sache durch *c. usufructuaria* (Dig. 7,9) garantieren.

Das Wort *c.* kann auch Urkunde, Schuldschein bedeuten.

→ Stipulatio; Satisdatio

R. Knütel, Der mehrfache Verfall von Kautionen, in: ZRG 92, 1975, 130–161 • J.M. Rainer, Bau- und nachbarrechtliche Bestimmungen im klass. röm. Recht, 1987, 97–151.

R. WI.

Cavades

[1] C. I., sasanidischer König seit 488 n.Chr., Sohn des → Peroz. Nachdem er anfangs einzelne mächtige Fa-

milien gegeneinander ausgespielt hatte, unterstützte er die sozial-rel. Bewegung → Mazdaks, um die Macht des Adels zu brechen. Dies führte 496 zu einer Verschwörung des zarathustrischen Klerus mit dem Hochadel, in deren Verlauf C.' Bruder Zamasphes auf den Thron gehoben wurde, während er selbst im »Schloß der Vergessenheit« verschwand. C. konnte jedoch zu den Hephthaliten entfliehen, mit deren Hilfe er 499 die Herrschaft zurückgewann. Finanzielle Verpflichtungen gegenüber seinen Verbündeten trieben ihn zu einem Krieg gegen Ostrom, der 505/06 durch einen befristeten Frieden beendet wurde. In seinen späteren Regierungsjahren trat ein Umschwung gegenüber den Mazdakiten ein: Wohl auf Veranlassung seines dritten Sohnes Chosroes ließ C. um 528/29 die Vernichtung Mazdaks und seiner Anhänger zu. Das Ende des kurz vorher erneut ausgebrochenen Krieges mit Byzanz erlebte der im September 531 gestorbene C. nicht mehr (PLRE 2, 273 f.).

[2] C. II. Scheroes, sasanidischer König, Sohn → Chosroes' [I 6] II., der sich Anfang 628 von unzufriedenen Adelskreisen zur Absetzung und Ermordung seines Vaters drängen ließ. Er starb nach einigen Monaten, vermutlich an der Pest (PLRE 3A, 276 f.).

A. Lippold, s.v. Zamasphes, RE 9A, 2308 f. • K. Schippmann, Grundzüge der Gesch. des sasanidischen Reiches, 1990 • E. Yarshater, Mazdakism, in: CHI 3(2), 1983, 991–1024.

M.SCH.

Cavarillus. Keltisches Namenskompositum aus *cavar* »mächtig, kräftig« [1. 331–332]. Adliger Haeduer, als Nachfolger von → Litaviccus 52 v.Chr. Befehlshaber eines Fußtruppenkontingentes seines Stammes bei Caesar. C. lief zu Vercingetorix über und wurde im Kampf zusammen mit Cotus und → Eporedorix gefangengenommen (Caes. Gall. 7,67,7).

1 Evans.

H. Bannert, s.v. C., RE Suppl. 15, 87–88.

W.SP.

Cavarinus. Keltisches Namenskompositum (s. Cavarillus). Senonenkönig, von Caesar als Nachfolger seines Bruders Moritasgus eingesetzt. 54 v.Chr. mußte er, vom eigenen Stamm zum Tode verurteilt, fliehen. Ein Jahr später führte er aber wieder ein senonisches Reiterkontingent auf der Seite Caesars gegen → Ambiorix (Caes. Gall. 5,54,2; 6,5,2).

W.SP.

Cavea (»Höhlung«). 1. Tierkäfig, Bienenstock. 2. Gittergestell, von Walkern über Kohlefeuer gestellt, um Zeug zu trocknen. 3. Terrassenförmig aufsteigender Sitzraum im → Amphitheater, → Odeion und → Theater, auch als öffentlicher Versammlungsplatz geläufig (z.B. Athen, Pnyx). In größeren Anlagen durch Umgänge in *prima, media* und *summa c.* geteilt, die verschiedenen Personengruppen zugewiesen waren.

W. A. McDonald, The Political Meeting Places of the Greeks, 1943 · J. A. Hanson, Roman Theatre-Temples, 1959 · D. B. Small, Social Correlations to the Greek Cavea in the Roman Period, in: Roman Architecture in the Greek World, Kongr. London (1985), 1987, 85–93 · W. Wurster, Die Architektur des griech. Theaters, in: Ant. Welt 24, 1993, 20–42.   C.HÖ.

Cebenna mons. Gebirge in Gallien (h. Cévennes), das die Arverni von den Helvii trennt (Caes. Gall. 7,8; 56).
                                                                Y.L.

Cediae. Stadt in der Prov. → Numidia, südöstl. von Mascula, h. Henchir Ounkif. Spätestens unter Diocletian (284–305 n. Chr.) wurde die *res publica Cediensium* von *duumviri* verwaltet. CIL VIII Suppl. 2, 17655. Inschr.: CIL VIII 2, 10727–10732; Suppl. 2, 17655–17667, 17759.

> AAAlg, Bl. 39, Nr. 43 · C. Lepelley, Les cités de l'Afrique romaine 2, 1981, 401.   W.HU.

Cedrus (κέδρος, Zeder). Die immergrüne Coniferengattung war in der Kreidezeit und im Tertiär weit über die Nordhalbkugel verbreitet, starb dort jedoch in der vorletzten Eiszeit weitgehend aus. Sie wächst nur noch in verwandten Arten im Himalaya (*C. deodara*), im Libanon (nur noch etwa 400 Bäume) und Kleinasien (*C. libani = libanotica*, im Taurus und Antitaurus), auf Zypern (*C. brevifolia*) und im Atlas (bis 2700 m, *C. atlantica*). Das aromatische und dauerhafte Zedernholz wurde schon von ca. 2750 v. Chr. im Taurus und Libanon nach Ägypten exportiert. Es fand z. B. für Bauten und Mumiensärge sowie für die Tempel und Paläste Davids und Salomons Verwendung. Im Gegensatz zu den Gattungen *Pinus* und *Larix* zerfallen ihre Zapfen. Das Harz diente zum Einbalsamieren. Nach Hdt. 4,75 benutzten skythische Frauen einen Brei u. a. aus importiertem Zedernholz zur Kosmetik. Dioskurides (1,77 [1. II.76–78] = 1,105 [2. 98 ff.]) und Plinius (nat. 24,17–20 u.ö.) erwähnen vielfältige medizinische Verwendung. Theophrast (h. plant. 5,7,1–2 und 4) empfiehlt das Holz für → Schiffbau und Hausbau (→ Bauwesen). Das homer. κέδρος (Od. 5,60) ist wohl eine Wacholderart.
→ Nutzhölzer

> 1 M. Wellmann (Hrsg.), Pedanii Dioscuridis de materia medica Bd. 1, 1908, Ndr. 1958 2 J. Berendes (Hrsg.), Des Pedanios Dioskurides Arzneimittellehre übers. und mit Erl. versehen, 1902, Ndr. 1970.   C.HÜ.

Ceionia

[1] C. Fabia. Tochter von Ceionius [3], Schwester von L. Verus, verlobt mit → Marcus Aurelius. Nach dem Tod Hadrians wurde die Verlobung gelöst (SHA Aur. 4,5; 6,2). Sie war verheiratet mit Plautius Quintillus, *cos. ord.* 159. Nach dem Tod Faustinas versuchte sie vergeblich, Marcus Aurelius zu heiraten (SHA Aur. 29,10; PIR² C 612; [1; 2. 246]).

[2] C. Plautia. Schwester von C. [1]; Frau von Q. Servilius Pudens, *cos. ord.* 166 (PIR² C 614).

> 1 Raepsaet-Charlier Nr. 205 2 Birley, Marcus Aurelius, ²1988.   W.E.

Ceionius

[1] C. Commodus, L. Aus Etrurien stammend, Senator seit neronischer Zeit; *cos. ord.* 78, Statthalter von Syrien ab 78/79 n. Chr.; verheiratet mit Appia Severa (PIR² C 603) [1. I 308; 2. 45 A. 22].

[2] C. Commodus, L. Sohn von [1]. *Cos. ord.* 106 n. Chr. (PIR² C 604). Verheiratet mit einer Plautia, ihr Sohn war C. [3].

[3] C. Commodus, L. = Aelius Caesar, L. Sohn von [2]. Sein Halbbruder über die Mutter war M. Vettulenus Civica Barbarus [3. 845]. Geb. am 13. Jan. etwa im J. 103 n. Chr.; von seiner vorkonsularen Laufbahn ist nur die Prätur bekannt (zum Jahr [4. 246]). *Cos. ord.* 136. Nach dem 19. Juni 136 von Hadrian adoptiert. Von da an trug er den Namen L. Aelius Caesar. Er erhielt die *tribunicia potestas*, vielleicht ab 10.12.136 (eine Iteration ist nicht bezeugt), ferner ein *imperium proconsulare* (CIL III 4366 = ILS 319). Die Adoption erfolgte, obwohl er krank war (Cass. Dio 69,17,1). *Cos. ord. II* 137; nach Pannonien entsandt, um mit den Prov. und dem Heer vertraut zu werden. Dorthin kamen auch zahlreiche Gesandtschaften (IG V 1,37; IGR IV 862; I. Magnesia 180). Münzen mit seinem Namen RIC II 391 ff. 480 ff. Wegen seiner Krankheit Rückkehr nach Rom, am 1. Jan. 138 gestorben. Nach Fertigstellung des → Mausoleum Hadriani dort 139 beigesetzt (CIL VI 985 = ILS 329). Verheiratet war C. mit einer Avidia (Raepsaet-Charlier Nr. 128); sein Sohn war der spätere → Lucius Verus, seine Töchter Ceionia Fabia und Ceionia Plautia (PIR² C 605).

[4] C. Commodus, L. → Verus

[5] C. Silvanus, M. *Cos. ord.* 156 n. Chr. Wohl ein Enkel von C. [2]; verwandt mit C. [3] (PIR² C 610).

> 1 Thomasson, Lat. 2 Halfmann, in: EA 8, 1986 3 Eck, RE Suppl. 14 4 Birley, Marcus Aurelius, ²1988.   W.E.

[6] C. Iulianus Camenius, M., 324 n. Chr. *consularis Campaniae,* zw. 326 und 331 *procos. Africae,* vom 10. Mai 333 bis zum 26. April 334 *praef. urbi* (PLRE 1, 476).

[7] C. Rufius Albinus. Sohn von C. [8]. Geb. am 14. oder 15.3.303 n. Chr. (Firm. Math. 2,29,10), nach Verbannung *procos.* von Achaia und Asia, *cos.* (335) und *praef. urbi* (30.12.335 – 10.3.337). In einem Ehrendekret des Senats (ILS 1222) als *philosophus* gerühmt. Vielleicht der Autor einer röm. Gesch. in Versen (Prisc. 7,22, Gramm. Lat. 2,304 Keil; PLRE 1, 37).

[8] C. Rufius Volusianus, C., ab 281/283 n. Chr. acht Jahre *corrector Italiae* (ILS 1213 und CIL X 1655), ca. 305 *procos. Africae.* Als *praef. praet.* des → Maxentius nach Africa geschickt, beendete er dort mit einem kleinen mil. Aufgebot 309 oder 310 die Usurpation des Domitius Alexander (Aur. Vict. Caes. 40,18; Zos. 2,14,2). Zur Belohnung war er vom 28.10.310 – 28.11.311 *praef. urbi* und erhielt im September 311 das Konsulat. Trotz seiner Verbindungen mit Maxentius wurde C. nach dem Sieg des → Constantinus [1], der sich um Gewinnung des Senats bemühte, *comes* des Kaisers, erneut *praef. urbi* (8.12.313 – 20.8.315) und 314 gemeinsam mit Petronius Annianus Konsul. Als Heide gehörte C. den Priesterkollegien der *XVviri sacris faciundis* und den *VIIviri epulonum* an. Beim Rombesuch Constantins 315 scheint C. in Ungnade gefallen und ins Exil geschickt worden zu sein (PLRE 1, 976).

T.D. BARNES, Two Senators under Constantine, in: JRS 65, 1975, 40–49.   B. BL.

[9] C. Rufius Volusianus, C., (bei Amm. und Zos.: Lampadius). *Praef. praet. Galliarum* 355 n.Chr. (Zos. 2,55,3). Er war bei der Usurpation des → Silvanus beteiligt (Amm. 15,5,4f. und 13). 365 wurde er *praef. urbis Romae* (Cod. Theod. 1,6,5 u.a.). Er ließ seinen Namen auf zahlreichen, auch nicht von ihm errichteten, Bauten anbringen (Amm. 27,3,7; CIL VI 1170–1174. 3866). Seine eigene Bautätigkeit führte zu Aufständen (Amm. 27,3,8–9). Er war Nichtchrist (CIL VI 846). Ein Sohn, Lollianus, wurde wegen »Zauberei« hingerichtet (Amm. 28,1,26). Ein zweiter Sohn war C. [11]. PLRE 1,978–980 Nr. 5.

[10] Publilius C. Iulianus, hatte um 354 n.Chr. evtl. die *cura statuarum* inne (CIL VI 1159). Vor 370 war er *corrector Tusciae et Umbriae* (CIL XI 4118). Er ist nicht mit Kaiser Iulianus' Onkel (Iulianus) identisch (vgl. die Selbstkorrektur bei [1]). PLRE 1,476f. Nr. 27.

1 O. SEECK, Die Briefe des Libanius, 1906, 190.

[11] Publilius C. Caecina Albinus. Evtl. Sohn von C. [9] Altersgenosse und Freund des → Symmachus (epist. 8,25). Wie dieser Nichtchrist und *pontifex* (falls epist. 107,1 des Hieronymus auf ihn zu beziehen ist). Er ist eine der Hauptpersonen in den ›Saturnalien‹ des → Macrobius (1,2,15). Um 365 n.Chr. war er *consularis Numidiae* (CIL VIII 2242, 2388 u.a.). Seine Frau und seine Tochter → Laeta waren evtl. Christinnen (Hieron. epist. 107,1f.). Sein Sohn war C. [14], sein Enkel C. [15]. PLRE 1,34f. Nr. 8.

[12] Alfenius C. Iulianus (im Cod. Theod.: Camenius), 343–385. Evtl. Enkel von [6], Nichtchrist (ILS 1264). Wohl identisch mit dem bei Amm. 28,1,27 erwähnten Camenius, der um 371 mit seinem Bruder Tarracius Bassus wegen »Zauberei« angeklagt, aber freigesprochen wurde. *Consularis Numidiae* (vor 381), *vicarius Africae* 381 (Cod. Theod. 12,1,84). PLRE 1, 474f. Nr. 25.

[13] C. Rufius Albinus, evtl. Sohn von [9], *praef. urbis Romae* 389–391 (Cod. Theod. 2,8,19; Cod. Iust. 6,1,8; ILS 789). Nichtchrist; Gesprächsteilnehmer in den ›Saturnalien‹ des Macrobius (1,2,16), wo er als einer der gelehrtesten Männer der Zeit gilt (6,1,1). Im Jahre 416 lebte er noch (Rut. Nam. 1,168). PLRE 1,37f. Nr. 15.

[14] C. Caecina Decius Albinus. Sohn von [11] (Macr. Sat. 1,2,3). *Consularis Numidiae* (CIL VIII 7034),

procos. Campaniae 398 n.Chr. (Symm. epist. 7,40; 6,23). *Quaestor sacri palatii* oder *mag. officiorum*, um 400 (Symm. epist. 7,47.49), *praef. urbis Romae* 402 (Cod. Theod. 7,13,15). Empfänger von Briefen des → Symmachus (epist. 7,35–41). PLRE 1,35f. Nr. 10.

[15] C. Caecina Decius Acinatius Albinus. Evtl. Sohn von [14]. Er war 414 n.Chr. in jugendlichem Alter *praef. urbis Romae* (Rut. Nam. 1,466ff.; Cod. Theod. 13,5,38; CIL VI 1659). Er forderte vom Kaiser eine bessere Nahrungsmittelversorgung für Rom (Olympiodor FHG fr. 25). Er ist wohl identisch mit Flavius Albinus und wäre damit 426 zum zweiten Mal *praef. urbis Romae* gewesen (Cod. Theod. 5,1,7). Fl. Albinus war 443–449 *praef. praet. Italiae* (Nov. Val. 2,3 u.a.), 444 *cos. posterior*, seit 446 als *patricius* bezeugt (Nov. Val. 21,1). PLRE 2,50f. Nr. 7.

[16] C. Rufius Antonius Agrypnius Volusianus. Sohn von [14] (Rut. Nam. 1,168). Vor 412 n.Chr. war er *procos. Africae* (ebd. 1,173f.). Seine christl. Mutter suchte ihn vergeblich zu bekehren (Aug. epist. 123; 136). *Quaestor sacri palatii* (Rut. Nam. 1,171f.), *praef. urbis Romae* 417/8 (Rut. Nam. 1,167ff.; CIL VI 1194, 1661). Eine früher angenommene zweite Stadtpräfektur ist unwahrscheinlich (PLRE 2,1185). 428/9 war er *praef. praet. Italiae* (Cod. Theod. 1,10,8; Cod. Iust. 11,71,5). Er starb um 437 als Christ (Gerontius, vita S. Melaniae, 53–55). PLRE 2, 1184f. Nr. 6.   W. P.

Celadus. Kaiserlicher Freigelassener augusteischer Zeit (Suet. Aug. 67,1). Er entlarvte ca. 7–4 v.Chr. den angeblichen Sohn des Herodes, den falschen Alexander (Ios. ant. Iud. 17,332; bell. Iud. 2,106–110). Vielleicht in CIL VI 23338 und XIV 3524 genannt.   D.K.

Celadussae. Dalmatische Inselgruppe (Plin. nat. 3,152) gegenüber → Iader. Einige Inseln (u.a. h. Ugljan, Pašman) waren in die Zenturiation dieser Kolonie einbezogen.

J.J. WILKES, Dalmatia, 1969, 208f.   D.S.

Celeia. Heute Célje (Cilli). Ort in Noricum an der Bernsteinstraße bei einer urspr. kelt.-illyr. Siedlung am Einfluß von Voglajna in Savinja (Sann). C. verdankt seine frühe, rasche Entwicklung der günstigen Lage an einem Hauptzugang zur illyro-ital. Pforte. Unter Kaiser Claudius wohl zur Tribus Claudia gehöriges → *municipium* (CIL III 5143; 5227; vgl. CIL VI 2382), das Mitte des 2.Jh. hohe Reichsbeamte stellte [1]. Die im 2.Jh. n.Chr. ummauerte Stadt unter der modernen Bebauung ist nur teilweise erforscht (Forum wohl im Nordwesten, Handwerker im Südosten). Überschwemmungen führten in der 2. H. des 3.Jh. zu ihrer Reduktion und Ummauerung. Im 4.Jh. war C. bereits Bischofsstadt; zwei Coemeterialkirchen des 5./6.Jh. [2]; südwestl. von C. lagen an der Straße nach Emona die Nekropole von Šempeter [2. 355–358; 3] und das in den Kriegen gegen die → Marcomanni von der *legio II Italica* vorübergehend belegte Lager Ločica.

> 1 J. Šašel, Opera Selecta, 1993, 206–219 **2** S. Ciglenecki, in: Arh. Vestnik 44, 1993, 213–221 (zum frühen Christentum) **3** V. Kolšek, Röm. Österreich 17/18, 1989–90, 143–146.

> J. Šašel, s. v. C., PE, 210 · Ders., s. v. C., RE Suppl. 12, 139–148 · Ders., Opera Selecta, 1993, 583–587 und Register.   K. DI.

Celer. Cognomen, dessen Entstehung eine Erzählung bei Plutarch (Coriolanus 11,4) wiedergibt; auch Spitzname [1. 66,248].

[1] Militärtribun, der in Judäa gegen innerjüd. Tumulte einschritt. Zur Schlichtung nach Rom gesandt, wurde er vom Kaiser nach Jerusalem zurückgeschickt und dort enthauptet (Ios. ant. Iud. 20,132–136; bell. Iud. 2,244–246). PIR C 617.

[2] 92 n. Chr. *legatus Augusti pro praetore Hispaniae cit.* oder *legatus iuridicus* (Mart. 7,52,1–4). PIR C 620.

[3] Röm. Ritter, der aufgrund des Vorwurfs einer Liebesbeziehung zur Vestalin Cornelia von → Domitian getötet wurde (Plin. epist. 4,11,10; Suet. Dom. 8,4). PIR C 621.

> 1 Kajanto, Cognomina.   M. STR.

[4] Architekt Neros, der zusammen mit Severus die Anlagen der → *domus aurea* entwarf sowie einen Kanal vom Arvernersee zum Tiber plante (Tac. ann. 15,42); möglicherweise ist er mit dem *architectus* C. in P. Ryl. 608 = CPL 248 identisch [1. 28 f.].

> 1 H. Cotton, Documentary Letters, 1981.   W. E.

[5] Vertrauter des → Hadrianus (M. Aur. 8,25), wahrscheinlich identisch mit dem Rhetoriklehrer von → Marcus Aurelius (SHA Marc. 2,4) und → Verus (SHA Verus 2,5). Aristides nennt ihn γραμματεὺς βασιλικός (Aristeid. or. 26,335 p. 519 Dindorf). PIR C 388.

[6] 429 n. Chr. Prokonsul von Africa, *vir clarissimus* (Aug. epist. 139). → Augustinus führte mit C., der Donatist war, Streitgespräche über das Christentum (Aug. epist. 56; 57). PLRE 2, 275 (C. 1).

> F. F. Morgenstern, Die Briefpartner des Augustinus von Hippo, 1993, 74.   M. STR.

[7] P. C., röm. Ritter, s. P. → Celerius.

Celerinus. Präfekt von Ägypten. Er lehnte 283 n. Chr. die von den Soldaten nach dem Tode des → Carus angebotene Kaiserwürde ab (Claudian. epithal. Palladii et Celerinae 25,70–82). PIR² C 635.   A. B.

Celerius, P. (in Tacitusausgaben irrig P. Celer), Patrimonialprokurator von Claudius und Nero in Asia (I. Eph. 7,2 ,3043/44; SEG 39, 1172). C. ermordete im Auftrag → Agrippinas Ende des J. 54 Iunius Silanus, *procos. Asiae*; 57 im Senat durch die Prov. Asia angeklagt;

doch der Prozeß wurde verschleppt, bis er starb (Tac. ann. 13,1,2. 33,1).

> W. Eck, in: Splendissima Civitas, Études ... en hommage à F. Jaques, 1996, 67 ff.   W. E.

Cella (»Kammer, Raum, Zelle«).

[1] Von Vitruv (4,1 u. ö.) geprägter t. t. für das von Mauern umschlossene Gehäuse im ant. → Tempel (griech.: σηκός, *sēkós*). Die typologische Herleitung der griech. Tempel-C. aus der frühgriech. Hausarchitektur (→ Haus) wird im Zusammenhang mit der Entstehung der Tempelringhalle (→ Peristasis) weiterhin diskutiert. Die *c.* diente im monumentalen Steinbau seit dem 7. Jh. v. Chr. zur Verwahrung des Kult- oder Götterbildes sowie des Tempel- oder Staatsschatzes (→ Tempel); rituelle Handlungen fanden hier nur in wenigen Ausnahmefällen statt (→ Altar; → Kultbild). Die in der *c.* verwahrten, repräsentativen Götterbilder aus wertvollen Materialien (z. B. der Zeus von Olympia und die Athena Parthenos des → Pheidias) waren oft keine Kultbilder, da im Kult ohne Verwendung; sie waren als Schaustücke für Besucher zugänglich und z. T. sogar von einer Empore aus zu bewundern (→ Parthenon).

Die *c.* des frühgriech. Tempels war langgestreckt und zunächst einräumig (z. T. mit Vorhalle), dabei oft durch eine mittlere Säulenstellung in zwei Schiffe geteilt (Samos, Eretria, Isthmia, Argos, Thermos). Im frühen 6. Jh. bildet sich die dreiräumige *c.* mit der kanon. Raumfolge Pronaos (Vorraum), Hauptraum und Rückraum, entweder als Opisthodom (→ Tempel) abgetrennt vom Hauptraum (früh: Olympia, Heratempel; Kerkyra, Artemistempel) oder als nur vom Hauptraum betretbares, von außen unzugängliches Adyton (wie überwiegend in West-Griechenland, selten in Kleinasien [z. B. Ephesos, archa. Artemison] und wohl gar nicht im griech. Mutterland [strittig: einige Artemistempel, z. B. in Aulis, Brauron]). Daneben finden sich zweiräumige Sonderformen (im 6. Jh. v. Chr. z. B. Samos, Metapont; ähnlich dann im 4. Jh. einige »Kurztempel«, z. B. Epidauros), vereinzelt vierräumige (Korinth) und vielräumige Strukturen (Athen, Alter Athenatempel). Die kanonische Tempel-*c.* ist seit dem späten 6. Jh. durch zwei zweigeschossige Säulenstellungen in drei Schiffe unterteilt (z. B. Ägina, Aphaia-Tempel). In seltenen, meist durch Kulttradition oder -funktion motivierten Fällen blieb der σηκός unüberdacht (Didyma, Apollontempel; Akragas, Olympieion; Selinunt G). Überwiegend einräumig war die *c.* bei kleinen Antentempeln, Rundtempeln und → Schatzhäusern, sowohl in griech. als auch in röm. Zeit. Von wenigen Ausnahmen abgesehen (z. B. Athen, → Partheon; Delos, Athener-Tempel) war die *c.* fensterlos und in jedem Fall durch eine massive Tür verschließbar.

Die Gestalt der *c.* des röm. Podiumstempels ist abhängig von der Dedikation; die am etr. Tempel orientierte *c.* der Kapitolstempel waren meist von querrechteckiger oder nahezu quadratischer Fläche, die in drei gleich tiefe, aber unterschiedlich breite Räume für die kapitolinische Trias unterteilt waren: zwei schmalere Räume an den Seiten (für Juno und Minerva), ein breiterer Raum in der Mitte (für Jupiter). In allen anderen Fällen war die *c.* eher langrechteckig und entweder einräumig oder mit Vorraum/Pronaos versehen.

EBERT 3–5, 14–19 · E. WILL, Art parthe et art grec. L'adyton dans le temple syrien de l'époque impériale, in: Études d'archéologie classique 2, 1959, 123–147 · A. MALLWITZ, C. und Adyton des Apollontempels in Bassai, in: MDAI(A) 77, 1962, 140–177 · A. BOETHIUS, J. B. WARD-PERKINS, Etruscan and Roman Architecture, 1970, 29–56, 132–148 · P. GROS, Aurea Templa, 1976, 101–151 · T. KALPAXIS, Früharcha. Baukunst, 1976, 17–81 · S. K. THALMANN, The Adyton in the Greek Temples of South Italy and Sicily, 1980 · M. B. HOLLINSHEAD, Against Iphigeneia's Adyton in Three Mainland Temples, in: AJA 89, 1985, 419–440 · W. MARTINI, Vom Herdhaus zum Peripteros, in: JDAI 101, 1986, 23–36 · F. SEILER, Die griech. Tholos, 1986, 78–81, 96–98, 116–119 · G. GRUBEN, Anfänge des Monumentalbaus auf Naxos, in: DiskAB 5, 1991, 63–71 · D. METZLER, »Abstandsbeṭonung«. Zur Entwicklung des Innenraums griech. Tempel, in: Hephaistos 13, 1995, 58–72 (mit weiterer Lit.) · B. FEHR, The Greek Temple in the Early Archaic Period, in: Hephaistos 14, 1996, 165–191 · CH. HÖCKER, Architektur als Metapher, in: Hephaistos 14, 1996, 54–58 mit Anm. 36.

[2] In der antiken Architekturterminologie auch ein kleiner, funktional nicht näher bestimmter Raum, manchmal Kellerraum im röm. → Haus oder Gehöft s. [1; 2].

1 GEORGES, I, s. v. *c.* (Belegstellen) 2 W. H. GROSS, s. v. *c.*, KlP 1, 1100 f.   C. HÖ.

Celsus. Cognomen, das sich zahlreich findet (vgl. PIR² 2, 145–147).

[1] C. Freund Ovids und des Aurelius Cotta Maximus; Ovid tröstet Cotta wegen des Todes des C. (Pont. 1,9) [1. 90].

[2] C. Ritter aus Alba Pompeia, den Traian in den Senat aufnahm (CIL V 7153; PIR² C 647).

[3] C. Angeblich Verschwörer gegen Antoninus Pius; fiktiver Brief in SHA Avid. 10,1. (PIR² C 644).

[4] C. Angeblicher Usurpator gegen Gallienus (PIR² C 646).

[5] C. Aelianus. Angeblich *cos. suff.* im J. 238 n. Chr., in einem fiktiven Brief SHA Max. Balb. 17,2 genannt (PIR² C 649).

[6] C. Plancianus. *Cos. suff.* zusammen mit Avidius Cassius (CIL XVI 124), vermutlich im J. 166 n. Chr. [2. V 691 ff.]. Zu möglicher Verwandtschaft [3. 320].

1 SYME, History in Ovid, 1978 2 SYME, RP, 5 3 ALFÖLDY, Konsulat.   W. E.

---

[7] Cornelius C., A. Der Enzyklopädist verfaßte zur Zeit des Tiberius (14–37) in der Nachfolge der *disciplinae* → Catos und → Varros *Artes* (»Künste«) in über 26 Büchern mit den Disziplinen Landwirtschaft, Medizin, Kriegskunst, Rhet., Philos. und Jurisprudenz; erh. ist nur deren mit 8 B. umfänglichster, mit Varro der Allg.-Bildung zugerechnete Teil *De medicina*, so daß C. jetzt in die Medizingesch. gehört. Nach knappem hist. Abriß bis auf → Themison, der Einteilung in Diätetik (Hygiene), medikamentöse (Pharmazeutik) und praktische Heilkunde (Chirurgie) sowie der Scheidung der rationalen von der empirischen Ärzteschule behandelt B. 1 die Diätetik, B. 2 allgemeine Pathologie und Therapie, B. 3 Erkrankungen des ganzen Körpers, B. 4 die einzelner Organe (mit Einführung in die Anatomie), B. 5–6 Pharmazeutik, B. 7 Chirurgie, B. 8 Erkrankungen des Knochengerüsts. Frühere Theorien nur einer Quelle (Cassius [1]; Varro) wichen der Erkenntnis direkter und undogmatischer Benutzung griech. Fachbücher, vor allem der alexandrinischen Chirurgie. Die Rezeption ist auf → Plinius d. Ä. und → Marcellus Empiricus beschränkt; der Text wurde nur in wenigen Hss. seit dem 9. Jh. tradiert.

Verloren: *De agricultura* in 5 B. (Colum. 1,1,14; 2,2,15) wird von → Columella wegen stilistischer Sorgfalt (9,2,1) und der Weite des Horizonts gerühmt (eine Gliederung des Inhalts versucht [2]); als Quellen lassen sich Hygin, Vergil, Iulius Atticus, die Sasernae und vor allem → Mago ermitteln. Benutzer sind Columella, Plinius d. Ä. und Gargilius Martialis. Die von → Quintilian oft zitierten Rhet. in 7 B. (nach schol. Iuv. 6,44) verfolgten praktisch-forensische Ziele (Quint. inst. 2,15,32). *De re militari* ist sonst nur bei Veg. mil. 1,8 bezeugt, *De iuris prudentia* nur bei Quint. inst. 12,11,24. Umstritten ist, ob *De philosophia* nach Quint. inst. 10,1,124 (*Sextios secutus*) dogmatisch-ethischen oder nach Aug. haeres. prol. (*opiniones omnium philosophorum qui sectas varias condiderunt*) doxographischen Zuschnitt hatte (falls derselbe C. gemeint ist). Quintilian urteilte zurückhaltender (*mediocri vir ingenio*, inst. 12,11,24), bewunderte aber C.' Vielseitigkeit (*ut eum scisse omnia illa credamus*). Die Nachwirkung blieb gleichwohl bescheiden.

→ Artes liberales; Bildung

1 M. WELLMANN, A. C. C., 1913 2 R. REITZENSTEIN, De scriptorum rei rusticae... libris deperditis, Diss. Berlin 1884.

EDD.: F. MARX, 1915 (CML I) · W. G. SPENCER, 3 Bd. 1935–38 · G. SERBAT, 1995 · Praefatio: PH. MUDRY, 1982 · B. und S. CONTINO, 1988.

INDEX: W. F. RICHARDSON, 1982.

BIBL.: PH. MUDRY, ANRW II 37, 1993, 787–799.

LIT.: K. BARWICK, Zu den Schriften des C. C. und des alten Cato, in: WJA 3, 1948, 117–132 · W. KRENKEL, Zu den Artes des C., in: Philologus 103, 1959, 114–129 · Medizin: L. LIMMER, G. KRIEGLSTEIN, Augenheilkunde im Rom der frühen Kaiserzeit, 1992 · G. SABBAH, P. MUDRY (Hrsg.), La médicine de C. (Memorie Palerne 13), 1994 · Philosophie: A. DYROFF, Der philosophische Teil der Encyclopädie des Cornelius Celsus, in: RhM 84, 1939, 7–16 · Zum Text des Toletanus: H. D. JOCELYN, The new chapters of the ninth book of C.' Artes, in: Papers of the Liverpool Latin Seminar 5, 1986, 299–336.   KL. SA.

Celtianis. Das *castellum* im Norden von Cirta gehörte zum Gebiet von Cirta, h. *El Meraba* des *Beni Ouelbane*. Unter Marcus Aurelius (161–180 n. Chr.) hatte die *res publica* C. ein *consilium decurionum*. CIL VIII Suppl. 2, 19689f. Zahlreiche Inschr. informieren über das Leben von C.: CIL VIII Suppl. 2, 19688–19847; Inscr. latines de l'Algérie 2,1, 2084–3398.

AAAlg, Bl. 8, Nr. 91 · H.-G. PFLAUM, Remarques sur l'onomastique de Castellum Celtianum, in: E. SWOBODA (Hrsg.), Carnuntina, 1956, 126–151.　　　W. HU.

Celtiberi. Nach früher allg. Ansicht bedeutet C. »iberische Kelten«, d. h. Kelten, die in iberisches Gebiet eingewandert sind (zuerst Strab. 3,4,5). A. SCHULTEN vertrat dagegen die Ansicht, sie seien »kelt. Iberer«, d. h. Iberer, die von der Ostküste in kelt. Gebiet eingedrungen waren. Die C. bewohnten einen großen Teil des zentralspanischen Tafellandes (Meseta). Sie bildeten nie eine polit. Einheit; bezeichnend ist dafür, daß sie keinen eigenen Sammelnamen kannten. Sie zerfielen in verschiedene Stämme wie die → Arevaci, Lusones, → Belli, Titti und Pelendones. Auch diese bildeten keine polit. Dachverbände, sondern zerfielen ihrerseits in selbständige Familien, Sippen und Gemeinden. Sie erscheinen in der Tradition als wildes, rohes Volk. Sie hatten eine wenig gebrauchte Schrift – vgl. die Bronze-Tafel von Luzaga [1. 171]. Über ihre Religion ist wenig bekannt (Mondkultus, Menschenopfer?). Die im Kriege Gefallenen ließen sie angeblich von Geiern zerfleischen ([2. 196–199]; Sil. 3, 340–343; [3. 21]). Gold gewannen sie aus Flüssen, betrieben Silber- und Eisenbergwerke [2. 173 f.] sowie Töpfereien [2. 192–93]. Ihre Waffenfabrikation war so vorzüglich, daß die Römer das Schwert (Pol. fr. 96) und das *pilum* [4. 1333] von ihnen übernahmen. Ihre Kriegstüchtigkeit war enorm, so daß Rom von 181–133 v. Chr. mit ihnen verlustreiche Kriege führen mußte. Nach dem Fall von → Numantia war ihre Kraft gebrochen, und doch folgten bis 44 v. Chr. noch verschiedene Aufstände. Sie schlugen 104 v. Chr. den Einfall der → Cimbri zurück (Liv. per. 67).

1 E. HÜBNER, Monumenta Linguae Ibericae, 1893 2 A. SCHULTEN, Numantia 1, 1914 3 F. BLEICHING, Span. Landes- und Volkskunde bei Sil. Italicus, 1928 4 A. SCHULTEN, s. v. Pilum, RE 20, 1333.

A. SCHULTEN, Fontes Hispaniae Antiquae, 1925 ff., I–VI, VIII, IX · HOLDER 1, 959 ff. · Ders. 3, 1194 ff. · L. PERICOT, La España primitiva, 1950 · R. MARTIN VALLS, A. ESPARZA, Génesis y evolución de la Cultura Celtibérica, in: M. ALMAGRO-GORBEA, G. RUIZ ZAPATERO (Hrsg.), Paleoetnologia de la Península Ibérica, 1992, 259–279.
　　　P. B.

Cemenelum. Hauptort (*oppidum*) der vediantischen Ligures, schon im Neolithikum besiedelt, h. Cimiez bei Nizza. Unter Augustus Hauptstadt der Prov. Alpium Maritimarum (Diod. 29,28; Ptol. 3,1,43; Plin. nat. 3,47), war C. ein durch *IIviri* verwaltetes *municipium* der *tribus Claudia* an der Via Iulia Augusta; unter Diocletianus wurde C. Eburodunum in den Alpes Cottiae unterstellt (Itin. Anton. 296; Not. Galliarum 17,7; Tab. Peut. 3,3). Bischofssitz (Hilarus Papa, ep. 4). Überreste: Wohnviertel, Aquädukte, Thermen, Amphitheater, Nekropolen. Außerdem eine Basilika und ein Baptisterium aus frühchristl. Zeit.

Fontes Ligurum et Liguriae antiquae, 1976, s. v. C. · F. BENOIT, Cimiez, 1977 · G. LAGUERRE, Inscriptions antiques de Nice-Cimiez, 1975.　　　G. ME.

Cempsi werden nur von Avien. 182 ff. und von Dion. Per. 338 erwähnt. Sie waren wahrscheinlich ein kelt. Stamm (anders [1. 978]), der urspr. auf der Insel Cartare (wohl im Mündungsgebiet des → Baetis) lebte, dann im Süden des Tagus und im Tal des Anas. Evtl. identisch mit den Celtici (vgl. Strab. 3,1,6).

1 Holder 1.

A. SCHULTEN, Fontes Hispaniae Antiquae 1, ²1955, 104 ff. · TOVAR 2, 195 f.　　　P. B.

Cena. Die tägliche Hauptmahlzeit der Römer. Im Laufe der Jh. wurde sie erheblich durch die raffinierte griech. Eßkultur beeinflußt: Sie wurde zeitlich von Mittag auf Abend verschoben; urspr. sitzend im Atrium bzw. in der Küche verzehrt, wurde sie später (zumindest von der Oberschicht liegend in speziellen, reich ausgestatteten Speisezimmern (→ *triclinium*) eingenommen; zur anfänglichen Speisenfolge von Hauptspeise (*mensa prima*) und Nachtisch (*mensa secunda*) trat die Vorspeise (*gustatio*) hinzu. Dauer und Ausstattung der *c.* waren von Anlaß, vor allem aber von den wirtschaftlichen Verhältnissen abhängig. Das Volk aß bescheiden, in den Städten oft nur in den Garküchen, vielfach auch bei öffentlichen *c.*, die bes. in It. eine wichtige Rolle spielten. Dagegen trieb die Oberschicht seit der späten Republik mit erlesenen Speisen, Rahmenprogramm und anschließendem Trinkgelage (→ *comissatio*) beträchtlichen Aufwand, was wiederholt Luxusgesetze zur Folge hatte. Die *c.* der Oberschicht führte im Idealfall neun Menschen, die von unterschiedlichem Geschlecht, Alter und Stand sein konnten, zusammen; insoweit erscheint sie als Ort sozialer Gleichheit. Doch wurden den Unterschieden der Teilnehmer durchaus Rechnung getragen: Bei fester Ordnung mit dem *locus consularis* als Ehrenplatz, lagen die Männer, seit Ende der Republik auch die Frauen, auf Sofas; Kinder und Parasiten dagegen mußten sitzen, bisweilen an einem bes. Tisch; auch die Qualität der Speisen und Getränke der einzelnen Teilnehmer differierte bisweilen. Die bedeutende rel. Dimension der *c.* erweisen wiederholte Opfer für die Götter (Beispiele von *c.*: Hor. sat. 2,8,3; Petron. 28–78; Mart. 10,48; Iuv. 11; Macr. Sat. 3,13,12).
→ Mahlzeiten

A. MAU, s. v. C. 2), RE 3, 1895–1897 · J. MARQUARDT, Das Privatleben der Römer 1, ²1886 · C. MOREL, E. SAGLIO, s. v. Coena, DS 1, 1269–1282.　　　A. G.

Cena Cypriani. Dem → Cyprianus zugeschriebene, vermutlich im 4./5.Jh. als Reaktion auf erbauliche Exegese (Zeno Veronensis, tract. 1,24) entstandene lat. Bibelparodie eines unbekannten Verfassers (nicht der → Heptateuchdichter): Bei einer Hochzeit zu Kana werden den 120 Gästen (aus AT, NT, nt. Apokryphen) in 472 katalogartigen »Devisen« (gegliedert durch kurze Rahmen- und Zwischentexte) Sitzgelegenheiten, Kleider, Speisen etc. zugeordnet, die mit den jeweiligen Personen in (oft änigmatischem) Zusammenhang stehen. Die an Blasphemie grenzende Behandlung Jesu und die Nähe zu paganer Lit. (→ Vespa, *Testamentum porcelli*, → Centonen- und → Symposionliteratur) lassen weniger an pädagogisch-mnemotechnische als an spielerisch-komische oder satirisch-kritische Intention denken. Im MA war die C. C. beliebt (über 50 Hss., dazu 4 teils metr. Bearb. und 1 Komm.); von BACHTIN wurde sie als Paradigma ma. »Lachkultur« herangezogen.
→ Parodie

W. Ax, R. F. GLEI (Hrsg.), Literaturparodie in Ant. und MA, 1993, 153–170 · P. LEHMANN, Die Parodie im MA, ²1963 (1922), 12–16 · C. MODESTO, Stud. zur C. C. und zu deren Rezeption, 1992 (Ed., Übers., Komm.).   R. GL.

Cenabum. Hauptstadt der → Carnutes an der Loire, eher Orléans als Gien (Caes. Gall. 7; 8), von Genabum/C.; kelt. Wz. *gen*, »Mund«, »Mündung«. Von C. ging 52 v. Chr. der Aufstand unter → Vercingetorix aus; in der Folge ließ Caesar C. verheeren. Von den Krisen des 3.Jh. n.Chr. schwer mitgenommen, verlor C. seinen Namen. Ab da Hauptort der *civitas Aurelianorum*. 451 n.Chr. von Attila belagert.

J. DEBAL, Les Gaulois en Orléanais, ²1974 · M. PROVOST, Le Val de Loire dans l'Antiquité, 1993.   Y. L.

Cenaculum. Von lat. *ceno*; urspr. das Speisezimmer im Obergeschoß des röm. → Hauses. Bisweilen umfaßt der Begriff *c.* das gesamte obere Stockwerk (Varro ling. 5,162; Festus 54,6); die mit *c.* bezeichneten Räume dienten zur Unterbringung von Gästen minderen Ranges oder Sklaven. Sie konnten auch Mietsache sein; *c.* wurden in diesem Kontext zum Synonym der ärmlichen Wohnung.

GEORGES, 1, 1067, s. v. *c.* (Quellen) · G. MATTHIAE, s. v. Cenacolo, EAA 2, 467 (Lit.).   C. HÖ.

Cenomanni

[1] Volk in Südgallien nahe Massilia (Plin. nat. 3,130).

M. PY, Les Gaulois du midi, 1993.

[2] Stamm der Aulerci in der Gegend des h. Maine zw. Loire und Seine. Die Hauptstadt war *civitas Cenomanorum,* h. Le Mans (Notitia Galliarum 3,2).   Y. L.

[3] (Cenomani). Stamm der gall. Aulerci, urspr. in der Maine beheimatet (wohl h. Le Mans: Not. Gall. 3,3 – oder Marseille: Plin. nat. 3,130), vor dem 4. Jh. (Pol. 2,17; Liv. 5,35,1; Strab. 5,1,9) nach It. abgewandert.

Urspr. geprägt von der Kultur der La Tène Zeit, ließen sie sich im Bereich der Golasecca-Kultur zw. Oglio, Po und Adige nieder, im intensiven Kontakt mit der etr. Padana und den Veneti. Zentren waren die nachmaligen Städte Brixia und Verona (Liv. 5,35,1) oder Cremona (Plin. nat. 3,130), zweifelhaft Bergomum, Mantua und Tridentum (Ptol. 3,1,31). Mit den Römern im 2. Pun. Krieg gegen die Insubres und Boii verbündet (Pol. 2,23 f.; Liv. 2,55), erhoben sie sich unter pun. Leitung gegen Rom (200–197 v. Chr.), wurden aber unterjocht (Liv. 32,30 f.; Diod. 29,14) und verloren jede soziale und kulturelle Identität.

R. SCUDERI, I Cenomani, 1975, 117–155.   A. SA.

Censores. Mit einer *lex de creandis censoribus* sollen im J. 443 v. Chr. zuerst vormalige Konsuln als bes. Beamte für die Bürgerschätzung gewählt worden sein, um die Konsuln von dieser Aufgabe zu entlasten (Liv. 4,8,3; ähnl. Dion. Hal. ant. 2,62). Die paritätische Besetzung des Amtes mit je einem Patrizier und einem Plebejer wird wohl erst nach den *leges Liciniae Sextiae* des J. 367 zur Norm. Regelmäßige Schätzungen alle fünf Jahre (*lustrum*) machten seither eine regelmäßige Censoren-Wahl nötig. Doch wird von der Regeldauer gelegentlich, im 2. und 1.Jh. v. Chr. (Priscian 9,38 KEIL) auch längere Zeit, abgesehen. Die Amtszeit der Censur beträgt seit der *lex Aemilia Mamerca de censura minuenda* des J. 434 statt fünf nur eineinhalb Jahre (Liv. 4,24,5; 9,24,7–9), ungeachtet der Dauer eines *lustrum*. Der Kollegialcharakter des Amtes ermöglicht die → Interzession eines Kollegen gegen die noch nicht bestandskräftigen Amtshandlungen des anderen. Der bes. Aufgabenkreis setzt ferner stets eine gemeinsame Amtsführung voraus. Aus einer anfänglich nachrangigen, aus dem Konsulamt ausgegliederten Amtsfunktion, welcher wohl a) die Dienstaufsicht über die öffentlichen *scribae*, b) die Organisation der amtlichen Register, c) die Verfahrensbestimmung für die Vermögensschätzung, d) die Durchführung der Volkszählung anvertraut war (Liv. 4,24,5), gewinnt das Amt im 3. und 2.Jh. v. Chr., bes. unter prominenten Censoren wie M. Porcius → Cato Censorius, zeitweilig innenpolit. zentrale Bedeutung. Schon zuvor waren die Kompetenzen allmählich gewachsen; so mit der *lex Ovinia* des J. 312, die den *c.* die *lectio senatus* überträgt. Weitere Kompetenzen sind schließlich die folgenden: e) Die mit der Schätzung der Bürger verbundene Zuweisung zu bzw. Entfernung aus den Wählerklassen der Centuriatcomitien einschließlich der Ritter (*classis equitum*), den für die Tributkomitien maßgeblichen *tribus* und dem Senat. f) Die Sittengerichtsbarkeit (*regimen morum*) über private und öffentliche Verstöße gegen die Sitten (*mores*), gegen familiäre und rel. Pflichten, Maßhalte- und Dezenzpflichten im Lebensstil, Patronatspflichten, polit.-ständische Ehren- und Vorbildspflichten, Pflichten mil. Disziplin. Die Aufsicht der *c.* betrifft alle wahlberechtigten Bürger. Sie ist also weder nur Standesgerichtsbarkeit für Ritter und Senatoren noch Strafgerichtsbarkeit im eigentlichen Sinn, obschon ihre Sanktionen empfindlich treffen können: Ermahnungen (*admonitiones*), Rügen (*notae*) und Ehrminderungen etwa durch Entfernung aus dem Senat oder Überweisung aus der Ritter-*classis* in eine niederrangige Wählerklasse oder *tribus* (*senatu movere, equum demere, tribu movere*, Plut. Cato mai. 5 ff.; Val. Max. 2,9). g) Die Befugnis, die Verwaltung des öffentlichen Vermögens zu überprüfen und von Maßnahmen zu seiner Nutzung anzuordnen, etwa die Verpachtung von Staatsland (*agri vectigales*), Bergwerken, Monopolen, Zoll- oder Steuereinnahmerechten sowie zur Festsetzung von Besteuerungsrichtlinien für eingeführte Steuern. (Cic. leg. 3,7; Liv. 45,15,4 und 8; Dig. 1,2,2,17). Diese Machtfülle bewirkt ein hohes polit. Ansehen des Amtes; zu seinen Insignien gehören wie bei den Konsuln die *sella curulis* und die *toga praetexta*, aber wegen fehlendem *imperium* nicht die Liktoren. Es kommt in der Folge öfters zu einem polit.-parteilichen Mißbrauch des Amtes – ein wohl maßgeblicher Grund für seine Beseitigung durch → Sulla, in dessen außerordentlichen Amtskompetenzen es aufgeht. Nachdem es im J. 70 wieder eingeführt worden ist, beseitigt Caesar es erneut und erklärt sich statt dessen zum *praefectus morum*. Die augusteische Restauration belebt die Censur zwar wieder, und in den Kaisertitulaturen des 1.Jh. n.Chr. tritt sie sogar öfters als Teil der formellen kaiserlichen Amtsfunktionen in Erscheinung. Doch liegen die früher den *c.* zukommenden polit. Entscheidungsbefugnisse nun zumindest in wichtigen Fällen durchweg beim Kaiser, selbst wenn dieser formell nicht das Amt des *c.* innehat. Es wird deshalb spätestens seit dem 2.Jh. n.Chr. unüblich; seine Aufgaben verteilen sich auf die dem → *census* dienenden Verwaltungsebenen, die Provinzial- und Stadtverwaltungen oder die Gerichte, soweit sie der Kaiser nicht an sich zieht (z.B. bei der Sittenaufsicht über prominente Standespersonen).

→ Consul; Censuales; Mores

JONES, LRE 427 ff. (finance), 970 ff. (moral) · MOMMSEN, Staatsrecht 2,2, 331–469 · J. SUOLAHTI, The Roman Censors, 1963, 15–79.   C.G.

Censorinus

[1] Vom Verf. der → *Historia Augusta* erfundene Person, einer der sog. 30 Tyrannen, angeblich Usurpator unter Claudius Gothicus, der nach 7 Tagen getötet wurde. Zur *vita*, SHA trig. tyr. 31,12; 32,8–33,6. PIR² C 656.

K.-P. JOHNE, Kaiserbiographie und Senatsaristokratie, 1976, 122–28.   A.B.

[2] Caelius C., C. Hoher Beamter in der Zeit → Constantinus' d. Gr. Er ist nur durch eine Inschr. aus Campanien bezeugt (ILS 1216), die seine Ämter nennt. PLRE 1,196 Nr. 2.

[3] Caelius C., zwischen 375 und 378 *consularis Numidiae* (CIL VIII 2216), evtl. identisch mit dem Adressaten von Symm. epist. 8,27. PLRE 1,196 Nr. 1.   W.P.

[4] Der in der 1.H. des 3.Jh. n.Chr. lebende Grammatiker (Cassiod. inst. 2,1,1; Prisc. gramm. 2,13,19) C. schrieb außer einem verlorenen Werk *De accentibus* (Prisc. gramm. 3,27,24; 45,25; Cassiod. inst. 2,5,10), das u.a. funktionsbedingte Betonungsdifferenzen bei Präpositionaladverbien behandelte, für seinen Patronus Q. Caerellius die Abhandlung *De die natali* (Sidon. carm. 14, epist. 3; Cassiod. inst. 2,6,1; Juli/August 238 n.Chr.). In der Form des varronischen *Logisticorus* werden die genetischen, astrologischen (→ Astrologie) und zahlenmystischen (Heptas und Enneas, → Zahlenmystik) Aspekte des Geburtstages im 1. Teil (2–14) u.a. nach → Varro (*Tubero de origine humana*; *Atticus de numeris*) ausgeführt, im 2. Teil (16–24) Anwendungen der Chronographie verglichen, u.a. nach → Sueton, *De anno Romanorum*, und Varro, *Antiquitates de temporibus*. Daneben sind selbständig griech. Fachautoren (vielleicht über doxographische Hdb. vermittelt) eingearbeitet. Wiss. beachtlich sind Zeugungslehre und Embryologie [1], Planetenlehre [2], Musiksystem [3] und die doppelte Schematik der Säkularspiele [4] (→ Ludi saeculares). Der Text des nur selten zitierten [5] C. beruht auf dem Coloniensis 166 des 7.Jh. (mit dem → Fragmentum Censorini). Der Humanist J. J. SCALIGER schätzte dieses letzte Werk vor der langen lit. Lücke des 3. Jh. als *liber aureolus* (»Goldenes Buch«).

1 E. LESKY, Die Zeugungs- und Vererbungslehren der Ant. und ihr Nachwirken, AAWM 1950, 19; Ders., Alkmaion bei Aetios und C., in: Hermes 80, 1952, 249–255 **2** C.v. JAN, Die Harmonie der Sphären, in: Philolog. 52, 1893, 13–37 **3** L. RICHTER, Griech. Tradition im Musikschrifttum der Römer, in: Archiv für Musikwiss. 22, 1965, 69–98 **4** P. WEISS, Die »Säkularspiele« der Republik, eine annalistische Fiktion?, in: MDAI(R) 80, 1973, 205–217 **5** R. M. THOMSON, The reception of C., in: Antichthon 14, 1980, 177–185.

ED.: K. SALLMANN, 1983 (mit Bibl.); C. A. RAPISARDA, 1991 (mit ital. Übers.); G. ROCCA-SERRA, 1980 (frz.); K. SALLMANN, 1988 (dt.). LIT.: K. SALLMANN, C.' De die natali, in: Hermes 111, 1983, 233–248 · Ders., HLL § 441. QUELLEN: F. FRANCESCHI, C. e Varrone, in: Aevum 28, 1954, 393–418.   KL.SA.

Censorius Niger, C., vielleicht aus Solva in Noricum [1. 80], nach 132 n.Chr. Prokurator in Mauretania Tingitana [2. 49 Anm. 79, 80], nach 135 Prokurator in Noricum (CIL III 5174; 5181). Er war eng mit → Fronto befreundet (Fronto, Ad Ant. Pium 3, p. 157 VAN DEN HOUT), zunächst auch mit dem *praef. praetorio* Gavius Maximus, den er dann in seinem Testament beleidigte (Fronto, Ad Ant. Pium 4, p. 159). PIR² C 658.

1 G. ALFÖLDY, Noricum, 1974 (Quellen zu C. 244) 2 G. WINKLER, Reichsbeamte von Noricum ..., 1969, Nr. 10.

PFLAUM 1, 226–229, Nr. 97 bis, 201 Text 13.   M.STR.

Censuales. Die Steuerveranlagung (→ *census*) der Bürger wird im republikanischen Rom unter der polit. Verantwortlichkeit der → *censores*, soweit im Amte, von freien Subalternbeamten (*scribae*) und unfreien Staatsbediensteten (*servi publici a censu* oder *censuales*) durchgeführt. Die Dienstaufsicht bei der Führung der Steuerlisten (*libri censuales*) führt aber ein wohl schon früh *magister census* genannter Verwaltungschef. In der Verwaltung der Prov. und in den Städten mit eigener Verfassung gibt es ebenfalls *census*-Bedienstete, die gelegentlich als *c.* bezeichnet werden.

Dies bleibt auch in der Kaiserzeit zunächst so (Liv. 43,16, 13; CIL VI 2333–2335). Doch wird die oberste Steuerbehörde Teil der kaiserlichen Regierungszentrale (*aerarium; fiscus Caesaris; sacrae largitiones*). In der Spätant. bedeutet *c.* dasselbe wie *scribae, logographi* und *tabularii* (Cod. Iust. 10,71,1). Weitere Offizialen mit z.T. *census*-bezogenen Aufgaben (*numerarii, regerendarii, rationales, a scriniis canonum*) finden sich im kaiserlichen Palast, bei den *praefecti praetorio*, bei den Provinzstatthaltern und in den *civitates* (Not. dign. or. 3,14,20; Cod. Iust. 10,71,3). Ein senatorischer *c.* der Spätant. ist der *magister census* in Rom und Konstantinopel, dem der *census* der Senatoren, die Sittenaufsicht über die Studierenden in der Stadt, die Eröffnung amtlich verwahrter Testamente, die Notfallpflegschaft für Waisen und die Oberaufsicht über die Veranstaltung öffentlicher Spiele obliegt (Cod. Theod. 8,12,8; 14,9,1; 6,4,26f.; Cod. Iust. 1,3,31).

JONES, LRE 553, 592, 600 · MOMMSEN, Staatsrecht 1, 329f., 370. C.G.

Census. Aus der allg. Bedeutung von *censere* (etym. von *centrum*) ergeben sich für *c.* folgende Spezialbedeutungen:

1. Die Bürgerschätzung in republikanischer Zeit. Nach röm. Geschichtstradition (Liv. 1,42,5) üben zunächst die Könige, später die Konsuln die Bürgerschätzung aus, um Heeres-, andere Dienstleistungen und Steuerverpflichtungen festzulegen. Seit dem J. 443 v. Chr. (Liv. 4,8,2) sind zwei Censoren für eine Amtsperiode von fünf Jahren (→ *lustrum*) dafür zuständig. Sie haben die Grundsätze ihrer Amtsführung in einem Edikt bekanntzumachen und ihre Amtsgeschäfte (wohl) innerhalb von 18 Monaten abzuschließen. Dazu gehören die Entgegennahme der Erklärung, die alle röm. Bürger (*patres familias*) über ihre Familien- und Vermögensverhältnisse abgeben müssen (*inter cives Romanos censum profiteri* – Ulp. 1,9), die Unt. der in solchen Erklärungen oder anderweitig bekannt gewordenen *vitia*, auch moralischer Art, die Überprüfung der Zugehörigkeit und Neuzuweisung der Bürger zu einer der vier städtischen und 31 ländlichen *tribus* Roms, zu einer der zuletzt 193 (Cic. rep. 2,22) *centuriae* der *comitia centuriata*, zur Gruppe der → *equites* oder zum röm. Senat (*lectio senatus*). Im Rahmen einer Sittengerichtsbarkeit (*regimen morum*) können sie außer Rügen (*notae*) auch die Versetzung von Bürgern in eine weniger angesehene

(d. h. städtische) → Tribus oder Centurien-Klasse (*tribu amovere*), die Entfernung aus dem Ritterstande oder aus dem Senat für ein moralisches Fehlverhalten verfügen. Zum *c.* gehört auch die Überprüfung des Staatsvermögens und magistratischer Finanzgebarung, gegebenenfalls ihre Neuordnung. Am Ende der censorischen Amtshandlungen steht ein Sühneopfer, vom dem auch der fünfjährige Turnus des *c.* seinen Namen hat.

2. Darüber hinaus bedeutet *c.* schon in republikanischer Zeit und später die Eintragung der steuerpflichtigen *subiecti* unter röm. Reichshoheit – also derer, die nicht *cives Romani* sind – in die Steuerlisten, bei gleichzeitiger Schätzung ihres steuerpflichtigen Vermögens (*caput*). Dies ist vor allem eine Aufgabe der Provinzialverwaltungen und verfaßten Städte, in der Spätant. auch der Praetoriumspraefekturen (Dig. 50,15; Cod. Iust. 11,38,10).

3. *C.* bedeutet auch die Steuererklärung eines Bürgers selbst, ferner die besteuerbaren Vermögenswerte, die für eine Steuerperiode festgelegte Steuerschuld und die mit der Steuererhebung verbundenen amtlichen Kataster (→ *libri censuales*, mlat. *capitastra* – Dig. 10, 1,11; 36,1,17).

→ Censor; Senatus; Comitia (centuriata und tributa); Time; Capitatio

JONES, LRE, 453ff. · MOMMSEN, Staatsrecht 2, 331ff. · J. SUOLAHTI, The Roman Censors, 1963, 20ff., 47ff. C.G.

Centenionalis. Röm. Kupfer-Mz., die nach dem Edikt des Constantius II. und Julianus im J. 356 n. Chr. mit dem umgangssprachlichen Begriff *maiorina* gleichgesetzt wird (Cod. Theod. 9,23,1) und nach einem Gesetz von 349 n. Chr. aus Kupfer und Silber bestehen soll (Cod. Theod. 9,21,1). Durch ein Edikt des Honorius und Arcadius 395 n. Chr. wird die Prägung des nun allein genannten *c.* im Westen ausgesetzt (Cod. Theod. 9,23,2), während sie im Osten bis etwa 425 n. Chr. läuft. Die in der Mz.-Reform von 348 n. Chr. herausgebrachten drei Nominalien in Kupfer mit einer Beimengung von maximal 3,0 % Silber sind ca. 5,25 g, 4,25 g und 2,5 g schwer, wobei jedoch ihre Benennung nicht gesichert ist. Im allg. wird das größte Nominal als *maiorina* bezeichnet, das mittlere als *c.* und das kleinste als dessen Halbstück. Durch die schnell einsetzende Gewichtsreduzierung des größten Nominals mag dann die *maiorina* mit dem *c.* gelegentlich gleichgesetzt worden sein.

→ Maiorina; Münzreformen

M. F. HENDY, Studies in the Byzantine Monetary Economy c. 300–1450, 1985, s. v. C. · W. HAHN, Die Ostprägung des Röm. Reiches im 5. Jh. (408–491), 1989, bes. 15ff. A.M.

Centesima bezeichnet in bes. Bedeutung u. a. einen → Zins in Höhe eines Hundertstels von der Darlehenssumme im Monat, d. h. nach der caesarischen Kalenderreform von 12 % im Jahr. Gegen Ende der Republik ist dies der gesetzlich bestimmte Höchstsatz, der überall eintritt, wo Zinsverpflichtungen begründet sind, es sei denn ein niedrigerer Zins ist vereinbart (von 1 % = *uncia* bis 11 % = *deunx* jeweils der *c.*; Cic. Ad Att. 5,21,11). Es ist nicht ausgeschlossen, daß bereits die *lex XII tab.* (8,18) faktisch den gleichen Höchstzins im Jahr festlegte (*nam primo XII tabulis sanctum, ne quis unciario faenore amplius exerceret* – Tac. ann. 6,16). Da ein Zinssatz von 12 % p.a. für Schuldner in kritischer wirtschaftlicher Lage hoch sein konnte, gab es in republikanischer und in der Kaiserzeit immer wieder auch andere gesetzliche Zinsregelungen (*leges fenebres*), die unter der *c.* lagen und höhere Zinsforderungen in der Regel als Wucher (*faeneratio*) unter Strafe stellten (Gai. inst. 4,23). In der Spätant. (Cod. Iust. 4,32,26,2) liegt die gesetzlich vorgesehene normale Zinsobergrenze bei 8 % p.a.

G. BILLETER, Gesch. des Zinsfußes im griech.-röm. Alt., 1898 · KASER, RPR 1, 497 f. · T. FRANK, An Economic Survey on Ancient Rome 1, 1959, 13 ff., 26 ff., 205, 262 ff., 347.   C. G.

Centho. Röm. Cognomen (vielleicht etr. Herkunft) in der Familie der Claudier [1. 149], wohl verbunden mit *cento* »der Lumpenanzug« [2. 200].

1 Schulze 2 Walde/Hofmann I³.   K.-L. E.

Cento A. DEFINITION   B. ALTERTUM
C. LATEINISCHE CENTO-DICHTUNG
D. WIRKUNGSGESCHICHTE

A. DEFINITION

Griech. κέντρων und lat. *cento* – das sprachgesch. Verhältnis der Wörter ist umstritten [20. 11–13] – haben bei sonst nicht ganz deckungsgleichen Bedeutungsfeldern gemeinsam, daß sie eine aus Resten gebrauchten Stoffes zusammengenähte Decke bezeichnen, bzw. dann übertragen einen Text, der möglichst nur aus disparaten Versteilen (bis zu eineinhalb Versen) bekannter Dichter zu einem neuen kontinuierlichen Aussagezusammenhang verbunden ist; ein »Flickgedicht«; so die ausführlichste und strengste ant. Bestimmung des lit. C. mit den metr. Regeln für dieses Technopaignion bei Auson. cento nuptialis p. 160,21–32 PRETE (vgl. Tert., De praescriptione haereticorum 39; Isid., etym. 1,39,25). Konstitutiv für diese Art der Rezeption ist die stete Bewußtheit der Vorlage und die durch Anspielung erzeugte Spannung [12. 209], wobei der *c.*-Dichter sich parodisch von der Vorlage absetzt (Auson. c. nupt. p. 168/9) oder sich ihre Würde leiht wie bes. die christl. *centonarii* (über Patrikios Anth. Pal. 1,119,2 f.). Der C. ist dem → Klassizismus zuzuordnen und stellt einen Extremfall von → Intertextualität dar. Damit stellt sich grundsätzlich die mit Zitat, Reminiszenz, *imitatio* und *aemulatio* verknüpfte Problematik [15]; mit Abhängigkeit der C.-Poesie untereinander ist zu rechnen. Der für den C. konstitutive Rückzug auf einen primären Text weist ein breites, aber erst noch zu beschreibendes Spektrum von Funktionalisierungen auf, die ihrerseits zu hierarchisieren wären, z.B.: Neutralisierung und Freisetzung für beliebige

Themen unter Verwendung verschiedenartiger Techniken [dazu 2; 13], (parodische) Verfremdung, Allegorisierung; auf der Seite von Verf. und Publikum des neuen Textes: Autoritätsokkupation, artistisches Vergnügen, semantische Anreicherung (Kontrast und Analogie). Voraussetzung beim Publikum ist jeweils die genaue Kenntnis des Wortlautes der benutzten Texte, so vor allem der Schulautoren Homer und Vergil.   W.-L. L.

B. ALTERTUM

[20. 18–60]: Die Technik des Integrierens von gleichen Wörtern, Wortgruppen und ganzer Verse wurde – bei essentiellem Überwiegen der schöpferischen Variation [16. XXIX–XXXV] – schon in der *oral poetry* geübt; die Glaukos-Rede konnte dann Eustathios (zu Hom. Il. 17,142–168, p. 1099,51) gar mit den späteren Homer-C. vergleichen. Distanzierung von der Vorlage zeigt zuerst die Homerparodie u. a. des Hipponax, Hegemon von Thasos und die → Batrachomyomachia; sie bildet aber kein Kontinuum aus homer. Bestandteilen. Ob Aristoph. Ran. 1264–68, 1285–95, 1309–22 und Pax 1089–93, 1270–74, 1282–3 und 1286–7 wie auch ähnliche Versgruppen bei anderen Autoren (z. B. Petron. 132) als C. oder als Pasticcio anzusehen sind, ist umstritten [20. 21–22,31–32]. Eindeutig sind C. seit dem 2.Jh. n.Chr. nachweisbar: u. a. bei Lukianos, Areios, Iren. haer. 1,9,4 [4. 1931; 20. 22–24]. Eine Besonderheit ist der Euripides-C., das Drama *Christus patiens* mit 2610 jamb. Trimetern. Weitere griech. C.: Anth. Pal. 9,361; 381 f.   H. A. G.

C. LATEINISCHE CENTO-DICHTUNG

Lat. »Flickgedichte« sind seit dem 2.Jh. n.Chr. (bereits Ovid?, s. Quint. inst. 6,3,96) nachweisbar (Tert. De praescriptione haereticorum 39), wohl nach hell. Vorbild [8. 19–55; 14]. Vielleicht haben → *Culex* und → *Ciris*, jedenfalls aber Encolp-Petron (Petron. 132,11) als Vorstufen zu gelten. Der C. entspringt der *memoria* und damit weitgehend dem Schulbetrieb (vgl. Aug. civ. 1,3); als Modelltext dient in erster Linie Vergil. Die Übergänge zu »centonenhafter« Dichtung sowie zu diversen Allusionstechniken sind fließend. Den Höhepunkt paganer C.-Dichtung (4.Jh.) bildet der C. *nuptialis* des → Ausonius, ein parodischer Vergil-C., wobei der (obszöne) *imminutio* besondere Bedeutung zukommt. Hinzu kommt in diesem Fall das ausgeprägt parodische Moment. Ausonius nahe steht gerade hierin der C. *De alea* (Anth. Lat. 8). Bes. hervorzuheben ist die *Medea* des → Hosidius Geta, ein Vergil-C. in trag. Form (in Anlehnung an Seneca). Mythische Sujets (Narcissus, Parisurteil – als Werk des Mavortius, cos. 527 n.Chr., überliefert –, Hippodamia, Hercules und Antaeus, Progne, und Philomela, Europa, Alcesta) behandeln auch Anth. Lat. 9–15 (vergleichbar die Homerocentones Anth. Pal. 9, 381 f.). Das in der Tradition von Stat. silv. 1,2 stehende ep. Epithalamium des → Luxurius auf die Hochzeit des Vandalen Fridus weist seinerseits deutliche Ausoniusanklänge auf. Weitere lat. C. sind Anth. Lat. 1,1, S. 33–82; CSEL 16,1: Poetae Christiani minores, 1888, 513–627 (SCHENKL); (→ s. a. folgendes).

Eine Sonderstellung nehmen die christl. C. ein, in denen eine Integration von heidnisch-klass. und christl. Kultur erfolgt. Die weit verbreitete Geringschätzung der C.-Poesie macht hier zunehmend einer Neubewertung Platz [10]. So wird der älteste und bedeutendste C. (wohl 60er Jahre des 4. Jh.), der der vornehmen Römerin Faltonia Betitia → Proba (s. Isid. orig. 1,39,26; De viris illustribus 5; anders [22] mit Spätdatierung auf 385–88 bzw. Ostern 387 und Zuschreibung an Anicia Faltonia Proba), der trotz des Ausschlusses aus dem kirchlichen Kanon große Verbreitung und Wertschätzung gefunden hat (auch der christl. Homer-C. der Kaiserin Eudokia steht unter seinem Einfluß), in der Nachfolge des Minucius Felix und vor allem des Laktanz [vgl. aber 1] als Minimalform einer autonomen christl. Poesie verstanden. Hier. epist. 53,7 kritisiert diese Art von Bibelvermittlung als willkürliche Depravierung. Weniger Verbreitung haben drei weitere, nur jeweils in einer Hs. überlieferte christl. Vergil-C. erfahren: das etwa zeitgleiche (?) – nach [21. 62⁴¹, 105 ff.] erst nach 400 anzusetzende (?) – unvollständig erhaltene Zwiegespräch zwischen den Hirten Meliboeus und Tityrus (Anth. Lat. 719a) des Pomponius (Isid. orig. 1,39,26), eine Transponierung theologischer Belehrung in bukolische Sphäre; der noch stärker verstümmelte, vom ersten Hrsg. E. Martène unter den Titel De verbi incarnatione gestellte C. Anth. Lat. 719; schließlich De ecclesia (Anth. Lat. 16. 16a; [25]), das eine Predigt enthält und öffentlich mit großem Erfolg rezitiert wurde. Als der Verf. (aufgrund einer korrupten Stelle mit Mavortius – s.o. – identifiziert, was aber spekulativ ist) als Maro iunior gepriesen wurde, wies er in einer C.-Improvisation dies weit von sich (Anth. Lat. 16a; V. 11–116 Schenkl). Bei beiden C. ist der zeitliche Ansatz unsicher (5./6. Jh.). Die Verkümmerung des C. zu imitierender Entlehnung belegt das Material der CE, eine vergilische C.-Paraphrase – wohl als Schulübung – gibt der Papyrus PSI 2. 142 (spätes 5. Jh. n. Chr.). – Vgl. generell → Bibeldichtung und christl. Hirtendichtung; De lege Domini und De nativitate, vita, passione et resurrectione Domini sind ein zweiteiliger C. (8./9. Jh.), im wesentlichen aus dem → Carmen adversus Marcionitas.

D. Wirkungsgeschichte

Die C.-Dichtung wurde auf der Grundlage der ant. Vorbilder im MA, in der Renaissance und der Barockzeit weithin gepflegt, wobei neben Vergil und der Bibel auch gut bekannte zeitgenössische Autoren als Vorlagen gewählt wurden [11]. Auch in der Neuzeit hat sie Vertreter [23] (s. Goethes Hafis-C.).   H. A. G.

1 V. Buchheit, Vergildeutung im C. Probae, in: Grazer Beiträge 15, 1988, 161–176 2 M. R. Cacioli, Adattamenti semantici e sintattici nel Centone virgiliano di Proba, in: SIFC 41, 1969, 188–246 3 F. E. Consolino, Da Osidio Geta ad Ausonio e Proba, in: A&R N. S. 28, 1983, 133–151 4 O. Crusius, s. v. C., RE 6, 1929–1932 5 D. Daube, The influence of interpretation on writing (1970), in: Collected Studies in Roman Law Bd. 2, 1991, 1245–1262, hier 1256 ff. 6 J. O. Delepierre, Tableau de la littérature du centon chez les anciens et chez les modernes, 1874/75 7 M. De Nonno, Per il testo e l'esegesi del centone Hippodamia, in: Studi latini e italiani 5, 1991, 33–44 8 F. Ermini, Il centone di Proba e la poesia centonaria latina, 1909 9 H. Harrauer, R. Pintaudi, Virgilio ed il dimenticato »recto« di PSI II 142, in: Tyche 6, 1991, 87–90 10 R. Herzog, Die Bibelepik der lat. Spätantike, I, 1975 11 C. Hoch, s. v. C. II-IV, in: HWdR 2, 152–57 12 R. Lamacchia, Dall'arte allusiva al centone, in: Atene e Roma N. S. 3, 1958, 193–216 13 Dies.: Problemi di interpretazione semantica in un centone virgiliano, in: Maia N. S. 10, 1958, 161–188 14 Dies.: s. v. Centoni, in: EV 1, 733–37 15 W.-L. Liebermann, HlL § 554 (W 24 und. Lit. 36) 16 A. Parry, The Making of Homeric verse, 1971 17 Z. Pavlovskis, Proba and the Semiotics of the Narrative Virgilian C., in: Vergilius 35, 1989, 70–84 18 J.-M. Poinsotte, Les Juifs dans les centons latins chrétiens, in: Recherches Augustiniennes 21, 1986, 85–116 19 G. Polara, I centoni, in: Lo spazio letterario di Roma antica Bd. 3, 1990, 245–75 (Lit.) 20 G. Salanitro, Osidio Geta, Medea, 1981 21 W. Schmid, Tityrus Christianus (zuerst 1953), in: K. Garber (Hrsg.), Europ. Bukolik und Georgik, 1976, 44–121 22 D. Shanzer, The Anonymous Carmen contra paganos and the Date and Identity of the Centonist Proba, in: Revue des Études Augustiniennes 32, 1986, 232–48 (s.a. Recherches Augustiniennes 27, 1994, 75–96) 23 Th. Verweyen, G. Witting, The C., in: H. F. Platt (Hrsg.), Intertextuality, 1991, 165–78 24 J. L. Vidal, La technique de composition du Centon virgilien Versus ad gratiam Domini sive Tityrus, in: Revue des Études Augustiniennes 29, 1983, 233–256 25 Ders., Christiana Vergiliana I. Vergilius eucharistiae cantor, in: Studia Virgiliana, 1985, 207–216.

H. A. G. u. W.-L. L.

Centobriga. Ort, der nur im Rahmen der Anekdote von der Milde des → Metellus gegen die Belagerten von C. erwähnt wird (142 v. Chr.; Val. Max. 5,1,5; Liv. POxy. 161–163). C. – der Name ist kelt. [1. 989] – lag vermutlich im Tal des Jalón [3. 354].

1 Holder 1 2 A. Schulten, Fontes Hispaniae Antiquae 4, 1937, 33 f. 3 Ders., Numantia 1, 1914 4 Tovar 3, 369–370.
P. B.

Centumcellae (Κεντουκέλλαι). Hafenstadt, von Traian 106/07 n. Chr. an der tyrrhenischen Küste von Etruria angelegt (Plin. epist. 6,31,1), h. Civitavecchia. Eine ausführliche Beschreibung findet sich bei Plin. und Rut. Nam. 1,237 ff. Die Gleichsetzung von C. mit der Stadt Τραιανὸς λιμήν bei Ptol. 3,1,4 (zw. Populonia und Telamon) scheint wenig plausibel. Noch im 6. Jh. n. Chr. bezeichnet Prokopios (BG 2,7,18; 3,13,12; 4,37; vgl. Agathias 1,11) C. als wichtige, bevölkerungsreiche Stadt. C. wurde 812 n. Chr. von Sarazenen zerstört. → Etrusker; Etruria

S. Bastianelli, C., in: Italia Romana. Municipi e Colonia 1, 14.
M. CA.

Centumviri. Der Begriff c. (»Hundertmänner«) kennzeichnet ein Gericht, dessen Alter nach heftig umstrittener Ansicht wohl in die Anfänge der republikan. Zeit zurückreicht; Indiz dafür ist außer dem vor diesem Gericht allzeit gepflegten Verfahren, daß allein bei seinen

Verhandlungen das alte Symbol staatlicher Hoheit, die hölzerne Lanze (*hasta*, Dig. 1,2,2,29) aufgestellt wurde, Gai. inst. 4,16; Cic. de orat. 1,57,242; top. 17,65. Sein Name gibt die Zusammensetzung dieses Gerichts wieder: aus den 35 → *tribus* wurden je 3 Männer als Mitglieder gewählt (ergibt also 105 »Hundertmänner«; s. dazu Fest. 47: *... et, licet quinque amplius quam centum fuerint, tamen quo facilius nominarentur, centumviri sunt dicti* (›obwohl fünf mehr als hundert, sind sie aus Bequemlichkeit *c.* genannt worden‹). Diese Ungenauigkeit muß auch vor 241 v. Chr. bestanden haben, als es nur 33 oder noch weniger *tribus* gegeben hat; folglich läßt sich aus der Zahl nichts gegen das hohe Alter ableiten; s. außerdem Varro rust. 2,1,26: *sic numerus non est ut sit ad amussim, ut non est ... centumvirale esse iudicium Romae.* Das Gericht ist noch zu Beginn des 2. Jh. n. Chr. tätig (Plin. ep. 6,12; Gai. inst. 4,31), und wird in Dig. 5,2,17 pr.; 34,3,30 gar noch zu Beginn des 3. Jh. genannt, so daß es sich nicht über die verschiedenen Stufen der Zivilprozeßentwicklung hinweg (Legisaktionen, Formular- und Kognitionsverfahren) erhalten hat.

Die einzelnen Richter wurden gewählt, in der Principatszeit – unter Trajan beträgt die Zahl (vorübergehend?) 180 (Plin. ep. 6,33,3) – ausgelost. Dem Zentumviralgericht stand ein *praetor hastarius* vor; ob er je das Verfahren *in iure* geleitet hat, ist zweifelhaft (Gai. inst. 4,31). Das Gericht selbst tagte nicht als Plenum, sondern in vier Kammern (*consilia, tribunalia*; Quint. inst. 12,5,6), die spätestens seit der Principatszeit unter der Leitung eines Magistrats standen; dabei handelte es sich nicht um den seit der von Augustus vorgenommenen Auflösung des für Freiheitssachen zuständigen Dezemviralgerichts um einen der *decemviri stlitibus iudicandis* (Suet. Aug. 36). Die *c.* waren im wesentlichen zuständig für Prozesse über Erbschaftsvindikationen und wohl auch über Freiheits-, Status- und Eigentumsvindikationen (Dig. 42,1,38; 40,1,24 pr., sowie – als beispielhafte Aufzählung – Cic. de orat. 1,38,173). Da all diese Sachen aber auch vor dem Einzelrichter, dem *iudex unus*, verhandelt werden konnten (Quint. inst. 5,10,115), scheint die Zuständigkeit von einer Parteivereinbarung abhängig gewesen zu sein (Plin. ep. 5,1,7). Eine solche traf man bei Streitigkeiten von öffentlichem Interesse, das vor allem bei Erbschaftsangelegenheiten der Oberschicht, insbes. des Senatorenstandes, häufig vorlag. Berühmt ist die *causa Curiana*, ein Streit um die Benennung eines Ersatzerben, in dem sich 93 v. Chr. der Rhetor L. Licinius Crassus mit der Auslegung nach dem Willen des Erblassers gegenüber dem wortlautgetreuen Juristen Q. Mucius Scaevola durchgesetzt hat, u. a. Cic. Brut. 39,144 ff. Ihr Nachhall beruht auf der größeren Verfahrensöffentlichkeit. Ihretwegen war der Centumviralprozeß bei den Rhetoren beliebter als die im Privathaus des Richters stattfindende Rede vor dem *iudex unus*, Cic. de orat. 1,38,173 (s. allerdings auch Plin. ep. 2,14,1). Auch die → *querela inofficiosi testamenti* (Testamentsnichtigkeitsklage) mit der Behauptung geistiger Umnachtung (*color insaniae*) des Testators ist ein typisches Produkt der Rhet. (Plin. ep. 6,12).

Der Zugang zum Zentumviralgericht war trotz Paul. sent. 5,9,1 (= 5,13,1 LIEBS) nicht generell von einem Mindeststreitwert abhängig. Das Verfahren folgte immer, auch nach der Einführung des Formularverfahrens durch eine *l. Aebutia*, den Förmlichkeiten der → *legis actio sacramento*; dazu Gai. inst. 4,31,95; Gell. 16,10,8. Im Verfahrensabschnitt vor dem Magistrat (*in iure*) wurde folglich die *sponsio praeiudicialis*, eine Prozeßwette über den Streitgegenstand (*sacramentum*, Gai. inst. 4,16), abgegeben, so daß in der Verhandlung vor dem Gericht allein um die Wettsumme und nur mittelbar um den eigentlichen Streitgegenstand gestritten wurde. Daraus ergab sich der Vorzug des schwerfälligen Legisaktionenverfahrens gegenüber der *condemnatio pecuniaria* des Formularverfahrens: Weigerte sich der Unterlegene, der incident – also ohne Rechtskraft – festgestellten Rechtslage Folge zu leisten (was angesichts der Repräsentativität des Gerichts und der damit verbundenen Publizität eher selten gewesen sein dürfte), war doch zumindest die Rechtmäßigkeit einer Gewaltanwendung durch die obsiegende Partei geklärt. Diese »Naturalvollstreckungswirkung« verlor freilich mit dem »Siegeszug« des Kognitionsverfahrens und seiner Naturalvollstreckung an Bedeutung.

W. KUNKEL, Unt. zur Entwicklung des röm. Kriminalverfahrens, 1962, 115 · KASER, RZ, 37 · O. BEHRENDS, Der Zwölftafelprozeß, 1974 · J. M. KELLY, Studies in the Civil Judicature, 1976, 1 · WIEACKER, RRG, 435.   C. PA.

Centuria. Bedeutet im allg. eine mit der Zahl 100 gemessene oder durch sie geteilte Einheit und kann sich deshalb z. B. auf Landflächen ebenso beziehen wie auf Menschen. Dabei kann der Bezug zur Zahl C verloren gehen und das Wort nur noch eine rechnerisch genau abgemessene oder geteilte Einheit meinen.

A. POLITISCH

In der Verfassung der röm. Republik bezeichnet *c.* speziell den Wahlkörper der → *comitia centuriata*. In dieser Bed. leitet sich der Begriff wohl her von dem Aufgebot in Höhe von 100 Fußsoldaten, das in der röm. Königszeit nach der Geschichtsüberlieferung der augusteischen Epoche jede der 30 *curiae* zur jährlichen *legio* Roms beizutragen hatte. Von hier aus dürfte das Wort auf die Gesamtzahl der waffenfähigen Bürger einer → *Curia* übertragen worden sein, die in einer *curiatim* gegliederten urspr. Heeresversammlung auf dem → *Campus Martius* demnach zugleich *centuriatim* auftrat. Von hier dürfte es nach Einführung der *comitia centuriata* als eines eigengewichtigen Volksversammlungstyps zur Übertragung des Begriffs auf dessen Abstimmungskörperschaften gekommen sein. Die Centurien der Centuriatcomitien nehmen im Laufe der Verfassungsentwicklung durchweg eine sehr große Menge röm. Bürger auf. Bei denen der → *equites* und der *prima classis* ist diese Menge in der Zeit Ciceros jedoch weitaus geringer als etwa bei den jeweils an letzter Stelle im Abstimmungsvorgang stehenden Centurien, z. B. der die große Menge der *proletarii* mitenthaltenden *c. velatorum adcensorum*.

Mit der ungefähr im J. 215 v. Chr. reformierten Ordnung der 35 → *tribus* (vier »städtisch-proletarische«, 31 »ländlich-grundbesitzerliche«) Roms steht die Ordnung der *c.* in einem deutlichen, aber noch nicht restlos aufgeklärten Zusammenhang, zumal über die *tribus* auch die Bürgerschätzung und die Einberufung zum Militärdienst erfolgt; darauf weisen etwa die Anzahl von 70 bei der *prima classis* (das Doppelte von 35) oder von 210 (das Vierfache von vier) bei anderen – nachrangigen und bevölkerungsreicheren – *classes* hin (Cic. rep. 2,22,39; Dion. Hal. ant. 4,21; Liv. 1,43,12).
→ Census

F. F. Abbott, A History and Description of Roman Political Institutions, ³1963, 253 ff. · Mommsen, Staatsrecht, 3, 245 ff. · A. Rosenberg, Unt. zur röm. Zenturienverfassung, 1911.   C. G.

B. Militärisch

Die ant. Autoren, die die Frühzeit Roms darstellten, haben die Militärstruktur dieser Epoche mit den drei → *tribus* der Königszeit in Verbindung gebracht, von denen jede 1000 Soldaten stellte, unterteilt in je 100 Mann. Als die Struktur der Legion sich wandelte, änderte sich auch die Stärke der *c.* Die Beschreibung der röm. Armee bei Polybios basiert wahrscheinlich auf der Zeit nach dem zweiten Pun. Krieg (nach 200 v. Chr.), als die Stärke einer Legion zwischen 4200 und 5000 Mann schwankte und Soldaten in drei Schlachtreihen aufgestellt wurden, wobei die *hastati* und die *principes* in den ersten beiden, die *triarii* in der dritten standen. Die beiden ersten Reihen waren jeweils in zehn Manipel zu je 120 Mann, die dritte in zehn Manipel zu je 60 Mann unterteilt. Da jeder Manipel aus zwei *c.* bestand, umfaßte eine Legion 60 *c.* Dabei bleiben einige Details unklar, doch es ist offensichtlich, daß die *c.* nicht mehr eine 100 Mann starke Truppe war.

C. → Marius (*cos.* 107 v. Chr.) soll schließlich den Wandel der Taktik der Legionen vollendet haben; die Cohorte (→ *cohors*) wurde nun zur wichtigsten taktischen Einheit. Einige röm. Autoren glaubten, daß noch nach Marius jede *c.* aus 100 Mann bestand, doch dies ist unwahrscheinlich, da sogar schon vor Marius eine *c.* weniger als 100 Mann umfaßte. In der späten Republik hatte eine Legion zehn Cohorten, die jeweils aus sechs *c.* bestanden; eine *c.* war dabei 80 Mann stark und wurde von einem → *centurio* kommandiert.

Im Prinzipat blieb die *c.* die grundlegende Einheit der Legion; spätestens seit den Flaviern bestand eine Legion aus 59 *c.*, da die erste Cohorte nur fünf *c.* umfaßte, die jedoch doppelt so stark wie die anderen *c.* waren. Dies wird durch den Grundriß der Festung von Inchtuthil in Schottland (etwa 84–86 n. Chr.) belegt.

Die *c.* waren außerordentlich wichtig für die mil. Organisation und die Kampfmoral der Armee. Jede *c.* war in zehn Gruppen zu je acht Soldaten unterteilt, die denselben Kasernenblock bewohnten und auf Feldzügen dasselbe Zelt teilten; diese Männer trainierten, kämpften und aßen auch zusammen. Auf die Bed. der *c.*

in der röm. Armee weisen der Status und der relativ hohe Sold des *centurio* ebenso wie die häufigen Verweise auf *c.* und *centuriones* in Inschr. und Papyri hin. Eine *c.* konnte in der Regel am Namen ihres *centurio* erkannt werden, wie z. B. ›zweite *cohors*, *centuria* des Faustinus‹ (ILS 2304).

Auch für die in Rom stationierten Einheiten, die Praetorianer, die städtischen Kohorten und die *vigiles*, waren die *c.* von entscheidender organisatorischer Bedeutung. In den → *auxilia* bestanden *c.* wahrscheinlich aus 80 Mann, wobei eine *cohors quingenaria* sechs *c.*, eine *cohors milliaria* zehn *c.* umfaßte. In der Flotte wurde die Besatzung eines Kriegsschiffes ungeachtet ihrer Stärke ebenfalls als eine *c.* bezeichnet und von einem *centurio* befehligt.

1 P. A. Holder, Studies in the Auxilia of the Roman Army from Augustus to Trajan, 1980 2 L. Keppie, The Making of the Roman Army, 1984 3 Y. Le Bohec, L'armée romaine, 1989 4 M. Reddé, Mare nostrum. Les infrastructures, le dispositif et l'histoire de la marine militaire sous l'empire romain, 1986.   J. CA.

Centurio. Der *c.* war abgesehen von den Senatoren und den *equites* der wichtigste Offizier in der röm. Armee. Im 1. Jh. v. Chr. gab es in einer Cohorte (→ *cohors*) sechs *c.*, die jeweils eine → *centuria* von 80 Mann befehligten und Titel trugen, die die alte Manipelordnung widerspiegelten: *pilus prior, pilus posterior, princeps prior, princeps posterior, hastatus prior, hastatus posterior*. Spätestens seit der flavischen Zeit befanden sich nur fünf *c.* in der ersten Cohorte, die jedoch die ranghöchsten in der Legion waren (*primi ordines*), wobei es vier Beförderungsschritte zur Position des *c.* mit dem höchsten Rang, dem *primus pilus*, gab. Es ist nicht klar, ob die *c.* in den verbleibenden neun Cohorten sich nur durch ihr Dienstalter unterschieden, oder ob ihr Rang davon abhängig war, welcher Cohorte sie angehörten.

Im Principat wurden hauptsächlich langgediente Soldaten der Legionen oder ehemalige Praetorianer, manchmal jedoch auch Angehörige des *ordo equester*, zum *c.* befördert. Darauf weisen die hohen Einkünfte der *c.* hin, die im 1. Jh. etwa den fünfzehnfachen Sold eines einfachen Soldaten erhielten. Es gab auch *c.* in den in Rom stationierten Truppen und unter den Cohorten der *auxilia*, sie trugen allerdings nicht dieselben Bezeichnungen wie die *c.* der Legionen. Die *c.* waren für die Verwaltung und die Disziplin ihrer *centuria* verantwortlich; als sehr erfahrene Soldaten wurden sie von höheren Offizieren durchaus um Rat gefragt. C. konnten auch mit einem speziellen Auftrag das Kommando über eine begrenzte Anzahl von Truppen übernehmen. Die Beförderung innerhalb der *c.* bedeutete soziale Mobilität, zumal ein *primus pilus*, nachdem er ein Jahr lang in diesem Rang gedient hat, in den → *ordo equester* aufgenommen werden konnte, womit weitere Aufstiegschancen gegeben waren. Mit ihrer guten Besoldung und Zukunftsaussichten konnte man von den *c.* ein hohes Maß an Loyalität dem Princeps gegenüber erwarten.

1 E. B. BIRLEY, Promotions and Transfers in the Roman Army II the Centurionate, in: Carnuntum Jb. 1965, 21–33 2 LE BOHEC 3 B. DOBSON, The Significance of the Centurion and Primipilaris in the Roman Army and Administration, ANRW II 1, 1974, 392–434 4 Ders., Die Primipilaris, 1978 5 DOMASZEWSKI/DOBSON 6 L. KEPPIE, The Making of the Roman Army, 1984.   J. CA.

Centuripe-Gattung. Buntbemalte Keramik des 3./2. Jh. v. Chr., benannt nach dem FO in Sizilien. Die → Gefäßformen sind die Pyxis, Lekanis und der Lebes, selten andere Typen wie die Lekythos. Die in Temperafarben (weiß, pink, schwarz, gelb, rot, gold, vereinzelt auch grün und blau) auf die Grundierung des orangefarbenen Tons ausgeführte Bemalung (Akanthos-, Ranken- und architektonische Friese, Köpfe, Büsten) wird nur auf einer Seite des Gefäßes aufgetragen. Die Gefäße sind von beträchtlicher Höhe (50 cm im Durchschnitt), einzelne Teile sind gesondert gefertigt und ineinandergesetzt. Die Bildthematik beschränkt sich auf Frauenszenen mit Eros und Hochzeitsbilder, seltener sind Götterfiguren (Dionysos) und Theaterszenen.

U. WINTERMEYER, Die polychrome Reliefkeramik aus Centuripe, in: JDAI 90, 1975, 136–241 · P. W. DEUSSEN, The Polychromatic Ceramics of Centuripe, 1988 · E. SIMON, Vasi di Centuripe con scena della commedia nuova, in: Dioniso 59, 1989, 45–63.   R. H.

Cepheus s. Sternbilder

Cera (κηρός). Nach Plin. nat. 11,11 war (Bienen-)Wachs einer der am meisten gebrauchten Werkstoffe. Zu den Eigenschaften der *c.* gehören Formbeständigkeit, Abdichtungs- und Haftvermögen (Hom. Od. 12,47–49 u. ö.), gute Brennbarkeit (→ Beleuchtung), Glanz; auch fördert *c.* den Heilungsprozeß (Dioskurides 2,83,3; Plin. nat. 22,116). *C.* ist im erwärmten Zustand leicht zu bearbeiten, doch wird sie ebenso bei Erwärmung weich bzw. flüssig (→ Ikaros). Man verwandte *c.* in der → Plastik, → Malerei, beim Bronzeguß, in der Magie für Amulette und Gliederpuppen u. ä., der Sepulkralkunst (→ Imagines Maiorum), zur Mumifizierung, im Schiffsbau, mit Harz in der Böttcherei; nach dem Mythos baute Apollon den Tempel zu Delphi aus *c.* und Federn. Man polierte Gefäße mit *c.*, überzog Früchte des Glanzes wegen mit *c.* oder ahmte diverse Gegenstände oder Lebensmittel in *c.* nach. Besondere Wichtigkeit gewann *c.* als Beschreibstoff auf Holz- oder Elfenbeintäfelchen; ihre Eigenschaften ermöglichten ein Haften auf dem Schreibgrund, die Weichheit ein Auftragen bzw. Löschen des Schriftgutes, die Formbeständigkeit einen Erhalt des Textes.
→ Schreibtafel; Schreibmaterial

R. BÜLL, E. MOSER, s. v. Wachs, RE Suppl. 13, 1347–1426 · R. FUCHS, s. v. Wachs, LÄ 6, 1088–1094 · E. LANGLOTZ, Beobachtungen über die ant. Ganosis, in: AA, 1968, 470–474.   R. H.

Cercina (Κέρκιν(ν)α). Insel bzw. Doppel-Insel (Gharbi und Chergui) im Golf von Gabès, 20 km von Sfax entfernt, h. Kerkenna. Quellen: Hdt. 4,195 (Κύραυνις); Ps.-Skyl. 110 (GGM 1, 87); Strab. 17,3,16; Mela 2,105; Plin. nat. 5,41; Ptol. 4,3,35; Agathemeros 21 f. (GGM 2, 483); Itin. Anton. 518,3 f.; Stadiasmus Maris Magni 112 (GGM 1, 468). Zum karthagischen Reich gehörig, verfügte C. über ausgezeichnete Häfen (Diod. 5,12,4). C. hat in den Quellen im Zusammenhang mit → Dion (Plut. Dion 25,7 f.), dem 2. Pun. Krieg (Pol. 3,96,12; Liv. 22,31,1 f.), Hannibal (Liv. 33,48,3), Marius (Plut. Mar. 40,14) und dem Afrikanischen Krieg der Caesarianer gegen die Pompeianer (Bell. Afr. 8,3–5; 34) Erwähnung gefunden. Nach dem Fall von Karthago wurde C. *urbs libera*, in caesarischer Zeit röm. (Bell. Afr. 8,3–5). Unter Augustus war C. Verbannungsort (Tac. ann. 1,53,4; 4,13,3).
→ Exilium

J. DESANGES, Pline l'Ancien. Histoire naturelle. Livre 5,1–46, 1980, 434–438 · J. KOLENDO, Le rôle économique des îles Kerkena …, in: BCTH N. F. 17 B (1981), 1984, 241–248 bzw. 249.   W. HU.

Cerealius. Unbekannter Epigrammdichter, von dem zwei Spottgedichte erh. sind: Eines stellt einen Dichterling an den Pranger (Anth. Pal. 11,129), bei dem anderen handelt es sich um ein interessantes lit. Manifest gegen die ebenso leeren wie abstrusen Künsteleien attizistischer Redner (Anth. Pal. 11,144, vgl. Lukillios, Anth. Pal. 11,142). Zumindest chronologisch plausibel ist die Gleichsetzung mit Iulius Cerialis, dem Freund des Martial (Mart. epigr. 11,52,1).   E. D./T. H.

Cereres s. Ceres

Ceres A. KULT IM FRÜHEN ITALIEN
B. ROM 1. STAATSKULT 2. PRIVATER KULT
C. PROVINZEN D. NACHLEBEN

A. KULT IM FRÜHEN ITALIEN

Ital. Göttin, die insbes. mit dem Getreide, aber auch der Totenwelt verbunden war und die in Rom früh mit der griech. Demeter gleichgesetzt wurde. Zahlreiche inschr. Bezeugungen belegen den Kult in Mittel- und Südit. seit dem späten 7. Jh. v. Chr.; wo Einzelheiten faßbar sind, ist sie bes. mit dem Getreide verbunden (faliskische Inschr. aus der Zeit um 600 [1. 241; 2. 43], pälignische Inschr. aus Corfinium [1. 204; 3], osk. Tafel von Agnone um 250 v. Chr. [1. 147; 4], Büste von Aricia mit Ährenkranz [2. 49 Abb. 57]), aber auch mit Frauenleben und Mutterschaft (Tafel von Agnone; Verbindung mit Venus bei den Pälignern [5]) und wohl mit der Unterwelt (Defixio aus Capua [1. 6]). Die Namensformen machen die schon von den ant. Interpreten vorgebrachte Verbindung mit *crescere* und *creare* (*cer-*»wachsen«) wahrscheinlich; man stellt ihr auch den schattenhaften *Cerus manus* des Salierlieds, den Fest. (p. 109,4, vgl. Varro, ling. 7,26) als *creator bonus* deutet, zur Seite [6. 23].

B. ROM

In Rom ist C. mit → Liber und → Libera zu einer Triade verbunden, kult. auch eng und mehrfach mit → Tellus zusammengestellt; Varro deutet sie denn auch einfach als Terra (rer. div. fr. 270 CARDAUNS, vgl. ling. 5,64: C. leite sich von *gerere fruges* her).

1. STAATSKULT

Im staatlichen Bereich ist sie eine Gottheit, mit deren Tempel und Kult die Plebs eng verbunden war; im öffentlichen und privaten Kult hat sie Beziehungen zur Getreidenahrung, zu den Frauen und den Toten. In Ikonographie [7], Lit. und Kult wird sie regelmäßig als griech. Göttin verstanden. Bilder und Texte übernehmen die griech. Mythen um Demeter und Kore; wie der Name Demeter im Griech., wird C. seit Naevius (com. 121) und Lucil. (200 M.) metonymisch für Brot oder Nahrung allg. verwendet; ihr Kult wird zu den *sacra peregrina* gerechnet (Fest. p. 268) und von den ant. Interpreten aus Griechenland hergeleitet.

Entsprechend sind die Forschungsmeinungen darüber, was an Resten einer altital. C. in Rom noch faßbar sei, sehr geteilt. Die neuere Forsch. ist skeptischer als die frühere; so ist etwa offen, inwieweit die Liste der 12 vom *flamen Cerialis* mit C. und Tellus zusammen angerufenen »Sondergötter« altes Erbe oder spätere priesterliche Systematisierung bedeutet (Serv. auct. georg. 1,21; → Indigitamenta) [6. 68–77; 8]. Das hohe Alter und die alte Verwurzelung des Kultes werden jedenfalls durch die Existenz eines Flamen Cerialis belegt (CIL IX 5028), vielleicht auch durch den *mundus Cereris* (s.u.); schwieriger zu datieren ist die einem Gesetz des Romulus zugeschriebene Verbindung von C. mit der Ehescheidung (s.u.). Deutlich faßbar ist erst der Ausbau des Kultes in den ersten Jahren der Republik durch den Bau des Haupttempels, welcher der Trias C., Liber und Libera galt. Die Trias soll eine eleusinische Dreiheit von → Demeter, → Kore und → Iakchos wiedergeben [9], die aber ihrerseits ein Problem ist; die griech. Herkunft war jedenfalls den Römern klar. Der Tempel lag am Aventin nahe beim Circus Maximus. Wahrscheinlicher als die Lokalisierung durch einige Porosfundamente unter der Kirche S. Maria in Cosmedin (die eher zur Ara Maxima gehören), ist eine Ansetzung im Westhang des Aventin oberhalb des Circus [10. 80]; das fügte sich zur üblichen Lokalisierung griech. Demetertempel [11], und jedenfalls lag der Tempel außerhalb des Pomerium. Er wurde anläßlich einer Versorgungskrise durch Mißernten und Importschwierigkeiten auf Anraten der sibyllinischen Bücher durch den Dictator A. Postumius im Jahre 496 gelobt (Dion. Hal. ant. 6,17,3–4) und durch Spurius Cassius, den einzigen patrizischen Träger dieses Namens, in seinem zweiten Konsulat 493 geweiht (ant. 6,94,3). Der Tempel behielt sein archa. Aussehen (Vitruv 3,3,5), das ihm seine Erbauer – als Koroplasten und Maler sind die Griechen Damophilos und Gorgasos genannt (Plin. nat. 35,154) – gegeben hatten; bei der Restaurierung durch Augustus gingen allerdings die tönernen Giebelfiguren verloren (Tac. ann. 2,49;

Plin. ebd.). Der Tempel archivierte die Senatsbeschlüsse unter der Aufsicht der plebeischen Aedilen (Liv. 3,55,13); ihm fielen aufgrund von Vergehen gegen die Schutzgesetze der plebeischen Magistrate (*leges sacratae*) entzogene Vermögenswerte zu (Dion. Hal. ant. 6,89,3; Liv. 3,55,7); hier wurden mehrfach Votive aus Bußgeldern aufgestellt (Liv. 2,41,10: Spurius Cassius; 10,23,13; 27,6,19; 27,36,9; 33,25,3). Priesterinnen wurden aus einer griech. Stadt Südit. (Neapel oder Elea) geholt, die den Kult in griech. Form pflegten, aber das röm. Bürgerrecht erhielten (Cic. Balb. 55); während ihrer Amtszeit mußten sie, wie anderswo auch, sexuelle Abstinenz halten (Tert. monogam. 17) [3]. Wenigstens im J. 133 v. Chr. betrachtete Rom dann das sizilische Henna als eigentliche Heimat der Göttin und schickte auf Befehl der sibyllinischen Bücher eine Gesandtschaft dorthin (Cic. Verr. 2,4,108).

Hauptfest der C. waren die *ludi Ceriales* vom 12.–19. April (Liv. 30,39,8; Ov. fast. 4,393 f.; 679–712). Ausgerichtet wurden sie von den plebeischen Aedilen; überhaupt waren sie das Fest der Plebs, im Gegensatz zu den *ludi Megalenses*, dem Fest der Patrizier vom 4.–10. April (Gell. 18,2,11). Zentraler Tag war der 19. April, der alte Festtag der Cerialia und Stiftungstag des Tempels; an ihm fanden Pferderennen statt, wurden im Circus Füchse mit brennenden Fackeln am Schwanz losgelassen (Ov. fast. 4,681–712). Die Deutung des Rituals ist kontrovers, die Beziehung auf den Getreidebau wird wegen Ovids Aition gewöhnlich angenommen [12. 36f.]. Auch die kalendarische Verbindung mit den *Fordicidia* des 13. April, bei denen ein trächtiges Rind an Tellus geopfert wurde, nähert C. einem solchen Bereich an, und die folgenden Feste der → Parilia (19. April), Vinalia (23. April) und Robigalia (25. April) bleiben in derselben Welt.

Allein dem Ackerbau gelten die *feriae Sementivae* im Januar, in einer Ruhepause der Ausssaat; an ihnen opferte man eine trächtige Sau gemeinsam an C. und Tellus (Ov. fast. 1,671–674) [9]. Jeweils im August feierten die Frauen das *sacrum anniversarium Cereris*, das angeblich ebenfalls aus Griechenland kam, jedoch schon zur Zeit der Schlacht von Cannae existierte (Varro ap. Non. p. 44; Liv. 22,56,4; Fest. s. v. Graeca sacra, p. 86,7; Val. Max. 1,1,15; Arnob. 2,73). Hauptzüge sind das Tragen weißer Kleider (wie an den *ludi Ceriales*, Ov. fast. 4,619) und vielleicht Weinverbot (Dion. Hal. ant. 1,33,1), sexuelle Enthaltsamkeit (Ov. am. 3,10,1) und ein Namenstabu (Serv. Aen. 4,58). Das Fest erinnert an die griech. → Thesmophoria und wird mit dem Mythos vom Koreraub verbunden (Serv. georg. 1,344); vielleicht spielt Ciceros Gesetzgebung bezüglich der Nachtfeiern der Frauen darauf an (leg. 2,21; 37). Jedenfalls hat das Fest Mysteriencharakter (*initia*). Nicht alle rituellen Einzelheiten, die zum *anniversarium Cereris* bezogen werden, sind diesem sauber zuzuteilen; einiges mag auch zu dem am 4. September gefeierten *ieiunium Cereris* gehören, das man auf Geheiß der sibyllinischen Bücher 191 v. Chr. einführte (Liv. 36,37,4).

Am 13. Dezember, dem Stiftungstag des Tempels der Tellus in Carina, wurde der C. regelmäßig ein → *lectisternium* ausgerichtet (Arnob. 7,32, vgl. CIL I² p. 336f.); in außerordentlichen *lectisternia* ist sie als eine der 12 Gottheiten zum erstenmal 217 v.Chr. genannt (Liv. 22,10,9). Am 21. Dezember wurden ihr und Hercules eine trächtige Sau, Brot und Honigwein geopfert (Macr. Sat. 3,11,10); das Opfer eines trächtigen Tieres gehört wie dasjenige an den *Fordicidia* in den unheimlichen Bereich der Erdgöttin (Macr. Sat. 1,12,20). Die Existenz eines *mundus Cereris*, der dreimal im Jahr geöffnet wird und damit eine unheimliche Ausnahmezeit signalisiert (Fest. p. 126,4), weitet dies noch aus in Richtung einer Verbindung der C. mit der Erdtiefe der Totenwelt. Andere Autoren verbinden den *mundus* mit den Manen (Cato bei Fest. p. 144,18) und mit Dis und Proserpina (Macr. Sat. 1,16,16). In Notzeiten richteten die Frauen rituelle Bittgänge (*supplicationes*) an C. und ihre Tochter aus (Liv. 41,28,2; Tac. ann. 15,44) und sammelten Gaben für sie (Obsequ. 43; 46; 53).

Die Verbindungen zu Tellus im staatlichen Kult unterstreichen die agarische Seite der C. Das ergibt sich auch aus der Bestimmung der XII Tafeln, daß, wer eine fremde Saat schädigte, der C. verfalle und erhängt werde (Plin. nat. 18,13), und daraus, daß der Tempel der C. Asylsuchenden Brot reichte (Varro ap. Non. p. 63 L.). War dies mithin schon immer auch Teilaspekt der allg. Nahrungsversorgung (ihr Tempel war während einer Versorgungskrise gestiftet worden), wird sie im Lauf der späten Republik immer stärker allg. mit der Getreideversorgung verbunden; Caesar schafft die *aediles plebei Ceriales* zur Sicherung der Annona (→ Cura annonae). Wenn schließlich Augustus am 10. August 7 v.Chr. einen Altar an C. und Ops Augusta weiht, wird noch einmal dieser Aspekt betont (CIL I² p. 324).

2. PRIVATER KULT

Manifest ist die agrarische Bed. auch im privaten Kult: röm. Bauern und Gutsbesitzer opferten ihr vor der Ernte (Cato, agr. 134, vgl. Gell. 4,6,8) und brachten ihr die ersten Ähren der Ernte dar (Fest. p. 423,1). Daneben betont der private Kult die Verbindung der Göttin mit der Ehe und den Toten. Ihr wird die Hochzeitsfackel vorangetragen (Fest. p. 77,21), ihr verfällt nach einem Gesetz des Romulus das Vermögen eines Mannes, der seine Frau unrechtmäßig verstößt (Plut. Romulus 22,3). Ihr wird aber auch eine Sau geopfert, um nach einem Todesfall wieder rituelle Reinheit zu erlangen (Veranius bei Fest. p. 296,37; vgl. Varro bei Non. p. 240 L.; Gell. 4,6,8): Wie → Demeter, hat sie auch Bindungen zur Totenwelt, die im *mundus Cereris* zum Ausdruck kommen.

C. PROVINZEN

In der Kaiserzeit tritt C. als Getreidegöttin und Reichtumsspenderin immer stärker in den Vordergrund; auf vielen Münzbildern wird sie seit der späten Republik mit Annona zusammengestellt, und seit Livia werden in der imperialen Ideologie zahlreiche Kaiserinnen mit ihr verbunden [12. 169–181]. Bes. gut belegt ist ihr Kult in der Kornkammer Nordafrika, wo Dedikationen den Cereres gelten; der Plural wird gewöhnlich auf C. und Proserpina bezogen, doch sind andere Deutungen denkbar [13].

D. NACHLEBEN

Die Funktion als Schützerin des Getreidebaus übernehmen seit der christl. Spätantike zahlreiche Heilige [14]. Im Mittelalter und der frühen Neuzeit lebt C. vor allem durch die euhemeristische und allegorische Ausdeutung der → Demetermythologie weiter, wie sie bes. Ovid oder Claudian erzählt, Lukrez und vor allem Isidor (8,11,59–68) in der Auslegung vorgegeben hatten [15].

1 VETTER 1 2 E. SIMON, Die Götter der Römer, 1990 3 E. PERUZZI, La sacerdotessa di Corfinio, in: PdP 50, 1995, 5–15 4 G. DEVOTO, Il panteon di Agnone, in: SE 35, 1967, 179–197 5 G. COLONNA, Sul sacerdozio peligno di Cerere e Venere, in: ArchCl 8, 1953, 216–217 6 H. LE BONNIEC, Le culte de Cérès à Rome des origines à la fin de la République, 1958 7 S. DE ANGELI, LIMC 4.1, 893–908 8 J. BAYET, Les *feriae sementivae* et les indigitations dans le culte de Cérès et de Tellus, in: RHR 137, 1950, 172–206 = Croyances et rites dans la Rome antique, 1971, 177–205 9 F. ALTHEIM, Terra Mater, 1931 10 L. RICHARDSON, A New Topographic Dictionary of Ancient Rome, 1992 11 GRAF, 273 12 B.S. SPAETH, The Roman Goddess C., 1996 13 G. PUGLIESE-CARRATELLI, Cereres, in: PdP 36, 1981, 367–382 = Tra Cadmo e Orfeo, 1990, 295–299 14 P. BERGER, The Goddess Obscured. Transformations of the Grain Protectress from Goddess to Saint, 1985 15 J. SEZNEC, La survivance des dieux antiques, 1940. F.G.

Cerfennia. *Statio* der *via Valeria* (Itin. Anton. 309,4), Ausgangspunkt der *via Claudia Valeria* (CIL IX 5973); h. S. Felicità in Cerfenna bei Collarmele.

NISSEN, 2, 455. U.PA.

Cerialis. Röm. Cognomen (auch Caerialis, Caerealis) latinischer Herkunft, abgeleitet von dem Adj. *Cerealis* (»zu Ceres gehörig«), seit iulisch-claudischer Zeit verbreitet (SCHULZE, 486f.; ThlL, Onom. 2,344f.).

M.MEI.

[1] Bruder der → Iustina, der Gattin → Valentinianus' I. (Amm. 28,2,10). *Tribunus stabuli* (Amm. 30,5,19). Im Jahre 375 n.Chr. half er seinem Neffen → Valentinianus II. auf den Thron (Amm. 30,10,5). PLRE 1,197. W.P.

[2] *Dux Libyarum* 405 n.Chr. Wird von → Synesios (epist. 130) als korrupt und nachlässig beschrieben; soll dem Einfall der afrikanischen Maketai nichts entgegengesetzt haben. PLRE 2, 280f. H.L.

[3] Bischof von Castellum Ripense in Mauretania Caesariensis. Verf. eines *Libellus contra Maximinum Arianum* (Gennadius, vir. ill. 93; PL 58,757–768).

BARDENHEWER, GAL 4,548f. R.B.

Cernunnos. Kelt. Gott mit dem Hirschgeweih, der oft mit untergeschlagenen Beinen sitzend, von Schlangen, Hirsch und Stier begleitet dargestellt ist. Auf ihn findet die *interpretatio Romana* keine Anwendung, doch zeigen sich durch die Beigabe der Schlangen, der Geldbörse oder der aus einem Sack strömenden Münzen Bezüge zum gallo-röm. Merkur. Mit diesem und Apollo ist er auf dem Relief in Reims [1. V 3653] abgebildet. Insgesamt weisen die Bildfassungen auf fruchtbaren Charakter des C. hin, ein Totengott ist er sicher nicht. Für die zahlreichen, wohl in tiberischer Zeit einsetzenden kaiserzeitlichen Darstellungen, die sich überwiegend in Ostgallien finden, ist die Benennung als C. durch die Inschr. und Darstellung auf dem Altar in Paris [1. IV 3133] gesichert. DE VRIES hat für C. vorgallischen Ursprung angenommen.

1 ESPÉRANDIEU, Inscr.

P. B. BOBER, in: AJA 55, 1951, 13 ff. • J. DE VRIES, Kelt. Religion, 1961, 104 ff. • P. PETRU, in: Situla 4, 1961, 46 ff. • G. BAUCHHENSS, s. v. Apollo und C., LIMC 2.1, 464 • H. VERTET, in: Bull. Soc. Nat. Ant. France, 1985, 163 ff. • S. SANIE, in: Germania 65, 1987, 215 ff.   M. E.

Cerretani. Iberischer Stamm in den südl. Pyrenäen, Prov. Cerona (Strab. 3,4,11). Früheste Erwähnung bei Avien. or. mar. 550 (*Ceretes*). Steph. Byz. kennt eine Stadt Brachyle im Land der C. Sie waren berühmt für die Qualität ihres Schinkens (Mart. 13,54). In der Kaiserzeit teilte sich der Stamm in Iuliani und Augustani (Plin. nat. 3,23).

TOVAR 3, 44 f., 447.   P. B.

Cerrinius. Röm. Gentilname (auch Cerinius) osk. Ursprungs, abgeleitet von Ceres; in Pompeii und Umgebung häufig bezeugt [1. 467 f.].
[1] Nach Liv. 39,13,9 wurden Minnius und Herennius Cerrinii als erste Männer von ihrer Mutter, einer Dionysospriesterin, in die Bacchusmysterien eingeweiht. Nach dem Verbot der sog. → Bacchanalien 186 v. Chr. durch den Senat (CIL I² 581) wurde Minnius als führender Kopf der Kultgemeinschaft, in der man eine Verschwörung sah, in Ardea inhaftiert (Liv. 39,17,6; 19,2).

1 SCHULZE.   M. MEI.

Cesnola-Maler. Benannt nach seinem ehem. in der Cesnola-Sammlung befindlichen Krater spätgeom. Zeit (H. 114,9 cm mit Deckel, aus Kourion/Zypern, jetzt New York, MMA, Inv. 74. 51. 965; → geometrische Vasenmalerei). Der anonyme Vasenmaler verbindet in seinen Werken vorderasiatische mit mutterländischen und inselgriech. Motiven. Die ungewöhnliche Form des eponymen Kraters wie auch die Kombination der auf ihm angebrachten Motive führten in der Vergangenheit zu Diskussionen über die Datier. und Herkunft des C., die jetzt aufgrund der Tonanalysen des Cesnola-Kraters und der Funde auf Euböa gesichert ist (Euböisch LG I). Seine Gefäße, vor allem Kratere und Kannen, fanden sich u. a. auf → Delos, in → Al Mina, → Lefkandi, → Eretria und → Samos.

J. N. COLDSTREAM, The Cesnola Painter, in: BICS 18, 1971, 1 – 15 • P. P. KAHANE, Ikonologische Unt. zur griech.-geom. Kunst: Der Cesnola-Krater aus Kourion, in: AK 16, 1973, 114–138 • D. v. BOTHMER u. a., Greek Art of the Aegean Islands. Ausst.-Kat. New York, 1979, 112 f. Nr. 63 • J. BOARDMAN, in: R. E. JONES (Hrsg.), Greek and Cypriot Pottery. A Review of Scientific Studies, 1986, 659 f. Taf. 8, 10.   R. H.

Cessetani. Iberischer Volksstamm [2. 1032]. In seinem Gebiet lag die Stadt Cissa, die zum Jahr 218 v. Chr. erwähnt wird (Pol. 3,76,5; Liv. 21,60,7 [1. 57, 60]); Ces(s)e auf vielen iber. Mz. [3. 83 f. vgl. 65–78]). Sie dürfte nördl. des Iberus bei Tarraco gelegen haben. Zweifellos heißt nach den C. die *regio Cessetania* (Plin. nat. 3,21; über die Form Kossetanio: Ptol. 2,6,17); [4. 1995].

1 A. SCHULTEN, Fontes Hispaniae Antiquae 3, 1935
2 HOLDER 1 3 A. VIVES, La Moneda Hispánica 2, 1924 4 E. HÜBNER, s. v. C., RE 3, 1995.

TOVAR 3, 35.   P. B.

Cessio. Abtretung, im jur. Sinn die Übertragung eines Rechts. Zu unterscheiden sind a) die Abtretung einer Forderung, b) die Abtretung des gesamten Vermögens im Konkurs (*c. bonorum*) und c) die Abtretung eines Herrschaftsrechts vor dem Prätor (→ *in iure c.*).

a) Der moderne Jurist versteht unter Zession die Vereinbarung der Übertragung einer Forderung mit der Wirkung, daß anstelle des alten Gläubigers (Zedent) einem neuen Gläubiger (Zessionar) die Forderung gegen den Schuldner (*debitor cessus*) zusteht. Die Vorstellung einer solchen Zession ohne Zustimmung des Schuldners ist den Römern fremd. Sie sehen die → *obligatio* als ein *vinculum iuris*, welches an die Person von → *creditor* und → *debitor* gebunden ist und dessen persönliche Natur auch in der Bezeichnung *nomen* zum Ausdruck kommt. Der Effekt einer Forderungsabtretung kann folglich nur durch eine → *novatio* der Forderung erzielt werden (Gai. Inst. 2,38), die der Mitwirkung des Schuldners bedarf und bei der etwaige Sicherungsrechte (z. B. Pfand, Bürgschaft) untergehen.

Ohne Zustimmung des Schuldners kann der Gläubiger jemand anderen durch *mandatum ad agendum* beauftragen, als Prozeßvertreter die *actio* gegen den Schuldner zu betreiben. Wird dabei vereinbart, daß der andere den Erlös als → *procurator in rem suam* behalten soll (z. B. weil ihm die Forderung verkauft wurde), kommt dies wirtschaftlich einer Forderungsabtretung gleich. Die röm. Quellen sprechen dabei gelegentlich von *c. actionum*.

Als bloßer Prozeßvertreter macht der Mandatar ein fremdes Recht geltend; für den Mandanten besteht bis zur → *litis contestatio* weiterhin die Möglichkeit, als Gläubiger über seinen Anspruch (z. B. durch Stundung oder Erlaß) zu verfügen oder das Mandat zu widerrufen. Gestärkt wird die Position des *procurator in rem suam* durch kaiserliche Reskripte, die z. B. dem Prokurator bei Erlöschen der Prozeßvertretung durch Tod des

Gläubigers eine *actio utilis* (analoge Klage) geben (Cod. Iust. 4,10,1). Antoninus Pius gewährt sie dem Käufer einer Erbschaft gegen die Erbschaftsschuldner; gegen die Klage des Verkäufers haben die Schuldner eine *exceptio doli* (Arglisteinrede, Ulp. Dig. 2,14,16 pr.). Dies scheint bald auf den Verkauf einzelner Forderungen ausgedehnt worden zu sein (vgl. Cod. Iust. 4,10,2; 4,39,8) und bot den ma. Juristen die Basis für die Ausbildung ihrer bis heute fortwirkenden Zessionslehre.

b) Aufgrund einer vermutlich auf Augustus zurückgehenden *lex Iulia* konnte ein insolventer Schuldner der drohenden Personalexekution (Cod. Iust. 7,71,1) sowie der → *infamia* (Cod. Iust. 2,11,11) entgehen, indem er seine Güter abtrat (*c. bonorum*). Daraufhin wies der Prätor die Gläubiger in das Vermögen ein (*missio in bona*), so daß sie durch dessen Verwertung (vgl. Gai. Inst. 3,78) ihre Forderungen befriedigen konnten. Die c. bonorum setzt wohl voraus, daß dem Schuldner keinerlei *fraus* (Arglist, dazu → *dolus*) vorzuwerfen ist. Der Schuldner wird nur auf *id quod facere potest* (nach seinem Leistungsvermögen) verurteilt (Ulp. Dig. 46,3,4 pr.), man beläßt ihm ein Existenzminimum (seit dem MA sogenanntes *beneficium competentiae*).

→ Mandat; Beneficium

FORDERUNGSABTRETUNG: W.-D. GEHRICH, Kognitur und Prokuratur in rem suam als Zessionsformen des röm. Rechts, 1963 · K. LUIG, Zur Gesch. der Zessionslehre, 1963, 2–9 · W. ROZWADOWSKI, Studi sul trasferimento dei crediti in diritto romano, in: Bullettino dell' Ist. di Diritto Romano 76, 1973, 11–170.
VERMÖGENSABTRETUNG: W. PAKTER, The Mystery of »cessio bonorum«, in: Index 22, 1994, 323–342.   F. ME.

Cestius. Plebeischer Familienname, seit dem 1.Jh. v. Chr. bezeugt, auch in Praeneste vorkommend (ThlL, Onom. 354f); die Familie ist polit. unbedeutend.

I. REPUBLIKANISCHE ZEIT

[I 1] **C.**, Erbauer des *pons Cestius* zw. dem rechten Tiberufer und der Tiberinsel wohl in spätrepublikanischer Zeit; sonst unbekannt.

[I 2] **C., C.**, Praetor (?) 44 v. Chr., wohl 43 von Antonius proskribiert.

[I 3] **C., L.**, Praetor und Münzmeister 43 v. Chr. (Goldmünzenprägung RRC 491; MRR 3, 53).

[I 4] **C. Epulo, C.**, bekannt durch sein Grabmal, die sog. C.-Pyramide an der Porta Ostiensis in Rom [1. 353f]. Er war Volkstribun, Praetor und *VIIvir epulonum* (CIL VI 1374) in spätrepublikanischer oder frühaugusteischer Zeit, denn einer seiner Erben war M. Agrippa [1], gest. 12 v. Chr. (CIL VI 1375). PIR² C 686.

[I 5] **C. Macedonicus**, Perusiner, der sich das Cognomen als Kriegsteilnehmer in Makedonien beigelegt hatte. Nach dem Fall seiner Heimatstadt im J. 40 zündete er als *princeps* von Perusia sein Haus an und verursachte dadurch den Brand der gesamten Stadt, er tötete sich anschließend selbst (Vell. 2,74).

1 RICHARDSON   2 T.P. WISEMAN, New men in the Roman senate, 1971, 224.   K.-L.E.

II. KAISERZEIT

[II 1] **C., N.**, 55 n.Chr. *cos. suff.* anstelle Neros (CIL IV 5513). PIR C 689.

[II 2] **C. Gallus, C.**, *cos.* 35 n.Chr. (IGRR 1, 495; CIL VI 33950; Cass. Dio 58,2,5,2). C. klagte im J. 21 Annia Rufilla wegen Betrugs an (Tac. ann. 3,36,2), 32 übernahm er die Anklage im Majestätsprozeß gegen Q. Servaeus und Minucius Thermus (Tac. ann. 6,7,2). PIR C 690.

[II 3] **C.**, Sohn von C. [II 2], *cos. suff.* 42 n.Chr. (CIL VI 2015), war 63 *legatus Aug. pro praetore* in Syria (Ios. bell. Iud. 2,280; Tac. ann. 15,25,3). 66 bekämpfte er in Iudaea den Prokurator Gessius Florus (Ios. bell. Iud. 2,333–335; 499–538; Tac. hist. 5,10), nach seinem Tod im Jahr darauf von Vespasian abgelöst (Suet. Vesp. 4,5). PIR C 691.
         M. STR.

[II 4] **C. Pius, L.** Grieche aus Smyrna, der zur Zeit des Augustus in Rom tätig war (*floruit* 13 v.Chr., Hier. chron. ab Abr. 2004; Suet. rhet. fr. 91 REIFFERSCHEID), aber nie als Volks- oder Gerichtsredner auftrat. Bei → Seneca d.Ä. wird er fast ebenso oft wie Arellius → Fuscus zitiert; Jüngere zogen C. sogar dem Cicero vor (s. Sen. contr. 3, pr. 14). C., *nullius ingeni nisi sui amator* (suas. 7,12) und *mordacissimus* (contr. 7, pr. 8), hielt Quintilius Varus' Sohn die Niederlage seines Vaters vor (1,3,10) und bezog für seine Verachtung Ciceros bei dessen Sohn in der Provinz Asia Prügel (suas. 7,13). Sein Stil war – bei unvollständiger Beherrschung des Lat. – arm an Wörtern, doch reich an Gedanken (contr. 7,1,27); er war Asianer und benutzte Tropen, Figuren und Paradoxa im Übermaß.

F.G. LINDNER, De Cestio Pio, Progr. Züllichau 1858 · J. BRZOSKA, s.v. C. Nr. 13, RE 3, 2008–2011 · PIR ²C 694 · S.F. BONNER, Roman Declamation, 1969 · L.A. SUSSMAN, Arellius Fuscus and the Unity of the Elder Seneca's Suasoriae, in: RhM 120, 1977, 310–317 · R.A. KASTER, Suetonius, De gramm. et rhet., 1995, 327–329 (problematisch)   G.C.

Cethegus. Röm. Cognomen eines Zweiges der patrizischen → Cornelii (ThlL, Onom. 356–59). Seit dem 3.Jh. v.Chr. bezeugt, auch Cetegus (Cic. or. 160), griech. Κέθηγος, angeblich weil die Familie die Tunica zu tragen ablehnte (Porph. Hor. ars 50). Auch als Familienname inschr. bezeugt [1. 293]. Die kaiserzeitlichen Namensträger hängen mit den republikanischen vielleicht nicht zusammen.

1 Schulze.   K.-L.E.

[1] **Rufius Petronius Nicomachus C.**, *cos.* 504 n.Chr., *patricius* seit ca. 512, *mag. officiorum, princeps senatus*. C. wurde während der Belagerung Roms durch → Totila 545 des Verrates bezichtigt und zog sich nach Konstantinopel zurück (Liber pontificalis vita Vigilii 7; Prok. BG 7,13). 552/53 verhandelte er für Iustinian mit

Papst Vigilius. Unter Papst Pelagius I. (556–561) war er wieder in Italien. PLRE 2,281 f.   M. MEI.

Cetium. Heute St. Pölten. Am Schnittpunkt früh begangener Altstraßen gelegener Ort in → Noricum, etym. wohl zu kelt. *keto – »Holz, Wald« (vgl. → *Cetius mons*). Das hadrianische *municipium Aelium Cetensium* (CIL III 5630; 5652; 11799) wurde in den Kriegen gegen die → Marcomanni zerstört, blühte aber rasch wieder auf [1]. Seit 1949 bed. Ausgrabungen im modern überbauten ant. Stadtgebiet. Im stark reduzierten spätröm. Siedlungsareal geringfügige Zeugnisse des Christentums; der hl. Florian lebte hier [2].

1 P. SCHERRER, in: H. FRIESINGER, J. TEJRAL, A. STUPPNER (Hrsg.), Markomannenkriege, 1995, 447–455
2 R. HARREITHER, Der hl. Florian, in: R. BRATOŽ (Hrsg.), West-Illyr. und Nordost-It. in der spätröm. Zeit, 1996, 235–262, bes. 239 f.

TIR M 33, 34 · G. WINKLER, s. v. C., RE Suppl. 14, 90–95 · H. UBL, CSIR I 6, 1979 · P. SCHERRER, Landeshauptstadt St. Pölten – Arch. Bausteine I, II, 1991, 1994.   K. DI.

Cetius Faventinus, M. Der anon. in Vitruv-Hss. überlieferte *liber artis architectonicae* des C. (Name und Titel erst 1871/1879 ermittelt), eine vulgarisierende, eigenständige Bearbeitung von Vitruv über den Privathausbau, gehört, falls → Gargilius Martialis Vermittler war [1], in die Mitte oder [2] ans Ende des 3. Jh. n. Chr.; zit. ist C. bei → Palladius und → Isidorus von Sevilla.

ED.: F. KROHN, Vitruv, 1912, 262–283.
LIT.: 1 M. WELLMANN, Palladius und Gargilius Martialis, in: Hermes 43, 1908, 1–31 2 H. PLOMMER, Vitruvius and later Roman building manuals, 1973, 39–85 (mit Übers.)
3 K. SALLMANN, HLL § 450   KL. SA.

Cetrius. C. Severus C., Tribun der Prätorianer, der sich im Jahr 69 n. Chr. zusammen mit Subrius Dexter und Pompeius Longinus gegen den beginnenden Aufstieg des → Otho für → Galba einsetzte (Tac. hist. 1,31). Er ist wahrscheinlich der *beneficiarius* aus ILS 2073. PIR C 703.   M. STR.

Cetus s. Ketos

Ceutrones

[1] Kleines Volk in Flandern, *clientes* der Nervii (Caes. Gall. 5,39,1).

C. GOUDINEAU, César et la Gaule, 1990 · E. M. WIGHTMAN, Gallia Belgica, 1985.   Y. L.

[2] Kelt. Volk in den → Alpes Graiae im Tal der Isère (Caes. Gall. 1,10,4; Strab. 4,4,6; Ptol. 3,1,33), bekannt durch Kupfer-Abbau (Plin. nat. 34,3) und Käseherstellung (Plin. nat. 11,240). Verleihung des → *ius Latii* wohl unter Claudius (Plin. nat. 3,135). Vororte waren Axima (Aime) und Darantasia (Moutiers).

G. BARRUOL, Les peuples préromains du sud-est de la Gaule, 1975, 313–316 · G. WALSER, Via per Alpes Graias, 1986, 78–80.   H. GR.

Ceylon s. Toprobane

Chabakta (Χάβακτα auf Mz., HN 498; Χάβακα Strab. 12,3,16). Pontische Festung, auf deren Namen pseudoautonome Mz. → Mithradates' VI. geprägt wurden; vermutlich Burganlage bei Kaleköy/Ünye an der türk. Nordküste (Felsgrab, zwei Felstreppengänge).

OLSHAUSEN/BILLER/WAGNER, 120 · W. H. WADDINGTON, E. BABELON, TH. REINACH, Recueil général des monnaies grecques d'Asie Mineure 1,1, ²1925, 104 f.   E. O.

Chaberis (Χαβηρὶς ἐμπόριον). Hafenstadt der Soringoi im Süden Indiens an der Mündung des Chaberos (Kāveri) nach Ptol. 7,1,13. Altindisch (tamilisch) Kāveripaṭṭinam bzw. Pumpuhar, Hafen des Chola-Reiches. Eine griech. Siedlung ist in der klass. Tamil-Poesie erwähnt.   K. K.

Chabon (Χάβον). Skythische Festung ›in der Mitte des Skythenlandes‹ (IOSPE I², 352,13; 29), von Skiluros und seinen Söhnen erbaut (Strab. 7,4,3); diente als Stützpunkt gegen Mithradates VI.; einer seiner Generäle, Diophantos, zwang die Skythen zur Übergabe von Ch. (Strab. 7,4,4).

V. F. GAJDUKEVIČ, Das Bosporanische Reich, 1971, 309.
I. v. B. und S. R. T.

Chabrias (Χαβρίας). Bedeutender athenischer Feldherr und Söldnerführer. Im Korinthischen Krieg an → Thrasybulos' mil. Unternehmungen in Thrakien beteiligt, löste er Anf. 389 v. Chr. → Iphikrates als Feldherr auf der Peloponnes ab. 388 brach er mit athenischen Streitkräften nach Zypern auf, zur Unterstützung des Königs Euagoras gegen Persien. Auf der Fahrt dorthin Sieg gegen die Spartaner auf Aigina (Xen. hell. 5,1,10–13). Als der Königsfriede (386) ein Verbleiben in Zypern unmöglich machte, trat Ch. in den Dienst des ägypt. Pharaos → Akoris. Erfolgreich schützte Ch. das Nildelta gegen persische Versuche, Ägypten als Satrapie zurückzuerobern. 380 auf persischen Druck hin nach Athen zurückgerufen. Als Stratege in den Jahren 379/8–376/5 versperrte er dem spartanischen König Kleombrotos auf seinem Zug gegen Theben den Weg über Eleutherai, setzte gegen Agesilaos II. von Sparta 378 die Taktik der starren Phalanx ein, leitete 377 ein Flottenunternehmen gegen Histiaia und schlug im Herbst 376 Spartas Flotte in der großen Seeschlacht bei Naxos, wodurch er zahlreiche Inseln zum Anschluß an den 2. Att. Seebund veranlaßte. Dafür wurde er mit einem Standbild auf der Agora geehrt (Xen. hell. 5,4,61; Demosth. or. 20,75 ff.; Diod. 15, 29–35). Durch Erfolge gegen die Triballer 375 gewann er weitere Städte in der nördl. Ägäis für den Seebund (Diod. 15,36,4). Von 373/2 an erneut häufig Stratege. Auf der Peloponnes gegen die Thebaner nicht immer erfolgreich wurde er 366 wegen Verrats angeklagt, aber freigesprochen (Demosth. or. 21,64). 363/2 zwang er die Insel Keos wieder zum Anschluß an Athen (IG II² 404 und 111). Um 360 trat er in den Dienst des ägypt. Pharaos → Tachos; zusammen mit Agesilaos II. bereitete er dessen Feldzug gegen den Perserkönig vor. Nach Tachos' Sturz kehrte Ch. 359 nach Athen zurück. Als Trierarch fand er 357 beim Sturm auf die abtrünnige Insel Chios den Tod.

> J. BUCKLER, A second look at the monument of Ch., in: Hesperia 41, 1972, 466–474 Taf. 115 f. • J. CARGILL, The Second Athenian League, 1981 • DAVIES, 560 f. • M. DREHER, Hegemon und Symmachoi, 1995 • W. K. PRITCHETT, The Greek State at War 2, 1974, 72–77   W. S.

Chaireas (Χαιρέας).

[1] Sohn des Archestratos (Lykomide?) von Athen. 411/10 v. Chr. Mitstratege in Samos, auf der → Paralos nach Athen gesandt, konnte aber zurückkehren (Thuk. 8,74,1–3; 86,3). 410 Strategos bei Kyzikos (Diod. 13,49,6; 50,7; 51,3). PA 15093.

> DAVIES, 9238 • FRASER/MATTHEWS, GPN 2, 1994, 469, Nr. 3 • A. W. GOMME u. a., Historical Commentary on Thucydides, 5, 1981, 266–268.   K. KI.

[2] Nauarch Ptolemaios' IX., vielleicht Strategos Zyperns, besiegt 88 v. Chr. bei Zypern Ptolemaios X.

> I. MICHAELIDOU-NICOLAOU, Prosopography of Ptolemaic Cyprus, 1976, 126 Nr. 1.   W. A.

[3] Hannibalhistoriker ungewisser Herkunft, wohl ein Zeitgenosse Hannibals und zu dessen Umgebung gehörig. Polybios (3,20,5) bezeichnet sein Werk (ebenso wie das des Sosylos von Lakedaimon) als ›Geschwätz von der Barbierstube und von der Gasse.‹ Maßgeblich für dieses vernichtende Urteil war wohl die äußerst hannibalfreundliche Tendenz. FGrH 177 (mit Komm.).

> K. MEISTER, Histor. Kritik bei Polybios, 1975, 167 ff.   K. MEI.

[4] Bronzebildner, bei Plinius im Katalog der Porträtisten genannt. Verschiedene Vorschläge zur Identifizierung seiner bezeugten Bildnisse des Philippos und Alexanders werden nicht allg. akzeptiert.

> L. GUERRINI, s. v. Chaireas 1, EAA 2, 531.   R. N.

Chairedemos (Χαιρέδημος).
Einer der drei Brüder des → Epikuros, die sich zusammen mit ihm der Philos. verschrieben (Diog. Laert. 10,3). Er starb vor Epikur, der ihm zum Gedenken Trauergaben spendete (Diog. Laert. 10,18) und ihm ein Buch widmete (Diog. Laert. 10,27 und Plut. An recte dictum sit latenter esse vivendum 1129a).   T. D./E. KR.

Chairekrates s. Sokratiker

Chairemon (Χαιρήμων).

[1] Tragiker; wird von den Komödiendichtern Eubulos (Athen. 2,43c) und Ephippos (Iuv. fr. 9 KOCK bei Athen. 11,482b) erwähnt, so daß man ihn auf die Mitte des 4. Jh. v. Chr. datiert. Wiederaufgeführt 276–19 an den Naïa in Dodona (DID B 11,13); Titel: *Alphesiboia*, ›Achilleus der Thersitestöter‹ (apulische Vase, Boston 03.804 [1. 166]), *Dionysos, Thyestes, Io, Der Kentaur, Die Minyer, Odysseus, Oineus* und über 40 Fragmente. Aristoteles (rhet. 3,12,1413b 8) zählt ihn zu den Dichtern, deren Stücke erst beim Lesen voll zur Geltung kommen (→ Anagnostikoi; vgl. fr. 14b Akrostichon) [2. 188–90].

> 1 T. B. L. WEBSTER, Monuments illustrating Tragedy and Satyr Play, ²1967 2 G. A. SEECK, Ch., in: Ders. (Hrsg.), Das griech. Drama, 1979
>
> METTE, 198 • B. GAULY et al. (Hrsg.), Musa Tragica, 1991, 71 • TrGF 71.   F. P.

[2] Aus Alexandreia, stoischer Philosoph, → Grammatiker und hellenisierter ägypt. Priester in Alexandreia (1. Jh. n. Chr.). Er wurde zum Erzieher des jungen Nero berufen. Ch. hatte einen Grammatiklehrstuhl in Alexandreia und nahm wahrscheinlich an Alexandreias Gesandtschaft nach Rom zu Kaiser Claudius teil (40 n. Chr.). Er schrieb eine ›Ägypt. Gesch.‹, die wahrscheinlich seine Erklärungen der Hieroglyphen und der ägypt. Priesterschaft enthielt. Er schrieb auch über Kometen und Grammatik. Sein Werk wies stoische theologische Allegorie auf.

→ Nero

> 1 P. W. VAN DER HORST, Chaeremon: Egyptian Priest and Stoic Philosopher, 1984 2 FGrH 618 3 M. FREDE, »Ch.«, ANRW II 36.3, 1989, 2067–2103.   B. I./M. MO.

[3] Epigrammdichter des »Kranzes« des Meleager (Anth. Pal. 4,1,51), lebte wahrscheinlich vom 4. bis 3. Jh. v. Chr. [2], Verf. von drei Epitaphien. Bei dem einen handelt es sich wahrscheinlich um eine tatsächliche Inschr. (Anth. Pal. 7,469 = GVI 998; Vers 2 = CEG 724,4), die beiden anderen erinnern an den alten Streit (ca. 547 v. Chr.) zwischen Argos und Sparta um den Besitz von Thyrea (l.c. 7,720 f., vgl. Hdt. 1,82).

> 1 GA I 1, 75 f.; 2, 220–222 2 M. G. ALBIANI, CEG 724, Hansen: un ignorato plagio (AP VII 468,9s. [Mel.] e 469,2 [Chaerem.]), in: Eikasmós 5, 1994, 237–246.   E. D./T. H.

Chairephon (Χαιρεφῶν).
Aus dem att. Demos Sphettos; seit früher Jugend ein leidenschaftlicher Anhänger des → Sokrates. In den *Wolken*, den *Wespen* und den *Vögeln* des Aristophanes wird Ch. als bes. beflissener und asketischer Schüler des Sokrates verulkt. Als engagierter Demokrat hielt er sich während der Gewaltherrschaft der → Dreißig (404–403 v. Chr.) im Exil auf (Plat. apol. 21a). Zur Zeit des Sokratesprozesses (399 v. Chr.) war Ch. schon tot. Platon (apol. 20e–21a) und Xenophon (apol. 14) berichten, Ch. habe einst vom Orakel in Delphi auf seine Frage, ob jemand weiser als Sokrates

sei, die Antwort erhalten, daß dies nicht der Fall sei. Nicht völlig auszuschließen ist, daß es sich bei dieser Gesch. um eine im Kreis der Sokratiker erfundene Legende handelt [1]. Ch. ist Gesprächsteilnehmer in den platonischen Dialogen *Charmides* und *Gorgias*.

1 K. Döring, Sokrates, in: GGPh 2.1, 1997, 155.

Ed.: SSR VI B 11–21.   K.D.

Chairestratos. Sohn des Chairedemos, att. Bildhauer aus → Rhamnus. Seine Schaffensperiode wird anhand prosopographischer Kombinationen in das frühe 3.Jh. v. Chr., bisweilen auch um 320 v. Chr. gesetzt. Für die Chronologie der frühhell. Stilentwicklung ist dies von Belang, da die Statue der Themis im Nemesis-Heiligtum von Rhamnus (Athen, AM) von Ch. signiert ist. Weitere Werke werden ihm auf stilistischem Weg zugeschrieben.

J. Marcadé, Recueil des signatures des sculpteurs grecs, 1, 1953, Nr. 11–12 · P. Moreno, Scultura ellenistica, 1994, 168–172 Abb. · B.S. Ridgway, Hellenistic Sculpture, 1, 1990, 55–57 Abb.   R.N.

Chairion. Nur inschr. bezeugter Komödiendichter, der offenbar einmal an den att. Dionysien im Komödienagon den ersten Preis errang [1. test. *2] und im Jahr 154 v. Chr. ebenfalls an den Großen Dionysien mit dem Stück ›Der sich selbst falsch Anklagende‹ Zweiter wurde [1. test. 1].

1 PCG IV, 1983, 69.   H.-G. NE.

Chairis (Χαῖρις). Griech. Grammatiker aus der Schule des Aristarchos von Samothrake, Vater eines Grammatikers Apollonios [7] (ὁ τοῦ Χαίριδος). Unklar ist, ob er unmittelbar nach Aristarchos lebte. Seine Werke wurden von Tryphon, Didymos und Herodianos benutzt. Besser informiert ist man über seine Homerexegese: etwa 10 Fragmente sind aus den Scholien bekannt, und in Schol. Hom. Od. 7,80 wird der Titel Διορθωτικά (›Verbesserungen‹) genannt. Außerdem wird Ch. ca. zehnmal in den Pindarscholien zit., fast immer zu P. 4. Einige Zitate finden sich auch in den Aristophanesscholien. Sein Name ist möglicherweise manchmal mit dem des → Chares [6] (Χάρης) verwechselt, deshalb ist die Zuweisung einer Schrift Περὶ γραμματικῆς (›Über Gramm.‹) unsicher (S. Emp. Adversus Mathematicos 1,76).

→ Apollonios [7]; Chares; Didymos; Herodianos; Sextus Empiricus; Tryphon

Ed.: R. Berndt, De Charete, Chaeride, Alexione grammaticis eorumque reliquiis I, 1902, 3–18, 31–50. Lit.: A. Blau, De Aristarchi discipulis, 1883, 56–67 · L. Cohn, s. v. Ch., RE 3, 2031 · A. Ludwich, Aristarchs Homer. Textkritik I, 1884–85, 50 · F. Susemihl, Gesch. der griech. Lit. in der Alexandrinerzeit II, 1891–1892, 166–167.   F.M./M.-A.S.

Chairon (Χαίρων).

[1] Mythischer Sohn des Apollon und der Thero (bei Plut. Sulla 17: Thuro), Gründer der nach ihm benannten Stadt → Chaironeia (Hes. cat. fr. 252 M-W = Paus. 9,40,5 f.; Hellanikos FGrH 379 F3). Plutarch nennt einen früh verstorbenen Sohn nach ihm (consolatio ad uxorem 5 p. 609d).   R.B.

[2] Spartanischer Polemarch, der 403 v. Chr. beim Sturm des → Pausanias auf den Piräus fiel. Er wurde auf dem Kerameikos bestattet (Xen. hell. 2,4,33; Lys. epit. 63). Sein Grab konnte anhand einer Inschr. sicher identifiziert werden [1].

1 G. Karo, Arch. Funde aus dem Jahre 1929 und der ersten Hälfte von 1930, in: AA 45, 1930, 88–167, bes. 90–92.   M.MEI.

[3] Spartanischer Politiker, der sich als Führer der 188 v. Chr. von den Achaiern verbannten Spartaner 184/83 an den Senat in Rom wandte und ihre Rückkehr erreichte (Pol. 22,3,1; 23,4). Nach der formellen Wiederaufnahme Spartas in den Achaiischen Bund wurde Ch. 182 nach Rom gesandt (Pol. 23,18). Den Reformen des → Nabis folgend, begann er 181/80, den Besitz Verbannter an mittellose Bürger zu verteilen; als Gesandte des Achaiischen Bundes seinen Umgang mit öffentlichen Geldern überprüfen wollten, ermordete Ch. ihren Anführer. Schließlich setzte der achaische Stratege seinem Tun ein Ende, indem er Ch. gefangennahm und wahrscheinlich hinrichten ließ (Pol. 24,7).

→ Pausanias

P. Cartledge, A. Spawforth, Hellenistic and Roman Sparta, 1989 · Gruen, Rome, 2.   M.MEI.

[4] Von Pallene. Er studierte bei Platon und Xenokrates Philos., zeichnete sich dann als Ringkämpfer aus und wurde von → Antipatros [1] vor 331 v. Chr. als Tyrann von Pallene eingesetzt. Er hielt sich durch Sozialrevolution und Terror mit Unterstützung maked. Truppen an der Macht. Die Dauer der Herrschaft ist unbekannt, doch währte sie sicher bis nach dem Tod von → Agis [3].

Berve 2, Nr. 818.   E.B.

Chaironeia (Χαιρώνεια, Χηρώνια). Westlichste Stadt in → Boiotia an der Grenze zu Phokis am nördl. Ausläufer des Thurion-Gebirges im Kephisos-Tal beim heutigen Ch. (früher Kapraina). Quellen: Paus. 9,40,5–41,7; Strab. 9,2,37. Ein prähistor. Siedlungsplatz befindet sich nordöstl. am Kephisos [2. 382f.], ein myk. Kammergrab beim heutigen Ch., ein hell.-röm. Theater am Fuß des Burgbergs, auf dem Teile der Akropolis-Befestigung noch erh. sind [4]. Der Überlieferung nach war Ch. der erste Ort, an dem sich die einwandernden Boiotoi niedergelassen haben (Plut. Kimon 1,478e). Eine erste histor. Erwähnung erfolgt im Zusammenhang mit der Eroberung von Ch. durch den Athener → Tolmides 447 bei Thuk. 1,113,1 sowie Diod. 12,6,1. Bis nach 424 von → Orchomenos abhängig [6], bildete C. bis 387/6 gemeinsam mit Akraiphia und Kopai einen der 11 Bezirke des Boiot. Bundes, stellte im Wechsel mit diesen einen → boiōtárchēs (Hell. Oxyrh. 19,3,394–396). Nach einer kurzen Phase der Eigenständigkeit war Ch. von 371 bis 338 (evtl. in Form des wiederhergestellten Bundesbezirkes) Mitglied des unter theban. Vormacht erneuerten Boiot. Bundes. Dem nach 335 abermals neukonstituierten Bund gehörte Ch. bis zu dessen Auflösung 146 als selbständiges Mitglied an und bestand auch in röm. Zeit fort [3. 578ff.] bis zur Zerstörung durch ein Erdbeben 551 n.Chr. (Prok. BG 4,25,16f.). Zahlreiche Mitteilungen über die Geschichte und Denkmäler von Ch. finden sich im Werk des aus Ch. stammenden Plutarchos [1. 4801ff.].

Auf Grund der strategisch günstigen Lage an der wichtigen Nord-Süd-Verbindung durch das Kephisos-Tal war Ch. immer wieder Ort von Entscheidungsschlachten: 338 besiegten hier Makedonen unter Philippos II. die antimaked. Allianz griech. Staaten (Diod. 16,85,5–86,6); das mit einem Löwendenkmal geschmückte Grabmal der gefallenen Thebaner (Paus. 9,40,10) mit 252 Körper- und zwei Brandbestattungen liegt im Osten von Ch. 245 v.Chr. konnten die Aitoler durch einen bei Ch. errungenen Sieg über den Boiot. Bund (Pol. 20,4f.; Plut. Aratos 16) ihre Vormachtstellung in Mittelgriechenland stärken. 86 vernichtete Sulla hier die Truppen Mithradates’ VI. (App. Mithr. 42–45; Plut. Sulla 16–19; SEG 41,448). Inschr.: IG VII 3287–3465; SEG III, 367–369; 17,226; 28,44–452; 29,440f.; 36,415; 38,380; vgl. auch [5. 496ff.].

1 J. BUCKLER, Plutarch and Autopsy, ANRW II 33.6, 4788–4830 2 FOSSEY, 375–385 3 J.M. FOSSEY, The Cities of the Copais in the Roman Period, ANRW II 7.1, 549–591 4 Ders., Les fortifications de l’acropole de Cheronée, in: Ders., Papers in Boiotian Topography and History, 1990, 100–121 5 D. KNOEPFLER, Sept années de recherches sur l’épigraphie de la Béotie, in: Chiron 22, 1992, 411–503 6 J.A.O. LARSEN, Orchomenos and the Formation of the Boeotian Confederacy in 447 B.C., in: CPh 50, 1960, 9–18.

J. KODER, Chaironeia, TIB 1, 138 · N.D. PAPACHATZIS, Παυσανίου Ελλάδος Περιήγησις, 5, ²1981, 260–266 · P.W. WALLACE, Strabo’s Description of Boiotia, 1979, 146–148.

P.F.

Chalastra (Χαλάστρα).

[1] Stadt an der Mündung des Axios (Strab. 7 fr. 20; 23; vgl. Hdt. 7,123), von Hekataios zu Thrake gerechnet (Steph. Byz. s.v.). Die Bevölkerung wurde zur Gründung von Thessalonike herangezogen (Strab. 7 fr. 21). Nicht lokalisiert.

F. PAPAZOGLOU, Les villes de Macédoine, 1988, 199.

MA. ER.

[2] Natronhaltiger See wohl nahe der gleichnamigen Stadt (Steph. Byz. s.v.; Plin. nat. 31,107; Suda s.v.).

MA. ER.

Chaldaia. Im strengen Sprachgebrauch griech. bzw. lat. Bezeichnung für den äußersten Süden Mesopotamiens und das Gebiet um den Persischen Golf (auch Χαλδαῖα χώρα, »chaldäisches Land«), im Umfang mindestens teilweise sich mit dem Meerland der älteren altorient. Quellen überschneidend. Der Name leitet sich her von der semit., wahrscheinlich aber von den Aramäern zu trennenden Stammesgruppe der Chaldäer, die seit dem frühen 1. Jt. v.Chr. im Süden Mesopotamiens nachweisbar ist. Akkad. māt Kaldi wird von Assyern und Babyloniern gebraucht, ist aber nie Eigenbezeichnung der Chaldäer selbst, hebr. [aerae] Kaśdīm, biblisch-aram. Kaśdajaṣ ist im AT gleichbedeutend mit »babylon.«, »Babylonier« (Lautwechsel l – s). Als polit. Größe begegnet Ch. bei den ant. Schriftstellern praktisch nicht. Eine scharfe Differenzierung zw. Ch. und → Babylonia ist in der Überlieferung nur teilweise zu finden. Ch. erscheint einerseits als eine Landschaft Babyloniens (Strab. 16,739; Ptol. geogr. 5,20), andererseits als eine von Babylonia unterschiedene Region im Süden Mesopotamiens (Strab. l.c.) bzw. als Nachbarlandschaft Babyloniens (Amm. 23,6). Ch. und Babylonia können aber auch synonym verwendet werden (Plin. nat. 5,90; Steph. Byz. s.v. Ch.; das Werk des → Berossos wird in der Überlieferung teils als Babyloniaká, teils als Chaldaiká bezeichnet). Hinter der Ausdehnung des Begriffs auf das gesamte südl. Mesopotamien (= Babylonien) kann man die Wirkung erkennen, die von Herrschern chaldäischer Herkunft zeitweise ausgegangen ist und die auch hinter Hdt. 1,181 bzw. 183 stehen wird, wenn die Priester von → Babylon als → Chaldaíoi bezeichnet werden. Auch eine Ausdehnung von Ch. selbst auf das nördl. gelegene Assyrien ist bezeugt (Hesych. s.v. ἡ Χαλδαική; nach Athen. 12, 529f. sind Chaldaiká und Assyria grámmata – d.h. die → Keilschrift – identisch). Die Seen und Marschen im Mündungsgebiet des Tigris bezeichnet Plin. nat. 6,130 bzw. 134 als chaldaicus lacus.

J. OE.

Chaldaioi (Chaldäer). Urspr. die Bezeichnung für einen Volksstamm westsemit. Herkunft, der seit dem frühen 1. Jt. v.Chr. in Babylonien nachweisbar ist. In weiten Teilen seßhaft, lebten die wichtigsten Stämme – nach ihrem jeweiligen heros eponymos als »Haus (bīt) des PN« benannt – im äußersten Süden Mesopotamiens (Bīt Amukani, Bīt Jakīn) und südl. von → Borsipa (Bāt Dakkuri). Der Widerstand Babyloniens gegen die assyr. Vorherrschaft ging in wesentlichem Maße von den Ch. aus. Vermutlich war die letzte Dynastie Babylons, die unter → Nebukadnezar II. das neubabylon. Reich errichtete, chaldäischen Ursprungs. In späten keilschriftlichen Texten wird māt Kaldu (»Ch.-Land«) so wie Kaśdîm im AT und Ch. in klass. Quellen syn. für »Babylonier« verwendet. Die von Xenophon erwähnten Ch. Armeniens haben nichts mit den Ch. Babyloniens zu tun. Sowohl in der biblischen (Dt 1,4; 2.2,4) als auch der klassischen Überlieferung (z.B. Diod. 2,29–31; Diog. Laert. 1,1,6; Hdt. 1,181,183) ging außerhalb Babyloniens nach dem Untergang des babylon. Reiches die Bezeichnung Ch. auf die in Rom und Griechenland sehr geschätzten babylon. Astrologen, Beschwörer (→ Magie), Zukunftsdeuter und Gelehrte über. Dies zeigt, wie sehr → Astrologie und → Divination als kennzeichnende Merkmale der babylon. Kultur empfunden wurden.

J. A. BRINKMAN, Prelude to Empire, 1984 · Ders., OrNS 46, 1977, 304–325 · D. O. EDZARD, RLA 5, 1976–80, 291–297.
                                                                        S. M.

Chalia (Χαλία). Stadt an der boiot. Ostküste, entweder nordwestl. von Chalkis beim h. Drosia (noch bis ins 20. Jh.: τὰ Χαλία) [1. 78] oder nahe Aulis zu lokalisieren [2. 215]. In einen Gebietsstreit mit Chalkis verwickelt: Theopompos, FGrH 115 F 211 f.; Datierung unbestimmt.

1 FOSSEY, 77–78. 2 C. BURSIAN, Geogr. von Griechenland I, 1862.   P. F.

Chalitani. Ortschaft auf Sizilien (ILS 1188; 2. Jh. n. Chr.), entweder identisch mit Chalae/Chalis (bei Gela, Itin. Anton. 95,6) [1] oder ein *vicus* bei Halikyai [2].

1 G. ALFÖLDY, Die Legionslegaten röm. Rheinarmeen, 1967, 61 f. 2 G. MANGANARO, La Sicilia da Sesto Pompeo a Diocleziano, ANRW II 1.1, 78 n. 429 · R. J. A. WILSON, Sicily under the Roman Empire, 1990, 385 Nr. 141.
                                                                        GI. MA.

Chalke (Χάλκη). Insel vor der Nordküste von Rhodos (29 km²). Die Polis Ch. (Reste von Akropolis, Apollontempel, Nekropole) gehörte zum rhodischen Kamiros. Im 5. Jh. v. Chr. Mitglied des Attisch-Delischen Seebundes.

P. M. FRASER, G. E. BEAN, The Rhodian Peraea and Islands, 1954, 144 f.   H. SO.

Chalkedon s. Kalchedon

Chalkidike (Χαλκιδική). Der h. für die ganze in drei Finger auslaufende Halbinsel gebrauchte Name Ch. bezeichnete in ant. Zeit nur das Siedlungsgebiet der Chalkider auf der Sithonia mit Hinterland, wohin diese wohl vor der großen griech. Kolonisation (Mitte 8. Jh. v. Chr.) gelangt sind. Ihre Küstenstädte sind erstmals in der Zeit des Xerxes-Zuges genannt, später zusammen mit binnenländischen Städten als Mitglieder des Att. Seebunds bezeugt. 432 fielen die meisten von Athen ab, gaben die Küstenstädte Mekyberna, Singos und Gale auf und schlossen sich zu einem Staat um Olynthos zusammen. Die Bevölkerung der aufgegebenen Städte siedelte teils nach Olynthos, teils in das Gebiet südl. der Bolbe über, → Apollonia [3]. Der neugebildete chalkidische Staat prägte Mz. mit der Aufschrift ΧΑΛΚΙΔΕΩΝ, war im Peloponnesischen Krieg auf Seiten der Gegner Athens mil. und diplomatisch aktiv, selbst als er nach den Erfolgen Kleons auf die nächste Umgebung von Olynthos beschränkt war und mit Hilfe der Bestim-

mungen des Nikias-Friedens endgültig in seine urspr. Bestandteile aufgelöst werden sollte. Die Einwohnerschaft des seit 432 vergrößerten Olynthos erhob weiter den Anspruch, den Staat der Chalkider zu repräsentieren. Spätestens seit Anf. des 4. Jh. kam es von Olynthos aus durch Anschluß der Nachbarstädte zur Bildung eines chalkidischen Bundesstaates, der bald auch über die ethnischen Grenzen hinausgriff, schließlich sogar den maked. Staat bedrohte. Der Makedonenkönig sowie die Städte Akanthos und Apollonia wandten sich um Hilfe an die Spartaner, die in einem dreijährigen Krieg (382–379) die Auflösung des Bundes erzwangen, doch gab es weiterhin einen Staat der (westl.) Chalkider um Olynthos, der ca. 375 Mitglied des 2. Att. Seebunds wurde, dann erstarkte und in den 360er Jahren zur Wiedergründung des Bundesstaates schritt. 357/6 verbündete sich dieser mit Philippos II. gegen Athen und erhielt vom König die Anthemus sowie Poteidaia. Damals erreichte der Bund den größten Umfang in seiner Gesch. Der einseitige Friedensschluß mit Athen (352) verschlechterte indes die Beziehungen zu Philippos, und der 349 ausgebrochene Krieg endete mit der Zerstörung von Olynthos und der Annexion der ganzen Ch. Ein großer Teil der Ch. wurde später zum Polisgebiet der Neugründung Kassandreia geschlagen.

M. B. HATZOPOULOS, Actes de vente de la Chalcidique centrale, 1988 · D. KNOEPFLER, 1989, 23–58 · M. MOGGI, 11, 1974, 1–11 · A. PANAYOTOU, in: ΠΟΙΚΙΛΑ, 1990, 191–226 · F. PAPAZOGLOU, Les villes de Macédoine à l'époque romaine, 1988, 424–431 · U. WESTERMARK, The Coinage of the Chalcidian League Reconsidered, in: Studies in Ancient History and Numismatics Presented to Rudi Thomsen, 1988, 91–103 · M. ZAHRNT, Olynth und die Chalkidier, 1971.   M. Z.

In byz. Zeit unterstand Ch. dem Thema und der Metropolie Thessalonike. Ab dem 11./12. Jh. erweiterten dort die Athosklöster ihr Grundeigentum zu Großgrundbesitzungen.

Archives de l'Athos, 1937 ff. · J. LEFORT, Villages de Macédoine, I. La Chalcidique occidentale, 1982.   G. MA.

Chalkidische Vasenmalerei. Bedeutende sf. Vasengattung des 6. Jh. v. Chr., die nach den myth. Namensbeischriften im chalkidischen Alphabet benannt wurde; Maler- oder Töpfersignaturen sind nicht bekannt [1. 2 f.; 2. 181 ff.]. Die Ch. V. wurde von RUMPF und anderen auf Euboia lokalisiert, während heute Rhegion favorisiert wird [1; 2. 15 ff.; 3. passim]. Die Frage muß jedoch als offen gelten, zumal einige Ch. V. Handelsmarken aufweisen, die sonst nur von nicht in It. hergestellten Vasen bekannt sind [1. 53]. Die Ch. V. setzt ohne erkennbare Vorläufer um 560 v. Chr. ein und endet bereits um 510 v. Chr. Für diese 50 Jahre lassen sich 15 Maler oder Malergruppen unterscheiden, erh. sind etwa 600 Vasen (z. T. keinem Maler zuweisbar). Die Ch. V. zeichnet sich durch eine hervorragende Töpferarbeit aus, der Glanzton ist meist tiefschwarz gebrannt; Rot und Weiß werden reich verwendet, ebenso Ritzungen. An Vasenformen (→ Gefäßtypen) wird vor allem die Halsamphora mit ihren Formvarianten bevorzugt (etwa ein Viertel aller Vasen), dann Augenschalen, Oinochoen und Hydrien; seltener sind Kratere, Skyphoi oder Pyxiden, nur ausnahmsweise begegnen Lekanis und Tasse (nach etr. Vorbild). Vor anderen Besonderheiten der stets straff und prägnant gestalteten Vasen ist der chalkidische Schalenfuß zu nennen, der bei att. sf. und selten rf. Schalen nachgeahmt wird (etwa trochilusförmig) [2. 284ff.]. Der Hauptmeister der frühen Ch. V. ist der sog. Inschriften-Maler, derjenige der jüngeren Generation der Phineus-Maler mit seiner produktiven Werkstatt (über 170 Vasen erh.). In der Ch. V. werden sehr dekorative und prächtig wirkende Bilder ohne narrativen Inhalt bevorzugt, so Tierfriese, Reiter, heraldische Bilder oder Kombinationen von Männern, Frauen und Jünglingen; oft wird ein großes Lotos-Palmetten–Kreuz miteinbezogen. Eine ganze Reihe von Malern beschränkt sich völlig auf diese Motivwahl. Selten, aber herausragend sind die Mythenbilder, von denen fast die Hälfte dem Inschriften-Maler zuzuweisen ist. Während die Göttersage kaum eine Rolle spielt (Ausnahme bleibt die zweimalige »Rückführung des Hephaistos«), sind die Taten des Herakles, der Troische Sagenkreis und die Argonautensage besonders beliebt. Häufig begegnen Silene und Nymphen oder die rennende Gorgo [2. 84ff.]. Die Figuren der Ch. V. wirken stets elastisch und lebhaft. Als Ornamente sind Knospenkette und Rosette bes. beliebt. Die Ch. V. ist von Athen, Korinth und vor allem Ionien beeinflußt worden, ihr folgt die Pseudo-Chalkidische Vasenmalerei. Die Fundorte der chalkidischen Vasen liegen v. a. in Italien (Caere, Vulci, Rhegion), doch sind auch Ampurias, Izmir, Marseille und Skyros zu nennen [1. 279 Nr. 27; 2. 26ff.].

1 A. RUMPF, Chalkidische Vasen, 1927 2 J. KECK, Studien zur Rezeption fremder Einflüsse in der chalkidischen Keramik, 1988 3 M. IOZZO, Ceramica »calcidese«. Atti e Memorie della Soc. Magna Graecia, ser. 3, II, 1994.

M. IOZZO, in: ArchCl 42, 1990, 507–515 (Rez. zu 2) ·
E. SIMON, Die griech. Vasen, ²1981, Taf. XVIIIf., 39f.
M. ST.

Chalkiope (Χαλκιόπη).

[1] Tochter Chalkodons (Königs der Abanten: Hom. Il. 2,541) oder Rhexenors, vor Medeia zweite Frau des Aigeus (Apollod. 3,207; Schol. Eur. Med. 673).
[2] Tochter von Aietes und Idyia, Schwester Medeias, Frau des Phrixos, Mutter des Argos, der Mela, Phrontis und des Kytis(s)oros (Apollod. 1,83; Herodor FGrH F 39; Apoll. Rhod. 2,1148ff.); heißt bei Pherekydes (FGrH F 25) Euenia (auch Ch. und Iophossa; vgl. Hes. fr. 255 M-W; Akusilaos FGrH F 38); wohl Apoll. Rhod. (3,248ff.) macht Ch. zur Mittlerin zwischen Argonauten und Aietes bzw. Iason und Medeia.
[3] Tochter des Königs Eurypylos von Kos, durch Herakles Mutter des Thessalos (Pherekydes FGrH F 78; Apollod. 2,166).

→ Aietes; Aigeus; Argonautai; Argos; Euenia; Eurypylos; Herakles; Iason; Iophossa; Medeia; Melas; Phrixos; Phrontis; Rhexenor; Thessalos   P.D.

Chalkis (Χαλκίς).

[1] Auf Euboia am Euripos, durch seine bes. verkehrspolit. Lage der bedeutendste Ort der Insel. Ob sich der Name Ch. von den Erzvorkommen in der Umgebung von Ch. herleitet, bleibt ungewiß; die Erzvorkommen waren in hell. Zeit bereits erschöpft. Die Umgebung von Ch. mit der Quelle → Arethusa [2] war schon in subneolitischer Zeit besiedelt, auch myk. Gräber konnten nachgewiesen werden. Als Bewohner der Stadt nennt der homer. Schiffskatalog die vom Festland eingewanderten → Abantes; eine Phyle Abantis gab es noch in der röm. Kaiserzeit. In gesch. Zeit war die Bevölkerung rein ionisch. Im 8. Jh. v. Chr. war Ch. eine blühende Handelsstadt, mit Korinth verbündet. Zusammen mit Eretria wurden in der Chalkidike, in It. und Sizilien viele Kolonien gegründet, u. a. → Kyme, → Rhegion und Zankle (→ Messana). Der chalkidisch-korinth. Münzfuß fand ebenso wie das chalkidische Alphabet weite Verbreitung. Aus dem Streit mit Eretria um die lelantische Ebene (→ Lelantion Pedion) ging Ch. in der 1. H. des 7. Jh. v. Chr. als Sieger hervor.

Der Versuch, die aufkeimenden demokratischen Bewegungen in Athen zu unterdrücken, endeten mit einer vernichtenden Niederlage. 4000 att. Kleruchen besiedelten die lelantische Ebene. Die 490 v. Chr. anrückenden Perser verschonten Ch., 10 J. später mußte Athen den Chalkidern 20 Schiffe überlassen, die diese dann als Beitrag für den Kampf gegen die Perser bemannten. Nach dem Sieg über die Perser trat Chalkis dem → Attisch-Delischen Seebund bei und mußte jährlich einen Tribut von 30000 Drachmen bezahlen. Aufkeimende Unabhängigkeitsbestrebungen wurden von Athen unterdrückt. Ch. verlor weitgehend seine Steuer- und Rechtshoheit, schließlich sogar das Münzrecht. 411 v. Chr. wurde Ch. durch einen Damm und eine hölzerne Brücke erstmals mit dem Festland verbunden. 377 v. Chr. trat Ch. dem 2. → Attischen Seebund bei, geriet jedoch mehr und mehr unter die Kontrolle von Thebai. Bei Chaironeia kämpften die Chalkider gegen Philippos II. In der Diadochenzeit war Ch. mit dem festländischen Brückenkopf Kanethos ein stark befestigter maked. Flottenstützpunkt. Unter Philippos V. bildete es neben Akrokorinth und → Demetrias eine der »drei Fesseln Griechenlands«.

Nach der Schlacht von Kynoskephalai (197 v. Chr.) fiel Ch. erstmals an die Römer. Vor Anf. des Krieges gegen Perseus besetzten die Römer Ch. erneut, doch ließen Willkürakte der röm. Beamten Ch. 146 v. Chr. am Krieg des Achaiischen Bundes gegen Rom teilnehmen. Zur Strafe wurden die Mauern der Festung geschleift.

Erst Iustinianus stellte die Befestigungen und die Euripos-Brücke wieder her. Allmählich setzte sich Euripos in der volkstümlichen Form Egripos für den Namen

Ch. durch. Die Venezianer, seit 1366 Herren über ganz Euboia, bauten Ch. erneut zu einer starken Festung aus, die byz. Basilika der Hag. Paraskevi wurde zu einer got. Kirche umgestaltet und ein Aquädukt durch die lelantische Ebene geführt. Am 12.7.1470 wurde Ch. von den Türken unter Mehmed II. erstürmt, und die türkische Eroberung Griechenlands abgeschlossen. Seit 1832 gehört Ch. wieder zu Griechenland. Im Zuge der Verbreiterung des Euripos wurden im Jahre 1892 der venezianische Mauerring und das türkische Brückenkastell Kara Baba, erbaut um 1686 auf dem Festlandsufer an der Stelle des ant. Kanethos, abgerissen.

S. C. BAKHUIZEN, Studies in the topography of Chalcis on Euboea, 1985 · D. KNOEPFLER, Contributions a l'épigraphie de Chalcis, in: BCH 114, 1990, 473–498 · E. FREUND, s. v. Ch., in: LAUFFER, Griechenland, 164–166 · S. LAUFFER, Chalkis 1, 1943. H. KAL.

[2] Hafenstadt an der aitolischen Küste östl. des gleichnamigen Berges (Strab. 10,2,21, h. Varassova) bei Kato Vasiliki. Von Hom. Il. 2,640 und Alkm. 11 fr. 35,2 als aitolische bezeichnet, nach Thuk. 1,108 korinth. Kolonie. Ch. ist nicht die Befestigungsanlage am Osthang des Hügels (Fluchtburg? [1]), sondern der Siedlungshügel 300 m östl. Vasiliki: myk. und bes. klass.-hell. Keramik, Tempelreste [2] und frühchristl. Basilika [3; 4].

1 S. BOMMELJÉ, Aetolia, 1987, 112 2 C. ANTONETTI, Les Étoliens, 1990, 283 f. 3 SOUSTAL, Nikopolis, 121 f.
4 A. PALIURAS, Κάτω Βασιλική Αιτωλίας, in: Ergon, 1989, 40–43. D. S.

Chalkus (χαλκοῦς). Bei Pollux (4,175; 9,65 f. 81) allg. als Br.-Mz. bezeichnet, ist der Ch. die kleinste Scheide-Mz. in den griech. Städten. In Athen kommen auf 1 Obolos 8 [1. 47], in Delphi und Epidauros 12 [1. 56 ff.], in Priene 16 Ch. [1. 61 f.]. Das Gewicht des Ch. schwankt; die unter Antiochos IV. mit einem X (= Ch.) versehenen Br.-Mz. aus Seleukia/Tigris wiegen ca. 2,8–5 g [2. 271 f.]; eine neronische Prägung mit der Wertmarke ΧΑΛΚΟΥΣ in Antiochia/Orontes wiegt ca. 2,5 g [3].
→ Obolos

1 M. N. TOD, Epigraphical Notes on Greek Coinage II. CHALKOUS, in: NC 6.6, 1946, 47–62 2 E. T. NEWELL, The Coinage of the Eastern Seleucid Mints from Seleucus I. to Antiochus III., 1978 3 RPC, I, 1992, 623. 629 Nr. 4302 Taf. 163.

RPC, I, 1992, 370 ff. A. M.

Chalybes (Χάλυβες; Χάλυβοι, Hekat. FGrH 1 F 203). Für seine Eisenverarbeitungskunst berühmter Volksstamm, dem man auch die Erfindung des Eisens zuschrieb; sogar Gewinnung und Verarbeitung von Gold und Silber wurden mit den Ch. in Verbindung gebracht. Gelegentlich an der Nordküste des Schwarzen Meeres (die ursprüngliche Heimat? Aischyl. Prom. 714 f.), allg. im nordanatolischen Gebirge westl. vom → Halys (Hdt. 1,28), östl. bis in die Höhe von → Pharnakeia und → Trapezus (Strab. 12,3,19 ff.), südl. bis an das Gebiet der Armenier lokalisiert.

W. J. HAMILTON, Researches in Asia Minor, Pontus and Armenia 1, 1842, 271 ff. · H. WEIMERT, Wirtschaft als landschaftsgebundenes Phänomen, 1984, 88, 97 ff. E. O.

Chamaeleon (χαμαιλέων). Ein in Indien und Ägypten vorkommendes Reptil (Plin. nat. 11,188). Man kannte seine Gestalt, seine Scheu und die Drehbewegung der Augen, ließ es aber nur von Luft leben. Die Fähigkeit des schlanken (Aristot. part. an. 4,11,692a20–24) Tieres, seine Farbe wechseln zu können, wird in der Ant. kontrovers diskutiert: Aristoteles führt sie auf Furcht und Blutarmut zurück, Theophrast (?, bei Plut. soll. an. 27,978e-f) nur auf Furcht und (bei Phot. bibl. 278; wie Plin. nat. 8,120–122) Anpassung an die Umwelt. Sen. nat. 1,5,7 zieht Erregung bzw. den Einfallswinkel des Lichts in Erwägung. Die eingehende Beschreibung bei Aristot. hist. an. 2,11,503a15–b28 ist eine fremde Interpolation. Menschen werden mit ihm verglichen (Aristot. eth. Nic. 1,11,1100b6; Plut. Alcibiades 23; de adulatore et amico 9). Plin. nat. 28,117 verwendet die Galle bei Augenkrankheiten. Aus einem bes. Buch des Ps.-Demokritos wird bei Gell. 10,12,1 ff. und Plin. nat. 28,112–118 viel Abergläubisch-Organotherapeutisches widerwillig zitiert. → Artemidoros [6] deutet sein Erscheinen im Traum als unglückverheißend (oneirokritica 2,13).

KELLER 2, 281–284. C. HÜ.

Chamaileon aus Herakleia Pontica. Peripatetiker der 2. Hälfte des 4. Jh. v. Chr. Er verfaßte populär-ethische Werke und eine lange Reihe anekdotenhafter Monographien über Dichter, von Homer bis auf → Anaxandrides. Seine ethischen Ansichten waren konventionell und sein ganzes Schrifttum von der popularisierenden Tradition seiner Schule bedingt.
→ Aristotelismus

WEHRLI, Schule ²1969, 49–88 · F. WEHRLI, in: GGPh 3, 555–7. H. G.

Chamaimelon (χαμαίμηλον, chamomilla, Kamille). Sicher die Composite Matricaria chamomilla L., die seit dem Neolithikum als Heilpflanze angebaut wurde. Plin. nat. 22,53 kennt neben seinem Namen → Anthemis die nach dem angeblichen Apfelgeruch (quod odorem mali habeat, in Wirklichkeit wohl wegen des halbkugeligen Blütenbodens) gebildete Bezeichnung und betont ihre entzündungshemmende Heilkraft (Plin. nat. 22,53; Dioskurides 3,137 [1. II.145 ff.] = 3,144 [2. 352 ff.]).

1 M. WELLMANN (Hrsg.), Pedanii Dioscuridis de materia medica, Bd. 2, 1906, Ndr. 1958 2 J. BERENDES (Hrsg.), Des Pedanios Dioskurides Arzneimittellehre übers. und mit Erl. versehen, 1902, Ndr. 1970. C. HÜ.

Chamavi. German. Volk (Etym. unklar); bewohnte vor den Tubantes und Usipetes späteres röm. Militärland am Niederrhein (Tac. ann. 13,55,2), lebte vor 12 v. Chr.

östl. der Tencteri, westl. der → Bructeri und nördl. der Marsi (vgl. frühma. Gau »Hamaland« um Deventer zw. IJssel und Rhein) und ließ sich nach der Niederlage der Bructeri 98 n. Chr. von Westen her in deren Land nieder (Tac. Germ. 33,1; 34,1; TIR M 33,34). Von Rom 294/5 und um 310 bekämpft und 358 zum Frieden gezwungen, wohnten die C. im Land der → Franci (Tab. Peut. 2,1–3). Gefangene C. wurden als → laeti nach Gallien verpflanzt, andere zog man ins Heer (Not. dign. or. 31,61).

G. NEUMANN (et al.), s. v. Chamaver, RGA 4, 368–370 · W. WILL, Roms »Klientel-Randstaaten« am Rhein? Eine Bestandsaufnahme, in: BJ 187, 1987, 1–61, bes. 21.   K. DI.

Channe (χάννη, χάννα). Ein Fisch aus der Familie der Barsche, vielleicht der Sägebarsch (*Serranus cabrilla*), nach Aristot. hist. an. 8,13,598a 13 ein Seefisch, der nach 8,2,591a 10 Fleischfresser war. Sein großes Maul und die schwarz-rote Bänderung hebt Athen. 7,327f ebenso wie 8,355c sein zartes Fleisch hervor. Da keine Männchen bekannt waren – er ist tatsächlich Zwitter –, glaubte man an eine Selbstbefruchtung der Weibchen (Aristot. hist. an. 4,11,538a 19; Plin. nat. 9,56 und 32,153, nach Ov. halieutica 108).

LEITNER, 82 f.   C. HÜ.

Chaones, Chaonia (Χάονες, Χαονία). Bed. Stamm im Norden von Epeiros zw. dem Aoos und den Akrokeraunia, gegenüber Korkyra (Strab. 7,7,5; Ptol. 3,14,7). Trotz urspr. dörflicher Siedlungsweise (Skyl. 28) existierten im 6. Jh. v. Chr. in Chaonia die Städte → Buthroton, → Onchesmos, → Phoinike (Hauptort), später Chimera und → Antigoneia [4]. Erwähnt im Zusammenhang mit dem Peloponnesischen Krieg und den Maked. Kriegen: Thuk. 2,80 f.; Liv. 32,5; 43,23. Inschr.: SEG 15, 397; 24, 448; 38, 468; 38, 470; IG IV² 95 Z. 29; IG IX 1² 2, 243.

F. PRENDI, La Chaonie préhistorique et ses rapports avec les régions de l'Illyrie du Sud, in: P. CABANES (Hrsg.), L'Illyrie méridionale et l'Épire dans l'antiquité 2, 1993, 17–28 · N. G. L. HAMMOND, Epirus, 1967.   D. S.

Chaos (Χάος). Mit dem Ch., vermutlich einer Ableitung von χαίνω/χάσκω (»klaffen«) mit der Bed. »Loch«, »klaffende Öffnung« (Aristot. phys. 208b 25 ff.: ›leerer Raum‹), als dem nicht weiter Ableitbaren, aber gleichwohl Entstandenen, leitet Hes. theog. 116 und 123 die Weltschöpfung ein. Das Ch. ist der von Himmel und Erde zu schließende Abgrund [1. 12] und ersetzt den Dualismus, der in der akkad. Vorstellung vom Urzustand (Meer noch ungeschieden von Grundwasser) und in Philons Bearbeitung einer phönikischen Kosmogonie (FGrH 790F 2: dunkle Luft und finsteres Ch.) enthalten ist [2. 391–7]. Aus ihm gehen Nyx und Erebos, Personifizierungen des Dunkeln, samt deren Nachkommen hervor, die Hesiod von denjenigen der unabhängig vom Ch. entstandenen Gaia absetzt. Das Ch. besteht über seine kosmogonische Funktion hinaus weiter

(theog. 700; 814) und bezeichnet dann einen Raum schwer bestimmbarer Lage [3. 41–6]. Nach den Orphikern entstehen Ch. und → Aither zusammen aus → Chronos [4. 26–8]. Eine materielle Auffassung verbindet Ch. z. T. mit χέω (»gießen«) in den Deutungen a) lufterfüllter Raum (Bakchyl. 5,27, schol. Hes. theog. 116), b) Wasser (Pherekydes fr. 1a DIELS; Vorsokr. Zen. fr. 679 HÜLZER) und c) *rudis indigestaque moles* (Ov. met. 1,7), das heutige Verständnis von Ch. prägend [4. 132–4].

1 W. BURKERT, in: M. MÜNZEL (Hrsg.), Ursprung, 1987 2 U. HÖLSCHER, Anaximander, H 81, 1953 3 G. S. KIRK, J. E. RAVEN, M. SCHOFIELD, Vorsokratische Philosophen, 1994 4 G. MAURACH, Ovids Kosmogonie, in: Gymnasium 86, 1979.

L. A. Cordo, ΧΑΟΣ, 1989.   G. A. C.

Charadra (χαράδρα). Allgemein griech. Bezeichnung für nicht perennierende Bäche oder Flüsse bzw. scharf eingeschnittene Täler und Schluchten (it. torrente, neugriech. rhevma) [1]. Die att. Inschr. der → Poletai, bes. die Grubenpachten, erwähnen zahlreiche *ch.* [2].

[1] Hauptfluß in Nordattika, der am NO-Fuß des Parnes entspringt und in die Ebene von Marathon austritt, auch Bach von Marathon oder Oinoe gen. [3; 4]. Sprichwörtlich für selbstverschuldeten Schaden, weil eine großangelegte Bachregulierung fehlschlug: Suda, Hesych., Phot. s. v. Οἰναῖοι (Οἰνόη) τὴν χαράδραν.

1 Agora 19, 1991, 245, Index s. v. Ch. 2 LSJ, s. v. Ch., 1976 3 A. MILCHHOEFER, Erläuternder Text, in: E. CURTIUS, J. A. KAUPERT (Hrsg.), Karten von Attika 9, 1990, Index s. v. Ch. 4 PHILIPPSON/KIRSTEN 1, 784 f., 787.   H. LO.

[2] Stadt der östl. Phokis auf dem Gipfel eines Hügels, ca. 20 Stadien von Lilaia entfernt (Paus. 10,33,6), benannt nach dem Charadros, einem Nebenfluß des Kephissos, der ca. 4 km nördl. von Ch. verläuft. Ch. war eine der phokischen Städte, die von den Persern gebrandschatzt (480 v. Chr.) und später (346 v. Chr.) von Philippos II. zerstört wurden (Hdt. 8,33; Paus. 10,3,3). Die genaue Lage wird noch diskutiert – zw. Mariolata [2. 4], Ano-Suvala [1. 3] und Erochos [5]. Mauerreste (5.–4. Jh. v. Chr.).

→ Phokis; Lilaia

1 C. BURSIAN, Geogr. von Griechenland 1, 1892, 161 2 J. G. FRAZER, Pausanias' Description of Greece, ²5, 1913, 415–418 3 W. M. LEAKE, Travels in Northern Greece 2, 1835, 69, 71, 86 4 MÜLLER, 460 5 L. B. TILLARD, The Fortifications of Phokis, in: ABSA 17, 1910, 54–75.

BUCKLER, s. v. Ch., RE 3, 2114 · MÜLLER, 460 · PAPACHATZIS 5, 428–429 · A. PHILIPPSON, s. v. Erochos, RE 6, 482–483 · F. SCHOBER, Phokis, 1924, 26 · TIB I 137 (s. v. Boion).   G. D. R.

[3] Ort an der Ostküste des messenischen Golfes nahe Thalamai (Strab. 8,4,4), nicht lokalisiert.   Y. L.

Charadrius (χαραδριός). Ein Wasservogel, vielleicht ein Sturmtaucher, der in Erdlöchern und Klippen nistet und bei Tage selten sichtbar ist (Aristoph. av. 266). Er galt als gefräßig (Aristoph. av. 1140f.), häßlich an Farbe und Stimme (Ps.-Aristot. hist. an. 9,11,615a 1–3) und soll von weißer Farbe gewesen sein (9,3,593b 17; Plat. Gorg. 494 b). Der Anblick sollte Gelbsucht heilen, weshalb er nur verhüllt verkauft wurde (Ail. nat. 17,13; Plut. symp. 5,7,2; Heliodor 3,8 u. a.). Bei Plin. nat. 30,94 wird er nach seiner gelben Farbe *avis icterus* bzw. *galgulus* genannt. Im griech. Physiologus (c. 3) und in seinen lat. und volkssprachlichen Bearbeitungen zeigt er durch Hinschauen zu einem Kranken an, ob dieser gesunden werde. Dadurch fand der *caladrius*, der von manchen als Regenpfeifer gedeutet wird, Eingang in die naturkundlichen Enzyklopädien des MA (z. B. Thomas von Cantimpré, 5,24).
→ Vögel

KELLER 2, 179f. · F. MᶜCULLOCH, Mediaeval Latin and French Bestiaries, 1960, 99ff. · Thomas Cantimpratensis, Liber de natura rerum, ed. H. BOESE, 1973. C. HÜ.

Charadros (Χάραδρος). A. ORTE B. FLÜSSE

A. ORTE
[1] Stadt in Süd-Epeiros, seit 167 v. Chr. unabhängig vom Epirotischen Koinon. Mit Hilfe eines Grenzvertrags (SEG 35, 665; ca. 160 v. Chr.) im NW von → Ambrakia bei h. Palaia-Philippias lokalisiert; Pol. 4,63; 21,26.

BCH 112, 1988, 359–373 · V. KARATZENI, Τὸ ἱερὸν ὄρος, in: FS Dakaris, 1995, 289–299. D. S.

[2] Hafenplatz und Fluß (FGrH 1 Hekat. fr. 265) in Kilikia Pedias, h. Yakacık (zuvor Kaledıran), 25 km westl. von Anemurion. Im 4.Jh. v. Chr. Polis (Skyl. 102), 2. H. des 3.Jh. v. Chr. ptolemäische Garnison unter einem Hegemon (Inschr.: [3]), später unbed. (Strab. 14,5,3: ἔρυμα; stadiasmus maris magni 199: χωρίον; IGR 3, 838: ἐ[πί]ν(ε)ιον Λαματῶν. Mitte 5.Jh. Bistum [2]. Keine nennenswerten Siedlungsreste.

1 G. BEAN, T. B. MITFORD, Journeys in Rough Cilicia 1962 and 1963, 1965, 42 f. 2 H. HELLENKEMPER, F. HILD, Kilikien und Isaurien (TIB 5), 1990, s. v. C. 3 AJA 1961, 135 Nr. 35. K. T.

B. FLÜSSE
Allgemein s. → Charadra.
[3] Küstenfluß in Achaia nördl. Patrai (Paus. 7,22,11). [1; 2].
[4] Bach in Nordmessenien, Nebenfluß des Amphitos bei Andania (Paus. 4,33,5).
[5] Fluß in Ostphokis unterhalb → Charadra [2] (Paus. 10,33,6).
[6] Rhevma in der argolischen Kynuria (Stat. Theb. 4,46).
[7] Rhevma in der Ebene von Argos, das nördl. um Argos zieht, h. Xerias (Thuk. 5,60; Paus. 2,25,2).

1 L. BÜRCHNER, s. v. Ch. 2, RE 3,2, 2115 2 Παυσανίου Ἑλλάδος Περιήγησις. Βιβλία 7 καὶ 8. Ἀχαϊκὰ καὶ Ἀρκαδικά, 1980, 136 Anm. 3 3 L. BÜRCHNER, s. v. Ch. 3, RE 3,2, 2116 4 O. KERN, s. v. Ch. 3, RE Suppl. 3, 243 5 Παυσανίου Ἑλλάδος Περιήγησις. Βιβλία 4, 5 καὶ 6. Μεσσηνικὰ καὶ Ἠλιακά, 1979, 146 Anm. 3 6 L. BÜRCHNER, s. v. Ch. 1, RE 3,1, 2116 7 Ders., s. v. Ch. 4, RE 3,1, 2116 8 Ders., s. v. Ch. 5, RE 3,1, 2116 9 Παυσανίου Ἑλλάδος Περιήγησις. Βιβλία 2 καὶ 3. Κορινθιακὰ καὶ Λακωνικά, 1976, 185 Anm. 2. H. LO.

Charakene. Von der Stadt Charax (→ Charax Spasinu) abgeleitete Bezeichnung für das Territorium am Zusammenfluß von Euphrat und Tigris und am N-Rand des Pers. Golfs (Plin. nat. 6,136, zu → Susiana; Ptol. geogr. 6,3,3, zu → Elymais), als geogr. Begriff etwa → Mesene entsprechend (Grundform in oriental. Quellen: *Maišan*), wobei das genaue Verhältnis zw. beiden nicht bekannt ist. Nach dem Übergang der Macht von den Seleukiden an die Parther (141 v. Chr.) konnten die lokalen Machthaber sich als Vasallenfürsten der letzteren durchsetzen und behaupten. Gründer der Dynastie war Hyspaosines, nach seinem Namen iran. Herkunft und zunächst von Antiochos IV. (166/165 v. Chr.) als Verwalter der seleukidischen Eparchie am Roten Meer eingesetzt. Kurzzeitig konnte er sein Herrschaftsgebiet bis nach Babylon ausdehnen (127 v. Chr. als Herrscher in Keilschrifttexten aus diesem Ort bezeugt). Bis zum Ende der Partherzeit lassen sich 23 Herrscher nachweisen (meist mit iran. bzw. babylon.-aram. Namen), deren letzter, Abinergaos III., 222 n. Chr. dem Sasaniden → Ardaschir [1] I. unterlag. Wichtigste Quelle sind die Münzprägungen, die weit verbreitet waren und auch außerhalb des Landes (z. B. in Susa) gefunden wurden. In den Auseinandersetzungen zw. den Parthern und Rom stellte sich Ch. mehrfach auf die Seite Roms. Der Reichtum des Gebiets beruhte auf seiner Lage am Meer, die dem Hafen von Charax Spasinu eine Schlüsselposition im Handel von Vorderasien nach dem Osten (Indien) zukommen ließ. Bekannteste Person aus Ch. ist der geogr. Schriftsteller → Isidoros von Charax (spätes 1.Jh. n. Chr).
→ Bilingue; Charax Spasinu; Mesene

S. A. NODELMAN, A Preliminary History of Characene, in: Berytus 13, 1959/60, 83–123 · G. LE RIDER, Mém. Mission Arch. en Iran 38, 1965. J. OE.

Charakteres s. Magie

Charax (Χάραξ). A. Claudius Ch. aus Pergamon, griech. Geschichtsschreiber. Er lebte im 2.Jh. n. Chr. unter Hadrian, Antoninus Pius und Marc Aurel, war Priester und 147 n. Chr. Konsul. Er schrieb ein universalhistor. Werk in 40 B., das vor allem die griech. und – ab B. 12 – die röm. Geschichte umfaßte und bis in die Zeit »Neros und seiner Nachfolger« reichte (Suda s. v. = T 1). Das Werk wurde später epitomiert und von Stephanos Byzantios unter dem Titel *Chroniká* benützt. Die Fragmente beziehen sich zumeist auf die mythische

Zeit, da die Byzantiner Ch. vor allem wegen seiner eu-hemeristischen und allegorischen Mythendeutung heranzogen. FGrH 103 (Komm. und Add. zu 2 AB in 3 B, 741f.). (PIR 2, 189).

J. und L. ROBERT, Bulletin épigraphique, REG 74, 1961, 215f.   K.MEI.

Charax Spasinu. Wichtiger Handelsort im südlichsten Mesopotamien und Hauptstadt der → Charakene, jetzt mit guten Argumenten bei Dschabal Chayabir zw. Qurna und Forat lokalisiert [1]. Ch. S. gilt als Neugründung des von Alexander d. Gr. am Pers. Golf angelegten → Alexandreia [4] (vgl. [2. 1390–1395]), das von Antiochos IV. 166/165 erneuert und in Antiocheia [3. 2445] umbenannt worden war. Dem Namen liegt das aram. *karkā* »befestigte Siedlung« zugrunde, der Beiname Spasinu ist auf den ersten Herrscher der lokalen Dynastie, Hyspaosines, zurückzuführen (seit ca. 140 v. Chr., gest. zwischen und 109/8). Als Umschlagplatz im Osthandel und wohl auch als Platz des Perlenhandels übte Ch. eine wichtige Funktion aus. Nach Zeugnis von Inschr. besaßen auch die Palmyrener dort eine ständige Niederlassung. In einer arab. Inschr. ist von einem *Karh Maisan* die Rede, das der Sasanide Ardaschir I. gegründet haben soll (sicher mit Ch. gleichzusetzen).

1 J. HANSMAN, in: IA 7, 1967, 21–58 2 F. C. ANDREAS, s. v. Alexandreia 13), RE 1, 1390–1395 3 S. FRAENKEL, s. v. Antiocheia 10), RE 1, 2445.   J.OE.

Chares (Χάρης).

[1] Athenischer Stratege des 4. Jh. v. Chr. Unterstützte 367/6 das von Argos und Sikyon bedrängte Phleius. Seine Hilfe für die Oligarchen auf Korkyra führte zum Austritt der Insel aus dem 2. Att. Seebund und brachte Athen bei den Bundesgenossen in Mißkredit. Erst 357/6 wieder zum Strategen gewählt. Im Vertrag zwischen Athen und den thrak. Königen → Berisades, Amadokos I. und Kersobleptes wurde unter Ch. 357 die Teilung der thrak. Herrschaft und der athenische Besitz auf der Chersones festgeschrieben. Im Bundesgenossenkrieg kämpfte Ch. 357 ohne Erfolg vor Chios, wurde aber 356/5 wieder zum Strategen gewählt und entsetzte mit den Strategen Iphikrates, Menestheus und Timotheos das von Chiern, Rhodiern und Byzantiern belagerte Samos. Eigenmächtig ließ er sich bei Embata in einen Kampf mit den abgefallenen Bundesgenossen ein, wurde geschlagen und machte dafür seine Mitfeldherren verantwortlich, die auf Ch.' Bericht hin zurückbeordert und angeklagt wurden. Um Sold für seine Truppen zu erlangen, verbündete Ch. sich mit dem aufständischen Satrapen → Artabazos. Als athenischer Stratege besiegte Ch. 354/3 ein maked. Söldnerheer in Thrakien und eroberte 353/2 Sestos zurück. Auf die fortwährenden Mahnungen des Demosthenes hin wurde 348 ein athenisches Bürgerheer unter Ch.' Kommando nach Olynth entsandt, das aber die Einnahme Olynths durch Philipp II. nicht mehr verhindern konnte. Zwischen 347/6 und 339/8 häufig in der nördl. Ägäis als Stratege

gegen Philipp II. kämpfend, wurde er 338 bei Amphissa geschlagen. 337 nahm er als Stratege an der Schlacht bei Chaironeia teil. Nach der Eroberung Thebens (335) floh er vor Alexander d. Gr. aus Athen, unterwarf sich ihm 333 in Ilion, trat dann in persische Dienste, kapitulierte aber 332 in Mytilene gegen freien Abzug vor den Makedonen. Gegen 324 dürfte er gestorben sein.

J. CARGILL, The Second Athenian League, 1981, 172–176; 181 • DAVIES, 568f. • R. A. MOYSEY, Ch. and Athenian Foreign Policy, in: CJ 80, 1984, 221–227 • R. W. PARKER, Ch. Angelethen. Biography of a Fourth-Century Athenian Strategos, 1986 • J. T. ROBERTS, Ch., Lysicles and the Battle of Chaeronea, in: Klio 64, 1982, 367–371 • W. K. PRITCHETT, The Greek State at War, 2, 1974, 77–85.   W.S.

[2] Von Mytilene, war unter → Alexandros [4] nach persischem Muster zumindest seit 327 v. Chr. mit der Leitung der Audienzen betraut und schrieb nach Alexandros' Tod ein Werk mit dem Titel ›Geschichten um Alexandros‹, in welchem er Anekdoten aus dem Hofleben, aber auch aus dem Feldzug, erzählte, so z. B. den Streit um die → Proskynesis, die Hochzeiten von Susa, den Tod des → Kalanos. Gewöhnlich betont er Luxus, Feiern und Trinkgelage, doch bieten die Auszüge bei → Athenaios [3] auch Naturgeschichtliches. Interessante Einzelheiten in seinen Berichten können frei erfunden sein (z. B. der Zweikampf zwischen Alexandros und → Dareios bei der Schlacht von Issos: F 6). Er ist als Anekdotensammler, nicht als Historiker zu werten (FGrH 2B, Nr. 125).

BERVE 2, Nr. 820 • L. PEARSON, The Lost Histories of Alexander the Great, 1960, 50–61.   E.B.

[3] Spätes 4. oder frühes 5. Jh. v. Chr., verfaßte Aphorismen in iambischen Trimetern von zwei bis vier Versen Länge, die Einfluß von Euripides und der Philos. des 4. Jh. aufweisen. 50 Zeilen eines frühen ptolemäischen Papyrus [1] lassen sich durch Entsprechendes bei Stobaios (3,17,3 bzw. TGF 826; weitere Zitate 3,33,4 und 3,38,3) sowie Lydos (mens. 4,113) identifizieren.

1 G. A. GERHARD, in: SHAW 1912,13 (ed.)

ED.: Pap. Heidelberg 434 (frühptolemäisch) • J. U. POWELL, CollAlex 223.
LIT.: U. v. WILAMOWITZ, Lesefrüchte, in: Hermes 34, 1899, 608–9 • R. PHILIPPSON, in: PhW 34, 1914, 801–2 • O. HENSE, Ch. und Verwandtes, in: RhM 72, 1917/18, 14–24.   E.BO./L.S.

[4] Bronzebildner aus Lindos, Schüler des → Lysippos, schuf 304–293 v. Chr. den »Koloß von Rhodos«, eine 32 m hohe Bronzestatue des Helios, die als eines der → Weltwunder galt. 228 v. Chr. stürzte sie bei einem Erdbeben um. Unglaubwürdig ist eine byz. Notiz über die Wiederaufrichtung durch Hadrian, falsch die Rekonstruktion als Schiffsdurchfahrt am Hafen. Eine Apollon-Helios-Statue aus Civitavecchia kann vom Aussehen der Statue eine Vorstellung geben. Ein von

Ch. geschaffener kolossaler Bronzekopf wurde 57 v. Chr. in Rom auf dem Capitol aufgestellt.

P. MORENO, Scultura ellenistica, 1994, 126–148 Abb. · OVERBECK, Nr. 1516, 1539, 1556 (Quellen) · L. TODISCO, Scultura greca del IV secolo, 1993, 141 f. R. N.

[5] Spätkorinthischer Vasenmaler um 560/550 v. Chr. Erhalten ist die mäßige Pyxis im Louvre mit Reiterkampf zwischen Griechen und Troern (Namensangaben) und einer der drei Malersignaturen Korinths: χάρες μ'ἔγραψε.

AMYX, CVP 255 f. 569 f. · AMYX, Addenda 76. LIMC 6, 451, s. v. Memnon Nr. 10a. M. ST.

[6] Griech. Grammatiker, Schüler des Apollonios [2] Rhodios, lebte also wahrscheinlich zwischen dem 3. und 2. Jh. v. Chr. In den Schol. Apoll. Rhod. 2,1053 wird ihm ein Werk Περὶ ἱστοριῶν τοῦ Ἀπολλωνίου (›Über Geschichten des Apollonios‹) zugewiesen (vgl. auch Schol. Apoll. Rhod. 4,1470). Unsicher ist, ob der bei Photios, Suda (η 100 ADLER) und Etym. m. (416,36 s. v. ἢ δ' ὅς) erwähnte Ch. mit ihm identifiziert werden kann. Er kann in den Quellen mit → Chairis (Χαῖρις) verwechselt sein, deshalb ist die Zuweisung einer Schrift Περὶ γραμματικῆς unsicher (S. Emp. Adversus Mathematicos 1,76).

→ Apollonios [2] Rhodios; Chairis; Sextus Empiricus

ED.: R. BERNDT, De Charete, Chaeride, Alexione grammaticis eorumque reliquiis, 1902, I 3–18, 18–31 LIT.: A. BLAU, De Aristarchi discipulis, 1883, 65–67 · L. COHN, s. v. Ch., RE 3, 2130 · A. LUDWICH, Die Formel ἢ δ' ὅς, in: RhM 41, 1886, 437–453. F. M./M.-A. S.

Chariboia s. Porkis

Charidemos (Χαρίδημος).
[1] Mitglied einer athenischen Gesandtschaft, die 359 v. Chr. die Hilfe Philipps II. zur Gewinnung von Amphipolis erbat (Theop. FGrH 115 F 30a). W. S.

[2] Söldnerführer aus Oreos. Hauptquelle Demosth. or. 23, bes. 144 ff. Ch. trat 360 in den Dienst des Thrakerkönigs → Kotys I., dessen Tochter er heiratete. Nach Kotys' Tod war er bemüht, dem minderjährigen → Kersebleptes die Herrschaft über Thrakien zu sichern. Nach Interventionen Athens mußte Kersebleptes aber 357 in eine Teilung des Odrysenreichs und die Abtretung der Chersones an Athen einwilligen (IG II² 126; StV 303). Dem Ch. wurden dafür das athenische Bürgerrecht und weitere Ehren verliehen. 353/2 ließ Ch. die Athener auffordern, ihn zum Strategen zu wählen. Gegen den Antrag auf Zuerkennung bes. Schutzrechte erhob Euthykles Klage (Demosth. or. 23). 351 operierte Ch. als athenischer Stratege gegen Philipp von Maked. in der Chersones. Nach der Schlacht von Chaironeia (338) zum Strategen gewählt, forderte Alexander 335 seine Auslieferung. Ch. floh zu Dareios III., der ihn wegen allzu freimütiger Kritik hinrichten ließ.

DAVIES, 570–572 · D. H. KELLY, Ch.'s citizenship, in: ZPE 83, 1990, 96–109 · M. J. OSBORNE, Naturalization in Athens, 3, 1983, 56–58 W. S.

Charikles (Χαρικλῆς).
[1] Athener aus der Phyle Oineis, Sohn des Apollodoros. Als Demokrat untersuchte er 415 v. Chr. mit Peisandros den Hermokopidenfrevel (And. 1,36) und war 414/13 Strategos der Peloponneskampagne (Thuk. 7,20;26; Diod. 13,9,2). Folgte aber Peisandros im J. 411 zu den »Vierhundert« (Lys. 13,73 f.). Im J. 404 bei den oligarchischen »Dreißig« bedeutend (Xen. hell. 2,3,2; mem. 1,2,31; And. 1,101; Aristot. pol. 1305b 26); wird 403 verbannt und kehrt später zurück (Isokr. or. 16,42; PA 15407).

DAVIES, 13479 · P. M. FRASER, E. MATTHEWS, A Lexicon of Greek personal names, Bd. 2, 1994, 475, Nr. 5 · A. W. GOMME, Historical Commentary on Thucydides 4, 1983, 396 · P. KRENTZ, The thirty at Athens, 1982. K. KI.

[2] Athener, Schwiegersohn → Phokions. 324 v. Chr. in der Harpalosaffäre wegen Annahme von Bestechungsgeldern angeklagt (Plut. Phokion 21 f.). 319 zusammen mit Phokion in Abwesenheit zum Tode verurteilt, nachdem er sich kurz zuvor durch Flucht aus Athen gerettet hatte (ebd. 34 f.).

A. TRITLE, Phocion the Good, 1988, 119, 121. W. S.

Chariklides. Komödiendichter des 3. Jh. v. Chr. (vgl. die nicht ganz sichere inschr. Bezeugung [1. test.]), dessen einziges erhaltenes Fragment aus einer – textlich unsicheren – Anrufung der Hekate in *versus paroemiaci* besteht (aus der *Halysis* ›Die Kette‹, ›Die magische Bindung‹?).

1 PCG IV, 1983, 70 f. H.-G. NE.

Chariklo (Χαρικλώ).
[1] Najade, Frau des → Chiron, Tochter des Apollon, des Perseus oder des Okeanos, Mutter des Karystos (Hes. cat. fr. 42; Schol. Pind. P. 4,182 DRACHMANN). Darstellungen zeigen sie stets in der Nähe von Chiron, u. a. auch als Teilnehmerin am Hochzeitszug zu Peleus und Thetis.
[2] Nymphe, Frau des Eueres. Nach Pherekydes erwirkt sie, da sie Athena nahesteht, für ihren von Athena geblendeten Sohn → Teiresias einen Stab und die Gabe, Vogelstimmen zu verstehen (Apollod. 3,70; Kall. h. 5,59).

U. FINSTER-HOTZ, s. v. Ch. I, LIMC 3.1, 189–191 · F. CANCIANI, s. v. Ch. II, LIMC 3.1, 191. R. B.

Charillos (Χάριλλος, nach Hdt. 8,131 Χαρίλαος). Histor. nicht greifbarer spartanischer König, Eurypontide, soll nach Sosibios (FGrH 595 F 2) 874–811 v. Chr. geherrscht und zusammen mit König Archelaos die Perioikenstadt Aigys erobert haben (Paus. 3,2,5), aber den Tegeaten unterlegen sein (Paus. 8,5,9). Diese Nachrichten sind Ergebnisse von Legendenbildungen. K.-W. W.

Charinos (Χαρῖνος).

[1] Beantragte 433/32 v. Chr. im Sinne des Perikles ein Gesetz zu ewigem Haß und tätiger Feindschaft gegen Megara wegen Ermordung eines Herolds (Plut. Perikles 30,3; mor. 812C-D; PA 15434).

> DEVELIN 101 · P.M. FRASER, E. MATTHEWS, A Lexicon of Greek personal names, Bd. 2, 1994, 475, Nr. 4.

[2] Makedonenfreundlicher Athener, ca. 340 v. Chr. (Demosth. or. 58,37 f.; Deinarch. 1,63; PA 15437).

> P.M. FRASER, E. MATTHEWS, A Lexicon of Greek personal names, Bd. 2, 1994, 475, Nr. 9 (?=53) · I. WORTHINGTON, Historical commentary on Dinarchus, 1992.   K. KI.

[3] Ein choliambisches Gedicht des Ch. wird von Ptolemaios Chennos (bei Phot. Bibl. cod. 190, p. 71/72, 5–13 HENRY) zitiert. Ch. soll sich, in Eros, den Mundschenk des (Mithradates) Eupator verliebt, vom leukadischen Felsen gestürzt haben, um sich zu erlösen [1]. Tödlich verletzt soll er vier Choliamben ausgestoßen haben, in denen er den leukadischen Felsen als Betrüger beschimpft und Eupator selbst verwünscht. Die Gesch. ist fragwürdig, nichts spricht gegen eine späthell. Entstehung der Verse.

> 1 K.-H. TOMBERG, Die Kaine Historia des Ptolemaios Chennos, 1968, 147–151.
>
> A. D. KNOX, Cercidas and the Choliambic Poets, in: J. RUSTEN, J.C. CUNNINGHAM, A.D. KNOX (ed.), Theophrastus: Characters. Herodes. Mimes. Cercidas ... (Loeb Classical Library 225), 1993, 490 f. · SH fr. 313.   W. D. F.

Charisios (Χαρίσιος). Att. Redner Ende 4. Jh. v. Chr., Zeitgenosse des Demetrios von Phaleron, des Demochares und des Menandros. Er betätigte sich als → Logograph und ahmte → Lysias nach (Cic. Brut. 286). Reden von ihm waren noch zur Zeit Quintilians vorhanden und wurden damals von manchen dem → Menandros zugeschrieben (Quint. inst. 10,1,70). Erh. sind nur drei Stellen in lat. Übers. bei Rutilius Lupus (1,10; 2,6; 2,16).

> BLASS, 3,2, 351 f.   M. W.

Charisius

[1] Aurelius Arcadius. Jurist wohl östl. Herkunft, *magister libellorum* unter Diocletian [2. 69 ff.], schrieb »Einzelbücher« prozeßrechtlichen (*De testibus*) und verwaltungsrechtlichen Inhalts (*De officio praefecti praetorio, De muneris civilibus*; zu beiden Werken [1]). PLRE I, 200 f.

> 1 F. GRELLE, Arcadio Carisio, in: Index 15, 1987, 63–77
> 2 D. LIEBS, Recht und Rechtslit., HLL V.   T. G.

[2] Presbyter und *diákonos* in Philadelphia (Lydien). Er berichtet auf dem ökumenischen Konzil in Ephesos 431 von einem aus Konstantinopel stammenden, nestorianisch geprägten Glaubensbekenntnis, das es – im Gegensatz zu seinem eigenen – abzulehnen gelte.

> C. J. v. HEFELE, Conciliengesch., ²1873, 2, 206 f.   R. B.

[3] Ch. Flavius Sosipater. Lat. Grammatiker, verfaßte um 362 in Konstantinopel eine nicht vollständig erh. *Ars grammatica*. Ihr Inhalt kann mit Hilfe des Index rekonstruiert werden (p. 1–3 BARWICK). Buch 1: Grundbegriffe und nominale Flexion; B. 2: Ergänzung der Grundbegriffe und Redeteile; B. 3: Konjugationen; B. 4 (größtenteils verloren): Stilistik und Metrik; B. 5: Idiomata (Listen von Formen, Wortverbindungen und Satzkonstruktionen, die mit dem Griech. verglichen werden). Nicht direkt auf Ch. zurückzuführen sind zumindest die *Synonyma Ciceronis* (p. 412–449 BARWICK) und die *Differentiae* (p. 387–403 BARWICK) (anders [1]). Das Werk ist insgesamt wenig originell: Man erkennt Auszüge, die direkt → Cominianus, → Remmius Palaemon und → Iulius Romanus entnommen sind (evtl. auch → Flavius Caper u. a.). Der im Ms. Neapolitanus 4.A.8 überlieferte Text der *Ars* (ihm folgt [1]) stellt eine teilweise gekürzte Fassung dar. Sie dürfte → Diomedes, → Rufinus und → Priscianus beeinflußt haben und wurde vermutlich von den Kompilatoren zweisprachiger Glossare wie Ps.-Philoxenos und Ps.-Kyrillos verwendet.

Ab dem 5. Jh. bildete sich eine weitere Fassung heraus, die unter dem Namen von Cominianus (oder Flavianus) überliefert ist; sie ist im angelsächsischen Bereich anzusiedeln, von wo aus sie zahlreiche Sammlungen unmittelbar beeinflußte: Malsacanus, Anonymus ad Cuimnanum, Ars Ambrosiana, Clemens Scotus u. a. Eine gekürzte Ausgabe dieses *Cominianus* wird von Bonifatius verwendet; Spuren von ihr finden sich auch im kontinentalen Europa in der Aachener Hofbibliothek und außerdem in Süditalien.

> ED.: 1 K. BARWICK, 1925 (²1964) · GL 1,1–296.
> LIT.: HLL § 523,2.   P. G./G. F.-S.

Charites (Χάριτες). Gruppe von Göttinnen, die Schönheit, Heiterkeit und Überfluß verkörpern. Sie erscheinen zum ersten Mal bei Homer, wo ihre Zahl wie die der Musen nicht eindeutig ist; es ist jedoch klar, daß mehr als eine existierte und nicht alle gleich alt waren. Hera verspricht Hypnos, ihm Pasithee, eine der jüngeren Ch., die er begehrt, zur Frau zu geben (Hom. Il. 14,267–276). In Il. 18,382 f. ist eine Ch. auch Frau des Hephaistos, der in der Odyssee ja mit Aphrodite verheiratet ist. Seltsamerweise ist Hera offensichtlich auf diese illegitimen Kinder ihres Gatten nicht eifersüchtig, sondern sogar einverstanden, eines davon mit ihrem eigenen Sohn zu vermählen, nämlich nach Hes. theog. 945 f. (obwohl die Zuschreibung dieser Passage ungewiß ist) Aglaie, die Jüngste der Ch. Hesiod (theog. 907–909) gibt ihnen wie den Musen einen Stammbaum: Sie sind Töchter des Zeus und der Okeanostochter Eurynome und heißen Aglaie, Euphrosyne und Thalia (auch mit ἱερατεινή/*hierateiné* bezeichnet). Sie wohnen mit Himeros auf dem Olympos neben den Musen (Hes. theog. 64) und halfen bei der Schöpfung der → Pandora (Hes. erg. 73).

Die Ch. wurden zu sprichwörtlichen Vorbildern von femininer Grazie, Talent und Schönheit: lobenswerte Mädchen besitzen Χαρίτων ἀμαρύγματα (*Charítōn amarýgmata*) oder κάλλος (*kállos*) [1]. Die Namen der Ch. sind abstrakte Qualitäten im Gegensatz zu denen der Musen, so daß die Ch. als Individuen schwerer zu erfassen sind. Während jedoch die Musen aus ihrer Menschenverachtung keinen Hehl machen (Hes. theog. 26), sind die Ch. (selbst wenn theog. 910f. unecht sind) wohlwollend. Die Ch. gehören auch zu einer jüngeren Generation; während die Musen die Töchter einer Titanin sind, sind sie die Enkelinnen eines Titanen. Moderne Forscher assoziieren die Ch. mit den Horai, wobei diese Naturmächte darstellen, jene aber die Auswirkungen des menschlichen Geistes (z. B. [2]).

Im Kult sind die Ch. in Orchomenos am bekanntesten (Hes. fr. 71 MW; Pind. O. 14); evtl. entstand ihre Dreizahl in dieser Gegend, indem man den Namen mit einer Trinität von lokalen Göttinnen verband [3. 141]. Nach Paus. 9,38,1 wurden diese Ch. in Form von Meteoriten verehrt. Es ist schwierig, das Alter dieses Brauches festzustellen. Die Bewohner von Orchomenos feierten zu Ehren der Ch. Charitesia. Zeugnisse davon existieren nur aus dem 1. und evtl. 2.Jh. v.Chr. Sie waren in erster Linie musikalisch und dramatisch, was durch drei Siegerlisten direkt bezeugt ist (IG VII 3195–3197), enthielten aber auch eine athletische Komponente (IG II/III 3160). Der Agon war sehr wahrscheinlich in Anlehnung und Konkurrenz zu den viel bekannteren Museia von Thespiai organisiert ([3. 142–144]; vgl. auch die Tradition, die Hesiods Grab in Orchomenos situierte [4]).

Ch. – aber deutlich ohne Verbindung mit denjenigen von Orchomenos – wurden auch an anderen Orten verehrt. Die Spartaner und Athener verehrten je zwei: Klete und Phaenna in Sparta (Paus. 9,35,1), Auxo und Hegemone in Athen (Paus. 9,35,2). Anderswo erscheinen sie als Gruppe, ohne spezifische Namen (z.B. LSCG, Suppl. 10 A 81; 25 E 45; LSAM 20,11; LSCG 1 A 13 f.; 4,3; 114 B 1; 151 D 5, vgl. [5]). Es ist unmöglich, ihre genaue Funktion als Göttinnen an diesen Orten zu definieren.

1 M.L. WEST, ed. & comm., Hesiod, Works and Days, 1978, 73 2 E.B. HARRISON, LIMC 3.1, 191–203 3 SCHACHTER 4 R. SCODEL, Hesiod redivivus, in: GRBS 21, 1980, 301–320 5 FARNELL, Cults, Bd. 5, 462–464.

M. ROCCHI, Contributi allo studio delle Ch. I, in: Studii Classice 18, 1979, 5–16; II, 19, 1980, 19–28   A.S.

Chariton (Χαρίτων).

A. LEBEN B. DER ROMAN C. REZEPTION

A. LEBEN

Über den Autor des frühesten vollständig erh. Romans haben wir keine direkten Angaben, abgesehen von jenen, die er selbst zu Beginn des Werkes macht; dort stellt er sich als aus Aphrodisias in Karien stammender Sekretär des Redners Athenagoras vor. Man hat gemeint, daß all diese Angaben einschließlich des Namens Chariton erfunden worden seien, um eine symbolische Verbindung zum Thema Liebe und zum *setting* herzustellen (zum syrakusanischen Athenagoras vgl. Thuk. 6,35), doch sind beide Namen gerade in Aphrodisias epigraphisch belegt. ROHDE, der die Einfachheit des Stils für rhetor. Manieriertheit hielt, datierte Ch. auf das 5. Jh. n.Chr. [1]; aufgrund von Papyrusfunden mußte man um wenigstens fünf Jh. zurückgehen; aus sprachlichen Gründen wurde eine noch frühere Datierung, nämlich ins 1.Jh. v.Chr., vorgeschlagen [2]. Vielleicht stellt der nicht sehr wohlwollende Verweis bei Persius (*post prandia Callirhoen do*, 1,134) den terminus ante quem dar. *Kallirhoë* war nämlich der urspr. Titel des Werkes, wie das *explicit* bestätigt, doch seit byz. Zeit dominierte der Titel ›Chaireas und Kallirhoë‹.

B. DER ROMAN

Vom Thukydides nachahmenden *incipit* an versucht Ch., den Eindruck eines historiographischen Werkes zu erwecken; wie im Parthenope-Roman (der, zusammen mit dem → Chione-Roman, vielleicht demselben Ch. zuzuweisen ist) ist die Handlung ins 5.Jh. v.Chr. gesetzt; es treten histor. Persönlichkeiten auf wie der syrakusanische Stratege Hermokrates, der für seinen Sieg über die Athener berühmt war, und der persische König Artaxerxes II. Mnemon; pseudohistoriographisch sind auch die lange Erzählung vom Aufstand der Ägypter, die sich eng an den tatsächlichen Aufstand von 389–387 v.Chr. hält, der von dem Athener Chabrias angeführt wurde (auf ihn spielt der Name Chaireas vielleicht an), und die Zusammenfassungen am Buchanfang, die an Xenophons *Anabasis* erinnern. Doch wie verschiedene Anachronismen zeigen (bes. die Differenz zwischen Hermokrates' Lebens- und Artaxerxes' Regierungszeit), dient das histor. Element nur als Hintergrund, um einem Werk von privatem und sentimentalem Charakter einen edlen Anstrich zu geben. *Kallirhoë* und *Parthenope* sind nämlich die ant. Entsprechungen des histor. Romans à la Walter Scott [3]. Die Gesch. beginnt mit dem Romeo-und-Julia-Motiv (die Kinder zweier rivalisierender Familien verlieben sich ineinander); das Hindernis wird jedoch umgehend durch eine Volksabstimmung beseitigt, und die Hochzeit der beiden Protagonisten findet wie bei Xenophon von Ephesos gleich zu Beginn statt. Die Handlung nimmt ihren Ausgang vom Scheintod der Kallirhoë, der durch einen Fußtritt des eifersüchtigen Chaireas verursacht wird; nachdem Kallirhoë von Briganten geraubt und in Milet verkauft worden ist, willigt sie schließlich in die Ehe mit dem adligen Dionysios ein, jedoch nur, um das Kind zu retten, das sie von Chaireas erwartet (I–III). Die Erzählung kehrt daraufhin zu den gleichzeitigen Erlebnissen des Chaireas zurück, der in Milet und ganz Karien nach seiner Gattin sucht und dort als Sklave des Satrapen Mithradates arbeitet, der auch in Kallirhoë verliebt ist (III–V). In der Mitte des Romans verlagert sich die Handlung nach Babylon, wo der lange Prozeß mit der dramatischen »Wiederauferstehung« des Chaireas stattfindet (VI); dieser wird zunächst dadurch unterbrochen, daß der König sich verliebt (VII); dann verhindert ein Krieg die Fortsetzung des Prozesses (VII) und führt schließlich zur Wiedervereinigung des Paares und zur Rückkehr nach Syrakus (VIII).

Wie Xenophon von Ephesos benutzt auch Ch. einen außenstehenden, allwissenden Erzähler, der sich jedoch manchmal mit dem subjektiven *point of view* der Figuren identifiziert (zum Beispiel, wenn Kallirhoë aus dem Grabe wiederaufersteht [4]) und die Erzählung oft in der ersten Person kommentiert, wie in der interessanten Wendung an den Leser (8,1,4), wo in aristotelischen Termini auf das glückliche Ende vorausverwiesen wird [5]. Auch vom Thema her zeichnet sich ›Chaireas und Kallirhoë‹ durch seine reiche psychologische Darstellung der Figuren aus, der Protagonistin und des Rivalen Dionysios, welchem gegenüber der Text eine deutliche, wenn auch unterdrückte, Sympathie zum Ausdruck bringt (vgl. den Brief in 8,4,5). Die Darstellung der Figuren bedient sich einer großen Zahl dramatischer Techniken; der Anteil von direkter Rede, von Szenen und Monologen ist sehr hoch (bemerkenswert sind die Konfliktmonologe der Kallirhoë vor ihrer Eheschließung mit Dionysios). Unter den Verf. von Liebesromanen kommt Ch. der menippeischen Technik des Prosimetrums eines → Lukianos und eines → Petronius am nächsten; die Erzählung ist nämlich mit Homerzitaten in sehr großer Zahl garniert, die den intertextuellen Dialog mit der ep. Vorlage verfestigen [6].

C. REZEPTION

Wie Xenophon von Ephesos ist auch Ch. viele Jh. lang durch eine einzige Hs. überliefert worden; die *editio princeps* durch J. d'ORVILLE von 1750 erschien zusammen mit der lat. Übers. durch REISKE erst nach der großen Renaissance des griech. Romans im Barock. Dennoch hat C. GESNER einen direkten Einfluß auf eine Novelle von Matteo Bandello angenommen, der durch die Lektüre der Laurentianischen Hs. vermittelt sein soll [7. 64–70].

→ Chione-Roman; Roman; Parthenope-Roman; Xenophon von Ephesos; ROMAN

1 E. ROHDE, Der griech. Roman und seine Vorläufer, 1876 2 A. D. PAPANIKOLAU, Ch.-Studien, 1973 3 T. HÄGG, Callirhoe and Parthenope: The Beginnings of the Historical Novel, in: Classical Antiquity 6, 1987, 184–204 4 B. P. REARDON, Theme, Structure, and Narrative in Ch., in: YClS 27, 1982, 1–27 5 A. RIJKSBARON, Ch. 8,1,4 und Arist. Poet. 1449b 28, in: Philologus 128, 1984, 306–7 6 M. FUSILLO, Il testo nel testo. La citazione nel romanzo greco, in: Materiali e Discussioni per l'analisi dei testi classici 25, 1990, 27–48 7 C. GESNER, Shakespeare and the Greek Romance, 1970.

C. W. MÜLLER, Ch. von Aphrodisias und die Theorie des Romans in der Ant., in: A&A 22, 1976, 115–136 · B. E. PERRY, Ch. and His Romance from a Literary-Historical Point of View, in: AJPh 51, 1930, 93–134 · C. RUIZ MONTERO, Ch. von Aphrodisias. Ein Überblick, ANRW II 34.2, 1994, 1006–1054 · G. SCHMELING, Ch., 1974.

M. FU. / T. H.

Charixenos (Χαρίξενος).

[1] Ch. aus Trichonien (Aitolien). 288/7 v. Chr., 281/0 und 270/69 Stratege des aitolischen Bundes (IG IX² 5, 14, 54) [1. 267 Anm. 4].

[2] Aitoler, Sohn des Kydrion. 260 v. Chr. Hipparch (IG IX² 18,18) und 255/4, 246/5, 241/0 und 234/3 Stratege des aitolischen Bundes (IG IX² 3 B). Als solcher lud er 246/5 griech. Städte ein, das neu organisierte Fest der → Soterien in Delphi zu feiern [2. 435–447 Nr. 21–27]. 241/0 führte er einen Feldzug der Aitoler gegen Achaier und Spartaner (Pol. 4,34,9). In Delphi weihte er seine Reiterstatue (IG IX² 181) und wurde in Athen geehrt [1. 234 f., 242 f., 267; 2. 282, 330–334].

[3] Archonten in Delphi 277/6 (SEG 15,337) [2. 263].

[4] Sohn des Proxenos, Aitoler aus Trichonion, *agōnothétēs* der Soterien ca. 220 v. Chr. [2. 280, 479 f. Nr. 64]. Zur Datierung von Ch. [1]–[4] [3. 215 f.].

1 R. FLACELIÈRE, Les Aitoliens à Delphes, 1937 2 G. NACHTERGAEL, Les Galates en Grèce et les Sotéria de Delphes, 1977 3 W. B. DINSMOOR, The Archons of Athens in the Hellenistic Age, 1931.   W. S.

Charmadas (Χαρμάδας od. Χαρμίδας).

Lebte um 165–91 v. Chr. (vgl. Cic. de orat. 2,360). Apollod. chronica 119–130 DORANDI (= FGrH 244 F 59; danach Philod. ind. Acad. 31,35–32,10) ist sehr wahrscheinlich auf ihn zu beziehen: Schüler des Karneades, nach Gründung einer eigenen Schule Rückkehr in die Akademie. Bei S. Emp. Pyrrhōneioi hypotypōseis 1,220 und Eus. pr. ev. 14,4,16 neben Philon als Begründer einer »Vierten Akademie« genannt. Bed. wohl vor allem als Lehrer der Rhet. (vgl. Cic. de orat. 1,82–92), der jedoch den Vorrang der Philos. vor ihr betonte (S. Emp. adversos mathematicos 2,20).

→ Akademie; Philon

W. GÖRLER, in: GGPh² 4.2, 1995, 906–908.   K.-H. S.

Charmides (Χαρμίδης).

[1] Sohn des Glaukon, aus altadliger athenischer Familie, Bruder der → Periktione, der Mutter Platons, und Vetter des → Kritias. Ch. gehörte dem von den »Dreißig« eingesetzten Gremium der »Zehn« an, das während der Gewaltherrschaft der »Dreißig« (→ Triakonta; 404–403 v. Chr.) im Piräus mit nicht näher bekannten Befugnissen amtierte (Plat. ep. 7,324c5. Aristot. Ath. pol. 35,1). 403 kam er in den Kämpfen beim Sturz der »Dreißig« ums Leben (Xen. hell. 2,4,19). In jungen Jahren gehörte Ch. dem Kreis um Sokrates an. Er ist Titelfigur des platonischen *Charmides*.

ED.: SSR VI B 22–28.   K. D.

[2] Epikureischer Philosoph, Freund des Arkesilaos (Cic. fin. 5,94). Abzulehnen ist der Vorschlag von [1. 151 f.], den Namen in einen Passus des Buches *De libertate dicendi* von Philodemos (fr. 49 OLIVIERI) einzusetzen.

1 H. USENER, Epicurea, 1887.   T. D. / E. KR.

Charmion (Χάρμιον). Zofe der → Kleopatra VII., der von der Propaganda Octavians bestimmender polit. Einfluß zugeschrieben wurde; sie starb zusammen mit der Königin. PP 6, 14736.   W. A.

Charmis. Griech. Arzt aus Massilia, der ca. 55 n. Chr. nach Rom gelangte. Dank seiner Kaltwasserkuren machte er sich dort bald einen Namen und gewann zahlreiche wohlhabende Patienten (Plin. nat. 29,10). Einem aus der Prov. stammenden Patienten stellte er für eine Heilbehandlung HS 200000 in Rechnung (Plin. nat. 29, 22) und verlangte einen vergleichbar exorbitanten Preis von 1000 att. Drachmen für eine einzige Dosis eines Gegengiftes (Gal. 14,114,127). Ch. investierte zu Lebzeiten HS 20 Mio in öffentliche Bauprojekte in Massilia und hinterließ bei seinem Tod eine ebenso hohe Summe. Sein Interesse mag auch der Ornithologie gegolten haben, da Ail. var. 5,38 ihn im Zusammenhang einer Verhaltensschilderung der Nachtigall zitiert.

V. N./L. v. R.-B.

Charon (Χάρων).

[1] Poetisches Hypokoristikon zu χαροπός (*charopós*) »finsterblickend« [1. 309]; wohl urspr. euphemistische Bezeichnung des Todes [2. 229f.; 3. 32f.], den frühestens im 6. Jh. die ep. Dichtung (Orpheus: Serv. Aen. 6,392; Minyas) individualisiert [2. 305,1; 3. 229]; von Homer nicht genannt; frühestens für das Epos Minyas (PEG I: Anf. 5. Jh.?) bezeugt; danach als burleske Gestalt bes. in der dramatischen Dichtung Athens (Eur. Herc., Alc.; Aristoph. Ran.) und bei Lukianos (dial. mort. 22, Ch.), aber auch in Grabepigrammen populär. Ch. setzt als πορθμεύς (*porthmeús*; Minyas EpGF fr. 1) bzw. *portitor* (»Hafenzöllner«, Verg. Aen. 6,298 [4. 221]) in einem Nachen mit Ruder und Stange die ihm von Hermes zugeführten Toten (Abb. auf att. Lekythen [12]), die begraben sein müssen, über einen mit Röhricht bestandenen See in der Unterwelt; lebende Menschen darf Ch. nur gegen den »Goldenen Zweig« übersetzen (Verg. Aen. 6,137; 406ff.); die Beförderung des Herakles kostete ihn ein Jahr in Ketten (Serv. Aen. 6,392). Eine den Toten in den Mund gesteckte, vielfach in Gräbern gefundene Kleinmünze (Obolos) wurde später als Fährlohn erklärt (Charonsgroschen; erster lit. Beleg: Aristoph. Ran. 140), der trotz Mitruderns entrichtet werden mußte, bedeutete aber urspr. Ersatz für die zurückgelassene Habe [1. 305; 5. 25, 306f.; 6. 296]. Wohl in der Kaiserzeit tritt die urspr. Bed. von Ch. als Todesgott (*deus*: Cic. nat. 3,43; Verg. Aen. 6,304; CIL VIII 8992) wieder hervor, bes. als Χάρος (Charos) oder Χάροντας (Charontas) auch im neugriech. Volksglauben [2. 229ff.; 4. 222; 7. 222ff.; 8. 85ff.]. Ekphrasis des Äußeren: Verg. Aen. 6,299ff.

Der mit einem symbolischen Hammer bewehrte, oft mit grünlichblauer Hautfarbe dargestellte etr. Todesdämon Charu(n) tritt seit Ende des 5. Jh. auf Gräberfresken und Urnen auf [8; 12], vor allem als Totengeleiter und Grabwächter; als *Ditis pater* bzw. *Iovis frater* mit *malle(ol)us* in der Arena zum Fortschleppen der ge-

töteten Gladiatoren (Tert. apol. 15, 5; nat. 1,10,47). Da es einen Totenfährmann auch im Sumer. und Ägypt. gibt [6. 303,21], handelt es sich um unabhängig voneinander entstandene Vorstellungen der Volksphantasie; eine Herleitung des griech. Ch. aus dem Ägypt. (Diod. 1,92,2; 96,8) ist abzuweisen.

→ Lesche; Obolos; Orpheus; Orphische Dichtung; Polygnotos; Portitor; Unterwelt

1 WILAMOWITZ I, 1931 2 Ders., Lesefrüchte, in: Hermes 34, 1899, 227–230 (38, zu WASER) 3 H. SCHOLZ, Der Hund in der griech.-röm. Magie und Religion, 1937 4 E. NORDEN, P. Vergilius Maro Aeneis Buch VI, ⁴1957 5 ROHDE 6 BURKERT 7 B. SCHMIDT, Das Volksleben der Neugriechen und das hellenische Alterthum I, 1871 8 F. DE RUYT, Charun, démon étrusque de la mort, 1934 9 S. CLES-REDEN, Das versunkene Volk, 1948 10 A. J. PFIFFIG, Einführung in die Etruskologie, ⁴1991 11 CHANTRAINE, s. v. Ch., in: FRISK 12 E. MAVLEEV, s. v. Ch., LIMC 3.2, 225–236 13 C. SOURVINOU-INWOOD, Reading Greek Death, 1995, 303–361. ABB.: ROSCHER I, 885ff. · R. HERBIG, Götter und Dämonen der Etrusker, 1965, Taf. 30,2, 34, 36, 39 · S. CLES-REDEN, Das versunkene Volk, 1948, Taf. 64, 69.

P. D.

[2] Baumeister (τέκτων), *persona loquens* in Archil. fr. 19 WEST (Aristot. rhet. 3,148b30).

K. J. DOVER, in: Entretiens 10, 1963, 206ff.   E. D./T. H.

[3] Von Lampsakos. Er wird von mehreren ant. Autoren (Plut. mor. 859b; Tert. anim. 40; Dion. Hal. Thuk. 5; Pomp. 3,7) als Vorgänger → Herodots bezeichnet. Nach der Suda (s. v. = T 1) wurde er ›unter Dareios geboren‹ (521–486 v. Chr.) und war Autor folgender Werke: *Aithiopiká*, *Persiká* (zwei B.), *Hellēniká* (vier B.), ›Über Lampsakos‹ (zwei B.), ›Chronik von Lampsakos‹ (*Hóroi Lampsakēnōn*, vier B.), ›Prytanen der Lakedaimonier‹ (es handelt sich um eine → Chronik), ›Gründungen von Städten‹ (zwei B.), *Krētiká* (drei B.) und einen → Periplus der Gebiete außerhalb der ›Säulen des Herakles‹.

Dieser sehr umfangreiche und für eine so frühe Zeit kaum vorstellbare Werkkatalog veranlaßte JACOBY, Ch. ans Ende des 5. Jh. zu datieren und ihn zeitlich und thematisch in die Nähe des Hellanikos von Lesbos zu rükken, dessen Schriften er durch weitere Länderkunden und Städtegründungen ergänzt habe. Wer dagegen, wie in neuerer Zeit PICCIRILLI und MOGGI, die höhere Chronologie akzeptiert, läßt von den gen. Werken lediglich die *Persiká* und die ›Chronik von Lampsakos‹ als echt gelten und betrachtet Ch. als einen wichtigen Vorgänger und Gewährsmann Herodots. Entsprechend wird von diesen Forschern die innovative Leistung Ch.s für die griech. Historiographie wesentlich höher eingeschätzt als von den Befürwortern des Spätansatzes, die in ihm (ähnlich wie in Hellanikos) vor allem einen »Vielschreiber« sehen.

Leider erlauben die spärlichen Fragmente keine eindeutige Entscheidung der Datierungsfrage. Aufschlußreich für Ch.s Art der Darstellung ist das bei Athenaios

(12, p. 520 D-F) wörtlich überlieferte Fragment 1 aus der ›Chronik von Lampsakos‹. Demnach bestand diese nicht bloß aus einer Aneinanderreihung von Tatsachen und Ereignissen, sondern enthielt höchst amüsante, novellistisch gestaltete Partien. FGrH 262 (mit Komm.).

K. VON FRITZ, Die griech. Geschichtsschreibung, Bd. 1, 1967, 518 ff. · F. JACOBY, Ch. von Lampsakos, in: SIFC 15, 1938, 207–242 (= Abh. zur griech. Geschichtsschreibung, 1956, 178–206) · A. HEPPERLE, Ch. von Lampsakos, FS O. Regenbogen, 1956, 67–76 · O. LENDLE, Einführung in die griech. Geschichtsschreibung, 1992, 71 ff. · K. MEISTER, Die griech. Geschichtsschreibung, 1990, 24 · M. MOGGI, Autori grechi di Persiká 2: Carone di Lampsaco, in: ASNP 7, 1977, 1–26 · L. PICCIRILLI, Charone di Lampsaco e Erodoto, in: ASNP 5, 1975, 1239–54.   K. MEI.

[4] Aus Naukratis, hell. Zeit (?). Verfaßte eine Chronik der Priester von Alexandreia und andere Werke über Ägypten (Suda s. v. = T 1). In der modernen Forsch. werden ihm des öfteren Schriften zugewiesen, die für → Ch. [3] von Lampsakos bezeugt sind. FGrH 612.

                                           K. MEI.

Charondas (Χαρώνδας). Aus Katane, galt mit → Zaleukos als der große Gesetzgeber der westgriech. Kolonien und wurde mit → Lykurgos und → Solon verglichen (Plat. rep. 599d-e; Cic. leg. 1,57). Seine Lebenszeit läßt sich nicht genau fixieren (Mitte des 7. Jh. bis E. des 6. Jh. v. Chr.). Es gibt auch keine authentische Überlieferung über die Person des Ch., mit der sich die für viele Gesetzgeber typischen Legenden verbanden [1].

Die Gesetze des Ch., die in → Katane, → Rhegion und den anderen chalkidischen Städten Unteritaliens und Siziliens eingeführt wurden (Aristot. pol. 1274a 23 ff.; Herakl. Lemb. fr. 55 DILTS), lassen sich nicht im Detail rekonstruieren. Aristoteles lobt die Genauigkeit dieser νόμοι, hebt aber nur ein konkretes Gesetz über die Gerichtsverfahren wegen falscher Zeugenaussagen hervor und bezeichnet die übrigen pauschal als nicht originell (pol. 1274b 6–8). Wie Zaleukos soll auch Ch. differenzierte Strafsätze für verschiedene Delikte festgelegt haben (Herodas, Mim. 2,46–56), ferner wurden ihm Gesetze über abgestufte Bußen für Nichtteilnahme an Gerichtssitzungen sowie über Besitztransaktionen zugeschrieben (Aristot. pol. 1297a 21–24; Theophr. fr. 97,5 WIMMER) [2]. Die bei Diodor genannten Gesetze sind großenteils unhistor. (12,11,3–19,2).

Ob die teilweise alten, noch in das 6. Jh. gehörenden Gesetze auf eine einheitliche »Nomothesie« des Ch. zurückgehen, muß bezweifelt werden. Der histor. Ch. war kein »Verfassungsstifter«, sondern Urheber einzelner situationsgebundener Maßnahmen. Daraus läßt sich keine generelle »aristokratisch-oligarchische« Tendenz herleiten.

1 A. SZEGEDY-MASZAK, Legends of the Greek Lawgivers, in: GRBS 19, 1978, 199–209 2 M. GAGARIN, Early Greek Law, 1986, 64–67, 70–75.

M. MÜHL, Die Gesetze des Zaleukos und Ch., in: Klio 22, 1929, 105–124, 432–463 · G. VALLET, Rhégion et Zancle, 1958, 313–320.   K.-J. H.

Charonsgeld. Entlohnung des Fährmannes Charon für die Fahrt über den Unterweltsfluß (ναῦλον, πορθμήϊον). Dem Toten wurde ein Geldstück unter die Zunge oder zwischen die Zähne gelegt [1. 349; 2; 3. 193 f., 249 f.]. Die Münze ist oft alt, schlecht erhalten oder eine fremde Währung; ant. Fälschungen oder münzähnliche Scheiben, wie in griech. Gräbern des 4.–2. Jh. v. Chr. [3. 250], wurden ebenfalls benutzt.
→ Charon [1]; Totenkult

1 J. MARQUART, Das Privatleben der Römer, ²1886 2 SCHRÖTTER, 100, s. v. Charonsfährgeld 3 D. C. KURTZ, J. BOARDMAN, Thanatos. Tod und Jenseits bei den Griechen, 1985.

P. SARTORI, Die Totenmünze, in: ARW 1899, 205–225 · Caronte. Un obolo per l'aldilà, Atti Salerno 1995 (= PdP 50, 1995), bes. 165–354.   A. M.

Charops (Χάροψ).
[1] Beiname des Herakles, unter dem er in Boiotien in der Nähe des Zeusheiligtum am Berg Laphystion verehrt wurde. Dort soll er nach Ansicht der Boioter den Kerberos aus der Unterwelt geholt haben (Paus. 9,34,5).
[2] Thraker, Vater des Oiagros, Großvater des Orpheus. Dionysos setzte ihn nach dem Tod des Thrakerkönigs → Lykurgos zu dessen Nachfolger ein und weihte ihn in die bakchischen Initiationsriten ein, nachdem Ch. den von Lykurgos gegen Dionysos und die Mänaden geplanten Anschlag dem Gott mitgeteilt hatte (Diod. 3,65,4–6).
[3] Herrscher auf Syme, Vater des → Nireus (Hom. Il. 2,672; Hyg. fab. 97, 270).
[4] Troer, Sohn des Hippasos, wurde von Odysseus vor Troia getötet (Hom. Il. 11,426; Ov. met. 13,260). Auf einer chalkidischen Amphore aus dem 6. Jh. wird Ch. von Diomedes erschlagen [1].

1 J. BOARDMAN, s. v. Diomedes 1), LIMC 3.1, 400 Nr. 19.

L. BRISSON, Orphée et l'Orphisme dans l'Antiquité gréco-romaine, 1995, IV 2873.   R. B.

Chartophylax. Hohes Kirchenamt, einer der fünf bzw. sechs Diakone, denen die Verwaltung des Patriarchats von Konstantinopel oblag. Als Archivar und Bibliothekar war der Ch. in der Regel hochgebildet, hatte Zugang zu verbotenen Schriften und verwaltete die wohl bedeutendste Sammlung ant. griech. Schriften des Hochmittelalters, die Patriarchatsbibliothek. Georgios → Choiroboskos machte sich – neben anderen Amtsinhabern des 8.–10. Jh. – um die Überlieferung ant. Bildungsgutes verdient.

J. DARROUZÈS, Recherches sur les ΟΦΦΙΚΙΑ de l'église byzantine, 1970, 334–353, 508–525.   G. MA.

Charybdis (Χάρυβδις). Klippe mit gefährlichem Strudel, die zusammen mit der gegenüberliegenden Skylla ein urspr. auf dem Rückweg der Argonauten zwischen Sirenen und Plankten (worauf Thrinakia folgt) gehörendes Felsentor bildet, das die → Argo erfolgreich passiert (Apollod. 1,136; Apoll. Rhod. 4,922 f.; vgl. Ov. met. 7,62 ff.; Orph. Arg. 1253 ff., wo die Argo durch die Säulen des Herakles kommt und Ch. bereits auf Sizilien lokalisiert ist, während Skylla fehlt). Homer hat das Abenteuer planvoll um Thrinakia herumgruppiert (Hom. Od. 12,73 ff.): Gewarnt durch Kirke, weicht Odysseus, von den Sirenen kommend, in übergroßer Vorsicht (die sechs Gefährten das Leben durch Skylla kostet: Hom. Od. 12,234 ff.) Ch. aus, die dreimal täglich einsaugt (Od. 12,104: etym. Spiel Χάρυβδις ἀναρρυβδεῖ, *Ch. anarrhybdeí*, doch Etym. unerklärt) und wieder ausspeit; nach Rinderfrevel und Schiffbruch schwingt er sich, als er erneut in die Meerenge kommt, vom Kiel und Mast an den Feigenbaum, der auf der nicht sehr hohen Ch. steht; nach Ausspeien der Balken springt er wieder hinab (Hom. Od. 428 ff.; Apollod. epit. 7,20 ff.) [1. 91 f.]. Lokalisation an der Meerenge von Messina ist erst durch Thuk. 4,24,5 und Schol. Apoll. Rhod. 4,825–31 bezeugt. Aeneas meidet Skylla und Ch. (Tochter Neptuns und Terras bei Serv. Aen. 3,420) durch Umschiffung Siziliens (Verg. Aen. 3,420ff; 3,555 ff.). Auch andere Schlünde heißen Ch., z.B. der Orontes zwischen Apameia und Antiocheia (Strab. 6,2,9). Sprichwort: *Incidis (incidit) in Scyllam cupiens (qui vult) vitare Charybdin* (W. v. Châtillon Alex. 5,301, nach Apostol. 16,49).
→ Aineias; Argo; Argonautai; Homeros (Odyssee); Kirke; Odysseus; Planktai; Seirenes; Skylla; Thrinakie

1 K. REINHARDT, Die Abenteuer der Odyssee, in: Ders., Tradition und Geist, 1960, 47–124.

O. WASER, Skylla und Ch. in der Lit. und Kunst der Griechen und Römer, 1894. P.D.

Chasuarii. German. Volk, »Anwohner der Hase« (östl. Nebenfluß der Ems); als Nachbarn der Chamavi (Tac. Germ. 34,1) südl. der Suebi und westl. der Chatti lebend (Ptol. 2,11,11), verließen sie (evtl. schon um 98 n.Chr.) die Heimat und nahmen unter Gallienus röm. Gebiete östl. von Mainz in Besitz (Laterculus Veronensis 15,6).

G. NEUMANN et al., s.v. Chasuarier, RGA 4, 375 f. K.DI.

Chatti. German. Volk (zuerst Strab. 7,1,3 f.; Etym. unklar) mit besonderer kriegerischer Disziplin; von Rom bei der Mainmündung angesiedelt, besaßen die Ch. später bes. die Beckenlandschaften der hessischen Senke südl. der Cherusci und östl. der Usipetes. Zur Gruppe der → Hermiones gerechnet (Plin. nat. 4,100), verloren sie 58 n.Chr. gegen die Hermunduri den Kampf um einen Salzfluß, vernichteten aber vor 100 die Cherusci. In ständigem Gegensatz zu Rom unternahmen sie bis ins 3. Jh. Beutezüge in röm. Gebiet, denen jeweils Strafaktionen folgten (bes. 39/40, 50, 162, 170/1, vermutlich

213). Germanicus triumphierte über sie, Domitianus bekriegte sie 83–85 [1] und evtl. 89 nach ihrer Hilfeleistung für Antonius [II 15] Saturninus [2. 203 ff.]. Dadurch wurde ihnen die fruchtbare Wetterau entzogen. Noch im 4. Jh. bewahrten sie ihre Selbständigkeit zw. Franci und Burgundiones (laterculus Veronensis 13). Ob sie sich dem Stammesbund der Franci anschlossen, ist strittig, jedoch waren sie um 392 deren Verbündete gegen → Arbogast. Seit dem 6. Jh. n.Chr. tritt der Name der Hassii, Hessi, Hessones im Chattenland auf, h. Hessen.

1 K. STROBEL, Der Chattenkrieg Domitians, in: Germania 65, 1987, 423–452 2 Ders., Der Aufstand des L. Antonius Saturninus und der sog. zweite Chattenkrieg Domitians, in: Tyche 1, 1986, 203–220.

G. NEUMANN et. al., s.v. Chatten, RGA 4, 377–391. K.DI.

Chattuarii. German. Volk, der Etym. zufolge Bewohner eines ehemals chattischen Gebiets, evtl. mit den → Chasuarii identisch. Als Nachbarn der Bructeri und Cherusci zu den »schwächeren« Binnenstämmen gerechnet (Strab. 7,1,3 f.; Vell. 2,105,1); evtl. identisch mit den Attuarii, die im 4. Jh. als Teil des fränkischen Stammesverbands begegnen (Amm. 20,10,2); im MA siedeln die Ch. an unterer Ruhr und Lippe bis auf das linke Rheinufer.
→ Chatti; Franci

G. NEUMANN et al., s.v. Chattwarier, RGA 4, 391–393 ·
J. KUNOW, Das Limesvorland der südl. Germania inferior, in: BJ 187, 1987, 63–77, bes. 70 f. K.DI.

Chauci. Kriegstüchtiges german. Seefahrervolk (Etym. zu got. *háuhs*, ahd. *hôh-* »hoch«; Strab. 7,1,3; bei Tac. Germ. 35 idealisiert). Die Ch. lebten nördl. der Angrivarii als »kleine« und »große« Ch. an der Nordseeküste beidseits der unteren Weser (Tac. ann. 11,19,2; Ptol. 2,11,7; 9; Plin. nat. 16,2–5). Von Drusus bekämpft und 5 n.Chr. botmäßig, bereiteten sie trotz röm. Besatzung und Hilfstruppenstellung Probleme: gegen Quinctilius → Varus (von Gabinius »Chaucius« 41 gerächt), durch Plünderungen der gallischen Küsten, Teilnahme am → Bataveraufstand. Sie breiteten sich zu Lasten der Cherusci nach Süden aus und wohnten um 400 rechts des Rheins (Claud. carm. 18,379; 21,225).

G. NEUMANN et al., s.v. Chauken, RGA 4, 393–413 ·
W. WILL, Roms »Klientel-Randstaaten« am Rhein?, in: BJ 187, 1987, 1–61, bes. 31–38. K.DI.

Chazaren. Die Ch. (türk., etwa »Vagabunden«) gehören zur Gruppe der turk-altaischen Völker und sind seit dem 3./4. Jh. n.Chr. bezeugt. Urspr. Nomaden, gründeten sie im 7. Jh. ein unabhängiges Reich, das vom Schwarzen Meer bis zum Don reichte. Der König (Qaǧan) war polit. und rel. Oberhaupt. Obwohl sie keine eigene Schriftsprache entwickelten, hinterließen sie Lehnwörter u.a. im Arab., Griech., Armen., Georg., Hebr. und Pers. In ihren Eroberungszügen drangen sie bis → Chersonesos und bis zum h. Bulgarien vor. Im ersten arab.-ch. Krieg an der Grenze des → Kaukasos waren sie zunächst Verbündete, dann Feinde des Byz. Reiches. 737 wurde ihr Reich von den Arabern erobert. Dennoch waren sie bis ca. 965 für die Rus, die bis zum Kaspischen Meer vordrangen, ein unüberwindliches Hindernis. Um 740 traten zahlreiche Mitglieder der Führungsschicht zum Judentum über.

> D. M. DUNLOP, The History of the Jewish Khazars, (Princeton oriental studies 16), 1954 (Ndr. 1967) · P. B. GOLDEN, Khazar studies: An historico-philological inquiry into the origins of the Khazars, Akad. Kiadó Budapest. Bibliotheca orientalis Hungarica, 25/1,2, 1980 · N. GOLF, O. PRITSAK, Khazarian Hebrew Documents of the Tenth Century, 1982.   K. SA.

Chefren (ägypt. $Ḫꜥj.f-Rꜥ$, evtl. $Rꜥ-ḫꜥj.f$; Hdt. 2,127 Χεφρήν Diod. 1,64 Κεφρήν, Manethon in Angleichung an Cheops Σοῦφις Ps.-Eratosth. fr. 17 Σαῶφις). Vierter Herrscher der 4. Dynastie, regierte nach dem Turiner Königspapyrus 26 Jahre (ca. 2500 v. Chr.). Polit. Ereignisse aus seiner Regierungszeit sind nicht bekannt. Ch. kehrte mit seinem Grabmal nach der Regierung seines Bruders Djedefre in die Nekropole seines Vaters → Cheops nach → Giza zurück und errichtete dort die zweitgrößte Pyramide. Toten- und Taltempel sind mit reichem statuarischem Schmuck gut erhalten. Auch die große → Sphinx mit dem Sphinxtempel gehört zu diesem Ensemble. Die Charakterisierung bei Herodot schließt Ch. in das negative Bild seines Vaters ein.

> J. V. BECKERATH, s. v. Ch., LÄ 1, 933.   S. S.

Cheirisophos (Χειρίσοφος).
[1] Spartiat, der 401 v. Chr. im Auftrag seiner Polis mit 700 Hopliten bei Issos zum Heer des jüngeren → Kyros stieß (Xen. an. 1,4,3; Diod. 14,19,4f.) und nach dessen Tod bei Kunaxa von → Klearchos zu Ariaios gesandt wurde, um ihm den Perserthron anzubieten (Xen. an. 2,1,4f.). Nach der Gefangennahme und Ermordung des Klearchos erhielt Ch. den Oberbefehl über das gesamte restliche Heer (Diod. 14,27,1) und leitete den Rückzug nach Trapezunt, eine Tatsache, die Xenophon zur Erhöhung seines eigenen Ruhms herunterzuspielen suchte. Nachdem er 400 von → Anaxibios, dem spartanischen Nauarchen in Byzanz, nicht genügend Schiffe für eine Weiterfahrt zur See erhalten hatte, stieß er bei Sinope wieder zum Heer (Xen. an. 6,1,15f.; Diod. 14,31,3), das er nach Herakleia führte; infolge einer Meuterei abgesetzt, zog er sich von dort aus zurück nach Kalpe, wo er wenig später einem Fieber erlag (Xen. an. 6,2,1–10; 6,4,11).   M. MEI.
[2] Toreut augusteischer Zeit; signierte zwei in Hoby (Dänemark) gefundene Silberbecher mit homer. Szenen, einst Besitz des Silius Caecina (Konsul des Jahres 13 n. Chr.). Erhaltene ant. Tonabformungen bezeugen ihre Berühmtheit.
→ Toreutik

> C. W. MÜLLER, Das Bildprogramm der Silberbecher von Hoby, in: JDAI 109, 1994, 231–352 · V. H. POULSEN, Die Silberbecher von Hoby, in: AntPl 8, 1968, 69–74.   R. N.

Cheirographon (χειρόγραφον), wörtl. »Handschreiben« (Handschein). Neben der → Syngraphe die häufigste Form der Privaturkunde der Papyri Ägyptens. Das seit dem 3./2. Jh. v. Chr. bis in die röm. Zeit auftretende *ch.* ist am Stil des Privatbriefs orientiert und auf keinen bestimmten Geschäftstyp beschränkt. Zeugen waren dabei üblich. Gewöhnlich hatte der aus dem *ch.* Berechtigte die Urkunde in Händen. In röm. Zeit konnte das *ch.* durch δημοσίωσις (*dēmosíōsis*: Einverleibung in ein amtliches Archiv) beweisrechtlich die Gleichstellung mit den vom → *agoranómos* errichteten Notariatsurkunden erreichen.

> WOLFF, 106 ff.   G. T.

Cheiromanteia s. Divination

Cheirotonia (χειροτονία, »Handaufheben«). Form der Abstimmung in Volksversammlungen und anderen griech. Gremien. Wahrscheinlich wurden in großen Versammlungen die so abgegebenen Stimmen nicht gezählt; vielmehr hatte der Vorsitzende zu entscheiden, für welche Seite die Mehrheit stimmte. Abzuheben von der *ch.* ist die Abstimmung durch *psēphophoría* (»Einwurf von Stimmsteinen«), die präzise Stimmenzählung und geheime Abstimmung ermöglichte. Ungeachtet der tatsächlich benutzten Form bestand in Athen und im allg. die Tendenz, bei Wahlen den Begriff *cheirotonein* und bei der Beschlußfassung über öffentliche Angelegenheiten den Begriff *psēphízesthai* zu verwenden: In der athenischen Volksversammlung nutzte man die *ch.* bei Wahlen ebenso wie bei Abstimmungen (sofern kein Quorum von 6000 Stimmen erforderlich war); die Gerichtshöfe benutzten ausschließlich die *psēphophoría*.

> M. H. HANSEN, How did the Athenian Ecclesia vote?, in: GRBS 18, 1977, 123–37 (= The Athenian Ecclesia, 1983, 103–21).   P. J. R.

Chelkias (Χελκίας). Sohn Onias' IV., Bruder des Ananias (gest. 103). 105–103 v. Chr. Kommandant der Armee der → Kleopatra III.

> PP 2, 2183; 8, 342a.   W. A.

Chelone. Die *ch.* (χελώνη »Schildkröte«) wurden von Belagerern als meist fahrbare hölzerne Schutzvorrichtungen benutzt. Als χ. χωστρίδες (*ch. chōstrídes*) deckten sie Mineure, die u. a. durch Aufschütten von Gräben das Gelände einebneten, als χ. ὀρυκτρίδες, *oryktrídes* (lat. *musculi*) solche, die Mauern einbrechen oder untergraben sollten. Die »Widderschildkröten« schützten Rammböcke. In Griechenland wohl seit dem 5. Jh. verwen-

det, waren sie in hell. und röm. Zeit bes. verbreitet.
→ Befestigungswesen; Poliorketik

O. LENDLE, Schildkröten. Ant. Kriegsmaschinen in poliorketischen Texten, 1975. L. B.

Chemmis

[1] Bei Diod. 1,63 Name des Erbauers der größten der drei Pyramiden von → Giza (→ Cheops).

[2] Bei ant. Schriftstellern gebrauchter Name einer bedeutenden Stadt in Oberägypten, des h. Achmim, 200 km nördl. von Luxor auf dem rechten Nilufer, Hauptstadt des 9. oberägypt. Gaues (Panopolites). Diod. 1,18 gebraucht die Form *Chemmo*. Altägypt. sind neben *Ipw* die Namen *w n Mnw* und *Ḫntj Mnw* überliefert, die auf den Ortsgott Min hinweisen, der in der Regel dem → Pan gleichgesetzt wurde (Panopolis). Hdt. 2,91 sieht in dem ägypt. Gott den → Perseus und in dem beim Minfest aufgeführten Ritual des »Kletterns für Min« gymnastische Spiele. Plin. nat. 5,11,2 bezeichnet Ch. als bedeutendste Stadt Ägyptens. Auch arab. Schriftsteller des MA zählten die Tempel der Stadt zu den bedeutendsten Ägyptens. Durch spätere Überbauungen und Abbrucharbeiten ist so gut wie nichts erh. geblieben. Ch. war im Altertum seiner Weber und Steinmetze wegen berühmt (Strab. 17,1,41–43). 447 n. Chr. starb → Nestorius in Ch. [1].

[3] Nach Hdt. 2,156 und Hekat. fr. 284 (bei Steph. Byz. s. v.) Name einer schwimmenden Insel in einem See in der Nähe des Tempels von → Buto im Westdelta, ägypt. *ḫ-bjt*, »Papyrusdickicht des unterägypt. Königs«. Ein Mythos von der Geburt des Horus durch Isis ist schon seit dem AR hier angesiedelt. Einer jüngeren Tradition zufolge (Pap. Ebers 958, NR) wurden Schu und Tefnut von Isis hier geboren, die mit → Apollon und → Artemis gleichgesetzt wurden [2].

1 J. KARIG, s. v. Ch., LÄ 1, 54–55 2 H. ALTENMÜLLER, s. v. Ch., LÄ 1, 921–922. R. GR.

Cheops

(ägypt. *Nmw-ḫwj.f-wj*; Hdt. Χέοψ, Manethon Σοῦφις, Ps.-Eratosth. fr. 17 Σαῶφις; bei Diod. 1,63 auch → Chemmis/Χέμμις). Zweiter Herrscher der 4. Dynastie, regierte nach dem Turiner Königspapyrus 23 Jahre (ca. 2550 v. Chr.). Polit. Ereignisse aus seiner Regierungszeit sind nicht bekannt. Ch. inaugurierte die Nekropole von → Giza und verwirklichte dort mit dem Bau seiner (der größten) Pyramide und der Anlage eines Friedhofs für die Mitglieder der Elite das Konzept einer einheitlich geplanten Residenznekropole als Ausdruck der um die Person des Königs zentrierten Struktur des Staatsapparats der 4. Dynastie. Felsinschriften des Ch. sind aus Nubien und vom Sinai bekannt; einziges Rundbild des Königs ist eine Elfenbeinstatuette aus → Abydos [2]. Hdt. 2,124 ff. zeichnet von Ch. das Bild eines rücksichtslosen Tyrannen, der dem Bau seines Grabmals alles untergeordnet habe. Ob dieses negative Urteil in ägypt. Tradition wurzelt (Pap. Westcar), bleibt strittig.

J. V. BECKERATH, s. v. Ch., LÄ 1, 932 f. S. S.

Chersias

(Χερσίας). Aus Orchomenos; Plutarch, der Ch. in seinem ›Gastmahl der sieben Weisen‹ als Dichter (mor. 156 f) an den Gesprächen teilnehmen läßt, macht ihn zu einem Zeitgenossen und Vertrauten des Tyrannen von Korinth, → Periandros (Ende 7./Anf. 6. Jh. v. Chr.). Zwei Hexameter des Dichters (Paus. 9,38,9), in denen der Stadtheros Aspledon als Sohn des Poseidon und der Mideia bezeichnet wird, sollen die Richtigkeit der Lokaltradition der gleichnamigen boiot. Stadt belegen. Pausanias' ausdrücklicher Hinweis, daß zu seiner Zeit die Dichtung des Ch. nicht mehr bekannt war (9,38,10), sowie die Berufung auf einen fragwürdigen Gewährsmann, den korinthischen Historiker → Kallippos, lassen Zweifel an der Echtheit des Zitats aufkommen. Pausanias berichtet ferner, daß die Einwohner von Orchomenos das Epigramm auf dem Grab Hesiods dem Ch. zuschreiben. C. S.

Chersikrates

(Χερσικράτης). Korinther, Nachkomme der Bakchiaden (Timaios FGrH 566 F 80). Nach Strab. 6,2,4 wurde Ch. von → Archias, dem Gründer von Syrakus, auf dem Weg nach Sizilien zurückgelassen und besiedelte Kerkyra. Die Glaubwürdigkeit dieser in sich widersprüchlicher Nachrichten muß bezweifelt werden. M. MEI.

Chersiphron

aus Knossos. Vater des → Metagenes; zusammen mit ihm die bei Strabon (14,640), Vitruvius (3,2,7) und Plinius (nat. 7,125; 36,95) überlieferten → Architekten der archa. → Dipteros der Artemis in Ephesos (2. H. 6. Jh. v. Chr.). Beide verfaßten eine bei Vitruv offenbar noch bekannte Schrift über diesen Tempel (Vitr. 7,1,12), die zu den frühesten Zeugnissen der ant. → Architekturtheorie zählt; Ch. galt wegen der Entwicklung einer Walzenkonstruktion für den Transport großer und schwerer Bauteile vom → Steinbruch durch unwegsames Gelände zur Baustelle (Vitr. 10,2,11) auch als Pionier der ant. Ingenieurstechnik (→ Bautechnik).

H. BRUNN, Gesch. der griech. Künstler, 2, ²1889, 232–233 (Quellen) · L. GUERRINI, s. v. Ch. (Lit.), EAA 2 · W. SCHABER, Die archa. Tempel der Artemis von Ephesos, 1982 · H. SVENSON-EVERS, Die griech. Architekten archa. und klass. Zeit, 1996, 67–100 · B. WESENBERG, Zu den Schriften der griech. Architekten, in: DiasAB 4, 1983, 39–48. C. HÖ.

Cherson s. Chersonesos [3]

Chersonesos

(Χερσόνησος).

[1] Die h. Halbinsel Gallipoli (über 900 km²); mit vorgesch. Siedlungsspuren, strategisch günstig gelegen und fruchtbar. Erstmals bei Hom. Il. 2,844 f. als Heimat der Thraker Akamas und Peiroos erwähnt. Aiol. Kolonisation im 7. Jh. v. Chr (Alopekonnesos, Madytos, Sestos), die ion. (Kardia, Limnai von Miletos und Klazomenai, Elaius von Teos) etwas später. Die starken thrak. Stämme (Apsinthoi, Dolonkoi) blieben noch lange feindlich.

Um die Ch. zu schützen, ließ → Miltiades der Ältere, der mit Zustimmung der Dolonkoi als Tyrann über die Ch. herrschte, die Bulair-Landenge mit einer Mauer von Kardia bis Paktye befestigen (Hdt. 6,36). Nach dem Krieg mit Lampsakos wurde → Miltiades der Jüngere von Athen auf die Ch. entsandt. Nach dem Skytheneinfall 496 trat er 493 die Ch. an Dareios ab. Sestos war pers. Satrapensitz. Perikles ließ die Mauer wiederherstellen und schickte Siedler nach Sestos und Kallipolis. Die ganze Ch. war ab 466 Mitglied im 1. → Attisch-Delischen Seebund. Bis 387 kämpfte Athen um die Ch. wegen ihrer Bed. für den Weizenimport. Zu dieser Zeit war die ganze Ch. wohl rein griech. besiedelt. 405 bis 386 stand die Ch. zeitweise unter spartanischer Herrschaft. 398 erneuerte der Spartaner Derkylidas die Mauer. Durch die Expansion der Odrysai befand sich die Ch. bis zur Einnahme durch Philippos II. (338 v. Chr.) unter thrakischer Herrschaft, was Athen zu zahlreichen diplomatischen Schritten gegenüber Herrschern wie Kotys I., Amadokos und Kersebleptes zwang. 280/79 zogen Kelten durch die Ch.; Antigonos [2] Gonatas schlug sie 277 entscheidend. Abwechselnd stand die Ch. unter Seleukiden, Ptolemaiern, Antigoniden und (seit 189) Attaliden. Zur Zeit Attalos' II. Einfall der Thraker unter Dielylis, dem König der Kainoi. 133 kam die Ch. als Vermächtnis Attalos' III. unter röm. Herrschaft, war seit 12 v. Chr. teilweise kaiserliche Domäne.

In der 1. Hälfte des 2. Jh. wurde eine *prov. Chersonesus* mit dem Prokuratorensitz in Koila/Coela geschaffen. Zur Zeit des Iustinianus (6. Jh. n. Chr.), der die Mauer wiederherstellen ließ, fielen sporadisch Hunnen und Slawen in die Ch. ein.

U. KAHRSTEDT, Beitr. zur Gesch. der Thrak. Ch., 1954 · B. ISAAC, The Greek Settlement in Thrace until the Macedonian Conquest, 1986, 159–197.   I. v. B.

[2] Durch einen langen Isthmos mit dem Festland verbundene Halbinsel zw. Maiotis im Osten und dem Pontos Euxeinos im Westen, die südl. Fortsetzung der südrussischen Steppe, oft taurische, seltener skythische Ch. genannt (Hdt. 4,17–31; 99–101; Strab. 7,4; Skylax 68), h. Krim. Strab. 7,4,2 unterscheidet die große Ch. (die ganze Halbinsel) und die kleine Ch. (den sich ins Schwarze Meer erstreckenden Teil); Hdt. 4,99 nennt den Ostteil τρηχέη »rauh«); mildes Klima, fruchtbarer Boden. Ab dem 7. Jh. v. Chr. von Griechen kolonisiert, die sich ständig mit dort siedelnden Stämmen (Tauroi im Gebirge, Skythai weiter nördl.) auseinandersetzen mußten. Den Westen der Ch. beherrschte die Stadt Ch., den Osten das Bosporanische Reich. Im 3. Jh. n. Chr. siedelten sich Goti und Heruli an (Synk. 717), die unter dem Druck der Hunni und anderer Turkvölker, später auch der Slawen seit den 70er Jahren des 4. Jh. nach Südwesten auswichen (Prok. BG 4,5). Im 5. Jh. siedelten sich Hunni und Chasaren auf der Ch. an, ab dem 6. Jh. standen sie unter der Kontrolle von Konstantinopolis.

A. N. ŠČEGLOV, Severo-zapadnyi Krym v antičnuju epohy, 1978 · D. B. ŠELOV, Der nördl. Schwarzmeerraum in der Ant., in: H. HEINEN (Hrsg.), Die Gesch. des Alt. im Spiegel der sowjetischen Forsch., 1980.   I. v. B.

[3] A. GRIECHISCHE UND RÖMISCHE ZEIT
Dor. Kolonie im Südwesten der Krim, in der 2. H. des 5. Jh. v. Chr. von Herakleia gegr., nach Ps.-Skymn. 850 unter Beteiligung von Bürgern aus Delos. Gewann früh ein großes Territorium (Kerkinitis, *Kalós limḗn*). Seit dem 4. Jh. v. Chr. Münzprägung. Mithradates VI. verhinderte E. des 2. Jh. v. Chr. die Einnahme von Ch. durch die Skythai (Strab. 7,4,3 ff.; IOSPE I², 352); Ch. verlor aber seine Außenbesitzungen. Kurz darauf Bündnis mit den Sarmatai gegen die Skythai (Polyain. 8,56). Von Asandros ins Bosporanische Reich eingegliedert. Nach Belagerung durch Skythai 60/61 n. Chr. wurden auf Befehl des Kaiser Nero röm. Truppen und eine Flottenabteilung in Ch. stationiert (Ios. bell. Iud. 2,16,4). Wegen der ständigen Gefährdung durch Skythai wurde Kotys II. von Hadrianus als Herrscher eingesetzt (Phlegon von Tralleis, Olympiades 15, fr. 20, FGrR 257). Durch Vermittlung von Herakleia gewann Ch. von Antoninus Pius die Unabhängigkeit zurück (IOSPE I², 361). Während der Einfälle der Goti im 4. Jh. blieb Ch. frei und mit Rom verbündet; es litt später stark unter den Angriffen der Hunni.

V. E. GAIDUKEVIČ, Das Bosporanische Reich, 1971 · J. VINOGRADOV, M. ZOLOTAREV, Le Chersonèse de la fin de l'archaisme, in: Le Pont-Euxin vu par les grecs, 1990, 85–119.   I. v. B. und S. R. T.

B. BYZANTINISCHE ZEIT
→ Iustinianus I. (527–565) ließ Wehranlagen bauen. Als man im 9. Jh. die *klímata* gen. Städte und befestigten Siedlungen zu einem → *théma* zusammenfaßte, wurde die Stadt Residenz des Strategen; mit bedeutender Rolle im Transithandel [1] und bei der Christianisierung der Russen. Die Stadt bestand bis E. des 15. Jh. und behielt ihren griech. Charakter. Heute Ruinen in der Nähe des modernen Sevastopol.

1 G. MORAVCSIK (ed.), Constantinus Porphyrogenitus, De administrando imperio, ²1967, 286.

QUELLEN: A. PERTUSI (ed.), Costantino Porfirogenito, De thematibus, 1952, 182 f.
LIT.: D. OBOLENSKY, The Crimea and the North before 1204, in: Ders., The Byzantine Inheritance of Eastern Europe, 1982 · I. SOKOLOVA, Монеты и печати византийского Херсона (= Münzen und Siegel der byz. Chersonesos), 1983.   G. MA.

Cherusci. German. Volk (zuerst Caes. Gall. 6,10,5; Etym. unklar, zu *herut* »Hirsch«?), südl. der Angrivarii und westl. der Langobardi, zw. Weser und Elbe und nördl. des Harzes. Im Zustand dauernder innerer Auseinandersetzungen von Claudius Drusus (12 und 9 v. Chr.) und Tiberius (4 n. Chr.) unterworfen, erhob sich der in röm. Diensten stehende → Arminius mit einem Teil der polit. zeitweise weit über das Siedlungsgebiet hinausreichenden Ch. erfolgreich gegen Quinctilius → Varus 9 n. Chr. Auch erfolgreich im Widerstand gegen Marbod, überlebt die inneren Fehden 47 n. Chr. hingegen nur noch ein Mitglied des Königsstamms. Trotz Verschwägerung wurden die Ch. als Freunde der Römer von den Chatti bekriegt und schließlich vor 100 aufgerieben (Tac. Germ. 36,1, vgl. moderne Komm.).

TIR M 33, 34 · G. NEUMANN et al., s. v. Cherusker, RGA 4, 430–435 · W. WILL, Roms »Klientel-Randstaaten« am Rhein?, in: BJ 187, 1987, 1–61, bes. 44–55 · R. WIEGELS, W. WOESLER (Hrsg.), Arminius und die Varusschlacht, 1995.
K. DI.

Chesloimos (Χέσλοιμος) nennt Ios. ant. Iud. 1,6,2 (§ 137 N.) den Eponymos eines von den Ägyptern abstammenden Volkes, das in seiner Vorlage kasluḥīm (Gn 10,14 und 1 Chr 1,12; LXX Χασλ- und Χασμωνι[ε]ιμ, Vulg. C(h)asluim) heißt. Bei Iosephos sind ihr Brudervolk die → Philister, während diese nach der Vorlage früher im Land der kasluḥīm wohnten. Falls hier die Glosse, die dies besagt, nicht zu den kaptōrīm zu stellen ist (vgl. Jer 47,4 und Am 9,7), wären die kaptōrīm in den ägypt. Küstengebieten anzusiedeln, in welche im 12. Jh. v. Chr. Seevölker (→ Seevölkerwanderung) einfielen, direkt über See oder das palästin. Küstengebiet zunächst durchziehend. Ob Ch. bzw. die kasluḥīm auch ethnisch zu diesen gehörten, läßt sich nicht sagen. Von den vorgeschlagenen Identifizierungen für Ch. (Nachweise in den hebr. WB und [1. 614f.]) sind deshalb unter geogr. Gesichtspunkt die mit den Bewohnern der Kasiotis oder die mit den libyschen Νασαμῶνες → Nasamones (Hdt. 2,32; 4,172, 182, 190; bei der Amons-Oase nomadisierend) am diskutabelsten.

1 Dictionnaire de la Bible 1. C. C.

Chiasmus s. Parallelismus

Chicago-Maler. Attischer rf. Vasenmaler, tätig ca. 455–450 v. Chr., benannt nach einem Stamnos in Chicago. Gilt als »Nachfolger« des Villa Giulia-Malers, dessen Stil er ›in einer weicheren und eleganteren Weise fortsetzte‹ (BEAZLEY). Er bemalte hauptsächlich Stamnoi, Peliken und Hydrien sowie verschiedene Krater-Typen. Seine Figuren sind groß und schlank mit ausdrucksvollen Gesichtszügen, auch kleinere Arbeiten zeichnen sich durch Detailreichtum aus. »Kriegers Abschied« ist das von ihm bevorzugte Motiv, während myth. Szenen selten sind. Seine Stamnoi mit Mänaden in würdevoller Prozession oder in beschaulichen Gruppen nehmen Bezug auf die Lenäen-Vasen des Villa Giulia-Malers.

BEAZLEY, ARV², 628–632, 1662 · G. SCHWARZ, Der Abschied des Amphiaraos, in: JÖAI 57, 1988/89, 39–54 · M. ROBERTSON, The Art of Vase-Painting, 1992, 191–194.
M. P. / V. S.

Chidibbia. Stadt der Africa proconsularis im Tal der Medjerda, h. Slouguia. Ch. war zunächst einfache civitas, wurde spätestens E. des 2. Jh. n. Chr. von undecimprimi verwaltet (CIL VIII 1, 1327; Suppl. I, 14875) und stieg im 3. Jh. zum → municipium auf. Inschr.: CIL VIII 1, 1326–1352; VIII 2, 10614; Suppl. I, 14870–14879; BCTH 1932/33, 198 f.

C. LEPELLEY, Les cités de l'Afrique romaine 2, 1981, 105.
W. HU.

Chigi-Maler. Spätprotokorinthischer Vasenmaler um 640 v. Chr., benannt nach der herausragenden Kanne in Rom (VG, früher Slg. Chigi; die Bezeichnung Ch. hat sich in der arch. Terminologie gegen »Macmillanmaler« durchgesetzt). Die Chigi-Kanne ist die früheste und reichst bemalte korinthische Olpe mit Rotellenhenkeln. Getrennt durch schwarze Bänder mit heller Bemalung (Ornamente, Hasenjagd) folgen untereinander drei polychrom bemalte Friese: eine Schlacht mit der ältesten Darstellung der Hoplitenphalanx, dann nebeneinandergesetzt ein Parisurteil (mit nicht-korinthischen Namensbeischriften), Reiter und Wagen, eine Doppelsphinx und eine Löwenjagd; darunter ein niedrigerer Fries mit Hasen- und Fuchsjagd. Miniaturhafte Hopliten, Reiter und Jagdbilder auch auf den Aryballoi mit Löwenkopfausguß in Berlin und London (»Macmillan-Aryballos«), eine Jagd auf dem Olpenfragment Aegina.

Alle Werke zeichnet die vorzügliche polychrome Bemalung (Glanzton, Braun, Gelb, Purpur, Weiß), die reiche Ritzung und die Lebendigkeit der Bilder aus. An den nicht aus Korinth stammenden Ch. schließt sich mit z. T. hochrangigen Malern die sog. Chigi-Gruppe an, in der vor allem Aryballoi und Olpen mit Tierfriesen, Mythenbildern oder verschiedenfarbiger Olpen mit Blattzungen bemalt werden.

AMYX, CVP 31–33, 301, 334, 369 f. 557 Nr. 2 · AMYX, Addenda 15 · E. SIMON, Die griech. Vasen², 1981 Taf. 25, VII · M. AKURGAL, Eine protokorinthische Oinochoe aus Erythrai, in: MDAI(I) 42, 1992, 83–89. M. ST.

Childerich I. Frankenkönig (ca. 436–482), Sohn des hérōs epónymos Merowech und Vater des → Chlodovechus I. Ch. beherrschte seit ca. 463 das fränkische Teilreich von Tournai und kämpfte als röm. Verbündeter im nördl. Gallien mehrfach siegreich gegen die Westgoten und Sachsen. Wahrscheinlich war er auch mit der Verwaltung der Prov. Belgica II betraut (Greg. Tur. Franc. 2,9–27; Fredegar 3,11–12 MGH SRM 2). Einer Legende zufolge soll er seine Herrschaft durch ein achtjähriges Exil in Thüringen unterbrochen haben (Greg. Tur. Franc. 2,12).

U. NONN, s. v. Ch. I., LMA 2, 1817f. · J. WERNER, Ch. Gesch. und Arch., in: AW 14, 1983, 28–35 · S. FAMING, s. v. Childeric I., Medieval France. An Encyclopedia, 1995, 217. SCHAUSPIEL: P. ERNST, Ch. Ein Trauerspiel, 1959.
W. SP.

Das Grab des Ch. wurde 1653 in seiner Residenz Tournai entdeckt und durch die Inschr. eines Siegelrings identifiziert. Die reichhaltigen Beigaben sind nur z.T. erh. (Paris, LV). Zusammen mit der gesamten Grabanlage spiegeln sie die Stellung des Ch. als german. Heerkönig, der sich aber zugleich als hoher röm. Offizier ausweist (Siegelring, goldene spätröm. Zwiebelknopffibel und Mz.).

→ Chlodovechus; Franci; Grabbauten

RGA 4, s. v. Ch., 441–460 · P. PÉRIN, M. KAZANSKI, Das Grab Ch. I., in: Die Franken – Wegbereiter Europas. Ausstellungskatalog Rein-Museum Mannheim, 1996, 173–182.   V. P.

Chiliarchos. Befehlshaber einer 1000 Mann starken Einheit im maked. und ptolemäischen Heer (z. B. Arr. an. 1,22,7). Gleichzeitig dient der Begriff als griech. Übers. für den Befehlshaber der königlichen Garde in Persien, den 1000 μηλοφόροι (Aischyl. Pers. 304). Der Ausdruck wurde nach der Eroberung Persiens auf das wichtigste Amt der neuen Reichsordnung nach Alexanders Tod übertragen (Diod. 18,48,4). Seine mil. und polit. Kompetenzen sind unklar. Mit der Entstehung der Diadochenreiche wurde der Begriff in dieser Bed. obsolet.   L. B.

Chilon (Χίλων).
[1] Aus Sparta, Sohn des Damagetos, wurde wegen seiner führenden Rolle in der Politik Spartas Mitte des 6. Jh. (Ephoros ca. 556 v. Chr.; erster Ephoros: Sosikrates FHG IV 502 [1]); auch wurde ihm Stärkung des Ephorats neben Königtum zugeschrieben (Diog. Laert. 1,68). Wegen seiner elegischen Dichtung und seiner Lebensweisheit zu den ›Sieben Weisen‹ des archa. Griechenlands gerechnet (Plat. Prot. 343a; Diog. Laert. 1,68–73). Pap. Rylands 18 (= FGrH 105 F 1) nennt ihn zusammen mit Anaxandridas II. als Gegner von Tyrannen wie Aischines in Sikyon [2; 3]; diese Legende ist wohl schon im 5. Jh. entstanden. Sammlungen seiner berühmten Sprüche (τὰ Χίλωνος παραγγέλματα), deren lakonische Art sprichwörtlich wurde (ὁ Χιλώνειος τρόπος Diog. Laert. 1,72), sind bei Diogenes Laertios, Plutarch (›Gastmahl der Sieben Weisen‹) und Stobaios überliefert. Von seinen Elegien ist nichts erhalten; ein lyrisches Fragment (BERGK III 199) spricht mit solonischer Moral vom Gold als dem Prüfstein menschlichen Charakters. Ein wortkarger, dorisch geschriebener Brief an Periandros (Diog. Laert. 1,73) wirkt wenigstens stilecht. Daß er größten Anteil an der Ausbildung der sog. Lykurgischen Ordnung hatte [5. 243 ff.], ist eine moderne These, die sich nicht damit begründen läßt, daß Sparta nach Mitte des 6. Jh. seinen Gegnern überlegen gewesen sein soll. Die ihm zugeschriebene Stärkung des → Ephorats ist das Ergebnis einer längeren Entwicklung [6. 75–84]. Bes. Vollmachten Ch.s als Ephor [7. 21] sind nicht belegt. Nach Paus. 3,16,4. wurde ihm ein Heroon in Sparta geweiht. Zur Nachwirkung zählen zwei Epigramme

(Anth. Pal. 7,88 und 9,596) sowie ein Mosaik-Porträt im Röm.-German. Museum, Köln.

1 V. EHRENBERG, Neugründer des Staates, 1925, 5 ff., bes. 46 ff. 2 D. M. LEAHY, Ch. and Aeschines, in: Bulletin of the John Rylands Library 38, 1956, 406–435 3 Ders., Ch. and Aeschines again, in: Phoenix 13, 1959, 31–37. 4 R. BERNHARDT, Die Entstehung der Legende von der tyrannenfeindlichen Außenpolitik Spartas im 6. und 5. Jh. v. Chr., in: Historia 36, 1987, 257–289 5 F. KIECHLE, Lakonien und Sparta, 1963 6 L. THOMMEN, Lakedaimonion Politeia, 1996 7 C. M. STIBBE, Ch. of Sparta, in: Medelingen van het Nederlandsch Historisch Institut to Rome 46, 1985, 7–24.

W. G. FORREST, A History of Sparta 950–192 B. C., 1968, 76 ff.   K.-W. W. UND W. D. F.

[2] Spartiat aus königlichem Haus, wohl Eurypontide, scheiterte 219 v. Chr. bei einem Putschversuch mit Anhängern des → Kleomenes III. Er versprach eine Bodenreform, fand aber keine breite Unterstützung (Pol. 4,81).   K.-W. W.

Chilonis (Χιλωνίς).
[1] Legendäre Person, galt als Gattin des Königs → Theopompos, den sie aus messenischer Gefangenschaft befreit haben soll (Polyain. 8,34; Quint. inst. 2,17,20; Plut. Lykurgos 7,2; mor. 779e).
[2] Gattin des → Kleonymos, des Sohnes des Kleomenes II., beging Ehebruch mit dem späteren König Akrotatos und heiratete diesen offenbar nach dem Tod des Kleonymos, der ihretwegen Sparta verlassen und sich Pyrrhos angeschlossen hatte (Syll.[3] 430; Plut. Pyrrhus 26,17–24; 27,10; 28,5 f.).
[3] Tochter des Leonidas II., dem sie 242 v. Chr. in die Verbannung folgte; nach dessen Rückkehr 241 begleitete sie jedoch ihren Gatten Kleombrotos ins Exil, der sich am Putsch gegen seinen Schwiegervater beteiligt und die Königswürde usurpiert hatte (Plut. Agis 17,1–18,3).   K.-W. W.

Chilperich
[1] Ch. I., Burgunderkönig, † um 480. Seit 457 Mitinhaber der Königsgewalt, erhielt er nach dem Tode seines Bruders Gundich um 472 an dessen Stelle das Amt des *mag. militum Galliarum* (Sidon. epist. 5,6,2). Nach anfänglichen Kämpfen gegen die Westgoten wechselte er schließlich auf ihre Seite über und löste den Foederaten-Vertrag mit dem weström. Reich.

→ Magister militum

J. RICHARD, s. v. Ch. I., LMA 2, 1824 f. · A. DEMANDT, s. v. Ch., RE Suppl. 12, 1588.   W. SP.

[2] Merowingerkönig, geb. ca. 537 als jüngster Sohn Chlotars I., nach dessen Tod 561 das Reich unter seinen vier Söhnen aufgeteilt wurde. Ch. beherrschte zunächst nur die Gegend von Soisson, konnte aber 567 nach dem Tode seines Bruders Charibert große Teile Nord- und Südgalliens hinzugewinnen. Danach kämpfte er in wechselnden Allianzen gegen seine Brüder Gunthram und Sigbert und beherrschte schließlich nach 575 (Sigbert †) das größte merowingische Königreich (Greg. Tur. Franc. 4, 22–6,46; Edict. Chilperici MGH Cap. 1 Nr. 4). Ch. war schriftstellerisch tätig und theologisch interessiert, ein Gedicht ist erhalten (MGH PP 4,455). Während Venantius Fortunatus (carm. 9,1–3 MGH AA 4,1) ihn in Lobliedern als starken und gebildeten König rühmt, verurteilt Gregor von Tours ihn als »Nero« und »Herodes« seiner Zeit (Franc. 6,46).

U. Nonn, s. v. Ch. I., LMA 2, 1825 · S. Faming, s. v. Chilperic I., Medieval France. An Encyclopedia, 1995, 217–218.   W. SP.

Chimaira (χίμαιρα). Ch., »Ziege«, ist das von → Bellerophon getötete lyk. Ungeheuer, ›vorne Löwe, hinten Schlange, in der Mitte Ziege‹ (Hom. Il. 6,181 = Lucr. 5,905). Es ist Kind des → Typhon und der Echidna, der Mutter der → Sphinx (Phix: Hes. theog. 319–326), nach anderer Überlieferung wurde es von dem Lykier Amisodaros aufgezogen (Hom. Il. 16,328). Fester Bestandteil des Mythos ist seit Homer, daß es Feuer speit, nach Ov. met. 9,647 und Apollod. 2,31 aus dem namengebenden Ziegenkopf (anders [1]), den auch die Bilder oft so darstellen [2; 3]. In Vergils »Unterwelt« wohnt es mit anderen Ungeheuern zusammen (Aen. 6,288, ebenso Lukian. dial. mort. 30,1).

Naturallegorische Auslegung verstand Ch. als vulkanischen Berg (Plin. nat. 2,236; 5,100; Isid. etym. 11,3,36 u. a.), moralische als Bild der Menschenalter (Isid. etym. 1,40,4). Nachantik wurde Ch. zum Bild für haltlose Vorstellungen und Einbildungen.

1 H. Usener, KS 4, 1913, 302f. 2 A. Jacquemin, s. v. Ch., LIMC 3.1, 249–259 · M. L. Schmitt, Bellerophon and the Ch. in archaic Greek art, in: AJA 70, 1966, 341–347.   F. G.

China (Σῖνα). Ch. umfaßt in den h. Grenzen mehrere Kulturzonen des Alt. mit unterschiedlichen Traditionen und Verbindungen nach Westen und Süden. Die Steppenzone im Norden war spätestens seit dem 2. Jt. v. Chr. im ständigen Kontakt mit Westsibirien und Osteuropa, stets unter dem Einfluß der zentralchinesischen Kulturen im Hoangho-Gebiet und der Küstenzone. Süd-Ch. war nach Süden und SO ausgerichtet. Seit achäm. Zeit ist der Verkehr auf den »Seidenstraßen« belegt und seit dem 2.–3. Jh. n. Chr. scheint Ch. zur See erreicht worden zu sein. Die Ant. erfuhr auf zwei Wegen von Ch. und den Chinesen: es war bekannt als Land der Seidenproduzenten der → Serer; zum anderen erfuhr man auf dem Seeweg von Ch. als Θῖναι (Thínai) oder Σῖναι ἢ Θῖναι (Ptol. 7,3,6), wahrscheinlich vom Namen der Ts'in-Dynastie abgeleitet; entspricht dem ai Cīnasthāna, bei Kosmas Indikopleustes, 2,45 ff. (um 550 n. Chr.) als Τζίνιστα (Tsínista). Der peripl. m. Erythraei bringt durch die Form Θῖν die genaueste Übertragung aus dem altchinesischen Ts'in. Eine vielleicht vorgebli-

che Botschaft des An-tun (M. Aurelius Antoninus) wird in den Han-Annalen erwähnt (→ Seres). Geliefert wurden aus dem Westen Metallwaren, Glas, Sklaven und Edelmetall, exportiert wurde Eisen, Kissen und → Seide (Tac. ann. 2,33; Suet. Cal. 52; Marinos v. Tyrene; Ptol. 1,11,3–6, 13–1). Ant. Tendenzen in den buddhistischen Wandmalereien von Miran aus dem 2.–3. Jh. n. Chr. könnten auf röm. Kontakte sowie auf graeco-baktrische Traditionen der Kuschanen zurückgehen. Unter den Turfan-Texten (→ Turfan) treten griech. Traditionen wie Fabeln auf, desgleichen syr.-manichäische und christl.-nestorianische Motive.

→ China

A. Dihle, Antike und Orient, 1984.   B. B.

Chiomara (Χιομάρα). Keltischer Name der Gattin des Tolistobogierkönigs → Ortiagon [1. 156]. Ch. geriet 189 v. Chr. nach dem Sieg des Cn. → Manlius Vulso über die Galater am Olympos in die Hand eines *centurio*. Als dieser sich zunächst an ihr verging, sie dann aber gegen ein hohes Lösegeld freilassen wollte, ließ sie ihn bei der Übergabe ermorden. Seinen Kopf überbrachte sie ihrem Gatten. Polybios soll sie angeblich selbst in Sardes getroffen haben, offenbar als sie dort nach dem Fall des Ortiagon 183 v. Chr. interniert war. Plutarch führt sie als Beispiel einer Heroine an (Plut. mor. 258E-F; vgl. Pol. 21,38; Liv. 38,24).

1 L. Weisgerber, Galatische Sprachreste, in: Natalicium. FS J. Geffken, 1931, 151–175.

H. Rankin, Celts and the Classical World, 1987, 247–248 · F. W. Walbank, A Historical Commentary on Polybios, Bd. 3, 1979, 151–152.   W. SP.

Chion (Χίων). Aus Herakleia, Schüler des Platon, tötete 353/352 v. Chr. Klearchos, den Tyrannen von Herakleia. Unter seinem Namen ist eine Sammlung von 17 Briefen auf uns gekommen; sie reflektieren das Leben des Ch. von dem Zeitpunkt an, da er sich nach Athen begibt, um Platons Schule zu besuchen, und reichen bis zu dem Augenblick, als Ch. die Nachricht von der Machtergreifung des Klearchos erhält und nach Herakleia zurückkehrt, um den Tyrannenmord in die Tat umzusetzen. Obwohl es Verteidiger der Echtheit dieser Briefe gegeben hat [1], sind sie aller Wahrscheinlichkeit nach apokryph; abgefaßt wurden sie wahrscheinlich im 1. Jh. n. Chr. und sind vielleicht im Milieu von Herakleia entstanden, wo Leben und Taten des histor. Ch. von der einheimischen Historiographie weiter überliefert wurden [2]. Die Kompaktheit der Erzählstruktur berechtigt zu der Bezeichnung Briefroman.

→ Briefroman; Herakleia

1 Q. Cataudella, Sull'autenticità delle lettere di Chione di Eraclea, in: Memorie dell'Accademia nazionale di Lincei Ser. VIII, 24, 1980, 649–751 2 B. Zucchelli, A proposito dell' epistolario di Chione d'Eraclea, in: Paideia 41, 1986, 13–24.

I. DÜRING, Ch. of Heraclea, A novel in letters. ed. with introduction and commentary, 1951 · D. KONSTAN, P. MITSIS, Ch. of Heraclea: a philosophical novel in letters, in: Apeiron 23, 1990, 257–279. M. FU. und L. G. / T. H.

Chione (Χιόνη).

[1] Tochter von Boreas und Oreithyia, von Poseidon Mutter des → Eumolpos. Um eine Entdeckung zu vermeiden, warf sie ihr Kind ins Meer, doch es wurde von Poseidon gerettet (Eur. Erechtheus fr. 349 TGF; Apollod. 3,199–201). Ch. als Name, von χιών (chiōn) Schnee, paßt zu einer Tochter des Nordwindes; eine andere Ch., Tochter von Arkturos, soll von Boreas entführt worden sein und von ihm Mutter der drei hyperboreischen Apollonpriester (Hekat. FGrH 264 F 12; Ps-Plut. fluv. 5,3) geworden sein.

[2] Tochter von Daidalion, von Hermes Mutter des Autolykos und von Apollon des Philammon (Ov. met. 11,291–309; Hyg. fab. 200–1). Wahrscheinlich deshalb ist der Name typisch für eine Prostituierte (z. B. Mart. 3,30,4; Iuv. 1,3,136). In anderen Quellen wird diese Figur → Philonis genannt. E. K.

Chione-Roman (Χιόνη).

Nach dem Namen der mutmaßlichen Protagonistin wird gewöhnlich ein griech. Roman genannt, von dem drei Fragmente erh. sind, die wir nur aus WILCKENS summarischer Transkription eines später verlorengegangenen koptischen Palimpsestes, des sogenannten Cod. Thebanus, kennen. Die schwer zu interpretierenden, mageren Fragmente scheinen Chione als Protagonistin zu zeigen, die von vielen Freiern umworben und dann gegen ihren Willen zur Heirat gezwungen wurde und nun mit ihrem Geliebten überlegt, wie sie aus dem Leben scheiden soll. Deutliche Ähnlichkeiten mit dem Roman des → Chariton (der auch im Cod. Thebanus enthalten ist) lassen vermuten, daß die beiden Texte zeitgenössisch sind, vielleicht sogar beide von Chariton stammen. Sehr zweifelhaft ist die Zuweisung zweier weiterer, auf Papyrus erh. Fragmente zum Ch.-R. [1].

→ Chariton; Roman.

1 M. GRONEWALD, Ein neues Fragment zu einem Roman (P. Berl. 10535 = PACK² 2631 + P. Berl. 21234 uned.), in: ZPE 35, 1979, 15–20 · C. LUCKE, Bemerkungen zu zwei Romanfragmenten (P. Berl. 10535 = PACK² 2631 und P. Berl. 21234), in: ZPE 54, 1984, 41–47.

U. WILCKEN, Eine neue Roman-Hs., in: Archiv für Papyrusforschung 1, 1901, 227–272 · S. STEPHENS, J. J. WINKLER (ed.), Ancient Greek novels: The fragments, 1993 · N. MARINI, Osservazioni sul »romanzo di Chione«, in: Athenaeum 81, 1993, 587–600. M. FU. und L. G. / T. H.

Chionides (Χιωνίδης).

Ältester namentlich bekannter att. Komödiendichter. Als πρωταγωνιστής, protagonistés (die Bed. dieses Begriffs hier ist umstritten [2. 132]) der Alten → Komödie soll Ch. bereits ›acht Jahre vor den Perserkriegen‹ (d. h. 486 v. Chr. bei inklusiver Zählweise) ein Stück auf die Bühne gebracht haben [1. test. 1];

dies wird in der Regel als Beginn der staatlich organisierten Komödienagone an den Großen Dionysien angesehen [2. 82]. Zusammen mit → Magnes wird Ch. auch von Aristoteles an den Anfang der att. Komödie gesetzt [1. test. 2]. Noch drei Stücktitel von Ch. sind überliefert (›Die Helden‹, ›Die Perser oder die Assyrier‹, ›Die Bettler‹); die Hälfte der acht erh. (wenig aussagekräftigen) Fragmente wird den ›Bettlern‹ zugeordnet, bei denen allerdings zwei Quellenzeugnisse die Autorenschaft des Ch. in Zweifel ziehen (fr. 4; 7). Ob die beiden anderen Titel und die zu ihnen erh. Fragmente authentisch sind, muß wohl ebenfalls unsicher bleiben [3. 240].

1 PCG IV, 1983, 72–76 2 A. W. PICKARD-CAMBRIDGE, The dramatic festivals of Athens, ²1968 3 F. STOESSL, Die Anfänge der Theatergesch. Athens, in: Grazer Beiträge 2, 1974, 239f.; 8, 1979, 58. H.-G. NE.

Chionnes (Χιόννης).

Nur inschr. bezeugter Komödiendichter des 1. Jh. v. Chr. aus Theben, der an den Amphiareia und Rhomaia in Oropos einen Sieg davontrug [1. test.].

1 PCG IV, 1983, 77. H.-G. NE.

Chios (Χίος).

A. EINFÜHRUNG

856 km² große Insel, vom Festland ca. 8 km entfernt. Die ant. Siedlungen lagen an der Ostküste, wo sich h. die gleichnamige Hauptstadt befindet (wenige Überreste, nachdem 1881 ein Erdbeben fast den gesamten Baubestand der Insel zerstört hat). Die höchste Erhebung ist der Pelinaion (1297 m). Im Osten und Südosten ist Ch. sehr fruchtbar. Im Alt. hieß Ch. auch Makre oder Pityussa, ›die Tannenreiche‹, ihre Bewohner galten als »die reichsten Griechen« (Thuk. 8,45,4). Unter den Erzeugnissen sind vor allem der Wein und das Harz des Mastixstrauchs (Pistacia lentiscus) zu nennen. Besiedlung erfolgte bereits im Neolithikum (Funde bei Emporio im Süden – hier Siedlungskontinuität bis in die spätröm. Zeit – und in der Tropfsteinhöhle bei Hag. Gala). Um 1000 v. Chr. Zuzug ion., mit aitol. Elementen vermischter Bevölkerung (im Dialekt von Ch. erhalten; vgl. die Sprache der homer. Epen).

B. GRIECHISCH-RÖMISCHE ZEIT

Im 5. Jh. war Ch. Mitglied im → Attisch-Delischen Seebund; 412 v. Chr. fiel Ch. ab, konnte sich aber trotz der Niederlage von Delphinion (bei Langada an der Nordostküste) Athen erfolgreich widersetzen. Ch. war das erste Mitglied im 2. → Attischen Seebund, trat 357 v. Chr. aber wieder aus. Später ging Ch. unter dem Protektorat des Mausollos ein Bündnis mit Kos, Byzantion und Rhodos ein. Unter Alexander Wiederherstellung der Demokratie.

Seit 190 v. Chr. stand Ch. auf röm. Seite und wurde unter Sulla → civitas libera. Bereits im 3. Jh. n. Chr. fand das Christentum in Ch. Verbreitung, frühe Kirchen entstanden bei Emporio und Phanai an der Stelle eines Apollon-Tempels.

M. BALLANCE, J. BOARDMAN, S. CORBETT et al., Excavations in Ch., 1952–1955 · Byzantine Emporio, 1989 · J. BOARDMAN (ed.), Ch. A conference at the Homereion in Ch. 1984, 1986 · E. B. FRENCH, Archaeology in Greece 1993–94, 66 · H. KALETSCH, s. v. Ch., in: LAUFFER, Griechenland, 170–174 · A. N. TSARAVOPOULOS, Η αρχαια πολη της Χίου, in: Horos 4, 1986, 124–144. H. KAL.

C. BYZANTINISCHE ZEIT

Nach durchgehender Bautätigkeit während des 6. Jh. [1. 423 f.] lassen sich im 7. Jh. einschneidende Veränderungen nachweisen, die in Zusammenhang mit arab. Einfällen stehen dürften; so wird die Festung von Emporio ca. 660 durch Brand zerstört. Nach längerer Überlieferungslücke gehört Ch. Anfang des 9. Jh. zum → Thema Aigaion Pelagos unter einem Archon [1]. In der Folgezeit wechselnde Herrschaft zw. Byzantinern, Türken und Genuesen.

T. E. GREGORY, s. v. Ch., ODB. J. N.

Chirius Fortunatianus, C.

s. Consultus Fortunatianus, C.

Chiron (Χίρων oder Χείρων). Kentaur, Sohn der Nymphe Philyra und des → Kronos, der sich zur Verführung in ein Pferd vewandelte, was die Pferdegestalt des Ch. erklärt (Apollod. 1,9; Verg. georg. 3,92); nach ihrer Mutter heißt er dichterisch Phil(l)yrides oder Philyreios. Von den Töchtern, die ihm die Nymphe Chariklio gebar, ist Okyroe ekstatische Seherin (Ov. met. 2,635–639); auch Endeis, die Frau des → Aiakos und Mutter des Peleus, gilt als seine Tochter (Hyg. fab. 14,8) oder aber die → Skiron (Apollod. 3,158). Er lebt am Pelion in einer Höhle und unterscheidet sich von den anderen, als unzivilisiert gezeichneten Kentauren durch seine zivilisatorischen Eigenschaften [1]; Homer nennt ihn ›den gerechtesten der Kentauren‹ (Il. 11,832, zit. bei Ov. fast. 1,413), Pindar ›den Menschen freundlich‹ (P. 3,5). Besondere Beziehungen hat er zu → Peleus, dem er die Eschenlanze schenkt (Hom. Il. 16,143 = 19,390) und in der Eroberung der → Thetis berät; deswegen ist er auf Hochzeitsdarstellungen von Peleus und Thetis abgebildet [2]. Er ist heilkundig (Hom. Il. 4,199; 1,832) und erzieht zahlreiche Heroen in Jagd- und Kriegskunst, der Heilkunst und der Musik, wie etwa Peleus' Sohn → Achilleus (Hom. Il. 11,832; Hes. frg. 204,87) oder → Iason (Hes. theog. 1001, frg. 40), → Asklepios (Pind. P. 3,5–7; N. 3,54 f.), → Aktaion (Apollod. 3,30); in nacharchaischer Zeit wird sein Wissen um Astronomie, Recht und Opfervorschriften erweitert. Er ist unsterblich (›Gott‹ seit Aischyl. Prom. 1027; Soph. Trach. 714 f.) bis ihm → Herakles im Kampf mit den Angreifern des → Pholos mit einem Giftpfeil eine unheilbare Wunde zufügt und er sein Leben gegen dasjenige des Prometheus tauscht (Apollod. 2,84 f.). Die Sternsagen versetzen ihn als Kentauren (centaurus) oder Schützen (sagittarius) an den Himmel, erzählen seinen Tod als Mißgeschick des Herakles (Eratosth. Katasterismoi 40; Hyg. astr. 2,38) oder des Achilleus (Ov. fast. 5,379–414).

Religionsgesch. betrachtet trägt Ch. die Züge eines übermenschlichen Initiators, der, obwohl er in der Natur wohnt, die jungen Heroen in die kulturelle Tradition einführt, was im archa. Griechenland bes. Jagd (als Einübung des Krieges) und Musik ist [3]. Spätere Mythenallegorese macht ihn zum menschlichen Erfinder der Tiermedizin (Isid. etym. 4,9,12); origineller versteht MACCHIAVELLI den Mythos von Achilleus' Erziehung durch Ch. so, daß der Fürst sowohl Gesetze wie rohe Gewalt anwenden solle (Principe, Kap. 18, p. 85 FIRPO).

1 G. S. KIRK, Myth, 1972, 152–162 2 M. GISLER-HUWILER, LIMC 3.1, 237–248 3 P. VIDAL-NAQUET, Le chasseur noir, 1981. F. G.

Chirurgie A. ÄGYPTISCH B. BABYLONISCH C. HOMERISCH D. HIPPOKRATISCH E. HELLENISTISCH F. RÖMISCH G. SPÄTANTIK

A. ÄGYPTISCH

Das hohe Ansehen, in dem ägypt. Heilkundige wegen ihrer chirurgischen Fertigkeiten in weiten Kreisen standen (Hdt. 3,129), war wohlverdient. Skelettfunde lassen auf erfolgreiche Behandlung von Knochenbrüchen, bes. im Bereich des Armes, und in seltenen Fällen auf Trepanationen schließen. Für operative Eingriffe in Körperhöhlen gibt es jedoch keinen sicheren Anhalt [1; 2]. Die große Vielfalt von Messern, Löffeln, Sägen und Nadeln spiegelt ein ausgeprägtes Spezialistentum, eingebettet in ein weit gespanntes Heilwesen. Frühe Papyri, insbesondere Pap. Breasted und Pap. Edwin Smith, enthalten fundierte Ratschläge zur Versorgung von Verrenkungen und Knochenbrüchen, u. a. mittels Schienen, zur Entfernung von Tumoren und zur Wundbehandlung, u. a. mittels Wundnaht. Die neurologischen Folgen eines Verletzungstraumas waren bekannt, auch wenn sie unbehandelt blieben. Honigpackungen haben wohl Schwellungen zurückgebildet und bakterielle Infektionen vermieden. Abgesehen von Alkohol werden in den Papyri chirurgischen Inhalts keine Betäubungsmittel genannt. In welcher Beziehung die ägypt. Ch. und die Mumifizierungspraxis bzw. deren Vertreter standen, ist unklar, doch gibt es keinerlei Anhalt dafür, daß kompliziertere operative Eingriffe vor hell. Zeit vorgenommen worden wären.

B. BABYLONISCH

Auch wenn Hammurapis um 1700 v. Chr. geschaffenes Gesetzeswerk Rahmenbedingungen für eine operative Ch. formulierte und bei dieser Gelegenheit einen Rückgang der Verrenkungen und Verstauchungen verzeichnete, haben medizinische Texte aus babylonischer Zeit neben Umschlägen und Pflastern gegen offene Stellen und Schwellungen kaum andere Behandlungsmethoden anzubieten. Eine fragmentarisch erh. Tafel von ca. 650 v. Chr. spricht von einem Drainageschnitt im Rippenbereich, eine zweite vom Abkratzen des Schädels [3].

C. Homerisch

Paläopathologische Funde aus Kreta zeugen von erfolgreichen Trepanationen. Tonmodelle von Mohnpflanzen wurden als Beleg für eine frühe Analgesie gewertet. In der *Ilias* werden 147 Verwundungen mit einer terminologischen Präzision beschrieben, die eine gewisse Vertrautheit mit der Medizin bzw. mit Kampfhandlungen voraussetzt [4]. Wundbehandlung erfolgte in der Regel mittels Medikamenten und Bandagen (Il. 13,599; Od. 19,455–7), wobei gelegentlich die Wunde mit einem Schnitt vergrößert wurde (Il. 11,844).

D. Hippokratisch

Manche Verf. hippokratischer Schriften grenzen ihre Heilkunst von der chirurgischen Intervention ab, die sie vor allem im Bereich der Militärmedizin und des Steinschnitts (Hippokrates, Iusiurandum) Erfahreneren überlassen. Andere glauben, der Arzt müsse in seiner Praxis zu Messer und Brenneisen greifen. Die im *Corpus Hippocraticum* enthaltenen chirurgischen Schriften (*artic., fract., vuln. cap., mochl., off. med.*) sowie einige Fallbeispiele in den *Epid.* belegen eine Vielfalt von Techniken, Knochenbrüche zu richten (wobei auch aus hygienischen und klinischen Gründen Bandagierungshinweise gegeben werden), Repositionen vorzunehmen (wobei Geräte wie die »hippokratische Bank« zum Einsatz kamen, die Hebelkräfte optimal zu nutzen erlaubte), Wunden zu reinigen und zu schließen und Entlastungsschnitte im Brustbereich vorzunehmen. Der Autor von *vuln. cap.* ist sich der schweren Folgen eines Schädel-Hirn-Traumas bewußt und sieht sich in der Lage, eine Impressionsfraktur im Bereich des Schädels operativ anzuheben und scharfe Knochensplitter aus dem Frakturbereich zu entfernen. Doch auch wenn das Betupfen mit Wein und Essig die Infektionsgefahr verringert haben mag, führten viele Verletzungen zum qualvollen Tod (epid. 5, 26; 7,297), es sei denn, man ließ das Gewebe absterben, so daß zwar Gliedmaße verloren gingen, das Überleben des Patienten jedoch gesichert wurde (art. 69).

E. Hellenistisch

Bedeutende Errungenschaften im Bereich der Ch. sind erst in hell. Zeit zu verzeichnen. Neben der Einführung neuer Instrumente, wie z. B. des von Diokles um 320 v. Chr. entwickelten Löffels zur Entfernung von Pfeilspitzen (Celsus, de med. 7,5,3a) oder des von Andreas [1] um 220 v. Chr. geschaffenen komplexen Instruments zur Behandlung eines ausgerenkten Unterkiefers, sind es vor allem die anatomischen Entdeckungen in Alexandreia, die eine neue Generation von Chirurgen, insbes. unter Herophileern und Empirikern, ermutigten, Experimente durchzuführen und in ihrem Fach häufiger initiativ zu werden [5; 6]. Praxagoras entfernte um 400 v. Chr. ein erkranktes Gaumenzäpfchen. Geburtsfehler, etwa der Klumpfuß, und ihre Spätfolgen wurden durch orthopädische Vorrichtungen behandelt bzw. erträglicher gemacht. Spezialisierungen gab es sogar unter den Chirurgen, von denen manche mechanische Instrumente einsetzten, andere hauptsächlich mit dem Messer operierten [7].

F. Römisch

Celsus (de med. 7) vermittelt einen Eindruck von den Errungenschaften griech. Chirurgen, wie sie im lat. Sprachraum bekannt waren. In beträchtlicher Ausführlichkeit beschreibt er den Blasensteinschnitt, des weiteren, wie trepaniert, Fisteln gereinigt und genäht, Zähne (und Zahnstümpfe) gezogen und prothetisch ersetzt [8], Trichiasis erfolgreich behandelt, Verstümmelungen im Bereich des Ohrs, der Lippen und der Nase versorgt sowie Blasensteine durch Katheterisierung beseitigt wurden. Er gibt klare und nützliche Hinweise zur Verbandstechnik und Wundnaht, wobei sogar Verletzungen des *omentum* Berücksichtigung finden (zu einer Fallbeschreibung vgl. Plut. Cato Min. 70,6). Man stillte Blutungen durch Druck auf die Wunde, durch Drehen des Blutgefäßes, mittels Klemmen und Zangen, einige empfahlen die Verwendung von Tourniquets (Scribonius, comp. 84). Neue Instrumente wie rektale *specula* erleichterten Operationen im Bereich des Anus und des Rectum. Auch wenn die chirurgischen Eingriffe häufig von *medici* vorgenommen wurden, gab es zunehmend spezialisierte, sogar hochspezialisierte Operateure, deren Domänen die Augen, Ohren, Hernien oder Fisteln waren. Auch finden sich Spezialisten, die Knochenbrüche richten. Und schließlich führten auch die galloröm. Okulisten neben ihren Stempeln und Medikamenten häufig Chirurgenkoffer mit sich.

G. Spätantike

Zu Lebzeiten Galens (129–216) wagten Chirurgen noch weit kühnere Eingriffe. Antyllos [2] beschreibt die Behandlung von Aneurysmen und Abszessen im Bereich der Gebärmutter, die Entfernung von Hydatidenzysten, schönheitschirurgische Eingriffe sowie eine möglicherweise erfolgreiche Technik des Luftröhrenschnitts. Ähnliche Operationen beschreibt der Verf. der ps.-galen. *Introductio.* Darüber hinaus erwähnt er die Beherrschung eines Darm- bzw. Gebärmuttervorfalls, verschiedene Verfahren zur Behandlung einer Impressionsfraktur im Schädelbereich, zur Entfernung von Tumoren, Karzinomen und Krampfadern wie auch zur Drainage von Empyemen (Gal. 14,780–791 K) [9]. Galen gelang es nicht, sein geplantes Ch.-Buch zu vollenden, es sei denn, bei den beiden letzten Büchern von *meth. med.* handele es sich darum. Seine eigenen Fallbeschreibungen sind jedenfalls eindrucksvoll, z. B. die Entfernung eines eitrigen Brustknochens (2,632 K), oder die Behandlung von Bauchverletzungen eines Gladiatoren (10,412 K). Von einem guten Chirurgen seiner Zeit erwartete Galen Erfahrungen im Umgang mit Blasensteinen, Aneurysmen, Fisteln, Mandeloperationen, Katarakten, Trichiasis, Tumor- und Uvulaoperationen wie auch mit Bruchleiden (CMG Suppl. Or. 4,14,1–10). Dennoch galt ihm selbstverständlich derjenige Chirurg als der beste, der solche Beschwerden weitgehend medikamentös und diätetisch, d. h. nicht-invasiv zu behandeln verstand.

Von der Ch. in nachgalenischer Zeit wissen wir vergleichsweise wenig, auch wenn alexandrinische Chirurgen für ihre Bildung und Fertigkeiten weiterhin in hohem Ansehen standen. Ionikos von Sardeis, der um 370 n.Chr. wirkte (Eunapios, vit. phil. 499), war für seine geschickte Wundversorgung und Amputationstechnik berühmt. Zahlreiche griech. Autoren vertraten nach wie vor Galens Behandlungsanweisungen für Geschwür- und Tumorleiden. Paulos von Aegina bietet einen ausführlichen Überblick über ältere Operationsverfahren (Buch 6), einschließlich einer Darstellung der Gesch. jener Operationstechniken, die der Entfernung von Wurfgeschossen galten [10]. Inwieweit angesichts der bescheidenen Verhältnisse im geistigen und wirtschaftlichen Leben der Spätant. solche Operationen tatsächlich erfolgt sind, kann schwerlich entschieden werden. Um chirurgische Intervention, die wegen des Operationstraumas und der Infektionsgefahr stets riskant blieb, entbehrlich zu machen, betonen lat. Autoren oftmals den Wert der Selbsthilfe. Dennoch finden sich in medizinischen Texten, zumindest aus der griech.-sprachigen Welt, auch weiterhin Beschreibungen der unterschiedlichsten chirurgischen Behandlungsformen, so daß von ›Dunklen Zeiten‹ in der Gesch. der Ch. entgegen manchen zeitgenössischen Historikern keineswegs die Rede sein kann.

→ Andreas; Antyllos; Augenheilkunde; Cornelius Celsus; Diokles; Empiriker; Galen; Hammurapi; Herophilos; Hippokrates; Instrumente; Ionikos; Paulos von Aegina; Praxagoras

1 H. GRAPOW, Über die anatom. Kenntnisse der alten Ägypter, 1935 2 J. F. NUNN, Ancient Egyptian medicine, 1996 3 R. LABAT, À propos de la c. babylonienne, in: Journ. Asiatique 1954, 207–218 4 H. FRÖHLICH, Die Militärmedizin Homers, 1879 · 5 P. M. FRASER, Ptolemaic Alexandria, 1972, 360–366 6 STADEN, 452–453 7 M. MICHLER, Das Spezialisierungsproblem und die ant. C., 1969 8 L. BLIQUEZ, Prosthetics in Classical Antiquity, ANRW II 37.3, 2640–2676 9 L. TOLEDO-PEREYRA, Galen's contribution to surgery, in: JHM 1973, 357–375 10 H. SCHÖNE, Aus der ant. Kriegs-Ch., in: BJ 1909, 1–11 11 G. MAJNO, The healing hand, 1975.

L. BLIQUEZ, Roman surgical instruments, 1994 · E. GURLT, Gesch. der Ch. 1, 1898 · W. HOFFMANN-AXTHELM, Gesch. der Zahnheilkunde, 1985 · R. JACKSON, Doctors and diseases in the Roman Empire, 1988 · M. MICHLER, Die hell. Ch. 1, 1968. V. N./L. v. R.-B.

Chiton (χιτών). Griech. Untergewand, urspr. aus Leinen, dann aus Wolle, wohl semit. Ursprungs (→ Kleidung). Die häufigen Erwähnungen bei Homer (z. B. Il. 2,42; 262; 416; 3,359; Od. 14,72; 19,242) zeigen, daß der Ch. schon recht früh Bestandteil der griech. Tracht war und bevorzugt von Männern getragen wurde. In der Frauentracht kam der Ch. während der 1. H. des 6. Jh. v. Chr. in Mode und löste später den → Peplos ab (Vasenbilder, plastische Werke). Der Ch. besteht aus zwei rechteckig gewebten Stoffbahnen (*ptéryges*, Flügel) von 150 bis 180 cm Breite und unterschiedlicher Länge, die an den senkrechten Webkanten miteinander vernäht wurden. Die dadurch entstandene Stoffröhre wurde im Schulterbereich an zwei Stellen zusammengenäht, so daß an der Oberkante drei Öffnungen für den Kopf und die beiden Arme entstanden (sog. »weiter« Ch.). Wenn die Röhre eng war, wurden die Armlöcher nicht an der Oberkante, sondern an den Seiten offengelassen (sog. »enger« Ch.). Bei einer größeren Stoffmenge kann der Ch. anstatt mit einer Naht auch mit Nadeln oder Knöpfen auf den Schultern zusammengehalten werden; durch die Stoffülle bedingt, können sich so Scheinärmel bilden. Eine Veränderung des urspr. Aussehens erfolgte durch Röhrenärmel, die bis zum Handgelenk reichten, wobei unklar bleibt, wie sie an den Ch. angebracht wurden; diesen sog. »*ch. cheiridōtós*« trugen vor allem Dienerinnen, Orientalen, Schauspieler, Teilnehmer am dionysischen Festzug und Musiker. Häufig ist der Ch. ein- oder zweifach gegürtet; man konnte einen Teil des Stoffes hinter der Gürtung emporziehen und als Bausch herabhängen lassen. Aufgrund seiner Stofflänge reichte der Ch. oft bis auf die Füße (*ch. podḗrēs*) oder bildete sogar eine Schleppe (*ch. syrtós*).

Während der lange Ch. im 5. Jh. v. Chr. überwiegend als Frauentracht erscheint, löste bereits in spätarcha. Zeit der kurze Ch. (*chitōnískos*) den langen Ch. als Gewand der Männer ab. Letzterer diente nunmehr zur Charakterisierung ehrwürdiger Greise, myth. Gestalten (Könige) und Götter (Dionysos). Nur als Festkleidung oder im Kult wurde der lange Ch. auch von jüngeren Personen getragen. Dagegen wurde der kurze Ch. Bestandteil der normalen Alltagskleidung; ihn trugen vor allem Männer, deren Arbeit Bewegungsfreiheit erforderte, Krieger unter der Rüstung, Wanderer. Nur in Ausnahmefällen trugen Frauen diese kurze Form; dazu gehörten Jägerinnen wie → Atalante und → Artemis. Neben der auf beiden Schultern geschlossenen Form (*ch. amphimáschalos*) gab es den auf der linken Schulter geschlossenen *ch. heteromáschalos*, der die rechte Schulter und Körperseite unbedeckt ließ. Dieses → Exomis genannte Gewand trugen Bauern, Sklaven, Arbeiter; in der Myth. und Kunst ist die Exomis die vornehmliche Bekleidung des → Hephaistos. Die dazugehörige Kopfbedeckung war der → Pilos.

M. BIEBER, Entwicklungsgesch. der griech. Tracht, 1967 · Dies., Charakter und Unterschiede der griech. und röm. Kleidung, in: AA 1973, 431–434 · A. PEKRIDOU-GORECKI, Mode im ant. Griechenland, 1989, 71–77; 85– 87; 134 f.
R. H.

Chlaina (χλαῖνα, von χλιαίνω, »wärmen«). Bereits bei Homer (Il. 16,224; Od. 4,50 u. ö.) als wärmender Mantel aus Schafswolle gegen Kälte und Regen für Männer erwähnt. Die *ch.* konnte einfach (ἁπλοίς) oder doppelt (δίπλαξ) über die Schultern gelegt und mit einer Nadel zusammengehalten werden; sie konnte rot- oder purpurgefärbt und gemustert bzw. figürlich verziert sein (Hom. Il. 10,133; 22,441). Die *ch.* wurde nach Poll. 7,46 als Umhang über den → Chiton getragen und gehörte zur Tracht der Bauern und Hirten wie auch der vornehmen Bevölkerung beiderlei Geschlechts. Seit der früh-

archa. Zeit (Melische Amphora in Athen [1]) ist die Ch. vor allem auf Vasenbildern belegt (→ Françoisvase), wo sie von Göttergestalten, Heroen und Heroinen getragen wird. In der spätarcha. Kunst und ab dem 5. Jh. v. Chr. ist sie nur noch bei Philosophen (→ Tribon), Kitharöden und an Götterstatuen belegt, sonst aber selten dargestellt oder erwähnt. Mit dem beginnenden 5. Jh. v. Chr. wird sie von der → Chlamys abgelöst. Auch eine → »Decke« konnte *ch.* genannt werden (Hom. Il. 24,646; Od. 3,349 f.; Soph. Trach. 540). Bemerkenswert ist die lit. Notiz, daß die *ch.* Siegespreis bei Wettkämpfen in Pallene war (Strab. 8,386; Poll. 7,67).
→ Himation; Kleidung

1 P. ARIAS, M. HIRMER, Griech. Vasen, 1964, Taf. 22–23.

H. ÖHLER, Unt. zu den männlichen röm. Mantelstatuen 1, 1961 · K. POLASCHEK, Unt. zu griech. Mantelstatuen, 1969.   R. H.

Chlamys (χλαμύς). Schultermantel aus Wolle für Reisende, Krieger und Jäger. Die vielfach bunt gefärbte und bestickte *ch.* tritt im 6. Jh. v. Chr. auf und stammte urspr. aus Thessalien (Poll. 7,46; 10,124; Philostr. her. 674), wo sie auch als Siegespreis nach Agonen vergeben wurde (Eust. in Hom. Il. 2,732), oder Makedonien (Aristot. fr. 500 ROSE). Charakteristisch ist ihre Tragweise: Die oval oder viereckig zugeschnittene Tuchbahn des Mantels wurde vertikal gefaltet, um die linke Körperseite gelegt, von vorne und hinten zur Schulter geführt und mittels einer → Fibel oder Gewandnadel zusammengesteckt. So war der linke Arm bedeckt, aber dem rechten blieb jede Bewegungsmöglichkeit. Auch konnte man die *ch.* über der Brust befestigen, so daß man beide Arme frei bewegen konnte. Wegen der herabhängenden Mantelzipfel wurde die *ch.* von den Autoren θεσσαλικαὶ πτέρυγες (*thessálikai ptéryges*) genannt. Im klass. Griechenland hatte die *ch.* allg. Verbreitung gefunden; in Athen gehörte sie mit dem → Petasos zur Tracht der → Epheben. In der griech. Kunst ist sie u. a. belegt bei Reitern (Parthenonfries), mythischen Jägern (→ Meleager), bes. bei Hermes (Hermes Ludovisi), Apoll (Apoll von Belvedere), Eros (vgl. Sappho 56D); oftmals ist – vor allem auf Vasenbildern – eine Unterscheidung zur → Chlaina nur schwer möglich. Bei Plautus (z. B. Mil. 1423; Pseud. 1184) ist sie als Soldatenmantel verschiedentlich belegt; sie wurde auch von röm. Kaisern getragen (Herodian. 3,7,2; 7,5,3) und gehörte zur Tracht vornehmer Würdenträger am byz. Hof.
→ Kleidung; Paludamentum

A. PEKRIDOU-GORECKI, Mode im ant. Griechenland, 1989, 88, 135 (mit Verweisen).   R. H.

Chlodovechus (Chlodwig I.). Merowingischer König, * 466 n. Chr., † 27.11.511. Sohn und Nachfolger (481 oder 482) des Childerich, einem der fränkischen Könige im Gebiet um Tournai, Schwager Theoderich

des Gr.; 486 oder 487 besiegte er → Syagrius, den röm. Statthalter in Gallien, und erreichte die Loire, die Grenze zu den Westgoten. Zwischen 492 und 494 heiratete er die katholische Burgunderin Chlothilde und ließ sich nach dem Sieg bei Zülpich über die Alemannen (496 oder 497) an Weihnachten 497 (498?, 499?), anders als die meisten german. Könige, die Arianer waren, katholisch taufen. Die Taufe, die → Gregor von Tours, in Übernahme des Konstantin-Topos auf ein Versprechen vor der Alemannenschlacht zurückführt, ermöglichte die Integration der Gallorömer in das wachsende Frankenreich. Die röm. *civitates* mit ihren Rechtstraditionen (*allegatio, insinuatio* in den *Gesta municipalia*) bestanden nicht nur fort, galloröm. Große sind auch an den Hoftagen und in der Umgebung des Königs zu finden, wie die frühen merowingischen Königsurkunden belegen; diese stehen als Zeugenurkunden zwar in german. Rechtstradition, weisen aber neben german. auch romanische Namen auf. Auch im Urkundenwesen, in Sprache und Schrift zeigt sich bedeutender röm. Einfluß. Nach dem Vorbild von Kaiserreskript und röm. Privaturkunde wandelt sich die Zeugenurkunde zur dispositiven Urkunde mit festem Formular; das Latein, in Gallien am längsten in täglichem Gebrauch, bildet als »Merowingerlatein« eine wichtige sprachgeschichtliche Quelle; die Schriften aus den merowingischen Scriptorien und der Königskanzlei gehen auf die jüngere röm. Kursive zurück. Der Ausgleich mit den Römern ermöglichte auch ein gutes Verhältnis zum oström. Reich, was in der Verleihung des Ehrenkonsulats durch Kaiser → Anastasios 508 in Tours deutlich wird. Die erstarkende Stellung Ch.s zeigt sich 507 in der Unterwerfung der → Westgoten unter → Alaricus, kleinerer fränkischer Könige in Nordgallien und der Rheinfranken (509, 511). Ausdruck seiner starken Königsherrschaft über ganz Gallien, in dem Römer und Germanen vereint waren, sind die Verlegung des Königssitzes nach Paris (nach 508), die Abhaltung eines Reichskonzils in Orleans (511), der Bau einer Grabeskirche in Paris und die Aufzeichnung des fränkischen Gewohnheitsrechts in der *Lex Salica* (508–511).

E. EWIG, Die Merowinger und das Frankenreich, 1988 · R. KAISER, Das röm. Erbe und das Merowingerreich, 1993 · W. V. D. STEINEN, Chlodwigs Übergang zum Christentum, in: MIÖG Erg. Bd. 12, 1932 (ND 1963) · J. M. WALLACE-HADRILL, The Long-Haired Kings and Other Studies in Frankish History, 1982 · E. ZÖLLNER, Gesch. der Franken, 1970.   G. SP.

Chloe (Χλόη). »Grünend«, Epiklese der → Demeter (Athen. 14,618d/e). In der Nähe der Akropolis hatte sie ein Heiligtum, wo ihr ein Widder geopfert wurde (Paus. 1,22,3; Aristoph. Lys. 835; FGrH 328 F 6; Eupolis PCG V fr. 196). Ferner ist sie in Eleusis (IG II2 949,7), auf Mykonos (LSCG 96,11) und in der Tetrapolis (LSCG 20 B 49) belegt. Ihr wurde ein heiteres Fest, Chloia, gefeiert, das die spätant. Theologie um die Frühlingszeit ansetzt (Cornutus, theol. 28).

A.B. CHANDOR, The Attic Festivals of Demeter and their Relation to the Agricultural Year, Diss. 1976, 132–136 · GRAF, 273 · NILSSON, Feste 328 f.   R.B.

Chloris (Χλωρίς, Χλῶρις).

[1] Nach Ovid (fast. 5,195 ff.) hieß die Göttin → Flora urspr. Ch.; Zephyr nahm sie zur Frau und hat sie zur Göttin der Blumen gemacht. Diese Parallelisierung ist eine Erfindung Ovids. Sie wurde von Laktanz (1,20,8) und der Anthologia Latina (747R.) aufgenommen.
[2] Tochter des → Amphion [1] und der → Niobe. Sie wurde als einzige der Niobiden von Artemis verschont, weil sie zu Leto betete. Ihr Bild stand neben dem der Göttin im Leto-Tempel von Argos (Paus. 2,21,9; Hyg. fab. 9f.; Apollod. 3,46).
[3] Tochter des Orchomenos, Gattin des → Ampyx. Mutter des Sehers Mopsos (Hygin. fab. 14,5; Paus. 5,17,10).
[4] Frau des Pyliers → Neleus, Tocher des → Amphion [2] von Orchomenos (Hom. Od. 11,281–284; Hes. fr. 33a 6 M.-W.; Paus. 9,36,8). Sie war auf dem Gemälde der Unterwelt von Polygnot in Delphi dargestellt (Paus. 10,29,5).   R.B.

Chnubis (Χνοῦβις; auch Χνοῦμις und Χνοῦφηις, Strab. 17,817).

[1] Griech. Namensform für den ägypt. Gott Chnum, einen Widder, *ovis longipes palaeoaegyptiacus*, der schon früh als Mensch mit Widderkopf erscheint. Als Hauptkultorte gelten → Elephantine, Esna, Hypselis und Antinoe. Ch. fungiert als Schöpfergott. In Elephantine ist er Herr des Kataraktengebietes und gilt zusammen mit den Göttinnen Satet und Anuket als Hüter der Nilquellen und Spender der Fruchtbarkeit. In Antinoe ist er mit der Geburtsgöttin Heqet, einer Froschgöttin, verbunden; beide werden als Geburtshelfer verehrt. Die Menschen formt er auf der Töpferscheibe. Für die griech.-römische Zeit ist die Verbindung des Ch. mit dem → Agathos Daimon bezeugt [1; 2].
[2] Stadt in Oberägypten (Ptol. geogr. 4,5,73).

1 R.REITZENSTEIN, Das iranische Erlösungsmysterium, 1921, 192   2 TH. HOPFNER, in: Archiv Orientalni 3, 1931, 150.

E. OTTO, s.v. Ch., LÄ 1, 950–954.   R.GR.

Chnum s. Chnubis

Choaspes

[1] Fluß in der → Susiana, berühmt für die hohe Qualität seines Wassers. Der persische König trank nur (gekochtes) Choaspes-Wasser, das in silbernen Krügen auf Feldzügen und Reisen für ihn mitgetragen wurde. Teilweise identisch mit dem → Eulaios, h. mit dem Karkhe bzw. dem Kârûn.   A.KU. u. H.T.

[2] Nur innerhalb des Alexanderzuges genannter Fluß des südl. Hindukusch (Aristot. meteor. 1,13,16; Aristobulos bei Strab. 15,1,26), bei Arr. an. 4,23,2 und Suda IV p. 812 unter dem Namen Xóης (h. Kunaṛ) nördl. Nebenfluß des Κώφην (h. Kābul), in diesen bei Πλημούριον einmündend (Strab. ebd.; Eustath. Comm. Dion. Per. 1140; GGM II 402), wird von Hesych. p. 1559 als ein Fluß Indiens bezeichnet.

R. SCHMITT, Ch., in: EncIr · P. BRIANT, L'eau du Grand Roi, in: L. MILANO (Hrsg.), Drinking in Ancient Societies, 1994, 45–65 · Atlas of the World II, 1959, Pl. 31 (Pakistan, Kashmir, Afghanistan).   B.B. u. H.T.

Choba (Coba, Χωβάθ, Χωβάτ).

Stadt in der Mauretania Caesariensis, 50 km östl. von Saldae gelegen, h. Ziama. (Quellen: Ptol. 4,2,9; Itin. Anton. 18,2; Tab. Peut. 2,5; Geogr. Rav. 40,22). Unter Hadrianus (117–138 n. Chr.) *municipium*: CIL VIII 2, 8375 [1. 495–497] (weitere Inschr.: CIL VIII 2, 8374–8378; Suppl. 3, 20214).

1 L. LESCHI, in: BCTH 1946–1949, ersch. 1953.

J.-P. LAPORTE, s.v. Ch., EB, 1933–1935.   W.HU.

Choenkannen.

Weinkannen des Typus 3 (→ Gefäßformen; → Chus), in Athen beim Wettrinken am Choentag der → Anthesterien verwendet. Nicht sicher identisch mit bemalten Tonkannen gleicher Größe, deren Bildthemen frei gewählt sind. Besser abzugrenzen die um 400 v. Chr. zahlreich produzierten kleinen Ch. (H 5–15 cm). Ihre Kinderbilder weisen auf Quellen, die von den Choen als wichtigem Einschnitt im Leben des Kindes sprechen (IG II/III² 13139, 1368 Z. 127–131). Einige Festszenen deuten zudem auf Kinderriten am Choentag. Kleine Ch. dienten wohl als Kindergabe zum Choenfest; ferner als allg. Geschenk und Totengabe.

H. HAMILTON, Choes and Anthesteria, 1992 (Rez. T.H. CARPENTER, in: CPh 89, 1994, 372–375) · G. VAN HOORN, Choes and Anthesteria, 1951 · H. RÜHFEL, Kinderleben im klass. Griechenland, 1984, 125–174.   I.S.

Choes s. Anthesteria

Choiak.

Name des vierten Monats der Überschwemmungsjahreszeit im kopt. Kalender, geht auf ägypt. *k3-ḥr-k3*, urspr. ein Festname [1], zurück. Beginn des Monatsanfangs am 27.11., seit der gregorianischen Kalenderreform (Okt. 1582) verschoben.

1 F. DAUMAS, s.v. Ch., LÄ 1, 958–960.   R.GR.

Choinix (χοῖνιξ).

Griech. Bezeichnung für ein Trockenmaß, vor allem für Getreide. Je nach Landschaft beträgt eine Ch. 1,01 l (Attika), 1,1 l (Aegina) oder 1,52 l (Boiotien, Lakonien). In ptolemäischer Zeit entspricht eine Ch. 0,82 l. Das Maß basiert auf der Vorstellung der Tagesration eines Mannes. In der Regel gehen 4 *kotýlai* (im späten Ägypt. 3) auf 1 Ch., während 8 Ch. einem *hekteús* und 48 Ch. einem *médimnos* (= 48,48 l bzw. maximal 72,96 l) entsprechen. Nach VIEDEBANTT liegt die Ch. bei 0,906 l. Bei NISSEN beträgt die att. in solonischer Zeit 1,08 l, später 1,228 l.

→ Hekteus; Hohlmaße; Kotyle; Medimnos

F. HULTSCH, Griech. und röm. Metrologie, ²1882 · H. NISSEN, HbdA ²1, 1886, 8f. · F. HULTSCH, s. v. Ch., RE 3, 2356–2358 · O. VIEDEBANTT, Forsch. zur Metrologie des Alt., in: Abh. der königlich sächsischen Ges. der Wiss. 34.3, 1917 · J. SHELTON, Artabs and Choenices, in: ZPE 24, 1977, 55–67 · O. A. W. DILKE, Mathematik, Maße und Gewichte in der Ant., 1991.   A. M.

Choirilos (Χοιρίλος).

[1] Aus Samos. Dichter des 5. Jh. v. Chr. Ältester uns bekannter Autor histor. aktueller Epik; gest. am Hofe des Archelaos (Suda: SH 315 = PEG I, T 1), des Makedonenkönigs 413–399 v. Chr. Noch für das Jahr 404 ist seine Teilnahme an einem Agon in enkomiastischer Dichtung zu Ehren des Lysander auf Samos bezeugt (Plut.: PEG I, T 3). Diese zwei zeitlichen Einordnungen stammen wohl von zwei voneinander unabhängigen Quellen. Die davon abweichenden Synchronismen der Suda (Ch. als Zeitgenosse des Epikers Panyassis, Jüngling zur Zeit des zweiten Perserkrieges während der 75. Ol., 480/477) sind erfunden oder sehr grobe Angaben. Auch die in der Suda berichtete Liebesgesch. zwischen Ch. und Herodot scheint erfunden zu sein – sie ist mit aller Wahrscheinlichkeit aus der thematischen Übereinstimmung zwischen Herodot und dem Werk des Ch. (das in der Ant. bekannter war) gespeist.

Ch.' Epos handelte sicher vom zweiten Perserkrieg, enthielt möglicherweise den ersten Perserkrieg sowie weitere, die »Barbaren« betreffende Ereignisse: der Inhalt wird von der Suda als ›Sieg der Athener gegen Xerxes‹ (κατὰ Ξέρξου) zusammengefaßt; der Titel lautete Περσικά/Περσηΐς (*Persiká/ Persēís*) nach SH 318f. und 323 = PEG I, 3; 5; 10. Die Unterschrift jedenfalls, Χοιρίλου ποιήματα βαρβαρικά· μηδικά· περσικά SH 314 = PEG I, 6 kann entweder als a) ›barbarische Kriege‹, b) ›1. Perserkrieg‹, c) ›2. Perserkrieg‹ verstanden werden oder als ›a, das heißt b und c‹ [1]: Ein ähnlicher Hintergrund wie der, der bei Herodot den erzählerischen Höhepunkt des zweiten Perserkrieges einleitet? Der Erfolg des Werkes bei den Athenern, die, wie für die Werke Homers, einen öffentlichen Vortrag beschlossen, läßt vermuten, daß es einen mehr oder weniger feierlichen Charakter besaß.

Daß sich Ch. gewissermaßen als professioneller → Enkomiast betätigte, beweist seine Teilnahme am Agon des Jahres 404 zu Ehren des Lysander (ob Ch. dabei tatsächlich ein Werk auf Lysander geschrieben hat, ist unmöglich festzustellen). Dies kann vielleicht im Lichte eben dieses neuen Dichtermodells interpretiert werden, das durch die Epinikien und Enkomien etabliert wurde. Deren Blütezeit fällt in die Lebenszeit des Ch. sowie in die Zeit kurz zuvor. Mit der Kühnheit und Selbständigkeit der chorlyrischen Metapher könnte

die geringe Aussagekraft der παραβολαί (*parabolaí*) zusammenhängen, die Aristoteles dem Ch. zuschreibt (top. 157a 14; SH 327 = PEG I, T 7; Eust. 176, 34; die Identität mit dem Tragiker Choirilos ist nicht auszuschließen [2], doch Aristot. rhet. 1415a 11 meint sicher den Epiker Ch.). Im übrigen äußert dieser Ch. sein Unbehagen über die traditionellen Einschränkungen der von ihm gepflegten Gattung: Im Fragment eines Prooöms (SH 317) stellt Ch. seine Probleme als Epiker bei der Suche nach Neuem der Einfachheit zu Homers Zeiten gegenüber, als das ›Feld‹ (d. h. wohl der Themen und lit. Formen) noch unberührt war, während Ch. als ›letzter im Rennen‹ schon alles ›verteilt‹ vorfand. und die *téchnai* (τέχναι; d.h. wohl die lit. Gattungen) feste »Grenzen« hatten.

Ob sich der Titel Ἀπορήματα Ἀρχιλόχου Εὐριπίδου Χοιρίλου im Katalog der aristotelischen Werke des Andronikos [4] aus Rhodos (PEG I, T 14) auf diesen oder einen anderen Ch. bezieht, ist ungewiß. Jedenfalls schenkten Aristoteles (nach zwei Fragmenten) sowie Praxiphanes (PEG I, T 5) dem Ch. Beachtung. Bei Kall. fr. 1,13–16 (PEG I, T 11) hat man einen polemischen Bezug auf Ch. angenommen. Nach Krates (dem Philosophen aus Mallos?), Anth. Pal. 11,218 (PEG I, T 11), zog Euphorion Ch. dem Antimachos [3] aus Kolophon vor – Krates hält jedoch an seiner abweichenden Meinung fest, Antimachos sei besser. Euphorions Ansicht setzte sich nicht durch; kein einziger uns bekannter Kanon berücksichtigte Ch. (im Unterschied zu Antimachos). Kallimachos' Schüler Istros (FGrH 334 F 61 = PEG I T 6) schrieb C Bestechlichkeit am Hofe des Archelaos zu – ähnliche Gerüchte wie über die hell. Enkomiendichter (→ Choirilos [3]). Man kann nicht nachweisen, daß irgendein Text das Ende der Kaiserzeit überdauert hätte; doch las man das histor. Epos des Ch. noch im 2./3. Jh. n. Chr. in Oxyrhynchos (die Zeit des Papyrus mit der Unterschrift SH 314 = PEG I, T 6). Zu den Λαμιακά s. Choirilos [3].

1 SCHMID/STÄHLIN, I 2, 543   2 TrGF 2 T 9.

ED.: P. RADICI COLACE, 1979 (mit Komm.) · SH 1983 · PEG I, 1987.
LIT.: A. BARIGAZZI, Mimnermo e Filita, Antimaco e Cerilo nel proemio degli Aitia di Callimaco, in: Hermes 84, 1956, 162–182 · R. HÄUSSLER, Das histor. Epos I, 1976, 70–78 · G. HUXLEY, Ch. of Samos, in: GRBS 10, 1969, 12–29.
M. FA./M.-A. S.

[2] Aus Athen. Tragiker, hat laut Suda χ 594 523/520 v. Chr. an ersten Wettkämpfen teilgenommen; angeblich schrieb er 160 Dramen und feierte 13 Siege. Er konkurrierte 499/496 mit Aischylos und Pratinas (Suda π 2230). Ein Mustervers des »choirileischen« Metrums ist erhalten. Er soll Neuerungen bei den Masken und der Kostümbildung (?) eingeführt haben. Ein Titel ist bekannt: *Alope*.

METTE, 84 · B. GAULY et al. (Hrsg.), Musa Tragica, 1991, 2 · TrGF 2.   F. P.

[3] Aus Iasos. Epiker, war während der asiatischen Expedition im Gefolge Alexanders des Gr. Außer ant. Urteilen über seine Tätigkeit als enkomiastischer Epiker im (bezahlten) Dienste des Herrschers ist über ihn nichts bekannt (Philod. Poem. I 25, 7ff., p. 87 SBORDONE; Hor. epist. 2,1,232–234 und ars 357; Curt. 8,5,8; Auson. epist. 10, praef. 11; Ps.-Acro zu Hor. epist. 2,1,233 und ars 357; Porph. Hor. comm. zu ars 357). Diese Beurteilungen sind alle mehr oder weniger hart; sie vernichten Ch. meist durch den Vergleich mit Homer. Vermutlich war die Gegenüberstellung von Ch. und Homer geradezu ein Topos, um schlecht gelungene enkomiastische – oder schlecht gelungene, weil enkomiastische? – Epik zu symbolisieren. Diese Sichtweise, die den Ch. schon vorab verurteilt, konnte offensichtlich die eventuellen Vorzüge des Ch. herabsetzen (am härtesten wird Ch. von Horaz und seinen Kommentatoren verurteilt; bei diesen geht das negative ästhetische Urteil zusammen mit der Verachtung für seine käufliche Tätigkeit). Dazu konnten sowohl eine ablehnende Haltung gegenüber der bewußten Entscheidung zur Schmeichelei, die der enkomiastischen Dichtung zugrundeliegt, und im allg. gegenüber der käuflichen Dichtung (die Kritik der Habgier der Chorlyriker wie Simonides ist ein Topos) als auch der blühende Kallimachismus im 1. Jh. v. Chr. führen. Aus dieser Zeit datieren die uns bekannten Testimonien zu Ch. Die Λαμιακά (*Lamiaká*) sind eventuell von Ch., ein Werk über den lamischen Krieg (332 v. Chr.), das die Suda dem Ch. [1] mit einem evidenten Anachronismus zuweist. Dieser ist durch eine (schon im Lemma vorhandene: X. Σάμιος, τινὲς δὲ Ἰασέα) Verwechslung der beiden Ch. entstanden. Λαμιακά ist auch zu Σαμιακά emendiert worden, ein für Ch. [1] sehr plausibler Titel (SH 322 = PEG I, F 8). Zuweisung der Fragmente SH 329–332 zu Ch. [3] oder [1] ist ebenfalls schwierig.

1 F. MICHELAZZO, in: Prometheus 8, 1982, 31–42.
ED.: SH.
LIT.: K. ZIEGLER, Das hell. Epos, ²1966 · A. CAMERON, Callimachus in his World, 1995.   M. FA./M.-A. S.

Choiroboskos Georgios (Χοιροβοσκός). Byz. Grammatiker. Die Datierung war lange problematisch, ist nun aber auf das 9. Jh. festgesetzt worden: *terminus post quem* sind die Zitate (in den Epimerismen) von Autoren der 1. H. des 9. Jh.; *terminus ante quem* der Gebrauch seiner Werke im *Etymologicum genuinum* (2. H. des 9. Jh.). Er wird mit dem offiziellen Titel des οἰκουμενικὸς διδάσκαλος (*oikumenikós didáskalos*) erwähnt, der für die 1. H. des 9. Jh. belegt ist. So läßt sich seine Figur gut in die kulturelle Atmosphäre der Renaissance des 9. Jh. (die Zeit des Photios und Arethas) und in die charakteristische Produktion philol.-grammatikalischer Schriften einordnen. Bekannt sind die folgenden Werke: 1. ganz erh. ist ein ausführlicher Komm. zu den grammatikalischen *Canones* des Theodosios aus Alexandreia (benutzt von *Etymologicum genuinum* und Eustathios); 2. einige *Excerpta*, die unter dem Namen eines Grammatikers

Heliodoros überliefert sind, eines Komm. zu der dem Dionysios Thrax zugewiesenen Τέχνη γραμματική; diesem schließt sich ein Komm. zum Traktat Περὶ προσῳδιῶν an, der als Anhang zur Τέχνη überliefert ist; 3. Περὶ ποσότητος als Teil einer nicht ganz erh. Abhandlung Περὶ ὀρθογραφίας (oft zit. in byz. Lexika), das auf dem analogen Werk des Herodianos basiert; 4. Epimerismen zu den Psalmen; 5. ein anon. überlieferter Komm. zu Hephaistion; 6. ein kleiner Traktat Περὶ τρόπων ποιητικῶν (die Zuweisung ist nicht ganz sicher). Im Komm. zu Theodosios bezieht sich Ch. oft auf seine nicht überlieferten Vorlesungen, denen Apollonios Dyskolos und Herodianos zugrunde liegen. Vieles ist uns in Form von σχόλια ἀπὸ φωνῆς (*schólia apó phōnḗs*) überliefert, also Auszüge seines Unterrichts an der Schule von Konstantinopel.

→ Apollonios [11] Dyskolos; Dionysios Thrax; Epimerismen; Etymologicum genuinum; Eustathios; Herodianos; Hephaistion; Scholia; Theodosios

ED.: A. HILGARD, Grammatici Graeci 4, 1, 1889, 101–371 (zu 1) · A. HILGARD, Grammatici Graeci 1, 3, 1901, 67–106 (zu 2) · I. BEKKER, Περὶ προσῳδιῶν, Anecdota Graeca, 675–708 (zu 2) · J. A. CRAMER, Anecdota Graeca II, 167–281; R. SCHNEIDER, Bodleiana, 1887, 20–33 (zu 3) · TH. GAISFORD, G. Choerobosci Dictata, 1842, III, 1–192 (zu 4) · M. CONSBRUCH, Hephaestionis Enchiridion cum commentariis veteribus, 1906, 175–254 (zu 5) · SPENGEL, III 244–256 (zu 6).
LIT.: L. COHN, s. v. Ch. RE 3, 2363–2367 · A. DICK, Epimerismi Homerici I, SGLG 5/1, 1983, 5–7 · A. HILGARD, Grammatici Graeci 1, 3, XIV–XVIII und 4, LXI–CXXIII · HUNGER, Literatur II, 14, 19, 23, 50 · W. J. W. KOSTER, De accentibus excerpta ex Choerobosco, Aetherio, Philopono, aliis, in: Mnemosyne 59, 1932, 132–164 · KRUMBACHER, 583–85 · B. A. MÜLLER, Zu Stephanos Byzantios, in: Hermes 53, 1918, 345–355 · M. RICHARD, ΑΠΟ ΦΩΝΗΣ, in: Byzantion 20, 1950, 202–204 · SCHMID/STÄHLIN II, 1079–80 · CHR. THEODORIDIS, Der Hymnograph Klemens terminus post quem für Ch., in: ByzZ 73, 1980, 341–45.   F. M./M.-A. S.

Cholargos (Χολαργός). Att. Asty-Demos (→ Asty) der Phyle Akamantis; vier (sechs) Buleutai. Lage unsicher, vermutlich im Westen oder Nordwesten von Athenai in Richtung Phyle (Men. Dysk. 33), wo man den Grundbesitz des Perikles, Demot von Ch., vermutet (Thuk. 2,13; Plut. Perikles 3). Grabinschr. von Cholargeis stammen aus Chaïdari (IG II² 7768). Ch. gehört zu den sechs oder sieben Demen, für die → Thesmophoria bezeugt sind (IG II² 1184; LSCG Nr. 124) und besaß ein Pythion (ebd. Z. 23) sowie ein rundes Temenos des Herakles (IG II² 1248).

TRAILL, Attica, 47, 59, 68, 109 (Nr. 28), Tab. 5 · WHITEHEAD, Index s. v. Ch.   H. LO.

Choliamben s. Metrik

Cholleidai. In der Phyle Leontis inschr. [2. 99f.] unter den Asty-Demen aufgeführt, nicht jedoch in IG II² 2362 (200 v. Chr.); mit vier (?) Buleutai. Lage umstritten, wohl Acharnai benachbart, s. Aristoph. Ach. 406. Archedemos, der die Nymphengrotte bei Vari ausgestaltete (→ Anagyrus), war in Ch. eingebürgert.

1 TRAILL, 18 ff., 109 (Nr. 29), Tab. 4   2 Ders., Diakris, the inland trittys of Leontis, in: Hesperia 47, 1978, 89–109   3 WHITEHEAD, 332 mit Anm. 35, 425.   H. LO.

Chomer s. Hohlmaße

Chondros (χόνδρος, *alica*). Getreidekorn oder seine Graupe. Die genaue Art ist nicht festlegbar. Galen (facult. nat. 1,6) bezieht ihn auf Weizen und beschreibt die Herstellung der Schleimsuppe (ῥόφημα) für Magen- und Gallenkranke (vgl. Dioskurides 2,96 [1. 1.73] = 2,118 [2.203 f.] und Plin. nat. 18,112–113). Ps.-Hippokr. περὶ παθῶν (6,250 LITTRÉ) nennt diese zusammen mit πτισάνη, κέγχρος und ἄλητον.
→ Schonkost

1 M. WELLMANN (Hrsg.), Pedanii Dioscuridis de materia medica, Bd. 1, 1908, Ndr. 1958   2 J. BERENDES (Hrsg.), Des Pedanios Dioskurides Arzneimittellehre übers. und mit Erl. versehen, 1902, Ndr. 1970.   C. HÜ.

Chor A. BEGRIFF   B. ERSCHEINUNGSFORMEN, GATTUNGEN   C. ATTISCHES DRAMA   D. CHRISTENTUM   E. STERNE

A. BEGRIFF

Χορός, »Reigentanz«, Tänzerschar, Tanzplatz, Sängerchor (›urspr. Bed. nicht mit Sicherheit festzustellen‹ FRISK). Mit Gesang verbundener Reigen- oder Gruppentanz, im engeren Sinne der für den Vortrag der Ch.-Lyrik und der Ch.-Lieder im att. Drama geschulte Ch. Die erh. Zeugnisse (chorlyrische Texte, Bilddarstellungen, Beschreibungen) vermitteln kaum mehr als umrißhafte Vorstellungen vom lebendigen Ganzen. Mit dem Gesang war die von ihm gestiftete Einheit aus Wort, Bewegung, Gestik und Tanz verlorengegangen. Doch scheint vom Versmaß aus noch ein Zugang zum Rhythmus möglich (→ Rhythmik).

B. ERSCHEINUNGSFORMEN, GATTUNGEN

Im Alten Orient, in Ägypten und Israel waren kult. Gruppentänze weit verbreitet (→ Tanz). Die Sonderentwicklung bei den Griechen, die sich lange vor der schriftlichen Überlieferung angebahnt haben muß, setzte voraus, daß Kult und Fest nicht auf magisch gebundene Gesänge eingeengt waren. Zu den frühesten Zeugnissen gehören Homerverse und Darstellungen von Reigentänzen auf Vasen der geom. Zeit. Die seit dem 7. Jh. v. Chr. faßbare Ch.-Lyrik erlebte während des 6. und bis zur Mitte des 5. Jh. in immer neuen Schöpfungen ihre Blüte und das Ch.-Lied des att. Dramas eine selbständige Spätblüte. Die Einheit von Poesie, Musik und Tanz bedingte den professionellen »Macher« (ποιητής) und den einschlägig geschulten Ch. Eine klare Abgrenzung gegen andere Arten von Gesängen, Liedern und Tänzen scheint heute oft schwierig oder unmöglich, so z. B. wenn Homer den Demodokos einen

Schwank in ep. Hexametern singen und eine Tänzerschar dazu den θεῖος χορός (»göttl. Reigen«) stampfen läßt (Od. 8,264). Auch besagt die Einteilung in chorische und solistische Gesangsdichtung (vgl. χορῳδία – μονῳδία bei Plat. leg. 764 d-e) wenig über ihre innere Verschiedenheit. Und nicht selten bleibt die wechselseitige Zuordnung von Namen und Tänzen hypothetisch. Im Mythos sind es die Musen, die zum Leierspiel Apollons den göttlichen χορός (*chorós*) tanzen und singen (Hes. theog. 7; → Terpsichore), ähnlich der Kreis der Nymphen um Artemis (Hom. Il. 16,182 f.). Zum Leierspiel Apollons singen und tanzen dann auch Kreter den Paian (Hom. h. Apollon. 514 ff.). Att. Vasen und Reliefs zeigen tanzende Nymphen, von Hermes angeführt. Im Leben gehörten chorische Gesänge und Tänze zu Kult und Fest (Götter- und Heroenfeste, Totenkult, Hochzeit, sportliche und musische Wettkämpfe, Festmahl, Weinlese). Mit dem Kult verbundene chorische Tänze sind vielfach bezeugt, z. B. für Apollon auf Delos (Thuk. 3,104), in Delphi (Alk. S. 22 TREU; Paus. 4,4,1) und Sparta/Amyklai (Athen. 4,139 e), für Aphrodite auf Delos (γέρανος, Plut. Thes. 21,1 f.), für Hera in Argos. Chorische Lieder nennt bereits Homer: Linos (Il. 18,570), → Paian (1,473), → Threnos (24,721), → Hymenaios (18,493), weitere erwähnt er (Il. 18,590; Od. 6,101; 23,133 f.). In Sparta hat Thaletas um 665 v. Chr. Gruppentänze für Gymnopaidien eingerichtet (Athen. 15,678 C), so → Hyporchema, andere waren → Embaterion und Hormos für gemischte Reigen (Lukian. salt. 11). Früh bezeugt sind auch → Hymnos (Pind. N. 8, 50; vgl. Hdt. 4,35), → Prosodion (Paus. 4,4,1) und → Dithyrambos (Archil. fr. 77 D). Ch.-lyrische Texte (→ Lyrik) sind seit Alkman erh.; ein von 11 Mädchen zum Fest der Artemis gesungenes → Partheneion (fr. 1 PMG) weist monostrophischen Bau auf (zweiteilige Form bezeugt Heph. 74,18). Stesichoros (fr. S 7–87 SLG) und Ibykos (fr. 1 PMG) schufen daneben triadisch gegliederte Lieder mit Strophe, Antistrophe und Epode, später vor allem Pindar und Bakchylides (→ Epinikion). Der Liederdichter selbst oder der Ch.-Führer oder -Lehrer (Plat. leg. 812e) studierte das Ch.-Lied ein. Die Anzahl der Choreuten schwankte (bevorzugt: 7, 9, 10, 12). Der Dithyrambos wurde als κύκλιος χορός (*kýklios chorós*) von 50 Choreuten vorgetragen. Begleitinstrumente waren bald Kithara, bald Aulos, manchmal auch beide (Pind. N. 9,8). Bewegungsformen, Schritte, Figuren, Formationen lassen sich trotz guter Bilddarstellungen nur schwer rekonstruieren. An Festen vielfach bezeugt sind chorische Agone von Männern oder Jungen, zunächst für Athen (Dionysien, Panathenäen u. a.) und zunehmend anderwärts. Gegenstand des Agons war offenbar der im 5. und 4. Jh. bes. beliebte Dithyrambos. Unterstützt von Technitai lebte in hell. Zeit die chorische Poesie im Schatten alter Vorbilder weiter, etwa in Enkomien, Paianen, Hymnen; inschr. Beispiele haben sich u. a. in Delphi erh. (→ Philodamos, → Aristonoos), darunter solche mit Musiknoten.

C. Attisches Drama

Im att. Drama, dessen Gattungen → Tragödie, → Satyrspiel und → Komödie chorischen Ursprungs waren mit jeweils eigener (heute umstrittener) Entstehungsgesch., entfaltete sich die Kunst des Ch.-Lieds selbständig. Dem Ch. fiel dabei (später auch der → Monodie) der für den Festcharakter der Dramen entscheidende musikalische Part zu, der sich vom »rezitativischen« der Schauspieler auch durch den dor. Dial. deutlich abhob. An die Stelle der wiederholten Einzelstrophe oder Triade trat eine Folge immer neuer, mit dem jeweiligen Inhalt rhythmisch-musikalisch verschmolzener Strophenpaare. Der Chorpart umfaßte → Parodos, → Stasimon und → Exodos, in der Alten Komödie die siebenteilige → Parabase. Auch gab es Wortwechsel zwischen Ch./Ch.-Führer und Schauspieler sowie gemeinsame Klagelieder (→ Kommoi). Als Name für den Tanz des Ch. in der Trag. ist *emméleia* überliefert, *kórdax* für den in der Komödie, *síkinnis* für den im Satyrspiel (Athen. 1,20e). Tanzplatz des Ch. im Theater war die Orchestra. Bei Aischylos noch im Vordergrund stehend, verlor der Ch. bei den Nachfolgern an Bedeutung. Anfangs wirkten 12 Choreuten mit, bei Sophokles 15, in der Komödie 24. Agiert wurde in rechteckiger Formation: in der Trag. fünf Reihen zu je drei Choreuten, in der Komödie sechs Reihen zu je vier (Poll. 4,108 f.). Nur selten verließ der Ch. die Bühne (Aischyl. Eum. vor 244; Soph. Ai. vor 866). Die Vielfalt der Versmaße und Strophenformen läßt auf ähnliche musikalische Gestaltung schließen. Der Archon bestimmte unter den reichen Bürgern jährlich drei Choregen, die für die drei szenischen Ch. verantwortlich waren (Wahl der Mitglieder, Finanzierung des Unternehmens bis zur Aufführung). Da ein Drama in der Blütezeit jeweils nur einmal aufgeführt wurde, muß alles auf die Deutlichkeit der Sprache angekommen sein, unterstützt durch Musik, Tanz, Bewegung. Die Zeit der Wiederaufführungen begann nach 386 v. Chr., zumal außerhalb Athens. Im hell. Theater produzierten sich Schauspieler, virtuose Sänger und Instrumentalisten; die Zeit der dramatischen Ch. war vorbei. In Rom fand *chorus* als Lehnwort seit dem 1. Jh. v. Chr. Eingang in Sprache und Lit. (Wiederaufnahme des Ch. in Trag. Senecas).

D. Christentum

Ein neuer Geltungsbereich bahnte sich in der hell. Welt an. Die Septuaginta übersetzt hebr. *mahôl* mit χορός im Sinne von Reigentanz (Pss 149,3; 150,4; Ex 32,19). Dasselbe Wort bezeichnete dann auch die christl. Schar, Gemeinde (Ignatius Ant. ad Rom. 2,2). Clemens von Alexandreia nannte die Kirche einen pneumatischen und heiligen Ch. (str. 7,14 = § 87,3); der Gnostiker werde durch Opfer, Gebete usw. mit dem göttl. Ch. eins (7,7, = § 49,4), lebe dem Geiste nach in den Ch. der Heiligen (§ 80,2) und sei immer von Ch. der Engel umgeben (7,12 = § 78,6). Die jüd. Vorstellungen vom ἄγγελος (*ángelos*) als Bote Gottes (AT) und von begleitenden χοροί (Ios. ant. Iud. 7,85) erfuhren im Christentum eine Umdeutung (NT, Individualgestalten, Schutz-patrone, Erzengel, Rangordnung). Durch Ps.-Dionysios Areopagites gelangte die neuplatonisch beeinflußte Mystik des Aufstiegs, die über eine dreimal dreifache Hierarchie der Engel-Ch. zu Gott führt, ins lat. MA. Der frühchristl. Forderung, in der Gemeinschaft gleichsam mit einer Stimme zu singen (Ignatius ad Ephes. 4,2), entsprach das einstimmige Ch. Singen in der Liturgie (vgl. Marcus Diaconus vita Porph. 20). Und Ch. hieß schließlich, seit dem 7. Jh., der vom Sänger-Ch. des Klerus eingenommene Platz in der Kirche (Johannes Moschos, pratum spirit. 126 Migne, PG 87,2988 B).

E. Sterne

In übertragenem Sinn wurden die Sterne oder die Planeten als Ch. bezeichnet. Das Bild von den αἰθέριοι χοροί (*aithérioi choroí* »himmlische Reigen«) der Sterne (Eur. El. 467), das einer uralten Vorstellung entsprochen haben mag, kehrt in der griech. und röm. Lit. oft wieder, etwa bei Plat. Tim. 40c, Mesomedes (2,17 Heitsch), Philon (De opificio mundi 115), Horaz (carm. 4,14,21) und bei christl. Autoren (1 Clem. Rom. ad Cor. 20,3; Ignatius ad Ephes. 19,2).

Reisch s. v. Ch., Χορηγία, Χορηγός, Χορικοὶ ἀγῶνες, Χοροδιδάσκαλος, Χοροστάτης, RE 3, 2374 ff. • F. Weege, Der Tanz in der Ant., 1926 • A. W. Pickard-Cambridge, Dithyramb, tragedy and comedy, ²1962 • R. Hammerstein, Die Musik der Engel, 1962 • R. Cowhurst, Representations of performances of choral lyric on Greek monuments, 1963 (unveröffentlicht) • R. Tölle, Frühgriech. Reigentänze (Diss.), 1964 • L. B. Lawler, The dance of the ancient Greek theatre, 1964 • G. Prudhommeau, La danse grecque antique, 1965 • G. Müller, Ch. und Handlung bei den griech. Tragikern, in: H. Diller (Hrsg.), Sophokles, 1967, 212–238 • T. B. L. Webster, The Greek chorus, 1970 • J. Rode, Das Ch.-Lied, in: W. Jens (Hrsg.), Die Bauformen der griech. Tragödie, 1971, 85–115 • A. Lesky, Die tragische Dichtung der Hellenen, ³1972 • R. W. B. Burton, The chorus in Sophocles' tragedies, 1980 • W. Mullen, Choreia: Pindar and dance, 1982 • M. Hose, Studien zum Ch. bei Euripides 2 Bde., 1990f. • B. Zimmermann, Unt. zur Form und dramatischen Technik der Aristophanischen Komödien, 3 Bde., 1984(²1985)–1987 • Dithyrambos, 1992.   F. Z.

Choragium s. Theater

Choragos s. Choregos

Chorāsān. Mittelpersisch *xwarsārān*, »[Land des] Sonnenaufgang[s], Osten«. Bezeichnet heute den nordöstl. Teil Irans, mit Mašhad als administrativem Zentrum. In vor- und frühislamischer Zeit umfaßte Ch. zusätzlich Teile Zentralasiens und Westafghanistans. Unter den Sasaniden bildete Ch. erstmals eine der vier großen Provinzsatrapien, regiert durch einen Spāhpat mit Sitz in Marw, dem folgende Distrikte unterstanden (Ya.)qūbī, Ta'rīḫ I, 201): Nīšāpūr, *Harāt*, Marw, Marw ar-Rūḏ, Fāryāb, Ṭālaqān, Balḫ, Buḫārā, Bāḏġīs, Abīward, Ġarǧistān, Ṭūs, Saraḫs und Ǧurǧān. Die Besetzung Ch. durch die Muslime erfolgte von *Baṣra* aus und begann mit der Eroberung Nīšāpūr 651/52 und endete erst nach einem langwierigen Pazifizierungsprozeß. In der frühumayyadischen Zeit verwalteten die Gouverneure von Baṣra Ch. (gleichzeitig mit Sīstān) und bedienten sich dabei Mitgliedern nordarab. Stämme. Die ʿabbāsidische Revolution, die zum Sturz der ʿUmayyāden von Damaskus führte, nahm ihren Ausgang in Marw und wurde vor allem von Chorāsāniern (Iranern und Arabern) getragen. Chorāsānische Soldaten und Beamte bildeten bis in die Mitte des 9. Jh. n. Chr. das Rückgrat des ʿabbāsidischen Staates. Dieser Prozeß wurde noch verstärkt als al-Maʾmūn, früherer Gouverneur von Marw, das Kalifat mit der Unterstützung des iranischen Ostens gegen seinen Bruder Amīn erlangte (813). Nīšāpūr erlangte erst im Verlauf des 9. Jh. seine Bed. als Hauptstadt Chorāsāns.

W. BARTHOLD, An Historical Geography of Iran, 1984, 87–111 · EI V, 55–59, s. v. Ch. · E. HERZFELD, Khorasan, in: Islam 11, 1921, 107–174.   T. L.

Chorat. Name eines Baches östl. des Jordan, nicht lokalisierbar (Namensformen: hebr. *kᵉrît*; LXX Χορράθ; Vulg. *Carith*; Eus. On. 174,16 Χορρά; Hier. On. 175,16 Ch.; Peregrinatio Aetheriae, CSEL 39, 58 f. *Corra*). ABEL [1. 484 f.], GLUECK [2] u. a. [3] argumentieren mit der Herkunft des Propheten Elias, der sich dort (1 Kg 17,3,5) verborgen hielt und identifizieren Ch. mit dem Wadi el-Jubis im nördl. Gilead, das südl. von Pella in den Jordan mündet.

1 F.-M. ABEL, Géographie de la Palestine 2 Bde., 1933–38 2 N. GLUECK, AASO 25–28, 1951, 219 3 J. DÖLLER, Geogr. und ethnographische Stud. zum III. und IV. Buch der Könige, 1904, 224 ff.   M. K.

Choregie (ἡ χορηγία). Amt des Choregen; seit ca. 500 v. Chr. Sonderform einer → Leiturgie in Athen. Die Ch. wurde vom zuständigen Archon wohlhabenden Bürgern auferlegt, wobei diese Art der Leiturgie von jungen Adligen gern benutzt wurde, um polit. Ansehen zu erwerben (472 war Perikles Chorege für Aischylos' ›Perser‹; vgl. auch Thuk. 6,16,3 zu Alkibiades). Die polit. Bed. der Ch. wird vor allem im Dithyrambenagon deutlich, wo in den Inschr. nicht der Dichter, sondern der Chorege gen. wird (→ Didaskaliai). Gegen Ende des Peloponnesischen Kriegs war es schwierig, genügend wohlhabende Bürger für die Ch. zu finden, so daß an den Großen Dionysien 406/405 v. Chr. die finanziellen Lasten je zwei Bürgern auferlegt wurden. Unter Demetrios von Phaleron wurde um 315 v. Chr. die Ch. abgelöst durch das Amt des vom Volk gewählten → Agonotheten, der für die organisatorischen Belange zuständig war; die erforderlichen Kosten wurden vom Volk getragen.
→ Choregos

A. BRINCK, Inscr. Graecae ad choregiam pertinentes, 1885 · C. BOTTIN, Etude sur la chorégie dithyrambique en Attique jusqu'à l'époque de Démétrius de Phalère, in: RBPh 9, 1930, 749–782; 10, 1931, 5–32, 463–493 · A. W. PICKARD-CAMBRIDGE, The Dramatic Festivals of Athens, ²1968 (1988), 75–77, 86–93.   B. Z.

Choregos (χορηγός). Wörtlich »Chorführer« (in lyrischen Texten); in Athen der ›Sponsor‹ eines lyrischen oder dramatischen Chores. Die Ch. mußten ihren Bürgerchor selbst zusammenstellen, für seinen Unterhalt während der Probenmonate sorgen, den reibungslosen Verlauf der Proben sichern, die der Dichter oder ein professioneller Chorodidaskalos leitete, und vor allem die aufwendige Ausstattung finanzieren. (Bei Plautus ist so der Choragus zum Kostümverleiher geworden; Plaut. Curc. 462–486 erhält er einen metatheatralischen Auftritt.) Manche Extraleistung (Parachoregema) kam hinzu: Statisten, Requisiten, ein Nebenchor; im Anschluß an die Aufführung erwarteten die Choreuten eine großzügige Bewirtung (Aristoph. Ach. 1154). Während des Festes stand dafür der Ch. im Vordergrund: Ihm wurde der Dreifuß als Preis für den siegreichen Dithyrambos zuerkannt, (→ Lysikratesmonument) und in den amtlichen Siegerinschr. erschien sein Name vor dem des Dichters [1. 5].
→ Chor; Choregie

1 H. J. METTE, Urkunden dramatischer Aufführungen in Griechenland, 1977 2 O. TAPLIN, Comic Angels, 1993

H.-D. BLUME, Einführung in das ant. Theaterwesen, ³1991 · A. W. PICKARD-CAMBRIDGE, The Dramatic Festivals of Athens, ²1968   H. BL.

Chorezmien (Χορασμίη, arab. *Ḫwārizm*). Stromtal-Oase am unteren Āmū-daryā. Seit dem 5.–4. Jt. v. Chr. von Bauern besiedelt. Im Avesta (→ Avestaschrift) als *xwarizm*; in der → Bisutun-Inschr. erwähnt. Die Chorezmier bildeten mit den Ariern eine Satrapie (Hdt. III,93,173 Hekat. fr.). Abū Raiḥān al-Bīrūnī nennt das Jahr 980 vor der Alexander-Ära (1292 v. Chr.) als Beginn der chorezmischen Ära. Als Alexander 329/328 in → Marakanda überwinterte, besuchte ihn → Pharasmanes, der König der Chorezmier (Arr. an. 4,15,4); Residenzstadt war → Toprakkale. Eine ähnliche Funktion erfüllte Džanbas-Kala. Die Münzprägung folgte graeco-baktrischen Vorbildern. Grablege der Dynastie war die Rundburg Koj-Krylgan-Kala. Teilweise von den Kuschanen unterworfen, die das Land durch Festungen wie Giaur-Kaia sicherten. Ein weites Bewässerungssystem dehnte die Anbaufläche aus und erlaubte Anlagen wie die Berkut-Kala-Oase mit befestigten Gutshöfen. Die Bewässerung ließ den Aralsee nahezu austrocknen und brach schließlich im 6. Jh. zusammen. Im 11.–12. Jh. besetzten die Qïptčaqen Ch., reorganisierten die Bewässerungswirtschaft und machten es zum Zentrum des islamischen Großreiches der Ḫwārizm-Šāhs um die Stadt Ūrganǧ, die 1220/21 mit dem Reich im Mongolensturm zugrunde ging. Danach wurde sie zum östl. Handelsplatz der Goldenen Horde. Timur ließ sie und andere Städte Ch.s erneut zerstören. Ch. ist seither eine relativ isolierte Oase, die seit dem frühen 16. Jh. unter uzbekischer Herrschaft steht. Ch. bildete bis zur russischen Eroberung ein eigenes Chanat.
→ Bewässerung

A. MANKOVSKAJA, V. BULATOVA, Pamjatniki zod cestva
Chorezma, 197X • S. P. TOLSTOV, Po drevnim del'tam
Oksa i Jaksarta, 1962.   B. B.

Chorhe (Ḫurhēh). Ruinen an einem Zufluß des Qom
Rud südwestl. von Qom, teilweise ausgegraben von
A. HAKIMI 1956 (unpubliziert), restauriert von H. RAH-
BAR. HERZFELD hielt die noch sichtbaren Teile für Reste
eines hell. Tempels ([1; 2]; Zweifel bei [3]). Die Grabung erlaubt keinen Zweifel, daß es sich um Teile eines
Palastes handelt: eine Stoa von acht Säulen zw. Anten,
wohl Teil eines großen Hofes, dahinter Vorratsräume
[7]. Die Formen der Kapitelle und Basen [4] sind »de-
kadent ionisch« [6], gewiß später als die ion. Kapitelle
der Grabfassade von Qizqapan und wohl auch des
Quadrifrons von Qal'eh Zohak [4]. Die enge Stellung
der überschlanken Säulen lassen an solche der Kaiserzeit
denken. Die Siedlung setzte sich bis in islamische Zeit
fort.

1 E. HERZFELD, Am Tor von Asien, 1920, 32 Taf. XVIII
2 Ders., Iran in the Ancient East, 1941, 283 f., Abb. 382 ff.,
Taf. 88 f. 3 K. SCHIPPMANN, Die iran. Feuerheiligtümer,
1971, 424 f. 4 W. KLEISS, in: AMI 6, 1973, 173 f. Abb. 9 f.,
180–182 Abb. 18 f. 5 Ders., in: AMI 14, 1981, 65–67 •
6 D. HUFF, in: AMI 17, 1984, 244 7 W. KLEISS, in: AMI 18,
1985, 173–180.   PE. CA.

Chorikios. Sophist und Rhetor aus der Schule von
Gaza in der 1. H. des 6. Jh., Schüler und Nachfolger des
Prokopios von Gaza. In zwei *enkốmia* auf Bischof Markianos (or. 1 und 2 FOERSTER/RICHTSTEIG) sind *ekphráseis* zweier von diesem inaugurierten Kirchenbauten mit
ihren Gemälden integriert. Ch. setzt dabei erstmalig die
Mittel der heidnischen Rhetorik für christl. Objekte
ein. Zwei weitere Lobreden richtete er an hochgestellte
Persönlichkeiten, den Dux Aratios und den Archon Stephanos (or. 3) sowie den General Summos (or. 4), zwei
Hochzeitsreden an seine Schüler Zacharias (or. 5) sowie
an Prokopios, Johannes und Elias anläßlich deren Tri-
pelhochzeit (or. 6), zwei Grabreden an Maria, die Mutter des Markianos (or. 7), sowie an seinen Lehrer Prokopios (or. 8). Eine Festrede schrieb er anläßlich der
brumalia des Kaisers Iustinian I. (or. 13). Ferner sind 12
Übungsreden (μελέται, *declamationes*), sowie 25 Vor-
reden (διαλέξεις) u. a. von Ch. überliefert. Eine Rede in
Form einer Apologie der Mimen (or. 23) gilt als letzter
lit. Beleg für das Bühnenwesen [1]. Bibelbezüge kommen nur in den *ekphráseis* vor, sonst nur gelegentlich
Christliches. Ch. war ein Kenner der klass. Lit. und bediente sich als Attizist eines Schatzes von Zitaten und
Anspielungen [2. 121–123]. Der Patriarch → Photios
von Konstantinopel rezensiert ihn im 9. Jh. in seiner
Bibliothékē [3].

1 I. STEPHANES (ed.), Χορικίου σοφιστοῦ Γάζης Συνηγορία
μίμων, 1986 2 R. HENRY, Photius. Bibliothèque II, 1960
(Cod. 160) 3 K. MALCHIN, De Choricii Gazaei veterum
Graecorum scriptorum studiis, 1884.

ED.: IO. FR. BOISSONADE (ed.), Choricii Gazaei Orationes,
Declamationes, Fragmenta, 1846 • R. FOERSTER,
E. RICHTSTEIG (ed.), Choricii Gazaei Opera, 1929.
LIT.: W. SCHMID, s. v. Ch., RE 3, 2424–2431 • K. GERTH,
s. v. Zweite Sophistik, RE Suppl. 8, 1956, 743 •
H. HUNGER, Die hochsprachliche profane Lit. der
Byzantiner I, 1978, 121, 150 • H. MAGUIRE, The halfcone
vault of St. Stephen at Gasa, in: Dumbarton Oaks Papers 32,
1978, 319–325 • C. MANGO, The Art of the Byzantine
Empire 312–1453, 1972, 60–72.   G. MA.

Chorizontes (χωρίζοντες). Kollektivname (von χωρί-
ζειν, »trennen«), der in den Homerscholien Grammatiker bezeichnet, die auf Grund von gewissenhaften
Beobachtungen der sprachlich-stilistischen Unterschiede und Widersprüche sowie der Inhalte in ›Ilias‹ und
›Odyssee‹ die These vertraten, die ›Odyssee‹ sei nicht
von Homer. Die alexandrinischen → Grammatiker, die
die (von Aristoteles festgeschriebene) »orthodoxe« Position einnahmen, sahen in Homer den Autor von Ilias
und Odyssee, daher polemisierten → Aristarchos [4] von
Samothrake und seine Schule heftig gegen die Ch. Aus
der *Vita Homeri* des Proklos (p. 102.3 ALLEN) sind die
Namen zweier Grammatiker, Xenon und Hellanikos,
als Vertreter dieser Richtung bekannt.
→ Aristarchos von Samothrake; Hellanikos (Gramm.);
Homer; Xenon

ED.: J. W. KOHL, De Chorizontibus, 1917.
LIT.: L. COHN, s. v. Ch., RE 3, 2439 • M. FUHRMANN, s. v.
Xenon (15), RE 9 A, 1540 • A. GUDEMAN, s. v. Hellanikos
(7), RE 8, 153–55 • J. W. KOHL, Die homer. Frage der
Chorizonten, in: Neue Jbb. für klass. Alt. 1921, 198–214 •
F. MONTANARI, Hellanikos, SGLG 7, 1988, 45–73, 119–121 •
Ders., Studi di filologia omerica antica II, 1995, 13–19 •
PFEIFFER, KPI, 261–2, 282, Anm. 126.   F. M. / M.-A. S.

Chorlyrik s. Metrik

Chorsiai (Χορσίαι, Χορσία). Isoliert gelegener boiot.
Ort am Golf von Korinth oberhalb der Bucht von Hagios Sarandi. Anfangs von Thespiai abhängig, im 4.
Jh. v. Chr. selbständig. Phoker besetzten Ch. 347/346
v. Chr. und unternahmen von dort Einfälle nach Boiotia. Philippos II. gab Ch. nach Schleifung der Mauern
346 v. Chr. den Boiotern zurück (Quellen: Demosth.
or. 19,141; Skyl. 38; Diod. 16,58,1; Plin. nat. 4,8; StV
3,565; SEG 22,410).

FOSSEY, 187–196.   K. F.

Chorzene (Prok. aed. 3,3; *Chorzianene*, Prok. BP 2,24;
armen. Xorjean/Xorjayn). Region Armeniens südl. des
Euphrat-Oberlaufes am Gayl-Fluß, h. Perisuyu, mit
Hauptort Koloberd. Heute Kiği im Zentrum des Ka-
ragöl Dağlarl südwestl. von Theodosiopolis (Erzurum),
Osttürkei.

R. H. HEWSEN (ed.), The Geography of Ananias of Širak,
1991, 19, 154 f.   A. P.-L.

Chosroes

[1] Partherkönig, s. → Osroes.

[2] Ch. hieß höchstwahrscheinlich der arsakidische König von Armenien, der am Partherkrieg des Septimius Severus teilnahm und 214 oder 216 von Caracalla gefangengenommen wurde. Sein Name wird in den griech. Quellen nicht genannt, doch dürfte auf ihn die Inschr. eines »Armeniers Ch.« beim ägypt. Theben (CIG 4821) zu beziehen sein. Der in der Forsch. oft aufgenommene Ansatz der armen. Autoren, die einen »Khosrov« zum Zeitgenossen des Untergangs des Partherreiches machen, ist falsch: Die persische Invasion traf erst Ch.' Sohn Tiridates II.

[3] Ch. II. von Armenien, Sohn und Nachfolger Tiridates' »des Großen«, regierte ca. 330–338. Er wird als »Khosrov Kotak« (Ch. der Kleinere) nur in der armen. Geschichtsschreibung erwähnt. Ob er die Landeshauptstadt von Artaxata nach Dvin verlegt hat, ist umstritten (PLRE 1, 202).

[4] Ch. III. von Armenien. In seine Zeit fällt die 384/389 vereinbarte Teilung des Landes zwischen Rom und Persien. Ch. regierte als Schattenkönig in Persarmenien von 384 bis 389, als er von dem Sasaniden → Wahram IV. entthront und durch seinen Bruder → Wramschapuh abgelöst wurde. Nach dessen Tod auf Wunsch des armen. Adels noch einmal als König eingesetzt, starb er nach kurzer Herrschaft 417.

M.-L. CHAUMONT, s. v. Armenia and Iran II, EncIr 2, 418–438 · R.H. HEWSEN, The Successors of Tiridates the Great, in: REArm 13, 1978–1979, 99–126 · E. KETTENHOFEN, Tirdâd and die Inschr. von Paikuli, 1995 · Ders., s. v. Dvin, EncIr 7, 616–619 · M. SCHOTTKY, Dunkle Punkte in der armen. Königsliste, in: AMI 27, 1994, 223–235 · J. STURM, s. v. Persamenia, RE 19, 932–938 · C. TOUMANOFF, The Third-Century Armenian Arsacids, in: REArm 6, 1969, 233–281 · Ders., s. v. Arsacids VII, EncIr 2, 543–546.   M. SCH.

[5] Ch. I. Anuschirvan (»mit der unsterblichen Seele«), bedeutendster sasanidischer König, geb. ca. 496, regierte seit September 531. Der Sohn → Cavades' I. nutzte die durch die mazdakitischen Unruhen hervorgerufene Schwäche des Hochadels, um soziale, wirtschaftliche und mil. Reformen durchzuführen. Hervorzuheben ist dabei die Einführung einer festen Grundsteuer anstelle der wechselnden Ertragssteuer. Er schuf außerdem einen nur ihm ergebenen Hofadel und förderte die kleinen adeligen Grundbesitzer. Seine Außenpolitik ist bes. von Konflikten mit Ost-Rom bestimmt: Der vom Vater ererbte Krieg wurde 532 durch einen »ewigen Frieden« beendet, brach aber 540 erneut aus und zog sich, mehrfach durch Waffenstillstände unterbrochen, bis 562 hin. Damals wurde ein 50jähriger Friede vereinbart, der Ch. erhöhte Tributzahlungen einbrachte. Zwei Jahre vorher hatte er mit Hilfe der Westtürken das Hephthalitenreich vernichten können. 571 ließ Ch. den Jemen erobern und die mit Byzanz verbündeten Aksumiten (Äthiopier) vertreiben. In seinen letzten Jahren kam es erneut zu Auseinandersetzungen mit Ost-Rom: 572 griff → Iustinus II. Nisibis an, doch mußte im Jahr darauf ein byz. Heer in Dara kapitulieren. Die Beilegung der Feindseligkeiten erlebte der Febr./März 579 gestorbene Ch. nicht mehr (PLRE 3A, 303–306).

[6] Ch. II. Abarvez (»der Siegreiche«), Enkel Ch.' I. Er kam 590 im Zusammenhang mit einem Aufstand des Feldherrn Wahram Tschobin gegen seinen Vater → Hormisdas IV. zur Regierung, floh jedoch schon 590 nach Byzanz. Mil. Hilfe des Kaisers → Maurikios führte 591 zu seiner Restitution und zur Vertreibung Wahram Tschobins. Maurikios gegenüber friedlich, begann Ch. nach dessen Beseitigung durch → Phokas einen langdauernden Krieg gegen Byzanz. Im Verlauf dieser Feldzüge, die Ch. im wesentlichen durch seine Feldherren führen ließ, wurde 614 Jerusalem und 619 Alexandria erobert, 626 hatte Konstantinopel eine awarisch-persische Belagerung auszuhalten. Die Reorganisation der byz. Streitkräfte durch → Herakleios führte zu einem entscheidenden Sieg über die Perser bei Niniveh. Ch. wurde abgesetzt und Anfang 628 ermordet. In der persischen Dichtung ist bes. seine Beziehung zu seiner Lieblingsfrau Schirin thematisiert worden (PLRE 3A, 306–308).

[7] Der Name Ch. taucht in der Endphase des Sasanidenreiches noch mehrfach in der Königsliste auf. So suchte wohl gleichzeitig mit Scharwaraz und → Boran Ch. III., ein Enkel Hormisdas' IV., von Chorasan aus die Herrschaft zu gewinnen, wurde aber bald ermordet (PLRE 3A, 308). Ch. IV. scheint (unmittelbar?) vor Yazdgird III. regiert zu haben. Manche Forscher führen noch einen – wohl unhistor. – Ch. V. an.

F. ALTHEIM, R. STIEHL, Ein asiatischer Staat, Bd. 1, 1954 · Dies., Finanzgesch. der Spätant., 1957 · R.N. FRYE, The Political History of Iran under the Sasanians, in: CHI 3(1), 1983, 153 ff. · F. GOUBERT, Les rapports de Khosrau II avec l'empereur Maurice, in: Byzantion 19, 1949, 79–98 · M. GRIGNASCHI, La riforma tributaria di Hosrô I e il feudalismo Sassanide, in: La Persia nel Medioevo, 1971, 87–131 · K. GÜTERBOCK, Byzanz und Persien in ihren diplomatischen und völkerrechtlichen Beziehungen im Zeitalter Justinians, 1906 · M. HIGGINS, The Persian War of Emperor Maurice, 1939 · E. KETTENHOFEN, s. v. Deportations II, EncIr 7, 297–308 · K. SCHIPPMANN, Grundzüge der Gesch. des sasanidischen Reiches, 1990 · J. WIESEHÖFER, Das ant. Persien, 1994.   M. SCH.

Chrematistai (Χρηματισταί).

Im ptolem. Ägypten vom König delegierte Richter für Fiskal- und Zivilsachen für alle Teile der Bevölkerung. Vermutlich wurden sie im 2. Jh. v. Chr. eingeführt. Die Spruchkörper waren für einzelne oder auch, zusammengefaßt, für mehrere Gaue zuständig. Auf dem Lande verfielen die Ch.-Kammern in der frühen röm. Kaiserzeit, in Alexandreia sind sie mit etwas modifiziertem Aufgabenbereich bis in das 3. Jh. n. Chr. nachweisbar.

H.J. WOLFF, Das Justizwesen der Ptolemäer, ²1970 · H.A. RUPPRECHT, Einführung in die Papyruskunde, 1994, 143.   G.T.

Chrematistike. Der Begriff der χρηματιστική (*chrēmatistikḗ*, sc. *téchnē*) wird allg. mit »Gelderwerbskunst« übersetzt, sollte aber weitergefaßt als die Praxis des Erwerbs von Tauschgütern (χρήματα, *chrḗmata*) verstanden werden. Er ist nur in der polit. Philos. des 4. Jh. v. Chr. (Plat. Gorg. 477e; Euthyd. 307a; Aristot. pol. 1256a1ff.) nachweisbar. Aristoteles stellt die *ch.* der οἰκονομική (*oikonomikḗ*, sc. *téchnē*, Hausverwaltungskunst) gegenüber und grenzt sie gegen die κτητική (*ktētikḗ*, Erwerbskunst) ab. Zunächst beschreibt er die κτητική als einen Teil der οἰκονομική, insofern ein → *oikos* (Haushalt) nicht allein mit den Dingen auskommt, die die Natur unmittelbar bereitstellt, sondern zusätzlicher Güter bedarf. Diese Erwerbskunst ist naturgemäß, da ihr eine Satisfaktionsgrenze gesetzt ist (1256b 26–39). Die *ch.* hingegen ist dadurch gekennzeichnet, daß sie der Vermehrung von nicht an einen *oikos* gebundenen Reichtum dient; sie ist widernatürlich, weil sie keinem anderen Zweck als ihrer eigenen Vermehrung dient und dieser Zweck keine Grenze hat (vgl. 1257b 25). Aristoteles' Kritik der *ch.* ist eng mit seiner Kritik an Geld und Handel verbunden. (1256b 40–1258a 19). Sein Konzept der *ch.* hat über Thomas von Aquin entscheidenden Einfluß auf die Entwicklung der christl. Geldtheorie genommen.

1 S. MEIKLE, Aristotle's Economic Thought, 1995 2 S. v. REDEN, Exchange in Ancient Greece, 1995, 182–87.
S. v. R.

Chremonideïscher Krieg. Der Ch. ist benannt nach → Chremonides, Sohn des Eteokles aus dem Demos Aithalidai [1]. Auf seinen Antrag schloß Athen im Archontat des Peithidemos ein Bündnis mit Sparta und weiteren Staaten [2]. Offizielle Ziele des neuen, von → Ptolemaios II. gestützten Hellenenbundes waren der Schutz der Freiheit der Hellenen, ihrer → Autonomie und der Verfassung der Verbündeten. Polit. und bald auch mil. Gegner war → Antigonos Gonatas. Die Daten des Beginns des Krieges im Archontat des Peithidemos (268/267 v. Chr.), des Todes des Königs Areus von Sparta (265/264) und des Kriegsendes im Archontat des Antipatros (263/262) sind umstritten [3].

Versuche der Verbündeten Athens, die von den Makedonen belagerte Stadt durch einen Vormarsch an Korinth vorbei und Angriffe ptolemäischer Landungstruppen zu befreien, schlugen fehl. Antigonos gewann den Landkrieg (Diod. 20,29,1; Plut. Agis 3,7; Paus. 1,1,1; 1,7,3; 3,6,4–6; Iust. 26,2,1–12; Frontin. strat. 3,4,1–2; Strab. 9,1,21; Athen. 6,250f.) [4] in einer Schlacht nahe Korinth, in der Areus fiel. Die Datierung des Seesieges des Antigonos bei Kos über die ptolemäische Flotte in das J. 262/261 und sein Zusammenhang mit dem Ch. sind nicht sicher [5]. Infolge seines Sieges beherrschte Antigonos auch Athen. Makedon. Besatzungen lagen bis 255 v. Chr. in der Stadt Athen und sogar bis 229 im Piräus. Zwar nahmen die demokratischen Organe der Polis schon im Jahre nach der Kapitulation ihre Arbeit wieder auf, doch bestimmten in Athen neue Politiker, die für eine Kooperation der Polis mit Makedonien ein-

traten. Ferner betraute Antigonos von 262 bis 255 v. Chr. wohl Demetrios, Sohn des Phanostratos, aus Phaleron mit der »Aufsicht« über die Politik Athens [6]. PA 15572.

→ Athenai; Glaukos

1 W. S. FERGUSON, Hellenistic Athens, 1911 (Ndr. 1974), 176–185 2 R. ETIENNE, M. PIÉRART, Un décret du Koinon des Héllènes à Platées en l'honneur de Glaucon, fils d'Etéoclès, d'Athènes, in: BCH 99, 1975, 51–75 3 CH. HABICHT, Aristeides, Sohn des Mnesitheos, aus Lamptrai, in: Chiron 6, 1976, 7–10, jetzt in: Ders., Athen in hell. Zeit, 1994, 340–343 4 H. HEINEN, Unt. zur hell. Gesch. des 3. Jh. v. Chr., 1972, 102–117 5 J. J. GABBERT, The Anarchic Dating of the Chremonidean War, in: CJ 82, 1986/87, 230–235 6 T. DORANDI, Ricerche sulla cronologia dei filosofi ellenistici, 1991, 26–27 7 G. REGER, The Date of the Battle of Kos, in: AJAH 10, 1985 [1993], 155–177 8 K. BURASELIS, Das hell. Makedonien und die Ägäis, 1982, 146–151 9 CH. HABICHT, Studien zur Gesch. Athens in hell. Zeit, 1982.
J. E.

Chremonides (Χρεμωνίδης). Sohn des Eteokles, athenischer Politiker des 3. Jh. v. Chr. aus dem Demos Aithalidai. Er beantragte den athenischen Volksbeschluß vom Sommer 268 v. Chr. über ein Bündnis mit Sparta und anderen griech. Staaten, das zum Chremonideischen Krieg führte (vgl. IG II² 686–687 = StV 476), an dessen Ende Ch. mit seinem Bruder Glaukon nach Alexandreia zu Ptolemaios II. floh (vgl. Teles, περὶ φυγῆς p. 23 HENSE). Dort wurde er Ratgeber und Beisitzer (σύμβουλος und πάρεδρος, Teles p. 23 H.). Als ptolem. Nauarch wurde er in den 250er Jahren durch die Rhodier vor Ephesos besiegt (Polyain. 5,18). PA 15572.

→ Athenai; Chremonideischer Krieg

W. S. FERGUSON, Hellenistic Athens, 1911 (Ndr. 1974), 176–185 · HABICHT 147–153 ff.
J. E.

Chresis (Χρῆσις). Wörtlich »Gebrauch machen«, aber auch »zur Verfügung stellen«, umfaßt Leihe und Darlehen im heutigen Sinne (die Bed. »Orakelspruch« kann hier außer Betracht bleiben). Für Darlehensgeschäfte wechselt die Bezeichnung *ch.* bereits in Athen mit dem engeren, technisch gebrauchten Begriff → *dáneion* ab (Demosth. or. 49,6; 7; 17; 21; 44; 48).

→ CHRESIS

H.-A. RUPPRECHT, Unt. zum Darlehen im Recht der graeco-ägypt. Papyri der Ptolemäerzeit 1967, 6ff. · Ders., Einführung in die Papyruskunde, 1994, 118.
G. T.

Chrestos (Χρηστός) aus Byzantion. Sophist, Schüler und Nacheiferer des → Herodes Atticus; lehrte in Athen. Er hatte 100 Schüler, darunter viele bedeutende; trunksüchtig; er lehnte den Versuch der Athener ab, ihn kurz nach 180 zum Nachfolger des Hadrianos auf dem Lehrstuhl der Rhet. in Athen zu machen. Er starb im Alter von ca. 50 Jahren (Philostr. soph. 2,11).

I. AVOTINS, The Holders of the Chairs of Rhetoric at Athens, in: HSPh 79, 1975, 320–1.
E. BO./L. S.

Chrie. Die *chreia* ist in philos. Zusammenhang entstanden und findet in diesem Bereich ihre Anwendung. Es handelt sich um die Überlieferung eines Ausspruchs (χρεία λογική: Hermog. 6,9 f. RABE) oder einer Handlung (χρεία πρακτική: Hermog. 6,11 f. RABE), die einer bestimmten Person zugeschrieben wurden. Sie konnte aber auch in gemischter Form auftreten (χρεία μικτή: Hermog. 6,13 f. RABE). Wie ihre Bezeichnung klar erkennen läßt, sah man die Ch. als nützlich in verschiedenen Situationen des täglichen Lebens an. Um ihren Gebrauch leichter zu ermöglichen, gab es Sammlungen, die man auswendig lernte, ähnlich wie bei den → Apophthegmata, den → Gnomai und den Apomnemoneumata, von denen die Ch. sich aber in mehrfacher Hinsicht unterschied. Im Gegensatz zur γνώμη (*gnómē*), mit der die Ch. am häufigsten verglichen wurde und die stets die Form einer anonymen und allgemeingültigen Sentenz annahm, war die Ch. inhaltlich an die Umstände gebunden und wurde immer einer bestimmten Person zugeschrieben. Die Ch. konnte auch die Form einer Frage oder Antwort annehmen und schließlich auch allein dazu verwendet werden, Gefallen zu erregen (Theon, Rhetores Graeci II 96,24 ff. SPENGEL), während die γνώμη ausschließlich parainetischen Zwecken diente. Im Bereich des Unterrichts taucht die Ch. stets unter den ersten Übungen in den Texten der → Progymnasmata auf.

L. CALBOLI MONTEFUSCO, Die progymnasmatische γνώμη in der griech.-röm. Rhet., in: Papers on Rhetoric I,1993,25–33 · M. FAUSER, Die Ch., in: Euph. 81, 1987, 414–425 · R. HOCK/E. O'NEIL, The Ch. in Ancient Rhetoric, 1986 · H. R. HOLLERBACH, Zur Bed. des Wortes Ch., 1964.   L.C.M.

Christentum A. DEFINITION B.1 KULTURELLE ADAPTION B.2 KULT C. KULTISCHE AMTSDIENER D. AUSBREITUNG E. SPRACHE

A. DEFINITION

Ch. (Χριστιανισμός, *Christianismós*) war ein monotheistisches rel. System (→ Monotheismus), das in den 30er Jahren des 1. Jh. n.Chr. in der prokuratorialen Prov. Judaea aus dem Judentum hervorging. Kernstück des Ch. waren das Leben und die Mission von Jesus von Nazareth, dessen Anhänger ihn als den Messias oder »Gesalbten« Gottes (Χριστός, *Christós*) und seinen Sohn, gänzlich teilhaftig am göttl. Wesen, betrachteten.

B.1 KULTURELLE ADAPTION

Der Name »Christ« (χριστιανός, *christianós*) kam nach ca. 36 in Antiochia in Syrien auf, als hell. Anhänger von Christus aus Jerusalem vertrieben wurden (Apg 11,26). Der Begriff Ch. ist zum ersten Mal in den Briefen des Ignatius von Antiochia (ca. 110) belegt, wo er dem jüd. Glauben und seinen Bräuchen gegenübergestellt (Mag. 10; Philad. 6,1) und zugestanden wird, daß es ein verhaßter Kult sei (Rom. 3,3). In der Mitte des 2. Jh. bezeichneten einige christl. Führer das Ch. als mündlich gelehrte philos. Lehre (λόγος, *lógos*) (Martyr. Polyc.

10,1). Daß Celsus das Ch. in einer Schrift mit dem Titel ›Wahre Lehre‹ (ἀληθὴς λόγος, *alēthḗs lógos*) angriff, spiegelt die Situation, die sich aus dem Kontakt des Ch. mit der hell. Welt ergab. Die geogr. Ausdehnung und der kulturelle Prozeß dieser Kontakte zw. ca. 30–60 wurden im christl. Buch der → Apostelgeschichte aufgenommen, wo z.B. gesagt wird, daß → Paulus das Ch. auf dem Areopag in Athen einer Zuhörerschaft aus Stoikern und Epikureern, die eine neue Lehre (καινὴ διδαχή, *kainḗ didachḗ*) über fremde Götter (ξένα δαιμόνια, *xéna daimónia*) erwarteten, vorgestellt habe. Paulus soll sein Argument auf einen Altar, der ›dem/den unbekannten Gott/Göttern‹ (→ *agnostós theós*) geweiht war, gestützt haben. Ihn identifizierte der Apostel nun mit Christus durch einen Vers des Vorsokratikers Epimenides, der die Auferstehung des kretischen Zeus aus dem Grab erwähnt (Apg 17,28). Als Männer, die in Rhet., Philos. und der griech. *paideia* geschult waren, dem Ch. beitraten, wurde die Art des Unterrichtens strukturierter. Dies zeigt sich in den beiden *Apologiae* des Märtyrers Iustinus und in den Werken anderer Autoren der apologetischen Bewegung, wie Athenagoras von Athen, und findet seinen Höhepunkt ca. 248 in → Origenes' *Contra Celsum*. Dies ersetzte die frühere epistolographische, apokalyptische und didaktische Lit. der sog. → apostolischen Väter, deren Lehren sich auf eine Synthese von mündlicher Überlieferung und einen noch nicht vollständig definierten Kanon der hl. Schrift stützten, die aus den Evangelien, der Apostelgesch., den Paulusbriefen, anderer Lit. mannigfaltiger Herkunft und natürlich aus → Septuaginta bestand.

Die Synthese des griech. Ch. mit der Philos. vollzog sich im späten 2. und 3. Jh. mit der Gründung und dem Wachsen der katechetischen Schule in Alexandreia unter der Leitung von → Panataios und seinen Nachfolgern → Clemens (von Alexandreia) und Origenes. Clemens zog seine Schlüsse in Werken wie den *Stromateis*, dem *Paidagogos* und dem *Protreptikos* meist aus lit. Beispielen. Sein Nachfolger Origenes hingegen, ein Schüler des Philosophen Ammonios Sakkas, entwickelte in seinem *De Principiis* (περὶ ἀρχῶν, *perí archón*) eine mittelplatonische Theologie, die bis zu seiner Verurteilung im fünften ökumenischen Konzil 553 die dominante Art im griech. Ch. wurde. Origenes wandte die allegorische Methode, rel. Texte zu deuten, die in den alexandrinischen Schulen anhand der homer. Dichtung gelehrt wurde, in Kommentaren zu den Evangelien von Matthäus und Johannes auf die christl. Bibelexegese an. Dies und Origenes' Logos-Theologie beeinflußten das rel. Denken der Alexandriner sehr und waren ein Substrat der arianischen Theologie, die in den Konzilen von Nicaea 325 und Konstantinopel 389 verurteilt worden war. Sie beeinflußten bis zu einem gewissen Grad auch die Beschäftigung mit Kyrillos von Alexandrias Logos ›als dem einen fleischgewordenen Wesen von Gott‹, das sich später zum Monophysitismus entwickelte, der am Konzil von Chalkedon 451 zurückgewiesen wurde. Origenes stellte auch die *Hexapla* zusammen, ein sechsspaltiges Werk, das aus den hebr. hl. Schriften, ihrer Umschrift in griech. Buchstaben und den vier wichtigsten damals benutzten Übers., die Septuaginta (→ Bibelübersetzungen) einbegriffen, bestand. Origenes hatte die Methoden der Textkritik, wie sie in alexandrinischen Schulen angewandt wurde, übernommen. Die *Hexapla* wurden zu einem polemischen Mittel in Debatten mit den Juden. Origenes' Umzug nach Caesarea machte die Stadt zu einem wichtigen Zentrum der christl. Gelehrsamkeit. → Eusebios von Caesarea, Kirchenhistoriker und Exeget, und → Gregor Thaumaturgos waren Origenes' wichtigste Verfechter. Letzterer legte als Bischof von Neocaisareia in Pontus die Grundlage für die philos. Studien der kappadokischen Kirchenväter → Basilios, → Gregorios von Nyssa und → Gregorios von Nazianz im 4. Jh., dessen Platonismus und Christianisierung der griech. *paideía* im beginnenden christl. Sophismus des 5.–6. Jh. wegweisend wurden.

Im lat. Westen wurde der Platonismus erst durch → Ambrosius, den Bischof von Mailand, und → Augustinus von Hippo im späteren 4. Jh. bedeutend und dauerte durch die karolingische Renaissance hindurch von → Boethius an bis in die Zeit von Johannes Scotus Eriugena (ca. 810–875), der griech. neuplatonische Texte von Autoren wie Ps.-Dionysios, dem Areopagiten, erwarb und übersetzte. Seit → Tertullianus (Höhepunkt ca. 200) akzeptierte das westl. Ch. die rhet. Tradition der lat. Lit., lehnte aber die *mores* der röm. Gesellschaft, die polit. und rel. Traditionen des röm. Staates und den ciceronianischen Platonismus ab. Daher Tertullians *dictum*: ›Weg mit allen Plänen für ein stoisches, platonisches oder dialektisches Christentum !‹ (praescr. 7). Später verband Augustin das Ch. mit Plotins Neuplatonismus und benützte lit. Beispiele aus Vergils Dichtung für sein *De civitate Dei* (413–425).

B.2 KULT

Das Ch. war monotheistisch, erkannte keine andere Gottheit als die christl. Trinität an und schloß die Ansprüche aller anderen rel. Kulte aus (θρησκεία, *thrēskeía*), (1 Kor. 8, 4–6; Eus. HE 7,11,7–9). Die Aussage ›ein Gott allein‹ (εἷς θεὸς μόνος, *heís theós mónos*) taucht häufig in den christl. Inschr. des 4.–5. Jh. auf [1. 313–315]. Die Aussage ›ein Gott‹ leitet sich z.T. von einem paganen Henotheismus des späten 3. Jh. ab, der die große Macht einer einzigen Gottheit auszudrücken versuchte. Man wurde durch die Taufe, ein Begießen mit oder Eintauchen ins Wasser unter gleichzeitigem Aussprechen der Trinitätsformel, ins Ch. initiiert. Die frühesten christl. Riten wurden in Hauskirchen wie jener von → Dura Europos durchgeführt, wobei rituelle Reinheit des Priesters (Abstinenz von Fleisch, von Kontakt mit den Toten und Geschlechtsverkehr) nicht erforderlich war. Ebenso fehlte das Temenos oder ein abgegrenzter hl. Bezirk für Opfer. Das früheste Ritual bestand aus dem Aussprechen der eucharistischen Formel, Lesungen aus der hl. Schrift und dem Sammeln von → Almosen (Mk 14, 22–26; Didache 9,3; Iust. apol. 1, 61–67). Die Ent-

wicklung komplexer liturgischer Zeremonien wird um 215 in Hippolytus' von Rom ›Apostolischer Tradition‹ angedeutet, aber es gibt wenig Indizien für große Kirchen zu jener Zeit. Auf die erste wird 260 im Restitutionsedikt des Kaisers Gallienus an die Bischöfe von Ägypt. hingewiesen (Eus. HE 7,13). → Constantinus, der erste christl. Kaiser, spendete dem Bischof von Rom Gelder zum Bau und Betrieb von Kirchen. Von da an wurde die röm. → Basilika der Hauptkirchentyp [2]. Die runden, viereckigen oder achteckigen *martyria* oder Märtyrerkapellen tauchen ab dem frühen 5. Jh. auf, z. B. St. Laurentius in Mailand, St. Sergius und St. Bacchus in Konstantinopel und San Vitale in Ravenna. Wallfahrten nach Palästina und zu regionalen Heiligtümern wurden ein wichtiges Merkmal des Ch. Konstantin ließ einen großen Kuppelbau über dem Hl. Grab in Jerusalem bauen und stiftete eine Basilika über dem Martyrion von St. Peter in Rom. Der Kult der Märtyrerreliquien war ein verwandtes Phänomen. Er entwickelte sich in den afrikanischen Prov. z.T. aus der vorchristl. Totenmahlfeier bei den Gräbern von Familienangehörigen (ILCV 1570), einem Brauch, der später christianisiert wurde (ILCV 1571; 3710–3726). Ambrosius von Mailand legte Augustins Mutter Monnica nahe, solche Feiern bei Märtyrerschreinen als heidnische *superstitio* zu meiden (Aug. conf. 6,2). Anderswo wurden die Märtyrerkulte durch bischöfliche Sanktionen institutionalisiert und fanden Anklang beim Volk. Das bezeugen viele kleine Kapellen im prokonsularischen Afrika und Numidien (CIL VIII 1, 5664; 5665), die östl. Heiligtümer von St. Theodor in Euchaita in Helenopontus, St. Sergius (Patron der christl. Araber) in Resapha und St. Johannes in Ephesos (Ioh. Mosch. Prat. spir. 180) und bes. der weitverbreitete Kult des hl. Anastasius (→ Anastasios [4] Monachus), dem Perser, dessen Reliquien in Jerusalem und dem Rom des 8. Jh. landeten [3]. Im röm. Osten wurden die Klöster berühmter Mönche zu Wallfahrtsorten, unter ihnen Qal'at Sim'ān, das des → Styliten St. Symeon des Älteren, umgeben von einem Dom, Basiliken und einem Pilgerhospiz [1. 163–173; 184–199; 253 f.]. Es blieb ein wichtiges Heiligtum bis die toten und lebenden → Märtyrer, → Bischöfe und → Mönche des 10. Jh. die typisch röm. Stellung des *patronus* für ihre gesellschaftlichen Verpflichtungen annahmen [4]. Märtyrerheiligtümer, bes. diejenigen, die das Asylrecht (→ *asylía*) besaßen, behielten die vorchristl. Idee eines hl. Bezirks bei (SEG 4,720) [5].

C. KULTISCHE AMTSDIENER

Die frühesten christl. Amtsdiener sind als *presbýteroi, diákonoi, epískopoi, prophētai* und *apóstoloi* bezeugt. Manche frühen Texte sind unpräzis in bezug auf die Ämter der apostolischen Gewalt, aber andere verbinden diese klar mit dem Amt des Bischofs oder »Überblickers« (ἐπίσκοπος, *epískopos*) (I. Clem. 42; Ign. Sm. 8). Ende des 3. Jh. hatten die meisten Städte mit Bürgerrecht Bischöfe, was im 5. Jh. und später zur Regel wurde (Cod. Iust. 1,3,35). In der Mitte des 3. Jh. hatten einige lokale Kirchen höhere oder sogar Hauptstadt-Rechte erlangt.

So hatte Rom die Rechtsprechung über die Bistümer des suburbikarischen It., Karthago über das prokonsularische Afrika und Numidien, Ephesos über die Prov. Asia, Alexandria über Ägypten und Antiochia über Syrien und Kilikien. Diese übergeordneten Bistümer wurden (außer Karthago und Ephesos) zusammen mit der neuen christl. Hauptstadt Byzanz, die zwischen 381 und 451 in Neu-Rom oder Konstantinopolis umbenannt wurde, und Jerusalem (451) zu Patriarchaten [6]. Die Bischöfe in den Provinzhauptstädten übten bes. nach Diokletians Provinzuntergliederung ähnliche Rechte über ihre Kollegen im Provinzgebiet aus. Im späteren 3. Jh. wurde ein System von Provinzsynoden, die sich unter dem Vorsitz des Metropoliten trafen, typisch, wie z. B. jene, die in Africa unter Cyprian von Karthago abgehalten wurden. Das System von allg. oder ökumenischen Konzilen, die einberufen wurden, um wichtige Dogmenfragen zu klären und Kanones herauszugeben, wurde unter der Autorität der christl. Kaiser seit Konstantin d. Gr. ausgebaut. Der Kaiser, oder öfter ein kaiserlicher Legat, hatte den Vorsitz über die Sitzungen, und die kaiserliche Post (*cursus publicus*) wurde benutzt, um die Bischöfe zu den Sitzungen zu bringen und Dekrete zu veröffentlichen. Dieses System setzte sich durch das siebte ökumenische Konzil in Nikaia 787 durch [7]. Der den Bischöfen untergeordnete Klerus bestand, um das Beispiel von Rom während des Episkopats von Cornelius um 250 zu zitieren (Eus. HE 6,43,11), aus Presbytern (Kirchenvorstehern), Diakonen, Hilfsdiakonen, Akolyten (Altardienern), Exorzisten und Pförtnern. Die Presbyter führten die Liturgie in den *tituli* oder Kirchen durch, wohingegen die Diakone die Almosenkollekte, die Friedhöfe und die Kirchenbauten beaufsichtigten. Im griech. Osten wurden die niederen geistlichen Stände im Subdiakonat vereint. In den größeren Kirchen präsidierte ein Erzdiakon dem Kollegium der Diakone und wurde oft als rechtmäßiger Erbe der Bischofswürde angesehen, so z. B. Athanasius von Alexandria. In Gegenden mit wenig Städten wie Asia Minor machten spezielle Landbischöfe (χωρεπί-σκοποι, *chōrepískopoi*) Rundgänge durch die Dorfgemeinden, konnten aber keine Presbyter oder Diakone weihen. Der Chorepiskopos war z.Z. des Konzils von Nicaea im J. 325 gängig, wurde aber im späteren 4. Jh. in Asia Minor und Syria durch den Landpresbyter (περιοδευτής, *periodeutēs*) ersetzt. Letztere sind in Syrien und Arabien häufig bezeugt, wo sie für den Bischof als Aufseher im *territorium* der Stadt dienten und eine wichtige Rolle bei der Christianisierung spielten [1. 282–381 passim]. Ein Gesetz von 530 erlegte den Bischöfen schwere administrative Bürden auf, indem es die Inspektion von öffentlichen Bauten, Bädern, Aquädukten, Häfen, Brunnen, Türmen, Brücken, Straßen und wichtigen Ausgaben und Einnahmen vorschrieb (Cod. Iust. 1,4,26). Diese Überbeschäftigung der Bischöfe führte dazu, daß das Volk sich in Zeiten moralischer und materieller Krisen an die Mönche wandte. Die klösterliche Bewegung entstand in Ägypt. in An-

tonius' früher Regierungszeit (nicht später als ca. 270) und wurde im 4. Jh. zu einem dominanten Merkmal des Ch. Es entstanden zwei Grundtypen von Klosterleben: das einsiedlerische, abgeschlossene oder anachoretische und das gemeinschaftliche oder coenobitische. Ersteres war in Ägypt., Syrien und dem nachröm. Wales häufig, wo der Mönch eine Klause in einer unbewohnten Gegend hatte und sich an eine strenge Lebensordnung (ἄσκησις, *áskēsis*) von Fasten und Psalmrezitation hielt. → Pachomios, ein ehemaliger röm. Soldat, führte das coenobitische Klosterleben in Ägypt. nach dem Vorbild des röm. Militärlagers ein. Die Mönche lebten in Zellen, die sich um eine zentrale Kirche gruppierten, übten → Askese, versammelten sich regelmäßig zur Liturgie und betrieben ein Handwerk. Dieses System verbreitete sich bis nach Asia Minor, wo Basilios von Caesarea es mit einem offiziellen Regelkatalog versah und dem Tagesablauf Unterricht in Theologie und Philos. hinzufügte. Iohannes → Cassianus übertrug das System um 420 in Lérins bei Marseille auf den lat. Westen. Benedikt entwickelte im 6. Jh. in Zentral-It. eine analoge klösterliche Lebensregel, die nachher im ma. Westen maßgebend wurde. Wichtige klösterliche Zentren lagen auch in Rom, wo viele syr. und griech. Mönche wohnten, der judäischen Wüste, wo das Kloster des hl. Sabas lag, und im 6. Jh. auch auf dem Berg Sinai. Das kelt. Klosterwesen entwickelte sich zur selben Zeit in Iona. Am Ende des 8. Jh. war Studion in Konstantinopel das führende byz. Kloster geworden.

D. AUSBREITUNG

Zu diesem Thema gibt es noch keine abschließenden Studien, und viele Punkte sind kontrovers. Das Ch. faßte urspr. in den griech. Städten der östl. Mittelmeerküste wie Ephesos, Korinth und Thessalonike Fuß. Missionare wie Paulus gingen zuerst in die Synagogen, aber als ihre Bemühungen nicht fruchteten, wandten sie sich an die nicht-jüd. Bevölkerung. Das Ch. faßte auch in der großen ausländischen Bevölkerung Roms Fuß. Gleichnisse im ›Hirt‹ des Hermas weisen auf die Annahme des Ch. durch die Handwerker, die unter Trajan und Hadrian in städtischen Bauprojekten beschäftigt waren (vis. 3,2, 5–7; sim. 9, 2–5), sowie Bronzegießer (vis. 3,9, 3), viele Sklaven und Freigelassene (vis. 3,6, 7), suburbane Bauern (vis. 3,1, 2) und städtische Arme (vis. 3,9, 3) hin. Man schätzt die christl. Bevölkerung Roms um 175 auf ca. 10000 und um 254 auf ca. 30000–50000. Griech. war die vorherrschende lit. und liturgische Sprache z.Z. von → Hippolytus. Der erste lat.-sprachige Bischof war Victor (189–199). Grabinschr. aus der Zeit zwischen ca. 166–234 geben Hinweise auf Latinisierung und Christianisierung unter Männern des Ritterstandes (ILCV 276), Veteranen (ILCV 277; 427), Sklaven und Freigelassenen des kaiserlichen Haushalts (ILCV 349; 705A; 3872), unter ihnen auch der einflußreiche M. Aurelius Prosnetes z.Z. des Commodus (ILCV 3332). Eine Überlieferung aus der Zeit des Bischofs Damasus (366–84) identifizierte M. Vibius Liberis, *consul suffectus* im J. 166, als christl. Märtyrer (ILCV 56). Eine Gattin des

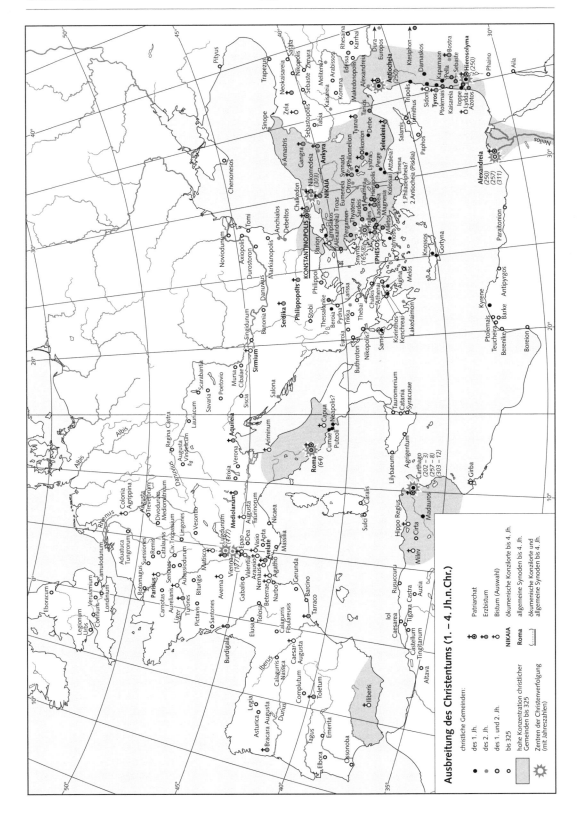

Ausbreitung des Christentums (1. – 4. Jh.n.Chr.)

christliche Gemeinden:

des 1. Jh.

des 2. Jh.

des 1. und 2. Jh.

bis 325

hohe Konzentration christlicher Gemeinden bis 325

Zentren der Christenverfolgung (mit Jahreszahlen)

Patriarchat

Erzbistum

Bistum (Auswahl)

NIKAIA   ökumenische Konzilorte bis 4. Jh.

Roma   allgemeine Synoden bis 4. Jh.

ökumenische Konzilorte und allgemeine Synoden bis 4. Jh.

Postumus Quietus (cos. 272) soll Christin gewesen sein (CIL VI 31749a). Diesen Trend kann man auch im *Octavius* von Minucius Felix erkennen, der ein stoisches Ch. vorzuschlagen scheint. Das quasi-konstantinische XP (Chi-Rho) war in Rom um 279 schon in Gebrauch (ILCV 3315). In It. gab es um 250 ca. sechzig Bischöfe, aber provinzielle christl. Inschr. sind rar, nur aus Clusium in Tuscia (ILCV 3032; 3915 usw.) und Asisium (?) (CIL II 2, 5458) gibt es Beispiele.

Die Hauptursache für die schnelle Ausdehnung des Ch. nach 312 war der privilegierte Status, den es von (Fl. Valerius) Constantin, dem ersten christl. Kaiser, erhalten hatte. Er gewährte Subventionen in Geld und Naturalien, schenkte Land aus der *res privata*, erließ Gesetze, die die christl. *mores* und den Kult begünstigten und verband das Ch. mit seiner *bona fortuna* [8]. In dieser Zeit war das Ch. der bevorzugte Kult des *princeps,* eine Situation, die sich bis ca. 384–392 langsam änderte, als die Gesetze von Gratianus und Theodosius I. das Ch. zur mehr oder weniger »offiziellen« Religion des Imperiums machten [9]. Dieser Prozeß dauerte auch unter späteren christl. Kaisern bis zur Publikation der zweiten Ausgabe des Cod. Iust. im J. 534 an. Ein Gesetz, das aus Zenos Regierungszeit (481–84) wieder aufgegriffen wurde, verlangte die Taufe aller röm. Bürger (Cod. Iust. 1,11,10,1). Die Synodalliste des Konzils von Nicaea zeigt, daß es 325 schon in den meisten Städten des Imperiums Bischöfe gab [10]. Dies ist jedoch ein schlechter demographischer Indikator. Die *territoria* der Städte in den meisten Prov. mit der teilweisen Ausnahme von Phrygien, wo deutlich christl. Inschr. um ca. 250 auftauchen, waren bis ins frühe/mittlere 5. Jh. nicht intensiv christianisiert [11]. Antiochia und Alexandria hatten schon zu einem frühen Zeitpunkt eine große christl. Bevölkerung, ebenso einige provinzielle Städte wie Edessa in Osrhoene, wo König Abgar IX. im J. 201 eine Form des Ch. zuließ. Sozusagen am Vorabend der großen Verfolgungen (303–312) waren Provinzstädte und -vororte wie Eumeneia und Orkistos in Phrygien und Maiuma in Palaestina I überwiegend christlich. Bostra in der Prov. Arabia war um 362 etwa zur Hälfte christl. (Iul. epist. 41 WRIGHT). Andere Orte waren mehrheitlich pagan und sogar christenfeindlich wie Harran/Carrhae in Osrhoene, Baalbek/Heliopolis und Emesa in Phoenice Libanensis [12]. Teile von Phönizien und Arabien scheinen nie christianisiert worden zu sein (IGLS 2962). Trotz der optimistischen Bemerkungen von christl. Autoren wie Eusebios und den scheinbaren Beweisen der Papyri, verbreitete sich das Ch. in einigen Teilen von Ägypten. nur langsam, wie die griech. und demot. ägypt. Inschr. in Philae und Deir al-Bahai bezeugen (SEG 41, 1612–1615). Im Westen wurde das Loire-Becken um Tours erst im späten 4. und im 5. Jh. christianisiert [13]. Die Lage in Britannien und dem cisalpinen Gallien war ähnlich [14]. Der Vorgang wird durch die »Ritenchristianisierung« noch verdunkelt: Die alten Riten der Bauern erhielten christl. Kultformeln und verschleiern so vielleicht das Überleben eines ländlichen Polytheismus. Das nachahmten. Irland bietet zahlreiche Beispiele von christl. Mönchen und Bischöfen, die druidische Riten nachahmten. Das Ch. verbreitete sich über die Imperiumsgrenzen hinaus unter den arab. Hirtenvölkern, die den *limes* überquerten, um wichtige Heiligtümer wie die Klause von Eutychius in der judäischen Wüste und den Schrein des hl. Sergius in Resapha zu besuchen. Das Ch. erreichte im 4. Jh. Nubien, wie aus der Inschr. von König Silko von Dongola in Talmis ersichtlich wird, die seinen Sieg über die Blemmyes mit einer quasi-konstantinischen Siegesformel festhält (καὶ ὁ θεὸς ἔδωκέν μοι τὸ νίκημα, ›Gott schenkte mir den Sieg‹) [15]. Das spätere nubische Ch. wird in den Inschr. und Fresken von Faras veranschaulicht.

1 F. TROMBLEY, Hellenic Religion and Christianization ²1994 **2** R. KRAUTHEIMER, Three Christian Capitals, 1983, 12–31 **3** H. USENER, Acta M. Anastasii Persae, 1894, 12–27 **4** P. BROWN, The Cult of the Saints, 1981, 55–68 **5** A. DAIN, G. ROUILLARD, Une inscription relative au droit d' asile, in: Byzantion 5, 1930, 315–326 **6** E. HONIGMANN, s. v. Juvenal of Jerusalem, Dumbarton Oaks Papers, 1950, 209–279 **7** M. ANASTOS, Iconoclasm and Imperial Rule 717–842, in: Cambridge Medieval History 4/1, 1966, 84–87 **8** T. BARNES, Constantine and Eusebius, 1981, 245–260 **9** J. MATTHEWS, Western Aristocracies and Imperial Court AD 364–425, 1975, 183–222 **10** A. VON HARNACK, The Expansion of Christianity in the First Three Centuries ²1905, 240–446 **11** W. CALDER, s. v. Philadelphia and Montanism, in: Bulletin of the John Rylands Library 7, 1922–1923, 336–349 **12** F. TROMBLEY, Religious Transition in Sixth Century Syria, in: Byz. Forsch. 20, 1994, 170–172 **13** C. STANCLIFFE, From Town to Country: The Christianisation of the Tourraine 370–600, in: D. BAKER (Hrsg.), The Church in Town and Countryside, 1979, 43–59 **14** R. LIZZI, Ambrose's Contemporaries and the Christianization of Northern Italy, in: JRS 80, 1990, 156–173 **15** R. LEPSIUS, Die griech. Inschr. des nubischen Königs Silko, in: Hermes 10, 1876, 129–144.

A. ARMSTRONG, The Cambridge History of Later Greek and Early Medieval Philosophy, 1967 · T. BARNES, Constantine and Eusebius, 1981 · Ders., From Eusebius to Augustine, 1994 · P. BROWN, Augustine of Hippo, 1967 · H. CHADWICK, Early Christian Thought and Classical Tradition, 1966 · F. DEICHMANN, s. v. Christianisierung II (Monumente), RAC 2, 1228–1241 · H. DELEHAYE, Les origines du culte des martyres, 1933 · W. FREND, The Rise of Christianity, 1984 · C. R. GALVAO-SOBRINO, Funerary epigraphy and the spread of Christianity, in: Athenaeum 83, 1995, 431–462 · M. HAREN, Medieval Thought ²1992 · A. v. HARNACK, Die Mission und Ausbreitung des Ch. in den ersten Jh., ⁴1924 · W. JAEGER, Early Christianity and Greek Paideia, 1961 · B. KÖTTING, s. v. Ch. I (Ausbreitung), RAC 2, 1138–1159 · R. KRAUTHEIMER, Early Christian and Byzantine Architecture, 1865 · K. LATOURETTE, A History of the Expansion of Christianity, 1937–47 · R. MARKUS, The End of Ancient Christianity, 1990 · J. PELIKAN, Christianity and Classical Culture, 1993 · C. THOMAS, Christianity in Roman Britain to AD 500, 1981 · G. VIKAN, Byzantine Pilgrimage Art, 1982.   F. R. T.

KARTEN-LIT.: A. v. HARNACK, Die Mission und Ausbreitung des Chr. in den ersten drei Jh., ⁴1924, Ndr. 1966 · F. VAN DER MEER, C. MOHRMANN, Bildatlas der

frühchristl. Welt, 1959, 16 f. • W. FREND, Martyrdom and
Persecution in the Early Church, 1965 • H. JEDIN, K. S.
LATOURETTE (Hrsg.), Atlas zur Kirchengeschichte, 1970
(Neuausgabe 1987).

E. SPRACHE

E. 1 JESUS UND DIE BIBEL

Palästina bildete z.Z. Jesu eine multiethnische Gesellschaft, gekennzeichnet durch die Vielzahl der dort
vertretenen Sprachen. Während sich Hebräisch, dem
synagogalen Gottesdienst und der Schriftlesung vorbehalten, immer stärker zur hl. Sprache entwickelte, wurde auf dem Lande vorwiegend Aramäisch gesprochen.
Auch Jesus verwendete bei der Unterweisung seiner
Jünger und der öffentlichen Verkündigung wohl den
westaram. Dialekt seiner galiläischen Heimat. Die im
städtischen Umfeld, vor allem Jerusalems, stark von hell.
Kultur geprägte Bevölkerung sprach dagegen Griech. in
Form der als Kultursprache der hell. Welt auch beim
Diasporajudentum weitverbreiteten → Koiné (ἡ κοινὴ
διάλεκτος = die allg., gemeinsame Sprache). In dieser
volkstümlichen Umgangssprache fand auch die Ver-
schriftlichung der Jesustradition im NT statt. Griech.
wurde so zur Hauptsprache der christl. Mission. Um
breiteren Schichten einen Zugang zur Schrift zu ermöglichen, entstanden bereits ab dem 2./3. Jh. erste Bibelübers. in die Nationalsprachen (vgl. Vetus Latina,
frühe syr. und kopt. Bibelübers.).

E. 2 LITURGIE UND GOTTESDIENST

Aufgrund des Verlaufs der frühchristl. Mission wurde
Griech., die Sprache der höheren Kultur, zur bedeutendsten Kirchensprache, auch im Westteil des Röm.
Reiches. So feierte die röm. Ortsgemeinde ihre Liturgie
zunächst in Griech.; auch in Nordafrika war sein Gebrauch im kirchlichen Kontext, auch außerhalb der Liturgie, weit verbreitet (vgl. Passio Perpetuae et Felicitatis).
Zudem war Zweisprachigkeit eine in der Alten Kirche
weit verbreitete Erscheinung (vgl. peregrinatio Egeriae
47,3 f.; Hier. epist. 108,29). Während die autochtonen
Sprachen der Völker des Westens als Liturgiesprachen
keine Rolle spielten, gewann Lat. beständig an Bed. und
löste im Westen ab dem 3. Jh. Griech. als bedeutendste
Kirchensprache ab. Für die röm. Kirche lassen sich Mitte des 3. Jh. erste Ansätze einer intensiveren Verwendung des Lat. (u. a. Inschriften der Papstgruft in San
Callisto) nachweisen. Aber erst unter dem röm. Bischof
Damasus (366–384) wurde Griech. als Liturgiesprache
in Rom aufgegeben und der Gebrauch des Lat. um 380
verbindlich vorgeschrieben. Dagegen blieb im Osten
Griech. die dominierende Sprache in Kirche und Gesellschaft.

E. 3 KIRCHENVÄTER UND CHRISTLICHE LITERATUR

Früh strebten die Christen danach, als ebenbürtige
Partner in Dialog mit den gebildeten Schichten der ant.
Gesellschaft zu treten. Eine Möglichkeit dazu bot die
Übernahme der auf dem traditionellen Bildungskanon
aufbauenden griech. Hochsprache. Dabei teilt die
christl. Literatursprache den kaiserzeitlichen Klassizismus der paganen Lit., enthält jedoch zahlreiche Elemente, die diesem fremd sind. Dazu zählen Neubildun-
gen im Wortschatz, welche im Laufe der Formulierung
der Dogmen gebildet wurden, ebenso wie starke Anklänge an den Sprachgebrauch der → Bibel. In früher
Zeit eher selten, wird im 4. Jh. die Verwendung der
Hochsprache zur Norm, der sich nur wenige Autoren
(u. a. → Epiphanios) entziehen können. Grundlage dieses radikalen Umschwungs bildete die im Gefolge der
Mailänder Vereinbarung (313) veränderte gesellschaftliche Stellung der Kirche, insbesonders die häufige Besetzung von Bischofsstühlen mit Gebildeten [2. 198].
Dabei adaptierten die christl. Autoren überkommene
lit. Formen und Gattungen entsprechend ihren Bedürfnissen. Im Bereich der lat.-christl. Lit. vollzog sich eine
ähnliche Entwicklung. So kann kaum vom christl. Lat.
als Sprache einer gesellschaftlichen Sondergruppe gesprochen werden, wiewohl zahlreiche Eigenprägungen
in Wortschatz und Syntax, bes. im Bereich der Liturgie
und der theol. Fachsprache, nachweisbar sind [4. 78].

E. 4 CHRISTLICHER ORIENT

Bereits früh führten die Bedürfnisse von Mission und
Predigt zur Übertragung festgeprägter christl. Traditio-
nen in andere Sprachen, wobei sich der Osten des Röm.
Reiches als bes. fruchtbares Feld erwies. Die Vielzahl
der dort vertretenen Völker und Sprachen begünstigte
dies ebenso wie die, insbesonders im syr.-palästin.
Raum und Ägypten, weitverbreitete Zweisprachigkeit.
So erlangten mit der Christianisierung der entsprechenden Völker Armen., Georg. und später Arab. den Status
von Kirchensprachen. Ebenso wurde das Kopt., eine
Spätform der ägypt. Sprache, durch das Christentum zur
Literatursprache. Aufgrund einer beeindruckenden
Fülle an christl. Lit. eigener Provenienz (→ Ephraem)
kommt dem aus dem Aram. der Osrhoëne hervorge-
gangenen Syr. eine bes. Stellung zu.

→ Bibelübersetzungen; Christlich-palästinische Literatur; Damasus; Latein

1 G. BARDY, La question des langues dans l'Église ancienne I,
1948 2 C. FABRICIUS, Der sprachliche Klassizismus der
griech. Kirchenväter, in: JbAC 10, 1967, 187–199 3 TH.
KLAUSER, Der Übergang der röm. Kirche von der griech.
zur lat. Liturgiesprache. In: Miscellanea Giovanni Mercati I,
1946, 472–482 4 G. KRETSCHMAR, s. v. Kirchensprache,
TRE 19, 1990, 74–92 5 CHR. MOHRMANN, Études sur le
latin des chrétiens. 4 Vol., 1957–1977 6 G. NEUMANN,
J. UNTERMANN (Hrsg.), Die Sprachen im röm. Reich der
Kaiserzeit, 1980 (Beihefte der Bonner Jahrbücher 40)
7 H. PETERSMANN, De vetustissimis christianorum libris in
linguam latinam versis, in: Augustinianum 42, 1993,
305–324.   J. RI.

Christenverfolgungen s. Toleranz

Christlich-palästinische Sprache und Literatur
A. Sprache   B. Literatur

A. Sprache

Das Christl.-Palästinische ist ein Dial. des → Aramäischen, genauer des Westaramäischen, zu dem auch das Nabatäische, Palmyrenische, Jüdisch-Aramäische, Samaritanische und das bis h. gesprochene Neuwestaramäische (Sprachinsel Maʿalūla bei Damaskus/Syrien) gehören. Da er sich einer der älteren syr. (d. h. Estrangelō, eigentlich στρογγύλη) verwandten Schrift bedient, wird er im nichtdeutschen Sprachraum eher Syro-Palästinisch genannt, obwohl er dem jüdisch-palästin. Aramäisch einiger Targumim näher steht als dem klass. Syrisch. Er wurde offenbar in urspr. aramäisch sprechenden christl. Gemeinden verwendet, die sich später dem reichskirchlich-chalzedonensischen Kurs anschlossen (→ Melkiten), blieb aber keineswegs auf Palästina im engeren geogr. Sinne beschränkt, sondern war auch im Ostjordanland (z. B. in Ǧeraš) und bis Ägypten verbreitet – die biblischen Texte stammen z. B. aus dem Katharinenkloster auf dem Sinai, der Kairoer Geniza und dem Castellion-Kloster in der judäischen Wüste (Hyrcania/Khirbet Mird: [15. 526]). Vielleicht beziehen sich die Pilgerin Egeria (peregrinatio Egeriae 47,3) und Hieronymus (epist. 108,29) mit ihren Hinweisen auf eine dreisprachige Liturgie in Palästina (»griechisch-lateinisch-syrisch«) auf den Dialekt. Es wurde gelegentlich vermutet, daß jene Lit. ein Produkt von jüd. Konvertiten des 6. Jh. gewesen ist [1]. Freilich stammt der erste bisher bekannte Beleg, eine Inschr. aus Evron, von 415 [2]; weitere Inschr. finden sich vor allem in kleineren und abgelegeneren Ortschaften.

B. Literatur

Die christl.-palästin. Lit. besteht zur Gänze aus Übersetzungen aus dem Griech. (vollständige Liste der Editionen bis 1903 bei [19. VII–XVI] und bis 1963 bei [3. 510⁸]). Den Hauptanteil machen biblische Texte aus: Das AT ist handschriftlich in Lektionaren und anderen liturgischen Texten aus dem 6.–13. Jh. bezeugt [4; 5]. Ein Text-Frg. von Jos 22,6–7, 9–19 fand sich im Castellion-Kloster; M. BLACK veröffentlichte ein *Euchologion* und ein *Horologion* mit biblischen Texten. Das NT ist in erster Linie in einem Lektionar bezeugt, das in drei Hss. des 11./12. Jh. belegt ist. Erste Zeugen stammen möglicherweise aus dem 6. Jh., so daß man mit einer schriftlichen Fixierung einer mündlichen Tradition des 4. Jh. im folgenden Jh. gerechnet hat. Der Textcharakter wird als »weitgehend normaler Koinetext, der hier und da alexandrinische Lesarten ... aufweist« [6. 206], beschrieben. Die fragmentarischen Lektionare gehören teils zur antiochenischen und (nach der byz. Rückeroberung Syriens vom 11. Jh. an) zur konstantinopolitanen Tradition.

1 F. ROSENTHAL, Die aramäistische Forsch. seit Th. Nöldekes Veröffentlichungen, 1939 2 V. TZAFERIS, in:

Eretz-Israel 19, 1986, 36–51 3 C. PERROT, Un fragment christo-palestinien découvert à Khirbet Mird, in: RBi 70, 1963, 506–555 4 A. BAUMSTARK, Das Problem des christl.-palästin. Pentateuchtextes, in: Oriens Christianus 32, 1935, 201–223 5 L. DELEKAT, Die syropalästin. Jesaja-Übers., in: ZATW 71, 1959, 165–201 6 K. ALAND, B. ALAND, Der Text des NT, ²1989.

7 M. BLACK, Rituale Melchitarum, ²1938 8 Ders., A Christian Palestinian Horologion, Texts and Studies. New Series 1, 1954 9 H. DUENSING, Christl. palästinisch-aram. Texte und Fragmente nebst einer Abh. über den Wert der palästin. LXX, 1906 10 M. H. GOSHEN-GOTTSTEIN, H. SHIRUN, The Bible in the Syropalestinian Version, Vol. 1, 1973 11 A. S. LEWIS, A Palestinian Syriac Lectionary containing Lessons from Pentateuch, Job, Prophets, Acts and Epistles, in: Studia Sinaitica 6, 1897 12 Dies., M. D. GIBSON, The Palestinian Syriac Lectionary of the Gospels, 1899 13 A. S. LEWIS, Codex Climaci Rescriptus, in: Horae Semiticae 8, 1908 14 M. J. LAGRANGE, L'origine de la version syro-palestinienne des Evangiles, in: RBi 34 1925, 481–504 15 J. T. MILIK, Une inscription et une lettre en Araméen Christo-Palestinien, in: RBi 60, 1953, 526–539 16 C. MÜLLER-KESSLER, Gramm. des Christl.-Palästin.-Aramäischen I, 1991 17 TH. NÖLDEKE, Ueber den christl. palästin. Dialect, in: ZDMG 22, 1868, 443–527 18 F. SCHULTESS, Gramm. des christl.-palästin. Aramäisch, 1924 19 Ders., Lexicon Syro-Palestinum, 1903 20 FR. SCHWALLY, Idioticon des christl.-palästin. Aramäisch, 1893 (Rez.: F. Praetorius, in: ZDMG 48, 1894, 361–367).   C. M.

Christliche Archäologie s. Byzantinische Archäologie; Spätantike Archäologie

Christodoros (Χριστόδωρος) aus Koptos. Sohn des Paniskos, lebte zur Zeit Anastasios' I. (491–518). Verf. von Πάτρια (*Pátria*), d. h. Dichtungen über die Frühgesch. von verschiedenen Städten (Thessalonike, Nakle, Milet, Tralles, Aphrodisias und Konstantinopel). Neben den Λυδιακά (*Lydiaká*) schrieb Ch. ein Epos Ἰσαυρικά (*Isauriká*) über Anastasios' Kriege gegen die Isaurier. Erh. ist seine ἔκφρασις (→ Ekphrasis) der achtzig Statuen im Bad des Zeuxippos in Konstantinopel, das beim Nika-Aufstand im J. 532 n. Chr. durch ein Feuer zerstört wurde (Anth. Pal. 2,1–416). Er verfaßte zwei Epigramme (Anth. Pal. 7,697 und 698) auf den Tod des Iohannes von Epidamnos, des *cos.* 467 n. Chr. Iohannes Lydos (De magistratibus populi Romani, 3,26) zit. einen Vers aus Ch.' Gedicht über die Schüler des Proklos. Die auf dem Pap. Graec. Vindob. 29788B-C erh. Gedichtfragmente sind vielleicht ebenfalls Ch. zuzuschreiben. Die Suda kennt noch einen Ch. aus der Thebais, der vielleicht mit unserem Ch. identisch ist. Sprache und Diktion sowie Metrik verraten den Einfluß des Nonnos von Panopolis, ohne daß die Behandlung des Versmaßes die Strenge des etwa fünfzig Jahre älteren nonnianischen Vorbilds erreicht.

F. BAUMGARTEN, De Christodoro Poeta Thebano, 1881 · A. CAMERON, Wandering Poets. A Literary Movement in Byzantine Egypt, in: Historia 14, 1965, 489 · A. CAMERON, Claudian, 1970, 478–482 · P. FRIEDLÄNDER, Johannes von

Gaza und Paulus Silentiarius, 1912, 94 f. • R. C. McCail, P. Gr. Vindob. 29788C, Hexameter Encomium on an unnamed Emperor, in: JHS 98, 1978, 38–63 • R. Stupperich, Das Statuenprogramm in den Zeuxippos-Thermen, in: MDAI (Ist) 32, 1982, 210–235 • T. Viljamaa, Studies in Greek Encomiastic Poetry of the Early Byzantine Period, 1968, 29–31, 56–59 • M. L. West, Greek Metre, 1982, 177–180.   C. S.

Chromios (Χρομίος).

[1] Sohn des Neleus und der Chloris, Bruder Nestors (Hom. Od. 11,286).
[2] Waffengefährte Nestors (Hom. Il. 4,295).
[3] Sohn des Priamos, von Diomedes getötet (Hom. Il. 5,160; Apollod. 3,152).
[4] Troer, von Teukros getötet (Hom. Il. 8,275).
[5] Lykier, von Odysseus getötet (Hom. Il. 5,677).
[6] Sohn des Arsinoos s. Chromis [1].   R. B.

Chromis (Χρόμις).

[1] Sohn des Arsinoos (Apollod. epit. 3,35), Bundesgenosse der Trojaner. Mit Ennomos Anführer der Myser (Hom. Il. 2,858; 17,218; 494; 534; Dictys 2,35). Bei der Darstellung des Flußkampfes (Hom. Il. 21) wird Ch. dann entweder »vergessen« oder durch Asteropaios ersetzt [1]. In späterer Zeit gilt er als »Propator« der mysischen Abbaiten [2].
[2] Satyr bei Vergil (ecl. 6,13), bei Ovid (met. 5,103) Gefährte des Phineus und ein Kentaur (met. 12,333), der von Peirithoos erschlagen wird.

1 W. Kullmann, Die Quellen der Ilias, 1960, 175.
2 P. Weiss, s. v. Ch., LIMC 3.1, 275 Nr. 1.

K. Jachmann, Der homer. Schiffskatalog und die Ilias, 1958, 144–146.   R. B.

Chronica minora.

Bei den mittelgriech. Pendants der spätant. *ch. m.* ist eine Unterscheidung, etwa zw. originellem Breviarium, Zusammenfassung eines umfangreicheren Geschichtswerks (*epitomé*) und kurzer Chronik kaum möglich (z. B. [1]). Eine → Annalistik im strengen Sinne des Wortes ist aus dem griech. Raum nicht überliefert. Insbesondere aus spät- und postbyz. Zeit stammen jedoch Abfolgen knapper, exakt datierter histor. Notizen, die sog. byz. Kleinchroniken. Sie enthalten Informationen über Reich, Kaiser, Regionen und Städte sowie über die türkische Eroberung, sind volkssprachlich gefärbt und oft mit Anteilnahme geschrieben.
→ Chronik

1 C. Mango (ed.), Nikephoros Patriarch of Constantinople, Short History, 1990.

K. Treu, Griech. Schreibernotizen als Quelle für polit., soziale und kulturelle Verhältnisse ihrer Zeit, in: Byzantinobulgarica 2, 1966, 127–143 • P. Schreiner, Die byz. Kleinchroniken I–III, 1975–1979 • G. Weiss, Quellenkunde zur Gesch. von Byzanz, 2 Bde., 1982, I 65–68, II 521.   G. MA.

Chronicon paschale (Ἐπιτομὴ χρόνων).

Das *Ch.* (auch *Ch. Alexandrinum, Ch. Constantinopolitanum, Fasti Siculi,* nach dem Fundort des Codex) wurde auf Betreiben des Patriarchen → Sergios von einem Kleriker zw. 631 und 641 verfaßt. In der Einleitung enthält die ›Osterchronik‹ Erläuterungen zum Osterzyklus. Die Chronologie reichte urspr. von Adam bis zum J. 629, die Überlieferung bricht jedoch nach 628 ab. Der Chronist ist für die Ereignisse nach der Regierungszeit des → Maurikios (602) Augenzeuge. Dokumentation und Erweiterung der Chronik durch histor. Anmerkungen und urkundliche Belege machen diese neben dem Werk des → Eusebios zu einem der bedeutendsten Werke der griech.-christl. Chronographie. Die Geburt Christi wird auf das Weltjahr 5501 angesetzt. Mit der Festlegung des 21.3. 5509 als Datum für die Erschaffung der Welt belegt das Werk erstmals die proto-byz. Ära.
→ Ären

E. Schwarz, Griech. Geschichtsschreiber, 1957, 291–316 • J. Beaucamp et al., Temps et Histoire. I. Le prologue de la Chronique pascale, Travaux et mémoires 7, 1979, 223–301.
                                                    K. SA.

Chronik   A. Allgemein   B. Alter Orient   C. Griechisch   D. Römisch   E. Christlich

A. Allgemein

Aἱ χρονικαί, τὰ χρονικά, *chronicon*; lat. nach Isid. orig. 5,37 *series temporum.* Keine ant. oder ma. [1; 2] Gattungsbezeichnung. Ch. sind Vertextungstypen von Gesch., die jahrweise strukturiert sind. Sie reichen von bloßen Datenlisten bis zur Füllung einzelner Jahre mit narrativen Kleinformen und gehen dann als → Annalistik, in röm. Zeit retrospektiv, in karolingischer Zeit als fortlaufende, zeitgenössische Aufzeichnung, in den Bereich eigentlicher → Geschichtsschreibung über – oft innerhalb eines Werkes, bes. mit breiterer Darstellung der nahen Vergangenheit. Aufgrund des Fehlens übergreifender narrativer Strukturen sollte man von »Proto-Geschichte« [3. 178] sprechen. Charakteristisch ist a) die lokalgesch. Orientierung (→ Atthis), die nur unter bes. histor. Bedingungen ausgeweitet wird (gemein-hell. Kulturgesch.; röm. Eponyme in ital. Ch.; christl. Welt-Ch.), b) der Beginn mit signifikanten Zeitpunkten einer Gesellschaft/Institution (oft in Form einer vorangestellten Gründungsgesch.), c) chronologisches Interesse und Anspruch auf Vollständigkeit der eigenen Datenreihe, die zu massiven Erfindungen in der jeweiligen Frühgesch. führen können.

Ch. dienen der Identitäts-, gegebenfalls auch der Legitimitätssicherung einer Gruppe; je nach Kontext können sie als aufwendige Inschr. publiziert oder als Autograph eines berufenen Schreibers de facto ohne Öffentlichkeit bleiben und sich so vom lehrhaften und unterhaltenden Anspruch anderer historiographischer Kurzformen (→ Breviarium, → Epitome) unterscheiden. Nicht-narrative Form und offiziöser Charakter führen häufig zur Überbewertung ihrer histor. Zuverlässigkeit.

1 B. Guenée, Histoires, annales, chroniques, in: Annales ESC 28, 1973, 977–1016 2 H. Hofmann, Artikulationsformen histor. Wissens in der lat. Historiographie des hohen und späten MA, in: La litterature historiographique des origines à 1500, Bd. 2 (GRLM 11/2), 1987 3 J. Rüsen, Zeit und Sinn, 1990.

J.-J. G.,   K. Mei. u. J. R.

B. Alter Orient

Texte unterschiedlicher lit. Gestalt aus Mesopotamien werden gewöhnlich unter dem Begriff Ch. zusammengefaßt. Gemeinsames inhaltliches Merkmal sind denkwürdige Ereignisse und Taten, die sich mit den Herrschern mesopotamischer Dynastien oder wichtigen Heiligtümern verbinden und in chronologischer Reihenfolge – Regierungszeit für Regierungszeit, Jahr für Jahr und z.T. Monat für Monat bzw. Tag für Tag – aufgeführt werden. Stilistisches Charakteristikum ist eine äußerst knappe, in der dritten Person formulierte Prosa, in der bes. Wert auf die zeitliche Abfolge der Fakten gelegt wird.

Man unterscheidet fünf Ch.-Typen. 1. Ch., die in Listenform die Namen mesopotamischer Herrscher und deren Regierungszeiten aufführen (→ Königslisten). Sie dienten der Legitimation von Herrschaft zur Zeit ihrer Kompilation und jeweiligen Aktualisierungen. Sie bilden die Grundlage für die chronologische Rekonstruktion mesopotamischer Geschichte. 2. Die assyr. Ch. – offizielle Texte, die administrativen (→ Eponymenlisten) oder ideologischen (u.a. Abfassung von Königsinschr.) Zwecken dienten. 3. Ch., welche die fromme Tätigkeit von Herrschern an lokalen Heiligtümern betreffen. Sie dienten ebenfalls legitimatorischen Zwecken. 4. Ch., die den Zeitraum von 748 v. Chr. bis in die seleukidische Zeit zum Inhalt haben. Sie entstammen dem Milieu babylon. Gelehrter und scheinen keinen Bezug zur offiziellen Sphäre gehabt zu haben. 5. ch.-artige Kompilationen aus neubabylon. Zeit, die sich auf Herrscher von der grauen Vorzeit bis hin zum 8. Jh. v. Chr. beziehen.

Die Erinnerung an vergangenes Geschehen ist je nach Epoche unterschiedlich: Die Chronisten des 3. und 2. Jt. vermitteln eine archetypische Sicht von Gesch., die des 1. Jt. dagegen bieten aufgrund genauerer Kenntnis und mit Hilfe einer detaillierten Klassifizierung der Ereignisse ein Paradigma der unterschwellig wirksamen Bedrohungen, die auf dem Universum lasten.

J. J. Glassner, Chroniques mésopotamiennes, 1993.

C. Griechisch

In Griechenland existierten zwei Arten von Ch., von denen die erste bereits im 5. Jh. namhafte Vertreter fand, während die zweite erst in der Zeit des Hellenismus ihre Blüte erlebte: Lokale Jahres-Ch., die nach einheimischen Eponymen datierten, örtliche Begebenheiten enthielten und bisweilen recht lebendig gestaltet waren, und allgemeine Ch. bzw. chronographische Werke, die universalgesch. ausgerichtet waren, eine bloße Aufzäh-

lung von Ereignissen der polit. und mil. Gesch., aber auch die kulturelle und lit. Entwicklungen beinhalteten (z.B. Angaben über Leben und Werk von Dichtern, Historikern und Philosophen) und eine Mehrfachdatierung auf der Basis synoptischer Eponymenlisten (z.B. Olympioniken, athenische Archonten, spartanische Ephoren) aufwiesen.

Hauptvertreter der ersten Gattung waren im 5. Jh. v. Chr. → Hellanikos von Lesbos (›Herapriesterinnen von Argos‹, ›Atthis‹, ›Karneonikai‹ [1. 323a; 2. 41 f.]) und Charon von Lampsakos (›Jahrbücher von Samos‹, [1. 262; 2.24]; zu den Zeittafeln s. [1. 239–261]), doch standen die Lokal-Ch. auch im 4. Jh. und in hell. Zeit überall in der griech. Welt hoch im Kurs (FGrH III B: ›Gesch. von Städten und Völkern. Horographie und Ethnographie‹, Nr. 297–607; mit Komm. und Anm.).

Wichtigste Repräsentanten der zweiten Gattung waren → Timaios von Tauromenion (*Olympionikai*, FGrH 241), → Apollodoros [7] von Athen (*Chronika*, FGrH 244) und → Kastor von Rhodos (*Chronikon Epitome*, FGrH 250). Dazu kommen Stein-Ch., unter denen das → Marmor Parium (FGrH 239) und die → Lindische Tempel-Ch. hervorragen. Eine Art Übergang zwischen beiden Formen bildeten die ›Herapriesterinnen von Argos‹ des Hellanikos, da hier ›der fast unglaubliche Versuch gemacht wurde, eine Jahreseinteilung nicht nur auf die Gesch. einer Stadt, sondern auf die Gesch. ganz Griechenlands anzuwenden‹ [3. 70]: Dies ergibt sich u.a. aus den Fragmenten 79a und b, 84 sowie aus Thuk. 1,97,2 und 2,2,1: beide Thukydides-Stellen beziehen sich auf Hellanikos.

Die von Wilamowitz [4] aufgestellte These, daß die griech. Geschichtsschreibung in Analogie zur röm. Jahres-Ch., die aus den *annales maximi* hervorgegangen ist, ihre Entstehung verdanke, wurde von Anfang an skeptisch aufgenommen und gilt heute allg. als überwunden.

1 FGrH 2 K. Meister, Die griech. Geschichtsschreibung, 1990 3 O. Lendle, Einführung in die griech. Geschichtsschreibung, 1992, 63–73, 277–81 4 U. von Wilamowitz, Aristoteles und Athen, Bd. 1, 1893.

J.-J. G.,   K. Mei. u. J. R.

D. Römisch

Die frühesten lat. Ch. sind sekundär gegenüber offiziösen Protokollaufzeichnungen (→ *commentarii*) und der beginnenden, annalistisch werdenden Historiographie [1]. Sie erscheinen in der Form von Beamtenlisten mit kriegerischen oder verfassungsgesch. Ereignissen (→ *fasti*); die Eponymendatierung wird häufig durch die → Zeitrechnung *ab urbe condita* oder → Ären ergänzt. In der Form der *consularia* ist eine weite Verbreitung für die Spätant. gesichert [2; 3]. Mit dem → Chronographen von 354 und der lat. Übers. von Eusebius' Welt-Ch. durch → Hieronymus (381 n. Chr.) fließt die Fasten-Tradition mit christl., vor allem von → Beda oft eschatologisch interessierten Geschichtsbetrachtung und -Rekonstruktion zusammen, zunächst noch durch bloße Nebeneinanderstellung oder Synopse, in den Ch. des

5./6. Jh. aber voll integriert (→ Sulpicius Severus, *Chronica Gallica*, → Hydatius, → Marcellinus Comes, → Prosper Tiro und Fortsetzer, → Cassiodor [4; 5]). Wenige kanonische Modelle um lokale Zeitgesch. ergänzend, prägen Ch. neben → Biographien die spätant. und frühma. Historiographie.

1 J. Rüpke, Fasti, in: Klio 77, 1995, 184–202 2 Ders., Geschichtsschreibung in Listenform, in: Philologus 141, 1997 3 R. W. Burgess, The Chronicle of Hydatius and the Consularia Constantinopolitana, 1993 4 A.-D. von den Brincken, Studien zur lat. Weltchronistik..., 1957 5 S. Muhlberger, The 5th-Century Chroniclers, 1990.

J.-J.G., K.Mei. u. J.R.

E. Christlich

Die christl. Ch.-Lit. bildet eine auf ant. Vorbildern basierende, eigenständige Kleingattung der spätant. Lit. und findet ihre breite Fortsetzung im MA. Aus den Chronographien des 2./3. Jh. n. Chr. hervorgegangen, verdankt sie ihre Entstehung den vor dem Hintergrund antipaganer Propaganda aus theologischen Anliegen (Naherwartung, Katechese) gespeisten Wünschen nach einer Chronologie der gesamten Weltgesch. aus christl. Sicht. Kürze und Einfachheit des Ausdrucks werden zu ihren Kennzeichen. Entsprechend dem eschatologischen Aspekt der Ch. – das Kommen Christi am Ende der Zeiten erscheint als Endpunkt der Gesch. – entstehen in Verbindung mit ihr spezifisch christl. Formen der Zeitrechnung (Weltzeitlehren; → Ären).

Nach 221 verfaßt Sextus Iulius Africanus erstmals eine Chronographie als eigenständige Schrift zur Berechnung des Weltendes aufgrund biblischer Angaben. Ihm folgt um 234/5 Hippolytos mit seiner Chronik. Nach diesen vornehmlich auf der Grundlage der Bibel und Anleihen aus der griech.-röm. Gesch. erarbeiteten chronologischen Abrissen verfaßt Eusebios von Kaisareia († 339) als erster eine Weltchronik im eigentlichen Sinn, indem er seiner Schrift synchrone Übersichten der Geschichtsdaten aller bekannten Länder (Χρονικοὶ κανόνες) beigibt und so Welt- und Heilsgesch. einander zuordnet. Mit der Übers. und Bearbeitung durch Hieronymus – er setzt Eusebios bis 378 fort – entsteht ein für die Chronistik des Westens grundlegendes Werk.

Spätere Generationen finden bei Eusebios und Hieronymus die Vorbilder für ihre Ch. (u. a. *Chronica Gallica*, Marcellinus Comes), daneben entstehen früh Lokalchroniken (Ravenna). Auch im christl. Orient zählen Ch. zum festen Bestand der entsprechenden Lit. (u. a. Chronik von Edessa, Johannes von Nikiu). → Chronica minora; Chronicon paschale; Eusebios von Kaisareia; Geschichtsschreibung; Hieronymus; Hippolytos

1 A.-D. von den Brincken, Stud. zur lat. Weltchronistik bis in das Zeitalter Ottos von Freising, 1957 2 B. Croke, The Origins of the Christian World Chronicle, in: B. Croke, A. Emmett (ed.), History and Historians in Late Antiquity, 1983, 116–131 3 A. A. Mosshammer, The Chronicle of Eusebius and Greek Chronographic Tradition, 1979 4 St. Muhlberger, The fifth-century chroniclers, 1990, 8–23.

J.RI.

Chronik von Monemvasia. Kurze Lokalchronik, urspr. Fassung aus dem 10. Jh. Vor allem an Patras interessiert, berichtet sie von der Gründung Monemvasias (Südostpeloponnes) als Rückzugssiedlung, von der Eroberung der West- und Zentralpeloponnes durch die Awaren und Slaven, schließlich von deren Niederwerfung am Anf. des 9. Jh. vom Osten her, wodurch die Regräzisierung eingeleitet wurde. Verf. ist möglicherweise der aus Patras stammende gelehrte Bischof → Arethas von Kaisareia.

Ed.: I. Dujčev (ed.), Chronaca di Monemvasia, 1976. Lit.: P. Charanis, Studies on the Demography of the Byzantine Empire, 1972, passim · J. Koder, Arethas von Kaisareia und die sog. Chronik von Monemvasia, in: Jahrbuch der österreich. Byzantinistik 25, 1976, 75–80 · St. Kyriakides, Βυζαντιναὶ μελέται 6, 1947, 33–97 · P. Lemerle, La chronique improprement dite de Monemvasia, in: Revue des Études Byzantines 21, 1963, 5–49.

G.MA.

Chronograph von 354. Name eines Codex, der die → *fasti* der Stadt Rom aus dem J. 354 n. Chr. enthält. Der Kodex wurde für einen reichen christl. Aristokraten namens Valentinus angefertigt. Die Kalligraphie selbst war das Werk des Furius Dionysius Filocalus, und von außergewöhnlicher Qualität. Die Illustrationen, die den Ch. begleiteten, sind die frühesten ganzseitigen Illustrierungen der westl. Kunstgesch. und dürften auch Filocalus zugeschrieben werden.

Kalendertext und zugehörige Monatsdarstellung standen auf gegenüberliegenden Seiten. Abgebildet wurden jahreszeitliche oder volkstümliche Motive oder rel. Feiern (vgl. Abb. Chronograph). Dieser Ch. bietet einzigartige Informationen über die röm. Religion und die Gesellschaft, da er der einzige erh. vollständige röm. → Kalender aus dem 4. Jh. ist. Von histor. Interesse ist die deutliche Betonung, die der Ch. auf den Kaiserkult und die Person des herrschenden Kaisers Constantius II. legt, dessen Bildnis den Codex schmückt.

Der Kalender war aber nur der Kern eines viel größeren »Almanachs«. Er enthielt [3. 24 f.; spätere Einfügungen sind mit * markiert]
I: Widmung an Valentinus
II: Darstellungen der staatlichen Fortuna (Tyche) der Städte Rom, Konstantinopel, Trier und Alexandria
III: Kaiserliche Widmung, Liste der *natales Caesarum*
IV: Die Planeten und ihre Legenden, V: *effectus XII signorum*. Text und Zeichen des Tierkreises
VI: Illustrierter Kalender-Text, Distichen auf die Monate [*Vierzeiler auf die Monate]
VII: Porträts der Konsuln, mit dem Kaiser Constantius II und dem Caesar Iulian identifiziert,
VIII: Liste der röm. Konsuln
IX: Osterfestberechnungen
X: Liste der Stadtpräfekten von Rom

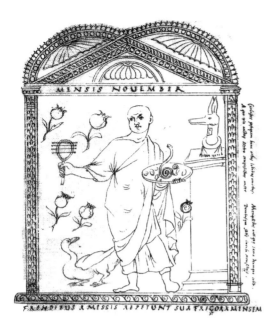

Die Novemberdarstellung des Chronographen von
354 n. Chr. (Codex Romanus Ims, Barb. lat. 2154, fol. 22)
stellt ein originelles Kompendium der Ikonographie
des Isis-Kultes dar.

XI: Todestage und Begräbnisstätten der Bischöfe von
Rom
XII: Todestage und Begräbnisstätten von Märtyrern
XIII: Liste der Bischöfe von Rom
[*XIV: Regionen der Stadt Rom (notitia)] [*XV: Welt-
chronik (liber generationis)]
XVI: Chronik der Stadt Rom (chronica urbis Romae).

Einige der Abschnitte waren illustriert. Abbildungen
des Tierkreises und der Planeten spiegeln das zeitgenössische Interesse für Astrologie wider. Einige nicht illustrierte Abschnitte enthielten weitgespanntes chronologisches und histor. Material. So heben z. B. X und XVI
den röm. Ursprung des Codex hervor, ebenso XI-XIII.
Die christl. Informationen zielten deutlich auf den
Adressaten. Der Ch. zeigt uns eine Gesellschaft im
Übergang, in der heidnische Kultur und lit. Traditionen
in einem christl. aristokratischen Rahmen assimiliert
wurden [3]. Die Überlieferung des Ch. legt nahe, daß er
lange nach seiner Benutzung durch Valentinus in Rom
ein geschätztes Exemplar war. → Polemius Silvius
schlug vermutlich darin nach, als er seinen eigenen
kommentierten Kalender für das Jahr 449 verfaßte. Eine
illustrierte Kopie (der Luxemburgensis) des Originals
wurde in karolingischer Zeit angefertigt. Von letzterer
wurden mehrere Kopien im 16. und 17. Jh. hergestellt.
Die beste davon (Romanus) wurde unter der sorgsamen
Aufsicht des Gelehrten NICHOLAS-CLAUDE FABRI DE
PEIRESC ausgeführt und befindet sich jetzt in der vatikanischen Bibliothek. Leider wurde der Luxemburgensis beschädigt, und einige Seiten gingen verloren,
bevor die Renaissance-Kopien angefertigt wurden.
Heute ist er ganz verloren und nur PEIRESCS detaillierte
Beschreibung erhalten [3. 249–268].

ED.: 1 T. MOMMSEN, Chronographus Anni CCCLIIII, MGH
AA 9,1, 1892 (Ndr. 1981), 13–148.
LIT.: 2 H. STERN, Le Calendrier de 354, 1953
3 M. SALZMAN, On Roman Time: The Codex-Calendar of
354 and the Rhythms of Urban Life in Late Antiquity, 1990.
M.SA./M.MO.

Chronos (Χρόνος, »Zeit«). Personifikation der Zeit, die
in der griech. rel. Spekulation als eine der Urpotenzen
erscheint, und oft Ergebnis einer allegorischen Ausdeutung eines Urgottes → Kronos. So z. B. bei Pherekydes
von Soros (DIELS, Vorsokr. 7 B 1), wo Ch. neben dem
Urpaar Zas und Chtonia als Urgott steht [2; 3]. Wichtig
ist er vor allem in den orphischen Theo- und Kosmo-
gonien seit ihren Anfängen; er erscheint anstelle des hesiodeischen → Chaos als Vater von Eros (Orph. fr. 37,
vgl. Orph. Arg. 13), als geflügelte Schlange mit Löwen-
und Stierkopf, der auch → Herakles heißt, in der (hell.)
Theogonie von Hieronymos und Hellanikos (Orph. fr.
54), als »alterslose Zeit«, Vater von Aither, in der Früheres kombinierenden sog. rhapsodischen Theogonie
(Orph. fr. 60; 66; 70). Dahinter stehen teilweise oriental.
Vorstellungen, die ägypt. oder phönikisch, vor allem
aber iranisch sind [3]. Bedeutsam ist vor allem der zo-
roastrische Zurvân akarana (»unendliche Zeit«) [4].

Losgelöst von dieser spekulativen Dichtung, in der
Zeit als fundamental Vorgegebenes verstanden wird,
stehen unverbindlichere Personifikationen wie Solon
(fr. 36,3), der vom Gericht des Ch. spricht, Pindar (O.
2,19), der ihn als ›Vater von allem‹, oder Sophokles (El.
179), der ihn als ›Erleichterung bringenden Gott‹
(εὐμαρὴς θεός) bezeichnet, der alles sehe, höre, ans Licht
bringe und wieder verberge. Daran schließen sich
durchsichtige Genealogien wie »Tag« als Tochter von
Nacht und Ch. (Bakchyl. 7,1) oder »Recht« und
»Wahrheit« als Töchter von Ch. an (Eur. fr. 223). Die
Identifikation mit Kronos (Plut. Is. 32,363 D) führt u. a.
zur allegorischen Deutung von Riten des röm. Saturn
(Plut. qu. Rom. 11,266 D-E, vgl. 12,266 F; Gell.
12,11,7). Eine feste Ikonographie existiert nicht [5]. In
der von Cic. nat. 2,64 (SVF 2,1091) ausgesprochenen
stoischen Allegorese des Kronos-Mythos wirkt die
Deutung von Kronos-Saturnus als »Vater Zeit«, nicht
zuletzt die Vorstellung, daß die Zeit ihre Kinder ver-
schlingt (SVF 2,1087), über mittelalterliche (z. B. Ovid
moralisé) und frühneuzeitliche Traktate und Bilder
mannigfach bis in die Neuzeit weiter [6; 7].
→ Claudianus

1 G. S. KIRK, J. E. RAVEN, M. SCHOFIELD, The Presocratic
Philosophers, ²1982, 87 2 H. S. SCHIBLI, Pherekydes of
Soros, 1990 3 M. L. WEST, The Orphic Poems, 1983, bes.
190–194 4 Ders., Early Greek Philosophy and the East,
1971, 30–33 5 M. B. GALÁN, s. v. Ch., LIMC 3.1, 276–278

6 J. SEZNEC, La survivance des dieux antiques, 1940, passim.
7 M. CIAVOLELLA, A. A. IANUCCI (ed.), Saturn. From
Antiquity to the Renaissance, 1992. F.G.

Chrysanthios. Neuplatoniker (4. Jh. n. Chr.), Schüler des Iamblichos-Schülers → Aidesios [1] in Pergamon. Er unterrichtete zunächst dort zusammen mit Eusebios von Myndos, dann in Ephesos zusammen mit dem neuplatonischen Philosophen Maximos, den künftigen Kaiser Julian. Ch. war auch der Lehrer des Eunapios, der in seinen *Vitae philosophorum et sophistarum* (cap. 23 p. 90,21–101,16 GIANGRANDE) ein äußerst lebendiges Portrait von ihm entwirft.

R. GOULET, in: Ders. 2, 1994, 320–323. P. HA.

Chrysaor, Chrysaor(i)os (Χρυσάωρ). »Der mit dem goldenen Schwert« (Hes. theog. 283).
[1] Beiname des Zeus in Stratonikeia (Karien), dessen Tempel das Bundesheiligtum der karischen Städte war (Strab. 14,660; CIG 2720 f.).
[2] Eponymer Heros von Karien, das auch Χρυσαορίς genannt wurde (Paus. 5,21,10); er war der Sohn des Sisyphiden Glaukos (Steph. Byz. 461 MEINEKE).
[3] Beiwort verschiedener Götter: des Apollon (Hom. Il. 5,509; 15,256 u. a.), der Artemis (Orakelspruch: Hdt. 8,77), Demeter (Hom. h. 2,4) und des Orpheus (Pind. fr. 128c,12 MAEHLER).
[4] Als Perseus der Medusa das Haupt abschlägt, springen als Frucht ihrer Liebesbeziehung zu Poseidon Ch. und Pegasos hervor. Ch. zeugt mit der Okeanide Kallirhoe den Geryoneus (Hes. theog. 278–288; 979–983; Apollod. 2,41; Hyg. fab. 30; 151; Paus. 1,35,7).

I. KRAUSKOPF, s. v. Gorgo/Gorgones, LIMC 4.1, 311–314 Nr. 289; 307–311. R. B.

Chrysaphios (Χρυσάφιος). *Chrysaphius qui et Ztummas*, Eunuch. Unter → Theodosius II. *praepositus sacri cubiculi*, als erster Eunuch auch als *spatharius* bezeugt. Ihm wird nach dem Sturz des → Kyros ein maßgeblicher Einfluß auf den Kaiser zugeschrieben; er soll sämtliche Konkurrenten auch mit unlauteren Mitteln zurückgedrängt haben. 449 n. Chr. plante Ch. einen Mordanschlag auf → Attila, der jedoch publik wurde. Er besaß Einfluß genug, um der Auslieferung an die Hunnen zu entgehen. Im nestorianischen Streit unterstützte er seinen Taufpaten → Eutyches gegen die Orthodoxen und hat wohl die sog. »Räubersynode« 449 vorbereitet. Unter → Marcianus auf Betreiben der → Pulcheria hingerichtet (PLRE 2, 295–297, dazu [1. 122]).

1 A. LANIADO, Some Addenda to the PLRE, Vol. II, in: Historia 44, 1995, 121–128. H. L.

Chrysas. Fluß auf Sizilien nahe der Straße nach Morgantina im Gebiet von Agyrion (Diod. 14,95,2), h. Dittaino.

L. ROCCHETTI, EAA 2, 1959, 570 · C. VITANZA, Arch. St. Sic. or., 12, 1915, 163–180. GI. MA.

Chryse (Χρυσῆ χερρόνησος). Halbinsel in Südwestasien (peripl. m. r. 63; Ptol. 7,2,5, u. a.), lat. Promunturium Chryse (Plin. nat. 6,20,55), wohl auf h. Malakka-Halbinsel; vgl. altindisch Suvarṇabhūmi »Goldland« und Suvarṇadvīpa »Goldinsel« in Südwestasien.

P. WHEATLEY, The Golden Khersonese. Studies in the historical geography of the Malay Peninsula before A. D. 1500, 1961. K. K.

Chryse, Chrysa (Χρύσα, Χρύση). Name verschiedener Inseln und Städte, darunter a) eine Insel bei Lemnos, z. Z. des Pausanias (8,33,4) versunken; b) z. Z. Strabons verödete Hafenstadt in der Ebene von Thebe am Golf von Adramyttion in der südl. Aiolis (ἡ Κιλίκιος Χ., Strab. 13,1,48; 63), eine der Residenzen des Apollon-Priesters Chryses (Hom. Il. 1,37); c) Ort, der z. Z. Strabons (13,1,47 f.) auf einer Felshöhe über dem Meer nahe beim Vorgebirge Lekton (Baba burnu?) lag, mit einem Tempel des Apollon Smintheus, allg. auf dem Göz Tepe lokalisiert.

J. M. COOK, The Troad, 1937, 232 f. · L. BUFFO, I re ellenistici e i centri religiosi dell' Asia Minore, 1985, 280 ff. H. KAL.

Chryseis (Χρυσηίς). Etym. »Mädchen aus → Chryse« oder »Tochter des Chryses«. Tochter des Apollonpriesters Chryses; von → Achilleus in Thebe erbeutet und dem Agamemnon als Sklavin zugeteilt. Als Chryses Agamemnon bittet, Ch. herauszugeben, wird er abgewiesen. Auf Chryses' Gebet hin erzwingt Apollon durch die Sendung einer Pest die Rückgabe von Ch. Als Ersatz fordert Agamemnon daraufhin Achilleus' Kriegsgefangene → Briseis und erregt so seinen Unmut (Hom. Il. 1). Nach schol. Il. 1,392 hieß Ch. zuerst Astynome. Einer späteren Sage zufolge wurde Ch. von Agamemnon schwanger und gebar ein Kind mit Namen Chryses (Hyg. fab. 21; Soph. TrGF IV 726–730).

I. KRAUSKOPF, s. v. Ch. I, LIMC 3.1, 281 f. R. B.

Chryselephantine Technik s. Goldelfenbeintechnik

Chrysermos von Alexandreia (IDélos 1525). Ch. lebte ca. 150–120 v. Chr.; Verwaltungsbeamter, »Verwandter des Königs Ptolemaios«, Exegetes (d. h. Leiter des öffentlichen Dienstes in Alexandria), Direktor des Museums und ἐπὶ τῶν ἰατρῶν, ein Titel, der oftmals so verstanden wurde, als bezeichne er den für alle Ärzte Ägyptens Verantwortlichen, woraus wiederum der Schluß auf eine staatliche Ärzteorganisation gezogen wurde. KUDLIEN vertritt hingegen die Ansicht, daß sich dieser Titel auf den Bevollmächtigten für die »Ärztesteuer« beziehe [1]. Keine der beiden Deutungen belegt, daß Ch. selbst Arzt war. Ein späterer Chrysermos, ca. 50 v. Chr., war Herophileer [2] und interessierte sich für Pulslehre.

1 F. KUDLIEN, Der griech. Arzt, in: AAMz, 1979, 32–40 2 v. STADEN, Herophilus, 523–528. V. N./L. v. R.-B.

Chrysippe (Χρυσίππη). Danaide, die ihren Bräutigam Chrysippos, Sohn des Aigyptos, tötet (Apollod. 2,18; Hyg. fab. 170).   R.B.

Chrysippos (Χρύσιππος).

[1] Lieblingssohn des → Pelops aus dessen erster Ehe mit der Nymphe Axioche (schol. Pind. O. 1,89, schol. Eur. Or. 4) oder Danais (Plut. mor. 313E). Mit ihm werden zwei Erzählungen verbunden: Zeus (Praxilla 3,6 ED-MONDS = Athen. 13 p. 603a) oder → Laios, Ch.' Lehrer im Wagenlenken (so wohl im »Ch.« des Euripides, TGF fr. 839–844, evtl. schon im *Laios* des Aischylos), entbrennt in Liebe zu dem außerordentlich schönen Jüngling und entführt ihn aus dem Haus seines Vaters oder aber während der Nemeischen Spiele nach Theben (Hyg. fab. 85). Der Zorn der Hera trifft die Thebaner, die diesen ersten Fall von Knabenliebe nicht strafen, in Gestalt der Sphinx (Peisandros FGrH 16 F 10). Nachdem der geschändete Ch. sich getötet hat, verflucht sein Vater Pelops das Haus des Laios. – Oder aber Ch. wird von seinen Brüdern gewaltsam nach Pisa zurückgeholt. An diese Version ließ sich die zweite Ch.-Episode anschließen (Hyg. fab. 85): Da Pelops den Ch. seinen anderen Söhnen vorzieht, fürchtet Hippodameia um die Thronfolge ihrer Kinder und stiftet ihre Söhne → Atreus und Thyestes zum Mord an. Diese ertränken den Ch. in einem Brunnen oder verstecken seine Leiche dort. Der Fluch des Vaters trifft die Täter: Hippodameia, die Brüder und ihre Nachkommen (Hellanik. FGrH 4 F 157; Thuk. 1,9; schol. Eur. Or. 5). Mit Hippodameia (die nach Hyg. fab. 85; 243 Selbstmord begeht) fliehen die Mörder nach Midea (Paus. 6,20,7) oder Mykene.

E. BETHE, s. v. Ch. 1, RE 3, 2498–2500 · H. LAMER, s. v. Laios, RE 12, 474–481 · H. LLOYD-JONES, The Justice of Zeus, ²1983, 120f. · K. SCHEFOLD, s. v. Ch. 1, LIMC 3.1, 286–289 · H. W. STOLL, s. v. Ch., Roscher 1, 902–905.
                                                          T.S.

[2] A. LEBEN B. HISTORISCHE BEDEUTUNG
C. WERKE D. PHILOSOPHISCHES GEDANKENGUT

A. LEBEN

Stoischer Philosoph und drittes Schuloberhaupt. Informationen zur Biographie kommen hauptsächlich von Diog. Laert. (7,179–189). Sohn eines Apollonios (oder Apollonides: Suda s. v.; Philod. [4] col. 37 kennt beide Namen) aus Tarsos in Kleinasien. Ch. selbst wurde in Soloi geboren und wurde zuletzt athenischer Bürger (Plut. St. Rep. 1034a). Die Verbindung von Soloi mit der Stoa in Athen begann mit dem Dichter Aratos [1] und wurde durch Ch. ausgebaut. Er brachte zwei seiner Neffen, Aristokreon und Philokrates, von Soloi nach Athen und sorgte dort für ihre philos. Ausbildung (Diog. Laert. 7,185). Dasselbe tat er wahrscheinlich für Hyllos von Soloi ([1] col. 46). Geburts- und Todesdaten des Ch. sind unsicher: Die Suda verlegt seinen Tod in die 143. Ol. (208–204 v. Chr.). Wenn er mit 73 starb, wurde er zwischen 281 und 277 geboren, doch behaupten andere (Ps.-Lukian. Makrobioi 20; Val. Max. 8,7 ext. 10), er sei im Alter von 80 oder 81 gestorben, was seine Geburt schon auf 289 datieren würde.

Kleanthes (das zweite Schuloberhaupt) war sein wichtigster stoischer Lehrer. Ch. legte Wert darauf, nicht die beliebten Vorlesungen des Kleanthes-Rivalen Ariston [7] von Chios zu besuchen. Er erklärte: ›Wenn ich darauf achtete, was die meisten tun, wäre ich nicht Philosoph geworden!‹ Ch. könnte kurze Zeit bei dem Schulgründer Zenon studiert haben, bevor dieser 262 starb (Diog. Laert. 7,179). Er studierte ebenfalls einige Zeit in der Akademie mit Arkesilaos und Lakydes (Diog. Laert. 7,183f.). Ch. bemühte sich, polit. neutral zu bleiben (im Gegensatz zu anderen Stoikern), und dies mit weitgehendem Erfolg. Er nahm an der athenischen Politik nicht aktiv teil. Königliche Unterstützung lehnte er ab; seine Abhandlungen enthalten keine Widmungen an Könige, und er entschied sich gegen einen Wechsel an den Hof des Ptolemaios (als Kleanthes aufgefordert worden war, selbst zu kommen, oder jemanden an seiner Statt zu schicken, und Ch. ablehnte, nahm Sphairos an seiner Stelle an: Diog. Laert. 7,185). Hekaton berichtete, Ch. habe sich der professionellen philos. Tätigkeit zugewandt, nachdem sein Erbe für ›die königliche Schatulle‹ konfisziert worden sei (Diog. Laert. 7,181). Dies geschah wahrscheinlich während des syr.-ägypt. Krieges in den 240er Jahren – welche Seite sein Eigentum einzog, ist unklar.

Ch. scheint Gebühren für seine Lehrtätigkeit erhoben zu haben (s. Plut. St. Rep. 1043e–1044a zu seinen Ansichten) und ein pünktlicher Dozent gewesen zu sein (Philod. [1] col. 38). Ch. führte ein bescheidenes Leben und besaß nur eine Sklavin (Diog. Laert. 7,185, sie erscheint in Anekdoten 7,181 und 183). Ch. hatte eine schlanke Gestalt (Diog. Laert. 7,182), die zu seinem früheren Training als Langstreckenläufer paßt (7,179), wogegen Kleanthes ein Boxer und Arbeiter war (Diog. Laert. 7,168). Ch.' Schlankheit wird in Geschichten über seine berühmte Statue auf dem Kerameikos thematisiert (Diog. Laert. 7,182). Er war bekannt für seine harte Arbeit; während seiner Laufbahn produzierte er 500 Zeilen pro Tag, und insgesamt über 700 Bücher (Papyrusrollen), deren Katalog bei Diogenes Laertios teilweise bewahrt ist (s. u.). Seine philos. Schriften wurden wegen ihres dürftigen Stils kritisiert; er wurde auch bezichtigt, seine Werke mit langatmigen Zitaten aufzublähen (Diog. Laert. 7,180–181). Über sein Privatleben wissen wir wenig, doch betont eine Anekdote seine Trinkfestigkeit (Kommentar seiner Sklavin: ›nur seine Beine werden betrunken‹, Diog. Laert. 7,183). Sein Tod wird in einer anderen Gesch. auf unvernünftiges Trinken bei einem Gelage zurückgeführt, das einer seiner Schüler ausrichtete. Nach einer anderen Anekdote (Diog. Laert. 7,184f.) starb er daran, daß er zu heftig über einen seiner eigenen Witze lachte.

B. HISTORISCHE BEDEUTUNG

Als scharfsinniger und beweglicher Denker sprach er oft gegen die Ansichten seines Lehrers → Kleanthes und sogar des → Zenon (doch meistenteils legte er aus, was er für die echten Ansichten Zenons hielt). Zu Beginn seiner Lehrtätigkeit (wahrscheinlich schon vor dem Tod des Kleanthes, Diog. Laert. 7,179), las er im Odeion und unter freiem Himmel im Lykeion. Seine Nachfolge als Leiter der Stoa war keineswegs sicher gewesen, doch sobald er Schuloberhaupt war, förderte er die Einheit, indem er zugunsten der (entsprechend interpretierten) Ansichten Zenons eintrat, und gegen die für ihn irrigen Entwicklungen der Lehre in den Werken des Ariston [7] von Chios, des Kleanthes und anderer. Der Buchtitel ›Daß Zenon Begriffe korrekt gebrauchte‹ (Diog. Laert. 7,122) spiegelt wahrscheinlich dieses Ziel wider, wie auch seine wohlbekannte Interpretation dessen, was Zenon mit *phantasia* meinte (S. Emp. M 2,227–231), wo dieser die Ansicht des Kleanthes als »absurd« verwarf. Seine Abhandlung über Zenons ›Republik‹ sollte vielleicht in demselben Licht gesehen werden. Ch. hatte zahlreiche Schüler (viele sind in Philod. [1] col. 47 aufgelistet, viele seiner Bücher wurden ihnen gewidmet: [1] z. St.); daß seine Schüler → Zenon von Tarsos und → Diogenes von Babylon Schuloberhäupter wurden, und daß → Antipatros [10] von Tarsos, der Schüler des Diogenes, ihm nachfolgte, spiegelt seinen Einfluß wider. Es überrascht folglich nicht, daß die Version der Stoa, die Ch. vertrat, kanonisch wurde und seine eigenen Ansichten und Methoden die Schule über Generationen beherrschten. Seine Bed. wird in dem Ausspruch erfaßt, ›Wäre Ch. nicht gewesen, gäbe es keine Stoa!‹ (Diog. Laert. 7,183). → Karneades, der große akademische Philosoph der nächsten Generation, zollte dem Ch. diesen Tribut: ›Wäre Ch. nicht gewesen, gäbe es keinen Karneades!‹ (Diog. Laert. 4,62). Ch.' meisterliche Beherrschung der Dialektik war in der ant. Tradition bekannt; sie spiegelte sich in der Meinung wider, ›wenn es unter den Göttern eine Dialektik gäbe, müßte sie die des Ch. sein‹ (Diog. Laert. 7,180). Diese Fähigkeit wurde viel gegen die skeptischen Herausforderungen der Akademie verwendet. Darauf bezieht sich die von → Aristokreon auf der ihm in Athen errichteten Bronzestatue geschriebene Zeile, er sei der ›Durchschneider der akademischen Knoten‹ gewesen (Plut. St. Rep. 1033e). Auffällig ist seine Befassung mit megarischer Dialektik (z. B. Diog. Laert. 7,186f.; Plut. St. Rep. 1036ef) und sein positives Interesse an der Theorie der Logik. Sein intellektueller Stolz war bekannt: auf die Frage hin, ›Zu wem soll ich meinen Sohn zum Studieren schicken?‹, antwortete er: ›Zu mir – denn wenn ich glaubte, daß es einen besseren gebe als mich, würde ich selbst bei ihm studieren!‹ (Diog. Laert. 7,183). Seine geistige Unabhängigkeit und seine argumentativen Fähigkeiten, die er seine ganze Laufbahn hindurch bewies, sind in dem gewohnheitsmäßigen Selbstlob zusammengefaßt: ›Man muß mich nur die Lehrsätze lehren, die Beweise kann ich selbst finden‹. Diog. Laert. (7,179) bringt damit seinen endgültigen Bruch mit Kleanthes in Beziehung. Sein Hochmut und seine persönliche Loyalität zu Kleanthes vereinigen sich in dem Spruch, mit

dem er sich an einen Dialektiker wandte, der Kleanthes mit sophistischen Streitereien bedrängte: ›Hör auf, einen alten Mann von wichtigeren Angelegenheiten abzuhalten, und richte solche Streitereien an uns junge Leute‹ (Diog. Laert. 7,182).

C. WERKE

Die Vita des Ch. in Diog. Laert. 7 schließt mit einem Bücherkatalog des 1. Jh. v. Chr., der gemäß der stoischen Standard-Einteilung der Philos. in drei Teile (*topoi*) gegliedert ist. Wenn dieser auch aufgrund von Schäden in der Hss.-Überlieferung unvollständig ist, stellt er dennoch eine wertvolle Quelle über seine philos. Tätigkeit dar, bes. für die Werke über die Logik, dem Beginn des Katalogs. GOULET [2. 336] zählt in dem Abschnitt über die Logik 119 Titel und knapp über 300 Buchrollen; der ethische Teil bietet 43 Titel und 122 Buchrollen, der Abschnitt über die Physik ist vollständig verloren. Über die 162 Titel hinaus, die von Diog. Laert. bewahrt wurden (und von P. HADOT [2. 336–356] besprochen werden; s. a. [3; 4]), kennen wir mindestens 55 weitere Titel, insgesamt also 217. Das legt nahe, daß sich die erh. Titel auf etwa 80 % der knapp über 700 Papyrusrollen belaufen, die in der Ant. dem Ch. zugeschrieben wurden; sie geben folglich ein angemessenes Bild, von den philos. Interessen des Ch. wider.

D. PHILOSOPHISCHES GEDANKENGUT

Die Stoa-Version des Ch. war für einen großen Teil der Gesch. der Schule kanonisch, und sein Werk wurde als systematisch und erschöpfend betrachtet (→ Stoa). Wie auch Zenon lehrte Ch., daß der philos. Diskurs in drei Teile oder Aspekte zu gliedern sei, die sich mit dem rationalen Diskurs (Logik), der natürlichen Welt (Physik) und der menschlichen Erfüllung darin (Ethik) befassen; daß jedoch diese Aspekte nicht scharf voneinander geschieden werden können, weder in sich noch vom Aspekt ihrer Vermittlung her. Zwei verschiedene Abfolgen in der Darstellung werden mit Ch. verbunden: zum einen: Logik, Physik, Ethik (Diog. Laert. 7,39 f., Zitat aus dem Werk des Ch. ›Über den rationalen Diskurs‹), zum anderen Logik, Ethik, Physik, die in der Theologie gipfelt (Plut. St. Rep. 1035a). Das Verhältnis von theologischen und kosmologischen Lehren zu der Ethik und Logik ist komplex, doch hat BRUNSCHWIG [4] gezeigt, daß Ch. bei der Darstellung der Ethik einen »methodologischen Dualismus« anwandte, der sowohl auf die dialektische als auch auf die demonstrative Methode zurückgriff. Ch.' Gebrauch von philos. Polemik sowohl innerhalb als auch außerhalb seiner Schule wurde ergänzt durch ein Interesse an den Ansichten früherer Philosophen (die er oft die ›alten‹ nannte), bes. Platon und die frühen Akademiker. Er stellte sich selbst oft als Verteidiger einer vernünftigen Mittelposition inmitten einer Reihe problematischer früherer Ansichten dar, als Mittler zwischen extremen philos. Wahlmöglichkeiten (Cicero bemerkt, daß er sich als *arbiter honorarius* über die Frage der moralischen Verantwortung und Vorbestimmung betrachtete; Cic. fat. 39). Ch. beschäftigte sich, neben seinen Bemühungen um Methode und den Ort der → Dialektik in der Philos., mit einer Anzahl weiterer Themen innerhalb der → Logik. Seine unfassende Analyse der *prágmata* (oder *lektá*), der Grundeinheiten der Bedeutung, lieferte einen Rahmen für das übergreifende Verständnis der Diskursphänomene, an der Grenze zwischen Linguistik/Grammatik und Logik/Sprachphilosophie. Es wurden vollständige und unvollständige *lektá* unterschieden, und die Kategorisierung umfaßte Aussagen, Behauptungen, Disjunktionen, Negationen, Privativa und unterschiedlich modifizierte Behauptungen, verschiedene Frageformen, Befehle usw. (→ Sprachtheorie). Sein Studium des Verhältnisses zwischen Klang und Bedeutung sowie der »Kasus« führte zu einem bes. Interesse an sprachlichen Eigenarten, Solözismen und Mehrdeutigkeiten [5. 28–30]. Sein vielleicht dauerhaftester Beitrag zur Logik war die durchdringende Behandlung von Beweis und Schlußfolgerung, die mehr auf dem Verhältnis zwischen Behauptungen als auf Begriffen basierte. Durch megarische Dialektiker angeregt, hatte er ein starkes systematisches Interesse an Trugschlüssen, Fehlschlüssen und logischen Paradoxa, bes. an berühmten Rätseln wie dem Lügner, dem Niemand, dem Haufen (*sorites*), dem Mann mit der Haube, und dem Meisterargument (κυριεύων λόγος), das durch → Diodoros Kronos berühmt war. Dem Angriff auf die philos. Technik des → Arkesilaos widmete er ein kleines Buch und entwickelte Argumente für und wider die Nützlichkeit allgemeiner Überzeugungen in der Philosophie. Eine derartige dialektische Technik war als Teil einer Verteidigung der ›positiven‹ Lehre gegen megarische und akad. Angriffe gedacht (Plut. St. Rep. 10).

Im Teil der Physik verstärkte und erweiterte Ch. die Schultheorien der Teleologie und der Vorsehung, indem er die kosmische Einheit und das rationale göttliche Planen stark betonte. Eine etym. und allegorische Argumentation verband die stoische Theorie mit poetischen und kulturellen Traditionen (→ Allegorese). In der Physik und Ethik bemühte sich Ch., Homer, Euripides und andere (sogar Kunstwerke wie etwa ein Gemälde im Heratempel auf Samos: Diog. Laert. 7,187; Orig. c. Celsum 4,48) für die stoische Theorie zu vereinnahmen. Als Ergänzung zu den Werken über grundlegende physikalische Konzepte (Elemente, Wandel, Leere usw.) baute er die deterministische und zyklische Theorie der kosmischen Entwicklung aus, die in der vollständigen Weltverbrennung gipfelte. Der interne Zusammenhalt im Kosmos wurde durch den ausgedehnten Gebrauch von *pneúma* (eine Zusammensetzung aus Feuer und Luft) als Strukturprinzip sichergestellt, und zwar für den Kosmos als Ganzes, für jedes physikalische Objekt und besonders für die menschliche Seele. Ch. verteidigte den Determinismus in der Vorsehung, und fügte sie in die Ethik durch eine ausgeklügelte Kausaltheorie ein, die die verantwortliche menschliche Handlung mit einer endlosen Kette schicksalhafter Gründe vereinbar machte. Das Interesse des Ch. an der Logik der Teile und des Ganzen führte ihn zu seiner Kosmologie und zu

Überlegungen zum Verhältnis von Mensch und Kosmos. Ch. schrieb auch über Divination, einschließlich Traumdeutung und Orakel. Seine Abhandlung ›Über die Seele‹ war sowohl für die Ethik wie die Physik bedeutend.

Die Epistemologie betraf natürlich vor allem die Logik, beeinflußte aber auch die Ethik. Überstürzung und hastiges Urteil bei Angelegenheiten von ernster Wichtigkeit waren die schlimmsten Fehler, die ein Mensch begehen konnte. Der stoische Weise nach der Darstellung des Ch. würde niemals einer falschen Ansicht zustimmen. Dieser erkenntnistheoretische Purismus war zentral für seine Konzeption eines guten Charakters und eines erfolgreichen Menschenlebens. Insgesamt war das ethische Denken des Ch. eine Fortsetzung der Ansichten Zenons und des Kleanthes. Die Beschaffenheit des Lebensziels (Leben im Einklang mit der Natur) und der Gegensatz zwischen moralischen Werten (gut und böse, Tugend und Laster) und anderen natürlichen Werten (den sogenannten Adiaphora) blieben grundlegend für sein ethisches Denken. Sein bes. Interesse an Ethik umfaßte die Beschaffenheit der Tugenden als physische Qualitäten, οἰκείωσις (→ *oikeíōsis*, die naturalistische Grundlage für das menschliche Streben nach Tugend), menschliche Handlung, die Leidenschaften und ihre Heilung. (Das einflußreiche Werk des Ch. ›Über die Leidenschaften‹ ist gut bekannt aufgrund umfangreicher Zitate und Besprechungen bei Galen in ›Über die Lehren von Platon und Hippokrates‹; → Affekte). Kosmologische und polit. Ansichten gingen in seine Werke über → Gesetz und richtige Erklärung (ὀρθὸς λόγος) ein, und sein Einfluß auf die Metaphorik des Naturrechts ist beträchtlich [6. 70–84]. Antihedonistische Polemik erscheint oft in seinen Werken, und seine Abhandlungen über das Thema → Gerechtigkeit schließen Angriffe auf die Ansichten Platons und des Aristoteles mit ein. Die praktische Seite der Ethik wurde nicht vernachlässigt. Zusätzlich zu seiner Untersuchung der moralisch richtigen Handlungen schrieb Ch. ›Über angemessenes Handeln‹, ›Über Wohltaten‹, ›Über Lebensweisen‹ und (höchst bemerkenswert) ›Wie man sich den Eltern gegenüber verhalten muß‹ (PMilVogliano [7. 112]), also über die Art von Themen, die oft als charakteristisch für späteres stoischen Denken angesehen wurde. Die Weite seines ethischen Werkes zeigt sich in seinem Interesse an → Freundschaft, an protreptischen Schriften, an der Frage, wie Dichtung im Interesse moralischer Entwicklung gelesen werden muß, und an der erotischen Liebe.
→ Stoa; Zenon von Kition, Kleanthes, Karneades

1 T. DORANDI (Hrsg.), Filodemo Storia dei filosofi: La stoà da Zenone a Panezio, 1994 2 R. GOULET u. a., s. v. Chrysippe de Soles, in: Goulet 2, 1994, 329–365 3 J. BARNES, The Catalogue of Chrysippus' Logical Works, in: K. A. ALGRA u. a. (Hrsg.), Polyhistor, 1996, 169–84 4 J. BRUNSCHWIG, Sur un titre d'ouvrage de Chrysippe, in: Etudes sur les philosophies hellénistiques, 1995, 233–250 5 C. ATHERTON, The Stoics on Ambiguity, 1993 6 M. SCHOFIELD, The Stoic Idea of the City, 1991 7 Corpus dei papiri filosofici I 1.1, 1989.

H. von Arnim, s. v. Ch., RE 3, 2502–2509 · SVF 2–3 · K. Hülser, Die Frr. zur Dialektik der Stoiker, 1987–88 · E. Brehier, Chrysippe et l'ancien stoïcisme, 1951 · H. Doerrie, RE Suppl. 12, 148–55 · M. Frede, Die stoische Logik, 1974 · J. Gould, The Philosophy of Chrysippus, 1970 · M. Pohlenz, Zenon und Chrysipp, in: NGWG 1938, 173–210.   B. I./M. MO.

[3] Aus Knidos. Um 300 v. Chr. wirkender Arzt, Lehrer des Erasistratos (Diog. Laert. 7,186; Gal. 11,171). Plinius (nat. 29,5) zufolge war er ein begnadeter Schriftsteller, der die hippokratische Doktrin entscheidend zu verändern wußte, indem er Aderlaß und hochwirksame Abführmittel als Säulen jeder Therapie ablehnte (Gal. 11,230; 245) und Fieber als Folge der Bewegung der Arterien bzw. des in ihnen enthaltenen Blutes verstand (Gal. 17A,873). Galen (CMG V 10,1,208) berichtet von einer Behandlung, in deren Verlauf Ch. die irrationalen Ängste des Patienten ins Kalkül zog. Galen scheint seine Schriften nur durch Erasistratos (11,221) gekannt zu haben, so daß die Erwähnung seines Namens in einer Liste bedeutender Anatomen (15,136) auf purer Spekulation beruhen mag. Ein anderer Ch., der zwischen 400 und 350 v. Chr. wirkte, Eudoxos nach Ägypten begleitete und interessante Aufzeichnungen hinterließ (Diog. Laert. 8,89), mag mit Ch. verwandt gewesen sein [1; 2], aber – gegen Fraser [8] – keineswegs identisch. Galens augenscheinliche Unkenntnis der Werke des jüngeren Ch. legt den Schluß nahe, daß der ältere der Verf. einer Schrift über Gemüse war (schol. Nic. Ther. 845; Plinius nat. ind 1,20–30; 22; 83, in der er sorgsam ihren medizinischen Nutzen beschrieb, ebd. 20,113). Eine unabhängige Schrift (Plinius nat. 20,78) beschreibt ausführlich die Heilkräfte des Kohls. Andere Rezepturen für lindernde Salben (Cels. artes 5,18,30) oder ein Pflaster gegen Nierenschmerzen (Rufus 6 Daremberg) mag auf unseren oder auf einen noch späteren Ch. zurückgehen, der um 275 v. Chr. wirkte und Zeitgenosse, möglicherweise Schüler, des Erasistratos war (Diog. Laert. 7,186; schol. Theokr. 17,128).
→ Erasistratos, Eudoxos

1 M. Wellmann, s. v. Ch. 15, 16, RE 3, 2509–2511 2 I. Garofalo, Erasistrati fragmenta, 1988, 21–22 3 P. M. Fraser, The career of Erasistratus of Ceos, in: Rev. Arch. 1, 1969, 518–537.   V. N./L. v. R.-B.

[4] Inschr. bezeugter Komödiendichter, der 259 v. Chr. auf Delos ein Stück aufführte [1. test.]; ob er identisch ist mit dem Autor zweier trochäischer Tetrameter, die bei späteren Lexikographen (s. v. κοροι-, κορθυάλη) zitiert sind, bleibt unsicher.

1 PCG IV, 1983, 78.   H.-G. NE.

[5] Griech. Grammatiker, Pindar-Kommentator, wurde früher [1] mit dem Philosophen Ch. verwechselt. Aus Schol. Pind. N. 1,49c entnimmt man, daß er nach → Chairis und vor → Didymos lebte (er könnte also mit dem gleichnamigen gelehrten Freigelassenen Ciceros identifiziert werden: vgl. [4]). Offensichtlich hat er die

→ kritischen Zeichen eines Vorgängers, wahrscheinlich des Aristarchos von Samothrake, erläutert (Schol. Pind. I 3. 47c). Die Scholien zu Pindar stellen weitere 20 Fragmente seines Komm., vor allem zu den ›Isthmien‹, wieder her.
→ Pindar; Pindarscholien.

1 A. Boeckh, Pindari Opera II 1, 1821, praef. XII 2 A. Körte, Der Pindarcommentator Ch., in: RhM 55, 1900, 131–138 3 Ders., s. v. Ch. (14a), RE Suppl. 1, 298–9. 4 F. Münzer, s. v. Ch. (10), RE 3, 2501.   F. M./M.-A. S.

Chrysogonus. Einflußreicher Freigelassener des → Sulla (daher voller Name L. Cornelius C.), der sich in den Proskriptionen erheblich bereicherte. Er ließ den Sex. Roscius nach dessen Ermordung nachträglich auf die Proskriptionsliste setzen, um sich seinen Besitz günstig zu verschaffen. Nach Cicero stand er deshalb hinter dem Prozeß gegen den Sohn des Toten, Sex. → Roscius, 80 v. Chr. wegen angeblichen Vatermordes (Cic. S. Rosc. passim).   K.-L. E.

Chrysolith s. Edelsteine

Chrysophrys (χρυσόφρυς oder χρυσωπός bei Plut. soll. anim. 26,977f), *aurata*, Goldbrasse, die echte Dorade. Der maximal 60 cm große beliebte Speisefisch wird oft in Komödien erwähnt (Athen. 7,328a-b) und häufig abgebildet (Keller II, Abb. 120,124 und 147). Nach Aristoteles lebt er im Meer in Landnähe (hist. an. 8,13,598a10), laicht in Flüssen, hält im Sommer Dauerschlaf (Plin. nat. 9,58: 60 Tage), frißt Fleisch und wird mit dem Dreizack harpuniert oder im Schlaf gefangen. Die Römer hielten ihn in Zuchtbecken an der Küste (Colum. 8,16,8), wie z. B. → Sergius Orata (vgl. Varro rust. 3,3,10) in seinen → Austerzuchten. Die Zubereitung schildert → Archestratos [2] von Gela (Athen. 7,328a-b; die Länge 10 Ellen ist übertrieben). Plin. nat. 32,43 empfiehlt ihn gegen vergifteten Honig.
→ Fische

Keller II, 369 f.   C. HÜ.

Chrysorrhoas (Χρυσορρόας). Fluß bei Troizen, der auch bei langer Dürre nicht austrocknete (Paus. 2,31,10). Identisch mit dem h. Gephyraion im Westen der Stadt.

G. Welter, Troizen und Kalaureia, 1941, 15.   Y. L.

Chrysothemis (Χρυσόθεμις).
[1] Geliebte Apollons. Aus ihrer Verbindung ging Parthenos hervor, die als Kind starb und von Apollon verstirnt wurde (Hyg. astr. 2,25). Nach Diodor (5,62,1 f.) war sie die Frau des Staphylos und Mutter der Molpadia, Parthenos und Rhoio. Letztere gebar dem Apollon den → Anios.
[2] Tochter des Agamemnon und der Klytaimestra, Schwester von Laodike und Iphianassa (Hom. Il. 9,145.287), bei Soph. El. 157 von Elektra und Iphianassa, bei Eur. Or. 23 von Elektra und Iphigeneia (so auch Apollod. epit. 2,16).

[3] Kret. Sühnepriester. → Apollon wird von ihm (Pind. P. Schol. hypothesis) oder dessen Vater → Karmanor (Paus. 2,7,7; 30,3) nach der Erlegung des pythischen Drachens entsühnt. Aus ersten pythischen Hymnenwettkampf ging er als Sieger hervor (Paus. 10,7,2).

N. ICARD-GIANOLIO, s. v. Ch. I, LIMC 3.1, 292–293 · NILSSON, GGR 1, 618.   R. B.

Chthonische Götter (Χθόνιοι θεοί).
I. ALTER ORIENT   II. GRIECHENLAND

I. ALTER ORIENT

Im Mittelpunkt des Weltbildes altoriental. Agrarkulturen stehen die Erde und der sie mit Regen befruchtende Himmel, deren Trennung am Anfang der Schöpfung steht (sumer. ›Erschaffung der Hacke‹, 6,51 ff.; hethit. Kumarbi-Mythos (→ Kumarbi), → Ullikummi-Lied), jedoch hält sie ein Bindeglied zusammen (Gešatinanna »Weinrebe des Himmels«). Die Erdscheibe schwimmt auf dem Süßwasserozean → Apsû, beherrscht von → Enki, der sich wiederum oberhalb der Unterwelt befindet (→ Jenseitsvorstellungen) und über einen Geschlechtsakt die Flüsse Euphrat und Tigris geschaffen hat (›Enki und die Weltordnung‹, TUAT 3,402–420). Der Ackerbau ist unmittelbar mit Kulturentstehung (die Götter Ninazu und Ninmada bringen das Getreide nach Sumer, TUAT 3,360–63) und Bewässerungskultur verbunden; viele daraus hervorgehende Produkte (Getreide, Flachs) und ihre göttl. Repräsentanten sowie Gerätschaften (Hacke, Pflug [1. mit Lit.]) sind Bestandteil von Schöpfungsmythen (→ Kosmogonie) und Streitgesprächen TUAT 3,357–360 [1; 2]. Das Bearbeiten der Erde wird analog zum Sexualakt gesehen und führt zu der Vorstellung von der Erde als Mutter und von Muttergottheiten, deren positiver Aspekt Stadt- und Landgöttinnen, Geburts- und Hebammengöttinnen, deren negativer Aspekt Unterweltsgöttinnen (Erešakigal, Allatum, hurrit. Allani, Lelwani) hervorbringt [4. 156].

Aus der Begegnung von Enki und Ninḫursanga gehen zahlreiche Vegetationsgottheiten hervor (TUAT 3,363–386). Die im Wechsel der Jahreszeiten nicht vorgesehenen Notzeiten der Dürre, Hungersnöte und Erdbeben spiegeln sich in Notzeitmythen um die Götter → Tammuz (Hirtengott), Innana/Ištar, Enmešarra (Korn- und Erntegott), Telipinu (hethit. Wettergott) oder Baal, den Sonnengott, (ugarit. Baal-Zyklus) wider, die meist den Abstieg in die Unterwelt implizieren (TUAT 3,812 ff.; [4]).

In Ägypten ist eine enge Verbindung von Unterwelt und Fruchtbarkeit in der Gestalt des Gottes → Osiris bezeugt, der nach seiner Zerstückelung als Gerstenkorn [5] wieder aufersteht. Als Erntezeremonien sind Dankopfer für Renutet und das Fest für den Fruchtbarkeitsgott → Min belegt [3].

→ Aphrodite; Demeter; Defixio; Dionysos; Erinys; Gaia; Hades; Hekate; Hermes; Heroenkult; Meilichios;

Moira; Nephalia; Nymphai; Opfer; Persephone; Theologie; Titanes; Totenkult; Zauberpapyri; Zeus

1 J. BOTTÉRO, La »tenson« et la réflexion sur les choses, in: G. J. REINEK, H. L. J. VANSTIPHOUT (Hrsg.), Dispute Poems and Dialogues, 1991, 7–22 **2** Kindler, 19, 604–606 **3** E. BRUNNER-TRAUT, s. v. Minfest, LÄ 4, 1982, 1414–144 **4** V. HAAS, Gesch. der hethit. Rel., 1994 **5** W. HELCK, s. v. Getreide, LÄ 2, 1977, 586–589 **6** M. HUTTER, Altorienal. Vorstellungen von der Unterwelt, 1985 **7** S. N. KRAMER, Sumerian Mythology, 1944.   B. P.-L.

II. GRIECHENLAND
A. χθόνιος (*chthónios*) 1. ALLGEMEINER WORTGEBRAUCH 2. GENEALOGISCHE BESTIMMUNG UND EIGENNAME B. CHTHÓNIOI (Χθόνιοι) ALS GOTTHEITEN UND UNTERWELTSBEWOHNER 1. GÖTTERGEMEINSCHAFTEN 2. DIE TOTEN UND DIE HEROEN 3. EINZELNE GOTTHEITEN ALS *Chthónios* (Χθόνιος) ODER *Chthonía* (Χθονία) C. PHILOSOPHISCHE THEOLOGIE D. LITERATUR UND KULT E. WISSENSCHAFTSGESCHICHTE

A. χθόνιος (*chthónios*)
1. ALLGEMEINER WORTGEBRAUCH

Das Adjektiv *chthónios* ist abgeleitet vom Substantiv *chthṓn* (χθών) (CHANTRAINE s. v.), die Erde (als Oberfläche der Unterwelt oder als Erdentiefe), und wird fast ausschließlich in rel., auf die Unterwelt bezogenen Zusammenhängen innerhalb poetischer Texte verwendet (Alkm. fr. 146 PMG; Anakr. fr. 60 PMG; fr. 71,2 PMG; Pind. P. 4,43; P. 5,101; fr. 33d,6; bei den Tragikern passim; Aristoph. Av. 1745; 1750; Ran. 1148), selten auch im Sinne von αὐτόχθων (*autóchthōn*), »einheimisch« (fr. adesp. 274 TGF: die Inachiden; vgl., mit unterweltlicher Konnotation, Soph. Oid. K. 948: der Areopag).

2. GENEALOGISCHE BESTIMMUNG, EIGENNAME

Zuweilen dient der Ausdruck dazu, die Abstammung von der Erde zu betonen (Aischyl. fr. 488: Chthonios, ein thebanischer Sparte, vgl. Paus. 9,5,3; Soph. Ai. 202: die Abkömmlinge des Erechtheus; Eur. Bacch. 538: das *chthónion génos* des Pentheus; ebd. 541: Echion als *chthónios*). Als Eigennamen für nicht-göttl. mythische Figuren begegnen Chthonios und Chthonia vor allem seit dem Hellenismus bei Mythographen, Scholiasten, Lexikographen usw. (z. B. Chthonia, eine Argiverin in Hermione: Paus. 2,35,4).

B. *Chthónioi* (Χθόνιοι/χθόνιοι) ALS GOTTHEITEN UND UNTERWELTSBEWOHNER

In der lit. Überlieferung (bes. in den Tragödien, hier die Pluralform ausschließlich in lyr. Partien, meistens Gebeten und Anrufungen) können Göttergemeinschaften und die Gesamtheit der Toten als *chthónioi* bezeichnet werden. In einigen Fällen (vor allem Aischyl. Choeph. 399; 476; Pers. 641; Eur. fr. 912,8; vgl. Pind. P. 4,159) lassen die Anonymität und der Kontext eine Differenzierung zwischen Unterweltsgöttern und den Toten als Unterweltsmächten nicht zu.

1. Göttergemeinschaften

Bei Hesiod (theog. 697) werden die Titanen im Götterkampf als *chthónioi* charakterisiert. *Chthónioi theoí* bzw. *daímones* als Kollektivbezeichnung der unterirdischen Götter tritt bei den Tragikern entweder ohne namentliche Bestimmung auf (in Anrufungen: Eur. Hec. 79; fr. 868,1; als *chthónioi tyrannoi*: Aischyl. Choeph. 358; in einer Reihung verschiedener anonymer Götterkollektive: Aischyl. Ag. 89; vgl. auch *chthónioi* als Mächte der Erde, abgegrenzt von den Mächten des Meeres und der Lüfte: Eur. fr. 27,4), oder wird im rituellen Gebet durch Nennung einzelner Gottheiten spezifiziert (Ge, Hermes und der König der Unterirdischen: Aischyl. Pers. 628f.; vgl. SEG 29, 931–933, aus Sizilien). Im Totenkult ist die Widmung an *theoí katachthónioi*, seltener an *theoí chthónioi*, auf Grabinschr. vor allem in der röm. Kaiserzeit im ganzen Mittelmeerraum weitverbreitet (Gytheion in Lakonien: IG V 1, 1192, 1; zu anderen Regionen vgl. SEG passim). Ähnliches gilt für Fluchtäfelchen und Defixiones. Gemeinschaften von anon. Göttinnen als *chthóniai theaí* umfassen Demeter und ihre Tochter Persephone als Herrscherin der Unterwelt (kult. auf Paros und im sizilischen Gela: die Identität der Göttinnen ist ableitbar aus dem Kontext bei Hdt. 6,134,5 und 7,153,8; vgl. Aristoph. Thesm. 101) oder die Eumeniden/Erinyen (im Gebet: Soph. Oid. K. 1568; vgl. Aischyl. Eum. 115: *katá chthōnós theaí*). Isoliert sind die Kennzeichnung der Moiren als zugleich himmlische und irdische Göttinnen (*ourániai chthóniai te daímones*) in einem lyr. Fragment (fr. adesp. 100[b],3f. PMG: aus einer verlorenen Tragödie des Euripides?) sowie die der Nymphen als *chthóniai theaí* im Sinne der Zuordnung der Göttinnen zu einer bestimmten Landschaft (Apoll. Rhod. 4,1322; vgl. 2,504).

2. Die Toten und die Heroen

Bei Aischylos können die in der Erde wohnenden mächtigen Toten auch ohne Zusammenhang mit Göttergemeinschaften für sich genommen als *chthónioi* gekennzeichnet werden (Aischyl. Suppl. 25: die Gräber innehabenden *chthónioi*, gemeinsam angerufen mit den Gottheiten in der Höhe, *hýpatoi theoí*).

3. Einzelne Gottheiten als

chthónios (χθόνιος) oder *chthonía* (χθονία)

Der *chthónios theós* par excellence ist Hades (*chthónios theós*: Hes. theog. 767; Eur. Phoin. 1321; *chthónios Háidēs*: Eur. Alc. 237; Andr. 544). Als Komplementärgott zum olympischen Zeus und Gemahl der Persephone heißt er schon einer Homer-Stelle Zeus *katachthónios* (Il. 9,457). Zeus *chthónios*, in der lit. Tradition seit Hesiod (erg. 465, gemeinsam mit Demeter, beim Ackerbau; Aischyl. fr. 273a,9; Soph. Oid. K. 1606) belegt, genoß kult. Verehrung auf Mykonos (mit Ge Chthonia: LSCG 96), in Korinth (Paus. 2,2,8) und Olympia (Paus. 5,14,8). Ob es sich dabei um ein kult. Synonym des Hades oder um eine Epiklese des Zeus handelte, ist ungewiß. In Anrufungen findet sich darüber hinaus Hermes als *chthónios* bei den Tragikern (Aischyl. Choeph. 124; 727; fr. 273a,8; Soph. Ai. 832;

El. 111; Eur. Alc. 743), mit parodistischem Bezug und vermutlichem Zitat des Anfangs von Aischylos' Choephoren bei Aristophanes (Ran. 1126; 1138; 1145) sowie im Totenkult (Attika: CIG 538, und vor allem Thessalien: SEG 34, 509 und passim). Im Falle von Ge-Gaia wäre die Epiklese *chthonía* bes. naheliegend, doch ist ihre Verehrung mit diesem Beinamen nur auf Mykonos bezeugt (LSCG 96). *Chthonía theá* ist vielmehr fast ausschließlich Demeter (in enger Gemeinschaft mit ihrer Tochter Persephone) im Kult (Hermione: z.B. IG IV 683; Paus. 2,35,5–10; Sparta, aus Hermione übernommen: Paus. 3,14,5; auch in Asine und im sizilischen Hermione: SIG² 654 = CIG 1193) wie in der Literatur (Eur. Herc. 615: ihr Hain in Hermione; vgl. Apoll. Rhod. 4,987: Deo; 4,148: die Herrin der Toten). Auch Hekate Chthonia ist seit dem 5.Jh. mehr und mehr bezeugt (adesp. fr. 375,2 TrGF 2; Aristoph. fr. 515,1 PCG; Theokr. 2,12; sowie seit dem 2. Jh. v. Chr. auf Defixiones und in Zauberpapyri; vgl. Plut. mor. 290d,3: Hundeopfer). Gegenüber diesen als Chthonios oder als Chthonia bezeichneten Einzelgottheiten Hades, Zeus und Hermes sowie Ge, Demeter/Persephone und Hekate fallen andere kaum ins Gewicht (Typhon als *chthónios daímon*: Aischyl. Sept. 522; *chthonía* Phama: Soph. El. 1066; *chthonía* Gorgo: Eur. Ion 1053; *chthonía* Brimo: Apoll. Rhod. 3,862; *chthónios* Dionysos, als Sohn der Persephone: erst seit Harpokration, Orph. h. und Nonnos).

C. Philosophische Theologie

Eine klare und distinkte Abgrenzung zwischen den *chthónioi* und den *olýmpioi* (bzw. *uránioi*) wurde erst durch Platon propagiert (leg. 717a7; 828c6). Gefolgt sind ihm dabei vor allem Plutarch (mor. 269f8; Numa 14,3,6) sowie Iamblichos und Porphyrios. Innerhalb der theologisierenden philos. Tradition dominierte zunehmend die Tendenz, die chthonischen Götter im Kollektiv rein negativ zu bestimmen und ihnen bestimmte Altarformen (bzw. Opfergruben: die rezeptionsgeschichtlich wichtigste Stelle dafür ist Porph. De antro nympharum 6,19f.) sowie ausschließlich weinlose (*nephalia*) oder unblutige (Plat. leg. 959d1) Opfer zuzuweisen. Darüber hinaus erlangten gewisse Einzelgottheiten als *chthónios* oder *chthonía* bes. Gewicht: Isoliert stehen dabei Kronos und Anubis, die bei Plutarch mit dem Epitheton *chthónios* versehen werden sowie Hestia und Isis (jeweils mit der Epiklese *chthonía* bei Porphyrios). Die wichtigsten als *chthonía* oder *chthónios* bezeichneten Einzelgottheiten in der philos.-theologischen Tradition sind Ge, die bei Pherekydes Chthonie heißt (vgl. Emp. fr. 122,7 D. K.) und bei Solon (in Aristot. Ath. pol. 12,4) als ›größte Mutter der olympischen Götter‹ erscheint, Zeus (z.B. Aristot. mund. 401a 25: als Allgott, auch *ouranios* usw.) sowie Hermes (außerhalb der Dichtung seit Theopompos), der von Poseidonios (fr. 398,13 Theiler) zugleich als *ouránios* charakterisiert wird. Bei Plutarch haben auch Aphrodite und Hekate eine solche Doppelbenennung (*chthonía* und *ouranía* Aphrodite: mor. 764d3; *chthonía* und *urania* Hekate: de def. or. 416e4f.).

D. Literatur und Kult

Weder die Dichtungstradition noch die Kultzeugnisse lassen eine eindeutige und spezifizierende Festlegung der *chthónioi* als Gemeinschaft oder als Einzelgottheiten auf rein negative Charakteristika sowie euphemistische Benennungen bzw. Anonymität oder bestimmte Kultformen zu. Vielmehr gilt für sie, wie für die griech. Gottheiten überhaupt, daß sie als Verursacher des Schlimmen wie des Guten erachtet wurden und daß die ihnen gewidmeten Kultakte in kein konsistentes oder gar dualistisches System zu bringen sind, sondern regional und heortologisch stark variieren. Innerhalb der ant. griech. Religion haben die *chthónioi* keine fundamentale Sonderstellung.

E. Wissenschaftsgeschichte

Unter Religionshistorikern und klass. Philologen herrschte seit Karl Otfried Müller (in Anlehnung an ant. philos.-theologische Systematisierungsversuche) die Tendenz vor, das Charakteristikum der Doppelheit bzw. Ambivalenz ausschließlich den ›Chthoniern‹ zuzusprechen, die olympischen Götter jedoch unambivalent zu bestimmen (siehe vor allem Erwin Rohde und Jane Ellen Harrison; wichtigste neuere Verfechter einer grundsätzlichen Verschiedenheit zwischen Chthonischem und Olympischem: Karl Meuli, W. K. C. Guthrie, Walter Burkert, Albert Henrichs, vgl. Scott Scullion). Die Möglichkeit, gewisse emblematische Tiere (die Schlange), Kultakte (z. B. Reinigungs- und Versöhnungsriten), Opfertypen (wie etwa fleisch- und weinlose Opfer, *holokaustómata*, *enagísmata*, schwarze Opfertiere), besänftigende Libationen aus Milch und Honig) nur den *chthónioi* zuzuordnen und deshalb gewisse Gottheiten bzw. Epiklesen (wie etwa Zeus Meilichios) als spezifisch chthonisch zu bestimmen, wurde bereits seit Arthur Fairbanks in Zweifel gezogen (auch durch Wilamowitz, A. D. Nock, Jean Rudhardt). Eine Mittelstellung in dieser Frage nimmt Fritz Graf ein. Neuere Forsch. zu den Lokalkulten der großen Gottheiten sowie zu Totenkult und Heroenkult haben die Unbrauchbarkeit der Konzepte »chthonische Religion« bzw. »chthonischer Kult« oder »chthonische Opfer« immer deutlicher erwiesen, die daher nur noch selten verwendet werden.

→ Aphrodite; Demeter; Defixio; Dionysos; Erinys; Gaia; Hades; Hekate; Hermes; Heroenkult; Meilichios; Moira; *nephalia*; Nymphai; Opfer; Persephone; Theologie; Titanes; Totenkult; Zauberpapyri; Zeus

Burkert, 306–312 · A. Fairbanks, The Chthonic Gods of Greek Religion, in: AJPh 21, 1900, 241–259 · F. Graf, Milch, Honig und Wein. Zum Verständnis der Libation im griech. Ritual, in: Perennitas. Studi in onore di Angelo Brelich, 1980, 209–221 · A. Henrichs, Namenlosigkeit und Euphemismus: Zur Ambivalenz der chthonischen Mächte im att. Drama, in: A. Harder, H. Hofmann (Hrsg.), Fragmenta Dramatica, 1991, 161–201 · R. Schlesier, Olympian versus Chthonian Religion, in: Scripta Classica Israelica 11, 1991/92, 38–51 · Dies., Olympische Religion und chthonische Religion, in: U. Bianchi (Hrsg.), The Notion of »Religion« in Comparative Research. Selected Proceedings of the XVI JAHR Congress, 1994, 301–310 · S. Scullion, Olympian and Chthonian, in: Classical Antiquity 13, 1994, 75–119.

R.E.S.

Chullu (Κούλλου). Küstenstadt in der Prov. Numidia, h. Collo. (Quellen: Ptol. 4,3,3; Itin. Anton. 19,1; Tab. Peut. 3,2; Iulius Honorius, cosmographia 44,29; Geogr. Rav. 40,21; Guido 132,32). Von Solin. (26,1) wegen ihrer Purpurfärbereien erwähnt, war C. evtl. eine phöniz. oder pun. Gründung, jedenfalls stark pun. beeinflußt [1. 343–368]. Unter der Statthalterschaft des P. Sittius wurde sie *colonia Minervia* und bildete später eine der *quattuor coloniae Cirtenses* (Inschr.: CIL VIII 1, 6711; 8193–8196; Suppl. 2, 19916; Inscr. latines de l'Algérie 2,1, 419–426).

1 Hélo, Notice …, in: BCTH 1895.

E. Bernus, s. v. Collo, EB, 2048–2050 · S. Lancel, E. Lipiński, s. v. C., DCPP, 108 · C. Lepelley, Les cités de l'Afrique romaine 2, 1981, 282–285.

W. Hu.

Chus (χοῦς, χοεύς).

[1] Krug oder Kanne (H etwas über 20 cm); am zweiten Tag der → Anthesteria beim Wettrinken des Weines verwendet. Als Hohlmaß in diesem Rahmen wohl die vorgeschriebene Menge an Wein. Am Choentag erhalten die dreijährigen Kinder als symbolisches Zeichen ihres Eintritts in das Leben Choenkännchen (H 6–8 cm). [2, 50f.; 1, 96ff.].

Als Hohlmaß für Flüssigkeiten wird der Ch. in 12 *kotýlai* und 72 *kýathoi* unterteilt und beträgt 1/12 des *metrētḗs*. Je nach Landschaft faßt der Ch. 4,56 l (Lakonien), 3,04 l (Aegina) oder 3,24 l (solonisch), später 3,28 l (Attika). Im ptolemäischen Ägypt. gilt der att. Ch. und wurde in der röm. Zeit durch einen Ch. von 4,92 l ergänzt. Nach Viedebantt und Oxé beträgt der Ch. 2,718 l. Der att. Ch. wird dem röm. *congius* gleichgesetzt.

→ Anthesteria; Congius; Hohlmaße; Kotyle; Kyathos; Metretes

1 L. Deubner, Att. Feste, 1932   2 I. Scheibler, Griech. Töpferkunst, 1983.

F. Hultsch, Griech. und röm. Metrologie, ²1882 · O. Viedebantt, Forsch. zur Metrologie des Alt., in: Abh. der königl. sächs. Ges. d. Wiss. 34.3, 1917 · G. van Hoorn, Choes and Anthesteria, 1951 · J. R. Green, Choes of the Later Fifth Century, in: ABSA 66, 1971, 189–228 · E. M. Stern, in: Th. Lorenz (Hrsg.), Thiasos, 1978, 27–37 · O. A. W. Dilke, Mathematik, Maße und Gewichte in der Ant., 1991.

A. M.

[2] Χούς, Ch. (LXX; Ios. ant. Iud. 1,131 Χουσαῖος) für hebr. *Kūš*, ägypt. seit MR *k3š* = *Kaši* (in den → Amarna-Briefen), altpers. *kūšā*; laut Völkertafel (Gn 10,6–8; 1 Chr 1,8–19; ebenso FGH 4, 541 fr. 4,1) Name des Sohnes des → Ham. Als Länder- bzw. Volksbezeichnung für das Nachbarland Ägyptens (→ Nubien) südlich des 2. Katarakts (z. B. Ez 29,10; 30,4, 9; Jes 11,11; 20;3–5) wird das Wort dagegen als Αἰθιοπία/Αἰθίοψ übersetzt.   S.S.

Chvasak (*Hwasak* oder *Husaksak*). Satrap von Susa zur Zeit des ›Großkönigs Artabanos, Sohnes des Vologases‹ ([1; 2]; = Ardawan IV./V.) im arsakidischen J. 462=215 n. Chr. Aus diesem Jahr stammt eine Grab- oder eher Ehrenstele aus Susa, die beide, einen Ring greifend, darstellt [3]. Durch die Inschr. ist sie das einzige genau datierte Werk der spätesten Arsakidenzeit, typisch in seiner Neigung zu Frontalität der Herrscherbilder und extremer Linearität [4]. Daß derselbe Satrap auf einem Relief in Tang-i Sarvak dargestellt sein soll [2], ist unwahrscheinlich.

1 R. GHIRSHMAN, Monument Piot 44, 1950, 97–107
2 F. ALTHEIM, R. STIEHL, Asien und Rom, 1952, 34 3 W. B. HENNING, Asia Major 2, 1952, 151–178 4 H. E. MATHIESEN, Sculpture in the Parthian Empire, Bd. 2, 1992, 168 f. fig. 29 und passim.

R. GHIRSHMAN, Parthians and Sassanians, 1962, 56 f. fig. 70 · L. VAN DEN BERGHE, Archéologie de l'Iran Ancien, 1959, 82, pl. 106c.   PE. CA.

Chytroi s. Anthesteria

Cibalae. Bedeutender Straßenknotenpunkt in Pannonia Inferior, h. Vinkovci (Kroatien). *Municipium* seit Hadrian (CIL III 3267), *colonia Aurelia* seit dem 3. Jh. (CIL VI 2833). Monumente: Gebäudereste, Wasserleitung, Thermen, Gräber, Inschr., arch. Kleinfunde. Im J. 314 n. Chr. wurde Licinius bei C. von Constantin dem Gr. geschlagen (Eutr. 10,5; Zos. 2,18,4, hier auch eine Beschreibung der Lage von C.).

TIR L 34 Budapest, 1968, 46 f.   J. BU.

Cicereius. Seltener röm. Familienname.
C., C., zunächst Schreiber des Scipio Africanus Maior, 173 v. Chr. nach vorhergehender, freiwillig zurückgezogener Bewerbung *praetor* mit Sardinien als Provinz. Nach dem Sieg über die Korsen triumphierte er gegen den Willen des Senats 172 *in monte Albano*; 168 weihte er einen der Iuno Moneta gelobten Tempel. 167 Kommissionsmitglied zur Neuordnung von Illyrien. (MRR 1,408; 435).

E. BADIAN, The *scribae* of the Roman Republic, in: Klio 71, 1989, 584.   K.-L. E.

Cicero I. HISTORISCH
II. CICERO ALS REDNER UND SCHRIFTSTELLER

I. HISTORISCH
M. Tullius C., geb. am 3.1.106 v. Chr. in → Arpinum. Die Tullii Cicerones unterhielten mannigfache Beziehungen zur stadtröm. Aristokratie. Sie ermöglichten C., sich im engen Anschluß an die bedeutendsten Redner der Zeit, L. Licinius Crassus (*cos.* 95) und M.

Antonius (*cos.* 99), sowie an die führenden Autoritäten im Zivil- bzw. Sakralrecht, Mucius Scaevola Augur und Mucius Scaevola Pontifex, auf eine öffentliche Laufbahn vorzubereiten. Der Bundesgenossenkrieg und die anschließenden Bürgerkriegswirren hielten C. vom Forum fern. Seinen Einstand vor Gericht gab er 81 unter dem Diktator Sulla in der Zivilsache des P. Quinctius und 80 in dem öffentlichen Verfahren gegen Sex. Roscius aus Ameria, dessen Hintergrund der Terror der sullanischen Proskriptionen bildete. Der von C. erzielte Freispruch des Roscius von dem böswilligen Vorwurf des Vatermordes war um so bemerkenswerter, als ein Günstling → Sullas, sein Freigelassener Chrysogonus, mit den Mördern gemeinsame Sache gemacht und den Ermordeten nachträglich auf die Liste der Proskribierten gesetzt hatte, um sich zusammen mit den Mördern in den Besitz der Familiengüter zu setzen. Der Fall machte C. zum gesuchten Anwalt, und nach einem zweijährigen Studienaufenthalt in Athen und Rhodos nahm er seine Anwaltstätigkeit vor Gericht wieder auf. Sie brachte ihm die Beziehungen, die ein → *novus homo* benötigte, um sich über die Wahl zu den Ämtern den Zugang zur regierenden Klasse zu verschaffen (→ *cursus honorum*). Als *quaestor* war er 75 dem Statthalter von Sizilien unterstellt und trat nach Ablauf seines Amtsjahres in den → Senat ein. 70 wurde er zum *aedilis* gewählt, und als Patron der Sikelioten setzte er gegen einflußreiche *nobiles* die Verurteilung des korrupten Statthalters C. → Verres durch, ohne sich mit der Nobilität zu verfeinden. 66 war C. *praetor* und hielt seine erste große polit. Rede, mit der er den Gesetzesantrag des Volkstribunen C. → Manilius befürwortete, den Oberbefehl gegen Mithridates auf → Pompeius zu übertragen. C. exponierte sich für einen bei Volk und → *publicani* populären Antrag und verpflichtete sich Pompeius, wiederum ohne mit der Nobilität zu brechen.

So war 64 der Boden für die Bewerbung um das Konsulat (→ *consul*) bereitet. Seine stärksten Mitbewerber, L. Sergius Catilina und C. Antonius [I 2], waren umstritten. So wurde C. an erster Stelle gewählt. Er brachte das Agrargesetz des Volkstribunen P. Servilius Rullus zu Fall – die Hintermänner des Antrags waren → Caesar und M. Licinius → Crassus –, und er verhinderte damit, daß Rullus eine große Machtfülle für die Dauer von 5 Jahren zufiel.

C.s größter Erfolg, die Unterdrückung der sog. »Verschwörung Catilinas«, war zugleich der Ursprung seines Karrierebruchs. → Catilina plante nach Scheitern seiner erneuten Bewerbung um den Konsulat einen gewaltsamen Umsturz. Vor allem das Verschuldungsproblem, das alle Schichten der Gesellschaft belastete, trieb ihm Anhänger zu, und auf diesem Wege gewannen die Putschpläne eine sozialrevolutionäre Dimension. Auf die Rekrutierung einer Privatarmee reagierte der Senat am 21.10.63 mit dem *senatus consultum ultimum* (→ Notstandsrecht). Im November wurde Catilina zum Staatsfeind erklärt. Catilinas Mitverschworene in der Stadt konnte C. am 3.12. überführen, und am 9. führte er gegen das Votum Caesars einen Senatsbeschluß herbei, der die Tötung der dringend Verdächtigen befürwortete. C. ließ sie hinrichten und verstieß damit gegen geltendes Recht, das die Hinrichtung eines Bürgers ohne Gerichtsurteil verbot (C.s Verteidigungsargument, daß die Catilinarier Staatsfeinde gewesen seien, war irrelevant, da die Betreffenden weder zu *hostes* erklärt noch mit der Waffe in der Hand angetroffen worden waren).

In der polit. Auseinandersetzung um die Versorgung der Veteranen des Pompeius und die Ratifizierung seiner im Osten getroffenen Regelungen verlor C. schnell die beanspruchte führende Rolle. Der Abschluß des sogenannten Ersten → Triumvirats, das Pompeius, Crassus und Caesar zusammenführte, und das Konsulat Caesars sahen ihn als machtlosen Kritiker der Verhältnisse. Als Antwort auf seine Weigerung, sich dem Dreibund anzuschließen, ebneten die Verbündeten dem P. → Clodius [I 4], einem persönlichen Feind C.s, den Weg zum Volkstribunat. Dieser brachte 58 ein Gesetz durch, wonach der Acht verfalle, wer einen röm. Bürger ohne Gerichtsurteil töten lasse. C. verließ vor der Abstimmung Rom und verbrachte 15 Monate im Exil. Zurückgekehrt enttäuschte C. die → Optimaten, nahm für Pompeius Partei, der ein außerordentliches *imperium* zur Sicherung der Getreideversorgung Roms wünschte, und exponierte sich durch Äußerungen gegen P. → Vatinius, dem Urheber der außerordentlichen Kommandos für Caesar, und durch den Vorstoß gegen eines der caesarischen → Agrargesetze. Die Erneuerung des Triumvirats (April 56) konterkarierte C.s Vorstoß. Er ließ sich gegen seine Überzeugung zum Helfer der Machthaber machen: C. durchkreuzte die Bemühungen seiner optimatischen Gesinnungsfreunde, Caesars gallisches Kommando mit dem Frühjahr 55 zu beenden, und verteidigte 56–54 Anhänger der drei Machthaber vor Gericht, darunter P. Vatinius und A. Gabinius.

Erst die Prozesse, die 52 auf die Tötung des P. Clodius durch T. → Annius [I 14] Milo folgten, erlaubten C. wieder, Eigenständigkeit gegenüber Pompeius, damals *consul sine collega*, zu demonstrieren. Er verteidigte Milo und er setzte die Verurteilung des P. → Munatius Plancus, eines Anhängers des P. Clodius, durch. Am 1.5.51 verließ C. Rom, um die Statthalterschaft in → Cilicia zu übernehmen, wo er im Amanusgebirge einen mil. Erfolg errang und zum → *Imperator* ausgerufen wurde. Der Aufenthalt in Cilicia und die späte Rückkehr nach It. (Nov. 50) machten ihn zum bloßen Zuschauer der dramatischen Entwicklung, die zum Bürgerkrieg zw. Caesar und dem Senat führte. Seine Bemühungen um eine friedliche Beilegung des Konflikts scheiterten Anfang 49. Dem Werben Caesars entzog sich C. und begab sich in das Heerlager des Pompeius. Nach dessen Niederlage kehrte er nach It. zurück und mußte in Brundisium ein Jahr auf seine Begnadigung durch Caesar warten.

Caesars Politik der Versöhnung ließ C. hoffen, daß auf die Rückkehr von Optimaten die Wiederherstellung der alten *res publica* folgen könnte. Im Herbst 46 gab er dieser Hoffnung Ausdruck, als er Caesar für die Begnadigung des M. → Marcellus dankte. Die Hoffnung war geschwunden, als er sich für die Begnadigung des Q. → Ligarius einsetzte und den galatischen König → Deiotaros gegen die Anschuldigung verteidigte, auf Caesar einen Mordanschlag geplant zu haben und die Revolte des Q. → Caecilius [I 5] Bassus in Syrien zu unterstützen. Sein Lob des jüngeren M. → Porcius Cato, der als konsequenter Republikaner nach der Schlacht von Thapsus eine Begnadigung durch Caesar abgelehnt und sich das Leben genommen hatte, stellte eine immanente Kritik an Caesar dar und veranlaßte diesen, sich in seinem *Anticato* mit C.s Catobild auseinanderzusetzen.

C. war nicht in die Verschwörung gegen Caesar eingeweiht. Er begrüßte sie aber ohne Einschränkung und bemängelte nur, daß M. → Iunius Brutus und C. → Cassius I 10 Longinus nicht auch den Konsul M. → Antonius I 9 beseitigt hatten. Er versuchte wieder, eine führende Rolle zu übernehmen. Er vermittelte den Kompromiß vom 17.3.44, demzufolge die Verfügungen des Diktators für Rechtens erklärt wurden, die Caesarmörder aber Amnestie genießen sollten. Damit war freilich die Ermordung des Diktators als Verbrechen bewertet, und der Ausbruch des Volkszorns anläßlich der Leichenfeier Caesars gab Antonius die Möglichkeit, die Caesarmörder von der Gestaltung der Politik fernzuhalten. C. war alarmiert, bes. als Antonius durch die *lex de permutatione provinciarum* (Juni 44), die ihm die gallischen Provinzen für fünf Jahre zusprach, den Eindruck erweckte, den Weg Caesars zur Alleinherrschaft zu wiederholen. Hoffnungen auf eine polit. Wende zerschlugen sich. C. hielt am 2.9.44 eine Rede, in der die von Antonius betriebene Politik mißbilligt wurde. Antonius kündigte im Senat C. die Freundschaft auf, und dieser anwortete mit der als 2. Philippische Rede publizierten Invektive.

Zu einer führenden polit. Rolle gelangte C., als die Rivalität zw. dem Konsul und dem Großneffen und Erben Caesars, Octavian (→ Augustus), sich zu einer bewaffneten Auseinandersetzung zu steigern drohte. C. ließ sich, nicht ohne Bedenken, auf ein Bündnis mit Octavian ein. Dieser hatte eine Privatarmee aus den Veteranen Caesars aufgestellt und Truppen des Konsuls zum Übertritt auf seine Seite veranlaßt. Der hochverräterische Akt bedurfte der Legalisierung durch den Senat, und C. übernahm es, sie zu vermitteln. Am 20.12.44 setzte er einen Beschluß durch, der Octavians Handlungen und den Widerstand des D. → Iunius Brutus, des Statthalters der → Gallia Cisalpina, gegen den Konsul, als dieser sich in den Besitz seiner Prov. setzen wollte, ausdrücklich billigte. Dieser polit. Kurs erregte stärkste Bedenken bei C.s Freunden → Atticus und M. Brutus. Er lief auf einen Verfassungsbruch hinaus und privilegierte einen jungen Hochverräter, der auf Gedeih und Verderb mit der Sache Caesars verbunden war. Aber C. glaubte, das gefährliche Spiel zu beherrschen. Am 1.1.43

erreichte er im Senat, daß Octavian neben anderen Privilegien ein außerordentliches Kommando erhielt, und C. gewann die beiden Konsuln, die ehemaligen Caesarianer A. → Hirtius und C. → Pansa, für seinen Kurs. Mit unerschöpflicher Energie versuchte C., alle Kräfte für den Sieg über Antonius zu mobilisieren; die von diesem angebotenen Verhandlungen torpedierte er. Im Frühjahr 43 kam er dem Sieg nahe. Brutus und Cassius hatten sich der Prov. Macedonia und Syria mit den dort stehenden Truppen bemächtigt, und C. sorgte dafür, daß sie vom Senat mit einem umfassenden außerordentlichen Kommando ausgestattet wurden. Ende April errangen die von den Konsuln und Octavian geführten Heere in zwei Schlachten einen Sieg über Antonius, und C. ließ ihn zum Staatsfeind erklären.

Der Umschwung kam schnell. Antonius war nach Gallien entkommen, wo er die Statthalter des Westens mit ihren Truppen gewann, und Octavian orientierte sich um. Er war nicht gewillt, sich zur Liquidierung der caesarianischen »Partei« gebrauchen zu lassen. Er forderte das Konsulat, und nach Ablehnung seiner Forderung besetzte er im Juli 43 die Stadt. Nach irregulärer Wahl trat er mit seinem Verwandten Q. → Pedius das Konsulat an. Eine lex Pedia ächtete die Caesarmörder, ein weiteres Gesetz rehabilitierte Antonius. Auf Verlangen des Antonius fiel C. am 7.12.43 als eines der ersten Opfer der privaten Proskriptionsvereinbarungen (→ proscriptio) der neuen Machthaber.

Das Urteil über den Politiker C. ist von dem über seinen Gegenspieler Caesar abhängig und schwankt dementsprechend stark. Negativ für die Beurteilung des C. wirkt sich der Umstand aus, daß seine reiche lit. und briefliche Hinterlassenschaft ihn als eine zu Eigenlob und Selbstüberschätzung neigende und als eine zw. ängstlicher Niedergeschlagenheit und siegesgewissen Hochgefühlen schwankende Persönlichkeit zeigt. Als Aufsteiger paßte er sich den Normen der aristokratischen Republik an, und als histor. und philos. Gebildeter entwickelte er ein stark idealisiertes und theoretisch reflektiertes Bild der traditionellen → res publica. Ohne starke Hausmacht mußte er sich durch herausragende Leistungen qualifizieren; diese ermöglichten seine unvergleichliche Redegabe, die er erst als Instrument des Aufstiegs und dann in der polit. Führung einsetzte. Es lag vor allem an den polit. Verhältnissen, daß er zeit seines Lebens, sieht man vom letzten Akt ab, nie zu wirklicher Führung gelangte. C. war fixiert auf eine innere Ordnung, die vom Konsens zwischen regierender Klasse und Volk bestimmt war – dies ist die Quintessenz seines »Programms« der concordia omnium bonorum (»der Eintracht aller Gutgesinnten«) – und in der die Autorität von Argumenten und Verdienst den Ausschlag bei der Lenkung der res publica gab. Über die zu seiner Zeit entscheidenden Machtmittel, Geld und Soldaten, verfügte er nicht, und es war die Tragik seines Lebens, daß seine großen Talente anachronistisch in einer Welt waren, in der mit riesigen, den Prov. abgepreßten Kapitalien und mit den Heeren der Republik das von

Konsens getragene Regierungssystem zum Einsturz gebracht wurde. An taktischem Geschick und skrupelloser Unbedenklichkeit fehlte es ihm nicht. Wie sein polit. Kurs in der Catilinariersache und vor allem im Kampf gegen Antonius zeigt, war er durchaus bereit, bestehende Gesetze zu brechen und gegen die verfassungsmäßige Ordnung zu verstoßen. Aber dies geschah nicht aus dem Ehrgeiz eines zur Alleinherrschaft drängenden Politikers. Nach C.s subjektiver Vorstellung geschah der Bruch der Verfassung immer zur Rettung des Staates. Um dieses Ziels willen riskierte er zum Schluß die Existenz der res publica und das eigene Leben. Daß die Republik vielleicht schon im Sterben lag, wenn zu ihrer Rettung Prinzipien, auf denen sie beruht, geopfert würden, kam ihm wohl nie in den Sinn.

M. FUHRMANN, C. und die röm. Republik, 1989 · M. GELZER, C., 1969 · CH. HABICHT, C. der Politiker, 1990 · E. RAWSON, C., 1975 · R. E. SMITH, C. the Statesman, 1966 · D. STOCKTON, C., 1971   K. BR.

II. CICERO ALS REDNER UND SCHRIFTSTELLER
A. ALLGEMEINES   B. REDEN   C. BRIEFE
D. THEORETISCHE SCHRIFTEN   E. WEITERE WERKE
F. NACHWIRKUNG

A. ALLGEMEINES
C. ist neben → Varro der einzige Universalschriftsteller der röm. Ant.; er verfaßte Reden, Briefe, rhet. und philos. Schriften (wobei die Grenze zwischen beiden Gattungen fließend ist) sowie Dichtungen. Von keinem nichtchristl. lat. Autor der Antike ist mehr Text erhalten. Während sich Reden (R.) und Briefe über viele Jahre hinweg verteilen (erh. R. aus den Jahren 81–43, Briefe von 68–43), entstanden die meisten theoretischen Schriften in zwei kürzeren Lebensabschnitten (55–51, 46–44), in denen C. zu polit. Untätigkeit gezwungen war.

B. REDEN
58 R. sind, z.T. mit Lücken, erh.; von weiteren ca. 100 sind Titel oder Frg. bekannt [1; 2]. C.s R. sind der Höhepunkt der röm. Beredsamkeit; gleichzeitig sind sie die einzigen erh. Beispiele aus klass. Zeit. Anders als bei den griech. Rednern gibt es daher keine Vergleichsmöglichkeit mit Zeitgenossen. R. als Verteidiger vor Gericht (im Folgenden: A) und polit. R. vor Senat oder Volk (B) halten sich anteilsmäßig die Waage. Erstere besitzen oft einen polit. Hintergrund; reine Privatrechtsfälle finden sich nur in den früheren Jahren. Als Ankläger trat C. nur im → Repetundenprozeß gegen Verres auf. Reden bis zum Konsulat: Pro P. Quinctio (81 v. Chr., A), Pro Sex. Roscio Amerino (80, A), Pro Q. Roscio Comoedo (ca. 77 oder ca. 66?, A), Pro Tullio (72/71, A), Divinatio in Caecilium (Vorverfahren um die Übernahme der Anklage im Verresprozeß, 70), In Verrem actio I, II, 1–5 (diese fünf R. wurden nicht gehalten, aber ausgearbeitet und publ.), Pro M. Fonteio (69, A), Pro A. Caecina (69 oder ca. 71, A), De imperio Cn. Pompei (De lege Ma-

nilia, 66, B), *Pro A. Cluentio Habito* (66, A). R. des Konsulatsjahrs 63: *De lege agraria* (= *Contra Rullum*) 1–3 (B), *Pro C. Rabirio perduellionis reo* (A), *In Catilinam* 1–4 (B), *Pro Murena* (A). R. bis zum Prokonsulat: *Pro P. Cornelio Sulla* (62, A), *Pro Archia* (62, A), *Pro L. Valerio Flacco* (59, A), *Oratio, cum senatui gratias egit*, *Oratio, cum populo gratias egit*, *De domo sua ad pontifices* (vor dem Pontifikalkollegium) und *De haruspicum responso* (alle 57, B), *Pro P. Sestio* (56, A), dazu *In P. Vatinium* (bei der Zeugenbefragung), *Pro M. Caelio* (56, A), *De provinciis consularibus* (56, B), *Pro L. Cornelio Balbo* (56, A), *In L. Calpurnium Pisonem* (55, B), *Pro Cn. Plancio* (54, A), *Pro Aemilio Scauro* (54, A), *Pro Rabirio Postumo* (54/3 oder 53/2, A), *Pro T. Annio Milone* (52, A). Die drei R. aus der Zeit der Alleinherrschaft Caesars sind direkt an Caesar gerichtet: *Pro M. Marcello* (46, B), *Pro Q. Ligario* (46, A), *Pro rege Deiotaro* (45, A). R. nach der Ermordung Caesars: *Philippicae* 1–14 (44/43, B). Die meisten Reden hat C. selbst veröffentlicht; trotz Überarbeitung blieb dabei meist die Originalsubstanz erh. [43. 31 ff.; 26. 3ff.]. 12 Reden des Konsulatsjahres 63 und die *Philippicae* 3–12 hat er nach dem Vorbild der Φιλιππικοὶ λόγοι (*Philippikoí lógoi*) des → Demosthenes als Corpora zusammengefaßt [44]; Nachbildungen einzelner Stellen aus Demosthenes oder anderen griech. Rednern sind häufig [45]. C.s Erfolg als Redner beruhte nicht nur auf seiner Formulierungskunst, sondern auch auf geschicktem taktischen Vorgehen [43; 26]; für die jeweils beabsichtigte Wirkung berechnet, geben die Reden nicht unbedingt C.s eigene Ansicht wieder ([35]; anders wohl im »Optimatenexkurs«, Sest. 99ff.; Forschungsgesch. dazu [25]). Stilistisch sind je nach dem Anlaß deutliche Unterschiede festzustellen [20. 1241 ff., 1300 ff.]; die teilweise verwendete Fülle der rhet. Mittel wurde in den 40er J. von Anhängern eines strengen → Attizismus kritisiert, von C. jedoch im Brutus und im Orator energisch verteidigt.

C. BRIEFE

C.s → Briefe (Br.) bilden die einzige aus der Ant. überlieferte Sammlung echter Gebrauchsbr. (→ Epistel), d. h. sie waren urspr. meist nur für den Adressaten bestimmt. Überliefert sind 16 Bücher *Ad familiares* (Titel nicht urspr.), 16 B. *Ad Atticum*, 3 B. *Ad Q. fratrem* (dabei 1,1 ein Traktat über die Provinzverwaltung), 2 B. *Ad M. Brutum*, insgesamt ca. 900 Br., darunter ca. 100 Br. anderer Personen an C. Weitere Briefsammlungen sind verloren [28. 1199 ff.]; ein Br. an Octavian ist unecht. C. selbst scheint im J. 44 eine Veröffentlichung von Br. geplant zu haben (Att. 16,5,5); herausgegeben wurden sie erst nach seinem Tod, die Atticus-Br. (darunter kein Br. des Atticus selbst) erst im 1. Jh. n. Chr. C.s Br. gewähren Einsicht in seine Biographie, sein Denken und Fühlen, wie sie sonst für keine andere Person der Ant. möglich ist; gleichzeitig sind sie wichtige Quellen für die Gesch. ihrer Zeit. Relativ gut sind die Jahre 59–52, sehr dicht die Jahre 49 und 46–43 dokumentiert; aus der Zeit vor 59 sind nur vereinzelte Br. erhalten. Die Spannweite reicht von kurzen Billets (fam. 14,20) über Be-

kenntnisse sehr persönlicher Art (fam. 14,4), Austausch über gemischte Themen (Att. 12,40), Analysen der polit. Situation (Att. 10,8) bis zu offiziellen Schreiben mit polit. Zweck (fam. 10,12); das 13. B. der fam. enthält nur Empfehlungsschreiben. Mit den Adressaten ändert sich auch der Schreibstil; die Br. an Atticus enthalten z. B. zahlreiche griech. Wörter. Allgemein sind Wortwahl und Syntax in den Br. freier als in den direkt zur Publikation bestimmten Werken [20. 1272 ff.].

D. THEORETISCHE SCHRIFTEN

(Dokumentation und Bibliographie bei [27]).

1. *De inventione* 2 B., Lehrbuch in der Tradition der Schulrhet. (→ Rhetorik), entstanden ca. 80, vielleicht noch vor der inhaltlich verwandten → *Rhetorica ad Herennium*. In den Proömien zeigt C. bereits philos. Interessen.

2. Die drei großen Dialoge der 50er J., *De oratore* (55), *De re publica* (54–52) und *De legibus* (ca. 52?) bilden durch die Art der Dialogführung und Reminiszenzen an Platonische Dialoge deutlich eine eigene Gruppe. *De oratore* entwickelt in 3 B. weit über die Schulrhet. hinaus die Wissensgrundlagen des idealen Redners. C.s Idealvorstellung, vor allem durch den Dialogsprecher *Crassus* vertreten, ist die Verbindung von philos. und rednerischem Können (sog. »Philosophenexkurs« 3,54–143). Trotz Anregungen aus der griech. Philos. ist die Ausformulierung dieses Ideals C.s eigene Leistung. Von den sechs B. *De re publica* ist etwa ein Viertel des Textes in einem 1819 gefundenen Palimpsest erhalten; direkt überliefert ist nur der Schluß, das *Somnium Scipionis*, weil es von → Macrobius kommentiert wurde. C. benutzt in diesem Werk souverän griech. Staatstheorie, um die tradierte röm. Verfassung als die ideale zu erweisen [36]; daß er an der Spitze einen Staatslenker mit quasi monarchischen Vollmachten sehen wollte, wird heute nicht mehr angenommen. Neben *De oratore* ist *De re publica* auch literarisch C.s vollendetstes Werk. In *De legibus* entwickelt C. die Gesetze für den in *De re publica* beschriebenen Idealstaat. Für die Entstehung fehlen Nachrichten; innere Kriterien weisen sicher auf die 50er Jahre [40]. Erh. sind drei B. von mindestens fünf; ob die Schrift vollendet wurde, ist unsicher. – Wahrscheinlich gehören in die 50er J. auch die kleinen rhet. Schriften *Partitiones oratoriae* (54?) und *De optimo genere oratorum* (zur Echtheitsdebatte [27. 1070]).

3. Spätwerk. Unter der Alleinherrschaft Caesars entstanden zunächst zwei rhet. Schriften, *Brutus* (Anfang 46; Gesch. der röm. Beredsamkeit) und *Orator* (Entwurf des idealen Redners), beide ausgelöst durch die attizistische Kritik an C.s Redestil; weiterhin die *Paradoxa Stoicorum* (vor Mai 46) und eine Lobschrift auf Cato d. J. (→ Porcius; nicht erh.). Seit dem Winter 46/45 plante C. eine Gesamtdarstellung der griech. Philosophie (ein *volumen prooemiorum*, Att. 16,6,4 bezeugt); eingeschoben [23. 91 f.] ist nach dem plötzlichen Tod der Tochter Tullia im Februar 45 eine *Consolatio* (›Trostschrift‹) an sich selbst (verloren). Bis zum Sommer 45 entstanden in dichter Folge die Dialoge *Hortensius* (Verteidigung der

Philos. in der Nachfolge des Aristotelischen Protreptikos; nur Fragmente erh.), *Catulus* und *Lucullus* (Erkenntnistheorie; erh. nur der *Lucullus*), neubearb. als *Academici libri* in 4 B. (erh. nur der Beginn), 5 B. *De finibus bonorum et malorum* (Lehre vom höchsten Gut), 5 B. *Tusculanae disputationes* (Grundvoraussetzungen des menschlichen Glücks) und 3 B. *De natura deorum*; ein weiterer physikalischer Dialog, zu dem wohl die erhaltene Übers. aus dem platon. *Timaios* gehören sollte, war geplant. Bei der Ermordung Caesars war *De divinatione* (2 B.) in Arbeit; um dieselbe Zeit entstand auch der *Cato maior de senectute*. Trotz der Rückkehr in die Politik verfaßte C. dann noch *De fato* (Frühsommer 44?), *Topica* (Topik für den Redner; Juli 44), *Laelius de amicitia* (Sommer 44) und *De officiis* (3 B.; Endredaktion fehlt; Arbeit daran bis November 44); verloren sind *De gloria* und ein Werk *De virtutibus*. Wie weit nicht zu Ende geführte Pläne für ein *Symbouleutikon* an Caesar, einen Σύλλογος πολιτικός (*Sýllogos politikós*) und einen → Dialog in der Art des → Herakleides (über die Ermordung Caesars) in innerem Zusammenhang mit den philos. Schriften stehen, bleibt unklar. C. tritt in Schriften dieser Zeit als Anhänger der skeptischen → Akademie auf, die zwar sichere Erkenntnis ablehnt, es aber erlaubt, Meinungen wahrscheinlich (*probabile*) zu finden; grundsätzlich war dies wohl seine erkenntnistheoretische Position seit der Bekanntschaft mit Philon von Larissa im J. 88 ([24; 27. 1084 ff.] mit Recht gegen [30]). Die Methode, das Wahrscheinliche herauszuarbeiten, ist (im *Lucullus*, fin., nat. deor., div.; urspr. vorgesehen auch für fat.; einen Sonderfall bilden die Tusc.) die *disputatio in utramque partem*, die in der Dialoginszenierung durch Gegenüberstellung von R. (Exposition eines philos. Standpunktes) und Gegen-R. (Gegenargumentation auf skeptischer Grundlage) verwirklicht wird. Was C. selbst für *probabile* hält, wird in diesen Werken meist nicht explizit formuliert, aber implizit deutlich gemacht [32]; in *De officiis* vertritt er ausdrücklich eine stoische Position als die in diesem Fall *probabile* erscheinende. Stofflich greift C. in allen Werken auf griech. Quellen zurück; gedankliche Durcharbeitung und Anordnung sind jedoch seine eigene, beachtliche Leistung; selbst in off. 1/2, wo er sich direkt an Panaitios' Περὶ τοῦ καθήκοντος (*Perí toú kathékontos*) anschließt, arbeitet er sehr frei. Einzelheiten der dialogischen Einkleidung und die Auswahl der Personen lassen sich als offene Stellungnahme gegen Caesar verstehen [42].

E. WEITERE WERKE

Prosawerke (alle verloren): ein *Hypomnema* über sein Konsulat als Grundlage für eine dichterische Verherrlichung (60), eine Art Geheimgeschichte (ἀνέκδοτα, *anékdota*, Titel wohl *De consiliis suis*; erwähnt 59 und 44 in Br.); Trauerr. auf die Schwester M. Catos (*Laus Porciae*); Schriften *De auguriis* und *De iure civili in artem redigendo*; eine geographische Schrift; Übers. von Xenophons *Oikonomikos* und Platons *Protagoras*. – Die bereits in der Ant. wenig geschätzten (vgl. Tac. dial. 21) Gedichte stehen sprachlich und metrisch zwischen En-

nius und Vergil. Z. T. direkt überliefert ist die Übers. von → Arats *Phainomena* (Jugendwerk wie die Gedichte *Glaukos*, *Alcyones* u. a.); weitere Titel: *Marius* (Zeit unbekannt), *De consulatu suo* (60), *De temporibus suis* (3 B., 55/54), ein Gedicht über Caesars britannischen Feldzug (54). Zahlreiche, z. T. umfangreichere metrische Übers. aus griech. Dichtern sind in C.s Werke eingestreut (Ausgabe: [10]).

F. NACHWIRKUNG

Entsprechend dem universalen Charakter von C.s Werk teilt sich die Nachwirkung in mehrere Ströme auf, die nur wenig miteinander zu tun haben (Bibliogr. bei [27. 1156 ff.]; Übersichten: [21] (Spätant.); [38] (MA); einzelnes bei [18, Bde. 6–8; 12; 14]). Die größte Breitenwirkung hat C. als Former der lat. Sprache und stilistisches Vorbild gehabt; er wurde bereits in der Ant. zu dem »Klassiker« der lat. Literatur. Zwar gab es zu Lebzeiten (→ Attizismus), im 1. und im 2. Jh. n. Chr. (→ Archaismus) auch abweichende Stilideale; doch bei Quintilian und dann im spätant. Rhetorikunterricht wird C. zum Modell vollendeter Beredsamkeit; auch die christl. Autoren können sich diesem Einfluß nicht entziehen (→ Laktantius wird der *Cicero Christianus*, → Hieronymus hört im Traum [epist. 22,30] den Vorwurf Gottes: *Ciceronianus es, non Christianus*). Im MA tritt die unmittelbare sprachliche Nachahmung zurück. In der Renaissance (vor allem im 16. Jh.) wurde die Sprache C.s von vielen zum einzigen Orientierungsmodell erhoben; den Auswüchsen dieses Ciceronianismus trat Erasmus im *Ciceronianus* entgegen. – Die inhaltliche Rezeption verläuft bei den einzelnen Schriften sehr unterschiedlich; eine nach Werken differenzierende Übersicht fehlt. Wichtig ist vielfach auch C.s indirekte Wirkung z. B. über Schriften der Kirchenväter. Von den Einzelwerken hat in MA und Renaissance die wohl breiteste Nachwirkung *De inventione* als grundlegendes Lehrbuch der Rhet. (zusammen mit der lange Zeit C. zugeschriebenen ›Herenniusrhet.‹) gehabt. Daneben bleibt die Nachwirkung der anderen rhet. Schriften geringer. – Die philos. Schriften gehörten von der Spätant. bis in die Neuzeit hinein zu den am meisten gelesenen philos. Werken der Ant. überhaupt. Insgesamt hatten die der praktischen Ethik zuzuordnenden Werke – vor allem *De officiis* (Vorbild z. B. für → Ambrosius' *De officiis ministrorum*), daneben *Cato*, *Laelius*, ›Tuskulanen‹ – die stärkste Nachwirkung; andere Werke, z. B. *De natura deorum*, fanden in bestimmten geistesgesch. Situationen verstärktes Interesse. Der *Hortensius* führte → Augustinus auf den Weg der Bekehrung (Aug. conf. 3,4). – Die Reden werden bis in die Neuzeit hinein vor allem als sprachliche und rhetor. Muster gelesen und analysiert. Histor. Interesse, im 1. Jh. n. Chr. in den Komm. des Q. → Asconius Pedianus noch bezeugt, stand lange zurück, begann jedoch vereinzelt wieder bereits in der Renaissance. Überhaupt galt C. im MA als Lehrer der Rhet. und der Philos.; der Staatsmann und die Person – und damit auch die Br. – kamen erst in der Renaissance (→ Petrarca) wieder verstärkt in den Blick. Insgesamt sind gerade diejenigen Werke C.s, die heute als seine eigenste Leistung gelten, vor allem die großen Reden und *De oratore*, in früheren Jh. weniger gelesen worden. – Im 19. und frühen 20. Jh. wurde C. vor allem in Deutschland gering geschätzt; seine theoretischen Werke gelten nur als schlechte Bearbeitungen griech. Originale. Die jüngste Forschung hat dagegen die geistige Bedeutung C.s neu zu würdigen gelernt.

→ RELIGIONSKRITIK; REPUBLIK; RHETORIKUNTERRICHT

ED.: **1** JANE W. CRAWFORD, M. T. C., The Lost and Unpublished Orations, 1984 **2** Dies., M. T. C., The Fragmentary Speeches, 1994 **3** M. FUHRMANN, C., Reden, 7 Bde., 1970–1982 (Übers. mit Einl.) **4** R. Y. TYRRELL, L. C. PURSER, The Correspondence of M. T. C., 7 Bde., ³1904 (Ndr. 1969) **5** D. R. SHACKLETON-BAILEY, C.'s Letters to Atticus, 7 Bde., 1965–1970; Epistulae ad familiares, 2 Bde., 1977 **6** C. F. W. MUELLER, Scripta omnia 4,3: Librorum deperditorum fragmenta, 1879, 231–414 **7** I. GARBARINO, Fragmenta ex libris philosophicis, ex aliis libris deperditis, 1984 **8** K. WEYSSENHOFF, Epistularum fragmenta, 1970 **9** J. SOUBIRAN, Aratea. Fragments poétiques, 1972 **10** FPL³, 144–181 **11** COURTNEY, 149–181.
SAMMELBÄNDE: **12** K. BÜCHNER (Hrsg.), Das neue Cicerobild, 1971 **13** W. W. FORTENBAUGH, P. STEINMETZ (Hrsg.), C.'s Knowledge of the Peripatos, 1989 **14** B. KYTZLER (Hrsg.), C.s lit. Leistung, 1973 **15** W. LUDWIG (Hrsg.), Éloquence et rhétorique chez Cicéron, 1982 **16** J. G. F. POWELL (Hrsg.), C. the Philosopher, 1995 **17** R. RADKE (Hrsg.), C., 1968.
ZEITSCHRIFT: **18** Ciceroniana, N. S., 1973 ff.
LIT.: **19** G. ACHARD, Pratique rhétorique et idéologie politique dans les discours »optimates« de C., 1981 **20** M. v. ALBRECHT, s. v. T. C., M., Sprache und Stil, RE Suppl. 13,1237–1347 **21** C. BECKER, s. v. C., RAC 3, 86–127 **22** J. BOES, La philosophie et l'action dans la correspondance de C., 1990 **23** K. BRINGMANN, Unt. zum späten C., 1971 **24** W. BURKERT, C. als Platoniker und Skeptiker, in: Gymnasium 72, 1965, 175–200 **25** J. CHRISTES, Cum dignitate otium (Cic. Sest. 98), in: Gymnasium 95, 1988, 303–315 **26** C. J. CLASSEN, Recht, Rhet., Politik, 1985 **27** G. GAWLICK, W. GÖRLER, C., in: GGPh², Bd. 4,2, 991–1168 **28** M. GELZER u. a., s. v. T. C., M., RE 7A, 827–1274 (dazu [20]) **29** K. M. GIRARDET, Die Ordnung der Welt, 1983 (zu leg.) **30** J. GLUCKER, C.'s philosophical affiliations, in: M. DILLON, A. A. LONG (Hrsg.), The Question of »Eclecticism«, 1988, 34–69 **31** W. GÖRLER, Unt. zu C.s Philos., 1974 **32** J. LEONHARDT, C.s Kritik der Philosophenschulen (im Druck) **33** C. LÉVY, C. Academicus, 1992 **34** P. MacKENDRICK, The Philosophical Books of C., 1989 **35** CHR. NEUMEISTER, Grundsätze der forensischen Rhet., gezeigt an Gerichtsreden C.s, 1964 **36** V. PÖSCHL, Röm. Staat und griech. Staatsdenken bei C., 1936 (Ndr. 1976) **37** A. PRIMMER, C. numerosus. Studien zum ant. Prosarhythmus, 1968 **38** W. RÜEGG u. a., s. v. C., LMA 2,2063–2077 **39** SCHANZ/HOSIUS I, 400–550 **40** P. L. SCHMIDT, Die Abfassungszeit von C.s Schrift über die Gesetze, 1969 **41** Ders., Die Überlieferung von C.s Schrift De legibus in MA und Renaissance, 1974 **42** H. STRASBURGER, C.s philos. Spätwerk als Aufruf gegen die Herrschaft Caesars, 1990 **43** W. STROH, Taxis und Taktik, 1975 (zu den Gerichtsreden) **44** Ders., C.s demosthenische Redezyklen, in: MH 40, 1983, 35–50 **45** A. WEISCHE, C.s Nachahmung der att. Redner, 1972 **46** TH. ZIELINSKI, C. im Wandel der Jahrhunderte, ³1912.

J. LE.

Cichorie (κιχόριον, κιχόρη, κίχορα bei Theophr. h. plant. 1,10,7; 7,7,3 u.ö.; *cichorium, cichoreum, cichora* bei Plin. nat. 21,88, und ἐντύβιον, ἔντυβον, *intybus* bzw. *intubus* Colum. 11,3,27; Plin. nat. 19,129). Die Endivie, Name für zwei verwandte, am Mittelmeer heimische Compositenarten: 1) die meist mehrjährige Wegwarte (*Cicorium intybus L.*) mit ihren mehr als meterhohen rauhhaarigen Sprossen; sie trägt viele Namen gemeinsam mit dem am gleichen Standort wachsenden Wegerich (*Plantago*), der ebenso zu Sirup und Destillat verarbeitet wurde, sowie mit der Sonnenblume (*Helianthus*) und dem Heliotrop (*Heliotropium, solsequium*), da sie ihre Blüten zur Sonne hinwenden. 2) Die ein- bis zweijährige fast kahle Endivie *Cichoria endivia L.*; ihre Zungenblüten sind meist himmelblau oder weiß. Nach Plin. nat. 21,88 wurde die Endivie zuerst in Ägypten kultiviert. Der Name ist wegen des Verzehrs ihrer Blätter als Wintersalat von ägypt. *tubi* (= Januar) abgeleitet worden. Aus den als Gemüse und Salat zubereiteten Blättern beider Arten wurde zusammen mit den Wurzeln ein Saft gegen Entzündungen, Verstopfung, aber auch Warzen und Würmer hergestellt (vgl. Plin. nat. 20,73 f.). In der Neuzeit brannte man aus den Wurzeln einer großen Kulturform von *C. intybus* einen Kaffee-Ersatz oder streckte Kaffee damit. C. HÜ.

→ Salatgewächse

Cilicia. 102 v. Chr. vom röm. Praetor M. Antonius zur Bekämpfung der Piraten geschaffene → *provincia*. Das Kommando wurde mehrfach (u. a. 100 v. Chr.: IK 41,31) erneuert [1. 266]; die Unterwerfung der Bewohner der C. Tracheia durch P. Servilius Vatia Isauricus (78–74) ermöglichte ständige röm. Präsenz, die der Sieg des → Pompeius über die Seeräuber (67) und Ciceros Feldzug gegen die Eleutherokiliker (51/50) festigten. Nach Caesars Tod wurde C. an einheimische Klientelfürsten (→ Tarcondimotus) abgetreten bzw. als Teil von Syria verwaltet. Vespasianus richtete 72 n. Chr. die Prov. C. mit der Hauptstadt → Tarsos wieder ein. Unter den Severern (spätes 2./frühes 3. Jh. n. Chr.) entstanden Rivalitäten mit dem zur Metropolis erhobenen → Anazarbos (von Theodosius I. zur Hauptstadt der Prov. C. Secunda im Osten von C. erhoben).

→ Kilikia

1 P. FREEMAN, The Province of C. and its Origins, in: Ders., D. KENNEDY, The Defence of the Roman and Byzantine East, 1986, 253–275 **2** T. B. MITFORD, Roman Rough C., ANRW II 7.2, 1980, 1230–1261 **3** H. TAEUBER, Die syr.-kilikische Grenze während der Prinzipatszeit, in: Tyche 6, 1991, 201–210 **4** HILD, Einleitung. H. TÄ.

Cillae (Κέλλαι). *Mansio* an der Straße von Philippopolis nach Hadrianopolis, h. Černa gora (Bulgarien). Kaiserzeitl. Ehrendekrete und Weihinschr. (IGBulg I 515 ff.); Itin. Anton. 136; Tab. Peut. 568. I. v. B.

Cilnius. Name eines bedeutenden Geschlechtes in Arretium (SCHULZE, 149), stand 302 v. Chr. im Zwist mit den Bürgern (Liv. 10,3,2 u. a.). → Maecenas wurde von Augustus als Cilnier bezeichnet, was vermutlich nur für seine Vorfahren in der weiblichen Linie gilt (Macr. sat. 2,4,12).   K.-L. E.

[1] C. Proculus, C. Aus Arretium stammend. *Cos. suff.* im J. 87 (AE 1949, 23). Vater von C. 2.

[2] C. Proculus, C. Senator aus Arretium (CIL XI 1833 und AE 1926, 123 gehören zusammen: [1. 239 ff.] = AE 1985, 392). Prätorischer (?) Statthalter von Dalmatien um 96/97(?) n. Chr., *cos. suff.* 100, konsularer Legat von Moesia superior im J. 100 (CIL XVI 46); wohl während der Dakerkriege mit vierfachen → *dona militaria* ausgezeichnet. Vermutlich *comes* Hadrians.

    1 HALFMANN, in: ZPE 61, 1985.   W. E.

Cilurnum. Röm. Lager am Westufer des North Tyne, wo der Hadrianswall den Fluß kreuzt, h. Chesters; ca. 125 n. Chr. an der Stelle des Turms 27a errichtet [1. 89–91]. Hier war im 3. Jh. n. Chr. die ala II Asturum stationiert (CIL VII 585); zuvor könnte hier Reiterei untergebracht gewesen sein (auch Sarmatae). Erh. sind die Lagertore, *principia*, *praetorium*, zwei Mannschaftsgebäude, Thermen außerhalb der Mauern und die Fundamente einer Brücke. Südl. des Lagers lag ein ausgedehnter *vicus* [2].
→ Limes

    1 D. J. BREEZE, The Northern Frontiers of Roman Britain, 1982 2 P. SALWAY, The Frontier People of Roman Britain, 1965 3 E. B. BIRLEY, Research on Hadrian's Wall, 1961, 172–174.   M. TO.

Cimberius. Keltischer (?) Name eines Suebenführers, der zusammen mit seinem Bruder → Nasua 58 v. Chr. ein großes Stammesaufgebot befehligte [1. 438–440]. Der Versuch, den Mittelrhein zu überschreiten und → Ariovist gegen Caesar zur Hilfe zu kommen, scheiterte an dessen Niederlage im Elsaß und seiner anschließenden Flucht über den Rhein (Caes. Gall. 1,37,3; 1,54,1).

    1 EVANS.

    H. BANNERT, s. v. C., RE Suppl. 15, 88–89 · G. WALSER, Caesar und die Germanen, 1956, 49.   W. SP.

Cimbri. German. Volk, das anscheinend plötzlich über Gallien und It. hereinbrach, dessen Herkunft und Weg den Römern unbekannt blieben (Plut. Marius 11,4; Quellen bei [1], vgl. [3. 23–28]). Als Heimat gilt Jütland aufgrund einer modernen Hypothese; die Vertreibung durch langsames Vordringen des Meeres ist wohl eine ant. Vermutung (Poseid. bei Strab. 2,3,6; 7,2,1 f.). Strittig ist, ob die C. ihre Lebensweise änderten, sich auf Raub verlegten und schließlich auch It. anstrebten [2] oder unter polit. Führung versuchten, sich im fluk-

tuierenden kelt. Siedlungsgebiet als Klienten oder Söldner Land und nomadische Raubexistenz zu sichern [3. 50]. Vermutlich gehört der C.-Zug in den Kontext einer differenzierten, auch bei den → Bastarnae, Skiri und → Vandali lit. (C.-Führer Lugus, Oros. 5,16,20) und arch. faßbaren Wanderbewegung der letzten Jh. v. Chr. [3. 50]. Im Rahmen der gezielten Kooperation mit Stämmen oder Teilstämmen sind die »Abwehr« der Boii an der *silva Hercynia*, aber auch der Zug an die Donau zu den Skordisci und Taurisci, die Hinwendung zu den → Helvetii (Rheinübergang 111 v. Chr.: Vell. 2,8,3) ebenso wie der Anschluß von → Ambrones, helvetischen → Tigurini und → Teutoni zu verstehen. Der bewaffnete Zusammenstoß mit den Römern war dann weniger von den C. gesuchte Aggression als die Konsequenz der röm. Expansion in den kelt. Bogen nördl. von It. im 2. Jh. v. Chr. Da es Rom wie den C. um die Schwächung der alten *Keltikḗ* ging, kam es zum Konflikt, wo die C. in den röm. Interessensbereich gelangten, so als sie 113 v. Chr. den ihren Durchgangsversuch hindernden Papirius bei Noreia vernichtend schlugen (Liv. epitomē 63). In Gallien operierten sie als verbündete Söldner der Sequani gegen die Haedui und besiegten 109 v. Chr. in Südgallien den Iunius Silanus (Liv. epit. 65), der den Krieg provoziert haben dürfte. 107 v. Chr. waren ins Gebiet der → Allobroges eingedrungene Tigurini gegen den Konsul Cassius Longinus erfolgreich (Caes. Gall. 1,7,4; 12,4–6; 30,2; Liv. epit. 65), und 105 v. Chr. kam es – nach Verhandlungsangeboten der C. – zum Untergang der röm. Heere bei → Arausio (h. Orange) unter dem Konsul Mallius und dem Prokonsul Servilius Caepio. Als der gegen Iugurtha siegreiche → Marius zur Germanenabwehr rüstete, zogen die C. überraschend nach Nordspanien, kehrten alsbald, von Celtiberi vertrieben, nach Gallien zurück, vereinigten sich (im Gebiet der Veliocasses wohl bei Rouen) mit den Teutoni und plünderten, nur von den Belgae abgewehrt (Caes. Gall. 2,4,2), Gallien. 6000 Mann (den Kern der → Aduatuci: Caes. Gall. 2,29,4) im Land der Eburones zurücklassend, wurde der Zug nach Süden angetreten, wobei sogleich zwei (Plut. Mar. 15,6) oder erst nach Schlachtverweigerung durch Marius am Zusammenfluß von Isère und Rhône drei (Oros. 5,16,9) Abteilungen gebildet wurden. Während Teutoni und Ambrones von Marius bei → Aquae Sextiae (h. Aix-en-Provence) vernichtet wurden (Liv. epitomē 68), gelangten C. und Tigurini ›durch Noricum‹ (Plut. Marius 15,5) über winterliche Alpenpässe und nach Durchbrechung der Sperren des Konsuls Lutatius im Etschtal zum Po (102 v. Chr.). Gegen die nunmehr vereinigten röm. Armeen wurden die C. beim Kampf ›um den Besitz des Landes‹ (ebd. 25,4) auf den *campi Raudii* bei → Vercellae aufgerieben. Trotz des ›Kimberntraumas‹ [2] hatte eine ernsthafte Gefahr für das Reich nicht bestanden.

    1 H.-W. GOETZ, K.-W. WELWEI (Hrsg.), Altes Germanien I, 1995, 202–271 2 CH. TRZASKA-RICHTER, Furor Teutonicus, 1991 3 D. TIMPE, Kimberntradition und

Kimbernmythos, in: B. und P. SCARDIGLI (Hrsg.), Germani in Italia, 1994, 23–60.　　　　　　　　　　K. DI.

Cincinnatus. Röm. Cognomen (»der Lockenkopf«) des Cn. → Manlius C. (*cos.* 480 v. Chr.) und bes. in der Gens Quinctia vorkommend; bezeugt etwa zwischen 460 und 360 v. Chr., urspr. gebraucht zur Unterscheidung der beiden Brüder L. → Quinctius C. (*dictator* 458 v. Chr.) und T. Quinctius Capitolinus Barbatus, dann wohl in der Familie vererbt. Noch im 1. Jh. n. Chr. muß es einen patrizischen Namensträger C. gegeben haben (Suet. Cal. 35,1).

KAJANTO, Cognomina, 223.　　　　　　　　　K.-L. E.

Cincius. Name einer plebischen Familie, die im 2. Punischen Krieg Bed. erlangte (SCHULZE, 266).

[1] C., L., antiquarischer Schriftsteller wohl der spätrepublikanischen Zeit (1. Jh. v. Chr.; seit [6] von dem Historiker L. C. Alimentus unterschieden). Durch Zitate bei Festus, Gellius u. a. sind uns sieben Schriften gramm., antiquarischen und juristischen Inhalts bekannt (Fragmente: [1. 1,252 ff.; 2. 71 ff.]): *de verbis priscis, de fastis, de comitiis, de consulum potestate, de officio iurisconsulti* (mindestens 2 B.), *de re militari* (6 B.: Gell. 16,4,6), *Mystagogicon libri* (mindestens 2 B.; vielleicht eine Periegese der Stadt Rom). Zur letzten Schrift gehörte wahrscheinlich das Zeugnis aus Livius (7,3,7) über den *clavus annalis* (HRR 1, p. CIX; [3; 4. 247] anders [5. 320]).

1 F. P. BREMER, Iurisprudentia antehadriana, 1896 (Ndr. 1985) 2 GRF 3 J. HEURGON, L. Cincius et la loi du *clavus annalis*, in: Athenaeum 42, 1964, 432–37 4 E. RAWSON, Intellectual Life in the Roman Republic, 1985, 247 f. 5 G. P. VERBRUGGHE, L. Cincius Alimentus, in: Philologus 126, 1982, 316–323 6 M. HERTZ, De Luciis Cinciis, 1842.

SCHANZ/HOSIUS 1, 174 ff.　　　　　　　　　W. K.

[2] C. Alimentus, L., römischer Senator und Historiker. Als *praet.* 210 v. Chr. in Sizilien (Liv. 26,28,3; 11), dort auch 209 als Promagistrat zum Schutz des neuerworbenen Syrakus eingesetzt (Liv. 27,7,12; 27,8,16). Belagerte 208 erfolglos das von Karthagern besetzte südital. Locri (Liv. 27,28,13–17) und gehörte kurz darauf zu einer Senatsgesandtschaft an den Konsul T. Quinctius Crispinus (Liv. 27,29,4). Geriet (wahrscheinlich gegen Ende des 2. Pun. Krieges) in karthagische Gefangenschaft, wo er nach eigener Angabe mit → Hannibal Gespräche führte (Liv. 21,38,3–5). Nach Kriegsende (?) verfaßte er eine Gesch. Roms in griech. Sprache, die von der Frühzeit wahrscheinlich bis zum Ende des Hannibal-Krieges führte. Trotz enger Anlehnung an seinen Vorgänger → Fabius Pictor (HRR fr. 3; 5) setzte er in manchen Fragen (z. B. Ansatz der Gründung Roms 729/8 v. Chr.; Erzählung von Sp. Maelius) persönliche Akzente. Fragmente: HRR 1, 40–43 (zu restriktiv) bzw. FGrH 810.

B. W. FRIER, Libri Annales Pontificum Maximorum, 1979, 238 f. · SCHANZ/HOSIUS 1, 174 f. · G. P. VERBRUGGHE, L. C. Alimentus, in: Philologus 126, 1982, 316–323.　W. K.

[3] C. Alimentus, C., wohl Bruder von C. [2], ging als Volkstribun 204 v. Chr. mit einer Senatskommission zu P. Scipio nach Sizilien; er war der Urheber der von Fabius Cunctator unterstützten *lex Cincia de donis et muneribus* (Cic. Cato 10 u. a.), durch die den *advocati* Honorare verboten und im übrigen außergewöhnliche Schenkungen eingeschränkt wurden (Roman Statutes 2, 1996, Nr. 47). 193 war er als *praefectus* im Kampf mit den Ligurern (Liv. 34,56,1).　　　　　　　K.-L. E.

[4] C. Faliscus. Röm. Schauspieler aus Falerii (wohl 2. H. des 2. Jh. v. Chr.), der nach Don. de comoedia 6,3 den Gebrauch von Masken im Komödienspiel einführte. Divergierende Nachrichten dazu bei [1].

1 C. SAUNDERS, The introduction of masks on the Roman stage, in: AJPh 32, 1911, 58–73.

H. LEPPIN, Histrionen, 1992.　　　　　　　　H. BL.

Cingetorix. Keltisches Namenskompositum, »Kriegerkönig« [1. 73–74; 2. 172].

[1] Romfreundlicher Fürst der → Treveri, der mit seinem Schwiegervater → Indutiomarus um die Vorherrschaft im Stamme stritt. Trotz anfänglicher Erfolge des C. und seines Anhangs konnte ihn Indutiomarus 54 v. Chr. zum Staatsfeind erklären lassen und seine Güter einziehen. Caesar belohnte C. nach der Niederlage der Treverer und dem Tod des Indutiomarus 53 v. Chr. für seine Treue mit der höchsten Machtstellung im Stamm (Caes. Gall. 5,3,2–5; 5,4,3; 5,6,3; 5,57,2; 6,8,9).

1 EVANS 2 SCHMIDT.

H. HEINEN, Trier und das Trevererland in röm. Zeit, 1985, 23–25.

[2] Einer der vier Könige von Cantium (Kent), die auf Befehl des → Cassivellaunus im Sommer 54 v. Chr. das röm. Schiffslager in ihrem Gebiet überfielen. Das Scheitern dieses kombinierten Angriffs führte zur Aufgabe der britannischen Gegenwehr gegen Caesars Expeditionsheer (Caes. Gall. 5,22).

S. FRERE, Britannia, ²1978, 52–53.　　　　　　　W. SP.

Cinginnia. Lusitanischer Ort unbekannter Lage. Über die Episode, in der während seines Feldzugs 136 v. Chr. D. Iunius Brutus den in C. Belagerten eine große Menge Gold für den Fall ihrer Kapitulation anbot, berichtet Val. Max. 6,4,1.

TOVAR 3, 270.　　　　　　　　　　　　P. B.

Cingius Severus, C. Cos. *suff.* vor 183, da wohl mit dem *curator aedium sacrarum* in CIL VI 36874 (im J. 183 n. Chr.) identisch. Wenn sein Prokonsulat von Africa (Tert. Scap. 4,3) ins J. 190/191 gehört (ILAfr. 265 [1. 864 ff.]), war er sogar schon um 175 *suff.* Als *pontifex* forderte er nach dem Tod des → Commodus die Vernichtung aller seiner Statuen (SHA Comm. 20,3 ff.). Von Septimius Severus hingerichtet (SHA Sev. 13,9; PIR² C 735).

1 C. LETTA, in: Latomus 54, 1995.　　　　　W. E.

Cingonius Varro. Senator, stellte 61 n. Chr. nach der Ermordung des *praef. urbi* Pedanius Secundus vergeblich den Antrag, dessen Freigelassene nur aus It. zu verbannen (Tac. ann. 14,45,2). Verfasste für Nymphidius Sabinus eine Rede vor den Prätorianern; von Galba hingerichtet (Plut. Galba 14f.; Tac. hist. 1,6,1.37,3; PIR² C 736). Nach [1. 382] stammte er vielleicht aus der Transpadana.

     1 SYME, RP 4.   W. E.

Cingulum

[1] Stadt im → Picenum am Fiumicello (Musone). *Municipium* der *tribus Velina* (Plin. nat. 3,111); T. Labienus, der aus C. stammte, hat die Stadt mit eigenen Mitteln prachtvoll ausgebaut (Caes. Civ. 1,15,2). Monumente: Überreste auf der Terrasse von Borgo San Lorenzo unter dem h. Cingoli (Macerata); Mauern in *opus reticulatum*, Reste eines Tempels in der Kirche; Aquädukt (von Hadrianus erneuert). Das Territorium von C. reichte bis zum gleichnamigen Berg (Strab. 5,2,10; evtl. h. Monte Cingulo).

> P. L. DALL'AGLIO, Considerazioni storicotopografiche, in: C. dalle origini al sec. XVI. Atti XIX Conv. Studi Maceratesi, 1983, 1986, 55–73 · N. ALFIERI, Labieno, C. e l'inizio della guerra civile, in: ebd., 111–130.   G. U.

[2] s. Gürtel

Cinna. Cognomen (Bed. ungeklärt) in den Familien der → Cornelii und → Helvii. Zum Dichter C. s. Helvius.

> KAJANTO 106.   K.-L. E.

Cippus. Als Steinmal mit oder ohne Inschr. diente der *c.* vor allem zur territorialen Abgrenzung. Rundplastisch gestaltet, ist er Markierung am Grabmal, als Belegungsnachweis mit magischen Vorstellungen verbunden und nicht mit Stelen zu verwechseln. Die Grundform ist phallisch, 30–50 cm hoch und bes. in Etrurien vielfältig vertreten (→ Etruskische Archäologie). Meist krönen Zwiebeln, Kugeln oder Eier einen Pfeiler oder Zylinder. Regionale Sonderformen im 6. Jh. v. Chr. sind Kriegerköpfe (Orvieto) und reliefierte Kuben mit Knospen darüber (Chiusi). Im 4.–3. Jh. v. Chr. erhalten Frauenbestattungen *c.* in Hausform (Caere), tauchen erste stilisierte Porträts (Arnth Paipnas in Tarquinia) und pflanzliche cippi mit Inschr. (Perugia) auf. Ab dem 3.Jh. v. Chr., gehäuft im 1.Jh. v. Chr./1.Jh. n. Chr., beginnt bei allen *c.* im Adria-Bogen und im übrigen It. griech. Einfluß in der Dekoration. Die reichen Hausformen der mittelit. *c.* lehnen sich an Urnen an; Kiefernzapfen, Blattgewächse oder Eier bekrönen Säulen mit Bukranien (Palästrina). Die sog. »Liburnischen *c.*« im Adria-Bogen sind als Zylinder mit geschuppter sphärischer Bekrönung gebildet. Sonderformen sind scheibenförmige *c.* mit Köpfen, an denen kein Gesicht ausgebildet ist (Campanien) und *cupa*, liegende Fässer (Sardinien, Nordafrika, Hispanien).

> M. BLUMHOFER, Etr. Cippi, 1993 · S. DIEBNER, C. carsulani, in: ArchCl 38/40, 1986/88, 35–66 · H. VON HESBERG, P. ZANKER (Hrsg.), Röm. Gräberstraßen. Kolloquium München 1985, 1987 · P. PENSABENE, Sulla tipologia e il simbolismo dei cippi funerari a pigna con corona di foglie d'acanto di Palestrina, in: ArchCl 34, 1982, 38–97 · O. W. v. VACANO, s. v. *cippus*, LAW, 634f.   R. N.

Circeii. Stadt (evtl. volskisch) am *mare Tyrrhenum* unterhalb des *mons Circeius*, an der Südgrenze von Latium, h. San Felice C. (Prov. Latina). → Tarquinius Superbus soll C. wie auch Signia als Kolonie gegründet haben, doch wurden die *coloni* von → Coriolanus vertrieben (Liv. 1,56,3; 2,39). C. war 393 v. Chr. *colonia Latina*. Nach einem Aufstand trat C. dem → Latinischen Bund bei (338 v. Chr.). Den Niedergang erlebte der Ort nach dem 2. Pun. Krieg; er war nach 89 v. Chr. *municipium* (Cic. fin. 4,7) der *tribus Pomptina*. Berühmt sind seine Austern (Hor. sat. 2,4,33). Lepidus wurde hierher verbannt. Arch. Monumente: Villen des Tiberius und des Domitianus; Überreste auf dem Monte della Citadella: Mauern in *opus polygonale* (vgl. Signia), Gebäude in *opus reticulatum*; Amphitheater. Inschr. Belege: CIL X, 6422–34.

> G. LUGLI, C., 1928 · S. AURIGEMMA, A. AURIGEMMA, C., 1957 · M. FORA, Testimonianze epigrafiche, in: Miscellanea greca e romana 16, 1991, 191–216.   G. U.

Circius. Dieser Name entspricht dem Wind Κιρκίας, der von Nord-Nordwest vom Kap der Kirke nach Cumae wehte und die Küstenfahrt der Phokäer von Sizilien nach Massalia behinderte. Als urspr. lokaler Wind des narbonensischen Gallien (Plin. nat. 2,121), der bis nach Ostia reichte, wurde er später in die Windrose aufgenommen (noch nicht bei Vitruv).
→ Winde

> W. BÖKER, s. v. Winde, RE 8 A, 2306 ff.   C. HÜ.

Circulus lacteus s. Sternbilder

Circumcelliones. Die aufständische Bewegung der C. (nach Augustinus von *circum cellas vagare*) breitete sich in Numidien um 340 n. Chr. auf dem Terrain der donatistischen Kirche aus [1]. Die C., von denen zuerst 320 berichtet wird, waren arme Feldarbeiter, größtenteils Tagelöhner, die ihre Arbeit aufgegeben hatten, zu denen sich anfangs auch durch Verschuldung ruinierte Kleingrundbesitzer gesellten. Außer den wirtschaftlichen Problemen um 340 war ab 345 der Hauptgrund der Bewegung die Untersagung der donatistischen Kirche durch Kaiser Constans. Die C. wurden von den donatistischen Bischöfen zu Terrorakten gegen Katholiken angestiftet.

Zwei große Aufstände der C. sind bekannt. Um 340 griffen die Banden von Axido und Fasir die Gehöfte der Großgrundbesitzer an und verbrannten ihre Schuldenregister; der Aufstand, der außer Kontrolle geriet, wurde auf Anfrage der donatistischen Bischöfe von dem *comes Africae* Taurinus unterdrückt. Der zweite Aufstand wurde in den Jahren 345/47 vom *comes* Silvester niedergeschlagen. Es verbreitete sich danach unter den C. der Brauch, im Selbstmord den Märtyrertod zu suchen. Um 390 wurden die C. vom donatistischen Bischof Optatius von Timgad zu Terrorakten benutzt [2]. Eine letzte Selbstmordwelle ist um 411 bezeugt.

→ Märtyrer

1 C. LEPELLEY, Les cités de l'Afrique romaine au Bas-Empire I, 1979, 91–98   2 LEPELLEY II, 472–474

E. TENGSTRÖM, Donatisten und Katholiken, 1964 · C. LEPELLEY, Iuvenes et circoncelliones: les derniers sacrifices humains de l'Afrique romaine, in: AntAfr 15, 1980, 261–271   J. S.

Circumcisio. Die Beschneidung (hebr. *mûla, mîla*; griech. περιτομή; lat. *circumcisio*), die Entfernung der Vorhaut des männlichen Gliedes, war urspr. ein bei westsemit. Völkern verbreiteter apotropäischer Ritus, der bei Eintritt in die Pubertät bzw. vor der Hochzeit vollzogen wurde (vgl. Ex 4,26 Jes 9,24f; Jos 5,4–9; Hdt. 2,104,1–3). Da man in Mesopotamien diesen Brauch nicht kannte, wurde die *c.* dann während der Zeit des babylon. Exils (597–538 v. Chr.) zum Unterscheidungsmerkmal zw. den Exilierten und den Babyloniern, das einer Assimilation entgegenwirkte und rel. als Zeichen des Bundes zw. Gott und den Nachkommen → Abrahams gedeutet werden konnte (vgl. Gn 17). Während Gn 34,24 und Jos 5,6f von der Beschneidung Erwachsener erzählt, setzte es sich in dieser Zeit durch, männliche Säuglinge am 8. Tag nach der Geburt zu beschneiden (vgl. Lv 12,4; Gn 17,12 u. a.; rabbinische Belege: bShab 132b; 135b; bPes 4a; bYom 28b u. ö.).

In hell.-röm. Zeit galt die Beschneidung als *nota Iudaica* (jüd. Kennzeichen) schlechthin (vgl. Tac. hist. 5,1,5: *ut diversitate noscantur*). Im Gegensatz zu den konservativen rel. Kreisen, für die die Beschneidung Zeichen der Treue zum Gott Israels und seinem Gesetz war und die sogar zum Märtyrertod bereit waren, versuchten die Reformkreisen zugehörigen Juden, diese operativ wieder rückgängig zu machen (*epispasmós*, vgl. 1 Makk 1,15 f.). Nach Aelius Spartianus (SHA Hadr. 14) soll das Beschneidungsverbot des Kaisers sogar den 2. Jüd. Aufstand (132–135) ausgelöst haben; die kurze Notiz, wonach sich viele in dieser Zeit neu beschneiden ließen (tShab 15 [16],9), zeigt die Pluralität des spätant. palästinischen Judentums hinsichtlich der *c.* In der antijüd. Polemik wurde die Beschneidung häufig zum Ziel des Spottes gegen die »unmenschlichen Bräuche« der Juden (vgl. u. a. Strab. 16,2,37; Petron. 68, 7b–8a; 102, 13; Salustios, de deis et mundo 9,5; Rut. Nam. 1,387–392).

O. BETZ, Beschneidung II. AT, Frühjudentum und NT, TRE 5, 716–722 · M. STERN, Greek and Latin Authors on Jews and Judaism. Ed. with Introductions, Translations and Commentary, 3 Bde., 1974, 1980 und 1984, Index s. v. C.
                            B. E.

Circus   I. ARCHITEKTUR   II. SPIELE

I. ARCHITEKTUR
A. DEFINITION UND TERMINOLGIE   B. URSPRUNG C. CIRCUS MAXIMUS UND ANDERE CIRCUS-ANLAGEN IN ROM   D. ITALIEN UND DIE PROVINZEN

A. DEFINITION

Der C. war die größte aller röm. Freizeitstätten und wurde zuerst und hauptsächlich für Rennen mit vier- oder zweispännigen Wagen (*quadrigae* oder *bigae*) benutzt. Der kanonische C. bestand aus einer langen, vergleichsweise schmalen Rennbahn (ca. 450 × 80 m; *arena*, von *harena*, »Sand«), an deren beiden Enden je drei Kegel (*metae*) auf einem Podest als Wendemarken dienten. Die Bahn führte um eine Barriere, die die Zentralachse (*euripus*, griech. εὔριπος, »Wasserrinne«; später auch *spina*, »Rückgrat, Wirbelsäule«) markierte und die mit verschiedenen Denkmälern geschmückt war (einschließlich kleiner Heiligtümer, Altäre, Obelisken) sowie mit den Eiern und Delphinen, mit denen die sieben Rennrunden angezeigt wurden. Die Arena war an den beiden parallelen Langseiten und einer halbrunden Schmalseite von Sitzreihen für die Zuschauer umgeben. Der Zuschauerraum war in der gleichen Weise wie in den → Theatern und → Amphitheatern erbaut (also mit Substruktionen, falls notwendig) und bestand aus mehreren Rängen, die evtl. durch eine Galerie gekrönt wurden. Die andere Schmalseite mit den (in der Regel 12) Starttoren (→ *carceres*) besaß eine flache, asymmetrische Bogenform, um einen gestaffelten Start zu ermöglichen. Eingänge gab es sowohl an den beiden Schmal- als auch an den Langseiten. Oberhalb der *carceres* befanden sich die Logen der Magistrate, die die Spiele ausrichteten. Nahe der Ziellinie hatten die Preisrichter ihre Plätze, die aber auch entlang der Rennstrecke postiert waren (insbes. an den »kritischen« Punkten, d. h. an der Startlinie sowie an den Wendepunkten). Dieser kanonische Typus wurde zuerst in Rom entwickelt, vielleicht im Zusammenhang mit der Wiedererrichtung des C. Maximus durch Traian. Ein gut erh. Beispiel dieses Typs ist der kurze Zeit später errichtete C. in → Leptis Magna.

B. URSPRUNG

Zwei Vorbilder werden gewöhnlich für den röm. C. genannt, insbes. für den frühesten C. überhaupt, den C. Maximus: das griech. Hippodrom und etr. Rennbahnen.

1. DAS GRIECHISCHE HIPPODROM

Der Name kommt von ἵππος (*híppos*, »Pferd«) und δρόμος (*drómos*, »Rennbahn«). Pferderennen sind schon in der Ilias belegt, etwa bei den Begräbnisspielen des Patroklos. Diese Sportart war ein fester Bestandteil der vier Hauptwettkämpfe in Griechenland (→ Olympia, → Delphoi, → Isthmia, → Nemea) sowie auch an vielen anderen Austragungsorten. Die Hippodrome waren allerdings keine dauerhaften Gebäude, sondern wurden bei Bedarf auf ebenem Gelände angelegt; dazu waren nur ein oder zwei Wendemarken (καμπτῆρες, kamptéres) und Abhänge als Zuschauersitze erforderlich. Lediglich in Olympia, wo Quadrigen-Rennen 680 v. Chr., Pferderennen 648 und Bigen-Rennen 408 eingeführt wurden, gab es ein dauerhaftes Hippodrom, das allerdings nur durch die Beschreibung bei Pausanias (6,20,10–21,1) bekannt ist; ausführlich geschildert wird das komplizierte Startsystem (ὕσπληξ bzw. ὕσπληγξ, hýsplex). Es gab keine ständig vorhandenen Ränge und Schutzvorrichtungen für die Zuschauer oder feste Plätze für die Preisrichter. Auch bei den Hippodromen der hell. Zeit, ebenfalls nur aus Schriftquellen bekannt, handelte es sich nicht um feste Bauten. Die Abweichungen von den kanonischen röm. C. sind offensichtlich: Die griech. Hippodrome wurden nie in feste Architekturen überführt, es gab keine Barriere in der Mitte, Form und Größe konnten von Ort zu Ort stark variieren, was auch der Grund dafür war, daß keine griech. Hippodrome in standardisierte röm. C. umgewandelt wurden.

2. ETRUSKISCHE RENNBAHNEN

Der andere Vorläufer des röm. C. begegnet bei den Etruskern, die Pferderennen schon seit dem 6. Jh. v. Chr. kannten (s. u.). So gab es in → Veii spätestens seit Ende des 6. Jh. v. Chr. eine Rennbahn (Plut. Poblicola 13,4; Plin. nat. 8,161), was gut mit den Angaben bei Livius übereinstimmt, der C. Maximus sei von den etr. Königen Tarquinius Priscus (ca. 600 v. Chr.; Liv. 1,35,8) und Tarquinius Superbus (spätes 6. Jh. v. Chr.; Liv. 1,56,2) erbaut worden. Die etr. Arenen sind noch weniger bekannt als die griech. Hippodrome; da sie keine festen Bauten waren, ist kein Exemplar erhalten. Allerdings lassen sich einige Informationen aus bildlichen Quellen erschließen. Sitzreihen aus Holz, um den Zuschauern Platz zu bieten, sind auf Malereien des späten 6. Jh. v. Chr. in der Tomba delle Bighe, Tarquinia, zu sehen (→ Nekropolen). Eine Plattform mit den Sitzen der Magistrate und Preisrichter (sellae) ist auf einem → cippus des 5. Jh. v. Chr. aus Chiusi (Palermo, NM) dargestellt. Diese Sitze wurden in Rom wahrscheinlich fori genannt und im C. Maximus durch die etr. Könige aufgestellt (Liv. 1,35,8). Vielleicht waren die Start- und Ziellinie durch eine dor. Säule gekennzeichnet; die Wendemarken waren in Griechenland und Etrurien gleichermaßen aus Holz.

C. DER CIRCUS MAXIMUS UND ANDERE CIRCUS-ANLAGEN IN ROM

Der C. Maximus war typusprägendes Vorbild für alle weiteren C. und der größte C. überhaupt. Er bestand schon während der Königszeit und wurde wahrscheinlich bereits vom ersten etr. König Tarquinius Priscus in Zusammenhang mit der Trockenlegung des Tales zw. Palatin und Aventin angelegt. Weitere Baumaßnahmen fanden während der gesamten republikanischen Zeit statt. Die *carceres* wurden 329 v. Chr. in Holz erbaut (Liv. 8,20,2). Obwohl häufig eine gleichzeitige Entstehung der Barriere angenommen wird, ist sie erst für die frühe Kaiserzeit gesichert; in Stein wird sie nach Ausweis der

bildlichen Quellen erst in traianischen Zeit erbaut worden sein. Ein Ehrenbogen (*fornix*) wurde von Lucius Stertinius 196 v. Chr. erbaut (Liv. 33,27,3–4); er stand vielleicht an derselben Stelle, an der 80–81 n. Chr. ein *fornix* zu Ehren des Titus erbaut wurde (im *apex* des Halbrunds). Die Eier zum Rundenzählen wurden bei einer späteren Renovierung 174 v. Chr. hinzugefügt (Liv. 41,27,6). Die wirkliche Monumentalisierung der Anlage wurde von Caesar begonnen, von Agrippa weitergeführt (einschließlich der Runden-Delphine) und von Augustus vollendet. Diese Bauphase ist hauptsächlich durch die Beschreibung des Dionysios von Halikarnassos (ant. 3,68,1–4) bekannt, da Befunde aus dieser Zeit bislang fehlen. Von den Sitzen, die jetzt an den beiden Langseiten und im Halbrund aufgestellt wurden, bestanden zwei Drittel weiterhin aus Holz. Ein Wassergraben (*euripus*) umgab die Arena, einerseits um das sumpfige Gelände zu entwässern, andererseits um zusammen mit einer Mauer (*podium*) die Zuschauer vor wilden Tieren zu schützen; denn der C. wurde auch für → *munera* und → *venationes* genutzt (s. u.). Augustus ließ den ersten Obelisken auf der (wahrscheinlich hölzernen und vorläufigen) Barriere errichten, zudem ein monumentales Pulvinar (R. Gest. div. Aug. 19), d. h. einen Schrein und ein Tribunal für die Götterstatuen, die zum Zeichen des göttlichen Schutzes in die Arena gebracht wurden. Vom Pulvinar aus betrachtete der Kaiser die Wettkämpfe.

Von dem vollständigen Umbau mit Mörtelmauerwerk und Ziegeln unter Traian (nach dem Rom-Brand 64 n. Chr. und einem weiteren Feuer kurz darauf) sind heute noch Teile erhalten. Der traianische C. ist auch auf einem Frg. der → *Forma urbis Romae* dargestellt. Alle Ränge, drei insgesamt, waren nun aus Stein und die Besucher saßen entsprechend ihrem sozialen Stand: je bedeutender die Person, desto dichter an der Arena. Oben befand sich eine Galerie; die Außenseite wurde durch Arkaden gegliedert, die mit einer Attika gekrönt waren, vergleichbar dem → Kolosseum. Zumindest seit dieser Zeit stand das Bauwerk isoliert; es wurde von einer breiten Straße umgeben, um den Zugang durch die überwölbten Eingänge zu erleichtern. Die Zugänge führten zu Treppen und Aufgängen, aber auch zu Läden, die im Erdgeschoß untergebracht waren. Der traianische C. maß ca. 620 × 140 m, die Arena 580 × 79 m. Die *spina* (ca. 335 × 7–11 m) wurde zuletzt in einen festen Bestandteil umgewandelt, bestehend aus einem *euripus* mit mehreren Becken und Fontänen (vielleicht über einem älteren Graben aus der Königszeit). Außerdem wurden die bereits vorhandenen Denkmäler um weitere Monumente ergänzt, z. B. durch eine Statue der Kybele auf dem Löwen. Die Schätzung, daß ca. 150000 Zuschauer Platz fanden, gilt heute als realistischer als die hohen Zahlenangaben ant. Quellen. Die traianische Bauphase des C. Maximus ist auch in den meisten bildlichen Darstellungen (z. B. auf Mosaiken und Münzen) wiedergegeben und beeinflußte die C. in den Provinzen. In der nachfolgenden Zeit wurden verschiedene kleinere Umbauten und Restaurierungen vorgenommen, einschließlich der Aufstellung eines weiteren, noch höheren Obelisken 357 n.Chr. Wohl erst in der Spätant. wurden die Türme neben den *carceres* hinzugefügt. Solche Türme gab es auch am C. des → Maxentius an der Via Appia, der stark vom C. Maximus beeinflußt war. Der Maxentius-C., zusammen mit dem Palast erbaut, ist der einzige weitere erh. C. in Rom. Die anderen stadtröm. Bauten (der C. Flaminius, errichtet 220 v.Chr. auf dem südl. Marsfeld, und der C. Vaticanus oder C. Gai et Neronis, teilweise überbaut von Petersplatz und Dom, und der C. Varianus, erbaut von → Elagabal bei seiner Villa Sessorianum) sind vollständig zerstört.

D. ITALIEN UND DIE PROVINZEN

In It. gibt es nur wenige C. außerhalb Roms; meist sind sie auf Initiative der Kaiser erbaut worden: der C. von → Bovillae wurde unter Augustus und Tiberius erbaut, der von → Antium unter Nero, der von → Larium unter Antoninus Pius. In Nordafrika und Spanien ist die Situation vergleichsweise günstig; da die Pferdezucht hier verbreitet war, wurden relativ viele C. gebaut (meist in der Nähe größerer Städte oder der Provinzhauptstädte). In Spanien wurden C. bereits seit dem 1.Jh. n.Chr. gebaut (in Merida und Tarragona); sie waren dem C. Maximus caesarischer und augusteischer Zeit nachgebildet. Dagegen stammen alle erh. C. in Nordafrika aus dem 2.Jh. n.Chr. und noch späterer Zeit (die frühesten in → Karthago und → Leptis Magna) und orientieren sich am traianischen C. Maximus. Zudem gab es in den weniger bedeutenden Städten kleinere C., die intensiv bis in die Spätant. benutzt wurden. In Gallien, Germanien und Britannien waren C. dagegen nicht sehr populär, so daß nur wenige C. bekannt sind. Anscheinend waren C. und Spiele in Gebieten mit ausgeprägter Romanisierung wichtiger. Große, monumentale C. wurden hier meist erst in spätant. Zeit erbaut, häufig im Zusammenhang mit anderen Bauten der Tetrarchen in den neuen Residenzstädten (Trier und Mailand), wo Palast und C. wie bei der Maxentius-Anlage in Rom eine Einheit bildeten. Dieses Baumuster findet sich auch im Osten (z.B. → Thessaloniki, → Nicomedia, → Antiochia).

Bevor diese späten C. erbaut wurden, gab es in den östl. Prov. einen anderen Bautyp, da hier, anders als im Westen des Reiches, Wagen- und Pferderennen im griech. Stil geläufig waren. Während sich die westl. C. eng an die Dimensionen und Strukturen des C. Maximus anlehnten (auch wenn die Arenen bisweilen kürzer waren), sind die östl. Anlagen wohl aufgrund vielschichtigerer Nutzung breiter angelegt: Sie wurden wohl auch für athletische Wettkämpfe und Gladiatorenspiele (→ Amphitheater) verwendet. Es sind viele C. im Orient gefunden worden (z.B. Antiocheia, → Caesarea, → Gerasa, → Bostra, → Tyros), aber, ausgenommen → Gortys auf Kreta, keine in Griechenland und Kleinasien. Die östl. C. stammen meist aus dem 2. und 3.Jh. n.Chr., als die Wagenrennen eine Renaissance erlebten,

die sich in der Spätant. noch steigerte (dokumentiert in der anonymen *Expositio Totius Mundi*). Der wichtigste C. in diesem Teil des Reiches war der C. in Konstantinopel, wahrscheinlich begonnen unter Septimius Severus, fertiggestellt erst unter Konstantin, nachdem er die Stadt zu seiner neuen Residenz erhoben hatte und der C. Teil des Palastes wurde. Dieses berühmte Hippodrom blieb bis zum Ende des byz. Reiches bestehen.

S. CERUTTI, The seven eggs of the C. Maximus, in: Nikephoros 6, 1993, 167–176 · F. COARELLI, Roma, Guide archeologiche Laterza 6, 1980, 327–331 · HUMPHREY · Y. PORATH, Herod's »amphitheater« at Caesarea: a multipurpose entertainment building, in: The Roman and Byzantine Near East, JRA, 14. Suppl., 1995, 15–27 · J. ROUGÉ, Expositio Totius Mundi et Gentium, Sources Chrétiennes 124, 1966 · T. P. WISEMAN, The C. Flaminius, PBSR 42, 1974, 2–26. I.N./R.S.-H.

II. SPIELE

A. BEDEUTUNG UND DEFINITION B. URSPRUNG C. VERLAUF D. ENTSTEHUNG, PROGRAMM UND ENTWICKLUNG E. STARS F. FACTIONES UND FINANZIERUNG G. PUBLIKUM

A. BEDEUTUNG UND DEFINITION

C.-Spiele sind bis heute ein Syn. für staatlich gelenkte Massenunterhaltung dank Juvenals Formulierung, *panem et circenses* seien das einzige, wonach das Volk Roms noch Verlangen habe (Iuv. 10,81). Die C.-Spiele galten als Hauptattraktion Roms für die → plebs in der Kaiserzeit. Von den Intellektuellen wurden sie verachtet (Plin. epist. 9,6), von den christl. Lehrern geschmäht (Tert. de spectaculis 7), aber von fast allen Kaisern gefördert [1] und von Millionen geliebt und fast im gesamten Imperium Romanum nachgeahmt [2]. Länger als ein Jt. wurden C.-Spiele im Circus Maximus veranstaltet, zum letzten Mal im Januar des Jahres 550 n.Chr. Die C.-Spiele bildeten einen Bestandteil der röm. Staatsreligion. Sie fanden im Rahmen der *ludi publici* statt, deren Organisation zum Aufgabenbereich der Beamten gehörte, zunächst der Ädilen, seit Augustus der Prätoren.

In den Jh. der röm. Republik hatte sich ein fester Kanon der Jahresfeste ausgebildet, der bis ins 4.Jh. n.Chr. gültig blieb: 1. Die ältesten und ehrwürdigsten *ludi publici* waren die *ludi Romani magni* zu Ehren des Iupiter Capitolinus. Sie sind sicher bezeugt für das Jahr 366 v.Chr., auf Staatskosten abgehalten unter der Leitung von zwei curulischen Ädilen. Erst seit dem Jahr 322 v.Chr. wurden sie nachweislich ständig als Jahresfest vom 4. bis zum 19. September gefeiert; die letzten fünf Tage waren den C.-Spielen vorbehalten. 2. Nach dem Vorbild der *ludi Romani* wurden die *ludi plebeii* gestaltet, ebenfalls zu Ehren des Iupiter Capitolinus; seit 220 v.Chr. als Jahresfest nachweisbar (Festprogramm: 4.–17. November; die drei letzten Tage waren für C.-Spiele bestimmt). 3. Die *ludi Apollinares* wurden 212 v.Chr. zum ersten Mal gefeiert, erst 208 v.Chr. endgültig als Jahresfest beschlossen (6.–13. Juli, nur am letzten Tag

C.-Spiele). 4. Die *ludi ceriales* seit 202 v. Chr. als jährliches Fest für Ceres, Liber und Libera (12.–19. April, am letzten Tag C.-Spiele). 5. Die *ludi megalenses* wurden seit 194 v. Chr. zu Ehren der Göttermutter Kybele als Jahresfest gefeiert (4.–10. April, C.-Siele am ersten und am letzten Tag). 6. Die *ludi florales* gab es seit 173 v. Chr. als Jahresfest zu Ehren der Flora (28. April bis 3. Mai, C.-Spiele am letzten Tag). Allerdings bestanden diese C.-Spiele nicht aus Wagenrennen, sondern noch in der Kaiserzeit aus *venationes* (Tierhetzen) und Vorführungen von Tieren im Circus Maximus. Im Rahmen des festgelegten Staatskultes waren also an 13 Tagen C.-Spiele garantiert. Der offizielle Festkalender wurde seit Sulla ständig erweitert durch *ludi votivi*, mit denen ein Sieg, eine Tempeleinweihung, Kaisergeburtstage oder Regierungsjubiläen gefeiert wurden (vgl. Tert. de spectaculis 6). Stets waren dabei Tage für C.-Spiele vorgesehen, so daß nach dem Kalender des Philocalus im Jahr 354 n. Chr. an 64 von insgesamt 175 → *feriae* C.-Spiele veranstaltet wurden.

B. URSPRUNG

Es ist nach ant. Auffassung die erste Pflicht eines Staatsgründers, das Verhältnis zu den Göttern in die rechte Ordnung zu bringen. Von den röm. Autoren werden daher die Anfänge des röm. Festkalenders in die frühe Königszeit zurückdatiert. Nach Cicero (rep. 2,12) veranstaltete Romulus jährlich Spiele im C. zu Ehren des Gottes → Consus. Der ausgestaltete Festkalender wird Numa Pompilius zugeschrieben (Cic. rep. 2,27). Die Chronologie der Frühzeit wurde zur mythischen Überhöhung des späteren Staates geschaffen [3]. Das hohe Alter mancher später fast vergessener Kulte wurde durch die religionshistor. Forsch. bestätigt: noch im 3. Jh. n. Chr. wurde am 7. Juli dem Consus an seinem unterirdisch *ad primas metas* gelegenen Altar geopfert (vgl. Tert. de spectaculis 5). Es ist communis opinio, daß Consus, wie der Name sagt (abzuleiten von *condere*), der Gott war, dem Opfer für die »geborgene« Erde dargebracht wurden [4]. Für Spiele und Wettkämpfe an einem Erntedankfest war die breite Talsenke zwischen Palatin und Aventin ein höchst geeigneter Ort. Die *ludi* am Fest des Consus waren indes nur eine Vorstufe zur Feier der *ludi Romani*, deren Einrichtung in der röm. Tradition Tarquinius Superbus zugeschrieben wird (Cic. rep. 2,36,14–18). Die *ludi Romani* waren das Modell aller späteren *ludi publici*. Tatsächlich läßt die jahrhundertelang genau eingehaltene Ordnung der C.-Spiele, die stets einen Teil der *ludi publici* ausmachten, so deutlich etr. Elemente erkennen – *pompa circensis* und hippische Agone –, daß am Entstehen der C.-Spiele in der Zeit der Etruskerherrschaft nicht zu zweifeln ist [5]. Unsicher bleibt, in welchem zeitlichen Abstand die *ludi Romani*, die ersten *ludi publici* also, von ihrer Gründung im 6. Jh. v. Chr. bis zur Neuorganisation im 4. Jh. v. Chr. abgehalten wurden.

C. VERLAUF

Der Begriff C. umfaßt die *pompa circensis* und die anschließenden Wettkämpfe im Circus Maximus (→ Circus I.). Die *pompa circensis* erhebt die C. zur Würde eines sakralen Aktes. Sie begann auf dem Capitol am Tempel des Iupiter Capitolinus und führte über das Forum in den Circus Maximus (Dion. Hal. ant. 7,72), nahm also genau den umgekehrten Weg der Triumphzüge, die durch den Circus Maximus zum Forum führten [6]. Die ersten C.-Spiele wurden wohl im Anschluß an einen Triumph gefeiert. Auch in ihrem späteren Verlauf war die *pompa circensis* ein Abbild des Triumphzugs; an ihrer Spitze lenkte (seit Augustus, s.o.) der Prätor den Triumphwagen; er war wie ein Triumphator mit der *tunica Iovis* bekleidet (Iuv. 11,193–196; 10,36–40). Darüber trug er eine reich drapierte *toga picta* [7]; auf seinem Haupt lag, von einem Sklaven gestützt, die schwere → *corona aurea*, auch dies ein etr. Relikt von urspr. sakraler Bedeutung (Plin. nat. 21,4; Tert. de spectaculis 7). Die Stelle des Prätors nahm bei zusätzlich gebotenen *ludi votivi* der Kaiser oder ein Konsul ein (Suet. Aug. 43,5; Iuv. 10,41). In der Schilderung von Dion. Hal. bildete hinter dem Wagen des Prätors die röm. Jugend in mil. Formation (beritten und zu Fuß) die Spitze des Zuges. Junge Männer, für den Waffentanz ausgerüstet, folgten mit Musikbegleitung; die Wettkämpfer der hippischen Agone mit ihren Pferden und Rennwagen sowie Athleten schlossen sich an. Als Silene und Satyrn verkleidete Tänzer in struppigen Bocksfellen folgten: Sie führten zu Flöten- und Kitharaklängen ihre ausgelassenen Tänze den Göttern vor, deren Bilder (Statuen) in reich geschmückten Sänften und Wagen thronend, von duftenden Weihrauchwolken umhüllt, Abschluß und Höhepunkt des Zuges bildeten. Auf ähnliche Weise werden heute noch z.B. in Andalusien während der »Semana santa« Gruppen von Christus- und Heiligenfiguren in langer Prozession den Zuschauern vorgeführt. Die Götterprozession in Rom zog sich durch den Kaiserkult immer mehr in die Länge: Caesars Statue bekam schon zu seinen Lebzeiten einen Platz unter den Göttern (Suet. Iul. 76,1,9: *tensam et ferculum circensi pompa*); später wurde diese Ehre den Mitgliedern der kaiserlichen Familie, auch Frauen, erst postum zuteil. Claudius z.B. ließ Livias Bild auf einem von Elefanten gezogenen Wagen vorführen (Suet. Claud. 11,2,3–5). Das gleichförmige, jährlich mehrfach wiederholte Ritual langweilte die Zuschauer nach Aussage z.B. Senecas (contr. 1. prooem. 24,6f.); doch verzichtete man darauf nicht, solange in Rom polytheistische Kulte praktiziert wurden. Die Prozession führte durch die gesamte Länge des Circus Maximus und umrundete, genau wie die Rennen, die *metae* (Ziel- bzw. Wendesäulen). Von diesem Verlauf *circum metas* wurde der Name der Schau im Circus Maximus abgeleitet (Varro ling. 5,153,3).

D. ENTSTEHUNG, PROGRAMM UND ENTWICKLUNG

C. sind für Juvenal und den jüngeren Plinius syn. für Wagenrennen und rasende Anteilnahme der Zuschauer am Erfolg von Wagenlenkern, Pferden, Parteifarben (s.u.). Das Programm der C.-Spiele in der Republik und noch unter Augustus war differenzierter; es sah nach der *pompa* hippische Agone der verschiedensten Arten vor, ferner athletische Wettkämpfe: → Laufwettbewerbe, → Faustkampf und → Ringen (Cic. leg. 2,38; Dion. Hal. ant. 7,73); auch den *lusus Troiae*, ein paramil. Reiterspiel von Jugendlichen der vornehmsten Familien, ließen einige Kaiser (Augustus, Claudius) während der C.-Spiele von *ludi votivi* aufführen. Vor Beginn der athletischen Agone mußten Frauen (seit Anf. des 1. Jh. n. Chr.) den C. verlassen; so hatte Augustus es in griech. oder röm. Manier angeordnet (Suet. Aug. 44,2,4–3,7). Tiberius war kein Freund von Volksfesten und bot den Römern nichts, was über den vom Kult festgelegten Pflichtteil hinausging. Er griff in den herkömmlichen Verlauf der C.-Spiele nicht ein, wohl aber sein Nachfolger, Kaiser Caligula, der als Pferdenarr galt. In den vier Jahren seiner Regierung beherrschten angeblich während der C.-Spiele Pferde und Rennwagen den Circus von morgens bis abends, allenfalls eine *venatio* mit afrikanischen Tieren oder ein »Troiaspiel« wurde eingeschoben. Die athletischen Agone ließ Caligula an anderen freien Plätzen in Rom austragen. Sie interessierten ihn so wenig, daß er sie oft gar nicht ansah (Suet. Cal. 18). Claudius' Vorliebe gehörte den Gladiatorenkämpfen; er veranstaltete verschiedene aufwendige → *munera*. In den Ablauf der C.-Spiele griff er nicht ein, d. h. er konnte oder wollte die Vorherrschaft der Rennwagen im C. nicht mehr rückgängig machen. In den 14 Jahren seiner Regierungszeit nahm eine Gruppe erfolgreicher Wagenlenker das wohl unter Caligula entstandene Gewohnheitsrecht (*inveterata licentia*) in Anspruch, mit Scherzen und Betrügereien die Bevölkerung zu belästigen (vgl. Suet. Nero 16). Diese Sitte wurde in den Anfangsjahren Neros gesetzlich verboten. Das ist kein Widerspruch zu der Tatsache, daß unter Nero die Wagenrennen bestimmender Teil der C.-Spiele wurden. In dieser Form faszinierten sie die Zeitgenossen und die Nachwelt bis hin zur filmischen Gestaltung, z. B. in »Ben Hur«.

Für die athletischen Agone schuf Nero ein neues Feld: die → Neronia; nach griech. Vorbild sollten sie alle vier Jahre gefeiert werden (Suet. Nero 12,3). Domitian rief dieses Fest erneut ins Leben als *certamen* (Wettkampf) zu Ehren des Iupiter Capitolinus. Der Ort dafür war das von Nero erbaute Gymnasium, später wohl das *stadium Domitiani*, die heutige Piazza Navona (vgl. Suet. Dom. 4). Seit dem 2. Jh. v. Chr. fanden im C. *venationes* statt, Kämpfe mit Raubtieren meist afrikanischer Herkunft [8]. Sie schlossen sich an die C.-Spiele bei großen Triumphen an; berühmt ist die fünftägige *venatio*, mit der Caesars Triumph im J. 46 v. Chr. im Circus Maximus beendet wurde. Auch Augustus gab *venationes in circo aut in foro aut in amphitheatris* (R. gest. div. Aug. 22). Caligula schob Tierhetzen in den Ablauf zusätzlich angebotener C.-Spiele ein. Eigentlich aber gehörte der gefährliche Kampf mit wilden Tieren nicht ins Programm der *ludi publici*. Er wurde im allg. von eigens dafür ausgebildeten Gladiatoren, den *bestiarii*, durchgeführt und war Programmpunkt eines *munus*. In den

Städten Kampaniens fanden *venationes* im Amphitheater statt, so auch endgültig in Rom, nachdem die flavischen Kaiser das → Kolosseum erbaut hatten [9]. Ausdrücklich vermerkt sei, daß die Christenverbrennungen und -kreuzigungen sich nicht im C., sondern in Neros Gärten abspielten (Tac. ann. 15,44).

E. STARS

Seitdem Pferderennen den C. beherrschten, waren Wagenlenker und Pferde häufig Themen der Tagesgespräche der Römer. Scorpus, der erfolgreichste Rennfahrer der flavischen Epoche, wurde von Martial gepriesen und beneidet, bekam er doch all das, was Martial sich lediglich wünschen konnte: Anerkennung, Geld, Ehrenstatuen in der ganzen Stadt, sogar Nachruhm durch Martials Verse. (*clamosi gloria circi*, Mart. 10,53). Scorpus starb mit 27 Jahren, nachdem er 2048 Siege errungen hatte. Er gehörte so als erster in die Spitzenklasse der *miliarii*, d. h. der Wagenlenker mit 1000 und mehr Siegen.

Solche Stars gab es in jeder Generation; ihre Erfolge sind gut überliefert. Publius Aelius Gutta Calpurnianus ließ sich noch zu Lebzeiten, etwa in der Mitte des 2. Jh. [10], ein monumentales Denkmal setzen, auf dem auch seine Lieblingspferde »porträtiert« und benannt sind. In einer detaillierten Inschr. (CIL VI 10047) sind die Siege aufgelistet: es sind 1127, auf alle vier Parteien (s. u.) verteilt. Mit Victor, einem Fuchs, siegte Gutta für die grüne Partei 429 Mal. Als Sieger ist stets nur ein Pferd genannt, das Leitpferd (*equus funalis*) auf der linken Seite des Rennwagens, von dessen Geschicklichkeit in der Kurve um die *metae* das Gelingen eines Umlaufs weitgehend abhing. Offensichtlich zählte nicht jeder Sieg gleich. Gutta nennt verschiedene Kriterien: Sieg im Rennen *a pompa*, d. h. mit noch sehr nervösen Pferden; Sieg *equorum anagonum*, d. h. mit Pferden, die noch nie in einem Rennen gelaufen waren. Eine andere Qualifikation ist die (variierende) Anzahl der gleichzeitig startenden Wagen (4, 8, 12 oder 16). Gutta wurde einmal Sieger in einem Wettkampf von 16 Gespannen und 134 Mal in einem von 12 Gespannen. Einige Jahre nach Gutta war Diocles ein Star des C. Ihm setzten seine Freunde ein Denkmal. Wie die Inschr. auf diesem Monument berichten (CIL XIV 2884; VI 10048), begann Diocles seine Laufbahn mit 18 Jahren, mit 42 zog er sich von der Rennbahn zurück. Er nahm in diesen 24 Jahren an 4257 Rennen teil und wurde 1462 mal Sieger. Die hohe Anzahl der durchweg in Rom gefahrenen Rennen beweist, daß hervorragende Wagenlenker an mehr als einem Rennen pro Tag teilnahmen. Diocles z. B. fuhr im Schnitt ca. 170 Rennen im Jahr, aber an höchstens 64 Tagen (s. o.) gab es in Rom C.-Spiele. Diocles startete folglich an einem Renntag drei- bis viermal. Da man bis zu 30, unter Domitian sogar 48 – allerdings verkürzten – Starts pro Tag vorsah, war das möglich. Auf diese Weise läßt sich auch die hohe Anzahl von Scorpus' Siegen erklären, zumal ein Wagenlenker seine Karriere schon im Knabenalter beginnen konnte.

F. FACTIONES UND FINANZIERUNG

Man weiß über die Organisation der *ludi publici* in republikanischer Zeit sehr wenig. Und doch mußten auch damals Athleten, Pferde, Wagen und Wagenlenker beschafft und bezahlt werden. Die Einstellung der Römer zu Schauwettkämpfen war eine ganz andere als die der Griechen. Vornehme junge Römer trainierten auf dem Marsfeld und lernten auch die schwierige Kunst des Wagenlenkens. Aber die *dignitas* der Nobilität hielt sie in der Regel davon ab, ein gemischtes Festpublikum zu unterhalten; dafür gab es bezahlte Kräfte einfachster Herkunft. So bildeten sich Spezialisten aus, die den Bedarf der C.-Spiele deckten. Das Zunehmen der Wettkämpfe im Wagenrennen erhöhte die Ansprüche, förderte den Wettbewerb und steigerte die Qualität von Pferden und Rennfahrern. Der Rennsport wurde zur professionellen Angelegenheit von kapitalkräftigen Unternehmen, den vier → *factiones* (»Parteien«), deren Markenzeichen, die Farben, den C. in Rom schließlich beherrschten. Der Wagenlenker trug die kurze *tunica* in der Farbe der Partei, für die er gerade fuhr: eine weiße (*albata*), rote (*russata*), bläuliche (*veneta*) oder grüne (*prasina*). Es war üblich, die Partei zu wechseln. Für die Beschaffung geeigneter Pferde mußten die Unternehmen gewaltige Summen investieren. Die besten Rennpferde kamen aus Sizilien, Kalabrien, Apulien, Nordafrika und Spanien. Für die Pflege der Pferde und für die Zurüstung der Rennen verfügte jeder »Stall« über eine Reihe von Spezialisten (vgl. CIL VI 10074–10076: *aurigae, conditores, succonditores, sellarii, sutores, sarcinatores, medici, magistri, doctores, viatores, vilici, tentores, sparsores, hortatores*). Teuer waren natürlich auch die Stars unter den Wagenlenkern. Scorpus (s.o.) verdiente in einer Stunde, also wohl bei einem Rennen, 15 *sacci* Gold (Mart. 10,74). Diocles erwarb durch seine Siege ein Vermögen von ca. 36000000 Sesterzen; das entspricht einem dreistelligen Millionenbetrag in dt. Währung. Trotz dieses Reichtums zählten die Wagenlenker zu den *personae inhonesti* (Cod. Theod. 15,7,2). Die *factiones* waren ein »Dienstleistungsbetrieb« für C.-Spiele. Risikobedingt arbeiteten sie mit hoher Gewinnspanne. Zu bezahlen hatte den gesamten Aufwand der Spielgeber; für die *ludi publici* in Rom war das noch im 4. Jh. n. Chr. der Prätor [11], für zusätzliche Spiele zahlte der Kaiser [12]. Für die Zuschauer war das Vergnügen umsonst.

G. PUBLIKUM

Man darf sich nicht bei den Zuschauern der C.-Spiele nicht die exklusive Eleganz von Ascott vorstellen, noch weniger aber die Lässigkeit heutiger Stadien. Augustus sorgte durch eine Reihe von Dekreten dafür, daß auch im C. die Würde der *gens togata* gewahrt wurde: Für Senatoren, Ritter, Jugendliche in der *toga praetexta* waren gesonderte Plätze vorgesehen. Die *toga* ohne Mantel war als Kleidung für Männer Vorschrift. Wer kein helles Gewand besaß, wurde in die obersten Reihen verbannt (Suet. Aug. 44,2; Calp. ecl. 7). Die Plätze für Frauen waren, anders als bei den *munera*, nicht abgesondert: Es galt auch z.Z. Juvenals als sehr reizvoll, neben einer *culta*

puella zu sitzen (Iuv. 11,202). Große Bequemlichkeit wurde nicht erwartet: Die Plätze waren schmal, *vela* (»Segel«) zum Schutz gegen die Sonne konnten im Circus Maximus nicht eingesetzt werden [13].

→ Aedilis; Chronograph von 354

1 J. REGNER, s. v. Ludi circenses, RE, Suppl. 7, 1626–1664 2 HUMPHREY, Übersichtskarten 149, 388, 433, 442 3 LATTE, 9–17 4 E. SIMON, Die Götter der Römer, 1990, 95f. 5 HUMPHREY, 11–17 6 E. KÜNZL, Der röm. Triumph, 1988, 104–108 7 H. R. GOETTE, Studien zur röm. Togadarstellung, 1990, 6 8 ThlL, s. v. *africanae* (als Synonym für *venationes*), 126f. 9 F. COARELLI, Rom, ein arch. Führer, 1975, 166–174 10 E. SIMON, in: HELBIG, Bd. 2, Nr. 1796 11 O. SEECK, s. v. Symmachus, RE 4 A.1, 1151 12 P. VEYNE, Zum »Euergetismus« der Kaiser, in: Ders., Brot und Spiele, 1988, 586–590 13 R. GRAEFE, Vela erunt I, 1979, 126f., 170.

A. CAMERON, Circus Factiones – Blues and Greens at Rome and Byzantium, 1976 · CHRIST · DEMANDT · FRIEDLÄNDER · E. HABEL, s. v. *ludi publici*, RE Suppl. 5, 608–630 · C. HEUCKE, C. und Hippodrom als polit. Raum, 1994 · A. HÖNLE, A. HENZE, Röm. Amphitheater und Stadien, 1981 · S. MÜLLER, Das Volk der Athleten, 1995 · K.-W. WEEBER, Panem et circenses, 1994.   A. HÖ.

Circus Flaminius s. Circus

Circus Maximus s. Circus

Cirik-Rabat-Kala. Ovale Stadtanlage östl. des Aralsees (800 × 600 m), mit Zitadelle und sechs Grabbauten des 4.–2. Jh. v. Chr. Als Hauptstadt der → Apasiaken gedeutet, im späten 2. Jh. v. Chr. aufgegeben. Im 3. (?) Jh. n. Chr. rechteckige Festung des Chorezmstaates im Stadtgebiet errichtet.

S. P. TOLSTOV, Po drevnim del'tam Oksa i Jaksarta, 1962.   B. B.

Ciris. Lateinisches Epos in 541 Hexametern über → Scylla, die ihre Heimat Megara an den kretischen König Minos verrät und in einen Vogel verwandelt wird. Die Handlung setzt die mythische Tradition voraus und vernachlässigt narrative Kontinuität und Schlüssigkeit zugunsten einzelner Szenen und der Herausarbeitung der Emotionen der Heldin; dies ist für das Epyllion in elegischer Tradition charakteristisch. Vergil kommt entgegen der spätant. Zuschreibung (vgl. Don. Vita Verg. 17) als Autor nicht in Frage; die Übereinstimmung mit ganzen Vergil-Versen ist (so vor allem F. LEO) nur durch die Imitations-Richtung Vergil C.-Dichter verstehbar [2. 36 ff.]. Es handelt sich also um ein Produkt neoterischer Tradition, das inhaltlich eine hell. Vorlage (Parthenios?) voraussetzt, textlich indes ganz von der – weitgehend verlorenen – röm. Dichtung der spätrepublikanisch-augusteischen Zeit abhängt und weder vor Ovid, noch erst im 2. Jh. n. Chr. (so aber [2. 48 ff.]), sondern in tiberischer Zeit (1. H. des 1. Jh. n. Chr.) entstanden sein dürfte. Die Überlieferung im Rahmen der → Appendix Vergiliana basiert auf zwei ma. Handschriften und einer humanistischen Familie [3].

ED.: **1** F. R. D. GOODYEAR, in: App. Verg., 1966, 97–125 **2** R. O. A. M. LYNE, 1978 (mit Komm.).
LIT.: **3** M. D. REEVE, in: REYNOLDS, 437–440 **4** F. R. D. GOODYEAR, s. v. C., EV I, 798–800 **5** F. MUNARI, Studi sulla C., 1944 **6** C. CONTI, Rassegna di studi sull' App. Verg. (1955–1972), in: BSL 4, 1974, 248–259 **7** J. RICHMOND, in: ANRW II 31.2, 1981, 1137–1141.   P. L. S.

Cirta (Cirta Regia, pun. *Krtn*). Numidische Gründung über dem Fluß Ampsaga [1. 72 Anm. 141], h. Constantine. Spätestens im 3. Jh. v. Chr. geriet C. unter pun. Einfluß [2; 3], war Hauptstadt zunächst des Gaia, dann des → Syphax und schließlich des → Massinissa und seiner Nachfolger (Liv. 29,32,14; 30,12,3–22; Strab. 17,3,7; 13; Mela 1,30; App. Lib. 27,111 f.; Oros. 4,18,21; Zon. 9,13).   W. HU.

Nach dem Fall → Karthagos nahm C. offensichtlich von dort Flüchtlinge auf, die fortan im städtischen Kulturprofil eine starke pun. Komponente bildeten. Die Traditionspflege ist an der Existenz des Heiligtums (Tophet?) von El Hofra – auf dem Siedlungshügel von C. – abzulesen, das dem Gott Ba'al Hamon geweiht war. Fundort von über 800 Votivstelen (!) mit aus dem Tophet von Karthago bekannter Ikonographie.   H. G. N.

Caesar, der den Kondottiere P. → Sittius zum Herrn von C. bestimmte (App. civ. 4,54) [1. 549 Anm. 5], erhob C. in den Rang einer *colonia Latina*, der nachmalige Augustus in den Rang einer *colonia Romana*. Anf. des 2. Jh. n. Chr. gewann C. als Mittelpunkt der *res publica quattuor coloniarum Cirtensium* (mit Milev, → Chullu und → Rusicade) die Bed. einer Provinzhauptstadt. In der Auseinandersetzung zw. dem *praef. praetorio* des Maxentius, Ceionius, und dem revoltierenden *vicarius* der *dioecesis Africa*, L. Domitius Alexander, wurde C. 310 oder 311 n. Chr. zerstört (Aur. Vict. 40,28). Constantinus baute C. wieder auf und gab ihr den Namen Constantina. Die *Numidia militaris* verlor damals ihre Autonomie, C. wurde Hauptstadt der gesamten Prov. → Numidia. (Inschr.: CIL VIII 1, 6939–7924; 2, 10866–10875; Suppl. 2, 19415–19671; Inscr. latines de l'Algérie 2,1, 468–1941; AE 1987, 1080 = CIL VIII 1, 4191 = Suppl. 2, 18489; 1989, 852; 875; 879–881; 884; 886; 893).

1 W. HUSS, Gesch. der Karthager, 1985 **2** A. BERTHIER, R. CHARLIER, Le Sanctuaire punique d'El-Hofra à Constantine, 2 Bde., 1952–1955 **3** F. BERTRANDY, M. SZNYCER, Les stèles puniques de Constantine, 1987.

F. BERTRANDY, s. v. Constantine, DCPP, 117 f. · Ders., s. v. C., EB, 1964–1977 · M. R. CATAUDELLA, Civitas – castellum in area cirtense?, in: A. MASTINO, P. RUGGERI (Hrsg.), L'Africa romana. Atti del X convegno di studio 1, 1994, 321–329 · J. GASCOU, Pagus et castellum dans la Confédération Cirtéenne, in: AntAfr 19, 1983, 175–207 · C. LEPELLEY, Les cités de l'Afrique romaine 2, 1981, 383–399.   W. HU.

Cisium s. Wagen

Cispius. Plebeischer Familienname, histor. zuerst im 1. Jh. v. Chr. bezeugt (ThlL, Onom. 460); ein C. Laevius soll nach später Erfindung z. Z. des Königs Tullus Hostilius dem *Cispius mons* seinen Namen gegeben haben (Varro bei Fest. p. 476).
C., M., trat als Volkstribun 57 v. Chr. für die Rückberufung Ciceros ein (Cic. red. sen. 21; Sest. 76); 56 (?) wurde er wegen *ambitus* angeklagt, von Cicero erfolglos verteidigt (Cic. Planc. 75 f.) und ging ins Exil. Er war vielleicht unter Caesar Prätor (ILLRP 383; MRR 2, 463).   K.-L. E.

Cissa. Auch Gissa, Kissa (Plin. nat. 3,140; 151). Norddalmatinische Insel (h. Pag, Kroatien) der → Mentores (Skyl. 21). Ant. Siedlung beim h. Časka, Beziehungen zur röm. Familie der Calpurnii.

J. J. WILKES, Dalmatia, 1969, 199 · Ders., The Illyrians, 1992.   D. S.

Cista (κίστη, *kístē*). Ein aus Weidenruten oder Baumrinde geflochtener, runder Korb mit einem Deckel, der vielfach die gleiche Höhe wie der untere Teil hat und über diesen gestülpt werden kann; auch mit Klappdeckel oder einem scheibenförmigen Deckel überliefert. Die *c.* sind auf zahlreichen Denkmälern, u. a. auf att. und unterit. Vasenbildern, Totenmahlreliefs oder Lokrischen Tontafeln dargestellt; daneben sind Modelle bekannt. Auf Hochzeitsszenen fungieren sie als Gabe an die Frau. Sie vertreten offenbar den Lebensbereich der Frau, da bei geöffnetem Zustand viele Haushaltsgegenstände in ihnen sichtbar sind. Auf den Totenmahlreliefs bzw. → Naiskosszenen werden sie sowohl Männern wie Frauen dargeboten bzw. von ihnen gehalten, wohl als Behältnis der Totenspeise. Da die *c.* in dionysischen Darstellungen belegt ist, wird ein Bezug zu den bacchischen Mysterien hergestellt; zu den pergamenischen und röm. Münzen mit der *c. mystica* → Cistophoren [1]. Die *c. mystica* ist ferner ein Bestandteil von kultischen Feiern, vor allem der eleusinischen → Mysterien (Aristoph. Thesm. 284 f.). In den Prozessionen wurde die *c.* von einem eigens bestellten κιστοφόρος (*kistophóros*) getragen. Auch im Mythos werden *c.* erwähnt (z. B. → Erichthonios).
→ Praenestinische Cisten

1 K. MATZ, Die dionysischen Sarkophage 1, 1968, 59–60.

E. BRÜMMER, Griech. Truhenbehälter, in: JDAI 100, 1985, 16–22.   R. H.

Cistophoren. Silber-Mz. nach reduziertem chiisch-rhodischen oder ptolemäischen Mz.-Standard im Gewicht von 12,75 g, die von Eumenes II. etwa zw. 175–160 v. Chr. als Ersatz für die seleukidischen Mz. und die Philhetairos-Tetradrachmen als Lokalkurant ausgegeben wurden [3. 62; 4. 10 ff.; 5. 45 ff.]. In Anspielung auf den Mysterienkult in Pergamon entlehnt sich der

Name vom Vs.-Motiv der *cista mystica* des Dionysos im Efeukranz, aus der eine Schlange schlüpft. Die Rs. zeigt einen Goryt mit zwei Schlangen. C. wurden zu unterschiedlichen Zeiten in den wichtigsten Städten Kleinasiens wie Ephesos, Pergamon, Sardeis und Smyrna sowie im bithynischen Nikomedia geprägt [1. 166; 6. 130ff.]. Von den röm. Provinzialstatthaltern wie Cicero übernommen, werden die C. unter Augustus (11,71 g), Claudius, Vespasian bis Hadrian (10,8–9,95 g) und zuletzt unter Septimius Severus und Caracalla im Äquivalent zu drei Denaren geprägt [1. 151ff.; 2. 12ff.]. Das Motiv der *cista mystica* wird bereits unter Augustus durch das Kaiserbildnis und röm. Personifikationen ersetzt.

→ Cista mystica; Denar; Didrachme; Drachme; Münzfüße; Tetradrachmen

1 A.M. WOODWARD, The Cistophoric Series and its Place in the Roman Coinage, in: R.A.G. CARSON, C.H.V. SUTHERLAND (Hrsg.), Essays in Roman Coinage Presented to Harold Mattingly, 1956, 149–173 2 C.H.V. SUTHERLAND, The Cistophori of Augustus, 1970 3 TH. FISCHER, Tetradrachmen und Kistophor, in: H.A. CAHN, G. LE RIDER (Hrsg.), Actes du 8ème congrès international de numismatique, New York-Washington 1973, 1976, 45–70 4 F.S. KLEINER, S.P. NOE, The Early Cistophoric Coinage, 1977 5 F.S. KLEINER, Further Reflections on the Early Cistophoric Coinage, in: ANSMusN 25, 1980, 45–52 6 W.E. METCALF, The Cistophori of Hadrian, 1980.

W. SZAIVERT, Stephanophoren und Kistophoren: Die mittelhell. Großsilberprägung und die röm. Ostpolit. in der Ägäis, in: Litterae Numism. Vindobonensis 2, 1988, 29–55.

A.M.

Citrus (κίτρος, Zeder). Diese Gattung der Rutaceen setzt sich aus über 20 bzw. 7–8 engeren Arten immergrüner Bäume und Sträucher aus dem subtropischen und tropischen Asien zusammen. Der Name *c.* (κίτρος, κίτριον) bezog sich urspr. auf Coniferen mit aromatischem Holz wie Callitris articulata. Nach den Alexanderzügen wurde er jedoch auf die bereits länger in Medien und Persien angebaute Art *c.* medica (μῆλον μηδικόν, κίτριον bei Theophr. h. plant. 4,4,2; κεδρόμηλα bei Dioskurides 1,115 [1. 109] = 1,166 [2. 137f.]) übertragen. Dieser starkriechende Baum wurde als Topfpflanze in It. eingeführt und als Mottenschutz und Gegenmittel gegen Gifte verwendet. Die süßfruchtige Unterart *c.* *limonum*, die Limone oder Zitrone, brachten wohl erst die Araber im frühen MA nach Südeuropa. Die fälschlich als Orangen gedeuteten »Äpfel der Hesperiden« (μῆλα ἑσπερικά) waren wohl Äpfel oder Quitten. Bittere Orangen (C. aurantium amara, pers. *nareng*, arab. *narang*, byz. νεράντζιον, *aurantium*, Pomeranze) importierten erst im 10. Jh. die Araber aus Indien nach Nordafrika und Spanien, süße (C. aurantium sinensis oder dulcis) erst um 1550 die Portugiesen aus China. Im 19. Jh. kamen die Pampelmuse (Grapefruit, C. decumana) und die Mandarine (C. deliciosa = nobilis) hinzu, die man vielfach zu neuen Sorten züchtete.

→ Agrumen; Südfrüchte

1 M. WELLMANN (Hrsg.), Pedanii Dioscuridis de materia med., Bd. 1, 1908, Ndr. 1958 2 J. BERENDES (Hrsg.), Des Pedanios Dioskurides Arzneimittellehre übers. und mit Erl. versehen, 1902, Ndr. 1970.

C.HÜ.

Cius. Röm. Kastell und *statio* an der Donau-Uferstraße von Carsium nach Beroe und Troesmis in Moesia Inferior, h. Gîrliciu/Constanţa in Rumänien (Itin. Anton. 224: *Cio*; Not. dign. or. 39,6,14: *Cii*). Eine röm. mil. Besatzung ist schon für das 2. und 3. Jh. n. Chr. anzunehmen; im 4. Jh. war C. Standort eines *cuneus* (Abteilung) *equitum stablesianorum.* 369 besiegte hier Kaiser Valens den got. König Athanarich (CIL III 7494). Letzte Befestigungsarbeiten in valentinianischer Zeit. Arch. Funde: Gebäudereste, Inschr., Schatzfund aus dem 4. Jh.; Zivilsiedlung im naheliegenden *vicus* (*Ramidava*?).

TIR L 35 Bukarest, 1969, 33, 78.

J.BU.

Civitas

A. GEMEINDE

C. ist die Gesamtheit der *cives*, wie *societas* diejenige der *socii*. In seiner Bed. ziemlich synonym mit → *populus*, wird es von den Römern selten für den eigenen Staat verwandt (dafür: *populus Romanus*), ist aber offizieller Ausdruck für alle nichtröm. Gemeinden, Stämme oder griech. *poleis* mit republikanischer Verfassung. Kennzeichen einer *c.* ist ein Staatsvolk, fast immer ein bestimmtes Territorium sowie eine gewisse → Autonomie (*suis legibus uti*) und meist ein städtisches Zentrum.

Einteilung nach dem Rechtsgrund des Verhältnisses der *c.* zu Rom, als *c. foederata* (Gemeinde, die durch Vertrag an Rom gebunden ist, meist in It., mit *foedus aequum* bzw. *iniquum*) bzw. als *c. sine foedere* (vertragslose Gemeinde, meist in der Prov., → *foedus*), oder nach den finanziellen Verpflichtungen, die sich aus dem Vertrag ergaben: *stipendiaria* (steuerpflichtig) *libera* (mit eigener Verwaltung), *immunis* (abgabenfrei).

B. BÜRGERRECHT

Kennzeichen ist die Zugehörigkeit zu einer röm. → Tribus und − zumindest urspr. − der Name röm. Typs. Das → Bürgerrecht wird erworben durch Geburt von (freien) Eltern, die → *conubium* besitzen, durch Freilassung durch einen röm. Bürger oder durch Verleihung, einzeln oder im Verband der Heimatgemeinde. Es endet durch Tod, durch Verurteilung zu bestimmten Strafen (*capitis deminutio media*) oder durch Auswanderung und Annahme eines anderen Bürgerrechts (*c. d. minima*, Gai. inst. 1,162). Es behandelt die eigentlich polit. Rechte und Pflichten wie Wahl und Wählbarkeit, Dienst in den Bürgertruppen, Provokation an Volk oder Kaiser, die Freiheit von bestimmten Steuern und *munera* (LINK), den Gebrauch des *ius civile* und der Toga.

Das röm. Bürgerrecht war wohl nie für alle Bürger gleich. Es war abhängig von Geschlecht, Alter, Einkommen, Herkunft und Beruf. Die sog. *c. sine suffragio* (ohne Stimmrecht) ist wohl eine spätrepublikanische Bezeichnung für die nur mil. Integration fremdstämmiger Gemeinden wie Caere und Capua unter Beibehaltung ihrer autonomen inneren Ordnung, in der frühen Kaiserzeit kommt die *c. optimo iure* auf, ein ›Bürgerrecht mit Steuerfreiheit‹ (LINK). Auch das latinische Recht entwickelt sich mehr und mehr in Richtung eines kleinen Bürgerrechts (→ Latinisches Recht).

Das röm. Bürgerrecht ist urspr. nicht mit anderen Bürgerrechten kombinierbar (*duarum civitatum civis noster esse iure civili nemo potest*, Cic. Balb. 28,1). Erst in der ausgehenden Republik wird dieses Prinzip aufgeweicht und in der Kaiserzeit ist die Kombination von röm. Reichsbürgerrecht und lokalem Munizipalbürgerrecht unbestritten, obwohl die Frage nach der Verbindlichkeit der mit dem jeweiligen Bürgerrecht verbundenen Rechtskreise wohl nie ganz geklärt wurde [1]. Bürgerrechtsverleihungen gab es in Rom seit je und sie waren immer unproblematischer als z. B. in Athen. Dies hing mit der erheblich geringeren Demokratisierung in Rom zusammen, die die reine Zahl von Bürgern oder Neubürgern lange nicht zu einem polit. Problem werden ließ. Größere Schübe von Verleihungen der *c. Romana* an ganze Gruppen der Bevölkerung gab es zunächst im → Bundesgenossenkrieg, dann in den Bürgerkriegen des 1. Jh. v. Chr.; das latinische Recht wurde im 1. Jh. n. Chr. an Gemeinden in Noricum und in Hispanien verliehen. Caracalla gab schließlich 212 n. Chr. das röm. Bürgerrecht mit der → *Constitutio Antoniniana* an nahezu alle freien Reichsbewohner, die es nicht schon besaßen. Daneben gab es immer auch die Einzelverleihungen, so an alle verabschiedeten Hilfstruppensoldaten und an verdiente Provinziale (→ Militärdiplome). Rom wird so zur *communis patria* aller Reichsbewohner (Dig. 50,1,33).

→ BÜRGER

1 MITTEIS.

H. GALSTERER, Herrschaft und Verwaltung im republikanischen It., 1976 · E. KORNEMANN, s. v. Coloniae, RE 4, 510–88 · S. LINK, Ut optimo iure optimaque lege cives Romani sint, in: ZRG 112, 1995, 370–384 · A. N. SHERWIN-WHITE, The Roman Citizenship, 1973 · F. VITTINGHOFF, Röm. Kolonisation und Bürgerrechtspolitik unter Caesar und Augustus, 1950 · H. WOLFF, Die constitutio Antoniniana und Papyrus Gissensis 40 1, Diss. 1976.   H. GA.

Anaitis 645, 16–18 Der avest. Name, *Aredvī–Sūrā-Anāhitā*, Göttin der Gewässer, besteht aus drei Epitheta (z.B. *anāhitā* = »unbefleckt«).

Anastasios [1] 656, 4 des Söldnerführers *Vitalian* 513/515.

Anaxagoras [1] 667, 25 ergänze unter Anax: *Anaxagoras* [1] Bronzebildner aus Aigina,

Anchises 678, 27f. begleitet er *auch* auf den Tabulae Iliacae, also vielleicht bei *Stesichoros*

Antiocheia [6] 765, 49 h. Ruinenstätte *Antiokya*.

Annikeris 711, 41f. in: GGPh 2.1, *1997/8*

Antipatros [12] 780, 53f. *Inter consulares* gewählt und Lehrer von Caracalla und Geta (soph.; vgl. IK 16,2026,17–18: *von 200–205*)

Antisthenes [1] 794, 46f. in: GGPh 2.1, *1997/8*

Aphobetos 833, 43 zw. 377/76 und 353/2 *Hypogrammateus* und → *Grammateus*

Aphrodisias [1] 836, 34 besuchter Pilgerort; im 5. Jh. n. Chr.
836, 36 Karia *später* in *Stauropolis* umbenannt.

Apolinarios 855, 13ff. Hinweis: identisch mit Apollinarios [3] von Laodikeia

Apophthegma B. 893, 26 (Plut. mor. 172–208a, 208b–240b, 240c–*242d*).

Aptara, Aptera 921, 30 h. *Aptara*, auf Münzen und Inschr. Aptara

Apuleius 922, 7 ergänze vor Apuli, Apulia: *Apuleius s. Ap(p)uleius*

Aquae [II 11] Thibilitanae 928, 27f. Aug. epist. 53,4; *contra Cresconium grammaticum* 3,27,30;

Arachthos 950, 37 auch Ἄραθθος, Ἄρατθος

Arae [2] Philaenorum 952, 30 Φιλαίνων Βωμοί
952, 31 Syrte (*Ps.*-Skyl. 109)

Aratos [4] C. 1. 960, 14f. Schon *einer der Vorgänger des* Eudoxos, Kleostratos von Tenedos, hatte *als erster seine Lehre von der Astronomie in Verse gesetzt.*

Arbeit [1, Orient] 963, 39 A.s-Verweigerung [*5. 278–281*].
963, 43 Gemeinwesens zum Ausdruck [*4. 109–117; 6. 25 mit Anm. 33*].
963, 47 W. HELCK, s.v. A., *LÄ* 1, 370f.

Archimedes [1] 999, 39 d.h. von 1 bis 10^8
999, 40–42 daß jede Ordnung 10^8 Zahlen umfaßt. 10^8 Ordnungen bilden eine Periode; insgesamt gibt es 10^8 Perioden.

Archilochos A. 995, 33 → Tyrtaios; → *Semonides*) unsere frühesten

Arderikka 1039, 36 Ἀρδέρικκα

Argonautai 1067, 30 ältester *Tyro-Sohn*
1068, 7 Aitia: *Mythos als artifizielles Spiel alexandrinischer Gelehrsamkeit bzw. Instrument der Homer-Imitatio*
1068, 11 *Dionysios* Skythobrachion
1068, 53 Skymnos fr. 5 *[2]*;

Argos [II. Stadt] A. 1070, 20 Deiras (54 m) *[5]* die knapp 100 m

Argos [II. Stadt] B. 1070, 27 Theater *[7]* am Südostfuß
1070, 30 Sitzstufen *[6]*, wohl dem alten

Argos [II. Stadt] C. 1071, 30f. bis ins 5. Jh. v. Chr. *[2]*, eine demokratische Verfassung [*11; 1. 49–141*] hatte A.
1071, 52 Phratrien und Demen [*3; 8; 9*]
1071, 54 [*10. 274–293*]. Neue Funde: BCH 115, 1991, 667–686;

Ariovistus 1085, 3 (durch den Mund des → *Divitiacus*)

Aristeides [3] 1096, 30 Er wurde am 26. November 117 n. Chr.
1100, 33 M. *Quet*, in: BASLEZ, HOFMANN, PERNOT (Hrsg.)

Aristippos [4] 1104, 20f. in: GGPh 2.1, *1997/8*
1104, 22f. W.-R. MANN, The life of Aristippus, in: AGPh *78, 1996, 97–119.*

Ariston [3] 1116, 50 eher von ihm als von Ariston *[7]* oder Ariston [2]

BAND 2

Arzt 71, 55 Chirurgie; *Medizin*; MEDIZINGESCHICHTE

Asklepiades [3] 89, 24f. K. DÖRING, Menedemos, in: GGPh 2.1, *1997/8*

Athleten 207, 23 in: Nikephoros 7, 1994, *7–64*

Atomismus 219, 18 statt → PHILOSOPHIE; PHILOSOPHIEGESCHICHTE lies: → *ATOMISTIK*

Aton 219, 34 (*1353–1336 v. Chr.*)

Attaleia [2] und [3] 226, 34; 49 L. Bürchner

Augustalia 293, 32 → *Ludi*

Augustinus, Aurelius 299, 36 → *Autobiographie*; *AUGUSTINISMUS*; AUTOBIOGRAPHIE

Berichtigte Kürzel für Autorennamen:

Altar   555, 59   C.HÖ. *u.* F.PR. (Christoph Höcker *und* Friedhelm Prayon)
Alcimus [1] Latinus A. Alethius   448, 47   *W.-L.L. (Wolf-Lüder Liebermann)*
Apollonios [2] Rhodios   879, 41   R.HU. *u.* M.FA. / *(Richard Hunter und Marco Fantuzzi) /*
Artabannes [1] und [2]   41, 34   *M.Sch. (Martin Schottky)*
Artabanos [4] und [5]   43, 53   *M.Sch. (Martin Schottky)*
Artavasdes [3] – [6]   47, 25   *M.Sch. (Martin Schottky)*
Artaxias [1] – [4]   49, 46   *M.Sch. (Martin Schottky)*
Assur [1] und [2]   114, 33   *S.HA. (Stefan Hauser)*
Autobiographie I.   349, 22   *B.P.-L. (Beate Pongratz-Leisten)*
Belesys   547, 42   A. KU. *u.* H.S.-W. *(Amélie Kuhrt und Heleen Sancisi-Weerdenburg)*
Bestattung A. und B.   589, 13   *S.HA. (Stefan Hauser)*
Bewaffnung I.   610, 57   *L.B. (Leonhard Burckhardt)*
Biton   703, 56   *H. Schn. (Helmuth Schneider)*
Blei   709,5   *H. Schn. (Helmuth Schneider)*
Bodenschätze   719,3   *H. Schn. (Helmuth Schneider)*
Byzantion, Byzanz Karten-Lit. 874, 16   *ergänze:* J.N. *(Johannes Niehoff)*
Castellum [I 4] Tingitanum   1020, 38   *W.HU. (Werner Huß)*
Cento A.   1062, 8   H.A.G. *u.* W.-L.L. *(Hans Armin Gärtner und) Wolf-Lüder Liebermann*
Cento C.   1063, 42   *ergänze:* W.-L.L. *(Wolf-Lüder Liebermann)*
Charon [2]   1108, 27   *M.D.MA. (Massimo Di Marco)*